BIOGRAPHISCH-BIBLIOGRAPHISCHES KIRCHENLEXIKON

Biographisch-Bibliographisches
KIRCHENLEXIKON

Begründet und herausgegeben von Friedrich Wilhelm Bautz †
Fortgeführt von Traugott Bautz

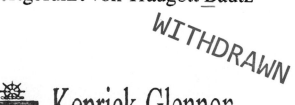

Verlag Traugott Bautz 3420 Herzberg

CIP—Titelaufnahme der Deutschen Bibliothek

Biographisch-Bibliographisches Kirchenlexikon / begr. und
hrsg. von Friedrich Wilhelm Bautz. Fortgef. von Traugott
Bautz. - Herzberg : Bautz
NE: Bautz, Friedrich Wilhelm [Begr.]; Bautz, Traugott [Hrsg.]

Bd. 3. Jedin, Hubert — Kleinschmidt, Beda

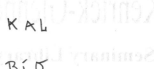

Verlag Traugott Bautz, Herzberg 1992
ISBN 3-88309-035-2

VORWORT

Kurz nach vollständigem Erscheinen des zweiten Bandes liegt jetzt der dritte Band des Biographisch-Bibliographischen Kirchenlexikons vor Ihnen.

Wir bedanken uns bei den vielen hundert Mitarbeitern für die teils mühevollen Recherchen bei den einzelnen Artikeln und die ausführlichen Bibliographien ebenso wie für die Korrekturen und Nachträge Ergänzungen konnten bis Januar 1992 noch Berücksichtigung finden.

Besonders möchten wir uns auch bei den vielen treuen Benutzern bedanken, die uns viele Jahre hindurch großes Vertrauen entgegengebracht und uns bei der Arbeit durch Hinweise auf Ergänzungen und Anregungen unterstützt haben. Wir möchten auch in Zukunft gern den Kontakt zu den Benutzern des Werkes aufrechterhalten.

Nach vollständiger Herausgabe des Lexikons A-Z werden Nachtragsbände mit den zwischenzeitlich verstorbenen Personen und denjenigen, die nicht berücksichtigt worden sind, erscheinen.

Ein vollständiges Mitarbeiterverzeichnis erscheint im Registerband und gibt Hinweise auf die Wissenschaftler und ihre Artikel.

3420 Herzberg, im Februar 1992   Traugott Bautz
Verleger und seit dem Tod von
F.W. Bautz im Jahr 1979 Herausgeber

VERZEICHNIS DER ABKÜRZUNGEN

I. Biblische Bücher

A. Altes Testament

Gen	Genesis (= 1. Mose)	Mi	Micha
Ex	Exodus (= 2. Mose)	Nah	Nahum
Lev	Leviticus (= 3. Mose)	Hab	Habakuk
Num	Numeri (= 4. Mose)	Zeph	Zephanja
Dtn	Deuteronomium (= 5. Mose)	Hag	Haggai
Jos	Josua	Sach	Sacharja
Ri	Richter	Mal	Maleachi
1Sam	1. Samuelbuch	Ps(s)	Psalm(en)
2Sam	2. Samuelbuch	Spr.	Sprüche
1Kön	1. Königsbuch	Hi	Hiob (Job)
2Kön	2. Königsbuch	Hhld	Hoheslied
Jes	Jesaja	Ruth	—
Dtjes	Deuterojesaja	Klgl	Klagelieder
Jer	Jeremia	Pred	Prediger
Ez	Ezechiel (Hesekiel)	Est	Esther
Hos	Hosea	Dan	Daniel
Jo	Joel	Esr	Esra
Am	Amos	Neh	Nehemia
Ob	Obadja	1Chr	1. Buch der Chronik
Jon	Jona	2Chr	2. Buch der Chronik

B. Neues Testament

Mt	Matthäus	1Tim	1. Timotheusbrief
Mk	Markus	2Tim	2. Timotheusbrief
Lk	Lukas	Tit	Titusbrief
Joh	Johannes	Phlm	Philemonbrief
Apg	Apostelgeschichte	Hebr	Hebräerbrief
Röm	Römerbrief	Jak	Jakobusbrief
1Kor	1. Korintherbrief	1Petr	1. Petrusbrief
2Kor	2. Korintherbrief	2Petr	2. Petrusbrief
Gal	Galaterbrief	1Joh	1. Johannesbrief
Eph	Epheserbrief	2Joh	2. Johannesbrief
Phil	Philipperbrief	3Joh	3. Johannesbrief
Kol	Kolosserbrief	Jud	Judasbrief
1Thess	1. Thessalonicherbrief	Apk	Johannes-Apokalypse (Offenbarung des Johannes)
2Thess	2. Thessalonicherbrief		

II. Sammelwerke, Zeitschriften, Monographien, Handbücher u. a.

A

AA	Archäologischer Anzeiger. Beiblatt zum Jahrbuch des Deutschen Archäologischen Instituts, Berlin 1896 ff.
AAA	The Annals of Archaeology and Anthropology, Liverpool 1908 ff.
AAB	Abhandlungen der Deutschen (bis 1944: Preußischen) Akademie der Wissenschaften zu Berlin. Phil.-hist. Klasse, Berlin 1815 ff.
AAG	Abhandlungen der Akademie der Wissenschaften in Göttingen (bis Folge III, 26, 1940: AGG), Göttingen 1941 ff.
AAH	Abhandlungen der Heidelberger Akademie der Wissenschaften. Phil.-hist. Klasse, Heidelberg 1913 ff.
AAL	Abhandlungen der Sächsischen Akademie der Wissenschaften in Leipzig (bis 30, 1920: AGL), Leipzig 1850 ff.
AAM	Abhandlungen der Bayerischen Akademie der Wissenschaften. Phil.- hist. Klasse, München 1835 ff.
AAMz	Abhandlungen (der geistes- und sozialwissenschaftlichen Klasse) der Akademie der Wissenschaften und der Literatur, Mainz 1950 ff.
AAS	Acta Apostolicae Sedis, Città del Vaticano 1909 ff.
AASOR	The Annual of the American Schools of Oriental Research, (New Haven) Philadelphia 1919 ff.
AAug	Acta Ordinis Eremitarum Sancti Augustini, Rom 1956 ff.
AAW	Abhandlungen der Österreichischen Akademie der Wissenschaften, Wien
ABR	American Benedictine Revue, Newark/New Jersey 1950 ff.
ACA	Apologia Confessionis Augustanae (in: BSLK)
ACO	Acta Conciliorum Oecumenicorum, ed. E. Schwartz, Berlin 1914 ff.
AcOr	Acta Orientalia, Kopenhagen 1922/23 ff.
ACW	Ancient Christian Writers. The Works of the Fathers in Translation, ed. by J. Quasten and J. C. Plumpe, Westminster/Maryland und London 1946 ff.
Adam	A. Adam, Lehrbuch der Dogmengeschichte I ff., Gütersloh 1965 f.
ADB	Allgemeine Deutsche Biographie, 55 Bde. und 1 RegBd., Leipzig 1875-1912
AdPh	Archives de Philosophie, Paris 1923 ff.
AELKZ	Allgemeine evangelisch-lutherische Kirchenzeitung, Leipzig 1868 ff.
AElsKG	Archiv für elsässische Kirchengeschichte, hrsg. von der Gesellschaft für elsässische Kirchengeschichte, red. von J. Brauner, Rixheim im Oberelsaß 1926 ff.; ab 1946 red. von A. M. Burg, Strasbourg
AER	The American ecclesiastical Review, Washington 1889 ff.
AevKR	Archiv für evangelisches Kirchenrecht, Berlin 1937 ff.
AfMf	Archiv für Musikforschung, Leipzig 1936-1943
AfMw	Archiv für Musikwissenschaft, Trossingen/Württemberg 1918-1926 und 1952 ff.
AfO	Archiv für Orientforschung, Graz 1923 ff.
AFP	Archivum Fratrum Praedicatorum. Institutum historicum Fratrum Praedicatorum, Romae ad S. Sabinae, Rom 1931 ff.
AFrH	Archivum Franciscanum Historicum, Florenz - Quaracchi 1908 ff.
AGG	Abhandlungen der Gesellschaft der Wissenschaften zu Göttingen (ab Folge III, 27, 1942: AAG), Göttingen 1843 ff.
AGL	Abhandlungen der Sächsischen Gesellschaft der Wissenschaften in Leipzig (31, 1921: AAL), Leipzig 1850 ff.
AGPh	Archiv für (1889-1894 und 1931. 1932: die Geschichte der) Philosophie, Berlin 1889-1932
AH	Analecta hymnica medii aevi, hrsg. von G. Dreves und C. Blume, 55 Bde., Leipzig 1886-1922
AHA	Archivo Historico Augustiniano Hispano, Madrid 1914-1934. 1950 ff.
AHDL	Archives d'histoire doctrinale et littéraire du Moyen âge, Paris 1926 ff.
AHP	Archivum Historiae Pontificiae, Roma 1, 1963 ff.
AHR	The American Historical Review, New York 1895 ff.

AHSI	Archivum historicum Societatis Iesu, Rom 1932 ff.
AHVNrh	Annalen des Historischen Vereins für den Niederrhein, insbesondere das alte Erzbistum Köln, Köln 1855 ff.
AJA	American Journal of Archaeology, New York 1855 ff.
AJP	American Journal of Philology, Baltimore 1880 ff.
AJSL	American Journal of Semitic Languages and Literatures, Chicago 1884-1941
AkathKR	Archiv für katholisches Kirchenrecht, (Innsbruck) Mainz 1857 ff.
AKG	Arbeiten zur Kirchengeschichte, begründet von K. Holl und H. Lietzmann, Berlin 1927 ff., ab Bd. 29, 1952, hrsg. von K. Aland, W. Eltester und H. Rückert
AKultG	Archiv für Kulturgeschichte, (Leipzig) Münster und Köln 1903 ff.
Algermissen	K. Algermissen, Konfessionskunde, 7. vollst. neu gearb. Aufl., Paderborn 1957
ALKGMA	Archiv für Literatur- und Kirchengeschichte des Mittelalters, hrsg. von H. Denifle und F. Ehrle, 7 Bde., (Berlin) Freiburg/Breisgau 1885-1900
ALMA	Archivum Latinitatis medii aevi, Brüssel 1924 ff.
ALT	A. Alt, Kleine Schriften zur Geschichte des Volkes Israel, I-III, München 1953-1959
Altaner	B. Altaner, Patrologie. Leben, Schriften und Lehre der Kirchenväter, 6. Aufl., durchgesehen und ergänzt von A. Stuiber, Freiburg/Breisgau 1960; 7. Aufl., völlig neu bearbeitet, ebd. 1966
Althaus	P. Althaus, Die christliche Wahrheit. Lehrbuch der Dogmatik, Gütersloh 1952³
ALW	Archiv für Liturgiewissenschaft (früher: JLW), Regensburg 1950 ff.
AMN	Allgemeine Missionsnachrichten, Hamburg 1928 ff.
AMNG	Abhandlungen zur mittleren und neueren Geschichte. Hrsg. von G. v. Below, H. Finke, F. Meinecke, Berlin 1907 ff.
AMrhKG	Archiv für mittelrheinische Kirchengeschichte, Speyer 1949 ff.
AMus	Acta musicologica. Revue de la Société internationale de musicologie. Zeitschrift der Internationalen Gesellschaft für Musikwissenschaft, Basel und Kassel 1929 ff.
AMZ	Allgemeine Missionszeitschrift. Monatsschrift für geschichtliche und theoretische Missionskunde, Gütersloh 1874-1923
AmZ	Allgemeine musikalische Zeitung, Leipzig 1885 ff.
AnAug	Analecta Augustiniana, Rom 1905 ff.
AnBibl	Analecta Biblica, Rom 1952 ff.
AnBoll	Analecta Bollandiana. Société des Bollandistes, Brüssel 1882 ff.
AnCap	Analecta Ordinis Fratrum Minorum Capuccinorum, Rom 1884 ff.
AnCarmC	Analecta Ordinis Carmelitarum Calceatorum, Rom 1909 ff.
AnCarmD	Analecta Ordinis Carmelitarum Discalceatorum, Rom 1926 ff.
AnCist	Analecta Cisterciensa, Rom 1945 ff.
ANET	Ancient Near Eastern Texts relating to the Old Testament, ed. J. B. Pritchard, Princeton/New York 1950 (ANET²: 2. edition corrected and enlarged, 1955)
AnFranc	Analecta Franciscana sive Chronica aliaque varia Documenta ad historiam Fratrum Minorum spectantia, edita a Patribus Collegii s. Bonaventurae, Quaracchi 1885 ff.
Angelicum	Angelicum. Periodicum trimestre facultatum theologicae, juris canonici, philosophicae, Rom 1924 ff.
Angelos	Angelos. Archiv für neutestamentliche Zeitgeschichte und Kulturkunde, 4 Bde., Göttingen 1925-1932
AnGreg	Analecta Gregoriana cura Pontificiae Universitatis Gregorianae, Rom 1930 ff.
Anima	Anima. Vierteljahresschrift für praktische Seelsorge, Olten/Schweiz 1946-1965 (ab 1966: Diakonia)
AnLov	Analecta Lovaniensia Biblica et Orientalia, Löwen 1947 ff.
AnMon	Analecta monastica, Rom 1948 ff.
AnnéeC	L'Année Canonique, Paris 1952 ff.
AnnPont	Annuario Pontificio, Rom 1912 ff.
AnOr	Analecta Orientalia, Rom 1931 ff.
AnPraem	Analecta Praemonstratensia. Commissio historica Ordinis Praemonstratensis, Averbode/Belgien 1925 ff.

ANRW	Aufstieg und Niedergang des römischen Weltreiches. Geschichte u. Kultur Roms im Spiegel d. neueren Forschung. Hrsg. v. Hildegard Temporini u. Wolfgang Haase, Berlin, New York 1972 ff.
Antike	Die Antike. Zeitschrift für Kunst und Kultur des klassischen Altertums, Berlin 1925 ff.
Antonianum	Antonianum. Periodicum philosophico-theologicum trimestre. Editum cura professorum Pontificii Athenaei de Urbe, Rom 1926 ff.
ANVAO	Avhandlinger utgitt av Det Norske Videnskaps-Akademi i Oslo, Oslo
AnzAW	Anzeiger der (ab 48, 1947: Österreichischen) Akademie der Wissenschaften, Wien 1864 ff.
AO	Der Alte Orient, Leipzig 1899-1945
AÖG	Archiv für österreichische Geschichte, Wien 1848 ff.
AÖR	Archiv des öffentlichen Rechts, Tübingen 1886 ff.
AoF	H. Winckler, Altorientalische Forschungen, 21 Hefte, Leipzig 1893-1906
AOFM	Acta Ordinis Fratrum Minorum vel ad Ordinem quoquomodo pertinentia, I-V, Rom 1882-1886; VI ff., Quaracchi 1887 ff.
AOP	Analecta Sacri Ordinis Praedicatorum, Rom 1892 ff.
APh	Archiv für Philosophie, Stuttgart 1947 ff.
APo	Acta Pontificiae Academiae Romanae S. Thomae Aquinatis, Rom 1934 ff.
Apollinaris	Apollinaris. Commentarius iuris canonici, Rom 1928 ff.
ARC	Acta reformationis catholicae ecclesiam Germaniae concernentia saeculi XVI, ed. G. Pfeilschifter, 6 Bde., Regensburg 1959 ff.
ArchOC	Archives de l'Orient Chrétien, Bukarest 1948 ff.
ARG	Archiv für Reformationsgeschichte, (Leipzig) Gütersloh 1903 ff.
ArOr	Archiv Orientální, Prag 1929 ff.
ARPs	Archiv für Religionspsychologie und Seelenführung, Berlin 1914 ff.; Göttingen 1930 ff.
ArtB	The Art Bulletin, New York 1913 ff.
ArtQ	Art Quarterly, Detroit 1938 ff.
ArtS	L'art sacré, Paris 1935 ff.
ARW	Archiv für Religionswissenschaft, (Freiburg/Breisgau, Tübingen) Leipzig 1898 ff.
AS	Acta Sanctorum, ed. Bollandus etc., (Antwerpen, Brüssel, Tongerloo) Paris 1643 ff.; Venedig 1734 ff.; Paris 1863 ff. Neudruck Brüssel 1940 ff.
ASKG	Archiv für schlesische Kirchengeschichte, hrsg. v. K. Engelbert, I-VI, Breslau 1936-1941; VII ff., Hildesheim 1949 ff.
AslPh	Archiv für slawische Philologie, Berlin 1876 ff.
ASm	Schmalkaldische Artikel (in: BSLK)
ASNU	Acta Seminarii Neotestamentici Upsaliensis (1, 1936 bis 8, 1937 unter dem Titel: Arbeiten u. Mitteilungen aus dem Neutestamentlichen Seminar zu Uppsala), Uppsala 1936 ff.
AS OSB	J. Mabillon, Acta sanctorum ordinis S. Benedicti, 9 Bde., Paris 1668-1701; 2. Aufl., 6 Bde., Venedig 1733-1740. Neuausg. Bd. I, Mâcon 1935
ASS	Acta Sanctae Sedis, Rom 1865-1908
AST	Analecta Sacra Tarraconensia, Barcelona 1925 ff.
AstIt	Archivio storico Italiano, Florenz 1842 ff.
ATA	Alttestamentliche Abhandlungen, begonnen von J. Nikel, hrsg. von A. Schulz, Münster 1908 ff.
ATD	Das Alte Testament Deutsch, hrsg. von V. Herntrich und A. Weiser, 25 Bde., Göttingen 1951 ff.
ATG	Archivo Teológico Granadino, Granada 1938 ff.
ATh	L'année théologique, Paris 1940 ff.
AThA	L'année théologique augustinienne, Paris 1951 ff. (ab 1955: RevÉAug)
AThANT	Abhandlungen zur Theologie des Alten und Neuen Testaments, Basel - Zürich 1942 ff.
AThR	The Anglican Theological Review, Evanston/Illinois 1918 ff.
AuC	Antike und Christentum. Kultur- und religionsgeschichtliche Studien von E. J. Dölger, 6 Bde., Münster 1929-1950
AUF	Archiv für Urkundenforschung, 18 Bde., Berlin 1908-1944

Augustiniana	Augustiniana. Tijdschrift voor de studie van Sint Augustinus ed de Augustijnenorde, Leuven 1951 ff.
Aurenhammer	H. Aurenhammer, Lexikon der christlichen Ikonographie, Wien 1959 ff.
AVK	Archiv für Völkerkunde, Wien 1946 ff.
AVR	Archiv des Völkerrechts, Tübingen 1948/49 ff.

B

BA	The Biblical Archaeologist, New Haven/Connecticut 1938 ff.
BAC	Biblioteca de Autores Cristianos, Madrid 1945 ff.
BadBiogr	Badische Biographien, begründet von F. von Weech, hrsg. von A. Krieger, 6 Tle., Karlsruhe und Heidelberg 1875 ff.
Bächtold-Stäubli	Handwörterbuch des deutschen Aberglaubens, hrsg. v. H. Bächtold-Stäubli, 10 Bde., Berlin - Leipzig 1927-1942
BAKultG	Beihefte zum Archiv für Kulturgeschichte, Köln 1951 ff.
BAL	Berichte über die Verhandlungen der Sächsischen Akademie der Wissenschaften zu Leipzig (bis 71, 1, 1919: BGL), Leipzig 1846 ff.
Bardenhewer	O. Bardenhewer, Geschichte der altkirchlichen Literatur, Freiburg/Breisgau 1902 ff.; I², 1913; II², 1914; III², 1923; IV¹·², 1924; V, 1932 (unveränderter Nachdruck I-V, Darmstadt 1962)
Baring-Gould	S. Baring-Gould, Lives of the Saints, 16 Bde., 2. Aufl., Edinburgh 1914 ff.
Baronius	C. Baronius, Annales ecclesiastici, ed. Mansi, mit Fortsetzung des A. Bzovius, O. Raynald und Laderchi, 38 Bde., Lucca 1738-1759
Barth, KD	K. Barth, Die Kirchliche Dogmatik I/1, Zollikon-Zürich 1932 (1955⁷); I/2, 1938 (1948⁴); II/1, 1940 (1948³); II/2, 1942 (1948³); III/1, 1945 (1947²); III/2, 1948; III/3, 1950; III/4, 1951; IV/1, 1953; IV/2, 1955; IV/3, 1959; IV/4, 1967
Barth, PrTh	K. Barth, Die protestantische Theologie im 19. Jahrhundert. Ihre Vorgeschichte und ihre Geschichte, Zollikon Zürich 1952²; 1961³
BASOR	The Bulletin of the American Schools of Oriental Research, New Haven/Connecticut 1919 ff.
Bauer	W. Bauer, Griechisch-deutsches Wörterbuch zu den Schriften des Neuen Testaments und der übrigen urchristlichen Literatur, 5. verbesserte und stark vermehrte Aufl., Berlin 1958 (durchgesehener Nachdruck 1963)
Baumstark	A. Baumstark, Geschichte der syrischen Literatur mit Ausschluß der christlich-palästinensischen Texte, Bonn 1922
BBB	Bonner Biblische Beiträge, Bonn 1950 ff.
BBKG	Beiträge zur bayerischen Kirchengeschichte, Erlangen 1885-1925
BBLAK	Beiträge zur biblischen Landes- und Altertumskunde, Stuttgart 1878 ff.
BC	Biblischer Commentar über das Alte Testament, hrsg. von C. F. Keil und F. Delitzsch, Leipzig 1861 ff.
BdtPh	Blätter für deutsche Philosophie, Berlin 1927/28 ff.
Beck	H.-G. Beck, Kirche und theologische Literatur im byzantinischen Reich, München 1959
Bedjan	Acta martyrum et sanctorum (syriace), ed. P. Bedjan, 7 Bde., Paris 1890-1897
Benedictina	Benedictina, Rom 1947 ff.
Bénézit	E. Bénézit, Dictionnaire Critique et Documentaire des Peintres, Sculpteurs, Dessinateurs et Graveurs de Tous les Temps et de Tous les Pays par un Groupe d'Écrivains Spécialistes Français et Etrangers, 8 Bde., Paris 1948 ff. (Nouvelle édition, ebd. 1966)
BEStPh	Bibliographische Einführungen in das Studium der Philosophie, hrsg. von I. M. Bochenski, Bern 1948 ff.
BEvTh	Beiträge zur evangelischen Theologie. Theologische Abhandlungen, hrsg. von E. Wolf, München 1940 ff.; NF 1945 ff.
BFChTh	Beiträge zur Förderung christlicher Theologie, Gütersloh 1897 ff.
BGDSL	Beiträge zur Gesch. der deutschen Sprache und Literatur, Halle 1874 ff.
BGE	Beiträge zur Geschichte der neutestamentlichen Exegese, Tübingen 1955 ff.
BGL	Berichte über die Verhandlungen der Sächsischen Gesellschaft der Wissenschaften zu Leipzig (ab 71, 2, 1919: BAL), Leipzig 1846 ff.
BGPhMa	Beiträge zur Geschichte der Philosophie (ab 27, 1928-30: und Theologie) des Mittelalters, hrsg. von M. Grabmann, Münster 1891 ff.

BhEvTh	Beihefte zur Evangelischen Theologie, München 1935 ff.
BHG	Bibliotheca hagiographica graeca, ed. socii Bollandiani, Brüssel 1909²; 3 Bde., ed. F. Halkin, ebd. 1957³
BHK	Biblia Hebraica, ed. R. Kittel, Stuttgart 1951⁷
BHL	Bibliotheca hagiographica latina antiquae et medii aetatis, ed. socii Bollandiani, 2 Bde., Brüssel 1898-1901; Suppl. editio altera, ebd. 1911
BHO	Bibliotheca hagiographica Orientalis, ed. P. Peeters, Brüssel 1910
BHR	Bibliothèque d'humanisme et renaissance. Travaux et documents, Genf 1939 ff.
BHTh	Beiträge zur historischen Theologie, Tübingen 1929 ff.
Bibl	Biblica. Commentarii ad rem biblicam scientifice investigandam. Pontificium Institutum Biblicum, Rom 1920 ff.
BiblCap	Bibliotheca Scriptorum Ordinis Minorum S. Francisci Capuccinorum, Venedig 1747; Appendix 1747-1852, Rom 1852
BiblCarm	Bibliotheca Carmelitana, 2 Bde., Orléans 1752; neue Aufl. mit Suppl., hrsg. von G. Wessels, Rom 1927
BiblMiss	Bibliotheka Missionum, begonnen von R. Streit, fortgeführt von J. Dindinger, J. Rommerskirchen und J. Metzler, (Münster, Aachen) Freiburg/Breisgau - Rom 1916 ff.
BiblS	Bibliotheca Sacra, London 1843 ff.
BiblThom	Bibliothèque Thomiste, Le Saulchoir 1921 ff.
BIES	The Bulletin of the Israel Exploration Society, Jerusalem 1950 ff. (früher: BJPES)
BIFAO	Bulletin de l'Institut Français d'Archéologie, Kairo 1901 f.
Bihlmeyer-Tüchle	K. Bihlmeyer - H. Tüchle, Kirchengeschichte I: Das christliche Altertum, Paderborn 1966¹⁸; II: Das Mittelalter, 1968¹⁸; III: Die Neuzeit und die neueste Zeit, 1969¹⁸
Bijdragen	Bijdragen. Tijdschrift voor Filosofie en Theologie, Nijmegen 1938 ff.
BiKi	Bibel und Kirche. Organ des Katholischen Bibelwerkes, Stuttgart 1947 ff.
Billerbeck	(H. L. Strack und) P. Billerbeck, Kommentar zum Neuen Testament aus Talmud und Midrasch, I-IV, München 1922-1928 (Neudruck 1956); V: Rabbinischer Index, hrsg. von J. Jeremias, bearb. von K. Adolph, ebd. 1956
BiOr	Bibliotheca Orientalis, Leiden 1943 ff.
BJ	Biographisches Jahrbuch und Deutscher Nekrolog (für die Jahre 1896-1913), 18 Bde., Berlin 1897-1917
BJber	Bursians Jahresbericht über die Fortschritte der klassischen Altertumswissenschaft, Leipzig 1873 ff.
BJPES	Bulletin of the Jewish Palestine Exploration Society, Jerusalem 1933 ff. (ab 1950: BIES)
BK	Biblischer Kommentar. Altes Testament, hrsg. von M. Noth, Neukirchen-Vluyn 1955 ff.
BKV	Bibliothek der Kirchenväter, 79 Bde., Kempten 1869-1888; BKV²: Bd. 1-61, München 1911-1931; II. Reihe: Bd. 1-20, ebd. 1932-1938
BL	Bibel-Lexikon, hrsg. von H. Haag, Einsiedeln - Zürich - Köln 1951-1956 (1968²)
BLE	Bulletin de littérature ecclésiastique, Toulouse 1899 ff.
BLGNP	Biografisch lexicon voor de geschiedenis van het Nederlandse protestantisme, Kampen 1983
Blume	F. Blume, Gesch. der evangelischen Kirchenmusik, Kassel 1931, 2., neubearbeitete Aufl., ebd. 1965
BM	Benediktinische Monatsschrift (1877-1918: Benediktsstimmen), Beuron 1919 ff.
BMevR	Beiträge zur Missonswissenschaft und evangelischen Religionskunde, Gütersloh 1951 ff.
BMCL	Bulletin of Medieval Canon Law, Berkeley 1971 ff.
BnatBelg	Biographie nationale. Publiée par l'Académie de Belgique, Bd. 1-28, Brüssel 1866-1944; Bd. 29-32 (Suppl.), 1956-1964
BollAC	Bollettino di archeologia cristiana, hrsg. von G. B. de Rossi, Rom 1863-1894
BollStA	Bollettino Storico Agostiniano, Florenz 1924-1952
Braun	J. Braun, Tracht und Attribute der Heiligen in der deutschen Kunst, Stuttgart 1943 (unveränderter Nachdruck 1964)
BRL	Biblisches Reallexikon, hrsg. von K. Galling, Tübingen 1937
Brockelmann	C. Brockelmann, Geschichte der arabischen Literatur, 2 Bde., Leiden 1933/44²; 3 SupplBde., 1936-1942

XII

Brown	J. D. Brown, Biographical Dictionary of Musicians, London 1886 (Nachdruck Hildesheim - New York 1970)
BS	Bibliotheca sanctorum I-XII, Rom 1961-1969
BSHPF	Bulletin de la Société de l'Histoire du Protestantisme Français, Paris 1852 ff.
BSKG	Beiträge zur sächsischen Kirchengeschichte, (Leipzig) Dresden 1882-1942
BSLK	Die Bekenntnisschriften der evangelisch-lutherischen Kirche, hrsg. vom Deutschen Evangelischen Kirchenausschuß, Göttingen 1956³
BSOAS	Bulletin of the School of Oriental (Vol. 10 ff.: and African) Studies, London 1917 ff.
BSRK	Die Bekenntnisschriften der reformierten Kirche, hrsg. von E. F. K. Müller, Leipzig 1903
BSt	Biblische Studien, Freiburg/Breisgau 1895 ff.
BSt(N)	Biblische Studien, Neukirchen-Vluyn 1951 ff.
BThAM	Bulletin de Théologie Ancienne et Médiévale, Löwen 1929 ff.
BThH	Biblisch-Theologisches Handwörterbuch zur Lutherbibel und zu neueren Übersetzungen, hrsg. von E. Osterloh und H. Engelland, Göttingen 1954
BThKG	Beiträge zur Thüringischen Kirchengeschichte, Gotha 1929-1940
BThWB	Bibeltheologisches Wörterbuch, hrsg. von J. B. Bauer, 2 Bde., Graz 1959 (1967³)
BuL	Bibel und Leben, Düsseldorf 1959 ff.
BWA(N)T	Beiträge zur Wissenschaft vom Alten (und Neuen) Testament, Leipzig 1908 ff.; Stuttgart 1926 ff.
BWGN	Biographisch Woordenboek van Protestantsche Godgeleerden in Nederland, 's Gravenhage 1919 ff.
ByZ	Byzantinische Zeitschrift, Leipzig 1892 ff.
Byz(B)	Byzantion, Brüssel 1924 ff.
BZ	Biblische Zeitschrift, Freiburg/Breisgau 1903-1929; Paderborn 1931-1939. 1957 ff.
BZAW	Beihefte zur Zeitschrift für die alttestamentliche Wissenschaft, Berlin 1896 ff.
BZfr	Biblische Zeitfragen, hrsg. von P. Heinisch und F. W. Maier, Münster 1908 ff.
BZNW	Beihefte zur Zeitschrift für die neutestamentliche Wissenschaft und die Kunde der älteren Kirche, Berlin 1923 ff.
BZThS	Bonner Zeitschrift für Theologie und Seelsorge, Düsseldorf 1924-1931

C

CA	Confessio Augustana (in: BSLK)
CahArch	Cahiers Archéologiques. Fin de l'Antiquité et Moyen âge, Paris 1945 ff.
CAR	Caritas, Freiburg/Breisgau 1896 ff.
Caspar	E. Caspar, Geschichte des Papsttums von den Anfängen bis zur Höhe der Weltherrschaft, 2 Bde., Tübingen 1930. 1933
Cath	Catholica. Jahrbuch (Vierteljahresschrift) für Kontroverstheologie, (Paderborn) Münster 1932 ff.
CathEnc	The Catholic Encyclopedia, hrsg. von Chr. Herbermann u. a., 15 Bde., New York 1907-1912; dazu Index-Bd. 1914 und Suppl.Bd,. 1922
Catholicisme	Catholicisme. Hier - Aujourd'hui - Demain. Encyclopédie, dirigée par G. Jacquemet, Paris 1948 ff.
CBE	Catholic Biblical Encyclopedia, Old and New Testament, by J. E. Steinmueller - K. Sullivan, New York 1950
CBL	Calwer Bibellexikon. In 5. Bearbeitung hrsg. von Th. Schlatter, Stuttgart 1959-1961
CBQ	The Catholic Biblical Quarterly, Washington 1939 ff.
CCathCorpus	Catholicorum, begründet von J. Greving, hrsg. (seit 1922) von A. Erhard, Münster 1919 ff.
CChr	Corpus Christianorum seu nova Patrum collectio, Turnhout - Paris 1953 ff.
CConf	Corpus Confessionum. Die Bekenntnisse der Christenheit, hrsg. von C. Fabricius, Berlin 1928 ff.
CcW	Chronik der christlichen Welt, Leipzig 1891-1917

Chalkedon	Das Konzil von Chalkedon. Geschichte und Gegenwart, hrsg. von A. Grillmeier und H. Bacht, 3 Bde., Würzburg 1951-1954 (Nachdruck mit Ergänzung 1962)
Chevalier	U. Chevalier, Répertoire des sources historiques du Moyen âge: Bio-Bibliographie, Paris 1877-1886; SupplBd. 1888; 2. Aufl., 2 Bde., 1903-1907
ChH	Church History, New York 1932 ff.
ChK	Die christliche Kunst, München 1904-1937
ChQR	The Church Quarterly Review, London 1875 ff.
CHR	The Catholic historical Review, Washington 1915 ff.
ChuW	Christentum und Wissenschaft, Desden 1925-1934
ChW	Die christliche Welt, (Leipzig, Marburg, Gotha) Leipzig 1886-1941
CIG	Corpus Inscriptonum Graecarum, 4 Bde., Berlin 1825-1877
CIJ	Corpus Inscriptonum Judaicarum, ed. J. B. Frey, Rom 1936 ff.
CIL	Corpus Inscriptonum Latinarum, Berlin 1863 ff.
CIS	Corpus Inscriptonum Semiticarum, Paris 1881 ff.
Cist	Cistercienser-Chronik, Mehrerau 1889 ff.
CivCatt	La Civiltà Cattolica, Rom 1850 ff. (1871-1887 Florenz)
CKL	Calwer Kirchenlexikon. Kirchlich-theologisches Handwörterbuch, 2 Bde., Stuttgart 1937-1941
CollFr	Collectanea Franciscana, Rom 1931 ff.
CollOCR	Collectanea ordinis Cisterciensium Reformatorum. Rom - Westmalle/Belgien 1934 ff.
CollSCarm	Collectio Scriptorum Carmelitarum Excalceatorum, 2 Bde., Savona 1884
Concilium	Concilium. Internationale Zeitschrift für Theologie, Einsiedeln - Zürich - Mainz 1965 ff.
CorpAp	J. C. Th. von Otto, Corpus Apologetarum, 9 Bde., Jena 1847-1872
CPL	Clavis Patrum Latinorum, ed. E. Dekkers, Steenbrugge 1951
CR	Corpus Reformatorum, (Braunschweig) Berlin 1834 ff.; Leipzig 1906 ff.
CSCO	Corpus scriptorum christianorum orientalium, Paris 1903 ff.
CSEL	Corpus scriptorum ecclesiasticorum latinorum, Wien 1866 ff.
CSHB	Corpus Scriptorum Historiae Byzantinae, 50 Bde., Bonn 1828-1897
CSS	Cursus Scripturae Sacrae, Paris 1884 ff.
CTom	Cienca Tomista, Madrid 1910 ff.

D

DA	Deutsches Archiv (Weimar 1937-1943: für Geschichte des Mittelalters) für Erforschung des Mittelalters, Köln - Graz 1950 ff.
DAB	Dictionary of American Biography, 21 Bde., New York 1928-1944
DACL	Dictionnaire d'archéologie chrétienne et de liturgie, hrsg. von F. Cabrol - H. Leclerq - H. Marrou, 15 Bde., Paris 1924-1953
DAFC	Dictionnaire apologétique de la foi catholique, ed. A. d'Alès, 4 Bde., Paris 1911-1922; Table analytique, 1931
Dalman	G. Dalman, Arbeit und Sitte in Palästina, 7 Bde., Gütersloh 1918-1942 (Nachdruck Hildesheim 1964)
DB	A Dictionary of the Bible, ed. J. Hastings with assistance of J. A. Selbie, 5 Bde., Edinburgh 1942-1951[8-13] (frühere Aufl. ebd. 1898 ff.; 1909 ff.)
DBF	Dictionnaire de biographie française, Paris 1933 ff.
DBI	Dizionario Biografico degli Italiani, Rom 1960 ff.
DBJ	Deutsches Biographisches Jahrbuch. Überleitungsbd. I: 1914-1916, Berlin und Leipzig 1925; Überleitungsbd. II: 1917-1920, 1928; Bd. III: 1921, 1927; Bd. IV: 1922, 1929; Bd. V: 1923, 1930; Bd. X: 1928, 1931; Bd. XI: 1929, 1932 (mehr nicht erschienen)
DBL	Dansk Biografisk Leksikon, Bd. 1-27, Kopenhagen 1933-1944
DBV	Dictionnaire de la Bible, hrsg. von F. Vigouroux, 5 Bde., Paris 1895-1912
DBVS	Dictionnaire de la Bible, Supplément, ed. L. Pirot, fortgesetzt von A. Robert (seit 1955 von H. Cazelles), I ff., Paris 1928
DCB	A Dictionary of Christian Biography, Literature, Sects and Doctrines, 4 Bde., London 1877-1887

DDC	Dictionnaire de droit canonique, 7 Bde., Paris 1935-1965
DDT	Denkmäler deutscher Tonkunst. Folge I, 65 Bde., Leipzig bzw. Augsburg 1892-1931
DE	Dizionario ecclesiastico, hrsg. von A. Mercati und A. Pelzer, 3 Bde., Turin 1953-1958
DEBl	Deutsch-Evangelische Blätter, Halle 1876-1908
De Boor	H. de Boor u. R. Newald, Gesch. der deutschen Literatur von den Anfängen bis zur Gegenwart, München 1949 ff.
Delacroix	Histoire universelle des missions catholiques, ed. S. Delacrois, 4 Bde., Paris 1956-1959
Denzinger	H. Denzinger - A. Schönmetzer, Enchiridion Symbolorum, Definitionum et Declarationum de rebus fidei et morum, Barcelona - Freiburg/Breisgau - Rom - New York 1965[33]
DHGE	Dictionnaire d'histoire et de géographie ecclésiastiques, Paris 1912 ff.
Diakonia	Diakonia. Internationale Zeitschrift für Theologie, Mainz - Olten/Schweiz 1966 ff. (Fortsetzung von: Anima)
DictEnglCath	A Literary and Biographical History or Bibliographical Dictionary of the English Catholics from 1534 to the Present Time, by J. Gillow, 5 Bde., London und New York 1885-1902; neubearbeitet von H. Thurston, London 1925 ff. (Nachdruck New York 1961
Diekamp	F. Diekamp, Katholische Dogmatik nach den Grundsätzen des hl. Thomas, neubearbeitet von K. Jüssen, I, Münster 1958[13]; II, 1959[12]; III, 1962[13]
DLL	Deutsches Literatur-Lexikon. Begründet von Wilhelm Kosch. Hrsg. von Bruno Berger und Heinz Rupp. 3., völlig neubearbeitete Aufl., Bern und München 1968 ff. (I, 1968; II, 1969; III, 1971; IV, 1972)
DLZ	Deutsche Literaturzeitung, Berlin 1930 ff.
DNB	The Dictionary of National Biography, 67 Bde., London 1885-1903; Neuaufl. 22 Bde., 1908/09; Fortsetzungen, 1901-29
DomSt	Dominican Studies, Oxford 1948 ff.
Doyé	F. von Sales Doyé, Heilige und Selige der römisch-katholischen Kirche, deren Erkennungszeichen, Patronate und lebensgeschichtliche Bemerkungen, 2 Bde., Leipzig 1930
DSp	Dictionnaire de Spiritualité ascétique et mystique. Doctrine et Histoire, hrsg. von M. Viller, Paris 1932 ff.
DTB	Denkmäler der Tonkunst in Bayern (= DDT, Folge II), 30 Bde., Leipzig bzw. Augsburg 1900-1931
DTh	Divus Thomas (vor 1914: Jahrbuch für Philosophie und spekulative Theologie; ab 1954: Freiburger Zeitschrift für Theologie und Philosophie), Fribourg/Schweiz 1914-1954
DThC	Dictionnaire de théologie catholique, hrsg. von A. Vacant und E. Mangenot, fortgesetzt von E. Amann, I-XV, Paris 1903-1950; Table analytique und Tables générales XVI ff., ebd. 1951 ff.
DTÖ	Denkmäler der Tonkunst in Österreich, Wien 1894 ff.
DtPfrBl	Deutsches Pfarrerblatt, Essen 1905 ff.; NF 1949 ff.
DTT	Dansk Teologisk Tidsskrift, Kopenhagen 1938 ff.
Duhr	B. Duhr, Geschichte der Jesuiten in den Ländern deutscher Zunge I. II, Freiburg/Breisgau 1907-1913; III. IV, Regensburg 1921-1928
DVfLG	Deutsche Vierteljahresschrift für Literaturwissenschaft und Geistesgeschichte, Halle 1923 ff.
DZKR	Deutsche Zeitschrift für Kirchenrecht, Tübingen 1861-1917
DZPh	Deutsche Zeitschrift für Philosophie, Berlin 1953 ff.

E

EA	Erlanger Ausgabe der Werke M. Luthers, 1826 ff.
EB	Encyclopaedia Biblica, ed. T. K. Cheyne und J. Black, 1899-1903
EBB	Encyclopaedia biblica, thesaurus rerum biblicarum ordine alphabetico digestus, Jerusalem 1950 ff.
EBio	Enciclopedia biografica. I grandi del cattolicesimo, Rom 1955 ff.
EBrit	The Encyclopaedia Britannica, 23 Bde., dazu 1 Bd. Index und Atlas, Chicago - London - Toronto 1968
EC	Enciclopedia Cattolica, 12 Bde., Rom 1949-1954
ECarm	Ephemerides Carmelitae, Florenz 1947 ff.
EchtB	Echter-Bibel, hrsg. von F. Nötscher und K. Staab, Würzburg 1947 ff.

Eckart	Eckart. Blätter für evangelische Geistesarbeit, Berlin 1924 ff.
ECQ	The Eastern Churches Quarterly, Ramsgate 1936 ff.
EE	Estudios eclesiásticos, Madrid 1922-1936. 1942 ff.
Éfranc	Études franciscaines, Paris 1909-1940; NS 1950 ff.
ÉGr	Études Grégoriennes, Tournai 1954 ff.
ÉHPhR	Études d'histoire et de philosophie religieuses, Strasbourg 1922 ff.
EHR	English Historical Review, London 1886 ff.
Ehrismann	G. Ehrismann, Geschichte der deutschen Literatur bis zum Ausgang des Mittelalters I, München 1918 (1932²); II, 1935 (unveränderter Nachdruck 1954)
EI	Enzyklopädie des Islam, 5 Bde., Leipzig - Leiden 1913-1938
EI²	Encyclopédie de l'Islam, nouvelle édition, Leiden - Paris 1954 ff.
Eichrodt	W. Eichrodt, Theologie des Alten Testaments I, Berlin 1957⁷; II.III, 1964⁵
Eißfeldt	O. Eißfeldt, Einleitung in das Alte Testament, Tübingen 1964³
EItal	Enciclopedia Italiana di scienze, lettere ed arti, 35 Bde., Rom 1929-1937; ErgBd., 1938; Index-Bd., 1939; 2 ErgBde. (1938-1948), ebd. 1948/49
Eitner	R. Eitner, Biographisch-bibliographisches Quellen-Lexikon der Musiker und Musikgelehrten christlicher Zeitrechnung bis Mitte des 19. Jahrhunderts, 11 Bde., Graz 1959/60²
EJud	J. Klatzkin und I. Elbogen, Encyclopaedia Judaica. Das Judentum in Geschichte und Gegenwart, 10 Bde. (unvollständig: bis Lyra), Berlin 1928-1934
EKG	Evangelisches Kirchengesangbuch
EKL	Evangelisches Kirchenlexikon. Kirchlich-theologisches Wörterbuch, hrsg. von H. Brunotte und O. Weber, 3 Bde. und 1 RegBd., Göttingen 1955-1961
Elert	W. Elert, Morphologie des Luthertums, 2 Bde., München 1931 (1958³)
ELKZ	Evangelisch-lutherische Kirchenzeitung, München 1947 ff.
EMM	Evangelisches Missionsmagazin, Basel 1816-1856; NF 1857 ff.
EMZ	Evangelische Missionszeitschrift, Stuttgart 1940 ff.
EncF	Enciclopedia Filosofica, 4 Bde., Venedig - Rom 1957/58
EnchB	Enchiridion biblicum. Documenta ecclesiastic Sacram Scripturam spectantia, Rom 1961⁴
EncJud	Encyclopaedia Judaica, 16 Bde., Jerusalem 1971/72
EnEc	Enciclopedia ecclesiastica. Dir. A. Bernareggi, Mailand 1943 ff.
EO	Echos d'Orient, Paris 1897 ff.
EphLiturg	Ephemerides Liturgicae, Rom 1887 ff.
Eppelsheimer, BLW	H. W. E. Eppelsheimer, Bibliographie der deutschen Literaturwisenschaft I, Frankfurt/Main 1957; II, 1958; III, 1960; IV, 1961; V, 1963; VI, 1965
Eppelsheimer, WL	H. W. E. Eppelsheimer, Handbuch zur Weltliteratur. Von den Anfängen bis zur Gegenwart. 3. neubearbeitete und ergänzte Aufl., Frankfurt/Main 1960
ER	The Ecumenical Review, Genf 1948 ff.
ERE	Encyclopaedia of Religion and Ethics, ed. I. Hastings, 12 Bde., New York 1908-1921; 2. impr. vol. 1-12 and Index vol., Edinburgh 1925-1940 (Nachdruck 1951)
Erich-Beitl	O. A. Erich - R. Beitl, Wörterbuch der deutschen Volkskunde, Stuttgart 1955²
ErJb	Eranos-Jahrbuch, Zürich 1933 ff.
Escobar	Ordini e Congregazioni religiose, hrsg. von M. Escobar, 2 Bde., Turin 1951. 1953
ESL	Evangelisches Soziallexikon, hrsg. von F. Karrenberg, Stuttgart 1954 (1965⁴)
EstB	Estudios Bíblicos, Madrid 1929-1936. 1941 ff.
ÉtB	Études Bibliques, Paris 1907 ff.
EThLov	Ephemerides Theologicae Lovanienses, Brügge 1924 ff.
Études	Études religieuses, historiques et littéraires publiées par les pères de la Compagnie de Jésus (ab 1897: Études), Paris 1856 ff.
EuG	J. S. Ersch und J. G. Gruber, Allgemeine Enzyklopädie der Wissenschaften und Künste, 167 Bde., Leipzig 1818-1890
Euph	Euphorion. Zeitschrift für Literaturgeschichte, Heidelberg 1894 ff.
EvFr	Evangelische Freiheit, 1879-1901 (1901-1920: MkPr)
EvMiss	Die evangelischen Missionen. Illustriertes Familienblatt. Zeitschrift der Deutschen Evangelischen Missions-Hilfe, Gütersloh 1895 ff.

EvTh	Evangelische Theologie, München 1934 ff.
ExpT	The Expository Times, Edinburgh 1889 ff.

F

FBPG	Forschungen zur Brandenburgischen und Preußischen Geschichte (NF der »Märkischen Forschungen«), 55 Bde., (Leipzig) München 1888-1944
FC	Formula Concordiae (in: BSLK)
FChLDG	Forschungen zur christlichen Literatur- und Dogmengeschichte, hrsg. von A. Ehrhard und J. P. Kirsch, (Mainz) Paderborn 1900 ff.
Feine, RG	H. E. Feine, Kirchliche Rechtsgeschichte. I: Die katholische Kirche, Weimar 1988[5]
Feine, ThNT	P. Feine, Theologie des Neuen Testaments, Berlin 1951[8]
Feine-Behm	P. Feine und J. Behm, Einleitung in das Neue Testament, Heidelberg 1965[14] (völlig neu bearbeitet von W. G. Kümmel)
Fellerer	Geschichte der katholischen Kirchenmusik, hrsg. von K. G. Fellerer. I: Von den Anfängen bis zum Tridentinum, Kassel - Basel - Tours - London 1972
FF	Forschungen und Fortschritte. Korrespondenzblatt (später: Nachrichtenblatt) der deutschen Wissenschaft und Technik, Berlin 1925-1967
FGLP	Forschungen zur Geschichte und Lehre des Protestantismus, München 1927 ff.
FGNK	Th. Zahn, Forschungen zur Geschichte des neutestamentlichen Kanons und der altkirchlichen Literatur, 9 Bde., Erlangen - Leipzig 1881-1916
Fischer-Tümpel	A. Fischer - W. Tümpel, Das deutsche evangelische Kirchenlied des 17. Jahrhunderts, 6 Bde., Gütersloh 1904-1916 (Nachdruck Hildesheim 1964)
FKDG	Forschungen zur Kirchen- und Dogmengeschichte, Göttingen 1953 ff.
FKGG	Forschungen zur Kirchen- und Geistesgeschichte, Stuttgart 1932 ff.
Fliche-Martin	Histoire de l'Église depuis les origines jusqu'à nos jours, publiée sous la direction de A. Fliche et V. Martin, Paris 1935 ff.
Flórez	H. Flórez, España Sagrada. Teatro geográfico-histórico de la Iglesia de la España, 51 Bde., Madrid 1754-1879
FreibDiözArch	Freiburger Diözesan-Archiv, Freiburg/Breisgau 1865 ff.
FreibThSt	Freiburger Theologische Studien, Freiburg/Breisgau 1910 ff.
Friedberg	E. Friedberg, Lehrbuch des katholischen und evangelischen Kirchenrechts, Leipzig 1909[6]
FRLANT	Forschungen zur Religion und Literatur des Alten und Neuen Testaments, Göttingen 1903 ff.
FrSt	Franciscan Studies, St.-Bonaventure (New York) 1940 ff.
FS	Franziskanische Studien, (Münster) Werl 1914 ff.
FSThR	Forschungen zur systematischen Theologie und Religionsphilosophie, Göttingen 1955 ff.
FZThPh	Freiburger Zeitschrift für Theologie und Philosophie (vor 1914: Jahrbuch für Philosophie und spekulative Theologie; 1914-1954: Divus Thomas), Fribourg/Schweiz 1955 ff.

G

GCS	Die griechischen christlichen Schriftsteller der ersten drei Jahrhunderte, Leipzig 1897 ff.
GDV	Die Geschichtsschreiber der deutschen Vorzeit. In deutscher Bearbeitung, hrsg. von G. H. Pertz u. a., 92 Bde., Leipzig - Berlin 1949-1892; 2. Gesamtausgabe besorgt von W. Wattenbach u. a., Leipzig 1884-1940 (teilweiser Neudruck 1940)
Gebhardt - Grundmann	B. Gebhardt, Handbuch der deutschen Geschichte, 8. Aufl., völlig neu bearbeitet, hrsg. von H. Grundmann, 4 Bde., Stuttgart 1954-1963
Gerber	L. Gerber, Neues historisch-biographisches Lexikon der Tonkünstler, 4 Tle., Leipzig 1812-1814 (Nachdruck Graz 1966); Ergänzungen, Berichtigungen, Nachträge, Graz 1966
Gerbert	M. Gerbert, Scriptores ecclesiastici de musica sacra, 3 Bde., St. Blasien 1784 (Neudruck Graz 1905)
GermRev	The Germanic Review, New York 1926 ff.
Gesenius-Buhl	W. Gesenius, Hebräisches und Aramäisches Handwörterbuch über das Alte Testament, bearbeitet von F. Buhl, Leipzig 1921[17] (unveränderter Nachdruck Berlin - Göttingen - Heidelberg 1949)
Gesenius-Kautzsch	W. G.' hebräische Grammatik, völlig umgearbeitet von E. Kautzsch, Leipzig 1909[28]

GGA	Göttingische Gelehrte Anzeigen, (Berlin) Göttingen 1738 ff.
Gn	Gnomon. Kritische Zeitschrift für die gesamte klassische Altertumswissenschaft, (Berlin) München 1925 ff.
Goedeke	K. Goedeke, Grundriß zur Geschichte der deutschen Dichtung, Dresden 1884-1904[2]
Goodmann	A.A. Goodmann, Musik von A-Z, München 1971
Grabmann, GkTh	M. Grabmann, Die Geschichte der katholischen Theologie seit dem Ausgang der Väterzeit, Freiburg/Breisgau 1933
Grabmann, MGL	M. Grabmann, Mittelalterliches Geistesleben, 3 Bde., München 1926-1956 (Darmstadt 1966[2])
Grabmann, SM	M. Grabmann, Die Geschichte der scholastischen Methode I, Freiburg/Breisgau 1909; II, ebd. 1911 (unveränderter Nachdruck Graz 1957)
Graetz	H. Graetz, Geschichte der Juden, 11 Bde., Berlin - Leipzig 1853-1870 (Neuausgabe 1923)
Graf	G. Graf, Geschichte der christlichen arabischen Literatur, 5 Bde., Rom 1944-1953
Gregorianum	Gregorianum. Commentarii de re theologica et philosophica, Rom 1920 ff.
Gregorovius	F. Gregorovius, Geschichte der Stadt Rom im Mittelalter, 8 Bde., Stuttgart 1859-1872; 7. Aufl. von F. Schillmann, Dresden 1926 ff.
Grove	Grove's Dictionary of Music and Musicians, ed. E. Blom, 9 Bde., London 1954[5]; Supplementary Volume to the Fifth Edition, ebd. 1961
GThT	Gereformeerd Theologisch Tijdschrift, Kampen 1900 ff.
GuG	Glaube und Gewissen. Eine protestantische Monatsschrift, Halle/Saale 1955 ff.
GuL	Geist und Leben. Zeitschrift für Aszese und Mystik (bis 1947: ZAM), Würzburg 1947 ff.
GWU	Geschichte in Wissenschaft und Unterricht, Stuttgart 1950 ff.

H

Haag	Émile und Eugène Haag, La France protestante, ou Vies des protestants qui s'ont fait un nom dans l'histoire depuis les premiers temps de la Réformation jusqu'à la reconnaissance du principe de la liberté des cultes par l'Assemblée nationale, 10 Bde., Paris 1846-1859 (2. Aufl., bearbeitet von H. Bordier und A. Bernus, 5 Bde., [nur bis zum Buchstaben G], 1877 f.)
Haller	J. Haller, Das Papsttum, 5 Bde., 2., verbesserte und ergänzte Aufl., Stuttgart 1950-1953
Hallinger	K. Hallinger, Gorze-Kluny. Studien zu den monastischen Lebensformen und ihren Gegensätzen im Hochmittelalter, 2 Bde., Rom 1950/51
HAOG	A. Jeremias, Handbuch der altorientalischen Geisteskultur, Berlin 1929[2]
Harnack, DG	A. von Harnack, Lehrbuch der Dogmengeschichte, 3 Bde., Tübingen 1909/10[4] (= 1931/32[5])
Harnack, Lit	A. von Harnack, Geschichte der altchristlichen Literatur, 3 Bde., Leipzig 1893-1904 (1958[2])
Harnack, Miss	A. von Harnack, Die Mission und Ausbreitung des Christentums in den ersten drei Jahrhunderten, Leipzig 1902 (2 Bde., 1906[2]; 1923[4])
HAT	Handbuch zum Alten Testament, hrsg. von O. Eißfeldt, Tübingen 1934 ff.
Hauck	A. Hauck, Kirchengeschichte Deutschlands, Leipzig, I, 1952[7]; II, 1952[6]; III, 1952[6]; IV, 1953[6]; V, 1953[5] (Nachdruck 1958)
HAW	Handbuch der Altertumswissenschaft, begründet von I. von Müller, neu hrsg. von W. Otto, München 1925 ff. (Neuaufl. 1955 ff.)
HB	E. Hübner, Bibliographie der klassischen Altertumswissenschaft, Berlin 1889[2]
HBLS	Historisch-Biographisches Lexikon der Schweiz, 7 Bde., Neuenburg 1921-1934
Hdb. z. EKG	Handbuch zum Evangelischen Kirchengesangbuch, hrsg. von Ch. Mahrenholz und O. Söhngen. II/1: Lebensbilder der Liederdichter und Melodisten, bearbeitet von W. Lueken, Göttingen 1957
HDEK	Handbuch der deutschen evangelischen Kirchenmusik, Göttingen 1935 ff.
HDG	Handbuch der Dogmengeschichte, hrsg. von M. Schmaus, J. Geiselmann und A. Grillmeier, Freiburg/Breisgau 1951 ff.
HdKG	Handbuch der Kirchengeschichte, hrsg. von H. Jedin, 6 Bde., Freiburg/Breisgau - Basel - Wien 1962 ff.
Hefele	C. J. von Hefele, Conciliengeschichte, 9 Bde. (VIII.IX, hrsg. von J. Hergenröther), Freiburg/Breisgau 1855-1890 (I-VI[2], 1873-1890)
Hefele-Leclerq	Histoire des conciles d'après les documents originaux, par Ch. J. Hefele. Traduite par H. Leclerq, I-IX, Paris 1907 ff.

Heimbucher	M. Heimbucher, Die Orden und Kongregationen der katholischen Kirchen, 3. Aufl., 2 Bde., Paderborn 1933/34
Hélyot	P. Hélyot, Dictionnaire des Ordres Religieux, publiée par J. P. Migne, 4 Bde., Paris 1847-1859 (Neuaufl. von 1714-1719, 8 Bde.)
HEM	A History of the Ecumenical Movement 1517-1948, hrsg. von R. Rouse und St. Ch. Neill, London 1954 (dt. Göttingen 1956)
Hennecke	Neutestamentliche Apokryphen in deutscher Übersetzung, hrsg. von E. Hennecke, Tübingen 1924²; 3. Aufl., hrsg. von W. Schneemelcher, 2 Bde., Tübingen 1959-1964
HerKorr	Herder-Korrespondenz, Freiburg/Breisgau 1946 ff.
Hermelink	H. Hermelink, Das Christentum in der Menschheitsgeschichte von der Französischen Revolution bis zur Gegenwart, 3 Bde., Stuttgart - Tübingen 1951-1955
Hermes	Hermes. Zeitschrift für klassische Philologie, Berlin 1866 ff.
HGR	Histoire Générale des Religions, 5 Bde., Paris 1948-1952
HibJ	The Hibbert Journal. A quarterly review of religion, theology and philosophy, London 1902 ff.
Hinschius	P. Hinschius, Das Kirchenrecht der Katholiken und Protestanten in Deutschland, 6 Bde., Berlin 1869-1897
Hirsch	E. Hirsch, Geschichte der neueren evangelischen Theologie im Zusammenhang mit den allgemeinen Bewegungen des europäischen Denkens, 5 Bde., Gütersloh 1949-1954
HIsl	Handwörterbuch des Islam, hrsg. von A. J. Wensinck und J. H. Kramers, Leiden 1941
HistLittFrance	Histoire littéraire de la France, I-XII, hrsg. von den Maurinern, Paris 1733-1763; XIII-XXXVI, hrsg. vom Institut de France, ebd. 1814-1927; I-XXIX, Neudruck, ebd. 1865 ff.
HistSJ	N. Orlandini, F. Sacchini, J. Jouvancy, J. C. Cordara, Historia Societatis Jesu, Rom 1614-1859
HJ	Historisches Jahrbuch der Görres-Gesellschaft, Köln 1880 ff.; München - Freiburg/Breisgau 1950 ff.
HK	Handkommentar zum Alten Testament, hrsg. von W. Nowack, Göttingen 1892-1929
HKG	Handbuch der Kirchengeschichte, hrsg. von G. Krüger, 4 Bde., Tübingen 1923-1931²
HLitW	Handbuch der Liturgiewissenschaft, hrsg. von A.-G. Martimor, 2 Bde., Freiburg/Breisgau 1963-1965
HLW	Handbuch der Literaturwissenschaft, hrsg. von O. Walzel, Wildpark-Potsdam 1923 ff.
HN	H. Hurter, Nomenclator literarius theologiae catholicae, 3. Aufl., 6 Bde., Innsbruck 1903-1913 (I⁴, hrsg. von F. Pangerl, 1926)
HNT	Handbuch zum Neuen Testament, begründet von H. Lietzmann, jetzt hrsg. von G. Bornkamm, 23 Abteilungen, Tübingen 1906 ff.
HO	Handbuch der Orientalistik, hrsg. von B. Spuler, Leiden - Köln 1948 ff.
Hochland	Hochland. Monatsschrift für alle Gebiete des Wissens, der Literatur und Kunst, Kempten - München 1903 ff.
Hochweg	Der Hochweg. Ein Monatsblatt für Leben und Wirken, Berlin 1913 ff.
Holl	K. Holl, Gesammelte Aufsätze zur Kirchengeschichte. I: Luther, Tübingen 1921 (1932⁶ = 1948⁷); II: Der Osten, ebd. 1927/28; III: Der Westen, ebd. 1928
Holweck	F. G. Holweck, A Biographical Dictionary of the Saints, with a general introduction on hagiology, London 1924
Honegger	M. Honegger, Dictionnaire de la Musique, 2 Bde., Bordas 1970
HPBl	Historisch-politische Blätter für das katholische Deutschland, 171 Bde., München 1838-1923
HPh	Handbuch der Philosophie, hrsg. von A. Baeumler und M. Schröter, Berlin 1927 ff.
HPTh	Handbuch der Pastoraltheologie, hrsg. von F. X. Arnold - K. Rahner - V. Schurr - L. M. Weber, Freiburg/Breisgau 1964 ff.
HRW(L)	Handbuch der Religionswissenschaft, hrsg. von J. Leipoldt, Berlin 1922
HRW(M)	Handbuch der Religionswissenschaft, hrsg. von G. Mensching, Berlin 1948 ff.
HS	Hispania Sacra, Madrid 1948 ff.
HStud	Historische Studien, hrsg. von E. Ebering, Berlin 1896 ff.
HThK	Herders Theologischer Kommentar zum Neuen Testament, hrsg. von A. Wilkenhauser - A. Vögtle, Freiburg/Breisgau 1953 ff.
HThR	The Harvard Theological Review, Cambridge/Massachusetts 1908 ff.
HUCA	Hebrew Union College Annual, Cincinnati 1914 ff.

Hutten	K. Hutten, Seher - Grübler - Enthusiasten und religiöse Sondergemeinschaften der Gegenwart, Stuttgart 1966¹⁰ (1968¹¹)
HV	Historische Vierteljahresschrift, Leipzig 1898-1937
HZ	Historische Zeitschrift, München 1859 ff.

I

ICC	The International Critical Commentary of the Holy Scriptures of the Old and New Testament, Edinburgh - New York 1895 ff.
IEJ	Israel Exploration Journal, Jerusalem 1950 ff.
IKZ	Internationale Kirchliche Zeitschrift, Bern 1911 ff.
IM	Die Innere Mission. Monatsblatt des Central-Ausschusses für die Innere Mission der deutschen evangelischen Kirche (früherer Titel: Die Innere Mission im evangelischen Deutschland), 1906 ff.
IQ	Islamic Quarterly, London 1954 ff.
Irénikon	Irénikon, Chevetogne 1926 ff.
IRM	International Review of Missions, Edinburgh 1912 ff.
Istina	Istina, Boulogne-sur-Seine 1954 ff.
IThQ	The Irish Theological Quarterly, Dublin 1906-1922. 1951 ff.
IZBG	Internationale Zeitschriftenschau für Bibelwissenschaft und Grenzgebiete, Stuttgart - Düsseldorf 1952 ff.

J

JAA	Jaarboek der koninklijke nederlands(ch)e Akademie van Wetenschappen. Amsterdam
JAC	Jahrbuch für Antike und Christentum, Münster 1958 ff.
Jacobs	Reformierte Bekenntnisschriften und Kirchenordnungen in deutscher Übersetzung. Bearbeitet und hrsg. von P. Jacobs, Neukirchen-Vluyn 1950
Jaffé	Ph. Jaffé, Regesta pontificum Romanorum ab condita ecclesia ad annum 1198, Leipzig 1851; 2. Aufl., 2 Bde., 1881-1888 (Nachdruck Graz 1956)
JAOS	The Journal of the American Oriental Society, New Haven 1843 ff.
JB	Theologischer Jahresbericht, 1866-1875
JBL	Journal of Biblical Literature, published by the Society of Biblical Literature and Exegesis, Boston 1881 ff.
JBR	The Journal of Bible and Religion, Brattleboro/Vermont 1933 ff.
JBrKG	Jahrbuch für brandenburgische Kirchengeschichte, Berlin 1906-1941
JDAI	Jahrbuch des Deutschen Archäologischen Instituts (Beiblatt: Archäologischer Anzeiger), Berlin 1886 ff.
JDTh	Jahrbücher für deutsche Theologie, Stuttgart 1856-1878
JEA	The Journal of Egyptian Archaeology, London 1914 ff.
Jedin	H. Jedin, Geschichte des Konzils von Trient I, Freiburg/Breisgau 1951²; II, ebd. 1957
JEH	The Journal of Ecclesiastical History, London 1950 ff.
JewEnc	The Jewish Encyclopedia, 12 Bde., New York - London 1901-1906
JGNKG	Jahrbuch der Gesellschaft für niedersächsische Kirchengeschichte, Göttingen 1941 ff. (1896-1941: ZGNKG)
JGPrÖ	Jahrbuch der Gesellschaft für die Geschichte des Protestantismus in Österreich, Wien 1880 ff.
JJS	The Journal of Jewish Studies, London 1948 ff.
JK	Junge Kirche. Evangelische Kirchenzeitung, (Oldenburg) Dortmund 1933 ff.
JLH	Jahrbuch für Liturgik und Hymnologie, Kassel 1955 ff.
JLW	Jahrbuch für Liturgiewissenschaft, Münster 1921-1941 (jetzt: ALW)
JNES	Journal of Near Eastern Studies, Chicago 1942 (früher: AJSL)
Jöcher	Allgemeines Gelehrten-Lexicon, hrsg. von Chr. G. Jöcher, I-IV, Leipzig 1750/51; Fortsetzung und Ergänzung von J. Chr. Adelung, fortgesetzt von W. Rotermund, I-VI, 1784-1819; VII, hrsg. von O. Günther, 1897
JPOS	The Journal of the Palestine Oriental Society, Jerusalem 1920 ff.

JpTh	Jahrbücher für protestantische Theologie, (Leipzig, Freiburg/Breisgau) Braunschweig 1875-1892
JQR	The Jewish Quarterly Review, Philadelphia 1888 ff.
JR	The Journal of Religion, Chicago 1921 ff.
JRAS	Journal of the Royal Asiatic Society of Great Britain and Ireland, London 1833 ff.
JSOR	Journal of the Society of Oriental Research, Chicago 1917-1932; Madras 1936 ff.
JSS	Journal of Semitic Studies, Manchester 1956 ff.
JThS	The Journal of Theological Studies, Oxford 1900 ff.
Judaica	Judaica. Beiträge zum Verständnis des jüdischen Schicksals in Vergangenheit und Gegenwart, Zürich 1945 ff.
JüdLex	Jüdisches Lexikon. Ein enzyklopädisches Handbuch des jüdischen Wissens, begründet von G. Herlitz und B. Kirschner, 4 Bde., Berlin 1927-1930
Jugie	M. Jugie, Theologia dogmatica Christianorum orientalium ab ecclesia catholica dissidentium I-V, Paris 1926-1935

K

KÅ	Kyrhohistorisk Årsskrift, Uppsala 1900 ff.
Kairos	Kairos. Zeitschrift für Religionswissenschaft und Theologie, Salzburg 1959 ff.
KantSt	Kant-Studien. Philosophische Zeitschrift, begründet von H. Vaihinger, Berlin 1896 ff.; Leipzig 1938 ff.
KAT	Kommentar zum Alten Testament, hrsg. von E. Sellin, Leipzig 1913 ff.
KatBl	Katechetische Blätter. Kirchliche Jugendarbeit. Zeitschrift für Religionspädagogik und Jugendarbeit, München 1875 ff.
KathMiss	Die katholischen Missionen. Zeitschrift des Päpstlichen Werkes der Glaubensverbreitung, Freiburg/Breisgau 1873 ff.
Katholik	Der Katholik. Zeitschrift für katholische Wissenschaft und kirchliches Leben, Mainz 1821 ff.
Kautzsch, AP	Die Apokryphen und Pseudepigraphen des Alten Testaments, übersetzt und hrsg. von E. Kautzsch, 2 Bde., Tübingen 1900 (Neudruck 1921. 1929²)
Kautzsch, HSAT	Die Heilige Schrift des Alten Testaments, übersetzt von E. Kautzsch. 4., umgearbeitete Aufl., hrsg. von A. Bertholet, 2 Bde., Tübingen 1922. 1923
Kehrein	J. Kehrein, Katholische Kirchenlieder, Hymnen, Psalmen. Aus den ältesten deutschen gedruckten Gesang- und Gebetbüchern I-IV, Würzburg 1859-1865 (Nachdruck Hildesheim 1965)
KGA	Kirchengeschichtliche Abhandlungen, Breslau 1902 ff.
KH	Kirchliches Handbuch für das katholische Deutschland, (Freiburg/Breisgau) Köln 1907 ff.
KHC	Kurzer Hand-Commentar zum Alten Testament, hrsg. von K. Marti, Tübingen 1897 ff.
KiG	Die Kirche in ihrer Geschichte. Ein Handbuch, hrsg. von K. D. Schmidt - E. Wolf, Göttingen 1961 ff.
Kirch-Ueding	C. Kirch - L. Ueding, Enchiridion, fontium historiae ecclesiastique antiquae, Freiburg/Breisgau 1966⁹
Kittel	R. Kittel, Geschichte des Volkes Israel I, Gotha - Stuttgart 1923⁵⁻⁶; II, 1925⁶; III/1-2, Stuttgart 1927-1929²
KJ	Kirchliches Jahrbuch für die evangelische Kirche in Deutschland, Gütersloh 1873 ff.
KLL	Kindlers Literatur Lexikon, 7 Bde., Zürich 1965-1972; ErgBd. 1974
Kl. Pauly	Der kleine Pauly. Lexikon der Antike, bearbeitet und hrsg. von K. Ziegler und W. Sontheimer, Stuttgart 1964 ff.
KmJb	Kirchenmusikalisches Jahrbuch, Köln 1886 ff.
KML	Kindlers Malerei Lexikon, 6 Bde., Zürich 1964-1971
KNT	Kommentar zum Neuen Testament, hrsg. von Th. Zahn, 18 Bde., Leipzig 1903 ff.
Koch	E. E. Koch, Geschichte des Kirchenlieds und Kichengesangs, 3. Aufl., 8 Bde., Stuttgart 1866-1876
Koch, JL	L. Koch, Jesuitenlexikon. Die Gesellschaft Jesu einst und jetzt, Paderborn 1934 (Nachdruck mit Berichtigung und Ergänzung, 2 Bde., Löwen - Heverlee 1962)
Köhler	L. Köhler, Theologie des Alten Testaments, Tübingen 1966⁴

Körner	J. Körner, Bibliographisches Handbuch des deutschen Schrifttums, Bern 1949³ (völlig umgearbeitet und wesentlich vermehrt)
Kosch, KD	Das Katholische Deutschland. Biographisch-bibliographisches Lexikon von W. Kosch, Augsburg 1930-1938
Kosch, LL	Deutsches Literatur-Lexikon. Biographisches und bibliographisches Handbuch von W. Kosch, 2., vollständig neubearbeitete und stark vermehrte Aufl., 4 Bde., Bern 1949-1958
KRA	Kirchenrechtliche Abhandlungen, Stuttgart 1902 ff.
Kraus	H.-J. Kraus, Geschichte der historisch-kritischen Erforschung des Alten Testaments von der Reformation bis zur Gegenwart, Neukirchen-Vluyn 1956 (1969²)
Krumbacher	K. Krumbacher, Geschichte der Byzantinischen Literatur, München 1890; 2. Aufl. unter Mitwirkung von A. Ehrhard und H. Gelzer, ebd. 1897
KStuT	Kanonistische Studien und Texte, hrsg. von A. M. Koeninger, Bonn 1928 ff.
KuD	Kerygma und Dogma. Zeitschrift für theologische Forschung und kirchliche Lehre, Göttingen 1955 ff.
Kümmerle	Encyclopädie der evangelischen Kirchenmusik. Bearbeitet und hrsg. von S. Kümmerle, 4 Bde., Gütersloh 1888-1895
Künstle	K. Künstle, Ikonographie der Heiligen, Freiburg/Breisgau 1926
Kürschner, GK	Kürschners Deutscher Gelehrten-Kalender, Berlin 1925 ff.
Kürschner, LK	Kürschners Deutscher Literatur-Kalender, Berlin 1878 ff.

L

Landgraf	A. M. Landgraf, Dogmengeschichte der Frühscholastik, I/1-IV/2, Regensburg 1952-1956
Latourette	K. S. Latourette, A History of the Expansion of Christianity, 7 Bde., New York - London 1937-1945
LB	Lexikon zur Bibel, hrsg. von F. Rienecker, Wuppertal 1960
LChW	The Lutheran Churches of the World, ed. A. R. Wentz, Genf 1952
Leiturgia	Leiturgia. Handbuch des evangelischen Gottesdienstes, hrsg. von K. F. Müller und W. Blankenburg, 3 Bde., Kassel 1952-1956
LexCap	Lexicon Capuccinum. Promptuarium Historico-Bibliographicum (1525-1590), Rom 1951
LexP	Hans Kühner, Lexikon der Päpste, Zürich - Stuttgart 1956
LF	Liturgiegeschichtliche Forschungen, Münster 1918 ff.
LibPont	Liber pontificalis, ed. L. Duchesne, 2 Bde., Paris 1886-1892 (Neudruck ebd. 1955); III, ed. C. Vogel, ebd. 1957
Lichtenberger	Encyclopédie des sciences religieuses, publiée sous la direction de F. Lichtenberger, 13 Bde., Paris 1877-1882
Lietzmann	H. Lietzmann, Geschichte der alten Kirche. I, Berlin 1937² (= 1953³); II-IV, 1936-1944 (= 1953²)
LitHandw	Literarischer Handweiser, (Münster) Freiburg/Breisgau 1863 ff.
LJ	Liturgisches Jahrbuch, Münster 1951 ff.
LM	Lexikon der Marienkunde, hrsg. von K. Algermissen u. a., I (Aachen bis Elisabeth von Thüringen), Regensburg 1957-1967
LML	Luther. Mitteilungen der Luthergesellschaft, (Leipzig) Berlin 1919 ff.
Loofs	F. Loofs, Leitfaden zum Studium der Dogmengeschichte, hrsg. von K. Aland, 2 Bde., Halle 1951-1953⁵
Lortz	J. Lortz, Die Reformation in Deutschland, 2 Bde., Freiburg/Breisgau 1939/40 (1965⁵)
LPäd(B)	Lexikon der Pädagogik, 3 Bde., Bern 1950-1952
LexPäd(F)	Lexikon der Pädagogik, 4 Bde., Freiburg/Breisgau 1952-1955; ErgBd. 1964
LQF	Liturgiegeschichtliche Quellen und Forschungen, Münster 1909-1940. 1957 ff.
LR	Lutherische Rundschau. Zeitschrift des Lutherischen Weltbundes, Stuttgart 1951 ff.
LS	Lebendige Seelsorge. Zeitschrift für alle Fragen der Seelsorge, Freiburg/Breisgau 1950 ff.
LSB	La sainte Bible, hrsg. von der École Biblique de Jérusalem, Paris 1948 ff.

LThK	Lexikon für Theologie und Kirche. Begründet von Michael Buchberger. 2., völlig neu bearbeitete Aufl. Hrsg. von Josef Höfer und K. Rahner, 10 Bde., Freiburg/Breisgau 1957-1966; ErgBd. 1967
LThKVat	Lexikon für Theologie und Kirche. Das Zweite Vatikanische Konzil. Konstitutionen, Dekrete und Erklärungen, lateinischer und deutscher Kommentar, hrsg. von H. S. Brechter - B. Häring - J. Höfer - H. Jedin - J. A. Jungmann - K. Mörsdorf - K. Rahner - J. Ratzinger - K. Schmidthüs - J. Wagner, 3 Tle., Freiburg/Breisgau 1966 ff.
LUÅ	Lunds Universitets Årsskrift, Lund
LuJ	Luther-Jahrbuch. Jahrbuch der Luther-Gesellschaft (seit 1971: Organ der internationalen Lutherforschung), (Leipzig - Wittenberg - München - Amsterdam - München - Weimar -Gütersloh - Berlin - Hamburg) Göttingen 1919 ff.
LuM	Liturgie und Mönchtum. Laacher Hefte, (Freiburg/Breisgau) Maria Laach 1948 ff.
LumVitae	Lumen Vitae. Revue internationale de la formation religieuse, Brüssel 1946 ff.
Luthertum	Luthertum (= NF der NKZ), Leipzig 1934-1942
LVTL	L. Koehler - W. Baumgartner, Lexicon in Veteris Testamenti libros, Leiden 1948-1953
LZ	Literarisches Zentralblatt für Deutschland, Leipzig 1850 ff.

M

MALe	Moyen âge. Revue d'histoire et de philologie, Paris 1888
MAA	Medede(e)lingen der koninklijke nederlands(ch)e Akademie van Wetenschappen, Amsterdam
MAB	Mémoires de l'Académie Royale de Langue et de Littérature Fançaise de Belgique, Brüssel
Mai	A. Mai, Scriptorum veterum nova collectio e vaticanis codicibus edita, 10 Bde., Rom 1825-1838
Manitius	M. Manitius, Geschichte der lateinischen Literatur des Mittelalters I, München 1911; II, 1923; III, 1931
Mann	H. K. Mann, The Lives of the Popes in the Early Middle Ages from 590 to 1304, 18 Bde., London 1902-1932
Mansi	J. D. Mansi, Sacrorum conciliorum nova et amplissima collectio, 31 Bde., Florenz - Venedig 1757-1798. - Neudruck und Fortsetzung unter dem Titel: Collectio conciliorum recentiorum ecclesiae universae, 60 Bde., Paris 1899-1927
MAOG	Mitteilungen der Altorientalischen Gesellschaft, Leipzig 1925 ff.
Mar	Marianum, Rom 1939 ff.
Maria	Maria. Études sur la Sainte Vierge, sous la direction d'H. Du Manoir, 4 Bde., Paris 1949-1956
MartFr	Martyrologium Franciscanum, Rom 1938
MartHier	Martyrologium Hieronymianum, ed. H. Quentin - H. Delehaye, Brüssel 1931
MartRom	Martyrologium Romanum, ed. H. Delehaye, Brüssel 1940
Mausbach-Ermecke	J. Mausbach - G. Ermecke, Katholische Moraltheologie I, Münster 1959[9]; II, 1959[11]; III, 1961[10]
MBP	Maxima Bibliotheca veterum Patrum et antiquorum scriptorum ecclesiasticorum, hrsg. von den Theologen der Kölner Universität, 27 Bde., Lyon 1677-1707
MBTh	Münsterische Beiträge zur Theologie, Münster 1923 ff.
MDAI	Mitteilungen des Deutschen Archäologischen Instituts, Römische Abteilung, München 1886 ff.
MdKI	Materialdienst des Konfessionskundlichen Instituts, Bensheim 1950 ff.
MDOG	Mitteilungen der Deutschen Orientgesellschaft zu Berlin, Berlin 1898-1943
MennEnc	The Mennonite Encyclopedia, 4 Bde., Hillsboro/Kansas - Newton/Kansas - Scottdale/Pennsylvanien 1955-1959
MennLex	Mennonitisches Lexikon I, Frankfurt/Main und Weierhof/Pfalz 1913; II, ebd. 1937; III, Karlsruhe 1958; IV (Saarburg - Wyngaard), ebd. 1959-1966
Meulemeester	M. de Meulemeester, Bibliographie générale des écrivains rédemptoristes, 3 Bde., Louvain 1933-1939
Meusel	J. G. Meusel, Das Gelehrte Teutschland oder Lexikon der jetzt lebenden teutschen Schriftsteller, 23 Bde., Lemgo 1796-1834 (ab Bd. 13 auch unter dem Titel: Das Gelehrte Teutschland im 19. Jahrhundert, Bd. 1 ff.)
Meyer, KNT	Kritisch-exegetischer Kommentar über das Neue Testament, begründet von H. A. W. Meyer, 16 Bde., Göttingen 1832 ff.

Mf	Die Musikforschung, Kassel und Basel 1948 ff.
MfM	Monatshefte für Musikgeschichte, Leipzig 1869 ff.
MFr	Miscellanea francescana, Rom 1886 ff.
MG	Monumenta Germanicae historica inde A.C. 500 usque ad 1500, Hannover - Berlin 1826 ff.
MG AA	MG Auctores antiquissimi
MG Cap	MG Capitularia
MG Conc	MG Concilia
MG Const	MG Constitutiones
MG DD	MG Diplomata Karolinum
MG Epp	MG Epistolae selectae
MG Liblit	MG Libelli de lite
MG LL	MG Leges
MG Necr	MG Necrologia
MG PL	MG Poetae Latini
MG SS	MG Scriptores
MG SS rer. Germ.	MG SS rerum Germanicarum
MG SS rer. Merov.	MG SS rerum Merovingicarum
MG SS rer. Lang.	MG SS rerum Langobardicarum
MGG	Die Musik in Geschichte und Gegenwart. Allgemeine Enzyklopädie der Musik, hrsg. von F. Blume, 14 Bde., Kassel - Basel - Paris - London - New York 1949-1968; XV: Supplement A-D, 1973
MGkK	Monatsschrift für Gottesdienst und kirchliche Kunst, Göttingen 1896-1940
MGWJ	Monatsschrift für Geschichte und Wissenschaft des Judentums, Beslau 1851 ff.
MHSI	Monumenta Historica Societatis Iesu, Madrid 1894 ff.; Rom 1932 ff.
MIC	Monumenta Iuris canonici, Roma 1965 ff.
MIÖG	Mitteilungen des Instituts für österreichische Geschichtsforschung, (Innsbruck) Graz - Köln 1880 ff.
MIOr	Mitteilungen des Instituts für Orientforschung, hrsg. von F. Hintze, Berlin 1953 ff.
Mirbt	C. Mirbt, Quellen zur Geschichte des Papsttums und des römischen Katholizismus, Tübingen 1924⁴ = 1934⁵
MkPr	Monatsschrift für die kirchliche Praxis, Tübingen 1901-1920
MNDPV	Mitteilungen und Nachrichten des Deutschen Palästinavereins, Leipzig 1878 ff.
MO	Le Monde Oriental. Archives pour l'histoire et l'ethnographie, les langues et littératures, religions et traditions de l'Europe orientale et de l'Asie, Uppsala - Leipzig 1906 ff.
MOP	Monumenta ordinis Fratrum Praedicatorum historica, ed. B. M. Reichert, 14 Bde., Rom 1896-1904; Fortsetzung Paris 1931 ff.
Moser	H. J. Moser, Musiklexikon, 2 Bde., Hamburg 1955⁴; ErgBd. 1963
MPG	J. P. Migne, Patrologiae cursus completus, series Graeca, 161 Bde., Paris 1857-1866
MPL	J. P. Migne, Patrologiae cursus completus, series Latina, 217 Bde. und 4 Erg. Bde., Paris 1878-1890
MPTh	Monatsschrift für Pastoraltheologie zur Vertiefung des gesamten pfarramtlichen Wirkens, Berlin 1904 ff.
MRS	Mediaeval and Renaissance Studies, London 1949 ff.
MS	Mediaeval Studies, hrsg. vom Pontifical Institute of Mediaecal Studies, Toronto - London 1939 ff.
MSR	Mélanges de science religieuse, Lille 1944 ff.
MStHTh	Münchener Studien zur historischen Theologie, (Kempten) München 1921-1937
MThS	Münchener Theologische Studien, München 1950 ff.
MThZ	Münchener Theologische Zeitschrift für das Gesamtgebiet der katholischen Theologie, München 1950 ff.
MuA	Musik und Altar. Zeitschrift für die katholischen Priester und Kirchenmusiker, Freiburg/Breisgau 1948/49 ff.
MuG	Musik und Gottesdienst. Zeitschrift für evangelische Kirchenmusik, Zürich 1947 ff.
MuK	Musik und Kirche, Kassel 1929 ff.

MuSa	musica sacra. Cäcilien-Verbands-Organ für die deutschen Diözesen im Dienste des kirchen-musikalischen Apostolats, Regensburg - Bonn - Köln 1868 ff.
Muséon	Le Muséon. Revue d'Études Orientales, Löwen 1831 ff.
MWAT	Missionswissenschaftliche Abhandlungen und Texte. Veröffentlichungen des internationalen Instituts für missionswissenschaftliche Forschungen, hrsg. von Th. Ohm, Münster 1917 ff.

N

NA	Neues Archiv der Gesellschaft für ältere deutsche Geschichtskunde zur Beförderung einer Gesamtausgabe der Quellenschriften deutscher Geschichte des Mittelalters, Hannover 1876 ff. (ab 1937: DA)
NAG	Nachrichten von der (ab 1945: der) Akademie der Wissenschaften in Göttingen (bis 1940: NGG), Göttingen 1941 ff.
NAKG	Nederlandsch Archief voor Kerkgeschiedenis, Leiden 1829 ff.; 's Gravenhage 1885 ff.
NAMZ	Neue Allgemeine Missionszeitschrift, Gütersloh 1924-1939
NBG	Nouvelle biographie générale, 46 Bde., Paris 1857-1866
NBL	Norsk Biografisk Leksikon, Kristiania 1923 ff.
NC	La Nouvelle Clio. Revue mensuelle de la découverte historique, Brüssel 1947 ff.
NDB	Neue Deutsche Biographie, Berlin 1953 ff.
NedThT	Nederlands theologisch Tijdschrift, Wageningen 1946 ff.
NELKB	Nachrichten der Evangelisch-Lutherischen Kirche in Bayern, München 1946 ff.
Nelle	W. Nelle, Geschichte des deutschen evangelischen Kirchenliedes, Leipzig 1928[3]
NewCathEnc	New catholic encyclopedia, New York 1, 1967 ff.
NGG	Nachrichten von der Gesellschaft der Wissenschaften zu Göttingen (ab 1941: NAG), Berlin 1845-1940
NHC	Nag Hammadi Codex, Leiden 1975 ff.
Niesel, BS	Bekenntnisschriften und Kirchenordnungen der nach Gottes Wort reformierten Kirche, hrsg. von W. Niesel, München 1938 (Zürich 1945[2])
Niesel, Symb	W. Niesel, Das Evangelium und die Kirchen. Ein Lehrbuch der Symbolik, Neukirchen-Vluyn, 1960[2]
NKZ	Neue kirchliche Zeitschrift, Leipzig 1890-1933
NNBW	Nieuw Nederlandsch Biographisch Woordenboek, 10 Bde., Leiden 1911 ff.
NÖB	Neue Österreichische Biographie 1815-1918, Wien 1923 ff.
Noth	M. Noth, Geschichte Israels, 1959[4] = 1956[3] = 1954[2]
NovTest	Novum Testamentum. An international quarterly for New Testament and related studies, Leiden 1956 ff.
NRTh	Nouvelle Revue Théologique, Tournai - Löwen - Paris 1869 ff.
NTA	Neutestamentliche Abhandlungen, Münster 1909 ff.
NTD	Das Neue Testament Deutsch, hrsg. von P. Althaus - J. Behm (Neues Göttinger Bibelwerk), Göttingen 1932 ff.
NThT	Nieuw Theologisch Tijdschrift, Haarlem 1912-1944/46
NTL	Norsk Teologisk Leksikon
NTS	New Testament Studies, Cambridge - Washington 1954 ff.
NTT	Nors Theologisk Tidsskrift, Oslo 1900 ff.
NTU	Nordisk Teologisk Uppslagsbok, Lund 1948-1956
Numen	Numen. International Review for the History of Religions, Leiden 1954 ff.
NZM	Neue Zeitschrift für Missionswissenschaft, Beckenried 1945 ff.
NZSTh	Neue Zeitschrift für systematische Theologie, Berlin 1959 ff. (1923-1957: ZSTh)

O

ODCC	The Oxford Dictionary of the Christian Church, ed. F. L. Cross, London 1957 (1974[2])
ÖAKR	Österreichisches Archiv für Kirchenrecht, Wien 1950 ff.
ÖBL	Österreichisches Biographisches Lexikon 1815-1950, Graz - Köln 1954 ff.

ÖP	Ökumenische Profile. Brückenbauer der einen Kirche, hrsg. von G. Gloede, I, Stuttgart 1961; II, 1963
ÖR	Ökumenische Rundschau, Stuttgart 1952 ff.
OHEL	Oxford History of English Literature, Oxford 1969
OLZ	Orientalische Literaturzeitung, Leipzig 1898 ff.
Or	Orientalia. Commentarii Periodici Pontificii Instituti Biblici, Rom 1920 ff.
OrChr	Oriens Christianus, (Leipzig) Wiesbaden 1901 ff.
OrChrA	Orientalia Christiana (Analecta), Rom (1923-1934: Orientalia Christiana; 1935 ff.: Orientalia Christiana Analecta)
OrChrP	Orientalia Christiana periodica, Rom 1935 ff.
Orientierung	Orientierung. Katholische Blätter für weltanschauliche Information, Zürich 1936 ff.
OrSyr	L'Orient Syrien. Revue trimestrielle d'études et de recherches sur les églises de langue syriaque, Paris 1956 ff.
OstKSt	Ostkirchliche Studien, Würzburg 1952 ff.
OTS	Oudtestamentische Studiën, Leiden 1942 ff.

P

PädLex	Pädagogisches Lexikon, hrsg. von H. Schwartz, Bielefeld 1928-1931
PädR	Pädagogische Rundschau. Monatsschrift für Erziehung und Unterricht. Erziehungswissenschaftliche Monatsschrift für Schule und Hochschule, Ratingen 1947 ff.
v.Pastor	L. von Pastor, Geschichte der Päpste seit dem Ausgang des Mittelalters, 16 Bde., Freiburg/Breisgau 1885 ff.
Pauly-Wissowa	A. Pauly - G. Wissowa, Real-Encyclopädie der klassischen Altertumswissenschaft, Stuttgart 1893 ff.
PBl	Pastoralblätter für Predigt, Seelsorge und kirchliche Unterweisung (NF von »Gesetz und Zeugnis«), (Leipzig, Dresden) Stuttgart 1859 ff.
PEFA	Palestine Exploration Fund Annual, London 1911 ff.
PEFQSt	Palestine Exploration Fund Qarterly Statement, London 1869-1936
PEQ	Palestine Exploration Quarterly, London 1937 ff. (früher: PEFQSt)
PGfM	Publikation älterer praktischer und theoretischer Musikwerke, hrsg. von der Gesellschaft für Musikforschung, 29 Bde., Leipzig 1873-1905
Philologus	Philologus. Zeitschrift für das klassische Altertum, (Leipzig) Wiesbaden 1846 ff.
PhJ	Philosophisches Jahrbuch der Görres-Gesellschaft, (Fulda) Freiburg/Breisgau - München 1888 ff.
PhLA	Philosophischer Literaturanzeiger, München - Basel 1949 ff.
PhR	Philosophische Rundschau. Eine Vierteljahresschrift für philosophische Kritik, Tübingen 1953 ff.
PJ	Palästinajahrbuch des Deutschen Evangelischen Instituts für Altertumswissenschaft des Hl. Landes zu Jerusalem, Berlin 1905-1941
Plöchl	W. Plöchl, Geschichte des Kirchenrechts. I: Das Recht des 1. christlichen Jahrtausends, Wien 1960²; II: Das Kirchenrecht der abendländischen Christenheit, 1962²; III. IV: Das katholische Kirchenrecht der Neuzeit, 1959. 1966
PO	Patrologia orientalis, hrsg. von R. Graffin und F. Nau, Paris 1903 ff.
Pohle-Gummersbach	J. Pohle - J. Gummersbach, Lehrbuch der Dogmatik I, Paderborn 1952¹⁰; II, 1966¹¹; III, 1960⁹
Potthast	A. Potthast, Bibliotheca historica medii aevi. Wegweiser durch die Geschichtswerke des europäischen Mittelalters bis 1500, 2 Bde., Berlin 1896² (Nachdruck Graz 1954)
PrBl	Protestantenblatt, Bremen 1867 ff.
Preger	J. W. Preger, Geschichte der deutschen Mystik im Mittelalter, 3 Bde., Leipzig 1874-1893
PrJ	Preußische Jahrbücher, Berlin 1858 ff.
PrM	Protestantische Monatshefte, Leipzig 1897 ff.
PrO	Le Proche-Orient chrétien. Revue d'études et d'information, Jerusalem 1951 ff.
PS	Patrologia Syriaca, ed. R. Graffin, 3 Bde., Paris 1894-1926
PsR	Psychologische Rundschau, Göttingen 1949 ff.

Q

QD	Quaestiones disputatae, hrsg. von K. Rahner - H. Schlier, Freiburg/Breisgau 1958 ff.
QFG	Quellen und Forschungen aus dem Gebiet der Geschichte, hrsg. von der Görres-Gesellschaft, Paderborn 1892 ff.
QFIAB	Quellen und Forschungen aus italienischen Archiven und Bibliotheken, Rom 1897 ff.
QFRG	Quellen und Forschungen zur Reformationsgeschichte (früher: Studien zur Kultur und Geschichte der Reformation), (Leipzig) Gütersloh 1911 ff.
QGProt	Quellenschriften zur Geschichte des Protestantismus, hrsg. von J. Kunze und C. Stange, Leipzig 1904 ff.
QKK	Quellen zur Konfessionskunde, hrsg. von K. D. Schmidt und W. Sucker, Lüneburg 1954 ff.
QRG	Quellen der Religionsgeschichte, Göttingen - Leipzig 1907-1927
Quasten	J. Quasten, Patrology, 3 Bde., Utrecht - Brüssel 1950-1960
Quétif-Échard	J. Quétif und J. Échard, Scriptores Ordinis Praedicatorum, 2 Bde., Paris 1719-1721; 3 SupplBde., 1721-1723; fortgesetzt von R. Coulon, Paris 1909 ff.

R

RA	Revue d'Assyriologie et d'Archéologie Orientale, Paris 1886 ff.
RAC	Reallexikon für Antike und Christentum, hrsg. von Th. Klauser, Stuttgart 1941 ff.
Rad	G. von Rad, Theologie des Alten Testaments, 2 Bde., München 1962-1965[4]
RÄRG	H. Bonnet, Reallexikon der ägyptischen Religionsgeschichte, Berlin 1952
Räß	A. Räß, Die Konvertiten seit der Reformation, 10 Bde., Freiburg/Breisgau 1866-1871; 1 RegBd., 1872; 3 SupplBde., 1873-1880
RAM	Revue d'ascétique et de mystique, Toulouse 1920 ff.
RB	Revue biblique, Paris 1892 ff.; NS 1904 ff.
RBén	Revue Bénédictine, Maredsous 1884 ff.
RDC	Revue de droit canonique, Strasbourg 1951 ff.
RDK	Reallexikon zur deutschen Kunstgeschichte, Stuttgart 1937 ff.
RDL	Reallexikon der deutschen Literaturgeschichte, hrsg. von P. Merker und W. Stammler, 4 Bde., Berlin 1925-1951; neu bearbeitet und hrsg. von W. Kohlschmidt und W. Mohr, ebd. 1955 ff.[2]
RE	Realencyclopädie für protestantische Theologie und Kirche, begründet von J. J. Herzog, hrsg. von A. Hauck, 3. Aufl., 24 Bde., Leipzig 1896-1913
RÉA	Revue des Études Anciennes, Bordeaux 1899 ff.
Réau	L. Réau, Iconographie de l'art chrétien, I-III/3, Paris 1955-1959
RÉByz	Revue des Études Byzantines, Paris 1946 ff.
Reformatio	Reformatio. Zeitschrift für evangelische Kultur und Politik, Zürich 1952 ff
RÉG	Revue des Études Grecques, Paris 1888 ff.
RÉI	Revue des Études Islamiques (1906 ff.: Revue du Monde Musulman), Paris 1927 ff.
RÉJ	Revue des Études Juives, Paris 1880 ff.
RÉL	Revue des Études latines, Paris 1923 ff.
RepBibl	F. Stegmüller, Repertorium Biblicum Medii Aevi, 7 Bde., Madrid 1950-1961
RepGerm	Repertorium Germanicum, hrsg. vom Kgl. Preußischen historischen Institut in Rom, 4 Bde., Berlin 1916-1943
RÉS	Revue des Études Sémitiques, Paris 1940 ff.
RET	Revista Española de teología, Madrid 1941 ff.
RevArch	Revue Archéologique, Paris 1844 ff.
RevÉAug	Revue des études Augustiniennes, Paris 1955 ff. (Fortsetzung von: AThA)
RevGrég	Revue Grégorienne, Solesme 1922 ff.
RevHist	Revue Historique, Paris 1876 ff.
RevSR	Revue des Sciences Religieuses, Strasbourg 1921 ff.
RF	Razón y Fe, Madrid 1901 ff.
RFN	Rivista di filosofia neoscolastica, Mailand 1909 ff.

RG	Religion und Geisteskultur. Zeitschrift für religiöse Vertiefung des modernen Geisteslebens, Göttingen 1907-1914
RGA	Reallexikon der germanischen Altertumskunde, hrsg. von J. Hoops, 4 Bde., Straßburg 1911-1919
RGG	Die Religion in Geschichte und Gegenwart. Handwörterbuch für Theologie und Religionswissenschaft. Hrsg. von Kurt Galling, 6 Bde., Tübingen 1957-1962; RegBd. 1965
RGST	Reformationsgeschichtliche Studien und Texte, begründet von J. Greving, Münster 1906 ff.
RHE	Revue d'histoire ecclésiastique, Löwen 1900 ff.
RHÉF	Revue d'histoire de l'Église de France, Paris 1910 ff.
RheinMus	Rheinisches Museum für Philologie, Bonn 1833 ff.
RHLR	Revue d'histoire et de littérature religieuse, Paris 1896-1907
RHM	Revue d'histoire des missions, Paris 1924 ff.
RHPhR	Revue d'histoire et de philosophie religieuses, Strasbourg 1921 ff.
RHR	Revue de l'histoire des religions, Paris 1880 ff.
Riemann	Riemann Musik Lexikon, 12., völlig neu bearbeitete Aufl., hrsg. von W. Gurlitt, I, Mainz 1959; II, 1961; III, 1967; 2 ErgBde., hrsg. von C. Dahlhaus, 1972. 1975
RIPh	Revue Internationale de Philosophie, Brüssel 1938/39 ff.
RITh	Revue Internationale de Théologie, Bern 1893-1910
Ritschl	O. Ritschl, Dogmengeschichte des Protestantismus, 4 Bde., Göttingen 1908-1927
RivAC	Rivista de Archeologia Cristiana, Rom 1924 ff.
RKZ	Reformierte Kirchenzeitung, (Erlangen, Barmen-Elberfeld) Neukirchen-Vluyn 1851 ff.
RLA	Reallexikon der Assyriologie, hrsg. von E. Ebeling und B. Meißner, 2 Bde., Berlin 1928-1938
RLV	Reallexikon der Vorgeschichte, hrsg. von M. Ebert, 15 Bde., Berlin 1924-1932
RMAL	Revue du Moyen âge latin, Strasbourg 1945 ff.
RNPh	Revue néoscolastique de philosophie, Löwen 1894 ff.
ROC	Revue de l'Orient chrétien, Paris 1896 ff.
Rosenthal	D. A. Rosenthal, Konvertitenbilder aus dem 19. Jahrhundert, 3 Bde. in 6 Abt. mit 2 SupplBdn. zu Bd. I, Regensburg 1868-1902
Rouse-Neill	H. Rouse - St. Ch. Neill, Geschichte der Ökumenischen Bewegung 1517-1948, 2 Bde., Göttingen 1957-58 (Original: HEM)
RPh	Revue de Philologie, littérature et d'histoire anciennes, Paris 1914 ff.
RPhL	Revue philosophique de Louvain, Löwen 1945 ff.
RQ	Römische Quartalschrift für christliche Altertumskunde und für Kirchengeschichte, Freiburg/Breisgau 1887-1942
RQH	Revue des questions historiques, Paris 1866 ff.
RR	Review of Religion, New York 1936-1957/58
RSPhTh	Revue des sciences philosophiques et théologiques, Paris 1907 ff.
RSR	Recherches de science religieuse, Paris 1910 ff.
RSTI	Rivista di storia della chiesa in Italia, Rom 1947 ff.
RThAM	Recherches de Théologie Ancienne et Médiévale, Löwen - Paris 1929 ff.
RThom	Revue Thomiste, Paris 1893 ff.
RThPh	Revue de Théologie et de Philosophie, Lausanne 1868 ff.

S

SA	Studia Anselmiana philosophica theologica. Edita a professoribus Instituti pontificii S. Anselmi de Urbe, Rom 1933 ff.
SAB	Sitzungsberichte der Deutschen (bis 1944: Preußischen) Akademie der Wissenschaften zu Berlin. Phil.-hist. Klasse, Berlin 1882 ff.
Saeculum	Saeculum. Jahrbuch für Universalgeschichte, Freiburg/Breisgau 1950 ff.
SAH	Sitzungsberichte der Heidelberger Akademie der Wissenschaften. Phil.-hist. Klasse, Heidelberg 1910 ff.
SAM	Sitzungsberichte der Bayerischen Akademie der Wissenschaften. Phil.-hist. Abteilung, München 1871 ff.

SAT	Die Schriften des Alten Testaments in Auswahl übersetzt und erklärt von H. Gunkel u. a., Göttingen 1920-1925[2]
SAW	Sitzungsberichte der (ab 225, 1, 1947: Österreichischen) Akademie der Wissenschaften in Wien, Wien 1831 ff.
SBE	The Sacred Books of the East, ed. F. M. Müller, Oxford 1879-1910
SBU	Svenskt Bibliskt Uppslagsverk, hrsg. von I. Engnell und A. Fridrichsen, Gävle 1948-1952
SC	Sources chrétiennes. Collection dirigée par H. de Lubac et J. Daniélou, Paris 1941 ff.
ScCatt	Scuola cattolica, Mailand 1873 ff.
Schanz	M. von Schanz, Geschichte der römischen Literatur, 4 Bde., München 1890-1920 (I, 1927[4]; II, 1914[3]; III, 1922[3]; IV/1, 1914[2], IV[2], 1920)
Scheeben	M. J. Scheeben Handbuch der katholischen Dogmatik I, Freiburg/Breisgau 1959[3]; II, 1948[3]; III.IV, 1961[3]; V, 1-2, 1954[2]; VI, 1957[3]
Schmaus	M. Schmaus, Katholische Dogmatik I, München 1960[6]; II/1, 1962[6]; II/2, 1963[6]; III/1, 1958[5]; III/2, 1965[6]; IV/1, 1964[6]; IV/2, 1959[5]; V, 1961[2]
Schmitz	Ph. Schmitz, Geschichte des Benediktinerordens, 4 Bde., Einsiedeln 1947-1960
Schnabel	F. Schnabel, Deutsche Geschichte im 19. Jahrhundert I, Freiburg/Breisgau 1959[5]; II, 1949[2]; III, 1954[3]; IV, 1955[3]
Schönemann	C. T. G. Schönemann, Bibliotheca historico-litteraria patrum latinorum a Tertulliano principe usque ad Gregorium M. et Isidorum Hispalensem ad Bibliothecam Fabricii latinam accommodata, 2 Bde., Leipzig 1792-1794
Scholastik	Scholastik. Vierteljahresschrift für Theologie und Philosophie, Freiburg/Breisgau 1926 ff. (ab 1966: ThPh)
Schottenloher	Bibliographie zur deutschen Geschichte im Zeitalter der Glaubensspaltung 1517-1585, hrsg. von K. Schottenloher, 6 Bde., Leipzig 1933-1940; VII: Das Schrifttum von 1938 bis 1960. Bearbeitet von U. Thürauf, Stuttgart 1966
Schürer	E. Schürer, Geschichte des jüdischen Volkes im Zeitalter Jesu Christi I, Leipzig 1920[5]; II.III, 1907-1909[4]
Schulte	J. F. von Schulte, Die Geschichte der Quellen und der Literatur des kanonischen Rechts, 3 Bde., Stuttgart 1875-1880
SD	Solida Declaratio (in: BSLK)
SDGSTh	Studien zur Dogmengeschichte und systematischen Theologie, Zürich 1952 ff.
SE	Sacris Erudiri. Jaarboek voor Godsdienstwetenschappen, Brügge 1948 ff.
SEÅ	Svensk Exegetisk Årsbok, Uppsala 1936 ff.
Seeberg	R. Seeberg, Lehrbuch der Dogmengeschichte I.II, Leipzig 1922/23[3]; III, 1930[4]; IV/1, 1933[4]; IV/2, 1920[3]; I-IV (Neudruck), Basel 1953/54
Sehling	E. Sehling, Die evangelischen Kirchenordnungen des XVI. Jahrhunderts, I-V, Leipzig 1902-1913; VI/1 ff., hrsg. vom Institut für evangelisches Kirchenrecht der EKD, Tübingen 1955 ff.
Semitica	Semitica. Cahiers publiés par l'Institut d'Études Sémitiques de l'Université de Paris, Paris 1948 ff.
Seppelt	F. X. Seppelt, Geschichte der Päpste von den Anfängen bis zur Mitte des 20. Jahrhunderts, I.II.IV.V, Leipzig 1931-1941; I, München 1954[2]; II, 1955[2]; III, 1956; IV, 1957[2]; V, 1959[2]
SGV	Sammlung gemeinverständlicher Vorträge und Schriften aus dem Gebiet der Theologie und Religionsgeschichte, Tübingen - Leipzig 1903 ff.
SHVL	Skrifter utgivna av Kungl. Humanistiska Vetenskapssamfundet i Lund, Lund
SIMG	Sammelbände der Internationalen Musikgesellschaft, Leipzig 1899-1914
Sitzmann	F. E. Sitzmann, Dictionnaire de Biographie des Hommes Célèbres d'Alsace, 2 Bde., Rixheim (Elsaß) 1909/10
SJTh	The Scottish Journal of Theology, Edinburgh 1948 ff.
SKRG	Schriften zur Kirchen- und Rechtsgeschichte, hrsg. von E. Fabian, Tübingen 1956 ff.
SKZ	Schweizerische Kirchenzeitung, Luzern 1832 ff.
SM	Sacramentum Mundi. Theologisches Lexikon für die Praxis, 4 Bde., Freiburg/Breisgau - Basel - Wien 1967-1969
SMK	Svensk Män och Kvinnor. Biografisk Uppslagsbok, 10 Bde., Stockholm 1942-1955
SMSR	Studi e Materiali di Storia delle Religioni, Rom 1925 ff.
SNT	Die Schriften des Neuen Testaments, neu übersetzt und für die Gegenwart erklärt von W. Bousset und W. Heitmüller, 4 Bde., Göttingen 1917-1919[3]

SNVAO	Skrifter utgitt av Det Norske Videnskaps-Akademi i Oslo, Oslo
SO	Symbolae Osloenses, ed. Societas Graeco-Latina, Oslo 1922 ff.
Sommervogel	C. Sommervogel, Bibliothèque de la Compagnie de Jésus, I-IX, Brüssel - Paris 1890-1900[2]; X (Nachträge von E. M. Rivière), Toulouse 1911 ff.; XI (Histoire par P. Bliard), Paris 1932
Speculum	Speculum. A Journal of mediaeval studies, Cambridge/Massachusetts 1926 ff.
SQS	Sammlung ausgewählter kirchen- und dogmengeschichtlicher Quellenschriften, Tübingen 1893 ff.
SSL	Spicilegium sacrum Lovaniense, Löwen 1922 ff.
Stählin	O. Stählin, Die altchristliche griechische Literatur = W. von Christ, Geschichte der griechischen Literatur, umgearbeitet von W. Schmid und O. Stählin, II/2, München 1924[6]
StC	Studia Catholica, Roermond 1924 ff.
StD	Studies and Documents, ed. K. Lake - S. Lake, London - Philadelphia 1934 ff.
StG	Studia Gratiana, hrsg. von J. Forchielli und A. M. Stickler, I-III, Bologna 1953 ff.
StGreg	Studi Gregoriani, hrsg. von G. B. Borino, I ff., Rom 1947 ff.
StGThK	Studien zur Geschichte der Theologie und der Kirche, Leipzig 1897-1908
SThKAB	Schriften des Theologischen Konvents Augsburgischen Bekenntnisses, Berlin 1951 ff.
SThZ	Schweizerische Theologische Zeitschrift, 1899-1920
StI	Studia Islamica, Paris 1953 ff.
StL	Staatslexikon, hrsg. von H. Sacher, 5 Bde., Freiburg/Breisgau 1926-1932[5]; hrsg. von der Görres-Gesellschaft, 8 Bde., 1957-1963[6]; ErgBde., 1968 ff.
StM	Studia Monastica. Commentarium ad rem monasticam investigandam, Barcelona 1959 ff.
StMBO	Studien und Mitteilungen aus dem Benediktiner- und Zisterzienser-Orden bzw. zur Geschichte des Benediktinerordens und seiner Zweige, München 1880 ff. (seit 1911: NF)
StMis	Studia Missionalia. Edita a Facultate missiologica in Pont. Universitate Gregoriana, Rom 1943 ff.
StML	Stimmen aus Maria Laach, Freiburg/Breisgau 1871-1914
StMw	Studien zur Musikwissenschaft. Beihefte der Denkmäler der Tonkunst in Österreich, Wien
StOr	Studia Orientalia, ed. Societas Orientalis Fennica, Helsinki 1925 ff.
StP	Studia patristica. Texte und Untersuchungen zur Geschichte der altchristlichen Literatur, Berlin 1955 ff.
Strack	H. L. Strack, Einleitung in Talmud und Midrasch, München 1921[5] (Neudruck 1930)
Strieder	F. W. Strieder, Grundlage zu einer Hessischen Gelehrten- und Schriftsteller Geschichte, 20 Bde., Göttingen - Kassel - Marburg 1781-1863
StT	Studi e Testi, Rom 1900 ff.
StTh	Studia Theologica, cura ordinum theologicorum Scandinavicorum edita, Lund 1948 ff.
StudGen	Studium Generale. Zeitschrift für die Einheit der Wissenschaften im Zusammenhang ihrer Begriffsbildungen und Forschungsmethoden, Berlin - Göttingen - Heidelberg 1948 ff.
StZ	Stimmen der Zeit (vor 1914: StML), Freiburg/Breisgau 1915 ff.
Subsidia	Subsidia hagiographica, Brüssel 1886 ff.
SVRG	Schriften des Vereins für Reformationsgeschichte, Halle 1883 ff.
SVSL	Skrifter utgivna av Vetenskaps-Societeten i Lund, Lund
SvTK	Svensk Teologisk Kvartalskrift, Lund 1925 ff.
SyBU	Symbolae Biblicae Upsalienses, Uppsala 1943 ff.
Sym	Symposion. Jahrbuch für Philosophie, Freiburg/Breisgau - München 1948 ff.
Syria	Syria. Revue d'art oriental et d'archéologie, Paris 1920 ff.

T

TF	Tijdschrift voor filosofie, Leuven 1939 ff.
ThBl	Theologische Blätter, Leipzig 1922-1942
Theophaneia	Theophaneia. Beiträge zur Religions- und Kirchengeschichte des Altertums, Bonn 1940 ff.
Thex	Theologische Existenz heute, München 1933 ff.
ThGl	Theologie und Glaube. Zeitschrift für den katholischen Klerus, Pderbornm 1909 ff.

ThHK	Theologischer Handkommentar zum Neuen Testament mit Paraphrase, bearbeitet von P. Althaus, O. Bauernfeind u. a., Leipzig 1928 ff.
Thielicke	H. Thielicke, Theologische Ethik I, Tübingen 1965³; II/1, 1965³; II/2, 1966²; III, 1964
Thieme-Becker	Allgemeines Lexikon der bildenden Künstler von der Antike bis zur Gegenwart, begründet von U. Thieme und F. Becker, hrsg. von H. Vollmer, 37 Bde., Leipzig 1907-1950
ThJb	Theologische Jahrbücher, Leipzig 1842-1857
ThJber	Theologischer Jahresbericht, Leipzig 1866 ff.
ThLBl	Theologisches Literaturblatt, Leipzig 1880-1943
ThLZ	Theologische Literaturzeitung, Leipzig 1878 ff.
ThPh	Theologie und Philosophie (früher: Scholastik), Freiburg/Breisgau 1966 ff.
ThPQ	Theologisch-praktische Quartalschrift, Linz/Donau 1848 ff.
ThQ	Theologische Quartalschrift, Tübingen 1819 ff.; Stuttgart 1946 ff.
ThR	Theologische Rundschau, Tübingen 1897-1917; NF 1929 ff.
ThRv	Theologische Revue, Münster 1902 ff.
ThSt	Theological Studies, Woodstock/Maryland 1940 ff.
ThSt(B)	Theologische Studien, hrsg. von K. Barth, Zollikon 1944 ff.
ThStKr	Theologische Studien und Kritiken, (Hamburg) Gotha 1828 ff.
ThToday	Theology Today, Princeton/New Jersey 1944 ff.
Thurston-Attwater	Butler's Lives of the Saints, edited, revised and supplemented by H. Thurston and D. Attwater, 4 Bde., London 1956
ThViat	Theologia Viatorum. Jahrbuch der Kirchlichen Hochschule Berlin, Berlin 1948/49 ff.
ThW	Theologisches Wörterbuch zum Neuen Testament, begründet von G. Kittel, hrsg. von G. Friedrich, Stuttgart 1933 ff.
ThZ	Theologische Zeitschrift, hrsg. von der Theologischen Fakultät der Universität Basel, Basel 1945 ff.
Tillemont	L. S. Le Nain de Tillemont, Mémoires pour servir à l'histoire ecclésiastique des six premiers siècles, 16 Bde., Paris 1693-1712
Tixeront	L. J. Tixeront, Histoire des dogmes dans l'antiquité chrétienne, 3 Bde., Paris 1930¹¹
Torsy	Lexikon der deutschen Heiligen, Seligen, Ehrwürdigen und Gottseligen, hrsg. von J. Torsy, Köln 1959
Traditio	Traditio. Studies in ancient and medieval history, thought and religion, New York 1943 ff.
TRE	Theologische Realenzyklopädie, Berlin, New York 1976 ff.
TSt	Texts and Studies, ed. Armitage Robinson, Cambridge 1891 ff.
TT(H)	Teologinen Aikakauskirja - Teologisk Tidskrift, Helsinki 1896 ff.
TT(K)	Teologisk Tidskrift, Kopenhagen 1884 ff.
TTh	Tijdschrift voor Theologie (vormals: StC); Nijmegen 1961 ff.
TThZ	Trierer Theologische Zeitschrift (bis 1944: Pastor Bonus), Trier 1888 ff.
TTK	Tidsskrift for Teologie og Kirke, Oslo 1930 ff.
TU	Texte und Untersuchungen zur Geschichte der altchristlichen Literatur. Archiv für die griechisch-christlichen Schriftsteller der ersten drei Jahrhunderte, Leipzig - Berlin 1882 ff.

U

Überweg	F. Überweg, Grundriß der Geschichte der Philosophie, Basel und Graz; I, bearbeitet von K. Praechter, 1953¹³; II, bearbeitet von B. Geyer, 1951¹²; III, bearbeitet von M. Frischeisen-Köhler und W. Moog, 1953¹³; IV.V, bearbeitet von T. K. Österreich, 1951-1953¹³ (3 Bde., Basel - Stuttgart 1956-1957)
UJE	The Universal Jewish Encyclopedia, ed. by I. Landman, 10 Bde., New York 1939-1943 (Nachdruck 1948)
UNT	Untersuchungen zum Neuen Testament, begründet von H. Windisch, ab 1938 hrsg. von E. Klostermann, Leipzig 1912 ff.
US	Una Sancta. Rundbriefe, Meitingen bei Augsburg 1946 ff. (seit 1954: Rundbriefe für interkonfessionelle Begegnung; seit 1960: Zeitschrift für interkonfessionelle Begegnung; seit 1963: Zeitschrift für ökumenische Begegnung)

UUÅ	Uppsala Universitets Årsskrift, Uppsala 1861 ff.
V	
VAA	Verhandelingen der Koninklijke (ab Nr. 40, 1938: nederlands[ch]e) Akademie van Weten-schappen, Amsterdam
VAB	Vorderasiatische Bibliothek, Leipzig 1907-1916
VC	Verbum Caro. Revue théologique et oecuménique, Neuchâtel - Paris 1947 ff.
VD	Verbum Domini. Commentarii de re biblica, Rom 1921 ff.
VEGL	O. Söhngen und G. Kunze, Göttingen 1947 ff.
VerfLex	Die deutsche Literatur des Mittelalters. Verfasserlexikon, hrsg. von W. Stammler und (ab Bd. 3) K. Langosch, 5 Bde. in 2. völlig neu bearb. Auflage , Berlin und Leipzig
VfM	Vierteljahresschrift für Musikwissenschaft, Leipzig 1885-1894
VigChr	Vigiliae Christianae, Amsterdam 1947 ff.
VIO	Veröffentlichungen des Instituts für Orientforschung der Deutschen Akademie der Wissen-schaften, Berlin 1949 ff.
VIÖG	Veröffentlichungen des Instituts für österreichische Geschichtsforschung, Wien 1935 f.; 1946 ff.
VS	La Vie Spirituelle, (Ligugé, Juvisy) Paris 1869 ff.
VSAL	Berichte über die Verhandlungen der Sächsischen Akademie der Wissenschaften zu Leipzig. Phil.-hist. Klasse, Leipzig 1849 ff.
VSB	Baudot et Chaussin, Vies des Saints et des Bienheureux selon l'ordre du Calendier avec l'historique des Fêtes, 13 Bde., Paris 1935-1959
VT	Vetus Testamentum. A quarterly published by the International Organization of Old Testament Scholars, Leiden 1951 ff.
VuF	
	Verkündigung und Forschung. Theologischer Jahresbericht, München 1940 ff.
W	WAM. Luther, Werke. Kritische Gesamtausgabe, Weimar 1883 ff.
WAB	M. Luther, Werke. Kritische Gesamtausgabe. Briefwechsel, Weimar 1930 ff.
Wackernagel	Ph. Wackernagel, Das deutsche Kirchenlied von der ältesten Zeit bis zu Anfang des 17. Jahrhunderts, 5 Bde., Leipzig 1864-1877
WADB	M. Luther, Werke. Kritische Gesamtausgabe. Die Deutsche Bibel, Weimar 1906 ff.
Wasmuth	Wasmuths Lexikon der Baukunst, hrsg. von G. Wasmuth, 5 Bde., Berlin 1929-1937
WATR	M. Luther, Werke. Kritische Gesamtausgabe. Tischreden, Weimar 1912 ff.
Wattenbach	W. Wattenbach, Deutschlands Geschichtsquellen im Mittelalter bis zur Mitte des 13. Jahrhunderts I, Stuttgart - Berlin 1904[7]; II, Berlin 1894[6]
Wattenbach-Holtzmann	W. Wattenbach, Deutschlands Geschichtsquellen im Mittelalter. Deutsche Kaiserzeit, bearbei-tet von R. Holtzmann und W. Holtzmann, Berlin 1938 ff.; Tübingen 1948[3] (Neudruck der 2. Aufl. von 1938-1943)
Wattenbach-Levison	W. Wattenbach, Deutschlands Geschichtsquellen im Mittelalter. Vorzeit und Karolinger, hrsg. von W. Levison und H. Löwe, Hh. 1-4, Weimar 1952-1963
Watterich	J. B. Watterich, Pontificum romanorum qui fuerunt inde ab exeunt saeculo IX usque ad finem saeculi XIII virae ab aequalibus conscripte, I (972-1099) und II (1099-1198), Leipzig 1862
WBKL	Wiener Beiträge für Kulturgeschichte und Linguistik, Wien 1930 ff.
WChH	World Christian Handbook, ed. E. J. Bingle and K. G. Grubb, New York 1952
Weber	O. Weber, Grundlagen der Dogmatik I, Neukirchen-Vluyn 1955 (1964[3]); II, 1962
Weiser	A. Weiser, Einleitung in das Alte Testament, Göttingen 1966[6]
WeltLit	Die Weltliteratur. Biographisches, literarisches und bibliographisches Lexikon in Übersichten und Stichwörtern, hrsg. von E. Frauwallner, G. Giebisch und E. Heinzel, I-III, Wien 1951-1954
Werner	K. Werner, Geschichte der katholischen Theologie. Seit dem Trienter Konzil bis zur Gegenwart, München - Leipzig 1889[2]
Wetzer-Welte	Wetzer und Weltes Kirchenlexikon, 12 Bde. und 1 RegBd., Freiburg/Breisgau 1882-1903[2]
WI	Die Welt des Islams. Zeitschrift für die Entwicklungsgeschichte des Islams besonders in der Gegenwart, Berlin 1913-1943; NS 1 ff., Leiden 1951 ff.

Will	G. A. Will, Nürnbergisches Gelehrten-Lexikon oder Beschreibung aller Nürnberger Gelehrten in alphabetischer Ordnung, 4 Tle., Nürnberg 1755-1758; Fortsetzung 6.-8. Tl. oder Supplement 1.-4. Bd. von C. K. Nopitzsch, Altdorf 1801-1808
Wilpert	Lexikon der Weltliteratur, hrsg. von Gero von Wilpert. I: Handwörterbuch nach Autoren und anonymen Werken, Stuttgart 1963 (1975²); II: Hauptwerke der Weltliteratur in Charakteristiken und Kurzinterpretationen, 1968
Wimmer	O. Wimmer, Handbuch der Namen und Heiligen, Innsbruck - Wien - München 1966³
v.Winterfeld	K. v. Winterfeld, Der evangelische Kirchengesang und sein Verhältnis zur Kunst des Tonsatzes, 3 Tle., Leipzig 1843-1847
Winter-Wünsche	J. Winter und K. A. Wünsche, Die jüdische Literatur seit Abschluß des Kanons, 3 Bde., Trier - Berlin 1891-1896
WiWei	Wissenschaft und Weisheit. Zeitschrift für augustinisch-franziskanische Theologie und Philosophie in der Gegenwart, Düsseldorf 1934 ff.
WKL	Weltkirchenlexikon. Handbuch der Ökumene, hrsg. von F. H. Littel und H. H. Walz, Stuttgart 1960
WO	Die Welt des Orients. Wissenschaftliche Beiträge zur Kunde des Morgenlandes, Wuppertal - Stuttgart - Göttingen 1947 ff.
Wolf	G. Wolf, Quellenkunde der deutschen Reformationsgeschichte, 3 Bde., Gotha 1915-1923
WuD	Wort und Dienst. Jahrbuch der Theologischen Schule Bethel, NF 1948 ff.
WUNT	Wissenschaftliche Untersuchungen zum Neuen Testament, hrsg. von J. Jeremias - O. Michel, Tübingen 1950 ff.
Wurzbach	C. von Wurzbach, Biographisches Lexikon des Kaisertums Österreich, 60 Bde., Wien 1856-1891
WuT	Wort und Tat. Zeitschrift für den Dienst am Evangelium und an der Gemeinde, hrsg. von der Vereinigung Evangelischer Freikirchen in Deutschland, Bremen 1940 ff.
WVDOG	Wissenschaftliche Veröffentlichungen der Deutschen Orientgesellschaft, Leipzig 1900 ff.
WZ	Wissenschaftliche Zeitschrift (folgt jeweils der Name einer mitteldeutschen Universitätsstadt)
WZKM	Wiener Zeitschrift für die Kunde des Morgenlandes, Wien 1887 ff.

X

Xiberta	B. M. Xiberta, De scriptoribus scholasticis saeculi XIV ex ordine Carmelitarum, Löwen 1931

Y

YLS	Yearbook of Liturgical Studies, ed. J. H. Miller, Notre Dame (Indiana) 1960 ff.

Z

ZA	Zeitschrift für Assyriologie und verwandte Gebiete, Leipzig 1886 ff.
ZÄS	Zeitschrift für Ägyptische Sprache und Altertumskunde, Leipzig 1863 ff.
ZAGV	Zeitschrift des Aachener Geschichtsvereins, Aachen 1879 ff.
Zahn	J. Zahn, Die Melodien der deutschen evangelischen Kirchenlieder, 6 Bde., Gütersloh 1889-1893
ZAM	Zeitschrift für Aszese und Mystik (seit 1947: GuL), (Innsbruck, München) Würzburg 1926 ff.
ZAW	Zeitschrift für die alttestamentliche Wissenschaft, (Gießen) Berlin 1881 ff.
ZBG	Zeitschrift für Brüdergeschichte, Herrnhut - Gnadau 1907-1920
ZBKG	Zeitschrift für bayerische Kirchengeschichte, Gunzenhausen 1926 ff.
ZBlfBibl	Zentralblatt für Bibliothekswesen, Leipzig 1884
ZBLG	Zeitschrift ür Bayerische Landesgeschichte, München 1928 ff.
ZchK	Zeitschrift für christliche Kunst, begründet und hrsg. von A. Schnütgen, fortgesetzt von F. Witte, 34 Bde., Düsseldorf 1888-1921
ZDADL	Zeitschrift für deutsches Altertum und deutsche Literatur, (Leipzig, Berlin) Wiesbaden 1841 ff.
ZDMG	Zeitschrift der Deutschen Morgenländischen Gesellschaft, Leipzig 1847 ff.
ZdPh	Zeitschrift für deutsche Philologie, Berlin - Bielefeld - München 1869 ff.

ZDPV	Zeitschrift des Deutschen Palästina-Vereins, Leipzig 1878 ff.
ZdZ	Die Zeichen der Zeit. Evangelische Monatsschrift, Berlin 1947 ff.
ZE	Zeitschrift für Ethnologie. Organ der Deutschen Gesellschaft für Völkerkunde, (Berlin) Braunschweig 1869 ff.
ZEE	Zeitschrift für evangelische Ethik, Gütersloh 1957 ff.
ZevKM	Zeitschrift für evangelische Kirchenmusik, Hildburghausen 1923-1932
ZevKR	Zeitschrift für evangelisches Kirchenrecht, Tübingen 1951 ff.
ZfK	Zeitschrift für Kulturaustausch, Stuttgart 1951 ff.
ZfM	Zeitschrift für Musik, (Leipzig) Regensburg 1835 ff.
ZfMw	Zeitschrift für Musikwissenschaft, Leipzig 1918-1935
ZGNKG	Zeitschrift der Gesellschaft für niedersächsische Kirchengeschichte, Braunschweig 1896 ff. (seit 46, 1941: JGNKG)
ZGORh	Zeitschrift für die Geschichte des Oberrheins, Karlsruhe 1851 ff.
ZHTh	Zeitschrift für historische Theologie, 45 Bde., Leipzig - Gotha 1832-1875
ZIMG	Zeitschrift der Internationalen Musikgesellschaft, Leipzig 1899 ff.
Zimmermann	A. Zimmermann, Kalendarium Benedictinum. Die Heiligen und Seligen des Benediktinerordens und seiner Zweige, 4 Bde., Metten/Niederbayern 1933-1938
ZKG	Zeitschrift für Kirchengeschichte, (Gotha) Stuttgart 1876 ff.
ZKGPrSa	Zeitschrift des Vereins für Kirchengeschichte der Provinz Sachsen (ab 25, 1929: und des Freistaates Anhalt), Magdeburg 1904-1938
ZKR	Zeitschrift für Kirchenrecht, Berlin u.a. 1, 1861-16 (=NS1) 1881-22 (=NS7) 1889 fortgeführt DZKR
ZKTh	Zeitschrift für katholische Theologie, (Innsbruck) Wien 1877 ff.
ZM	Zeitschrift für Missionswissenschaft und Religionswissenschaft, Münster 1950 ff. (1-17, 1911-1927 und 26-27, 1935-1937: Zeitschrift für Missionswissenschaft)
ZMR	Zeitschrift für Missionskunde und Religionswissenschaft, Berlin-Steglitz 1886-1939
ZNW	Zeitschrift für die neutestamentliche Wissenschaft und die Kunde der älteren Kirche, Gießen 1900 ff.; Berlin 1934 ff.
ZP	Zeitschrift für Pädagogik, Weinheim 1955 ff.
ZphF	Zeitschrift für philosophische Forschung, Reutlingen 1946-1949; Meisenheim/Glan 1950 ff.
ZprTh	Zeitschrift für praktische Theologie, Frankfurt/Main 1879-1900
ZRGG	Zeitschrift für Religions-und Geistesgeschichte, Marburg 1948 ff.
ZS	Zeitschrift für Semitistik, Leipzig 1922 ff.
ZSavRGgerm	Zeitschrift der Savigny-Stiftung für Rechtsgeschichte. Germanistische Abteilung, Weimar 1863 ff.
ZSavRGkan	Zeitschrift der Savigny-Stiftung für Rechtsgeschichte. Kanonistische Abteilung, Weimar 1911 ff.
ZSavRGrom	Zeitschrift der Savigny-Stiftung für Rechtsgeschichte. Romanistische Abteilung, Weimar 1880 ff.
ZSKG	Zeitschrift für Schweizer Kirchengeschichte, Fribourg/Schweiz 1907 ff.
ZslPh	Zeitschrift für slawische Philologie, Heidelberg 1925 ff.
ZSTh	Zeitschrift für systematische Theologie (seit 1959: NZSTh), (Gütersloh) Berlin 1923-1957
ZThK	Zeitschrit für Theologie und Kirche, Tübingen 1891 ff.
ZVThG	Zeitschrift des Vereins für thüringische Geschichte und Altertumskunde, Jena 1853 ff.
ZW	Zeitwende. Monatsschrift, Berlin 1929 ff.
Zwingliana	Zwingliana. Beiträge zur Geschichte Zwinglis, der Reformation und des Protestantismus in der Schweiz, Zürich 1897 ff.
ZWL	Zeitschrift für kirchliche Wissenschaft und kirchliches Leben, Leipzig 1880-1889
ZWTh	Zeitschrift für wissenschaftliche Theologie, (Jena, Halle, Leipzig) Frankfurt/Main 1858-1913
ZZ	Zwischen den Zeiten. Zweimonatsschrift, München 1923 ff.

III. Allgemeine Abkürzungen

A

a.a.O.,	am angeführten Ort
Abb.	Abbildung
Abdr.	Abdruck(e)
abgedr.	abgedruckt
Abh. Abhh.	Abhandlung(en)
Abk.	Abkürzung
Abs.	Absatz
Abt.	Abteilung
ägypt.	ägyptisch
äthiop.	äthiopisch
afr.	afrikanisch
ahd.	althochdeutsch
amer.	amerikanisch
Ang.	Angabe
angelsächs.	angelsächsisch
anglik.	anglikanisch
Anh.	Anhang
Anm.	Anmerkung(en)
Ann.	Annalen, Annales, Annals
Anz.	Anzeiger, Anzeigen
ao.	außerordentlich
apl.	außerplanmäßig
Apokr., apkr.	Apokryphen, apokryphisch
apost.	apostolisch
App.	Apparat
arab.	arabisch
aram.	aramäisch
Arch.	Archiv
armen.	armenisch
Art.	Artikel
assyr.	assyrisch
AT, at.	Altes Testament, alttestamentlich
Aufl.	Auflage
Aufs., Aufss.	Aufsatz, Aufsätze
Ausg., Ausgg.	Ausgabe(n)
Ausl.	Auslegung
Ausw.	Auswahl
Ausz.	Auszug

B

b.	bei(m)
babyl.	babylonisch
bayr.	bayrisch
Bd., Bde.	Band, Bände
Bearb., Bearbb.	Bearbeitung(en), Bearbeiter
bearb.	bearbeitet
begr.	begründet
Beibl.	Beiblatt
Beih., Beihh.	Beiheft(e)
Beil., Beill.	Beilage(n)
Bem.	Bemerkung
Ber., Berr.	Bericht(e)
Berücks.	Berücksichtigung
bes.	besonders
Bespr.	Besprechung
Bez., bez.	Bezeichnung, bezeichnet
Bibl.	Bibliothek
bibl.	biblisch
Bibliogr., Bibliogrr.	Bibliographie(n)
Bisch., bisch.	Bischof, bischöflich
Bist.	Bistum

Bl., Bll.	Blatt, Blätter
Btr., Btrr.	Beitrag, Beiträge
Bull.	Bulletin
Bw.	Beiwort
byz.	byzantinisch
Bz.	Bezirk
bzgl.	bezüglich
bzw.	beziehungsweise

C

c.	Kapitel
ca	zirka
can.	canon, canones
CatRom	Catechismus Romanus
c f.	confer (vergleiche)
chald.	chaldäisch
Chron.	Chronik
CIC Iuris Canonici	Codex
Cod.	Codes, Codices
Coll.	collectio(n)
Const.	Constitutio
CorpIC	Corpus Iuris Canonici

D

d. Ä.	der Ältere
dän.	dänisch
Darst., dargest.	Darstellung(en), dargestellt
das.	daselbst
dass.	dasselbe
Decr.	Decretum
DEK	Deutsche Evangelische Kirche
Dep.	Departement
ders.	derselbe
DG	Dogmengeschichte
dgl.	dergleichen
d. Gr.	der Große
d.h.	das heißt
d.i.	das ist
Dict.	Dictionnaire, Dictionary
dies.	dieselbe
Diöz.	Diözese
Diss.	Dissertation
Distr.	Distrikt
d.J.	der Jüngere
dt.	deutsch
Dtld.	Deutschland
Dyn.	Dynastie

E

EB	Erzbischof
ebd.	ebenda
Ed., Edd., ed.	Edition(en), ediert
ehem.	ehemalige(r), ehemaliges, ehemals
ehrw.	ehrwürdig
eig.	eigentlich
Einf.	Einführung
Einl., eingel.	Einleitung, eingeleitet
EKD	Evangelische Kirche in Deutschland
EKG	Evangelisches Kirchengesangbuch
em.	emeritiert
Engl., engl.	England, englisch

entspr.	entspricht, entsprechend
entw.	entweder
Enz.	Enzyklopädie
Erg., Ergg., erg.	Ergänzung(en), ergänzt
Erkl., erkl.	Erklärung, erklärt
Erl., Erll., erl.	Erläuterung(en), erläutert
erw.	erweitert
Erz., Erzz., erz.	Erzählung(en), erzählt
Erzb.	Erzbistum
etc	etcetera
ev.	evangelisch
Ev., Evv.	Evangelium, Evangelien
ev.-luth.	evangelisch-lutherisch
ev.-ref.	evangelisch-reformiert
evtl.	eventuell
Expl.	Exemplar

F

f.	für
f. (nach Zahlen)	folgende Seite, folgender Jahrgang
ff. (nach Zahlen)	folgende Seiten, folgende Jahrgänge
Fak.	Fakultät
Faks.	Faksimile
Festg.	Festgabe
Festschr.	Festschrift
finn.	finnisch
Fkr.	Frankreich
Forsch.	Forschung(en)
Forts., Fortss., fortges.	Fortsetzung(en), fortgesetzt
Frgm., frgm.	Fragment(e), fragmentarisch
Frhr.	Freiher
frz.	französisch
Ftm	Fürstentum

G

GA	Gesamtausgabe
Geb.	Geburtstag
geb. (*)	geboren
gedr.	gedruckt
gef.	gefallen
gegr.	gegründet
Geistl.	Geistlicher
Gem.	Gemälde
gen.	genannt
Gen.Sekr.	Generalsekretär
Gen.Sup.	Generalsuperintendent
germ.	germanisch
Ges.	Gesellschaft
ges.	gesammelt
Gesch.	Geschichte
gest. (+)	gestorben
gez.	gezeichnet
Gf., Gfn., Gfsch.	Graf, Gräfin, Grafschaft
gg.	gegen
Ggs.	Gegensatz
Ggw.	Gegenwart
Ghzg., Ghzgn.	Großherzog, Großherzogin
Ghzgt., ghzgl.	Großherzogtum, großherzoglich
Gouv.	Gouvernement
GProgr.	Gymnasialprogramm
Grdl.	Grundlage
Grdr.	Grundriß
griech.	griechisch

GW	Gesammelte Werke

H

H., Hh.	Heft(e)
Hbd.	Halbband
Hdb.	Handbuch
hd.	hochdeutsch
Hdwb.	Handwörterbuch
hebr.	hebräisch
Hist., hist.	Historia, Histoire, History; historisch
Hl., Hll., hl.	Heilige(r), Heilige (Plural), heilig
holl.	holländisch
Holzschn.	Holzschnitt(e)
Hrsg., hrsg.	Herausgeber(in), herausgegeben
HS	Heilige Schrift
Hs., Hss., hs.	Handschrift(en), handschriftlich
Hzg., Hzgn.	Herzog, Herzogin
Hzgt., hzgl.	Herzogtum, herzoglich

I

ib.	ibidem
i.J.	im Jahr
Ill., ill.	Illustration(en), illustriert
ind.	indisch
insbes.	insbesondere
Inst.	Institut
Instr.	Instrument
internat.	international
islam.	islamisch
israel.	israelitisch
It., it.	Italien, italienisch

J

J., j.	Jahr(e), jährig
jap.	japanisch
Jb., Jbb.	Jahrbuch, Jahrbücher
Jber., Jberr.	Jahresbericht(e)
Jg., Jgg.	Jahrgang, Jahrgänge
Jh., Jhh.	Jahrhundert(e)
Jt.	Jahrtausend
Jub.	Jubiläum
jüd.	jüdisch
jun.	junior
jur.	juristisch

K

Kal.	Kalender
Kard.	Kardinal
Kat.	Katalog
Kath., kath.	Katholizismus, katholisch
Kf., Kfn., Kft.	Kurfürst, Kurfürstin, Kurfürstentum
KG	Kirchengeschichte
Kg., Kgn.	König, Königin
Kgr., kgl.	Königreich, königlich
Kl.	Klasse
klass.	klassisch
KO	Kirchenordnung
Komm.	Kommentar
Komp., komp.	Komponist, Komposition, komponie:
Kongreg.	Kongregation
Konk.	Konkordat
Kons.Rat	Konsistorialrat
kopt.	koptisch
Korr., Korrbl.	Korrespondenz, Korrespondenzblatt
KR	Kirchenrecht

Kr.	Kreis
krit.	kritisch
Kt.	Kanton
Kupf.	Kupferstich(e)

L

lat., latin.	lateinisch, latinisiert
Lb.	Lebensbild(er)
Lehrb.	Lehrbuch
Lfg.	Lieferung
Lit.	Literatur(angaben)
Lith.	Lithographie
LKR	Landeskirchenrat
Ll.	Lebensläufe
luth.	lutherisch
LWB	Lutherischer Weltbund
LXX	Septuaginta (griech. Übers. des AT)

M

MA, ma.	Mittelalter, mittelalterlich
Mag.	Magister
m.a.W.	mit anderen Worten
Mbl., Mbll.	Monatsblatt, Monatsblätter
Mél.	Mélanges
Mém	Mémoires
meth.	methodisch
method.	methodistisch
Mgf., Mgfn.	Markgraf, Markgräfin
Mgfsch., mgfl.	Markgrafschaft, markgräflich
Mgz.	Magazin
Mh., Mhh.	Monatsheft(e)
mhd.	mittelhochdeutsch
Min.	Minister, Ministerium
Miss.	Missionar
Miss.Dir.	Missionsdirektor
Miss.Insp.	Missionsinspektor
Mitgl., Mitgll.	Mitglied(er)
Mitt.	Mitteilung(en)
Monogr.	Monographie
Ms., Mss.	Manuskript(e)
Mschr., Mschrr.	Monatsschrift(en)
MT	masoretischer Text (hebr. Text des AT)
Mus.	Museum

N

Nachdr.	Nachdruck
Nachf.	Nachfolger
Nachr., Nachrr.	Nachricht(en)
nam.	namentlich
nat.	national
ndrl.	niederländisch
Nekr.	Nekrolog
Neudr.	Neudruck
NF	Neue Folge
nord.	nordisch
norw.	norwegisch
nouv. éd.	nouvelle édition
NR	Neue Reihe
NS	Neue Serie
NT, nt.	Neues Testament, neutestamentlich

O

o.	ordentlich
obj.	objektiv
od.	oder
öff.	öffentlich
ökumen.	ökumenisch
Östr., östr.	Österreich, österreichisch
o.J.	ohne Jahr(esangabe)
O.Kons.Rat	Oberkonsistorialrat
OKR	Oberkirchenrat
o.O.	ohne (Erscheinungs-)Ort
orient.	orientalisch
orth.	orthodox

P

P.	Pastor, Pater
p.	pagina (= Seite)
Päd., päd.	Pädagogik, pädagogisch
par	und Parallelstellen
passim	da und dort#Rzerstreut
Patr.	Patron(e), Patronat(e)
PDoz	Privatdozent
pers.	persisch
philolog.	philologisch
Philos., philos.	Philosophie, philosophisch
phön.	phönizisch
Plur.	Plural
poln.	polnisch
port.	portugiesisch
Pr.	Prediger
Präs.	Präsident
Prn.	Prinzessin
Prof.	Professor
Progr.	Programm
Prot., prot.	Protestantismus, protestantisch
Prov.	Provinz
Pseud.	Pseudonym
psychol.	psychologisch
PT	Praktische Theologie
publ.	publié
Publ.	Publikation(en)

Q

Qu.	Quelle(n)
Qkde.	Quellenkunde
Qschr.	Quellenschrift
Qsmlg.	Quellensammlung

R

R.	Reihe
rabb.	rabbinisch
Rdsch.	Rundschau
Red., red.	Redaktion, redigiert
Ref., ref.	Reformation, reformiert
Reg.	Register
Regg.	Regesten, Regesta
Rel., rel.	Religion, religiös
Rep.	Repertorium
resp.	respektive
Rev.	Revolution
rhein.	rheinisch
rit.	rituell
röm.	römisch
röm.-kath.	römisch-katholisch
roman.	romanisch
russ.	russisch
Rv.	Revue, Review

S

S.	Seite(n)
s., s.a.	siehe, siehe auch
säk.	säkularisiert

sanskrit.	sanskritisch
SB	Sitzungsbericht(e)
Schol., schol.	Scholastik, scholastisch
Schr., Schrr.	Schrift(en)
schwed.	schwedisch
schweizer.	schweizerisch
scil.	scilicet, nämlich
s.d.	siehe dort
Sekr.	Sekretär
sel.	selig
Sem.	Seminar, Seminary, Séminaire
sem.	semitisch
sen.	senior
Ser.	Serie, series
Sess.	Sessio
Sing.	Singular
skand.	skandinavisch
slaw.	slawisch
slow.	slowakisch
Smlg.	Sammlung
s.o.	siehe oben
Soc.	Société, Società, Societas
sog.	sogenannt
soz.	sozial
Sp.	Spalte(n)
Span., span.	Spanien, spanisch
spez.	speziell
SS	Scriptores
ST	Systematische Theologie
St.	Saint, Sankt
st.	stimmig
Stud.	Studie(n)
s.u.	siehe unten
Sup.	Superintendent
Suppl.	Supplement
syn.	synonym
Synop., synopt.	Synoptiker, synoptisch
syr.	syrisch

T

t.	tomus, tome, Buch, Band
Tab.	Tabelle
Taf.	Tafel
term. techn.	terminus technicus
Tg.	Targum
Tgb.	Tagebuch
Theol., theol.	Theologie, theologisch
thom.	thomistisch
Tl.	Teil
transl.	translated
tsch.	tschechisch
tschsl.	tschechoslowakisch
Tsd.	Tausend

U

u.a.	unter anderem, und andere
u.ä.	und ähnliche(s)
u.a.m.	und anderes mehr
UB	Urkundenbuch
u.d.T.	unter dem Titel
Überl., überl.	Überlieferung, überliefert
Übers., Überss., übers.	Übersetzung(en), übersetzt
Übertr., übertr.	Übertragung, übertragen
unbek.	unbekannt
ung.	ungarisch
ungedr.	ungedruckt

Univ.	Universität
u.ö.	und öfter
Unters., Unterss.,	Untersuchung(en)
unters.	untersucht
unv.	unverändert
Urk., Urkk.	Urkunde(n)
urspr.	ursprünglich
usw.	und so weiter
u.U.	unter Umständen
u.zw.	und zwar

V

V.	Vers
v.	von, vom
VELKD	Vereinigte Evangelisch-Lutherische Kirche Deutschlands
Ver.	Verein
Verb. Verbb., verb.	Verbesserung(en), verbessert
Verdt., verdt.	Verdeutschung, verdeutscht
Verf., verf.	Verfasser, verfaßt
Verh., Verhh.	Verhandlung(en)
verm.	vermehrt
Veröff., veröff.	Veröffentlichung(en), veröffentlicht
Vers., Verss.	Versuch(e)
versch.	verschiedene
Verw.	Verwaltung
Verz., verz.	Verzeichnis(se), verzeichnet
vgl.	vergleiche
viell.	vielleicht
Vj.	Vierteljahr
Vjh., Vjschr.	Vierteljahresheft, Vierteljahresschrift
Vol.	Volume(n)
vollst.	vollständig
vorm.	vormals
Vors.	Vorsitzender
Vorst.	Vorstand, Vorsteher
Vortr., Vortrr.	Vortrag, Vorträge
Vulg.	Vulgata

W

wahrsch.	wahrscheinlich
Wb.	Wörterbuch
Wbl., Wbll.	Wochenblatt, Wochenbläter
Wiss., wiss.	Wissenschaft, wissenschaftlich
w.o.	wie oben
wörtl.	wörtlich
Wschr., Wschrr.	Wochenschrift(en)

Z

Z.	Zeile(n)
z.	zu, zum, zur
zahlr.	zahlreich
z.B.	zum Beispiel
Zbl.	Zentralblatt
Zschr., Zschrr.	Zeitschrift(en)
Zshg.	Zusammenhang
z.St., z. d. St.	zur Stelle, zu dieser Stelle
z.Tl.	zum Teil
Ztg., Ztgg.	Zeitung(en)
zugl.	zugleich
zus.	zusammen
Zus., Zuss.	Zusammensetzung(en)
zw.	zwischen
z.Z.	zur Zeit

JEDIN, Hubert, katholischer Theologe und Kirchenhistoriker, * 17.6. 1900 in Großbriesen (Oberschlesien), † 16.7. 1980 in Bonn. — J. war das jüngste von zehn Kindern eines Dorfschullehrers, Bildung galt in seinem Elternhaus als der Zugang zu sozialem Aufstieg. Während seiner Gymnasialzeit in Neiße (1911-1918) lebte er im bischöflichen Konvikt. Daraus ergab sich sein Theologiestudium, das er 1918-1923 in Breslau, München und Freiburg absolvierte. Zum Priester wurde er 1924 geweiht. Seine im folgenden Jahr eingereichte Doktorarbeit führte ihn - wohl zufällig - zur Reformationsgeschichte. Das Angebot einer Kaplanstelle am Campo Santo Teutonico neben St. Peter in Rom (1927-1929) entschied seinen weiteren Lebensweg. Er wurde Wissenschaftler, nicht Seelsorger. Seine in Rom erarbeitete Biographie Girolamo Seripandos wurde 1930 in Breslau als Habilitationsschrift angenommen, er wurde Privatdozent in Breslau. Als »Nichtarier« - seine Mutter war eine konvertierte Jüdin - erhielt er 1933 Berufsverbot. So ging er wieder nach Rom und arbeitete dort wissenschaftlich weiter. Nach Breslau kehrte er 1936 zurück, um die Leitung des dortigen Diözesanarchivs zu übernehmen. Nach der »Reichspogromnacht« wurde er verhaftet und entging nur knapp einer Einlieferung ins KZ Buchenwald. Von da an wollte er Deutschland verlassen, doch erst im November 1939 gelang ihm die Ausreise nach Rom, wo er die nächsten zehn Jahre lebte. Dort begann er, angeregt und gefördert durch Kardinal Mercati, mit der Arbeit an der Geschichte des Trienter Konzils, welches nach seinen Worten das »grundlegende Faktum der neueren Kirchengeschichte« vor dem II. Vaticanum war, da es das Verhältnis zwischen Katholiken und Protestanten für Jahrhunderte festschrieb. Nach Kriegsende wurde J. in Deutschland rehabilitiert. Die katholisch-theologische Fakultät in Bonn machte 1946 die Aberkennung seiner Habilitation rückgängig und ernannte ihn zum Honorarprofessor. Einen Ruf als Extraordinarius für Kirchengeschichte erhielt er 1948, er folgte ihm 1949 nach Bonn, der letzten Station seines Lebensweges. Zum Ordinarius rückte er 1951 auf, 1965 wurde er emeritiert. Seit 1960 war er Mitglied einer vorbereitenden Kommission des II. Vatikanischen Konzils, dort hat er bis zum Ende des Konzils mitgearbeitet. Zwei weitere große Unternehmungen sind eng mit seinem Namen verknüpft. Zum einen die Neuauflage des »LThK« 1957-65, zum andern das von ihm herausgegebene »Handbuch der Kirchengeschichte«, 1963-79. — J. gilt als ein Großer unter den Kirchenhistorikern des 20. Jahrhunderts, er war der Geschichtsschreiber des Trienter Konzils. Als Geschichtswissenschaftler vertrat er einen Historismus Ranke'scher Prägung, als Theologe war er konservativ, er lehnte die Entwicklungen ab, die sich aus dem II. Vaticanum ergaben. Er erhielt viele persönliche Ehrungen in Fachkreisen (mehrere Ehrendoktorate). Sein Œuvre umfaßt mehr als 700 Titel, darunter über 40 Bücher und mehr als 250 Aufsätze.

Werke: Des Johannes Clochaeus Streitschrift De libero arbitrio hominis (1525). Ein Beitrag zur Gesch. der vortridentinischen Theol., Diss. Breslau, 1927; Ein Streit um den Augustinismus vor dem Tridentinum (1537-1543), in: RQ 35, 1927, 351-368; Die röm. Augustinerquellen zu Luthers Frühzeit, in: Archiv f. Reformationsgesch. 25, 1928, 256-270; Originalbriefe des Bischofs Jacob von Salza an die Päpste Clemens VII. und Paul III. betr. seine Stellung zur Reformation (1524-1536), in: Zeitschr. d. Vereins f. Gesch. Schlesiens 62, 1928, 82-100; Johannes Clochaeus, in: Schles. Lebensbilder 4, 1931, 18-28; Studien über die Schriftstellertätigkeit Albert Pigges, 1931 (= Reformationsgeschichtl. Studien und Texte 55); Agostino Moscherini († 1559) und seine Apologie Augustins, in: Grabmann/Maushach (Hg.), Aurelius Augustinus. Die Festschr. der Görres-Gesellschaft zum 1500. Todestag des hl. Augustinus, 1930, 137-153; Der Franziskaner Cornelio Musso, Bischof von Bitonto. Sein Lebensgang und seine kirchl. Wirksamkeit, in: RQ 41, 1933, 207-275; Religion und Staatsräson. Ein Dialog Trajano Boccalinis über die dt. Glaubensspaltung, in: HJ 53, 1933, 304-319; Das Konzil von Trient und der Protestantismus, in: Catholica 3, 1934, 137-156; Kirchenreform und Konzilsgedanke 1550-1559, in: HJ 54, 1934, 401-431; Analekten zur Reformtätigkeit der Päpste Julius' III. und Pauls IV., in: RQ 42, 1934, 305-332 und RQ 43, 1935, 87-156; Entstehung und Tragweite des Trienter Dekrets über die Bilderverehrung, in: Tübinger Theol. Quartalsschrift 116, 1935, 143-188, 404-429; Die Beschickung des Konzils von Trient durch die Bischöfe von Schlesien, in: AschKG 1, 1936, 60-74; Die Reform des bischöfl. Informativprozesses auf dem Konzil von Trient, in: Archiv f. kath. Kirchenrecht 116, 1936, 389-413; Zur Vorgesch. der Regularenreform Trid. Sess. XXV, in: RQ 44, 1937, 231-281; Girolamo Seripando. Sein Leben und Denken im Geisteskampf des 16. Jh.s, 2 Bde., 1937 (= Cassiacum 2,3); Ein Verzeichnis der Altarpfründen in Schweidnitz 1522/23, in: AschKG 2, 1937, 83-100; Concilium tridentium. ..ed. Societas Goerresiana, Bd. XIII/1: Tractatum partis alterius volumen prius..., ex collationibus Vincentii Schweitzer auxit, edidit, illustravit H. J., 1938 (1967²); Die Krone Böhmens und die Breslauer

Bischofswahlen 1468-1732, in: AschKG 4, 1939, 165-208; Der Quellenapparat der Konzilsgesch. Pallavicinos. Das Papsttum und die Widerlegung Sarpis im Lichte neuerschlossener Archivalien, 1940 (= Miscellanea Historiae Pontificiae IV, coll. 6); Krisis und Wendepunkt de Trienter Konzils (1562/63). Die neuentdeckten Geheimberichte des Bischofs Gualterio von Viterbo an den hl. Karl Borromäus, 1941; Giovanni Gozzadini, ein Konziliarist am Hofe Julius' II., in: RQ 47, 1942, 193-267; Das Bischofsideal der kath. Reformation. Eine Studie über die Bischofsspiegel vornehmlich des 16. Jh.s, in: Puzik/Kuss (Hg.), Sacramentum ordinis. Geschichtl. und system. Beiträge, 1942, 200-256; Das Konzil von Trient und die Anfänge der Kirchenmatrikeln, in: ZRG KA 32, 1943, 419-494; Ciò che la storia del Concilio si attende dalla storia ecclesiastica italiana, in: Il Concilio di Trento 2, 1943, 163-175; Le origini dei registri parrocchiali e il Concilio di Trento, in: ebd., 323-336; Das Konzil von Trient und die Reform der liturgischen Bücher, in: Emphemerides liturgicae 59, 1945, 5-38; Il significato del Concilio di Trento nelle storia delle chiesa, in: Gregorianum 26, 1945, 117-136; Kath. Reformation oder Gegenreformation. Ein Versuch zur Klärung der Begriffe nebst einer Jubiläumsbetrachtung über das Trienter Konzil, 1946; Esame di coscienza di uno storico, in: Quaderni di Roma I, 1947, 206-217; Das Konzil von Trient. Ein Überblick über die Erforschung seiner Gesch., 1948 (= Storia e letteratura 19); Kardinal Contarini als Kontroverstheol., 1949; Kardinal Giovanni Ricci (1497-1574), in: Miscellanea Pio Paschini 2, 1949, 205-238; Gesch. des Konzils von Trient, 4 Bde., I, 1949, II, 1957, III, 1970, IV, 1975; Die dt. Romfahrt von Bonifatius bis Winckelmann, 1950; Eine falsche Spur. Die angeblich von Papst Clemens IV. verfaßte Hedwigsvita, in: AschKG 8, 1950, 14-25; Ein »Turmerlebnis« des jungen Contarini, in: HJ 70, 1951, 115-130; Der kaiserl. Protest gegen die Translation des Konzils von Trient nach Bologna, in: HJ 71, 1952, 184-196; Contarini und Camaldoli, 1953; Kirchenhistoriker aus Schlesien in der Ferne, in: AschKG 11, 1953, 243-259; Nouvelles données sur l'histoire des conciles généraux, in: Cahiers d'histoire mondiale 1, 1953, 164-178; L'Évêque dans la tradition pastorale du XVIe siècle, 1953 (= Museum Lessianum, section historique 16); Die Vertretung der Kirchengeschichte in der Kath.-Theol. Fakultät Bonn 1823-1929, in: Annalen des hist. Vereins für den Niederrhein 155/156, 1954, 411-453; Rheinland und Schlesien in der preußischen Kirchenpolitik vor 1870, in: AschKG 12, 1954, 243-256; Joseph Greving (1868-1919). Zur Erinnerung an die Begründung der »Reformationsgeschichtl. Studien und Texte« im Jahre 1905, 1954 (= Kath. Leben und Kämpfen im Zeitalter der Glaubensspaltung 12); Zur Entwicklung des Kirchenbegriffs im 16. Jh., in: Relazioni del X Congresso Internazionale di Scienze Storiche, vol. IV, 1955, 59-73; Die Autobiogr. des Don Martin Perez de Ayala, in: Span. Forsch. der Görres-Gesellschaft I, 11, 1955, 122-164; Das Konzilstagebuch des Bischofs Julius Pflug von Naumburg 1551/52, in: RQ 50, 1955, 22-43; Fragen um Herrmann von Wied, in: HJ 74, 1955, 687-699; Fata libellorum im Quellenbestand des Konzils von Trient, in: Jahrbuch der Akad. der Wiss. u. der Lit. Mainz 1956, 284-296; Gasparo Contarini e il contributo veneziano alla riforma cattolica, in: La civiltà del rinascimento, 1958, 103-124; Tommaso Campeggio (1483-1564). Tridentinische Reform und kuriale Tradition, 1958; Luthers Turmerlebnis in neuer Sicht. Bericht

über E. Bizer, Fides ex auditu, in: Catholica 12, 1958, 129-138; Studien über Domenico de' Domenichi (1416-1478), 1958; Weltmission und Kolonialismus, in: Saeculum 9, 1958, 393-404; Kleine Konziliengesch. Die 20 ökumenischen Konzilien im Rahmen der Kirchengesch., 1959 (1978[8]); Die Geschäftsordnungen der beiden letzten ökumenischen Konzilien in ekklesiologischer Sicht, in: Catholica 14, 1960, 105-118; Zur Aufgabe des Kirchengeschichtsschreibers, in: Trierer theol. Zeitschr. 70, 1961, 65-78; Il Concilio di Trento. Scopi e resultati, in: Divinitas 5, 1961, 345-360; Ist das Konzil von Trient ein Hindernis der Wiedervereinigung?, in: Ephemerides theologiae Iovanienses 38, 1962, 841-855; Strukturprobleme der Ökumenischen Konzilien, 1963; Bischöfl. Konzil oder Kirchenparlament? Ein Beitrag zur Ekklesiologie der Konzilien von Konstanz und Basel, 1963; Krisis und Nachlaß des Trienter Konzils 1562/63, 1964; Der Abschluß des Trienter Konzils 1562/63. Ein Rückblick nach 5 Jahrhunderten, 1964[2]; Das Autograph Johann Groppers zum Kölner Provinzialkonzil von 1536, in: Spiegel der Gesch. Festgabe für Max Braubach, 1964, 281-292; Kirche des Glaubens - Kirche der Gesch. Ausgewählte Aufsätze und Vorträge, 2 Bde., 1966; Reformata reformanda. Zu einer ersten Bilanz des Konzils in hist. Perspektive, in: Wort und Wahrheit 21, 1966, 375-379; Tradition und Fortschritt. Einige Erwägungen zum geschichtl. Ort des Vaticanums II, in: ebd., 731-741; Die Stellung der Kirchengeschichte im theol. Unterricht, in: Trierer theolog. Zschr. 76, 1967, 281-297; Vaticanum II und Tridentinum. Tradition und Fortschritt in der Kirchengesch., 1968; Der Plan einer Universitätsgründung in Duisburg 1555/64, in: G. v. Roden, Die Universität Duisburg, 1968, 1-32; Ekklesiologie um Luther, 1968 (Fuldaer Hefte 18); Das apostolische Amt in der Kirche. Schlaglichter eines Kirchenhistorikers auf die Gegenwartssituation, 1970; Das Leitbild des Priesters nach dem Tridentinum und dem Vaticanum, in: Theologie und Glaube 40, 1969, 102-124; Die Unauflöslichkeit der Ehe nach dem Konzil von Trient, in: Reinhardt/Jedin (Hg.), Ehe und Sakrament in der Kirche des Herrn, 1971, 61-109, 123-135; Von Sedlnitzky zu Diepenbrock. Briefe von Ignaz Ritter an August Theiner von 1841-47, in: AschKG 29, 1971, 173-204; Gustav Hohenlohe und August Theiner 1850-1870, in: RQ 66, 1971, 171-186; Kirchenhistorikerbriefe an August Theiner, in: ebd., 187-231; Eine Denkschrift Joseph Ignaz Ritters über Georg Hermes, in: Annalen des hist. Vereins für den Niederrhein 174, 1972, 148-161; Briefe des Breslauer Alumnatsrektors Josef Sauer an seinen Schulfreund August Theiner in Rom (1839-1851), in: AschKG 30, 1972, 157-170; August Theiner. Zum 100. Jahrestag seines Todes am 9. Aug. 1874, in: AschKG 31, 1973, 134-176; Alfred von Reumont, in: Rhein. Lebensbilder, Bd. V, 1973, 95-112; Silesiaca aus dem Nachlaß Augustin Theiners 1838-1864, in: AschKG 32, 1974, 173-196; Die Erforschung der kirchl. Reformationsgesch. seit 1876. Leistungen und Aufgaben der dt. Kath., 1975 (EdF 34); Come e perché no scritto una storia del concilio di Trento, in: Humanitas N.S. 31, 1976, 90-105; Kardinal Caesar Baronius. Der Anfang der kath. Kirchengeschichtsschreibung am 16. Jh., 1978; Eine Jugend in Schlesien 1900-1925, in: AschKG 37, 1979, 1-63; Lebensbericht. Mit einem Dokumentenanhang hg. von Konrad Repgen, 1894; — Gab heraus: Reformationsgeschichtl. Studien und Texte 84, 1959 ff.; Conciliorum Oecumenicorum Decreta, 1962; Handbuch der Kirchengesch., 4 Bde., 1963-1979; Atlas zur Kirchengeschichte, 1970.

Lit.: E. Iserloh/K. Repgen (Hg.), Reformata reformanda. Festgabe für Hubert Jedin zum 17. Juni 1965, 1965 (mit Bibliogr. bis 1965 von Robert Samulski); — Robert Samulski, Bibliogr. H. J. 1966-1975, in: Annuarium historine conciliorum 8, 1976, 612-637; — Giorgio Butterini, Bibliogr. H. J. 1976-1981, in: Annali dell'Instituto storico italo-germanico in Trento 6, 1980 (ersch. 1982), 360-365 (dort auch Nachdr. der beiden Samulski-Bibliogr. S. 287-359); — Konrad Repgen, H. J. (1900-1980), in: HJ 101, 1981, 325-340; — Ders., H. J. †, in: Jahres- und Tagungsbericht der Görres-Gesellschaft 1980, 1981, 88-103; — Ders., Der Geschichtsschreiber des Trienter Konzils, H. J. (1900-1980), in: ZRG KA 70, 1984, 356-393; — Gabriel Adriányi, Wie kam Prof. H. J. (1900-1980) nach Bonn?, in: AschKG 40, 1982, 241-246; — Catholicisme VI, 670 f.; — Brockhaus-Enzykl. IX, 424; — Meyers enzykl. Lex. VIII, 106.

Roland Böhm

JEFTA (Jeptha, hebräisch Jiftach: er möge öffnen, retten), Richter in Israel aus der Landschaft Gilead im Ostjordanland. — Als sein Vater wird Gilead genannt. Die Überlieferungen von J. sind in Ri. 10,6-12,7 enthalten. — J. stammte aus ungeordneten Verhältnissen. Seine Mutter war eine Prostituierte (Ri. 11,1; nach Ri. 11,2 zumindest eine fremde Frau). Als die Söhne der rechtmäßigen Ehefrau seines Vaters aufgewachsen waren, vertrieben sie ihn aus dem Vaterhaus, um ihn von seinem Erbe auszuschließen. Die Rechtmäßigkeit dieses Vorganges ist schwer auszumachen, da im Alten Testament diesbezügliche Regelungen fehlen. Nach dem sumerischen Lipit - Ishtar - Code (20. Jahrhundert vor Christus) wäre er erbberechtigt gewesen. Nach seiner Vertreibung aus dem Vaterhaus zog er in das im nördlichen Ostjordanland gelegene Land Tob, wo er, ähnlich wie David (1. Sam. 22,2) eine Gruppe von Freischärlern um sich versammelte und mit ihnen umherzog. — Inzwischen drohte Krieg von seiten der Ammoniter, die in der Stadt Gilead (heute hirbet gel^{c}ad) lagerten, während sich das israelitische Heer in Mizpa im Ostjordanland (el-misrefe) befand (Ri. 10,17 f.). Beide Heere waren also nur etwa 2 km voneinander getrennt. Da den Israeliten ein kompetenter Heerführer fehlte, gedachte man J.s und schickte ihm als Gesandtschaft die Ältesten Gileads. Die boten ihm an, qazin (ungeklärter Begriff, vermutlich militärische Führungsposition) zu werden. Nach anfänglichem Zögern wegen des in Gilead erlittenen Unrechtes willigte J. ein unter der Bedingung, nach einem errungenen Sieg auch die politische Führung in Gilead zu übernehmen. So zog er schließlich mit den Ältesten aus Gilead in sein Heimatland zurück, wo ihn das Volk zum politischen und militärischen Anführer kürte. — Aus Ri. 11,12-28, einem erheblich später dem J.stoff zugewachsenen Überlieferungsstück, das in V. 15b-26 Teile aus 4. Mose 20-21 aufgenommen hat und eher an Verhandlungen mit den Moabitern als mit den Ammonitern denken läßt, wird man mit V. 12-15a. 27 f. zumindest soviel ermitteln können, daß J. versucht hat, den Konflikt mit den Ammonitern auf politischem Wege zu lösen. Da dieser Versuch gescheitert ist, mußte es zum Krieg kommen (Ri. 11,29. 32 f.), in den J. als ein vom Geist Gottes Begabter (V. 29) gezogen ist. — Mit dem Kriegsbericht verwoben ist die schwer deutbare, dramatisch-tragische Geschichte von J.s Gelübde (Ri. 11,30 f. 34-40). J. gelobte Jahwe, im Falle eines Sieges denjenigen als Brandopfer darzubringen, der ihm als erstes aus seinem Haus entgegenkäme. J. besiegte mit Jahwes Hilfe die Ammoniter, und wer ihm entgegenkam, war seine Tochter, sein einziges Kind (vgl. 1. Mose 22,2). Die Ausführung des Gelübdes wird in V. 39 berichtet. Die vermutlich sehr alte und für alttestamentliche Verhältnisse erstaunlich unpolemische Sage vom Menschenopfer diente zur Erklärung der Herkunft eines Mädchenbrauches in Israel (Ri. 11,40), als deren Urheberinnen J.s Tochter und ihre Freundinnen galten (V. 37-39). — Ebenfalls sagenhaft wirkt die Episode vom Bruderkrieg zwischen Gilead und Efraim (Ri. 12,1-6), der einerseits einem eifersüchtigen Willen zur Einheit (12,1-3 vgl. Ri. 8,1-3), andererseits dem Hochmut der Efraimiten (Ri. 12,4) entsprang. Am von Gileaditen versperrten Jabbokfluß erlitten die Efraimiten beim Rückzug eine schwere Niederlage (die Zahl 42.000 ist gegenüber Ri. 5,8 viel zu hoch!), da sie das zum Überqueren des Flusses erforderliche Losungswort Schibbolet (Fluß, Strom?) aufgrund ihres Dialektes nur wie Sibbolet aussprechen konnten. — Die letzten 6 Jahre seines Lebens war J. nach Ri. 12,7 Richter Israels. Er übte also das vermutlich zentrale Amt des Zwölfstämmebundes aus und ist damit der einzige, der sowohl »kleiner Richter« (wie in Ri.

10,1-5; 12,8-15) als auch Rettergestalt war. Begraben wurde J. in seiner Heimatstadt, vermutlich eher Zaphon (12,1) als Mizpa (11,34). — Im Neuen Testament findet sich J. als Zeuge des Glaubens in Hebr. 11, 32. — Der J.stoff bot aufgrund seiner Dramatik mannigfaltig Anlaß zur künstlerischen Ausgestaltung, so daß im Folgenden nur eine Auswahl geboten werden kann. — In der bildenden Kunst: St. Louis-Psalter (13. Jahrhundert); Queen Mary-Psalter (14. Jahrhundert); Lucas van Leyden (1494-1533); Pierre Mignard (1610-1695); Charles Lebrun (1619-1690); Antoine Coypel (1661-1722); Edgar Degas (1834-1917); Enrico Glicenstein (1870-1942. — In der Literatur: Hans Sachs (1555, 1567); Lord von Byxron (in: Hebrew Melodies 1815); Karl Ludwig Kannegießer (1818); Robert Ludwig (1813); Sholem Asch (1914); Eduard Lissauer (1928); E. L. G. Watson (1939); Lion Feuchtwanger (1957). — In der Musik: Oratorien von Giacomo Carissimi (vor 1649); G. B. Vitali (1672); A. Draghi (1690); A. Lotti (1712); Georg Friedrich Händel (1751/1752); Giacomo Meyerbeer (1811/1812); Opern von Michel de Monteclair (1832); Luis Cepeda (1845); Ruperto Chapi (1876); Vertonungen des Gedichtes von Lord Byron durch Isaac Nathan, Karl Loewe (1826) und Robert Schumann (in: Drei Gesänge op. 95, 1849). Im israelitischen Volkstanz lebt J.s Tochter bis heute weiter.

Lit.: George Foot Moore, A Critical and Exegetical Commentary on Judges, 1895; — Karl Budde, Das Buch der Richter, KHC VII, 1897; — Rudolf Smend sen., Beiträge zur Geschichte und Topographie des Ostjordanlandes, ZAW 22, 1902, 129-158; — J. Barbes, J.s gelofte Th St (Utrecht) 27, 1909, 137-143; — J. Porwig, Der J.stoff (Diss. Breslau), 1912; — Walter Baumgartner, J.s Gelübde Jud. 11,30-40, ARW 18, 1915, 240-249; — Carl Heinrich Cornill, Jdc 11,33, ZAW 37, 1917/18, 251-252; — Vinc. Zapletal, J.s Tochter, 1920; — Ders., Das Buch der Richter übersetzt und erklärt, EHAT VII/1, 1923; — Andr. Fernandez, Quid de deo senserit J., VD 1, 1921, 77-81; — Ders., Votum J., ebd., 104-108; — Ders., An peccaverit J. in voto faciendo et exsequendo, ebd., 299-304; — Hugo Gressmann, Die Anfänge Israels, SAT I/2, 1922[2]; — Otto Eissfeldt, Die Quellen des Richterbuchs, 1925; — H. M. Wiener, J.'s Negotiations with Ammon Jgs 11,12-28, NThSt 10, 1927, 149; — G. Iachino, J. Saggio storico-critico, 1927; — M. A. Vanden Oudenrijn, Jud. 11,13 et 33, Angel. 6, 1929, 428-429; — Karl Bornhäuser, J.s Tochter. Wie man die Geschichte zur Zeit des NT.s las, Schule und Evangelium 1930-1931, 315-317; — John Garstang, Joshua. Judges, 1931; — A. Beel, De voto J., Coll. Brug. 35, 1935, 169-176; — Oskar Grether, Die Bezeichnung »Richter« für die charismatischen Helden der vorstaatlichen Zeit, ZAW 57, 1939, 110-121; — Julian Obermann, An Early Phoenician Political Document with a Parallel to Judges 11,24, JBL 58, 1939, 229-242; — G. Buttignoni, Il sacrificio di J., Palestra del Clero 18/2, 1939, 49-51; — Basilio da Montecchio, Il sacrificio della figlia di J., Palestra del Clero 18/2, 1939, 193-195; — A. Pohl, Richter 11,2, Bib 22, 1941, 37; — E. A. Speiser, The Shibbolet Incident (Judges 12,6), BASOR 85, 1942, 10-13; — Martin Noth, Überlieferungsgeschichtl. Studien (1943), 1967[3], bes. 47-50, 53-54; — Ders., Das Amt des Richters Israels, FS Alfred Bertholet, 1950, 404-417; — Ders., Das Land Gilead als Siedlungsgebiet israelitischer Sippen, Aufsätze zur Biblischen Landes und Altertumskunde I (hg. v. Hans Walter Wolff), 1971, 345-390; — Ders., Israelitische Stämme zwischen Ammon und Moab, ebd. 391-433; — Ders., Die Nachbarn der israelitischen Stämme im Ostjordanland, ebd. 434-475; — Ders., Gilead und Gad, ebd., 489-543; — E. Robertson, The Period of the Judges: A Mystery Period in the History of Israel, B. John Rylands Library 30, 1946, 91-114; — W. O. Sypherd, J. an His Daughter. A Study in Comparative Literature (Diss. Delaware), 1948; — I. Mendelssohn, The Disinheritance of J. in the Light of the Lipit — Ishtar Code, IEJ 4, 1954, 116-119; — K. Dronkert, Het Mensenoffer in de oudtestamentische wereld, 1955; — Eugen Täubler, Bibl. Studien. Die Epoche der Richter, 1958; — S. E. Loewenstamm, J. et filia, Enc. Bibl. Inst. Bialik 3, 1958, 748-751; — Cuthbert Aikman Simpson, The Composition of the Book of Judges, 1958; — Folker Willesen, The Ephrati of the Shibbolet Incident, VT 8, 1958, 97-98; — W. Vollborn, Die Chronologie des Richterbuches, FS Friedrich Baumgärtel, 1959, 192-196; — A. Penna, The Vow of J. in the Interpretation of St. Jerome, Stud. Patr. 4 (= TU 79), 1961, 162-170; — H. C. Thomson, Shophet and Mishpat in the Book of Judges, Glasgow University Oriental Society Transactions 1961-1962, 74-85; — H. M. Orlinsky, The Tribal System of Israel and Related Groups in the Period of the Judges, OrAnt 1, 1962, 11-20; — Y. Kaufmann, De iudicibus magnis et parvis, BethM 13, 1962, 10-15; — Walter Beyerlin, Gattung und Herkunft des Rahmens im Richterbuch, FS Artur Weiser, 1963, 1-29; — Wolfgang Richter, Traditionsgeschichtl. Untersuchungen zum Richterbuch, BBB 18, 1963; — Ders., Die Bearbeitungen des Retterbuches in der deuteronomischen Epoche, BBB 21, 1964; — Ders., Zu den »Richtern Israels«, ZAW 77, 1965, 40-71; — Ders., Die Überlieferungen um J., Ri. 10,17-12,6, Bib 47, 1966, 485-556; — J. Dus, Die »Sufeten Israels«, ArOr 31, 1963, 444-469; — Ders., Bethel und Mizpa in Jdc. 19-21 und Jdc. 10-12, OrAnt 3, 1964, 227-243; — Martin Buber, Königtum Gottes, Werke II, 1964[4], 485-723, bes. 549-574; — N. H. Frostig-Adler, La storia di J., AnStEbr 2, 1964-1965, 9-30; — E. C. Dell'Oca, El voto de J., RevBib (Arg.) 26, 1965, 167-171; — C. H. J. de Geus, De Richteren van Israël, NTTds 20, 1965-1966, 81-100; — John L. Mc Kenzie, The World of the Judges. Background to Bible Series, 1966; — J. van Rossum, De praedeuteronomistische bestanddelen van het boek der Richters, 1966; — Georges Auzou, La Force de l'Esprit. Etude du Livre des Juges, 1966; — Rudolf Smend jr., Jahwekrieg und Stämmebund, FRLANT 84, 1966[2]; — Klaus-Dietrich Schunck, Die Richter Israels und ihr Amt, VT.S 15, 1966, 252-262; — Robert G. Boling, Some Conflate Readings in Joshua-Judges, VT 16, 1966, 293-296; —

Ders., Judges, AB 6A, 1975; — John Gray, Joshua, Judges and Ruth, Century Bible 1967; A. E. Cundall/L.Morris, Judges, Ruth, Tyndale OT Commentaty, 1968; — Johannes P. M. van der Ploeg, Les juges en Israël, Studi A. Cardinale Ottaviani, 1969, 463-507; — Magnus Ottosson, Gilead. Tradition and History, CB. OT 3, 1969; — Siegfried Mittmann, Aroer, Minnith und Abel Keramim (Jdc 11,33), ZDPV 85, 1969, 63-75; — Charles Fox Burney, The Book of Judges with Introduction and Notes on the Hebrew Text of the Book of Kings, Reprint 1970; — The World History of Jewish People. First Series III: Judges, 1971; — Fritz Stolz, Jahwes und Israels Kriege, AThANT 60, 1972; — John van Seters, The Conquest of Sihon's Kingdom: A Literary Examination, JBL 91, 1972, 182-197; — Roland de Vaux, Histoire ancienne d'Israël II: La période des Juges, 1973; — H. Gilad, Diplomacy and Strategy in Two Wars with Ammon (hebr.), BethM 19, 1974, 416-418, 454; — Gerhard von Rad, Ri. 12,5-7, Gottes Wirken in Israel (hg. v. Odil Hannes Steck), 1974, 46-48; — A. D. H. Mayes, Israel in the Period of the Judges, SBT II, 29, 1974; — Alan J. Hauser, The »Minor Judges« - A Re-Evaluation, JBL 94, 1975, 190-200; — A. R. W. Green, The Role of Human Sacrifice in the Ancient Near East, ASOR Diss. Ser. 1, 1975; — Manfred Wüst, Die Einschaltungen in die J.geschichten, Ri. 11,13-26, Bib 56, 1975, 464-479; — A. Ron, Three Charismatic Judges and Their Strategies, Dor le Dor 4, 1975-1976, 8-16; — R. Ziskind, Prescriptions in Ancient Near Eastern Diplomacy (hebr.), BethM 21, 1975-1976, 524-528, 625; — Abraham Malamat, Charismatic Leadership in the Book of Judges, FS G. Ernest Wright, 1976, 152-168; — H. Reviv, Elders and »Saviors«, OrAnt 16, 1977, 201-204; — Sol. Liptzin, J.'s Literary Vogue, Dor le Dor 6, 1977-1978, 126-136; — John R. Bartlett, The Conquest of Shihon's Kingdom: A Literary Reexamination, JBL 97, 1978, 347-351; — Juan Alberto Soggin, Il galaadita J., Giudici XI, 1-11, Henoch 1, 1979, 332-336; — Ders., Das Amt der »Kleinen Richter« in Israel, VT 30, 1980, 245-248; — Ders., Judges. A Commentary, OTL, 1981; — Barnabas Lindars, The Israelite Tribes in Judges, VT.S 30, 1979, 95-112; — Simon B. Parker, The Vow in Ugaritic and Israelite Narrative Literature, UF 11, 1979-1980, 693-700; — Hartmut N. Rösel, The Literary and Geographical Facts of the Shibboleth Story in Judges 12,1-6 (hebr.), in: B. Oded, Studies in the History of the Jewish People and the Land of Israel V, 1980, 33-41, III-IV; — Ders., J. und das Problem der Richter, Bib 61, 1980, 251-255; — Ders., Die »Richter Israels«. Rückblick und neuer Ansatz, BZ 25, 1981, 180-203; — Walter R. Bodine, The Greek Text of Judges, HSM 23, 1980; — Phyllis A. Trible, A Meditation in Mourning. The Sacrifice of the Daughter of J., USQR Sup. 36, 1981, 59-73; — Dies., A Daughter's Death. Feminism, Literary Criticism and the Bible, MichQR 22, 1983, 176-189; — Dies., Texts of Terror. Literary-Feminist Readings of Biblical Narratives, 1984; — Hans Wilhelm Hertzberg, Die Bücher Josua, Richter, Ruth, ATD 9, 1982[6]; — K. Deurloo u. a., Geen koning in die dagen - over het boek Richteren als profetische geschiedsschrijving, 1982; — Karlheinz H. Keukens, Richter 11,37 f. Rite de passage und Übersetzungsprobleme, BiNo 19, 1982, 41-42; — Pietro Kaswalder, Aroer e Iazer nella disputa diplomatica di Gdc 11,12-28, SBFLA 34, 1984, 25-42; — Ders., Giudici 11,20a: problemo testuali e grammaticali, BiOr 26, 1984, 129-142; — Werner Daum, Ursemitische Religion, 1985, bes. 32-41; — Frederick E. Greenspahn, The Theology of the Framework of Judges, VT 36, 1986, 385-396; — D. Marcus, J. and His Vow, 1986; — Karen Engelken, Die Frau - die Frauen, eine begriffsgeschichtl. Untersuchung zum AT (Diss. Mainz), 1987, bes. 62-69; — BHH II, 810 f.; — Dictionnaire Encyclopédique de la Bible I, 602 f.; — BL[2], 810 f.; — EncJud (1928ff.) IX, 181-183; — EncJud (1971-1972) IX, 1341-1345; — IDB II, 820 f.; — Jüd. Lex. III, 168 f.; — Kindlers Literatur Lexikon X, 8167-8170; — NewCathEnc VII, 866 f.; — LThK V, 892 f., — RE VIII, 641-646; — RGG [1]III, 296 f.; — RGG [2]III, 71 f.; — RGG [3]III, 580 f.; — Rienecker, Lexikon zur Bibel, 674 f.

Klaus Grünwaldt

JEHU, keilschriftlich Jaua, König von Israel, Begründer einer Dynastie, regierte 842/841-815/814 v. Chr., der Deutronomist gibt als seinen Vater Joschafat an. — In 1 Kön. 9,10 findet sich ein ausführliches Zeugnis der vitae J. Als Vater Joram im Kampf der Israeliten gegen die Aramäer von Damaskus verwundet worden war und sich nach Jesreel zurückgezogen hatte, bestimmte er seinen Heerführer J. zum Oberbefehlshaber über die israelitischen Truppen. Zu dieser Zeit beauftragte der Prophet Elisa einen seiner Jünger, zu J. in das Feldlager Ramoth in Gilead zu ziehen, um ihn (vgl. 1 Kön 19,16) im Auftrag Jahwes zum König über Israel zu salben. In Ramoth angekommen, teilte er J., der gerade mit seinen Offizieren Rat hielt, mit, eine wichtige Botschaft für ihn zu bringen. J. bat den Prophetenjünger in sein Zelt, wo dieser ihn in stark stilisierter Manier (Botenformel und Motiv der Salbung ohne Zeugen, vgl. 1 Sam 9,27; 10,1) zum König über Israel weihte. Verbunden mit der Königswürde nannte der Ben ha-Nabiim den Auftrag, dem Glauben an Jahwe durch die Vernichtung Isebels und des ganzen Hauses Ahab zum Durchbruch zu verhelfen. Er prophezeite J. den Tod der Baalsanhänger und eilte unvermittelt fort. Anlaß der scharfen Androhung der Vernichtung des Hauses Ahab war die durch ihn erfolgte offizielle Anerkennung der Baalsreligion in Israel. Diese zog eine Oppositionsbewegung der jahwetreuen Kreise nach sich. Wieder bei seinen Offizieren, wurde J. von diesen belustigt gefragt, was der unbekannte Mann von ihm gewollt habe. Auf ihr Drängen hin verkündigte er ihnen den Inhalt der Botschaft. Augenblicklich erwiesen sie ihm die Königsehre und riefen ihn im ganzen Feldlager als neuen König von Israel aus. Die Königswürde sicherte J. die Unterstützung des Heeres. Unverzüglich handelte er. In der Nebenresidenz Jesreel befanden sich Ahabs Sohn Joram (s.d.) und Ahasja, der König von Juda. In der Stadt bemerkte man die sich nähernden Truppen, ohne sie jedoch identifizieren zu können. Zwei Boten wurden ausgesandt; beide kehrten nicht wieder zurück. Daraufhin fuhren Joram und Ahasja den Nahenden entgegen. Als sie J. erkannten, bemerkten sie zu spät den Hinterhalt und versuchten vergeblich, vor den Verrätern zu fliehen. J. schoß Joram sofort mit dem Pfeil nieder. Ahasja entkam verwundet, erlag seiner Verletzung jedoch in Megiddo (nach 2 Chr 22,7 ff. wurde er in Samaria abgefangen, zu J. gebracht und hingerichtet). Nach der Ermordung Jorams fuhr J. in Jesreel ein. Isebel, die in jahwetreuen Kreisen als erbitterste Feindin galt, erwartete ihn geschminkt am Fenster. Als sie ihn spöttisch und provozierend mit dem Heerführer Simri, der König Ela ermordet hatte (s. 1 Kön 16,9-20), verglich, befahl er zornentbrannt, sie aus dem Fenster hinabzustürzen. Die extreme Darstellung ihres Todes wird vom Deuteronomisten an dieser Stelle mit dem Eintreten der Prophezeihung ihrer Vernichtung verbunden. Von Jesreel aus schickte J. ein Schreiben an die samaritanische Oberschicht, worin er sie aufforderte, den besten der Söhne Ahabs auf den Thron zu setzen, um zu kämpfen. Durch die Übermacht J.s eingeschüchtert, gaben die Samaritaner ihre Unterwerfung bekannt. J. schrieb nun einen zweiten Brief, in dem er in zweideutiger Weise verlangte, die Köpfe der Söhne Ahabs zu ihm zu bringen. Nach dem Erhalten dieses Briefes wurden die Söhne Ahabs in Samaria getötet. Man brachte J. die 70 abgeschlagenen Köpfe. Er ließ sie demonstrativ in zwei Haufen vor das Tor legen, erklärte sich jedoch scheinheilig für ihren Tod als unverantwortlich. J. ließ nun auch alle übrigen Verwandten, Beamten und Priester Ahabs in Jesreel töten und zog mit seinem Heer weiter nach Samaria. Bei Beth-Eked begegneten ihm 42 Verwandte Ahasjas, die auf dem Weg nach Jesreel waren. Er gab sofort den Befehl, sie zu ergreifen, und ließ sie töten. J. zog weiter und traf Jonadab ben Rechab. Er forderte ihn auf, Zeuge seines Eifers für Jahwe zu sein und ließ ihn zu sich auf den Wagen steigen. Nach Samaria gekommen, rottete er dort das ganze Geschlecht Ahabs aus. Was nun folgte, war der Höhepunkt des Machtantritts J.s: Die Beseitigung des Baalskultes in Samaria. Er gab in Samaria, dem Regierungszentrum des Nordreichs und Wohnortes der königlichen Familie bekannt, daß er beabsichtigte, dem Baal besser dienlich zu sein als Ahab. Er ließ alle Vertreter des Baalskultes zu sich rufen und beauftragte sie, Vorbereitungen zu einem großen Opferfest zu treffen. Zu diesem Fest ließ er alle Baalspriester aus ganz Israel einladen und ordnete an, sie in festlichem Ornat einzukleiden. Er befahl, darauf zu achten, daß kein Anhänger Jahwes dem Fest beiwohne. Das Fest begann. J. ließ nun den Tempelbezirk von 80 Mann umringen. Auf seinen Befehl hin stürmten die Krieger hinein und töteten alle im Tempel Befindlichen. Der Tempel selbst und sein gesamtes Inventar wurden zerstört. Solche Vernichtung des Baalskultes begründete eine Heilszusage Jahwes an J. Für den Exegeten stellt sich die Frage, ob bzw. in welchem Maße der Schlag gegen den Baalskult in Samaria stilisiert ist, da beachtet werden muß, daß eine der Hauptinteressen des Deuteronomisten der alleinige Jahwedienst ist und er das Traditionsgut in dieser Weise bearbeitet. Eine erschöpfende Klärung der Textgeschichte von 2 Kön 9, 10, die Schlüsse auf die tatsächlichen Maßnahmen J.s ermöglicht, ist bislang noch nicht möglich. Die Beseitigung des kanaanäischen Kultwesens durch J. war nicht vollständig, denn er ließ auch weiterhin die goldenen Kälber in Bethel und Dan zu. Der biblische Verfasser verurteilt dies und führt die israelitischen Gebietsverluste im Ostjordanland durch Niederlagen gegen die Aramäer auf den Zorn Jahwes zurück. J.s militantes Vorgehen gegen die kanaanäische Religion löste in Israel und Juda schwere Regierungskrisen aus. Die hieraus resultierende Schwächung der beiden Reiche erleichterte den Einfall des Assyrers Salmanasser III. Auf dem sogenannten »schwarzen Obelisken« des Assyrers sind Tributzahlungen J.s dargestellt. J. starb nach einer Königsherrschaft von 28 Jahren und wurde in Samaria begraben. Sein Sohn Joahas (s.d.) nahm seine Stellung ein. Die Person J. war gekennzeichnet von einem ungewöhnlich starken und unerschütterlichen Eifer für Jahwe bei der Vertilgung der Baalsverehrung aus Israel. J. beanspruchte, das Vollzugsorgan des göttlichen Willens zu sein. Auffällig ist jedoch, daß er genau diejenigen töten ließ, die seine Machtposition hätten gefährden können. Auch der Prophet Hosea (s.d.) hat sich etwa 100 Jahre später kritisch vom Vorgehen J.s distanziert (Hos. 1,4 ff.). Die Taten J.s weisen für den heutigen Betrachter eine kaltblütige und hinterhältige Grausamkeit auf. Vielfach wurde eine göttliche Berufung angezweifelt, da die rücksichtslose und zynische Durchführung der Pläne J.s als eine Perversion der ihm verliehende Macht empfunden wurde. Die Erzählung über J.s Revolution gilt als hervorragende Quelle zur Geschichte des Nordreichs und durch ihre erzählerische Meisterschaft als eine der bedeutsamsten Erzählungen des Alten Testaments überhaupt.

Quellen: 1 Kön 19, 16; 2 Kön 9, 10; 2 Chr 22,7-9; Abb. des »Schwarzen Obelisken« in: ANEP, Abb. 351 ff.

Lit.: Hermann Gunkel, Die Revolution des J., Dt. Rundschau 40 (1913), 289-308; — Ders., Meisterwerke hebr. Erzählkunst I, Gesch. von Elisa, 1922, 67 f.; — Albrecht Alt, Der Stadtstaat Samaria, BAL 101,5 (1954), 40 ff.; — André Neher, La révolte de J., un psychodrame?, in: Annales de Economies, Sociétés et Civilisations, vol. 21,2 (1966), 239-253; — Siegfried Herrmann, Geschichte Israels in alttestamentlicher Zeit, München 1973, 259 ff.; — Antonius H. J. Gunneweg, Geschichte Israels bis Bar Kochba, Stuttgart, Berlin, Köln, Mainz ²1976, 32, 97-100; — G. W. Ahlström, King J.- A Prophets Mistake, in: Pittsburgh Theological Monograph Series 17 (1977), 47-69; — Martin Metzger, Grundriß der Geschichte Israels, Neukirchen-Vluyn ⁴1977, 106 ff.; — Alberto R. Green, Sua and J.: The Boundaries of Salmanesers Conquest, in: PEQ 111/1 (1979), 35-39; — Soleh Arieh, Structure and Artistery of the Story of J.s Kingship, in: Beth Mikrah 28 (1982), 64-71; — Henri Cazelles, Histoire politique d'Israel, Paris 1982, 50, 62 f., 156 f., 161 f.; — Robert North, J.: Tyrannic and High Finance, in: Ders., Social Dynamics from Saul to J., in: Biblical Theology Bulletin XII/4 (1982), 109-119; — Stefan Timm, Die Erzählung über J.s Revolution, in: Ders., Die Dynastie Omri, Göttingen 1982, 136-141; — Yoshikazu Minokami, Die Revolution des Jehu, Göttingen 1988; — Catholicisme VI, 681 f.; — LThK V, 888; — RE VIII, 638-641; — RGG III, 574 f.

Michael Tilly

JEHUDA BEN DAVID CHAJJUG (auch: Judah b. Daud Hayyuj), jüdischer Grammatiker, * ca. 945 in Fez (Spanien), † ca. 1000. — Über J.s Leben ist wenig bekannt, doch gilt in der jünge-

ren Forschung als sicher, daß Chajjug mit Jehuda ibn Daud zu identifizieren ist, der seit ca. 960 als Arzt in Cordoba lebte und sich gegen Dunash ben Labrat den Lehren Menahems ben Jacob ibn Saruq anschloß. J.s Werk umfaßt 5 Schriften: eine mit zwei weiteren Schülern Menahems verfaßte Kritik an den Lehren Dunashs, die als einziges von J.s Werken hebräisch geschrieben ist (1), das Buch von den schwachlautigen Zeitwörtern (2), das Buch von den doppellautigen Zeitwörtern (3), das Buch von der Punktation (4), das Buch der Exzerpte (5). Die Schriften 2-5 sind ursprünglich arabisch geschrieben, wurden jedoch von Moses ibn Gikatilla und Abraham ibn Esra ins Hebräische übersetzt. In seinen beiden Büchern zu den Zeitwörtern entwickelte J., durch das Studium der verwandten arabischen Sprache angeregt, das Gesetz der Triradikalität, nach dem die hebräischen Wortstämme auf drei Grundkonsonanten zurückgehen; dadurch wurde eine regelrechte Konjugation der hebräischen Worte überhaupt erst möglich und die Grammatik auf sichere Gesetze gestellt. — J. gilt als der Schöpfer der ersten wissenschaftlichen hebräischen Grammatik; sein Werk ist bis heute für die hebräische Sprachwissenschaft grundlegend.

Werke: Teshuvot al Dunash ben Labrat (1), ed. Z. Stern, 1870; Kitab al-Dhawat Huruf al-Lin (2); Kitab al-Dhawat al-Mathalayn (3); Kitab al Tanqit oder Kitab al Nuqat (4), 2-4 ed. J. W. Nutt, 1870 (mit engl. Übers.) u. M. Jastrow, 1897; Kitab al Natf (5) z. T. ed. P. Kokovtson, Novye materialy, Bd. 2, 1916, 1-74.

Lit.: W. Bacher, Die grammat. Terminologie des J., 1882; — Ders., Die hebr. Sprachwiss., in: J. Winter/A. Wünsche, Die jüd. Literatur 2, 1894; Ders., Die Anfänge der hebr. Grammatik, 1895; — B. Drachman, Die Stellung und Bedeutung des J., 1885; — M. Jastrow, Jewish Grammarians of the Middle Ages VI: Abu Zakariyya Yahya ben Dawud Hayyug, in: Hebraica 5, 1888-1889, 115-120; — L. Rosenak, Die Fortschritte der hebr. Sprachwiss. von J. bis David Kimchi, 1898; — G. Karpelles, Gesch. der jüd. Literatur, 1909²; — H. Hirschfeld, Literary History of Hebrew Grammarians and Lexicographers, 1926; — D. Yellin, Toledot Hitpattehut da-Dikduk ha-Ivri, 1945; — E. Ashtor, Qorot da-yehudim bi-Sefarad ha-muslimit, 1966; — Carlos del Valle Rodriguez, Grammáticos hebreos espanoles, in: Repertorio de Historia de las Ciencias Eclesiáticas en Espana, 5, 1976, 243-298; — Ders., La Escuela Hebrea de Cordoba, 1981; — LThK V, 888; — EncJud VII, 1513 s. v. Hayyuj.

Heike Mierau

JEHUDA, Hanasi (Rabbi Jehuda ha-Nasi bzw. Judah ha-Nasi, oft auch nur »Rabbenu« oder »Rabbi« genannt), Patriarch von Judäa und Redaktor der Mischna (d.i. erster und wichtigster Teil des Talmud), trad. Datierung: 135-200 n. Chr., neuere hist. Datierung: 150-220 n. Chr. — J. war der älteste Sohn des Rabbi Simeon ben Gamaliel II. und entstammte damit dem Geschlecht des Hillel (s.d.), dem bedeutendsten jüd. Weisen der Epoche des 2. Tempel (bis 70 n. Chr.). Die trad. Überlieferung besagt, daß J. genau am Todestag des Rabbi Aqiba, der 135 n. Chr. von den Römern wegen seiner Beteiligung am Bar Kochba-Aufstand getötet worden war, geboren worden sei. Seine Jugend verlebte er in Usha in Galiläa, dorthin war sein Vater vor den Repressalien der Römer geflohen. Usha wurde alsbald das Zentrum der jüd. Gelehrten, weshalb J. eine hervorragende Erziehung und Unterweisung in sämtlichen Wissenschaften erhielt, zudem erlernte er die griechische Sprache. Auch von seinem Vater, der in Usha das Amt des 'nasi' versah (d.i. oberster pol., rel. und juristischer Führer der jüd. Stämme), wurde J. unterrichtet. Nach dem Tode des Vaters übersiedelte er nach Beth Shearim, wo er das Lehr- und Gebetshaus leitete. Um 190 n. Chr. wird J. zum nasi bestimmt; die Tatsache, daß er diesen Titel in seinem Namen führte, belegt, daß er als unumschränkte politische und religiöse Zentralautorität der Juden angesehen wurde. Als solche begriff ihn auch die römische Administration, zu der J. ein sehr gutes Verhältnis gehabt haben soll. Zahlreiche Legenden, die von der persönlichen Beziehung des Rabbi J. zu einem römischen Kaiser namens Antonius berichten, sind jedenfalls ein Hinweis darauf. So soll auch die in den Quellen immer wieder betonte prunkvolle Hofhaltung des Patriarchen J. von den Römern mitfinanziert worden sein. Für die Hofhaltung an sich selbst erhielt J. aber eine Steuer, die das gesamte Diasporajudentum an ihn entrichten mußte. Die Bedeutung J.s als Politiker und Patriarch wird von seiner Bedeutung als Gelehrter aber noch überragt. Denn J. gelang es, die Redaktion der Mischna, einer Sammlung der wichtigsten halachischen Aussagen (i.e. mündlich überlieferte Lehrsätze), zu vollenden. Die Vertreibung vieler Juden nach den beiden Kriegen mit Rom - 70 n. Chr. war Jerusalem zerstört und

135 n. Chr. war der Bar Kochba-Aufstand niedergeschlagen worden - hatte den jüd. Gelehrten sehr deutlich vor Augen geführt, daß die bisherige rein mündliche Überlieferung der Lehr- und Glaubenssätze gefährdet war. Hinzu kam, daß der Umfang des Stoffes beständig zunahm. Auf die Vorarbeiten von Rabbi Aqiba und Rabbi Meir aufbauend leitete J. nun die Schlußredaktion für die Sammlung und Kodifizierung der mündlichen Lehrsätze ein. Hieraus entstand die Mischna, die das bereits bestehende jüd. Gesetz (Tora) ergänzen und näher bestimmen sollte. J.s Leistung ist vor allem darin zu sehen, daß er die Lehrsätze in eine Systematik brachte, die nach Themenkreisen und einzelnen Traktaten geordnet ist. Inhaltlich umspannt sie das gesamte Recht und Brauchtum des damaligen Judentums. Denn hierin ist die Eigenart der Mischa J.s zu sehen: sie ist nicht ein Gesetzeskodex im strengen Sinne, sondern dokumentiert die damals vorherrschenden Meinungen unter den Gelehrten in der Akademie und im Gerichtshof in ihrer gesamten Breite und auch Widersprüchlichkeit. J. gestaltete diese Momentaufnahme damaligen Wissens zu einer genialen Synthese. Die Qualität und Bedeutung der Mischna ist darin abzulesen, daß sie in den folgenden Jahrhunderten das Fundament des Talmud bildete und somit - neben der Bibel - zum 2. Grundtext der jüd. Kultur wurde. Das Todesjahr J.s - wie überhaupt die gesamten Lebensdaten des Rabbis - sind in der Forschung umstritten bzw. müssen wohl ungeklärt bleiben. Die trad. Überlieferung spricht jedenfalls bezüglich seiner letzten Wohnstätte davon, daß er die letzten 17 Jahre seines Lebens wegen des gesünderen Klimas in Zepphoris verbracht haben soll. Diese Jahre datiert die neuere Forschung auf das 1. Viertel des 3. Jh., weshalb das Todesjahr J.s auf 220 n. Chr. gesetzt wird.

Lit.: A. Bodek, Marc Aurel. Antonius als Zeitgenosse des Rabbi J., Leipzig 1868; — H. W. Schneeberger, The life and works of Rabbi J., Berlin 1870; — J. H. Dünner, J.s Anteil an unserer Mischna, in: Mzschr. f. Gesch. u. Wiss. d. Judentums (MGWJ) 1872, S. 161 ff. u. 218 ff.; — Jacob Brüll, Einleitung in die Mischna, 2 Bde, Frankfurt 1876/85; — S. Gelbhaus, Rabbi J. und die Redaktion der Mischna, Wien 1878; — Wilhelm Bacher, Die Agada der Tannaiten II, Straßburg 1890; — A. Büchler, Der Patriarch J. und die griech. röm. Städte Palästinas, in: JQR 1901, S. 683-740; — ders., Die Maultiere und die Wagen des Patriarchen J, in: MGWJ 1904, S. 193- 208; — Albert Katz, Biographische

Charakterbilder aus der jüd. Geschichte und Sage, Berlin 1905; — J. Baßfreund, Zur Redaktion der Mischna, in: MGWJ 1907, S. 291-322, 429-444, 590-608 u. 678-706; — S. Krauß, Antonius und Rabbi, Wien 1910; — Ludwig A. Rosenthal, Über den Zusammenhang, die Quellen und die Entstehung der Mischna, Berlin 1918; — Chanoch Albeck, Untersuchungen über die Redaktion der Mischna, 1923; — A. Guttmann, The Patriarch J. - His birth and his death, in: HUCA 25 (1954), S. 239-261; — Fritz Maas, Von den Ursprüngen der rabbinischen Schriftauslegung, in: ZThK 52 (1955), S. 129-161; — John Bowker, The Targums and Rabbinic Literature, 1969; — Chanon Albeck, Einführung in die Mischna, 1971 (= Studia Judaica VI); — S. Safrai, Das Zeitalter der Mischna und des Talmud, in: Haim Hillel-Ben-Sasson (Hg.), Geschichte des jüd. Volkes, Bd. I, 1978, S. 402-420; — A. I. Baumgarten, Rabbi J and his Opponents, in: Journal f.t. study of Judaism in the Persian, Hellenistic and Roman Period 12 (1981), S. 133-172; — Pierre Lenhardt/ Peter von der Osten-Sacken, Rabbi Akiva, Berlin 1987 (mit ausführlicher Bibliographie); — s.a. Joachim Jeremias (Hg.), Rabbinischer Index (Reihe: Kommentar zum NT, Bd. V/VI); — Karl Heinrich Rengstorf/ Leonhard Rost (Hg.), Die Mischna, (mehrere Bde); — EBrit XXI, 768 ff.; — EncJud X, 366 ff.; — Kl. Pauly IV, 1323 ff.; — LThK V, 889; — New Cath.Enc. VIII, 3; — RGG (nur 1. u. 2. Aufl.) III, 290; — Strack, 16 f. u. 133.

Rainer Witt

JEHUDA (Juda) Ha-Levi, arabischer Abu 'l-Hassan Ibn Allawi, jüdischer Dichter, Arzt und Philosoph, Begründer des mittelalterlichen Zionismus, * um 1080 in Toledo oder Tudela, † nach 1140 auf dem Weg nach Palästina. — J. stammte aus wohlhabenden Kreisen. Er wuchs in der toleranten Umgebung des seit 1085 christlichen Toledo auf. Spätestens 1094 schrieb er seine ersten Gedichte. Noch als Knabe zog er nach Córdoba, wo er einen Dichterwettbewerb gewann. Daraufhin wurde J. von Moses ibn Esra nach Granada eingeladen und schloß mit Abraham ibn Esra eine tiefe und langanhaltende Freundschaft. Die wechselvolle Lage der spanischen Juden zwang ihn, Granada zu verlassen und zwanzig Jahre durch Spanien zu ziehen. Seine Hochschätzung Israels, aber auch zunehmende Vereinsamung und Verschlechterung der Lage der spanischen Juden bewogen ihn, sich auf den Weg nach Jerusalem zu begeben. In Ägypten gefeiert, hat er Palästina wahrscheinlich nicht mehr erreicht. Doch einer Legende nach wurde er, als er Jerusalem erreichte, mit der »Ode an Zion« auf den Lippen von einem arabischen Reiter niedergeritten. J.s Gedichte verei-

nen die Anmut arabischer Formen mit der Strenge des biblischen Hebräischs. Seine »Zionslieder« sind getragen von der unstillbaren Sehnsucht nach der Heimat Israels. Nur dort kann die Seele der Juden Ruhe finden. J.s Religionsphilosophie wird hervorragend im arabisch verfaßten »Kusari (Chazara)«, dem »Buch der Gründe und des Beweises als Hilfe für den verachteten Glauben« dargestellt. Es ist ein Meisterwerk, das ihn Maimonides ebenbürtig an die Seite stellt. Im Unterschied zu diesem ist J., von Gazzali beeinflußt, ein strenger Kritiker des philosophischen Denkens. Dennoch nimmt er an, daß dem echten Glauben nichts eigne, was der Vernunft widersprechen könne. Das Wesen der jüdischen Religion kann durch den abstrakten naturphilosophischen Gottesbegriff nicht erfaßt werden. Denn für J. ist die Grundwahrheit der Religion nicht der Aufweis Gottes als des ersten Grundes, sondern das Gespräch Gottes mit dem einzelnen Menschen. Nur das Volk Israel hat Gott als Ganzes angesprochen, wie er sonst nur Individuen anspricht. Das Schicksal Israels ist daher auf übernatürliche Weise von Gott direkt gelenkt und von allen anderen Völkern unterschieden. Nur Israel hat Offenbarung und Überlieferung, die das Gesetz erst zugänglich machen. Das Gesetz ist gleichsam eingeteilt in die drei Kardinalstugenden Gottesliebe, -furcht und -freude. Doch auch wenn Israel als das Volk und Palästina als das Land der Offenbarung die größten Träger der religiösen Wahrheit sind, wird im Lichte der messianischen Zukunft die ganze Menschheit eins werden.

Werke: Gedichte: Auswahl Berlin 1922; 60 Hymnen und Gedichte ausgew. und übers. von Franz Rosenzweig, Konstanz 1924; 92 Hymnen und Gedichte ausgew. und übers. von dems., Leipzig 1926; Gesamtausgabe hg. von I. Zmora, Tel Aviv 1944-50; Diwan, hg. von Abraham Geiger, Breslau 1851; Auszüge übers. von Gustav Karpeles (in der »Zionsharfe«), Leipzig 1889; Auszüge übers. und kommentiert von Emil Bernhard (Pseudonym für Emil Cohn), Berlin 1920; Hrsg. von Heinrich Brody, 1930; Zionslieder, übers. von Franz Rosenzweig, 1933; Kusari, hebr. übers. von Jehuda Ibn Tibbon (1171, Erstdruck Fano 1506), mit lat. Übers. von Johann Buxtorf, Basel 1660, mit dt. Übers. von David Cassel, Leipzig 1853; Hrsg. von Israel Samoscz, Berlin 1860; Hrsg. von Hartwig Hirschfeld, Leipzig 1887; Hrsg. von A. Zipronowitz (Zifroni), Warschau 1911; Die Auferstehung der Toten aus dem Gesetz Mose bewiesen, übers. von O. L. Tychsen, Bützow 1766.

Lit.: Abraham Geiger, J. J., 1875; — David Kaufmann, J.

H.(Ges. Schriften II), 1877; — Adolf Frankl-Grün, Die Ethik des J. H., 1885; — Heinrich Brody, Studien zu den Dichtungen, J. H.s, 1895; — Emil Berger, Das Problem der Erkenntnis in der Religionsphilosophy J. H.s (Diss. München), 1916; — Moses König, Die Philosophie des J. H. und des Abraham ibn Daud, 1929; — Jacob Guttmann, Die Philosophie des Judentums, 1933; — Moïse Ventura, Le Kâlam et la (!) peripatétisme d'après le Kuzari, 1934; — José Maria Millás Vallicrosa, Yehuda H. como poeta apologista, 1947; — EJud VIII, 963-990 (dt. Lit.); — EJud Jerusalem X, 355-366 (engl. Lit.); — Jüd Lex III, 394-396; — RGG III, 575 f., 1003, 1007; — UJE IV, 225 ff.; — Lit. Bearbeitung von Heinrich Heine, J. ben H., 1851.

Wolfram Mirbach

JEILER, Ignatius (Taufname: Franz), Franziskaner, Herausgeber Bonaventuras, * 4.12. 1823 in Havixbeck bei Münster, † 9.12. 1904 in Quaracchi bei Florenz. — J. studierte in Münster (u. a. bei Ch. B. Schlüter) und Paderborn, 1845 Eintritt in den Franziskanerorden, 1848 Priesterweihe, 1849 wurde J. Novizenmeister. Er schloß sich der Alkantariner-Bewegung an, reiste 1854 nach Rom und mußte nach der Auflösung der sich versteigenden schlesischen Kustodie von 1855 bis 1861 in Italien verbleiben (Kloster Monteluco, seit 1859 in Rom). 1861-1865 Lektor der Humaniora in Düsseldorf, 1865-1875 der Theologie in Paderborn, 1871 Kustos der sächsischen Ordensprovinz, 1876-1879 Präses des Konvents im holländischen Brunssum, seit 1879 in Quaracchi, nach dem Tod des Fidelis a Fanna 1881 Präfekt des Kollegs. Unter seiner Leitung erschien 1882-1902 die kritische Ausgabe Bonaventuras in 10 Bänden. Auf ihn gehen hauptsächlich zurück die definitive Textgestaltung, die geschichtlich orientierten Prolegomena sowie die spekulativen, auf Harmonisierung mit Thomas von Aquin bedachten Scholien. J. veröffentlichte zahlreiche wissenschaftliche Artikel, vor allem zu Fragen der scholastischen Theologie, Biographien und asketische Literatur.

Werke: Anleitung zu einer Generalbeichte, 1850; Dreitägige Andacht ... zu den 26 hl. Martyrern von Japan, 1863; Jubiläumsbüchlein; Normalbuch, 1865; Geschichte der Märtyrer von Gorkum, 1867; Die bei der St.-Peters-Feier 1867 heilig und selig gesprochenen Mitglieder des Franziskanerordens, 1868; Der Ablaß von Portiunkula, 1870 (alles bisherige anonym); Der hl. seraphische Kirchenlehrer Bonaventura, 1874; Die selige Kreszentia Höß von Kaufbeuren, 1874; Pius IX., 1875; Betrachtungen, Gebete und Gesänge, 1878; Doc-

toris Seraphici S. Bonaventura Opera Omnia, 10 Bde., 1882-1902; De humanae cognitionis ratione anecdota quaedam seraphici doctoris S. Bonaventurae, 1883; De sancto P. N. Francisco sermo in Capitulo Generali Romae 25. Sept. 1889, 1889; Die gottselige Mutter Francisca Schervier, 1893; S. Bonaventurae principia de concursu Dei generali ad actiones causarum secundarum collecta, 1897; Beitrag zur Geschichte der sächsischen Franziskanerprovinz vom hl. Kreuze, 1904. — Paschalis Neyer, I.-J.-Bibliogr., in: FS 11, 1924, 147-155.

Lit.: Martin Grabmann, P. I. J. und die neue Bonaventuraausgabe, in: Literarische Beilage der Kölnischen Volkszeitung 46, 19.01. 1905, Nr. 3, 11 ff.; — Ders., Zur Erkenntnislehre der älteren Franziskanerschule (mit Briefen von P. I. J. an Prof. Dr. Franz v. P. Morgott), in: FS 4, 1917, 105-126; — FS 11, 1924, H. 1/2 (Festnr. zur Hundertjahrfeier des P. I. J., mit Beiträgen v. Ferdinand Doelle, Franz Ehrle, Clemens Baeumker, Martin Grabmann u. a.); — Bonaventura Kruitwagen - Willibrord Lampen, De Bonaventura-Uitgave van Quaracchi, in: CollFrNeerlandica 1, 1927, 389-437; — Julius Reinhold, P. I. J. und die Alkantarinerbewegung in Norddeutschland, in: AFrH 47, 1954, 1-44; — Dietmar Westemeyer, Das dritte Alleluja, in: Sanctificatio nostra 20, 1955, 223-227; — Johannes Bendiek, Ein Brief Georg Cantors an P. I. J. OFM, in: FS 47, 1965, 65-73; — AFrH 70, 1977, 241-680, bes. Ignatius Brady 352-376; Tito Szabó 599-606; — Kosch KD, 1881; — EC VII, 574; — LThK V, 889; — NDB X, 387.

Erich Naab

JELKE, Robert Johannes, ev. Theologe und Religionsphilosoph, * 31. 3. 1882 in Frohse/Harz, † 7.7. 1952 in Heidelberg. — J. studierte seit dem WS 1901/02 Theologie und Geschichte in Halle/S. und Tübingen, anfänglich geprägt von der biblizistischen Theologie. Nach der ersten (1905) und zweiten theol. Dienstprüfung (1907) bei der ev. Kirche des Fürstentums Anhalt war er von 1908 bis 1910 Hilfsprediger in Dessau und von 1910 bis 1918 Pfarrer in Saxdorf. Hier, nicht weit von Leipzig entfernt, geriet er unter den Einfluß der dort herrschenden bewußt lutherischen Theologie, promovierte dort bei L. Ihmels (s.d.) 1913 zum Lic. theol. und dann 1917 in Gießen zum Dr. phil. Sofort nach seiner Habilitation (Januar 1919) erhielt er einen Ruf auf ein Ordinariat in Rostock (SS 1919) und Heidelberg (WS 1919/20, Lehrstuhl für Systematik). Dort blieb er bis zu seiner Emeritierung, lehnte 1935 sogar eine Berufung nach Berlin auf den für die modern-positive Theologie repräsentativsten Lehrstuhl Deutschlands (Nachfolge R. Seeberg (s.d.)) ab, wurde 1946 emeritiert. J. vertrat das genuine Anliegen der Leipziger Theologie und suchte es erkenntnistheoretisch abzusichern. Die Selbsterkenntnis und Selbstaussage des Christen war ihm Ausgangspunkt der Theologie; er versuchte, die im Hören auf Gottes Wort gemachte Erfahrung des Christen im Anschluß an die Erkenntnistheorie O. Külpes parallel zur allgemeinen Erfahrung zu beschreiben, um dem Vorwurf des Illusionismus und Subjektivismus zu entgehen. Die erkenntnismäßig zusammengefaßte Glaubenserfahrung (Dogma) sah er als transsubjektiven Besitz der Glaubensgemeinschaft (Kirche) an, der in der dieser Form auch anderen weitervermittelt werden kann. Die Orientierung am Dogma und seiner Geschichte ermöglichte J. eine unbefangene Bejahung der historisch-kritischen Exegese, die ihn über seine lutherisch-konfessionellen Lehrer hinausführte. Allerdings baute J. diese Gedanken nicht weiter aus, sondern kehrte in seiner Spätzeit zu seinen früheren Überlegungen zurück, durch Aufnahme religionspsychologischer und religionsphilosophischer Gedanken die Gewißheit des Glaubens erkenntnistheoretisch zu untermauern. — J.'s Theologie hat in der zweiten Hälfte des 20. Jahrhunderts kaum noch Wirkungen gehabt, da er sich weder den Grundsätzen der neueren Lutherforschung öffnete, noch das Anliegen der dialektischen Theologie aufnahm, durch Betonung der radikalen Autonomie Gottes auf eine Diskussion der Gewißheitsproblematik zu verzichten und damit die Aporien der idealistischen Subjektivitätstheorien zu umgehen.

Werke: Unter welchen Bedingungen können wir von religiöser Erfahrung sprechen?, (Diss. theol. Leipzig), Halle 1913; Das Problem der Realität und der christl. Glaube. Eine Unters. z. dogmat. Prinzipienlehre, Leipzig 1916; Das religiöse Apriori und die Aufgaben der Religionsphilosophie. Ein Beitrag zur Kritik der religionsphilos. Position Ernst Troeltschs, Gütersloh 1917; Das Grundproblem der theol. Ethik, Gütersloh 1919; Die Wunder Jesu, Leipzig 1922; Theologie und Religionsphilosophie, in: Neue kirchl. Zeitschrift (= NKZ) 33, 1922, 222-254; Die Realisierung in Natur- und Geisteswissenschaften, in: Kant-Studien 28, 1923, 227-245; Das Leben nach dem Tod. Was lehrt die Theosophie (Anthroposophie)? Was lehrt das Christentum?, Heidelberg 1924; Die Aufgaben einer christl. Geschichtsphilosophie, in: NKZ 35, 1924, 417 ff.; Religions-Philosophie, Leipzig 1927; Der Glauben an Jesus Christus und die hist. Erforschung seines Lebens, in: NKZ 38, 1927, 341 ff.; Das Immanente und das Transzendente der christl. Offenbarungstatsachen, in: NKZ 39, 1928, 133-154, 165-170; Hist.-krit. und theol.-dogmat. Schriftauslegung, in: Das Erbe Martin Luthers und die gegenwärtige theol. Forschung (Ihmels-Festschrift), Leipzig 1928, 215-235; Rez. von Karl Barth, Die christl. Dogmatik im Entwurf I: Die Lehre vom Worte Gottes, in: Theol. Literaturblatt 1928, 57-61; Die Grunddogmen des Christentums. Die Versöhnung und der Versöhner, Leipzig 1929; Die Aufgabe der Dogmatik, in: NKZ 40, 1929, 19-43; Die Eigenart der Erlanger Schule, in: NKZ 41, 1930, 19-63; Die Theologie Reischles und die gegenwärtige Theologie, in: ZThK NF 11, 1930, 401-416; Vernunft und Offenbarung, Gütersloh 1932; Eine heilige, allgemeine, christliche, deutsche Kirche, Leipzig 1941; Das Fundament unseres Glaubens, Heidelberg 1947; Grundzüge der Religionspsychologie, Heidelberg 1948; Hg. und Bearb. von Christoph Ernst Luthardt, Kompendium der Dogmatik, 13. Aufl., Leipzig 1933; 14. Aufl., Leipzig 1937; 15. Aufl., Heidelberg 1948.

Lit.: M. Keller-Hüschemenger, Das Problem der Heilsgewißheit in der Erlanger Theologie im 19. und 20. Jahrhundert. Ein Beitrag zur Frage des theol. Subjektivismus in der gegenwärtigen ev. Theologie, Berlin-Hamburg 1963, 144; — RGG² III, 65; — Enciclopedia filosofica, 2. Aufl., Bd. 4, 1982, 849; — D. Drüll, Heidelberger Gelehrtenlexikon 1803-1932, Berlin-Heidelberg 1986, 126.

Hans Otte

JELLINEK, Adolf, jüdischer Gelehrter, * 26.6. 1820 (1821 ?) in Orslowitz bei Ungarisch-Brod in Mähren, † 29.12. 1893 in Wien. — Nach orientalischen, talmudischen und philosophischen Studien, zunächst ab 1842 in Prag, dann in Leipzig wurde J. 1845 Prediger an der Leipzig-Berliner Synagoge zu Leipzig. 1856 erhielt er einen Ruf an die Leopoldstädter Synagoge in Wien. 1865 ging er als Nachfolger von Mannheimer an die Seitenstettengasser Synagoge zu Wien. Hier gründete er das Lehrhaus »Bet ha-Midrasch«. Er wirkte als Wiener Oberrabbiner bis zu seinem Tode. J. trat für einen gemäßigten Fortschritt im Judentum ein. Bekannt und beliebt war er als Redner. Wichtig sind seine Untersuchungen zur Kabbala.

Werke: Sefat Chachamim, Oder Erklärung der in den Talmuden etc. vorkommenden persischen und arabischen Wörter, Leipzig 1846, Nachtrag 1847; Beiträge zur Geschichte der Kabbala, Leipzig, Heft 1, 1851, Heft 2, 1852; Moses ben Schem-Tob de Leon und sein Verhältnis zum Schar, Leipzig 1851; Auswahl kabbalistischer Mystik, Leipzig 1853; Thomas von Aquino in der jüd. Literatur, Leipzig 1853; Bet ha-Midrasch (Erstausgabe handschr. Midraschim und Legenden), 6 Bde., Leipzig 1853-1857, Neuausgabe 1938; Das Weib in Israel, Wien 1866; Das Gesetz außer der Thora, Wien 1867; Der jüd. Stamm, Wien 1869; Der jüd. Stamm in nichtjüd. Sprichwörtern, Wien 1881; Hg.: Sonntagsblatt, Leipzig 1845-1846.

Lit.: Isaak Marcus Jost, A. J. und die Kabbala, Leipzig 1852.

Adam Weyer

JELLINGHAUS, Theodor, Theologe der Heiligungsbewegung, * 21.6. 1841 in Schlüsselburg/Weser, † 4.10. 1913 in Berlin. — 1866 ging J. als Missionar der Großnerschen Mission nach Indien, 1873 wurde er Pfarrer in Rädnitz in der Mark Brandenburg. 1874 in Oxford durch Robert Pearsall Smith für die Heiligungsbewegung gewonnen, wurde er zu ihrem Dogmatiker. Seit 1881 war J. Pfarrer in Gütergotz bei Potsdam, wo er 1885 eine Bibelschule gründete. 1894 wegen eines Nervenleidens pensioniert, verlegte er die Bibelschule nach Lichtenrade bei Berlin und widmete sich ganz der Ausbildung von Schülern und Schülerinnen, die neben ihrem Beruf in der Heiligungsgemeinschaft Bibelstunden leiten sollten. Nach einem Nervenzusammenbruch zog er in einer »Erklärung über meine Lehrirrungen« seine Bücher zurück und kehrte zum Pietismus zurück.

Werke: Sagen, Sitten und Gebräuche der Munda Kolhs in Chota Nagpore, Berlin 1871; Die deutsche Kolhsmission, Berlin 1873; Das völlige, gegenwärtige Heil durch Christum, 2 Bde., Berlin 1880/81, Bd. 1; Rechtfertigung allein durch Christum, Bd. 2; Heiligung allein durch Christum; Die Heiligungskraft des Blutes Jesu, Gernsbach 1882; Die wahre Liebe und Menschenachtung eine sichere Bewahrung vor Unkeuschheitssünden, Mülheim/Ruhr 1887; Der erste Brief des Johannes, Basel 1890; Sieg und Leben in der Glaubenshingabe an den im Worte gegenwärtigen völligen Erlöser, Neumünster 1899; Das Wesen der völligen Übergabe, Lichtenthal 1900²; Der Brief Pauli an die Römer, Berlin 1903; Erklärung über meine Lehrirrungen, Lichtenrade bei Berlin 1912.

Lit.: »Philadelphia«, Organ für ev. Gemeinschaftspflege, 1911-13; — Joachim Gensichen, J. und seine Erklärung über seine Lehrirrungen, in: Ev. Kirchenzeitung Nr. 36, 1912; — Böhme, Wie ist der Widerruf von Pastor J. zu beurteilen?, in: Bausteine-Monatsblatt für innere Mission, 1914, 2; — LThK ²V, 144; — RGG ¹III, 290; — RGG ²III, 65; — RGG ³ III, 576.

Wolfram Mirbach

JEMEHR; T.S. siehe Hermes, Johann

JENATSCH (1637 von), Georg (Jürg), Graubündner Politiker im Dreißigjährigen Krieg, * 1596 in Samaden als Sohn des evangelischen Pfarrers, † (ermordet) Chur 24.1. 1639. — J. studierte am Carolinum in Zürich Theologie und wurde 1617 evangelischer Pfarrer in Scharans. Von Ehrgeiz und Tatendrang in die Politik getrieben, beteiligte er sich seit 1618 durch sogenannte Strafgerichte gegen die spanisch-katholische Partei an den Kämpfen seines Landes. Nachdem auf dem Strafgericht von Thusis 150 Katholiken, unter ihnen der Erzpriester von Sondrio, hingerichtet worden waren, kam es im Juli 1620 zu einem Blutbad unter den Protestanten, dem J. nur knapp entging. Daraufhin verließ er das Pfarramt und ermordete den Führer der spanischen Partei, Pompejus Planta. Trotz Anfangserfolgen im Kampf mußte J. ins Exil gehen. Um das Veltlin zurückzugewinnen, kehrte er 1624 mit einer französischen Armee des Kardinals Richelieu zurück; doch überließ Frankreich im Vertrag von Mozon (1626) das Veltlin faktisch den Spaniern. Um das Veltlin von Spanien zurückzuerhalten, trat er 1635 zum Katholizismus über und verbündete sich mit Habsburg. Als er erneut mit Frankreich Kontakt aufnahm, fiel er, von allen beargwöhnt, der Blutrache der Planta zum Opfer. Die Beteiligung der Tochter Plantas an J.s Ermordung ist spätere Legende.

Werke: Briefe 1614-1639, hg. v. Alexander Pfister, Chur 1983.

Lit.: Ernst Haffter, G. J. (mit Urkunden und Bibliogr., 2 Bde.), 1894/95; — Johannes Dierauer, G. J., 1894; — Johannes R. Riedhauser, G. J., 1897; — Fritz Jeckling und Michael Valèr, Die Ermordung G. J.s (Zeitschr. f. schweizer. Gesch., Bd. 4), 1925; — Alexander Pfister, G. J. Sein Leben und seine Zeit, 1938, 1984⁴; — Friedrich Pieth, Bündner Gesch., 1945; — EBrit V, 541; — Literar. Bearbeitungen von Peter Conradin v. Planta, 1849-97; — Conrad Ferdinand Meyer, 1876; — Richard Voß, 1893; — Samuel Plattner, 1901; — Gaudenz v. Planta, 1914; — Martin Schmid 1916/36; — Sep Modest Nay, 1927; — Hans Mühlestein, 1933; — Rudolf Joho, 1936; — Ottmar Lechler, 1968; — Vgl. Balzer Gartmann, G. J. in der Literatur (Diss. Bern), 1946.

Wolfram Mirbach

JENINGEN, Philipp S. J., Volksmissionar, Mystiker, Förderer der Marienverehrung, * 5.1. 1642, † 8.2. 1704. — J. wurde als das vierte von vierzehn Kindern des Goldschmieds und des späteren Bürgermeisters Nikolaus Jeningen in Eichstätt, der Hauptstadt des damaligen Fürstbistums Eichstätt geboren. Von 1651-1659 besuchte er dort das Jesuitengymnasium. Danach studierte er zwei Jahre Philosophie und eineinviertel Jahre Theologie in Ingolstadt. Nachdem der Vater sich aus einer schweren Krankheit erholt hatte, erlaubte er ihm, 1663 bei der Gesellschaft Jesu in Landsberg am Lech einzutreten und das Noviziat zu beginnen. Danach war J. vor allem als Magister an unteren Klassen des Gymnasiums tätig. 1668-1672 vollendete er seine theologischen Studien in Ingolstadt und wurde am 11. Juni 1672 im Dom zu Eichstätt zum Priester geweiht. Das Tertiat verbrachte er in Altötting. Im übrigen war er wieder in Mindelheim, in Dillingen und in Ingolstadt als Gymnasiallehrer tätig. Von Dillingen aus betreute er eine Marienkirche zu Echenbrunn. In dieser Zeit zeigte sich bereits eine hohe Verehrung Mariens. Es finden sich auch erste Aufzeichnungen von mystischen Erfahrungen und Gesprächen mit der Gottesmutter. Im Mai 1680 wurde J. nach Ellwangen an der Jagst geschickt, wo er als Seelsorger und vor allem als Betreuer der Wallfahrt vom Schönenberg den Rest seines Lebens wirkte. Er pflegte dort eine gute Freundschaft mit Fürstpropst Christoph Adelmann von Adelmannsfelden. Es gelang ihm, die Kirche auf dem Schönenberg zu bauen und dort eine beim Volk beliebte Marienwallfahrt einzurichten. Im übrigen betätigte er sich als Volksmissionar im Raum von Ellwangen. In seiner Predigttätigkeit war er überzeugend und erneuerte Glaube und Glaubensleben im Volk. Eine gewisse Bedeutung kommt ihm auch als Mystiker zu. Sein Leben war von den späten Studienjahren an begleitet von mystischen Erfahrungen und einem unmittelbaren Gespräch mit Christus und Maria.

Werke: Quellen: Vita R. P. P. J. Societatis Jesu per Rhaetiam Missionarii Apostolici: Die Tagebücher Pater P. J.s, übers. und erl. von A. Höß, Ellwangen 1952; A. Höß S. J., P. P. J. S. J. ein Volksmissionär und Mystiker des 17. Jh.s, Freiburg i.Br. 1924 (Quellen und Lit.); Ferdinand Baumann S. J., P. P. J. S. J., ein priesterl. Führer für unsere Zeit, in: Zeitschr. für Aszese u. Mystik 19, 1935, 52-62.

Philipp Schäfer

JENNY, Peter Tobias (Pierre-Tobie Yenni), Bischof von Lausanne und Genf, * 27.12. 1774 in Morlon bei Bulle (Kt. Fribourg) als Sohn eines Kleinbauern, † 8.12. 1845 in Fribourg. — J. erhielt seinen ersten Unterricht bei dem Pfarrer von Vuippens und trat mit 12 Jahren in das Kollegium St. Michael in Fribourg, das von ehem. Jesuiten geleitet wurde, ein. 1792 nahm er das Studium der Theologie auf, das er aufgrund eines bischöfl. Stipendiums am Germanicum in Rom fortsetzen konnte; hier promovierte er zum Dr. theol. et phil. Am 23.9. 1797 empfing J. von Mgr. d'Odet in Fribourg die Priesterweihe. Nach dem Vikariat in Ependes versah er ab 1800 die Pfarrstelle in Praroman. Die politischen Umwälzungen, die sich im Gefolge der Frz.Rev. in der Schweiz in jener Zeit vollzogen - 1798 war die helvetische Republik ausgerufen worden, 1803 war die Mediationsverfassung unter Napoleon in Kraft getreten - prägten J.s religiös-politische Entwicklung in entscheidendem Maße. Er wurde zu einem erklärten Gegner jeglicher politischer Veränderung und Revolution, beides sah er als prinzipiell gottlos und antikirchlich an. Schon früh konnte J. seine restaurativen Vorstellungen in die Praxis umsetzen, da er von Bischof Guisolan hoch geschätzt wurde und immer mehr in die Rolle von dessen Berater hineinwuchs. So verfaßte er 1808 einen Hirtenbrief für den Bischof und überarbeitete 1812 die Synodalstatuten von 1665 neu. Als im Herbst 1813 die alliierten Mächte gegen Napoleon auftraten und durch die Schweiz marschierten, bot sich den restaurativ-patrizischen Kräften die Chance, die Macht wieder an sich zu reißen. In Fribourg geschah dies mit dem 14. Mai 1814, als eine restaurative Kantonalverfassung verabschiedet wurde. J. zählte zu den unbedingten Befürwortern dieses Umschwungs und trat noch im selben Jahr in die Priestervereinigung »Correspondance ecclésiastique« ein, die den Restaurationskurs auf politischem und kirchlichem Gebiet unterstützte und vorantrieb. Nach dem Tode von Bischof Guisolan und dessen Nachfolger Gaudard, der nur wenige Tage im Amt war, wurde J. vor allem aufgrund seiner konservativen und romtreuen Haltung von Pius VII. (s.d.) am 20.3. 1815 zum Bischof von Lausanne ernannt. J., der das Bischofsamt wieder nach den »vieux principes« ausüben wollte, widmete sich vor allem drei Aufgabenbereichen - dem Schulwesen, der Gründung neuer Pfarreien und der Einführung und Wiederzulassung der Orden -, wobei sein oberstes Ziel der Kampf gegen den Liberalismus war. Sein prominentester Gegenspieler war dabei der Franziskaner P. Girard, der von den fortschrittlichen Kräften bei der Bischofswahl als Gegenkandidat J.s aufgestellt worden war. Seit der Wahl sah sich Girard zunehmender Kritik und Denunziation ausgesetzt, denn er verkörperte als Pädagoge, wo er stark von Pestalozzi (s.d.) beeinflußt war, und als Theologe, wo er für die Prinzipien der kath. Aufklärung (Wessenberg) eintrat, jenen liberalen Geist, dem die Restauration unter J. den Kampf angesagt hatte. Den ersten Erfolg errang Bischof J. als er gegen erheblichen Widerstand die Zulassung des Redemptoristenordens (1817) und der Jesuiten (1818) in Fribourg durchsetzte. Sein Engagement bei der Konversion des Berner Staatsphilosophen Haller, J. gestattete dem Philosophen, der der Epoche die ideologische Grundlage lieferte, die geheime Konversion und nahm ihn am 7.10. 1820 in die kath. Kirche auf, legte dann seine politische Sympathien völlig offen. Mit der Schulordnung von 1823 erreichte der Bischof schließlich auch seine schulpolitischen Ziele, denn er sicherte sich darin nicht nur erhebliche Mitspracherechte, auch der von Girard eingeführte wechselseitige Unterricht war damit wieder abgeschafft. Der Weggang Girards aus Fribourg nach Luzern 1824 markierte in symbolischer Weise den endgültigen Sieg der Restaurationsbestrebungen J.s über den Liberalismus. Die für die Restaurationsperiode typische enge Bindung von Kirche und Staat änderte sich mit der liberalen Revolution von 1830 schlagartig. Als J., der seit 1821 den Titel Bischof von Lausanne und Genf führte, da ein pästlicher Beschluß die kath. Pfarreien Genfs der Diözese Lausanne zugeschlagen hatte, 1830 zum Mitglied des Verfassungsrates ernannt worden war, hinderten ihn die Liberalen an der Ausübung seines Mandates. Es kam zum Bruch zwischen der neuen liberalen Freiburger Regierung und der Geistlichkeit; auch die Landbevölkerung, die dem Bischof sehr nahe stand, wandte sich von den neuen Machthabern ab. J. zog sich weitgehend von der Politik zurück und widmete sich den rein kirchlichen Belangen. 1839 gab er einen neuen Diözesankatechismus heraus. 1841 stellte er das neue Manuale precum vor, das die kirchlichen Feierlichkeiten in seinem Bistum regelte. Bischof J. starb - vom einfachen Volke hochverehrt - am 8.12. 1845 in Fribourg.

Lit.: J. X. Fontana, Notice biographique sur P. - T. Y., évêque de Lausanne et Genève, Fribourg 1845; — Martin Schmitt / Jean Gremaud, Mémoires historiques sur le diocèse de Lausanne II, Fribourg 1859, S. 546-50 (= Memorial de Fribourg VI); — Fred. - Th. Dubois, Armoiries du diocèse et des évêques de Lausanne dès 1500 à nos jours, in: Schweizer Arch. f. Heraldik 24 (1910), S. 55-66 u. 109-127; — Gaston Castella, Histoire du Canton de Fribourg, Fribourg 1922, S. 491-502; — Pierre Aeby, La Constitution du canton de Fribourg de janvier 1831, in: Annales fribourgensis 18 (1930), S. 187-227; — Henri Marmier, Le séminaire de Fribourg, Fribourg 1939; — ders., La »Petite Eglise« du diocèse de Lausanne et Genève 1810-1844, Fribourg 1941; — Johann Scherwey, Die Schule im alten deutschen Bezirk des Kantons Freiburg. Von den Anfängen bis zum Jahre 1848, in: Freiburger Geschichtsblätter 36 (1943), S. 3-151; — Hans Wicki, P. Girard und die Freiburger Bischofswahl von 1814/15, in: Freiburger Geschichtsblätter 43 (1952), S. 22-135; — Ferdinand Strobel, Die Jesuiten und die Schweiz im 19. Jh., Olten 1954; — Hugo Vonlanthen, Bischof P. - T. Y. und die Diözese Lausanne 1815-1830. Ein Beitrag zur Geschichte der Restauration in der Schweiz, 1967; — Rudolf Pfister, Kirchengeschichte der Schweiz III, 1981; — Francis Python, Le clergë fribourgeois et les dëfis du libéralisme durant la première moitié du XIX siècle, in: Itinera Fasc. 4 (1986), S. 91-111; — Helvetia sacra I/4: Le diocèse de Lausanne (Vi siecle - 1821), de Lausanne et Genève (1821-1924), de Lausanne, Genève et Fribourg (depuis 1924), 1988, S. 171-173; — Erwin Gatz (Hg.), Lexikon der Bischöfe, S. 828 f.; — HBLS VII, 616 f.; — LThK V, 890.

Rainer Witt

JENSEN, Christian (1839-1900). Begründer der Ev.-Luth. Missionsgesellschaft Breklum Kr. Husum. Geb. am 20.1. 1839 in Fahretoft (Lütjenswarft). Besuchte das Gymnasium in Schleswig und Rendsburg, studierte in Kiel und Erlangen, Ostern 1867 Amtsexamen, am 3.10. 1867 als Pastor in Uelvelsbüll (Eiderstedt) gewählt und ordiniert. Dort gründet er 1870 das »Sonntagsblatt fürs Haus« . Im Mai 1873 in Breklum gewählt und am 28.6. 1873 eingeführt. Hier gründete er am 19.9. 1876 die »Schleswig-Holsteinische evang.- luth. Missionsgesellschaft Breklum« und eröffnete am 16.4. 1877 das Missionsseminar, Ostern 1879 eine Brüderanstalt (Innere Mission), zu der bald ein Predigerseminar zur Pastorenausbildung für die nach USA ausgewanderten Deutschen kam. Hierfür erhielt er 1891 den theologischen Ehrendoktor des Carthago College (USA). J. gründete in Breklum die »Neue Zeitung« (Tagesblatt), 1875 eine ne Buchhandlung, 1876 das »Schleswig-Holsteinische Missionsblatt« als Beilage zum »Sonntagsblatt fürs Haus« und 1882 ein »Christliches Gymnasium« , dem nach langen Kämpfen 1893 die Anerkennung des preußischen Staates endgültig verweigert wurde. — J. war ein wirkungsvoller Erweckungsprediger (»Luth. Pietist«) und Herausgeber von Predigtbänden, Tägl. Andachten u.a. Erweckungsliteratur. Er starb am 23.3. 1900 in der Diak. Anstalt in Flensburg.

Werke: »Sonntagsblatt fürs Haus« (seit 1.7. 1870); »Neue Zeitung« und »Neuer Kalender« (seit April 1874); »Missionsblatt« als Beilage zum Sonntagsblatt (seit Oktober 1876); »Die Neue Hauspostille« (1888); »Der Unglaube in den gebildeten Ständen und seine Bekämpfung« (1889); »Jesus der Sünder Heiland« und »Tägliche Andachten« (1894); »Um die Wende des Jahrhunderts« , 2. Predigtband (1900).

Lit.: E. Evers, Christian Jensen. Ein Lebensbild. Breklum (1912) 1924[4]. M. Pörksen, Die Weite eines engen Pietisten, Breklum 1956; — K. Sensche, Christian Jensen und die Breklumer Mission, Bredstedt 1976; — Schleswig-Holst. Kirchengeschichte, Bd. 5 (Kirche im Umbruch), Neumünster 1989, bes. S. 327ff. u. S. 415ff.

Joachim Heubach

JENSEN, Peter Christian Albrecht, Semitist, * 16.8. 1861 als Sohn des Pastors der deutsch-dänischen evangelischen Gemeinde in Bordeaux, Conrad Jensen, † 16.8. 1936 nach langem Leiden in Marburg, verheiratet in zweiter Ehe 1897 mit Martha geb. Behn, 3 Kinder. — J. wuchs seit 1863 in Holstein, später in Nustrup (Nordschleswig) auf, wohin die Familie 1871 übergesiedelt war, und besuchte bis 1879 das Stadtgymnasium Schleswig, um dann als Abkömmling einer friesischen Pastorenfamilie 1880 in Leipzig mit dem Theologiestudium zu beginnen. Dort wechselte er jedoch bald zur Orientalistik mit dem Schwerpunkt Assyriologie, zu der ihm Friedrich Delitzsch (s.d.) den Zugang eröffnete, und von 1883 an wandte er sich dessen Lehrer Eberhard Schrader (s.d.) in Berlin zu. Nach seiner Promotion bei Schrader und Eduard Sachau im Dezember 1884 ging J. als Bibliothekar zunächst nach Kiel und dann nach Straßburg, wo er sich 1888 habilitierte und die lebenslange Freundschaft Theodor Nöldekes

und Heinrich Zimmerns (s.d.) gewann. 1892 wurde J. als Nachfolger Julius Wellhausens (s.d.) nach Marburg gerufen (Ordinarius ab SS 1895, emeritiert 1928), wo er bis zu seinem Schlaganfall im Januar 1932 lehrte. J. war ein außergewöhnlich kühner, scharfsinniger und streitbarer Philologe, der sich gerne den Herausforderungen besonderer Probleme seines Faches stellte. Schon früh wandte er sich u. a. der Entzifferung der hethitischen Hieroglyphen (Bildluwisch) zu in der Schrift »Hittiter und Armenier« (1898) und verfolgte diese Aufgabe, seine anfängliche Position modifizierend, ständig weiter (1903, 1924, 1930-1933), ohne aber dabei jemals einen entscheidenden Erfolg verbuchen zu können. Dies gelang ihm dagegen mit der »Erschließung der aramäischen Inschriften von Assur und Hatra« 1919/1920 und von Warka 1926. J.s semitistisches Hauptinteresse galt jedoch der babylonisch-assyrischen religiösen Literatur, der er sich schon in seiner Dissertation und 1890 in »Die Kosmologie der Babylonier« gewidmet hatte. Seine zweifellos bedeutendste wissenschaftliche Leistung war die Bearbeitung des Bandes »Assyrisch-babylonische Mythen und Epen« in der Keilinschriftlichen Bibliothek (1900). In der ihm eigenen, markanten und oft spröden, ganz auf Genauigkeit bedachten Sprache legte er damit eine erste umfassende kritische Ausgabe der wichtigsten dieser Texte mit minutiöser Kommentierung und einer Übersetzung vor, die um der Nachprüfbarkeit willen »möglichst, und wenn es sein mußte, bis zur Geschmacklosigkeit wörtlich« sein sollte. Ein zweiter Band blieb unvollendet. Insbesondere für das Gilgamesch-Epos, als dessen excellenter Kenner sich J. damit ausgewiesen hatte, blieb diese Ausgabe auf lange Zeit hin grundlegend. Gleichzeitig wurde J.s aus dieser Arbeit hervorgegangene Gilgamesch-Hypothese zur Mythen- und Sagenvergleichung »Mittelpunkt und tragisches Schicksal seines Lebens« (J. J. Stamm). In einigen »vorläufigen Mitteilungen« wies er schon 1902 auf die seiner Meinung nach auffälligen Parallelen zwischen dem Gilgamesch-Epos und griechischen (Homer) sowie israelitischen »Legenden« hin und stellte die These auf, daß diese Parallelsagen einschließlich der Geschichte Jesu »im letzten Grunde aus Babylonien stammen«. J. arbeitete diese seiner Meinung nach »zum Umdenken zwingende Theorie« wenige Jahre später in dem 1030 Seiten starken ersten Band seines Monumentalwerkes »Das Gilgamesch-Epos in der Weltliteratur« 1906 aus, indem er die alttestamentlichen Gestalten von Abraham bis zu den judäischen Königen sowie auch Jesus und Paulus einer radikalen Deutung als israelitische Gilgamesch-Sagen unterzog. Dies führte ihn in der Konsequenz zur fast vollständigen Bestreitung der Historizität alt- und neutestamentlicher Überlieferungen. Insbesondere hätte nach J. vielleicht ein »irgendwie historischer Jesus« (als Weisheitslehrer), keinesfalls aber derjenige der Evangelien (»Mythographen«) wirklich gelebt. Hierin berührte sich J. mit gleichzeitigen Anläufen von William Benjamin Smith, Arthur Drews und anderen. In einem zweiten Band suchte er 1928 sodann die »Absenker« der israelitischen Gilgamesch-Sagen in islamischen, ägyptischen, indischen, griechischen, römischen und germanisch-nordischen Sagen nachzuweisen. J. stieß mit seiner Hypothese auf fast einhellige und oft schonungslos scharfe Kritik, die sich primär gegen seine Methode richtete (H. Gunkel). Diese hatte sich schon in seiner »Kosmologie« angekündigt und beruhte im wesentlichen auf der heute nicht mehr haltbaren Voraussetzung einer durch ihre heliakische Struktur verbürgten traditionsgeschichtlichen Einheitlichkeit der Ninive-Rezension des Gilgamesch-Epos und einer an deren Motivfolge orientierten Deduktion von methodisch nicht näher definierten Ähnlichkeiten, Entsprechungen und Analogiereihen, in denen er unter Zuhilfenahme zahlreicher »korrigierender« Eingriffe, unter Annahme von Abschwächungen, Verschiebungen etc. und ohne Rücksicht auf literarkritische Erkenntnisse ein »System paralleler Episodensysteme« meinte entdecken zu können. Obwohl J. mit seiner »Kosmologie« erst die Grundlage für den astralmythologischen Panbabylonismus gelegt hatte, kann er dennoch nicht zu den eigentlichen Panbabylonisten gezählt werden, zu dessen Schulhäuptern Hugo Winckler (s.d.) und Alfred Jeremias (s.d.) er sich vielmehr in scharfem Gegensatz sah. Die fast völlige wissenschaftliche und gesellschaftliche Isolation trieb J. schließlich zur »Flucht an die Öffentlichkeit« mit Zeitungsartikeln und Broschüren, in denen er sich scharf antichristlich gebärdete in der Hoffnung, bei »unvoreingenommenen« Lesern mehr Anklang zu finden. Wissenschaftlich konnte er nur seinen Schüler Albert Schott (1901-1945) und, mit Einschränkungen, seinen Leipziger Kollegen Heinrich Zimmern (s.d.) von seinem Gilgamesch-System überzeugen - die breite Bekanntheit der Gilgamesch-Dichtung als einem bedeutenden Werk der Weltliteratur ist aber wesentlich auf das Wirken J.s zurückzuführen. J.s philologische Meisterschaft ist bis heute unbestritten. Trotz verfehlter Methode und fanatischer Einseitigkeit sind ihm auch in seinem »Gilgamesch-Epos« zahlreiche treffende Einzelbeobachtungen gelungen und hat er auf Probleme und dringende Aufgaben der vergleichenden Mythen- und Sagenforschung insbesondere auch im Blick auf das Alte Testament nachdrücklich aufmerksam gemacht. Der Nachlaß J.s befindet sich in der Universitätsbibliothek Marburg.

Werke: (einschl. Aufsätze in Auswahl): De incantamentorum sumerico-assyriorum seriei quae dicitur šurbu tabula sexta. Commentatio philologica, 1885; Über einige sumero-akkadische und babylonisch-assyrische Götternamen, in: ZA 1, 1886, 1-24; Bemerkungen zu einigen Schriftzeichen, ebd. 176-197; Bemerkungen zu einigen sumerischen und assyrischen Verwandtschaftswörtern, ebd. 386-413; Hymnen auf das Wiedererscheinen der drei großen Lichtgötter, in: ZA 2, 1887, 76-94, 191-204; Zu den Ideogrammen der assyr. Monatsnamen. Ein assyr. Dictat. Eine »sumerische« (?) Inschrift Sargons von Assyrien, in: ZA 2, 1887, 209-214; Inschriften Ašurbanipal's, in: Keilinschriftliche Bibliothek 2, 1890, 152-268; Die Kosmologie der Babylonier. Studien und Materialien. Mit einem mytholog. Anhang und 3 Karten, Straßburg 1890 (Repr. Berlin 1974); Inschriften der Könige (Herren) und Statthalter von Lagaš. Inschriften aus der Regierungszeit Hammurabi's. Inschrift Agum-Kakrimi's. Inschrift Šamaš-šumukin's, in: Hist. Texte altbabyl. Herrscher (Keilinschriftl. Bibliothek 3,1) 1892, 2-77, 106-131, 134-153, 194-207; Grundlagen für eine Entzifferung der (chatischen oder) cilicischen (?) Inschriften, in: ZDMG 1894; Hittiter und Armenier. Mit zehn lithograph. Schrifttafeln und einer Übersichtskarte, Straßburg 1898; Die Inschrift I von Jerabis, in: ZDMG 1899, 441-470; Assyr.-babyl. Mythen und Epen, 1900 (Keilinschriftl. Bibliothek 6,1; Repr. Amsterdam 1970); Zur Erklärung des Mitanni, in: ZA 14, 1900, 173-181; Gesch. der Namen der Wochentage. I. Die 7 tägige Woche in Babylon und Niniveh, in: Zeitschrift für dt. Wortforschung 1, 1900, 150-160; Alt- und Neuelamitisch, in: ZDMG, 1901, 223-240; Das Gilgamiš-Epos und Homer. Vorläufige Mitteilung, in: ZA 16, 1902, 125-134, 413 f.; Das Gilgamiš-Epos in der israelit. Legende. Eine vorläufige Mitteilung, ebd. 406-412; (Zu Hugo Winckler, Völker und Staaten des alten Orients II, Leipzig 1900), in: Berliner Philolog. Wochenschrift 22, 1902, 981-991, 1025-1038; Babel und Bibel, in: ChW 16, 1902, 487-494; Friedrich Delitzsch und der babyl. Monotheismus, in: ChW 17, 1903, 13-15; The so-called Hittites and their inscriptions, in: Herman Volrath Hilprecht, Explorations in Bible Lands, 1903, 753-793; Die hittit.-armen. Inschrift eines Syennesis aus Babylon, in: ZDMG 1903; Schriften zur sog. Babel- und Bibel-Frage, in: Lit. Centralblatt für Deutschland 54, 1903, 1699-1711; Hittitisch und Armenisch: Indogerman. Forschungen 14, 1903, 47-62; Kritik an Wincklers Himmels- und Weltenbild der Babylonier, in: Berliner Philolog. Wochenschrift Nr. 8, 1904, 247 f.; Das Gilgamesch-Epos in der Weltliteratur. 1. Bd. Die Ursprünge der alttestamentl. Patriarchen-Propheten- und Befreier-Sage und der neutestamentl. Jesus-Sage, Straßburg 1906; Der babyl. Sintflutheld und sein Schiff in der israelit. Gilgamesch-Sage, in: Oriental. Studien Theodor Nöldeke gewidmet, Bd. 2, Gießen 1906, 983-996; Das Jonas-Problem, in: Deutsche Literatur-Zeitung 1907, Nr. 42; Von Nestor-Samuel bis Orestes-Salomo, in: ZA 21, 1908, 341-374; Gilgamesch. Ein Beitrag zur Bibelforschung, in: Frankfurter Zeitung und Handelsblatt 53: 50.51, 19./20. Februar 1909, 1. Morgenblatt; Moses, Jesus, Paulus. Drei Varianten des babylon. Gottmenschen Gilgamesch. Eine Anklage wider die Theologen ein Apell auch an die Laien, Frankfurt 1909[1.2] (1910[3]); Hat der Jesus der Evangelien wirklich gelebt? Eine Antwort an Prof. Dr. Jülicher, 1910; »Freies Christentum«. Brief an Ad. Harnack, in: Das Freie Wort, 1910, 539; Leitsätze und Tabellen zu einem Kolleg über »Der babyl.-palästinische Ursprung der griech. Heldensagen«, 1912; (Rez. Arthur Ungnad und Hugo Greßmann, Das Gilgamesch-Epos. Neu übers. und gemeinverständl. erklärt, Göttingen 1911) in: ZDMG 67, 1913, 503-529; Texte zur assyr.-babylon. Religion I. Kultische Texte, 1915 (Keilinschriftl. Bibliothek 6/2, Repr. 1970); Zur Vorgesch. des Gilgameš-Epos, in: FS Eduard Sachau zum 70. Geb., hg. v. Gotthold Weil, 1915, 72-86 = in: Karl Oberhuber (Hg.); Das Gilgamesch-Epos (Wege der Forschung 215), 1977, 85-103; Wer war Muhammed? Leitsätze und Tabellen zu einem Kolleg über »Muhammed und das Judentum. Geschichte und Sage«, 1918; Die Josephs-Träume, in: Abhandlungen zur semit. Religionskunde. FS W. W. Graf v. Baudissin, 1918, 233-246; Indische Zahlwörter in keilschrift-hittitischen Texten, in: Sitzungsberichte d. kgl. preuß. Akademie der Wissenschaft, 1919, 367-372; Erschließung der aramäischen Inschriften von Assur und Hatra, ebd. 1042-1051; Das Leben Muhammed's und die David-Sage, in: Der Islam 7, 1921, 84-97; Aramäische Inschriften aus Assur und Hatra aus der Partherzeit (P. Jensen/W. Andrae), MDOG 60, 1920, 1-51; Zur Entzifferung der »hittitischen« Hieroglypheninschriften, in: ZA 35, 1924, 245-296; Assyr.-babyl. Geschichte in der israelit. Königssage, in: ZA 35, 1924, 81-98; Bel im Kerker und Jesus im Grabe, in: OLZ 27, 1924, 573-580; Gilgamesch-Epos, judäische Nationalsagen, Ilias und Odysse, Leipzig 1924 (Ex Oriente Lux 3,1); Marduk-Gudibir ein Landesfeind? und sonst allerlei, in: OLZ 27, 1924, 57-62; Der Königssohn beim Teufel. Ein finn. Märchen babylon. Herkunft, in: Studia Orientalia. FS Tallqvist 1925, 83-96; Israel in Ägypten, in: OLZ 28, 1925, 420-424; Der aramäische Beschwörungstext in spätbabylon. Keilschrift. Umschrift und Übersetzung. Vorläufige Mitteilung, Marburg 1926 (Textes cuneiformes VI, Nr.58); Das Gilgamesch-Epos in der Weltliteratur. 2. Bd. Die israelit. Gilgamesch-Sagen in den Sagen der Weltliteratur. Mit einem Ergänzungsheft, worin unter anderem vier Kapitel über die Paulus-Sage, Marburg 1928; Die Entrückung des babylon. Sintfluthelden zum Götterlande in dem indisch-deutschen Gilgamesch-

Märchen von Himmelreich, in: Altoriental. Studien, Bruno Meissner zum 60. Geb., 1929, 99-107; Zum »Gilgamesch-Epos in der Weltliteratur«. Zwei Fragen an Prof. V. Christian, in: ZA 39, 1930, 294-302; Weitere Beiträge zur graph. Entzifferung der sogen. hethitischen Hieroglyphen-Inschriften, in: Kleinasiatische Forschungen 1, 1930, 462-497; P. Meriggi's Vorstudie zur Entzifferung der hethitischen Hieroglyphenschrift, in: ZA 40, 1931, 29-64; Verklärungsberg-Szene und Nachbar-Episoden in einem chines. Märchen, in: Th. St. Kr. 105, 1933, 229-237; Ziffern und Zahlen in den hittit. Hieroglyphen-Inschriften, in: Zeitschr. für Ethnologie 64, 1933, 245-248; Mohammed, in: Aus fünf Jahrtausenden morgenländ. Kultur. FS Max Freiherrn v. Oppenheim, 1933, 45-51; Die Insel Atlantis und ihre eherne Mauer, in: ZDMG 12, 1934, 54-64; Alttestamentlich-Keilschriftliches, in: ZAW 52, 1934, 121-125; Alttestamentlich-Keilinschriftliches, in: ZA 42, 1934, 232-237; Mohammed, in: AfO Beiband 1, 1935, 45-51.

Lit.: Felix Peiser, (Verteidigung Hugo Wincklers gegen J.) in: OLZ 7, 1904, 142-145; — Reaktionen auf J.s Gilgamesch-Epos Bd. I: Heinrich Zimmern, in: Lit. Centralblatt für Deutschland 57, 1906, 1712-1716; — Alfred Bertholet, in: ThLZ 32, 1907, 603-607; — Otto Weber, in: Beilage z. Allg. Zeitung 1907, 31-38; — Ernst Sellin, in: Reformation 6, 1907, 130-134; — Hans Schmidt, in: ThR 10, 1907, 189-208, 229-237; — Joh. Wilh. Rothstein, in: ZDMG 62, 1908, 374-384; — K. Thieme, in: Neues sächs. Kirchenblatt 1906, 817-822; — Georg Biedenkapp, Ein neuer mytholog. Scheinwerfer, in: Deutsche Tageszeitung Berlin. Beilage Zeitfragen Nr. 30, 1907; — Johannes Döller, Das Gilgamesch-Epos und die Bibel, in: Katholik 38, 1908, 277-289; — Hermann Gunkel, in: Frankfurter Zeitung, 7. April 1909; — Ders., J.s Gilgamesch-Epos in der Weltliteratur, in: DLZ 30, 1909, 901-911 = in: Karl Oberhuber (Hg.), Das Gilgamesch-Epos (Wege der Forschung 215), 1977, 74-84; — Adolf Jülicher, Hat Jesus gelebt?, 1910; — Johannes Weiß, Jesus von Nazareth, Mythos oder Geschichte?, 1910; — Heinrich Zimmern, Zum Streit um die »Christusmythe«. Das babylon. Material in seinen Hauptpunkten dargest., 1910; — Hugo Gressmann, P. J., in: RGG 3, 1912, 292-294; — Albert Schweitzer, Gesch. der Leben-Jesu-Forschung, 1913[2], 444ff., 563 f.; — Zu J.s Gilgamesch-Epos Bd. II: V. Christian, in: OLZ 32, 1929, 263-266, 907; — Heinrich Zimmern, in: ZDMG 83, 1929, 171-177 = Karl Oberhuber (Hg.), Das Gilgamesch-Epos (Wege der Forschung 215), 1977, 146-152; — W. Anderson, in: DLZ 1929, 1887-1890; — Ders., Über P. J.s Methode der vergleichenden Sagenforschung, in: Acta et Commentationes Universitatis Tartuensis. Humaniora XXI, 3, 1930, 3-48; — Walter Baumgartner, P. J., in: AfO 11, 1936/37, 281 f.; — Albert Schott, P. J., in: ZA 44, 1938, 184-190; — Helmut Weidmann, Die Patriarchen und ihre Religion im Licht der Forschung seit Julius Wellhausen, 1968, 85 ff.; — Mogens Trolle Larsen, Orientalism and the Ancient Near East, in: Culture and History 2, Copenhagen 1987, 97-115; — Klaus Johanning, Der Bibel-Babel-Streit. Eine forschungsgeschichtliche Studie, 1988, 284-290; — Reinhard G. Lehmann, Friedrich Delitsch und der Babel-Bibel-Streit, Freiburg/Göttingen 1992 (OBO); — EJud VIII, 1082; — RGG [2]III, 70; — DBVS IV, 847 f.; — Reallexikon der Assyriologie V, 276.

Reinhard G. Lehmann

JENTSCH, Carl, Schriftsteller und Publizist, * 8.2. 1833 Landeshut (Schlesien) aus einer Mischehe, † 28.7. 1917 Bad Ziegenhals. — Nachdem J. in seiner Kindheit nach dem Wunsch seines Vaters protestantisch erzogen worden war, konvertierte er 1846 zum Katholizismus. 1856 wurde er zum Priester geweiht, bis 1864 war er Kaplan in Rehberg, danach Pfarrer in Liegnitz. Wegen seiner Ablehnung des Unfehlbarkeitsdogmas wurde er 1875 exkommuniziert. Er trat den Altkatholiken bei und wirkte von 1875-1879 als altkatholischer Pfarrer in Offenburg in Baden. Dann siedelte er wieder nach Neisse in Schlesien über, schied aber 1882 aus gesundheitlichen Gründen aus dem Priesteramt aus. Seither arbeitete er als Publizist für zahlreiche regionale und überregionale Zeitschriften, z. B. für das »Berliner Tageblatt« für »Die Grenzboten« und »Die Zukunft« Maximilians Hardens. Sein schriftstellerisches Werk umfaßt geschichtsphilosophische, kulturpolitische und volkswirtschaftliche Schriften. — J. war ein kritischer Beobachter seiner Zeit, dessen sachliches Urteil stets christlichen Grundsätzen getreu blieb.

Werke: Die Reformbestrebungen des Pfarrers Mersy und seiner Freunde, in: Bilder aus der Gesch. der kath. Reformbewegung des 18. und 19. Jh.s, 1875; Gegensätze in der Sittenlehre, Personalethik und Sozialethik, 1880; Wird das Elend siegen?, 1891; Geschichtsphilosophische Gedanken, 1902 (1903²); Weder Kommunismus noch Kapitalismus. Ein Vorschlag zur Lösung der europ. Frage, 1893; Betrachtungen eines Laien über unsere Strafrechtspflege, 1894; Volkswirtschaftslehre. Grundbegriffe und Grundsätze der Volkswirtschaft, populär dargest., 1895 (1918⁴); Wandlungen. Lebenserinnerungen, 2 Bde. 1896-1905; Sozialauslese. Krit. Glossen, 1898; Die Agrarkrise, 1899; Rodbertus, 1899; Drei Spaziergänge eines Laien in das Klass. Altertum, 1900; Friedrich List, 1901; Hellenentum und Christentum 1903; Die Zukunft des dt. Volkes, 1905; Adam Smith, 1905; Die Partei, 1909; Christentum und Kirche in Vergangenheit, Ggw. und Zukunft, 1909 (1913²); Unsere Polen, 1913; Der Weltkrieg und die Zukunft des dt. Volkes, 1915; Wie dem Protestantismus Aufklärung über den Katholizismus nottut und gegeben werden soll, aus dem Nachlaß hg. v. A. H. Rose, 1917.

Lit.: Alois Mühlan/Anton Heinrich, C. J. Von ihm selbst, nach seinen Werken 1918; — J. Hönig, C. J., in: Hochland 17, 1919-1920, 551-567; — Felix Priebatsch, Schlesier des 18. und 19. Jh.s, in: Schles. Lebensbilder II, 1926, 313-317; — Gerhard Berndt, C. J., in: Schlesien, 22, 1977, H. 4, 222-227; — LThK V, 892; — NDB X, 112-113.

Heike Mierau

JEPPE, Karen, ev. Missionarin, * 1.7. 1876 in Gylling bei Horsens (Dänemark) als Tochter eines Lehrers, † 7.7. 1935 in Aleppo (Haleb, Syrien). — Schon bevor J. die Waldschule in dem kleinen Dorf Gylling besuchte, hatte sie aufgrund ihrer außergewöhnlichen Begabung und der Unterstützung durch ihren Vater Lesen und Schreiben gelernt. Sie galt als Wunderkind und sollte dem Wunsch des Vaters gemäß einmal Ärztin werden. Er gab ihr daher auch sehr intensiv Privatunterricht, damit sie die höhere Schule besuchen konnte. Von 1893 bis 1895 besuchte J. das Internat in Ordrup (bei Kopenhagen), wo sie mit glänzenden Leistungen die Reifeprüfung ablegte. Noch während sie sich auf die Aufnahmeprüfung für die Universität vorbereitete, begann sie als Lehrerin am Ordruper Internat zu unterrichten. Entgegen dem Wunsch des Vaters entschied sie sich für das Studium der Mathematik, allerdings führte die Doppelbelastung von Studium und Lehrerberuf bald zu einem physischen und psychischen Zusammenbruch, der sie schließlich zum Abbruch des Studiums zwang. Zeitlebens litt J. an ihrer schwachen und sensiblen körperlichen Konstitution, was sie jedoch nicht davon abhielt, größte Strapazen und ein enormes Arbeitspensum auf sich zu nehmen. Das Jahr 1902 stellte einen Wendepunkt im Leben der Lehrerin dar. Durch ein Flugblatt der »Danske armeniervenner« (die Dänischen Armenierfreunde) war sie auf den Völkermord an den Armeniern und die katastrophale Stituation dieser Minderheit aufmerksam geworden. Jetzt erst beachtete sie auch die Zeitungsberichte und internationalen Aufrufe, die die Weltöffentlichkeit von den grausamen Verfolgungen seit längerem schon unterrichteten und aufrütteln wollten. Daß J. eine der wenigen wurde, die sich aufrütteln ließen, lag vor allem an ihrer Sensibilität und ihrer christlich-religiös geprägten Welthaltung. Sie wandte sich an den Leiter der »Danske armeniervenner«, Age Meyer Benedictsen, der auch der Verfasser des Flugblatts gewesen war, und eröffnete ihm, daß sie als Lehrerin die Waisenkinder in Armenien unterrichten und betreuen wolle. Bednedictsen verwies sie daraufhin an Dr. Johannes Lepsius (s.d.), der die dt.-ev. Orientmission in den islamischen Ländern gegründet hatte, aber unter dem Eindruck der türkischen Massaker an den

Armeniern 1895 die Mission in ein »Armenisches Hilfswerk« umwandelte. Eines seiner Projekte war das Waisen- und Kinderheim in Urfa (Mesopotamien), wo J. im November 1903 eintraf und ihre Arbeit als Lehrerin und Betreuerin aufnahm. Neben reinem Sprachunterricht, den sie nach der Lautmethode und mit Hilfe von Bildtafeln sehr effektiv gestaltete, ließ sie Werkstätten einrichten, um den Kindern und Jugendlichen handwerkliche Fähigkeiten für ein späteres Berufsleben zu vermitteln. Zugleich versuchte man die gefertigten Waren, bekannt wurden vor allem die Teppichwebereien von Urfa, am Markt - auch in Europa - zu verkaufen, um Geldmittel für weitere dringende Projekte selbst zu erwirtschaften. Darüberhinaus organisierte J. die Kultivierung des umliegenden Landes, damit Ackerbau und Besiedelung möglich wurden. Insofern muß man die Dänin nicht so sehr als Missionarin anschen, sondern vielmehr als eine Entwicklungshelferin im modernen Sinne. Zumal ihr immer deutlicher wurde, daß hier nicht nur Kinder Not litten, sondern ein ganzes Volk in seiner Existenz bedroht war. Diesem Volk und seinem Existenzkampf widmete sie ihr Leben. Mit dem Ausbruch des 1. Weltkrieges 1914 entstand für das Hilfswerk und seine Arbeit eine äußerst dramatische Situation. Zum einen ließ das ohnehin nie sehr groß gewesene internationale Interesse an dem Schicksal der Armenier stark nach, mit der Folge, daß die notwendigen Spenden und Hilfssendungen fast ganz versiegten. Zum anderen aber nützte die türkische Regierung den Kriegszustand und die internationale Lage dazu aus, mit einem planmäßigen Ausrottungsfeldzug gegen die Armenier zu beginnen. Als Vorwand diente die neutrale Haltung der Armenier gegenüber den kriegsführenden Mächten, vor allem ihrer neutrale Haltung gegenüber Rußland. Die türkischen Machthaber, allen voran Enver Pascha und Talat Bey, interpretierten diese Haltung als Volksverrat an der Türkei. Gleichzeitig mit der türkischen Rußlandoffensive begannen die sog. »Umsiedelungsmaßnahmen« der armenischen Bevölkerung, dahinter verbargen sich großangelegte Deportationen in speziell vorgesehene Lager, wobei viele bereits während der Deportation an den Strapazen und an Hunger starben. Darüberhinaus verloren unzählige Armenier ihr Leben durch Überfälle von türkischen Soldaten und kurdischen Stämmen. Urfa selbst wurde zu einer der wichtigsten Zufluchtsstätten für die Verfolgten. J. gelang es dabei, viele vor dem sicheren Tod zu retten. Mit großem persönlichen Mut schützte sie die Armenier vor dem Zugriff der Türken. Sie versteckte die Flüchtlinge in ihrem Heim oder fand andere Unterschlupfmöglichkeiten für sie. Auch die notdürftige Versorgung der Flüchtlinge mit Lebensmitteln und Kleidung für den Weitermarsch rettete zahlreichen das Leben. Der österr. Schriftsteller Franz Werfel hat in seinem 1933 erschienenen Roman »Die 40 Tage des Musa Dagh« den selbstlosen Einsatz von J. und Lepsius in dichterischer Form dargestellt und gewürdigt. 1918 kehrte J. völlig erschöpft für zwei Jahre nach Dänemark zurück. Sie nützte diese für ihre Gesundheit lebenswichtige Pause für Aufklärungsarbeit aus. In Vorträgen und Aufrufen schilderte sie die Verfolgung und Vertreibung der Armenier. Vor allem prangerte sie die Haltung der Großmächte in der Armenierfrage an, die der türkischen Regierung aus bündnis- und kriegstaktischen Erwägungen freie Hand gelassen hatten und weiterhin ließen: Der Völkermord, der über 1 Million Menschen das Leben gekostet hatte, war vor den Augen der Großmächte durchgeführt worden. Auch Lepsius gab 1919 zwei umfangreiche Berichte über den »Todesgang des armenischen Volkes« heraus, worin er vor allem die Haltung des kaiserlichen Deutschlands in der Armenierfrage kritisierte und verurteilte. 1921 nahm J. ihre Arbeit im Orient wieder auf. Dieses Mal führte ihr Weg in das große Flüchtlingslager in Aleppo (Haleb, Syrien). Syrien war nach dem 1. Weltkrieg von der Türkei abgetrennt worden und stand unter frz. Mandat. Hierhin flüchteten viele Armenier, die auch nach dem Vertrag von Sèvres (1920 und 1921), der über die internationale Kontrolle durch den Völkerbund ein unabhängiges Armenien garantieren sollte, vor türkischen Repressionen nicht sicher waren. J., die in Aleppo offiziell als Sekretärin des Völkerbundes arbeitete, widmete sich vor allem der Kindererziehung und der Errichtung von Witwenhäusern. Zudem hatte sie einen Suchdienst ins Leben gerufen: alle Flüchtlinge, die nach Aleppo kamen, wurden in Bildkarteien erfaßt, um so die auseinandergerissenen Familien und Ehepaare effektiver zu erfassen und wieder zusammenzuführen. Es gelang ihr zudem ca. 2000 Frauen aus arabischen Harems zu befreien. Auf der Suche nach einer neuen und sicheren Heimat für die Flüchtlinge schloß J. zusammen mit dem Beduinenhäuptling Hadjim Pascha einen Vertrag, der den Armeniern einen Landstrich am Euphrat in der Nähe der Siedlung Tel-Samen zusicherte. Es entstand die armenische Landwirtschaftskolonie Tel-Armen, wo Armenier und Araber friedlich nebeneinander lebten. Den unermüdlichen Kampf und Einsatz J.s für die Armenier honorierte ihr Heimatland Dänemark im Jahre 1927, als J.s Vertrag mit dem Völkerbund ausgelaufen war, mit der Verleihung der Verdienstmedaille in Gold. Doch für J. ging die Arbeit weiter. Zusammen mit anderen Helfern begann sie die Schicksale und Biographen der Armenier, die sich in Aleppo aufhielten und aufgehalten hatten, stichwortartig zu protokollieren. Über 2000 derartiger Protokolle entstanden, die ein erschütterndes geschichtliches Dokument des Leidensweges des armenischen Volkes darstellen. Sie wurden sowohl dem Völkerbund überreicht als auch in J.s zahlreichen Vorträgen in Genf und anderen europ. Städten als Beweise und Quellen für den Völkermord angeführt. Die »Mutter Armeniens«, wie J. von den Armeniern selbst genannt wurde, verstarb am 7.7. 1935 in Aleppo an Malaria.

Lit.: Johannes Lepsius, Der Todesgang des armenischen Volkes, ³1927; — Ingeborg Maria Sick, Pigen fra Danmark: K. J. (Das Mädchen von Dänemark: K. J.), 1928; — Franz Werfel, Die 40 Tage des Musa Dagh, 1933; — Johs. Vejlager, K. J., 1936: — Jakob Künzler, Dein Volk ist mein Volk. Das Lebensbild der Dänin K. J., 1939; — George Schulz-Behrend, Sources and background of Werfel's Novel 'Die 40 Tage des Musa Dagh', in: The German Review 26 (1951), S. 111-123; — Niels Knud Andersen/P. G. Lindhardt (Hg.), Den Danske Kirkes Historie VIII, Kopenhagen 1966, S. 329 f.; — Alfred Otto Schwede, Geliebte fremde Mutter. K. J.s Lebensweg, 1974; — Yves Ternon, Tabu Armenien, Geschichte eines Völkermords, 1977 (dt. 1981); — Stephen Neill u.a., Lexikon zur Weltmission, S. 319; — DBL VII, 340 f.; — Danmarks historiens bla bog, 1971, S. 192; — Dansk Historisk Bibliografi 1913-1942, hg. v. Henry Brunn, Bd. IV, 1970, S. 497-8.

Rainer Witt

JEREMIAS, Sohn Hilkias, Prophet im Alten Testament, sein Name (hebr. jirm-jahu) bedeu-

tet: »Jahwe richtet auf, Jahwe gründet, Jahwe erhöht«, * um 650 v. Chr. in Anathoth, einem Dorf im Land Benjamin (ca. 2 Stunden nördlich von Jerusalem), aus vornehmem priesterlichem Geschlecht abstammend; Zeit und Ort seines Todes sind unbekannt. — J. trat in Jerusalem als Prophet im 13. Regierungsjahr des Königs Josia (etwa 626 v. Chr.) auf. Über einen Zeitraum von mehr als 40 Jahren erstreckte sich seine Predigttätigkeit. Seine Reden wurden von späteren Herausgebern, besonders von Baruch, dem Vertrauten und Sekretär J.'s (vgl. Jer 32,12-13; 36,4ff; 45,1), zusammen mit historischen Abschnitten gesammelt und oft recht willkürlich nebeneinandergestellt, so daß etliche Wiederholungen vorkommen und die chronologische Ordnung oft empfindlich gestört ist. Das Hauptthema seiner Botschaft ist die Anklage gegen die religiöse und sittliche Verderbtheit seines Volkes und die Drohung, daß Jahwe deshalb Unheil über das Volk bringen werde. J.'s Predigttätigkeit ist nur vor dem zeitgeschichtlichen Hintergrund zu verstehen: Seine ersten Reden fallen in die Zeit, da unter dem Einfluß des assyrischen Jochs heidnische Kultbräuche in das Land gekommen waren, besonders die Verehrung der phönizischen Gottheiten Baal und Aschera. Im Tempel zu Jerusalem standen Götzenbilder und sonstige heidnische Kultgegenstände, die Tempel-Prostitution florierte, die heiligen Schriften »verstaubten« in irgendeinem Depot und das Passah-Fest wurde schon lange nicht mehr begangen. J. tadelte also das Volk wegen seines Abfalls von der Verehrung Jahwes und der Einführung des Baalskultes. Werde das Volk weiter verstockt bleiben, dann werde der Feind aus dem Norden das Land zerstören und das Volk in die Gefangenschaft führen (Nebukadnezar kam später tatsächlich in 3 großen Angriffen aus dem Osten) (Jer 1-6). Die Reformbestrebungen des Königs Josia, der in seinem 18. Regierungsjahr (etwa 621 v. Chr.) den Tempel restaurieren, die »Gesetzesrolle« (wohl das Buch Deuteronomium) öffentlich verlesen und darauf den Tempel von allen heidnischen Kultgegenständen gründlich säubern ließ, unterstützte J. durch seine Predigten: die wahre Reform erschöpfe sich nicht in einem nur äußerlich vollzogenen Ritual, sondern müsse von innen kommen (Jer 7-10). Den Nachfolger Josias, der im Jahre 609 v. Chr. in der gegen den Pharao

Necho geführten Schlacht von Megiddo (heute tel el-mutesellim, am Südostende des Karmel) gefallen war, den König Jojakim (608-597 v. Chr.), einen vom Pharao eingesetzten ägyptischen Vasallen, klagte J. an, da er die Armen unterdrücke und das Recht beuge, während er selbst sich einen großartigen Palast erbaue (Jer 22). Die religiöse Reform des Josia war schnell vergessen. J. hielt deshalb erneut ernste Strafpredigten und erneuerte seine Unheilsprophezeiungen über ein großes Strafgericht (Jer 11-17). Die prophezeite Strafe ereignete sich 605 v. Chr. mit der Eroberung des Reiches Juda durch Nebukadnezar, dem neuen König von Babylon. Die Widerstandskraft des Volkes schwächte er, indem er alle Vornehmen und alle Metallhandwerker ins Exil nach Babylonien führte (1. Wegführung ins Babylonische Exil). Jojakim starb kurz bevor Nebukadnezar ein zweites Mal (598/597) heranrückte, Jerusalem erneut eroberte und den neuen König Jojachin mit 4.600 Juden nach Babylonien deportierte (2. Wegführung). J. mahnte die Exulanten in einem Brief, ihre Träume auf baldige Rückkehr aufzugeben und sich auf ein langes Exil vorzubereiten (Jer 29). Die Babylonier machten Zedekia zum neuen König (597-587). Dieser schloß sich einer starken proägyptischen Partei im Land an, die mit Ägypten und Tyrus eine Verschwörung gegen Babylon anzettelte (Jer 27). J. stemmte sich energisch dagegen, jedoch umsonst. Er wurde, da man ihn des Verrates beschuldigte, eingekerkert und eine Nacht in den Block gelegt (Jer 37,11-16), es wurde sogar ein Mordanschlag gegen ihn geplant (18,18-23). Nebukadnezar rückte nun 587 v. Chr. ein drittes Mal heran und belagerte Jerusalem eineinhalb Jahre lang (Jer 39). J., der weiter zur Kapitulation drängte und den Bürgern vor Augen führte, daß sie nur noch die Wahl zwischen Leben und Tod hätten, wurde der Wehrkraftzersetzung angeklagt. Daraufhin wurde er in eine mit Schlamm gefüllte Zisterne geworfen, aus der er nur durch das persönliche Eingreifen des Zedekia vor dem Tod gerettet wurde (38,4-16). Jerusalem fiel schließlich 586 v. Chr. und wurde dem Erdboden Gleichgewichts, der Rest seiner Bevölkerung kam in die Babylonische Gefangenschaft (3. Wegführung). J., dem sein unermüdliches Eintreten für eine Friedenspolitik gegenüber Baby-

lon sehr zustatten kam und für den Babylonische Beamte sich daher einsetzten (39 u. 40,1-6), verriet sein Volk nicht und trat nicht zu den Babyloniern über, sondern blieb im verwüsteten Jerusalem »unter geborstenen Steinen und gebrochenen Seelen«. J. trat mit Gedalja, dem von den Babyloniern ernannten Gouverneur des Landes, in Verbindung und folgte nach dessen baldiger Ermordung, durch einige Judäer gezwungen, seinen nach Ägypten flüchtenden Landsleuten (43,5-7), wo er seine letzten Lebenstage verbrachte. Mit ihm zog auch Baruch, der seine letzten Worte aufschrieb. J. schrieb möglicherweise von Ägypten aus Trostworte an die Exulanten in Babylon, wo er ihnen die künftige Heimkehr vor Augen stellte und ihnen versicherte, daß Jahwe seinen Bund mit dem Volk nicht vergessen habe (Jer 31). Zeit und Ort seines Todes sind unbekannt. Alle späten jüdischen und christlichen Nachrichten darüber sind Legende. Im Anschluß an das Buch Jeremias stehen die Klagelieder. Sie werden seit der LXX (Septuaginta) oft dem Jeremias zugeschrieben, obwohl sich darin keinerlei Hinweis auf einen Verfasser findet. Schon in alter Zeit haben die Klagelieder Eingang in die Liturgie der Karwoche gefunden (Lamentationen). In der Reihe der Propheten wurde J. erstmals im Baptisterium der Orthodoxen in Ravenna (Stuckrelief 5. Jahrhundert) dargestellt, gegenüber oder neben Isaias in den Mosaiken von S. Vitale und in den Fresken von Bawit, einem altkoptischen Kloster in der Nähe von Hermopolis (Ashmunein). Im 12. Jahrhundert erscheint J. auf dem Apsismosaik von S. Clemente zu Rom. Zwischen Propheten und Sibyllen wurde er von P. Perugino (Fresken zu Perugia) und Michelangelo (Sixtinische Kapelle) dargestellt. Den trauernden J. zeigt ein Bild Rembrandts (1630). Aus der Kunst der Gegenwart ist ein Bild M. Chagalls — »J. in der Schlammgrube« — von Bedeutung.

Lit.: W. Erbt, J. und seine Zeit. Die Gesch. der letzten 50 Jahre des vorexilischen Juda, 1902; — H. Greßmann, Josia und das Deuteronomium. Ein krit. Referat, in: ZAW NF 1 (42) (1924), 313-337; — A. Bentzen, Die josian. Reform und ihre Voraussetzungen, 1926; — J. P. Hyatt, The Peril from the North in Jeremiah, in: JBL 59 (1940), 499-513; — Ders., The Beginning of Jeremiah's Prophecy, in: ZAW 78 (1966), 204-214; — Neudr.: L. G. Perdue/B. W. Kovacz (Hrsg.), A Prophet to the Nations. Essays in Jeremiah Studies (1984), 63-72; — H. Cazelles, Jérémiee et le Deutéronome, in: RSR 38 (1951), 5-36; — Ders., Sophonie, Jérémie et les Scythes en Palestine, in: RB 74 (1967), 24-44; — Ders., La production du livre de Jérémie dans l'histoire ancienne d'Israël, in: Masses Ouvrières 343 (1978), 9-31; — D. J. Wiseman, Chronicles of Chaldaean Kings (626-556 B. C.), in the British Museum, 1956; — C. F. Whitley, The Date of Jeremiah's Call, in: VT 14 (1964), 467-483; — Neudr.: L. G. Perdue/B. W. Kovacz (s.o.), 163-173; — A. Malamat, The Last Kings of Judah and the Fall of Jerusalem, in: IEJ 18 (1968), 137-156; — R. P. Vaggione, Over all Asia? The Extent of the Scythian Domination in Herodotus, in: JBL 92 (1973), 523-430; — H. Koch, Die Propheten II. Babylonisch-persische Zeit, 1980 (UB 281), 21-86.

Werner Schulz

JEREMIAS, Alfred Karl Gabriel, Pfarrer, Assyriologe und Religionswissenschaftler, * 21.2. 1864 als Sohn des Volksschuloberlehrers Carl Gabriel Jeremias und dessen Frau Ernestine Israel in Markersdorf bei Chemnitz (Karl-Marx-Stadt), Nachfahre von Emigrantenfamilien der Deutsch-Böhmischen Brüder der Oberlausitz mit biblischen Namen, † 11.1. 1935 in Leipzig; verheiratet seit 1892 mit Martha geb. Keil aus Leipzig, 3 Kinder. — 1869 siedelten die Eltern nach Dresden über, wo J. die Bürgerschule und von Ostern 1874 bis Ostern 1883 das Kreuzgymnasium besuchte, um dann in Leipzig evangelische Theologie u. a. bei dem lutherisch-konservativen Alttestamentler und Hebraisten Franz Delitzsch zu studieren. Ein Kolleg von dessen Sohn, dem damaligen Leipziger Assyriologen Friedrich Delitzsch, über »Keilschriftdenkmäler und das Alte Testament« weckte J.s Interesse für den alten Orient, dessen Erforschung und Verwertung für das Verständnis der israelitischen Religion und Kultur er als seine weitere Lebensaufgabe betrachtete. 1886 promovierte er bei Friedrich Delitzsch mit einer Neubearbeitung der »Höllenfahrt der Istar« als Teil der 1887 erschienen Schrift »Die babylonisch-assyrischen Vorstellungen vom Leben nach dem Tode«, einem Thema, dem er sich künftig noch mehrfach widmete. Das innige Schülerverhältnis J.s zu Friedrich Delitzsch hielt über die Studienzeit hinaus an, bis es etwa 1903 im Zuge des Babel-Bibel-Streites doch abkühlte (s. Lehmann 1988). Seit 1890 bis zu seinem Lebensende war J. Pfarrer an der Lutherkirche in Leipzig, daneben war er kontinuierlich und in großem Umfang wissenschaftlich tätig: 1891 legte er mit »Izdubar-Nimrod« die erste vollständige deutsche Übersetzung des Gilgamesch-Epos vor. In die ausgehenden 90er Jahre fällt die Begegnung mit dem Berliner Assyriologen und Führer des astralen Panbabylonismus Hugo Winckler (s.d.), die zu einer tiefen Freundschaft führte und J. in seinem wissenschaftlichen Schaffen nachhaltig prägte. 1905 wurde ihm die theologische Ehrendoktorwürde der Universität Leipzig verliehen, gleichzeitig habilitierte er sich dort an der Theologischen Fakultät für das Fach Allgemeine Religionsgeschichte, das er damit erstmals zum festen Bestandteil des Lehrangebots einer Theologischen Fakultät in Deutschland machte (Zusammenstellung seiner Lehrveranstaltungen bei Rudolph 1962, 103 ff!). 1914 verlieh ihm die Universität Groningen die Würde des theologischen Ehrendoktors, 1921 erhielt er in Leipzig eine außerordentliche Professur für (semitische) Religionsgeschichte. J. war Vorstandsmitglied der Vorderasiatisch-ägyptischen Gesellschaft, in deren Auftrag er die Reihe »Der Alte Orient« und, zusammen mit Hugo Winckler und Otto Weber, die »Vorderasiatische Bibliothek« herausgab. — Die Verbindung von konfessionellem Luthertum und Assyriologie, markiert durch seine Leipziger Lehrer Franz und Friedrich Delitzsch, blieb bei A. J. bestimmend, erhielt jedoch durch seine Freundschaft mit Hugo Winckler, der selbst der Kirche völlig fern stand, eine eigentümliche Ausprägung. Ihm und Winckler gemeinsam war die Grundüberzeugung von der überragenden Bedeutung des Alten Orients für die Kulturentwicklung der gesamten Menschheit sowie der methodische Widerspruch gegen die 'evolutionistische' Sicht der (israelitischen) Religionsgeschichte etwa bei Julius Wellhausen. So wurde der Pfarrer und Assyriologe A. J. zum theologischen Herold des astralen Panbabylonismus Wincklers. Dabei verband sich allerdings das von Eduard Stucken 'entdeckte', von Winckler wissenschaftlich ausgebaute astral-mythologische System bei J., der es anders als jener schon in vorbabylonisch-sumerischer Zeit als im wesentlichen abgeschlossen ansetzte, mit konfessionellem Luthertum zu einer apologetisch-antievolutionistischen Grundhaltung, die auch seinen Vermittlungsversuch im Babel-Bibel-Streit (1902/1903) bestimmte (Lehmann 129 f). In dem gleichen Geist erschien erstmals 1904 »Das Alte Testament im Lichte des Alten Orients« (ATAO), das bis 1930 vier deutsche und 1911 eine englische Auflage erlebte und gewissermaßen das konservative Seitenstück zur von Winckler und Heinrich Zimmern (s.d.) redigierten 3. Auflage von Eberhard Schraders (s.d.) »Die Keilinschriften und das Alte Testament« von 1903 darstellte. Der Panbabylonismus sollte hier ein Erklärungsmodell für die sich ständig mehrenden ähnlichen und übereinstimmenden religiösen Überlieferungen altorientalischer und anderer Kulturen unter gleichzeitiger Wahrung der »fides divina« des Alten Testaments bieten, ohne auf die überholte Position einer Uroffenbarung im historischen Sinne zurückgreifen zu müssen: J. sah »in der Erkenntnis des altorientalischen mythologischen Systems den Schlüssel zu einer Formenlehre des biblischen Schrifttums«. Gleichzeitig warnte er jedoch energisch vor einer Auflösung der »Tatsachen« in »mythologische Ideen« und hielt anders als Winckler an der Historizität z. B. der alttestamentlichen Patriarchen ausdrücklich fest. Vielmehr galt für ihn, daß das Evangelium dasjenige als Realität gebe, was im Mythos erscheint und in der Prophetie Israels erhofft wird. Hier sei die (geoffenbarte) Idee Geschichte geworden. Dennoch wurde ihm trotz ausdrücklicher Anerkennung der reichhaltigen Zusammenstellung des religionsgeschichtlichen Materials der apologetische Versöhnungsversuch zwischen Assyriologie und konservativem Luthertum nicht gedankt, ihm vielmehr mit gewissem Recht immer wieder Kritiklosigkeit und Spekulation vorgeworfen (besonders Gunkel). Nachdem das System des Astral-Panbabylonismus durch die Arbeiten F. X. Kuglers in seinen astralen Grundlagen erschüttert war, und nach dem Tode Wincklers (1913) verlagerte sich bei J. der Schwerpunkt von der semitisch-babylonischen Astralmythologie und Astrologie zur ihr vorausgehenden 'gnostischen' Astralsymbolik (»Astrosophie«) der Sumerer. Literarisch erfährt diese Verlagerung ihren deutlichsten Niederschlag in der zweiten Auflage des aus ATAO abgezweigten »Handbuch der altorientalischen Geisteskultur« (1929). Von Sumer aus sei »ein schöpferischer Strom über die Welt gegangen« (S. 5). In der Sumerischen Geisteskultur sah J. die vorläufig älteste greifbare Gestalt einer prä-

historischen »innerlich einheitlichen Weltreligion«, deren Thema bereits die Erlösererwartung bildete, also ein 'vorchristliches Christentum', das in Israel eine Neuschöpfung und in Christus seine Vollendung (Pleroma) fand. Der Aufweis dieser letzten Einheit der wichtigsten Gestalten und Ideen im Universalismus der vorchristlichen Erlösererwartung war der letzte Zweck seiner Hinwendung zur vergleichenden Religionsgeschichte und zugleich ihr methodischer Schlüssel, wie es sich besonders in »Die außerbiblische Erlösererwartung« (1927) dokumentiert, wo J. schließlich jede Muttergöttin als Madonna zu deuten bemüht ist. — J.s Gabe zur Systematisierung und Zusammenschau der Vielheit religiöser Erscheinungen war zugleich seine Schwäche, der er in einseitiger Verabsolutierung wissenschaftlich auch erlegen ist. Theologisch ist er weitgehend auf Ablehnung gestoßen, die Religionswissenschaft dagegen hat er besonders um die religionsphänomenologischen Aspekte der 'Pattern'- und Motivforschung erweitert und damit u. a. anregend auf Geo Widengren und Mircea Eliade eingewirkt.

Werke: Die Höllenfahrt der Istar. Eine altbabylon. Beschwörungslegende, Diss. phil. Leipzig; München 1886; Bemerkungen zu einigen assyr. Altertümern in den K. Museen zu Dresden, in: ZA 1, 1886, 45-50; Die babylon.-assyr. Vorstellungen vom Leben nach dem Tode. Nach den Quellen mit Berücks. der alttestamentl. Parallelen dargest., Leipzig 1887; Izdubar-Nimrod. Eine altbabylon. Heldensage. Nach den Keilschriftfragmenten dargest., Leipzig 1891; Das Walten der Liebe in der Gemeinde. Predigt über Apostelgesch. 6,1-7, gehalten am 6. Sonntage nach Trinitatis in der Lutherkirche zu Leipzig, Leipzig 1891; Das ewige Licht geht da herein! Festpredigt, zum 50. Jahresfeste des student. Missionsvereins zu Halle a. d. Saale gehalten am III. Adventssonntage 1892 in der Laurentiuskirche, Leipzig 1892; Im Glauben klar! In Liebe wahr! In Hoffnung fröhlich immerdar! Festpredigt, bei dem 49. Jahresfest des Dresdner Hauptvereins der Gustav-Adolf-Stiftung am 12. Juli 1893 in Seifhennersdorf gehalten, Dresden 1893; Vom reichen Manne und armen Lazarus der menschl. Gesellschaft. Predigt, den 7. Juni 1893 in Frankfurt/M. gehalten, Karlsruhe 1893; Der Untergang Niniveh's und die Weissagungsschrift des Nahum von Elkosch [zus. mit Adolf Billerbeck], in: Beiträge zur Assyriologie 3, 1895, 88-188; Fürchtet Gott — Ehret den König! Festbetrachtung zur Feier des 70. Geburtstages und des 25jährigen Regierungsjubiläums des Königs Albert v. Sachsen, gehalten am Sonntage Misericordias Domini 1898 in der Lutherkirche zu Leipzig, Leipzig 1898; Totenkultus bei den Babyloniern, in: Wissensch. Beilage zur Leipziger Ztg. 1899, Nr. 138; Hölle und Paradies bei den Babyloniern, Leipzig 1900; Dass., 2. erw. Auflage. Unter Berücks. der bibl. Parallelen, Leipzig 1903; Darstellungen aus der Religionsgesch. Der Buddhismus. Mod. buddhist. Bestrebungen.

Confucius und die Religion der Chinesen. Der Islam. Aus der relig. Welt der Babylonier, in: AELKZ 34, 1901, 173-176, 200-204, 221-225, 244-248, 269-274, 296-299, 319-322, 341-346; The Babylonian conception of heaven and hell, London 1902; Im Kampfe um Babel und Bibel. Ein Wort zur Verständigung und Abwehr, Leipzig 1902, 1903[3] (auch engl. und ital.); Dass., Vierte, abermals erw. Auflage. Mit einem Vorwort »Offenbarung im AT« als Erwiderung auf Friedrich Delitzsch's Vorwort »Zur Klärung«, 1903; Im Kampfe um Babel und Bibel, in: Kreuzztg. 28. Jan. 1903; Babel-Bibel und Religionswissensch., in: Berliner Tageblatt. Zeitgeist Nr. 7, 1903; Im Kriege um Babel und Bibel, in: AELKZ 36, 1903, 543-545; Das AT im Lichte des alten Orients. Handb. zur bibl.-orient. Altertumskunde, Leipzig 1904, 1906[2] (engl. London/New York 1911), 1916[3], 1930[4] (abgek. ATAO); Babylon, in: Reich Christi 1904, 258-268; Die Sprache der Sterne in der babylon. und bibl. Vorstellungswelt, in: Berliner Tageblatt. Beil. Zeitgeist 1904, Nr. 21; Babylonisches im NT, Leipzig 1905; Monotheistische Strömungen innerhalb der babylon. Religion. Auf Grund eines Vortrages gehalten auf dem II. internat. Kongreß für Religionsgesch. in Basel 1904, Leipzig 1905; Alter Orient und Alttestamentler, in: ThBl, 1905, 337-349; NT und Religionsgesch., in: Reformation 1905, Nr. 1; Dormitio Sanctae Virginis, in: Illustr. Ztg. Leipzig, 19.4. 1906; Die Panbabylonisten, der Alte Orient und die ägypt. Religion, Leipzig 1907, 1909[2] (Im Kampf um den Alten Orient 1); Der Einfluß Babyloniens auf das Verständnis des AT, Berlin 1908 (Bibl. Zeit- und Streitfragen 4,2); Das Alter der babylon. Astronomie, Leipzig 1908; Dass., Zweite erw. Auflage mit 15 Abbildungen und astron. Zeichnungen. Unter Berücks. der Erwiderung von P. F. X. Kugler, Leipzig 1909 (Im Kampfe um den Alten Orient 3); Die Zeitrechnung der bibl. Urgesch., in: Reformation 1908, Nr. 5; Urim und Tummim. Ephod. Theraphim, in: Hilprecht Anniversary Volume, Leipzig 1909, 223-242; Hat Jesus Christus gelebt? Prolegomena zu einer religionswissenschaftl. Unters. des Christusproblems. Mit 2 Beill.: 1. Der Auferstehungsmythos der vorchristl. Religionen. 2. Leitsätze zum Christusproblem, Leipzig 1911; Kanaan in vorisraelit. Zeit. Vortrag, Berlin 1911 (Gesellschaft für Palästina-Forschung, Veröffentlichungen 2); Hat Jesus Christus gelebt?, in: Neue Kirchl. Zschr. 22, 1911, 143-188; System im Mythos, in: Memnon 5, 1912, 3-28; Die Weihnachtsstadt Bethlehem, in: Illustr. Ztg. Leipzig, 12.12. 1912; Handb. der altorient. Geisteskultur, Leipzig 1913, 1929[2]; Hugo Winckler. Gedächtnisrede, Mitteilungen der Vorderasiat. Gesellschaft 20,1, 1915, 1-12; Christl. und außerchristl. Schicksalsglaube in Vergangenheit und Ggw., in: AELKZ 49, 1916, 754-758, 778-782 = Leipzig 1916; Die sogen. Kedorlaomer-Texte, in: Orient. Studien. FS Fritz Hommel I, Leipzig 1917, 69-97; Allg. Religions-Gesch., München 1918, 1924[2]; Denkschr. des Freien Arbeitsausschusses der sächs. ev.-luth. Landeskirche zur Mitarbeit bei der bevorstehenden kirchl. Neuordnung, hg. von Johs. Herz u. A. Jeremias, Leipzig o. J. [1918]; Unsere Toten leben!, Leipzig/Hamburg 1918; Die soz. Aufgabe der Kirche, Leipzig 1918 (Kirchl.-soz. Heft 59); Die Religion im neuen Staat, in: Illustr. Ztg., Leipzig 1919, Nr. 3955; Babyl. Dichtungen, Epen und Legenden, Leipzig 1925 (AO 25,1); Johannes von Staupitz, Luthers Vater und Schüler. Sein Leben, sein Verhältnis zu Luther und eine Auswahl aus seinen Schriften übertr. und hrsg., Sannerz/Leipzig 1926 (Quellen. Lebensbü-

cherei christl. Zeugnisse aller Jh.e); Buddhist. und theosoph. Frömmigkeit. Mit einer zusammenfass. Einleitung über das Wesen der Frömmigkeit und das Verhältnis der Religion zur christl. Frömmigkeit, Leipzig 1927, 2. neu bearb. Aufl. 1929 (Religionswissenschaftl. Darstellungen für die Ggw. 1); Jüd. Frömmigkeit, Leipzig 1927, 2. neu bearb. Aufl. 1929 (Religionswiss. Darst. für die Ggw. 2); Die außerbibl. Erlösererwartung. Zeugnisse aller Jahrtausende in ihrer Einheitlichkeit dargest., Berlin 1927 (Quellen. Lebensbücherei christl. Zeugnisse aller Jh.e); German. Frömmigkeit, Leipzig 1928 (Religionswiss. Darst. für die Ggw. 3); Leben im Kirchenjahr, 1928; Johannes von Staupitz, Luthers Vater und Schüler, in: AELKZ 61, 1928, 368-391; Der Babyl. Fixsternhimmel um 2000 v. Chr., in: Weltall 28, 1929, 73-75; Die Weltanschauung der Sumerer, Leipzig 1929/30 (Der Alte Orient 27,4); Muhammed. Frömmigkeit, Leipzig 1930 (Religionsw. Darst. für die Ggw. 4); Die Bedeutung des Mythos und [für] das apostol. Glaubensbekenntnis. Mit einem Geleitwort S. M. Kaiser Wilhelm II. und einem Bild des Kreuzes von Aiglemont, Leipzig 1930, 1931[2], 1938[3] (Religionswiss. Darst. für die Ggw. 5); Der Antichrist in Gesch. und Ggw., Leipzig 1930 (Religionswiss. Darst. für die Ggw. 6); Jesus als Weltvollender, Gütersloh 1930 (BFChTh 33,4); Panbabylonismus, in: RGG [2]IV, 1930, 879 f.; Die bibl. Erlösererwartung, Berlin 1931, Der Schleier von Sumer bis heute, Leipzig 1931 (AO 31,1/2); Der Kosmos von Sumer, Leipzig 1932 (AO 32,1); Babylon. Dichtungen, Epen und Legenden, in: Anthropos 28, 1933, 790 ff.; Ev. Christentum und Katholizismus. Antwort auf Karl Adam: Das Wesen des Katholizismus, Berlin 1933; Die bibl. Urgesch.n in der Schule, in: ThBl 1935, 265-273; Mitarbeit an Roschers Lex. der Mythologie; Hastings Dictionary of Religions und RGG[2].

Lit.: Reaktionen auf ATAO von: Hugo Grimme, in: Lit. Rundschau für das Kath. Dtld. 1904, 343-347; Samuel Oettli, in: Reformation 1904, 533-536; Conrad v. Orelli, in: ThLBl 1904, 482-486; Bruno Baentsch, in: LZ Nr. 6, 1905; Hermann Gunkel, in: DLZ 26, 1905, 780-785; Wilhelm Nowack, in: ThR 1906, 87 f.; Eduard Mahler, in: ZA 31, 1917/18, 170-189; Bruno Meissner, in: DLZ 29, 1908, 652; Samuel Oettli, in: Theol. Lit.bericht Nr. 9, 1905; Zu Monotheist. Strömungen von: Bruno Meissner, in: Berliner philolog. Wochenschr. Nr. 52, 1905; N.N., in: Die Bibel im Lichte des Alten Orients, in: AELKZ 38, 1905, 710-713, 730-734, 754-760; Hubert Grimme, in: Lit. Rundschau für das kath. Dtld., 1906, 443 f.; — Friedrich Giesebrecht, Friede für Babel und Bibel, Königsberg 1903, 1-15; — Paul Fiebig, Babel und das NT, Tübingen 1905 (SGV 42); — Adolphe Lods, Le Panbabylonisme de M. Jeremias, in: Revue de l'Histoire des Religions 54, 1906, 218-230; — V. Ermoni, Le Panbabylonisme, in: Revue des Idées 6, 1909, 339-366; — Simon Landersdorfer, Der Panbabylonismus und seine Bedeutung, in: HPBl 144, 1909, 25-44; — Franz Xaver Kugler, Auf den Trümmern des Panbabylonismus, 1909; — Ders., Im Bannkreis Babylons. Panbabylonist. Konstruktionen und religionsgesch. Tatsachen, Münster 1910; — Crawford H. Toy, Panbabylonianism, in: Harvard Theological Review 3, 1910, 47-84; — W. ten Boom, In Memoriam A. J., in: Saat auf Hoffnung 72, 1935, 11-13; — A. J., in: Central Verein Ztg. Bll. für Deutschtum und Judentum 14, Nr. 5, 1935; — A. J., in: Ev.-luth. Missionsblatt (Leipzig) 90, 1935, 79; — Friedrich Jeremias, Prof. Dr. A. J., in: Neues sächs.

Kirchenbl. 32, 1935, 107-109; — E. F. Weidner, A. J., in: AfO 10, 1935, 195 f. (Porträt); — Walter Baumgartner, a. J., in: ZA 43, 1936, 299-301; — Willy Staerck, in: Die Religionswissenschaft in Selbstdarstellungen 5, 178 f.; — Carl-Martin Edsman, Zum Sakralen Königtum in der Forschung der letzten hundert Jahre, in: La Regalità sacra, 1959, 3-17. 6 ff; — Kurt Rudolph, Die Religionsgesch. an der Leipziger Univ. und die Entwicklung der Religionswissenschaft, Berlin/DDR 1962, 103 ff.; — Helmut Weidmann, Die Patriarchen und ihre Religion im Licht der Forschung seit Julius Wellhausen, Göttingen 1968, 65-83; — Manfred Müller, Die Keilschriftwissenschaften an der Leipziger Univ. bis zur Vertreibung Landsbergers im Jahre 1935, in: Wissenschaftl. Zschr. der Karl-Marx-Univ. Leipzig 28, 1979, 67-86; — Reinhard G. Lehmann, Friedrich Delitzsch und der Babel-Bibel-Streit, Freiburg/Göttingen 1992 (OBO); — RGG III, 1912, 307; — Degener 1928; — Jüd. Lex. III, 1929, 184; — RGG ²III, 1929, 81 (W. Baumgartner); — Kürschner, GK 1931; — EJ (B) VIII, 1931, 1102; — DBVS IV, 1949, 448 f.; — Encyclopedia Judaica IX, 1971, 1364 (Z. Garber); — RLA V, 1980, 276 (D. O. Edzard).

Reinhard G. Lehmann

JEREMIAS *von Beinette*, eigentlich Graf Giuseppe Bernardo Cavalli, * 26.1. 1709 in Beinette (Piemont), † 23.7. 1774 in Turin. — In den meisten Wissenschaften ausgebildet, wirkte er als Lektor, Definitor, Generalkustos, in einigen Diözesen als prosynodaler Examinator und galt als ausgezeichneter Prediger; seit 1726 gehörte J. dem Kapuzinerorden der Minderbrüder (OFM Cap.) an.

Werke: Privilegiorum in persona S. Petri romano Pontifici collaforum Vindiciae, 6 Bde., 1756-1766 (über die Gewalt des Papstes und der Kirche); Chronologia et critica historiae sacrae et profanae ... pro apparatu ad lectionem sacrorum liborum, 6 Bde., 1766-68 (ein Hilfswerk zum Bibelstudium).

Lit.: Scrittori Capp. Piemontesi (Manuskript im General-Archiv der Kapuziner in Rom); — Sigismondo, Biografia Serafica, 818; — Hurter, Nomenclator, V, 125; — CathEnc II, 477; — LexCap, 794, 5; — LThK V, 895.

Monika Scholdei-Klie

JEREMIAS, Friedrich Johannes, evangelischer Theologe und Assyriologe, * 17.12. 1865 in Rochlitz, Bruder von Alfred J. (s.d.), verheiratet seit 1901 mit Hildegard geb. Friedlein, Pfarrerstochter aus Dresden, 3 Kinder. — Nach Besuch der Bürgerschule und (von 1877-1885) des Kreuzgymnasiums Dresden studierte J. 1885-1890 evangelische Theologie und orientalische Sprachen, insbesondere arabisch und assyrisch bei Friedrich Delitzsch (s.d.), der ihn zur Promotion über »Die Cultustafel von Sippar« anregte (1889/90). Nach dem 1. theologischen Examen (1890) war J. zunächst kurze Zeit Religionslehrer am Zwickauer Gymnasium, dann Hilfsgeistlicher in Leipzig, 1899 Pfarrer in Gottleuba, seit 1905 in Limbach (Sachsen); 1918 theologische Promotion mit »Der Gottesberg«. — J. hat sich in den 30er Jahren, anknüpfend an Eduard Sievers, vor allem in dem Versuch einer Schallanalyse neutestamentlichen Schrifttums hervorgetan (»Der apostolische Ursprung der vier Evangelien«) und den Nachweis zu führen versucht, daß in allen vier Evangelien die Stimmen etlicher Apostel und vor allem die des Johannes zu vernehmen seien, womit er den scharfen Widerspruch Hans Lietzmanns (s.d.) herausforderte.

Werke: Die Cultustafel von Sippar. Nach dem im Londoner Inschriftenwerke veröffentl. Texte (VR 60.61) umgeschrieben, übers. und erklärt, Diss. Leipzig o. J. [1890] = (s. 1-25), in: Beiträge zur Assyriologie 1, 1890, 268 292; 30 Tage im Orient, 1894; Handel und Wandel im alten Babylon, in: Wiss. Beil. zur Leipziger Ztg. 24. März 1896; Pilgertaufen im Jordan, in: Illustr. Ztg. (Leipzig) 1899, No 2906; Das AT im Lichte neuer Denkmäler, in: Wiss. Beil. zur Leipziger Ztg. No 116, 1900; Die Deutschen Ausgrabungen in Babylonien, in: Ebd. Nr. 88, 1900; Moses und Hammurabi, in: AELKZ 36, 1903, 200-202; Dass., Leipzig 1903; Zweite vermehrte und verb. Aufl. 1903; Altorientalisches im AT, in: Reformation Nr. 4, 1904; Was wollen und bringen die religonsgeschichtl. Volksbücher?, in: Reformation Nr. 16/17, 1905; Altorient. Recht, in: Wiss. Beil. zur Leipziger Ztg. Nr. 107, 1905; Die Regenbogenbibel, 1906; Wehr und Waffen im Streite um den Gottesglauben, Leipzig 1908; Wissen wir etwas Sicheres über Jesus? Im Zusammenhang des Christusmythen-Streites beantw., Leipzig 1912; Predigt zum 100j. Gedächtnis der Völkerschlacht bei Leipzig über Psalm 118,15-25, Limbach 1913; Frömmigkeit im Kriege. Beobachtungen aus einer Industriegemeinde mit ev. Bevölkerung, Leipzig/Hamburg 1915; Stille Nacht, Heilige Nacht. 5. Weihnachtsgruß an das kämpfende Dtld. daheim und draußen, Leipzig 1918; Der Gottesberg. Ein Beitrag zum Verständnis der bibl. Symbolsprache, Gütersloh 1919 (Kap. 4 und 5 der Inaugural-Diss. Kiel); Siebzig Konfirmandenstunden in Kurzgefaßten Entwürfen, Chemnitz 1926; Das Evangelium nach Markus, Chemnitz 1928; Ev. Lesebuch, Chemnitz 1929; Wie fröhlich bin ich aufgewacht. Fromme und fröhl. Geschichten für unsere Kleinen und ihre Hüter, Chemnitz 1929; Erlöser und Erlösung im Spätjudentum und Urchristentum, in: Dt. Theologie 2, 1929, 106 ff.; Lesebuch für den ev. Religionsunterricht, Chemnitz 1930; Einführung in das Verständnis der bibl. Symbolsprache, Chemnitz 1930; Das Evangelium nach Lukas, Chemnitz 1930; Das Evangelium nach Johannes. Eine urchristl. Erklärung für die Ggw., Chemnitz 1931; Das Evangelium nach Matthaeus. Eine urchristl. Erklärung für die Ggw., Leipzig 1932; Der apostol.

Ursprung der vier Evangelien. Mit einer kurzgefaßten Einleitung in die neueste Gesch. der Schallanalyse, Leipzig 1932; Das Evangelium des Diakonen Philippus, Herrnhut 1933; Schallanalyse und Bibelforschung, in: DtPfrBl 37, 1933, 63-65, 75 f., 91-93, 105-107; Die vier Stimmen im vierten Evangelium in den ursprüngl. Stilformen verdeutscht, mit einer kurzgefaßten Einführung in das Verständnis der Stimmenscheidung, Herrnhut i. Sa. 1934; In der Werkstätte des neutestamentl. Schrifttums. Eine rhythm.-statist. Unters. zugleich ein Befund über die Ergebnisse der Ed. Siever'schen Klangforschung, Leipzig 1936; Der Wir-Bericht in der Apostelgesch., Dresden 1938 (Studien des Bundes ev. Pfarrer im Dritten Reich/Land Sachsen) (= Sächs. Kirchenbl. 1938); Ein neuer Beitrag zum Rahmen der Gesch. Jesu im 4. Evangelium. Der Neujahrskalender im AT und NT, Dresden 1939 (Studien des Bundes ev. Pfarrer im Dritten Reich/Land Sachsen, 4); Wollt ihr auch weggehen? Die Christusfrage an das Kirchenvolk. Beantwortet aus dem Erleben von Gottes Wort und Luthers Lehre, Dresden 1939 (Handbücher des Bundes ev. Pfarrer im Dritten Reich/Land Sachsen, 5); Stil und Rhythmus der Sprache und ihre Bedeutung für die Quellenkunde des ältesten Evangeliums, hg. im Auftrag des Reichsbundes der dt. ev. Pfarrervereine von Ludwig Seiler, Essen 1942; Hrsg. von: Lesebuch für den ev. Religionsunterricht in Kirche, Schule und Haus, Chemnitz 1926; Christl. Bücherschatz (Bücherschau für das dt.-ev. Haus), Leipzig 1901-1924.

Lit.: Hans Lietzmann, Notizen, in: ZNW 31, 1932, 93 f.; — Glanz und Niedergang der dt. Universität. 50 Jahre dt. Wissenschaftsgesch. in Briefen an und von Hans Lietzmann, hrsg. Kurt Aland, Berlin 1979, 119 f., 728 f., 863; — Degener; — RGG [2]III, 1929, 81; — Kürschner, GK 1931.

Reinhard G. Lehmann

JEREMIAS, Joachim, Theologe, * 20.9. 1900 in Dresden, † 6.9. 1979 in Tübingen. — J. verbrachte große Teile seiner Jugend (1910-1915) in Jerusalem, wo sein Vater als Propst der evangelisch-lutherischen Gemeinde an der Erlöserkirche wirkte. Die genaue Kenntnis Palästinas hat seine spätere wissenschaftliche Arbeit stark geprägt. Das Studium der Theologie und der orientalischen Sprachen in Tübingen und Leipzig schloß er in den Jahren 1922 und 1923 mit den Promotionen zum Dr. phil. und zum Dr. theol. ab. 1922 wurde er Repetent am Theologischen Seminar der Brüdergemeine in Herrnhut, 1924 Dozent am Herder-Institut in Riga. Er habilitierte sich 1925 in Leipzig für das Fach Neues Testament und wurde 1928 außerordentlicher Professor und Direktor des Institutum Judaicum in Berlin, 1929 ordentlicher Professor zunächst in Greifswald und zuletzt von 1935 bis zu seiner Emeritierung 1968 in Göttingen. Er war Mit-glied der Bekennenden Kirche. Nach dem 2. Weltkrieg wurden ihm zahlreiche Ehrungen zuteil: Er wurde Ehrendoktor der Universitäten Leipzig, St. Andrews (Schottland), Uppsala und Oxford, erhielt die Burkitt-Medaille der Britischen Akademie London für Biblische Studien, wurde Mitglied der Akademie der Wissenschaften Göttingen, wo er seit 1956 den Vorsitz der Septuaginta-Kommission innehatte, sowie Mitglied der Königlich Niederländischen Akademie der Wissenschaften und der Britischen Akademie London. — Seine wissenschaftlichen Arbeiten berühren nahezu sämtliche Gebiete der neutestamentlichen Forschung bis hin zu Fragen der Archäologie und historischen Geographie. Seine besondere Liebe aber galt der Rekonstruktion der Verkündigung Jesu auf dem Hintergrund des zeitgenössischen Judentums, mit dem er wie wenige Wissenschaftler seiner Zeit eng vertraut war und dessen Sprache er kompetent beherrschte. Seine Hauptwerke — »Jerusalem zur Zeit Jesu«, »Die Gleichnisse Jesu«, »Die Abendmahlsworte Jesu«, »Neutestamentliche Theologie. 1. Teil. Die Verkündigung Jesu« — wurden in zahlreiche europäische Sprachen (aber auch ins Japanische, Koreanische und Chinesische) übersetzt und erlangten ökumenische Bedeutung.

Werke: Jerusalem zur Zeit Jesu, 4 Tle., 1923, 1924, 1929, 1937 (1962[3]; auch engl., frz., ital., span.); Golgotha, 1925; Jesus als Weltvollender, 1930; Die Passahfeier der Samaritaner und ihre Bedeutung für das Verständnis der atl. Passahüberlieferung, 1932; Die Briefe an Timotheus und Titus, 1934 (1985[12]; ital., japan., span.); Die Abendmahlsworte Jesu, 1935 (1967[4]; engl. , frz., ital., japan.); Hat die älteste Christenheit die Kindertaufe geübt?, 1938 (1949[2]); Die Gleichnisse Jesu, 1947 (1984[10]; als Taschenb. 1965, 1988[10]; dän., engl., frz., holl., ital., japan., korean., portug., schwed., span., tschech.); Unbekannte Jesusworte, 1948 (1963[3]; Taschenb. 1980; engl., frz., ital., portug., schwed., span.); Die Wiederentdeckung von Bethesda, 1949 (engl.); Jesu Verheißung für die Völker, 1956 (1959[2]; engl., frz., ital., span.); zus. mit W. Zimmerli: The Servant of God, 1957 (Übers. von ThW V, 1954, 676-713); Die Kindertaufe in den ersten vier Jh.n, 1958 (engl., frz., schwed.); Das Problem des hist. Jesus, 1960 (1969[6]; zahlr. Übers.); Heiligengräber in Jesu Umwelt, 1958; Die Bergpredigt, 1959 (1970[7]; zahlr. Übers.); Das Vater-Unser im Lichte der neueren Forschung, 1962 (1967[4]; zahlr. Übers.); Nochmals: Die Anfänge der Kindertaufe. Eine Replik auf Kurt Alands Schrift: »Die Säuglingstaufe im NT und in der Alten Kirche«, 1962 (engl., frz., schwed.); Die theol. Bedeutung der Funde am Toten Meer, 1962 (1962[2]; zahlr. Übers.); Der Opfertod Jesu Christi, 1963 (1966[2]; zahlr. Übers.); The Central Message of the New Testament, 1965 (frz., ital., japan., poln., portug., span.); Der Prolog des Johannesevangeliums, 1967 (Übers.); Die Botschaft Jesu vom Vater, 1968 (Übers.); Neutestamentl. Theologie. 1. Teil. Die Verkündigung Jesu, 1970 (1988[4]; chines., engl., frz., ital., japan., katal., korean., portug., span.); Der Schlüssel zur Theologie des Apostels Paulus, 1971 (Übers.); »Das ist mein Leib...«, 1972 (Übers.); Die Sprache des Lukasevangeliums. Redaktion und Tradition im Nicht-Markusstoff des dritten Evangeliums, 1980. — Aufs. in: Abba. Studien zur neutestamentl. Theologie und Zeitgesch., 1966 (Auszüge in: engl. — »The Prayer of Jesus« —, frz., ital., span.); 5 ältere kl. Schrr. in: Jesus und seine Botschaft, 1976 (1982[2]; Übers.).

Lit.: M. Black, Theologians of Our Time. II. J. J., ET 74, 1962/1963, 115-119; — W. Eltester (Hg.), Judentum, Urchristentum, Kirche. Festschr. für J. J., 1960 (Bibliogr. und wissenschaftl. Würdigung in der 2. ergänzten und erweiterten Aufl. 1964); — E. Lohse/C. Burchard/B. Schaller (Hg.), Der Ruf Jesu und die Antwort der Gemeinde. Festschr. für J. J., 1970 (Bibliogr.); — R. J. Braus, Jesus as Founder of the Church according to J. J., Diss. Rom 1970; — M. Hengel, J. J., in: ZDPV 94, 1978, 89-92; — E. Lohse, J. J. in memoriam, in: ZNW 70, 1979, 139 f.; — Ders., Nachruf auf J. J., in: Jb. der Akad. der Wiss. z. Göttingen 1979, 49-54; — J. N. Bakhuizen van den Brink, J. J., in: Jaarboek van de Koninklije Nederlandse Akademie van Wetenschappen 1979, 1-5; — B. Corsani, Il regno di Dio nel pensiero di J. J., in: Protestantesimo 35, 1980, 13-31; — C. Colpe, J. J. zum Gedächtnis, in: ZDPV 96, 1980, 88 f.; — S. Nanakos, J.J., in: Gregorios Palamas 63, 1980, 53-56.

Jörg Jeremias

JEREMIAS II., Patriarch von Konstantinopel, * 1530 oder 1535 in Anchialos als Sohn der bedeutenden Familie Tranos, † 1595. — Um nicht die staatlichen türkischen Schulen besuchen zu müssen, wurde J. in Privatschulen griechisch unterrichtet. Er begann seine Laufbahn 1564 als Metropolit von Larissa, wo er durch seine Organisationsfähigkeiten hervorstach. 1572 wurde J. ungewöhnlich jung Patriarch von Konstantinopel; infolge der ottomanischen Politik, Patriarchen nur begrenzte Zeit im Amt zu dulden, wurde er 1579 abgesetzt. Wegen seiner Beliebtheit erhielt er das Amt aber bereits 1580 zurück, aus dem er 1584 ein zweites Mal vertrieben wurde. 1586 zum drittenmal eingesetzt, konnte er sein Amt dann bis zu seinem Tod 1595 führen. Während seiner Amtszeit gelang es J., das kirchliche und kulturelle Niveau entscheidend zu heben. Er bekämpfte die Simonie, trat für die Reform des Mönchtums ein, sorgte für eine bessere Ausbildung des Klerus und setzte durch Visitationen eine strenge Kirchenführung durch. In den orthodoxen Gottesdienst nahm er die Predigt als festen Bestandteil auf. Bei seinen Reformen wurde er durch die besten Theologen seiner Zeit, u. a. durch Maximos Margunios, Gabriel Severus und Meletios Pegas unterstützt. Unter J. versuchten die Tübinger Theologen J. Andeä, J. Heerbrand und M. Crusius, durch die lutherischen Gesandtschaftsprediger St. Gerlach und S. Schweigger die griechische Kirche zur Übernahme des Luthertums zu bewegen. J. antwortete den Lutheranern in drei theologischen Schreiben, die neben dem Glaubensbekenntnis des Patriarchen Gennadios Scholarios von 1454, auf das sich J. stützt, als die ersten Bekenntnisschriften der orthodoxen Kirche bezeichnet wurden. Besonders im 2. und 3. Brief von 1579 und 1581 hebt J. die Unterschiede zwischen der orthodoxen Kirche und dem Luthertum hervor und erteilt der lutherischen Bewertung der Bibel und der Verachtung der Kirchenväter eine Absage, ohne damit die freundschaftlichen Beziehungen abzulehnen. 1588/89 unternahm J. eine Reise nach Rußland, auf der er der Errichtung des Patriarchats Moskau zustimmte, die für die osteuropäische Geschichte von größter Bedeutung war. Die Bemühungen Papst Gregors XIII., J. zur Übernahme seines neuen Kalenders zu bewegen, scheiterten. — J. war um freundschaftliche Beziehungen zwischen den verschiedenen Konfessionen bemüht, ohne dabei von den Grundlagen des orthodoxen Glaubens auch nur ansatzweise abzutreten. Sein Ziel war die Selbständigkeit seiner Kirche nach innen und außen.

Werke: Censura Orientalis Ecclesiae: De principiis nostri seculi haereticorum dogmatibus; Hieremiae Constantinopolitani Patriarchae, iudicii et mutuae communionis caussa, ab Orthodoxae doctrinae adversariis, non ita pridem oblatis, ed. S. Sokolowski, 1582; Neu hrsg. v. J. N. Karmiris, Ta Dogmata kai Symbolika tes Orthodoxou Katholikes Ekklesias, Bd. 1, 1960[2], Bd. 2, 1953; Der gesamte Briefwechsel ist ed. in: Acta et scripta Theologorum Wirtembergensium et Patriarchae Constantinopolitani, D. Hieremiae, 1584, neu hrsg. in: Wort und Mysterium, der Briefwechsel über Glauben u. Kirche 1573-1581, 1958.

Lit.: K. Sathas, Σχεδίασμα über das Leben des J., 1870; — N. Kapterev, The Character of Russian Relations with the Orthodox East in the 16th and 17th Centuries, (russ.) 1885; — Ph. Meyer, Die theol. Literatur der griech. Kirche im 16. Jh., 1899; — C. G. Papadopoulos, Les Privilèges du Patriarcat oecuménique dans l'Empire Ottoman, 1924; — G. Hoffmann, Griech. Patriarchen und Römische Päpste, in: OrChr

XIII, 47; XV, 52; XIX, 63; XX, 64; XXV, 76; XXX, 84; XXXVI, 97, 1928-34; — Ders., Patriarchen von Konstantinopel, in: OrChr XXXII, 89, 1933; — C. R. A. Georgi, Das erste Gespräch zwischen Protestantismus und Ostkirche, 1939; — W. Engels, Tübingen und Byzanz, in: Kyrios 5, H. 3/4, 1940/41; — G. E. Zachariades, Tübingen und Konstantinopel, 1941; — Ernst Benz, Wittenberg und Byzanz, 1949; — Ders., Die Ostkirche im Licht der Protestantischen Gesch.schreibung, 1952; — A. M. Ammann, Abriß der ostslawischen Kirchengesch., 1950; — G. Florovsky, An Early Ecumenical Correspondence, 1950; — W. K. Medlin, Moscow and East Rome, 1952; — T. H. Papadopoulos, Studies and Documents relating to the History of the Greek Church and People under Turkish Domination, 1952; — A. Hadjimichali, Aspects de l'organisation èconomique des Grecs dans l'Empire Ottoman, 1953; — D. Vaughan, Europe and the Turks, 1350-1700, 1954; — A. D. Alderson, The Structure of the Ottoman Dynasty, 1965; — T. Ware, The Orthodox Church, 1963; — Steven Runciman, The Great Church in Captivity. A Study of the Patriachate of Constantinople from the eve of the turkish Conquest to the Greek war of Independence, 1968; — George A. Maloney, A History of orthodox Theology since 1453, 1976; — Dorothea Wendebourg, Standen polit. Motive hinter dem Briefwechsel zwischen der Tübinger Theol. Fakultät und Patr. J.?, in: Jb. der österr. Byzantinistik, 32,6, 1982, 125-133; — RE VIII, 660-662; — RGG III, 590-591; — LThK V, 895-896; — The Encyclopedia of Religion VIII, 6-7.

Heike Mierau

JEROBEAM I. (926-907 vor Christus, nach anderer Zählung 931-910), erster König des Nordreiches (NR) Israel, Efraimit aus Zereda, Sohn des Nebat und der Zerua (1 Kön 11,26). — J. wird von Salomo zum Aufseher über die Fronarbeiter des Hauses Josef bestellt, die am Ausbau Jerusalems tätig sind. Eine von Salomo niedergeschlagene Erhebung J.s zwingt diesen zur Flucht zu Pharao Schoschenk I. (biblisch Schischak: 945-924, Begründer der 22. Dynastie). Die Hintergründe dieser Erhebung bleiben zunächst dunkel. Die in 1 Kön 11,29-39 berichtete Begegnung J.s mit dem Propheten Ahija von Schilo, in der ihm der Prophet durch eine Zeichenhandlung die Herrschaft über die Nordstämme verheißt (ihn allerdings nicht zum König salbt; vgl. dagegen Saul: 1 Sam 9,15-10,1; David: 1 Sam 16,1-13; Jehu: 2 Kön 9,1-10) kommt als Grund des Aufstandes kaum in Frage. Diese deuteronomistische (dtr) Prophetenlegende will die theologische Rechtfertigung für den Aufstand und das Königtum des J. liefern, darüber hinaus vielleicht aber auch eine Begründung dafür, warum der Umsturzversuch des J.

unter Salomo scheitern mußte. Aufschlüsse über die wahren Hintergründe des Aufstandes können aus 1 Kön 12 gewonnem werden: Nach Salomos Tod tritt sein Sohn Rehabeam in Juda scheinbar unbestritten das Erbe seines Vaters an. Im Norden ist sein Königtum hingegen von der Akzeptanz der Stämmeversammlung abhängig, die Bedingungen hinsichtlich einer Ermäßigung der von Salomo auferlegten Leistungen und Abgaben (vgl. 1 Kön 4f. 9,15-23) fordert. Die Position J.s als Fronaufseher könnte ein Hinweis dafür sein, daß eine schon zu Lebzeiten Salomos aufkommende Unzufriedenheit über die Fron sowie die ohnedies latent vorhandenen separationistischen Tendenzen im Norden zum Aufstand führten. Die Ablehnung der Forderungen durch Rehabeam veranlassen den Norden, dem Davididen die Gefolgschaft aufzukündigen. Den endgültigen Bruch zwischen Rehabeam und dem Norden markiert die Steinigung seines Fronaufsehers Adoniram (1 Kön 12,18). J., aus dem Exil zurückgekehrt, wird im Anschluß an dieses Ereignis von der Stämmeversammlung zum König über Israel (d. i. im folgenden die Bezeichnung für den Norden) gekrönt. J. ließ sich zunächst in Sichem nieder, verlegte seine Residenz jedoch später nach Penuel im Ostjordanland. Vielleicht änderte schon er (vgl. 1 Kön 14,17) ein weiteres Mal seinen Standort und zog in die Residenzstadt Tirza, in der auch seine Nachfolger bis Omri regieren. Der mehrfache Wechsel der Hauptstadt könnte strategische Gründe haben. Er wird mit dem Raubzug des Pharao Schoschenk im Jahre 926 durch Palästina in Verbindung gebracht (vgl. 1 Kön 14,25f., 2 Chr 12,1-13). Die Texte lassen zwar nur auf Tributzahlungen Rehabeams schließen, mit denen er Hauptstadt und Herrschaft erhalten konnte, die Siegesstele Schoschenks am Amun-Tempel in Karnak erwähnt jedoch auch die Eroberung von israelitischen Städten. — J. und seine Nachfolger standen laut 1 Kön 14,30; 15,7.16; 2 Chr 12,15 in andauernden kriegerischen Auseinandersetzungen in Form von Grenzstreitigkeiten um Gebiete des Stammes Benjamin, der zumindest teilweise zum Süden gehörte (1 Kön 12,21.23). Rehabeam hat allerdings entgegen der anderslautenden Notiz aus 1 Kön 12,21-24 kaum versucht, den Norden wieder unter seine Gewalt zu bringen. Der Text liefert vielmehr die theologische Erklärung dafür, warum er in dieser Hinsicht nichts unternommen hat. Die dtr Redaktoren der Königsbücher zeichnen J. vor allem wegen seiner religionspolitischen Maßnahmen in schlechtem Licht. J. hatte in seinem Reich zwei alte Kultzentren, Bet-El im Süden und Dan im Norden, durch die Aufstellung zweier Stierbilder reaktiviert bzw. die bestehenden Lokaltraditionen fortgesetzt um die Bindung seiner Untertanen an den Kult in Jerusalem und damit auch an das davidische Königshaus zu unterbrechen (so 1 Kön 12,26f.). Davon abgesehen ist die Maßnahme J.s aus der durchaus üblichen engen Verbindung zwischen Königshof und Heiligtum, zwischen Staat und Religion, zu erklären, die ein Staatsheiligtum (vgl. Am 7,13) im Staatsgebiet unbedingt erforderlich machte. Dies um so mehr, als die Bevölkerung des Staates zu nicht unbeträchtlichen Teilen aus den Nachkommen der ehemals selbständigen Stadtstaaten, aus Nichtisraeliten also, bestand. Es ist noch immer umstritten, ob diese Stierbilder den kanaanäischen Gott El darstellen sollten, mit dem Jahwe mehr oder weniger identifiziert wurde - in diesem Falle würde es sich um eine nach späteren dtr Kriterien unzulässige Abbildung Jahwes handeln. Alternativ dazu wird die Ansicht vertreten, die Stiere seien als Thron oder Fußschemel des unsichtbaren Jahwe gedacht. Ferner habe J. Höhenheiligthümer eingerichtet, nichtlevitische Priester eingesetzt und den Termin des Herbstfestes verlegt. Die Prophetenlegende vom anonymen, ungehorsamen Gottesmann (1 Kön 13) ist nur sehr oberflächlich und erst sekundär mit J. (1 Kön 13,1.33f) verbunden worden. In einer weiteren Prophetenlegende, die in der Person des Ahija von Schilo an 11,29-39 anknüpft, wird zunächst J. und seiner Familie der Untergang angesagt: J.s Sohn Nadab, der ihm auf den Thron folgt, wird bereits im zweiten Regierungsjahr gestürzt, die Familie ausgerottet (1 Kön 14,10f.14; 15,25-30). Darüber hinaus kündigt der Prophet das Ende des NR an (14,15f) und begründet dies programmatisch mit den »Sünden J.s«. — Abschließend ist darauf hinzuweisen, daß die Septuaginta an einigen Stellen nicht unwesentlich vom hebräischen Text abweicht. Darauf beziehen sich einige der unten genannten Beiträge. J. wird von den dtr Redaktoren einseitig und zu Unrecht für die Reichstrennung verantwortlich gemacht. Man wird ihm vielmehr nur eine gewisse Rolle bei der Wiederherstellung vordavidischer Verhältnisse zuschreiben können. Die Verbindung zwischen Nord und Süd war keine natürlich gewachsene und von daher von Anfang an spannungsgeladen und brüchig. Seine religiöse Beurteilung erfolgt vor dem Hintergrund der idealisierten Kultzentralisation in Jerusalem, welche in der Zeit J.s noch längst nicht die Geltung besaß, die ihr später die Deuteronomisten zuschreiben.

Lit.: T. K. Cheyne, J., in: EB(C) 2, 1901, 2404-2406; — L. Malten, Der Stier im Kult und mythischen Bild, in: JdI 43, 1928/29, 90 ff.; — Otto Eißfeldt, Der Gott Bethel (1930), in: Kleine Schr. I, 1962, 206-233; — Ders., Lade und Stierbild (1940/41), in: Kleine Schr. II, 1963, 282-305; — Julian Morgenstern, The Festival of J., in: HUCA 17/18, (1937/38), 20-34; — Ders., The Festival of J., in: JBL 83, 1964, 109-118; — Roland De Vaux, Le schisme religieux de J. Ier, in: Biblica et Orientalia, Mélanges J. M. Vosté 1943, 77-91; — Ders., Tirzah, in: D. W. Thomas (Hrsg.), Archaeology and Old Testament Study, 1967, 371-383; — Milos Bic, Bet'elle sanctuaire du Roi, in: ArOr 17, 1949, 46-63; — Albrecht Alt, Das Königtum in den Reichen Israel und Juda (1951), in: Kleine Schr. II, 1964³, 116-134; — Ders., Der Stadtstaat Samaria (1954), in: Kleine Schr. III, 1968², 258-302; — S. B. Gurewicz, When did the Cult associated with the »Golden Calves« fully develop in the Northern Kingdom?, in: ABR 3, 1953, 41-44; — John A. Thompson, The »Golden Calves« of J., in: ABR 4, 1954/55, 79-84; — Claus Schedl, Tirzah, die alte Hauptstadt Israels, in: BiLi 24, 1956/57, 168-172; — Benjamin Mazar, The Campaign of Pharao Shishak to Palestine, in: VT.S 4, 1957, 57-66; — Ders., The Divided Kingdom (hebr.), in: J. Rappel (Hrsg.), History of Eretz-Israel, 1979, 179-206; — Shemaryahu Talmon, Divergences in Calendar-Reckoning in Ephraim and Judah, in: VT 8, 1958, 48-74; — Ders., The Cult and Calendar Reform of J., in: Ders., King, Cult, Calendar in Ancient Israel. Collected Studies 1968, 113-139; — Georg Fohrer, Der Vertrag zwischen König und Volk in Israel, in: ZAW 71, 1959, 1-22; — André Marie Dubarle, Le jugement des auteurs bibliques sur le Schisme de J., in: EE 34, 1960, 577-594; — Ders., Biblical Authors on J.'s Schism, in: ThD 12, 1964, 153-158; — André Caquot, Ahiyya de Silo et J. Ier, in: Sem. 11, 1961, 17-27; — Manfred Weippert, Gott und Stier, in: ZDPV 77, 1961, 93-117; — L. Vestri, Pietre di altare sull' »alto luogo« di Betel. L'altare di Geroboamo?, in: BibOr 4, 1962, 53-56; — Ders., Ancora sull' altare di Geroboamo a Betel, in: BibOr 7, 1965, 28-31; — J. de Fraine, Le schisme de Sichem, in: BTS 44, 1962, 4-5; — Abraham Malamat, Kingship and Council in Israel and Sumer. A Parallel, in: JNES 22, 1963, 247-253; — Ders., Organs of Statecraft in the Israelite Monarchy (1964), in: BA 28, 1965, 34-65; — Ders., Rehoboam and the Division of the Kingdom of Israel (hebr.), 1973; — Siegfried Herrmann, Operationen Pharao Schoschenks I. im östlichen Ephraim, in: ZDPV 80, 1964, 54-79; — Echegaray J. Gonzáles, J. I/II, in: EncBib 4, 1965, 320-351, 447-450; — J. H. Grønbaek, Benjamin und Juda. Erwägungen zu 1 Kön

12,21-24, in: VT 15, 1965, 421-436; — I. Plein, Erwägungen zur Überlieferung von I Reg 11,26-14, 20, in: ZAW 78, 1966, 8-24; — Juan Alberto Soggin, Der offiziell geförderte Synkretismus in Israel während des 10. Jh.s, in: ZAW 78, 1966, 179-204; — Ders., Der Beitrag des Königtums zur israelit. Religion, in: VT.S 23, 1972, 9-26; — Horst Seebass, Zur Königserhebung J.s, in: VT 17, 1967, 325-333; — Ders., Die Verwerfung J.s und Salomos durch die Prophetie des Ahia von Silo, in: WO 4, 1968, 163-182; — Ders., Tradition und Interpretation bei Jehu ben Chanani und Ahia von Silo, in: VT 25, 1975, 175-190; — Ders., Zur Teilung der Herrschaft Salomos nach I Reg 11,29-39, in: ZAW 88, 1976, 363-376; — Jörg Debus, Die Sünde J.s, 1967; — Moses Aberbach - Leivy Smolar, Aaron, J. and the Golden Calves, in: JBL 86, 1967, 129-140; — Dies., The Golden Calf Episode in Postbiblical Literature, in: HUCA 39, 1968, 91-116; — Dies., J. and Salomon, Rabbinic Interpretations, in: JQR 59, 1968/69, 118-132; — Dies., J.'s Rise to Power, in: JBL 88, 1969, 69-72; — Eva Danelius, The Sins of J. ben Nabat, in: JQR 57-58, 1967, 95-114; 1968, 204-223; — David Willoughby Gooding, The Septuagint's Rival Versions of J.'s Rise to Power, in: VT 17, 1967, 173-189; — Ders., J.'s Rise to Power: A Rejoinder, in: JBL 91, 1972, 529-533; — C. F. Pfeiffer, The Divided Kingdom, 1967; — Jan Dus, Die Stierbilder von Bethel und Dan und das Problem der »Moseschar«, in: AION 18, 1968, 105-137; — J. J. Coutts, Prophets and Kings of Israel, 1969; — Henry Bruston, La signification spirituelle du schisme entre Juda et Israel au temps de Salomon, in: FV 69, 1970, 3-9; — Herbert Donner, Herrschergestalten in Israel, 1970; — Ralph W. Klein, »J.'s Rise to Power«, in: JBL 89, 1970, 217-218; — Ders., Once More: »J.'s Rise to Power«, in: JBL 92, 1973, 582-584; — Ders., Abijah's Campaign Against the North (II Chr 13) - What Were the Chronicler's Sources?, in: ZAW 95, 1983, 210-217; — Anson F. Rainey, Compulsory Labour Gangs in Ancient Israel, in: IEJ 20, 1970, 191-202; — Lloyd R. Bailey, The Golden Calf, in: HUCA 42, 1971, 97-115; — Alfred Jepsen, Gottesmann und Prophet. Anmerkungen zum Kapitel 1 Kön 13, in: Fs. G. v. Rad, 1971, 171-182; — Norbert Lohfink, Die Einheit von Israel und Juda, in: US 26, 1971, 154-164; — Johann J. Stamm, Zwei alttestamentl. Königsnamen (1971), in: Fs. J. J. Stamm, 1980, 137-146; — B. Z.- Luria, There have been mighty Kings also over Jerusalem (hebr.), in: BetM 18, 1972/73, 176-182, 282; — R. A. Street Jr., The Calf: A Cultic Symbol of Jahwism (Diss. Michigan), 1973; — Ernst Würthwein, Die Erzählungen vom Gottesmann aus Juda in Bethel. Zur Komposition von 1 Kön 13, in: Fs. K. Elliger, 1973, 181-190; — Nigel Allan, J. and Shechem, in: VT 24, 1974, 353-357; — Baruch Halpern, Sectionalism and the Schism, in: JBL 93, 1974, 519-532; — Ders., Levitic Participation in the Reform Cult of J., in: JBL 95, 1976, 31-42; — Edward Lipinski, Le récit de 1 Rois XII, 1-19, in: VT 24, 1974, 430-437; — Walter Zimmerli, Das Bilderverbot in der Gesch. des alten Israel. Goldenes Kalb, eherne Schlange, Mazzeben und Lade, in: Ders., Studien zur alttestamentl. Theologie und Prophetie, 1974, 247-260; — W. J. Dumbrell, The Role of Bethel in the Biblical Narratives from Jacob to J., in: AJBA 2, 1974/75, 65-76; — Robert P. Gordon, The Second Septuagint Account of J.: History or Midrash?, in: VT 25, 1975, 368-393; — H. Motzki, Ein Beitrag zum Problem des Stierkultes in der Religionsgesch. Israels, in: VT 25, 1975, 470-485; — Robert North,

J.'s Tragic Social-Justice Epic, in: Fs. J. Prado, 1975, 191-214; — Ders., Social Dynamics from Saul to Jehu, in: BTB 12, 1982, 109-119; — J. M. Grintz, The First Reform in Israel (hebr.), in: Zion 41, 1976, 109-126; — Israel Yeivin, Rehabeam (2 Reg 11,26-14,31; 2 Chron 9,31-12,15) (hebr.), in: EnsMikr 7, 1976, 347-352; — T. Brzegowy, Nielewickie Kapłanstwo Królestwa Izraela (Das nicht-levit. Priestertum im Königreich Israel), in: RBL 30, 1977, 227-237; — J. L. Marshall, The Golden Calf in Exodus 32, in: ET 89, 1977 f., 375; — Walter Dietrich, Israel und Kanaan. Vom Ringen zweier Gesellschaftssysteme, 1979, bes. 52-59; — Alberto R. Green, Israelite Influence at Shishak's Court?, in: BASOR 233, 1979, 59-62; — Walter Vogels, Les prophètes et la division du royaume, in: SR 8, 1979, 15-26; — S. Yeivin, The Divided Kingdom: Rehoboam-Ahaz/J.-Pekah, in: The World History of the Jewish People IV/1: The Age of the Monarchies: Political History, 1979, 126-179, 330-340; — Julio Trebolle Barrera, J. y la Asamblea de Siquén, in: EstB 38, 1979/80, 189-220; — Joachim Hahn, Das »Goldene Kalb«. Die Jahwe-Verehrung bei Stierbildern in der Gesch. Israels: EHS.T 154, 1981; — Christoph Dohmen, Das Heiligtum von Dan. Aspekte religionsgeschichtl. Darst. im deuteronomist. Geschichtswerk, in: Bibl. Notizen 17, 1982, 17-22; — Ders., Das Bilderverbot. Seine Entstehung und seine Entwicklung im AT, 1985; — Carl D. Evans, Naram-Sin and J.: The Archetypal Unheilsherrscher in Messopotamian and Biblical Historiography, in: W. W. Hallo (Hrsg.), Scripture in Context II, 1983, 97-125; — Jürgen Kegler, Arbeitsorganisation und Arbeitskampfformen im AT, in: L. u. W. Schottroff (Hrsg.), Mitarbeiter der Schöpfung, 1983, 51-71; — J. P. J. Olivier, In Search of a Capital for the Northern Kingdom, in: JNWSL 11, 1983, 113-132; — Helga Weippert, Die Ätiologie des Nordreiches und seines Königshauses (1 Reg 11,29-40), in: ZAW 95, 1983, 344-375; — Wayne A. Brindle, The Causes of the Division of Israel's Kingdom, in: BS 141/563, 1984, 223-233; — Robert Cohn, Literary technique in the J. narrative, in: ZAW 97, 1985, 23-35; — Hermann Michael Niemann, Die Daniten. Studien zur Gesch. eines altisraelit. Stammes, 1985; — Howard N. Walace, Oracles against the Israelite Dynastie in 1 and 2 Kings, in: Bib. 67, 1986, 21-40, — Walter Dietrich, Das harte Joch (1 Kön 12,4). Fronarbeit in der Salomo-Überlieferung, in: Bibl. Notizen Nr. 34. 1986, 7-16; — Theodore E. Mullen Jr., The Sins of Jeroboam: A Redactional Assessment, in: CBQ 49, 1987, 212-232; — Steven L. Mc Kenzie, The Source of Jeroboam's Role at Shechem (1 Kgs 11:43-12:3; 12:20), in: JBL 106, 1987, 297-300; — John Holder, The Presuppositions, Accusations, and Threats of 1 Kings 14:1-18, in: JBL 107, 1988, 27-38; — Peter Calvocoressi, Who's who in der Bibel, München 1990, 121f; — PRE ³VIII, 662-665; — RGG ²III, 81 f.; — RGG ³III, 591 f.; — LThK V, 313; — LThK ²V, 898; — BL, 789 f.; — BL², 819 f.; — Rienecker, Lex. zur Bibel, 1961³, 680, — Bibl. Hist. Handwörterbuch, 1964, II, 819 f.; — Die Bibel und ihre Welt, 1969, I, 700-705; — Lex. der bibl. Eigennamen, 1981, 167; — The Interpreters Dictionary of the Bible, 1982¹³, II, 840-842; — TRE XVI, 588f.

Klaus Dorn

JEROBEAM II., 787-747 (782-747 oder auch 784-753), König von Israel aus der Dynastie des

Usurpators Jehu, folgt seinem Vater Joasch von Israel auf den Thron. Er regiert die außergewöhnlich lange Zeit von 41 Jahren in der Hauptstadt Samaria (2 Kön 14,23). — Obwohl er, wie schon die Mehrzahl seiner Vorgänger, von den Verfassern der Königsbücher grundsätzlich negativ gezeichnet wird, weil er an den »Sünden Jerobeams (I.)« festhielt, kommen sie nicht umhin, die militärischen Erfolge J.s zu erwähnen. Demnach muß es ihm gelungen sein, die Expansionspolitik seines Vaters vor allem gegenüber den Aramäern nach deren Schwächung durch einen Assyrereinfall im Jahre 800 erfolgreich fortzusetzen. Diese hatten noch wenige Jahre zuvor unter Jehu und dessen Sohn Joahas das ganze Ostjordanland verwüstet. Die dabei verlorengegangenen Gebiete eroberten Joasch und J. gemäß einer Prophetie (vgl. 2 Kön 14,25) wieder zurück. Der betreffende Prophetenspruch des Jona, Sohn des Amittais, dem das wesentlich später verfaßte Buch Jona zugeschrieben wird, ist allerdings nirgends überliefert. Indirekte Aussagen über J. sind dem Propheten Amos zu entnehmen, der während der Regierungszeit des J. in Bet-El auftritt. Er wird wegen seiner Kritik auf Geheiß J.s des Landes verwiesen (Am 7,10-17). Amos beschreibt diese Epoche als eine Zeit der Blüte, des Reichtums und des Luxus (Am 3,12; 6,4-6), mit florierendem Handel (Am 8,4-6) und reger Bautätigkeit (Am 3,15; 5,11b; 6,8b), von der allerdings primär die reiche Stadtbevölkerung profitiert. Die einfache Landbevölkerung indes verarmt und gerät zusehends in Abhängigkeit. In Am 6,13f finden die militärischen Erfolge in einer kurzen Notiz ihren Niederschlag. Unter J. erreicht das NR, begünstigt durch eine zeitweilige Schwäche seiner Nachbarn und der Großmacht Assur, seine letzte Blüte. Ihm folgt sein Sohn Secharja auf den Thron. Dieser wird allerdings schon nach 6 Monaten von einem Usurpator ermordet. Damit beginnt der Niedergang des NR.

Lit.: Martin Noth, Das Krongut der israelit. Könige und seine Verwaltung (1927), in: Aufsätze zur bibl. Landes- und Altertumskunde I, 1971, 159-182; — Ders., Die Welt des AT.s, 1962⁴, bes. 90 ff.; — Albrecht Alt, Die syr. Staatenwelt vor dem Einbruch der Assyrer, in: ZDMG 88, 1934, 233-258; — Alfred Jepsen, Israel und Damaskus, in: AfO 14, 1941-1944, 153-172; — Jacques Maigret, Amos et le sanctuaire de Betel, in: BTS 47, 1962, 5-6; — A. Parrot, Samaria, die Hauptstadt des Reiches Israel, in: BiAr 3, 1957, bes. 57-61; — B. Z.

Dinur, J. ben Joasch, König von Israel und sein Herrschaftsbereich (hebr.), in: BetM 9, 1964, 3-24; — Echegaray J. Gonzáles, J. I/II, in: EncBib 4, 1965, 350-351, 447-450; — J. A. Gutiérrez Larraya, Ezequias, Jehú, Omri, Roboam, in: EncBib 3, 1964, 397-404; 4, 1965, 315 ff.; 5, 1965, 630 ff.; 6, 1965, 245 ff.; — Simon Cohen, The Political Background of the Words of Amos, in: HUCA 36, 1965, 153-160; — Menahem Haran, The Rise and Decline of the Empire of J. ben Joash (hebr. 1966), in: VT 17, 1967, 266-297; — B. Oded, The Political Status of Israelite Transjordan during the Period of the Monarchy (Diss. Jerusalem), 1968 (Rez.: G. Fohrer, ZAW 81, 1969); — Hans Walter Wolff, Die Stunde des Amos. Prophetie und Protest (1969), 1986⁶, bes. 11-67, — Frank Crüsemann, Kritik an Amos im deuteronomistischen Geschichtswerk. Erwägungen zu 2 Könige 14, 27, in: Fs. G. v. Rad, 1971, 57-63; — S. Yeivin, To Judah in Israel (zu 2 Kön 14, 28) (hebr.), in: ErIs 10, 1971, 150 f.; — Marlene Fendler, Zur Sozialkritik des Amos, in: EvTh 33, 1973, 32-53; — D. Nichols, The Ancient Near East 853-745 B. C., in: JETS 18, 1975, 243-253; — J. Briend, J., Sauveur d'Israel, in: Mélanges bibliques et orientaux en l'honneur de M. H. Cazelles, 1981; — Gerhard Pfeifer, Die Ausweisung eines lästigen Ausländers: Amos 7,10-17, in: ZAW 96, 1984, 112-118; — RGG ²III, 82; — RGG ³III, 592 f.; — LThK V, 313; — LThK ²V, 898 f.; — BL, 790; — BL², 820; — Rienecker, Lexikon zur Bibel, 1961³, 680 f.; — Bibl.-Hist. Handwörterbuch II, 1964, 820; — Die Bibel und ihre Welt I, 1969, 715 f.; — Lexikon der bibl. Eigennamen, 1981, 168; — The Interpreters Dictionary of the Bible, 1982¹³, 842; — TRE XVI, 589f.

Klaus Dorn

JERON siehe Hieron

JERUSALEM, Johann Friedrich Wilhelm, wichtiger Vertreter der Neologie innerhalb der deutschen Aufklärungstheologie und berühmter Hofprediger wie Kirchenmann in Braunschweig-Wolfenbüttel, * 22.11. 1709 in Osnabrück, † 2.9. 1789 in Wolfenbüttel. — J. wuchs als Sohn des Superintendenten Theodor Wilhelm J. in Osnabrück mit der Tradition der lutherischen Orthodoxie auf. In Leipzig studierte er von 1727-1731 Theologie, bei Johann Gottlieb Carpzov orientalische Sprachen und bei Johann Christoph Gottsched die Wolffsche Philosophie. Durch Gottscheds Einfluß wandte er sich von der lutherischen Orthodoxie ab. Die Studien schloß er am 29.4. 1731 vor der Philosophischen Fakultät der Universität Wittenberg mit der Magisterprüfung ab. Es folgte eine zweijährige Bildungsreise nach Holland (vor allem Leiden) und eine Hofmeisterstelle 1734 in Göttingen. Nach einem längeren Aufenthalt in England mit dessen praktisch-religiöser Lebensrichtung kehrte er nach einigem Zögern nach Deutschland zurück, wo er in Hannover eine Hauslehrerstelle für eineinhalb Jahre annahm. 1742 erhielt er die Berufung als Erzieher des Erbprinzen des Herzogtums Braunschweig-Wolfenbüttel-Lüneburg, verbunden mit einer Hofpredigerstelle. Dies erschloß ihm eine glänzende Laufbahn in Wolfenbüttel. 1751 verlegte er seinen Wohnsitz nach Braunschweig, um als Kurator der von ihm 1745 entscheidend mitgegründeten Anstalt Collegium Carolinum dieser näher zu sein. In dieser Gründung spiegelt sich der Geist der Aufklärung (harmonische Ausbildung in Theorie und Praxis, Verbindung vom praktischen Handeln und wissenschaftlicher Forschung). Aus dieser Anstalt ging die heutige Technische Universität hervor. Wichtig war der praktische Einsatz für das Sozialwesen im Herzogtum. Allerdings konnte eine geplante Armenanstalt erst nach dem Tode J.s errichtet werden. Er erhielt wichtige Auszeichnungen: 1749 Abt von Marienthal bei Helmstedt, 1752 von Riddagshausen (hier verbunden mit dem Amt des Predigerseminardirektors). Verschiedene Berufungen nach auswärts wie die als Generalsuperintendent von Magdeburg durch Friedrich II. lehnte er 1770 ab. Der Lohn blieb nicht aus: 1771 wurde er Vizepräsident des Konsistoriums von Wolfenbüttel. Aus seiner Ehe (seit 1742) mit Martha Christina, geb. Pfeiffer, verwitwete Albrecht gingen vier Töchter und der Sohn Karl Wilhelm hervor. Dieser ist literaturgeschichtlich interessant: Als junger Jurist erschoß er sich 1772 in Wetzlar und gab so die Vorlage ab für Goethes »Werther«. J.s Hauptwerk »Betrachtungen über die vornehmsten Wahrheiten der Religion« (1768 ff.), — geschrieben als »Fürstenspiegel« für den Erbprinzen —, blieb unabgeschlossen. Jenes ist eine Grundschrift der deutschen Aufklärungsphilosophie. Die Tochter Philippine Charlotte gab die nachgelassenen Schriften ihres Vaters ab 1792 heraus. Im Band II derselben findet sich J.s Selbstbiographie (S. 1-36). — J. verband politische Geschicklichkeit mit einer tief neologisch gefärbten Ethik. Historisch-kritische Bibel- und Dogmenforschung (vgl. die »Briefe über die Mosaische Religion« 1762, s.: Werke!) ließen sich mit neuplatonischen Elementen der neologisch ausgerichteten Aufklä-

rungstheologie verbinden, was Lessings kritische Grundhaltung gegen die Neologie verstärkte. Bei Heraushebung des Motivs der Lichtengel durch J. im Sinne einer leuchtenden Fülle von höheren Wesen standen Elemente der Philosophie G. Brunos Pate (Einfluß auf die Endszenen von Goethes Faust II !). — Im Ethikprogramm impliziert die Jesusnachfolge den Stufengang zu höheren Seinsgraden innerhalb der Entwicklung des Individuums. Christliche Ethik gibt sich so als Philanthropie. Dadurch wird das christliche Problem der Erbsünde ganz entschärft. Die Aufforderung zur Nachfolge Jesu will das kirchliche Dogma nicht entwerten, will aber grundsätzlich die Betonung des praktischen Erziehungswerkes durch Jesus selbst. Zielpunkt ist dann das Erlebnis jener Seligkeit von den Seligpreisungen der Bergpredigt (Matth. 5,3-11) her. Dem subjektiven Erlebnis entspricht der Erfahrungsbeweis. Somit wird die Vernunft in den Dienst der Offenbarung gestellt, nicht um formal Glaubensinhalte abzustützen, sondern um diese ethisch erfahrbar zu machen. Das Dogma ist eben nur dann sinnvoll, wenn in kritischer Sichtung der Dogmen- und Theologiegeschichte auf den Urgrund des Glaubens zurückgegriffen werden kann. Der Erfahrungsbeweis bringt die Verbindung von innerer Gewißheit als eigentliches Ergebnis der Vernunftarbeit mit der Glaubenswahrheit. Folgerichtig ist es dann die Religion, die über die Vernunft hinaus Garant des inneren Friedens ist — eine Grundthese, die von den anderen Neologen wie Johann Salomo Semler, Johann Joachim Spalding und August Friedrich Wilhelm Sack geteilt wurde.

Werke: Nachricht von denen Armen- und Arbeits- oder Werck-Häusern in Engelland, a. d. Engl. übers. Nebst einer Vorrede von dem Nutzen dieser Anstalten, 1745; Anonym. Übers. und Vorrede von J.; Vorläufige Nachricht von dem Collegio Carolino zu Braunschweig, 17.4. 1745 (anonym 1745², gering veränd. 1745³, fortgeführt: 1746, 1750, 1752, 1765, 1745³ auch in: Neuer Büchersaal der schönen und freien Künste, 1, 1745, 74-96); Sammlung einiger Predigten vor den Durchlauchtigsten Herrschaften zu Braunschweig-Lüneburg-Wolfenbüttel gehalten, Braunschweig 1745 (rez. von J. C. Gottsched im Büchersaal 1, 1745, 380), (verbessert: 1748², 1753³, 1756⁴, 1770⁵, 1774⁶, franz. Übersetzung von einem Teil 1748); Zweyte Sammlung einiger Predigten vor den Durchlauchtigsten Herrschaften zu Braunschweig-Lüneburg-Wolfenbüttel gehalten, 1752 (verbessert: 1753², 1769³, holländ. Übers. beider Sammlungen 1769, schwed. Übers. beider Sammlungen 1784 f.); Über die bessere Vorbereitung derer, die sich dem Predigtamt widmen wollen,

1759; Briefe über die Mosaischen Schriften und Philosophie, 1762 (1772^2, 1783^3); Das Leben des Höchstseligen Durchlauchtigsten Prinzen Albrecht Heinrichs Prinzen von Braunschweig und Lüneburg, 1762 (1774^2, andere Ausg. Frankfurt und Leipzig 1762, franz. Übers. 1762, holl. Übers. 1762, engl. Übers. 1764); Betrachtungen über die vornehmsten Wahrheiten der Religion an Se. Durchlaucht den Erbprinzen von Braunschweig und Lüneburg, 1768 (verbesserte Aufl.: 1769^2, 1770^3, 1773^4, 1776^5, andere Ausg. 1779, neue Aufl. 1785, franz. Übers. 1770, holl. Übers. 1772, dän. Übers. 1776 [1780^2], schwed. Übers. 1783); Glaubensbekenntnis Sr. Durchlaucht des Prinzen Leopold von Braunschweig, 1769 (verbessert 1769^2, 1781^3); Des Herrn Abts J.s Gedanken zur Wiedervereinigung der christl. Religionen. Nebst einem Vorbericht, 1772 (abgeänd. Druck: 1772, holl. Übers. 1774); Fortgesetzte Betrachtungen über die vornehmsten Wahrheiten der Religion..., 1772 (andere Ausgabe 1773); Betrachtungen über die vornehmsten Wahrheiten der Religion..., Zweyter Theil, Zweytes und drittes Stück, 1774 (die beiden »fortgesetzten Betrachtungen« ergeben den 2. Band — als Separatdruck wie auch zusammen zu erhalten, so 1774^2, andere Ausg. 1776, 1785, holl. Übers. 1776, schwed. Übers. 1783); Betrachtungen über die vornehmsten Wahrheiten der Religion..., Zweyten Theils zweyter Band oder viertes Stück, 1779 (andere Ausg.: 1779, 1780, 1789, 1791, holl. Übers. 1781, schwed. Übers. 1786, Separatausgabe des 4. Abschnittes = 627-849, 1780); Über die Teutsche Sprache und Litteratur. An Ihro Königliche Hoheit die verwitwete Herzogin von Braunschweig und Lüneburg, 1781 (franz. Übers. 1781, neu in Bibliophile Schriften der Literarischen Vereinigung Braunschweig, Bd. 10, 1963); Rede bey der Einführung der Frau Äbtißin von Kniestädt, 1782; Sammlung einiger Predigten vor den Durchlauchtigsten Herrschaften zu Braunschweig-Lüneburg-Wolfenbüttel gehalten. Neueste mit einigen Predigten verm. Auflage 1788; Zweyte Sammlung einiger Predigten vor den Durchlauchtigsten Herrschaften zu Braunschweig-Lüneburg-Wolfenbüttel gehalten. Neueste mit einigen Predigen verm. Auflage, 1789; Nachgelassene Schriften, Erster Theil. Fortgesetzte Betrachtungen über die vornehmsten Wahrheiten der Religion. Hinterlaßne Fragmente (hrsg. von P. C. Jerusalem), 1792; Nachgelassene Schriften, Zweyter und letzter Theil (hrsg. von P. C. Jerusalem), 1793; Predigt am Sonntage Reminiszere: Ueber Matth. 15,21-28, in: Bibliothek deutscher Canzelberedsamkeit, 4, Gotha und New York 1828, 113-131, Hildburghausen und New York 1835, 109-127 127 (identisch mit der 4. Predigt der Samlung 1788, s. o.!); K. Aner, Vollst. Bibliogr. (-1929) in: Die Theologie der Lessingzeit, 1929, passim; Wolfg. Erich Müller, Vollst. Bibliogr. (mit gedruckten und handschriftl. Briefen) in: W. E. Müller, J. - eine Untersuchung zur Theologie der 'Betrachtungen über die vornehmsten Wahrheiten der Religion', S., T. 43. Bd., 1984, 238-256.

Lit.: J.F. F. Emperius, J.s letzte Lebenstage, 1790; — Lebensgesch. des seeligen J., weiland Vice-Konsistorialpräsidenten und Abt des Klosters Riddagshausen zu Braunschweig, hrsg. von einem seiner Verehrer, 1790; — J. J. Eschenburg, Über J., in: Dt. Monatsschr. 2, 1791, 97-135; — Dass. als Separatdruck, 1791; — H. v. Maltitz (i. e. H. Klencke), Der Braunschweigische Hof und der Abt J. Culturhistor. Roman 1-3, 1863; — Friedrich Koldewey, J. (1709-1789), ein Lebensbild aus der Aufklärungszeit, in:

ZHTh 39, 1869, 530-574; — Dass. etwas veränd. in: F. Koldewey, Lebens- und Charakterbilder, 1881, 105-166; — Ernst Troeltsch, Protestantisches Christentum und Kirche in der Neuzeit: Die Kultur der Ggw., hg. von Paul Hinneberg, Berlin/Leipzig I/IV/1, 1909^2, 431-755, bes. 600-601; — Ders., Die Aufklärung, in: Ges. Schriften, 4. Bd., Aufsätze zur Geistesgesch. und Religionssoziologie, hg. von H. Baron, Tübingen 1925, 338-374 (s. auch u. RE^3, 1897, 225-241); — August Roloff, Abt J. und die Gründung des Collegium Carolinum zu Braunschweig. Eine Studie zur Genesis der Deutschen Aufklärung, Diss. Phil. Berlin 1910; — Dass. als Teildruck Kap. I,1 und 3,1910; — Wilhelm Lütgert, Die Religion des Deutschen Idealismus und ihr Ende, 4 Bde., 1922-1930, bes. Bde. 1 u. 2; — Karl Aner, Die Historia dogmatum des Abtes J., in: ZKG 47, 1928, 76-103; — Ders., Die Theologie der Lessingzeit, 1929, passim; — Ernst Cassirer, Die Philosophie der Aufklärung, 1932 (1973^3); — Hans Emil Weber, Die Reformation, Orthodoxie und Rationalismus, I/1, 1938, I/2, 1940, II, 1951; — S. Silén, Den kristna människouppfattningen intill Schleiermacher. En historisk-systematisk studie, 1938; — Karl Barth, Die protestant. Theologie im 19. Jh., 1947 (1960^3), 76, 142-152, 473; Emanuel Hirsch, Gesch. der neueren evang. Theologie, 5 Bde., 1949 ff. (1975^5), Bd. IV, 101 f.; — J. Trendelenburg, Die Ethik der dt. Schulphilosophie im 18. Jh., Diss. Phil., Masch. Göttingen 1951; — Wolfgang Philipp, Das Werden der Aufklärung in theologiegeschichtl. Sicht, in: FDThR 3, 1957; — Ders., Das Zeitalter der Aufklärung, Kl. Prot. Bd. 7, 1963, bes. LXIII-LXXX, 142-151; — Martin Schmidt, Die Interpretation der neuzeitlichen Kirchengesch., in: ZThK 54, 1957, 174-212; — Ders., Das Gesch.problem in der Aufklärung und seine Deutung. Denkender Glaube. FS Carl-Heinz Ratschow, 1976, 70-100; — Friedrich Wilhelm Kantzenbach, Evangelium und Dogma. Die Bewältigung des theol. Problems der Dogmengesch. im Protestantismus, 1959; — Ders., Protest. Christentum im Zeitalter der Aufklärung, in: EvEnz. 5/6, 1965; — Ders., Die Spätaufklärung. Entwicklung und Stand der Forschung (I), in: ThLZ 102, 1977, 337-348; — F. Valjavec, Gesch. der abendländ. Aufklärung, 1961, bes. 161 ff.; — K. Feiereis, Die Umprägung der natürl. Theologie in Religionsphilosophie. Ein Beitrag zur dt. Geistesgesch. des 18. Jh.s, in: EThS 18, 1965; — B. Weisker, Die Bedeutung des Abtes J. für die ev.-luth. Kirche im Herzogtum Braunschweig. Prüfungsarbeit zum 1. Theol. Examen, Masch. Göttingen 1966, im Stadtarchiv Braunschweig Sig.: H III 7, Nr. 68; — F. Meyen, Abt J. und die Gründung der Bibliothek des Collegium Carolinum zu Braunschweig, in: Bibliothek und Wissenschaft, 5, 1968, 158-173; — Erhart Kästner, Abt J.s »Über die deutsche Sprache..«, in: E. Kästner, Friedrich der Große und die dt. Lit. Die Erwiderung auf seine Schrift »De la littérature allemande«, 1972, 49-53; — Botho Ahlers, Die Unterscheidung von Theologie und Religion. Ein Beitrag zur Vorgesch. der Prakt. Theologie im 18. Jh., 1980 (Diss. Theol. Tübingen 1978); — Wolfgang Erich Müller, J. Eine Untersuchung zur Theologie der »Betrachtungen über die vornehmsten Wahrheiten der Religion« (Habil.Schr. Univ. Oldenburg), in: TBT, 43. Bd., 1984; — Ders., Von der Eigenständigkeit der Neologie J.s, in: NZST, 26. Bd., 1984, 289-309; — Ders., Zu den Divergenzen zwischen Predigt und Dogmatik bei J., in: Jb. der Gesellschaft für Niedersächs. Kirchengesch., Bd. 84, 1986; — Friedrich Wilhelm Graf (Hg.), Profile des neuzeitl.

Protestantismus, Bd. 1: Aufklärung, Idealismus, Vormärz, Abschn. II; — W.E. Müller, J. (GTB Siebenstern 1416), 1990, 55-70; — RE³, 225-241) (»Aufklärung«); — RGG ¹III, 315 f.; — EHP ²IV, 660 ff.; — RGG ²III,93; — RGG ³III, 599; — NDB X, 415 f.; — TRE IV, 603 ff. (»Aufklärung«); — HWP VI, 718-720 (»Neologie«).

Wolfdietrich von Kloeden

JESAJA (hebr. jᵉsch'a-jahu = Jahwe ist Heil/Rettung/Sieg/Befreiung; griech. und lat. Isaias, Sohn des sonst unbekannten Amoz, bedeutendster Prophet des 8. Jahrhunderts vor Christi, * um 760 in einer vornehmen Jerusalemer Familie. — J. wirkte in Jerusalem von 740-739 (oder etwas später) bis nach 701. Nach jüdischer Tradition erlitt er das Prophetenschicksal durch Zersägen unter König Manasse (699-643); davon berichtet die apokryphe Schrift »Martyrium und Himmelfahrt des J.« (1. Jahrhundert vor Christi); (vgl. Hebr 11,37). J. war verheiratet (8,3 Prophetin) und hatte zwei Söhne mit den symbolischen Namen Maher-Schalal-Hasch-Bas (= Schnelle-Beute-Rascher-Raub 8,1. 3) und Schᵉ'ar-jaschub (= Ein Rest kehrt um 7,3). Nach 1,1 war J,. unter vier Königen tätig: Usija (767-739), Jotam (739-734), Ahas (734-728) und Hiskija (728-699). Der charismatisch berufene Prophet - von seiner Berufung »im Todesjahr des Königs Usija« (6,1) berichtet c. 6!) - gehörte wohl zum weisheitlich gebildeten Beamtenstand und hatte eine enge Verbindung zur königlichen Familie. Seine Predigttätigkeit läßt sich auf vier Perioden verteilen: Die erste Periode fällt in die Zeit von Joram 739-734; J. kämpft vor allem gegen soziale Mißstände und gegen den veräußerlichten Kult. Die zweite Periode gehört in die Regierungszeit von Ahas (734-728); während des sogenannten syrisch-efraimitischen Kriegs, in welchem das Nordreich und Syrien das Südreich in ihre antiassyrische Koalition zwingen wollten, warnt J. den König vor einer verfehlten Militär- und Bündnispolitik und ruft König und Volk zu gläubigem Vertrauen auf Gott auf. (»Glaubt ihr nicht, so bleibt ihr nicht!« 7,9). Nach dem Scheitern seiner Predigt (vgl. die sogenannte Immanueldenkschrift cc. 6-8) zieht sich J. zurück. Die dritte Periode fällt mit den ersten Regierungsjahren des jungen Hiskija nach 728 zusammen, den er ebenfalls vergeblich vor Bündnissen, diesmal mit Ägyptern und Babel gegen Assur, warnt; in diese Zeit fällt auch der Untergang des Nordreichs 722 durch Assur. Nach zwei Jahrzehnten Schweigens tritt J. in einer vierten Periode seiner Tätigkeit auf, als das Heer des Assyrerkönigs Sanherib um 701 das Land verwüstete und Jerusalem belagerte. Auslösendes Moment für diese Invasion war wohl die von Hiskija durchgeführte Kultreform, bei der die assyrischen Altäre aus dem Tempel entfernt wurden. Über diese Zeit berichten die cc. 36-39, die aus 2 Kön entnommen sind; von 701 stammen die letzten datierbaren Texte von J. - Die Bedeutung von J. - nach G. v. Rad »das gewaltige Phänomen des ganzen Alten Testaments« - liegt in seiner lebendigen und die Gegner provozierenden Predigt, von der allerdings nur ein Teil in dem nach ihm benannten Buch erhalten ist. Den davidischen Königen und dem Volk, die sich gegen »den Heiligen Israels« (1,4; 10,17.20; 30, 11) stellen und ihm den Glauben verweigern, tritt J. mutig entgegen. Er prangert auch das durch die Umstellung von Naturalien- auf Geldwirtschaft entstandene soziale Unrecht an. Dem Königshaus und der Davidstadt Zion, die gegen Gottes Plan ihre eigene Politik machen wollen, sagt er den Untergang voraus; dem Luxus der Reichen und der Bestechlichkeit der Richter kündet er das Gericht an. Die harte Sprache seiner Gerichtspredigt, wie sie uns z. B. im sogenannten Verstockungsbefehl 6,8-10 begegnet, ist ein letzter Versuch, die Menschen aus ihrer Vermessenheit zu retten und sie zum Glauben, d. h. zum Sich-Festmachen in Gott, zu bringen. Über aller Gerichtsbotschaft muß J. aber auch Gottes Heilswillen und Macht herausstellen, die sich z. B. im Immanuelkind/Gott mit uns (7,14) zeigen und letztlich stärker sind als alle Mächte des Todes. Das bezeugt auch sein Name J., »Gott ist Rettung«. Den sich verweigernden König und das sündige Volk verweist J. auf den dreimal heiligen Gott, dessen heilsschaffende Heiligkeit sich schließlich doch in aller Welt durchsetzt, bis »die ganze Erde von Gottes Herrlichkeit erfüllt ist« (6,3). Wenn Gott so die Welt aus der Macht der Sünde befreit, wird »das zur Dirne gewordene Jerusalem« (1,21) wieder »zur treuen Stadt« (1,26). Dabei spielt dann der messianische Davidskönig, auch wenn manche dieser Texte J. abgesprochen werden, nicht zuletzt auch im Rahmen einer Zionstheologie, eine bedeutsame Rolle. In seiner Verkündigung benutzt J. alle ihm zur Verfügung stehenden literarischen Gattungen seiner Zeit: aus dem Bereich des Kults, der Rechtssprechung, der Weisheitslehre, der Geschichtsdeutung; er verwendet Visionen, Theophanieschilderungen, Gottesorakel, Sprüche und Lieder aller Art, Schelt- und Gerichtsreden, Gleichnisse; auch biographische Partien sind in das J.-Buch eingefügt. — Das heutige Buch J.s mit seinen 66 Kapiteln, die umfangreichste Schrift des Alten Testaments, ist nicht das Werk von J. allein; es stellt vielmehr eine ganze prophetische Bibliothek dar mit Texten aus verschiedenen Jahrhunderten und von verschiedenen Verfassern, die sich aber als Schüler und Interpreten des Propheten aus dem 8. Jahrhundert verstehen. Global läßt sich das Buch J. in drei große Abschnitte einteilen: 1. Die cc. 1-39 mit verschiedenen Sammlungen echter und unechter jesajanischer Verkündung. 2. Die cc. 40-55, spätexilische Texte von einem anonymen Propheten, der um 545 bei den Gefangenen in Babylon tätig war und zweiter J. oder Deuteroj. genannt wird. In diesem relativ geschlossenen und theologisch hochstehenden Buch, das erstmals J. G. Eichhorn 1783 von 1-39 als selbständige Größe abhob, stehen auch die vier Gottesknechtslieder (42,1-9; 49,1-9; 50,4-9 und 52,13-53,12), die vielleicht später eingefügt wurden. Die Frage, ob der Gottesknecht Deuteroj. selbst oder das gedemütigte Volk Israel oder jemand anderes ist, bleibt offen. Dieses Trostbuch cc. 40-55 entstand vielleicht aus Predigten in Flugblattform von dem unbekannten Propheten, der damit den Gefangenen die neue Heilszeit ankündigte, und zwar in Verbindung mit dem siegreich vordringenden Perserkönig Kyros. 3. Die cc. 56-66, eine Sammlung überwiegend nachexilischer Texte zwischen 538 (Ende des Exils) und 500, von Bernhard Duhm 1892 erstmals als dritter J. oder Tritoj. bezeichnet. Verschiedene Texte beantworten die Frage, warum das in cc. 40-55 beschriebene Heil noch nicht gekommen ist; sie weisen aber eindringlich darauf hin, daß Gottes Herrlichkeit das vielfach gedemütigte Israel und das noch zerstört daliegende Jerusalem verklären wird. Die echten J.-Texte stehen im ersten Teil des Buches cc.

1-39. Auch diese 39 Kapitel weisen heute eine klare Dreiteilung auf, 1-12; 13-23; 24-39, die ähnlich wie die entsprechende Dreiteilung von Ez von der späten Redaktion der Prophetenbücher stammen dürfte. Dabei sind aber viele Abschnitte in ihrer Echtheit umstritten. Die sogenannten unechten Texte können von Schülern des 8.- 5. Jahrhunderts verfaßt sein, welche das im ganzen Alten Testament feststellbare Prinzip der Fortschreibung und Aktualisierung anwenden; dazu gehören z. B. die messianischen Lieder 8,23-9,6 und 11,1-9. Andere Texte, die in kleinen Sammlungen echter J.stellen eingefügt stehen, sind z. B. 2,2-5 oder das die cc. 1-12 abschließende eschatologische Danklied 12,1-6. Daß neben 1,1 auch in 2,1 und 13,1 Überschriften vorliegen und mit der Berufungsvision cc. 6 als Anfang der Immanuel-Denkschrift 6-8 ebenfalls eine eigenständige Sammlung signalisiert wird, machen deutlich, daß 1-12 aus verschiedenen Sammlungen echter und unechter Texte besteht. Die cc. 13-23 stellen einen weiteren größeren Abschnitt des Protoj. dar. Die dort enthaltenen Völkerorakel sind aber zumeist unecht, wie es auch von ähnlichen Abschnitten in Jer und Ez gilt. Im dritten Abschnitt des ersten Teils des J.buchs, in den cc. 24-39, sind ebenfalls spätere Sammlungen zusammengestellt: 24-27, die sogenannte große J.-Apokalypse, die sogenannte kleine J.-Apokalypse 34f., ferner der aus 2 Kön 18,13-20,19 stammende geschichtliche Anhang cc. 36-39, welcher von der Belagerung und Rettung Jerusalems 701 berichtet; dabei ist 38,9-20, das Danklied des Hiskija, als Sondergut gegenüber 2 Kön zu beachten. — Das Buch J., das nach den Psalmen im neuen Testament am häufigsten von den alttestamentlichen Büchern zitiert wird, — Jesaja gilt als »Evangelist des Alten Testaments!« - und das auch in der Kirche von den Anfängen an hoch eingeschätzt und oft kommentiert wird, hat seine Endgestalt wohl frühestens im 3. Jahrhundert vor Christi erhalten. Anhaltspunkte für diese zeitliche Ansetzung der Endredaktion sind die Übersetzung aller 66 Kapitel ins Griechische im Rahmen der LXX (3./2. Jahrhundert vor Christi), ferner die Erwähnung von J. um 180 vor Christi in Sir 48,22-25, wobei auf die Verbindung von 1-39 mit 40-66 verwiesen wird. Auf ein hohes Alter des J.buchs verweisen auch die beiden J.-Rollen von Qumran aus dem 2./1. Jahrhundert vor Christi, die 66 Kapitel aufweisen. Wie echte J.-Texte später aktualisiert wurden, wird z. B. am Weinberglied 5,1-7 deutlich, dessen Gerichtsboschaft in nachexilischer Zeit in 27,2-4 zur Heilsbotschaft umgeformt wurde. Bei solchen Texten bilden echte J.-Texte gleichsam den Kristallisationspunkt für spätere Neuinterpretationen, die von der sogenannten Assur-Redaktion (7. Jahrhundert), über deuteronomistische Überarbeitungen im 6./5. Jahrhundert und die weisheitlichen Texte bis zur frühen Apokalyptik reichen. Bei der komplizierten Entstehung des Buches J. ist zu beachten, daß Synagoge und Kirche in der vorliegenden Endgestalt mit echten und unechten Abschnitten stets die verbindliche Heilige Schrift sehen, wobei auch das Buch J. mit allen Schichten als ein einziges Buch verstanden werden will. Das Buch J. stellt in dieser seinen komplexen Gestalt jedenfalls einen Höhepunkt der alttestamentlichen Theologie mit Texten aus der Vorexils-, Exils- und Nachexilszeit dar, welche die Menschen aller Zeiten betreffen müssen.

Lit.: Ausgaben: The Dead Sea Scrolls of St. Mark's Monastery, ed. M. Burrows u. a., 1950; — Liber Jesajae, ed. D. Winton Thomas, BH Stuttgartiensia 7, 1968; — Isaiah, 1-22/23-44, ed. Moshe H. Goshen-Gottstein 1975/1981; — Isaias, ed. Joseph Ziegler, Göttinger LXX XIV, 1967[2]; — Liber Isaie, Biblia Sacra iuxta Latinam versionem XIII, 1969; — Esaias, ed. Roger Gryson, Vetus Latina 12, 1987ff; — Kommentare: a) 1-66/1-39: 5. Jh.: Hieronymus, Commentarium in Esaiam libri, CCh, Ser. L. LXIII/LXIII A, 1963/1963; — Bernhard Duhm, HK, 1892 (1968[5]); — August Dillmann/Rudolf Kittel, Kurzgef. exeget. Hdb., 1898[2]; — Karl Marti, KHC, 1900; — Conrad v. Orelli, Kurzgef. Komm. zu den HSn, 1904[3]; — George B. Gray, Isaiah 1-27, ICC, 912 (1947); — Hans Schmidt, SAT, 1923[2]; — Franz Feldmann, Exeget. Hdb. z. AT, 1925/1926; — Eduard König, 1926; — Otto Procksch, KAT, 1930; — E. Hastings, Isaiah 1-39, 1934; — Johann Fischer, HS d. AT, 1937/1939; — Aage Bentzen, 1943/1944; — Sigmund Mowinckel, 1949; — Hans Wilhelm Hertzberg, Der erste J., 1952[3]; — J. A. Alexander, 1955; — Jean Steinmann, 1955; — Volkmar Herntrich, Jes 1-12, ATD, 1957[3]; — E. J. Kissane, 1960[2]; — Joseph Ziegler, EchtB, 1960[4]; — J. E. Huesmann, 1961; — J. S. Weiland, Jes 1-39, 1964; — Georg Fohrer, 1966[2]/1967[2]/1964; — John Mauchline, Isaiah 1-39, 1966[2]; — Angelo Penna, 1968[5]; — L. A. Snijders, J., Deel I, 1969; — Hermann Eising, Das Buch J., Tl. I, 1970; — Paul Auvray, Isaie 1-39, 1972; — Solomon B. Freehof, 1972; — Anton Schoors, 1972; — Stefano Virgulin, 1972; — A. S. Herbert, Isaiah 1-39, 1973; — Edward J. Young, 1974[4]/1975[3]/1974[2]; — Hellmuth Frey, Handkomm. z. Buch J., 1-5/6-12, 1975/1978; — Walther Eichrodt, Jes. 1-12/13-23.28-39, 1976[2]/1967; — William J. Holladay, 1978; — R. B. Y. Scott/G. G. G. Kilpatrick, Isaiah 1-39, 1978[2]; — G.

Ernest Wright, 1978[8]; — Ronald E. Clements, Isaiah 1-39, 1980; — Hans Wildberger, 1-12/13-27/28-39, BK, 1980[2]/1978/1982 (mit Lit.); — John T. Willis, 1980; — Otto Kaiser, 1-12/13-39, ATD, 1981[5]/1983[3]; — Felice Montagnini, Il libro di Isaia I, 1982; — Mario Cimosa, Isaia 1-39, 1983; — I. W. Slotki, 1983; — Franz-Josef Helfmeyer, Der Heilige Israels - dein Erlöser, 1984[2]; — Joseph Jensen, Isaiah 1-39, 1984; — Rudolf Kilian, Jes 1-12, 1986; — Edmund Jacob, Esaie 1-12, Comm. de l'AT, 1987. b/40-66/40-55/56-66: Karl Budde, Jes. 40-66, Kautzsch HSAT, 1922; — Charles C. Torrey, 40-55, 1928; — Paul Volz, 40-66, KAT, 1932; — U. E. Simon, Isaiah 40-55, 1953; — James Muilenburg/H. S. Coffin, Isaiah 40-66, 1956; — Hans Brandenburg, J. II, 1961; — Christopher R. North, The Second Isaiah, 1964; — Ders., Isaiah 40-55, 1966[5]; — George A. F. Knight, Deutero-Isaiah, 1965; — Ders., Isaiah 40-55, 1984; — Carrol Stuhlmueller, Isaiah 40-66, 1965; — Hellmuth Frey, Jes 40-55, 1967[6]; — Werner Keßler, Jes 56-66 und 24-27, 1967[2]; — James Smart, History and Theology in Second Isaiah (35.40-66), 1967; — John L. McKenzie, Second Isaiah, 1968; — H. C. Leupold, Isaiah II, 1971; — P.-E. Bonnard, La seconde Isaie, 1972; — Hans Lubsczyk, J. Tl. II, 1972; — A. S. Herbert, Isaiah 40-66, 1975; — Claus Westermann, Jes 40-66, ATD, 1976[3]; — Karl Elliger, Jes 40,1-45, 7, BK, 1978; — W. A. M. Beuken, J. Deel II A/II B, 1979/1983; — Roger N. Whybray, Isaiah 40-66, 1981; — Ders., The Second Isaiah, 1983; — Elizabeth Achtemaier, The Comunity and Message of Isaiah 56-66, 1982; — John Scullion, Isaiah 40-66, 1982; — Richard J. Clifford, Fair Spoken and Persuading, Second Isaiah, 1984; — Hans-Jürgen Hermisson, Jes 45, 8 ff., BK, 1978 ff.; — Abhandlungen/Artikel: a) 1-66/1-39: Th. K. Cheyne, Introduction to the Book of Isaiah, 1897; — Sigmund Mowinckel, Die Komposition des J.buchs, cc. 1-39, Acta orient. 11, 1933, 159-171, 267-292; — Wilhelm Rudolph, Jes 24-27, BZAW 62, 1933; — Johannes Lindblom, Die J.apokalypse Jes 24-27, 1938; — Georg Fohrer, Neuere Lit. zur atl. Prophetie, ThR NF 19, 1951, 277-346, 20, 1952, 193-271, 295-361; — Ders., Zehn Jahre Lit. zur atl. Prophetie (1951-1960), ThR NF 28, 1962, 1-75, 235-297, 301-374; — Ders., Entstehung, Komposition und Überlieferung von Jes 1-39, BZWA 99, 1967, 113-147; — Ders., Der Aufbau der Apokalypse des J.buchs (Jes 24-27), BZAW 99, 1867, 170-181; — Ders., Einl. in das AT, 1969, 397-426; — Ders., Das AT II/III, 1970, 40-46, 66-71, 74-77; — Ders., Die Propheten des AT, I, 1974, 96-164; III, 1975, 226-230; IV, 1975, 79-157; V, 1976, 14-36, 81-95; VII, 1977, 109-122; — Ders., Neue Lit. zur atl. Prophetie (1961-1970), ThR NF 40, 1975, 193-209, 337-377; 41, 1976, 1-12; 45, 1980, 1-39, 109-132, 193-225; — Ders., Wandlungen J.s, BZAW 155, 1981, 11-23; — Arvid Bruno, J., 1953, — Edward J. Young, The Study of Isaiah since the Time of Joseph Addison Alexander, in: Ders., Studies in Isaiah, 1954, 9-101; — Wilhelm Vischer, Die Immanuel-Botschaft im Rahmen des kgl. Zionsfestes, ThSt (B) 45, 1955; — Johann Jakob Stamm, Neuere Arbeiten zum Immanuelproblem, ZAW 68, 1956, 46-54; — Ders., Die Immanuel-Perikope im Lichte neuerer Veröffentlichungen, ZDMG Suppl. 1, 1969, 281-290; — Luis Alonso-Schökel, Estudios sobre el estilo poético de Is 1-35, Diss. Rom, 1957; — Sheldon H. Blank, Prophetic Faith in Isaiah, 1958; — John H. Eaton, The Origin of the Book of Isaiah, VT 9, 1959, 138-157; — Oswald Loretz, Der Glaube des

Propheten Isaias an das Gottesreich, ZKTh 82, 1960, 40-73, 159-181; — Ders., Der Prolog des J.buches, 1984; — Hans Walter Wolff, Frieden ohne Ende, BSt (N) 35, 1962; — Reinhard Fey, Amos und J., Wiss. Monogr. z. ANT 12, 1963; — Herbert Donner, Israel unter den Völkern, VT Suppl. 11, 1964; — Johannes Fichtner, Jahwes Plan in der Botschaft des J., in: Ders., Gottes Weisheit, 1965, 27-43; — Josef Scharbert, Die Propheten Israels bis 700 v. Chr., 1965, 196-309; — Karl Elliger, Prophet und Politik, in: Ders., Kl. Schriften z. AT I, Theol. Bücherei 32, 1966, 119-140; — Ernst Vogt, Sennacherib und die letzte Tätigkeit Isaias, Bibl 47, 1966, 427-437; — Brevard S. Childs, Isaiah and the Assyrian Crisis, 1967; — Marie-L. Henry, Glaubenskrise und Glaubensbewährung in den Dichtungen der J.apokalypse, BWANT 86, 1967; — Josef Schreiner, Das Buch jesajanischer Schule, in: Ders., Wort und Botschaft 1967, 143-162; — Joachim Becker, Isaias - der Prophet und sein Buch, Stuttgarter Bibelstud. 30, 1968; — Rudolf Kilian, Die Verheißung Immanuels, Stuttgarter Bibelstud. 35, 1968; — Ders., Jesaja 1-39, Erträge d. Forsch., 1987 (Lit.); — Martin Rehm, Der kgl. Messias im Licht der Immanuel-Weissagungen des Buches J., Eichstätter Stud. NF 1, 1968; — Ursula Stegemann, Der Restgedanke bei Isaias, BZ 13, 1969, 161-186; — Georg Sauer, Die Umkehrforderung in der Verkündigung J.s, in: H. F. Stoebe, Wort - Gebot - Glaube, AThANT 59, 1970, 277-295; — Jacques Vermeylen, La composition littéraire du livre d'Isaie I-XXXIX, 1970; — Ders., Du Prophète Isaie à l'Apocalyptique, Isaie I-XXXV, I, 1977; II, 1978; — Luc H. Grollenberg, Zwischen Gott und Politik, Bibl. Forum 8, 1971; — Jochen Vollmer, Geschichtl. Rückblicke und Motive in der Prophetie des Amos, Hosea und J., BZAW 119, 1971; — J. William Whedbee, Isaiah and Wisdom, 1971; — Hans-Jürgen Hermisson, Zukunftserwartung und Gegenwartskritik in der Verkündigung J.s, EvTh 33, 1973, 54-77; — Otto Kaiser, Geschichtl. Erfahrung und eschatologische Erwartung, Neue Zschr. f. System. Th., 15, 1973, 272-285; — Ders., Einl. in das AT, 1984⁴, 228-235, 271-284; — Rémi Lack, La symbolique du livre d'Isaie, AnBibl 59, 1973; — Theodor Lescow, J.s Denkschrift aus der Zeit des syrisch-efraimitischen Kriegs, ZAW 85, 1973, 315-331; — Yehuda T. Radday, The Unity of Isaiah in the Light of Statistical Linguistic, 1973; — Claus Schedl, Rufer des Heils in heilloser Zeit, 1973; — Walther Zimmerli, J. und Hiskija, in: Ders., Ges. Aufsätze II, 1974, 88-103; — Ders., Verkündigung und Sprache der Botschaft J.s, ebd., 73-87; — Hans W. Hoffmann, Die Intention der Verkündigung J.s, BZAW 136, 1974; — Gilbert Brunet, Essai sur l'Isaie de l'histoire, 1975; — Hans Wildberger, J.s Verständnis der Geschichte, in: Ders., Jahwe und sein Volk, Theol. Bücherei 66, 1975, 75-109; 1984; — Friedrich Huber, Jahwe, Juda und die anderen Völker beim Propheten J., BZAW 137, 1976; — Walter Dietrich, J. und die Politik, BEvTh 74, 1976; — Georg Warmuth, Das Mahnwort. Seine Bedeutung für die Verkündigung der vorexilischen Propheten Amos, Hosea, Jesaja und Jeremia. Beiträge z. bibl. Exegese u. Theol. 1, 1976; — Hermann Barth, Die J.-Worte in der Josiazeit, Wiss. Monographien z. ANT 48, 1977; — W. H. Irwin, Isaiah 28-33, Bibliotheca Orientalis 30, 1977; — Werner H. Schmidt, Die Einheit der Verkündigung J.s, EvTh 37, 1977, 260-272; — Ders., Einf. in das AT, 1985³, 210-220, 257-270; — Peter R. Ackroyd, Isaiah I-XII, VT Suppl. 29, 1978, 16-48; — Klaus Koch, Die Profeten I, 1978,

117-159; II, 1980, 124-153, 156-163; — Klaus Kiesow, Exodustexte im J.buch, Orbis Bibl. et Orient. 24, 1979; — Ronald E. Clements, Isaiah and the Delivrance of Jerusalem, Journal for the OT, Suppl. 13, 1980; — Ders., The Prophecies of Isaiah and the Fall of Jerusalem in 587 B. C., VT 30, 1980, 421-436; — Eryl W. Davies, Prophecy and Ethics, Journal for the Studxy of the OT, Suppl. 16, 1981; — Joseph Jensen, Weal and Woe in Isaiah, CBQ 43, 1981, 167-182; — Ders., Yahwe's Plan in Isaiah and in the Rest of the OT, CBQ 48, 1986, 443-455; — Arie van der Kooij, Die alten Textzeugen des J.buches, Orbis Bibl. et Orient. 35, 1981; — H. E. W. Thompson, Situation and Theology, 1982; — Wolfgang Werner, Eschatolog. Texte in Jes 1-39, Forsch. z. Bibel 46, 1982; — Ders., Vom Prophetenwort zur Prophetentheologie, BZ 29, 1985, 1-30; — Christoph Hardmeier, Verkündigung und Schrift bei J., ThGl 73, 1983, 119-134; — Ders., J.forschung im Umbruch, Verkündigung u. Forsch. 1986/1, 3-31; — Rolf Rendtorff, Das AT, 1983, 201-212; — Ders., Zur Komposition des Buches J., VT 34, 1984, 295-320; — John Goldingay, God's Prophet - God's Servant, 1984; — Herbert Niehr, Bedeutung und Funktion kanaanäischer Traditionselemente in der Sozialkritik J.s, BZ 28, 1984, 69-81; — Rudolf Smend, Die Entstehung des AT.s, 1984³, 143-156, — Bertil Wiklander, Prophecy as Literature (Jes 2-4), Coniectanea Bibl. OT Ser. 22, 1984; — Gerald I. Sheppard, The Anti-Assyrian Reaction and the Canonical Context of Isaiah 1-39, JBL 104, 1985, 193-216, — Odil Hannes Steck, Bereitete Heimkehr, Stuttgarter Bibelstud. 121, 1985; — Franz Josef Stendebach, Rufer wider den Strom, 1985, 56-71, 105-115; — Anders J. Biørdale, Unterss. zur allegorischen Rede der Propheten Amos und J., BZAW 165, 1986; — Craig A. Evans, On Isaiah's Use of Israel's Sacred Tradition, BZ 30, 1986, 92-99, — Claus Westermann, Zur Erforschung und zum Verständnis der prophetischen Heilsworte, ZAW 98, 1986, 1-13. b) 40-66/40-55/56-66: Ludwig Köhler, Deuteroj. (Jes 40-55) stilkritisch untersucht, BZAW 37, 1923; — Karl Elliger, Die Einheit des Tritoj., BWANT 45, 1928; — Ders., Deuteroj. in seinem Verhältnis zu Tritoj., BWANT 63, 1933; — Wilhelm Caspari, Lieder und Gottessprüche der Rückwanderer, BZAW 65, 1934; — Hans E. v. Waldow, Anlaß und Hintergrund der Verkündigung des Deuteroj., Diss. Bonn 1953; — P. A. H. de Boer, Second Isaiah's Message, OTS XI, 1956; — L. G. Rignell, A Study of Isaiah ch. 40-55, 1956; — Stefan Porúbcan, Il patto nuovo in Is 40-66, AnBibl 8, 1958; — E. Heßler, Gott der Schöpfer. Ein Beitrag zur Komposition und Theol. des Deuteroj., Diss. Greifswald 1961; — Otto Kaiser, Der kgl. Knecht, FRLANT 70, 1962²; — Joachim Begrich, Studien zu Deuteroj., BWANT IV, 25, 1963²; — Claus Westermann, Sprache und Struktur der Prophetie Deuteroj.s, in: Ders., Ges. Stud. I, 1964, 92-170; — Harry M. Orlinsky/N. H. Snaith, The so-called »Servant of the Lord« und »Suffering Servant« in Second Isaiah, VT Suppl. 14, 1967; — Dieter Baltzer, Ezechiel und Deuteroj., BZAW 121, 1971; — Karl Pauritsch, Die neue Gemeinde (Jes 56-66), AnBibl 47, 1971; — C. Spijkerboer, The Structure and Composition of Deutero-Isaiah, 1971; — E. Sehmsdorf, Studien zur Redaktionsgesch. von Jes 56-66, ZAW 84, 1972, 517-570; — Anton Schoors, I am God Your Savior, VT Suppl. 24, 1973; — Werner Grimm, Weil ich dich liebe, 1976; — Ders., Fürchte dich nicht, 1986; — Roy E. Melugin, The Formation of Isaiah 40-55, BZAW 141, 1976, — Horst Dietrich Preuß, Deuteroj., 1976; — Jean M. Vincent, Studien zur lit. Eigenart und zur geistigen Heimat von J., Kap. 40-55, Beiträge z. bibl. Exegese u. Th. 1, 1977; — I. Ljung, Tradition and Interpretation, 1978, — John H. Eaton, Festal Drama in Deutero-Isaiah, 1979; — Hans-Christoph Schmitt, Prophetie und Schultheologie im Deuterojesajabuch, ZAW 91, 1979, 43-61; — Yehoshua Gitay, Prophecyand Persuasion (Isaiah 40-48), 1981; — Pierre Grelot, Les poèmes du serviteur, 1981; — Rosario Pio Merendino, Der Erste und der Letzte, VT Suppl. 31, 1981; — Hans-Jürgen Hermisson, Voreiliger Abschied von den Gottesknechtsliedern, ThR 49, 1984, 209-222; — Ders., Deuterojesajanische Probleme, Verkündigung u. Fosch. 1984/1, 53-84; — C. Millard Lind, Monotheism, Power, and Justice (Isaiah 40-55), CBQ 46, 1984, 432-446, — Herbert Haag, Der Gottesknecht bei Deuteroj., Erträge d. Forsch., 1985 (Lit.); — Günther Jerger, »Evangelium des AT«, Stuttgarter Bibl. Btrg., 1986; — Odil Hannes Steck, Beobachtungen zu Jes 56-59, BZ 31, 1987, 228-246. c) Nachschlagewerke: Bibl.-Hist. Handwörterbuch II, 850-857; — BL 779-786; — Catholicisme VI, 130-143; — CBL, 613-619; — DBV III/1, 941-985; — DSp VII, 2060-2079; — DThC VIII/1, 14-79; — EJud IX, 44-71; — EKL II, 261-269; — Enc. della Bibbia IV, 385-400; — The Interpreter's Dict. of the Bible II, 731-744; — Jüd. Lex. III, 212-219; — LB, 685-689; — LThK V, 779-782; — RGG III, 600-611; — TRE VIII, 510-530.

Otto Wahl

JESSEN, Johannes Wilhelm Hans, bedeutender plattdeutscher Bibelübersetzer und Verfasser volkstümlicher Erbauungsliteratur, * 12.12. 1880 in Garding/Halbinsel Eiderstedt, † 25.7. 1945 in Schleswig, beerdigt in Nübel. — Als Sohn eines Gerichtsvollziehers besuchte J.J. die Volksschule in seinem Geburtsstädtchen, die Mittelschule in Apenrade/Nordschleswig (1891-1895) und die Domschule in Schleswig. Er studierte Theologie in Marburg (1902/1903) und in Kiel (bis 1906); dort machte er 1908 sein erstes, 1910 sein zweites theologisches Examen. 1911 wurde er Pastor in Kosel bei Eckernförde (Halbinsel Swansen), 1922 am Dom zu Schleswig, 1930 in Kiel, Ansgar-Ost. 1941 ließ er sich aus gesundheitlichen Gründen (seit 1924 schwere Diabetes, dazu später ein Augenleiden) nach Niebüll/Nordfriesland versetzen, 1942 nach Nübel bei Schleswig, wo er am 1.4.1943 emeritiert wurde und - fast erblindet die Pfarrstelle bis zuletzt kommissarisch verwaltete. Wie J.J. am nationalen Aufbruch zu Beginn des Ersten Weltkrieges Anteil genommen hatte, so litt er erst recht am verlorenen Krieg und entdeckte im Abstimmungskampf um Nordschleswig wie an-

dere das Plattdeutsche als Bundesgenossen gegen Dänemark. Seine erste plattdeutsche Predigt 1920 in Kosel fand freilich wenig Anklang, umso mehr wirkte er bei auswärtigen Heimatfesten durch plattdeutsche Gottesdienste mit. Dafür übersetzte er selbst die Bibeltexte in die Mundart, wie er sie mit der Gemeinde sprach. Ab 1923 veröffentlichte er in jeder Sonnabendausgabe der »Schleswigschen Nachrichten« unter dem Titel »Sünnstrahln ut usen Herrgodd sin Welt« einen Bibelabschnitt. Leitbild waren ihm dabei Menschen seiner ersten Gemeinde: »Wie würde Detlev Bock in Kosel das gesagt haben?« — Theologisch wirkte sich hier aus, was er bei Prof. Otto Baumgarten (1858-1934) gelernt hatte, der die Aussagen der Bibel mit dem modernen Bewußtsein in Einklang bringen wollte. Ihm war wichtig, »daß man frei über den Texten steht, so ihr innerstes Lebensgesetz, ihren Trieb und Grundton und Grundsatz erfaßt und dann erst die Übersetzung in das eigene, gegenwärtige Charakterleben übernimmt.« J.J. hat dieses Bestreben in seiner Theorie vom »Hartslag« eines Textes selbständig aufgenommen und für seine Übersetzungsarbeit in die Umgangssprache fruchtbar gemacht. Auf Zureden einflußreicher Freunde vollendete er in den ersten Kieler Jahren das NT und konnte es mit Unterstützung der Kirchenleitung wie der Schleswig-Holsteinischen Bibelgesellschaft 1933 bei Hellmuth Wollermann (W. Maus) in Braunschweig herausgeben. 1937 erschien die zweite Auflage bei Vandenhoeck und Ruprecht in Göttingen, wo er gleichzeitig eine Auswahl des AT publizierte. Obwohl J.J. weiter atl. Texte übersetzte, veröffentlichte er im Zweiten Weltkrieg nur noch wenige Beispiele in einem Beitrag zur Hans-Vollmer-Festschrift. Das übrige scheint verlorengegangen zu sein. In den Auseinandersetzungen mit dem Nationalsozialismus schloß sich J.J. nicht wie andere plattdeutsche Prediger den Deutschen Christen an, sondern er wurde wie seine Frau Hedwig geb. Hildebrandt (1876-1951) bei der Bekennenden Kirche aktiv. Er gehörte zum 20-köpfigen Vertrauensmänner-Kollegium der »Not- und Arbeitsgemeinschaft schleswig-holsteinischer Pastoren«, doch er ist im Laufe des Kirchenkampfes nicht führend hervorgetreten. Als Verfechter der Volkskirche setzte J.J. seine Übersetzungstätigkeit während des Dritten Reiches publizistisch wirkungsvoll ein. In Otto Meißners Verlag Hamburg erschienen ein biblisches Spruchbuch, das thematisch geordnet war und ein Vorwort des deutsch-christlichen Landesbischofs Adalbert Paulsen (1889-1974) enthielt, und eine Übertragung von Luthers Kleinem Katechismus, die über die Wiedergabe von Heinrich Hansen (1861-1940) und Theodor Stoltenberg (1850-1937) hinausging. Beide Schriften wurden auch unter einem Titel vereint, wobei das Vorwort entfiel. Ein plattdeutscher Kirchenpaß für Konfirmanden wurde für fünf Pfennig angeboten. Im H.H. Nölke Verlag Bordesholm veröffentlichte J.J. ein plattdeutsches Andachtsbuch für alle Tage des Jahres, das nach dem Zweiten Weltkrieg wieder aufgelegt wurde. Alle diese Schriften gab es zu Mengenpreisen, bei 1000 Stück 25 Prozent Rabatt. J.J. verstand sich als Holsteiner: »Mien Plattdüütsch is dat Angeliter un Swansener Platt.« Nach den plattdeutschen Übersetzungen des NT durch den Ostfriesen Oldig Boekhoff (1861-1920), Aurich 1915, 1924[2], und durch den Mecklenburger Ernst Voß (1886-1936), Berlin 1929, 1935[2], vertrat er konsequent die These: »Nich de Wöör utwesseln..., de Spraak umgeten - dar liggt de Knütt.« Trotz gelegentlicher späterer Kritik, besonders vom Schleswig-Holsteinischen Preesterkrink, erlebte seine Übersetzung weite Verbreitung. J.J. schuf im Plattdeutschen, was danach Friedrich Pfäfflin (1939, 1954[4]) und Dr. Jörg Zink (geb. 1922) fürs Hochdeutsche praktizierten. Im ostfriesischen Bereich hat Gerrit Herlyn (geb. 1909) das NT, Weener 1983/84, und Psalmen, ebd. 1985, ähnlich kongenial übertragen.

Werke: Heimatgrüße des Kreises Eckernförde an seine Krieger zur Weihnacht 1915 (Mithrsg.); Aus der Kriegschronik des Kirchspiels Kosel. 1922; Sünnenstrahln ut unsen Herrgodd sin Welt. Plattdütsche Predigten un Reden. (Hrsg.) 1926; Weitere Predigten in Johannes Lensch: Was soll ich predigen? Wolgast 1926, 7. u. 8. Teil; Denk an den Fierabend! Plattdeutsche Rundfunkpredigt. 1927; Dat Nie Testament in unse plattdütsche Modersprak. 1933, 1937[2] (... in unse Moderspraak), 1960[3], 1962[4], 1976[5], 1980[6] u.a.; Ehr dat düster ward... Sünnenstråhln ut Godds Woord. o.J. (1935); D. Martin Luther sien Lütt Katekism in unse Modersprāk. o.J. (1935); Swartbrood. Godds Woord un Luthers Lehr. o.J. (1935); Queelt sik dien Hart mit Sorgen. o.J. (1937), Hamburg o.J. (ca. 1947[2]); Dat Ole Testament in unse Moderspraak. Vun dat Beste en goot Deel. 1937, 2. durchgesehene Aufl. nach dem 2. Weltkrieg u. weitere Aufl.; Gotts Woort

in unse Moderspraak. Aus einem Vortrag in der Hamburger Universität, gehalten am 24. November 1938. In: Die Dorfkirche 32, 1939, S. 197-205; Gotts Woort plattdütsch. In: Festschrift Hans Vollmer. Potsdam 1941, S. 138-152.

Lit.: Ernst Strasser: J., Dat Ole un dat Nie Testament in unse Moderspraak. Rez. in ThLZ 63, 1938, Nr. 18, S. 328; — Ludwig Grube: J. J.s plattdeutsches Neues Testament. In: Für Arbeit und Besinnung 3 (1950), S. 249 ff; — Gerhard Schröder: Noch einmal J. J.s plattdeutsches Neues Testament. In: Ebd. 4 (1951), S. 615 ff; — Ders.: J. J.. Der plattdeutsche Bibelübersetzer. In: Kirche der Heimat 36 (1960), Nr. 23; — Ders.: Erinnerungen an J. J., den plattdeutschen Bibelübersetzer. In: De Kennung 3, 1980, H. 2, S. 2-13; — Hermann Hand: Zur plattdeutschen Übersetzung des NT. In: Für Arbeit und Besinnung 4 (1951), S. 819-821; — Gottfried Holtz: Niederdeutsch als Kirchensprache. In: Wissenschaftliche Zeitschrift der Universität Rostock, Gesellschafts- und sprachwissenschaftliche Reihe, Jg. 4, H. 2, 1954/1955, S. 151-165; 2. Aufl. in: Niederdeutsch als Kirchensprache. Festgabe für Gottfried Holtz. 1980, S. 77-79; — Karl Homuth: Bemühungen um die niederdeutsche Bibel im 20. Jahrhundert. Diss. Rostock 1974; — Ders.: Referat in: ThLZ 103, 1978, Nr. 3, S. 233-236; — Edith Joost: J. J., Dat Ole un dat Nie Testament in unse Moderspraak. Rez. in: Quickborn 67, 1977, Nr. 3, S. 167 f; — Hans-Günther Gellersen: Im Zweifelsfalle für den »Hartslag« - Zur Bibelübersetzung von J. J.. In: De Kennung 1, 1978, S. 21-28; — Ders.: J. J. (1880-1945) - ein plattdeutscher Prediger und Bibelübersetzer in seiner Zeit. Manuskript 1990; — Heinrich Kröger: Plattdeutsche Erbauungsliteratur im 3. Reich. In: Quickborn 76, 1986, Nr. 2, S. 111-118.

Heinrich Kröger

JESUS CHRISTUS, die zentrale Gestalt des Christentums. Nach den außerbiblischen Quellen (Tacitus, Ann.XV 44; Sueton, Claudius 25; Plinius d.J., Briefe 10, 96, 7; Josephus, Ant.XX, 200) ist jeder Zweifel an der Historizität J. unbegründet. Schwierig ist es allerdings, aufgrund des Quellenmaterials - es kommen vor allem die synoptischen Evangelien in Betracht - ein auch nur annähernd geschlossenes Bild des Lebens J. zu geben. Historisches und Dogmatisches sind in den maßgeblichen Quellen noch ungeschieden. Fest steht, daß J. z.Zt. des römischen Kaisers Augustus (Octavian) geboren wurde (Lk 2,1). Unsicher ist das genaue Jahr der Geburt. Herodes d.Gr., auf dessen Herrschaft die Geburt J. bezogen wird (Lk 2,1), starb im Jahre 4 v.Chr.; ein allgemeiner Zensus (Lk 2,1) fand nach Josephus, Ant.XVIII,1f im Jahre 6 n.Chr. statt; eine auffällige Sternkonstellation (Mt 2,2) wird für das Jahr 7/5 v.Chr. gemeldet. In diesen Rahmen von etwa 10 Jahren fällt die Geburt J. Die Angabe seines Geburtsortes mit »Bethlehem« (Lk 2,4) ist sicherlich durch dogmatische Interessen motiviert (Stadt Davids, an die sich messianische Hoffnungen knüpften) und wird durch die sonst übliche Verbindung des Namens J. (Kurzform von Jehoschua = Jahwe hilft) mit »Nazareth« (Mk 1,9; 6,1; Joh 1,45 u.ö:) korrigiert. Allerdings ist die Rückbindung J. an das »Haus Davids« historisch zuverlässig. Er war wohl das älteste Kind seiner Eltern Joseph und Maria neben einigen Brüdern und Schwestern (Mk 6,3), von denen sein Bruder Jakob(us) später in der Urgemeinde eine tragende Rolle gespielt hat. Zunächst wird J. wie sein Vater den Beruf des Zimmermanns ausgeübt haben, bevor er um das Jahr 28 n.Chr. als Wanderprediger vor allem in Galiläa seine öffentliche Wirksamkeit begann. Dieser seiner Tätigkeit ist aller Wahrscheinlichkeit nach ein kurzfristiger Anschluß an den Kreis um Johannes den Täufer vorausgegangen. Während seiner ca. zweijährigen (nach synoptischem, dreijährigen nach johanneischem Aufriß) Wanderpredigerzeit scharte er einen Kreis von Jüngern um sich, lehrte auch in der jüdischen Synagoge und vollbrachte Wunderheilungen. Diese wie sein Auftreten insgesamt verstand er als Zeichen des anbrechenden Gottesreiches, das immer wieder in Gleichnissen beschrieben zum Kern seiner Verkündigung gehörte (Mk 1,14f) und von ihm insbesondere den Deklassierten und Randsiedlern der jüdischen Gesellschaftsordnung (»Zöllner und Sünder«) zugesprochen wurde. Daß sich J. aber selbst für den »Messias« (= Christus) gehalten habe, ist historisch geurteilt sehr unwahrscheinlich. Wenn er überhaupt diesen oder einen anderen jüdisch/christlichen Hoheitstitel für sich in Anspruch genommen haben sollte, wird er ihn zumindest entscheidend - was den Messiastitel betrifft: apolitisch - umgedeutet haben. Den Abschluß seiner in Armut, aber nicht asketisch geführten Wanderpredigerzeit (Mt 11,18f) bildete sein Auftreten in Jerusalem unmittelbar vor dem jüdischen Passahfest. Dort ist er unter dem römischen Prokurator Pontius Pilatus und z.Zt. des am Prozess J. maßgeblich beteiligten Hohenpriesters Kaiphas unter Anklage der Gotteslästerung und der politischen Agitation gestellt, zum Tode verurteilt und daraufhin am Freitag, den 15. Nisan, am Rüsttag des Passahfestes, wahrscheinlich des Jahres 30 n.Chr. (= 7. April 30) gekreuzigt worden.

Hartmut Rosenau

Werke: Bibliographien: R. W. Funk, A Structuralist Approach to the Parables, in: Semaia I, 1974, 236-256; Peter Fiedler und Lorenz Oberlinner, Jesus von Nazareth - Ein Literaturbericht, in: BuL 13, 1972, 52-74; Werner Georg Kümmel, Dreißig Jahre Jesusforschung (1950-80), BBB 1985.

Lit.: C. von Schäzler, Das Dogma der Menschwerdung Gottes, 1870; — Florian Riess, Das Geburtsjahr Christi, 1880; — J. B. Lehmann, Das Leben Jesu, 1887, it. 1890; — Albert Schweitzer, Das Abendmahl im Zusammenhang mit dem Leben Jesu und der Gesch. des Urchristentums, 2. Heft: Das Messianitäts- und Leidensgeheimnis. Eine Skizze des Lebens Jesu, 1901; — Ders., Gesch. der Lebens-Jesu-Forschung, Neudruck 1977[3]; — M. Meschler, Der göttl. Heiland. Ein Lebensbild, 1906; — Adolf Schlatter, Zweifel an der Messianität Jesu, 1907; Ders., Gesch. des Christus, Neudruck 1977[3]; — Ders., Drei Erzählungen Jesu. Ausgewählt vom Verfasser, 1932; — Emil Günther, Die Entwicklung der Lehre von der Person Christi im 19. Jh., 1911; — S. M. Zwemer, The Moslem Christ. An essay in the life, character and teaching of Jesus Christ according to the Koran and orthodox tradition, Edinburgh-London 1912; — Dt.: Lebensgesch. Christi, 1926[4]; — Giovanni Papini, Storia di Cristo, it. 1912, dt.: Lebensgesch. Christi, 1926[4]; — Friedrich Doerr, Der Prozeß Jesu in rechtsgeschichtl. Behandlung. Ein Beitrag zur Kenntnis des jüd.-röm. Provinzialstrafrechts, 1920; — Joseph Grimm, Das Leben Jesu. Nach den 4 Evangelien dargest., 1920; — Josef Herkenrath, Die Ethik Jesu in ihren Grundlagen, 1920; — Egon Friedell, Das Jesusproblem, 1921; — Gustav Dalmann, Jesus-Joschua, 2 Bde., 1922-1929; Ders., Orte und Wege Jesu, 1924[3], Neudruck 1967[4]; — Ders., Die Worte Jesu, 1930[2]; — Albert Maria Weiß, Jesus Christus, Die apologeia perennis des Christentums, 1922; — Franz Koehler, Der Wert des Werkes Christi für die Welt, 1923; — Hermann Schell, Christus. Der Erlöser und seine weltgeschichtl. Bedeutung, 1923; — David Friedrich Strauß, Das Leben Jesu, Neudruck 1924, erneuter Neudruck 1974[3]; — J. B. Aufhausen, Antike Jesus-Zeugnisse, 1925[2]; — Leo Brun, Die Auferstehung Christi in der urchristl. Überlieferung, 1925; — Konrad Algermissen, Das soziale Königtum Christi, 1926; — Edward I. Bosworth, The Life and Teaching of Jesus, New York 1926; — Rudolf Bultmann, Jesus, 1925, Neudruck 1964[4]; — Ders. und Karl Jaspers, Die Frage der Entmythologisierung, 1954; — Ders., Jesus Christus und die Mythologie. Das NT im Lichte der Bibelkritik, dt. 1964, engl. 1965[2]; — Ders., Das Verhältnis der urchristl. Christusbotschaft zum hist. Jesus, 1965; — Ders., Beitrag zum Verständnis der Jenseitigkeit Gottes im NT, 1965; — Ders., Theologie des NT, erweiterte Auflage, 1980[8]; — Friedrich Nötscher, Altoriental. und alttestamentl. Auferstehungsglaube, 1926; — G. Rosadi, Der Prozeß Jesu, 1926; — L. Billot, De Verbo Incarnato, 1927[7]; — R. Eisler, Jesus basileus ou basileusas, 2 Bde., 1929/30; — Paul W. Gennrich, Die Christologie Luthers im Abendmahlstreit,

1929; — Bernhard Bartmann, Jesus Christus unser Heiland und König, 1929[4]; — Charles Gore, Jesus of Nazareth, 1929[2]; — W. Windisch, Das Problem der Geschichtlichkeit Jesu, in: ThRs 1929, 267 ff., — A. d' Alès, De Verbo Incarnato, 1930; — Joseph Klausner, Jesus von Nazareth, 1930; — F. N. Davey, The Riddle of NT, 1931, dt. 1938; — Friedrich Zundel, Jesus in Bildern aus seinem Leben, 1931[4]; — Martin Dibelius, Jungfrauensohn u. Krippenkind. Unters. zur Geburtsgesch. Jesu im Lukas-Evangelium, Sitzungsber. der Heidelberger Akademie der Wissenschaften, Phil.-hist. Kl., 1932; — Ders., Jesus, 1947[2]; — Ders., Botschaft und Gesch., Ges. Aufsätze, hrsg. v. G. Bornkamm, Bde. I und II, 1953 u. 1956; — Reinhold Niebuhr, Moral Man and Immoral Society, New York 1932; — Ewald Burger, Der lebendige Christus. Die theol. Bedeutung der Auferstehung und Erhöhung Christi, 1933; — C. Guignebert, Jésus, Paris 1933; — Urban Holzmeister, Chronologia vitae Christi, Rom 1933; — Jack Finegan, Die Überlieferung der Leidens- und Auferstehungsgesch. Jesu, 1934; — Maurice Goguel, Das Leben Jesu, 1934; — Karl Adam, Jesus Christus und der Geist unserer Zeit, 1935; — Ders., Jesus Christus, 1949; — Tihamér Tóth, Der Sieg Christi, dt. 1936; — Gustav Pfannmüller, Jesus im Urteil der Jahrhunderte, 1939; — Dietrich Bonhoeffer, Nachfolge, 1940[2]; — Romano Guardini, Jesus Christus. Sein Bild in den Schriften des NT, 1940, Neudruck: Das Bild von Jesus dem Christus im NT, 1985; — Ders., Jesus Christus. Geistl. Wort, 1957; — Ders., Der Kreuzweg unseres Herrn und Heilandes, 1958; — Ders., Die menschl. Wirklichkeit des Herrn. Beitr. zu einer Psychologie Jesu, 1958; — Ders., Das Christusbild der paulinischen Schriften, 1961[2]; — Ders., Der Herr: Betrachtungen über die Person und das Leben Jesu Christi, 1985[15]; — R. Meyer, Der Prophet aus Galiläa, 1940; — G. Ogg, The Chronology of the public ministry of Jesus, Cambridge 1940; — Theodor Kempf, Christus der Hirt. Ursprung und Deutung einer altchristl. Symbolgestalt, 1942; — Leonhard Ragaz, Die Botschaft vom Reich Gottes, 1942; — Ders., Die Gesch. der Sache Christi, 1946, — Ders., Die Bibel. Eine Deutung, 7 Bde., 1947-1950; — Ders., Die Gleichnisse Jesu, Neudruck 1985[3]; — Karl Heim, Die Bergpredigt Jesu. Für die heutige Zeit ausgelegt, 1946; — F. M. Braun, Jesus, 1947; — Karl Barth, Christus und wir Christen, ThEx NF 11, 1948; — Georg Bichlmeier, Der Mann Jesus, 1948; — Uno Gräsbeck, Bergpredikan och Jesu verksamhet, Helsingfors 1949; — Marc Lagrange, Das Evangelium von Jesus Christus, dt. 1949; — Joseph Schmitt, Jésus ressuscité dans la prédication apostolíque, Paris 1949; — Martin Buber, Zwei Glaubensweisen, 1950; — Amos Niven Wilder, Eschatology and Ethics in the Teaching of Jesus, New York 1950[2]; — H. Ackermann, Jesus. Seine Botschaft und ihre Aufnahme im Abendland, 1952; — Joachim Jeremias, Kennzeichen der ipsissima vox Jesu. Synopt. Studien A. Wikenhauser dargebr., 1953, 86-93; — Ders., Unbekannte Jesusworte, 1965[4]; — Ders., ABBA, Studien zur neutestamentl. Theol. und Zeitgesch., 1966; — Ders., Die älteste Schicht der Menschensohn-Logien, in: ZNW 58, 1967, 159-172; — Ders., Das Problem des hist. Jesus, Calwer Hefte 32, 1969[6]; — Ders., »Das ist mein Leib«, Calwer Hefte 122, 1972; — Ders., Die Gleichnisse Jesu, 1977[9], Kurzausgabe hiervon 1980[8]; — Ders., The Prayers of Jesus, Philadelphia 1978; — Ders., Die Sprache des Lukasevangeliums (Krit.-exeget. Komm. über das NT, Sonderband), 1980; — T. W. Manson,

The Servant-Messiah. A Study of the Public Ministry of Jesus, Cambridge 1953; — Ders., The life of Jesus: Some Tendencies in Present-Day Research, in: The background of the NT and its Eschatology, ed. in Honour of C. H. Dodd, Cambridge 1956, 211-221; — Elisabeth Goudge, Der Mann aus Nazareth, dt. 1954; — Frederic C. Grant, The Authenticity of Jesus' Sayings, Nt. Studien für Rudolf Bultmann, in: BZNW 21, 1954, 137-143; — Henrik Ljungman, Das Gesetz erfüllen, Lund 1954; — Walter Nigg, Das ewige Reich, 1954, — F. L. Bakker, Jesus en de Islam, The Hague 1955; — Vincent Taylor, The Life and Ministry of Jesus, London 1955; — Ders., The Formation of the Gospel Tradition, London 1964[2]; — Otto Michel, Der »hist. Jesus« und das theol. Gewißheitsproblem, in: EvTh 15, 1955, 349-363; — Ders., Die Jesusüberlieferung im Lichte der Archäologie, in: ZW 29, 1958, 808-811; — Ders., Der Menschensohn. Die eschatolog. Hinweisung. Die apokalypt. Aussage. Bemerkungen zum Menschensohn-Verständnis des NT.s, in: ThZ 27, 1971, 81-104; — Heinz Schürmann, Der Einsetzungsbericht, Lk 22, 19-20, NTA 22/4, 1955; — Ders., Die Sprache des Christus, in: BZ N.F. 2, 1958, 54-84; — Ders., Die vorösterl. Anfänge der Logientradition. Versuch eines formgeschichtl. Zugangs zum Leben Jesu, in: Traditionsgeschichtl. Untersuchungen, 1968, 39-65, — Ders., Traditionsgeschichtl. Untersuchungen zu den synopt. Evangelien. Kommentare und Beiträge zum AT und NT, 1968; — Ders., Das Geheimnis Jesu. Versuch zur Jesusfrage, 1972; — Ders., Zur aktuellen Situation der Leben-Jesu-Forschung, in: GuL 46, 1973, 300-310; — Ders., Jesu ureigener Tod. Exeget. Besinnungen und Ausblick, 1975; — Ders., Jesu Todesverständnis im Verstehenshorizont seiner Umwelt, in: ThGl 70, 1980, 141-160, — Liselotte Corbach, Die Bergpredigt in der Schule, 1956[2]; — Reginald H. Fuller, The Mission and Achievement of Jesus. Studies in Biblical Theology 12, London 1956[2]; — Ders., Interpreting the Miracles, ebd. 1966, dt. 1967; — Walter Grundmann, Die Gesch. Jesu Christi, 1956, Ergänzungsheft 1959; — Ders., Die Entscheidung Jesu. Zur geschichtl. Bedeutung der Gestalt Jesu von Nazareth, 1972; — Ders., Weisheit im Horizont des Reiches Gottes. Eine Studie zur Verkündigung Jesu nach der Spruchüberlieferung Q, in: Festschr. Heinz Schürmann, 1978, 175-199; — Hans-Werner Bartsch, Neuansatz der Leben-Jesu-Forschung, in: Kirche in der Zeit 12, 1957, 244-247, — Ders., Das hist. Problem des Lebens Jesu, in: Thex 78, 1960, — Ders., Kann man Jesus existential interpretieren?, in: Kirche in der Zeit 16, 1961, 48-51; — Ders., Der hist. Jesus als dogmatisches Problem. Entmythologisierende Auslegung, in: ThF 26, 1962, 193-209, — Ders., Das Auferstehungszeugnis. Sein hist. und sein theol. Problem, ThF 41, 1965, — Ders. (Hrsg.), Kerygma und Mythos, I, 1967[5], II, 1965[2], III, 1965[3], IV, 1955, V, 1966[2], VI/1, 1963, VI/2, 1964, VI/3, 1968 (= ThF 1, 2, 5, 8, 9, 30, 31, 44); — Ders., Jesus, Prophet und Messias in Galiläa, 1970; — Ders., Theologie und Gesch. in der Überlieferung vom Leben Jesu, in: EvTh 32, 1973, 128-143; — Ders., Der Ursprung des Osterglaubens, in: ThZ 31, 1975, 16-31; — Ders., Inhalt und Funktion des urchristl. Osterglaubens, in: ANRW II, 25,1, 1982; — Georg Buttler, Das Problem des »hist. Jesus« im theol. Gespräch der Gegenwart, in: MPTh 46, 1957, 235-244; — Franz Mussner, Der hist. Jesus und der Christus des Glaubens, in: BZ N.F. 1, 1957, 224-252, dass. ergänzt bei Herbert Vorgrimler (Hrsg.), Exegese und Dogmatik, 1962,

153-188; — Ders., »Der hist. Jesus«, in: TThZ 69, 1960, 321-337, dass. ergänzt bei Karl Schubert (Hrsg.), Der hist. Jesus und der Christus unseres Glaubens, 1962, 103-128; — Ders., Die Wunder Jesu. Eine Hinführung, 1967; — Ders., Praesentia salutis. Ges. Studien zu Fragen und Themen des NT, 1967; — Ders., Wege zum Selbstbewußtsein Jesu. Ein Versuch, in: BZ N.F. 12, 1968, 161-177; — Ders., Die Auferstehung Jesu, 1969; — Ders., Der »hist. Jesus«, in: Jesus in den Evangelien. Ein Symposium mit Josef Blinzler u. a., SBS 45, 1970, 38-49; — Ders., Ipsissima facta Jesu?, in: ThR 68, 1972, 177-184; — Ders., Traktat über die Juden, 1979, 293-305; — Ethelbert Stauffer, Jerusalem und Rom im Zeitalter Jesu Christi, 1957; — Ders., Jesus, Gestalt und Gesch., 1957; — Ders., Die Botschaft Jesu damals und heute, 1959; — Ders., Neue Wege der Jesusforschung, in: WZ Halle, Gesellschafts- und Sprachwissen. R., 1958, 451-476; — Ders., Jesus war ganz anders, 1967; — E. Barnikol, Das Leben Jesu der Heilsgeschichte, 1958; — Gerhard Ebeling, Jesus und Glaube, in: ZThK 55, 1958, 64-109, dass. in: Wort und Glaube, 1960, 203-254; — Ders., Die Frage nach dem hist. Jesus und das Problem der Christologie, in: ZThK 56, 1959, Beih. 1, 14-30, dass. in: Wort und Glaube, 300-318; — Ders., Theologie und Verkündigung. Ein Gespräch mit Rudolf Bultmann, 1963[2]; — S. E. Johnson, Jesus in His Own Times, London 1958, — D. E. Nineham, Eye Witness Testimony and the Gospel Tradition, in: JThS N.S. 9, 1958, 13-25 u. 11, 1960, 253-264; — Beda Rigaux, L' historicité de Jésus devant l'exégèse récente, in: RB 65, 1958, 481-522; — Ders., Dieu l'a ressuscité. Exégèse et théologie biblique, Gembleux 1973; — Johann Schneider, Die Frage nach dem hist. Jesus in der nt. Forschung der Gegenwart, 1958; — Anton Vögtle, Das öffentl. Auftreten Jesu auf dem Hintergrund der Qumranbewegung, Veröff. der Albert-Ludwigs-Univ. und der wiss. Ges. Freiburg, B.F. 27, 1958; — Ders., Messias und Gottessohn, Herkunft und Sinn der matthäischen Geburts- und Kindheitsgesch., 1971; — Ders., Das Evangelium und die Evangelien. Beiträge zur Evangelienforschung, 1971; — Ders., Wie kam es zur Artikulierung des Osterglaubens, in: BuL 14, 1973, 231-245, 15, 1974, 16-37, 102-120, 174-193; — Ders. und Rudolf Pesch, Wie kam es zum Osterglauben?, 1975; — Ders., Hat sich Jesus als Heilsmittler geoffenbart?, in: BuK 1979, 4-11; — P. R. Bernard, Das Mysterium Jesu, 2 Bde., 1959-1961; — Wolfgang Beilner, Christus und die Pharisäer. Exeget. Untersuchung über Grund und Verlauf der Auseinandersetzungen, 1959; — Ders., Der unbedingte Ruf. Das Christusbild des Evangeliums, 1965; — Ders., Die Frage nach dem hist. Jesus als Strukturelement einer ntl. Theologie, 1968; — Ders., Der hist. Jesus und der Christus der Evangelien, 1971; — Ders., Der Weg zu Jesus. Der Verkündiger und der Verkündigte, in: A. Paus (Hrsg.), Die Frage nach Jesus, 1973, 69-149; — Ders., Jesus ohne Retuschen, 1974; — Hans Conzelmann, Zur Methode der Leben-Jesu-Forschung, in: ZThK 56, 1959, Beih. 1, 2-13; — Ders., Jesus von Nazareth und der Glaube an den Auferstandenen, in: Helmut Ristow und Karl Matthiae, Der hist. Jesus und der kerygmat. Christus, 1961[2], 188-199; — Ders., Grundriß der Theologie des NT.s, 1967, 1976[3] als Studienausgabe; — M. Hayek, Le Christ de l'Islam, Paris 1959, arab. Beirut 1961; — Wolfhart Pannenberg, Heilsgeschehen und Gesch., in: KuD 5, 1959, 218-237, 259-288; — Ders., Grundzüge der Christologie, 1964; — Ders., Dogmat. Erwägungen zur Auferstehung Jesu, in: KuD 14, 1968, 105-118; — Ders., Christentum und Mythos. Späthorizonte des Mythos in bibl. und christl. Überlieferung, 1972; — James M. Robinson, A New Quest of the Historical Jesus. Studies in Biblical Theology 25, 1959; — Rudolf Schnakkenburg, Jesusforschung und Christusglauben, in: Catholica 13, 1959, 1-17; — Ders., Wer war Jesus von Nazareth? Christologie in der Krise?, 1970; — Paul Althaus, Der gegenwärtige Stand der Frage nach dem hist. Jesus, in: SAM, 1960; — H. Anderson, The Historical Jesus and the Origins of Christianity, in: SJTh 13, 1960, 113-160; — Ders., Existential hermeneutics, Features of the new Quest, in: Interpretation 16, 1962, 131-155; — Ders., Jesus and Christian Origins, 1964; — Erik Beijer, Kristologi och etik i Jesu Bergspredikan, Stockholm 1960; — Gerhard Delling, Antike Wundertexte, 1960; — Ders., Studien zum NT und zum hellenist. Judentum. Ges. Aufsätze 1950-1968, hrsg. von Ferdinand Hahn, 1970; — Ders., Der Kreuzestod Jesu in der urchristl. Verkündigung, 1972; — Charles H. Dodd, History and Gospel, 1960, Neuauflage von 1938; — Ders., Historical Tradition in the Fourth Gospel, 1963; — Ders., The Founder of Christianity, London 1970, dt. 1975; — Ernst Fuchs, Das Paschaereignis in der Verkündigung Jesu in der Theologie des Paulus und im Ostergeschehen, in: Ders., Zum hermeneut. Problem, 1960, 281-305; — Ders., Zur Frage nach dem hist. Jesus, Ges. Aufsätze II, 1965[2]; — Ders., Zur Frage nach dem hist. Jesus. Ein Nachwort, in: Glaube und Erfahrung, 1965, 1-31; — Ders., Jesu Wort und Tat, Vorlesungen zum NT I, 1971; — Ders. u. Walter Künneth, Die Auferstehung Jesu Christi von den Toten. Dokumentation eines Streitgesprächs, 1973, hrsg. von Chr. Möller; — Gerhard Gloege, Aller Tage Tag. Unsere Zeit im NT, 1960; — Günter Haufe, Zur Methode einer »Leben-Jesu-Darstellung«, in: FF 34, 1960, 377 f.; — Ders., Das Menschensohnproblem in der gegenwärt. wissenschaftl. Diskussion, in: EvTh 26, 1966, 130-141; — Ders., Vom Werden und Verstehen des NT.s. Eine Einführung, 1968; — Gerhard Koch, Dominus praedicans Christum - id est Jesum praedicatum, in: ZThK 57, 1960, 238-273; — Ders., Die Auferstehung Jesu Christi, 1965[2]; — Werner Georg Kümmel, zus. mit Martin Dibelius, Jesus, 1960[3]; — Ders., Das Problem des hist. Jesus in der gegenwärt. Diskussion, in: DtPfrBl 61, 1961, 573-578; — Sonderabdr. in: MThSt 3, 1965, 417-428; — Ders., Heilsgeschehen und Gesch. Ges. Aufsätze 1933-1964, MThSt 3 = Bd. I; — Ders., Ges. Aufsätze 1965-1977, MThSt 16 = Bd. II, 1978; — Ders., Kirchenbegriff und Geschichtsbewußtsein in der Urkirche und bei Jesus, 1968[2]; — Ders., Das NT im 20. Jh. Ein Forschungsber., SBS 50, 1970; — Ders., Das NT. Geschichte und Erforschung seiner Probleme, 1970[2]; — Ders., Noch einmal: Das Gleichnis von der selbstwachsenden Saat. Bemerkungen zur neuesten Diskussion um die Auslegung der Gleichnisse Jesu, in: Festschr. für J. Schmid, 1973, 220-237; — Ders., Jesu Antwort an Johannes den Täufer. Ein Bericht zum Methoden-Problem in der Jesusforschung, Sitzungsberichte der Wissenschaftl. Ges. der Johann-Wolfgang-Goethe-Universität Frankfurt/Main XI, 4, 1974; — Ders., Die Theologie des NT.s nach seinen Hauptzeugen: Jesus-Paulus-Johannes, = Grundrisse zum NT 3, 1976[3]; — Karl Matthiae u. Helmut Ristow, Der hist. Jesus und der kerygmat. Christus, Sammelwerk mit Beiträgen zum Verständnis in Forschung und Verkündigung, 1960; — Heinrich Ott, Die Frage nach dem »hist. Jesus« und die Ontologie der Gesch., in: ThSt 62, 1960; — R. A. Bartels,

Kerygma or Gospel Tradition. Which came first?, 1961; — Carsten Colpe, Die religionsgeschichtl. Schule. Darst. und Kritik ihres Bildes vom gnost. Erlösermythos, FRLANT 78, NF 60, 1961; — Ders., Der Begriff »Menschensohn« und die Methode der Erforschung messianischer Prototypen, in: Kairos 11, 1969, 241-263, 12, 1970, 81-112, 13, 1971, 1-17; — Ders., Traditionsüberschreitende Argumentation zu Aussagen Jesu über sich selbst, in: Festschr. für K. G. Kuhn, 1971, 230-245; — Otto Dilschneider, Die Geistvergessenheit der Theologie. Epilog zur Diskussion über den hist. Jesus und den kerygmat. Christus, in: ThLZ 86, 1961, 255-266; — M. S. Enslin, The Prophet from Nazareth, New York 1961; — Hayo Gerdes, Die durch Martin Kählers Kampf gegen den hist. Jesus ausgelöste Krise in der ev. Theologie und ihre Überwindung, in: NZSTh 3, 1961, 175-202; — Birger Gerhardson, Memory and Manuskript. Oral Tradition and Written Transmission in Rabbinic Judaism and Early Christianity, ASNU 22, 1961; — Ders., Tradition and Transmission in Early Christianity, CN 20, 1964; — Eduard Lohse, Die Auferstehung im Zeugnis des Lukasevangeliums, BSt 31, 1961; — Ders., Die Frage nach dem hist. Jesus in der gegenwärtigen ntl. Forschung, in: ThLZ 87, 1962, 161-174; — Ders., Die Gesch. des Leidens und Sterbens Jesu, 1964; — Ders., Die Vielfalt des NT.s, 1982; — Ders., Umwelt des NT.s, 1983[6]; — Ders., Die Ethik der Bergpredigt und was sie uns heute zu sagen hat, 1984; — Ders., Grundriß der ntl. Theologie, Theol. Wissenschaft 5, 1984[3]; — Fulton F. Sheen, Leben Jesu, dt. 1961; — Paul Winter, On the trial of Jesus, St. Judaica 1, 1961; — R. Aron, Die verborgenen Jahre Jesu, 1962; — Günther Bornkamm, Gesch. und Glaube im NT, in: EvTh 22, 1962, 1-15; — Ders., Die Theologie Bultmanns in der neueren Diskussion. Literaturber. zum Problem der Entmythologisierung und Hermeneutik, in: ThR NF 29, 1963, 33-141; — Ders., Jesus von Nazareth, Urban Taschenbuch 19, 1977[14]; — Ferdinand Hahn, Die Frage nach dem hist. Jesus und die Eigenart der uns zur Verfügung stehenden Quellen, in: Ev. Forum 2, 1962, 7-40; — Ders. u. a., Die Frage nach dem hist. Jesus, 1966[2]; — Ders., Das Problem »Schrift« und »Tradition« im Urchristentum, in: EvTh 30, 1970, 449-468; — Ders., Christolog. Hoheitstitel. Ihre Gesch. im frühen Christentum, FRLANT 83, 1974[4]; — Ders., Das Abendmahl und Jesu Todesverständnis, in: ThRv 76, 1980, 265-272; — Eberhard Jüngel, Paulus und Jesus. Eine Unters. zur Präzisierung der Frage nach dem Ursprung der Christologie, in: HUTh 2, 1962; — Willi Marxen, Zur Frage nach dem hist. Jesus, in: ThLZ 87, 1962, 575-580; — Ders. u. Ulrich Wilkens/Gerhard Delling/Hans Georg Geyr, Die Bedeutung der Auferstehensbotschaft für den Glauben an Jesus Christus, 1966; — Ders., Die Auferstehung Jesu als hist. und als theol. Problem, 1969[7]; — Ders., Christologie praktisch, 1978; — Ders., Die urchristl. Kerygmata und das Ereignis Jesus von Nazareth, in: ZThK 73, 1976, 42-64, — Ders., Die Sache Jesu geht weiter, 1978[2]; — Kurt Schubert (Hrsg.), Der hist. Jesus und der Christus unseres Glaubens, 1962; — Ders., Vom Messias zum Christus. Die Fülle der Zeit in religionsgeschichtl. und theol. Sicht, 1964; — Ders., Studien zur Passionsgesch., in: BuLit 45, 1972, 33-41; — Ders., Jesus im Lichte der Religionsgesch. des Judentums, 1973, — X.-Léon Dufour, Les évangeles et l'histoire de Jesus, Paris 1963; — Robert M. Grant, A Historical Introduction to the NT, New York/Evanston 1963; — Ulrich Luck, Der »hist. Jesus« als Problem des Urchristentums, in: WuD, N.F., 1963, 58-73; — Ders., Kerygma, Tradition und Gesch. bei Lukas, in: WdF 280, Das Lukas Evangelium, 1974; — Francois Mauriac, Leben Jesu, dt. 1963; — Wolfhart Pannenberg, Dogma und Denkstrukturen, 1963; — Ders., Dogmat. Erwägungen zur Auferstehung Jesu, in: KuD 14, 1968, 105-118, — Ders., Christentum und Mythos. Späthorizonte des Mythos in bibl. und christl. Überlieferung, 1972; — Ders., Auferstehung. Das bibl. Auferstehungszeugnis hist. unters. und erklärt, 1972[2], als Tb (Siebenstern 80), 1977; — Ders., Grundzüge der Christologie, 1982[6]; — Eduard Schweizer, Die hist.-krit. Bibelwissenschaft und die Verkündigungsaufgabe der Kirche, in: EvTh 23, 1963, 31-42 = Neotestamentica 1963, 136-149, ebd. Aufsätze zur Christologie, 51-136; — Ders., NT und heutige Verkündigung, BSt 56, 1969; — Ders., Jesus Christus im vielfältigen Zeugnis des NT.s, 1976[4]; — Ders., Jesus Christ: the man from Nazareth and the Exalted Lord; the 1984 Sizemore Lectures in Biblical Studies at Midwestern Baptist Theological Seminary, 1987; — H. E. W. Turner, Historicity and the Gospels. A Sketch of Historic Method and Its Application to the Gospels, London 1963, — W. D. Davies, The setting of the Setting of the Sermon of the Mount, Cambridge 1964; — A. Finkel, The Pharisees and the Teacher of Nazareth. Arbeiten zur Gesch. des Spätjudentums und des Urchristentums 4, 1964; — Angus J. Higgins, Jesus and the Son of Man, 1964; — Ders., The Son of Man Concept and the Historical Jesus, in: TU 103, 1968, 14-20; — G. V. Jones, The Art and Truth of the parables. A Study in Their Literary Form and Modern Interpretation, London 1964; — D. F. Robinson, Jesus, Son of Joseph. A Re-Examination of the NT-Record, Boston 1964; — B. Salomonson, Einige krit. Bemerkungen zu Stauffers Darst. der spät-jüd. Ketzergesetzgebung, in: StTh 18, 1964, 91-118; — H. Wenz, Der kerygmat. hist. Jesus im Kerygma, in: ThZ 20, 1964, 23-38, — Ulrich Wilkens, Hellenist.-christl. Missionsüberlieferung und Jesustradition, in. ThLZ 89, 1964, 517-520; — Ders., Auferstehung. Das bibl. Auferstehungszeugnis hist. unters. und erklärt, 1972[2], als Tb 1977; — Otto Betz, Was wissen wir von Jesus?, 1965; — Ders. u. Werner Grimm, Wesen und Wirklichkeit der Wunder Jesu. Heilungen-Rettungen-Zeichen-Aufleuchtungen, Arbeiten zum NT und Judentum, 1977[2]; — Ders., Jesus, der Messias Israels. Aufss. zur bibl. Theol., Wiss. Unters. zum NT 42, 1987; — Eugen Biser, Die Gleichnisse Jesu. Versuch einer Deutung, 1965; — Joe Carmichael, Leben und Tod des Jesus von Nazareth, dt. 1965; — Georg Eichholz, Auslegung der Bergpredigt, 1965; — Ders., Tradition und Interpretation. Studien zum NT und zur Hermeneutik, 1965; — Ders., Gleichnisse der Evangelien. Form, Überlieferung, Auslegung, 1984[4]; — Reginald H. Fuller/ Johannes Feiner/Magnus Lohrer (Hrsg.), Mysterium Salutis. Grundriß heilsgeschichtl. Dogmatik, 6 Bde., 1965-1976; — Ders., The Foundation of the New Testament Christologie, 1965; — Ders., Die Wunder Jesu in Exegese und Verkündigung, 1967, engl. 1966; — Josef R. Geiselmann, Jesus der Christus, 1965[2]; — Howard I. Marshall, The Synoptic Son of man Sayings in Recent Discussion, NTS 12, 1965/66, 327-351; — Ders., I believe in the Historical Jesus, Grand Rapids 1977; — Ders., Last Supper and Lord's Supper, Exeter 1980; — W. Neil, The Life and Teaching of Jesus, London 1965, — Geoffrey Parrinder, Jesus in the Qur'an, London 1965, — Augustin Bea, Die Geschichtlichkeit der Evangelien, 1966; — Oscar Cullmann,

Unzeitgemäße Bemerkungen zum »hist. Jesus« der Bultmannschule, in: Vorträge und Aufsätze 1925-1962, hrsg. von K. Fröhlich, 1966; — Ders., Jesus und die Revolutionären seiner Zeit. Gottesdienst, Gesellschaft, Politik, 1970; — Ders., die Christologie des NT.s, 1975[5]; — Gerhard Dautzenberg, Sein Leben bewahren. Ψυχή in den Herrenworten der Evangelien, StANT 14, 1966; — Ders., Christusdogma ohne Basis? Rückfragen an das NT, 1971; — Duncan M. Derrett, An Oriental Lawyer Looks at the Trial of Jesus and the Doctrine of the Redemption, London 1966; — Ders., Enviroment in Which He Worked, Prolegomena to a Restatement of the Teaching of Jesus, London 1973; — Karlheinz Deschner, Jesusbilder in theol. Sicht, 1966; — Ernst Haehnchen, Der Weg Jesu. Eine Erklärung des Markusevangeliums und der kanonischen Parallelen, 1966; — Ders., Die Bibel und Wir, Ges. Aufsätze, I. u. II, 1968; — Ders., Vom Wandel des Jesusbildes in der frühen Gemeinde, in: Festschr. für Gustav Stählin, 1970; — Ann Hanson, Essays on the Historical Basis of Christianity, London 1966; — W. Koch, Der Prozeß Jesu. Versuch eines Tatsachenberichts, 1966; — Ders., Zum Prozeß Jesu, Arbeiten der Melanchton-Akademie 3, 1967; — Günter Speicher, Doch sie können ihn nicht töten. Forscher und Theologen auf den Spuren Jesu, 1966; — August Strobel, Die moderne Jesusforschung, Calwerhefte 83, 1966; — Ders., Kerygma und Apokalyptik. Ein religionsgeschichtl. und theol. Beitrag zur Christusfrage, 1967; — Ders., Wer war Jesus? Wer ist Jesus?, Calwerhefte 127, 1973; — Ders., Die Stunde der Wahrheit. Untersuchungen zum Strafverfahren gegen Jesus, WUNT 21, 1980; — Wolfgang Trilling, Fragen zur Geschichtlichkeit Jesu, 1966; — Ders., Vielfalt und Einheit im NT. Zur Exegese und Verkündigung des NT.s, 1968; — Ders., Die Schrift allein, 1970; Ders., Die Wahrheit von Jesus-Worten in der Interpretation ntl. Autoren, in: KuD 23, 1977, 93-112, — Ders., Die Botschaft Jesu. Exegetische Orientierungen, 1978; — Ders., Studien zur Jesusüberlieferung, 1988; — C. K. Barrett, Jesus and the Gospel Tradition, London 1967; — Frank W. Bearse, Sayings of the Risen Jesus in the Synoptic Tradition: An Inquiry into their Origin and Significance, Christian History and Interpretation, in: Studies Presented to John Knox, Cambridge 1967, 161-181; — Ders., Concerning Jesus of Nazareth, in: JBL 87, 1968, 125-135; — Schalom Ben-Chorim, Bruder Jesus. Der Nazarener aus jüd. Sicht, 1967; — Ders., Jesus im Judentum, Schriftenreihe für christl.-jüd. Begegnung 4, 1970; — S. G. F. Brandon, Jesus and the Zealots. A Study of Political Factor in Primitive Christianity. Manchester 1967; — Ders., Jesus and the Zealots: Aftermath, in: BJRL 54, 1971, 47-66; — Ders., The Trial of Jesus of Nazareth, 1968; — Raymond Bruckberger, Die Gesch. Jesu Christi, dt. 1967; — Joachim Gnilka, Der hist. Jesus als der gegenwärtige Christus im Johannesevangelium, in: J. Sint, (Hrsg.), Bibel und zeitgemäßer Glaube, II, 1967; — Ders., Jesus Christus nach den frühen Zeugnissen des Glaubens, 1970; — Das Evangelium nach Markus, Ev.-kath. Kommentar II/1, II/2, 1978 u. 1979; — M. D. Hooker, The Son of Man in Mark. A Study of the background of the term »Son of man« and its use in St. Mark's Gospel, London 1967; — Helmut Merkel, Jesus und die Pharisäer, in: NTSt 14, 1967/68, 194-208; — Ders., Auf den Spuren des Urmarkus? Ein neuer Fund und seine Beurteilung, in: ZThK 71, 1974, 123-144, — F. E. Meyer, Einige Bemerkungen zur Deutung des Terminus »Synhedrion« in den Schriften des NT.s, in:

NTS 14, 1967/68, 545-551; — Norman Perrin, Rediscovering the teaching of Jesus, London 1967, dt. 1972, — Ders., The Modern Interpretation of the Parables of Jesus and the Problem of Hermeneutics, in: Interpretation 25, 1971, 131-148; — Ders., Jesus and the Language of the Kingdom. Symbol and Metaphor in New Testament Interpretation, Philadelphia 1976; — Daniel Rops, Jesus et son temps, Paris 1967, — E. W. Saunders, Jesus in the Gospels, Eaglewood Cliffs 1967; — Gottfried Schille, Die urchristl. Wundertradition. Ein Beitrag zur Frage nach dem irdischen Jesus, 1967; — Ders., Prolegomena zur Jesusfrage, in: ThLZ 93, 1968, 481-488;— Ders., Osterglaube, Arbeiten zur Theologie 51, 1973; — Walter Schmithals, Die Theologie Rudolf Bultmanns. Eine Einführung, 1967[2]; — Ders., Wunder und Glaube. Eine Auslegung von Mk 4, 35-36, 6a, in. BSt 59, 1970; — Ders., Jesus Christus in der Verkündigung der Kirche. Aktuelle Beiträge zum notwendigen Streit um Jesus, 1972, — Ders., Das Evangelium nach Markus, I. und II. Teil, Ökumenischer Taschenkomm. II/1, II/2, hrsg. von Karl Kertelge und Erich Gräßer, 1979; — Reinhard Slenczka, Geschichtlichkeit und Personsein Jesu Christi. Studien zur christolog. Problematik der hist. Jesusfrage, 1967; — W. H. Wuellner, The Meaning of »Fishers of Men«, 1967; — Louis Cerfaux, Jésus aux origines de la Tradition. Matérieux pour l'histoire de Jésus III, 1968; — F. G. Downing, The Church and Jesus. A Study in History, Philosophy and Theology, SBT II, 10, 1968; — Helmut Flender, Heil und Geschichte in der Theologie des Lukas, BEvTh 41, 1968; — David Flusser, Jesus in Selbstzeugnissen und Bilddokumenten dargest., 1968; — Ders., Die rabbin. Gleichnisse und der Gleichniserzähler Jesus, 1. Teil: Das Wesen der Gleichnisse, 1981; — Ders., Die letzten Tage Jesu in Jerusalem, 1982; — Ders., Jesusworte und ihre Überlieferung, hrsg. von Martin Majer, 1987; — John Massingberd Ford, The »Son of Man« - a Euphemism?, in: JBL 87, 1968, 257-266; — M. D. Goulder, Characteristics of the Parables in the Several Gospels, in: JThS 19, 1968, 51-69; — Günter Haufe, Vom Werden und Verstehen des NT.s. Eine Einführung, 1968, — Ders., Der Prozeß Jesu im Lichte gegenwärt. Forschung, in: ZdZ 22, 1968, 93-101; — J. Kallas, Jesus and the Power of Satan, Philadelphia 1968; — Günter Klein, Entmythologisierung des Evangeliums, 1968; — Ders., »Reich Gottes« als bibl. Zentralbegriff, in: EvTh N.F. 25, 1970, 642-670; — Wolfgang Knörzer, Die Bergpredigt, Modell einer neuen Welt, Bibl. Forum 2, 1968; — Ders., Was wir von Jesus wissen, 1977[4]; — Raqnar Leivestadt, Der apokalypt. Menschensohn - ein theol. Phantom, Asti 6, 1968, 49-105; — Ders., Jesus in his own perspective: an examination of his sayings, actions and eschatological titles, Minneapolis 1987; — Fritzleo Lentzen-Deis, Die Wunder Jesu. Zur neueren Literatur und zur Frage nach der Historizität, in: ThPh 43, 1968, 392-402; — Gösta Lindeskog, Das Rätsel des Menschensohns, in: StTh 22, 1968, 149-175, — Ders., Die Jesusfrage im neuzeitl. Judentum. Ein Beitrag zur Geschichte der Leben-Jesu-Forschung, Neudruck 1973, — Ulrich Luck, Die Vollkommenheitsforderung der Bergpredigt, in: TEH 150, 1968; — Ders., Kerygma, Tradition und Gesch. Jesu bei Lukas, in: WdF 200, 1974, 95-114; — Robert Maddox, The Function of the Son of Man according to the Synoptic Gospels, NTS 15, 1968/69, 45-74; — Ders., Methodenfragen in der Menschensohnforschung, in: EvTh 32, 1972, 143-160; — Joseph Molitor, Grundbegriffe der Jesusüberlieferung im

Lichte ihrer oriental. Sprachgeschichte, 1968; — Kurt Niederwimmer, Jesus, 1968; — Klaus Reinhardt, Dialekt. Aussagen in Jesu Basileiagleichnissen (Diss. Erlangen), 1968; — J. Reumann, Jesus in the Church's Gospels: Modern Scholarship and the Earliest Sources, Philadelphia 1968; — Eugen Ruckstuhl/Josef Pfammatter, Die Auferstehung Jesu Christi. Heilgeschichtl. Tatsache und Brennpunkt des Glaubens, 1968; — Ders., Neue und alte Überlegungen zu den Abendmahlworten Jesu, in: Studien zum NT und seiner Umwelt 5, 1980, 79-106; — Ludger Schenke, Auferstehungsverkündigung und leeres Grab. Eine traditionsgeschichtl. Unters. von Mk 16,1-8, SBS 33, 1968; — Ders., Studien zur Passionsgesch. des Markus, Forschungen zur Bibel 4, 1971; — Ders., Der gekreuzigte Christus. Versuch einer lit.-krit. und traditionsgeschichtl. Bestimmung der vormarkinischen Passionsgesch., SBS 69, 1974; — Ders., Wundererzählungen des Markusevangeliums, SBB 1974; — Ders., Die wunderbare Brotvermehrung, Die ntl. Erzählungen und ihre Bedeutung, 1983; — J. A. Baird, Audience Criticism and the Historical Jesus, Philadelphia 1969; — Marc Bouttier, Du Christ de'histoire au Jésus des évangiles, Avenir de la théologie 7, Paris 1969; — Ders., Bulletin du NT, 4. Jésus et les évangiles, in: ETR 54, 1979, 259-314; — E. Brandenburger, Kreuzigung Jesu und Kreuzestheologie, in: WuD 10, 1969, 17-43; — Jean Carmignac, Recherches sur le »Notre Pére«, Paris 1969; — Richard A. Edwards, The Eschatological Correlative as a Gattung in the NT, in: ZNW 60, 1969, 9-20; — V. Hasler, AMEN. Redaktionsgeschichtl. Untersuchung zur Einführungsformel der Herrenworte »Wahrlich ich sage euch«, 1969; — Hans van der Kwaak, Het Proces van Jesus. Een vergelijkend onderzook van de beschrijvingen der evangelisten (Diss. Leiden), 1969; — Karl Lehmann, Auferweckt am 3. Tage nach der Schrift. Früheste Christologie, Bekenntnisbildung und Schriftauslegung im Licht von 1 Kor 15,3-5, QD 38, 1969²; — Ders., Der hermeneutische Horizont der hist.-krit. Exegese, in: J. Schreiner (Hrsg.), Einführung in die Methode der bibl. Exegese, 1971, 40-80; — Ders., Über das Verhältnis der Exegese als hist.-krit. Wissenschaft zum dogmat. Verstehen, in: Festschr. für Anton Vögtle, Jesus und der Menschensohn, 1975, 421-434; — H. Z. Maccoby, Jesus and Barabbas, in: NTS 16, 1969/70, 55-60; — L. Malevez, Jésus de l'histoire et interprétation du kérygme, in: NRTh 101, 1969, 785-808; — H. K. McArthur, From the Historical Jesus to Christology, in: Interpretation 23, 1969, 190-206; — Ders., The Burden of Proof in Historical Jesus Research, in: ET 82, 70/71, 116-119; — Franz Joseph Schierse/Gerhard Dautzenberg, Was hat die Kirche mit Jesus zu tun? Zur gegenwärtigen Problemlage bibl. Exegese und kirchl. Verkündigung, 1969; — Ders., Jesus von Nazareth, Materialbücher 3, 1972; — Ders., Christologie, Leitfaden Theologie 2, 1979; — Ders., Das bibl. Zeugnis von Jesus Christus, 1983; — H. J. Schonfield, Planziel Golgatha. Neue Erkenntnisse der Leben-Jesu-Forschung, dt. Übers. 1969; — Georg Strecker, Die hist. und theol. Problematik der Jesusfrage, in: EvTh 29, 1969, 453-476; — Ders., Eschaton und Historie. Aufsätze, 1979; — Fritz Viering, Der Kreuzestod Jesu. Interpretation eines theol. Gutachten, 1969; — Heinz Zahrnt, Es begann mit Jesus von Nazareth. Die Frage nach dem hist. Jesus, 1969³; — Ders., Jesus aus Nazareth, ein Leben, 1987; — Ernst Bammel, Das Ende von Q, in: Festschr. Gustav Staehlin, 1970, 39-50; — Ders., Die Blutgerichtsbarkeit in der röm. Provinz Judäa vor dem 1. jüd. Aufstand, in: JJS 25, 1974, 35-49; — Ders., Zum Testimonium Flavianum, in: Festschr. Otto Michel, Josephus Studien, 1974, 9-22; — Klaus Berger, Die Amen-Worte Jesu. Eine Unters. zum Problem der Legitimation in apokalyptischer Rede, in: BZNW 39, 1970; — Ders., Die Gesetzesauslegung Jesu. Ihr hist. Hintergrund im Judentum und im AT, Teil 1: Mk und Parallelen, in: WMANT 40, 1972; — Ders., Materialien zur Form- und Überlieferungsgeschichte ntl. Gleichnisse, in: NT 15, 1973, 1-37; — Ders., Die Auferstehung des Propheten und die Erhöhung des Menschensohns. Traditionsgeschichtl. Untersuchungen zur Deutung des Geschicks Jesu in frühchristl. Texten, 1976; — Ch. Burchard, Das doppelte Liebesgebot in der frühen christl. Überlieferung, in: Festschr. J. Jeremias, 1970, 39-62; — Ch. Burger, Jesus als Davidssohn. Eine traditionsgeschichtl. Untersuchung, FRLANT 98, 1970; — Marjorje B. Chambers, Was Jesus Really Oboedient Unto Death?, in: JR 50, 1970, 121-138, — Marcello Craveri, La Vita di Gesù, 1970, dt. 1972; — L. Gaston, No stone on Another. Studies in the Significane on the Fall of Jerusalem in the Synoptic Gospels, 1970; — Martin Hengel, War Jesus Revolutionär?, Calwer Hefte 110, 1970; — Ders., Kerygma oder Geschichte?, Zur Problematik einer falschen Alternative in der ntl. Forschung aufgezeigt an Hand einiger neuer Monographien, in: ThQ 151, 1971, 323-336; — Ders., Ist der Osterglaube noch zu retten?, in: ThQ 153, 1973, 252-269; — Ders., Der Sohn Gottes. Die Entstehung der Christologie und die jüd.-hellenistische Religionsgeschichte, 1975; — Ders., Zwischen Jesus und Paulus. Die »Hellenisten«, die »Sieben« und Stephanus, in: ZThK 72, 1975, 151-206; — Ders., Jesus und die Thora, in: ThBeitr. 9, 1978, 152-172; — Ders., Zur urchristl. Geschichtsschreibung, 1979; — Karl Kertelge, Die Wunder Jesu im Markusevangelium. Eine redaktionsgeschichtl. Unters., StANT 23, 1970; — Ders., Die Wunder Jesu in der neueren Exegese, in: Theol. Berichte 5, 1976, 71-105; — Ders., (Hrsg.), Der Tod Jesu, Deutungen im NT, 1976; — Ders., (Hrsg.), Rückfrage nach Jesus. Zur Methodik und Bedeutung der Frage nach dem hist. Jesus, QD 63, 1977²; — H. C. Kee, Jesus in History. An Approach to the Study of the Gospels, New York 1970; — Hans Küng, Menschwerdung Gottes, 1970; — Ders., Zur Entstehung des Auferstehungsglaubens. Versuch einer systematischen Klärung, in: ThQ 154, 1974, 103-117; — Ders./Pinchas Lapide, Jesus im Widerstreit eines jüd.-christl. Dialogs, 1976; — Ders., Existiert Gott?, 1978; — Martin Künzl, Das Naherwartungslogion Mt 10,23. Gesch. seiner Auslegung, 1970; — Johannes Lehmann, Jesus-Report. Protokoll einer Verfälschung, 1970, dazu: Karl Müller, (Hrsg.), Rabbi Jesus. Eine Auseinandersetzung mit J. Lehmanns Jesus-Report, 1970; — M. Lehmann, Synopt. Quellenanalyse und die Frage nach dem hist. Jesus. Kriterien der Jesusforschung unters. in Auseinandersetzung mit Emil Hirschs Frühgesch. des Evangeliums, in: ZNW 38, Beih., 1970, 163-205; — Herbert Leroy, Jesusverkündigung im Johannesevangelium, in: Jesus in den Evangelien. Ein Symposium mit Josef Blinzler u. a., SBS 45, 1970, 148-170; — Ders., Jesus - Überlieferung und Deutung, Erträge der Forschung 95, 1978; — Eta Linnemann, Studien zur Passionsgeschichte, 1970; — Dies., Gleichnisse Jesu, Einführung und Auslegung, 1978⁷; — Ch. Perrot, Jésus et l'histoire, Collection »Jésus et Jésus Christ« 11, Paris 1979; — Rudolf Pesch, Die Bibel krit. lesen, 1970; — Ders., Jesu ureigene Taten? Ein Beitrag zur Wunderfrage, QD 52, 1970;

— Ders. (Hrsg.), Jesus in den Evangelien. Ein Symposium mit Josef Blinzler, H. Geist, Paul Hoffmann, Herbert Leroy, Franz Mussner, Rudolf Pesch und G. Voss, 1970, — Ders. (Hrsg.), Augsteins Jesus. Eine Dokumentation, 1972; — Ders., Zur theol. Bedeutung der »Machttaten« Jesu. Reflexionen eines Exegeten, in: ThQ 152, 1972, 203-213; — Ders., Der Besessene von Gerasa. Entstehung und Überlieferung einer Wundergeschichte, SBS 56, 1972; — Ders., Zur Entstehung des Glaubens an die Auferstehung Jesu. Eine Diskussion zwischen Rudolf Pesch, Walter Kasper, Karl Hermann Schelke, Peter Stuhlmacher und Martin Hengel, in: ThQ 153, 1973; — Ders./M. A. Zwergel, Kontinuität in Jesus. Zugänge zu Leben, Tod und Auferstehung, 1974; — Ders./Reinhard Kratz, So liest man synoptisch Anleitung und Kommentar zum Studium der synopt. Evangelien, I-VI, 1975-1979; — Ders., Zur Exegese Gottes durch Jesus von Nazareth. Eine Auslegung des Gleichnisses vom Vater und den beiden Söhnen (Lk 15,11-32), in: Festschr. Bernhard Welte, Ort der Erfahrung Gottes, 1976, 140-189; — Ders., Wie Jesus das Abendmahl hielt. Grund der Eucharistie, 1977; — Ders., Das Abendmahl und Jesu Todesverständnis, QD 80, 1978; — Ders., Das Markusevangelium, HThK, II/1, 1980[3], II/2, 1980[2]; — Ders., Der Prozeß Jesus von Nazareth - Christus des Glaubens, 1988; — Peter Stuhlmacher, Krit. Marginalien zum gegenwärtigen Stand der Frage nach Jesus, in: Festschr. M. Doerne, 1970, 341-361; — Ders., NT und Hermeneutik. Versuch einer Bestandsaufnahme, in: ZThK 68, 1971, 12-161; — Ders., Thesen zur Methodologie gegenwärtiger Exegese, in: ZNW 63, 1972, 18-26; — Ders., »Kritischer müßten mir die Historisch-Kritischen sein!«, in: ThQ 153, 1973, 244-251; — Ders., Das Bekenntnis zur Auferweckung Jesu von den Toten und die Bibl. Theol., in: ZThK 70, 1973, 365-403; — Ders., Schriftauslegung auf dem Wege zur bibl. Theologie, 1975; — Ders., Vom Verstehen des NT.s. Eine Hermeneutik, Grundrisse zum NT, NTD Erg.-Bd. 6, 1979; — Ders., Der Jesus von Nazareth Christus des Glaubens, 1988; — Jürgen Roloff, Das Kerygma und der irdische Jesus. Hist. Motive in den Jesus-Erzählungen der Evangelien, 1970, — Ders., Der mitleidende Hohepriester. Zur Frage der Bedeutung des irdischen Jesus für die Christologie des Hebräerbriefes, in: Festschr. Hans Conzelmann, 1975, 143-166; — Dan Otto Via, Die Gleichnisse Jesu. Ihre lit. und existent. Dimension, BevTh 57, 1970, engl. 1968; — William R. Wilson, The Execution of Jesus. A Judicial, Literary and Historical Investigation, New York 1970, — Johannes Bauer, Gleichnisse Jesu und Gleichnisse der Rabbinen, in: ThPQ 119, 1971, 297-307, — Günther Baumbach, Jesus von Nazareth im Lichte der jüd. Gruppenbildung, in: AVTRW 54, 1971; — Ders., Fragen der modernen jüd. Jesusforschung an die christl. Theologie, in: ThLZ 102, 1977, 625-635; — Josef Blank, Was Jesus heute will. Überlegungen zur Ethik Jesu, in: ThQ 151, 1971, 300-320; — Ders., Jesus von Nazareth. Gesch. und Relevanz, 1977[5]; — Ders., Lernprozeße im Jüngerkreis Jesu, in: ThQ 158, 1978, 163-177; — David R. Catchpole, The Trial of Jesus. A Study in the Gospels and Jewish Historiography from 1770 to the Present Day (Diss. Cambridge), 1971; — J. Guillet, Jésus derant sa vie et sa mort, Paris 1971; — Hartmut Günther, Die Gerechtigkeit des Himmelreiches in der Bergpredigt, in: KuD 17, 1971, 113-126; — Leander E. Keck, A Future for the historical Jesus. The place of Jesus in preaching and theology, Nashville 1971, London 1972; — Otto Kuss,

»Bruder Jesus«. Zur »Heimholung« des Jesus von Nazareth in das Judentum, in: MThZ 22, 1971, 284-296; — Gerhard Lohfink, Die Himmelfahrt Jesu. Untersuchungen zu den Himmelfahrt- und Erhöhungstexten bei Lukas, STANT 26, 1971; — Ders., Gott in der Verkündigung Jesu, in: Martin Hengel u. R. Reinhardt (Hrsg.), Heute von Gott reden, 1977, 50-65; — Ders., Die Himmelfahrt Jesu - Erfindung oder Erfahrung, Kl. Reihe zur Bibel 18, 1980[2]; — Ders., Jetzt verstehe ich die Bibel. Ein Sachbuch zur Formkritik, 1982[11]; — Ders., Wie hat Jesus Gemeinde gewollt?, 1982; — Ders., Der letzte Tag Jesu. Die Ereignisse der Passion, 1982[3]; — Ders., Naherwartung-Auferstehung-Unsterblichkeit. Untersuchungen zur christl. Eschatologie, 1982[4]; — Ders., Der ekklesiale Sitz im Leben der Aufforderung Jesu zum Gewaltverzicht (Mt 5,39b-42/Lk 6,29f), in: ThQ 162, 1982, 236-253; — Ingrid Maisch, Die Heilung des Gelähmten. Eine exeget.-traditionsgeschichtl. Unters. zu Mk 2,1-22, SBS 52, 1971; — J. T. Milik, Problèmes de la Littérature hénochique à la lumière des fragments aramèens de Qumràn, in: HThR 64, 1971, 333-378; — L. Sabourin, The Miracles of Jesus, I: Preliminary Studies, in: BTB 1, 1971, 59-80; II: Jesus and the Evil Powers, in: BTB 4, 1974, 115-175; III: Healings, Resuscitations, Nature Miracles, in: BTB 6, 1976, 115-160; — Gerhard Schwarz, Was Jesus wirklich sagte, 1971; — Etienne Trocmé, Jésus de Nazareth vu par les témoins de sa vie, Bibliothèque théologique, Neuchàtel 1971; — G. A. Wells, The Jesus of the Early Christians. A Study in Christian Origins, London 1971; — P. J. Achtemeier, Gospel Miracle and the Divine Man, in: Interpretation 26, 1972, 174-197; — Ch. C. Anderson, The Historical Jesus: A Continuing Quest, Grand Rapids 1972; — Rudolf Augstein, Jesus - Menschensohn, 1972; dazu Rudolf Pesch/G. Stachel (Hrsg.), Augsteins Jesus, 1972; — R. S. Barbour, Traditio-historical Criticism of the Gospels, 1972; — Jürgen Becker, Johannes der Täufer und Jesus von Nazareth, in: BSt 63, 1972; — Ders., Auferstehung der Toten im Urchristentum, 1976; — Herbert Braun, Jesus. Der Mann aus Nazareth und seine Zeit, als Tb 1978[3]; — Ingo Broer, Die Urgemeinde und das leere Grab. Eine Analyse der Grablegungsgesch. im NT, STANT 31, 1972; — G. R. Edwards, Jesus and the Politics of Violence, London 1972; — Josef Ernst, Die Anfänge der Christologie, SBS 57, 1972; — Frederic L. Fisher, Jesus and His Teachings, Nashville 1972; — Wolfgang Harnisch, Die Ironie als Stilmittel in Gleichnissen Jesu, in: EvTh 32, 1972, 421-436, — Ders., Die Sprachkraft der Analogie. Zur These vom argumentativen Charakter der Gleichnisse Jesu, in: StTh 28, 1974, 1-20, — Ders., Die Metapher als heuristisches Prinzip. Neuerscheinungen zur Hermeneutik der Gleichnisreden Jesu, in: VuF 24,1, 1979, 54-89; — Ders., Gleichnisse Jesu. Positionen der Auslegung von Adolf Jülicher bis zur Formgesch., WdF 366, 1982, — Ders., Die ntl. Gleichnisforschung im Horizont von Hermeneutik und Literaturwiss., WdF 575, 1982; — Ders., Die Gleichniserzählungen Jesu. Eine hermen. Einführung, 1985; — Hans-Josef Klauck, Neue Beiträge zur Gleichnisforschung, in: BiLe 13, 1972, 214-230; — Ders., Allegorie und Allegorese in synopt. Gleichnistexten, NTA NF 13, 1978; — Ders., Hausgemeinde und -kirche im frühen Christentum, NTA NF 13, 1978; — H. Jellouschek, Zur christolog. Bedeutung der Frage nach dem hist. Jesus, in: ThQ 152, 1972, 112-123; — Alfred Läpple, Jesus von Nazareth. Krit. Reflexionen, 1972; — E. Lessing, Die Botschaft Jesu, in Bildern dargest., 1972; — Dieter Lührmann, Liebet eure Feinde (Lk 6,27-36/Mt 5,39-48), in: ZThK 69, 1972, 412-438; — M. Machoveč, Jesus für Atheisten, 1972; — Paul S. Minear, Audience Criticism and Markan Ecclesiology, NT und Gesch., in: Festschr. Otto Cullmann, 1972, 79-89; — Ders., The Disciples and the Crowds in the Gospel of Matthew, in: AThR, Suppl. Ser. 3, 1974, 28 ff.; — Ders., Jesus' Audiences, According to Luke, in: NT 16, 1974, 81 ff.; — Karl Müller (Hrsg.), Die Aktion Jesu und die Re-Aktion der Kirche, 1972; — Ders., Menschensohn und Messias. Religionsgeschichtl. Vorüberlegungen zum Menschensohnproblem in den synopt. Evangelien, in: BZ 16, 1972, 159-187; BZ 17, 1973, 52-66; — Ders., Jesus und die Sadduzäer. Bibl. Randbemerkungen, in: Schülerfestschrift für Rudolf Schnackenburg, 1974, 3-24; — U. B. Müller, Messias und Menschensohn in jüd. Apokalypsen und in der Offenbarung des Johannes, StNT 6, 1972; — Hermann Patsch, Abendmahl und hist. Jesus, CThMA 1, 1972; — Gerhard Strube (Hrsg.), Wer war Jesus von Nazareth? Die Erforschung einer hist. Gestalt, 1972; — William O. Walker, The Origin of the Son of Man Concept as Applied to Jesus, in: JBL 91, 1972, 428-490, — Theodore Ziolkowski, Fictional Transfigurations of Jesus, Princeton 1972; — Frank Paul Bowman, Le Christ romantique, Genf 1973; — Friedrich Cornelius, Jesus der Mensch in seinem religionsgeschichtl. Zusammenhang, 1973; — A. M. Dubarle, Le témoignage de Josèphe sur Jésus d'après la traditioindirecte, in: RB 80, 1973, 481-513; — J. Eckert, Wesen und Funktion der Radikalismen in der Botschaft Jesu, in: MThZ 24, 1973, 301-325, — Erich Gräßer, Motive und Methoden der neueren Jesusliteratur, in: VuF 2, 1973, 1-54; — Ders., Die Naherwartung Jesu, SBS 61, 1973; — Ders., Zum Verständnis der Gottesherrschaft, in: ZNW 65, 1974, 3-26; — Ders., Der Mensch Jesus als Thema der Theologie, in: Festschr. für Werner G. Kümmel, Jesus und Paulus, 1975, 129-150; — Ders., Text und Situation. Ges. Aufsätze zum NT, Kontexte Bd. 4, 1975; — Carl Henric Grenholm, Christian Social Ethics in a Revolutionary Age, 1973; — R. H. Hiers, The Historical Jesus and the Kingdom of God. Present and Future in the Message and Ministry of Jesus, Gainesville 1973; — Hans Hübner, Polit. Theologie und existentiale Interpretation, 1973; — Ders., Das Gesetz in der synopt. Tradition. Studien zur These einer progressiven Qumranisierung und Judaisierung innerh. der synopt. Tradition, 1973; — Ders., Mk 7,1-23 und das »jüd.-hellen. Gesetzesverständnis«, in: NTSt 22, 1975/76, 319-345, — Floris Koppelmann, Jesus nicht Christus. Doch Wunder und Gegenwart der Gotteswelt, 1973; — René Latourelle, Authenticité historique des miracles de Jésus, in: Gregorianum 54, 1973, 225-262; — Ders. , L'Accès à Jésus par les évangiles. Histoire et herméneutique, Recherches Theologie 20, Tournai 1978; — Ansgar Paus (Hrsg.), Die Frage nach Jesus, 1973; — Gerd Petzke, Historizität und Bedeutsamkeit von Wunderberichten. Möglichkeit und Grenzen des religionsgeschichtl. Vergleichs, in: Festschr. H. Braun, 1973, 367-385, — Ders., Die hist. Frage nach den Wundertaten Jesu, dargest. am Beispiel des Exorzismus Mk 9, 14-29par, in: NTS 22, 1976, 180-204; — Heinz Röhr, Buddha und Jesus in Gleichnissen, in: NZSTh 15, 1973, 65-86, — Luise Schottroff, Der Mensch Jesus im Spannungsfeld von polit. Theol. und Aufklärung, in: ThPr 8, 1973, 243-257; — Dies./Wolfgang Stegemann, hrsg., Jesus von Nazareth - Hoffnung der Armen, 1978; — Dies., Das Magnificat und die älteste Tra-

dition über Jesus von Nazareth, in: EvTh 38, 1978, 298-313, — Dies., Die Schreckensherrschaft der Sünde und die Befreiung durch Christus nach dem Römerbrief des Paulus, in: EvTh 39, 1979, 497-510; — Dies., Sucht mich bei meinen Kindern: Bibelauslegung im Alltag einer bedrohten Welt, 1986; — G. S. Sloyan, Jesus on Trial. The Development of the Passion Narratives and Their historical and Ecumenical Implications, Philadelphia 1973; — Morton Smith, Clement of Alexandria and a Secret Gospel of Mark, Cambridge/Mass. 1973; dt.: Auf der Suche nach dem hist. Jesus. Entdeckung und Deutung des geheimen Evangeliums im Wüstenklosters Mar Saba, 1974, — Ders., Jesus the Magician, New York/San Fracisco 1978, — H. Spaemann (Hrsg.), Wer ist Jesus von Nazareth für mich? 100 zeitgenössische Zeugnisse, 1973; — Gerd Theissen, Wanderradikalismus. Literatursoziolog. Aspekte der Überlieferung von Worten Jesu im Urchristentum, in: ZThK 90, 1973, 245-271; — Ders., Urchristl. Wundergeschichten. Ein Beitrag zur formgeschichtl. Erforschung der synopt. Evangelien, 1974; — Ders., Soziologie der Jesusbewegung. Ein Beitrag zur Entstehungsgesch. des Urchristentums, TEH 194, 1977; — Geza Vermes, Jesus the Jew. A historians' reading of Gospels, London 1973; — Falk Wagner, System.-theol. Erwägungen zur neuen Frage nach dem hist. Jesus, in: KuD 19, 1973, 287-304; — Francois Bovon, Les derniers jours de Jésus. Textes et événement, Collection Flèches, Neuchatel 1974; — Karl Buchheim, Der hist. Christus. Geschichtswissenschaftl. Überlegungen zum NT, 1974; — Wilhelm Dantine, Jesus von Nazareth in der gegenwärtigen Diskussion, 1974; — John G. Gager, The Gospels and Jesus: Some Doubts about method, in: JR 54, 1974, 244-272; — Pinchas Lapide, Der Rabbi von Nazareth. Wandlungen des jüd. Jesusbildes, 1974, — Ders., Insights into the Language of Jesus, in: RdQ 8, 32, 1975, 483-501; — Ders., Ist das nicht Josephs Sohn? Jesus im heutigen Judentum, 1976; — Ders./Ulrich Luz, Der Jude Jesus. Thesen eines Juden, Antworten eines Christen, 1979; — Ders., Auferstehung. Ein jüd. Glaubenserlebnis, 1980[3]; — Ders., Er predigte in ihren Synagogen. Jüd. Evangelienauslegung, 1982[2]; — Ders., Wer war schuld an Jesu Tod?, 1987; — Ders., Wurde Gott Jude? Vom Menschsein Jesu, 1987; — C. L. Mitton, Jesus. The fact behind the Faith, Grand Rapids, 1974; — Gerhard Sellin, Lukas als Gleichniserzähler: Die Erzählung vom barmherzigen Samariter (Lk 10,25-37), in: ZNW 65, 1974, 166-189; 1975, 19-60; — Ders., Allegorie und Gleichnis: Zur Formenlehre der synopt. Gleichnisse, in: ZThK 75, 1978, 281-335; — H. A. Zwergel und Rudolf Pesch (Hrsg.), Kontinuität in Jesus. Zugänge zu Leben, Tod und Auferstehung, 1974; — R. Banks, Jesus and the Law in the Synoptic Tradition, MSSNTS 28, 1975; — C. E. Carlston, The Parables of Triple Tradition, Philadelphia 1975; — Morton S. Enslin, John and Jesus, in: ZNW 66, 1975, 1-18; — Christian Dietzfelbinger, Die Antithesen der Bergpredigt, 1975; — Ders., Vom Sinn der Sabbatheilungen Jesu, in: EvTh 38, 1978, 281-298; — Ders., Das Gleichnis von den Arbeitern im Weinberg als Jesuwort, in: EvTh 43, 1983, 126-138; — Jacques Dupont (Hrsg.), Jésus áux Origines de la Christologie, Löwen 1975; — Ders., Pourquoi des paraboles? La méthode parabolique de Jésus, Paris 1977; — Wolfgang Feneberg, Die Frage nach Bewußtsein und Entwicklung des hist. Jesus, in: ZThK 97, 1975, 104-116; — Ders./Rupert Feneberg, Das Leben Jesu im Evangelium, QD 88, 1980; — Leonhard Goppelt, Theologie des NT.s, hrsg.

von Jürgen Roloff, 1975 u. 1976; — Ders., Theologie des NT.s, 1.: Jesu Wirken in seiner theol. Bedeutung; 2.: Vielfalt und Einheit des apostol. Christuszeugnisses, 1981; — Virgil P. Howard, Das Ego Jesu in den synopt. Evangelien. Untersuchungen zum Sprachgebrauch Jesu (Diss. Marburg), 1975; — Paul Hoffmann/Volker Eid, Jesus von Nazareth und eine christl. Moral. Sittl. Perspektiven der Verkündigung, QD 66, 1975; — Ders., Die Auferstehung Jesu in der ntl. Überlieferung, WdF 522, 1981; — Ders., Studien zur Theologie der Logienquelle, 1982[3]; — Ders., Zur ntl. Überlieferung von der Auferstehung Jesu, WdF 522, 1988; — Walter Kasper, Jesus, der Christus, 1975[2]; — Q. Quesnell, The Mar Saba Clemtine: A Question of Evidence, in: CBQ 37, 1975, 48-67; — E. Rivkin, Beth Din, Bolé, Sanhedrin: A Tragedy of Errors, in: HUCA 46, 1975, 181-199; — Edward Schillebeekx, Jesus. Die Gesch. von einem Lebenden, ndrl. 1974, dt. 1975; — Ders., Die Auferstehung Jesu als Grund der Erlösung, QD 78, 1979; — G. N. Stanton, Jesus of Nazareth in NT Preaching, SNTSM 27, 1975; — H. R. Weber, Überlieferung und Deutung der Kreuzigung Jesu im ntl. Kulturraum, ThTh ErgBd. 1975; — Alfons Weiser, Was die Bibel Wunder nennt. Ein Sachbuch zu den Berichten der Evangelien, 1975; — Heinrich Zimmermann, Jesus Christus. Gesch. und Verkündigung, 1975[2]; — Franz Annen, Heil für die Heiden. Zur Bedeutung und Gesch. der Tradition vom bessenen Gerasener (MK5, 1-20), FTS 20, 1976; — Ders., Die Dämonenaustreibungen Jesu in den synopt. Evangelien, in: Theol. Berichte 5, 1976, 107-146; — Gustaf Aulén, Jesus in Contemporary Historical Research, Philadelphia 1976, engl. Übers. des schwed. Originals; — Johannes Beutler, Der Tod Jesu, QD 74, 1976; — David Cairns, The Motives and Scope of Historical Inquiry about Jesus, in: SJTh 29, 1976, 335-355; — Friedrich Dietz/Joseph Koep/Dieter Wagner, Jesus Christus. Ein Zielfeld für Schule und Gemeinde, 1976; — Willehad P. Eckert/H. H. Henrix (Hrsg.), Jesu-Jude-Sein als Zugang zum Judentum. Eine Handreichung für Religionsunterricht und Erwachsenenbildung, Aachener Beitr. zu Pastoral- u. Bildungsfragen, 1976; — Peter Fiedler, Jesus und die Sünder. Beitr. zur bibl. Exegese und Theol. 3, 1976; — Ders., Anknüpfung und Widerspruch. Überlegungen zum Selbst- und Sendungsbewußtsein Jesu, in: BiKi H. 3, 1977, 74-76; — Josef Finkenzeller/Heinrich Fries, Wer ist doch dieser? Die Frage nach Jesus heute, 1976; — Hubert Frankenmölle, Jesus von Nazareth. Anspruch und Deutungen, 1976; — Bernhard Jendorff, Zur Person: Jesus von Nazareth. Fünf Unterrichtsprojektentwürfe, 1976; — Heikki Räisänen, Das »Messiasgeheimnis« im Markusevangelium. Ein redaktionsgeschichtl. Versuch, Helsinki 1976; — Wolfgang Schrage, Theol. und Christol. bei Paulus und Jesus auf dem Hintergrund der modernen Gottesfrage, in: EvTh 36, 1976, 121-154; — Nikolaus Walter, »Hist. Jesus« und Osterglaube, Ein Diskussionsbeitrag zur Christologie, in: ThLZ 101, 1976, 321-338; — Evelin Albrecht, Zeugnis durch Wort und Verhalten. Untersuchungen an ausgew. Texten des NT.s (Diss. Basel), 1977; — Tullio Aurelio, Disclosures in den Gleichnissen Jesu. Eine Anwendung der Disclosure-Theorie von I. T. Ramsey, der modernen Metaphorik und der Theorie der Sprechakte auf die Gleichnisse Jesu, Regensburger Studien zur Theol. 8, 1977; — G. T. Armstrong, The Real Jesus, Kansas City 1977; — Frederic F. Bruce, Jesus and Christian origins outside the NT, Grand Rapids, 1977[3]; — Ders., The real Jesus: who is he?, London 1985; — M. Burrows, Jesus

in the First Three Gospels, Nashville 1977; — M. Bocher, The Mysterious Parable. A Literary Study, in: CBQ 6, 1977; — Christopher F. Evans, Parable and Dogma, London 1977; — B. E. Gärtner, Der hist. Jesus und der Christus des Glaubens. Eine Reflexion über die Bultmannschule und Lukas, Studien zum NT und seiner Umwelt, 1977; — Marie Luise Gubler, Die frühesten Deutungen des Todes Jesu. Eine motivgeschichtl. Darstellung aufgrund der neueren exeget. Forschung, 1977; — Helmut Merklein, Erwägungen zur Überlieferungsgeschichte der ntl. Abendmahltradition, in: BZ 21, 1977, 88-101, 235-244; — Ders., Die Gottesherrschaft als Handlungsprinzip. Untersuchungen zur Ethik Jesu, Forschungen zur Bibel 34, 1978; — Ders., Studien zu Jesus und Paulus, wiss. Unters. zum NT, 1987; — Horst Georg Pöhlmann, Wer war Jesus von Nazareth?, 1977[2]; — Jean-Claude Barreau, Les Mémoires de Jésus, Paris 1978; — R. E. Brown u. a. (Hrsg.), Mary in the NT. A collaborative Assessment by Protestant and Roman Catholic Scholars, Philadelphia 1978; — Ormond Edwards, Chronologie des Lebens Jesu und das Zeitgeheimnis der 3 Jahre. Neue Gesichtspunkte zur Datierung seiner Geburt, dt. 1978; — Ders., The Time of Christ. A Chronology of the Incarnation, Edinburgh 1986; — David Hill, Jesus and Josehuas »messianic prophets«. Text and Interpretation, in: Festschr. M. Black, 1978, 143-158; — Heike Kraft, Die Bildallegorie der Kreuzigung Christi durch die Tugenden (Diss. Berlin), 1978; — Karl-Josef Kuchel, Jesus in der deutschsprachigen Gegenwartsliteratur, 1978; — Johann Maier, Jesus von Nazareth in der talmud. Überlieferung, EdF 82, 1978; — Vittorio Messori, Ipotesi su Gesù, dt., Mensch geworden. Wer war Jesus?, 1978; — A. Satake, Zwei Typen von Menschenbildern in den Gleichnissen Jesu, in: AJBI 4, 1978, 45-84; — Werner Trutwin, Messias/Meister/Menschensohn. Ein Jesusbuch, 1978; — Ders., Christus erkennen, 1984[2]; — Hans Weder, Die Gleichnisse Jesu als Metaphern. Traditions- und redaktionsgeschichtl. Analysen und Interpretationen, FRLANT 120, 1978; — U. Berner, Die Bergpredigt. Rezeption und Auslegung im 20. Jh., GTA 12, 1979; — M. Casey, Son of Man. The interpretation and influence of Daniel 7, London 1979; — Bruce D. Chilton, God in Strength. Jesus' Announcement of the Kingdom, StNTU B1, 1979; — James D. Crossan, Finding is the First Act. Trove Folktales and Jesus' Treasure, SBL Semeia Suppl., 1979; — Ders., Paradox Gives Rise to Metaphor. Paul Ricoers' Hermeneutics and the Parables of Jesus, BR 24/25, 1979/80, 20-37, — Carl R. Kazmierski, Jesus, The Son of God. A Study of the Markan Tradition and its Redaction by the Evangelist (Diss. Würzburg), 1979; — Neil J. McEleney, The Principles of the Sermon on the Mount, in: CBQ 41, 1979, 552-570; — Robert M. Grant, Jesus, dt. 1979; — Alois Grillmeier, Jesus der Christus im Glauben der Kirche, 1979; — Robert Hamerton-Kelly, God the Father. Theology and Patriarchy in the Teaching of Jesus. Ouvertures to Biblical Theology, Philadelphia 1979; — Karl Herbst, Was wollte Jesus selbst?, 1979; — Traugott Holtz, Kenntnis von Jesus und Kenntnis Jesu, in: ThLZ 104, 1979, 1-12; — Ders., Jesus von Nazareth. Was wissen wir von ihm?, 1981; — Michael Lattke, Neue Aspekte der Frage nach dem hist. Jesus, in: Kairos 21, 1979, 288-299; — James P. Mackey, Jesus the Man and the Myth. A Temporary Christology, London 1979, dt. 1981; — B. F. Meyer, The Aims of Jesus, London 1979; — J. Piper, »Love your ennemies«. Jesus' love command in the synoptic gospels and in the early

Christian paraenesis. A history of the tradition and interpretation of its uses, SNTSMS 38, 1979; — S. Ruager, Das Reich Gottes und die Person Jesu, ANTI 3, 1979; — M. A. Tolbert, Perspectives on the Parables. An Approach to Multiple Interpretations, Philadelphia 1979; — Hanna Wolff, Jesus - Der Mann, 1979, neu: 1984[7]; — Dies., Jesus als Psychotherapeut: Jesu Menschenbehandlung als Modell moderner Psychotherapie, 1983; — Stanislaw Fracz, Neomarxistisches Jesusbild, in: StZ 198, 1980, 176-182; — James P. Galvin, Jesus' Approach to Death: An Examination of Some Recent Studies, in: TS 41, 1980, 713-744; — T. F. Glasson, Jesus and the End of the World, 1980; — Angus J. Higgins, The Son of Man in the Teaching of Jesus, 1980, — J. Lambrecht, Tandis qu' Il nous parlait. Traduit par Souer Marie Claes, Paris/Namur 1980, — Rollin Kearns, Vorfragen zur Christologie. I.: Morphol. und semasiolog. Studie zur Vorgesch. eines christolog. Hoheitstitels; II.: Überlieferungsgeschichtl. und rezeptionsgeschichtl. Studie zur Vorgesch. eines christolog. Hoheitstitels, 1978 u. 1980; — Ders., Das Traditionsgefüge um den Menschensohn, ursprüngl. Gehalt und älteste Veränderung im Urchristentum, 1986; — Ders., Die Entchristologisierung des Menschensohns: Die Übertragung des Traditionsgefüges auf den Menschensohn auf Christus, 1988; — Johannes M. Nützel, Jesus als Offenbarer Gottes nach den lukanischen Schriften (Diss. Freiburg i. Br.), 1980; — Lorenz Oberlinner, Die »Epiphaneia« des Heilswillens Gottes in Christus Jesus. Zur Grundstruktur der Christologie der Pastoralbriefe, in: ZNW 71, 1980, 192-214; — Ders., Todeserwartung und Todesgewißheit Jesu. Zum Problem einer hist. Begründung, SBB 10, 1980; — Ders. (Hrsg.), Auferstehung. Jesu-Auferstehung der Christen. Deutungen des Osterglaubens, 1986; — Ders., (Hrsg.), Auferstehung Jesu - Auferstehung der Christen, Festschr. für A. Vögtle, QD 105, 1986; — Jacques Schlosser, Le règne de Dieu dans les dits de Jésus, Partie I., II., 1980; — Ders., Les logia du Régne étude sur le vocable »Basileia tou Theou« dans la prédacation de Jésus, 1982; — Maria Trautmann, Zeichenhafte Handlungen Jesu. Ein Beitrag zur Frage nach dem geschichtl. Jesus (Diss. Würzburg), 1980; — Franz Georg Untergassmaier, Kreuzweg und Kreuzigung Jesu. Ein Beitrag zur lukanischen Redaktionsgesch. und zur Frage nach der lukanischen »Kreuzestheologie«, 1980; — Herbert Vorgrimmler, Hoffnung auf Vollendung. Aufriß der Eschatologie, QD 90, 1980; — Stefan Westerholm, Jesus and Scribel Authority, CB NT 10, 1980; — Kurt Aland, Von Jesus bis Justinian. Die Frühzeit der Kirche in Lebensbildern, 1981, 19-22; — John Paul Heil, Jesus Walking On the Sea, Annalecta Biblica 87, Rom 1981; — Heinrich Kahlefeld, Die Gestalt Jesu in den synopt. Evangelien, 1981; — Hans Kemmer, Gleichnisse Jesu. Wie man sie lesen und verstehen soll, 1981; — Ernst Lerle, Die Ahnenverzeichnisse Jesu. Versuch einer christolog. Interpretation, in: ZNW 72, 1981, 112-118; — Manfred Limbeck, Redaktion und Theologie des Passionsberichtes nach den Synoptikern, 1981; — Marcello Bordoni, Gesú di Nazaret, I.: Saggio di cristologia sistematica, II.: Gesú al fondamento della christologia, Rom 1982; — Karl Hillenbrand, Heil in Jesus Christus. Der christlog. Begründungszusammenhang im Erlösungsverständnis und die Rückfrage nach Jesus (Diss. Rom), 1982; — R. J. Sider, Jesus und die Gewalt, 1982; — Hans Willi Winden, Wie kam und wie kommt es zum Osterglauben? Darstellung, Beurteilung und Weiterführung der durch Rudolf Pesch ausgelösten Diskussion, Disputationes Theologicae 12, 1982; — Rainer Albertz, Die »Antrittspredigt« Jesu im Lukasevangelium auf ihrem alttestamentl. Hintergrund, in: ZNW 74, 1983, 182-207; — Darell J. Doughty, The Authority of the Son of Man, in: ZNW 74, 1983, 161-182; — Gillis Gerlemann, Der Menschensohn, 1983; — Karl Jaspers, Die maßgebenden Menschen: Sokrates, Buddha, Konfuzius, Jesus, 1983[3]; — Edeltraut Staimer, Wollte Gott, daß Jesus starb? Jesu erlösender Weg zum Tod, 1983, — Manfred Baumotte (Hrsg.), Die Frage nach dem hist. Jesus, Texte aus drei Jahrhunderten, 1984; — Peter Scott Cameron, Violence and the Kingdom. The Interpretation of Mt 11:12, ANTI 5, 1984; — Boris C. Cristoff, Las tres vidas de Christo, Montevideo 1984; — Glenn F. Chesnut, Images of Christ. An introduction to Christology, New York 1984; — Werner Grimm, Jesus und das Danielbuch, Bd. I: Jesu Einspruch gegen das Offenbarungssystem Daniels (Mt 11,25-27; Lk 17,20-21), 1984; — Jürgen Lenssen/Alexander Schwarz, Jesus von Nazareth. Sein Leben und Wirken, 1984; — Ben Witherington, Women in the ministry of Jesus. A study of Jesus attitudes to women and their voles as reflected in his life, 1984, — Marius Young-Heon Lee, Jesus und die jüd. Autorität, (Diss. Innsbruck) 1984; — Rafael Aguirre, El Dios de Jésus, Madrid 1985; — Ricardo Blázques, Jésus, el evangelio de Dios, Madrid 1985; — Don Cupitt, Christ and the hidenness of God, London 1985[2]; — Donald G. Dawe, Jesus: The death and resurrection of God, Atlanta 1985, — Manuel de Diéguez, Jésus, Paris 1985, — Harvey Falk, Jesus the Pharisee. A new look at the Jewishness of Jesus, New York 1985; — John Fitzhugh, (ed) Millar, A complete life of Christ, Williamsburg 1985; — Monika K. Hellwig, Jesus. The composition of God. New perspectives on the tradition of Christianity, Wilmington 1985[2]; — Adolf Holl, Jesus in schlechter Gesellschaft, 1985[5]; — Keith E. Howick, The miracles of Jesus the Messiah, Salt Lake City 1985; — Waclaw Hryniewicz, Chrystus nasza pascha, Warschau 1985; — Hans Kessler, Sucht den Lebenden nicht bei den Toten. Die Auferstehung Jesu Christi in bibl., fundamentaltheol. und systemat. Sicht, 1985; — Johannes Lehmann, Das Geheimnis des Rabbi J., Was die Urchristen versteckten, verfälschten oder vertuschten, 1985; — Alfred O'Rahilly, The Crucified, 1985; — Antonio Salas (Hrsg.), Jésus: entrega, muerte, resurrección, Madrid 1985; — Eric P. Sanders, Jesus and Judaism, 1985; — Gerhard Schneider, Lukas, Theologe der Heilsgesch. Aufsätze zum lukanischen Doppelwerk, BBB 59, 1985; — Johann Auer, Jesus Christus, Gottes und Mariä »Sohn«, 1986; — William Barclay, Jesus von Nazareth - nach dem Filmdrehbuch von Anthony Burgess, Regie: Franco Zeffirelli, München 1986; — Leonardo Boff, Jesus Christus, der Befreier, dt. 1986; — José Caba, Resucitó Christo - mi esperanza. Estudio exegético, Madrid 1986; — Jose M. Castillo/Juan A. Estrada, El proyecto de Jesus, Salamanca 1986; — Ray Clements, Introducing Jesus, Eastborn 1986; — Bruce Farnham, The way of Jesus, Lion 1986; — Richard T. France, The evidence of Jesus, London 1986; — Weddig Fricke, Standrechtl. gekreuzigt: Person und Prozeß des Jesus aus Galiläa, 1986; — Joseph H. Grassi, Mary Magdalene and the women in Jesus' life, Kansas City 1986; — Michael Harper, The healings of Jesus, London 1986; — Andrew G. Hodges, Jesus: an interview across time; a psychiatrist looks at HIS humanity, Birmingham 1986; — Joseph Hoffmann / Gerald Larne (Hrsg.), Jesus in history and myth, Buffalo 1986; — Eberhard Jüngel, Paulus und Jesus: eine Unters. zur Präzisierung der Frage nach dem Ursprung der Christologie, 1986; — Rainer Kampling, Jesus von Nazaret - Lehrer und Exorzist, in: BZ NF 30, 1986, 237-248; — John Navone, The story of the Passion, Rom 1986; — Roy A. Rosenberg, Who was Jesus?, (Neuausgabe), Lanham 1986; — Helmut Wenzel, Rabbi Jesus aus Nazareth und das Christentum, 1986; — Herbert Eric Wevers, Jezus Christus, van waar komt hij? Een system.-theol. en bijbels-theol. onderzoek naar het oorsprongsdenken in de cristologie (Diss. Leiden), 1986; — Markus Zehetbauer, Jesus? Die Ergebnisse der Grabtuchforschung, 1986[4]; — W. E. Best, (dt. Sybilla Belton), Gedanken über die Person und das Werk Jesu Christi, 1987; — Jean-Pierre Charlier, Jésus au milieu de son peuple, Paris 1987; — Claude Coulot, Jésus et le disciple études sur l' autorité messanique de Jésus, Paris 1987; — Michael N. Eberts, Das Charisma des Gekreuzigten: zur Soziologie der Jesusbewegung. Wiss. Unters. zum NT 45, 1987; — Reinhard Feldmaier, Die Krisis des Gottessohns. Die Gethsemaneerzählung als Schlüssel der Markuspassion, 1987; Dietmar Gerts (Hrsg.), Mitten unter uns. Jesusgeschichten der Bibel nacherzählt, 1987; — Terry Miethe (Hrsg.), Did Jesus rise from the death?, 1987; — C. Harinck, Wie is Jezus van Nazareth?, Utrecht 1987; — Ulrich Hasselbach, Der Mensch Jesus: Leitbild für das 3. Jahrtausend, 1987; — Arland J. Hultgren, Christ and its benefits: christology and redemption in the NT, Philadelphia 1987; — Jósef Kudasiewicz, Jezus historii a Chrystus wiary, Lublin 1987; — Salcia Landmann, Jesus und die Juden oder die Folgen einer Verstrickung, 1987; — Roland Minnerath, Jésus et le pouvoir, Paris 1987; — Christa Mulack, Jesus - der Gesalbte der Frauen: Weiblichkeit als Grundlage christl. Ethik, 1987; — Ruth Rosen (Hrsg.), Jesus for Jews, Messianic Jewish Perspective, San Francisco 1987; — Erwin Scharrer, Jesus im Gespräch: Therapie und Seelsorge in den Dialogreden Jesu, 1987; — Klemens Stock, Jesus - der Sohn Gottes: Betrachtungen zum Johannesevangelium, 1987; Norbert Klatt, Lebte Jesus in Indien: eine religionsgesch. Klärung, 1988; — Gerhard Kroll, Auf den Spuren Jesu, 1988[10]; — Günther Schwarz, Jesus und Judas, aramaistische Untersuchung zur Jesus-Judas-Überlieferung der Evangelien und der Apostelgesch., Beitr. zur Wiss. v. AT und NT 123, Folge 7, Heft 3, 1988; — — Die Bibel und ihre Welt I, 795-811; — BiKi, 4-11; — BRL I, 858-886; — BThWB I, 765-793; — BuL XIV, 231-245, XV, 16-37, 102-120, 174-193; — CatDicTh II, 30-41; — Catholicisme VI, 749-814; — CKL I, 337-352; — Die Großen der Weltgeschichte I, 228-264; — DThC VIII, 1, 1108-1401; — EC VI, 223-286; — EK II, 274-286; — EnEc III, 552-576; — EncJud X, 10-17; — Encyclopedia of Islam IV, 81-86; — Herders Theol. Taschenlex. IV, 11-54; — Kirchl. Handlex. III, 567-573; — Kl. Pauly II, 1344-1354; — LThK V, 922-964; — Ökumen. Kirchengesch., 3-24; — Prakt. Bibellex., 576-581; — NCE VII, 909-971; — RAC II, 1250-1262; — RE IX, 1-43; — RGG I, 1789-1802; III, 619-653; — SM II, 900-957; III, 168-173; — ThWNT VIII, 403-481; — TRE V, 603-618; — Who's Who in the NT, 155-215.

Michael Hanst

JETZER, Johannes, Laienbruder des Dominikanerordens in Bern, * ca. 1483 in Zurzach (AG), † ca. 1514 ebd. — Der schreib- und leseunkundige, frühere Schneidergeselle fand trotz vorherigen zweifelhaften Lebenswandels 1506 Aufnahme in dem Berner Dominikanerkonvent. Schon bald trat er besonders durch Marienerscheinungen hervor. Auch Stigmata sollen an ihm sichtbar gewesen sein. Alle Vorkommnisse und Hinweise sprachen gegen die Ansicht von der unbefleckten Empfängnis Mariens. Damit wirkte J. zugunsten seines Ordens speziell auf diese seinerzeit virulente Streitfrage zwischen Dominikanern und Franziskanern ein. Zunächst wurden die Wunder als willkommene Unterstützung in dieser theologischen Fehde bewertet. — Nachdem die Erscheinungen als dreister Betrug aufgedeckt worden waren und an die Öffentlichkeit drangen, bezichtigte J. die Ordensoberen der Anstiftung zu diesen Ereignissen. In einem nach Inquisitionsrecht durchgeführten Prozeß (1508/1509) kamen die Geständnisse der Mönche erst aufgrund der Folter zustande. Schließlich wurde auch Bischof Matthäus Schirmer (s.d.) in das Verfahren des Sondergerichts eingeschaltet. 1509 wurden die angeklagten Ordensleute zum Tod durch Verbrennen verurteilt und hingerichtet. J. selbst jedoch, dessen Richtspruch nur auf Pranger und Landesverweis lautete, konnte entfliehen und sich in seinem Heimatort Zurzach ansiedeln. — Die bis heute nicht endgültig aufzuklärende Angelegenheit und die harte gerichtliche Verfolgung ist jedenfalls vor dem Hintergrund der zeitgeschichtlich bedingten theologisch und politischen Kontroversen zu werten. Die teilweise zweifelhafte Prozeßführung und die zutage tretenden Auseinandersetzungen zwischen den Orden erregten weithin öffentliche Aufmerksamkeit. Die zeitgenössische Publizistik nahm sich des Vorgangs an. Besonders in humanistisch gesinnten Kreisen wurde der »Jetzerhandel« als Indiz für Mißverstände innerhalb des Mönchtums und in der katholischen Kirche hervorgehoben.

Lit.: Georg Rettich, Hans J., in: Sammlung Bernischer Biographien I, 1884, 330-339; — Nikolaus Paulus, Die Urkunden des Jetzerprozesses, in; Archiv des Historischen Vereins des Kanton Bern 11, 1886; — Ders., Ein Jutizmord an vier Dominikanern begannen. Aktenmäßige Revision des Bremer Jetzerprozesses vom Jahre 1509, in: Frankfurter zeitgemäße Broschüren N.F. 1, 1897, 65-106; — Rudolf Steck, Der Berner Jetzerprozeß (1507-1509) in neuer Beleuchtung nebst Mitteilungen aus den noch ungedruckten Akten, in: Schweizerische theologische Zeitschrift 18, 1901, 13-29, 65-91, 129-151, 193-210 (Sonderdruck: 1902); — Ders., Die Akten des Jetzerprozesses nebst dem Defensorium (Quellen zur Schweizer Geschichte 22), 1904; — Ders., Zum Jetzerhandel, in: Schweizer Reformblätter 58, 1924; — Georg Schuhmann, Die Berner Jetzertragödie im Lichte der neueren Forschung und Kritik, 1912; — Albert Büchi, Korrespondenz und Akten zur Geschichte des Kardinals Matth. Schiner 1 (Quellen zur Schweizer Geschichte 3. Abt., Bd. 5), 1920, 77 f.; — Ders., Kardinal Matthäus Schiner als Staatsmann und Kirchenfürst (Collectanea Friburgensia 27, N.F. 18), 1923, 137 ff.; — Hans von Greyerz, Der Jetzerprozeß und die Humanisten, in: Archiv des Historischen Vereins des Kanton Bern 31, 1932, 243-299; — H. J. W[elti], Das Geschlecht Jetzer und der Jetzerhandel, in: Erb und Eigen, Blätter für Lokalgeschichte und Volkskunde des Bezirks Zurzach 1, 1936, 34-36, 40; — Kurt Guggisberg, Bernische Kirchengeschichte, 1958, 38-40; — Rudolf Pfister, Kirchengeschichte der Schweiz 1, 1964, 217 f.; — ADB XIV, 1-4; — NDB X, 429 f.; — RE³ III, 663; — LThK V, 968 f.; — CathEnc VI, 814 f.; — HBLS IV, 403 f.

Klaus Martin Sauer

JEWEL, John, * 24.(22.)5. 1522 in Buden bei Berimber (Devonshire), † 23.9. 1571 zu Moktonfarley auf einer Visitationsreise. — Auf dem Merton College in Oxford, das er ab 1535 besucht, lernt J. die neue Lehre kennen. 1539 Übertritt in das Corpus Christi College in Oxford. Hier wird er 1540 Baccalaureus und Reader in Humanity and Rhetoric. 1544 erwirbt er den Master of Arts. J. lehrt als Anhänger Luthers und Zwinglis. Wichtig wird seine Freundschaft zu Peter Martyr, der J. evangelisch predigen lehrt. 1553 versucht J. zunächst unter der römisch-katholischen Regentschaft Marias (1553-1558) eine Anpassung an die neuen Verhältnisse. Er wird zeitweilig aus dem College ausgeschlossen; aber er verfaßt die freundliche Grußadresse der Universität an die Königin. Nachdem J. unter Androhung der Todesstrafe seine Unterschrift unter katholische Glaubensartikel leisten mußte, gelingt ihm 1555 die Flucht über London nach Frankfurt am Main. Auf Einladung von Peter Martyr geht er nach Straßburg. Nach dem Tod der Königin Marias am 17.11. 1558 kehrt er sogleich nach England zurück. Am 31.3. 1559 disputiert J. über die Messe mit Vertretern der alten Lehre zu Westminster. Am 21.1. 1560 wird er zum Bischof von Salisbury geweiht.

1562 verfaßt er die erste Apologie der anglikanischen Kirche gegen den römisch-katholischen Glauben. Grundlegend ist dabei das humanistische Prinzip vom consensus quinquesaecularis bzw. sesaecularis (der kirchlichen Übereinstimmung in den ersten fünf bzw. sechs Jahrhunderten). Die Verbindung dieses grundlegenden biblischen und altkirchlichen Anspruchs mit der Spezialisierung der Sendung dieser anglikanischen Kirche auf England hin wird in späteren Apologien gegen Rom bzw. auch gegen den Calvinismus beibehalten.

Werke: Apologia Ecclesiae anglicana, 1562; Defence of the Apology, 1567; Works (1609), 2. Aufl. 1611, Neuausgabe hg. von J. Ayre, 4 Bde., 1845-1850, hg. von R. W. Helf, 8 Bde., 1847/48.

Lit.: Lawrence Humphrey, J., 1573; — C. W. Lebas, Life of Bishop J., 1835; — H. Becker, J. als reformatorischer Theologe, Diss. Breslau 1939.

Adam Weyer

JEZDEGERD I. (auch Yazdegerd, Yazdkart geschrieben, griechisch Isdigirdis), persischer König aus dem Haus der Sasaniden, regierte 399 bis 420/421, * wahrscheinlich in Ktesiphon (heute Vorort von Baghdad, damals Residenz), Datum unbekannt, gestorben angeblich am See Sav (nahe der persischen Stadt Mashhad), wo ihn ein aus dem See aufgestiegenes Wunderpferd erschlagen haben soll. — J. hatte wie seine Vorgänger Schwierigkeiten, seine Autorität gegen einen mächtigen Kronrat durchzusetzen, der berechtigt war, alle königlichen Entscheidungen auf Übereinstimmung mit den Forderungen der zarathustrischen Religion zu prüfen. In der auf diesen Kronrat zurückgehenden Königschronik erhielt J. ein sehr schlechtes Zeugnis als »Übeltäter, Tyrann und Unterdrücker« wegen seiner Versuche, sich nicht bevormunden zu lassen. Außenpolitisch suchte J. die Freundschaft des Kaisers Arkadios, dessen Gesandter Bischof Marutha von Maiferqat (heute Silvan in der Osttürkei) häufig nach Ktesiphon reiste und J. die Aufsicht über die Thronfolge für Theodosios II. 408 übertrug. 409 wurde ein Friedensvertrag geschlossen. Wahrscheinlich aus seinem Gegensatz zur zarathustrischen Geistlichkeit erklären sich Gunstbeweise des J. für die in Mesopotamien nahe seiner Residenz Ktesiphon stark vertretenen Christen und Juden. Er war mit einer Jüdin verheiratet. Den Christen wurde 410 gewährt, in Seleukia-Ktesiphon ein erstes Konzil unter Katholikos Isaak I. zu veranstalten, dem 420 unter Yahballah I. ein zweites folgte. Dieser Katholikos durfte in der Residenzstadt die Kirchen vergrößern. Die Synoden verbreiteten unter den östlichen Christen, die damals bereits bis nach Südindien und Samarkand dem Katholikos unterstanden, Kenntnis von den Entscheidungen in Nicaea. Aufnahme christenfreundlicher Minister in den Kronrat läßt vermuten, daß J. innenpolitische Ziele verfolgte. Übergriffe einiger Christen auf zarathustrische Feuertempel und Missionsversuche führten dann aber zu Ausschreitungen und der Abkehr des Königs von dieser Politik. J. ist bestimmt niemals selbst Christ gewesen, wie es einige syrische Quellen behaupten. — J. hat durch seine Förderung des Christentums der Kirche in Asien eine erste Organisation ermöglicht. Das Nicaenum wurde akzeptiert, erst 486 wird das nestorianische Dogma eingeführt.

Werke: Quellen: Originaldokumente königlicher Erlasse des J. sind nicht erhalten, aber Konzilsakten von 410 und 420.

Lit.: R. N. Frye, The political history of Iran under the Sasanians, und J. P. Asmussen, Christians in Iran, in: The Cambridge History of Iran, ed. E. Yarshater, vol. 3, 1983, 143 f., 146 f., 939 f., 942 f mit Verzeichnis der älteren Lit.; — Ders., The History of Ancient Iran, München 1984, in: Handb. der Altertumswissenschaft, Bd. III, 7; — Aziz Surial Atiya, A history of Eastern Christianity, London 1968, 237 ff., spez. 252 ff.; — Endre von Ivanka u. a., Handb. der Ostkirchenkunde, Düsseldorf 1971, 750 ff.; — Wilhelm Nyssen u. a., Handb. der Ostkirchenkunde, Bd. 1, Düsseldorf 1984, 34 ff., 210 ff.; — Donald Attwater, The Christian Churches of the East, London 1961, 170 ff.

Gerd Gropp

JEZDEGERD II. (zur Schreibung siehe oben J. I.), persischer König der Sasanidendynastie von 438/439 bis 457, * wahrscheinlich in der Residenz Ktesiphon zu nicht genau bekanntem Datum, † wohl ebenfalls in seiner Residenz. — J. hatte mehrmals schwer gegen Feinde im Osten seines Landes zu kämpfen, die als Weiße Hunnen/Hephthaliten bezeichnet werden, dagegen konnte er einen Konflikt mit Kaiser Theodosios II. (442) durch Verhandlungen schlichten. Die Innenpolitik wurde weitgehend von dem Minister Mihr-Narse bestimmt, der uns in verschiedenen Quellen als eifriger Förderer des Zarathustrismus (er errichtete mehrere Feuertempel) und Feind des Christentums bekannt ist. Unter ihm wurde seit 440 in Armenien und seit 446 auch in Syrien für den Zarathustrismus missioniert, worauf es zu dem 451 blutig niedergeschlagenen Aufstand der Armenier kam, nach der Auflösung des armenischen Königtums 428 ein zweiter Rückschlag für die dortigen Christen. J. II. ließ 446 eine Tochter und Gattin, sowie einige Würdenträger hinrichten, weil sie Christen wurden. Auch die jüdischen Gemeinden litten unter Restriktionen. Obwohl es im Lande nicht zu eigentlichen Christenverfolgungen kam, wurde das Gemeindeleben unter J. II. erschwert, deshalb wurde unter ihm kein Konzil abgehalten. Grund dürfte der Verdacht einer Parteinahme der Christen für das römische Nachbarreich gewesen sein, den die auf dem 4. Konzil 486 getroffene Entscheidung für die nestorianische Konfession und Abgrenzung gegen den Westen ausräumte. — J. II. trat als Herrscher hinter seinen Ministern, dem allmächtigen Kronrat, zurück, die ihn als guten Zarathustrier in der Königschronik lobten. Er war dem Christentum nicht günstig gesonnen, duldete es aber als Minderheit.

Werke: Quellen: Keine Originaldokumente oder Inschriften des Königs erhalten, dürftige Angaben in der persischen Königschronik, dagegen gibt es eine Bauinschrift des Mihr-Narse. Armenische und syrische Gesch.schreiber vertreten den christl. Standpunkt zur persischen Politik.

Lit.: R. N. Frye, The political history of Iran under the Sasanians, und J. P. Asmussen, Christians in Iran, in: The Cambridge History of Iran, ed. E. Yarshater, vol. 3, 1983, 143 f., 146 f., 939 f., 942 f mit Verzeichnis der älteren Lit.; — Ders., The History of Ancient Iran, München 1984, in: Handb. der Altertumswissenschaft, Bd. III, 7; — Aziz Surial Atiya, A history of Eastern Christianity, London 1968, 237 ff., spez. 252 ff.; — Endre von Ivanka u. a., Handb. der Ostkirchenkunde, Düsseldorf 1971, 750 ff.; — Wilhelm Nyssen u. a., Handb. der Ostkirchenkunde, Bd. 1, Düsseldorf 1984, 34 ff., 210 ff.; — Donald Attwater, The Christian Churches of the East, London 1961, 170 ff.

Gerd Gropp

JIRKU, Anton, Alttestamentler, * 27.4. 1885 in Birnbaum (Mähren), † 3.12. 1972 in Graz. — J. wurde 1908 in Wien zum Dr. phil promoviert, erwarb 1913 in Rostock den Grad eines theologischen Lizentiaten und habilitierte sich 1914 in Kiel für alttestamentliche Wissenschaften. Nach dem Kriege, in dem er bei der k.k. österreichisch-ungarischen Armee eingesetzt war, erhielt er eine Titularprofessur, wurde 1921 zum außerordentlichen Professor ernannt und vertrat im Wintersemester 1921/22 das Ordinariat für Altes Testament, das durch den Weggang Ernst Sellins nach Berlin vakant geworden war. Im Jahre 1922 wurde er als ordentlicher Professor nach Breslau berufen und erhielt den Dr. theol. von Kiel. 1934 ging er nach Greifswald, folgte aber bereits 1935 einer Berufung nach Bonn, wo er bis 1945 lehrte und dann in den Ruhestand versetzt wurde. J. wurde 1958 emeritiert. — J.s Forschungen beschäftigten sich überwiegend mit der Geschichte Israels, die er im weitgespannten kultur- und religionsgeschichtlichen Rahmen und in Teilproblemen bearbeitete.

Werke: Studien zur Keilschriftgeographie Syriens, 1910; Die Dämonen und ihre Abwehr im AT, 1912; Die jüd. Gemeinde von Elephantine und ihre Beziehungen zum AT (Bibl. Zeit- und Streitfragen, 7,11), 1912; Mantik in Altisrael, 1913; Die magische Bedeutung der Kleidung in Israel, 1914; Materialien zur Volksreligion Israels, 1914; Die älteste Gesch. Israels im Rahmen lehrhafter Darst., 1917; Die Hauptprobleme der Anfangsgesch. Israels, 1918; Altorient. Komm. zum AT, 1923; Die Wanderungen der Hebräer im 3. und 2. vorchristl. Jahrtausend, 1924; Das AT im Rahmen der altorient. Kulturen, 1925; Der Kampf um Syrien-Palästina im orient. Altertum, 1926; Das welt. Recht im AT. Stilgeschichtl. und rechtsvergl. Stud. zu den jurist. Gesetzen des Pentateuchs, 1927; Gesch. des Volkes Israel, 1931; Die ägypt. Listen palästinensischer und syrischer Ortsnamen, 1937; Die ältere Kupfer-Steinzeit Palästinas und der bandkeramische Kulturkreis, 1941, 2. Aufl., 1968; Die Ausgrabungen in Palästina und Syrien, 1956; Die Welt der Bibel. Fünf Jahrtausende in Palästina-Syrien, 1957; Kanaanäische Mythen und Epen aus Ras-Schamra-Ugarit, 1962; Gesch. Palästina-Syriens im orient. Altertum, 1963; Von Jerusalem nach Ugarit. Gesammelte Schriften; ergänzt durch neue Anm. und Taf., 1966; Der Mythus der Kanaanäer, 1966.

Lit.: J. Alwast, Gesch. der Theol. Fakultät an der Christian-Albrechts-Universität vom Beginn der preuß. Zeit bis zur Ggw. 1868-1986, 1988; — K. D. Schmidt (Hrsg.), Dokumente des Kirchenkampfes II, Bd. 13, 1964, 178 f.; — RGG ²III, 179; — RGG ³I, 1406; — Kürschner 1980.

Jendris Alwast

JOAB, Feldherr König Davids (Joab = »Jahwe ist Vater«). Nach 1.Sam 26 - 1.Kön 2, bzw. 1Chr 11-21 ist J als einer der drei Söhne der Zeruja König Davids Neffe (1.Chr 2,16). Er wird als der überaus erfolgreiche Hauptmann des Heeres geschildert, der sogar in der Lage gewesen ist, die als uneinnehmbar geltende Jebusiterstadt Jerusalem zu erobern. Obwohl er König David treu ergeben geblieben ist, ihn durch List und Gewalttat in seiner Macht gestärkt hat, gleichwohl ihm auch als kritischer Mahner und politischer Ratgeber (etwa im Zusammenhang der verhängnisvollen Volkszählung nach 2.Sam 24, bzw. 1Chr 21) freimütig entgegentreten konnte, ist er schließlich doch in Ungnade gefallen. Dies nicht so sehr deswegen, weil er den geliebten Königssohn Absalom, der einen Aufstand gegen seinen Vater unternahm, gegen den ausdrücklichen Willen Königs Davids umgebracht hat, sondern vor allem weil er Abner, seinen Gegenspieler und Feldherrn König Sauls, heimtückisch ermordet hat. Davids Sohn und Thronnachfolger Salomo (s.d.) ließ J. im Auftrage seines Vaters töten, zumal sich J. in den Wirren um die Thronnachfolge Davids auf die Seite Adonias statt auf Salomos Seite geschlagen hatte.

Lit.: H. Guthe, Art. »Joab«, in: RE (1896-1913) IX, Nachdr. 1970, 218-220; — Anton Jirku, Gesch. d. Volkes Israel, 1931, 130 ff.; — Martin Noth, Gesch. Israels, 1950 (1976⁸), 170-188; — Kurt Galling, Die Bücher der Chronik, Esra, Nehemia, 1954, 40-62 i.A.; — Hans Wilhelm Herzberg, Die Samuelbücher, 1956 (1973³), 168 ff. i.A.; — Karl Gutbrod, Das Buch vom Reich. Das zweite Buch Samuel, 1958, i.A.; — Julius Wellhausen, Israelitische u. Jüdische Gesch., 1958, 58 ff.; — Karl Gutbrod, Das Buch vom König. Das erste Buch Samuel, 1959, 211-256 i.A.; — J. Gamberoni, Art. »Joab«, in LThK V, 1960, 972; — Martinus Adrianus Beek, Gesch. Israels, 1961 (1976⁴), 54 ff.; — Martin Metzger, Grundriss d. Gesch. Israels, 1963, 74 ff.; — Johannes Fichtner, Das erste Buch von den Königen, 1964, 32-63 i.A.; — G. W. Anderson, The History and Religion of Israel, 1966, 54 ff.; — Martin Noth, Könige I, 1-16, 1968, 1-41 i.A.; — Antonius H. J. Gunneweg, Gesch. Israels bis Bar Kochba, 1972 (1976²), 71, 76-80, 83, 120; — Siegfried Herrmann, Gesch. Israels in alttestamentl. Zeit, 1973 (1980²), 186 ff.; — Ernst Würthwein, Die Bücher der Könige (1.Kön 1-16), 1977, 3-24 i.A.; — Hans Schmoldt, Art. »Joab«, in Reclams Bibellexikon, hrsg. von Klaus Koch u.a., 1978, 250; — Hendrik Jagersma, Israels Gesch. zur alttestamentl. Zeit, 1979 (dt. 1982), 132 ff.; — Fritz Stolz, Das erste u. zweite Buch Samuel, 1981, 162-303 i.A.; — Manfred Clauss, Gesch. Israels, 1986, 26, 73 ff., 160.

Hartmut Rosenau

JOACHIM I., mit dem Beinamen Nestor, seit 1499 Kurfürst von Brandenburg, * 21.2. 1484 eventuell in Cölln als erster Sohn von Kurfürst Johann Cicero von Brandenburg und seiner Frau Margarete, Tochter des Herzogs Wilhelm III. von Sachsen, † 11.7. 1535 in Stendal. — J. wurde 1490-98 in Franken erzogen. Unter der Leitung Dietrich von Bülows, dem Lebuser Bischof, erhielt er eine humanistische Bildung, die später durch den Sponheimer Abt Johann Trithemius vertieft wurde. Seine Beredsamkeit in der lateinischen Sprache trug ihm den Beinamen eines »deutschen Ciceros« ein und seine überlegten Urteile den eines »deutschen Nestors«. Über seine humanistische Bildung hinaus interessierte er sich für Medizin, Astronomie und Astrologie. Sein breites Interesse und seine hohe Bildung brachten ihn in persönlichen und brieflichen Kontakt mit vielen Gelehrten seiner Zeit. Den Astronom und Historiker Johann Carion zog er 1522 als Hofmechanikus nach Berlin. Beim Tode seines Vaters (9.Januar 1499) übernahm er noch keine 15 Jahre alt die Regierung, obgleich nach der Goldenen Bulle dies erst mit 18 Jahren vorgesehen war. Die Huldigung der Stände nahm er mit seinem 10-jährigen Bruder Albrecht entgegen. Zusammen eröffneten sie 1506 die schon von ihrem Vater gewünschte Landesuniversität in Frankfurt/Oder, deren erster Kanzler der Lebuser Bischof Dietrich von Bülow wurde und zu deren ersten Studenten Ulrich von Hutten und Thomas Müntzer gehörten. Die Mitregierung Albrechts, die den Bestimmungen der Goldenen Bulle widersprach, endete bald, da dieser frühzeitig in den geistlichen Stand trat. Dennoch hat er seinen Bruder wesentlich unterstützt, zumal er 1513 Erzbischof von Magdeburg und Administrator des Domstifts von Halberstadt und ein Jahr später zugleich Kurfürst von Mainz wurde, so daß das Hohenzollernhaus in dieser Zeit über zwei Stimmen im Kurfürstenkolleg des Reiches verfügte. Unterstützung erfuhr J. auch durch die Vettern von der fränkischen Linie, die wichtige Stellungen an verschiedenen bedeutenden Höfen einnahmen, Vetter Albrecht war ab 1512 Hochmeister des Deutschen Ordens in Preußen. Die Grafschaft Ruppin zog J. 1524 als erledigtes Lehen ein. Noch nicht 16-jährig schloß er den Ehekontrakt mit Elisabeth, Tochter des Dänenkönigs Johann, die er 1502 heiratete, und mit der er zwei Söhne und drei Töchter hatte. J. hat sich viel mit dem zum Raubrittertum herabgesunkenen Junkertum auseinandersetzen müssen. Hier erwarb er sich durch sein energisches Vorgehen große Verdienste, so daß der von Reichs wegen 1495 proklamierte dauernde Landfrieden auch in der Kurmark aufgerichtet wurde. Der Hostienschändungsprozeß von 1510 führt zur Massenhinrichtung und Landesverweisung der übrigen Judenschaft. Besondere Aufmerksamkeit widmete J. den Mißständen in den Städten, die er durch mehrere Sonderordnungen beheben wollte. 1515 erließ er eine erste allgemeine Städteordnung, die aber wohl nicht zur Durchführung kam. Sein Versuch von 1516, das Kammergericht in ein ständisches Gericht umzuwandeln, setzte sich zunächst nicht durch. Dies geschah wahrscheinlich erst 1526. Mit der sog. »Constitutio Joachimica« von 1527 gab er seinem Land auf der Grundlage des römischen Rechts ein neues einheitliches Erbrecht. Seit 1518 wurden die Bauern immer mehr an die Scholle gebunden und mußten auf den ständig anwachsenden adligen Eigenwirtschaften zunehmend Frondienste leisten. Vor der Kaiserwahl von 1519 verhandelte J. mit beiden Seiten, trat dann nachdrücklich für Franz I. von Frankreich ein, gab dann aber bei der Wahl seine Stimme dem Habsburger Karl V. J. hatte sein Land dem Ablaßhandel geöffnet, zumal sein Bruder Erzbischof Albrecht den Vertrieb für Deutschland erhalten hatte. An der Universität Frankfurt/Oder trug Johann Tetzel im Januar 1518 seine 106 Thesen gegen Luther vor, die ihm sein Frankfurter Lehrer Konrad Koch aus Wimpfen (Wimpina) verfaßt hatte. J. wurde bald zusammen mit Herzog Georg von Sachsen zum Führer der aggressiven altkirchlichen Partei im Reich. Die Gründe dafür lagen wohl in Luthers scharfen Angriffen auf seinen Bruder Kardinal (seit 1518) Albrecht, in seiner Gegnerschaft zu Friedrich dem Weisen im Zusammenhang mit der Kaiserwahl und dann vor allem in Luthers scharfer Ermahnung J.'s, als seine Frau Elisabeth 1528 aus dem Cöllner Schloß nach Wittenberg unter den Schutz des Kurfürsten Johann von Sachsen geflohen war, weil sie Luther anhing und J. ein Liebesverhältnis mit Katharina Hornung hatte, der Tochter des Berliner Bürgermeisters Thomas von

Blankenfeldt. J. wirkte auf dem Wormser Reichstag (1521) am Edikt gegen Luther mit, verbot 1524 Luthers Schriften und Bibelübersetzung, vermählte den Kurprinzen Joachim 1524 mit Magdalene, Tochter des Herzogs Georg von Sachsen, versagte seinem Vetter, dem Hochmeister Albrecht, der 1524 zum evangelischen Glauben übergetreten war und den Orden säkularisiert hatte, die Anerkennung als weltlicher Herzog in Preußen, trat 1525 - unter dem Eindruck der Bauernaufstände - in Dessau dem Bündnis des Herzogs Georg von Sachsen zur Vernichtung der »verdammten lutherischen Sekte« bei und verbot 1526 das Singen deutscher lutherischer Lieder und Psalmen. Trotzdem gewann die Reformation durch Flugschriften, in Wittenberg ausgebildete Theologen, reisende Kaufleute und Handwerksgesellen auch in der Kurmark Anhänger. Kurfürstin Elisabeth lernte durch ihren Bruder Christian II. von Dänemark und Luthers Freund, den Stadtphysikus Ratzeberger, die Lehre Luthers kennen und empfing 1527 heimlich das Abendmahl von einem lutherischen Geistlichen. Dadurch nahm J.'s Feindschaft gegen Luther einen persönlichen Charakter an. Auf dem Reichstag in Augsburg 1530 tat sich J. als eifriger Verfechter des alten Glaubens hervor, wofür ihm Papst Clemens VII. mit überschwenglichen Worten dankte. Er betrieb mit großen Eifer die Wahl des Erzherzogs Ferdinand, Bruder Kaiser Karls V., zum römischen König (1531). Mit dem Anwachsen des Schmalkaldener Bundes gewann die Reformation auch in Norddeutschland an Boden. Noch zu J.'s Lebzeiten gingen Anhalt und Pommern zur Reformation über. In seinem Testament von 1534 verpflichtete J. seine Söhne Joachim und Johann und ihre Erben für alle Zeiten auf den »alten christlichen Glauben«. In diesem Testament verordnete er auch, daß entgegen der Dispositio Achillea auch der zweite Sohn einen Teil des Landes als Herrschaft empfangen solle. — J. trug wesentlich zur inneren Festigung seines Landes bei. Er war in seiner Regierung jedoch durch seine religöse und persönliche Feindschaft gegen die Reformation festgelegt und dadurch wenig aufgeschlossen für die allgemeinen politischen und religiösen Entwicklungen des beginnenden 16.Jh. Trotz seiner entschiedenen Haltung konnte er das Vordringen der lutherischen Lehre in seinem Lande nicht aufhalten.

Quellen: Codex Diplomaticus Brandenburgensis, hrsg. v. Adolf Friedrich Riedel, 35 Bde, 1838-1869; Hans Bahr, Quellen zur brandenburgisch-preußischen Geschichte II, 1918.

Lit.: Bibliographien: Schottenloher 29540-29559; — Ursula Scholz/Rainald Stromeyer, Berlin-Bibliographie, 1973; — Gerd Heinrich, Berlin und Brandenburg, 1973; — Hans-Joachim Schreckenbach, Bibliographie zur Geschichte der Mark Brandenburg, 4 Bde., 1970-1974. — Johann Gustav Droysen, Geschichte der preußischen Politik, II. 2, 1870[2], 1-163; — Christian Wilhelm Spieker, Geschichte der Einführung der Reformation in die Mark Brandenburg, 1839; — Adolf Müller, Geschichte der Reformation in der Mark Brandenburg, 1839; — A. Zimmermann, Geschichte der Mark Brandenburg unter J. I. und II., 1841; — Ludwig Eduard Heydemann, Die Elemente der Joachimischen Constitution von 1527, 1841; — Siegfried Isaacsohn, Geschichte des preußischen Beamtenthums vom Anfang des 15. Jh.'s bis auf die Gegenwart 1, 1874; — Hagemeyer, Ueber die Stellung des Kurfürsten Joachim I. zur Reformation, 1880; — Friedrich Wagner, Zum Regierungsantritt J., in: Zeitschrift für Preußische Geschichte und Landeskunde 19, 1882; — David Erdmann, Luther und die Hohenzollern, 1883, 37ff.; — Julius Heidemann, Die Reformation in der Mark Brandenburg, 1889; — Georg Schuster/Friedrich Wagner, Die Jugend und Erziehung der Kurfürsten von Brandenburg und Könige von Preußen, 1906; — Nikolaus Müller, Beitrag zur Kirchengeschichte der Mark Brandenburg im 16. Jh. I, 1907; — Reinhold Koser, Geschichte der brandenburgischen Politik, 1913[2]; — Otto Hintze, Die Hohenzollern und ihr Werk, 1915, 115-122; — Leopold Zscharnack, Das Werk Luthers in der Mark Brandenburg von J. bis zum Großen Kurfürsten, 1917; — Ludwig Lehmann, Bilder aus der Reformationsgeschichte der Mark Brandenburg, 1921; — Walter Wendland, 700 Jahre Kirchengeschichte Berlins, 1930; — Willy Hoppe, Luther und die Mark Brandenburg, in: Jahrbuch für brandenburgische Landesgeschichte 1, 1950, 49-55; — Johannes Schultze, Die Mark Brandenburg III, 1963; — Walter Delius, Anfänge reformatorischer Bestrebungen in der Mark Brandenburg, in: Jahrbuch für Berlin-Brandenburgische Kirchengeschichte 40, 1965, 9-23; — ders., Die Kirchenpolitik J., in: Jahrbuch für Berlin-Brandenburgische Kirchengeschichte 49, 1974, 7-41; — Gerd Heinrich, Kurfürst J. von Hohenzollern, Markgraf von Brandenburg, in: Der Reichstag zu Worms von 1521, hrsg. v. Fritz Reuter, 1971, 336-351; — Francis L. Carsten, Die Entstehung Preußens, 1981; — Wolfgang Schulz, Die Mark Brandenburg, 1983; — Wolfgang Ribbe (Hrsg.), Gesch. Berlins I, 1987; — ADB 14, 71-78; — NDB 10, 434-436; — RE[3] 9, 220-223; — Biographisches Wörterbuch zur deutschen Geschichte 2, 1298-99; — NewCathEnc 7, 990; — LThK[2] 5, 974.

Udo Krolzik

JOACHIM II. Hector, seit 1535 Kurfürst von Brandenburg, * 13.1. 1505 in Cölln als erster

Sohn von Kurfürst Joachim I. und seiner Frau Elisabeth, Tochter des Dänenkönigs Johann I., † 3.1. 1571 in Köpenick. — J. erhielt durch den Theologen Johann Negelein und den Juristen Fabian Funk eine Ausbildung in den klassischen Sprachen und den Staatswissenschaften. Als 13-jähriger lernte er am kaiserlichen Hof höfische und ritterliche Kultur kennen. Schon früh wurde er in die politischen und kirchlichen Auseinandersetzungen durch die Zeit- und Familienverhältnisse verwickelt. Seinem Vater wurden als Lohn für die Stimme bei der Kaiserwahl von beiden Seiten Königstöchter für J. angeboten. In seiner Familie ist er den entgegengesetzten Einflüssen der Altgläubigen und der Lutheraner ausgesetzt. Dem Einfluß seines Vaters und seines Onkels Erzbischof Albrecht stand der seiner Mutter und seines Onkels Hochmeister Albrecht gegenüber. Sein Vater versuchte ihn, durch die Verheiratung mit Magdalene, Tochter des ausgesprochenen Luthergegners Herzog Georg von Sachsen, an die katholische Seite zu binden. Als Magdalene 1534 starb leitete der Vater noch einmal kurz vor seinem Tode die Verheiratung des Sohnes mit der katholischen Hedwig, Tochter des Königs Sigismund von Polen, ein, die J. 1535 heiratete. In seinem Testament verpflichtete der Vater beide Söhne darauf, daß sie mit ihren Ländern an der katholischen Lehre festhielten. Durch die Mutter, die 1527 das Abendmahl in beiderlei Gestalt eingenommen hatte, lernte J. die lutherische Lehre kennen. Seine Begegnung mit Luther 1519 in Wittenberg überbewertete er wohl, wenn er später feststellte, daß er bei dieser Gelegenheit die Rechtfertigung aus dem Glauben gelernt habe. Seit 1532 stand er im brieflichen Kontakt mit Luther. Nachdem er 1535 die Herrschaft von seinem Vater übernommen hatte, blieb er noch beim alten Glauben. Sein Bruder Johann (Hans) von Küstrin, der aufgrund des Testaments des Vaters die Neumark, Sternberg, Krossen, Züllichau und Kottbus erhalten hatte, förderte sogleich die Anhänger der neuen Lehre, wandte sich dem Schmalkaldischen Bund zu, nahm Ostern 1538 das Abendmahl in beiderlei Gestalt und ließ 1538/39 eine grundlegende Kirchenvisitation durchführen. J. zögerte fast fünf Jahre, bevor er Ende 1539 die Reformation freigab. Als er gleich nach der Regierungsübernahme seine umfangreiche und prunkvolle Bautätigkeit mit der Umwandlung der beim Cöllner Schloß gelegenen Dominikanerkirche in eine prunkvolle Residenz-Hofkirche (1536) begann, ließ er Kunst- und Altarkleinodien aus der Mittel- und Uckermark inventarisieren und teilweise gleichsam im Vorgriff auf die Säkularisierung in die Hofkirche bringen. Er selbst war jedoch auf Ausgleich bedacht und hat auf dem Hintergrund der Türkengefahr ganz wesentlich zum Frankfurter Anstand von 1539 beigetragen, der die schwebenden Kammergerichtsprozesse suspendierte und zur Klärung der Glaubensstreitigkeiten ein Religionsgespräch von deutschen Theologen und Laien vorsah. J. war auch weder dem Nürnberger Bund von 1538 als »Defensivliga« der katholischen Stände beigetreten, noch dem Schmalkaldischen Bund. Das Drängen des Bruders, der Landstände und Städte und das Engagement des Kaisers und Königs durch den Türkenkrieg bewirkten, daß J. zum 1./2.11.1539 in Stadt und Land öffentliche Bekenntnisakte erlaubte. Er nahm auch selbst in der Spandauer Nikolaikirche mit dem Bischof von Brandenburg, Matthias von Jagow, zahlreichen Vertretern der Ritterschaft und seinem ganzen Hof, außer der Kurfürstin Hedwig, deren Vater er zugesagt hatte, daß er sie nicht zur neuen Religion verlocken würde, das Abendmahl in beiderlei Gestalt, obgleich er kein öffentliches Bekenntnis für die neue Lehre vor 1555 ablegte. Eine von ihm seit 1537 vorbereitete neue »Christliche Ordnung«, an der auch Philipp Melanchthon beratend mitgewirkt hatte, bildete den Entwurf für die 1540 gedruckte und von den weltlichen Ständen auf dem März-Landtag desselben Jahres angenommene Kirchenordnung. Sie nahm die Priesterehe, das Abendmahl mit Luthers Katechismus und die Lehre von der Rechtfertigung auf. Der vermittelnden Stellung J.'s entsprach es, daß die kultischen Traditionen in der Kirchenordnung geschont wurden. J. vertrat die Auffassung, daß er die katholische Kirche seines Landes einfach von einigen Mißbräuchen gereinigt habe. Er ersuchte und erhielt die Bestätigung des Kaisers für seine Kirchenordnung. Drei mit Härte durchgeführte Generalkirchen-Visitationen (1540-42; 1551/52; 1557/58) begründeten und festigten die neuen Strukturen. Die episkopalen Aufgaben des Kurfürsten nahmen der Generalsuperintendent und das aus Theologen und Juristen gebildete Cöllner Konsistorium wahr. J. und sein Bruder führten die Säkularisierung in Brandenburg konsequent durch, um so ihre defizitären Haushalte zu entlasten. Die Kirchenordnung und die Visitationen förderten und ordneten auch wesentlich das Schulwesen und hielten die Pfarrer und den größten Teil der Küster zur Jugendlehre an. Als Feldhauptmann beteiligte sich J. 1542 ohne Erfolg am Türkenfeldzug. Im Schmalkaldischen Krieg kämpfte er mit Moritz von Sachsen auf der Seite des Kaisers. Er setzte sich jedoch für die Schonung und Freiheit des unterlegenen Kurfürsten Johann Friedrich von Sachsen und des Landgrafen Philipp von Hessen ein. Ganz im Sinne seiner Vermittlerrolle wirkte er am sogenannten »Augsburger Interim« von 1548 mit, das sein Hofprediger Johann Agricola mit verfaßte. J. hat nicht wie sein Bruder das »Augsburger Interim«, das bei seiner Erklärung als Reichsgesetz ein Ausnahmegesetz über die Protestanten war, mit aller Schärfe abgelehnt, sondern hat seine Anerkennung in seinem Land gefordert, verband dies jedoch mit einer Deklaration zugunsten seiner Kirchenordnung. Als ein protestantischer Fürstenbund unter der Führung Moritz' von Sachsen einen Gegenschlag gegen den Kaiser führte, beteiligte sich J. nicht. Mit dem Augsburger Religionsfrieden von 1555 und der damit verbundenen Anerkennung der Protestanten entfielen alle politischen Bedenken J.'s, die ihn bisher von einem öffentlichen Bekenntnis zum neuen Glauben abgehalten hatten. So legte er 1563 ein öffentlich testamentarisches Glaubensbekenntnis gemäß der Augsburger Konfession ab. An den alten Gebräuchen und Zeremonien sowie an der Ausstattung seiner Hofkirche hielt er jedoch fest. J. hat auf verschiedenen Wegen versucht, sein Herrschaftsgebiet zu vergrößern. Er schloß mit dem Herzog von Liegnitz eine Erbverbrüderung, die auf den Erwerb Schlesiens gerichtet war. Wohl auf Betreiben seines Bruders Johann, der als Gegenleistung für Schlesien seine Landesteile hergeben sollte, wurde dieser Vertrag 1546 von König Ferdinand aufgehoben. J.'s Bemühen, seinen jüngsten Sohn aus der Ehe mit Hedwig, der Tochter des polnischen Königs, auf den polnischen Thron zu bringen, blieben ohne Erfolg.

J.'s Kanzler Lampert Distelmeyer gelang es jedoch 1569, die Mitbelehnung mit dem Herzogtum Preußen durch den polnischen König zu erlangen. Damit war der Grund für den brandenburg-preußischen Staat gelegt. J. erwirkte die Besetzung des Erzbistums Magdeburg mit seinem Sohn Sigismund. — J. war ein friedliebender auf Ausgleich bedachter Herrscher. Große finanzielle Probleme brachten ihm seine aufwendige Hofhaltung, insbesondere seine Bauleidenschaft, wodurch er in ständige Auseinandersetzungen mit den Ständen geriet, um seine steigenden Schulden zu tilgen. Da J. und sein Bruder Johann kurz nacheinander starben und Johann ohne männlichen Erbe war, konnte Brandenburg durch J.'s Sohn, den Kurfürsten Johann Georg, wieder einheitlich regiert werden.

Quellen: F. Hildesheim, De vita Joachimi II. 1592; Johann Cernitius, Decem e Familia ... Electorum Brand. Eicones, 1663; Christian O. Mylius, Corpus constitutionum Marchicarum I, 1736; Kurmärkische Ständeakten aus der Regierungszeit Kurfürst J.'s, hrsg. v. Walter Friedensburg, 2 Bde., 1913-16; Wolfgang Gericke, Glaubenszeugnisse und Konfessionspolitik der Brandenburgischen Herrscher bis zur Preußischen Union. 1540-1815, 1977.

Lit.: Bibiliographien: Schottenloher 29560-29581; — Ursula Scholz/Rainald Stromeyer, Berlin-Bibliographie, 1973; — Gerd Heinrich, Berlin und Brandenburg, 1973; — Hans-Joachim Schreckenbach, Bibliographie zur Geschichte der Mark Brandenburg, 4 Bde., 1970-1974. — Christian Wilhelm Spieker, Geschichte der Einführung der Reformation in die Mark Brandenburg, 1839; — Adolf Müller, Geschichte der Reformation in der Mark Brandenburg, 1839; — v. Ledebur, Über den Ort und Tag des Übertritts J.'s zur lutherischen Kirche, 1839; — A. Zimmermann, Geschichte der Mark Brandenburg unter Joachim I. und II., 1841; — Johann Gustav Droysen, Geschichte der preußischen Politik, II. 2, 1870[2], 1-163; — Siegfried Isaacsohn, Geschichte des preußischen Beamtenthums vom Anfang des 15. Jh.'s bis auf die Gegenwart I, 1874; — ders., Die Finanzen J.'s, in: Zeitschrift für preußische Geschichte, 1879; — David Erdmann, Luther und die Hohenzollern, 1883, 37ff.; — Julius Heidemann, Die Reformation in der Mark Brandenburg, 1889; — Friedrich Holtze, Zur Geschichte der märkischen Reformation, in: Forschungen zur Brandenburgischen und Preußischen Geschichte II, 1889, 395ff.; — Hermann Traut, Kurfürst J. v. Brandenburg und der Türkenfeldzug vom Jahre 1542 (Diss. Berlin), 1892; — H. Landwehr, J.'s Stellung zur Konzilsfrage, in: FBPG VI, 1893, 529ff.; — Franz Meine, Die vermittelnde Stellung J.'s von Brandenburg zu den politischen und religiösen Parteien seiner Zeit, (Diss. Rostock) 1898; — J. Sonnek, Die Beibehaltung katholischer Formen in der Reformation J.'s, 1903; — Paul Steinmüller, Einführung der Reformation in Brandenburg durch J., 1903; — ders., Das Bekenntnis J.'s, in: FBPG 17, 1904, 237-246; —

Georg Schuster/Friedrich Wagner, Die Jugend und Erziehung der Kurfürsten von Brandenburg und Könige von Preußen, 1906; — Nikolaus Müller, Beitrag zur Kirchengeschichte der Mark Brandenburg im 16. Jh. I, 1907; — Walter Friedensburg, Kirchenordnung, in: JBrKG 5, 1908, 1-25; — Martin Hass, Die Hofordnung Kurfürst J.'s von Brandenburg, 1910; — G. Kawerau, J.'s Verhältnis zu Luther, in: JBrKG 8, 1911, 243-260; — Eduard Vehse, Preußische Hofgeschichten I, neu hrsg. v. Heinrich Conrad, 1913; — Reinhold Koser, Geschichte der brandenburgischen Politik, 1913²; — Otto Hintze, Die Hohenzollern und ihr Werk, 1915, 115-122; — Leopold Zscharnack, Das Werk Luthers in der Mark Brandenburg von J. bis zum Großen Kurfürsten, 1917; — Ludwig Lehmann, Bilder aus der Reformationsgeschichte der Mark Brandenburg, 1921; — Walter Wendland, 700 Jahre Kirchengeschichte Berlins, 1930; — H. Hallmann, Die kurmärkischen Stände zur Zeit J.'s, in: FBPG 49, 1937; — W. Dürks, Der Beginn der märkischen Reformation im Jahr 1539, in: JBrKG 34, 1939, 52-87; — Willy Hoppe, Luther und die Mark Brandenburg, in: Jahrbuch für brandenburgische Landesgeschichte 1, 1950, 49-55; — O. Groß, Vom Widerstand der katholischen Kirche gegen die Kirchenordnung J.'s von Brandenburg, in: Wichmann Jahrbuch 1953, 36-52; Walter Delius, Die Reformation des J.'s, in: ThViat 5, 1953-54, 174-193; — ders., Anfänge reformatorischer Bestrebungen in der Mark Brandenburg, in: Jahrbuch für Berlin-Brandenburgische Kirchengeschichte 40, 1965, 9-23; — Johannes Schultze, Die Mark Brandenburg IV, 1964; — Julius Rieger, Berliner Reformation, 1967; — Friedrich Weichert, Die theologischen Motive des ältesten märkischen Katechismus, in: Jahrbuch für Berlin-Brandenburgische Kirchengeschichte 49, 1974, 95-130; — ders., Die Anfänge des märkischen Summepiskopats, in: Jahrbuch für Berlin-Brandenburgische Kirchengeschichte 50, 1977, 79-124; — Wolfgang Ribbe, Der Reformationstag der Mark Brandenburg, in: Jahrbuch für Berlin-Brandenburgische Kirchengeschichte 49, 1974, 59-65; — ders. (Hrsg.), Gesch. Berlins I, 1987; — Francis L. Carsten, Die Entstehung Preußens, 1981; — Wolfgang Schulz, Die Mark Brandenburg, 1983; — ADB 14, 78-86; — NDB 10, 436-438; — RE³ 9, 223-227; — Biographisches Wörterbuch zur deutschen Geschichte 2, 1299-1300; — NewCathEnc 7, 990; — LThK² 5, 974-975.

Udo Krolzik

JOACHIM *von Fiore*, * ca. 1130 in Celico bei Cosenza, † 1202 in Fiore. — J. war der Sohn eines Notars aus Celico bei Cosenca. Von J.s Jugendgeschichte ist nichts Verläßliches überliefert. Um 1177 wurde er Abt des Zisterzienserklosters in Corazzo. Um 1190 trennte er sich von dem Orden und gründete im kalabrischen Sila-Gebirge den Florenser-Orden und das Kloster S. Giovanni di Fiore mit eigener Regel, einer verschärften Benediktiner-Regel, die päpstliche Approbation erhielt. Das Kloster hatte zahlreiche Tochterklöster. Der Florenser-Orden verbreitete sich ausschließlich in Italien und bestand bis 1570. J. stand als Abt und als Gelehrter in persönlichen Beziehungen zu Kaiser Heinrich VI. und zu den Päpsten Lucius III. (1181-1185), Urban III. (1185-1187) und Clemens III. (1187-1191). Seine Orthodoxie ist zu seinen Lebzeiten nicht bestritten worden. Nur ein Trinitäts-Traktat (verschollen), der gegen Petrus Lombardus polemisierte, wurde vom Laterankonzil 1215 verurteilt. — J.s Lehre ist in seiner historisch-typologischen und prophetisch-visionären Schriftauslegung begründet. Sie folgt dem trinitätstheologischen Schema, wonach die drei Personen der Trinität in drei verschiedenen auseinander hervorgehenden Epochen offenbar werden. Dem alttestamentlich-synagogalen Zeitalter des Vaters folgt das neutestamentlich-klerikale Zeitalter des Sohnes, diesem das mönchische Zeitalter des Heiligen Geistes. Erst in diesem herrscht plenitudo intellectus, während das zweite in proprietate sapientiae verharrt, das erste gar in scienta verbleibt. Seit dem heiligen Benedikt existiert bereits die kommende Kirche der Mönche innerhalb der Kirche der Priester. J. ging mit der Anwendung der allegorischen Methode über die traditionelle patristische Exegese und ihre Ausrichtung auf moralische und dogmatische Zwecke insofern hinaus, als er sie erstmalig mit der prophetisch-historischen Methode verband. Demzufolge erschloß seine systematische Exegese des Alten und Neuen Testament die in ihnen berichteten Ereignisse als wechselseitig sich erhellende Sinnbilder der religiösen Struktur der Geschichte. — Die Wirkungsgeschichte der Ideen J.s war nachhaltig. Er selbst hat aus seiner revolutionären Erkenntnis keine praktischen Schlußfolgerungen gezogen. Das taten im frühen 13. Jahrhundert die Amalrikaner, die damit das pneumatische Evangelium des Origines in die Wirklichkeit umsetzen wollten und Cola di Rienzo mit seiner politisch-religiösen, von römisch-imperialen Vorstellungen durchsetzten, Erneuerungsbewegung. Im 13. und 14. Jahrhundert versuchten die franziskanischen Spiritualen die Kirche in eine Gemeinschaft des Heiligen Geistes zu verwandeln und ergänzten und aktualisierten J.s Schriften. J.s theologisch-eschatologischer Historismus wurde die folgenreichste Sozialutopie des Mittelalters und gab auch später Bestrebungen Antrieb, die geschichtliche Verwirklichung des »Evangelium aeternum« zu versuchen. In diesem Sinne wirkte der Joachimismus auf die Spiritualisten und Täufer der Reformationszeit wie auch auf Thomas Müntzer, schließlich auf Lessings geschichtstheologischen Entwurf »Erziehung des Menschengeschlechts«, auf die Philosophen des Deutschen Idealismus besonders auf Hegel, aber dann auch auf Comte und Marx und in der Gegenwartsphilosophie auf Ernst Blochs »Prinzip Hoffnung«.

Werke: Concordia novi ac veteris testamenti, Venedig 1519; Expositio in Apocalypsim; Psalterium decem chordarum, ebd. 1527; Tractatus super IV Evangelia, ed. E. Buonaiuti, 1930; De articulis fidei, ed. Ders., 1936, Adversus Judeos, ed. A. Frugoni, 1957; Liber figurarum, ed. L. Tondelli, 1940, 1953[2]; De vita et regula S. Benedicti, ed. C. Baraut, Analecta sacra Tarraconensia 24, 1951, 33-122; De septem sigillis, ed. M. Reeves u. B. Hirsch-Reich, RThAM 21, 1954, 211-247.

Lit.: J. J. I. v. Döllinger, Der Weissagungsglaube und das Prophetentum in der christl. Zeit, in: Raumers Hist. Taschenbuch V, 1, 1871, 257-370; — J. N. Schneider, J. v. Fl. und die Apokalyptiker des MA.s, Dillinger Progr. 1872, 1874; — E. Renan, J. de Flore et l'évangile éternel: Nouvelles études d'histoire rel., 2. Aufl., 1884, 231 ff.; — H. S. Denifle, Das Evangelium aeternum und die Kommission zu Anagni, ALKHMA 1, 1885, 49-142; — W. Bousset, Der Antichrist in der Überlieferung des Judentums, des NT.s und der alten Kirche, 1895; — E. Wadstein, Die eschatolog. Ideengruppe, Antichrist, Weltsabbath, Weltende und Weltgericht, 1896; — P. Fournier, J. de Flore, ses doctrines, son influence: Revue des Questions Historiques 67, 1900, 457-505; — E. Schott, Die Gedanken des Abtes J. v. Fl.: ZKG 23, 1902, 157-186; — G. Bondatti, Gioachimismo e Francescanesimo nel dugento, 1924; — H. Grundmann, Studien über J. v. F., 1927, Neudr. 1966; — E. Benz, Joachim-Studien, ZKG 50, 1931, 24-111; 51, 1932, 415-455; 53, 1934, 52-116; — Ders., Ecclesia spiritualis, 1934; — J. Ch. Huck, J. v. F. und die joachitische Literatur, 1938; — H. Grundmann, Neue Forschungen über J. v. F., 1950; — F. Russo, Bibliografia Gioachimita, 1954; — K. Löwith, Weltgesch. und Heilsgeschehen, 4. Aufl., 1961, 136-147; — E. Bloch, Das Prinzip Hoffnung, 1959, bes. 1, 590-598 u. 3, 1538 f.; — RE IX, 1901, 227-232; — RGG ³III, 309 f.; — Dictionnaire de Théologie Catholique VIII, 1924, 1425-1458; — RGG ³III, 799; — LThK ²V, 1960, 975 f.; — Dictionnaire de Spiritualité ascétique et mystique doctrine et histoire VIII, 1974, 1179-1201.

Jendris Alwast

JOACHIM, Vater von Maria. Der hebräische Name j'hojakim, der »Jahwe wird aufrichten« bedeutet, begegnet im Alten Testament in verkürzter Form als Jojakim (Priester- und Königs-

name). Joachim als Gemahl der heiligen Anna und Vater der Gottesmutter Maria findet sich erstmals im apokryphen Jakobus-Evangelium (um 150) und im Anschluß daran im Pseudo-Matthäusevangelium (Liber de ortu beatae Mariae Virginis, ca. 5. Jahrhundert) und im Evangelium über die Geburt Mariä (Evangelium de nativitate Mariae, ca. 6. Jahrhundert). Nach dieser Legende stammte er aus Sepphoris in Galiläa (hebräisch Zippori, arabisch saffurie, 5 km nördlich von Nazareth) und wohnte später mit Anna in Jerusalem (nach einer anderen Überlieferung am Schaftor). Wegen Kinderlosigkeit wiesen ihn die Priester vom Opfer im Tempel zurück. Er begab sich in die Einöde und führte ein Leben der Frömmigkeit und Wohltätigkeit. Nach 20jähriger Ehe wurde ihm durch einen Engel ein Kind versprochen (so Ps.-Mt) und in Nazareth geboren (so Ev. de nat. Mariae). Demgegenüber hält die Marienkirche in Jerusalem die Überlieferung fest, daß Maria an der Stelle der Kirche geboren sei und gewohnt habe und dort auch gestorben sei, obwohl diese erst in sehr später Zeit zur Kirche (mit Krypta und Begräbnisstätte) von J. und Anna gemacht wurde (Petrus Diac., Lib. de locis sanctis). Die frühe Legende des Jakobus-Evangeliums war im Abendland sehr verbreitet, fand aber Widerspruch u. a. bei Augustinus (Contra Faustum 23,9), Innozenz I. und im Decretum Gelasianum. Der alte apokryphe Stoff setzte sich dennoch allmählich durch, bis ihn um die Mitte des 13. Jahrhunderts besonders Jacobus a Voragine durch seine Legenda aurea an die sich jetzt ausbreitenden Marienlegenden weitergab. — Darstellungen aus dem Leben des J. in der Kunst zeigen meist als Attribut des J., wie er Maria auf dem Arm trägt oder einen Korb mit 2 Tauben zum Opfer darbringt. Als Greis erscheint er auf Marienaltären zusammen mit Anna. — Das Fest zum Gedächtnis an J. wird bei den Griechen seit dem 7. Jahrhundert am 9.9., bei den Kopten am 2.4., den Syrern am 25.7. (angeblicher Todestag) und den Maroniten am 9.9. und 20. 11. gefeiert. Im Abendland wurde dieses Fest seit dem 15./16. Jahrhundert am 16.9., 9.12. oder 20.3. begangen. Um 1572 wurde es gestrichen, 1622 aber durch Gregor XV. wieder aufgenommen und auf den Sonntag nach dem 15.8. verlegt; 1913 wurde es auf den 16.8. verschoben.

Lit.: O. Bardenhewer, BSt 10 (1905), 79 ff.; — P. Vogt, BSt 12 (1907), 101 ff.; — W. Bauer, Das Leben Jesu im Zeitalter der ntl. Apokryphen (1909), 9 ff.; — Künstle I, 322-341, 647 f.; — B. Kleinschmidt, Die hl. Anna, ihre Verehrung in Gesch., Kunst und Volkstum (1931); — M. Lindgren-Tridell, Der Stammbaum Mariä aus Anna und Joachim, Marburger Jb. für Kunstwiss. 11-12 (1938-39/1941), 298-308; — Altaner⁴, 56 f.; — LThK ²V, 973.

Werner Schulz

JOAHAS (weiterer Name: Sallum, Jer 22,11; 1 Chr 3,15). König von Juda 609 vor Christus, * etwa 632 als Sohn des Königs Josia, † in ägyptischer Gefangenschaft. Nach dem Tod seines Vaters Josia in der Schlacht von Megiddo macht das judäische Landvolk den jüngeren J. unter Umgehung seines älteren Bruders Jojakim zum König, wohl in Erwartung, daß er die Reformpolitik seines Vaters fortsetzen werde. Als J. wenige Wochen nach Regierungsantritt vor dem Sieger von Megiddo, Pharao Necho II., in Ribla am Euphrat erscheint, um sich zu unterwerfen, wird er nach Ägypten in Gefangenschaft gebracht, wo er stirbt (2 Kön 23,30-33). Sein älterer Bruder Jojakim wird vom Pharao als König eingesetzt. — Die Absetzung J.s bedeutet das eigentliche Ende der unter Josia begonnenen Reformpolitik, wie es auch der Prophet Jeremia sieht (22,10-12).

Lit.: KL VI, 1469; — DBV III, 1549 f.; — RE IX, 232 f.; — JE VII, 83 f.; — EJud VIII, 915; — EC VII, 144; — LThK V, 972; — CBL, 663; — LB, 701 f.; — DB, 461; — BL, 844 f.; — EncJud IX, 1316 f.

Rainer Kessler

JOAHAS, König von Israel (817-801 v. Chr.). Nach 2.Kön 13 gehört J. (= Jahwe hat erfaßt) als Sohn des Jehu (s.d.) zur gleichnamigen Nordreichdynastie. In seine Regierungszeit fällt die harte Bedrängnis Israels durch die Syrer (Hasael; Benhadad). Es ist ein Tiefpunkt in der Geschichte Israels u.a. wegen der drastischen Beschneidung der Streitmacht. In der theologischen Perspektive des dtrG wird dies als Folge der Beibehaltung der Fremdgötterkulte in Israel auch unter J. gedeutet. Erst seinem Sohn Joas (s.d.) ist es gelungen, die Syrer zurückzuschlagen, obgleich schon unter J. ein zeitweiliges

Zurückdrängen der Eroberer gelungen ist.

Lit.: Emil Kautzsch, Art. »Joahas«, in: RE (1896-1913), IX (Nachdr. 1970), 232; — Anton Jirku, Gesch. d. Volkes Israels, 1931, 184; — Friedrich Hauss, Biblische Gestalten. Eine Personenkonkordanz 1959, 116; — Martinus Adrianus Beek, Gesch. Israels, 1961, (1976⁴, 80; — Martin Metzger, Grundriß d. Gesch. Israels, 1963, 108; — Antonius H. J. Gunneweg, Gesch. Israels bis Bar Kochba, 1972 (1976²), 100 f.; — Siegfried Herrmann, Gesch. Israels in alttestamentl. Zeit, 1973 (1980²), 277, 283, 285 f., 290 f.; — Hans Schmoldt, Art. »Joahas. 1.«, in: Reclams Bibellexikon, hrsg. v. Klaus Koch u.a., 1978, 250; — Hendrik Jagersma, Israels Gesch. in alttestamentl. Zeit, 1979 (dt. 1982), 202; — Ernst Würthwein, Die Bücher der Könige (1.Kön 17 - 2.Kön 25), 1984, 359-362; — Manfred Clauss, Gesch. Israels. Von der Frühzeit bis zur Zerstörung Jerusalems (587 v. Chr.), 1986, 112, 125, 209.

Hartmut Rosenau

JOAS (Joasch), König von Juda, 836-797 vor Christus. Nach 2. Kön 11-12 und 2. Chr 22,10-24,27 einziger Davidide, der den mörderischen Nachstellungen der Königsmutter Athalja, einer Tochter Isebels und König Ahabs von Israel, entkommen konnte. Dies deshalb, weil der damals einjährige J. von seiner Tante Joseba versteckt und in die Obhut der Priester des Jerusalemer Tempels gegeben wurde. Dort lebte er sechs Jahre lang verborgen unter dem Einfluß des Priesters Jojadja, ohne daß Athalja während ihres als illegitim zu betrachtenden Interregnums von seiner Existenz wußte. Im Alter von sieben Jahren wurde Prinz J. im Zuge eines geschickten Plans Jojadjas dem Volk als rechtmäßiger Nachfolger auf dem Thron Davids, damit als alleiniger Verheißungsträger, präsentiert und unter massiver Unterstützung der maßgeblichen Kreise Judas als König akzeptiert. Vierzig Jahre lang regierte J. das Land, nach wie vor unter priesterlichem Einfluß, der sich in seinen herausragenden Unternehmungen bemerkbar machte: So wurde von ihm die Vernichtung des von Athalja begünstigten Baalkults sowie eine umfassende Restauration des Jahwe-Tempels in Jerusalem veranlaßt, was ihm in der theologischen Perspektive des dtrG hohes Lob einbrachte - auch wenn er die heidnischen Höhenkulte bestehen ließ. Doch nach dem Tode seines priesterlichen Ratgebers und Vormundes Jojadja nahm für den nun haltlos gewordenen J. (so in der Sicht des chrG) das Unheil seinen Lauf. Er setzte dem wieder auflebenden Baalkult keinen Widerstand entgegen, beging einen Prophetenmord an Sacharja, dem Sohn des Jojadja, der ihn zur Rede stellen wollte, wurde später dem Aramäerkönig Hasael tributpflichtig, der gegen Jerusalem marschierte, und leistete den Tribut aus dem Tempelschatz. Schließlich kam er durch eine den priesterlichen Interessen verpflichtete Verschwörung ums Leben.

Lit.: Anton Jirku, Gesch. des Volkes Israel, 1931, 186 f.; — W. Rudolph, Die Einheitlichkeit der Erzählung vom Sturz der Athalja, in: FS A. Bertholet, 1950, 473-478; — Kurt Galling, Die Bücher der Chronik, Esra, Nehemia, 1954, 132-141; — Friedrich Hauss, Bibl. Gestalten. Eine Personenkonkordanz, 1959, 119-121; — M. Rehm, Art. »Joas«, in: LThK V, 1960, 976; — Martin Metzger, Grundriß der Gesch. Israels, 1963², 105 f.; — M. Liverani, L'histoire de Joas, in: VT 24, 1974, 438-453; — Martinus Adrianus Beek, Gesch. Israels, 1976⁴, 79; — Antonius H. J. Gunneweg, Gesch. Israels bis Bar Kochba, 1976², 101, 113; — Martin Noth, Gesch. Israels, 1976⁸, 216 ff.; — Georg Fohrer, Gesch. Israels, 1977, 142 ff.; — Hans Schmoldt, Art. »Joasch«, in: Reclams Bibellexikon, hrsg. v. Klaus Koch u. a., 1978, 250, — Siegfried Herrmann. Gesch. Israels in alttestamentl. Zeit, 1980², 279-286; — Ernst Würthwein, Die Bücher der Könige (1. Kön. 17 - 2. Kön. 25), 1984, 344-359; — Manfred Clauss, Gesch. Israels von der Frühzeit bis zur Zerstörung Jerusalems (587 v. Chr.), 1986, 125 f.; — Herbert Donner, Gesch. des Volkes Israel und seiner Nachbarn, 1986, 251-254.

Hartmut Rosenau

JOAS (Joasch), König von Israel, ca. 801-787 v. Chr. Nach 2Kön 13, 10-14, 16, bzw. 2.Chr 25, 17-24 gelang es J. aus der Jehu-Dynastie (Sohn des Joahas (s.d.), Enkel des Jehu (s.d.)), die von den Syrern unter König Hasael eroberten ostjordanischen Städte Israels zurückzugewinnen. So in seiner Macht gestärkt, begegnete er der Herausforderung des Königs von Juda, Amazja, mit der Einahme Jerusalems, deren Stadtmauer er teilweise schleifen ließ. Den Tempel- und Königsschatz ließ er in seine Hauptstadt Samaria bringen. In der theologischen Perspektive des dtrG wird J. wegen des von ihm nicht abgeschafften Fremdgötterkultes negativ bewertet, trotz seiner engen Verbindung zu dem Propheten Elisa.

Lit.: Anton Jirku, Geschichte des Volkes Israel, 1931, 187; — Martin Noth, Geschichte Israels, 1950 (1976⁸, 217; — Kurt Galling, Die Bücher der Chronik, Esra, Nehemia, 1954, 141-145; — Wilhelm Rudolph, Chronikbücher, 1955, 273-281; — Friedrich Hauss, Bibl. Gestalten. Eine Personenkonkordanz, 1959, 117; — M. Rehm, Art. »Joas 2.«, in: LThK V, 1960, 976; — Martinus Adrianus Beek, Geschichte Israels, 1961 (1976⁴), 81; — Martin Metzger, Grundriß der Geschichte Israels Bd. 2, 1963, 108, 110; — Antonius H. J. Gunneweg, Geschichte Israels bis Bar Kochba, 1972 (1976²), 100 f.; — Siegfried Herrmann, Geschichte Israels in alttestamentlicher Zeit, 1973 (1980²), 283 f., 286, 291; — Rudolf Mosis, Untersuchungen zur Theologie des chronistischen Geschichtswerkes, 1973, 180-184; — Ivo Meyer, Gedeutete Vergangenheit. Die Bücher der Könige. Die Bücher der Chronik, 1976, 76-81, 129-131; — Hans Schmoldt, Art. »Joasch 2.«, in: Reclams Bibellexikon, hrsg. v. Klaus Koch u.a., 1978, 250; — Martin Rehm, Das zweite Buch der Könige, 1982, 131-140; — Ernst Würthwein, Die Bücher der Könige. 1.Kön 17 - 2.Kön 25, 1984, 362-374; — Georg Hentschel, Zwei Könige, 1985, 60-65; — Manfred Clauss, Geschichte Israels. Von der Frühzeit bis zur Zerstörung Jerusalems (587 n. Chr.), 1986, 113, 126, 209.

Hartmut Rosenau

JOB (auch Ijob, bzw. Hiob), legendarische Gestalt des leidenden Gerechten im Alten Testament (siehe das gleichnamige alttestamentliche Buch; auch Ez 14,14.20). — Ob J. eine historische Gestalt gewesen ist oder nicht, läßt sich nicht mehr ermitteln. Er wird als ein Mann der Vorzeit vorgestellt, beheimatet in Uz, vermutlich östlich des Jordans bzw. des Toten Meeres. Diese nicht näher zu bestimmende Herkunftsangabe zeigt, daß J. jedenfalls nicht israelitischer sondern eher edomitisch-arabischer Herkunft gewesen sein muß. Dafür spräche auch die in apokrypher Literatur (»Testament des Hiob«) vorgenommene Identifizierung J.s mit dem edomitischen König Jobab (s. a. Gen 36,33). — Unter den sprichwörtlich gewordenen »Hiobsbotschaften« (Verlust von Hab und Gut, der Kinder und der eigenen Gesundheit) bewährt sich J. nach der sog. Rahmenerzählung des Hiobbuches (Hi 1,1-2,13; 42,7-17) als frommer Dulder, der sein Geschick aus Gottes Hand akzeptiert. Zur Belohnung für diese bestandene göttliche Prüfung erhält er seinen früheren Wohlstand schließlich doppelt zurück. In der sog. Hiobdichtung (Hi 3-42,6) wird J. dagegen als der leidenschaftlich um sein Recht vor Gott ringende Mensch dargestellt, der zuletzt vor der souveränen göttlichen Machtentfaltung gegenüber den Geschöpfen kapitulieren muß.

Lit.: Aus der unübersehbaren Fülle der Lit. zum Hiobproblem (weniger zur Gestalt J.s in biogr. Hinsicht) seien hier nur Artikel, Monographien und Kommentare genannt, die eigene ausführl. Literaturverzeichnisse anbieten: A. Klostermann, Art., »Hiob«, in: Realencyklop. f. prot. Theol. u. Kirche (1896-1913), VIII, Nachdr. 1970, 97-126; — Artur Weiser, Das Buch Hiob, 1951 (1974[6]); — Georg Fohrer, Das Buch Hiob, 1963; — Friedrich Horst, Hiob, 1968 (1974[3]); — Hans-Peter Müller, Das Hiobproblem, 1978; — Jürgen Ebach, Art. »Hiob/Hiobbuch«, in: TRE XV, 1986, 360-380.

Hartmut Rosenau

JOB, JASITES, byzantinischer Mönch und Theologe, † vor 1282, wahrscheinlich auf einer Festung am Sangarios (Fluß in Bithynien/Klein Asien). — Es ist nicht sicher, ob J. mit seinem Zeitgenossen, dem Mönch Job Meles (oder Melias) bzw. Job Hamartolos, deren Identität aus inneren Überlegungen folgt, gleichzusetzen ist. Deshalb kann die Autorenschaft für alle unten aufgeführten Werke nicht endgültig gesichert werden. Wegen seines Einsatzes für die Belange der orthodoxen Kirche auf dem Unionskonzil von Lyon (1274) wurde er nach Abschluß des Konzils unter dem byzantinischen Kaiser Michael VIII. Palaiologos (1259-1282) schwer mißhandelt und vermutlich in eine Festung auf Sakaria verbannt (1275). Er war Hauptberater des Ökumenischen Patriarchen von Konstantinopel, Joseph I. (1267-1275 und 1282-1283) und setzte sich gegen das 2. Unionskonzil von Lyon und die zunächst beschlossene Union zwischen der lateinischen und der griechischen Kirche ein. Auf seine Initiative hin beauftragte der Patriarch Joseph I. ihn (sowie Georgios Pachymeres) damit, einen Tomos gegen die Union zu verfassen, der allerdings eher eine Apologie des orthodoxen Standpunkts als eine polemische Schrift darstellt. Darin werden die kaiserlichen Vorstellungen zur Union, die primär aus politischen Gründen motiviert waren, hinsichtlich der Kirchenlehre und -disziplin heftig angegriffen. Ebenfalls im Auftrag des Patriarchen verfaßte J. J. eine Enzyklika an die Gläubigen, um die Gründe der Zurückweisung der Union darzulegen, welche jedoch verloren ist. Die Werke: »Έξηγητικὴ θεωρία der sieben Sakramente« und der »Psalmenkommentar« können nicht mit letzter Sicherheit der Autorenschaft von J. J. zugerechnet werden. Dagegen werden die »Hymnographischen Schriften« (auf Christi Geburt, Theophanie, Ostern, usw.), die »Vita«, die »Akoluthie auf die hl. Theodora von Arta« sowie weitere hymnographische Schriften dem Mönch Job Meles zugewiesen.

Werke: Tomos gegen die Lateiner: A. Demetrakopoulos, Όρθόδοξος Έλλάς, 1872, 58-60 (Fragment); Έξηγητικὴ θεωρία der sieben Sakramente: Patriarch Chrysanthos, Συνταγμάτιω, Tergovist 1715, ρκγ´ff.; Psalmenkommentar (PS 1-15), PG 158, 1056 (nur Einleitung); Hymnograph. Schriften: M. Petta, Bolletino Badia Greca di Grottaferrata, N.S., 19 (1965), 81-139; Akoluthie auf die hl. Theodora von Arta: PG 127, 904-908; A. Mystaxydes, Hellenomnemon, 1843 [Nachdr. 1965], 42-59; K. Ch. Doukakes, Μέγας Συναξαριστὴς πάντων τῶν ἁγίων, Bd.: März, 1891, 181-203 (vulgärgriech.); Weitere hymnograph. Schriften: J. B. Pitra, Analecta sacra Spicilegio Solesmensi parata, Bd. I, 1876, 425-431 [Nachdr.: Franborough 1966].

Lit.: A. Ehrhard, Theologie, in: K. Krumbacher, Gesch. der byz. Lit., 2. Aufl., München 1897, 37-218; — S. Petrides, Le moine Job, in: Échos d'Orient 15 (1912), 40-48; — S. C. Sakellaropoulos, A propos du moine Job Mélès, in: Échos d'Orient 17 (1914), 54-55; — M. Jugie, Theologia dogmatica christanorum orientalium ab ecclesia dissidentium, Bd. 1, Paris 1926, 426; — V. Laurent, Le serment antilatin du patriarche Joseph Ier, in: Échos d'Orient 26 (1927), 396-407; — S. Salaville, Constantin Mélès, archidiacre d'Arbanon, in: Échos d'Orient 27 (1928), 403-416; — K. Amantos, Ίασίτης–Διασίτης, in: Hellenika 3 (1930), 208-209; — V. Laurent, Zum Namen Jasites, in: Hellenika 3 (1930), 529 ff.; — S. Skruten, Apologia des Mönchspriesters Job gegen die Argumente zugunsten der Lateiner, in: Izvestija Bulgar. Arch. Inst. 9 (1935), 326-330; — A. Michel, Die Echtheit der Panoplia des Michael Kerullarios, in: Orientalia Christiana 36 (1941), 194-197; — D. S. Balanos, Οἱ ἐκκλησιαστικοὶ βυζαντινοὶ συγγραφεῖς, Athen 1951, 133; — Hans-Georg Beck, Kirche und theol. Lit. im byz. Reich (Handb. der Altertumswiss., 12 = Byzantinisches Handb., Teil 2/I), München 1977, 676 f.; — LThK V (1960), 979; — L. Petit, J. J., Dictionnaire de Théologie Catholique 8 (1912), 1487-1489; — Tusculum 1982[3], 374-375.

Kyriakos Savvidis

JOB, Johannes, Ratsherr und Baumeister in Leipzig, Verfasser von Erbauungsschriften und Kirchenliedern, * (2.?)12.10. 1664 in Frankfurt a. M., † 5.2. 1736 in Leipzig. — J. studierte in Straßburg (1684) und Leipzig (1685) Rechtswissenschaften, hörte aber nebenher mit großem Interesse theologische Vorlesungen, wobei er vor allem mit von Spener beeinflußtem pietistischem Gedankengut in Berührung gekommen war. Nach dem Studium nahm J. eine Stelle als Hofmeister bei den Grafen Reuß zu Plauen an, um sich schließlich 1692 in Leipzig niederzulassen. Hier fand er über verschiedene Tätigkeiten

Eingang in die Leipziger Stadtverwaltung. Zuerst war er Bankbediensteter (1699), dann Oberpostsekretär (bis 1711); in dieser Eigenschaft redigierte er auch die politischen Zeitungen in Leipzig. Im Jahre 1711 bzw. 1712 wurde J. Ratsherr und Syndikus, ab 1732 versah er das Amt des Baumeisters, das er bis zu seinem Tode, 1736, innehatte. Parallel zu J.s beruflicher Laufbahn verlief seine schriftstellerische Tätigkeit. Als Verfasser von Erbauungsschriften und Kirchenliedern ist er der Spener'schen Theologie verpflichtet, was vor allem seine Vorliebe für das Andachtslied belegt. Außerhalb Halles, dem Zentrum des Pietismus und der pietistischen Dichtung, gilt J. daher als einer der wichtigsten Vertreter des pietistischen Dichterkreises. Einige seiner Lieder, vor allem »Du führst ja deine Lieben«, »Prange, Welt, mit deinem Wissen« (nach Kor. 2,3.) und das Osterlied »O allerschönster (höchster) Freudentag« erlangten durch ihre Aufnahme in das Gesangbuch von Freylinghausen 1714 weitere Verbreitung.

Werke: Einziger Weg zur wahren Glückseligkeit, Halle 1719[3]; Wahrer Christen allernöthigste und allerbeste Wissenschaft, Leipzig 1690, 1746[2]; Erklärung der reinen evang. Glaubenslehre durch Frag' und Antworten, Leipzig 1691, 1746[2]; Neun Lieder im Leipziger Gesangbuche (u. a. Prange Welt mit deinem Wissen); Der Gräfin d'Aunoy Reise nach Spanien, in das Dt. übersetzt, Leipzig 1693/96, 1723[2].

Lit.: Johann Georg Kirchner, Kurzgef. Nachricht von älteren und neueren Liederdichtern, 1771[2]; — Otto F. Hörner, Nachrichten von Liederdichtern des Augspurgischen Gesangbuches, 1775; — Johann F. Johannson, Hist.-biogr. Nachrichten von Liederdichtern in dem schleswig-holstein. Gesangbuch, 1802; — Gottlieb L. Richter, Allg. biogr. Lexikon alter u. neuer Liederdichter, 1804; — Jöcher II, 2288 f.; — Koch IV, 389; — ADB XIV, 98; — Dt. biogr. Index II, 1001. Zur Datierung und zum hist. Hintergrund siehe: Georg Erler (Hg.), Die jüngere Matrikel der Univ. Leipzig, 1559-1809, Bd. II, 205; — Gustav C. Knod, Die alten Matrikeln der Univ. Straßburg 1621-1793, Bd. I, 376; — Gustav Wüstmann, Aufsätze und Beiträge zur Leipziger Stadtgesch., 2 Bde.

Rainer Witt

JOCHAM, Magnus, Pfarrer und Professor der Moraltheologie, Schriftsteller, * 23.3. 1808 als zweitgeborenes Kind unter 10 Kindern und erstgeborener Sohn einer Bauernfamilie in Rieder im Dorf Bühl in der Nähe von Immenstadt im Allgäu. † 4.3. 1893 in Freising. — Der Vater Joseph entstammte einem alt eingesessenen Bauerngeschlecht, ebenso die Mutter Agathe Kofler. In seiner Kindheit wurde J. von den Eltern zur Arbeit auf dem Hof herangezogen. Die Eltern hatten den Knaben in Frömmigkeit und im überlieferten religiösen Brauchtum erzogen. Mit ihrem Verzicht auf die Arbeitskraft des ältesten Sohnes in der Hofarbeit ermöglichten sie dem 14jährigen den Schulbesuch. J. kam bereits in dieser Zeit mit Pfarrern und Priestern in Berührung, die aus der Schule Johann Michael Sailers hervorgegangen waren und mehr oder weniger Berührung mit der »Allgäuer Erweckungsbewegung« hatten. Frühe angenehme Erfahrungen im Umgang mit diesen Leuten hatten sein Herz über sein ganzes Leben hin für »Sailer-Schüler« und gemäßigte Freunde der »Allgäuer Erweckungsbewegung« eingenommen. Während der Gymnasialjahre in Kempten kam es zu Spannungen mit der religiösen Grundrichtung, die er im Elternhaus und in seiner Heimat aufgenommen hatte. Sie wurden aber in der Regel in Ferienzeiten in der Heimat wieder abgebaut, vor allem als er von seiner todkranken Mutter Abschied nahm. Die theologischen Studien konnte er im Georgianum an der Universität München machen. Unter den Theologen hörte er dort vor allem die Sailer-Schüler Franz Joseph von Allioli, Georg Amann, Alois Buchner, aber auch Ignaz von Döllinger, Franz von Baader, Joseph von Görres und Friedrich Wilhelm Joseph von Schelling; daneben auch den Naturwissenschaftler Heinrich Schubert. Bereits während seiner Studienzeit lernte er, wie aus Briefen hervorgeht, auf Anregung aus Schriften Möhlers die Scholastik schätzen. Nach der Priesterweihe war er zunächst als Kaplan, Expositurvikar und Pfarrer in der Seelsorge im Raum von Immenstadt tätig. Während dieser Zeit betrieb er Sprachstudien und befaßte sich in der freien Zeit auch mit Theologie. Als er vom Erzbischöflichen Ordinariat in München das Angebot bekam, in Freising am dortigen Lyzeum das Fach Moraltheologie zu übernehmen, war er gerade - teils wegen seines hitzigen Temperamentes - in Spannungen zum Ordinariat in Augsburg und nahm dieses Angebot sehr rasch an. Ausgehend von der Moraltheologie Sailers und der Hirschers versuchte er in Berücksichtigung der Summa des Thomas von Aquin eine

Moraltheologie zu entwerfen, die vor allem eine Lehre vom christlichen Leben geben sollte. Freilich gelang es ihm nicht, zu hinreichend klarer Begrifflichkeit und Durchsichtigkeit der Gedanken zu kommen. Stellenweise ist seine Darstellung sehr breit. Seine Moraltheologie hat eine heilsgeschichtlich ausgerichtete Dogmatik zur Grundlage. Es geht ihm hier vor allem um die Lehre des Heiles, das an dem Mysterium Christi abgelesen wird. Nachfolge Christi und Vorbild der Heiligen werden stark berücksichtigt. Von Christen wird die Hingabe in der Willenseinigung mit Gott gefordert. Sie ist Voraussetzung einer mystischen Einigung mit Gott, in der die wahre Freiheit gefunden wird. In ihr kommt der Glaubende zur Fülle des Lebens. Trotz der Hochschätzung der Scholastik wird er nicht zu einem Förderer der Neuscholastik. — Bedeutung erlangte J. mehr durch seine Schriftsteller- und Übersetzertätigkeit als durch sein moraltheologisches Lehrbuch. Er wandte sich dem aszetisch-mystischen Schrifttum zu und suchte es durch verschiedene Übersetzungen und Veröffentlichungen unter das Volk zu bringen. Seine Lebenserinnerungen »Memoiren eines Obskuranten« (Kempten 1896) sind eine Fundgrube für die von J. hochgeschätzte »Priesterschule Sailers« und für die Erforschung der Nachwirkungen Sailers, vor allem im Allgäu. Unter anderem hat J. auch viele Nekrologe verfaßt, die zum Teil nur handschriftlich vorhanden sind und noch wenig ausgeschöpft wurden.

Werke: Vom Besitzthume der Geistlichen. Ein Fragment aus der Priester-Moral, Regensburg 1845; Moraltheologie, oder die Lehre vom christl. Leben nach den Grundsätzen der kath. Kirche, 3 Bde., Sulzbach 1852-1854; Bavaria Sancta. Leben der Heiligen und Seligen des Bayerlandes zur Belehrung und Erbauung für das christl. Volk, 2 Bde., München 1861, 1862; Dr. Alois Buchner ... ein Lebensbild zur Verständigung über J. M. Sailers Priesterschule, Augsburg 1870. Schriften: Schildereien aus dem Tagebuch des Johannes Clericus, München 1857. Übersetzungen: Die Sämmtlichen Schriften der heiligen Theresia von Jesu, 5 Bde., Sulzbach 1851-1853, 3. Aufl., 1868-1870; Neuauflage Die sämmtlichen Schriften des hl. Johannes vom Kreuz, hg. v. G. Schwab, 2 Bde., Regensburg 1858, 1859; Geistliche Übungen des hl. Franz v. Sales, Regensburg 1881.

Lit.: Paul Hadrossek, Die Bedeutung des Systemgedankens für die Moraltheologie in Deutschland seit der Thomas-Renaissance, München 1950; — Dr. Johannes Zinkl, Magnus Jocham, Johannes Clericus 1808-1893, Freiburg 1950 (Quellen und Literatur); — Franz Georg Schubert, Die moraltheol. Systembildung bei J. im Lichte seiner Persönlich-

keit, seines Lebensschicksals und seiner Zeit, München 1972 (Quellen- und Literaturangaben ergänzt und verbessert).

Philipp Schäfer

JOCHANAN ben Levi siehe Johannes von Gischala

JOCHANAN BEN ZAKKAI, 1. Jahrhundert n. d. Z., Weiser des jüdischen Volkes, einer jener »Tannaim« (Lehrer) nach Schammai, Hillel und Gamaliel I., denen in den Wirren um den Untergang Jerusalems und des Tempel-Heiligtums im Jahre 70 n. d. Z. das Bestehen und die kontinuierliche Weiterentwicklung jüdischer Tradition und damit das Überleben Israels bis heute zu verdanken ist. Eine Angabe korrekter biographischer Daten ist nicht möglich. Vor 70 lebte J. in Jerusalem, wo er als Schüler Hillels (und damit Zeitgenosse Jesu) und als weithin angesehene rabbinische Autorität ein »Lehrhaus« leitete. — In der sich zunehmend verschärfenden jüdischen Aufruhrbewegung gegen das Imperium Romanum stand J. auf der Seite derer, die zu Vernunft, Mäßigung, geistlicher Umkehr und Frieden mahnten. Man hörte nicht auf ihn. J. verließ Jerusalem, wurde im römischen Belagerungsheer von Vespasian freundlich aufgenommen und erwirkte die Erlaubnis, in Jabne (Jawne, Jamnia) als neues Zentrum jüdischer Gelehrsamkeit ein »Lehrhaus« zu beginnen. Ob J. dort oder in Beror-Chail wohnte, ist aus den Quellen nicht auszumachen. — Nach der Zerstörung Jerusalems wurde J. zum »geistigen Führer« der Juden. Er verhalf ihnen zu einem neuen Selbstverständnis, dessen Orientierung nicht mehr auf den Tempel von Jerusalem als Mitte jüdischen Lebens ausgerichtet war: »Barmherzigkeit ist dem Opfer (im Tempel) gleich« (Traktat Baba Batra, babylonischer Talmud, 10b). Bedeutende »Tannaim« seiner Zeit wurden seine Schüler (Elieser ben Hyrkanus; Joschua ben Chananja; Joschua ha-Kohen; Simeon ben Nethanel; Eleasar ben Arach). J.s Lehrmethode war der »Dialog«: fragen, antworten, prüfen, gemeinsam lösen. In den »Sprüchen der Väter« (»Pirke Abboth«) ist J.s Leitmotiv des Lernens und Lehrens überliefert: »Wenn du viel Thora studiert hast, halte es dir nicht zugute, denn dazu bist du erschaffen« (II,8). — Der Talmud-Traktat Sota

(IX,15) beklagt, daß mit J.s Tod der »Glanz der Weisheit« geschwunden sei.

Lit.: H. L. Strack, Einleitung in Talmud und Midrasch, 5. Aufl., 1920; — A. Schlatter, Jochanan ben Zakkai, der Zeitgenosse der Apostel, 1899; — Ders., Gesch. Israels, 3. Aufl., 1925, 306 ff.; — W. Bacher, Die Agada der Tannaiten, Bd. 1, 2. Aufl., 1903, 22 ff.; — J. Neusner, A Life of Rabban Yohanan ben Zakkai, 1962; — J. Maier, Gesch. der jüd. Religion, 1972; — Ders., Jesus von Nazareth in der talmud. Überlieferung, 1978; — H. Schreckenberg, Die christl. Adversus-Judaeos-Texte und ihr lit. und hist. Umfeld, 1982, 581 ff. (ausführl. Lit.verzeichnis).

Paul Gerhard Aring

JODL, Friedrich, Philosoph und Psychologe, * 23.8. 1849 in München, † 26.1. 1914 in Wien. — J. studierte von 1867-1871 in München Philosophie, Geschichte und Kunstgeschichte, er schloß das Studium mit der Promotion zum Dr. phil. ab. Seit 1873 war er Lehrer für allgemeine Geschichte an der Bayerischen Kriegsakademie in München. Nach seiner Habilitation 1880 wurde er Privatdozent an der Universität München und folgte 1885 einem Ruf als ordentlicher Professor der Philosophie an die Prager Universität. In der gleichen Position wechselte er 1896 nach Wien, wo er bis zu seinem Tod lebte und lehrte. J. war ein psychologistischer Positivist und naturalistischer Humanist in Abhängigkeit von D. Hume, J. St. Mill, besonders aber von A. Comte und L. Feuerbach, dessen Werke er auch herausgab. In der dem Monistenbund nahestehenden »Ethischen Bewegung« kämpfte J. für eine areligiöse staatliche Pflichtschule und religionslosen Moralunterricht. Aus dieser Haltung heraus engagierte er sich auch stark in der Volksbildung. Seine Weltanschauung, sein Ziel war eine humanitäre Vernunftreligion.

Werke: David Humes Lehre von der Erkenntnis, Diss. München 1871; Leben und Philosophie David Humes, 1872; Die Kulturgeschichtsschreibung, 1878; Studien zur Gesch. und Kritik der Theorien über den Ursprung des Sittlichen, Habil.-Schr., 1880; Gesch. der Ethik in der neueren Philosophie, 2 Bde., 1882-89 (1966[5]); Volkswirtschaftslehre und Ethik, 1886; Jahresbericht über Erscheinungen der anglo-amerik. Literatur aus den Jahren 1888/89, in: Zschr. f. Philosophie u. philosoph. Kritik 99, 1891, 257-271; Moral, Religion und Schule, 1892; 2. Jahresbericht über Erscheinungen der anglo-amerik. Lit. aus den Jahren 1890/91, in: Zschr. f. Phil. u. philos. Kritik 101, 1892, 87-104; Wesen und Ziele der ethischen Bewegung in Deutschland, 1893 (1908[4]); Was heißt ethische Kultur, 1894; Jahresbericht über Erscheinungen der

anglo-amerik. Lit. aus der Zeit von 1891/92, in: Zschr. f. Phil. u. philos. Kritik 104, 1894, 104-130; Ethik, Geschichtl. Abriß bis zur Gegenwart, 1895; Jahresbericht über Erscheinungen der Ethik aus dem Jahre 1894, in: Archiv f. system. Philosophie 1, 1895, 477-509; Lehrbuch der Psychologie, 2 Bde., 1897 (1916[4]); Ludwig Feuerbach, 1898; Jahresbericht über die Lit. und Ethik aus den Jahren 1895/96, in: Archiv f. system. Phil. 6, 1900, 252-267; Jahresbericht über die Ethik aus den Jahren 1897/98, in: ebd. 7, 1901, 277-294; Zur Interpretation Spinozas, in: Festschrift, Theodor Gomperz dargebr. zum 70. Geb., 1902, 342-352; Ludwig Feuerbach, Klassiker der Philosophie, 1904; Zwei Schiller-reden, 1905; Der Klerikalismus und die Universitäten. Der österr. Hochschulkampf im Sommer 1908, 1908; Wahrnehmung und Vorstellung, in: Bericht des I. Internat. Kongresses f. Psychiatrie, Neurologie u. Psychologie zu Amsterdam, 1908, 583-593; Was heißt Bildung, 1909; Warum beteilige ich mich an der Volksbildungsarbeit?, 1910; Aus der Werkstätte der Philosophie, 1911; Der Monismus und die Kulturprobleme der Gegenwart, 1911; Das Problem des Moralunterrichts, 1913; Vom wahren und vom falschen Idealismus, 1914; Vom Lebenswege. Gesammelte Vorträge und Aufsätze, 2 Bde., hg. von W. Börner, 1916-18; Ästhetik der bildenden Künste, hg. von W. Börner, 1917 (1920[2]); Allgemeine Ethik, hg. von W. Börner, 1918; Kritik des Idealismus, hg. u. bearb. von C. Siege und W. Schmied-Kowarzik, 1920; Gesch. der neueren Philosophie, hg. von K. Roretz, 1924. — Gab heraus: Ludwig Feuerbach. Sämtliche Werke, gem. mit W. Bolin, 13 Bde., 1903-11 (1959-60[2]).

Lit.: Wilhelm Börner, F. J. Eine Studie, 1911; — Ders., F. J. Gedenkblätter, 1914; — Walther Schmied-Kowarzik, F. J., in: Archiv f. Gesch. der Philosophie 27, 1914, 474-489 (mit vollst. Lit.-Verz.); — C. Siegel, F. J. Versuch einer genetischen Darst. seiner Philosophie, in: Vierteljahrsschrift f. wissenschaftl. Philosophie 39, 1915; — Margarethe Jodl, F. J., 1920; — B. v. Carneri, Briefwechsel zwischen E. Haeckel und F. J., 1922; — Carl Siegel, F. J., in: Neue Österr. Biogr. II, 1925, 81-96; — W. Ziegenfuß, Philosophenlex. I, 1949, 597 f.; — EncF II, 1626 f.; — Enc. Cattolica VII, 585; — LThK V, 981; — Österr. biogr. Lexikon 1815-1950 III, 120 f.; — Brockhaus-Enzykl. IX, 458 f.; — NDB X, 450 f.

Roland Böhm

JODOK (= Krieger, kelt.), Heiliger (Jodocus, Joos, Jobst, Jost, Josse), Fest am 13. Dezember, lebte im 7. Jahrhundert. Als Vater wird Juthaël, König der Bretagne (Westfrankreich), und als Mutter Prizel (lat. Prithella) genannt. Sein Bruder ist der heilige Judicaël. — Nach dem Bericht einer anonymen Vita entzog er sich um 640 der Nachfolge auf den bretonischen Fürstenthron. Er wurde für etwa 7 Jahre Priester im Dienst des Grafen Heimo von Ponthieu (Landschaft nordwestlich von Amiens, Nordfrankreich). Als Einsiedler zog er sich dann um 644 nach Brahic (auch Ray) zurück, und zwar für 8 Jahre. Ab 652 wirkte er als Priester an der St. Martinskapelle in Runiac für 13 Jahre. 665 gründete er dann bei Montreuil (südlich von Boulogne, Nordfrankreich) eine Einsiedelei. Aus ihr entwickelte sich später die Benediktinerabtei St. Josse-sur-Mer. Nach einer Romwallfahrt lebte er wieder als Einsiedler in Runiac und an einem anderen nicht genannten Ort. Als wahrscheinliches Todesjahr gilt 669. Anfang des 9. Jahrhunderts kamen seine Reliquien in die Abtei Hyde bei Winchester (England). Angeblich wurden sie dort ein Jahrhundert später gefunden und am 25.7.977 nach St. Josse übertragen. Eine Reliquie ist angeblich auch in der St. Jodok-Kirche in Landshut (Niederbayern), aber nicht nur dort. Seine Verehrung ist seit dem 9. Jahrhundert weit verbreitet, auch in Deutschland, so beispielsweise in den Klöstern Prum und St. Maximin zu Trier. St. Jost (Eifel) besteht heute noch als Wallfahrtsort. Dargestellt wird er als Einsiedler, als Priester und als Pilger. Als Priester hat er eine Krone zu seinen Füßen, die er mit dem Stab in die Erde stößt, woraus eine Quelle entspringt. Als Pilger trägt er das Pilgergewand und den Pilgerstab. Patron ist er für viele Notlagen und Stände, vorab gegen die Pest und für die Pilger sowie Schiffer, ähnlich wie Jakobus der Ältere.

Lit.: Vita von einem unbekannten Mönch des 9. Jahrhunderts in Mabillon AS II, 566-571; — Bes. Jost Trier, Der heilige Jodocus. Sein Leben und seine Verehrung. Nachdr. der Ausg. Breslau (1924), in Hildesheim 1977 (Vita [19-33], Gesch. des Namens, Kultzentrum, Verbreitung der Verehrung und des Namens, Literaturangaben); — BHL 4505-4511; — AnBoll XXXXIII (1925), 193 f. (kritisch); — Künstle II, 330 f.; — Zimmermann III, 430 f.; — F. Marbach, Innerschweizer. Jb. für Heimatkunde XI-XII (Luzern 1947-48), 137-184; — J. Lestocquoy, Revue du Nord XXX (Lille 1948), 184-196; — LThK V, 1960, 982; — Lex. d. N. u. H., Innsbruck-Wien 1988[4], 420.

Karl Mühlek

JOEL, judäischer Prophet. — Der Prophet J. ist allein durch das unter seinem Namen stehende, vier Kapitel umfassende biblische Buch bekannt. In diesem wird auf dem Hintergrund einer Heuschreckenplage die Vorstellung vom »Tag Jhwhs« breit entfaltet, wobei sich bereits Ansätze apokalyptischen Denkens finden. Als Datierung ist die späte Perserzeit, etwa um 400 v. Chr., wahrscheinlich. — J.s Ankündigung der allgemeinen Geistausgießung (3,1-5) wird von Lukas zur Deutung des Pfingstgeschehens herangezogen (Apg 2,15-21).

Lit.: Milos Bic, Das Buch J., 1960; — Thérèse Frankfort, Le ki de J. I 12, in: VT 10, 1960, 445-448; — Giovanni Rinaldi, I profeti minori. II (Osea, Gioele, Abdia, Giona), 1960; — ders., Joele e il Salmo 65, in: BeO, 1968, 113-122; — Ernst Kutsch, Heuschreckenplage und Tag Jahwes in J. 1 und 2, in: ThZ 18, 1962, 81-94; — Jacob M. Myers, Some Considerations Bearing on the Date of J., in: ZAW 74, 1962, 177-195; — Cecil Roth, The Teacher of Righteousness and the Prophecy of J., in: VT 13, 1963, 91-95; — Hans Walter Wolff, Die Botschaft des Buches J.: Thex 109, 1963; — ders., Dodekapropheton 2. J. und Amos: BK XIV/2, 1985[3]; — D.R. Jonas, Jes 56-66 and J., 1964; — Edmond Jacob / Carl A. Keller / Samuel Amsler, Osée, J., Amos, Abdias, Jonas: CAT XIa, 1965; — Hans-Peter Müller, Prophetie und Apokalyptik bei J., in: ThViat 10, 1966, 231-252; — Wilhelm Rudolph, Wann wirkte J.?, in: FS Rost, BZAW 105, 1967, 193-198; — ders., J. - Amos - Obadja - Jona: KAT XIII/2, 1971; — F.R. Stephenson, The date of the Book of J., in: VT 19, 1969, 224-229; — Bo Reicke, J. und seine Zeit, in: FS Eichrodt, AThANT 59, 1970, 133-141; — G.W. Ahlström, J. and the Temple Cult of Jerusalem: VTSuppl 21, 1971; — J.A. Thompson, The Date of J.?, in: FS Myers, 1974, 453-464; — John D.W. Watts, The Books of J., Obadiah, Jonah, Nahum, Habakkuk and Zephanja, 1975; — L.C. Allen, The Books of J., Obadiah, Jonah and Micah, 1976; — Artur Weiser, Das Buch der zwölf Kleinen Propheten I: Die Propheten Hosea, J., Amos, Obadja, Jona, Micha: ATD 24, 1979[7]; — Alfons Deissler, Zwölf Propheten. Hosea. J. Amos, 1981; — Willem van der Meer, Oude woorden worden nieuw. De opbouw van het boek J., 1989; — Kathleen S. Nash, The Palestinian Agricultural Year and the Book of J.: Diss. Washington, 1989; — U. Simon, Abraham Ibn Ezra's Two Commentaries on the Minor Prophets. An Annotated Critical Edition. Vol. I: Hoses, J., Amos, 1989; — H. van de Sandt, The Fate of the Gentiles in J. and Acts 2: An Intertextual Study, in: ETL 66, 1990, 56-77; — Juan Snoek, La ética apocalíptica: Esperar o actuar? Una relectura de J. 1-2 desde Nicaragua, in RIBLA 7, 1990, 103-111.

Rainer Kessler

JÖRG, Joseph Edmund, Archivar, Historiker, Publizist und Politiker; herausragende Gestalt des politischen und sozialen Katholizismus in der 2. Hälfte des 19. Jahrhunderts, * 23.12. 1819 in Immenstadt (Allgäu) als Sohn eines Glasermeisters und Amtsschreibers, † 18.11. 1901 auf Schloß Trausnitz bei Landshut. — J. wuchs mit vier jüngeren Geschwistern in einem bescheidenen von kirchlich-bäuerlicher Weltsicht geprägten Elternhaus auf. Nach dem Besuch der Klosterschule in Füssen wechselte er auf das Gymnasium in Kempten über, das er mit 18 Jahren

erfolgreich abschloß, um 1838 das Theologiestudium in München aufzunehmen. Hier förderten seine Lehrer, darunter insbesondere der Kirchenhistoriker Ignaz Döllinger, den talentierten
Studenten, der sich auch außerhalb der Universität für kirchliche Zeitfragen interessierte und
deshalb durch Döllinger in die damals aktivste
Gruppierung des deutschen Katholizismus, den
"Görres"-Kreis, eingeführt wurde. Neben Joseph Görres, der Zentralgestalt des vormärzli-
chen Katholizismus und Verfasser der berühmten Kampfschrift "Athanasius" (1838), und dessen Sohn Guido Görres, lernte J. hier auch den
Publizisten Jarcke und den Kirchenrechtler Philipps kennen. Als J. 1843 sein Studium mit glänzenden Zensuren beendet und bereits die niederen Weihen empfangen hatte, ergriff er jedoch
nicht - wie vorgesehen - den Priesterberuf, sondern nahm Döllingers Angebot, an dessen Buch
über die Reformation mitzuarbeiten, an, und
wurde sein Assistent. Dieser Entscheidung lag
dabei nicht nur das bei J. erwachte Interesse an
der Geschichte zugrunde, sondern sie hatte auch
materielle und persönliche Ursachen. Zum einen
war ihm durch den frühen Tod der Eltern die
Sorgepflicht für die jüngeren Geschwister zuge-
fallen, so daß er gezwungen war, seine Ausbildung abzubrechen und sofort Geld zu verdienen,
zum anderen aber war er kurz vor dem Empfang
der höheren Weihen der jungen Arzttochter
Walburga Berner, seiner späteren Frau, begegnet. — Die intensiven Quellenstudien für Döllingers Buch, zu dem J. fast 2/3 des Materials
beisteuerte, waren ein augenscheinlicher Beweis für seine Befähigung zum Historiker, so
daß er - auf Empfehlung Döllingers - am Königlichen Reichsarchiv in München eine Praktikan-
tenstelle als Archivar zum 7. März 1847 antreten
konnte. Aber weder die Zeitumstände noch J.s
umfassende Interessen ließen es zu, daß er sich
fortan einzig der Wissenschaft und seinem Ar-
chivarberuf, den er zeitlebens ausübte, widmen
konnte. Denn er wurde, wie viele andere seiner
Generation auch, von den Ereignissen des Revo-
lutionsjahres 1848 zur Tagespolitik hingezogen;
wobei er ganz selbstverständlich Partei für die
konservativ-katholische Seite ergriff. Er schloß
sich dem von Guido Görres im Mai 1848 in
München gegründeten "Verein für konstitutio-
nelle Monarchie und religiöse Freiheit" an und

agierte im ganzen Allgäuer Raum als Redner,
der gleichermaßen gegen die Revolution wie
gegen staatliche Bevormundung in kirchlichen
Angelegenheiten sprach. J. verstand den Verein,
dessen 2. Vorsitzender er 1849 wurde, als bewußt politisches Organ zur Verfechtung katholischer Interessen und plante bereits die Gründung einer katholischen Partei. Doch stieß er
damit in weiten Kreisen des Katholizismus auf
Unverständnis und auch Döllinger lehnte eine
derartige Verquickung von Religion und Politik
strikt ab. Da der Verein von seiner Linie nicht
abrückte, verwehrte man ihm schließlich den
Eintritt in den Gesamtverband der katholischen
Vereine. 1851 veröffentlichte J. seine Studie
über den Bauernkrieg, den er als eine soziale
und religiöse Revolution auffaßte, die von allen
Gesellschaftsgruppen mitgetragen worden war.
Er schlug damit nicht nur eine neue Interpretation des Bauernkrieges vor, sondern wollte den
Zeitgenossen auch den Blick für zwei zentrale
Probleme der Gegenwart schärfen, auf die J.
durch das ganze Jahr 1848 gestoßen war: die
soziale Frage und die Revolution. Der große
Erfolg des Buches in den Fachkreisen ließen ihn
und seinen Verleger Herder sofort neue Projekte
ins Auge fassen, doch wurde J. im Sommer 1852
von der Redaktion der "Historisch-Politischen
Blätter" zur vorübergehenden Leitung der Zeitschrift gerufen. Dort war nämlich durch den
überraschenden Tod von Guido Görres und den
Weggang von George Philipps nach Wien eine
bedrohliche Lücke entstanden. Aber aus der vorübergehenden wurde die lebenslange Leitung
der Zeitschrift, von 1852 bis zu seinem Tode
1901 meldete sich J. in den "Zeitläufen" und den
"Glossen zur Tagesgeschichte" kontinuierlich
zu Wort und leistete damit einen der gewichtig-
sten Beiträge zur katholischen Publizistik des
19. Jahrhunderts. Er setzte dabei den Akzent
nicht mehr wie seine Vorgänger Görres und
Jarcke auf die Restauration, sondern vertrat einen, den Problemen der Zeit aufgeschlossenen
Konservatismus, wobei er besonders die soziale
Frage in den Vordergrund stellte. Ab 1857 setzte
sich J. für die "ständisch-genossenschaftliche"
Reform des Wirtschaftslebens ein und forderte
die Einführung von "Gewerblichen Associatio-
nen", wie sie auch von Lasalle und den Frühso-
zialisten gefordert wurden. Der Widerspruch

zwischen Kapital und Arbeit sollte demnach durch freie Produktions- und Konsumtionsgenossenschaften aufgehoben werden. — J., der seit November 1852 eine feste Anstellung als Kanzlist im Königlichen Reichsarchiv hatte und somit verbeamtet war, bekam jedoch aufgrund seiner publizistischen Tätigkeit bald Schwierigkeiten mit seinen Dienstherren, besonders als er in einer Artikelserie »Autonomie und Bürokratie« die Bürokratie stark kritisiert hatte. Er wurde daraufhin nach Neuburg a. D. strafversetzt und mußte einen unselbständigen Schreiberposten einnehmen. Trotz allem fand er jedoch Energie und Zeit, in kurzer Folge zwei Werke zu publizieren, die beide aus Artikelserien in den "Historisch-Politischen Blättern" hervorgegangen waren. 1858 erschien die zweibändige »Geschichte des Protestantismus«, in der er die neuesten Strömungen und Parteiungen vorstellte und analysierte, für seine nüchterne und sachliche Darstellung erhielt J. in beiden Konfessionen ein positives Echo. 1860 veröffentlichte er die Schrift »Die neue Ära in Preußen«, in der er sich mit dem Verbot der "Historisch-Politischen Blätter" in Preußen auseinandersetzte und die preußische Kirchen- und Religionspolitik kritisierte, die seit 1858 unter liberaler Programmatik stehend die Katholiken diskriminierte und dem Kulturkampf zusteuerte. Schließlich erschien noch 1867 seine »Geschichte der socialpolitischen Parteien in Deutschland«, in der J. bilanzierte, welche Lösungsvorschläge zur Behebung der sozialen Frage in Deutschland bisher vorgebracht worden waren. Er verwarf darin sowohl die liberalen wie auch die sozialdemokratischen und konservativen Lösungsmodelle und setzte dagegen die Idee einer neuen Gesellschaftsorganisation, in der sich fortschrittliche Elemente (Produktionsassoziationen) mit ständischen Formen (Zwangsinnungen) mischen sollten. Hiermit nahm er wichtige Grundgedanken der katholischen Soziallehre vorweg, weshalb J. neben Ketteler und Kolping als einer der Gründungsväter dieser Lehre angesehen werden muß. — J. nahm jedoch nicht nur Stellung zu den innenpolitischen und sozialen Problemen seiner Zeit. Seine Analysen des Krimkrieges weisen ihn als sensiblen Beobachter der Außenpolitik aus und belegen, daß er als einer der ersten überhaupt die weltpolitische Dimension dieses Konfliktes erkannt und den Aufstieg Rußlands und Nordamerikas zu Weltmächten und die daraus resultierende Verschiebung des weltpolitischen Kräftegleichgewichts registriert hatte. Es war daher nur konsequent, daß ein so hervorragender Kenner der Politik, wie J. es war, in den 60iger Jahren selbst politisch aktiv wurde. 1863 trat er zum erstenmal in der bayerischen Kammer auf, wo er ab 1865 als vollberechtigter Abgeordneter des Wahlkreises Neumarkt (Oberpfalz) die Politik mitgestaltete, zudem wurde er Mitglied des deutschen Zollparlaments. Schließlich war er maßgeblich an der Gründung der "Bayerischen Patriotenpartei" beteiligt, die unter katholisch-konservativer Programmatik für einen starken Föderalismus und eine großdeutsche Reichskonzeption eintrat. Sie errang 1869 die Mehrheit in der bayerischen Kammer und J., als einer der Führer der Partei, wurde zum 1. Sekretär der Kammer gewählt. In den in diesen Jahren ausgebrochenen innerkirchlichen Diskussionen um die antiliberale Politik des Papstes Pius IX. bezog J. eindeutig ultramontane Position und unterstützte auch die Verkündung der päpstlichen Unfehlbarkeit (1870). Dadurch kam es zum Bruch mit seinem langjährigen Gönner und Freund Döllinger, der als vehementer Gegner der päpstlichen Politik aufgetreten war. Der Eintritt Bayerns in das von Preußen angeführte kleindeutsche Reich 1871 war für den überzeugten Föderalisten J. ein schwerer Schlag, so versuchte er in seiner Zeit als Zentrumsabgeordneter im Reichstag 1874-79 partikulare Interessen in Bismarcks Deutschland durchzusetzen. Als sich jedoch nach dem Kulturkampf eine Annäherung zwischen dem Zentrum und dem Kanzler anbahnte, schied J. zutiefst enttäuscht freiwillig aus dem Parlament aus. Zwei Jahre später, 1881, legte er sein Mandat auch in der bayerischen Kammer nieder, dort hatte der radikale Flügel der Patriotenpartei die Oberhand gewonnen und den gemäßigten J. förmlich vertrieben. — J., der seit 1866 seinen Wohnsitz auf Schloß Trausnitz bei Landshut hatte, wo er Vorstand des dortigen Königlichen Archivkonservatoriums war, widmete sich nach dem Ausstieg aus dem eher glücklos verlaufenen parlamentarischen Leben fortan nur noch seiner Archivtätigkeit und der Redaktion der "Historisch-Politischen Blätter". J. verstarb, nachdem er sich in den letzten Jahren seines Lebens immer mehr zurückgezogen hatte, an den Folgen mehrerer Schlaganfälle am 18. November 1901.

Werke: Deutschland in der Revolutionsperiode von 1522 bis 1526. Aus den diplomatischen Correspondenzen und Original-Akten bayerischer Archive dargest., Freiburg/Br. 1851; »Glossen zur Tagesgeschichte«, »Aphoristische Zeitläufte«, »Zeitläufe« u. versch. Artikelserien in den HPBl der Jahre 1852-1901; Der Irvingianismus. Abgedr. aus den HPBl, München 1856; Gesch. des Protestantismus in seiner neuesten Entwicklung, 2 Bde., Freiburg/Br. 1858; Die neue Ära in Preußen, Regensburg 1860; Gesch. der socialpolitischen Parteien in Deutschland, Freiburg/Br. 1867; Döllinger. Erinnerungen seines alten Amanuensis, in: HPBl 105 (1890), 237-262; Ausgewählte Texte von J., in: Emil Ritter (Hrsg.), Katholisch-konservatives Erbgut. Eine Auslese für die Gegenwart, 1934, 227-268; Dimitrij Tschizewskij/Dieter Groh (Hrsg.), Europa und Rußland. Texte zum Problem des westeurop. und russ. Selbstverständnisses, 1959, 354-383; Dieter Albrecht (Hg.) J.E.J.: Briefwechsel 1846-1901, 1989.

Lit.: Franz Binder, J. E. J., in: HPBl 128 (1901), 773-792; — Albert Maria Weiss, Ein Kapitel Erinnerungen aus der großen Zeit, in: HPBl 141 (1908), 293-312; — Martin Spahn, E. J., in: Hochland 17,1 (1919/29), 273-283, 434-443; — Heinrich Reinarz, Aus J. E. J.s socialpol. Gedankenwelt, Diss. Köln 1923; — Anton Doeberl, Die kath.-konserv. Richtung in Bayern und die "Deutsche Frage". Mit besonderer Berücksichtigung der Haltung E. J.s, in: Gelbe Hefte I,2 (1924/25), 1111-1135; — Fritz Wöhler, J. E. J. und die sozialpol. Richtung im dt. Katholizismus, Diss. Leipzig 1929; — Wilhelm v. Kloeber, Die dt. Frage 1859-1871 in großdeutscher und antiliberaler Beurteilung. Die Zeitläufe J.s in den Hist.-Pol. Blättern, 1932; — Hans Martin, Die Stellung der Hist.-Pol. Blätter zur Reichsgründung 1870/71, in: ZBLG 6 (1933), 60-84, 217-245; — Maria Poll, E. J. - ein Wegbereiter kath.-dt. Denkens, in: Dt. Volk 1 (1933/34), 388-396; — Paul Grebe, Die Arbeiterfrage bei Lange, Ketteler, J. und Schäffle. Aufgezeigt an ihrer Auseinandersetzung mit Lasalle, 1935 (= HStud. H. 283); — Maria Poll, J. E. J. und der Protestantismus, in: Cath 4 (1935), 115-131; — Dies., E. J.s Kampf für eine christl. und großdt. Volks- und Staatsordnung, 1936 (= erw. Forts. v. dies., J. E. J. Ein Beitrag zur dt. Publizistik in der zweiten Hälfte des 19. Jh.s, Diss. Paderborn 1936); — Notker Eckmann, Die kritik der Hist.-Pol. Blätter an der Kulturpolitik des Kultusministers Johann v. Lutz 1870-1890, Seminararbeit Univ. München 1949; — Heinz Gollwitzer, J. E. J., in: ZBLG 15 (1949), 125-148; — Hans Weinzierl, Ein Klassiker des Föderalismus - J. E. J., in: Neues Abendland 5 (1950), 145-150; — Bernhard Zittel, J. E. J., in: Lebensbilder aus dem bayer. Schwaben, hrsg. v. Götz Freiherr v. Pölnitz, Bd. 4, 1955, 395-429; — Friedrich Zoepfl, J. E. J. und seine heimatgeschichtl. Pläne, in: Allgäuer Geschichtsfreund 58/59 (1958/59), 54-57; — Franz Josef Stegmann, Von der ständischen Sozialreform zur staatl. Sozialpolitik. Der Beitrag der Hist.-Pol. Blätter zur Lösung der sozialen Frage, 1965; — Viktor Conzemius, Ignaz v. Döllinger und E. J., in: Festschrift für Max Spindler, 1969, 734-765; — Karl-Hermann Lucas, J. E. J. Konserv. Publizistik zw. Revolution und Reichsgründung, Diss. Köln 1969; —

Winfried Becker, J. E. J., in: Zeitgesch. in Lebensbildern Bd. 3: Aus dem dt. Katholizismus des 19. und 20. Jh.s, hrsg. v. Jürgen Aretz u. a., 1979, 75-90; — Heribert Raab, Der Einsiedler von Trausnitz. Ein Beitrag zu einer Biographie J. E. J.s mit unveröff. Briefen, in: ZBLG 45 (1982), 575-587; — Friedrich Hartmannsgruber, Die Bayrische Patriotenpartei, 1986; — Heribert Raab, Konservative Publizistik und kath. Geschichtsschreibung, in: ZBLG 50 (1987) S. 591-637; — Bosls Bayr. Biographien, 1983, 393 f.; — BJ VI, 429 ff.; — Kosch KD, I, 1897 f.; — LThK V, 1121 f.; — NDB X, 461 f.; — StL IV, 655 f.

Rainer Witt

JÖRGENS, Franz Ludwig, ev. Pfarrer und Kirchenliederdichter, * 16. 1. 1792 in Gütersloh (Westfalen), † 1838/40 in Hermann (Missouri, USA), Selbstmord. — Die Biographie von J., dem Verfasser des berühmten Kirchenliedes »Wo findet die Seele die Heimat der Ruh?«, liegt zum großen Teil im Dunkeln. Der Grund hierfür ist vor allem in der moralischen Verurteilung des Lebensweges und des Freitodes von J. durch die Zeitgenossen und späteren Biographen zu sehen. Zwar wurde J. als Kirchenliederdichter erwähnt und gewürdigt, seine Biographie und die näheren Lebensumstände wurden jedoch gerne verschwiegen und unterschlagen. — Bald nach Antritt einer Kaufmannslehre in Bielefeld faßte J. den Entschluß, die Pfarrerlaufbahn einzuschlagen. Er nahm das Theologiestudium in Göttingen auf, überwarf sich jedoch wegen zahlreicher Affären mit den Behörden und seinen Angehörigen, die ihn daraufhin bedrängten, nach Nordamerika auszuwandern. Dort erwarb er sich theologische und - von den zahlreichen Predigern - rhetorische Kenntnisse, bis er schließlich selbst eine Pfarrstelle antreten konnte. Um 1830/31 kehrte J. wieder in seine Heimat zurück und wirkte in Barmen und Elberfeld als Prediger. Seine Predigt, die er nach amerikanisch-methodistischem Vorbild mit vielen Anekdoten und Bekehrungsbeispielen rhetorisch geschickt aufbaute, begeisterte viele Gläubige, so daß J. im ganzen Wuppertal und Westfalen berühmt wurde. Als sich jedoch die Anzeichen mehrten, das J.'s Lebensstil keineswegs mit dem eines Pfarrers in Einklang stand und daß er auch die wesentlichsten Glaubensgrundlagen für sich selbst kaum anerkannte, verlor er seine Zuhörer. J.s Name taucht dann wieder in den Listen von einigen Gefängnissen auf, wo er wegen Eigentumsdelikten Strafen verbüßte. Er floh schließlich wieder nach Nordamerika, wo er sich zwischen 1838 und 1840 das Leben nahm. J.s Vermächtnis sind seine religiösen Gedichte und Lieder, wovon das oben erwähnte »Wo findet die Seele die Heimat und Ruh?« - verfaßt in Montreal 1827 - am bekanntesten wurde und in den Kanon der geistlichen Volkslieder eingegangen ist.

Werke: Zeiten der Erquickung vor dem Angesichte des Herrn. Religiöse Gedichte, 2 Bde. Elberfeld/Köln 1832/33.

Lit.: Franz Brümmer, Deutsches Dichterlexikon. Nachtrag, 1877; — Hermann Petrich, Unser geistliches Volkslied, 1920, S. 158-61; — RGG (2. Auflage.), III, 313; — Deutscher Biogr. Index, II, 1002.

Rainer Witt

JÖRGENSEN, Alfred Theodor, dänischer Theologe, Philanthrop und Journalist, * 9.6. 1874 in Vejle in Jütland, Sterbedatum und -ort nicht zu ermitteln. — Von 1892-1897 studierte J. Theologie in Kopenhagen und — für ein Semester — in Halle an der Saale. Anschließend wurde er theologischer und kirchlicher Mitarbeiter der "Berlingske Tidende", der führenden Zeitung Dänemarks. — 1899 Heirat. — Inspiriert von dem Diakonissenpastor Nicolai Christian Dalhoff, dem bedeutendsten Philanthropen Dänemarks jener Zeit, gründete J. am 1.10. 1902 den Bund "De Samvirkende Menighedsplejer", in dem die sozialen Einrichtungen der Kopenhagener Gemeinden organisatorisch zusammengefaßt wurden. Dieser dezentral strukturierte Bund betätigte sich vor allem auf dem Gebiet der Alten- und Krankenpflege sowie der Säuglings- und Kinderfürsorge. Unter der Leitung von J. entwickelte sich der "De Samvirkende Menighedsplejer" zu einer allgemein anerkannten karitativen Organisation. — Im Jahr 1900 erschien das erste Buch von J. (»Die Bekenntnisschriften der dänischen Volkskirche mit Anmerkungen und historischer Einleitung«), für das er die goldene Preismedaille der Universität Kopenhagen erhielt. 1907 promovierte er an der Theologischen Fakultät der Universität Kopenhagen mit der Arbeit »Luthers Kamp mod den romersk-katholske Semipelagianisme under särligt Henblik

paa hans Prädestinationsläre«. Vorausgegangen waren jahrelange, intensiv betriebene Lutherstudien, in denen sich J. besonders mit Luthers Stellung zum Pelagianismus auseinandersetzte. Von 1908-1914 war J. Privatdozent an der Universität Kopenhagen. In seinen theologischen und philanthropischen Vorlesungen behandelte er folgende Themen: Luthers Leben und Luthers Theologie, die Lehre vom Staat und die evangelisch-lutherische Sakramentslehre. — In den Jahren des Ersten Weltkrieges dehnte J. seine karitative Tätigkeit auf die vom Weltkrieg betroffenen Länder aus. Darüber hinaus bemühte er sich, die philanthropischen Aktivitäten der skandinavischen Länder Schweden, Norwegen und Dänemark zu koordinieren. J. war einer der maßgeblichen Organisatoren der ersten protestantisch-ökumenischen Kirchenversammlung, die 1922 in Kopenhagen stattfand. 1923 war er einer der Hauptredner des Lutherischen Weltkonvents in Eisenach. 1925 wurde er Ehrenmitglied der "Académie Nationale de Reims". — J. war einer der fachkundigsten Luther-Experten seiner Zeit, der sich in seinen Auffassungen sowohl vom Katholizismus als auch von der "liberalisierenden" Richtung in der modernen Theologie abgrenzte. Sein sozialkaritatives Engagement verhalf der evangelisch-lutherischen Kirche in Dänemark zu neuem Ansehen; mit seinen internationalen Bemühungen auf diesem Gebiet leistete er einen Beitrag zur Völkerverständigung. Von J. gingen schließlich auch wichtige Impulse für die Einigung der getrennten lutherischen Nationalkirchen aus.

Werke: De danske Folkekirkes Bekendelsesskrifter, oversatte med Anmärkninger og historisk Indledning, 1900 (1918²); Luthers Opfattelse af Skriften som Dogmatikens Kilde, in: Teologisk Tidsskrift, 1901; In Verbindung mit Nicolai Christian Dalhoff: Hvor findes Hjälpen?, 1903 (1911²); Dogmatikens kritiske Stilling i Kirken i vore Dage, 1904; Luthers Kamp mod den romersk-katholske Semipelagianisme under särligt Henblik paa hans Prädestinationsläre, 1908; Sakramenternes Betydning efter evangelisk-luthersk Opfattelse, 1909; Rapport sur »Les soins des communautés Danoises, spécialemnet de celles de Copenhague«. Assistance et Prévoyance Sociale en Danemark, 1910; Was verstand man in der Reformationszeit unter Pelagianismus?, in: Theol. Studien und Kritiken, 1910; Apercu sur »La participation des femmes à l'assistance publique et à la bienfaisance privée«. Receuil des travaux du 5' Congrès international, 1911; Rapport sur »Les soins des malades à la campagne«. Receuil des travaux du 5' Congrès international, 1911; Trinitatis Menighedspleje gennem 25 Aar, in: Trinatis Menighedsplejes Festskrift i Anl. af 25-aars Jubiläet 1886-1911, 1911, 5-23; Vor sociale Etik, in: Teologisk Tidsskrift, 1913; Sören Kierkegaard und das bibl. Christentum, in: Bibl. Zeit- und Streitfragen, 1914; Martin Luther, in: Hvordan de kom til Troen, 1916; Skolen og Menneskekärligheden, 1916; Luther, 1917; Nye Böger og Billedvärker vedrörende Luther, in. Mindeskrift i Anledning af Reformationsjubiläet, 1917; In Verbindung mit Nathan Söderblom und anderen: Nordens Kirker og nordiske Aandsströmninger efter Verdenskrigen, 1921; De Samvirkende Menighedsplejer, in: Ebenezer, 1921; Filantropiens Förere og Former i det 19 Aarhundrede, 1921 (1922 als schwed. Ausg.); Nödhjälpen til Europas evangeliske Kirker, 1922; Voor Kirkes Bekendelse, 1923; Den danske filantropiske Hjälp til Udlandet, in: Socialt Tidsskrift, 1925; Die evangel.-luth. Volkskirche Dänemarks, in: Neue kirchl. Zschr., 1925; Af Menighedsplejens Historie i Danmark, 1927; Luthersk Kirkeliv uden for Danmark, in: Kirkelig Haandbog, 1927; Die Religionswissenschaft der Ggw. in Selbstdarstellungen, hrsg. von D. Erich Stange, 1928, 115-158 (1-44); In Verbindung mit Viggo Dalhoff: Nicolai Christian Dalhoff. En dansk Filantrop, 1943; Gamle Skoleminder, in: Vejle borgerskole, 1944, 16 f.; De Samvirkende Menighedsplejer. 40 Aar blandt gamle, 1906-1946, 1946; Martin Luther og Danmark, in: Prästeforen, 1946, 197-201.

Roger Baecker

JØRGENSEN, Jens Johannes, dänischer katholischer Dichter, Schriftsteller, Lyriker, Essayist und Journalist, * 6.11. 1866 in Svendborg (Fünen), † 29.5. 1956 ebd. — Der aus lutherischer Familie stammende J. nahm 1884 sein Studium der Biologie in Kopenhagen auf. Nach Verlassen der Universität gehörte er zeitweilig dem Kreis um Harald Hoffding an, stand dann unter Einfluß von Darwin und Haeckel, wurde Schüler Georg Brandes, mit dessen Naturphilosophie er schließlich brach, um sich jetzt dem impressionistischen Symbolismus zuzuwenden. 1889-92 war er Journalist bei der von Brandes Bruder herausgegebenen Börs-Tidende. In den Jahren 1893-94, als Herausgeber des Taarnet zum Kritiker des materialistischen Realismus in der Literatur gereift, wurde J., der sich 1884 noch zum Atheismus bekannt hatte, verstärkt von einem Denkprozeß erfaßt, der ihn zum Christentum hinführte. 1896 erfolgte sein Eintritt in die katholische Kirche, Werke katholischer Thematik waren die Folge. 1913 wurde J. Dozent für Ästhetik an der Universität Löwen. Während des ersten Weltkriegs und in den ersten Nachkriegsjahren erarbeitete er antideutsche Schriften. Seine Beschäftigung mit dem Katholizismus und besonders Franz von Assisi, führte ihn nach Italien zur Wirkungsstätte des Heiligen, von wo er erst 1953 zurückkehrte. Die Bedeutung des Stimmungslyrikers, dessen Religiosität stets ästhetisch geprägt war, liegt nicht nur darin, daß J. einer der wenigen wichtigen katholischen Schreiber dänischer Literatur war, sondern auch in der Tatsache, daß sich die dänische Jugend unter seinem Einfluß vom Realismus löste.

Werke: Bekendelse, Kopenhagen 1894; Digte 1894-98; Regsebogen, 1895; Vor Frue af Danmark, 1900; Romersk Mosaik, 1901; Pilgrimsbogen, 1903, 1980[4]; Essays, 1906; Den hellige Frans af Assisi, ebd. 1907, 1983[7]; Den yndigste Rose, ebd. 1907; Blomster og Frugter, ebd. 1907; Af det Dybe, ebd. 1909; Biography, New York/London 1912; Bag dalle de blas Bjerge, Kopenhagen 1913; Goethebogen, ebd. 1913; Den Hellige Katharina af Siena, ebd. 1915; Mitlivs Legende, 1916-28, London 1928/29; Der er en Bränd, som rinder, Kopenhagen 1920; Is Blomster, ebd. 1926; Don Bosco, ebd. 1929; Efterslaet, ebd. 1931; St. Brigid of Sweden, ebd. 1941/42; Udvalgte Digze, ebd. 1947.

Lit.: A. von Walden, Der Dichterphilosoph J. J., 1904, Sonderdruck aus: Der Katholik, 1904, 212 ff.; — D. Frederiksen, Omkring J. J., in: Edda 1936/37, 15-53; — Ders., J. J. Ungdom, Kopenhagen 1946; — A. Pelzer, J. J., in: Revue d'histoire ecclésiastique, 51, Löwen 1956, 808; — H. Roos, J. J., in: Cath. 13, 1959; — J. Breitenstein, J. J. og italiensk kultur, in: Danske Studier, 1960, 32-66; — Ders., J. J. og det moderne Italien, in: Edda 48, 1961, 152-169; — W. Glyn Jones, Some personal aspects of J. J.'s prose writings, in: Modern language Review 55, Cambridge 1960, 399-411; — Ders., J. J.'s modne år, Kopenhagen 1963; — Ders., J. J. in the centenary of his Birth, in: Scandinavica 5, 1966, 100-110; — Ders., J. J., New York 1969; — New Cath. Enc. VII, Wash. 1967, 1105.

Karin Groll

JOHANN *von Baden*, Kurfürst und Erzbischof von Trier, * 1434 als dritter Sohn des Markgrafen Jakob von Baden, † 9.2. 1503 in Ehrenbreitstein. — J. hatte durch seine Mutter, eine Tochter des Herzogs Karl II. von Lothringen, und durch den Mitbesitz der Markgrafen von Baden an der Grafschaft Sponheim Verbindungen zum Trierer Land. Er erhielt im Jahre 1445 die niederen Weihen und recht bald anschließend Kanonikate in Mainz (1448), Köln und Straßburg, studierte mit seinen jüngeren Brüdern Georg († 1484 als Bischof von Metz) und Markus (Verweser des Bistums Lüttich 1465/66, † 1486) von 1452 bis 1456 in Erfurt, Pavia und Köln und wurde am 21.6. 1456 nach Kontroversen bzw. ergebnislosen Vorwahlen zum Trierer Erzbischof gewählt. Papst Calixt III. bestellte ihn am 25.10. 1456 zum Verwalter des Bistums, da J. das kanonische Alter zum Empfang der Bischofsweihe noch nicht erreicht hatte. Im Jahre 1465 wurde ihm auf Schloß Saarburg durch den Trierer Suffragan Hubertus Agrippinas sowie die Bischöfe von Metz und Worms die Bischofsweihe erteilt. J. hat sich gegen seine Gegenkandidatur um das bischöfliche Amt, gegen eine ständische Union und auch gegen die Stadt Trier mit Hilfe von Kaiser und Papst behaupten können und galt, wenngleich 1457 dem Kurverein beigetreten, als einer der Hauptvertreter der habsburgischen Politik im Westen des Reiches. Um burgundischem Druck zu entgehen, initiierte er den Abbruch der Gespräche zwischen Kaiser Friedrich III. und Herzog Karl dem Kühnen im Herbst 1473 in Trier und nahm an der sich anschließenden kriegerischen Auseinandersetzung zwischen Karl und dem Erzstift Köln persönlich teil. 1477 erreichten er und sein Bruder Georg durch Unterhandlungen die Heirat zwischen Maximilian und Maria von Burgund. Den Kurstaat lenkte er mit starker Hand, mußte sich aber wegen der hohen Verschuldung und einer inflationären Währungspolitik mehr und mehr in die Abhängigkeit von Domkapitel und Landständen begeben. Verschiedenen kriegerischen Fehden (Wunnenberg und Bielstein 1488; gegen Boppard 1497 mit 12.000 Soldaten, wie sein Sekretär Peter Maier von Regensburg berichtet) stehen friedliche Angleichungen bei Auseinandersetzungen (Trier 1480, Koblenz 1482) gegenüber. Die Klosterreformen, unter seinem Vorgänger Jakob von Sierck begonnen, führte J. vor allem mit Hilfe der Windesheimer und Bursfelder Kongregationen fort und scheute sich nicht, unbotmäßigen Widersachern mit Gewaltanwendung zu begegnen (Maria Laach, Schönstatt, St. Thomas bei Andernach). Auch die Universität Trier konnte unter seiner Regentschaft, am 16.3. 1473, eröffnet werden. Eine rege, die finanziellen Mittel des Kurfürstentums allerdings überfordernde Bautätigkeit an Burgen und Schlössern war J. zu eigen. Die zeitgenössische Kritik sah als Schattenseite des Erzbischofs, daß "er mehr als billig auf das Wohl von Verwandten und den Glanz seines Hauses bedacht war". Er regierte fast 47 Jahre lang und ist zusammen mit Balduin von Luxemburg (1307-1354) der

am längsten amtierende Trierer (Erz-)Bischof. Gegen den Widerstand eines Teils des Domkapitels berief er 1499 seinen Großneffen Jakob von Baden zum Koadjutor cum iure successionis, dem er seit 1501 praktisch die gesamten Regierungsgeschäfte überließ. Beigesetzt wurde der mit reichen Geistesgaben ausgestattete J. im Dom zu Trier in einem Grabmal, das er sich bereits zu Lebzeiten hatte errichten lassen.

Lit.: Antiquitatum et annalium Trevirensium libri XXV... auctoribus Christophoro Browero et Jacobo Masenio, Bd. 2, Lüttich 1670, 290 ff.; — Einzug des Trierischen Erzbischofs J. v. B. in die Stadt Trier am St. Gangulphi Abend 1460, in: Trierische Kronik 4 (1819), 30-35; — Gesta Trevirorum ed. J. H. Wyttenbach et M. J. F. Müller, vol. II, Augustae Trevirorum 1838, 336-351; — Rhein. Antiquarius II, 5 (1856), 650-805; — Huldigungseinzug des Kurfürsten Johann I. in Trier den 12. Mai 1460, in: Jahresbericht der Gesellschaft für nützl. Forschungen zu Trier vom Jahre 1857, 1858, 2-18; — Johann Leonardy, Gesch. des Trierischen Landes und Volkes, ²1877, 571-594; — M. Holtz, Das Nachspiel der Bopparder Fehde. Darst. der Streitigkeiten im Erzstift Trier bei Gelegenheit der Coadjutorwahl des Markgrafen J. (II.) v. B., in: Jahresbericht des Realgymnasiums zu Stralsund Ostern 1893, 1893, 7-20; — Johann Christian Lager, J. II. v. B., Erzbischof und Kurfürst von Trier, in: Trierisches Archiv, Ergänzungsheft IV (1905), 1-110; — Ders., Der Einzug des Kurfürsten und Erzbischofs J. II. v. B. in Trier, in: Trierische Chronik 3 (1907), 53-62, 75-78; — Gustav Knetsch, Die landständische Verfassung im Kurstaate Trier, vornehmlich im XVI. Jh., Diss. München 1909, 31-43; — Johannes Kremer, Stud. zur Gesch. der Trierer Wahlkapitulationen. Äußere Gesch. derselben. Ihre Bestimmungen über Vermögensrecht und Jurisdiktion des Domkapitels, Diss. Bonn 1909, 14-17; — Carl Stenz (Hg.), Die Trierer Kurfürsten, 1937, 49; — Alois Thomas, Trierer Bischöfe, die über 25 Jahre regierten, in: Paulinus. Trierer Bistumsblatt 73 (1947), Ausg. Nr. 9/10 vom 18. Mai 1947, 11; — Handb. des Bistums Trier XX, 1952, 41; — Emil Zenz (Hg.), Die Taten der Trierer. Gesta Treverorum, Bd. 6, 1962, 33-41; — Benedikt Caspar, Das Erzbistum Trier im Zeitalter der Glaubensspaltung, 1966, passim; — Ferdinand Pauly, Aus der Gesch. des Bistums Trier. Teil 2: Die Bischöfe bis zum Ende des MA.s, 1969, 132-134; — Georg Friedrich Böhn, Pfalz-Veldenz und ihre Trierer Bischofswahl des Jahres 1456, in: AmrhKG 21 (1969), 89-103; — Werner Mathieu, Dei Gratia. Vom Leben und Sterben des Trierer Erzbischofs J. II., 1984; — Ders., Dei Gratia. Vom Leben und Sterben des Trierer Erzbischofs J. II. (1456-1503), in: Jahrbuch für den Kreis Bernkastel-Wittlich 10 (1986), 170-173; — Bernhard Gondorf, Verwandtschaftl. Beziehungen der Erzbischöfe und Kurfürsten von Trier zueinander, in: Archiv für Sippenforschung 51 (1985), 109 f.; — Martin Persch, Art. Peter Maier, in: NDB XV (1987), 705; — ADB XIV, 421-423; — NDB X, 539 f.

Martin Persch

JOHANN van Brugge siehe Joris, David

JOHANN *von Eindhoven*, Generalvikar und Weihbischof in Trier, * um 1440 in Eindhoven/Brabant, † 7.10. 1508. — J. trat am 15.7. 1458 in das Augustinerkloster Eberhardsklausen (heute Klausen) bei Wittlich ein und wurde am 13.12. 1473 zum Prior gewählt. Er nahm die in Klausen als Wallfahrtsort hoch verehrte Pietà in sein Wappen auf und vollendete das Chor der Kirche. Im Jahre 1482 wurde er von dem Trierer Erzbischof Johann von Baden mit einer diplomatischen Gesandtschaft zum französischen König Ludwig XI. betraut, um die Vermählung des Dauphins mit der Erzherzogin Margarethe herbeizuführen und den Frieden zwischen dem König und Erzherzog Maximilian zu vermitteln. Nach erfolgreicher Durchführung dieser Aufträge ernannte der Trierer Erzbischof im gleichen Jahr J. zu seinem Generalvikar und betrieb im Folgejahr seine Erhebung zum Titularbischof von Azot und Weihbischof von Trier (3.7. 1483). Zu Beginn des Jahres 1508 wegen Altersschwäche von seinem Amt entpflichtet, starb J. kurz darauf und wurde in Klausen begraben.

Lit.: Michael Franz Joseph Müller, Reihenfolge der Gehülfsbischöfe (suffraganei) in dem Erzstift Trier, in: Trierische Kronik 10 (1825), 176-181, 177; — Johann Anton Josef Hansen, Die Weihbischöfe von Trier, 1834, 16 f.; — Karl Joseph Holzer, De Proepiscopis Trevirensibus, 1845, 63-68; — Josef Schweisthal, Die Trierer Weihbischöfe, ungedr. Manuskript, Trier 1935, 22 f.; — Handb. des Bistums Trier XX, 1952, 49; — Alois Thomas, Altarsepulkren erzählen, in: Trierisches Jahrb. 7 (1956), 86-90, 89; — Peter Dohms, Die Geschichte des Klosters und Wallfahrtsortes Eberhardsklausen an der Mosel von den Anfängen bis zur Auflösung des Klosters im Jahre 1802 (= Rhein. Archiv Bd. 64), 1968, 92, 180; — Ders., Eberhardsklausen. Kloster, Kirche, Wallfahrt - von den Anfängen bis in die Gegenwart, 1985, 287; — Wolfgang Seibrich, Johannes von Eindhoven. Weihbischof von Trier (1483-1507), in: Paulinus. Trierer Bistumsblatt 114 (1988) Ausgabe Nr. 46 vom 13. November 1988 S. 16-17.

Martin Persch

JOHANN *von Gorze* (gelegentlich J. v. Vandières), selig (Tag des Gedächtnis 27. Febr. bzw. 7. März), monastischer Reformer und seit ca. 967 Abt der Abtei Gorze, * Ende des 9 Jh.'s in Vandières bei Pont-à-Mousson, als erster Sohn eines weltlichen Landbesitzers, † wahrscheinlich am 7. März 974 in Gorze (Lothringen). — J. studierte eine Zeit lang in Metz und dann in St-Mihiel (Moseltal), mußte aber, nach dem Tod seines Vaters die Studien abbrechen, um sich den Besitztümern der Familie und der Erziehung seiner jüngeren Brüder zu widmen. Später setzte J. seine Studien in Toul fort, wo sich der Diakon Bernacre seiner annahm. In Metz traf er, nach einer Pilgerfahrt, die ihn nach Rom und zum Monte Cassino führte, den Touler Archidiakon Eginold (gelegentlich Einold) und schloß sich mit ihm und fünf Gefährten, darunter auch der Diakon Bernacre, zu einer monastischen Gemeinschaft zusammen. Diese begann 933 mit der inneren Erneuerung der Abtei Gorze, und folgte damit einer Bitte des Bischofs Adalbero I. von Metz, der Eginold die Abtwürde übertrug. J., der Eginold loyal und tatkräftig unterstützte, wurde 953 von Otto I. als Gesandter nach Córdoba an den Hof des Kalifen Abd ar-Rahman III. entsandt, um diesen zum gemeinsamen Vorgehen gegen die arabische Seeräuberei, insbesondere vor Italiens Küste, und zum Kampf gegen den Vasallenkönig Berengar II. und die sarazenischen Banden zu gewinnen, die sich in den Alpenpässen eingenistet hatten und die Verbindungswege zwischen Italien und dem Norden bedrohten. J.'s Einführungsbriefe an den Kalifen brachten ihm Gefangenschaft ein, da sie Gedanken über den Islam enthielten, auf denen die Todesstrafe stand. Nach drei Jahren, nachdem der Bischof von Elvira, Recemund, von Otto I. revidierte Briefe brachte, erhielt er eine Audienz beim Kalifen. Seine Mission blieb wahrscheinlich ohne Wirkung. Er kehrte 956 mit dem Ruf der Tatkraft und Redlichkeit in die Gorzer Abtei zurück. Nach dem Tod Eginolds, wurde J. selbst Abt, wahrscheinlich 967. — J. hat zur Betonung des Armutsideals bei den Klosterreformen beigetragen. Er verband eine asketische Haltung mit der Teilnahme am politischen Leben. Die Verbreitung der Gorzer Reform ist ein wesentlicher Bestandteil seines Wirkens. Gleichzeitig zeigt sein Verhalten in Córdoba, wie wenig das christliche Abendland von der islamischen Welt damals wußte. Sein Freund, Abt Johannes von St. Arnulf, zeichnete nach 974 J.'s Leben auf. Die Biographie blieb aber unvollendet, sie geht bis 956.

Werke: Miracula S. Gorgonii (fraglich, MG SS IV, 238 f.); Miracula S. Glodesindis (sehr fraglich, MG SS IV, 236 f.); Vita Chrodegangi (wahrscheinlich, MG SS X, 552 f.).

Lit.: Johannes von St. Arnulf, MG SS IV, 337-77; — E. Dümmler, Otto I. Jahrbücher der Deutschen Geschichte, 1876, 280. 302-06; — L. Lager, Die Abtei Gorze in Lothringen, in: StMBO 8, 1887, 32-56, 181-84, 189-92; — Ernst Sackur, Die Cluniacenser, 2 Bde., 1892-94, (Nachdr. 1965) I 146-50, II 358-61; — F. Chausier, L'abbaye de Gorze, 1894, 79-101; — A. d'Herbomez (Hrsg.), Cartulaire de l'abbaye de Gorze, 1898, 169-206; — Ludwig Zöpf, Das Heiligenleben im 10. Jahrhundert, 1908, 94-103; — Stephanus Hilpisch, Gesch. des benediktinischen Mönchtums, 1929, 144-48; — Alfons Zimmermann, Kalendarium Benedictinum I, 1933; — Julius Baudot/Léon Chasussin, Vies des Saints II, 1936; — Zacaríaslí Garcia Villada, Hist. ecclesiastica de Espana, 1936, 162-64; — Philibert Schmitz, Gesch. des Benediktinerordens I, ,1947; — Augustin Fliche/Victor Martin (Hrsgg.), Histoire de l'Eglise VII, 1948; — Kassius Hallinger, Gorze-Kluny, Stud. zu der monsatischen Lebensformen u. ihren Gegensätzen im Hochmittelalter, 2 Bde., 1950/51; — R. van Doren, in: BS VI, 1965, 813 f.; — I. Leclercq, J. et la vie religieuse au Xe siècle, in: Saint Chrodegang, 1967, 133-52; — ders., in: Aspects du monachisme hier et aujourd'hui, 1968, 235-59; — ADB 14, 1969, 457; — NewCathEnc VII, 1967, 1052 f.; — Gebhardt-Grundmann I, 1970[9], 249; — NDB 10, 1974, 553-54; — Lexikon des MA IV, 1989, 1565-67; — LThK[2] 5, 1038.

Udo Krolzik

JOHANN FRIEDRICH *von Sachsen*, gen. »der Großmütige« (1503-1554). Johann Friedrich von Sachsen wurde am 30.5. 1503 in Torgau als Sohn von Johann von Sachsen, dem Bruder Kurfürst Friedrichs des Weisen, und Sophies von Mecklenburg geboren. Seine Mutter starb wenige Tage nach der Geburt. Da Friedrich der Weise unverheiratet blieb, ruhten auf Johann Friedrich die Hoffnungen der ernestinischen Linie des Hauses Wettin. Die Prinzenerzieher Georg Spalatin und Alexius Chrosner bemühten sich um eine gute Ausbildung ihres Zöglings, die den Grund für seine historiographischen und theologischen Interessen legte, wie sie sich an seiner großen Sammlung von Büchern und Handschriften ablesen lassen. Auch seine deutschen Briefe und Gutachten bezeugen seine fundierte Bildung. Trotz des Einflusses des Humanisten Spalatin erwarb er allerdings nur geringe Kenntnisse des Lateinischen, was er im Laufe seines Lebens immer wieder bereut hat. Zu Martin Luther entstand schon früh ein persönlicher Kontakt J.F.s. Für den mit der Bannbulle bedrohten Luther setzte er sich 1520 bei Kurfürst Friedrich ein, wofür ihm Luther mit der Widmung seiner Schrift »Das Magnificat verdeutscht und ausgelegt« (März 1521, WA 7,544f) dankte. Das sich daraufhin ausbildende Vertrauensverhältnis J.F.s zu seinem »gaystlichen Vater« (WA.B 2,237f) durchzieht die ganze Regierungszeit des Kurfürsten in vielerlei Belangen (vgl. Günther Wartenberg; Luthers Beziehungen zu den sächsischen Fürsten — s.u.). Im Umfeld der Kaiserwahl von 1519 wurden Verhandlungen um eine Ehe J.F.s mit Katharina von Spanien (1507-1578), einer Schwester Karls V., geführt. Als sich allerdings erwiesen hatte, daß das ernestinische Sachsen der habsburgischen Politik nur ein schlechtes Einfallstor bot, scheiterten die Verhandlungen 1524. Daraufhin kamen 1526 die Eheverhandlungen um Sibylla von Jülich-Cleve (1512-1554), die, ursprünglich wegen Lehensstreitigkeiten, schon seit 1518 geführt wurden, zu einem Abschluß. Aus der Ehe J.F.s mit Sibylla entstammten die Kinder Johann Friedrich der Mittlere (1529-1565), Johann Wilhelm (1530-1579), Johann Ernst II. (geb. 5., gest. 11.1. 1535) und Johann Friedrich der Jüngere (1538-1565). Kurfürst Johann der Beständige, der nach dem Tode Friedrichs des Weisen (+5.5. 1525) die Regierung übernommen hatte, beteiligte seinen Sohn und Nachfolger Johann Friedrich schon früh an den politischen Geschäften. Nach der Niederschlagung des thüringischen Bauernaufstandes nahm der Kurprinz an den Verhandlungen mit Landgraf Philipp von Hessen um das Gothaer Bündnis vom Frühjahr 1526 in Kreuzburg und Friedewald teil. In den Auseinandersetzungen um das von Otto von Pack fälschlich angekündigte Bündnis katholischer Fürsten versuchte der Landgraf dann über J.F. auf Kurfürst Johann einzuwirken und ihn zu einer militärischen Auseinandersetzung zu bewegen. Obwohl Luther den Kurprinzen daraufhin für seine Bemühungen um die Erhaltung des Friedens lobte, befürchtete J.F. noch 1528 einen von Erzherzog Ferdinand angetriebenen Krieg gegen die evangelisch gesinnten Fürsten. Während des zweiten Speyrer Reichstags 1529 führte er in Weimar für seinen Vater die Regierungsgeschäfte, verfolgte aber auch von dort aus interessiert die Verhandlungen des Reichstages und begrüßte die Protestation. Im gleichen Jahr förderte er bei seinem Vater die Teilnahme von Wittenberger Theologen am Marburger Religionsgespräch. Mit seinem Vater nahm J.F. 1530 am Augsburger Reichstag teil und vertrat im Vierzehnerausschuß engagiert die Sache der Reformation. Die sächsische Verhandlungsposition erschien ihm dabei als äußerster möglicher Kompromiß. Wie er sich in Augsburg für die evangelische Sache eingesetzt hatte, so wandte er sich mit den kursächsischen Einwänden im gleichen Jahr gegen eine Wahl Erzherzog Ferdinands zum römischen König. Die dadurch verursachten und sich über Jahre hinziehenden Streitigkeiten mit den Habsburgern, sowie der Ausgang des Augsburger Reichstags verstärkten die Bemühungen des politisch isolierten Kursachsen um ein protestantisches Bündnis, das am 27.2. 1531 in Schmalkalden geschlossen wurde. An Gründung und Ausbau des Schmalkaldischen Bundes war J.F. maßgeblich beteiligt, durch ihn umschloß, stärkte und benutzte die kursächsische Politik den schmalkaldischen Bund. Er betrieb mit Nachdruck die Verhandlungen mit dem Kaiser, in deren Folge es Ende Juli 1532 zum Nürnberger Anstand kam, der den protestantischen Territorien auf Zeit Sicherheit vor militärischen Auseinandersetzungen in Glaubensfragen und die Einstellung der Religionsprozesse am Reichskammergericht verschaffte. — Nach dem Tode Kurfürst Johanns des Beständigen (†16.8. 1532) übernahm J.F. Regierung und Kurwürde von Sachsen. Sein Halbbruder Johann Ernst, mit dem er zunächst die Regierung teilte, wurde 1542 nach seiner Heirat mit Katharina von Braunschweig-Grubenhagen (1524-1581) abgefunden. J.F.s Bemühungen galten, wie die seines Vaters, in besonderem Maße der Kirchenpolitik. Die zweite große Visitation, die Kurfürst Johann noch angeordnet hatte, ließ J.F. 1533/35 durchführen. Deren Ergebnisse schlugen sich in einer von J.F. getragenen kirchlichen Neuordnung im Kurfürstentum Sachsen nieder. So begann 1540 der Verkauf des Klosterbesitzes; Verwaltung und Einkünfte der Kloster- und Stiftsgüter wurden in immer stärkerem Maße der landesherrlichen Gewalt zugewiesen. Dennoch war die wirtschaftliche Versorgung der Pfarrer ein Hauptproblem, das sich an den häufigen Interventionen Luthers zugunsten einzelner Pfarrer ablesen

läßt. Nachdem 1539 die Konsistorien als wichtiges Organ des landesherrlichen Kirchenregimentes entstanden waren, legte 1540 eine gründliche Erhebung durch die Superintendenten den Grund für eine planmäßige Versorgung der Gemeinden mit protestantischen Predigern und sicherte deren Einkommen. In seinen Bemühungen, die vorsichtige, die reformatorische Bewegung stützende Politik seines Vaters fortzusetzen, erreichte J.F. im Vertrag von Kaaden mit Albrecht von Mainz und Herzog Georg vom 26.6. 1534 einen ersten politischen Erfolg: Ulrich von Württemberg konnte in sein seit 1519 von Habsburg besetztes Territorium zurückkehren und dort mit Hilfe von Ambrosius Blarer und Erhard Schnepf die Reformation einführen. Gleichzeitig wurde der Weg zu einem Ausgleich mit Erzherzog Ferdinand frei. Dessen Anerkennung als römischer König sollte mit der Novellierung der Goldenen Bulle und der Aussetzung der Religionsprozesse am Reichskammergericht verbunden sein. Der Vertrag von Wien vom 20.11. 1535 machte den guten Anfang einer Verständigung allerdings zunichte und bestärkte J.F. darin, am 23.12. 1535 der Ausbreitung und Verlängerung des Schmalkaldischen Bundes beizustimmen. Die Ereignisse der folgenden Jahre bewegten sich besonders um drei Bereiche: das Ringen um das Konzil, die Politik des Schmalkaldischen Bundes und das gespannte Verhältnis zum albertinischen Herzogtum Sachsen. Auf dem Bundestag in Schmalkalden im Februar 1537 erreichte J.F., von Luther beraten, die Ablehnung des von Papst Paul III. nach Mantua einberufenen Konzils. Nachdem der Frankfurter Anstand 1539 auch die Gefahr einer militärischen Konfrontation für einige Jahre beseitigt hatte, konnte J.F. seinem Mißtrauen gegen alle Zugeständnisse in Religionsfragen, wie bei den Regensburger Verhandlungen 1541, freien Raum geben. Kleinere politische Erfolge bestimmten daneben die Politik Kursachsens und des Schmalkaldischen Bundes. Zu ihnen gehörten die Besetzung des Klosters Doberlung, die Einsetzung Nikolaus' von Amsdorf als Bischof von Naumburg-Zeitz 1542 und der Kriegszug gegen Herzog Heinrich von Braunschweig-Wolfenbüttel (1489-1568). Bei seiner Unterstützung der Reformation in einigen Gebieten der albertinischen Wettiner unterschätzte

J.F. seinen Vetter Moritz von Sachsen (1521-1553). Mit der Besetzung des Stiftes Wurzen 1542 mußte er die Albertiner herausfordern, die seit 1485 die Schutzherrschaft über das Bistum Meißen innehatten. Nur die Intervention Luthers und Philipps von Hessen verhinderten einen Bruderkrieg. Nachdem Kaiser Karl V. aber Herzog Moritz durch das Versprechen der Kurwürde auf seine Seite gezogen hatte, konnte er den Schmalkaldischen Krieg (1546-47) als Strafaktion gegen Sachsen und Hessen eröffnen. J.F. geriet in der Schlacht auf der Lochauer Heide bei Mühlberg am 24.4. 1547 in kaiserliche Gefangenschaft. In der Wittenberger Kapitulation mußte er sich unterwerfen und die Kurwürde an Herzog Moritz abgeben, den die protestantische Publizistik alsbald als »Judas von Meißen« geißelte.Die Jahre 1547-1552 mußte J.F. in kaiserlicher Gefangenschaft zubringen. Der Briefwechsel mit seinen Kindern in diesen Jahren und seine standhafte Ablehnung des Augsburger Interims (1548) zeichnen das Bild des »Märtyrers des Protestantismus«. Dem Versuch Kurfürst Moritz', ihn für ein Bündnis gegen den Kaiser zu gewinnen, widersetzte er sich und hoffte bei den Kämpfen im Frühjahr 1552 auf einen Sieg des Kaisers und die Umkehrung der Verhältnisse von 1547. Diese Hoffnungen mußten sich im Passauer Vertrag (1552) zerschlagen. J.F. erhielt seine Freiheit wieder und zog in einer triumphalen Reise nach Sachsen zurück. Eine Führerrolle im Protestantismus konnte er von seinem Sitz in Weimar aus nicht mehr übernehmen. Seine Fürsorge galt dem Aufbau der Universität Jena, die schon 1548 als Ersatz für die an die Albertiner verlorenen Universität Wittenberg als Gymnasium academicum im Jenaer Dominikanerkloster gegründet worden war (kaiserliches Privileg 1557). Seinen Anordnungen aus diesen Jahren ist auch der Beginn der Arbeiten an der Jenaer Luther-Ausgabe im Herbst 1552 zu verdanken - schon 1539 hatte er die Wittenberger Luther-Ausgabe begründet. Wenige Tage nach seiner Frau Sibylla (+21.2. 1554) starb J.F. am 3.3. 1554. In seinem Testament warnte er seine Söhne davor, sich in ein Bündnis einzulassen, da in den Bündnissen doch weder Glaube noch Treue sei.

Quellen: Nikolaus von Amsdorff; Wie sich's mit des durchleuchtigsten Fürsten, Herrn Johann Friedrichs des Älteren,

weiland Herzog zu Sachsen und gebornen Kurfürsten, christlichem Abschied zugetragen hat. Samt einer Leichenpredigt, zu Weimar Montag nach Lätare 1554 getan, Jena 1554; Karl Aue; Das Trostlied des gefangenen Kurfürsten; in: ZVThG 4 (1861), S. 243-246; Ausschreiben an alle Stende des Reichs inn der christlichen Religion Aynungs Vorwandten Nahmen etc., die Beschwerung des kayserlichen Cammergerichts belangende, Wittenberg 1538; Beiträge zur Reichsgeschichte 1546-1555, I-III, München 1877-1882; Georg Berbig; Ein Schreiben des Kurfürsten Johann Friedrich des Grossmütigen an Luthers Söhne Martin und Paul, Gebrüder zu Wittenberg (Sonntag nach Ursula 1553); in: ZKG 27 (1906), S. 207ff; Ders.; Neunundzwanzig Briefe des Kurfürsten Johann Friedrich des Großmütigen aus der Gefangenschaft; in: ZVThG 17 (1907), S. 251-290; Brief des Churfürstens Johann Friedrichs an seinen Prinz, Johann Friedrich den jungen, aus der Gefangenschaft geschrieben; in: J.G. Weller; Altes aus allen Theilen der Geschichte 1 (1762), S. 618-630; Briefe der Herzogin Sibylla von Jülich-Cleve-Berg an ihren Gemahl Johann Friedrich den Grossmüthigen, Churfürsten von Sachsen, hg. von Carl August Hugo Burckhardt, Bonn 1869; Briefwechsel des Kurfürsten Johann Friedrich des Grossmüthigen mit seinem Sohne Johann Wilhelm, Herzog von Sachsen, im December 1546 über Verlust und Wiedereinnahme von Thüringen, hg. von Karl Freiherr von Reitzenstein, Weimar 1858; Briefwechsel zwischen Herzog Johann Friedrich von Sachsen und Graf Wilhelm von Nuenar in den Jahren 1529-1536; hg. von C.A. Cornelius in: Zeitschrift d. Bergischen Geschichtsvereins 10 (1874), S. 129-158; Briefwechsel zwischen Herzog Johann Friedrich von Sachsen und Graf Wilhelm von Neuenahr in den Jahren 1533-1536; hg. von C.A. Cornelius in: Zeitschrift d. Bergischen Geschichtsvereins 14 (1878), S. 109-136, Sonderabdruck: Düsseldorf 1878; Churfürst Johann Friedrich belehnet Hansens von Schlieben Sohn, Veiten, und Adams von Schlieben Söhne, Jacob, Eustachius und Adam, über halb Baruth 1533; in: Analecta Saxonica 1 (1765), S. 303-306; Churfürst Johann Friedrichs zu Sachsen Bekenntnis auff das Interim; in: Unschuldige Nachrichten von alten und neuen theolog. Sachen 1702, S. 393-398; Churfürst Johann Friedrichs zwey Schreiben an G. Spalatinum und dessen Ehefrau (1544); in: Fortges. Sammlung von alten und neuen theolog. Sachen 1730, S. 182-185; Des Churfürsten Johann Friedrichs Befehl an Johann von Dolzig, wegen einer Ehe-Sache (1535); in: Fortges. Sammlung von alten und neuen theolog. Sachen 1737, S. 131f; Churfürsten Joh. Friedrichs von Sachsen Verordnung wegen der Fürstlichen Stiftungen zu Gotha (1534); in: Fortges. Sammlung alter und neuer theolog. Sachen 1736, S. 397ff; Churfürstl. Befehl wegen Luthers Begräbnisses; in: Unschuldige Nachrichten von alten und neuen theolog. Sachen 1712, S. 195ff; Wilhelm Crecelius; Ein schön kurtz lied von den zweien Christlichen Fursten Johann Friderich zu Sachsen und Philips, Landgraffen zu Hessen; in: Archiv für Literaturgeschichte 7 (1877-78), S. 277f; R. Doebner; Ein Passionsspiel zu Kurfürst Johann Friedrich des Grossmüthigen /1547; in: NASG 4 (1883), S. 215-222; R. Ehwald; Zur Erinnerung an Johann Friedrich den Grossmüthigen. Die Konfession und das Passionale Johann Friedrichs; in: Mitteilungen der Vereinigung für Gothaische Geschichte und Altertumsforschung 1903, S. 119-130; Emminghaus; Zwei Briefe Kurfürsts Johann Friedrich des Grossmüthigen an Simon a Cuelsprangs, Baillur ad Gent (1550); in: ZVThG

2 (1855/56), S. 209f; Walter Friedensburg; Ein Aktenstück zur Frage der Bestrafung des gefangenen Kurfürsten Johann Friedrich von Sachsen (1547); in: ARG 5 (1908), S. 213-215; 25 Briefe des Kurfürsten Johann Friedrich des Großmütigen, aus der Zeit von 1545-1547, nebst einigen dazu gehörigen Aktenstücken, mitgeteilt von Georg Berbig; in: ZWTh 50 (1908), S. 505-565; Ein Gebet des Churfürsten zu Sachsen etc. Auss dem Siebenden Psalm Wider die grossen schrecklichen Kriegsrüstungen des Kay. vnd des Babsts, o.O.u.J. (um 1546); Des gefangenen Chur-Fürsten Jo. Friedrichs Schreiben an seine Gemahlin (Mittwoch nach Maria Magdalena 1549); in: Unschuldige Nachrichten von alten und neuen theologischen Sachen 1717, S. 8-11; Des gefangenen Churfürsten Johann Friedrichs zu Sachsen Antwort auf das Trost-Schreiben M. Casp. Aquila, dat. d. 24. Aug. 1547; in: Fortges. Sammlung von alten und neuen theolog. Sachen 1744, S. 335ff; Christian August Hausen; Gloriosa electorum ducum Saxoniae busta, ... T. 1, Dresden 1728, S. 103-220; Die historischen Volkslieder der Deutschen vom 13. bis 16. Jahrhundert gesammelt und erläutert von Rochus von Liliencron, Leipzig IV (1869), ND Hildesheim 1966, S. 629; Johann Friedrichs des Großmütigen Correspondenz mit Brück und Amsdorf vor dem Augsburger Reichstage 1547, hg. von J.C.E. Schwarz; in: ZVThG 1 (1854), S. 395-414; Johann Friedrichs des Grossmütigen Gebet: »Erhalt uns, Herr, bei Deinem Wort«, dargestellt in einem alten Holzschnitt; in: Rheinischwestfälisches Gustav-Adolf-Blatt 37 (1839), Sp. 55-58; Wilhelm Junius; Aus der Gefangenschaft des Kurfürsten Johann Friedrich von Sachsen; in: ZVThG 26 (1925/26), S. 226-260; Herbert Koch; Ein Brief Johann Friedrichs des Großmütigen über seine Gefangennahme 1547; in: Thüringer Fähnlein 10 (1941), S. 56f; Matthias Koch; Zwei Schreiben des Kurfürsten Johann Friedrich von Sachsen während seiner Haft bei Kaiser Karl V.; in: Mittheilungen des Königlich Sächsischen Vereins für Erforschung und Erhaltung der vaterländischen Alterthümer 8 (1855), S. 38-40; Martin Luther, WA.B und WA.TR (s. Registerband); Benedictus Luscius; Epithalamion illustri duci Saxoniae Johanni Friderico compositum, Wittenberg 1527; Melanchthons Briefwechsel, hg. von Heinz Scheible, Iff, Stuttgart 1977 ff; Merkwürdiges Schreiben Johann Friedrich des Grossmüthigen, Churfürstens zu Sachsen etc., an D. Achillem Gassern, Augspurgischen Medicum, d. d. 27. Januar 1552; in: Miscellanea Saxonica 10 (1776), S. 21-30; Politische Korrespondenz des Herzogs und Kurfürsten Moritz von Sachsen, I-II, hg. von Erich Brandenburg, Leipzig 1900/1904, ND Berlin 1982/1983; III, bearbeitet von Johannes Herrmann / Günther Wartenberg, Berlin 1978. — Professores academiae Jenensis studiosis de morte Joannis Friderici, nati electoris Saxoniae; In mortem Johannis Friderici epicedion. Per Wolfg. Kleberum; Tumulus in eundem authore Adamo Sibero. Aliud de eodem liberato e captivitate; in: (Simon Schardius), Orationes lugubres 2 (1566), Bl. 177-181; Römischer Kayserlicher Maiestat Declaration Wider Hertzog Johans Friderichen, Churfürsten von Sachsen, vnnd Landtgraff Philipsen von Hessen, Ingolstadt 1546; Cyriacus Schnauss; Ein Lobspruch oder gantz hertzliche Dancksagunge zu der allerheiligsten Dreyfeltigkeit Gottis, ..., Für die allergnedigste vnd gantz heylsamste wolthaten, der freudenreichen Erledigung des Alten hochlöblichstenn Churfürstenn vnnd Herren, Herrn Johans Friderichen, Hertzog zu Sachsen, gedicht. o.O.u.J. (1522); Max Schneider; Zwei ungedruckte

Lieder des Kurfürsten Johann Friedrich des Großmütigen und des Kurfürsten Moritz von Sachsen; in: Mittheilungen der Vereinigung für Gothaische Geschichte und Altertumsforschung (1906/1907), S. 78-82; Gottlieb Spitzel; Fürstliche Helden-Schrifft oder Abtruck eines hochbedencklichen Brieffes, welchen Johann Friederich der Grossmütige, geboren. Churfürst v. Sachsen, an D. Achillem Gassern, seel. Augspurgischen Medicum, geschrieben; Augsburg 1665; Johann Stoltz; Vier Trostpredigten über den Leichen des Kurfürsten zu Sachsen, Herzogs Johann Friedrich und seiner Gemahlin Herzogin Sybilla, geborne zu Jülich und Kleve, getan zu Weimar 1554 o.O.u.J. (Jena 1554); Das Testament des gebohrenen Churfürsten; in: Archiv der sächsischen Geschichte 2 (1785), S. 353-367; Vertrag zwischen dem Kurfürsten Johann Friedrich und dem Herzoge Moritz am Montage nach dem Ostertage, (den 10. April) 1542; in: Gottfried August Arndt; Neues Archiv der Sächsischen Geschichte 1 (1804), S. 120-137; Vertrag zwischen dem Churfürsten Johann Friedrich und dem Hertzoge Moritz, wegen Erhebung der Türkensteuer. d. d. Leipzig, Montags nach Cantate, (den 8. May) 1542; in: Gottfried August Arndt; Neues Archiv der Sächsischen Geschichte 1 (1804), S. 137ff; Vertrag zwischen dem Churfürsten Johann Friedrich und dem Herzoge Moritz, wodurch der Güldengroschen in beyder Fürsten Lande auf 24 Groschen gesetzt werden. D. d. Mügeln, Freytags nach Trinitatis, (den 9. Junius,) 1542; in: Gottfried August Arndt, Neues Archiv der Sächsischen Geschichte 1 (1804), S. 140-147; Vertrag zwischen dem Churfürsten Johann Friedrich und dessen Bruder, dem Herzoge Johann Ernst, einer, und dem Herzoge Heinrich andrer Seits, wegen einiger Irrungen, d. d. Naumburg, Sonntags nach Ursulä, (den 24. Oktober) 1540; in: Gottfried August Arndt; Neues Archiv der Sächsischen Geschichte 1 (1804), S. 259-281; Wahrhaftiger Bericht, wie der durchleuchtigste Fürst, Herzog Johann Friedrich der Aeltere, Herzog zu Sachsen und geborner Churfürst, von dieser Welt abgeschieden, o.O. 1554.

Lit.: Johannes von Arnoldi; Catharina, Infantin von Spanien und Johann Friedrich, Herzog zu Sachsen, 1519; in: ders.; Historische Denkwürdigkeiten; Leipzig 1817, S. 1-28; — Georg Berbig; Johann Friedrichs Erziehungsplan für seine Söhne während seiner Gefangenschaft in den Jahren 1547-1552; in: ders.; Bilder aus der Coburger Vergangenheit II, Coburg 1907, S. 160-166; Heinrich Wolfgang Berisch; Leben Johann Friedrichs des Grossmüthigen, Kurfürstens von Sachsen; in: (ders.), Biographien der Sachsen 2 (1776), S. 121-216; — Johann Gottlob Böhmius; De Johanne Friderico, principe electore Saxoniae, summo historiarum patrono, prolusio, Leipzig 1773; — H. Buchenau; Feldklippen Kurfürst Joh. Friedrichs von Sachsen (1546 bis 1547); in: Blätter für Münzfreunde 55/58. 1920-23 (1923), S. 170f; — Christian Gottlieb Buder; Nachricht von der Belehnung Churfürst Johann Friedrichs zu Sachsen, geschehen von dem Römischen Könige Ferdinand dem Ersten zu Wien im Jahr 1535; Jena 1755; — Carl August Hugo Burckhardt; Aberglaube und Glaubensfestigkeit des gefangenen Kurfürsten Johann Friedrich; in: NASG 10 (1889), S. 146-149; — Ders.; Die Gefangenschaft Johann Friedrichs des Großmütigen und das Schloß zur »Fröhlichen Wiederkunft«, Weimar 1863; — Francis Henry Cripps-Day; Ein Harnisch und Bildnis des Kurfürsten Johann Friedrich des Grossmütigen von Sachsen (1503-1554); in: Zeitschrift für historische Waffen- und Kostümkunde N.F. 5 (1935), S. 1-4; — Ewald V. Dietrich; Johann Friedrich der Grossmütige, Churfürst von Sachsen, Jüterbog 1844; — Dittenberger; Zum Todestage Johann Friedrichs des Grossmütigen; in: Protestantische Kirchenzeitung f. d. evang. Deutschland 1 (1854), Sp. 209-214; — Droysen; Ueber das Verlöbnis der Infantin Katharina mit Herzog Johann Friedrich von Sachsen 1519; in: Berichte über die Verhandlungen der sächsischen Gesellschaft der Wissenschaften zu Leipzig. Phil.-hist. Klasse 5 (1835), S. 151-181; — R. Ehwald; Zur Erinnerung an Johann Friedrich den Grossmüthigen. Die Konfession und das Passionale Johann Friedrichs; in: Mitteilungen der Vereinigung für Gothaische Geschichte 1903, S. 119-130; — Johann Adolph Leopold Faselius; Versuch einer kurzen Lebensgeschichte Johann Friedrichs des Grossmüthigen, letzten Kuhrfürsten von Sachsen Ernestinischer Linie, Weissenfels und Leipzig 1799; — Flathe; Johann Friedrich der Grossmüthige, Kurfürst von Sachsen; in: ADB 14 (1881), S. 326-330; — Paul Fruchtel; Der Frankfurter Anstand vom Jahre 1539; in: ARG 28 (1931), S. 145-206; — Gefangennehmung des Churfürsten Johann Friedrich von Sachsen; in: Archiv für Geographie, Historie, Staats- und Kriegskunst 2 (1811), S. 649f. — H. Göbel; Heinrich von der Hohenmuel, Hugo von Thale und Seger Bombeck, Wirker im Dienste Johann Friedrichs des Großmütigen. Ein Beitrag zur Geschichte der Bildteppichmanufakturen Torgau und Weimar; in: MKW 14 (1921), S. 70-96; — Das Grabmal Johann Friedrichs des Grossmüthigen und seiner Gemahlin Sybilla; in: Saxonia 1 (1835), S. 85f; — Adolf Hasenclever; Johann Friedrich der Großmütige von Sachsen und die Katastrophe von Mühlberg; in: NMHAF 24 (1910), S. 214-239; — Paul Heinrich; Karl V. und die deutschen Protestanten am Vorabend des Schmalkaldischen Krieges, 2Bde., Frankfurt 1911 (Frankfurter historische Forschungen 5.6); — Rudolf Herrmann; Thüringische Kirchengeschichte, Bd II, Weimar 1947, S. 29-139; — H. Hess; Eine Reise-Rechnung aus dem Jahre 1527; in: ZVThG 18 (1897), S. 511-544; — Alfred Hofmann; Kurfürst Johann Friedrich der Grossmütige von Sachsen; in: Die Wartburg 2 (1903), S. 249ff; — Simon Ißleib; Moritz von Sachsen und die Ernestiner 1547-1553; in: NASG 24 (1903), S. 248-306; — Ders., Die Wittenberger Kapitulation von 1547; in: NASG 12 (1891), S. 272-297; — Reinhold Jauering; Zur Jenaer Lutherausgabe; in: ThLZ 77 (1952), S. 747-762; — A. Károlyi; Die Gefangennahme des Kurfürsten Johann Friedrich von Sachsen in der Schlacht bei Mühlberg; in: Mitteilungen d. Institutes f. österr. Geschichtsforschung 2 (1881), S. 302ff; — Thomas Klein; Johann Friedrich (I.) der Großmütige; in: NDB 10 (1974), S. 524f; — Ders.; Politik und Verfassung von der Leipziger Teilung bis zur Teilung des ernestinischen Staates (1485-1572); in: Geschichte Thüringens, hg. von Hans Patze/Walter Schlesinger, III Köln/Graz 1967, S. 225-245.324.327; — Alfred Kohler; Antihabsburgische Politik in der Epoche Karls V., 1982 (SHKBA 19); — Theodor Kolde; Art. »Johann Friedrich der Großmütige« in: RE³ 8 (1901), S. 244-249; — Joachim Lauchs; Bayern und die deutschen Protestanten 1534-1546, Neustadt/Aisch 1978 (= EKGB 56). — Lebensbeschreibung des Churfürsten Johann Friedrichs des Grossmüthigen; in: Miscellanea Saxonica 7 (1773), S. 18-28.50-60. 114-125.226-232, 8 (1774), S. 114-125. 146-155. 194-202.248-256; — Max Lenz; Die Schlacht bei Mühlberg, Gotha 1879; — Georg Mentz; Johann Friedrich der Grossmütige 1503-

1554, 3 Bde, Jena 1903/1908 (= Beiträge zur neueren Geschichte Thüringens 1); — Chr. Neff; Johann Friedrich der Grossmütige, Kurfürst von Sachsen 1532-1547 (1554); in: Chr. Hege und Chr. Neff; Mennonitisches Lexikon 2 (1932), S. 429; — Friedrich Nippold; Der Kurfürst-Konfessor Johann Friedrich. Rede gehalten zu seinem Säkular-Jubiläum am 30.Juni 1903; in: Universitätsbericht Jena 1902/03, S. 3-29; — K. Pässler; Paternosterthaler (1535); in: J.S. Ersch u. J.G. Gruber; Allg. Encyclopädie der Wissenschaften und Künste III, 13 (1840), S. 290; — Friedrich Prüser; England und die Schmalkaldener 1535-1540, Leipzig 1929 (= QFRG 11); — Karl Purgold; Das Bildnis Johann Friedrichs von Sachsen beim Schachspiel; in: Zeitschr. für Bildende Kunst 64 (1930/31), S. 104-110; — Leopold von Ranke; Deutsche Geschichte im Zeitalter der Reformation (hg. von Paul Joachimsen) Bd IV; München 1925, S. 210-215; — Bernhard Rogge; Johann Friedrich, Kurfürst von Sachsen, genannt »der Großmütige«. Eine Gedenkschrift zur vierhundertjährigen Wiederkehr seines Geburtstages; Halle 1902. — Caspar Sagittarius; Historia Johannis Friderici I., Electoris Saxoniae, Jena 1739; — Wolfgang Schanze; Johann Friedrich der Großmütige, ein evangelischer Landesherr; in: Des Herren Name steh uns bei. Luthers Freunde und Schüler in Thüringen, bearb. von Karl Brinkel/Herbert von Hintzenstern, Berlin 1961, S. 93-108; — Theodor Schön; Ein Rottenburger (Hans Ulrich) im Dienste des Kurfürsten Johann Friedrich von Sachsen; in: Reutlinger Geschichtsblätter 7 (1896), S. 16; — E. Schwarz; Kurfürst Johann Friedrich der Grossmüthige; in: Protestantische Kirchenzeitung für das evang. Deutschland 1 (1854), Sp. 153-160; — Ders.; Johann Friedrich in Eisenach 1553; in: ZVThG 1 (1854), S. 165-169; — Karl Sebald; Churfürst Johann Friedrich. Ein historisches Trauerspiel mit vier Pausen, Leipzig 1804; — Karl Josef Seidel; Frankreich und die deutschen Protestanten, 1970 (= RGST 102); — J.K. Seidemann; Harnisch und Stiefel des Kurfürsten Johann Friedrich aus der Mühlberger Schlacht, 24. April 1547; in: Saxonia 1 (1876), S. 179f. 187f; — Gustav Steinacker; Johann Friedrich der Grossmüthige und Sybilla, Churfürst und Churfürstin von Sachsen. Ein Bild für deutsche Söhne und Töchter, als Beitrag zur 300jährigen Todes- und Gedächtniss-Feier des evangelischen Glaubenshelden Johann Friedrich am 5.März 1854; Weimar 1854; — Georg Theodor Strobel; Von Johann Friedrichs, Churfürsten zu Sachsen, Liebe und Kenntnis der Geschichte; in: ders.; Beyträge zur Literatur bes. des 16. Jahrhunderts 2 (1785) I, S. 201ff; — H. Sudendorf; Schlüssel zu einer Chifferschrift des Kurfürsten Johann Friederich von Sachsen und des Landgrafen Philipp von Hessen in ihren Briefen an die zum schmalkaldischen Bund gehörende Stadt Goslar 1542; in: Vaterländ. Archiv des histor. Vereins für Niedersachsen 1843, S. 215f; — J.G. Trautschold; Johann Friedrich der Grossmüthige, Churfürst von Sachsen. Zur 300jährigen Gedächtnissfeier seines Todes besungen; Dresden 1854; — G. Treumund (= Gustav Steinacker); Churfürst Johann Friedrich der Grossmüthige und Jena. Festgabe und Erinnerungsblatt zum 300jährigen Jubiläum der Universität Jena; Weimar 1858; — Günther Wartenberg; Art. »Johann Friedrich von Sachsen« in: TRE 17 (1988); — Ders.; Luthers Beziehungen zu den sächsischen Fürsten; in: Leben und Werk Martin Luthers von 1526 bis 1546, hg. von Helmar Junghans, Berlin/Göttingen 1983 ²1985, S. 549-571.916-929; — Johann Michael Weichselfelder; Leben, Thaten,

Gefangenschaft und heldenmüthiger Tod Johann Friedrichs des Grossmüthigen, Frankfurt 1754; — Woldemar Wenck; Albertiner und Ernestiner nach der Wittenberger Capitulation; in: ASäG 8 (1869), S. 152-210; — Ders.; Kurfürst Moritz und die Ernestiner in den Jahren 1551 und 1552; in: FDG 12 (1872), S. 1-54; — Günter Wilhelm; Die Konzilspolitik des Schmalkaldischen Bundes in den Jahren 1533-1539, Diss. Jena 1941; — J. Willm; Jean-Frédéric, dit le Généreux, Electeur de Saxe; in: G.T. Doin, Musée des Protestans célèbres, Tome 1 (1822), II, S. 136-160; — R. Wolf; Johann Friedrich der Grossmütige. Zum 30.Juni 1903; in: Der alte Glaube 4 (1903), Sp. 921-925.

Heiko Wulfert

JOHANN *von Isenburg*, Kurfürst und Erzbischof von Trier, * 1507 oder 1508 als Sohn des Grafen Gerlach von Isenburg, † 18.2. 1556 in Montabaur. — J. wurde 1515 Domizellar (Anwärter auf ein Kanonikat) und 1532 Domkapitular in Trier. Außerdem bekleidete er ab 1534 das einträgliche und einflußreiche Amt eines Archidiakons von St. Agatha in Longuyon und amtierte seit 1541 als reformfreudiger Koadjutor des Abtes Johann von Zell in der Benediktinerabtei Trier-St. Maximin, deren Leitung er als Kommandatarabt im Jahre 1548 auch offiziell übernahm. Am 20.4. 1547 wurde J. zum Erzbischof gewählt, ließ sich aber trotz eindringlicher Ermahnungen von Papst Paul III., der ihm das Pallium übersandte, aus Gründen der Dynastieerhaltung die Weihen vorsichtshalber nicht erteilen. Territorialpolitisch ist seine Regierungszeit durch die Beilegung der alten Grenz- und Verkehrsstreitigkeiten zwischen dem Erzstift Trier und dem Herzogtum Luxemburg 1548 und durch die von Herzog Moritz von Sachsen und Markgraf Albrecht Alkibiades von Brandenburg verursachten kriegerischen Auseinandersetzungen geprägt, in deren Verlauf die Stadt Trier 1552 besetzt wurde und ein Teil der Klöster sowie die Ortschaften Grevenmacher und Echternach der Brandschatzung zum Opfer fielen. Am Augsburger Reichstag von 1550 nahm J. teil. Er gilt als der reformeifrigste Trierer Erzbischof des 16. Jahrhunderts, nahm zusammen mit Ambrosius Pelargus auch kurzzeitig am Trienter Konzil teil und hat sich große Verdienste um die Läuterung und Erhaltung des katholischen Glaubens in seinem bischöflichen Einfluß- und Wirkungsbereich erworben. Eine 1548 in Trier abgehaltene Diözesansynode mit Scrutinien, die auch vor den höchsten geistlichen Würdenträgern (Erz- und Weihbischof, Äbte, Archidiakone) nicht haltmachte, erließ zahlreiche Reformdekrete gegen die Trunksucht, Verletzung des Zölibats, mangelhafte Ausbildung der Kleriker und gegen den Verfall der klösterlichen Disziplin. Eine im Folgejahr einberufene Provinzialsynode (mit den Suffraganbistümern Metz, Toul und Verdun) setzte die Reformversuche des Erzbischofs fort und befaßte sich u. a. in ihren Dekreten mit dem Predigtamt, nahm Stellung zum Chordienst in den Kollegiat- und Klosterkirchen und versuchte überhaupt, das gottesdienstliche Leben von Grund auf zu erneuern (z. B. Zelebration der Messe) und alle sittlichen Schäden (etwa Klausur der weiblichen Orden) auszumerzen. Das gewaltige Programm hat sich mangels geeigneter oder fähiger Visitatoren indes häufig in Absichtserklärungen erschöpft und blieb ergebnislos. Als größte Leistung der beiden Synoden kann die Herausgabe eines neuen, im Jahre 1549 in Köln gedruckten Katechismus gelten. J. erlitt, schon bei den Beratungen des Tridentinums kränkelnd, 1553 einen Schlaganfall und verlor den Gebrauch der Sprache. Er wurde nach seinem Tod in der Kirche des Kollegiatstiftes St. Florin in Koblenz beigesetzt. Das von seinem Nachfolger Johann von der Leyen (seit dem 22.10. 1555 Koadjutor) errichtete Grabmal wurde 1807 bei der Profanierung der Kirche zerstört.

Lit.: Antiquitatum et annalium Trevirensium libri XXV... auctoribus Christophoro Browero et Jacobo Masenio, Bd. 2, Lüttich 1760, 374-384; — Gesta Trevirorum ed. J. H. Wyttenbach et M. F. J. Müller, vol. III, Augustae Trevirorum 1839, cap. CCXCIII; — Rhein. Antiquarius III, 1 (1853), 500-513; — Johann Leonardy, Gesch. des Trierischen Landes und Volkes, [2]1877, 655-667; — Eine Charakteristik des Trierer Erzbischofs und Kurfürsten Johann von Isenburg (1547-1556), in: Trierisches Archiv 14/15 (1916), 232 f.; — Ludwig v. Pastor, Gesch. der Päpste seit dem Ausgang des MA.s, Bd. 6, 1928[10-12], 78-93; — Fritz Michel, Die kirchl. Denkmäler der Stadt Koblenz, 1937, 62; — Carl Stenz (Hg.), Die Trierer Kurfürsten, 1937, 59; — Handb. des Bistums Trier XX, 1952, 42; — Wolfgang Krämer, Junker v. Eltz beschwert sich beim Kurfürsten in Trier über dessen Amtskellner in Blieskastel anno 1551, in: Zeitschr. für Saarländ. Heimatkde. 8 (1958), 144-146; — Emil Zenz (Hg.), Die Taten der Trierer. Gesta Treverorum, Bd. 6, 1962, 61-66; — Benedikt Caspar, Das Erzbistum Trier im Zeitalter der Glaubensspaltung, 1966, 67-89; — Ferdinand Pauly, Aus der Gesch. des Bistums Trier. Teil 3: Die Bischöfe von Richard von Greiffenklau (1511-1531) bis Matthias Eberhard (1867-1876), 1973, 20-22; — Erich Düsterwald, Kleine Gesch. der Erzbischöfe und Kurfürsten von Trier, 1980, 115-118; — Bernhard Gondorf, Verwandtschaftl. Beziehungen der Erzbischöfe und Kurfürsten von Trier untereinander, in: Archiv für Sippenforschung 51 (1985), 303 f.; — ADB XIV, 424-426; — Kosch KD, 1905; — Trier in der Neuzeit, 1988, passim.

Martin Persch

JOHANN II. *von Jenstein*, dritter Erzbischof von Prag, Mai 1347 oder 1348 in Prag geboren, gestorben 1400 in Rom. — Der Sohn des königl. Kammerschreibers Paul v. Jenstein wuchs in Prag auf und studierte ab 1370 in Padua und Bologna kanonisches Recht und Theologie. 1373 wechselte er nach Montpellier, 1374 dann an die juristische Fakultät von Paris, wo er den Grad eines Bakkalars des kanonischen Rechts erreichte. Im Range eines Subdiakons wurde J. 1375 von Gregor XI. zum Bischof. v. Meißen erhoben; die Weihe erfolgte am 4.7. 1375 durch seinen Oheim, den Prager Erzbischof Jan Ocko v. Vlašim. 1376 wurde er Kanzler des gerade gewählten Königs Wenzel IV. Nach dem Weggang des nunmehrigen Kardinals Jan Ocko wurde J. 1378 dann Erzbischof von Prag. Im Papstschisma nach 1378 hielt sich J. entsprechend der Haltung d. Luxemburger stets auf deren Seite: auf dem Frankfurter Reichstag 1379 verteidigte er Urbans Rechtmäßigkeit gegenüber einer frz. Gesandtschaft. Im folgenden Jahr übernahm J. auch die Reichskanzlei, ein Posten, den er vier Jahre innehatte. Wichtiges Anliegen war J. die Verbreitung des Fests Mariae Heimsuchung am 28. April, das er 1386 mit einem selbstverfaßten Offizium in Prag eingeführt hatte. Nach zunehmenden Differenzen mit König Wenzel wegen dessen Eigenmächtigkeiten gegenüber der Kirche, in deren Zuge J. 1393 gemeinsam mit seinem Generalvikar Johannes von Pomuk oder Nepomuk die von Wenzel geplante Errichtung einer eigenen west-böhmischen Diözese in Kladrau verhindert hatte, floh er nach Rom, kehrte aber dann zurück. 1396 verzichtete er zugunsten seines Neffen Olbram auf das Ebm. und begab sich zwei Jahre später erneut nach Rom, wo er bis zu seinem Tode lebte. Während der letzten Jahre arbeitete er an seinem literarischen Gesamtwerk und betrieb die Ausdehnung seines Marienfestes auf die Gesamtkirche. — J.v.J. war einer der engen Vertrauten Kaiser Karls IV. und mit dessen späten politischem Wirken bzw. dessen seines Sohns Wenzel eng verbunden. In seinem Bistum setzte er die Vereinheitlichungsbemühungen seiner zwei Amtsvorgänger fort: Die Prager Statuten wurden auch in den Nachbardiözesen Meißen, Bamberg und Regensburg durchgesetzt, ebenso wie dort das Wenzelsfest eingeführt wurde. So wurde die herausragende kirchenpolitische Rolle des Ebm Prag auch für die Zukunft weiter verstärkt.

Werke: Vita Joannis de Jenzenstein, Pragae 1793; Codex epistolaris, in: J. Loserth, Archiv für österreichische Geschichte Bd. 55 (1877), 268ff; Relatio de se ipso, in: C. Höfler, Geschichtsschreiber der husitischen Bewegung II, 1865; Lieder, in: G. Dreves, Die Hymnen J. v. J.'s, 1886 und AnalHym 48, 1905, 421-451; Verordnungen, in: Constantin Höfler, Concilia Pragensia, 1862, 23-43. — Gesamtwerk im Cod. Vatic. 1122. — Verzeichnis seiner liturgischen, aszetischen u.a. Schriften in: Frantisek Palacky, Literarische Reise nach Italien, 1838, 57ff.

Lit.: Franz Martin Pelzel, Lebensgeschichte des römischen und böhmischen Königs Wenceslaus. 2 Bde. 1788-1790; — Ders., Lebensgeschichte des Wenceslaus; — W.W. Tomek, Djěpis města Prahy. (Geschichtsschreibung der Stadt Prag) Bd. 2 u. 3, 1871; — A. Frind, Geschichte der Bischöfe und Erzbischöfe von Prag, 1873, 101-106; — Cl. Blume / M. Drewes (Hrs.), Analecta Hymnica medii aevi, Bd. 48, 421ff; — J. Sedlak, Jan Hus, 1915 [Quellen]. — B. Cervinka, Prispekvy k zivotopisu Jana z Jenstejna, 1936; — Bartos, F.M., Čechy v době Husově [Böhmen in der Zeit von Hus], 1947; — Čteni o Carlu IV. a jeho době (z pramenů) [Lektüre zu Karl IV. und seiner Zeit. Aus den Quellen], 1958; — P. De Vooght, Hussiana, 1960; — Seibt, Ferdinand, Die Zeit der Luxemburger und der hussitischen Revolution. In: Karl Bosl (Hrs.), Handbuch zur Geschichte der böhmischen Länder, 1967, 351ff; — Ders. (Hrs.), Bohemia Sacra, Das Christentum in Böhmen 973-1973, 1974; — S.R. Weltsch, Archbishop John of Jenstein (1348-1400), 1968 (mit Quellenedition); — Bujnoch, Joseph, Johann v. Jenstein, in: Ferdinand Seibt, Lebensbilder zur Geschichte der böhmischen Länder Bd. 3, 1978, 67-75; — ADB XIV, 321; — LThK V, 306.

Martin Luchterhandt

JOHANN von Leiden siehe Bockelson, Johann

JOHANN *von der Leyen*, Kurfürst und Erzbischof in Trier, * um 1510 als ältester Sohn des kurkölnischen Kanzlers Bartholomäus von der Leyen zu Saffig, † 10.2. 1567 in Koblenz. — J. wurde 1528 Domizellar (Anwärter auf ein Kanonikat) und studierte zunächst in Löwen. 1532 wurde er Domkapitular in Trier und hatte auch Kanonikate in Würzburg und Münster inne, so daß er finanzkräftig genug war, seine Studien in Paris, Freiburg, Orléans und Padua fortzusetzen. 1535 ist er als Kapellan am Trierer Domkapitel nachgewiesen; seit dem 14.3. 1548 amtierte er als Archidiakon von St. Peter zu Trier. Am 22.10. 1555 berief ihn das Domkapitel zum Koadjutor des schwer erkrankten Erzbischofs Johann von Isenburg, am 18.2. 1556 übernahm er die Leitung des Kurstaates und wurde am 25.4. 1556 im Trierer Dom inthronisiert. J. war von umfassender, ausgezeicheter Bildung und fühlte sich für die Seelsorge verantwortlich, war aber nicht Priester und empfing auch nicht die Bischofsweihe. Er ist aber, sich auf das Priestertum vorbereitend, als Diakon gestorben. Es gelang ihm, die unter seinem Vorgänger erfolgte militärische Besetzung der Stadt Trier rückgängig zu machen. Er nahm am Augsburger Reichstag 1559 teil, wo er entschieden gegen die Aufhebung des geistlichen Vorbehalts auftrat, und wußte durch Bildung und Wissen zu überzeugen. 1559 erfolgte in der Stadt Trier unter Caspar Olevian ein Reformationsversuch, den J. unter tatkräftiger Anleitung des amtierenden Domdechanten, J.s späteren Nachfolgers im erzbischöflichen Amt, Jakob von Eltz, niederschlug. Des Erzbischofs Kampf für den alten Glauben (in der Grafschaft Wied wurde 1556 die Reformation eingeführt, die Hintere Grafschaft Sponheim und die Wild- und Rheingrafschaft schlossen sich im Folgejahr an, die Grafschaft Sayn folgte 1561) äußerte sich vor allem durch Visitationen und die Erneuerung der Philosophischen und Theologischen Fakultät der Universität Trier: als ihre Lehrer waren seit 1560/61 Angehörige des Jesuitenordens tätig. Der Orden unterrichtete auch die Schüler der Gymnasialklassen, so daß der geeignete Universitätsnachwuchs sichergestellt war. Das Verhältnis zur Stadt Trier war seit dem gescheiterten Reformationsversuch außerordentlich gespannt; auch mit der Stadt Koblenz lag der Kurfürst in der Frage der Reichsunmittelbarkeit 1560 in kämpferischer Fehde. J., persönlich von beispielhaftem Lebenswandel, das "leuchtende Beispiel einer ganz religiös ausgerichteten Persönlichkeit" (Benedikt Caspar), wurde nach seinem Tod in der Koblenzer Stiftskirche St. Florin beigesetzt.

Mit der Profanierung der Kirche 1808 wurde das von Jakob von Eltz errichtete Grabmal zerstört; die Gebeine des Erzbischofs wurden im Koblenz-St. Kastor in der von der Leyenschen Familiengruft beigesetzt.

Lit.: Antiquitatum et annalium Trevirensium libri XXV... auctoribus Christophero Browero et Jacobo Masenio, Bd. 2, Lüttich 1670, 384-400; — Aktenstücke zu der Gesch. der kirchl. und polit. Unruhen, welche unter der Regierung der Churfürsten Johann VI. von der Leyen und Jakob III. von Eltz in Trier obwalteten, in: Chronik der Diözese Trier 1 (1828), 761-765; — Gesta Trevirorum ed. J. H. Wyttenbach und M. J. F. Müller, vol. III, Augustae Trevirorum 1839, cap. CCXIV; — Rhein. Antiquarius I, 2 (1853), 561-574; — Johann Leonardy, Gesch. des Trierischen Landes und Volkes, ²1877, 667-684; — Bernhard Duhr, Gesch. der Jesuiten in den Ländern dt. Zunge im 16. Jh., 1907, passim; — Ludwig v. Pastor, Gesch. der Päpste seit dem Ausgang des MA.s, Bd. 7, 1928[10-12], passim; — Carl Stenz (Hg.), Die Trierer Kurfürsten, 1937, 61; — Fritz Michel, Die kirchl. Denkmäler der Stadt Koblenz, 1937, 63; — Matthias Herberz, Lebensbilder bedeutender Kleriker der letzten sieben Jahre aus dem heutigen Kreise Mayen, ungedr. wissenschaftl. Arbeit Trier 1939, 58-62; — Emil Zenz, Die Trierer Universität 1473-1798. Ein Beitrag zur abendländ. Universitätsgesch., 1949, 42-47, — Ders. (Hg.), Die Taten der Trierer. Gesta Treverorum, Bd. 6, 1962, 66-71; — Handb. des Bistums Trier XX, 1952, 42; — Sophie-Mathilde zu Dohna, Die ständ. Verhältnisse am Domkapitel von Trier vom 16. bis zum 18. Jh., 1960, 155; — Richard Laufner, Der Trierer Reformationsversuch vor 400 Jahren, in: Trierisches Jahrbuch 11 (1960), 18-41; — Hansgeorg Molitor, Kirchl. Reformversuche der Kurfürsten und Erzbischöfe von Trier im Zeitalter der Gegenreformation, 1967, passim; — Benedikt Caspar, Das Erzbistum Trier im Zeitalter der Glaubensspaltung, 1966, 89-101; — Ferdinand Pauly, Aus der Gesch. des Bistums Trier. Teil 3: Die Bischöfe von Richard von Greiffenklau (1511-1531) bis Matthias Eberhard (1867-1876), 1973, 23-25; — Erich Düsterwald, Kleine Gesch. der Erzbischöfe und Kurfürsten von Trier, 1980, 118 f.; — Bernhard Gondorf, Verwandtschaftl. Beziehungen der Erzbischöfe und Kurfürsten von Trier zueinander, in: Archiv für Sippenforschung 51 (1985), 304 f., — Andreas Britz, Johann VI. von der Leyen. Ein Erzbischof und Kurfürst aus der Saffiger Linie von der Leyen, in: Heimatjahrbuch des Kreises Mayen-Koblenz 6 (1987), 78-82; — ADB XIV, 426 f., — Kosch KD, 1905; — Trier in der Neuzeit, 1988, passim.

Martin Persch

JOHANN LUDWIG *von Hagen*, Kurfürst und Erzbischof von Trier, * 1492 als Sohn des kurtrierischen Amtmannes in Pfalzel, Friedrich von Hagen, † 23.3. 1547 in Ehrenbreitstein. — J. wurde 1510 Domizellar (Anwärter auf ein Kanonikat), studierte in Paris und Köln und war seit 1515 Domkapitular in Trier. Seit 1518 bekleidete er das Amt eines Archidiakons von Karden, seit 1532 das des Trierer Dompropstes. Am 9.8. 1540 wurde er zum Erzbischof gewählt und erhielt nach der päpstlichen Bestätigung der Wahl am 20.1. 1541 die Belehnung mit den Regalien. Die Weihen ließ sich J. L. aus Gründen der Dynastieerhaltung vorsichtshalber nicht erteilen. Er war ein kränkelnder Mann, der, ohne auf geistigem Gebiet hervorzuragen oder sich aktiv um die Reichspolitik zu kümmern, seine Aufgabe vor allem als Seelsorger und Bewahrer des alten Glaubens sah, denn kleinere Teile des Erzbistums waren inzwischen von der Reformation berührt worden, vornehmlich die Gebiete, in denen der Erzbischof nicht auch Landesherr war (Veldenz, Achtelsbach, Marienfels, Kirberg, Haiger u. a.). Im März 1542 wandte sich J. L. an alle Landdechanten und Kollegiatstifte und ermahnte sie, in aller Entschiedenheit auf den Lebenswandel der Geistlichen zu achten. Auch seine Verordnungen über die Abhaltung von Bittprozessionen zur Behebung der Glaubenszerrissenheit oder über die Verrichtung öffentlicher Gebete gegen die Türkengefahr, gegen Wetternot und gegen die Wiedertäufer sprechen eine seelsorgerlich ernste und verantwortungsbewußte Sprache. Zur Erneuerung des liturgischen Lebens ließ der Erzbischof 1547 ein neues Missale Trevirense drucken und widmete seinen Reformeifer auch den Klöstern (Unierung von Maria Martenthal mit Springiersbach 1541, von Affolterbach mit Walsdorf 1544). In J. L.s letztem Lebensjahr begann der Religionskrieg gegen den Schmalkaldischen Bund; große Teile des Kurstaates, vor allem die Gegend um Koblenz, bekamen die Verwüstungen zu spüren. Der durch seine persönliche Frömmigkeit herausragende Erzbischof wurde im Trierer Dom begraben; das von seinem Nachfolger Johann v. Isenburg errichtete Grabdenkmal wurde 1804 zerstört. Ein Porträtkopf ist im Jahre 1950 in der Liebfrauenkirche in Trier gefunden worden.

Lit.: Antiquitatum et annalium Trevirensium libri XXV... auctoribus Christophoro Browero et Jacobo Masenio, Bd. 2, Lüttich 1670, 365-374; — Gesta Trevirorum ed. J. H. Wyttenbach et M. J. F. Müller, vol. III, Augustae Trevirorum 1839, cap. CCXCII; — Rhein. Antiquarius I, 4 (1856), 583-587; — Johann Leonardy, Gesch. des Trierischen Lands und Volkes, [2]1877, 650-655; — Nikolaus Irsch, Der Dom zu Trier, 1931, 275 f., — Carl Stenz (Hg.), Die Trierer Kurfürsten, 1937, 59; — Handb. des Bistums Trier XX, 1952, 42; — Sophie-Mathilde zu Dohna, Die ständ. Verhältnisse am Domkapitel von Trier vom 16. bis zum 18. Jh., 1960, 132; — Alois Thomas, Der Künstler des Segensis-Epitaphs in Trier-Liebfrauen, in: Kurtrierisches Jahrbuch 2 (1962), 26-34, 32; — Emil Zenz (Hg.), Die Taten der Trierer. Gesta Treverorum, Bd. 6, 1962, 59-61; — Benedikt Caspar, Das Erzbistum Trier im Zeitalter der Glaubensspaltung, 1966, 62-67; — Ferdinand Pauly, Aus der Gesch. des Bistums Trier, Teil 3: Die Bischöfe von Richard von Greiffenklau (1511-1531) bis Matthias Eberhard (1867-1876), 1973, 18-19; — Ders., Das Stift St. Kastor in Karden an der Mosel (= Germania sacra N. F. 19), 1986, 309, — Erich Düsterwald, Kleine Gesch. der Erzbischöfe und Kurfürsten von Trier, 1980, 114 f.; — Franz J. Ronig (Bearb.), Der Trierer Dom, 1980, 212; — Bernhard Gondorf, Verwandtschaftl. Beziehungen der Erzbischöfe und Kurfürsten von Trier zueinander, in: Archiv für Sippenforschung 51 (1985), 301 f.; — ADB XIV, 424, — Kosch KD, 1905.

Martin Persch

JOHANN *von Metzenhausen*, Kurfürst und Erzbischof von Trier, * 1492 als Sohn des Heinrich von Metzenhausen in Neef/Mosel, † 22.7. 1540 auf Burg Thannstein bei Hagenau im Elsaß. — J. wurde 1505 Domizellar (Anwärter auf ein Kanonikat), 1511 Domkapitular, 1512 Domkantor, 1517 Domdechant und 1519 Dompropst in Trier. Eine vielseitige organisatorische, wirtschaftliche und politische Begabung förderte seinen raschen Aufstieg. Am 27.3. 1531 wählte ihn das Domkapitel in Trier zum Erzbischof, am 2.2. 1532 erhielt er von Kaiser Karl V. die Regalien und am 26.3. 1532 wurde er zum Bischof konsekriert. Hervorgetreten ist J. überregional vor allem durch seine Aktivitäten gegen die Wiedertäufer in Münster: am 13.12. 1534 wurde auf der bischöflichen Burg in Koblenz die Entsendung eines militärischen Kontingents nach der westfälischen Stadt beschlossen. 1539 hat J. Kontakte zum Schmalkaldischen Bund geknüpft, was ihm in der zeitgenössischen und späteren Kritik einen gewissen Suspekt eintrug. Vornehmlich widmete sich J., der ein äußerst ungutes Verhältnis zu seiner Metropole Trier besaß, der Verbesserung der Kirchenzucht und des Unterrichts sowie der erzbischöflichen Besitzvergrößerung und der Errichtung von Bauten. Seine besondere Aufmerksamkeit galt der 1473 gegründeten Universität Trier, für die er als Moralphilosophen Justinus Gobler und als Dogmatiker den mit Erasmus von Rotterdam befreundeten Ambrosius Pelargus gewinnen konnte. Dessen Zeugnis entnehmen wir, daß der Kurfürst ein Mann mit offenen Zügen, von hünenhafter Gestalt, leutselig und hellen Geistes war. Hand in Hand mit einer Reform der Universität gingen Reformversuche an den Kollegiatstiften (14.9. 1537 Statuten für das St. Georgsstift in Limburg) und die Förderung der Rechtspflege durch die Einführung einer neuen Ordnung an den Konsistorien in Trier und Koblenz. J. nahm im Sommer 1540 am Religionsgespräch mit den protestantischen Fürsten in Hagenau teil, erkrankte aber während der Verhandlungen und starb kurz nach der Vertagung. Er wurde am 26.7. 1540 im Trierer Dom beigesetzt. Sein Grabmal gehört zu den bedeutendsten der Renaissancezeit nördlich der Alpen.

Lit.: Antiquitatum et annalium Trevirensium libri XXV... auctoribus Christophoro Browero et Jacobo Masenio, Bd. 2, Lüttich 1670, 360-364; — Gesta Trevirorum ed. J. H. Wyttenbach und M. F. J. Müller, vol. III, Augustae Trevirorum 1839, cap. CCXCI; — Rhein. Antiquarius I, 4 (1856), 575-580; — Johann Leonardy, Gesch. des Trierischen Landes und Volkes, [2]1877, 647-650; — Ludwig v. Pastor, Gesch. der Päpste seit dem Ausgang des MA.s, Bd. 5, 1928[10-12], passim; — Nikolaus Irsch, Der Dom zu Trier, 1931, 272-275; — Carl Stenz (Hrsg.), Die Trierer Kurfürsten, 1937, 57; — Handbuch des Bistums Trier XX, 1952, 42; — Albert M. Keil, Ambrosius Pelargus O. P. Ein Verkündiger in schwerer Zeit, in: AmrhKG 8 (1956), 181-223, 187 f.; — Sophie-Mathilde zu Dohna, Die ständ. Verhältnisse am Domkapitel von Trier vom 16. bis zum 18. Jh., 1960, 167; — Emil Zenz (Hg.), Die Taten der Trierer. Gesta Treverorum, Bd. 6, 1962, 57-59, — Otto Conrad, Das Hunsrücker Adelsgeschlecht von Metzenhausen, in: Hunsrückkalender 21 (1965), 71-80, 78-80; — Benedikt Caspar, Das Erzbistum Trier im Zeitalter der Glaubensspaltung, 1966, 53-62; — Ferdinand Pauly, Aus der Gesch. des Bistums Trier. Teil 3: Die Bischöfe von Richard von Greiffenklau (1511-1531) bis Matthias Eberhard (1867-1876), 1973, 15-17; — Franz J. Ronig (Bearb.), Der Trierer Dom, 1980, 253-255; — Erich Düsterwald, Kleine Gesch. der Erzbischöfe und Kurfürsten von Trier, 1980, 112 f.; — Bernhard Gondorf, Verwandschaftl. Beziehungen der Erzbischöfe und Kurfürsten von Trier zueinander, in: Archiv für Sippenforschung 51 (1985), 299-301; — ADB XIV, 423; — Kosch KD, 1904 f.

Martin Persch

JOHANN *von Neumarkt*, Frühhumanist, Kanzler Karls IV., Bischof von Leitomischl und Olmütz, * um 1315 in Neumarkt bei Breslau, † 24.12. 1380 vermutlich auf den Ölmützer Bischofsgütern. — J. stammte aus einer großbürgerlichen, stadtadelsgleichen Familie. Über seine Jugend und Ausbildung ist nichts bekannt. Zeitlich nicht bestimmbar sind J.s Tätigkeiten in der Breslauer Kanzlei König Johanns von Böhmen sowie als Landschreiber des Herzogs Nikolaus von Münsterberg. Dadurch gut vorgebildet, trat er in die Dienste Karls IV., wo er seit 1347 als Notar, Hofkaplan und Secretarius nachweisbar ist. Als Kanzler der Königin erscheint er 1351, als Protonotar (oberster Schreiber) 1352 und seit Ende 1353-1374 als Hofkanzler (mit einer Unterbrechung 1364/65). Sein Rücktritt hatte offenbar persönliche Gründe, er behielt aber seinen Titel als Kanzler. — Parallel zur politischen verlief seine kirchliche Laufbahn. Zunächst (1348/49) erhielt er Pfründen in Neumarkt, Breslau und Glogau, später (1353) in Prag. Am 16.2. 1352 zum Bischof von Naumburg ernannt, trat er dieses Amt nicht an, sondern übernahm am 9.10. 1353 das Bistum Leitomischl und am 23.8. 1364 das Bistum Ölmütz. Zum Bischof seiner Heimatdiözese Breslau wurde er 1380 gewählt, er starb aber, ehe er sein Amt antreten konnte. — J. ist wohl die bedeutenste Gestalt im Kreis um Karl IV., er begleitete Karl auf dessen Reisen, u. a. zweimal nach Italien. Dort lernte er Cola di Rienzo und Petrarca kennen, mit denen er auch wiederholt Briefe wechselte. Inwieweit J. aber Einfluß auf Karls Reichspolitik hatte, läßt sich nicht sagen. Groß dagegen ist seine Bedeutung für die Kanzlei. Seine Kanzleireform wurde selbst von Petrarca gerühmt. J. schuf mit der »Summa cancellarii« ein Musterformelbuch für Urkunden- und Briefentwürfe. Durch die weite Verbreitung und Nachahmung dieser Entwürfe bildete sich ein einheitlicher Stil, der dazu beitrug, die neuhochdeutsche Sprache vorzubereiten. Ebenso bedeutend ist J.s literarische Leistung als Übersetzer und Verfasser von Gebeten und Erbauungsschriften, mit denen er eine deutschsprachige Prosa schuf.

Werke: Buch der Liebkosung; Hieronymus-Briefe; Stachel der Liebe; Gebete; Briefe. - Ausgg.: Schriften J.s v. N. Unter Mitwirkung Konrad Burdachs hg. v. Joseph Klapper, 1930-39 (vom MA zur Reformation VI, 1-4); Briefe J.s v. N. Gesammelt, hrsg. u. erl. v. Paul Piur, 1937 (vom MA zur Reformation VIII); Ferdinand Tadra, Cancellaria Johannis Noviforensis, episcopi Olmcensis (1364-80). Briefe und Urkk. d. Olmützer Bischofs J. v. N., in: AÖG 68, 1886, 3-157; Anton Benedict, Das Leben des hl. Hieronymus, in d. Übers. d. Bischofs Joh. VIII. v. Olmütz, 1880 (Bibliothek d.

mittelhochdeutschen Litteratur in Böhmen, III); Rudolf Hendriks, A register of the letters and papers of John of Hildesheim, in: Carmelus 4, 1957, 116-235.

Lit.: Ältere Lit. insbes. bei Klapper (1964), Petersohn (1966), Wiesinger (1978), zum geschichtl. Umkreis bei Seibt (1978); — Th. Lindner, Das Urk.wesen Karls IV. und seiner Nachfolger, 1882; — P. Joachimsen, Vom MA zur Reformation, in: HV 20, 1920/21, 426-470; — G. Hocke, Untersuchungen über den Konjunktivgebrauch bei J. v. Olmütz und Heinrich v. Mügeln (Diss. Marburg), 1935; — J. Šusta, České dějiny II, 4, 1948; — J. Ludvíkovský, Jan ze Středy a M. Rehoř z. Uh. Brodu, domnělý autor Quadripartitu, in: Listy filologické 79, 1956, 47-53, 196-208; — G. Eis, Eine unbekannte Hs. von J. v. N.s Übersetzung des »Summe sacerdos«,in: BGDSL 81, 1959, 99-106; — M. Flodr, Skriptorium olomoucké, 1960 (Spisy University v Brně, Filosofická fakulta 67 recte 65); — J. Tříška, "Nová literatura" doby Karlovy a Václavovy, in: Sborník historicky 10, 1962, 33-69; — J. Tříška, Literární činnost předhusitské university, in: Sbírka pramenů a příruček k dějinám University Karlovy 5, 1967, 13-18; — Ders., Studie a prameny k rétorice a k univerzitní literature, 1972 (Práce z dějin University Karlovy 9); — Ders., Rétorický styl a pražská univerzitní literatura ve středověku, 1975 (Series librorum archivi universitatis Carolinae 1); — Z. Kalista, Císař Karel IV. a Dante Alighieri, in: Annali dell' Istituto universitario orientale, Sezione Slava 6, 1963, 85-117, — J. Klapper, J. v. N., 1964 (Erfurter theol. Stud. 17); — Eduard Winter, Frühhumanismus. Seine Entwicklung in Böhmen und deren europ. Bedeutung für die Kirchenreformbestrebungen im 14. Jh., 1964; — H. Thomas, John of N. and Heinrich Frauenlob, in: Festschr. F. Norman, 1965, 247-254; — J. Schreiber, Devotio moderna in Böhmen, in: Bohemia 6, 1965, 93-122; — J. Petersohn, Eine neue Hs. der Summa Cancellarii des J. v. N., in: MIÖG 74, 1966, 333-346; — D. Richter, Eine unbek. Hs. der Übersetzungen J.s v. N., in: ZDADL 97, 1968, 68-72; — Ders., Eine weitere Hs. der »Soliloquien«-Übersetzung J.s v. N., in: ZDADL 98, 1969, 319 f.; — F. V. Spechtler, Zwei neue Hss. der Übers. des »Liber Soliloquiorum« J.s v. N., in: ebd., 209-214; — H. Eggers, Deutsche Sprachgeschichte III: Das Frühneuhochdeutsche, 1969; — Gotik in Böhmen, hg. v. K. M. Swoboda, 1969; — J. Krása, Knizní malba/katalog knizní malby, in: Ceské umení gotické, 1350-1420, hg. v. J. Pesina, 1970, 244-303; — O. Králík, Die Datierung der Wenzelslegende »Ut annuncietur II«, in: Festg. A. Blaschka, 1970, 89-122; — H. Rupprich, Die deutsche Literatur vom späten MA bis zum Barock, Teil 1: Das ausgehende MA, Humanismus und Renaissance 1370-1520, 1970, 385-393; — A. Hruby, Der »Ackermann« und seine Vorlage, in: Münchner Texte und Untersuchungen zur deutschen Lit. des MA.s, 35, 1971, 197-204; — Ph. Verdier, Un reliquaire de la Sainte Epine de Jean de Streda, in: Festschr. H. Swarzenski, 1973, 319-344; — E. Schwarz, J. v. N., in: Lebensbilder zur Gesch. der böhm. Länder, hg. v. K. Bosl, Bd. 1, 1974, 27-47; — Hans Jürgen Rieckenberg, Zur Herkunft des J. v. N., Kanzler Karls IV., in: DA 31, 1975, 555-569; — P. Ochsenbein, Die dt. Privatgebete J.s v. N., in: Amsterdamer Beitr. zur Älteren Germanistik 12, 1977, 145-164; — Ders., Eine bisher unbekannte böhm. Hs. mit Gebeten J.s v. N., in: ZDPh 98, 1979, 85-107; — H. Henne, Literarische Prosa im 14. Jh. - Stilübung und Kunst-Stück, in: ZDPh 97, 1978,

321-336; — Kaiser Karl IV., hg. v. Ferdinand Seibt, 1978; — P. Wiesinger, Das Verhältnis der Prager Kreises um Karl IV. zur nhd. Schriftsprache, in: Kaiser Karl IV., hg. von Hans Patze (Bll. für Dt. Landesgesch. 114), 1978, 847-863; — J. Bujnoch, J. v. N. als Briefschreiber, in: Karl IV. und sein Kreis, hg. v. F. Seibt (Lebensbilder zur Gesch. der böhm. Länder 3), 1978, 67-76; — W. Baumann, Die Literatur des MA.s in Böhmen (Veröff. des Collegium Carolinum 37), 1978, 189-194; — ADB XIV, 468 f.; — LThK V, 1066; — Brockhaus-Enzykl. IX, 464; — NDB X, 563; — Meyers enzykl. Lex. XIII, 161; — VerfLex., 2. Aufl. IV, 686-695.

Roland Böhm

JOHANN *Ohneland* (John Lackland), König von England (1199-1216), * 24.12. 1167 in Oxford als jüngster Sohn von König Heinrich II. und Eleonore von Aquitanien, † 19.10. 1216 in Newark, begraben in der Kathedrale zu Worcester. — Die Jugend J.s ist überschattet von den Auseinandersetzungen seines Vaters mit den älteren Brüdern Heinrich, Richard und Gottfried. Der Plan des Königs, J., seinen Lieblingssohn, mit Ländereien auszustatten (1173), wurde dadurch zunichte gemacht; seither trug J. den Beinamen »Ohneland«. Als Ersatz verschaffte ihm Heinrich II. die Anwartschaft auf Gloucester und 1177 die Herrschaft über Irland, wo er sich 1185 für mehr als ein halbes Jahr aufhielt und erste politische Erfahrungen sammelte. 1189 stand er im Aufstand seines Bruders Richard gegen den Vater zunächst auf seiten des Königs, ging aber noch vor dessen Tod (6.7. 1189) auf die Seite seines Bruders über. Richard Löwenherz bestätigte J.s Herrschaft in Irland und erhob ihn zum Grafen von Mortain; außerdem vermählte er ihn mit Isabella, der Erbin von Gloucester. In der gesamten Regierungszeit Richards I. (1189-1199), die den König insgesamt nur sieben Monate in England sah, spielte J. eine einflußreiche Rolle. Als Richard im Oktober 1190 vor seinem Aufbruch ins heilige Land seinen Neffen Arthur von der Bretagne, den Sohn des verstorbenen Bruders Gottfried, zum Thronfolger erklärte, fühlte J. sich übergangen und stellte sich an die Spitze der Opposition gegen Richards Stellvertreter in England, den Kanzler William Longchamp. Während der Haft Richards auf dem Trifels verband sich J. mit König Philipp II. August von Frankreich und versuchte, die Herrschaft in England zu erringen. Nach

Richards Rückkehr (1194) fiel J. vorübergehend in Ungnade, konnte aber rasch in seine alte Stellung zurückkehren und rückte 1196 anstelle Arthurs zum Thronfolger auf. Der Tod Richards (6.4. 1199) brachte J. die englische Krone, doch hatte er in seinen französischen Besitzungen weiterhin mit der Konkurrenz Arthurs zu rechnen, hinter dem der französische König stand. Erst der Vertrag von Le Goulet (22.5. 1200) beendete die Streitigkeiten, in dem J. gegen territoriale und finanzielle Zugeständnisse die volle Anerkennung seiner Rechte erlangte. Allerdings blieb der Frieden nur von kurzer Dauer. Im Jahre 1202 zitierte Philipp II. August als Oberlehnsherr J. vor sein Gericht, weil er in zweiter Ehe die bereits verlobte Isabella von Angoulême zur Frau genommen hatte, ohne ihrem Verlobten Hugo von Lusignan Genugtuung zu leisten. Als J. nicht erschien, erkannte ihm der französische König am 28.4. 1202 wegen Bruch der Lehnstreue alle französischen Lehen ab. Im nachfolgenden Krieg konnte J. zunächst Vorteile erringen und seinen Neffen Arthur in seine Gewalt bringen. Als dieser jedoch 1203 spurlos verschwand und Gerüchte J. zu seinem Mörder erklärten, fielen zahlreiche Vasallen von ihm ab, so daß der Verlust des gesamten Festlandbesitzes drohte. Wenig später entstand mit dem Tode des Erzbischofs von Canterbury, Hubert Walter (1205) ein weiterer Konfliktherd. Papst Innozenz III. lehnte die Bestätigung eines J. genehmen Kandidaten ab und ernannte statt dessen Kardinal Stephen Langton zum Nachfolger. J. sah darin eine Verletzung königlichen Rechtes und verweigerte seinerseits Langton die Anerkennung. Daraufhin belegte der Papst 1208 England mit dem Interdikt und bannte 1209 den König, der sich dafür am Kirchenbesitz schadlos hielt. 1209-1212 führte J. erfolgreiche Feldzüge gegen Irland, Schottland und Wales, mußte aber wegen einer drohenden französischen Invasion gegenüber der Kirche einlenken. Im November 1212 versprach er die Anerkennung Langtons; im Vertrag von Dover (15.5. 1213) verpflichtete er sich zur Wiedergutmachung der der Kirche zugefügten Schäden und trug darüber hinaus England und Irland dem Heiligen Stuhl zu Lehen auf. Dafür erwirkte er die Aufhebung des Bannes (1213) und die Lösung des Interdikts (1214). Allerdings hinterließen diese Ereignisse

in England tiefe Narben: Klerus und Volk sahen J. seither als tyrannischen Kirchenverfolger; der Adel verachtete ihn wegen der förmlichen Unterwerfung unter den Papst. Außenpolitisch hatte der König jedoch wieder freie Hand gewonnen für die Auseinandersetzung mit seinem alten Gegner Philipp II. August. In diesem Kampf blieb ihm aber der Erfolg versagt. Kronprinz Ludwig von Frankreich schlug das englische Heer bei La-Roche-aux-Moines (2.6. 1214); J.s Verbündete unter Führung seines Neffen, Kaiser Ottos IV., erlitten bei Bouvines durch Philipp II. August eine Niederlage (27.6. 1214). Im Herbst 1214 nach England zurückgekehrt, sah sich J. einer massiven Adelsopposition gegenüber, die die Mißerfolge des Königs zum Anlaß nahm, dessen Selbstherrlichkeit einzuschränken und die Wiederherstellung alter Freiheitsrechte zu fordern. Nach vergeblichen Vermittlungsversuchen des Papstes brach im Mai 1215 ein Bürgerkrieg aus. Binnen weniger Wochen sah sich J. zum Nachgeben gezwungen. Am 19.6. 1215 unterzeichnete er eine 63 Kapitel umfassende Freiheitsurkunde, ihres Formats wegen später "Magna Charta" genannt. Dieses Dokument spielte in der Entwicklung des englischen Parlamentarismus eine wichtige Rolle. Für J. brachte die Unterzeichnung eine Atempause im Kampf gegen die Adelsfronde. Als seine Gegner dem französischen Kronprinzen die englische Krone anboten, schlug die Volksstimmung zugunsten J.s um. Sein Tod führte zur Einstellung der Kämpfe und schließlich zum Frieden von Lambeth (1217), wonach der älteste Sohn J.s als König von England anerkannt wurde (Heinrich III., 1216-1272). — Jahrhundertelang galt J. als Inbegriff des gewalttätigen und heimtückischen Herrschers, so daß selbst sein Name in den nachfolgenden Dynastien Englands nicht mehr vergeben wurde. In jüngster Zeit zeichnet sich in der Forschung allerdings ein differenzierteres Bild ab. J. zeigte lebhaftes Interesse am Verwaltungs- und Finanzwesen, sorgte für eine Straffung der Justiz und förderte die Städte. Gewisse negative Charakterzüge hatte er mit anderen Familienmitgliedern gemeinsam. Sein Verhalten gegenüber der Kirche, in dem er sich als energisch auf die Wahrung königlicher Rechte pochender Herrscher erwies, zugleich aber auch in die Freiheiten und den Besitz der Kirche eingriff, trug in entscheidendem Maße zu seinem schlechten Ruf bei Zeitgenossen und in der Nachwelt bei.

Lit.: Kate Norgate, John Lackland, 1902; — Else Gütschow, Innozenz III. und England, 1904; — Helene Tillmann, Die päpstl. Legaten in England bis zur Beendigung der Legation Gualas (1218), 1926; — M. D. Knowles, The Canterbury Election of 1205/06, in: EHR 53, 1938, 211-230; — Sidney Painter, The Reign of King John, 1949/50; — A. L. Poole, From Domesday Book to Magna Carta (1087-1216), 1951; — Christopher R. Cheney, From Becket to Langton. English Church Government 1170-1213, 1956; — Ders./Mary G. Cheney (Hrsg.), The Letters of Pope Innocent III (1198-1216) concerning England and Wales, 1967 (dazu Ergg. u. Korrekturen in: Bulletin of the Institute of Historical Research 44, 1971, 98-115); — Ders., Medieval Texts and Studies, 1973, — Ders., Pope Innocent III and England, 1976; — Ders., The English Church and its Laws, 12th - 14th Centuries, 1982 (bes. 443-452, 654-660); — Ders., The Papacy and England, 12th - 14th Centuries. Historical and Legal Studies, 1982 (bes. 100-116, 129-150, 295-317); — Othmar Hageneder, Exkommunikation und Thronfolgeverlust bei Innozenz III., in: Röm. Hist. Mitt. 2, 1959, 9-50; — J. C. Holt, King John, 1963; — Ders., Magna Charta, 1965; — Ders., Aliénor d'Aquitaine, Jean sans Terre et la succession de 1199, in: Cahiers de Civilisation médiévale 29, 1986, 95-100; — F. M. Powicke, Stephen Langton, 1965[2]; — W. L. Warren, King John, 1966[2]; — J. T. Appelby, J., 1967; — C. R. Young, Hubert Walter, Lord of Canterbury and Lord of England, 1968, — John Gillingham, The Fall of the Angevin Empire, in: History Today 36, 1984, 30-35; — J. R. Maddicott, Magna Charta and the Local Community, 1215-1259, in: Past and Present Nr. 102, 1984, 25-65; — Brian Feeney, The Effects of King John's Scutages on East Anglian Subjects, in: Reading Medieval Studies 11, 1985, 51-73; — Historia Mundi VI, 140-148; — Cambridge Medieval History VI, bes. 207-251; — LThK V, 983, — EBrit X, 236-238; — Grand Dictionnaire Encyclopédique Larousse VI, 5834, — HdKG III/2, 179 (Lit.), 185-189; — Hdb. d. europ. Gesch. II, 795-805 (mit neuerer Lit., auch zur Magna Charta).

Christof Dahm

JOHANN PHILIPP *von Schönborn*, siehe Schönborn, Johann Philipp v.

JOHANN WILHELM *von Pfalz-Neuburg*, Herzog von Jülich und Berg, Kurfürst von der Pfalz, * 19.4. 1658 in Düsseldorf als ältester Sohn von Philipp Wilhelm von Pfalz-Neuburg (1615-1690) und Elisabeth Amalie von Hessen-Darmstadt (1635-1709), † 8.6. 1716 ebd., begraben in der Düsseldorfer Andreaskirche. — Die Erziehung J.s lag überwiegend in den Händen von Jesuiten, die für eine umfassende Bildung des Prinzen sorgten. Von 1674 bis 1677 führte ihn eine große Kavalierstour durch weite Teile Europas. Wegweisend für seine politisch-religiöse Einstellung wurde die enge Verbindung seiner Familie mit dem Haus Habsburg. J. heiratete 1678 die Erzherzogin Maria Anna Josepha († 1689), eine Halbschwester Kaiser Leopolds I., der seinerseits J.s Schwester Eleonore ehelichte. Seit 1679 oblag J. die Verwaltung der Herzogtümer Jülich und Berg. Am 2.9. 1690 folgte er seinem Vater als Kurfürst von der Pfalz. Die Verwüstung der pfälzischen Stammlande durch die Truppen Ludwigs XIV. von Frankreich während des Pfälzischen Erbfolgekrieges (1688-1697) verhinderte die geplante Übersiedlung des Hofes von Düsseldorf nach Heidelberg. Auch später hielt sich J. nur vorübergehend dort auf. Im Kampf gegen Ludwig XIV. stand er in vorderster Linie, was ihn allerdings nicht daran hinderte, zur Erreichung eigener Vorteile Geheimverhandlungen mit der französischen Seite zu führen. Auf diese Weise sicherte er sich im Frieden von Rijswijk (30.10. 1697) die Rückgabe annektierter pfälzischer Gebietsteile, in denen - trotz scharfen Einspruchs der protestantischen Reichsstände - die von den Franzosen durchgeführten Rekatholisierungsmaßnahmen aufrechterhalten wurden ("Rijswijker Klausel"). Ebenso stand der Wiederaufbau in der Pfalz (z. B. Reorganisation der Universität Heidelberg) unter katholischem Vorzeichen. Während des Spanischen Erbfolgekrieges (1701-1714) suchte J. Rangerhöhung für seine Person. Um sich dafür die Zustimmung der evangelischen Reichsfürsten, vor allem Brandenburg-Preußens, zu sichern, verkündete er am 21.11. 1705 die Pfälzische Religionsdeklaration, wonach den Reformierten fünf Siebtel, den Katholiken zwei Siebtel der Kirchen zugesprochen und den Lutheranern der Besitzstand von 1624 garantiert wurde. Fortan gestaltete sich das Zusammenleben der Konfessionen in der Pfalz weitgehend in diesem Verhältnis, das u. a. auch zur Einrichtung von Simultaneen führte. Persönlich wie außenpolitisch blieb dem ehrgeizigen Fürsten jedoch ein dauernder Erfolg versagt. Die ihm 1708 zuerkannte erste weltliche Kurwürde ging ebenso wie die Oberpfalz im Frieden von Rastatt (1714) wieder an Bayern verloren. Auch seine Pläne für ein Königreich im westlichen Mittelmeerraum sowie in Armenien ließen sich nicht realisieren. Von Dauer blieb lediglich J.s Wirken als Bauherr und Mäzen in seinen niederrheinischen Herrschaftsgebieten. Unterstützt von seiner zweiten Gemahlin Anna Maria Luise aus dem Hause Medici (1667-1743), gestaltete er seine Düsseldorfer Residenz zu einer der bedeutendsten Kunststätten in Europa. — J. verkörperte in mancher Hinsicht den Typ des prunkliebenden Barockfürsten. Persönlich zu Toleranz neigend, verstand er es nicht, seine schwer geprüften pfälzischen Untertanen für sich zu gewinnen, sondern erregte vielmehr durch seine Religionspolitik deren Verbitterung. Ganz anders zeigte er sich in seiner rheinischen Heimat, wo er die Herzen des Volkes gewann und bis heute als "Jan Wellem" in der Erinnerung weiterlebt.

Lit.: Joseph von Fink, Über die polit. Unterhandlungen des Churfürsten J. W. v. d. Pf. zur Befreyung der Christenheit in Armenien vom Joche der Ungläubigen, von 1698 bis 1705, 1829; — Martin Wagner, Untersuchung über die Ryswicker Religionsklausel (Diss. Jena), 1889; — Adolf Hilsenbeck, J. W., Kurfürst v. d. Pf. Vom Ryswicker Frieden bis zum Spanischen Erbfolgekriege 1698-1701 (Diss. München), 1905; — Georg Wilhelm Sante, Die kurpfälzische Politik des Kurfürsten J. W. vornehmlich im spanischen Erbfolgekrieg, in: HJ 44, 1924, 19-64; — Hermine Kühn-Steinhausen, Die letzte Medicäerin - eine deutsche Kurfürstin, 1939; — Dies., J. W. Kurfürst v. d. Pf., Herzog v. Jülich-Berg (1658-1716), 1958; — A. Rodenburg, De vrede van Rijswijk, 1947; — Ludwig Petry, Das Haus Neuburg und die Ausläufer der Gegenreformation in Schlesien und der Pfalz, in: Veröffentlichungen d. Vereins f. pfälz. Kirchengesch. 4, 1952, 87-106, — Josef Krisinger, Die Religionspolitik des Kurfürsten J. W. v. d. Pf., in: Düsseldorfer Jb. 47, 1955, 42-125; — Justus Hashagen, Bergische Geschichte, 1958; — Max Braubach, J. W. Kurfürst v. d. Pf., Herzog v. Jülich u. Berg (1658-1716), in: Rhein. Lebensbilder 1, 1961, 83-101 (mit Lit.); — Leo Mülfarth, J. W. v. Pfalz-Neuburg und die jülich-bergischen Landstände 1679-1716 (Diss. Köln), 1964; — Karl Ludwig Zimmermann, Jan Wellems Sorgenkind, die Pfalz. Ein Blick auf die dunklen Seiten seiner Regierungszeit, in: Das Tor. Düsseldorfer Heimatbll. 32, 1966, 52-56, — Carl Vossen, Die zweite Frau Jan Wellems. Anna Maria Ludovica Medici zum 300. Geburtstag am 11.8. 1967, in: Das Tor. Düsseldorfer Heimatbll. 33, 1967, 250-254; — Alfred Hans, Die kurpfälz. Religionsdeklaration von 1705. Ihre Entstehung und Bedeutung für das Zusammenleben der drei im Reich tolerierten Konfessionen, 1973 (mit Lit.); — Herbert Schmitz-Porten, Prachtliebender Potentat und Freund der Künstler. Zum 325. Geb. von Jan Wellem, in: Das Tor. Düsseldorfer Heimatbll. 49, 1983, 118; — ADB XIV, 314-317; — Hdb. d. europ. Gesch. IV, 30 f.; — Biograph. Wörterbuch z. dt. Gesch. II, 1325 f.; — NDB X, 516-518; — Hdb. d. dt. Gesch. (Taschenbuchausg. 1981[5]) X, 76-82; — HdKG V, 146-149.

Christof Dahm

JOHANN I., der Beständige, Kurfürst von Sachsen, * 30.6. 1468 in Meißen als vierter von fünf Söhnen des Kurfürsten Ernst, † 16.8. 1532 in Schweinitz. — Der bereits mit 18 Jahren 1586 gemeinsam mit seinem Bruder Friedrich dem Weisen, nach dem Tod des Vaters zum Kurfürsten ernannte J., hatte seine Erziehung am bedeutendsten weltlichen Fürstenhof seiner Zeit, am Hof Kaiser Friedrichs II. genossen und seine militärische Schulung bei Feldzügen Kaiser Maximilians gegen die Ungarn und Venezianer erworben. Bis zur Jahrhundertwende in Anlehnung an Maximilian Politik machend, begann er erst nach 1500, dem Jahr seiner ersten Vermählung mit Sophie von Mecklenburg (1503), einer Ehe, aus der Johann Friedrich hervorging, in Opposition zum Reichsoberhaupt zu treten. Streitigkeiten im mitteldeutschen Raum traten hinzu. 1513 ging J. eine zweite Ehe mit Margarete von Anhalt (1521) ein, aus der Maria, die spätere Gattin Herzog Philipps I. von Pommern, Margarethe, Johann Ernst I. und der bald verstorbene Johann II. hervorgingen. Nach dem Tod seines Bruders und Mitregenten Friedrich dem Weisen, mit dem er immer in Eintracht geherrscht hat, trat J. 1525 die Alleinherrschaft an. Gleich zu Beginn wurde er mit dem Bauernkrieg konfrontiert, den er nach dem Scheitern sämtlicher Vermittlungsversuche niederschlug. Noch im selben Jahr erklärte er sich im Unterschied zu seinem Bruder Friedrich, der nur stiller Dulder der Reformation und Schützer Luthers aus Gewissensgründen gewesen war, mit allem Nachdruck für die Reformation. So ermahnte er im August 1525 in Weimar den Klerus des Landes, das lautere, reine Evangelium ohne menschlichen Zusatz zu predigen. Damit trat er gleichzeitig allen Versuchen seines Vetters Herzog Georgs entgegen, der die Reformation rückgängig machen wollte. Auf dem ersten Speyrer Reichstag, auf dem Kaiser Karl V. den Ständen die Freiheit gewährte, sich der Reformation anzuschließen, stellte sich J. auf die Seite der Reformation, was eine Erweiterung seiner

Bündnispolitik mit dem Herzogtum Preußen zur Folge hatte. 1526-29 konnte sich mit Hilfe der Visitationen die lutherische Kirchenordnung in Sachsen durchsetzen. J. kam dabei die Aufgabe zu, Beamte für die Visitationen zu ernennen und in seiner Rolle als Notbischof Aufsicht über die Kirchengemeinden zu üben. Sachsen wurde zum Vorbild der Landeskirchenregimente in evangelischen Territorien. Nachdem 1528 die Packschen Händel J. fast zum Präventivkrieg veranlaßt hätten, konnte ihn Luther noch rechtzeitig von der Fälschung überzeugen. 1531 wurde er zusammen mit Philipp von Hessen Haupt des neu gegründeten Schmalkaldischen Bundes, einem Verteidigungsbündnis gegen die verschärft antiprotestantische Politik Karls V. Der Nürnberger Religionsfriede im darauf folgenden Jahr ließ J. zum letztenmal politisch handelnd auftreten. Die Bedeutung J.s für die Reformation kann nicht hoch genug eingeschätzt werden. Bei den wichtigsten Ereignissen stand er an der Spitze der evangelischen Bewegung und er hatte ein freundschaftliches Verhältnis zu Luther, der ihn in seiner Grabrede als frommen, milden und redlichen Mann bezeichnete.

Lit.: Johann Sebastian Müller, Das Chur- und fürst. Hauses Sachsen Ernestin- u. Albertin. Linien Annales von 1400 bis 1700, worinnen die Geburthen, Reissen, Heyrathen, Todes-, An- u. Erbfälle beschrieben u. nach d. Zeit Ordnung von Tagen zu Tagen verfasset, Weimar 1701; — C. A. Hansen, Gloriosa electorum ducum Saxoniae busta, 1728; — Carl Franz Anton Jagemann, Kurzgefasste Lebensbesch. d. Herzöge u. Churfürsten zu Sachsen, Joh. d. Standhaften u. Joh. Friedrichs d. Großmüthigen, zweyer glorwürdigen Bekenner d. Evangelii, Halle 1756; — J. Willm, Jean, dit le Constant, Electeur de Saxe, in: G. T. Dorin, Musée des protestans célèbas, 1, 1822, 114-122; — Karl Becker, Das edle sächs. Fürsten-Kleeblatt od. die Hauptzüge aus d. Leben d. drei gr. Kurfürsten Friedr., Joh. u. Joh. Friedr., 1861; — Paul Pfotenhauer, Miscelle (zum Geburtsjahr d. Kf. Joh. d. Beständ. in Sachsen), in: Arch. f. sächs. Gesch. 8, 1869, 329-331; — Johannes Becker, Kf. Joh. v. Sachsen u. seine Beziehungen zu Luther, Diss. Leipzig 1890; — Bernhard Rogge, Joh. d. Best., in: Bernh. Rogge, Dt.-ev. Charakterbilder, Leipzig 1894, 105-115; — Ders., Joh. Friedr., Kfv. Sachsen, gen. d. Großmütige, Halle 1902; — A. Henschel, Die drei sächs. Kf. d. Ref. Zeit, in: Der Alte Glaube 12, 1911, Sp. 1088-1092; — J. Kühn, Die Gesch. d. Speyrer Reichstags von 1529, 1929; — Carl C. Christensen, John of Saxony's diplomacy 1529-30: reformation or realpolitik?, in: The Sixteenth Cent. Journal, Kirksville, Miss. 1984, 419-430; — RE IX, 237-244; — EKL II, Sp. 355; — ADB XIV, 322-326; — NDB X, 522-534.

Gunda Wittich

JOHANN *von Schönenberg*, Kurfürst und Erzbischof von Trier, * 1525 auf Burg Hartelstein bei Schwirzheim als Sohn des Landadeligen Johann von Schönenberg, † 1.5. 1599 in Koblenz. — J. wurde 1538 Domizellar (Anwärter auf ein Kanonikat) am Trierer Dom, studierte 1546 bis 1548 in Heidelberg und Freiburg, wurde 1548 Domkapitular, 1567 Domkustos und 1570 Dompropst in Trier. Im Mai 1580 bestellte ihn Kurfürst Jakob von Eltz zum Statthalter von Trier; die Reichsunmittelbarkeit der Stadt war soeben von Kaiser Rudolf II. negativ beschieden worden. Im gleichen Jahr amtierte er auch als Rektor der Trierer Universität. Das Domkapitel wählte ihn am 31.7. 1581 zum Erzbischof, woraufhin er bald die Priesterweihe empfing. Papst Gregor XIII. bestätigte im Februar 1582 die Wahl durch Verleihung des Palliums, und auf dem Reichstag von Augsburg empfing J. durch den Kardinallegaten Madruzzo am 12.8. 1582 die Bischofsweihe. Strengste Kirchlichkeit, ein entschiedener Kampf gegen den reformierten Glauben sowie die Fortführung und Konkretisierung der unter seinem Vorgänger Jakob von Eltz begonnenen kirchlichen Reformen gemäß den Dekreten des Konzils von Trient waren die Maximen und Hauptinteressen des Erzbischofs. An der Spitze stand dabei die Sorge um einen tüchtigen Seelsorgeklerus. In Koblenz und Trier gründete er 1585 und 1586 kleine Priesterseminare (in Koblenz 12 Studenten unter Studienleitung der Jesuiten), allerdings mehr im Sinne von Mustereinrichtungen, die Anreiz zur Nachahmung geben sollten. Alle Bewerber um eine Pfarrstelle mußten sich seit 1587 entsprechenden Examina unterziehen und hatten das Tridentinische Glaubensbekenntnis abzulegen. In den Jahren 1583 bis 1597 wurden für zehn Kollegiatstifte Reformstatuten erlassen. 1589 gab der Erzbischof den ersten in Trier gedruckten und allein für die Erzdiözese bestimmten Katechismus heraus. Die Sorge um die Volksmissionen, das Bruderschaftswesen, die archidiakonale Visitation und die Katechese waren weitere Schwerpunkte von J.s Tätigkeit. Der großen Politik war der Erzbischof dagegen nicht zugetan. Krieg, Hunger und Pest kennzeichneten die Lage des Erzstifts in seiner Regierungszeit, an deren Ende es vor dem wirtschaftlichen Ruin stand. J. war einer der für die Reform der Kirche eifrigsten Bischöfe seiner

Zeit; sein Wirken und das seines Weihbischofs Peter Binsfeld ist jedoch vom fürchterlichen Wüten des Hexenwahns im Trierer Land überschattet, dem erst Friedrich Spee eine Generation später wirksam begegnen sollte. Der Erzbischof erhielt im Juni 1599 in der Person Lothar von Metternichs einen Koadjutor, starb wenig später und wurde im Trierer Dom beigesetzt.

Lit.: Matthias Agricius, Vera narratio quo modo... D. Jacobus Archiepiscopus Trevirensis... tum honorifice susceptus, tum in urbem introductus sit. Anno Christi 1580 die vero 24. Maij... Subiecta sunt gratulatorium carmen in electionem... D. Joannis Archiepiscopi Trevirensis anno 1581..., Coloniae Agrippinae 1582; — Antiquitatum et annalium Trevirensium libri XXV... auctoribus Christophoro Browero et Jacobo Masenio, Bd. 2, Lüttich 1670, 418-430; — Gesta Trevirorum ed. J. H. Wyttenbach m. M. F. J. Müller, vol. III, Augustae Trevirorum 1839, cap. CCCI; — Rhein. Antiquarius I, 4 (1856), 589-604; — Johann Leonardy, Gesch. des Trierischen Landes und Volkes, ²1877, 729-742; — Franz Otterbein, Die Verdienste des Trierer Erzbischofs J. v. Sch. um den katechetischen Unterricht, in: Pastor bonus 6 (1894), 369-377, 423-426; — Johann Schneider, Die Verdienste des Trierer Erzbischofs J. v. Sch. um die Reformation des Klerus, in: Pastor bonus 6 (1894), 516-521; — Josef Kartels, Bestrebungen des Kurfürsten Johann VII. von Trier für die kath. Restauration, in: Trierisches Archiv 7 (1904), 1-20; — Josef Hulley, Die Huldigung der Dörfer des Niederamts Trier vor dem Kurfürsten Jacob von Eltz am 27. April 1569 und vor dem Kurfürsten J. v. Sch. am 13. Sept. 1581 auf dem Banne von Longuich, in: Trierische Chronik 1 (1905), 185-190; — Nikolaus Irsch, Der Dom zu Trier, 1931, 228-230; — Ludwig v. Pastor, Gesch. der Päpste seit dem Ausgang des MA.s, Bde. 9 u. 10, 1928-33⁸⁻¹⁰, passim; — Carl Stenz, Die Trierer Kurfürsten, 1937, 65; — Handb. des Bistums Trier XX, 1952, 43; — Sophie-Mathilde zu Dohna, Die ständ. Verhältnisse am Domkapitel von Trier vom 16. bis zum 18. Jh., 1960, 184; — Franz Josef Faas, Schwirzheim: Kurfürst Johann VII. von Schönberg-Hartelstein, in: Jahrb. des Kreises Prüm 1 (1960), 69-70; — Emil Zenz (Hg.), Die Taten der Trierer. Gesta Treverorum, Bd. 7, 1964, 9-16; — Hansgeorg Molitor, Kirchl. Reformversuche der Kurfürsten und Erzbischöfe von Trier im Zeitalter der Gegenreformation, 1967, passim; — Richard Laufner, Jüd. Orienthandelsgesellschaft in Trier und Koblenz 1597 von Erzbischof und Kurfürst J. v. Sch. privilegiert, in: Kurtrierisches Jahrb. 12 (1972), 45-53; — Paul Kohlschmidt, Erzbischof J. v. Trier führte 1583 den gregorianischen Kalender ein, in: Hunsrückkalender 29 (1973), 116-117; — Ferdinand Pauly, Aus der Gesch. des Bistums Trier. Teil 3: Die Bischöfe von Richard von Greiffenklau (1511-1531) bis Matthias Eberhard (1867-1876), 1973, 23-25; — Andreas Heinz, Die sonn- und feiertägl. Pfarrmesse im Landkapitel Bitburg-Kyllburg der alten Erzdiözese Trier von der Mitte des 18. bis zur Mitte des 19. Jh.s (= Trierer theol. Studien Bd. 34), 1978, passim; — Erich Düsterwald, Kleine Gesch. der Erzbischöfe und Kurfürsten von Trier, 1980, 122 f.; — Franz J. Ronig (Bearb.), Der Trierer Dom, 1980, 212 f., 263-265; — Richard Laufner, Vor 400 Jahren. 1581 das Jahr zweier Trierer Erzbischöfe und Kurfürsten (Jakob von Eltz, J. v. Sch.), in: Kreis Trier-Saarburg. Ein Jahrb. zur Information und Unterhaltung 12 (1981), 132-135; — Bernhard Gondorf, Verwandtschaftl. Beziehungen der Erzbischöfe und Kurfürsten von Trier zueinander, in: Archiv für Sippenforschung 51 (1985), 307 f.; — ADB XIV, 427 f.; — Kosch KD, 1905 f.; — Trier in der Neuzeit, 1988, passim.

Martin Persch

JOHANN SIGISMUND, seit 1608 Kurfürst von Brandenburg, * 8.11. 1572 in Halle als erster Sohn von Kurfürst Joachim Friedrich und Katharina von Brandenburg-Küstrin, † 23.12. 1619 in Berlin. — Erzogen am Hofe des Großvaters durch den lutherischen Hofprediger Simon Gedike ging er 1588 zusammen mit seinem jüngeren Bruder Johann Georg zum Studium an die Straßburger Akademie, wo er den aufgeschlossenen reformierten Vorstellungen begegnete. Dies veranlaßte wohl seinen Großvater, ein Revers 1593 von J. unterschreiben zu lassen, daß er bei dem lutherischen Bekenntnis verharren wird. 1594 wurde er mit Anna, der ältesten Tochter des Herzogs Albrecht Friedrich von Preußen, verheiratet, mit der er seit 1591 verlobt war. Der Geraer Hausvertrag von 1598 bzw. der Onolzbacher Vergleich von 1603 legten die Unteilbarkeit des Herrschaftsgebietes mit allen Annexen fest und sicherten dem Erstgeborenen die Erbfolge in Kurbrandenburg. Als Residenz diente J. bis zum Regierungsantritt 1608 Zechlin, wobei er sich jedoch längere Zeit in Königsberg und Berlin aufhielt und zu längeren Aufenthalten nach Ansbach und vor allem Heidelberg, einer reformierten Hochburg, reiste. 1605 erwarb sein Vater die Regentschaft in Preußen als Vormundschaft für den geisteskranken Herzog Albrecht Friedrich. Nach dem Tode seines Vaters 1608 übernahm J. nicht nur die Herrschaft über Brandenburg, sondern auch die Vormundschaft über Preußen. Als 1609 der letzte Herzog von Jülich-Kleve Johann Wilhelm starb, stellte Anna, die Frau J.'s, als Nichte Johann Wilhelms Erbansprüche. Es begannen die langen Erbstreitigkeiten zwischen Brandenburg und Pfalz-Neuburg, die 1614 mit dem Xantener Vergleich endeten, wobei Brandenburg die Landschaften Kleve, Mark und Ravensberg erhielt. Seit seinem Heidelberger Aufenthalt neigte J. immer mehr der reformierten Lehre zu, ohne sich jedoch zum Übertritt zu entscheiden. Von diesem offenen Bekenntnis seiner religiösen Überzeugung haben ihn wohl politische Rücksichten und seine streng lutherisch gesinnte Frau abgehalten. Erst 1613 trat er zusammen mit seinem Bruder Johann Georg zur reformierten Konfession über. Weder die Kurfürstin noch Stände und Volk schlossen sich in der Folgezeit an, wie es der Augsburger Religionsfriede (1555) vorsah. In der »Confessio Sigismundi« von 1614 trug J. dem Rechnung, indem er auf sein fürstliches Hoheitsrecht (Regalrecht) des Glaubenszwanges (jus reformandi) verzichtete und die Augsburgische Konfession anerkannte und nur von einer zuende geführten Reformation sprach. Die Unruhen und andere Formen des Widerstandes brachen jedoch nicht ab, und die kur- und neumärkischen Stände zwangen ihn, in den Reversen vom 5./6. Februar 1615 das lutherische Bekenntnis als erste Landes-Konfession neben der reformierten bestehen zu lassen. Dennoch hielt J. an seinem bischöflichen Recht fest und damit an seinem Kirchenregiment gegenüber den Lutherischen. Schon 1614 errichtete er die Instanz des »Kirchenrates«, bestehend aus einem weltlichen Präsidenten und geistlichen und weltlichen Beisitzern, der die Aufgaben des Geheimen Rates auf geistlichem Gebiet wahrnehmen sollte. Dieser mußte jedoch wegen des Widerstandes der Stände 1618 aufgelöst werden. Die wesentlichen Kirchenangelegenheiten blieben jedoch im Geheimen Rat. Zum Schutze der reformierten Minderheiten am Hofe, im Militär und den Universitäten entwickelte J. seit 1615 eine tolerantere Glaubens- und Religionspolitik. In einer Instruktion für den Geheimen Rat von 1616 heißt es: »Niemanden seines Glaubens und seiner Religion wegen in einerlei Wege beunruhigen zu lassen,...alle schädliche und verdammte Ketzereien und Sekten, als da sind alte und neue Arianer, alte und neue Photianer und dergleichen, abzuwehren.« Der Konfessionswechsel J.'s und die damit verbundene beschränkte Gewissensfreiheit haben in Brandenburg-Preußen den Weg für modernere Staats-, Rechts- und Kulturideen des Westens bereitet. 1618 nach dem Tode des Herzogs Albrecht Friedrich wurde J. Herzog in Preußen. Er war zu diesem Zeitpunkt allerdings nicht mehr voll regierungsfä-

hig. 1616 erlitt er den ersten Schlaganfall. Aufgrund seiner Krankheit und Gebrechlichkeit übertrug er 1619 noch vor seinem Tod die Regierung an seinen ältesten Sohn Georg Wilhelm.

Quellen: Christian Otto Mylius, Corpus Constitutionum Marchicarum I-VI,(mit) Anhang und Continuatio I-IV, 1737-1751; Burkhard v. Bonin (Hrsg.), Entscheidungen des Cöllnischen Konsistoriums 1541-1704, 1926; Melle Klinkenborg (Hrsg.), Acta Brandenburgica. Brandenburgische Regierungsakten seit der Begründung des Geheimen Rates, 1927; Wolfgang Gericke, Glaubenszeugnisse und Konfessionspolitik der Brandenburgischen Herrscher bis zur Preußischen Union. 1540-1815, 1977. — Bibliographien: Ursula Scholz/Rainald Stromeyer, Berlin-Bibliographie, 1973; Hans-Joachim Schreckenbach, Bibliographie zur Geschichte der Mark Brandenburg, 4 Bde., 1970-1974.

Lit.: D.W. Hering, Historische Nachricht von dem ersten Anfang der evangelisch-reformierten Kirche in Brandenburg und Preußen, 1778; — Leopold von Orlich, Geschichte des Preußischen Staates im siebzehnten Jahrhundert, 1, 1838; — Hermann Theodor Wangemann, Johann Sigismund und Paulus Gerhardt, 1884; — Eduard Clausnitzer, Die märkischen Stände unter Johann Sigismund (Diss. Halle), 1895; — ders., Aus der Regierungszeit des Kurfürsten Johann Sigismund, in: Hohenzollern-Jahrbuch 11, 1907; — Georg Schuster/Friedrich Wagner, Die Jugend und Erziehung der Kurfürsten von Brandenburg und Könige von Preußen, 1906; — Walther Koch, Eine Denkschrift aus der Zeit des Kurfürsten J., in: FBPG 26, 1913, 65ff.; — Reinhold Koser, Geschichte der brandenburgischen Politik bis zum Westfälischen Frieden von 1648, 1913[2]; — Eduard Vehse, Preussische Hofgeschichten I, neu hrsg. v. Heinrich Conrad, 1913; — Leopold Zscharnack, Das Werk Martin Luthers in der Mark Brandenburg von Joachim I. bis zum Großen Kurfürsten, 1917; — Ulrich Stutz, J. von Brandenburg und das Reformationsrecht, SAB, 1922; — Otto Hintze, Kalvinismus und Staatsräson in Brandenburg zu Beginn des 17. Jahrhunderts (1931), in: Geist und Epochen des preußischen Geschichte, Gesammelte Abhandlungen 3, hrsg. v. Fritz Hartung, 1943, 289-346; — ders., Die Epochen des evangelischen Kirchenregiments in Preußen, in: ders., Regierung und Verwaltung, hrsg. v. Gerhard Oestreich, 1967, 56-96; — Hellmuth Croon, Die kurmärkischen Landstände 1571-1616. Brandenburgische Ständeakten 1, 1938; — Francis L. Carsten, The Origins of Prussia, 1954, dt: Die Entstehung Preußens, 1968; — Leopold v. Ranke, Zwölf Bücher preußischer Geschichte, hrsg. v. W. Andreas 1957; — Rudolf v. Thadden, Die Brandenburgisch-Preußischen Hofprediger im 17. und 18. J.h, 1959; — Hans-Joachim Schoeps, Preußen. Geschichte eines Staates, 1966; — Karl Themel, Die Mitglieder und die Leitung des Berliner Konsistoriums vom Regierungsantritt des Kurfürsten J. 1608 bis zur Aufhebung des königlichen preussischen Oberkonsistoriums 1809, in: Jahrbuch für Berlin-Brandenburgische Kirchengeschichte 41, 1966, 52-111; — Gerhard Oestreich, Fundamente preußischer Geistesgeschichte. Religion und Weltanschauung in Brandenburg im 17. Jh., in: Jahrbuch Preußischer Kulturbesitz 1969 (1970), 20-45; — Gerd Heinrich, Amtsträgerschaft und Geistlichkeit. Zur Problematik der sekundären Führungsschichten in Brandenburg-Preußen 1450-1786, in: Günther Franz (Hg.),

Beamtentum und Pfarrerstand 1400-1800, 1972, 179-238; — ders., Geschichte Preußens. Staat und Dynastie, 1981; — ders., Art. Brandenburg II, in: TRE 7, 1981, 111-128; — Heinz Immekeppel, Das Herzogtum Preußen 1603-1618, 1975; — Walter Delius, Der Konfessionswechsel des brandenburgischen Kurfürsten J., in: Jahrbuch für Berlin-Brandenburgische Kirchengeschichte 50, 1977, 125-129; — Wolfgang Gericke, Glaubenszeugnisse und Konfessionspolitik der Brandenburgischen Herrscher bis zur Preußischen Union. 1540-1815, 1977; — ADB 14, 169-175; — NDB 10, 475-476; — RE³ 18, 331-338.

Udo Krolzik

JOHANN, Erzbischof von Trier, * um 1140, † 14. oder 15.7. 1212 in Trier. — J. stammte wahrscheinlich aus einem niederen Adelsgeschlecht der Gegend um Speyer und erscheint 1173 als Speyerer Archidiakon und Propst des St. German-Stiftes zu Speyer. 1186 bis 1189 diente er Kaiser Friedrich I. als Kanzler. Ein sechsjähriger, die Beziehungen zwischen Kaiser und Papsttum aufs schwerste belastender Kampf mit im Erzstift Trier bürgerkriegsähnlichem Charakter um den Trierer Erzbischofsstuhl fand mit der auf Initiative des Reichsregenten Heinrich VI. erfolgten Wahl J.s zum Erzbischof von Trier im Spätsommer 1189 sein Ende. Die Spuren dieses Kampfes beseitigte der neue Erzbischof mit allem Eifer und brachte das jahrelang vernachlässigte Erzstift auf weltlichem wie kirchlichem Gebiet wieder in die Höhe. Die vollständige Befestigung der Stadt Trier, der Erwerb zahlreicher Burgen und Schlösser, vor allem aber die Ablösung des Erzbistums und der Stadt Trier aus der Vogtei des Pfalzgrafen im Jahre 1198 gehören zu seinen wichtigsten Verdiensten in territorialer Hinsicht. Außerdem initiierte er die Bestandsaufnahme der Güter und Rechte des Bistums, den Liber annalium iurium, eine der großen Geschichtsquellen des Trierer Landes. Weniger glücklich gestaltete sich die Rolle des etwas opportunistisch und materiell veranlagten Erzbischofs in der Reichspolitik. Mehrfacher Parteienwechsel während des staufisch-welfischen Thronstreits, Gegensätze zu Papst Innozenz III. (1203 Bedrohung mit dem Bann, Rehabilitation im gleichen Jahr nach einer Romreise) und überhaupt eine schwankende und unsichere Haltung in der Reichspolitik werden von der Forschung fast durchweg negativ beurteilt und

nur vereinzelt als kluges und umsichtiges Lavieren gedeutet. Jedoch lagen die eigentlichen Interessen und Fähigkeiten J.s auf kirchlichem Gebiet; er wollte mehr Oberhirte und Landesherr als Reichsfürst sein. Er entdeckte 1196 den heiligen Rock in Trier wieder und leitete seine Verehrung für die Zukunft in die Wege. Den erneuten Trierer Dom weihte er am 1.5. 1196 ein. Erwähnenswert sind ferner der Wiederaufbau der Kirchen in Andernach und Koblenz-St. Kastor, die Neubesetzung der Archidiakonate und die Einführung des Amtes eines Offizials für das Erzbistums. Die Reform des Domkapitels mißlang dem Erzbischof. Großes Interesse brachte er den Klöstern entgegen, besonders dem Zisterzienserorden, in dessen Kloster Himmerod in der Eifel er auch beigesetzt wurde.

Lit.: Antiquitatum et annalium Trevirensium libri XXV... auctoribus Christophoro Browero et Jacobo Masenio, Bd. 2, Lüttich 1670, 93 ff.; — Augustin Calmet, Histoire ecclésiastique de Lorraine, Bd. 2, Nancy 1728, 173-184; — Jakob Marx d. Ältere, Gesch. des Erzstifts Trier, Bd. 1, 1858, 131 f.; — Gesta Trevirorum ed. J. H. Wyttenbach ed. M. F. J. Müller, vol. I, Augustae Trevirorum 1839, cap. CI (= MG SS XXIV 390-393); — Johann Leonardy, Gesch. des Trierischen Landes und Volkes, ²1877, 456-460; — Eduard Winkelmann, Philipp von Schwaben und Otto IV. von Braunschweig, 2 Bde., 1873-78, passim (= Jahrbücher der dt. Gesch. 26); — Waldemar Martin, Das Urkundenwesen der Trierer Erzbischöfe Johannes I. und Theoderichs II. 1190-1242, in: Trierisches Archiv 19/20 (1912), 1-92; — Gottfried Kentenich, Die Stellung des Trierer Erzstifts in der dt. Reichsgesch. des MA.s IV.: Von Erzbischof Johann I. bis auf Heinrich von Finstingen (1189-1260), in: Trierische Heimatbll. 2 (1923), 34-46; — Carl Stenz (Hg.), Die Trierer Kurfürsten, 1937, 15; — Gustav Braun von Stumm, Eine Demonstrationsmünze Erzbischof Johanns I. von Trier, in: Trierer Zeitschr. für Gesch. und Kunst des Trierer Landes und seiner Nachbargebiete 20 (1951), 155-165; — Handb. des Bistums Trier XX, 1952, 37; — Matthias Meiers, Eine Romreise des Erzbischofs Johann I. von Trier, in: Rhein. Vierteljahrsbll. 17 (1952), 229-232; — Ders., Erzbischof Johann I. von Trier im dt. Thronstreit (1198-1208), in: Kurtrierisches Jahrb. 8 (1968), 96-107; — Emil Zenz (Hg.), Die Taten der Trierer. Gesta Treverorum, Bd. 3, 1959, 31-37; — Margret Corsten, Erzbischof Johann I. von Trier (1189-1212), in: Zeitschr. für die Gesch. der Saargegend 13 (1963), 127-200; — Richard Laufner, Erzbischof Johann I. liebte eine klare Buchführung, in: Kreis Trier. Ein Jahrb. zur Information, Belehrung und Unterhaltung 3 (1967), 124-139; — Ferdinand Pauly, Aus der Gesch. des Bistums Trier. 2. Teil: Die Bischöfe bis zum Ende des MA.s, 1969, 90-92; — Hermann Issle, Das Stift St. German vor Speyer (= Quellen und Abhandl. zur mittelrhein. Kirchengeschichte Bd. 20), 1974, 1478-149; — Ernst Gierlich, Die Grabstätten der rheinischen Bischöfe vor 1200 (= Quellen und Abhandlungen zur mittelrheinischen Kirchengeschichte Bd. 65) Mainz

1990, 82; — ADB XIV, 420 f.; — NDB X, 539.

Martin Persch

JOHANN THEODOR, Herzog in Bayern, Fürstbischof von Regensburg, Freising und Lüttich, Kardinal, geboren am 3. September 1703 in München, gestorben am 27. Januar 1763 in Lüttich, war der jüngste überlebende Sohn des Kurfürsten Max Emanuel von Bayern aus dessen zweiter Ehe mit der polnischen Königstochter Theresia Kunigunde. Entsprechend der Tradition des Hauses Bayern wurde er wie seine beiden älteren Brüder Philipp Moritz (1698-1719) und Clemens August (1700-1761) als nachgeborener und damit im Herzogtum bzw. (seit 1623) Kurfürstentum Bayern nicht erbberechtigter Prinz schon in jugendlichem Alter für den geistlichen Stand, d. h. für eine fürstbischöfliche Karriere in der Reichskirche, bestimmt. — Das Haus Bayern hatte im endenden 16. Jahrhundert im Zusammenwirken mit den Höfen von Wien, Rom, Madrid und Brüssel als katholische Vormacht im Reich den Übergang des Erzstiftes und Kurfürstentums Köln zur Reformation mit Waffengewalt verhindert (Durchsetzung des »Geistlichen Vorbehalts« gegen den zur Reformation übergetretenen Kölner Erzbischof und Kurfürsten Gebhard Truchseß von Waldburg durch die Wahl Herzog Ernsts zu dessen Nachfolger 1583 und den sog. Kölnischen Krieg) und dadurch zugleich den aufs höchste gefährdeten Bestand der nordwestlichen Germania Sacra (mit dem Zentrum Köln) gerettet. Seither war es in der nordwestlichen Germania Sacra durch nachgeborene Prinzen präsent geblieben, ununterbrochen im Erzstift Köln, das man als »bayerische Sekundogenitur« betrachtete und vom Oheim zum Neffen »vererbte«, und fast ununterbrochen in den umliegenden Stiften Lüttich, Münster, Paderborn, Hildesheim, zeitweilig auch in Osnabrück. Und die auf den Kölner Erzstuhl gehobenen Prinzen des Hauses waren - freilich mit wechselndem Erfolg - stets bestrebt, alle diese Stifte in ihrer Hand zu vereinigen, dazu möglichst auch die inmitten der bayerischen Stammlande gelegenen Stifte Freising und Regensburg sowie die (wegen ihres Salzreichtums begehrte) Fürstpropstei Berchtesgaden. Nicht nur die Verteidigung der alten Reichskirche bildete hier die Triebfeder, sondern auch handfeste Hausmachtpolitik, und die katholisch gebliebenen bayerischen Wittelsbacher waren diesbezüglich auf reichskirchlichem Terrain, durch den Auf- und Ausbau eines gigantischen »Bischofsreiches«, seit dem Einbruch der Reformation über fünf Generationen (bis 1763) unter allen Fürsten- und Adelshäusern des Heiligen Römischen Reiches am erfolgreichsten. — Reichskirchenpolitik im Sinne ausschließlich hausmachtpolitischer Zielsetzungen - zur Vergrößerung der Machtbasis des Hauses Bayern im Reich - betrieb im Rahmen seiner glücklosen Großmachtpolitik Kurfürst Max Emanuel. Wie er seinen einzigen, jüngeren Bruder Joseph Clemens (1671-1723), den Kurfürsten von Köln, Fürstbischof von Freising (bis 1694), Regensburg (bis 1715), Lüttich, Hildesheim und Fürstpropst von Berchtesgaden, mit dessen Stiften rücksichtslos in seine auf das Erbe Spaniens ausgerichtete »reichsverräterische« Bündnispolitik einbezogen hatte, so opferte er nach dem für sein Haus, seine bayerischen Lande und Joseph Clemens' Stifte katastrophalen Spanischen Erbfolgekrieg seine nachgeborenen Söhne einem neuen Großmachtplan, nunmehr ausgerichtet auf das Erbe Österreichs (beim zu erwartenden Eintritt des Erbfalles) und den Gewinn der Kaiserkrone. Während Philipp Moritz, der Zweitgeborene, die Nachfolge Joseph Clemens' in der »bayerischen Sekundogenitur« am Rhein, in Lüttich und Hildesheim antreten und dieses sein »Bischofsreich« noch um Münster und Paderborn vergrößert werden sollte, Clemens August dagegen für die Besetzung der »oberen« Stifte Freising, Regensburg und Berchtesgaden vorgesehen war, hielt Max Emanuel Johann Theodor, seinen Jüngsten, für eventuell weiterreichende reichskirchliche Projekte vorderhand noch »in Reserve«. Da erzwang der plötzliche Tod des eben (mit horrendem Kostenaufwand) zum Fürstbischof von Münster und Paderborn gewählten Philipp Moritz (1719) im Augenblick eine Änderung der väterlichen Disposition. Clemens August, seit 1716 Nachfolger Joseph Clemens' auf der Regensburger Bischofskathedra, wurde sofort als Kandidat in Münster und Paderborn nachgeschoben und auch gewählt. Er übernahm zudem das »Erbe« Joseph Clemens' in

Köln und Hildesheim, unterlag jedoch bei der Wahl in Lüttich, vermochte indes diesen »Verlust« mit dem Zugewinn von Osnabrück und dem Hoch- und Deutschmeistertum wettzumachen. In der Folge erwies er sich als bedeutender Kunstmäzen, nicht zuletzt auf Grund seines immensen Finanzbedarfs aber zugleich auch als überaus wankelmütiger und unberechenbarer Politiker. Allerdings hatte er auf Regensburg verzichten müssen, das heißt nach seiner Wahl zum Fürstbischof von Münster und Paderborn war der Regensburger Bischofsstuhl vom Papst für vakant erklärt worden. — Um dennoch das Bistum beim Haus zu halten, zwang Max Emanuel überfallartig das Regensburger Domkapitel, am 29. Juli 1719 den noch nicht sechzehnjährigen Herzog Johann Theodor, den man eiligst noch tonsuriert hatte (damit er als »clericus« galt), zum neuen Fürstbischof zu postulieren. Den Wiener Hof hatte man, um störenden kaiserlichen Interventionen vorzubeugen, erst kurz vor dem Postulationsakt vom Eintritt der Bistumsvakanz in Kenntnis gesetzt, was zu einer unerquicklichen diplomatischen Kontroverse führte, die man bayerischerseits aber schließlich mit Geld behob. Für den gleichsam über Nacht zum Bischof und geistlichen Reichsfürsten Erhobenen folgten Studienjahre im Schatten der bayerischen Landesuniversität Ingolstadt und in Siena (1719-1723), ehe er - diesmal mit einer päpstlichen Wählbarkeitsdispens ausgestattet - am 19. November 1723 zum Koadjutor des Fürstbischofs von Freising mit dem Recht der Nachfolge gewählt wurde. Doch dann stagnierten die Bemühungen des Münchener Hofs. Über Bayern hinausgreifende Pläne mit Johann Theodor (Ellwangen, Berchtesgaden, Eichstätt, Basel, Stablo und Malmédy, Konstanz, Speyer, Breslau, Augsburg) konnten trotz massiver diplomatischer Demarchen nicht verwirklicht werden; sie scheiterten allesamt insbesondere am immer offener zutage tretenden österreichisch-bayerischen Gegensatz, und erst recht nicht vermochte nach dem Tod Max Emanuels (1726) dessen Nachfolger Karl Albrecht (1726-1745) im Vorfeld des sich anbahnenden österreichischen Erbstreits die diesbezüglich vom Wiener Hof errichteten Barrieren abzubauen. Als Johann Theodor 1727 auch die Regierung des Stiftes Freising übernehmen konnte, war er

zwar - obwohl nur Subdiakon (und Vater einer illegitimen Tochter) - de facto zweifacher Bischof, doch mit zwei kleinen, wenig ertragreichen Stiften als geborener Herzog und im Gegensatz zu Clemens August höchst unzureichend versorgt, jedenfalls nach seinem Empfinden. Auf Drängen des Papstes ließ er sich von Clemens August am 8. April 1730 in Ismaning zum Priester und am 1. Oktober desselben Jahres im Dom zu Münster zum Bischof weihen, um auch in die geistliche Regierung seiner beiden Bistümer eintreten zu können. Gewiß vollzog er daraufhin immer wieder einmal Pontifikalfunktionen; aber sein ganzes Sinnen ging auf den Zugewinn reicher Kirchenpfründen. Vom Glück begünstigt wurde er in diesem seinem Trachten freilich nur noch einmal: nämlich in Lüttich, wo er - nach einem von Maria Theresia und ihren Alliierten geschürten erbitterten Wahlkampf - am 23. Januar 1744 zum Fürstbischof gewählt wurde, dank der Protektion seines inzwischen zum Kaiser gekrönten Bruders Karl Albrecht (Karl VII., 1742-1745) und der mit diesem verbündeten Krone Frankreichs. Papst Benedikt XIV., der ihn nicht auf Grund eigener Verdienste, sondern um dem mit der Krone des Reiches geschmückten Haus Bayern seine Reverenz zu erweisen, am 9. September 1743 zum Kardinal (zunächst »in petto«, Publikation am 17. Januar 1746) erhoben hatte, war ihm mit einem Wählbarkeitsindult zu Hilfe geeilt. Allen weiteren Versuchen Johann Theodors jedoch, seine reichskirchliche Position zu stärken und (durch den Gewinn des Trierer Kurhutes) jener Clemens Augusts anzugleichen, blieb durchgehend der Erfolg versagt, zuletzt in Köln, wo nach Clemens' Augusts Tod 1761 dessen Nachfolge anstand und der Münchener Hof (unter Kurfürst Max III. Joseph) sich - da ein jüngerer Prinz des Hauses nicht mehr zur Verfügung stand - nochmals energisch für Johann Theodor einsetzte. Mit ihm, dem »Kardinal von Bayern«, schloß 1763 die lange Reihe jener wittelsbachischen (bayerischen und pfälzischen) Prinzen, die als nachgeborene Söhne ihres Hauses - fast ausnahmslos wider ihren Willen - mit Bischofsstühlen des Reiches versehen wurden, zu ihrer standesgemäßen Versorgung und zur entsprechenden Entlastung der Stammlande, freilich, was das Haus Bayern anlangt, auch zum Schutz der katholischen Kirche im Reich, und hier haben die bayerischen Herzöge und Kurfürsten im 16. und 17. Jahrhundert zur Erhaltung der Reichskirche - auch auf diesem Wege, wenngleich nicht eben uneigennützig - zweifellos Erhebliches beigetragen. — Johann Theodor wurde in der (von der Französischen Revolution dann bis auf die Fundamente zerstörten) Lütticher Kathedrale Saint-Lambert bestattet, sein Herz nach altem Brauch der bayerischen Wittelsbacher in der Altöttinger Gnadenkapelle beigesetzt. Glücklich kann man seine Regierung in keinem seiner Stifte nennen; sie hat auch Spuren kaum hinterlassen. Um sich als Kunstmäzen und fürstlichen Bauherrn zu verewigen, fehlte ihm das Geld. Lediglich seine Residenzen in Freising und Lüttich hat er teils erneuert, teils im Geschmack der Zeit ausgestaltet. Die Freisinger Dombibliothek, 1732-1734 umgebaut, verdankt ihm ihre heutige Gestalt, und im Freisinger Dom hat er die 1738 von Egid Quirin Asam geschaffene Johanneskapelle mit dem Johann-Nepomuk-Altar gestiftet. An seine Regierungszeit erinnern des weiteren die künstlerisch beachtlichen Kompositionen seines Hofkapellmeisters Placidus Camerloher (1718-1782). Was Johann Theodors politische Haltung betrifft, so orientierte er sie - im Gegensatz zu Clemens August - stets am Interesse seines Hauses, zumal in den dreißiger und vierziger Jahren. Aus seiner Neigung zu Frankreich machte er bis zum Ende seines Lebens kein Hehl.

Lit.: Max Rottmanner, Der Cardinal von Baiern, München 1877; — Manfred Weitlauff, Kardinal Johann Theodor von Bayern (1703-1763), Fürstbischof von Regensburg, Freising und Lüttich. Ein Bischofsleben im Schatten der kurbayerischen Reichskirchenpolitik (= Beiträge zur Geschichte des Bistums Regensburg 4), Regensburg 1970; — Ders., Die Reichskirchenpolitik des Kurfürsten Max Emanuel von Bayern im Rahmen der reichskirchlichen Bestrebungen seines Hauses, in: Hubert Glaser (Hrg.), Kurfürst Max Emanuel von Bayern. Bayern und Europa um 1700 I, München 1976, 67-87; — Ders., Der Kardinal von Bayern. Ein Kapitel bayerischer Reichskirchenpolitik im 18. Jahrhundert, in: 29. Sammelblatt des Historischen Vereins Freising, Freising 1979, 63-99; — Ders., Die Reichskirchenpolitik des Hauses Bayern im Zeichen gegenreformatorischen Engagements und österreichisch-bayerischen Gegensatzes, in: Hubert Glaser (Hrg.), Um Glauben und Reich. Kurfürst Maximilian I. Beiträge zur Bayerischen Geschichte und Kunst 1573-1657 (= Wittelsbach und Bayern II/1), München-Zürich 1980, 48-76; — Ders., Kardinal Johann Theodor von Bayern, Fürstbischof von Regensburg, Freising (1727-1763) und Lüttich, in: Georg Schwaiger (Hrg.), Christenleben im Wandel der Zeit. I. Lebensbilder aus der Geschichte des Bistums Freising, München 1987, 272-296; — Ders., Das Bistum Freising im Zeitalter des Barocks, in: Georg Schwaiger (Hrg.), Das Bistum Freising in der Neuzeit, München 1989, 289-468; — Peter Claus Hartmann, Karl Albrecht - Karl VII. Glücklicher Kurfürst, Unglücklicher Kaiser, Regensburg 1985; — Alois Schmid, Max III. Joseph und die europäischen Mächte. Die Außenpolitik des Kurfürstentums Bayern von 1745-1765, München 1987; — Egon Johannes Greipl, Johann Theodor, Herzog von Bayern (1703-1763), in: Erwin Gatz (Hrg.), Die Bischöfe des Heiligen Römischen Reiches 1648 bis 1803. Ein biographisches Lexikon, Berlin 1990, 205-208.

Manfred Weitlauff

JOHANNA *von Flandern* (auch: Johanna v. Konstantinopel), Gräfin von Flandern und Hennegau, † 5.12. 1244 im Kloster Marquette bei Lille. — J. war die Tochter Balduin IX. v. Flandern, des späteren Kaisers von Konstantinopel. Die Regierung über Flandern und Hennegau übernahm sie 1206. 1211 heiratete sie den Prinzen Ferdinand von Portugal, der jedoch 1214 - bei der Schlacht von Bouvines - in französische Gefangenschaft geriet. Das beträchtliche Lösegeld für seinen Freikauf erhielt J. von italienischen Kreditgebern. Während ihrer Regierung blühte die flandrische Industrie stark auf, weil J. insbesondere die Selbstverwaltung der Städte stärkte und ihnen somit mehr wirtschaftliche Initativen zubilligte. 1226 gründete sie das Große Hospital von Lille, das sich vor allem der Armenversorgung widmete. 1227 stiftete J. das Zisterzienserinnenkloster Marquette. Nach dem Tode ihres Gatten Ferdinand (1233) heiratete sie 1237 den Grafen Thomas von Savoien. J. stirbt am 5.12. 1244 im Kloster Marquette, in das sie sich in den letzten Monaten ihres Lebens zurückgezogen hatte. Sie ist dort neben ihrem 1. Mann begraben. J. wird wegen ihrer wohltätigen Stiftungen für die Armen und die Orden in den Menologien der Zisterzienserinnen als Selige aufgeführt. Fest: 5.12.

Lit.: Edward Le Glay, Histoire des Comtes de Flandre, 1843, Bd. 1, S. 464-512, Bd. 2, S. 1-69; — ders., Histoire de J. de Constantinople, o.J.; — A. Delassus, J. de Flandre et sa beatification, [2]1893; — (Gegen Delassus : M. Deshaines, in: Revue des sciences eccls. 2 (1893), S. 289; 319; — Louis Trenard (Hg.), Histoire de Pays-Bas Francais, 2 Bde, Bd. 1, S. 162-65 (mit reicher Bibliographie); — Zur Wirtschaftsgeschichte vgl. Georges Bigwood, Les Financiers d'Arras, in: Revue belge de phil. et d'hist. 3 (1924), S. 465-508, 769-819;

— Henri Pirenne, Sozial- und Wirtschaftsgeschichte Europas im MA, [3]1974, S. 126-29; — Traduction de la charte de J. de Constantinople, comtesse de Flandres, en faveur de Wattrelos, Nord, 1220, in: Assoc. Rech. hist. Wattrelos 7 (1986), S. 5-6; — Bnat Belg X, 497-452; — LThK V, 984; — Stadler, Heiligenlexikon III, 206; — Torsy, 264; — Zimmermann, Kalendarium Benedictinum III, 398-99.

Rainer Witt

JOHANNA v. Konstantinopel, siehe Johanna v. Flandern

JOHANNA *von Kreuz, Tor*, * 3.5. 1481 in Azana bei Madrid † 3.5. 1534 in Cubas bei Madrid. — Im Alter von 15 Jahren flieht J. in das Kloster U.L. Frau v. Kreuze in Cubas bei Madrid, um dem dortigen 3. Orden des hl. Franziskus beizutreten. Grund der Flucht war die drohende Verheiratung mit einem von ihrem Vater ausgewählten Mann. Am 3. Mai 1496 erhält sie das hl. Kleid, ein Jahr später legt sie das Gelübde ab. 1509 wird sie Äbtissin des Klosters obwohl sie das nach kirchl. Gesetzen geforderte Alter noch nicht erreicht hat. In Übereinstimmung mit Kard. Ximenes leitet J. umfangreiche Reformen (Alcantrinische Reformen) ein. Ihr asketischer Lebensstil und Berichte von Wunderheilungen lassen sie in den Ruf der Heiligkeit kommen. Als Heilige verehrt, stirbt J. am 3. Mai 1534. Papst Benedikt XIV. leitet Verhandlungen über einen Seligsprechungsprozeß ein, der jedoch noch nicht zum Abschluß gekommen ist. In den Quellen wird sie wechselweise als selig oder heilig behandelt. Fest: 3. Mai.

Lit.: A. Dazza, Historia, vida y milagros...de la virgen Sta. Juana de la Cruz, Madrid 1610 (dt.: Histori von dem wunderbarlichen Leben, Wunderzeichen, Verzuckung und Offenbarungen der Joanna von dem Creutz, 1619); — Luke Wadding, Annales Ordinis Minorum, XIV, 423-436; — M. Angel, Revista de archivos bibliotecas y museos 29 (1913), S. 183-188; — Holweck, 523; — LThK V, 984; — Stadler, Vollständiges Heiligenlexikon, S. 188-190.

Rainer Witt

JOHANNA MARIA de Maillé, Heilige, * 14.4. 1331 in Roche-St. Quentin (Diözese Tours) als Tochter des Barons de M. und der Jeanne de Montbazon, † Ende März 1414 in Tours. — Bereits im Alter von elf Jahren, Weihnachten 1342, entschloß sich J., nachdem ihr die Jungfrau erschienen war, ein vom Glauben bestimmtes Leben zu führen. Doch noch im selben Jahr erfolgte ihre Verlobung mit Robert von Silly, den sie 1347, mit sechzehn Jahren, heiratete. Mit ihm war sie während der Pest (1346-53) im Dienst des Nächsten tätig, bevor Robert von Silly 1362 starb und J. nach Tours zurückkehrte, um ins dortige Kloster einzutreten. 1377 wurde sie Klausnerin. Nach ihrem Tod bestattete man sie in der Franziskanerkirche zu Tours, ein Grab, das 1562 zerstört wurde. J. hatte zeitlebens keine Standesunterschiede gekannt. Als Ratgeberin für arm und reich war ihre Beliebtheit so groß, daß ihr Grab nach ihrem Tod zu einer Wallfahrtsstätte wurde. Auch die Schändung ihres Grabes 1562 konnte ihrer Verehrung im Volk keinen Abbruch tun.

Lit.: Zeitgenössische Vita von Martin v. Boisgaultier, in: Acta SS Mart III, 1668, 733-762; — Abbém Janvier, Schwester M. vom hl. Petrus und d. Werk d. Sühne, 1885-87; — Leopold de Chérancé, La Bienhereuse J. M. de M., Paris 1905; — A. Ledru, L. J. Denis, La maison de M., ebd., 1905; — Maria de Crisenoy, Bse J. M. de M., la mystique des temps de misère, ebd. 1948; — Catholicisme VI, 679 f.; — LThK [2]V, Sp. 986; — Lex. der Namen der Heiligen, 1982, 421.

Karin Groll

JOHANNA, angebliche Päpstin, auch Agnes, Gilberta, erst bei Martin von Troppeau als J. bezeichnet, soll zwischen Leo IV. (855) und Benedikt III. (858) regiert oder um 1100 gelebt haben. — Die Fabel über die Existenz einer Päpstin taucht erstmals in der »Chronica universalis Mettensis« des Jean de Mailly Mitte des 13. Jahrhunderts auf. Doch erst mit der Chronik des Dominikaners Martinus Polonus oder Martin von Troppeau fand sie erhebliche Verbreitung. Dessen Version erzählt von einem Mädchen aus Mainz oder England, das in Athen ein Studium absolviert habe und dann als Mann verkleidet nach Rom gekommen, dort durch ihr Wissen aufgefallen und schließlich nach dem Tod Leos IV. 855 als Johannes Anglicus zum Papst gewählt worden sei. Nach zweieinhalbjähriger Regierungszeit habe sie während einer Prozession zum Lateran ein Kind geboren, sei noch an Ort und Stelle gestorben und begraben worden. Die

Fabel über die angebliche Päpstin hat mehrere Versionen hervorgebracht. Der frühere, von Mailly verfaßte Text schildert, wie J. vom Notar der Kurie zum Kardinal und schließlich zum Papst aufgestiegen sei. Im Begriff, ein Pferd zu besteigen, gebar sie einen Knaben, worauf man sie mit ihren Füßen an den Schweif eines Pferdes binden, schleifen und vom Volk steinigen ließ. Doch auch die Martin-Handschrift selbst zeigt Abweichungen: In einer Variante wird berichtet, daß die Päpstin nach ihrer Niederkunft abgesetzt worden sei, ein Leben in Buße begann, bis ihr Sohn Bischof in Ostia geworden war. Nach ihrem Tod soll man sie in der dortigen Kathedrale beigesetzt haben. Der mittelalterlichen Chronik der Äbte von Kempten zufolge soll ihr sogar ein böser Geist erschienen sein, der ihr mit der Aufdeckung ihrer Identität drohte, es sei denn, sie schließe sich ihm und seiner Gesellschaft an. Ein Engel oder eine Offenbarung ließ ihr dann die Wahl, entweder - und diesen Weg wählte sie - Schmach zu erdulden oder für immer verdammt zu sein. Spekulationen über den Ursprung der Legende kamen schon früh auf. Bereits im 15. Jahrhundert äußerten Enea Silvio Piccolomini und Platina, im 16. Jahrhundert Aventinus, O. Panvinio, R. Bellarmin und D. Blondel Zweifel. Mögliche Hintergründe gibt es viele: Zum einen - dies ist die verbreitetste These - mag ihr eine römische Volkssage zugrunde liegen. In einer engen römischen Gasse befand sich eine heute verschwundene, verstümmelte antike Statue (Mithrapriester?) mit Knabe, die vom Volk als weibliche Figur und die bei ihr befindliche Inschrift als Grabinschrift der Päpstin gedeutet wurde. Ein weiterer Ursprung könnte in der Erinnerung an die Herrschaft der Theodora und Marozia im 10. Jahrhundert sein, oder eine Satire auf Johann VIII. und seine Weichheit, sowie die allegorische Verarbeitung der Entstehung und Verbreitung der pseudoisidorischen Decretalen. Die angebliche Päpstin Johanna war gerade in der Reformation ein willkommenes Mittel im Kampf gegen das Papsttum, zumal sie schon Hus auf der Konstanzer Synode als Hauptargument in den Kontroversen über Recht und Umfang der Papstgewalt gedient hatte. So fand die Fabel ihren Niederschlag auch in vielen illustrierten Flugblättern der Reformationszeit.

Lit.: Leo Allatius, Dissertatio de J. Papissa, Rom 1630; — Heumann, Dissertatio de origine tradit. falsae de J. P., 1733; — Friedrich Spanheim, Histoire de la papesse J., Den Haag 1736; — Johann Josef Ignaz v. Döllinger, Die Papstfabeln des MA.s, 1863, 1890[2], 7-45; — Alphagius Vacandard, Études de critique et d'histoire religieuse 4, Paris 1923, 13-39; — Mario Praz, La leggenda da papessa Giovanna, in: Belfagor ressegna di varia umanità, Firenze 1979, 435-442; — Th. d'Angomont, La papesse Jeanne vue par Stendhal, in: Revue du moyen-age latin, 41, 1985, N. 3-4, S. 243-248; — Tinsley, Barbara Sher, Pope Joan. Polemic in early modern france: the use and disabuse of myth, in: The Sixteenth Century Journal 18, 1987 III, S. 381-397; — Klaus Herbers, Die Päpstin Johanna. Ein kritischer Forschungsbericht, in: Historisches Jahrbuch 108, 1988 II, S. 174-194; — Wetzer-Welte [2]VI, 1519-1524; — RE [3]IX, 254; — RHE XX, 296; — Seppelt [2]II, 288-240; — RGG [2]II, 314 f.; — LThK [2]V, 984-985.

Karin Groll

JOHANNA *von Portugal,* O.P., * 6. (16.?) 2. 1452 Lissabon † 12.5. 1490 in Aveiro. — J. war das älteste Kind von König Alfons V. von Portugal und Königin Elisabeth. Als legitime Thronerbin sollte sie - dem Wunsch der Eltern gemäß - schon früh mit einem geeigneten Mann aus einem europäischen Königshaus verheiratet werden. J. verweigerte sich jedoch diesen Plänen und zog sich 1471 in das Kloster Odivelas bei Lissabon zurück. Hier entschloß sie sich ganz für das klösterliche Leben und trat 1472 in das Jesuskloster der Dominikanerinnen bei Aveiro ein. 1475 empfing sie das Ordensgewand, das Gelübde konnte sie aber erst ablegen, als die Thronfolge in Portugal gesichert war (1485). Am 12. Mai 1490 erlag J. einer Fieberkrankheit. Da sie sich konsequent für ein frommes Leben entschieden hatte und nach ihrem Tode mit Wundererscheinungen in Verbindung gebracht wurde, verehrte die Bevölkerung sie als Heilige. Die offizielle Seligsprechung vollzog Innozenz XII. 1693. Fest: 12. Mai.

Lit.: Grundlage aller Biographien ist eine Vita aus dem 16. Jh. v. M. Pinheiro, hrsg. v. A.G.R. Madahil, Cronica da fundacao do Mosteiro de Jesus, de Aveiro e memorial da infanta santa Joana..., Aveiro 1939; — Acta SS Maii VII (1688), S. 719-62; — (anonym), Vita della B. Giovanna Principessa di Portogallo, ibid., 1844; — J.-T. Belloc, La Bienheureuse J. de Portugal et son temps, Paris 1897; — M.C. de Ganay, Les Bienheureuses dominicaines, Paris 1913, S. 122ff.; — A.G.R. Madahil, Iconografia da infanta santa Joana, 1957; — BS VI, 557f.; — Dom Baudot, Dictionnaire d'hagiographique, S. 371; — CathEnc VIII, 409;

— Doye, I, 566; — DE II, 135; — Holweck, 523; — LThK V, 985; — NewCathEnc VII, 994; — Stadler, Heiligenlexikon, III, S. 132-185; — Wetzer/Welte, Kirchenlexikon, VI, 1524-25; — VSB, V, 248; — Otto Wimmer/Hartmann Melzer, Lexikon der Namen und Heiligen, 1982, S. 423.

Rainer Witt

JOHANNA *von Valois* (auch: Johanna von Frankreich), Tochter König Ludwigs XI. und Charlotte von Savoien, Gründerin des Ordens der Französischen Annunziaten, * 23.4. 1464 in Nogent-le-Roi, † 5.2. 1505 in Bourges. — J. mußte eine leidvolle Kindheit und Jugend durchleben, denn sie war körperlich mißgestaltet zur Welt gekommen. Da sich ihr Vater zudem einen männlichen Nachkommen gewünscht hatte, erfuhr sie keinerlei Zuneigung. Bereits mit 2 Monaten wurde sie dem Herzog von Orleans versprochen. Seit dem 5. Lebensjahr lebte sie auf dessen Schloß, wo man sie in höfischer Etikette unterwies. 1476, im Alter von 12 Jahren, wurde sie mit dem Herzog von Orleans verheiratet — eine rein politische Heirat. Folgerichtig ließ der Herzog, als er sein Ziel, die Thronbesteigung, erreicht hatte (1498 wird er als Ludwig XII. neuer König), die Ehe für nichtig erklären. Eine von Papst Alexander VI. eingesetzte Kommission entscheidet im Sinne des Königs und annullierte die Ehe. Für J. kam dies einer Befreiung gleich. Sie zog sich bereitwillig in ihr Schloß nach Bourges zurück und verwirklichte einen langgehegten Wunsch: im Einvernehmen mit ihrem Beichtvater Gilbert Nicolas (auch Gabriel Maria genannt) gründete sie den Orden "Von den zehn Tugenden unserer lieben Frau" (Orden der Französischen Annunziatinnen). Wenige Monate nach der Gründung gab Papst Alexander VI. die provisorische Bestätigung (1501). J. selbst legte im Jahre 1503 unter dem Namen Schwester Gabriela Maria die Profeß ab. Sie lebte aber weiterhin in ihrem Schloß in Bourges, wo sie am 5.2. 1505 starb. 1517 bekam der von ihr gegründete Orden die definitive Bestätigung von Papst Leo X., der ihn unter die geistliche Leitung der Franziskaner stellte. 1772 wurde J., die seit ihrem Tode vom Volk als Heilige verehrt wird, als Selige bestätigt. Pius XII. spricht sie am 28.5. 1950 heilig. Fest: 4. Februar.

Lit.: Die ältere Lit. ist zugänglich über P. Jean-Francois Bonnefoy, Bibliographie de l'Annonciade, 1943; — Hervorzuheben daraus: M. Cagnac, La Bse. j. d. V., 1930 (5. Aufl.); — Duc de Levis-Mirepoix, J. d. France, fille de Louis XI, 1943; — J. Gall, L'émouvante histoire de la Bse. J. d. France, 1944; — Antoine Redier, J. de France, 1945; — G. Chastel, Sainte J. de France, 1950; — E. Conardi, Santa Giovanna di Francia, 1950; — A. Girard, Saint J. d. F., duchesse de Berry, 1950; — L. Sanz Burata, Juana d. V., Reina di Francia y Fundadóra, 1950; — E. Jarraud, Sainte J. d. F., in: La vie spirituelle 32 (1950), 351, 504-512; — E. Renaud, La b. J. d. F., son marriage et le procès de nullité, in: Ami du clergé 60 (1950), 113-121; — A. M. C. Forster, St. J. of France, 1950; — R. M. Gabriel-Maria, La Spiritualité de sainte J. d. F., 1956; — Roger Galopin, Ste. J. d. F., 1964; — Lucienne Curie-Seimbres, Souveniers de J. d. F. en Albigeois, in: Revue du Tarn 46 (1967), 165-184; — Lucienne Jouan, Effigées du passé, T. 1, sainte j. d. F., 1972; — Albert Destefanis, Louis XII. et J. d. F., etude historique (Thèse Toulouse 1945), 1974; — Micheline Ramoux, Les miracles de sainte J., in: Cahiers d'archéologie et d'histoire du Berry 64 (1980), 27-44; — Ste. J. d. F. et leconvent de l'Annonciade de Bourges. Bulletin d'Information departemental du Cher (Bourges), 160 (1980), 35-38; — Raymond Montané, J. d. F. et l'histoire de son temps dans la cathédrale d'Auch., in: Bulletin de Soc. archeol. et hist. de Gers, 84 (1983), 76-111; — D. Attwater, Penguin Dictionary of the saints, 1983², 184; — Baring-Gould II, 109-111; — Dom Baudeot, Dictionnaire d'hagiographique, 371; — BS VI, 560-565; — Catholicisme VI, 670-671; — J. Coulson/Bernard Noel, Dictionnaire historique des saints, 225; — DE II, 134; — Doye I, 565; — EC VI, 485-486; — Holweck, 523; — LThK V, 985; — NewCathEnc VII, 993; — Künstle, 331; — Pierre Pierrand, Larousse des Prénoms et des Saints, 134; — Potthast II, 1391; — RGG I, 396 (Stichwort: Annunziaten); — Stadler, Hll.lexikon, 181-182; — Torsy, 265; — Otto Wimmer/Hartmann Melzer, Lex. der Namen und Hll., 1982, 423; — Tobin/Delaney, Dictionary of Catholic Biography, 608.

Rainer Witt

JOHANNA MARIA *vom Kreuz*, mit bürgerlichem Namen Bernardina Floriani, * 8.9. 1603 in Rovereto (Südtirol), beigesetzt 26.3. 1673 zu San Carlo ebenda. — J. zeichnete ihr Leben aus durch Gebet und Askese und durch die Betreuung Hilfsbedürftiger. In Rovereto und Trient unterhielt sie Oratorien zur Mädchenerziehung; später war sie Äbtissin in dem von ihr 1646 gegründeten Klarissenkloster S. Carlo. Auch politisch übte sie Einfluß aus auf ihre Umgebung (u. a. auf Leopold I.). Sie trat außerdem als Autorin aszetischer und autobiographischer Schriften (darunter viele Gedichte) hervor, von denen allerdings die meisten ungedruckt blieben. Der Seligsprechungsprozeß wurde 1733 eingeleitet, Ende des 18. Jahrhunderts unterbrochen und neuerdings wieder aufgenommen.

Lit.: J. E. Stadler/J. N. Ginal, Vollst. Heiligenlex. (5 Bde.), 1858-82; — Gedruckte Seligsprechungsakten, bes. Summarium, 1867, B. Weber dt., 1877³; — T. Asson, Studi francescani 25, 1928, 306-346 (v. F. Baroni verfaßte Vita); — A. Rossaro, La ven, G. M. d. C.... nella sua poesia, 1942; — A. Coreth, Jahrb. für myst. Theol. 1, 1955, 235-296; — LThK V², 985 f.

Werner Schulz

JOHANNES I., Papst, 13.8. 523-18.5. 526, aus Tuszien. — J. wurde am 13.8.523 als Nachfolger des Papstes Hormisdas zum Papst geweiht. Als der byzantinische Kaiser Justin I. 523 eine allgemeine Ketzerverfolgung anordnete, wandten sich die arianischen Goten aus dem Donauraum an ihren Glaubensgenossen Theoderich den Großen um Hilfe. Dieser beauftragte den Papst J. nach Konstantinopel zu reisen, um dort bei Justin I. für die durch Beschlagnahme von Kirchen und Zwangsbekehrungen Verfolgten zu intervenieren. J. I. betrat damit als erster Papst östlichen Boden, er wurde 525 mit großen Ehren empfangen. Seine Verhandlungen führten im ganzen zum Erfolg, jedoch lehnte er es ab, für die Rückkehr der Zwangsbekehrten zum arianischen Glauben einzutreten. Theoderich ließ ihn bei seiner Rückkehr 526 in Ravenna festsetzen, wo er auch kurz darauf starb. — J. führte mit Dionysus Exigius die Ostertafel des Kyrill von Alexandrien in die römische Kirche ein, die sich in der Folge durchsetzte.

Lit.: Jaffe II, 694, 737; — Langen, Gesch. der röm. Kirche von Leo d. Gr. bis Nikolais I., 1885, 299 f.; — LibPont I, 275-278, III s. Reg.; — G. Pfeilschrifter, Der Ostgotenkönig Theoderich der Gr. und die kath. Kirche, in: Kirchengeschichtl. Studien III, 1 u. 2, 1896; — M. Rossi, L'ambasceria di papa Giovanni I a Constantinopoli, secondo alcuni principai scrittori, in: Archivo della Soc.rom. di storia patria XXI, 1898, 567-584; — F. Gregorovius, Gesch. der Stadt Rom im MA, 5 ed. 1903; — L. Duchesne, L'Église au VIe siècle, 1925, 578-579; — B. Krusch, Ein Bericht der päpstl. Kanzlei an Papst J. I. von 526 und die Oxforter Handschr. Digby 63 von 814, in: Papsttum und Kaisertum, Festschr. für P. Kehr, 1926, 48-58; — Caspar II, 183-192, 766 f.; — Seppelt I, 255-305; — L. Bréhier, in: Fliche-Martin IV, 434-436; — O. Bertolini, Roma di fronte a Bisanzio e ai Longobardi, 1943; — W. Enßlin, Theoderich d. Gr., 1947; — Ders., Papst J. I. als Gesandter Theoderichs d. Gr. bei Kaiser Justinus, in: ByZ 44, 1951, 127-134; — Ders., I Goti in Occidente, 1956, 509-536; — H. Löwe, Theoderich d. Gr. und Papst J. I., in: HJ 72, 1953, 83-100; — P. Goubert, Autour du voyage à Byzance du Pape S. Jean, in: OrChrP 24, 1958, 339-352; — C. Callovini, Vita ecclesiastica romana I, 1961, 73, 90, 92; — C. Falconi, Storia dei Papi e del Papale, 1967, s. Reg.; — Josef Gelmi, Die Päpste in Lebensbildern 1983, 31; — Hubert Stadler, Päpste und Konzilien, 1983, 120 f.; — RE IX, 255-256; — DThC VIII, 1, 593-595; — Catholicisme VI, 472 f.; — EC VI, 578 f.; — RGG III, 808; — LThK V, 986.

Gunda Wittich

JOHANNES II., Papst: 2.1. 533-8.5. 535, röm. Presbyter von S. Clemente; der erste Papst, der seinen Namen änderte, da er nach einer heidnischen Gottheit (Mercurius) benannt war. Er nahm den Namen des zum Märtyrer gewordenen Johannes I. an. Seiner Wahl zum Papst ging eine außergewöhnlich lange Sedisvakanz von zweieinhalb Monaten voraus, eine Phase von Intrigen und Korruption, in der die Prätendenten auf den päpstlichen Thron und ihre Klientel sich auf Stimmenfang und Wahlbestechung verlegten: um Stimmen zu kaufen, wurden sogar Kirchenschätze und Armengelder vergeudet. Nach Einsetzung des Papstes erneuerte Athalarich, Ostgotenkönig von Italien, (526-534) ein 530 unter Bonifatius II. erlassenes Dekret des Senats, das Simonie bei der Papstwahl unter strengste Strafe stellte; und er ordnete an, eine in Marmor gemeißelte Abschrift des Dekrets in St. Peter für alle gut sichtbar anzubringen. — J. pflegte gute Beziehungen zu dem oströmischen Kaiser Justinian I. (527-565), der ihm wertvolle Geschenke machte. Er akzeptierte formell ein vom Kaiser erlassenes dogmatisches Dekret (15.3. 533). Dieses Dogma erkannte die Lehren der ersten vier ökumenischen Konzilien an. Es schloß die theopaschitische Formel »Einer aus der Dreifaltigkeit hat im Fleisch gelitten« ein, welche Hormisdas als mißverständlich verworfen hatte. Diese Formel schien dem Kaiser geeignet, nestorianische Auslegungen der chalkedonensischen Christologie auszuschließen, zudem der Lehre Kyrills von Alexandria († 444) zu entsprechen und vor allem Anklang bei den Monophysiten des Reiches zu finden, die Jusitinian durch seine Politik gewinnen wollte. In den akoimetischen (d.h. schlaflosen) Mönchen Konstantinopels entstand gegen das Dekret Justinias eine energische Opposition, die leidenschaftlich die chalkedonensische Orthodoxie verfochten und traditionell zu den zuverlässigsten Bundesgenossen Roms gehörten. Die Akoimeten riefen hiergegen den Papst an, der sie seinerseits zur Aufgabe ihrer Opposition zu bewegen suchte. Als sie sich weigerten, exkommunizierte er sie als Nestorianer und richtete ein Schreiben an den Kaiser Justinian, in dem er dessen Dekret für rechtgläubig erklärte. Das Vorgehen des Johannes galt oft als ein krasses Beispiel dafür, wie ein Papst in Glaubensfragen seinem Vorgänger widerspricht. — Über Johannes Beziehungen zur Westkirche hat sich als einzige Angabe erhalten, daß er ein Synodalurteil über Bischof Contumeliosus von Riez in der Provence verschärft hat, indem er ihn, den ein Konzil unter Vorsitz des Caesarius von Arles († 542) der Verfehlung im Amt für schuldig befunden und unter ''Klosterarrest'' gestellt hatte, absetzen ließ (533) und Caesarius zum einstweiligen Visitator des Bistums bestellte.

Lit.: MG AA XII, 279-282; — Collectio Avellana, Ep. 84 (CSEL XXXV, 320-328); — P(atrologia) L(atina) LXVI, 17-32, hrsg. v. J.P. Migne, 217 Bde u. 4. Reg.-Bde, Paris 1878-90; — Jaffé² I, 113, II, 694, 738; — DCB III 390f (J. Barmby); — Duchesne LP I 285f (Liber Pontificalis, ed. L. Duchesne, 2 Bde, Paris 1886-92); — Hefele-Leclercq II, 1126f; — Casper II, 217-219; O. Bertolini, Roma di fronte a Bisanzio e ai Longobardi, 1943; — Haller I² 260ff; — EC VI 579f; — Seppelt I² 263ff; — B. Rubin, Das Zeitalter Justinians, Bd. I (1960); — LThK V² 986f.

Werner Schulz

JOHANNES III., Papst: 17.7. 561-13.7. 574, hieß eigentlich Catelinus und stammte als Sohn eines römischen Senators und Provinzgouverneurs namens Anastasius aus einer vornehmen römischen Familie. — J. scheint sich als Papst nach den Angaben des Liber Pontificalis besonders der Erneuerung der Katakomben gewidmet zu haben. Als gewählter Papst mußte J. vier Monate warten, bis die für seine Weihe erforderliche kaiserliche Vollmacht, die sich Kaiser Justinian I. (527-565) nach der Eroberung Italiens vorbehalten hatte, aus Konstantinopel eintraf. In der Zeit des nachrichtenarmen Pontifikats des J. fielen 568 die Langobarden unter König Alboin in weite Teile Italiens ein. Dabei stießen sie auf nur geringen Widerstand, da Justinians Thronnachfolger Justinus II. (565-578) Narses, den

Exarchen (byzantinischer Statthalter und Vizekönig) in Italien, auf Verlangen des Volkes entlassen hatte. Die Invasion trug dazu bei, das Schisma zwischen Rom und den bedeutenden Kirchen des Westens, zu überwinden. Dank der Bemühungen J's kehrten die Kirchen von Mailand, Ravenna und einige afrikanische Kirchen in die Gemeinschaft mit Rom zurück. So hielt beispielsweise der neue Bischof von Mailand, Laurentius, der wegen der Besetzung der Stadt (569) in Genua gewählt worden war, es 573 für angebracht, die Glaubensgemeinschaft mit Rom zu erneuern. Er unterzeichnete ein vom römischen Stadtpräfekten und künftigen Papst Gregor I. gegengezeichnetes Dokument, mit dem er der Verdammung der Drei Kapitel zustimmte. Als die Invasion der Langobarden sich weiter nach Süden erstreckte, begab J. sich 571 voller Verzweiflung nach Neapel, wo sich Narses niedergelassen hatte, und überredete ihn, nach Rom zurückzukehren und sich der Krise anzunehmen. Mit diesem Schritt löste J. derart schwere Unruhen im Volk aus, daß er sich, um nicht in die Streitigkeiten verwickelt zu werden, aus der Stadt zurückzog und sein Domizil in der Kirche SS. Tiburzio e Valeriano (an der Via Appia, 3 km außerhalb von Rom) aufschlug. Bis zum Tod des Narses in Rom (573/74) erledigte er dort sämtliche Amtsgeschäfte einschließlich der Bischofsweihen. J. selbst starb bald nach Narses und wurde in St. Peter beigesetzt.

Lit.: Jaffé² I 136f, II 695; — Duchesne LP I 305ff, III (Reg.) (Liber Pontificalis, ed. L. Duchesne, 2 Bde, Paris 1886-92); — Caspar II 350, 777; — O. Bertolini Roma di fronte a Bisanzio e ai Longobardi, 1943; — H. Grisar, Roma alla fine del mondo antico II, 1943; — DCB III 391 (J. Barmby); — DACL XIII 1221 f (H. Leclercq); — Seppelt I¹ 292 f; — JR 162-166, 241, 243; — B. Rubin, Das Zeitalter Justinians, Bd I (1960); — LThhK V² 987.

Werner Schulz

JOHANNES IV., Papst: 24. 12. 640-12.10. 642, Dalmatiner aus Salona, Sohn des Venantius, eines Rechtsberaters im Dienste des Exarchen zu Ravenna, war Erzdiakon von Rom, als er im August 640 zum Papst gewählt wurde. In der Zeit des fünfmonatigen Interims bis zur kaiserlichen Zustimmung, die damals für die Weihe als notwendig erachtet wurde, sandte die römische

Kirche einen Hirtenbrief zur Maßregelung an bestimmte irische Bischöfe, da sie sich betreffs der Osterfeier nicht an den im ersten Konzil von Nicäa festgelegten Termin halten wollten, sondern vielmehr an ihrem Brauch festhielten, Ostern am Tag des jüdischen Paschafestes zu feiern. Aufschluß über den Status der römischen Kirchenleitung in der Zeit des Interims bis zur kaiserlichen Bestätigung und Konsekration des gewählten Papstes gibt die Tatsache, daß der designierte Papst nur der zweite Unterzeichner des Briefes war, während als erster der Erzpresbyter Hilarus unterschrieb. Darüber hinaus bezeichneten sich Hilarus und der Erste Sekretär (primicerius) Johannes in dem Schreiben als »Verweser« des Hl. Stuhls. — Anfang 641 veranstaltete J. in Rom eine Synode, die den von der Ekthesis (Glaubensbekenntnis) des Kaiser »Herakleios« (610-641) begünstigten Monotheletismus als ketzerisch verdammte. Enttäuscht darüber, daß die »Ekthesis« nur zu Spaltungen geführt hatte, schrieb Herakleios kurz vor seinem Tod (11.2. 641) an den Papst, um sich vom Monotheletismus zu distanzieren. — Die »Ekthesis« war in Wirklichkeit von dem Patriarchen Sergios I. von Konstantinopel (610-638) verfaßt worden, der sie Ende 638 von einem Konzil in Konstantinopel bestätigen und dann dem ganzen Reich vorschreiben ließ. Ebenso verfuhr sein Nachfolger Pyrrhos I. (638-641), der an der Redaktion der »Ekthesis« mitgewirkt hatte. In dieser Glaubensformulierung wird zunächst das Geheimnis der Trinität und die Lehre des Konzils von Chalkedon über die Inkarnation dargelegt. Christus wird hier nur ein Wille zugeschrieben, der als physische Fähigkeit und nicht wie bisher im Sinne einer moralischen Einheit im Handeln verstanden wird (Monotheletismus). Als Pyrrhos bei seinen Bemühungen zur Durchsetzung der »Ekthesis« im Westen Honorius l. um seine Billigung ersuchte, brachte J. in einem Brief an den neuen Kaiser Konstantin III. von Ostrom (Feb.-Mai 641) seine Empörung über die Versuche zum Ausdruck, Honorius mit solchen häretischen Neuerungen in Verbindung zu bringen. Sein Vorgänger sei einem Mißverständnis zum Opfer gefallen, denn er habe, als er von einem Willen unseres Herrn Jesus Christus sprach, ausschließlich an den menschlichen Willen gedacht, der frei von dem Zwiespalt war, dem der menschliche Wille aufgrund des Sündenfalls normalerweise unterworfen sei. (Honoriusfrage) J. verlangte außerdem, daß Abschriften der »Ekthesis«, die an öffentlichen Gebäuden Konstantinopels angebracht waren, zu entfernen seien. In Anbetracht der Not seiner Heimat schickte J. den Abt Martin mit einer großen Summe Lösegeldes nach Dalmatien, um die dort von den eingefallenen Awaren und Slawen in Gefangenschaft geführten Christen wieder freizukaufen. Neben dem Baptisterium des Laterans stiftete er zu Ehren der Märtyrer Dalmatiens eine Kapelle, die er mit den Reliquien des hl. Venantius (der Name seines Vaters) und anderer Märtyrer Dalmatiens ausstatten ließ. Sein Porträt, das sein Nachfolger Theodor I. in Auftrag gab, ist noch heute im Mosaik der Apsis dieser Kapelle zu besichtigen.

Lit.: Jaffé[2] 227f; — Duchesne LP I 330, (Liber Pontificalis, ed. L. Duchesne, 2 Bde, Paris 1886-92); — Hefele-Leclercq III, 182-186; — Caspar II, 365-368; — DCB III 391f (J. Barmby); — N. Ertl, AUF XV 70f (1937); — DThC VIII 597-599 (É. Amann); — D. Bertolini, Roma di fronte a Bisanzio e ai Longobardi, 1943; — Haller I[2] 314-317, 543; — Seppelt II[2] 57ff; — JR 182, 184 — LThK V[2] 987.

Werner Schulz

JOHANNES V., Papst, 23.7. 685-2.8. 686, aus Antiochia stammender Syrer, Sohn des Cyriacus. Er war als römischer Diakon einer der drei Deligierten des Papstes Agathos auf dem 6. ökumenischen Konzil in Konstantinopel (680/81). In dieser Funktion brachte er die Kanones des Konzils und das Mandat Kaiser Konstantins IV. für die Wahl Leos II. persönlich nach Rom. Zu dem Zeitpunkt, als er in der Lateranbasilika zum Papst gewählt wurde, war J. Erzdiakon und ein bedeutender Kleriker. In unmittelbarem Anschluß an seine Wahl und nach der Bestätigung seiner Wahl durch den Exarchen von Ravenna (seit 555 der byzantinische Statthalter im weströmischen Reich) konnte er gemäß des neuen von Kaiser Konstantin IV. verfügten Modus, der auf die direkte Befragung Konstantinopels verzichtete, rasch geweiht und investiert werden. Von seinem Pontifikat ist nur soviel bekannt, daß er mit Erfolg strikte Maßnahmen ergriff, um die Bestrebungen sardischer Bischöfe nach Selbständigkeit zu unterbinden und deren Unterwerfung unter die römische Jurisdiktion zu erreichen. Der Metropolit von Sardinien, Citonatus von Cagliari, hatte ohne Befragung Roms einen Provinzbischof geweiht. J. suspendierte zunächst diesen Bischof und setzte ihn erst dann wieder ein, nachdem die Autorität des Hl. Stuhls über Sardinien auf einer in Rom abgehaltenen Synode bestätigt worden war. J. hinterließ dem Klerus, den karitativen Klöstern Roms und den Laiensakristanen der Kirchen ein bedeutendes Legat. Er war der erste einer Reihe von neun Päpsten aus dem Osten, was für das Verhältnis der Ost- zur Westkirche von nicht geringer Bedeutung war.

Lit.: Jaffé[2] 242; — Duchesne LP I 366f, (Liber Pontificalis, ed. L. Duchesne, 2 Bde, Paris 1886-92); — Caspar II 620-631; — DCB III 392 (J. Barmby); — DThC VIII 599 (É. Amann); — Haller I[2] 342ff; — Seppelt II[2] 78-82; — LThK V[2] 987.

Werner Schulz

JOHANNES VI., Papst 30.10. 701-11.1. 705, griechischer Herkunft. — Mit Hilfe der italischen Milizen konnte sich J. VI. gegen den Exarchen Theophylakt behaupten, der von dem Usurpator Apsimaros (Tiberios III.) über Sizilien nach Italien geschickt worden war. Vermochte er im byzantinischen Thronstreit mit viel Geschick zu lavieren, so gelang es ihm nur durch erhebliche Tributzahlungen, den Langobardenherzog Gisulf von Benevent, der brandschatzend und plündernd in das Patrimonium Petri eingedrungen war, zum Abzug zu bewegen. Auf einer römischen Synode im Jahre 704 bestätigte er die Metropolitangewalt des Erzbischofs Berhtwald von Canterbury gegen die Selbständigkeitsbestrebungen Bischof Wilfrids von York.

Werke: Quellen: Jaffé I, 245 f. (Nr. 2141-3143); LibPont I, 383 f.

Lit.: Erich Caspar, Gesch. des Papsttums von den Anfängen bis zur Höhe der Weltherrschaft II, 1933, 636, 688, 726; — Hanna Vollrath, Die Synoden Englands bis 1066, 1985, 116-119; — Seppelt II, 85; — LexP 37 f.; — Kelly, Lex P 98 f.; — Catholicisme VI, 475 f.; — DThC VIII, 1, 599 f.; — EC VI, 581 f.; — LThK V, 987; — NCE VII, 1009; — RGG III, 808 f.

Georg Kreuzer

JOHANNES VII., Papst: 1.3. 705-18.10. 707. — J. war gebürtiger Grieche. Sein Vater hatte als hochrangiger Beamter für die Instandhaltung des kaiserlichen Palastes auf dem Palatin zu sorgen. Als erster Papst stammte er von einem byzantinischen Regierungsbeamten ab. J. war zunächst als Verwalter des päpstlichen Patrimoniums an der Via Appia tätig. Zeugnis von seiner Wortgewandtheit und künstlerischen Bildung geben ein in Versen gehaltenes Epitaph, das er für seinen Vater verfaßt hat, und eine bewegende Inschrift auf einem für seine Eltern errichteten Denkmal. — Als Papst konnte er wieder friedliche Beziehungen zu den Langobarden herstellen. Diese manifestierten sich in der Rückgabe besetzten Kirchenguts in den Kottischen Alpen durch König Aripert II. (701-712). Weniger glücklich war sein Verhalten gegenüber Byzanz. 706 entsandte Justinianos II. zwei Bischöfe mit Abschriften der Kanones der antirömischen Trullanischen Synode von 692 nach Rom. Sergius I. hatte sich geweigert, die Kanones zu billigen, weswegen Justinian Papst J. darum ersuchte, eine Synode mit dem Ziel einzuberufen, diejenigen Beschlüsse zu bestätigen, die er gutheißen konnte, und andere, die er nicht annehmen konnte, zurückzuweisen. Aus Angst vor dem Zorn des Kaisers wagte J. aber nicht, den Kompromißvorschlag zu seinem Vorteil auszunutzen, sondern sandte die 102 Kanones unverändert nach Konstantinopel zurück, was einer Anerkennung der romfeindlichen Beschlüsse gleichkam. Dieses Verhalten brachte ihm im Liber Pontificalis einen Tadel seines Biographen wegen Feigheit ein. Die Bereitschaft des J., sich der offiziellen byzantinischen Politik zu fügen, zeigt sich auch im bildlichen Schmuck der Kirchen. Seine Künstler empfanden die Christusporträts zumeist dem von justinischen Münzen stammenden Typus nach. — In Rom entfaltete der Papst eine rege Bautätigkeit. Er begann mit dem Bau einer neuen Papstresidenz (episcopium) am Fuß des Palatins. J. ließ Kirchen nicht nur errichten und renovieren (besonders S. Maria Antiqua auf dem Forum Romanum), sondern auch bevorzugt mit Mosaiken und Fresken ausschmücken. Darstellungen seiner selbst zählten häufig dazu, wie sein Biograph ironisierend anmerkt. Ein solches eindrucksvolles zeitgenössisches Mosaikporträt befindet sich heute in den Vatikanischen Grotten.

Lit.: P. Farbre, Le patrimoine de l'Église Romaine dans les Alpes Cottiennes: Mélanges d'archéologie et d'histoire (MAH) (1884), IV, 383 ff.; — Jaffé [2]I, 246 f.; — Liber pontificalis, ed. L. Duchesne (Duchesne LP), 385 ff.; — DACL VII, 2197-2212, XIII, 1243 f.; — Regesta Pontificum Romanorum, congessit P. F. Kehr, Italia Pontificia I-VIII (IP) (1906-1935), II, 59 n. 1; — Caspar II; — J. Gay, Mélanges G. Schlumberger I (1924), 40-45; — O. Bertolini, Roma di fronte a Bisanzio e ai Longobardi (1943); — Mann I/II, 109-123; — Haller [2]I, 343 f., 349; — Seppelt [2]II, 85 f.; — P. J. Nordhagen, The Frescoes of John VII. in S. Maria Antiqua (1968); — J. Breckenridge, »Evidence for the Nature of Relations between Pope John VII. and the Byzantine Emperor Justinian II«, in: BZ LXV (1972), 364-374; — LThK [2]V, 987 f.

Werner Schulz

JOHANNES VIII., Papst, † 16.16. 882. Pontifikat: 14.2. 872-16.12. 882. Nach 20-jährigem Archidiakonat in der römischen Kirche wurde er am 14.2. 872 zum Papst gewählt. Obwohl es keine Biographie von ihm gibt, zeigen die Briefe (MGEp 7,1-133) und ein langes Register seiner Taten (Jeffé E 1,376-422; 2,704,746) sein kompliziertes und ereignisreiches Pontifikat, das er im Geist Papst Nikolaus I. führte. Er war in der Kirchenpolitik ein wenig erfolgreicher Papst zu Beginn des sogenannten »dunklen Jahrhunderts« der Päpste. Kennzeichnend waren: a. die Spannungen zwischen Ost- und Westkirche, die Bulgarenmission durch den Slawenapostel Methodius mit der von J. VIII. genehmigten slawischen Gottesdienstsprache; Bulgarien kam unter die Jurisdiktion Konstantinopels, Kroatien konnte er an die Westkirche binden; 879 erkannte er sogar Photius als Patriarchen von Konstantinopel an. b. die Befreiung Italiens von den Sarazenen. Mit Unterstützung Kaiser Ludwigs II. wollte er gegen die Sarazenen vorgehen; am 1.10. 875 starb Kaiser Ludwig II. J. VIII. unterstützte nun Karl den Kahlen, der am 25.12. 875 aus der Hand des Papstes die Kaiserkrone in Rom empfing. Die Wirren in Italien, Opposition gegen den Kaiser verhinderten ein wirksames Vorgehen gegen die Sarazenen; Kaiser Karl der Kahle starb am 13.10.877. In den folgenden Machtkämpfen favorisierte J. VIII. den Grafen Boso von der Provence; doch die Opposition mit

Guido III. von Spoleto und Adalbert von der Toskana war zu groß; am 9.2. 881 krönte er Karl den Dicken, der seit August 879 König von Italien war, zum Kaiser. Gegen die Sarazenen mußte er allein vorgehen; er befestigte Rom und stellte eine päpstliche Flotte auf. Beim Kampf gegen Eindringlinge in Italien starb er am 16.16. 882. Andere Berichte sagen, daß er von Verwandten vergiftet wurde und als das Gift zu langsam wirkte, mit Hammerschlägen auf den Kopf umgebracht worden sei.

Werke: MGEp 7,1-133; Jaffé E 1,376-422; 2, 704, 746.

Lit.: E. Caspar, Gesch. des Papsttums von den Anfängen bis zur Höhe der Weltherrschaft, Bd. II, 1930-33, 528 f., 620 f., 636 ff.; — Fr. E. Engreen, Pope John Eight and the Araps: Speculum 20, 1945, 318-330; — G. Arnaldi, Giovanni Immonide e la cultura a Roma al tempo di Giovanni VIII: Bull. dell'Ist Stor. Ital. per il Medio Evo 68, 1956, 33-89; — J. Haller, Das Papsttum. Idee und Wirklichkeit, Bd. II, Stuttgart 1950-54, 139 ff., 533 ff.; — A. Lapore, ... Le Pope Jean VIII., Paris 1875; — F. Dvornik, The Photian Schism, Cambridge 1948; — R. Fischer-Wollpert, Lex. der Päpste, Regensburg 1985, 50; — DThC VIII, 597 ff.; — LThK V, 467 f.; — NewCathEnc VII, 1009 f.; — RE [3]IX, 257 ff. (Lit.).

Michael Plathow

JOHANNES IX., Papst: Januar 898 - Januar 900 (Tod), ein aus Tivoli gebürtiger Benediktinerabt. — Nach dem Tode des Papstes Theodor II. im Dezember 897 versuchte Sergius von Caere, der spätere Papst Sergius III. (904-911), den päpstlichen Thron zu usurpieren. Sergius gehörte als Parteigänger Stephans VI. zu den geschworenen Feinden des postum verurteilten Papstes Formosus. Obwohl sich Sergius zunächst des Laterans bemächtigen konnte, vertrieben ihn die Anhänger des Formosus mit Unterstützung Lamberts von Spoleto (König von Italien seit 891), den Formosus zum Kaiser gekrönt hatte (30.4.892), gewaltsam aus dem Palast und kürten an seiner Statt den Benediktiner J. — J. setzte in Zusammenarbeit mit Lambert von Spoleto die Politik Theodors fort. Dieser hatte versucht, in der verworrenen Situation nach dem Prozeß Stephans VI. gegen den verstorbenen Formosus und nach den darauf folgenden gewaltsamen Konflikten zwischen den Anhängern und Gegnern des Formosus wieder Ruhe und Ordnung herzustellen. J. betrachtete die Sühnung der an dem Leichnam seines verstorbenen Vorgängers verübten Greuel als seine nächste und wichtigste Pflicht. Auf einer nach Rom einberufenen Synode (898) verdammte er die Beschlüsse der Synode Stephans VI., anathematisierte Sergius und fünf seiner engsten Mitarbeiter und erklärte alle von Formosus gespendeten Weihen für gültig. Auf diesem Konzil erkannte er feierlich die Salbung Lamberts zum Kaiser an und verwarf die Salbung Arnulfs, des Königs der Ostfranken, zum Kaiser als einen dem Papst abgepreßten »barbarischen« Akt. Außerdem erließ J. im Hinblick auf die Unruhen bei den letzten Wahlen eine Verfügung über die Papstwahl, in der er in Anlehnung an die Constitutio Romana Kaiser Lothars I. (824) forderte, daß die Konsekration »des von den Bischöfen und dem gesamten Klerus erwählten, von Senat und Volk erbetenen Papstes« nur in Anwesenheit kaiserlicher Emissäre vorgenommen werden solle. Im Bund mit Lambert hoffte J. in Rom wieder geordnete Zustände herzustellen. Als der junge Kaiser überraschend bei einem Jagdunfall ums Leben kam (15.10. 898), riß Berengar von Friaul die Herrschaft an sich, wodurch der Stuhl Petri erneut gefährdet war.

Lit.: E. Dümmler, Auxilius und Vulgarius, 1866; — Jaffé [2]I, 4422 f., 445, II, 705; — Duchesne LP II, 232 (Liber pontificalis, ed. L. Duchesne, 2 Bde., Paris 1886-1892); — Hefele-Leclercq IV, 567 ff., — P. Fedele: ASRomana 33 (1910), 191 ff. (Archivio della Reale Società Romana di Storia Patria, Rom 1878-1934, ab 1935: ADRomana); — L. Duchesne, Les premiers temps de l'État Pontifical (1911), 305-308; — J. Duhr, Le concile de Ravenna 898: RSR 22 (1932), 541-579; — F. Dvornik, The Photian Schism, Cambridge 1948, 262-271; — G. Fasoli, I re d'Italia 888-962 (1949), 45-48; — Mann IV, 91-102; — Seppelt [2]II, 343 ff., 434 f.; — EC VI, 584 f. (G. B. Picotti); — Haller [2]II, 192 f., 545 ff. (Quellen); — LThK [2]V, 989; — J. Sydow, Verhandlungen des hist. Vereins für Oberpfalz u. Regensburg 96 (1955), 431-436, — Ders., Spoletium 3 (1956), 7-11.

Werner Schulz

JOHANNES X., Papst: März/April 914 - Mai/Juni 928, aus Tossignano (Romagna), vorher Erzbischof von Ravenna, † Mitte 929. — Auf Betreiben des römischen Adels, vor allem der mächtigen Familie Theophylakts († um 920) und Theodoras der Älteren († nach 916) gelangte J. im März 914 auf den Stuhl Petri. Nach dem Bericht Luitprands von Cremona (um 920-972) soll der Papst in einem Liebesverhältnis zu Theodora d. Ä., der Gattin des Theophylakt, gestanden haben. Theodora habe ihn, so der Bericht Liutprands, nach Rom holen wollen, da er als Diakon bei seinen Besuchen in der Stadt ihr Geliebter gewesen sei. Der wahre Grund für seine Wahl war allerdings, daß Rom dringend eines energischen und erfahrenen Kirchenführers bedurfte. — J. nahm sich sogleich der Mohammedaner an, durch deren verheerende Überfälle ganz Mittelitalien heimgesucht und terrorisiert wurde. Es gelang ihm, eine Allianz italienischer Herrscher gegen die Sarazenen zustande zu bringen und byzantinische Hilfe zur See auszuhandeln. Persönlich nahm er an den Schlachten teil; der entscheidende Sieg am Garigliano (August 915) soll zu einem guten Teil seinem Verdienst zuzuschreiben sein. Auf dem Gipfel seines politischen Erfolgs krönte er im Dezember 915 Berengar I. in St. Peter zum Kaiser, wofür dieser den hergebrachten Eid schwor, die Rechte und Territorien des Heiligen Stuhls schützen zu wollen. J. verfolgte eine weitreichende Kirchenpolitik, die das Ansehen des Papsttums vergrößern sollte. Mit den Landeskirchen nahm er Verbindung auf. Er sandte zur Synode von Hohenaltheim im September 916 und behielt die griechischen, spanischen und slawischen Kirchen sowie die Konvertierung der Normannen im Auge. Aber fast ausnahmslos beschränkte er sich auch im Verkehr mit diesen Ländern darauf, bereits getroffene oder geplante Maßregeln der Bischöfe und Fürsten gutzuheißen, etwa als er die Wahl des fünfjährigen Grafensöhnchens Hugo zum Erzbischof von Reims bestätigte. Damit war der Anfang zu einer Reihe von Mißbräuchen gemacht, denn Könige und Fürsten verlangten nun häufiger die Einsetzung von Kindern in hohe Kirchenämter, um sich die reichen Pfründe zu sichern. — Nach der Ermordung Berengars im April 924 versuchte J. seine Stellung zu festigen, indem er am 9. Juli 926 zu Mantua ein Bündnis mit Hugo von der Provence, dem neuen König von Italien (926-947) schloß und eng mit seinem eigenen Bruder Petrus zusammenarbeitete, der sich mehr und mehr zu einer einflußreichen Persönlichkeit entwickelte. Diese Schachzüge beunruhigten die intrigante Marozia († nach 932), die Tochter Theophyklats und seit dessen Tod uneingeschränkte Herrscherin über Rom. Sie organisierte einen Aufstand gegen J. und seinen Bruder Petrus. Gegen Ende 927 wurde Petrus vor den Augen des Papstes im Lateran erschlagen. J. selbst wurde im Mai 928 abgesetzt und in der Engelsburg eingekerkert. Er blieb dort mehrere Monate, bis er Mitte 929 starb (wahrscheinlich mit einem Kissen erstickt).

Lit.: Jaffé I, 449-453, II, 706; — Duchesne LP II, 240 f. (Liber pontificalis, ed. L. Duchesne, 2 Bde., Paris 1886-1892); — Hefele-Leclercq IV, 578 ff.; — P. Fedele: ASRomana 33 (1910), 177-247, 34 (1911), 75-115, 393-423 (Archivio della Reale Società Romana di Storia Patria, Rom 1878-1934, ab 1935: ADRomana); — L. Duchesne, Les premiers temps de l'État Pontifical (1911), 317 ff.; — O. Vehse, Das Bündnis gegen die Sarazenen 915: QFIAB XIX (1927), 181-204; — T. Venni: ADRomana 59 (1936), 1-136; — G. Fasoli, I re d'Italia 888-962 (1949); — Mann IV, 149-187; — Seppelt [2]II, 350-355, 434 f.; — Haller [2]II, 199 ff., 546-549; — ECatt VI, 585 f. (Enciclopedia Cattolica, Rom 1949 ff.); — LThK [2]V, 989.

Werner Schulz

JOHANNES XI., Papst Februar/März 931 - Dezember 935/Januar 936, Sohn der mächtigen Herrscherin Roms, Marozia, sein Vater soll nach Liutprand von Cremona (um 920-972) Papst Sergius III. gewesen sein. — Durch den Einfluß seiner Mutter, die ihn als ihr gefügiges Werkzeug betrachtete, gelangte er auf den päpstlichen Thron. In einer seiner ersten Amtshandlungen bestätigte er auf Bitten des dortigen Abts Odo (927-942) dem Reformkloster Cluny in Burgund die Privilegien, die es seit der Gründung (909) genossen hatte, nämlich Schutz durch den Stuhl Petri und freie Wahl seiner Äbte. J. erteilte seine Genehmigung, als der Kaiser von Byzanz, Romanus I. (920-944) ihn Anfang 933 aufforderte, der Ernennung seines 16jährigen Sohnes Theophylakt zum Patriarchen von Konstantinopel zuzustimmen. Er entsandte dazu zwei Bischöfe als Legaten, die an der Weihe und Inthronisation des Knaben teilnehmen sollten (27.2.933). Möglicherweise hatte bei dieser Entscheidung Marozia ihre Hände im Spiel, um eine Ehe ihrer Tochter Bertha mit einem Thronprätendenten des Romanus anzubahnen. Im Sommer 932 vermählte sich Marozia mit Hugo von der Provence, König von Italien (926-948), der sich auf der Höhe seiner Macht befand. Alberich II. von Tuszien (um 905-954), Marozias Sohn aus erster Ehe, fürchtete nach der Wiederverheiratung seiner Mutter um seine Krone und zettelte einen Aufstand an. Im Dezember 932 stürmte der bewaffnete Pöbel die Engelsburg, wo das königliche Paar residierte. Alberich vertrieb König Hugo und ließ seine Mutter und seinen Halbbruder, Papst J., in den Kerker werfen. Er ließ sich selbst zum Fürsten Roms und Senator aller Römer, zum Grafen und Patricius ausrufen. Bis zu seinem Tod (954) regierte er sicher und erfolgreich. — Von Marozia verliert sich jede Spur; J. dagegen scheint aus dem Kerker entlassen worden zu sein, wenngleich er im Lateran unter Hausarrest stand und sich nur der Ausübung kirchlicher Ämter widmen durfte. Nach Liutprand von Cremona soll Alberich J. als seinen persönlichen Sklaven behandelt haben, der Chronist Flodoard von Reims († 966) charakterisiert ihn als einen »macht- und würdelosen Spender von Sakramenten«.

Lit.: Jaffé [2]I, 454 f., II, 706, 746 f.; — Duchesne LP II, 243 (Liber pontificalis, ed. L. Duchesne, 2 Bde., Paris 1886-1892); — P. Fedele: ASRomana 33 (1910), 211-240 (Archivio della Reale Società Romana di Storia Patria, Rom 1878-1934/ab 1935: ADRomana); — L. Duchesne, Serge III. et Jean XI., in: MAH 33 (1913), 25-64 (Mélanges d'archéologie et d'histoire, Paris 1880 ff.); — G. Fasoli, I re d'Italia (1949), 888-962; — Mann IV, 191-204; — Seppelt [2]II, 355 f., 434 f.; — Haller [2]II, 201-204, 548 f.; — ECatt VI, 586; — LThK [2]V, 990.

Werner Schulz

JOHANNES XII., Papst, * in Rom als Sohn des Fürsten Alberich II., † 14.5.964 in der Campagna. — Der mächtige römische Fürst Alberich II. hatte, im Sterben liegend, im August 954 die Römer eidlich dazu verpflichtet, nach dem Tod des regierenden Papstes Agapit II., seinen Sohn Oktavian zum römischen Bischof zu erheben. Am 16.12. 955, nach dem Tode Agapits II., vereinigte der neue römische Bischof, der sich J. XII. nannte und wohl noch in jugendlichem Alter stand, die oberste weltliche und geistliche Gewalt in Rom in seiner Person. — J. wurde von seinen Zeitgenossen, vor allem von Liudprand von Cremona, sehr negativ beurteilt. Ob er alle ihm später im Zusammenhang mit seiner Absetzung angelasteten Verfehlungen wirklich begangen hatte, erscheint fragwürdig. Gegen den jungen, weltlichen Dingen gegenüber nicht abgeneigten, gegenüber kirchlichen Erneuerungsbewegungen sich jedoch durchaus aufgeschlossen verhaltenden Papst dürfte sich vor allem nach einem unnötigen und erfolglosen Kriegszug gegen Capua (959) Kritik geregt zu haben. Als etwa gleichzeitig die italischen Könige Berengar II. und Adalbert das Patrimonium Petri von Norden bedrohten, sah sich J. im Herbst 960, wohl unter dem Druck einer römischen Oppositionspartei, zu einem Hilfeersuchen an den deutschen König Otto I. genötigt. Eine Einladung an diesen Herrscher, zur Kaiserkrönung nach Rom zu kommen, war damit verknüpft. — Nach umfangreichen Vorbereitungen zog Otto I. nach Rom, wurde von J. am 2.2.962 feierlich empfangen und am gleichen Tag vom Papst mit seiner Gemahlin Adelheid in der Peterskirche gekrönt. J. leistete daraufhin dem Kaiser einen Treueeid, vor allem hinsichtlich der Könige Berengar II. und Adalbert. Nachdem er auf Bitten Ottos zahlreiche Privilegien erteilt hatte, insbesondere die am 12.2.962 erfolgte Erhebung Magdeburgs zum Erzbistum, bestätigte Otto J. in einer einen Tag später ausgestellten, prunkvollen Urkunde die Besitzungen und Rechte der römischen Kirche. Offenbar aus Enttäuschung darüber, daß der Kaiser in Italien eigene Ziele verfolgte und keinesfalls die Berengar abgenommenen Territorien des Patrimonium Petri an ihn weitergab, nahm J. Anfang 963 unter Bruch der Otto gegebenen Zusicherung Kontakt mit König Adalbert auf, dem er Unterstützung gegen den deutschen Herrscher zusagte. Als schließlich der Papst noch im Frühjahr 963 Verbindung mit Byzanz und den Ungarn aufzunehmen versuchte und Anfang Juni des gleichen Jahres König Adalbert ehrenvoll in Rom empfing, sah sich Otto, der im Gegensatz zu den geschilderten Aktivitäten J.'s die ihm gemeldeten (angeblichen) Laster und Verbrechen des Papstes (u. a. Ehebruch, Simonie, Jagd- und Spielleidenschaft) nicht ernst nahm, zum Handeln genötigt. J. verließ am 2.11. 963 nach kurzem Widerstand gegen die kaiserliche Belagerung Rom und floh mit König Adalbert in die Campagna. Da er trotz zweimaliger Vorladung vor einer zu Rom unter Vorsitz des Kaisers ta-

genden Synode nicht erschienen war, wurde er vor allem wegen seines Bündnisses mit Adalbert und bewaffneten Widerstands gegen Otto I. in Abwesenheit verdammt und abgesetzt (4.12. 963) und an seiner Stelle noch am selben Tag der Protoskriniar Leo (VIII.) zum Papst erhoben. Nach dem Abzug des Kaisers aus Rom und einem von Anhängern J.'s angezettelten Aufstand mußte Leo VIII. im Februar 964 die Stadt verlassen. J. kehrte daraufhin mit einem Heer nach Rom zurück, nahm Rache an seinen dort zurückgebliebenen Gegnern und ließ durch eine unter seinem Vorsitz tagende Synode (26.-28.2. 964) die Beschlüsse der vom Kaiser im November/Dezember 963 geleiteten Synode annullieren und die Absetzung Leos VIII. aussprechen. Aus Furcht vor einem bevorstehenden Angriff Ottos I. floh J. erneut in die Campagna, wurde dort am 7.5.964 vom Schlag getroffen und starb an dessen Folgen eine Woche später (14.5.964).

Werke: Quellen: Jaffé I, 463-467 (Nr. 3674-3699); LibPont II, 246-249; Böhmer/Zimmermann, Nr. 254-329, 339-341, 344-350, 353-356; Papsturkunden 896-1046 bearb. v. Harald Zimmermann, Bd. 1: 896-996, 1984, Nr. 137-158.

Lit.: Karl Hampe, Die Berufung Ottos des Großen nach Rom durch Papst J. XII., in: Hist. Aufsätze Karl Zeumer zum 60. Geb. als Festgabe dargebr. von Freunden und Schülern, Weimar 1910, 153-163; — Harald Zimmermann, Die Deposition der Päpste J. XII., Leo VIII. und Benedikt V. 963/964, in: MIÖG 68, 1960, 209-225; — Ders., Prozeß und Absetzung Papst J. XII im Jahre 963. Quellen und Urteile, in: ÖAKR 12, 1961, 207-230; — Ders., Parteiungen und Papstwahlen in Rom zur Zeit Kaiser Ottos des Großen, in: RHM 8/9, 1966, 29-88 (ergänzt. Nachdr. in: Otto der Große, hrsg. v. Harald Zimmermann, 1976, 325-414); — Ders., Papstabsetzungen des MA.s, 1968; — Ders., Das dunkle Jh. Ein hist. Porträt, 1971, vor allem 134-151; — Festschr. zur Jahrtausendfeier der Kaiserkrönung Ottos des Großen, Teil 1, 1962 = MIÖG Erg.-Bd. 20,1; — Wilhelm Chraska, J. XII. Eine Studie zu einem problem. Pontifikat, 1973; — Heinz Wolter, Die Synoden im Reichsgebiet und in Reichsitalien von 916-1056, 1988, 69-82; — Ernst-Dieter Hehl, Der wohlberatene Papst. Die römische Synode J.'s XII. vom Februar 964, in: Ex ipsis rerum documentis: Beiträge zur Mediävistik. Festschr. für Harald Zimmermann zum 65. Geb., hrsg. v. Klaus Herbers u.a., 1991, 257-275; — Haller II, 204-215, 549-554; — Seppelt II, 361-371; — LexP, 70 f.; — Kelly, LexP 142-144; — Catholicisme VI, 482 f.; — EC VI, 586 f.; — DThC VIII, 1, 619-626; — LThK V, 990; — NCE VII, 1011; — RGG III, 809 f.

Georg Kreuzer

JOHANNES XIII., Papst, * in Rom als Sohn des

Johannes Episcopus, † 6.9.972 in Rom. — Der ehemalige Bischof von Narni (961-965), der der stadtrömischen Aristokratie entstammte, am Lateranpalast seine Ausbildung erhalten und J. XII. als Gesandter gedient hatte, wurde in Anwesenheit von Gesandten Kaiser Ottos I. (Bischof Otger von Speyer, Liudprand von Cremona) am 1.10. 965 als Nachfolger Leos VIII. durch die Römer zum Papst erhoben. Schon kurze Zeit später (16.12. 965) wurde er von einer Gruppe von Römern unter Führung des Stadtpräfekten Petrus und des Grafen Rotfred von der Campagna verhaftet, mißhandelt, in der Engelsburg inhaftiert und schließlich in die Campagna verbannt. Im Sommer 966 gelang ihm die Flucht. Am 14.11. 966 wurde er von den Römern, die eine Intervention des von ihm zu Hilfe gerufenen Otto I. befürchteten, feierlich in die Stadt eingeholt. In ständigem Einvernehmen mit dem Kaiser ordnete er auf mehreren Synoden vorwiegend italische Angelegenheiten und verlieh Erzbischof Adalbert von Magdeburg das Pallium. Er krönte am Weihnachtsfest des Jahres 967 Otto II., den Sohn Ottos I., zum Kaiser. Am 14.4.972 krönte er auch die byzantinische Prinzessin Theophanu und vermählte sie mit Otto II. Wegen der auffälligen Förderung der Crescentier durch J. XIII. wurde auch behauptet, er habe dieser Familie angehört. Auf eigenen Wunsch wurde J. XIII. in San Paolo fuori le mura bestattet.

Werke: Quellen: Jaffé I, 470-477 (Nr. 3710-3766); LibPont II, 252-254; Böhmer/Zimmermann, Nr. 386-506; Papsturkunden 896-1046, bearb. von Harald Zimmermann, Bd. 1: 896-996, 1984, Nr. 170-220.

Lit.: Carlo Cecchelli, Note sulle famiglie Romane fra il IX e il XII secolo, II: La famiglia di Giovanni XIII e le prime fortune dei Crescenzi, in: Archivio della società Romana di storia patria 58, 1935, 72-97; — Harald Zimmermann, Parteiungen und Papstwahlen in Rom zur Zeit Kaiser Ottos des Großen, in: RHM 8/9, 1966, 29-88, vor allem 68 ff. (ergänzter Nachdr. in: Otto der Große, hrsg. v. Harald Zimmermann, 1976, 325-414, vor allem 382 ff.); — Odilo Engels, Die Gründung der Kirchenprovinz Magdeburg und die Ravennater »Synode« von 968, in: AHC 7, 1975, 136-158; — Roland Pauler, Zum Kanzler Ottos des Großen, Petrus von Pavia und einem angeblich gefälschten Papstbrief, in: QFIAB 60, 1980, 507-510; — Gerd Tellenbach, Zur Gesch. der Päpste im 10. und früheren 11. Jh., in: Institutionen, Kultur und Gesellschaft im MA. Festschr. für Josef Fleckenstein zu seinem 65. Geb., hrsg. v. Lutz Fenske u.a., 1984, 171 f.; — Heinz Wolter, Die Synoden im Reichsgebiet und in Reichsitalien von 916-1056, 1988, 88-104; — Haller II, 215-217, 554 f.; — Seppelt II, 372-378; — LexP 72; — Kelly, LexP 145; — Catholicisme VI, 484; — DThC VIII, 1, 628; — EC VI, 587 f.; — LThK V, 990 f.; — NCE VII, 1011 f.; — RGG III, 810.

Georg Kreuzer

JOHANNES XIV., Papst, eigentlicher Name Petrus Canepanova, † am 20.8.984 in Rom. — Nach dem Tod Benedikts VII. nominierte Otto II. den seit 966 als Bischof von Pavia amtierenden und von ihm als Erzkanzler von Italien ernannten P. C. als dessen Nachfolger. Von einer Zustimmung des Klerus und Volks von Rom wissen wir nichts, so daß wir annehmen dürfen, daß J. von Otto II. eigenmächtig eingesetzt wurde. In der Tat war die Autorität seines Pontifikats allein in der Macht Ottos II. begründet. Eine an den Erzbischof von Benevento gerichtete Bulle, in der er seinem Interesse an einer Kirchenreform Ausdruck verleiht, ist das einzige aus seinem Pontifikat überlieferte Zeugnis. Am 7.12. 983 starb Otto II. Für J. bedeutete dies den Verlust des einzigen Rückhalts seines Amtes. Im April 984 kehrte der bereits 974 zum Gegenpapst erhobene Bonifatius VII. von Byzanz nach Rom zurück. J. wurde ergriffen, abgesetzt, mißhandelt und eingekerkert. Er starb nach einer Haft von vier Monaten in seinem Verlies in der Engelsburg. Die kurze Amtszeit J.s spiegelt den Konflikt zwischen den Machtansprüchen des römischen Stadtadels und den durch den »Pactum Ottonianum« begründeten kaiserlichen Ansprüchen auf die Obergewalt im Kirchenstaat wider.

Werke: Epistolae et constitutiones, hrsg. v. Hrotsuitha, Opera omnia, Paris 1879.

Lit.: F. X. Seppelt/K. Löffler, Papstgesch., München 1938, 91; — H. Zimmermann, Papstabsetzungen des MA.s, Graz u. a. 1968, 102 ff.; — H. Jedin (Hrsg.), Handb. der Kirchengesch., Bd. 2, Freiburg u. a. 1966, 238 f.; — T. Schieder (Hrsg.), Handb. der europ. Gesch., Bd. 1, Stuttgart 1976, 702, 1045; — B. Moser (Hrsg.), Das Papsttum, München 1983, 37, 389; — B. Schimmelpfennig, Das Papsttum, Darmstadt 1984, 129; — M. Greschat (Hrsg.), Das Papsttum, Bd. 1, Stuttgart u. a. 1985, 134; — J. N. D. Kelly, Reclams Lex. der Päpste, Stuttgart 1988, 149 f.; — Jaffé I, 484 f.; — Haller II, 217 f.; — Mann IV, 330-338; — Seppelt II, 380f.; — Catholicisme VI, 484 f.; — EC VI, 588; — EDR II, 1902; — DThC VII, 628; — LThK ²V, 991; — NCE VII, 1012; — RE IX, 264 f.; — RGG ³III, 810; — Wetzer-Welte VI, 1578.

Michael Tilly

JOHANNES XV., Papst, † im März 996. — Der Sohn eines Priesters Leo aus der Region Gallinae albae wurde, nachdem er das Amt eines Kardinalpriesters von S. Vitale ausgeübt hatte, im August 985 als Nachfolger Bonifatius' VII. zum Papst gewählt. J. verdankte seine Wahl der Macht des Johannes Crescentius, der sowohl den Einfluß der griechischen Kaiser wie des deutschen Hofes von Rom abwehren wollte, und neben dem Papst J. als »Patricius romanorum« weiterhin politische Macht in Rom ausübte. Trotz der Beschränkung der päpstlichen Macht in Rom war J. bestrebt, seine Autorität und Unabhängigkeit wiederherzustellen, was ihm während seiner Amtszeit auch teilweise gelang. So vermittelte er erfolgreich in dem Konflikt zwischen König Ethelred II. von England und dem Herzog der Normandie, Richard I. Durch seinen Legaten Leo von Trevi führte er einen Ausgleich im Frieden von Rouen herbei. In die Amtszeit J.s fällt der Streit um das Erzbistum Reims. Hugo Capet, König von Frankreich, hatte Erzbischof Arnoul von Reims im Juni 991 abgesetzt, gefangengenommen, und durch Gerbert von Aurillac ersetzt. Nach energischem Einschreiten J.s unterwarf sich Gerbert 995. Arnoulf wurde 996 freigelassen und 997 wieder als Erzbischof von Reims eingesetzt. Herzog Mieszko I. von Polen schenkte J. sein gesamtes Reich, um hierdurch wirksamen Schutz gegen Deutschland und Böhmen zu erlangen. Am 31.1. 993 wurde mit der Heiligsprechung Ulrichs, des früheren Bischofs von Augsburg, die erste Kanonisierung eines Heiligen durch einen Papst durchgeführt. J. gilt als Förderer der cluniazensischen Klosterreform. Durch zunehmende Habsucht und Nepotismus provozierte J. Kritik und Opposition im römischen Klerus und Adel, und floh, als er seine Stellung und sein Leben gefährdet sah, in die Toscana. Von dort aus wandte er sich um Beistand an den jungen Otto III., dessen Einfluß und Macht Crescentius auch bald zum Einlenken brachten. Die beabsichtigte Krönung Ottos III. wurde durch den plötzlichen Tod J.s im März 996 verhindert. Die trotz innerer Schwäche des römischen Papsttums auffällig aktive Amtsführung J.s in außenpolitischen Belangen trug dazu bei, daß Otto III. einen radikalen Wechsel im Machtverhältnis zwischen Kaiser und Papst herbeiführen konnte.

Werke: Epistolae et constitutiones, hrsg. v. Hrotsuitha, Opera omnia, Paris 1879; Mansi XIX, 81 ff.

Lit.: K. G. von Žimgrod-Stadnicki, Die Schenkung Polens an Papst J. XV., Fribourg 1911; — F. Schneider, J. XV., Papst, und Ottos III. Romfahrt, in: MIÖG 39 (1923), 193-218; — W. Koelmel, Beiträge zur Verfassungsgesch. Roms im 10. Jh., in: HJ 55 (1935), 527-544; F. X. Seppelt/K. Löffler, Papstgesch., München 1938, 91; — M. Uhlirz, Die Regesten des Kaiserreiches unter Otto III., Göttingen 1956/57, Nr. 1026d.; — P. E. Schramm, Kaiser, Rom und Renovatio, Darmstadt 1957²; — H. Jedin, Handb. der Kirchengesch., Bd. III, Freiburg i.Br. u. a. 1966, 241, 278, 337,339; — H. Zimmermann, Papstabsetzungen des MA.s, Graz u. a. 1969, 104; — T. Schieder (Hrsg.), Handb. der europ. Gesch., Bd. 1, Stuttgart 1976, 702 f., 757, 907, 1945 f., 1051; — B. Moser (Hrsg.), Das Papsttum, München 1983, 389; — B. Schimmelpfennig, Das Papsttum, Darmstadt 1984, 145; — M. Greschat (Hrsg.), Das Papsttum, Bd. 1, Stuttgart u. a. 1985, 134; — J. N. D. Kelly, Reclams Lex. der Päpste, Stuttgart 1988, 150 f.; — Haller II, 218 f.; — Jaffé I, 486-489; — Seppelt II, 381-383, 385-387, 390; — Catholicisme VI, 485; — EC VI, 588 f.; — EDR II, 1902; — DThC VII, 628 f.; — LThK ²V, 991; — NCE VII, 1012; — RE IX, 265; — RGG ³III, 810; — Wetzer-Welte VI, 1578-1580.

Michael Tilly

JOHANNES XVI., Gegenpapst, eigentlicher Name Johannes Philagathos, * in Rossano/Kalabrien, † wahrscheinlich am 26.8. 1001 in Rom. — Nach seiner Ernennung durch Otto II. zum Kanzler von Italien (980) und zum Abt von Noantola (982) wurde der Grieche J. 987 auf Betreiben der Kaiserin Theophanu Lehrer des siebenjährigen Otto III. 988 wurde ihm das Bistum von Piacenza anvertraut, das gleichzeitig allein wegen ihm zum Erzbistum erhoben wurde. 991 erneut zum Kanzler von Italien ernannt, wurde J. 994 als Sonderbotschafter nach Byzanz entsandt, um dort die Vermählung Ottos III. mit einer byzantinischen Prinzessin herbeizuführen. Währenddessen hatte in Rom Johannes Crescentius den von Otto III. eingesetzten Gregor V. aus der Stadt verjagt, als er seine Machtposition gegenüber dem Kaiser durch dessen Abzug aus Italien nicht mehr gefährdet sah. Bei seiner Rückkehr wurde J. von Johannes Crescentius mit aktiver byzantinischer Unterstützung als J. XVI. inthronisiert. Das Episkopat der Westkirche exkommunizierte daraufhin den Gegenpapst des Gregor V. Im Februar 998 zog Otto III. in Rom ein. J. wurde ergriffen, geblendet, verstümmelt und einem römischen Kloster übergeben. Dort soll er noch über drei Jahre gelebt haben. Die Zustimmung J.s zu seiner Aufstellung als Gegenpapst des Gregor V. kann entweder als gröbste Fehleinschätzung der politischen Situation und der tatsächlichen Machtverhältnisse zwischen römischem Adel und deutschem Kaisertum angesehen werden, oder als Zeugnis des klaren und willentlichen Bestrebens des Griechen J., den byzantinischen Machteinfluß in Rom gegenüber dem deutschen Kaisertum, das mit Gregor V. dem ersten deutschen Papst des Mittelalters zur Macht verholfen hatte, zu erweitern.

Lit.: Sakkelion (Hrsg.), 9 griech. Briefe des Leo, Gesandten des Basilius' II. Bulgaroktonos an Otto III., über J.s Schicksal, in: Soter 15 (1892), 217 ff.; — P. E. Schramm, Kaiser Basilius und Papst in der Zeit der Ottonen, in: HZ 129 (1924), 424-475; — Ders., Neun Briefe des Byzantinischen Gesandten Leon, in: ByZ 25 (1925), 89-105; — F. X. Seppelt/K. Löffler, Papstgesch., München 1938, 92; — K. u. M. Uhlirz, Jahrbücher des dt. Reiches: Otto III., Berlin 1954; — T. de Luca, Giovanni Filigato, Almanacco Calabrese, Rom 1955, 81-92; — H. Jedin (Hrsg.), Handb. der Kirchengesch., Bd. III, Freiburg i. Br. u. a. 1966, 241 f.; — H. Zimmermann, Papstabsetzungen des MA.s, Graz u.a. 1969, 105-113; — T. Schieder (Hrsg.), Handb. der europ. Gesch., Bd. 1, Stuttgart u. a. 1976, 703 f., 1045; — B. Moser (Hrsg.), Das Papsttum, München 1983, 389; — M. Greschat (Hrsg.), Das Papsttum, Bd. 1, Stuttgart u. a. 1985, 135; — J. N. D. Kelly, Reclams Lex. der Päpste, Stuttgart 1988, 152 f.; — Haller II, 220; — Jaffé I, 495 f.; — Seppelt II, 388 f.; — Catholicisme VI, 486; — DThC VII, 629; — LThK ²V, 991 f.; — RE XVI, 265; — RGG ³III, 810; — Wetzer-Welte VI, 1580.

Michael Tilly

JOHANNES XVII., Papst, † Ende 1003. — Der »Liber pontificalis« nennt ihn einen Römer aus dem nahe der Trajanssäule gelegenenen Stadtteil Biberatica: »natione Romanus, de regione Biveretica, ...« Sein bürgerlicher Name lautete Giovanni Sicco (Secco; auch andere Schreibweisen bekannt). Die Erhebung zum Papst war das Werk des Patricius der Römer, Johannes Crescentius, der sich und seiner Familie der Crescentier für einige Jahre in Rom eine führende Stellung zu sichern wußte. Die Politik der Crescentier mußte mit den Ansprüchen des deutschen König- und Kaisertums kollidieren. Gregorovius galt J. als Verwandter, jedenfalls Geschöpf des Patricius. Im Sommer 1003 bestätigt J. einem ihm von Benedikt, dem Missionar

Polens, gesandten Mönch den Missionsauftrag, der bereits Brun von Querfurt durch Silvester II. im Jahr zuvor erteilt worden war. — Die Zeit des Pontifikats betrug nur wenige Monate. Sie wird unterschiedlich angegeben. Fabricius nennt den Zeitraum vom Mai bis zum 5. November 1003. Jaffé gibt als Datum der Konsekration den 13. Juni 1003 und als Todesdatum den 7. Dezember 1003, Amann den 16. Mai bzw. den 6. November desselben Jahres. Letzterer Datierung schließt sich auch Zimmermann an.

Werke: Quellen: LibPont 2, Paris 1892, 265, Nr. CXLIIII; Jaffé Berlin 1851, 348; Ders., Bd. 1, Leipzig 1885, 501; Pontificum Romanorum ... Vitae. Ed. Johann Mathias Watterich, Bd. 1, Leipzig 1862, 699; Johann Friedrich Böhmer, Regesta Imperii. II. Sächsische Zeit. Abt. 5. Papstregesten 911-1024. Bearb. v. Harald Zimmermann, Wien-Köln-Graz 1969, 386-388, Nr. 975-979 (s.a. Reg. S. 578). - Bibliogr. Angaben allgemein zum Papsttum des 11. Jh.s bei: Jules Gay, Les papes du XIe siècle et la chrétienté, Paris 1926, V-XVII; Zimmermann, op.c., 522-554; Walter Ullmann, A Short History of the Papacy in the Middle Ages, London 1972, 347-349; Bernhard Schimmelpfennig, Das Papsttum. Grundzüge seiner Gesch. von der Antike bis zur Renaissance, Darmstadt (1984¹) 1987², 315-316.

Lit.: Caesar Baronius, Annales ecclesiastici, ed. Augustinus Theiner, Bd. 16, Barri Ducis (Bar-le-Duc) 1869, 409; — Ferdinand Gregorovius, Gesch. der Stadt Rom im MA. Vom 5. bis zum 16. Jh., hrsg. v. Waldemar Kampf, Bd. II, 1. Buch 7-9, München 1978, 3; — Hauck, Bd. 3, Leipzig 1896, 422, 516; — René Poupardin, Note sur la chronologie du pontificat de Jean XVII., in: Mélanges d'archéologie et d'histoire de l'École Française de Rome 21, 1901, 387-390; — Mann, Bd. 5, 121 ff.; — Anton Michel, Humbert und Kerullarios. Quellen und Studien zum Schisma des 11. Jh.s, 1-2. (QFG; 21, 23), Bd. 1, Paderborn 1924, 18; — Josef Kirchberg, Kaiseridee und Mission unter den Sachsenkaisern und den ersten Saliern von Otto I. bis Heinrich III. (HStud; 259), Berlin 1934, 68; — Fliche-Martin, Bd. 7, 1942, 78; — Seppelt, Bd. 2, München 1955, 401; — HdKG, Bd. 3, 1966, 285; — Bihlmeier-Tüchle, Bd. 2, 1968, 72; — Joannes Albertus Fabricius, Bibliotheca Latina mediae et infimae aetatis. Cum supplemento Christiani Schoetgenii. Editio prima Italica. III. Patavii (Padua) 1754, 44; — NBG XXVI, 1858, 453; — Potthast I, 1896, 673; — RE IX, 1901, 265; — Chevalier II, 1907, 2464; — CathEnc VIII, 1910, 428-429; — DThC VIIIa, 1924, 629; — Enciclopedia Italiana XVII, Milano 1933, 254; — EC VI, 1951, 589; — LibPont III, 132; — LThK V, 1960, 992; — Dictionary of Catholic Biography, London 1962, 611; — Catholicisme VI, 1967, 486; — Grote Winkler Prins Encyclopedie in twintig delen. X. Amsterdam-Brüssel 1970, 453; — Grote Winkler Prins Encyclopedie in 25 delen. XII. Amsterdam-Brüssel 1981, 334; — Rudolf Fischer-Wollpert, Lex. der Päpste, Regensburg 1985, 59; — EBrit VI, 1988, 573; — John Norman Davidson Kelly, Reclams Lex. der Päpste, Stuttgart 1988, 154-155.

Udo Tavares

JOHANNES XVIII., Papst, * Ende Juni 1009. — Römischer Herkunft, lautete sein bürgerlicher Name Giovanni Fasano. In den bei Duchesne abgedruckten Catalogi wird J. »Kardinal von St. Peter« genannt: cardinalis sancti Petri. Nach Duchesne könnte dies so gedeutet werden, daß J. vor seiner Erhebung zum Papst Kardinalbischof von Silva Candida gewesen sei. Die Konsekration zum Papst erfolgte im Dezember 1003 (andere: Januar 1004). J.' Wahl zum Papst stand unter dem Einfluß des Patricius der Römer, Johannes Crescentius, aus dem Geschlecht der Crescentier, dem die Familie der Grafen von Tusculum feindlich gegenüberstand (s. Johannes XIX). Während seines Pontifikats bestätigte J. 1004 die Wiederherstellung des Bistums Merseburg. Im Juni 1007 erteilte J. dem durch Heinrich II. errichteten Bistum Bamberg seine Zustimmung, das römischem Mundiburdium unterstehen sollte. Im Streit des Abtes Gauzlin der Benediktiner von St. Flory-sur-Loire mit Leotherich, Erzbischof von Sens, und Fulko, Bischof von Orléans, ergriff J. die Partei des Abtes. Da die Bischöfe die Gültigkeit dem Kloster gewährter päpstlicher Privilegien nicht anerkennen wollten, verteidigte J. zugleich die Geltung päpstlicher Autorität. In einem Ende 1007 an den französischen König Robert (II.) den Frommen gerichteten Schreiben drückte J. deutlich seinen Unwillen darüber aus, daß in dessen Gegenwart die Autorität des Papstes habe herabgesetzt werden können. Robert solle die schuldigen Bischöfe nach Rom senden. Bei Nichterscheinen seien diese mit der Exkommunikation bedroht. Der König solle die päpstlichen Ermahnungen erfüllen und dafür Sorge tragen, daß Appellanten an den Heiligen Stuhl nicht behindert würden. Andernfalls verfalle das gesamte Königreich dem Anathem. Aus Frankreich auch, aus der Stadt Rouen, war Jakob bar (ben) Jekut(h)iel nach Rom gekommen, um beim Papst zugunsten der verfolgten Juden Frankreichs vorstellig zu werden (1007). Blumenkranz zufolge sandte J. einen Legaten nach Frankreich, der den Verfolgungen ein Ende machen sollte. Nach Zimmermann ist von einer diesbezüglichen Aktivität des in verschiedenen Angelegenheiten nach Frankreich beorderten Legaten, des Bischofs Petrus von Piperno (Priverno), nichts bekannt. — In der bei Watterich mitgeteilten Grabschrift J.' heißt es, daß dieser die Griechen überwunden und die Einheit der Kirche wiederhergestellt habe. Amann hält dieses Epitaph für das eines anderen Papstes, nämlich Marinus I. Jedenfalls berichtet Patriarch Petros III. von Antiochien 1054 in einem Brief, daß zur Zeit des Patriarchen Johannes III. von Antiochien in den Diptychen ein Papst Johannes verzeichnet war. Damit muß J. XVIII. gemeint sein. Gegen Ende seines Lebens soll J. sich als Mönch in die Abtei S. Paolo fuori le mura zurückgezogen haben und dort gestorben sein. Seppelt charakterisierte J. als einen »Mann von Energie und Initiative«.

Werke: Quellen: MPL 139, 1477-1494; Pontificum Romanorum ... Vitae. Ed. Johann Mathias Watterich, Bd. 1, Leipzig 1862, 89, Nr. 15, 699; LibPont 2, 266, Nr. CXLV; Jaffé, Berlin 1851, 348-349; Ders., Bd. 1, Leipzig 1885, 501-503; Johann Friedrich Böhmer, Regesta Imperii. II. Sächs. Zeit. Abteilung 5. Papstregesten, 911-1024; Bearb. v. Harald Zimmermann, Wien-Köln-Graz 1969, 388-409, Nr. 980-1035; Initienverzeichnis und chronolog. Verzeichnis zu den Archivberichten und Vorarbeiten der Regesta pontificum Romanorum. Zusammengest. v. Rudolf Hiestand (MG Hilfsmittel; 7), München 1983, 116; Papsturkunden, 896-1046. Bearb. v. Harald Zimmermann, Bd. 2: 996-1046 (Österr. Akad. der Wiss. Philos.-Hist. Kl., Denkschriften Bd. 177; Veröff. der Hist. Kommission, Bd. 4) Wien 1985, 777-842, Nr. 408-442; The Apostolic See and the Jews. Documents: 492-1404. By Shlomo Simonsohn (Pontifical Institute of Mediaeval Studies. Studies and Texts 94) Toronto 1988, Nr. 35; Allgem. zum Papsttum des 11. Jh.s, vgl. J. XVII.

Lit.: Caesar Baronius, Annales ecclesiastici. Ed. Augustinus Theiner, Bd. 16, Barri Ducis (Bar-le-Duc), 1869, 409, 431; — Ferdinand Gregorovius, Gesch. der Stadt Rom im MA. Vom V. bis zum XVI. Jh., hrsg. v. Waldemar Kampf, Bd. II, 1, Buch 7-9, München 1978, 3, 5; — Joseph Hergenröther, Photius, Patriarch von Constantinopel. Sein Leben, seine Schriften und das griech. Schisma, Bd. 3, Regensburg 1869, 728, 773; — Ders., Handb. der allgem. Kirchengesch., neu bearb. v. Johann Peter Kirsch, Bd. 2, Freiburg/Br. 1925, 219, 230; — Siegfried Hirsch, Jahrbücher des Dt. Reiches unter Heinrich II., Bd. 2, Berlin 1864, 63, 382, 389; — Harry Breßlau, Jahrbücher des Dt. Reiches unter Konrad II., Bd. 2, Leipzig 1884, 107, Anm. 2; — Ch. Pfister, Études sur le règne de Robert le Pieux, Paris 1885, 314-316; — Ernst Sackur, Die Cluniacenser in ihrer kirchl. und allgemeingeschichtl. Wirksamkeit bis zur Mitte des 11. Jh.s, Bd. 1-2, Halle a. S. 1892-1894, Bd. 1: 198, Bd. 2: 6,7, Anm. 3, 86-87; — Hauck, Bd. 3, Leipzig 1896, 516; — Mann, Bd. 5, 126 ff.; — Anton Michel, Humbert und Kerullarios. Quellen und Studien zum Schisma des 11. Jh.s, Bd. 1-2 (QFG; 21,23), Paderborn 1924-1930, Bd. 1: 18-19, 26, Bd. 2: 29, 38; — Simon Dubnow, Die Gesch. des jüd. Volkes in Europa (Weltgesch. des jüd. Volkes; 4), Berlin 1926, 133 (D. identifiziert Papst mit Sergius IV.); — Willi Kölmel, Rom und der Kirchenstaat im 10. und 11. Jh. bis in die Anfänge der Reform. Politik, Verwaltung; Rom und Italien (Abhandlungen zur Mittleren und Neueren Gesch.; Heft 78), Berlin 1935, 46; — Theodor Schieffer, Die päpstl. Legaten in Frankreich. Vom Vertrage von Meersen <870> bis zum Schisma von 1130 (HStud; 263), Berlin 1935, 45-47; — Erich v. Guttenberg, Das Bistum Bamberg. Teil 1 (Germania Sacra. Abteilung II. Bd. 1. Teil 1), Berlin-Leipzig 1937, 29-31; — Heinrich Günter, Kaiser Heinrich II. und Bamberg, 278, in: HJ 59, 1939, 273-290; — Fliche-Martin, Bd. 7, 1942, 78, 79; — Seppelt, Bd. 2, München 1955, 401; — Haller, Bd. 2, Esslingen am N. 1962, 243; — Walter Ullmann, Die Machtstellung des Papsttums im MA. Idee und Gesch., Graz-Wien-Köln 1960, 475; — George Every, The Byzantine Patriarchate 451-1204, London 1962, 142-143; — Donald M. Nicol, Byzantium and the Papacy in the Eleventh Century, 5, in: JEH 13, 1962, 1-20; —Walter Schlesinger, Kirchengesch. Sachsens im MA, Bd. 1. Von den Anfängen kirchl. Verkündigung bis zum Ende des Investiturstreites (Mitteldt. Forschungen; 27/I), Köln-Graz 1962, 80; — J. Boussard, Actes royaux et pontificaux du Xe et XIe siècles du chartier de Saint-Maur-des-Fossés, in: Journal des Savants 1972, 81-113; — Klaus-Jürgen Herrmann, Das Tuskulanerpapsttum <1012-1046>. (Päpste und Papsttum; 4), Stuttgart 1973, s. Reg. 214 s. v. J. XVIII; — A. M. Colini, L'epitaffio del fratello di Giovanni XVIII., in: Archivio della Società Romana di storia patria 99, 1976, 333-335; — Kenneth R. Stow, The »1007 Anonymous« and Papal Sovereignty: Jewish Perceptions of the Papacy and Papal Policy in the High Middle Ages (Hebrew Union College. Annual Supplements; 4), Cincinnati 1984, 62, Anm. 154; — B. S. Bachrach, Pope Sergius IV. and the Foundation of the Monastery at Beaulieu-lès-Loches, in: RBén 95, 1985, 240-265 (auch über Bulle J.' XVIII.); — William Ziezulewicz, Étude d'un faux monastique à une période de réforme: une charte de Charles le Chaure pour Saint-Florent-de-Saumur <8 juin 848>, in: Cahiers de civilisation médiévale 28, 1985, 201-211; — Ders., A Monastic Forgery in an Age of Reform. A Bull of Pope John XVIII. for Saint-Florent-de-Saumur, in: Archivum historiae pontificiae 23, 1985, 7-42; — Bernhard Schimmelpfennig, Das Papsttum. Grundzüge seiner Gesch. von der Antike bis zur Renaissance, Darmstadt 1987[2] (1984[1]), 142, 145; — Heinz Wolter, Die Synoden im Reichsgebiet und in Reichsitalien von 916 bis 1056, Paderborn usw. 1988, 226-227, 236-237; — Joannes Albertus Fabricius, Bibliotheca latina mediae et infimae aetatis. Cum supplemento Christiani Schoetgenii. Editio prima Italica. III. Patavii (Padua) 1754, 44; —NBG XXVI, 1858, 453; — Potthast I, 1896, 673; — RE IX, 1901, 266; — JewEnc X, 1905, 504 s. v. Rouen; — Chevalier II, 1907, 2464-2465; — CathEnc VIII, 1910, 429; — DThC VIIIa, 1924, 629-630; — Encyclopaedia Judaica VI, Berlin 1930, 1127 s. v. Frankreich; — Enciclopedia Italiana XVII, Milano 1933, 254; — EC VI, 1951, 589-590; — LibPont III, 132; — LThK V, 1960, 992; — Dictionary of Catholic Biography, London 1962, 611-612; — HdKG III/1, 1966, 285, 337, 470; — Catholicisme VI, 1967, 486-487; — Bihlmeier-Tüchle II, 1968, 72; — Grote Winkler Prins Encyclopedie in twintig delen. X. Amsterdam-Brüssel 1970, 453; — EncJud VII, 1971, 13 s. v. France; — EncJud XIV, 1971, 351 s. v. Rouen; — Grote Winkler Prins Encyclopedie in 25 delen. XII. Amsterdam-Brüssel 1981, 334; — Rudolf Fischer-Wollpert, Lex. der Päpste, Regensburg 1985, 59; — EBrit VI, 1988, 573; — John Norman Davidson Kelly, Reclams Lex. der Päpste, Stuttgart 1988, 155; — Josef Gelmi, Die Päpste in Lebensbildern, Graz-Wien-Köln 1989 (1983[1]), 98.

Udo Tavares

JOHANNES XIX., Papst, † Ende 1032. — J. stammte aus der Familie der Grafen von Tusculum und war ein Bruder des Papstes Benedikt VIII. Dieser hatte ihm die Ordnung der weltlichen Angelegenheiten im Kirchenstaat übertragen. Der Titel »consul et dux et senator omnium Romanorum« brachte dies deutlich zum Ausdruck. Im April 1024 wurde J., bis dahin Romanus Graf von Tusculum, zum Papst erhoben. Er war Laie und mußte erst die Weihen erhalten, so daß es von J. hieß, er sei an ein und demselben Tage Laie und Papst gewesen. Trotz der Abhängigkeit von Konrad II., den J. Ostern 1027 zum Kaiser gekrönt hatte, weisen kirchenpolitische Entscheidungen J.' in eine die spätere Machtstellung des Papsttums andeutende Richtung. Mehrfach bestätigte J. Besitz und Privilegien Clunys. In einer Ende März 1027 ausgestellten Urkunde wird die Exemtion Clunys hervorgehoben. Ausdrücklich verbietet J., daß Cluniacenser Mönche von Bischöfen exkommuniziert werden können. Bei Streitigkeiten zwischen Bischöfen und Mönchen entscheidet der Papst. Gleichfalls Ende März 1027 richtet J. ein Schreiben an Gauzlin, den Bischof von Mâcon. Gauzlin solle das Kloster Cluny wie auch dessen Mönche und die diesem gewährten päpstlichen Privilegien unangetastet lassen. In einem weiteren Schreiben bittet J. den Erzbischof Burchard von Lyon, Cluny vor Gauzlin in Schutz zu nehmen. J. wandte sich im März des genannten Jahres auch direkt an Robert (II.) den Frommen, König von Frankreich. In seiner Botschaft an den König klagte J. über »einige« französische Bischöfe, die durch Simonie zum Amt gelangt seien. Diese schwelgten nicht nur im Luxus, sondern mißachteten auch die Exemtion. König Robert solle den direkt dem Papst unterstehenden Institutionen, insbesondere dem Kloster Cluny, seinen Beistand zuteil werden lassen. Die Cluny gewährte Zuwendung hinderte J. nicht daran, Odilo, den Abt von Cluny, dafür zu tadeln, daß er die Wahl zum Erzbischof von Lyon nicht habe annehmen wollen (Jaffé: um 1031; Zimmermann: 1032). Am 17.12. 1026 bestätigte J. Petrus, dem Bischof von Silva Candida, Besitz und Privilegien des Bistums. Bei der Kaiserkrönung wird dem jeweiligen Bischof von Silva Candida das Vorrecht zuteil, zuerst zur Salbung und Konsekration des Kaisers gerufen zu werden. Durch den Bischof von Silva Candida solle der Kaiser zuerst den Segen empfangen. Auch solle der Bischof den Papst bei Krankheit oder anderen Hinderungen im Gottesdienst sowohl in der Peters-Kirche und den Klöstern als auch in der gesamten Leostadt vertreten. Im Dezember 1028 gab J. Bischof Hildeward die Erlaubnis, den Bischofssitz von Zeitz nach Naumburg zu verlegen. Im Hinblick auf die Wiederaufrichtung päpstlicher Autorität in Süditalien ist eine in den Juni 1025 datierte Urkunde von Belang, in der J. die neue Kirchenprovinz Bari bestätigte. Allerdings sind Zweifel an der vollständigen Echtheit dieses Dokumentes geäußert worden. Die Abhängigkeit J.' von Konrad II. kam vor allem im Streit zwischen den Patriarchen Poppo von Aquileja und Urso von Grado zum Ausdruck. Nach mehrfachem Hin und Her beugte sich J. und schlug auf einer Synode am 6. April 1027 Grado wieder dem Patriarchat Aquileja zu. Wenige Monate später, im September 1027, bestätigte J. die Rechte des Patriarchats von Aquileja. Aquileja solle Haupt und Metropole über alle Kirchen Italiens sein. Die Kirche von Aquileja solle in allen Glaubensfragen eine besondere Position haben und an zweiter Stelle nach Rom kommen. Grado solle Aquileja unterstehen. Fälschlicherweise habe Grado sich Patriarchat genannt. Weiterhin verlieh J. den Patriarchen von Aquileja das Pallium. Im Falle des Abtes Bern von Reichenau mußte J. ebenfalls eine Niederlage hinnehmen. J. hatte diesem in einer Urkunde vom 28.10. 1031 Privilegien bestätigt, u. a. die freie Abtwahl. Diese Privilegierung traf auf den Widerstand des Bischofs Warmann von Konstanz, der sich an Konrad II. wandte. Schließlich war Bern gezwungen, das Privileg auszuliefern, welches am Gründonnerstag 1032 öffentlich verbrannt wurde. Radulfus Glaber berichtet, daß die Byzantiner im Jahre 1024 unter Basilius II. in Verhandlungen mit J. eingetreten seien, um von diesem die Anerkennung des Patriarchen von Konstantinopel als eines ökumenischen Patriarchen zu erreichen. Die Byzantiner hätten sich mit dem Papst darauf einigen wollen, daß die Kirche Konstantinopels in ihrem Bereich, so wie Rom in der Welt, universal heißen und dementsprechend anerkannt werden solle. Bestechung sei im Spiel gewesen und nur heftiger Protest habe eine Zustimmung verhindert. An der Glaubwürdigkeit dieses Berichts ist verschiedentlich gezweifelt worden. Für Nicol klang der die Absichten der Byzantiner darlegende Passus Glabers überzeugend. — Die Dauer des Pontifikats wird unterschiedlich angegeben (Fabricius: 28.2. 1024 - 8.11. 1032; Jaffé: Juni/Juli 1024 - Jan. 1033; Böhmer: zwischen 12.4. und 10.5. 1024 - 6.11. 1032; Amann: Mai/Juni 1024 - Jan. 1033; Schwaiger: Juni »?« 1024 - Aug. »?« 1032; Dumas: Juni/Juli 1024 - Ende 1032/Anfang 1033; Ullmann: IV. - V. 1024 - 1032; Zimmermann: April 1024 - 20.10. 1032). Erwähnenswert ist, daß Guido von Arezzo, der Erfinder der Notenschrift auf Linien im Terzabstand, auf Einladung von J. bei diesem 1026 in Rom weilte. Die J. zugeschriebene Urkunde, in welcher er im März 1031 Jordan, dem Bischof von Limoges, mitteilt, daß St. Martial »Apostel« genannt werden könne, ist eine Fälschung.

Werke: Quellen: MPL 78, 1849, 1053-1058; MPL 141, 1853, 1115-1156; MPL 179, 1855, 761-762; Jaffé, Berlin 1851, 357-359; Ders., Bd. 1, Leipzig 1885, 514-519; Pontificum Romanorum ... vitae. Ed. Johann Mathias Watterich, Bd. 1, Leipzig 1862, 708-711; LibPont 2,269 Nr. CXLVIII; Regesten der Kaiserurkunden des Oström. Reiches von 565-1453, bearb. von Franz Dölger, Teil 1, Regesten von 565-1025. (Corpus der griech. Urkunden des MA.s und der neueren Zeit. Reihe A. Regesten. Abteilung I), München-Berlin 1924, 105 Nr. 817; Les Regestes des Actes du Patriarcat de Constantinople. Vol. 1. Les Actes du Patriarches. Fasc. 2. Les Regestes de 715 à 1043. Ed. Venance Grumel, Chalcedon 1936, 245 Nr. 828; Leo Santifaller, Chronol. Verz. der Urkunden Papst J.s, 1024 Juni bis 1032 Aug., in: Röm. hist. Mitteilungen 1, 1956-57, 35-76; Initienverzeichnis und chronol. Verzeichnis zu den Archivberichten und Vorarbeiten der Regesta pontificum Romanorum. Zusammengestellt von Rudolf Hiestand. (MG Hilfsmittel; 7), München 1983, 118; Papsturkunden 896-1046, bearb. v. Harald Zimmermann, Bd. 2: 996-1046 (Österr. Akad. der Wiss., Philos.-Hist. Kl., Denkschr. Bd. 177; Veröff. der Hist. Kommission, Bd. 4), Wien 1985, 1043-1126, Nr. 550-597; Allgemeines zum Papsttum des 11. Jh.s vgl. J. XVII.

Lit.: Caesar Baronius, Annales ecclesiastici, ed. Augustinus Theiner, Bd. 16, Barri Ducis (Bar-le-Duc) 1869, 509 ff.; — Ferdinand Gregorovius, Gesch. der Stadt Rom im MA. Vom V. bis zum XVI. Jh., hrsg. v. Waldemar Kampf, Bd. II, 1.

Buch 7-9, München 1978, 13-17, 134; — Joseph Hergenröther, Photius, Patriarch von Constantinopel. Sein Leben, seine Schriften und das griech. Schisma, Bd. 3, Regensburg 1869, 729-730; — Ders., Handb. der allg. Kirchengesch., neu bearb. v. Johann Peter Kirsch, Freiburg/Br. 1925, 221, 274-275, 332; — Siegfried Hirsch, Jahrbücher des Dt. Reiches unter Heinrich II, Bd. 3, hrsg. und vollendet v. Harry Breßlau, Leipzig 1875, 164, 292; — Harry Breßlau, Jahrbücher des Dt. Reiches unter Konrad II., Bd. 1-2, Leipzig 1879-1884, s. Reg. Bd. 2, 570; — Carl Joseph v. Hefele, Conciliengesch. Nach den Quellen bearb., Bd. 4, Freiburg/Br. 1879², 765; — Hefele-Leclercq 4/2, 1911, 1086-1087; — Ernst Sackur, Die Cluniacenser in ihrer kirchl. und allgemeingesch. Wirksamkeit bis zur Mitte des 11. Jh.s, Bd. 1-2, Halle a. S. 1892-1894, s. Reg. Bd. 2, 509; — Ludo Moritz Hartmann, Zur Chronologie der Päpste, in: MIÖG 15, 1894, 482-485; — Hauck III, Leipzig 1896, 495, 554, 556 ff.; — Walter Norden, Das Papsttum und Byzanz. Die Trennung der beiden Mächte und das Problem ihrer Wiedervereinigung bis zum Untergange des byzantinischen Reichs [1453], Berlin 1903, 18-19; — Erich Caspar, Krit. Untersuchungen zu den aelteren Papsturkunden für Apulien, in: QFIAB 6, 1904, 235-271; — Adrian Fortescue, The Uniate Eastern Churches. The Byzantine Rite in Italy, Sicily, Syria and Egypt, London 1923, 148; — Anton Michel, Humbert und Kerullarios. Quellen und Studien zum Schisma des 11. Jh.s, 1-2 (QFG; 21,23), Paderborn 1924-1930, Bd. 1: 22 Anm. 6, 29, 37; Bd. 2: 299 Anm. 9; — Ders., Die Weltreichs- und Kirchenteilung bei Rudolf Glaber »1044«, in: HJ 70, 1951, 53-64; — Mann V, 212 ff.; — Paul Fridolin Kehr, Rom und Venedig bis ins XII. Jh., 85-95, in: QFIAB 19, 1927, 1-180; — Eduard Eichmann, Die Kaiserkrönung im Abendland, Bd. 2, Würzburg 1942, 219; — Fliche-Martin VII, 1942, 87-89; — Seppelt II, 1955, 408-412; — Walter Ullmann, Die Machtstellung des Papsttums im MA. Idee und Gesch., Graz-Wien-Köln 1960, 365, 367; — Ders., A Short History of the Papacy in the Middle Ages, London 1972, 123-124; — George Every, The Byzantine Patriarchate 451-1204, London 1962, 145-147; — Haller II, Esslingen am Neckar 1962, 230, 235 ff., 247, 272; — Donald M. Nicol, Byzantium and the Papacy in the Eleventh Century, in: JEH 13, 1962, 6; — Walter Schlesinger, Kirchengesch. Sachsens im MA, Bd. 1-2 (Mitteldt. Forschungen, 27, I-II), Köln-Graz 1962, Bd. 1: 92, 245; Bd. 2: 121, 124; — Leonard v. Matt/Hans Kühner, Die Päpste. Eine Papstgesch. in Bild und Wort, Würzburg 1963, 66; — Vera v. Falkenhausen, Untersuchungen über die byzant. Herrschaft in Süditalien vom 9. bis ins 11. Jh. (Schriften zur Geistesgesch. des östl. Europa, 1), Wiesbaden 1967, 152 Anm. 1036, 153, 169; — Horst Fuhrmann, Provincia constat duodecim episcopatibus. Zum Patriarchatsplan EB Adalberts von Hamburg-Bremen, in: StG 11 (Collectanea Stephan Kuttner 1), Bologna 1967, 389-404 (398, 400-401 über J. XIX. und das Erzbistum Bari); — Bihlmeier-Tüchle II, 1968, 73; — A. Petrucci, Bisanzio (EB v. Bari), in: DBI 10, 1968, 645-647 (auch über J. XIX); — Klaus-Jürgen Herrmann, Das Tuskulanerpapsttum 1012-1046 (Päpste und Papsttum, 4), Stuttgart 1973, s. Reg. 214; — Harald Zimmermann, Das Papsttum im MA. Eine Papstgesch. im Spiegel der Historiographie (Uni-Taschenbücher, 1151), Stuttgart 1981, 105; — R. Landes, A libellus from St. Martial of Limoges written in the time of Ademar of Chabannes »989-1034«. »Un faux à retardement«, in: Scriptorium 37, 1983, 178-204; — Bernhard Schimmelpfennig, Das Papsttum. Grundzüge seiner Gesch. von der Antike bis zur Rennaissance, Darmstadt 1987 (1984¹), 132-133, 139, 141; — Heinz Wolter, Die Synoden im Reichsgebiet und in Reichsitalien von 916-1056, Paderborn usw. 1988, 329-332; — Joannes Albertus Fabricius, Bibliotheca Latina mediae et infimae aetatis. Cum supplemento Christiani Schoetgenii. Editio prima Italica, III, Patavii (Padua) 1754, 44-45; — NBG XXVI, 1858, 453; — Biographie Universelle. Ancienne et moderne J. Fr. Michaud. XX, 608-609; — Potthast I, 1896, 673; — RE IX, 1901, 266-267; — Chevalier II, 1907, 2465; — CathEnc VIII, 1910, 429; — DThC VIIIa, 1924, 630-632; — Enciclopedia Italiana XVII, Milano 1930, 254-255; — EC VI, 1951, 590; — LibPont III, 1957, 132; — RGG III, 1959, 810; — LThK V, 1960, 992; — Dictionary of Catholic Biography, London 1962, 612; — Catholicisme VI, 1967, 487-488; — New Catholic Encyclopedia VII, New York usw. 1967, 1012-1013; — Grote Winkler Prins Encyclopedie in twintig delen, X, Amsterdam-Brüssel 1970, 453; — Grote Winkler Prins Encyclopedie in 25 delen, XII, Amsterdam-Brüssel 1981, 334; — Rudolf Fischer-Wollpert, Lex. der Päpste, Regensburg 1985, 60; — DHGE, fsc. CXXVII, 1987, 389 s. v. Grottaferrata; — EBrit VI, 1988, 573; — John Norman Davidson Kelly, Reclams Lex. der Päpste, Stuttgart 1988, 158-159; — Josef Gelmi, Die Päpste in Lebensbildern, Graz-Wien-Köln 1989 (1983¹), 99.

Udo Tavares

JOHANNES XXI. (Petrus Hispanus), Papst, bedeutender mittelalterlicher Mediziner und Philosoph, * um 1215 in Lissabon als Sohn des Arztes Julianus, † 20.5. 1277 in Viterbo. — J. XXI. entstammte einer sehr wohlhabenden Familie, neben dem Beruf des Arztes betrieb der Vater gleichzeitig eine Apotheke. Infolgedessen erhielt J. zunächst in seiner Geburtsstadt eine schulische Grundausbildung und wechselte dann sehr früh auf die bekannte Schule zu Léon, die er ebenfalls bald gegen Paris vertauschte. Er absolvierte hier das übliche umfassende Studium der »artes«, besaß jedoch das Glück, daß zu dieser Zeit die bedeutendsten Lehrer in Paris wirkten. So hörte er bei Albertus Magnus (s.d.) die Naturkunde nach dessen neuem Schema, die Philosophie bei Wilhelm Shyreswood, begeisterte sich an den Vorlesungen über die Logik, die Lambert von Auxerre hielt. Nachdem J. XXI. 1245 den Magistergrad der Philosophie und der Medizin erlangt hatte, unternahm er eine Studienreise nach Süditalien. Für seine medizinischen Kenntnisse dürfte er in der damaligen Hochburg aller Ärzte, in Salerno, zahlreiche Anstöße erfahren haben, desgleichen auch in Palermo. Hier trat er zeitweilig als Schüler des dortigen Hofarztes Theodorus Physicus auf. Die Freundschaft mit zahlreichen weiteren Persönlichkeiten des Hofes um Friedrich II. ermöglichte ihm die Ernennung zum »professor artis medicinae« in Palermo. 1247 reiste er nach Siena, um für das dort neu gegründete Studium Generale als Physicus zu lehren. Hier entwickelte er in zahlreichen Schriften die Grundzüge seiner Schulmedizin. Viele damit zusammenhängende Probleme sind bis heute ungeklärt: So ist eine genau zeitliche Fixierung seiner Werke unmöglich, zudem wurde J. XXI. im Laufe der folgenden Jahrhunderte gerne kopiert, Kompilationen entstanden. Auch ist sein Nachlaß auf zahlreiche Archive verteilt, manches unveröffentlicht bzw. noch gar nicht gesichtet. So wurde sein Hauptwerk »Thesaurus pauperum« zahllos kopiert, oft mit eigenständigen Rezepten ergänzt und so verwässert. Moderne Wissenschaftler sehen daher dieses Werk eher skeptisch, man verweist darauf, daß J. XXI. viel mehr auf medizinischem Gebiet vorzuweisen hatte als ein Sammelsurium von allgemein gängigen und populären Rezepten. Man hebt hervor, daß er sich keinesfalls nur auf die überlieferte griechische Schulmedizin stützte, er bediente sich genauso der neueren fortgeschrittenen islamischen Kenntnisse. Eine Handlungsweise, die zwar bei seiner Herkunft nahelag, die aber innerhalb der Kirche revolutionär anmutete. Für J. XXI. besaß die Medizin zwei Säulen: Die »ratio« und das »experimentum«. Er hat zudem die Therapeutik klar geordnet: Er fordert eine fundamentale Diätetik, legt das Hauptgewicht auf den vorhandenen Heilmittelschatz und propagiert, wahrscheinlich mit starken Einschränkungen, als letzte Heilungsmöglichkeit die Chirugie. Daneben verfaßte er zahllose philosophische Schriften, sein um 1250 entstandenes Hauptwerk »Summulae logicales« hat bis in unsere Zeit Geltung als Standardwerk der Logik. Als universelles Lehrbuch wurde es ungefähr 180 Jahre später ins Griechische übersetzt, später in andere lebende Sprachen. In der Zeit der Reformation wurde es besonders populär. Martin Luther (s.d.) hörte Vorlesungen über die Logik des J. XXI., Melanchton (s.d.) zitierte ihn in manchen seiner Schriften. J. XXI. geht in seinem Hauptwerk davon aus, daß die Logik allein Grundlage aller Wissenschaften ist. Nur wer sie beherrscht, kann auch die anderen Künste verstehen und erlernen. Wer dieses schlußfolgernde Denken aber erreichen will, muß zunächst die Sprache, ihre diversen Ausdrucksweisen, ihre speziellen Feinheiten durchdringen. Man hat oft kritisiert, daß J. XXI. in seinen »Summulae logicales«, die er in 7 Teile gegliedert hat, im wesentlichen die Logik des Aristoteles und des Boethius abgeschrieben habe. Erst im siebten Abschnitt »De terminorum proprietatibus« gehe er auf Denker seiner Zeit ein. Sein Verfahren entsprach aber dem feinen Stil seiner Zeit, zudem erkennen seine Interpreten heute durchaus Denkansätze und methodische Weiterentwicklungen, die nur für J. XXI. charakteristisch sind. — Das eher beschausame Gelehrtenleben änderte sich 1260, als J. XXI. Leibarzt des Grafen von Lavagna, Ottobuono, des späteren Papstes Hadrian V. (s.d.) wurde. Er durchlief nun in schneller Folge die Hierarchie der kirchlichen Ämter, man ernannteihn 1273 zum Erzbischof von Braga, im gleichen Jahr noch zum Kardinalbischof von Tusculum. Zu dieser Zeit diente er bereits Papst Gregor X. (s. d.) als Archivar und Leibarzt. In beiden Funktionen begleitete er den Papst zum II. Konzil von Lyon (1274), an den päpstlichen Verhandlungen mit Rudolf von Habsburg hat er wohl persönlich teilgenommen. Eine innige Freundschaft verband ihn mit dem ehrgeizigen Kardinal Caetano-Orsini, dessen Einfluß war es zuzusprechen, daß er am 8.9. 1276 nach einem erregten Konklave zum Papst gewählt wurde. Die vorherrschende Konfusion trug wohl dazu bei, daß er nach der Annahme des Namens Johannes als der einundzwanzigste gezählt wurde, wobei, bedingt durch einen Zählfehler, ein Johannes XX. nicht existierte. — J. XXI. war als Papst nur eine kurze Lebensspanne gegönnt, er widmete sich in ihr der Vertiefung der 1274 geschlossenen Union mit Byzanz, versuchte eine Schlichtung des Streits zwischen Philipp III. dem Kühnen und Alfons X. hinsichtlich des Königreiches Navara, bemühte sich letztlich um einen neuen Kreuzzug. Seine besondere Neigung galt jedoch als Papst den Universitäten, er veranlaßte an den Pariser Fakultäten eine Untersuchung über den die Gemüter spaltenden Averroismus, initiierte eine allgemeine Studienförderung und plante die finanziellen Schwierigkeiten armer Studenten zu mindern. — J. XXI. residierte in Viterbo, zum Mißfallen des Klerus gab er ausführliche Audienzen für arm und reich. Er starb eines tragischen Todes, als er durch die herabstürzende Decke seiner Privatbibliothek verschüttet wurde. Bezeichnend sind seine letzten Worte: »Quid fit de libello meo? Quis complebit libellum meum? — J. XXI. hat sich nie schriftlich über sein kurzes Pontifikat geäußert, doch ist anzunehmen, daß er dieses eher als schwere Last empfand, vor allem wegen der politischen Verflechtungen seiner Zeit. So würdigt man sein Wirken treffender als das des führenden Scholastikers, im positiv menschlichen Sinn als des Schulmeisters seiner Zeit.

Werke: Omnia opera ysaac, Lyon 1515 (darin enthalten: der Zuschreibung nach umstrittene Kommentare J. XXI.); Liber de oculo, neu ed. von A. M. Berger, in: Die Ophthalmologie des Petrus Hispanus, 1899, mit dt. Übers.; Diaetae super chirurgiam, Auszüge in: Karl Sudhoff, Beiträge zur Gesch. der Chirurgie 2, 1918, 395-398; Summulae logicales, nach 1250, neu herausgegeben von Innocent Josef Maria Bochénski, Turin 1947; in engl. Übers., J. P. Mullaly, in: Mediaeval Studies Univ. of Notre Dame/Indianapolis VIII, 1945; Quaestiones di anima, neu ed. von M. Alonso-Alonso, in: Obras filosóficas II, Madrid 1944; Ders., Expositio libri de anima, in: Obras filosóficas III, Madrid 1952; Ders., Expositio librorum Beati Dionysii (Pseudo-Dionysius), Lissabon 1957; Ders., Scientia libri de anima, in: Obras filosóficas I, Barcelona 1961²; Thesaurus pauperum, entstanden ab 1247 (auch als »Summa experimentorum« überliefert), neu hrsg. von L. DePina und M. H. Da Rocha Pereira, in: Studium generale I, 1955, 204-299; II, 1955, 182-247, III, 1956, 68-173 und 310-349; IV, 1957, 54-119, mit portug. Übersetzungen; Liber de conservanda sanitate, neu ed. von L. DePina, Porto 1961, mit portugies. Übers.

Lit.: J. T. Köhler, Vollst. Nachricht von Papst J. XXI., welcher unter dem Namen Petrus Hispanus als ein gelehrter Arzt und Weltweiser berühmt ist, Göttingen 1760; — Conrad Prantl, Michael Psellus und Petrus Hispanus, eine Rechtfertigung, 1867; — Richard Stapper, Papst J. XXI., Eine Monographie, 1898; — Ptolemaeus Lucencis, annales, in: Ludovico Muratori, Rerum italicarum scriptores, ed. von G. Carducci u. V. Fiorini, Città di Castello, 1900 ff., Bd. XI, 1176; — D. Riesman, A Phisician in the Papal Chair, in: Annals of Medical History 5, 1923, 291-300; — Wilhelm Wile, Der Arzt Petrus Hispanus und seine Bedeutung für die Zahnheilkunde (Diss. Leipzig), 1924; — Karl Sudhoff, Petrus Hispanus, richtiger Lusitanus, Professor der Medizin und Philosophie, schließlich Papst J. XXI., in: Medizinische Welt, 1934, 1-10; — H. Simonin, Magister Petrus Hispanus, in: AFP 5, 1935, 340-343; — Martin Grabmann, Handschriftl. Forschungen und Funde zu den philos. Schriften des Petrus Hispanus, des späteren Papstes J. XXI., in: Sitzungsberichte der Bay. Akademie der Wissenschaften, Phil.-Hist. Klasse, 1936, — Ders., Die Lehre vom Intellectus possibilis

und Intellectus agens im »Liber de anima« des Petrus Hispanus, in: AHD 11, 1937/38, 167-208; — Ders., Petrus Hispanus, in: ByZ 41, 1941, 455-458; — M. de Wulf, Storia della filosofia medievale, Bd. II, Florenz 1945, 77-78, 80; — Heinrich Schipperges, Der Stufenbau der Natur im Weltbild des Petrus Hispanus, in: Gesnerus 17, 1960, 14-29; — Ders., Makrobiotik bei Petrus Hispanus, in: Sudhoffs Archiv für Gesch. der Medizin und der Naturwissenschaften 44, 1960, 129-155; — Ders., Zur Psychologie und Psychiatrie des Petrus Hispanus, in: Confinia Psychiatria 4, 1961, 137-157; — Ders., Arzt im Purpur, Leben und Werk des Petrus Hispanus, in: Materia Medica Nordmark 13, 1961, 591-600; — Ders., Eine noch nicht veröffentlichte Summa Medicinae des Petrus Hispanus in der »Biblioteca Nacional« zu Madrid, in: Sudhoffs Archiv der Gesch. und der Naturwissenschaften 51, 1967, 187-189; — Ders., Grundzüge einer scholastischen Anthropologie bei Petrus Hispanus, in: Portugiesische Forschungen der Görres-Gesellschaft 7, 1967, 1-51; — Ders., Handschriftl. Untersuchungen zur Rezeption des Petrus Hispanus in den »Opera Ysaac«, Festschr. für G. Eis, hrsg. von G. Keil, R. Rudolf und W. Schmitt, 1968, 311-318; — Ders., Petrus Hispanus, in: Die Großen der Weltgesch. III, 1971, 679-691; — J. M. da Cruz Pontes, Pedro Hispano Portugalense e as controvérsias doutrinarias do século XIII., A origem da alma, Coimbra 1964; — Ders., u. ebda., A obra filosófica de Petro Hispano Portugalense, Novos problemas textuais, 1972; — Joachim Telle, Petrus Hispanus in der altdeutschen Medizinliteratur (Diss. Heidelberg), 1972; — P. Linehan, The Spanish Church and the Papacy in the Thirteenth Century, Cambridge 1971; — Bernd-Ulrich Hergemöller, Die Gesch. der Papstnamen, 1980; — Bihlmeyer-Tüchle II, 338; — Catholicisme VI, 488-489; — EC VI, 590-592; — EncF III, 1377-1378; — DThC VIII, 1632-1633; — Hauck V, 1.2., 451, 624; — HdKG III, 288-300, 324, 438; Lexikon der Heiligen und Päpste, 200-201; — — LThK V, 992-993; — NCE VII, 1013-1014; — RE IX, 267-270; — RGG IV, 811; — Seppelt III, 539-542; — Überweg II, 455-456.

Michael Hanst

JOHANNES XXII. (Jacques Duèse), Papst, * um 1245 in Cahors (Lot), † 4.12. 1334 in Avignon. — J. XXII. entstammte einer angesehenen Bürgerfamilie aus dem kleinen Ort Cahors, er besaß keine universitäre Ausbildung, dürfte lediglich bei den Dominikanern deren Schule durchlaufen haben. Schon früh findet er sich dann am Hof der Anjous in Neapel, ihnen blieb er zeitlebens verbunden, verdankte er doch ihnen seinen sozialen Aufstieg. Relativ spät erhielt er um 1300 das unbedeutende Bistum Fréjus und verwaltete daneben, viel engagierter, von 1308-1310 das Hofkanzleramt Roberts von Anjou. Umstritten ist das Gewicht, das J. XXII. bei Roberts Abfassung der Denkschrift »Über die Schädlichkeit und die Überlebtheit des Imperiums« besaß; seine Mitwirkung hingegen gilt als gesichert, zumal gerade diese Schrift sich wie eine Leitlinie durch sein späteres Wirken als Papst zieht. 1310 wählte man ihn zum Bischof von Avignon, zwei Jahre später wurde er zum Kardinalbischof von Porto erhoben. Das auf den Tod Clemens' V. (s.d.) folgende Konklave währte unter entwürdigenden Umständen länger als zwei Jahre. J. XXII. war nicht der Wunschkandidat des sich stets einmischenden französischen Königs, er wurde als Kompromißkandidat akzeptiert, denn sein Alter von über 70 Jahren ließ kein langes Pontifikat erwarten. Nach seiner Wahl am 5.9. 1316 (es existieren weitere Zeitangaben) in Lyon zog J. XXII. Anfang Oktober nach Avignon. Damit zeigte er deutlich, daß er sein Versprechen - vor der Wahl abgeben - nach Rom zurückzukehren, zunächst nicht einhalten wollte. Er bezog in Avignon den bereits vertrauten bischöflichen Palast, vergrößerte und renovierte ihn, sprach aber stets nur von seinem »befestigten Haus«, um damit den Charakter eines nur vorläufigen Residenzortes hervorzuheben. — J. XXII. hatte bei seiner Wahl den Ruf, ein persönlich anspruchsloser, tadelloser Vertreter der Kirche zu sein, er galt aber als starrsinnig, als unnachgiebiger Vertreter auch aller nur vermeintlicher Rechte der Kirche. Außerdem verfocht er immer die Positionen der Anjous in Italien und, schon eher gezwungenermaßen, die Frankreichs. Sein uneinsichtiges Verhalten im Streit mit Ludwig dem Bayern schadete dem Ansehen der Kirche in allen Gebieten östlich des Rheins, es verstärkte den Ruf nach einem unabhängigen Konzil, das über Reformmaßnahmen entscheiden sollte. J. XXII. verfolgte zunächst geraume Zeit den Streit in Deutschland zwischen Ludwig dem Bayern und Friedrich dem Schönen um den Königsthron, ohne sich besonders zu engagieren. Er bestätigte lediglich Robert von Neapel in seiner umstrittenen Position des Reichsvikars für Italien. Als Ludwig der Bayer nach seinem Sieg über den Rivalen den Grafen Berthold von Neiffen als seinen Statthalter nach Italien sandte, ferner die lombardischen Ghibellinen unterstützte, drohte ihm J. XXII. mit dem Bann, wenn er nicht innerhalb von drei Monaten das Reichregiment niederlege und die Entscheidung des Papstes abwarte. J. XXII. setzte damit den zur Zeit der Staufer wütenden Kampf des Sacerdotiums gegen das Imperium fort, unterschätzte aber die gewandelte Lage, insbesondere die abgestumpften geistlichen Waffen, die ihm zur Verfügung standen und die im Imperium vielerorts nicht mehr den erforderlichen Respekt genossen. Nachdem Ludwig in zwei Erklärungen zu Nürnberg und Frankfurt verlautbaren ließ, der römische König könne allein aufgrund seiner Wahl und Krönung das Imperium regieren, lediglich die Kaiserkrönung bliebe dem Papst vorbehalten, sprach J. XXII. am 23.3. 1324 über ihn die Exkommunikation aus. Die erhoffte Wirkung unterblieb, vielmehr konnte ihn Ludwig der Bayer ungestraft der Häresie bezichtigen. In der »Sachsenhauser Erklärung« vom 23.5. 1324 forderte er offen ein allgemeines Konzil zur Lösung der gegenseitigen Probleme, seinen Häresievorwurf begründeten prominente Vertreter des Spiritualenzweiges des Franziskanerordens. Diesen, die das absolute Armutsideal des Ordens verfochten, die sich gegen jede Lockerung der strengen Ordensregel verwahrten, hatte J. XXII. die Erklärung untersagt, Christus und die Apostel hätten weder persönlich noch gemeinsam Eigentum besessen. Dadurch vermengte sich der theologische mit dem staatspolitischen Streit und Ludwig erhielt Zulauf von Gelehrten, die seinen Kampf propagandistisch besser gestalten konnten. Dazu zählten der frühere Ordensgeneral der Minoriten, Michael von Cesena, der Engländer Wilhelm von Ockham (s.d.), die beide nach München geflohen waren, sowie die beiden Pariser Universitätslehrer Marsilius von Padua (s.d.) und Johannes von Jandun (s.d.). Vornehmlich Marsilius von Padua entwickelte die These, das Volk und seine gewählten Vertreter seien souverän, innerhalb der Kirche stände die oberste Entscheidungsgewalt einem Konzil zu, das, und dies war revolutionär, die Fürsten einberufen könnten. Zusätzlich verachtete Marsilius von Padua völlig jede päpstliche Jurisdiktion und gerade diesem Ansatzpunkt folgte Ludwig von Bayern in seinem künftigen Handeln. Ungeachtet dessen, daß ihn der Papst aller Reichslehen und selbst seines bayrischen Erblandes für verlustig erklärt hatte, zog er nach Rom (1327), ließ sich von Sciarra Colonna zum Kaiser krönen, eine Entscheidung, die er aber wohl nur mit halbem Herzen trug. Der Absetzung des Priesters »Jakob von Cahors«, wie Ludwig J. XXII. verächtlich nannte, folgte die Wahl des Gegenpapstes Nikolaus V. (s.d.) zu Beginn des Jahres 1328. Dieser besaß persönliche Unzulänglichkeiten, konnte sich in Rom nur mit Hilfe des Kaisers halten und unterwarf sich nach dessen Abzug aus der Stadt 1330 dem Papst in Avignon. Obwohl sich im gleichen Jahr König Johann von Böhmen mit Philipp VI. von Frankreich gegen Robert von Anjou verbündete, Philipp VI. dem Papst mit einem weiteren Ketzerprozeß drohte, bot Ludwig der Bayer seit 1331 J. XXII. einen Interessenausgleich an. Seine Bemühungen scheiterten, da J. XXII. bis zu seinem Tod unbeugsam die Oberhoheit über die deutsche Krone beanspruchte. — Auch im Bereich der Kirchenverwaltung traf J. XXII. Anordnungen, die unhaltbar waren. So fällt vor allem sein Nepotismus auf, er bevorzugte stets Verwandte, schickte so z.B. seinen Neffen Bertrand von Poget als Legaten nach Italien. Sein Fiskalismus nahm verhängnisvolle Züge an, er war mit eine der Ursachen, die zur Reformation führten. Umstritten blieb auch die Heiligsprechung Ludwigs von Toulouse, eines Bruders Roberts von Anjou. Der Vorwurf einer Willfährigkeitserklärung kann hierwohl nicht ganz beiseite geschoben werden. Besonders starrsinnig verharrte J. XXII. auf seiner Lehrmeinung, die Seelen der Gerechten gelangten nicht nach ihrem Tod, sondern erst am Jüngsten Tag zur vollen Anschauung Gottes. Er widerrief sie erst auf seinem Sterbebett und überließ unwillig eine endgültige Entscheidung seinem Nachfolger. — Wenn J. XXII. dennoch von so manchen als bedeutender Papst bezeichnet wird, so stützt sich dies darauf, daß er als Talent im Bereich der päpstlichen Verwaltung bezeichnet werden kann. Er nahm mit Erfolg eine Neueinteilung der Bistümer vor, ordnete grundlegend das Benefizien- und Provisionswesen. Als Kenner der Kanones revidierte er zudem die sogenannten »Clementinen«, verdammte in der Bulle »In agro dominico« diverse Sätze Meister Eckeharts (s.d.). Er unterstützte tatkräftig die Missionsarbeiten im nahen und fernen Osten, seine Forderung nach einem neuen Kreuzzug kann aber angesichts des Verfalls dieser Idee nur als Randgedanke gewertet werden. — J. XXII. wurde in Avignon beigesetzt, sein Grabmal findet sich in Notre-Dame-des-Doms.

Werke: Lettres communes, ed. von Guglielmo Mollat, 16 Bde., Paris 1904-1946; Lettres secrètes et curiales du pape J. XXII relatives à la France, ed. von A. Coulon, Paris 1906; Lettres de J. XXII ed. von A. Fayen, 2 Bde., Paris 1908-1909; Extravagentes J. XXII, ed. Jacqueline Tarrant, Momumenta Juris Canonici Series B, Vol., Rom 1983.

Lit.: Guglielmo Mollat/Chr. Samaran, La fiscalité pontificale en France au XIVe siècle, Paris 1905; — Ders. u. ebda., Vitae paparum Avenionensium (1305-1394), 4 Bde., Erstausgabe 1916-1922, frz. Ausgabe, les papes d'Avignon, 1965[10] (verb. Neuausgabe des gleichen Titels von St. Balutze, 1693); Dazu Ders., Stude crit. sur les Vitae Paparum Avenionensium, 1917; — Ders., La collation des bénéfices ecclésiastiques par les Papes d'Avignon (1305-1378), 1921; — Heinrich Finke, Papsttum und Untergang des Templerordens, 2 Bde., 1907; — Bernhard Aistermann, Beiträge zum Konflikt J.' XXII. mit dem dt. Königtum (Diss. Freiburg), 1909; — J. Asal, Die Wahl J.' XXII., 1910; — Emil Göller, Die Einnahmen der Apostolischen Kammer unter J. XXII., 1910; — Karl Heinrich Schäfer, Die Ausgaben der Apostol. Kammer unter J. XXII., 1911; — Heinrich Otto, Zur ital. Politik J.' XXII., in: QFIAB 14, 1911, 140-265; — N. Valois, Jacques Duèse, in: HistLitFrance XXXIV, 1914, 391-630; — G. Biscaro, Le relazioni dei Visconti di Milano con la Chiesa, in: Archivio storico lombardo 46, 1919, 84-228; — A. Suhle, Die Besetzung der Bistümer unter J. XXII. (Diss. Berlin), 1921; — A. Esch, Die Ehedispense J.' XXII. und ihre Beziehung zur Politik, 1929; — Erich Edmund Stengel, Avignon und Rhens, Forschungen zur Gesch. des Kampfes um das Recht im Reich in der ersten Hälfte des 14. Jh.s, 1930; — Gustav Frotscher, Die Anschauungen von Papst J. XXII. über Kirche und Staat, 1933; — Giovanni Monticelli, Chiese e Italia durante il pontificato avignonese (1305-1378), Mailand 1937; — E. Dupré-Theseider, I papi di Avignone e la questione Romana, Florenz 1939; — Ders., Problemi di papato avignonese, Bologna 1961; — Yves Renourd, Les relations des papes d'Avignon et des compagnies commerciales et bancaires de 1316 à 1378, Paris 1941; — Ders. u. ebda., La papauté à Avignon, 1969[3]; — Friedrich Bock, Einführung in das Registerwesen des avignonesischen Papsttums, 2 Bde., Rom 1941; — Ders., Reichsidee und Nationalstaaten, 1943; — Hermann Hoberg (Hrsg.), Die Inventare des päpstl. Schatzes in Avignon (1314-1376), Rom 1944; — E. Sol, Un des plus grands papes de l'histoire. J. XXII Paris 1948; — Decima Douie, John XXII. and the Beatific Vision, in: DomSt 3, 1950, 154-174; — F. Lakner, Zur Eschatologie bei J. XXII., in: ZKTh 72, 326-332; — Giovanni Tabacco, La casa di Francia nell'azione politica di papa G. XXII, Rom 1953; — Dazu die Rezension von Friedrich Bock, in: HZ 184, 1957, 614 ff.; — Lajos Pásztor, Una raccolta di sermoni di G. XXII., in: Bolletino dell'Archivio paleografico italiano 2-3, Rom 1956/57; — A. Folgado, in: Ciudad de Dios 172, 73-133; — Bernard Guillemain, La Cour Pontificale d'Avignon (1305-1378), Étude de une société, Paris 1966[2]; — Dagmar Unverhau, Approbatio-Reprobatio. Studien zum päpstl. Mitspracherecht bei Kaiserkrönung und Kaiserwahl vom Investiturstreitbis zum 1. Prozeß J. XXII. gegen Ludwig IV., (Diss. Heidelberg) 1969; —

J. E. Weakland, J. XXII. before his pontificate (1244-1316), in: AHP 10, 1972, 161-185; — Alois Schütz, Die Prokuratorien und Instruktionen Ludwig des Bayern für die Kurie, 1331-1345. Ein Beitrag zu seinem Absolutionsprozeß, 1973; — Ders., Papsttum und Königtum in den Jahren 1322-1324, in: HJb 96, 1978, 245-269; — Ders., Der Kampf Ludwig des Bayern gegen Papst J. XXII. und die Rolle der Gelehrten am Münchener Hof, in: Katalog Wittelsbach und Bayern, Bd. I/1, 388-398; — David Paladilhe, Les papes en Avignon ou l'exil de Babylone, Paris 1974; — L. Coillet, La Papauté de Avignon et l'Église de France. La politique bénéficiale du pape J. XXII. en France (1316-1334), Paris 1975; — Walter Ullmann, Kurze Gesch. des Papsttums im MA, 1978, 264-277; — James Muldoon, The Avignon Papacy and the frontiers of Christendom: The evidence of Vatican Register 62, in: AHP 17, 1979, 125-195; — Karl Hausberger, Die Päpste in Avignon, in: Martin Greschat (Hrsg.), Gestalten der Kirchengesch., Bd. 11, 11985, 258-275; — Bihlmeyer-Tüchle II, 360-367; — Catholicisme VI, 489-492; — EC VI, 592-595; — DThC VIII, 633 f.; — Feine, RG, 703; — Gebhardt-Grundmann I⁹, 521 ff.; — Gesch. d. Kirche, 318 f. u. ö.; — Hauck V, 1.2.; — HdKG III, 2, 365-425; — NCE VII, 1014-1015; — LThK V, 993-994; — MGG VII, 83 ff.; — TRE 17, 1109-112; — RE IX, 270-271; — RGG IV, 811; — Seppelt IV, 56-187, 455-480.

Michael Hanst

JOHANNES XXIII. (Baldassare Cossa), Gegenpapst, * unbekannt, † 22.12. 1419. — J. XXIII. entstammte einer vornehmen neapolitanischen Familie, über seine Jugend ist sehr wenig bekannt. J. dürfte aber kaum zum geistlichen Beruf, wie viele andere Kirchenmänner seiner Zeit, bestimmt gewesen sein. Dementsprechend widmete er sich vornehmlich dem Kriegshandwerk, einer Tätigkeit, die er auch in seinem späteren Wirken in den Vordergrund stellte. Es ist umstritten, ob er tatsächlich mit Papst Bonifatius IX. (s.d.) eng verwandt war, jedenfalls holte ihn dieser 1389 an die Kurie in Rom, die zu dieser Zeit den als schismatisch bezeichneten Papst in Avignon bekämpfte. J. diente Bonifatius IX. ab 1402 zunächst als Kämmerer, sein späterer Ruf, skrupellos nach Geld zu streben und allein nur diesem untertan zu sein, dürfte jener Zeit entstammen, wird allerdings ob der übertriebenen Propaganda der gegnerischen Seiten nur mit großen Abstrichen zu werten sein. Zusätzlich wurde J. XXIII. zum Archidiakon von Bologna ernannt, einer Stadt, die er sehr gut kannte, hatte er doch hier, wenn auch nur oberflächlich, eine allgemeine universitäre Grundausbildung genossen. Er bewährte sich als hervorragender Sachverwalter der päpstlichen Interessen, die Stadt kehrte ganz in die römische Obedienz zurück. J. XXIII. allerdings gewann durch zahlreiche Skandale kaum Vertrauen. — Persönliche Karrieregedanken waren wohl verantwortlich für seinen Bruch mit dem Nachfolger Bonifatius' IX., Gregor XI. (s.d.) im Jahre 1408. Seither engagierte sich J. XXIII. für ein allgemeines Konzil, das er, wie jedenfalls die Überlieferung zeigt, nach seinem Gutdünken zu gestalten hoffte. Die politische Konstellation begünstigte seine Ambitionen: Da Frankreich, um seinen Einfluß auf die päpstliche Politik zu erhalten, nur einen französischen Papst wünschte, König Wenzel von Böhmen dem aus persönlichem Eigennutz widerstrebte, konnte die Wahl nur auf einen Auswegkandidaten fallen. Das im Frühjahr 1409 in Pisa angesetzte Konzil scheiterte kläglich, da weder der avignonesische noch der römische Papst, bzw. deren Kardinäle und Anhänger teilnahmen. Einzig sichtbarer Erfolg war die Wahl eines weiteren, nunmehr dritten Papstes, Alexanders V. (s.d.). Von Beginn an galt dieser als Übergangspapst, alle ausschließlich politischen Aktivitäten seiner kurzen Regierungszeit leitete Baldassare Cossa. Das nach dem Tode Alexanders V. in Bologna zusammengetretene Konklave wählte ihn am 17.5. 1410 zum neuen Papst. — Baldassare Cossa, der den Papstnamen J. XXIII. annahm, erhielt daraufhin am 24.5. die Priesterweihe, am folgenden Tag die Bischofsweihe, am späten Nachmittag ließ er sich zum Papst krönen. Sitz seines Papsttums blieb zunächst Bologna, erst knapp ein Jahr später begab er sich zusammen mit Ludwig II. von Anjou nach Rom, insgeheim gedachte er sich hier nach einer Aussöhnung mit König Ladislaus von Neapel zu etablieren. Nach einer Bannerklärung und einer drohenden Konfrontation kam es tatsächlich zu einem Interessenausgleich, Ladislaus sagte sich von Gregor XII. (s.d.) los. Doch bereits ein Jahr später endete das zum 1.4. 1412 nach Rom einberufene Konzil ob erneuter minimaler Teilnahme kläglich, man vertagte es um ein Jahr mit dem Erfolg, daß dann nur ein Dekret beschlossen wurde, das die Schriften John Wiclifs (s. d.) verdammte, ein Dekret, das ohne viel Resonanz verhallte. Nachdem nach diesen Mißerfolgen J. XXIII. ein Konzil außerhalb Roms und fern von

Avignon propagierte, fürchtete Ladislaus um seinen Einfluß auf die römische Kurie und vertrieb J. XXIII. aus der Stadt. Notgedrungen mußte sich J. XXIII. nun den Forderungen des deutschen Königs Sigismund beugen; widerwillig, weil dieser eine Beendigung des Schismas wünschte und dabei, gedrängt von überwiegend weltlichen Beratern, einen Papst wollte, der keinem der bisherigen verfeindeten Lager entstammte. — Im Dezember 1413 erließ J. XXIII. in Lodi die Bulle, die dank des Einwirkens des deutschen Königs ein allgemeines Konzil zum 1.11. 1414 nach Konstanz einberief. Um die in der Kirche damals vorherrschende Tendenz, das Konzil könne in seinen Beschlüssen über dem Papst stehen, hat er wohl gewußt, so ist auch sein Versuch nach dem Tode Ladislaus' den Kirchenstaat einzunehmen als eine Verhinderung dieses Konzils zu sehen. Einige wenige Kardinäle aber, die der konziliaren Idee anhingen, hemmten sein Vorhaben. Im Spätsommer 1414 brach J. XXIII. nach Konstanz auf. Berühmt wurde sein vieldeutiger Spruch nach der Überquerung des Arlberg-Passes: »So werden die Füchse gefangen!« Um seine Papstwürde zu erhalten, versuchte er in Konstanz zunächst durch seine Anhänger die Absetzung seiner beiden Konkurrenten zu erreichen. König Sigismund hingegen setzte durch, daß auf diesem Konzil erstmals die Abstimmung nach Nationen festgelegt wurde, daß demnach kein Übergewicht der Kardinäle und Beauftragten der jeweiligen Oboedienz zustandekam. Diese politische Lösung legte den Rücktritt aller drei bisherigen Päpste nahe. J. XXIII. entzog sich dem durch eine verwegene Flucht, wobei er sich dank eines Bündnisses mit Friedrich IV. von Österreich von diesem Hilfe erhoffte. Als er sich nach Frankreich absetzen wollte, ergriff man ihn in der Nähe von Breisach und übergab ihn dem Pfalzgrafen Ludwig, der ihn an verschiedenenOrten, vornehmlich in Mannheim, inhaftieren ließ. Letzteres geschah, nachdem sich J. XXIII. einem Urteil gefügt hatte, das zunächst gegen ihn einen Prozeß vorsah, dann aber am 29.5. 1415 mit seiner Absetzung endete. — 1419 wurde er gegen ein hohes Lösegeld freigelassen, vornehmlich deshalb, weil man ihm kaum mehr einen Einfluß auf die italienische Politik zutraute. Prompt suchte er in Mittelitalien beim Klerus die Glaubwürdigkeit des neuen Papstes Martin V. (s.d.) zu unterwandern, unterwarf sich aber diesem, als er keinen Anklang fand. Als Belohnung dafür ernannte ihn Martin V. zum Kardinalbischof von Tusculum, ein Bistum, das J. XXIII. nicht mehr betreuen konnte, da er bereits am 22.12. 1419 in Florenz starb. — Sein überaus prächtiges Grabmal im dortigen Baptisterium des Doms läßt die zwiespältige Beurteilung seines Wirkens erkennen: Nach heutigen Kriterien, aber auch nach den damals vorherrschenden der konziliaren Bewegung, kann J. XXIII. nur als ein Auswuchs klerikaler Macht bezeichnet werden, dem es vor allem an priesterlicher Eignung mangelte. Wichtigen Vertretern italienischer Stadtstaaten hingegen, wie Cosimo von Medici, galt er als ein Repräsentant einer päpstlichen Macht, der seine Rolle in der inneritalienischen Politik gut gespielt hatte.

Lit.: Theodorici de Nyem, De schismate libri tres, hrsg. von G. Erler, 1890; — Heinrich Finke u. a., Eds., Acta Concilii Constanciensis, 4 Bde., 1896-1928; — Ders., Bilder vom Konstanzer Konzil, 1903; — Ders., Zur Charakteristik des Hauptanklägers von J. XXIII., in: Studi e Testi 39, 1924, 157-163; — Heinrich Blumenthal, Die Wahl und die Persönlichkeit J.' XXIII., in: ZKG 21, 1901, 488-516; — L. Salembier, Le grand schisme d'Occident, Paris 1902, 275 ff.; — E. J. Kitts, Pope J. XXIII. and Master Hus of Bohemia, London 1910; — Hierarchia catholica medii aevi, Bd. I, Ab anno 1198 usque annum 1431 perducta, hrsg. v. Carl Eubel, 1913[2]; — Emil Göller, Aus der Kamera Apostolica der Schismapäpste, Teil I, Die Servitien der dt. Bischöfe und Äbte unter der römischen Obodienz, in: RQ 32, 1924, 82-147 u. RQ 33, 1925, 71-110; — H. G. Peter, Die Informationen Papst J.' XXIII. und dessen Flucht von Konstanz bis Schaffhausen, 1926; — Karl Zähringer, Das Kardinals-Kollegium auf dem Konstanzer Konzil bis zur Absetzung Papst J.' XXIII., 1935; — Ulrich Kühne, Bearb., in: RepGerm, Bd. III, Alexander V., J. XXIII., Konstanzer Konzil, 1935; — Martino Giusti, G. XXIII, in: Studi e Testi 165, 1952, 418; — Leo Santifaller, Neuere Editionen ma. Königs- und Papsturkunden, 1958; — Hermann Diener, Rubrizellen zu Kanzlerregistern J.' XXIII. und Martins V., in: QFIAB 39, 1959, 117-172; — Karl August Fink, Zur Beurteilung des Großen Abendländischen Schismas, in: ZKG 73, 1962, 335-343; — Ders., Papsttum und Kirche im abendländ. MA, 1981; — Heinrich Zimmermann, Das Konzil von Konstanz, 1964; — Arnold Esch, Bankiers der Kirche im Großen Schisma, in: QDIAB 46, 1966, 277-398; — Ulrich von Richenthal, Chronik des Constanzer Concilis 1414-1418, bearb. von M. R. Buch, Nachdruck 1971; — L. Waldmüller, Materialien zur Gesch. J.' XXIII. (1410-1414), in: Annuarium historiae conciliorum 7, 1975, 229-237; — Catholicisme VI, 492-493; — EC VI (Baldassare Cossa), 708-709; — DThC VIII, 641-644; — Gebhardt-Grundmann [9]I, 631 ff.; — Gesch. der Kirche, 380 f. u. ö.; — Hauck V, 1.2.; — HdKG III, 2, 490-516, 539-588; — Lexikon der Heiligen und Päpste, 202;

— LThK V, 995; — RE IX, 271-272; — RGG IV, 811; —
Seppelt IV, 241-253, 484 ff.

Michael Hanst

JOHANNES XXIII. (Angelo Giuseppe Roncalli), Papst, der »Friedens- und Konzilspapst« des
20. Jahrhunderts, * 25.11. 1881 in Sotto il Monte
als 1. Sohn des Ehepaars Giovanni Battista und
Marianna Roncalli, † 3.6. 1963 im Vatikan. —
J. hinterließ zahlreiche Aufzeichnungen, äußerte sich oft im Gespräch über seine Herkunft,
wobei er nie leugnete, daß seine Kindheit und
Jugend durch die Armut geprägt wurden. Sein
Geburtsort Sotto il Monte am Rande der Südalpen war bereits seit 1429 von den Roncallis
bewohnt, der karge Boden ermöglichte jedoch
nur einen sehr bescheidenen Lebensunterhalt.
Die Eltern, die 1877 geheiratet hatten, wohnten
zunächst in einem dreistöckigen Haus, das eher
den Eindruck einer mittelalterlichen Burg erweckte. J., der erste Sohn nach drei Töchtern,
wuchs in einer Großfamilie auf. Die Hierarchie
innerhalb dieser Großfamilie schmerzte ihn, besonders daß kaum jemand der älteren Leute miteinander sprach. Die Kinder ersetzten das Gesinde. Lediglich zu seinem Paten, dem Großonkel Zaverio, fühlte sich J. hingezogen. Zaverio,
unverheiratet, war ein frommer Mann, der J.
viele Impulse während der Kindheit gab. Dem
äußerst sparsamen Vater gelang es, 1919 die alte
Meierei La Calombera nebst vier Hektar Land
zu erwerben. J. verbrachte später häufig seine
Ferien dort. Während des Besuchs der Gemeindeschulen in Camaitino und Monasterolo fiel
der Junge dem Gemeindepfarrer Don Rebuzzini
ob seiner wachen Intelligenz auf. Gegen den
Widerstand des Vaters ließ er J. Latein im Privatunterricht erteilen. Der Vater sträubte sich,
weil er wußte, daß dieser Unterricht seinen Sohn
zum Priester prädestinieren konnte, seine Arbeitskraft also für die Familie entfiel. Dadurch
beeinflußt endete der Besuch des Seminars von
Celana als Externer bald, aber auf das stetige
Bemühen des Ortsgeistlichen hin, nahm man J.
1892 ins Vorbereitungsseminar in Bergamo auf.
Hier erhielt er - noch nicht 14 Jahre alt - das
geistliche Gewand und die erste Tonsur, damit
die eigentliche Aufnahme ins Priesterseminar.

Dieses hatte Karl Borromäus (s.d.) gegründet,
der junge J. widmete sich der Geschichte des
Lebens und Wirkens dieses Mailänder Bischofs,
wie er überhaupt im Seminar zunächst durch
ausgezeichnete Kenntnisse der Geschichte auffiel. Während dieser Zeit entfremdete sich J. von
seiner Familie, in seinem »Geistlichen Tagebuch«, nach seinem Tode veröffentlicht und in
die meisten wichtigen Sprachen übersetzt, er
führte es seit 1895, erzählt er: »In einem Punkt
habe ich am meisten gefehlt. So wie es meinem
Charakter entspricht: Ich wollte den Gescheiten
spielen, über alles urteilen und meine Meinung
überall durchsetzen.« Dieses Tagebuch gibt eine
sehr intime Auskunft über die Persönlichkeit des
späteren Papstes. Im Vordergrund steht dabei
seine Frömmigkeit, die in ihren Idealen gelegentlich an die des protestantischen Pietismus
erinnert, die im Kern aber katholisch, und das
heißt vor allem italienisch, geprägt ist. Unverkennbar auch der Einfluß, den Ignatius von
Loyola (s.d.) auf J. ausübte; seine Exercitien
formten das Denken des jungen Priesterkandidaten, der 1900 seine erste Reise nach Rom
unternahm. Dabei wurde er unverhüllt mit den
Problemen der italienischen Geschichte konfrontiert: Weil er sein geistliches Gewand trug,
beschimpfte man ihn im Wallfahrtsort Loretto,
wo gerade der Jahrestag des Sieges des weltlichen Staates über den Kirchenstaat gefeiert wurde. J. leistete 1901 als Freiwilliger den einjährigen Dienst beim Militär ab, nahm nach dessen
Beendigung seine Studien wieder auf, diesmal
in Rom. Hier wurde er in San Giovanni im Lateran am 18.12. 1903 zum Diakon geweiht, promovierte 1904 zum Doktor der Theologie, feierte am 10.8. 1904 die Priesterweihe und wenige
Tage später die vor allem für seine Eltern glückliche Heimatprimiz. Bei der Priesterweihe wurde er Papst Pius X. (s.d.) vorgestellt, den er
später als sein eigentliches Vorbild rühmte, wobei er hinzufügte, wie er sei dieser ein Kind
armer Leute aus Norditalien gewesen. Ein weiteres Vorbild war für ihn Graf Radini-Tedeschi,
der als neugewählter Bischof von Bergamo
nicht nur Bewußtsein für die politisch-sozialen
Probleme seiner Zeit entwickelte, sondern versuchte, sie im Rahmen einer katholischen Aktion umzugestalten. Als dessen Sekretär fungierte J. von 1905 bis 1914, er unternahm zahlreiche

Reisen mit ihm, insbesondere 1906 eine Pilgerfahrt ins Heilige Land. Gleichzeitig wirkte er am
Priesterseminar in Bergamo als Professor der
Kirchengeschichte, ab 1906 vertrat er auch die
christliche Apologetik und Patrologie. Der Tod
Bischof Radinis traf J. schmerzlich, dessen
Nachfolger entzog ihm die bisherigen Ämter
außer der Professur. In dieser Zeit fuhr er oft
nach Sotto il Monte, da er sich sehr einsam
fühlte. Die Arbeit an seiner Borromäus-Edition
schritt voran, da erklärte Italien am 23.5. 1915
Österreich-Ungarn den Krieg. Ende Mai wurde
J. als Sanitätsunteroffizier eingezogen, entsprechend einer Übereinkunft zwischen der Kirche
und dem Staat diente er wenig später bis zum
Kriegsende als Militärkaplan mit Offiziersrang,
wobei er wiederum die Verwundeten zu betreu-
en hatte. Die Greuel des Krieges prägten ihn
nachhaltig, er hob später hervor, es sei mit die
wichtigste Pflicht einer seelsorgerlichen Tätigkeit, daß man stets auf den Weltfrieden achte;
ein Anliegen, das er in seiner Enzyklika »Pacem
in terris« eingehend behandelte. 1919 wirkte er
als Jugend- und Studentenpfarrer, einer eher un-
definierten Aufgabe, bis ihn im Mai 1921 Papst
Benedikt XV. (s.d.) persönlich als Präsidenten
des Zentralrates des Päpstlichen Missionswer-
kes in Italien nach Rom rief. Er ernannte J. zum
Päpstlichen Hausprälaten mit dem Titel eines
Monsignore, eine wichtige Stufe in der katholischen Hierarchie. J. beklagte sich später, diese
Aufgabe habe ihn nicht voll ausgefüllt. Er gab
die Zeitschrift »Verbreitung des Glaubens in der
Welt« heraus, wirkte zusätzlich, unterbrochen
von zahlreichen Dienstreisen, als Professor der
Patrologie an der Lateran-Universität. In dieser
Zeit beunruhigte ihn der Aufstieg Benito Mus-
solinis, möglicherweise auch die von Pius XI.
(s.d.) betriebene Konkordatspolitik. Er neigte
eher zur katholischen »Partito Populare«, deren
neuem Generalsekretär Alcide de Gaspari er na-
hestand und schrieb nach Hause: »Seine (Mus-
solinis) Ziele mögen gut und recht sein, aber die
Mittel sind schlecht und stehen im Gegensatz
zum Evangelium. Infolgedessen würde Barba
Zaverino sagenWer's erlebt, wird sehen...« —
Am 3.3. 1925 wurde J. zum Apostolischen Visitator für Bulgarien erhoben, eine politische Entscheidung des Papstes, der sich von der anbahnenden Westöffnung Bulgariens eine Besserung

der Verhältnisse der minimalen katholischen
Minderheit erhoffte, vielleicht gar an eine Union
mit der orthodoxen Kirche dachte. Daß dies eine
Art »Zwangsversetzung« gewesen sei, weil man
ihn fälschlicherweise als »Modernisten« bezeichnet habe, hat J. stets verneint. Dennoch
leugnete er zwei Probleme nicht: er fühlte sich
zuwenig in seinem seelsorgerischen Wollen bestätigt, seine Vorschläge zur Entwicklung der
Kirche in Bulgarien verhallten wirkungslos. Die
Ernennung, er wurde 1931 im Rang zu einem
Apostolischen Delegaten erhöht, zog die Erhebung zum Erzbischof von Aeropolis, also die
eines Titularbischofs für eine untergegangene
Stadt im damaligen englischen Protektorat Palästina nach sich. J. ließ diesen Titel beim Abschied aus Bulgarien auf die ebenfalls verschollene bulgarische Stadt Mesembria umschreiben,
um so seine Verbundenheit mit diesem Land zu
bekunden. 1934 wechselte er als Apostolischer
Delegat und Vikar für die Türkei und Griechenland nach Istanbul über, eine sehr schwierige,
wohl die in der römischen Kurie am wenigsten
angestrebte Tätigkeit. Die Türkei Kemal Ata-
türks verhielt sich distanziert zum Islam, feindlich gegenüber dem Christentum; Griechenland
verhielt sich feindlich gegenüber der römisch-
katholischen Kirche, es trat hinzu, daß der neue
Delegat ausgerechnet im verhaßten Bulgarien
gewirkt hatte. Da J. hier aber seelsorgerisch tätig
sein konnte,da er einen lebensnahen Einblick in
die Welt und die Probleme der Orthodoxie gewann, bezeichnet er diese Jahre sogar als glückliche Jahre. Besonders rühmt er den Besuch der
alten Konzilsstädte in Kleinasien. Vom 2. Weltkrieg überrascht, leistete er in beiden Ländern
karitative Hilfe, er stellte aber auch (nach eigenen Worten) »den Priester in sich über den Politiker«, als ihn gegen Kriegsende Franz von Papen um eine Vermittlung des Vatikans bei möglichen Verhandlungen zwischen Deutschland
und den Alliierten bat. Mitte Dezember 1944
wurde J. zum Apostolischen Nuntius für Frankreich bestimmt, offiziell wurde er am 22.12.
1944 bestätigt. Die Aufgabe erforderte einen
erfahrenen Mann in schwieriger Situation: Sein
Vorgänger war dem Regime Marschall Petains
nach Vichy gefolgt, jetzt, unter De Gaulle, wurde er der Kollaboration geziehen, zusätzlich verlangte De Gaulle die Demission ungefähr der

Hälfte aller französischen Bischöfe. J. begann seine Mission mit einer gewinnnenden Geste, er schlug die Erhebung des Erzbischofs von Toulouse, Monsignore Saliége, der Hitler Widerstand geleistet und sich somit die Achtung des französischen Volkes zugezogen hatte, zum Kardinal vor. Darüber hinaus gelang es ihm in zeitwierigen Verhandlungen, die Forderungen entweder ganz abzulösen oder zumindest beachtlich abzuschwächen. J. sah sich stets als Beauftragter des Papstes, wer Neuerungen, wenn auch nur in bescheidenem Umfang erwartet hatte, sah sich getäuscht. Dies resultierte auch daraus, daß er in eine völlig andere soziale Welt kam, daß ihm die neue Würde, denn mit diesem Posten war immer die baldige Ernennung zum Kardinal verbunden, bewußt wurde. Als Papst erzählte er, Frankreich habe ihm mehr gegeben, als er je zurückgeben konnte. Dies ermöglichte ihm wohl seine angeborene Umgänglichkeit, als Diplomat genoß er großes Ansehen, er pflegte den gesellschaftlichen Umgang und fiel hier durch seine heitere Art auf. Zahllose Reisen erschlossen ihm das Land und seine Probleme, auch die Algeriens, das er 1950 bereiste. Am 12.1. 1953 erhob ihn das Konsistorium zum Kardinal, zwei Tage später zum Patriarchen von Venedig. J. schätzte sich glücklich, an einer Stelle wirken zu können, wo einst Kardinal Sarto, der von ihm so verehrte spätere Papst Pius X. (s.d.) so beliebt gewesen war. Auch an diesem Ort zeigte er sich jovial, ließ San Marco und den Patriarchenpalast renovieren, besuchte als erster Patriarch die Biennale. Wallfahrten genossen seine besondere Förderung, er selbst besuchte erneut Assisi, weihte im Mai 1958 die neue unterirdische Basilika in Lourdes. In Venedig kam J. aber auch mit der von ihm fast vergessenen italienischen Innenpolitik in engen Kontakt: Papst Pius XII. (s.d.) beeinflußte massiv die nach dem Krieg neugegründete »Democrazia Cristiana«, die wiederum Hilfe auf allen Ebenen durch den Klerus erhielt, der in der Ablehnung der Linksparteien verharrte. Pius XII. verfügte 1949 zusätzlich, daß die politische Unterstützung der Kommunisten für einen Katholiken die Strafe der Exkommunikation nach sich ziehe, eine Weisung, die nur in Italien politische Brisanz erlangte. Im Kontrast zu seinen Äußerungen und seinem Tun als Papst hielt J. diese Linie

ein, wie erhaltene Predigten zeigen. — Über das Konklave 1958 wurde viel geschrieben, aber die Interpreten irren wohl, die meinen, eine Wahl J.s sei ausgeschlossen gewesen, ja er selbst habe sie nie erwägt. Das Kardinalskollegium zerfiel in drei Gruppierungen, in eine konservative und eine fortschrittliche Gruppe und in die sogenannte Mitte, der nur sieben Kardinäle, darunter J., zugerechnet wurden. Sein Alter, seine Popularität im Kollegium, ferner daß er Patriarch von Venedig war, dessen Kardinal Sarto schon einmal im 20. Jahrhundert einen hervorragenden Papst abgegeben hatte, vermutlich aber seine internationale Erfahrung begünstigten die Wahl J.s im elften Wahlgang. Als Papst nahm er den Namen Johannes XXIII. an, aus Dankbarkeit gegenüber dem gleichlautenden Vornamen seines Vaters und des Patrons seiner Taufkirche. Er brach damit mit der lange vorherrschenden Namenswahl Pius. Seine am 4.11. 1958 erfolgte prunkvolle Krönung war die letzte in diesem Umfang, sein Nachfolger Paul VI. (s.d.) reduzierte sie. Johannes Paul I. (s.d.) verzichtete ganz auf sie. Die Krönungsmesse unterbrach er durch eine Homilie, in der er programmatisch äußerte: »Wir möchten ganz ausdrücklich betonen, daß Uns das Amt des Hirten über die ganze Herde besonders am Herzen liegt... Der Hirt geht vor den Schafen her und sie folgen ihm alle... Doch er ist berufen, noch weiter zu blikken: Ich habe noch andere Schafe, die nicht aus diesem Schafstall sind, und ich werde sie herbeiführen; sie werden meine Stimme hören, und es wird ein Schafstall und ein Hirt sein.« J.s XXIII. Pontifikat markieren zwei Handlungsstränge: Unter ihm schritt das Delegieren von Verantwortung innerhalb der katholischen Kirche voran. Er erweiterte sein Kardinalskollegium, wobei er die bisher gültige Zahl siebzig nicht mehr als maßgebend ansah. Zusätzlich bedachte er bei der personellen Wahl die gewachsene globale Funktion der Kirche, 1960 wurden ein Afrikaner und ein Japaner zum Kardinal erhoben. Zwar herrschten weiterhin die Italiener vor, doch die Liste der Nationalitäten mehrte sich. Für die Güte und die Klugheit J.s XXIII. spricht, daß er auch Prälaten beförderte, die seiner Politik kritisch gegenüberstanden. Als zweite Grundidee schälte sich immer klarer die Erwägung eines neuen Konzils heraus. Auch Pius XII. hatte daran gedacht, doch sollte bei ihm die Mariologie ganz im Mittelpunkt stehen. Darüber ging J. XXIII. hinaus, er wollte eine Klärung der neuen, bisher nur angeschnittenen Themen, die für die Kirche von Belang waren. Am 25.1. 1959 kündigte er ein allgemeines Konzil an; am 29.6. erließ er die Enzyklika »Ad Petri Cathedram«, die offizielle Einladung, die sich auch auf alle Nichtchristen bezog. Die Resonanz derer war aber angesichts der hochtraditionellen, die Hierarchie betonenden Sprache gering. Zudem ließ selbst in der katholischen Welt die römische Diözesansynode im Januar 1960 schlimme Erwartungen aufkeimen, wurde doch hier dem römischen Klerus lediglich eine Fülle von teils veralteten Vorschriften aufoktroyiert. Das am 11.10. 1962 feierlich eröffnete Konzil widerlegte jedoch diese Ängste. J. XXIII. übte keinen Druck auf die Konzilsteilnehmer aus, er hielt sich zurück, verfolgte die Geschehnisse mittels einer Übertragung in seinen Privaträumen und griff nur gelegentlich vermittelnd ein. — J. XXIII. erließ acht Enzykliken, bedeutsam davon sind vor allem die 1961 publizierte »Mater et Magistra«, in der J. XXIII. die katholische Soziallehre entsprechend ihrer von Leo XIII. (s.d.) und Pius XI. geprägten Kerngedanken weitergeführt und die am 11.4. 1963 erlassene Friedensenzyklika »Pacem in Terris«. Erstmals hat diese der Papst nicht an seinen Episkopat und an die Katholiken, sondern »an alle Menschen guten Willens« adressiert. Er fordert in ihr die Gewährleistung eines allgemein wirksamen Friedens angesichts der vorangegangenen Katastrophen in diesem Jahrhundert, die Einstellung der Atomversuche und des Wettrüstens, eine allgemeine, vor allem kontrollierbare Abrüstung, die Anerkennung der Gleichheit aller Menschen. In scharfer Form wendet er sich gegen jede Rassendiskriminierung sowie gegen den modernen Kolonialismus. Der persönlichste Gedanke J.s XXIII. dürfte es sein, wenn er die Vernunft und die Verantwortung jedes Menschen für die Erlangung dieser Ziele hervorhebt, daß er aber von einer Unerlangbarkeit ohne göttlicher Hilfe spricht. Dieser Enzyklika gingen intensive Friedensvermittlungen während der Kuba-Krise voraus. Zustatten kam hierbei dem Papst, daß der damalige US-Präsident Kennedy Katholik war, daß J. XXIII. beim sowjetischen Generalsekretär Chruschtschew dank seiner persönlichen Integrität hohes Ansehen genoß. — Alle Maßnahmen J.s XXIII. waren im wesentlichen populär, lediglich innerkirchlich wurden seine Anweisung, Latein als unveränderliche Sprache der Kirche beizubehalten, ferner seine Entscheidung gegen die Arbeiterpriester kritisch beurteilt. Taktvoll hingegen verhielt er sich gegen die anderen Konfessionen, wenn er die Marienverehrung im Bereich der katholischen Kirche zurücktreten ließ, wenn er indiskriminierende Äußerungen gegen Moslims und Juden streichen ließ, z. B. die Bezeichnung »perfid« für die Juden in der Karfreitagsliturgie. Volle Anerkennung fand er, als er die Fronleichnamsprozession in Rom wiedereinführte und sich singend selbst an ihr beteiligte, als er Krankenhäuser, Gefängnisse und Seminare in Rom besuchte. J. XXIII. wird aufgrund seiner persönlichen Ausstrahlung, seines Friedensengagements nur positiv beurteilt. Hinzu kommt, daß er die bislang herrschende Hemmschwelle vor der unnahbaren Autorität des Papstes minderte und so die Religion besser dem Volk vermittelte. Sein Handeln charakterisiert am besten sein eigener Ausspruch: »Ich bin der Papst derer, die Gas geben und derer, die aufs Bremspedal treten.« — Er starb am 3.6. 1963 im Vatikan an einem Krebsleiden und wurde am 7. Juni in der Krypta des Petersdomes beigesetzt.

Werke: (Unter dem Namen A. R.): Il Cardinale Cesare Baronio, Nel terzo centenario dall sua morte, in: La Scuola Cattolica 36, 1908, 3-29, ital. Neudruck Rom 1961, dt. 1963; La »Misericordia Maggiore« di Bergamo e le altre istituzioni di beneficenza amministrate dalla Congregazione di Carità, Bergamo 1912; In memoria di mons. Giacomo Maria Radini Tedeschi, vescovo di Bergamo, Rom 1963[3]; Gli inizi del Seminario di Bergamo e S. Carlo Borromeo, Note storiche, con una introduzione sul Concilio di Trento e la fondazione dei primi Seminari, 1939; Gli Atti della Visita Apostolica di S. Carlo Borromeo a Bergamo (1575), unter Mitarbeit von Pietro Forno, 2 Bde. in 5 Teilbänden, Florenz 1936-57; (La vita diocesana, Periodico ufficiale del Vescovo e della Curia di Bergamo, 1909-14); Appunti per la storia, in: I Preti del S. Cuore di Bergamo, 1959, 1-23; Scritti e discorsi (1953-58), 4 Bde., Rom 1959-62; Souvenirs d'un nonce: Cahiers de France (1944-53), Rom 1963, dt. 1965; G. XXIII. in alcuni scritti di don Giuseppe de Luca (7 Briefe von A. R. an Don Giuseppe De Luca), Brescia 1963, 69-81; Unter dem Papstnamen: Discorsi, messaggi, colloqui del Santo Padre G. XXIII, 5 Bde., Vatikanstadt 1959-64; Scritti e discorsi, 17 Bde., Siena 1959-63; Il Giornale dell'anima e altri scritti di pietà, Rom 1964, dt., Geistl. Tagebuch und andere geistl. Schriften; Brevier des Herzens, Geistl. Wegleitung durch das Jahr, mit einem Geleitwort von Julius Kardinal Döpfner, 1967; Lettere dall'Oriente e altre inedite, bearb. von Crispino Valenziano, Brescia 1968; Lettere alla famiglia, hrsg. von Loris Capovilla, Rom 1968, dt.: Briefe an die Familie, 2 Bde., 1969-70; Ders., Lettere 1958-63, In appendice documenti e appunti vari, Rom 1978; Ders., bearb., Giovanni e Paolo, due Papi, Saggio di Corrispondenza (1925-62), Rom 1982; G. XXIII, Il Pastore, Corrispondenza dal 1911 al 1963 con i preti des sacro cuore di Bergamo, Einl. und Bearb. v. Giambattista Busetti, Padua 1982; Ferner offizielle Verlautbarungen in: AAS 5-55; ACO Vat II, 1960 ff.; CirCatt 109-114, Rom 1958-63; HerKorr 13-18; Bibliogr.: Archivum Historiae Pontificiae, Rom ab 1963.

Lit.: Dante Balboni, La Liturgia pastorale nel pensiero di papa G. XXIII, Rom 1958; — Andrea Lazzarini, G. XXIII, Rom 1958; Ders., J. XXIII, sa vie, sa personnalité, übers. durch den Abt Virrion, Paris 1960; — Erich Precher, J. XXIII. (Bildbiographie), 1958; — Reinhard Raffalt, Ein röm. Herbst, 1958; — Zsolt Aradi, Pope J. XXIII., An Authorative Biography, 1959, dt.: Werden und Wirken des Papstes A. R., 1960; — Joseph Anthony Breig, The story of Pope J. XXIII., St. Paul 1959; — Nicolà Fusco, J. is his name, A survey of the popes by that name, New York 1959; — Vincenzo Eduardo Gasdia, Papa G. XXIII, Ricordi personali, Verona 1959; — Ugo Groppi und Julius Lombardi, Above all, a shepherd, Pope J. XXIII., New York 1959; — Heinrich Jongen, J. XXIII., 1959; — Witold Malej, Papiez J. XXIII., Warschau 1959; — Michèle Maccarone, Tu es Petrus, Da Pio XII a G. XXIII, Rom 1959; — Heinrich Mertens, (Hrsg.), Ich bin Joseph euer Bruder, Chronik, Dokumente, Perspektiven zum Leben und Wirken Papst J.s XXIII., 1959 (zahlreiche Aufsätze zu Teilperspektiven); — Francis-Xavier Murphy, Pope J. XXIII. comes to the Vatican, New York 1959, 1959 auch in ital., — Paul Christopher Perotta, Pope J. XXIII., His life and character, New York 1959; — Aureliano Tapia Mendez, Juan XXIII., pastor y navegante, Mexico City 1960; — Chrysostomus Dahm, J. XXIII., 1961; — Richard Baumann, Ein Lutheraner im Vatikan. Ökonom. Gespräche, 1962; — Ders., Von Johannes zu Paulus, Bericht über eine neue Romfahrt, 1963; — Rainer Barzel, »Mater et magistra« und prakt. Politik. Ein Diskussionsbeitrag aus dem pol. Alltag, 1962; Tony Spina, The making of the pope, New York 1962; — Ders. u. ebd., The pope and the Council, 1963; — Jean d'Hospital, Rome en confidence, deuxième partie: Du Vatican, Paris 1962; — Alfred Kumpf und Martin Lücke, Hirt und Steuermann, J. XXIII., 1962; — Barret McGurn, A reporter looks at the Vatican, 1962; — Robert Neville, The world of the Vatican, New York 1962; — Randall Garret, Pope J. XXIII., Derby/USA 1962, dt.: Papst J., ein Lebensbild, 1963; — Loris Francesco Capovilla (Privatsekretär), G. XXIII., Vatikan 1963, dt. Übers.: J. XXIII., Papst des Konzils, der Einheit und des Friedens, 1963; — Ders., Papa G., Segno dei Tempi, Rom 1967, dt. Übers.: Papst J., Ein Zeichen der Zeit, 1969; — Ders., G. XXIII., Quindici letture, im Anhang: I. Prefazione al »Giornale dell'anima«, II. Ultimi giorni di vita e morte di Papa G. XXIII, III. Cronologia, Rom 1970; — Ders., Papa G. XXIII, Gran Sacerdote, come lo ricordo, ebd. 1977; — Ders., XV. anniversario della morte di papa G. XXIII, ebd. 1978; — Ders., Vent' anni dalla elezione di G. XXIII, ebd. 1978; — Ders., L'ite missa est di Papa G. XXIII, Padua/Bergamo 1983; — Richard-James Kardinal

Cushing, Call me J., A life of pope J. XXIII., Boston 1963; — Paul Dahm, J. XXIII., der Papst des Konzils, 1963; — Nazareo Fabretti, G. XXIII. e il concilio, Vicenza 1963; — Henri Fesquet, Les Fioretti du bon pape J., 1963, dt.: Humor und Weisheit J.s des Guten, 1965; — Anselmo Freddi, G. XXIII. fanciullo, Bergamo 1963; — Alberto Chinato, Un caro ricordo. In memoria della visita del Santo Padre G. XXIII. alle parrocchia di San Tarcisio, 7. aprile 1963, Rom 1963; — Anne Freemantle, The Papal Encyclicals in Their Historical Context, New York 1963; — J. XXIII., Leben und Werke. Eine Dokumentation in Text und Bild, 1963; — Alden Hatch, A man named J., The life of the pope J. XXIII., New York 1963; — Heinrich Picker, J. XXIII., Der Papst der christl. Einheit und des II. Vat. Konzils, 1963; — Martino Vitali, I memori giorni degli ex-Allievi di Papa R., Bergamo 1963; — Leone Algisi, G. XXIII, Turin 1964[3]; — Ernesto Balducci, Papa G., Florenz 1964; — Walther Diethelm, Was wird aus Angelo? Das Leben von Papst J. der Jugend erzählt, 1964[2]; — Stanislaw Markiewicz, Politika J. XXIII. i Pawla VI., Warschau 1964; — Michael Novak, The Open Church, London 1964; — Paul VI. (Giovanni Montini), Papa G. nella mente e nel cuore del suo successore, Mailand 1964; — Wolfgang Seibel, J. XXIII. Der Papst der Übergangs in eine neue Zeit, 1964; — Michel Serafian, Der Pilger oder Konzil und Kirche vor der Entscheidung, 1964; — Gian Ludovico Maseti Zannini, G. XXIII i la vita dei campi, Brescia 1964; — F. Frank, Outsider in the Vatican, New York 1965, dt.: Ein Outsider im Vatikan, 1966; — Edward Elton Hales, Pope J. and his revolution, London 1965, dt.: Papst J. XXIII. und seine Revolution. Die Große Wende, 1966; — Gérard Le Lay, La pensée sociale de J. XXIII, Bordeaux 1965; — Giacomo Kardinal Lercaro, G. XXIII, Linee una ricerca storica, mit einem Anhang von G. De Rosa: A. R. e Radini Tedeschi et Brani scelti dalle opere di G. XXIII, Rom 1965; — David Andreas Seeber (Einf. u. Hrsg.), J. XXIII. im Zeugnis seines Nachfolgers Pauls VI., Herder-Bücherei 217, 1965, engl. 1965; — Ders., Das II. Vaticanum, Konzil des Übergangs, 1966; — Giuseppe Kardinal Siri, Ideali santi e celeste presenza nel mondo, Rom 1965; — Hanno Helbling, Das II. Vat. Konzil. Ein Bericht, 1966; — Ders., Politik der Päpste. Der Vatikan im Weltgeschehen 1958-1978, 1981; — Michel de Kerdreux, J. XXIII, le pape de la bonté, Mulhouse 1966; — Ders., J. XXIII, Paris 1969; — Hannah Arendt, Der christl. Papst, Bemerkungen zum Geistl. Tagebuch J.s XXIII., in: Merkur 20, 1966, 362-372; — Ilsemarie Gallizia-Faßbinder, Humanitas und Pietas, Zur geist. Gestalt des Roncalli-Papstes, in: Hochland 58, 1966, 345-354; — Ernesto Halfftex, Canticum in P. P. J. XXIII., Madrid 1966; — Jaroslav Hranicka, J. XXIII., Prag 1966; — William Arthur Purdy, The church of the move, The characters and policies of Pius XII. and J. XXIII., London 1966; — Otto Wirtz, Quo vadis ecclesia? Von Kaiser Konstantin zum 2. Vatikan-Konzil, 1966; — Giovanni Fallani, Papa G. di Emilio Greco, Rom 1967; — Jules Gritti, J. XXIII dans l'opinion publique. Son image à travers la presse et les sondages d'opinion publique, Paris 1967; — Sergio C. Lorit, Vypravování o zivoté papeza J., Warschau 1967; — John Moormann, Vatican Observed, London 1967; — Wolfgang Müller-Welser, A. R. - Papst J. XXIII., 1967; — Meriol Trevor, Pope J. XXIII., London 1967; — Franz Mikael William, Vom jungen A. R. (1903-1907) zum Papst J. XXIII. (1958-63). Eine Darlegung vom Werden des Aggiornamento-Begriffes

1903-1907 als der Leitidee für das II. Vat. Konzil und die Durchführung seiner Beschlüsse, 1967; — Joseph Brosch, Im Wechsel der Menschen und Zeiten. Zum 5. Jahrestag des Todes von Papst J. XXIII. am 3. 6. 1968, in: echo der zeit 22, S. 7; — Vittorio Goprresiom, La nouva missione, Mailand 1968; — Benny Lai, Vaticano aperto, ebd. 1968; — Jean Neuvecelle, J. XXIII, une vie, Paris 1968; — Curtis Bill Pepper, An Artist and the Pope, London 1968, dt.: Freundschaft mit dem Papst. Nach den persönl. Erinnerungen von Giacomo Manzù an J. XXIII., 1969; — Luigi Santucci, Cantico delle cose di papa G., Mailand 1968; — Camillo Fumagalla, Dello stemma di Papa G. XXIII, in: Ateneo di Bergamo, G. XXIII, Testimonianze die Academici bergamaschi, Bergamo 1969, 11-22; — Karl Otmar von Aretin, Papsttum und mod. Welt, 1970; — Analecto Mosconi, San Francesco d'Assisi e papa G. XXIII, Mailand 1970; — Albert Wucher, Von Petrus zu Paul, Weltgesch. der Päpste, 1970; — Dino T. Donadoni, Papa G., Amare la terra col cielo nel cuore, Turin 1972; — Tommaso Gallarati Scotti, La pentecoste di papa G. in nuove interpretationi e memorie, Mailand 1972; — Enzo Orlandi, Marisa Paltrinieri, Gianni Rizzoni, Emilia Barbaglia und Maristella Bodino, in der Reihe: Pro u. Contra, Venedig/Mailand 1972; — Sosio Pezzella, Che cosa e veramente detto G. XXIII, Rom 1972; — Lawrence Elliot, I will be called John, New York 1973, dt.: Das Leben eines großen Papstes, J. XXIII., 1978[8]; — Hermann Sendelbach, J. XXIII. Ein epischer Versuch, 1973; — Giancarlo Zizola, Riposte e papa G., Rom 1973; — Ders., L'utopia di Papa G., Assisi 1974[2]; — Ders., Quale Papa?, Rom 1978; — Eladio Leiros Fernandez, El espiritu de J. XXIII., Santiago de Chile 1974; — Benedikt Lomax (ident. mit P. Hebbletwaite), Pope J.s Ostpolitik, in: The Month, Sept. '74, 691-696; — Peter Hebbletwaite, Eine von Gottes Überraschungen, in: Orientierung 46, 1982, 207-213; — Ders., J. XXIII., Pope of the Council, London 1984; — Ders., J. XXIII. Das Leben des Angelo Roncalli, 1986; — Paolo Tanzella, Papa G. XXIII, Neapel 1974; — Giovannina Facca, Papa G. XXIII, Padua 1975; — Paul Johnson, Pope J. XXIII., London 1975; — Franco Molinari, I peccati di papa G. XXIII, Turin 1975; — Leonilda Uboldi, De sotto il Monte al Vaticano, Bologna 1975; — Hansjakob Stehle, Die Postpolitik des Vatikans, 1917-75, 1975; — Bruno Heim, Das Mysterium Roncalli, in. Kirche und Staat, Festschr. für F. Eckert, hrsg. von Herbert Schambeck, 1976, 21-25; — Susanna Kölbel, Papa G., parole e vita, Rilettura di fatti e di testi per una piu profonda compressione, Brescia 1977; — Wilhelm Hünermann, Der Pfarrer der Welt, Das Leben J.s XXIII., 1978[4]; — Kurt Klinger, Ein Papst lacht. Die gesammelten Anekdoten um J. XXIII., 1978[2]; — Andre Lantreille, De Gaulle, la Libération et l'Église catholique, Paris 1978; — Nikodim, Patriarch von Leningrad und Nowgorod, J. XXIII., ein unbequemer Optimist, dt. Übers. 1978; — Ders., J. XXIII. Papst einer Kirche im Aufbruch, 1984; — Georg Denzler, J. XXIII. (1881-1963), Reformkatholizismus: Selbstkritik einer Kirche, in: Die Großen der WG X, 1978, 888-911; — Max Bergerre, Ich erlebte vier Päpste. Ein Journalist erinnert sich, 1979; — Bernard Bonnot, Pope J. XXIII, An Astute Pastoral Leader, New York 1979; — Paul Dreyfus, J. XXIII, Paris 1979; — Hans-Günther Röhrig, Papsttum im Wandel. Von J. XXIII. zu Johannes Paul II., 1979; — F. M. William, J. XXIII. und das II. Vat. Konzil, in: Geistl. Leben 52, 1979, 96-114; — Wolfgang Frank, Auskunft über J. XXIII., 1980; — Giulio Andreotti, Meine sieben Päpste. Begegnungen in bewegten Zeiten, 1982, J. XXIII.: 67-114; — Paul Poupard, Wozu ein Papst? Von Petrus zu Johannes Paul II., 1982; — Teresio Bosco, Papa G. XXIII, Turin 1983; — Ludwig Kaufmann, Damit wir morgen Christ sein können: Vorläufer im Glauben, darin: J. XXIII., 1984, 11-48; — Adreas Lindt, J. XXIII., in: Gestalten der Kirchengesch. 12, Das Papsttum II, hrsg. v. Martin Greschat, 1984, 297-312; — Helmuth Nürnberger, J. XXIII., 1985; — Giuseppe Alberigo Papa Giovanni, 1987[2]; — Ders., G. XXIII, transizione del Papato è della Chiesa, Rom 1988; — Catholicisme VI, 494-498; — HdKG VII, 97-119; — Jedin VII, 97-119; — Lexikon der Päpste und Heiligen, 202-204; — LThK V, 995-996; — NCE VII, 1015-1020; — RGG III, 812-813; — TRE 17, 113-118.

Michael Hanst

JOHANNES IX. AGAPETOS, auch Chalkedonos (als Neffe des Metropoliten von Chalkedon), Patriarch von Konstantinopel 24.5. 1111-April 1134, zuvor Hieromnemon (Zeremoniar) seines Vorgängers Nikolaos III. Grammatikos, gefeierter Homilet. Nähere biograph. Angaben fehlen, der »Bettelpoet« Theodoros Prodromos rühmt in seinem Enkomion, das er J.A. um 1130 widmete, nur dessen Bildung und Tugend. — J.A. scheint nicht dabei gewesen zu sein, als - im Zuge der Unionskontakte des Komnenenkaisers (s.d.) Alexios I. mit Papst Paschalis II.- der Ex-Erzbischof Pietro Grossolano (Chrysolanos) von Mailand auf seiner Pilgerreise nach Jerusalem 1112 in Konstantinopel mit sieben Theologen im Beisein des Kaisers über das filioque disputierte, »daß es uns allen die Stimme verschlug«, wie der Hoftheologe Eustratios, Metropolit von Nikaia, kommentierte, der vier Schriften gegen Grossolano richtete. — Am 16.2. 1115 erneuerte J.A. das Verbot der munera sordida (juristischer Tätigkeit) für den Klerus. — Da Eustratios, der mit Michael von Ephesos wohl im Auftrag der Kaisertochter Anna (s.d.) Komnene Aristoteles kommentierte, als Dialektiker wie früher sein Lehrer Johannes (s.d.) Italos der Häresie, aufgrund seiner Streitschriften gegen die monophysitischen Armenier 1114 auch noch als Nestorianer beschuldigt wurde, berief Alexios I. am 11.4. 1117 eine Synodalsitzung ein, die er mit dem Patriarchen J.A. leitete und auf der Eustratios seine »24 Irrtümer« widerrief. Auf einer zweiten Sitzung am 26.4. 1117 - ohne den Kaiser - verteidigte J.A. zwar Eustratios, suspendierte ihn dann aber auf Druck der Antidialektiker. — 1117/8 wies J.A. dem Patriarchen Sabas von Jerusalem, der nach Konstantinopel gekommen war, das Bistum Moroneia an (Grumel 1004, Text verloren). — Im Aug. 1113 bestätigte J.A. die von Alexios I. 1088 dem (hl.) Mönch Christodulos für das Prodromoskloster auf Patmos verliehenen Privilegien. — Nach Nikephoros Kallistos (eccl. hist. XVII, 31 = PG 147, 301; Grumel 1006) hat J.A. das Fest des Kaisers Justinian I. in die Liturgie eingesetzt (2. Aug.: nach anderen wird am 15.Nov. Justinian mit Theodora begangen: Chrestos). — Während ein J.A. oft zugeschriebenes 53 Sonntage enthaltendes Homiliar wirklich von Johannes Xiphilinos d.J, verfaßt wurde, hat J.A. dieses zu dem dank seinem knapperen und volkstümlichen Stil beliebten offiziellen »Patriarchalhomiliar« mit 58 Sonntagen verarbeitet, das in den Handschriften oft späteren Patriarchen (die es also übernahmen) zugeschrieben wird; ihm dürfte J.A. seine Aufnahme in das Festoffizium vom 18. Juli verdanken (Gritsopulos). — Erhalten ist ein Siegel des Patriarchen J.A.

Werke: Verbot der munera sordida: PG 138, 92; Urteil geg. Eustratios: I. Sakkelion, Ἀθήναιον 4 (1875) 227-233; Votum d. Patriarchen u.d. Synodalen: Pierre Ioannou, Eustrate de Nicée. Trois pièces inédites de son procès (1117): REByz 10 (1952) 24-34; Ders., Das Semeioma geg. Eustratios v. Nikaia (1117): Byz. Z. 55 (1954) 369-378; Urkunde für Patmoskloster: Miklosich-Müller VI 25, 101-103; Von den 58 Homilien sind nur 8 gedruckt: J. Gretser, opera omnia II 197-203 (Regensburg 1734) (unter Joh. Kalekas); PG 120, 1201-1258 (unter Joh. Xiphilinos); PG 150, 263-280 (unter Joh. Kalekas); C. Trianatafilldis-A. Grapputo, Συλλογή ἑλληνικῶν ἀνεκδότων I, 47-61; 115-121 (Venedig 1874); K.J. Dyobuniotes, EEBS 17 (1941) 130-143, dazu F. Dölger, Byz. Z 42 (1943/9) 312; Siegel: Vitalien Laurent, Le corpus des sceaux de l'empire byz., V, 1: L'Église de Constantinople, 19 n. 22 (Paris 1963); Enkomion des Th. Prodromos: K.A. Manaphes, EEBS 41 (1974) 223-242, dazu H. Hunger, die hochsprachliche Literatur d. Byzantiner I 125 (München 1978).

Lit.: Manuel J. Gedeon: Πατριαχικαὶ Πίνακες 338-347 (Kpl-Pera 1890); — Chrys. Papadopulu, EEBS 15 (1936) 378; — A. Erhard, Überliefg. u. Bestand d. hagiograph. u. homilet. Lit. d. griech. Kirche, 3, 559-631 (Berlin 1943); — Venance Grumel, Les Regestes des actes du patriarcat de Constaninople I 3, 999-1006 (Bukarest 1947); — Hans-Georg Beck, Kirche u. theol. Lit. im bzy. Reich, 618 f. (München 1977²); 631 f. (Eustratios); 313 (Grossolano); — Ders., Bzy. Kirche im Zeitalter d. Kreuzzüge, in: Hb. d. KG III 2 (hg. H. Jedin, 1973) 148 f.; 166.; — Otto Mazal, HB d. Byzantinistik, 116 (Graz 1989); — DTC VIII 644 f. (L. Petit, 1924); — LThK² V, 997 (J.M. Hoeck, 1960); — Θρησκευ-

τικὴ καὶ ἠθικὴ Ἐγκυκλοπαιδεία VII 12 (T.A. Gritsopulos, 1965); VI 969 = Justinian I. (Chrestos, 1965); — TRE 10, 550 f. = Eustratios (G. Podskalsky, 1982); — W. Buchwald-A. Hohlweg-O. Prinz, Tusculum-Lexikon d. griech. u. lat. Autoren d. Altertums u. d. Mittelalters (München-Zürich 1982³) 380 f.

Pia Schmid

JOHANNES *von Allendorf*, Kanzler Fürstbischof Rudolfs II. von Würzburg, * 3.10. 1400 wohl in Völkershausen in der Rhön als Sohn des Edelknechtes Hans von A., † 17.10. 1494 in Würzburg. — J. trat in früher Jugend in das Benediktinerkloster St. Burkhard in Würzburg ein. Nach philosophischem und kanon. Studium in Erfurt und Pavia wurde er 1447/48 Abt seines Klosters. 1454 wurde er bischöflicher Rat, 1459 war er Beisitzer am königlichen Kammergericht. Bei der Umwandlung der Abtei St. Burkhard in ein Ritterstift wurde J. 1464 Propst. 1466 war er Gesandter auf dem Reichstag in Nürnberg, 1471 auf dem großen Christentag in Regensburg. 1470 wurde J. wegen seiner gründlichen Rechtskenntnisse und seiner Eignung zum Diplomaten von Bischof Rudolf II. von Scherenberg zum Kanzler ernannt. Seit 1472 war er Domherr in Würzburg, 1475 erlangte er die Pfründe der Pfarrkirche von Heilbronn und das Archidiakonat des Landkapitels Münnerstadt. König Maximilian ernannte ihn 1491 zum kaiserlichen Rat. Kurz vor seinem Tod stiftete er 1494 das Würzburger Nothelferspital. Als Humanist und Gelehrter besaß J. eine Hausbibliothek, die er dem Stift St. Burckhard und der Pfarrkirche Heilbronn testamentarisch vermachte. — J. zählt zu den großen Würzburger Juristen der Vorrezeptionsepoche; er vertrat das Bistum gemäß dem Auftrag des Reformbischofs Rudolf von Scherenberg energisch und klug, ohne aus dem Schatten seines Herrn herauszutreten. Seine drei Testamente zeigen persönliche Schlichtheit und tiefe Glaubenstreue.

Lit.: S. v. Pölnitz, Rudolf v. Scherenberg, in: ZBKG 15, 1940, 38-68; — Ders., Die bisch. Reformarbeit während des 15. Jh.s, in: Würzburger Diözesangeschichtsbll. 8/9, 1940/41; — W. Engel, Die Stadt Würzburg und die Kurie, ZSavRGkan 37, 1951, 303-359, — Sebastian Zeißner, Rudolf II. v. Scherenberg, 1952²; — Friedrich Merzbacher, J., 1955; — Die Hss. der Univ.bibliothek Würzburg 2,1, bearb. v. Hans Thurn 1973; — Karl Trudinger, Stadt und Kirche im spätma. Würzburg, (Spät-MA und frühe Neuzeit 1), 1978; — Heribert Hummel, Propst J. (1400-1496) als Büchersammler, in: Würzburger Diözesangeschichtsbll. 41, 1979, 141-149; — LThK V, 997.

Heike Mierau

JOHANNES V. der Almosengeber (griechisch Eleemon), Ende 610 bis 11. November 619 melkitischer Patriarch von Alexandrien für die damals etwa 200.000 Kaisertreuen (meist Beamte, Soldaten, Kaufleute oder Fremde; neben 5 - 6 Millionen diplophysitisch gesinnten Kopten). J. stammte aus Amathūs (Limassol) auf Zypern, wo er bis 610 Bischof war. Nachdem die Perser auch Ägypten besetzten, floh er im Juni 619 zusammen mit dem Patrikios Niketas, gelangte in seine Heimatstadt und verschied dort. — J. war als acharnierter Chalkedonenser und Kaisertreuer - von Kaiser Herakleios (610-641) auf Wunsch der Alexandriner eingesetzt - nach Ägypten gekommen. Seine Absicht, jedwede Häresie - insbesondere den Diplophysitismus - zu unterdrücken, vermochte er jedoch nicht wahr zu machen. Allerdings gelang es ihm, die Zahl der noch vorhandenen sieben melkitischen Kirchen zu verzehnfachen und auch außerhalb Alexandriens ganze Dörfer, Kirchen und Klöster für den chalkedonensischen Glauben zu gewinnen und das ohne Gewalt, da der Praefectus Praetorio Augustalis und Dux Niketas, Sohn des Gregorios jeglicher Verfolgung der Diplophysiten abhold war. Überdies war man allgemein des andauernden Streites um die zwei Naturen des Heilandes überdrüssig geworden. J. war mit der verständigen Kirchenpolitik des Niketas, der ganz im Sinne des Kaiser Herakleios wirkte, überhaupt nicht einverstanden, konnte aber nichts dagegen machen. Niketas unterstützte die Aussöhnung der ägyptischen und syrischen Diplophysiten im Jahre 616 - eine Aussöhnung, die beide Kirchen bis in unsere Gegenwart verbindet. — Eng mit diesem Kampf für die griechische Orthodoxie verknüpft, ist sein Bemühen, die Simonie auszurotten. Es geht um den allgemeinen Zuschlag (das »Geschenk« oder das »Übliche«), den man für die Weihe entrichtete, wie auch im außerkirchlichen Leben der Soldat dem Offizier, der Steuerzahler dem Beitreiber Zahlungen leistete. — J. verfügte über zwei hervorragende Helfer, eine Art Generalvikare: Sophronios den Sophisten, der durch seine elegante Schriftstellerei die Gebildeten zu gewinnen vermochte, und Johannes Moschos (s.d.), der - zusammen mit ersterem - vor der Eroberung Jerusalems durch die Perser (614) Palästina verlassen hatte und über Antiochien nach Ägypten gelangt war, wo er dem Volk und den Mönchen gegenüber in den Bahnen des Erzbischofs wirkte. Dieser selbst folgte dem Zuge der Zeit zur werktätigen Frömmigkeit. Seiner Natur entsprechend, nahm diese Mildtätigkeit große Formen an. Sie gewann ihm die Herzen des Volkes. Allerdings gingen die reichen Einkünfte seiner Kirche (er fand bereits 80 Zentner Gold vor) so fast ganz für karitative Aufgaben drauf. Nicht zuletzt war es die groß angelegte Fürsorge für die Flüchtlinge des Perserkrieges, die J. seinen Beinamen eintrug. Außerdem unternahm er Anstrengungen, das verwüstete Jerusalem wieder herzustellen. Angemerkt werden muß schließlich, daß die bis heute weit verbreitete Ansicht, die Kopten hätten ihren Gegner J. wegen seiner Liebeswerke als Heiligen verehrt, auf einem Irrtum von Michel Le Quien (8.10. 1661 - 12.3. 1733) beruht. — Schriftstellerisch hat J. sich als Hagiograph betätigt. Erhalten ist, allerdings nur bruchstückweise, eine Vita des Heiligen Tychon, Patron der Winzer und der Legende nach Bischof seiner Heimatstadt Amathūs auf Zypern (HS. Paris gr. 1488). — Bischof Leontios von Neapolis (= Nemosia) auf Zypern verfaßte 641/648 die Vita des Patriarchen. Er ist Zeitgenosse, gehörte dem »Freundeskreis« seines Helden in Ägypten an und lebte noch Mitte des 7. Jahrhunderts. Im Prinzip soll seine eher volkstümliche Arbeit nur Ergänzung einer bereits von Johannes Moschos und Sophronios edierten Biographie sein, die ihm unvollständig erschien. Vor allem will er auch den gemeinen Mann mit dem Leben des großen Almosengebers vertraut machen. Die spätere, Symeon Metaphrastes (2. Hälfte des 10. Jahrhunderts) zugeschriebene Vita, benutzt im wesentlichen Leontios. Nur die sechs ersten Teile basieren auf einer anderen, wertvollen Quelle. — J. ist Vertreter der altchalkedonischen Orthodoxie, weniger als theologischer Denker als vielmehr in Treue zu Herkunft und Erziehung. So steht er im Gegensatz zu Kaiser Herakleios und seinem Hofpatriarchen Sergios I. (610-638) in Konstantinopel. Seine wahre Begabung ist praktischer Art. Durch sein Auftreten und eine exzessive Mildtätigkeit weiß er die Herzen zu gewinnen und auf seine Seite zu ziehen. Seine hagiographische Schriftstellerei und seine eigene aktive Heiligenverehrung (Kyros und Johannes in Menuthis [Abūqīr]) weisen ihm einen Platz in der Frömmigkeitsgeschichte an und beweisen gleichzeitig seine Heimattreue (Amathūs).

Lit.: Otto Bardenhewer, Gesch. der altkirchl. Lit., Vol. V (Darmstadt 1962²), 38, 135-137; — Hans-Georg Beck: Kirche und Theol. Lit. im Byzant. Reich, München 1959 (Handb. der Altertumswissenschaft, 12. Abt., 2. Teil, 1. Bd.), 105, 412, 434, 435, 455, 459/460, 507, 573¹; — H. Dörrie, Tychon, in: Die Religion in Gesch. und Ggw., Vol. VI (Tübingen 1962), coll. 1090/1091; — Albert Ehrhard, Überlieferung und Bestand der hagiograph. und homilet. Lit. der griech. Kirche, 1. Teil: Die Überlieferung, I. Bd., Leipzig 1937, 479 (12.11.), II. Bd. (Leipzig 1938), 393, III. Bd. (Leipzig 1939-1952), 28, 961; — Heinrich Gelzer, Leontios' von Neapolis Leben des Hl. Iohannes des Barmherzigen Erzbischofs von Alexandrien, Freiburg i. Br./Leipzig 1893 (Sammlung ausgewählt. kirchen- und dogmengeschichtl. Quellenschriften, 5. Heft) mit ausführl. Anmerkungsteil; — Adolf Jülicher, Die Liste der alexandr. Patriarchen im 6. und 7. Jh., in: Festgabe für Karl Müller zum 70. Geb., Tübingen 1922, 7-23; — G. Krüger, J. Eleemon, in: RE³, IX, 300-301; — Rücker, in: RGG² IV, col. 775 (Hier J. Heiliger der kopt. Kirche).

C. Detlef G. Müller

JOHANNES von Alttavilla siehe Johannes von Hauville

JOHANNES *von Alverna* (auch: La Verna, von Fermo, Firmanus), seliger Asket, * 1259 in Fermo, † 9.8. 1322 in Alverna. — Nachdem J. v. A. bereits vorher im christlichen Glauben unterrichtet worden war, trat der Sohn einer reichen Familie mit zehn Jahren den Canonica Regulares S. Augustini bei, wurde aber bereits 1272 Mitglied des Ordo Fratrum Minorum. In deren Auseinandersetzungen um eine Änderung der Ordensregel, besonders hinsichtlich des Gebots der Armut, zog er für sich die strikte Armut vor. Dem Problem des Gehorsams gegenüber Vorgesetzten entzog er sich dadurch, daß er etwa 1889 auf dem Berg Alverna eine Klause errichtete und nur an den Gebeten und dem Abendessen der Mönche des nahegelegenen Klosters teilnahm. In seiner Klause betete und meditierte er

und dort erschienen ihm u. a. die Heilige Jungfrau und Franz von Assisi. Er half aber auch Ratsuchenden, unter denen selbst Kardinäle nicht fehlten; im September 1312 besuchte ihn sogar Kaiser Heinrich VII. Außerdem zog J., besonders in der Fastenzeit, durch die Toskana und Umbrien, um dort zu predigen. 1302 spendete er auch seinem Freund Jacopone di Todi die Sterbesakramente. — Von J. ist uns nur eine Schrift sicher überliefert: »De gradibus animae«; doch wird ihm auch die Einleitung zur Messe des Heiligen Franz von Assisi zugeschrieben. 1880 wurde der Kult des Seligen bestätigt, sein Fest ist am 13.8.

Werke: De gradibus animae. — Ausgaben: L. Oliger, Verba fratris Johannis de Halvernia, in: Studi Franciscani I, 1914, 312-315; Amigo Levasti, Mistici del duecento e del trecento, Mailand 1935, 267, 991-992; O Jesus dulcissime: Joannes de Alverna, Oratio: O Jesus dulcissime (f. 118r), in: G. Achten, L. Einzenhofer, H. Kras: Die lat. Gebetshandschriften der Hess. Landes- und Hochschulbibliothek Darmstadt III, Wiesbaden 1972.

Lit.: Speculum vitae beati Francisci et sociorum eius, Venedig 1504, Folio 143r-148v; — AS 9. August, II, Anvers 1753, 459-469; — AS August II, Paris 1867, 453-474; — Felice da Corchiano, Vita del beato Giovanni da Fermo detto dalla Verna, Assisi 1881; — Q. Müller, Leben des seligen Dieners Gottes J. von Alvernia, Regensburg 1882; — Ermenegildo da Chitignano, Vita del B. Giovanni della Verna, Prato 1883; — Chronica XXIV Generalium Ordinis Minorum, in: Analecta Franciscana III, 1897, 439-447; — Actus Beati Francisci et sociorum eius, Edition P. Sabatier, Paris 1902, 153-159, 164-177; — Bartholomeus von Pisa, De conformitate vitae beati Fancisci ad vitam Domini Jesu, in: Analecta Franciscana IV, 1906, 254-260; — Mencherini, Guida Illustrata della Verna, Quaracchi 1907²; — L. Oliger, Il B. Giovanni della Verna, in: La Verna, XI, 1913, 196-235; — A. G. Little, Description of a franciscan Manuscript, Aberdeen 1914; — Achille Fosco, I ritratti di S. Francesco I, Assisi 1924; — L. Wadding, Annales Minorum VI, Quaracchi 1931, 435-445; — S. Gogna, Vita del Beato Giovanni, La Verna 1940; — Jacopone da Todi, Laudi, Trattato e Detti, Edition F. Ageno, Florenz 1953; — Roberto Mencini, Il Beato Giovanni da Fermo, in: Italia Franciscana XXXIV, 1959, 416; — G. Pagani, I Fioretti di S. Francesco, Rom 1959, 183-207; — B. Bughetti/R. Pratesi, I Fioretti, le Consederazioni sulle Stimmate, Florenz 1960; — Gaudenzio Melani, I Fioretti del beato Giovanni della Verna. Testi di sècolo XIII-XIV, Arezzo 1965²; — Ders., La preghiera della Verna, in: La preghiera della spiritualità francescana, Assisi 1967, 58-71; — Giacomo Vaifro Sabatelli, Vita del Beato Giovanni della Verna, in: L'Abete V, 1965; — Johannes a Sancto Antonio, Bibliotheca Universa Franciscana II, (Madrid 1732), 1966, 119; — Lorenzo Bernardini, L'esaltante avventura. Vita del beato Giovanni della Verna, Ancona 1980; — Ders., Le fonti biografiche del B. Giovanni della Verna, in: MFr LXXX, 1980, 183-194; — J. E. Stadler,

Vollst. Heiligen-Lexicon der Lebensgesch. III, 1869, 315; — BHL I, 650; — Chevalier II², 2410; — DThC XII, 2605-2606 und XIV, 2543; — CathEnc VIII, 472; — DSp V, 382-384 und VIII, 782-784; — VSB VIII, 161-162; — Doyé I, 593; — Catholicisme VI, 416; — EC VI, 612-613; — LThK V, 998; — BS VI, 919-920.

Barbara Hartmann

JOHANNES ANDREAE, bedeutender Rechtsgelehrter und Kanonist im Mittelalter, Doktor beider Rechte, den seine Zeitgenossen »Quelle und Horn des Rechts« nannten. J.A. wurde um 1270 geboren als Sohn des Andreas und seiner Konkubine Novella in Rifredo bei Florenz, † 7. Juli 1348. — Der Kirchenrechtler legte sich wegen seiner Vorliebe und Verehrung des Kirchenvaters und Heiligen Hieronymus den Beinamen »de Sancto Hieronymo« zu und vererbte ihn an seine Familie. Schon als kleines Kind zog er mit seinen Eltern nach Bologna, wo sein Vater den Beruf des Grammatiklehrers ausübte und 1280 zum Priester geweiht wurde. Johannes lernte bei ihm und bei Bonifatius von Bergamo Grammatik und darauf schon als Jugendlicher römisches Recht bei Marsilius von Mantighelli, Martinus Syllimani und Ricardus Malumbra sowie kirchliches Recht bei Aegidius de Fuscariis und dem Archidiakon Guido de Baysio. Der junge Mann mußte seinen Unterhalt selbst verdienen, indem er Unterricht erteilte, eine Beschäftigung, die ihm lästig und nicht wichtig war, so daß er finanziell schlecht gestellt war. Sein Lehrer Guido de Baysio, der von seinem fachlichen Können überzeugt war, förderte ihn und ermöglichte ihm unentgeltlich die Promotion. Es ist bekannt, daß J.A. seit 1301 öffentlich als Professor in Bologna auftrat. Daraufhin lehrte er einige Jahre in Padua und kehrte schließlich 1309 an die Universität von Bolgna zurück. Verheiratet war er mit Melancia, die er auch bei juristischen Fragen zu Rate zog und an seinen wissenschaftlichen Arbeiten beteiligte. Mit ihr hatte er drei Söhne und vier Töchter. Sein Sohn Bonincontrus wurde auch Rechtsgelehrter und betätigte sich politisch. Aufgrund seiner Beteiligung an einer Verschwörung gegen die Regierung von Bolgna wurde er enthauptet. Drei der Töchter des J.A. heirateten bekannte Rechtsgelehrte und Kanonisten. Seine vierte, 1312 geborene und nach sei-

ner Mutter benannte Tochter Novella vertrat ihren Vater bei Vorlesungen, wenn dieser wegen Krankheit verhindert war. Nach einem zeitgenössischen Bericht der Christine de Pisan soll Novella die Vorlesungen ihres Vaters hinter einem Vorhang vorgetragen haben, damit die Studenten nicht durch ihre auffallende Schönheit abgelenkt wurden. Der Rechtshistoriker Willibald M. Plöchl nennt sie »die erste Dozentin des Kirchenrechts in der Geschichte der Kanonistik.« Den Namen dieser Tochter trug auch das größte Werk des Kanonisten, nämlich der Kommentar zu den Dekretalen, den er dem Kardinallegaten und Bischof von Ostia Bertrandus widmete. Der Rechtsgelehrte hatte noch weitere Kinder, die unehelich von ihm abstammten und später hohe kirchliche Positionen erreichten, sowie einen adoptierten Sohn, den Kanonisten Johannes Calderinus. Enge freundschaftliche Verbindungen hatte J.A. zum König Hugo von Zypern und Jerusalem sowie zu dem Humanisten Francesco Petrarca. Aber ebenso geschätzt als Ratgeber war er bei Päpsten, Kirchenfürsten und weltlichen Herrschern. Neben seiner wissenschaftlichen und schriftstellerischen Tätigkeit erlangte er auch als politisch engagierter Bürger in seiner Stadt hohes Ansehen. Er führte einige politische Aufträge aus. So besuchte er 1328 Papst Johannes XXII. in Avignon und unterstützte die Bemühungen des Kardinallegaten Bertrandus, die päpstliche Herrschaft über Bologna herbeizuführen. Auf der Rückreise von Avignon wurde er von den gegnerischen Ghibbelinen bei Pavia überfallen, ausgeraubt und acht Monate im Kastell Silvano festgesetzt. Die Stadt jedoch entschädigte ihn und der Papst überließ ihm ein Lehngut im Gebiet von Ferrara, woraufhin sich seine finanzielle Situation erheblich verbesserte. So war J.A. im Alter vermögend und konnte sich auch wohltätig erweisen. Er selbst führte ein bescheidenes Leben, das von Frömmigkeit und Askese bestimmt war. Infolge der Pest starb er am 7. Juli 1348 und wurde in der Dominikanerkirche von Bologna begraben. Seine Grabinschrift lautet: »Hier liegt der weltberühmte Johannes Andreae, der als erster den Liber Sextus, die Novellen des Clemens, die Lobreden des Hieronymus und die Rechte des Speculum behandelt hat; der Rabbi der Doktoren, das Licht, der Beurteiler und der Maßstab der Sitten starb er am 7. Juli 1348 durch das Verhängnis der schrecklichen Pest.« Erst im 16. Jahrhundert errichtete ihm seine Familie ein Grabmal. Die wissenschaftlichen Werke des J.A. sind von herausragender Bedeutung für die kanonistische Forschung. Er gehörte zu den jüngeren Dekretalisten, die sich mit dem von den Päpsten erlassenen Recht, den Dekretalen, befaßten und die Zeit der klassischen Kanonistik prägten. Viele Rechtsgelehrte zeigten daran Interesse und bearbeiteten die seit dem Liber extra des Papstes Gregors IX. publizierten päpstlichen Rechtssammlungen. Die Universität von Bologna war in besonderer Weise damit befaßt, weil die Päpste ihr direkt ihre authentischen Dekretalensammlungen zuschickten. J.A., der ausgezeichnete Kenntnisse über die gesamte mittelalterliche Rechtsliteratur besaß, schrieb die »Glossa in Sextum« (1303) und die »Glossa in Clementinas« (1326), indem er die betreffenden päpstlichen Rechtssammlungen kommentierte und mit Bemerkungen versah. In seinen »Commentaria novella« zum »Liber extra« (1338) setzte er sich mit den Lehrmeinungen zahlreicher Kanonisten auseinander, deren Meinung nur auf diese Weise überliefert wurde. In der nach seiner Tochter benannten »Novella in Scxtum« (1336-1339) erläuterte er den »Liber sextus«. Er verfaßte auch die »Lectura arboris consanguinitatis«, die in das Corpus Iuris Canonici aufgenommen wurde, sowie die »Summa de sponsalibus et matrimonio« und weitere kleinere Schriften u.a. zum Prozeßrecht und zum Speculum iudiciale des französischen Kanonisten Wilhelm Durantis. Jurisprudenz war für J.A. das Wissen und die Vermittlung der historischen Rechtsquellen, das Abwägen von Positionen und Meinungen, die Feststellung von Übereinstimmungen und das Belegen der eigenen Argumentation und Entscheidung mit historischen Quellen. Dabei war er ein Verfechter des positiven Gesetzes und der universalen Autorität des Papstes. Er hatte auch gute Kenntnisse der Heiligen Schrift und der Theologie des Bernhard von Clairvaux und des Thomas von Aquin. Bezüglich der Anwendung des Rechtes war er eher rezeptiv als kreativ. Seine Werke sind aufgrund der Verarbeitung zahlreicher Quellen bis heute für das Kirchenrecht der katholischen Kirche und für die Rechtskultur in Europa von großer Bedeutung.

Werke: Novella Commentaria in quinque libros decretalium, 5 Bde, Venedig 1581 (Neudruck. Turin 1963), In Sextum Decretalium librum Novella Commentaria, Venedig 1581, In titulum de Regulis iuris Novella Commentaria, Venedig. 1581; Corpus iuris canonici glossatum I-III, Lyon 1519-1520; zu den Handschriften vgl. Friedrich Carl von Savigny, Geschichte des römischen Rechts im Mittelalter, Bd. VI, Heidelberg 2. Auflage 1850, S. 98-125; Johann Friedrich von Schulte, Geschichte der Quellen und Literatur des kanonischen Rechts von Gratian bis auf die Gegenwart, Bd. I, Stuttgart 1875, S. 205-229.

Lit: Friedrich Carl von Savigny und Johannes Friedrich von Schulte vgl. Werke; — Rudolf von Scherer, Johannes Andreä, in: Wetzer und Welte's Kirchenlexikon, Bd. VI, Freiburg i. Br. 2. Auflage 1889, Sp. 1600-1602; — Franz Gillmann, zur Frage der Abfassungszeit der Novelle des Johannes Andreä zu den Dekretalen Gregors IX., in: AfkKR 104 (1924) S. 261-275; — Willibald M. Plöchl, Geschichte des Kirchenrechts, Bd. II, Wien-München 1955, S. 449-450; — Antonio Rota, Giovanni d'Andrea, in: Enciclopedia Cattolica, Citta del Vaticano 1955, Sp. 494-495; — S. Stelling-Michaud, Jean D'Andre, in: Dictionnaire de Droit Canonique, Bd. VI, Paris 1957, Sp. 89-92; — Alfons M. Stickler, Johannes Andreae, in: LThK, Bd. V, Freiburg i. Br. 1960, Sp. 998, Georg May, Einführung in die kirchenrechtliche Methode, Regensburg 1986, S. 59, Noël Vilain, Prescription et bonne foi du Décret de Gratien (114 0) a Jean d'André (†1348), in: Traditio 14 (1958) S. 121-189; — Antonius Mampra, De habitudine fori ecclesiastici et civilis apud Johannem Andreae, Bangalore 1971; — Testimonianze di Giovanni d'Andrea sulle »Quaestiones« civilistiche, Catania 1980.

Ilona Riedel-Spangenberger

JOHANNES de Annosis (von Anneux), Weltkleriker, Theologe in Paris, * zwischen 1250 und 1270 wahrscheinlich in Anneux, Bistum Cambrai, † zwischen dem 8.12. 1328 und dem 28.11. 1329 (Neubesetzung seiner Pfründe). — J. studierte in Paris, wo er im Dezember 1286 als »scolarius« an einer Versammlung französischer Bischöfe (Wilhelm v. Mâcon) mit den Magistern (Heinrich v. Gent) und Studenten teilnahm. Nach seiner geographischen Herkunft war er Mitglied der picardischen Nation der Artistenfakultät. Promotion zum »doctor sacre theologie« wohl 1305-10. April bis Nov. 1326 in Avignon zur Lösung der Residenzpflicht in seiner Pfarrei St-Amand-en-Pévèle, Bistum Tournai. Lehre in Paris 1327 und 1328 belegt. Am

1.2. 1328 trägt J. an der Universität Paris öffentlich die gegen die Beichtprivilegien der Bettelorden gerichtete »Determinatio« bzw. »Tractatus de obedientia exhibenda pastoribus de laicis« vor. Am 7.12. 1328 schließt er in Avignon den »Tractatus contra Fratres« ab, einen Angriff auf Privilegien und Armutsauffassung der Franziskaner. Bald darauf stirbt er in Avignon, begraben wohl in der Kirche St. Agricol. — Die beiden Traktate gegen die Bettelorden liegen nur in jeweils einer Handschrift vor. Die Pariser Handschrift des Beichttraktats verschwand im 18. Jahrhundert, eine Abschrift konnte kürzlich in einem Konvolut des Albert Ranconis de Ericinio in Prag gefunden werden. — Des weiteren schrieb J. um 1325/26 einen französischen Fürstenspiegel, der sich an den Grafen Wilhelm I. (III.) von Hennegau-Holland richtet, besonders auf die Rolle von Beichtvater und Ratgeber eingeht und dabei augustinische und aristotelische Tradition miteinander verbindet. Die in St. Martin in Löwen vorhanden gewesenen »Sermones ad status« des J. sind seit der Aufhebung des Klosters durch Joseph II. 1784 verschollen. Von seinen »Qaestiones de quodlibet« weiß man nur aus seinen Zitaten. — J. de A. war mindestens seit 1326 Kaplan des Kardinals Hannibal v. Ceccano. Er wird als »consocius« des Johannes von Polliaco bezeichnet. Dessen in der Tradition des Wilhelm von St.-Amour stehenden Kampf gegen die Privilegien der Bettelorden, deren Mitglieder er mit dem ränkevollen Fuchs Renart verglich, führte er weiter. Nach 1350 nahm Richard Fitz Ralph, Erzbischof von Armagh, den Streit wieder auf. Die von P. Féret behauptete Zugehörigkeit zum Kollegium der Sorbonne läßt sich nicht nachweisen.

Werke: De regimine principum, MS Paris, Bibl. de l'Arsenal 2059, fol. 211r-223v; Determinatio/Tractatus de obedientia exhibenda pastoribus a laicis, MS Prag, ehem. St. Veit-Metropolitankapitel N. VIII., fol. 22r-27v, heute Archiv der Staatskanzlei; Tractatus contra Fratres, MS Oxford, Bodleian Library 52, fol. 179r-202r (Transkriptionen in der bisher ungedr. Diss. v. S. Stracke). Quellen: Chartul. Univers. Paris II, Nr. 858; A. Fayen, Lettres des Jean XXII, II, 1912, Nr. 1860, 2595; G. Mollat, Lettres communes de Jean XXII, 1904-46, Nr. 26883, 47520.

Lit.: J. de Launoy, Explicata Ecclesie traditio circa canonem: Omnis utriusque, 1672, in: Opera omnia I/1, 1731-33, 273 f.; — L. Delisle, La Fable du Renard Confesseur, in: Bibl. de l'Ecole des Chartes 38, 1877, 662 f.; — P. Féret, La Faculté théologique de Paris III, 1896, 231 f.; — H. Martin, La Diatribe de Jean l'Anneux, in: Mél. E. Picot I, 1913, 227-240; — Histoire Littéraire 35, 1921, 455-462; — D. L. Douie, The Nature and Effect of the Heresy of the Fraticelli, 1932, 170-173; — B. Guillemain, La Cour pontificale d'Avignon, 1966, 384; — G. Leff, Heresy in the Later MA, 1967, 249; — M. Dykmans, Les Frères Mineurs d'Avignon, in: Archives d'Histoire doctrinale et littéraire du MA 38, 1971, 114; — Ders., Le Cardinal Annibal de Ceccano, in: Bulletin de l'Institut historique belge de Rome 43, 1973, 175; — S. Stracke, Ein Theologe des 14. Jhs: J. v. A. — Leben und Schriften (Diss. München), 1989 — Nachschlagewerke: A. Sanderus, Bibliotheca belgica manuscripta IIa, 1643, 218 (Ndr. 1972); — C. Oudin, Commentarius de scriptoribus ecclesiasticis III, 1722, 802; — J. A. Fabricius, Bibliotheca latina mediae et infimae latinitatis IV, 1735, 139; — U. Chevalier, Répertoire des sources historiques du MA, Bio-Bibliographie II, 1907, 2344 (Ndr. 1960); — Dictionnaire de Biographie française II, 1936, 1365.

Susanne Stracke

JOHANNES AB ANNUNTIATIONE (auch: de Llanes Campomanes), Theologe, * 3.11. 1633 in Oviedo als Sohn des Rodrigo de Llanes und der Francisca Bernarda de Campomanes, † 3.8. 1701 in Salamanca. — 1647 begann J. mit dem Studium beider Rechte in Salamanca, wo er 1650 im Collegium St. Elie in den Orden der unbeschuhten Karmeliter eintrat. Nach seinem Noviziat in Valladolid kehrte er nach Salamanca zurück, wo er ab 1651 Philosophie und Theologie studierte. Außerdem betrieb er humanistische Studien in Avila. — Nach seiner Priesterweihe 1658 wurde er Lektor der Theologie am Collegium St. Elie in Salamanca, zwischen 1679 und 1682 sowie 1691 bis 1694 war er Rektor desselben. Die spanische Ordenskongregation machte ihn zweimal zum Generaldefinitor, 1694 zum Generalsuperior. Dieses Amt hatte J. bis 1700 inne, dann kehrte er als Lektor an das Collegium St. Elie zurück. J.s Vielseitigkeit zeigt sich darin, daß er nicht nur zu den bedeutendsten Superioren der Kongregation gehörte, sondern auch unter den Mitarbeitern des bekannten Cursus theologicus Salmenticensis hervorragte. Ehe dieser Cursus Salmenticensis ab 1679 gedruckt wurde, hatte J. bereits zwischen 1669 und 1671 seine Überarbeitung des Cursus Complutensis herausgegeben, ein ebenfalls noch heute bekanntes Werk I.s.

Werke: Resumpta des Cursus Philosophicus Complutensis. Ausgaben: Lyon, 1669-1671, 5 Bde.; Teile des Cursus Theo-

logicus Salmanticensis. De gratia und De gratia, justificatione et merito, Bde. 5-6, Lyon 1679; De Fide et spe, Bd. 7,
Lyon 1679; De caritate et statu religioso, Bd. 8, 1679; De
incarnatione, Bde. 9-10, Lyon 1687; Köln 1691; De sacramentis in communi et De eucharistia, Bd. 11, Barcelona
1694; Teile von De poenitentia, Bd. 12, 1. Tl., Lyon 1704. 2.
Tl., Madrid 1712; Consultatio et responsio de contemplatione acquisita (1688): Claudio de Jesús Crucificado, ..., Madrid 1927; La inocencia vindicada (29.12. 1693); Sevilla
1694; Madrid 1698; Venedig, ital., 1760; Cartas pastorales a
los religiosos descalzos: Kommentar zu: De paternali cura et
spirituali regimine praelatorum, Madrid 1695; Kommentar
zu: Modo de visitar los conventos, Madrid 1696; Avisos
religiosos a los descalzos, Madrid 1698; Partes del Promp-
tuario del Carmen: Primera parte..., Madrid 1698; Segunda
Parte..., Madrid 1699; Briefe: Román de la Inmaculada, in:
ECarm IX, 1958, 148-195; Bibliographien: Enrique del Corazón, Los Salmanticenses, Madrid 1955, 53; Florencio del
Niño Jesus, Los Complutenses. Su vida y su obra, Madrid
1962, 237-238.

Lit.: Manuel de San Jeronimo, in: Reforma de los descalzos
de N Señora del Carmen VI, Madrid 1710, 766; — Anastasio
de Santa Teresa, in: Reforma de los descalzos de N Señora
del Carmen VII, Madrid 1739; — El Monte Carmelo IX,
1908, 564-569; — Cosmos de Villiers, Bibliotheca Carmelitana I, Rom 1927, 728-729; — Crisógono de Jesus Sacramentado, La escuela mística carmelita, Avila 1930, 202-203;
— Études carmélitaines XX, 1935, 126-128; — Silverio de
Santa Teresa, Historia del Carmen Descalzo IX, Madrid
1940 und XI, 1943, 104-189; — Otho Merl, Theologia
Salmanticensis. Untersuchungen über Entstehung, Lehrrich-
tung und Quellen des theol. Kurses der span. Karmeliten,
Regensburg 1947; — Joaquin Merino de la Sagrada Familia,
Aportación de los carmelitas descalzos a la Inmaculada, in:
Estudios marianos XVI, 1955, 173; — HN IV³, 675; —
DThC XIV, 1017-1918; — Heimbucher ³II, 1934, 79-80; —
DSp VIII, 264-265; — Catholicisme VI, 585-586; — LThK
V, 998.

Barbara Hartmann

JOHANNES IV. oder V. *von Antiochia* (auch: Oxeites), Patriarch etwa 1089-1100.

JOHANNES IV. oder V. *von Antiochia* (auch:
Oxeites), Patriarch etwa 1089-1100. — Im September 1089 nahm J. als Patriarch von Antiochia
an der Unionssynode teil, die Alexis Comnenos,
ein Anhänger des Unionsgedankens, einberufen
hatte. War J. in diesem Punkt mit Alexis einer
Meinung, obgleich die meisten hohen Geistlichen dagegen waren, so war dies im Hinblick
auf andere Bereiche der Politik Alexis' nicht der
Fall: J. machte ihn 1091 für die Schwierigkeiten
im Reich verantwortlich, besonders wegen der
starken Belastung der Bevölkerung und der
Konfiskation von Kirchengut. — Nach der Befreiung der Stadt Antiochia im Jahre 1091 begab
J. sich dorthin und blieb auch 1098, als Antiochia von den Kreuzfahrern übernommen wurde,
verließ die Stadt 1100 jedoch endgültig und
kehrte nach Konstantinopel zurück, wo er als
Patriarch das Kloster Hodegetria als Residenz
besaß. — Nach Schwierigkeiten mit den dortigen Mönchen dankte J. ab und zog sich auf die
Insel Oxeia zurück, auf der er möglicherweise
bereits vor seiner Ernennung zum Patriarchen
gelebt hatte. Dort ist er auch begraben. — Zwei
bedeutende Schriften J.s weisen ihn als langjährigen Anhänger des Unionsgedankens aus: Zum
einen ein Brief an die Synode von Konstantinopel, der spätestens 1089 verfaßt wurde, und die,
leider nur fragmentarisch erhaltene, Schrift über
die Azymen, die möglicherweise erst 1112 entstand. Von großer Bedeutung ist auch die Schrift
gegen das Charistikarierwesen, die zwischen
1085 und 1092 entstand und der 1100 verfaßte
Bericht über die Zustände in Antiochia, »περὶ
Ψυγῆς«.

Werke: Gegen das Charistikarierwesen (zw. 1078 und 1096).
— Ausgaben: MPG CXXXII, 1117-1149; Paul Gautier,
Requisitoire du Patriarche Jean d'Antioche contre le chari-
sticariat, in: REByz XXXIII, 1975, 77-132; An Alexis Com-
nenos (1091); — Ausgaben: A. E. Lavriotès, Ἱστορικὸν
ζήτημα 'κκλησιαστικὸν ἐπὶ τῆς βασιλείας 'Αλεξίου
κομνηνοῦ, in: 'Εκκλησιατικη 'Αληθεια XX, 1900, 352-
358, 362-365; Paul Gautier, Diatribes de Jean l'Oxite contre
Alexis Iᵉʳ Comnène, in: REByz XXVIII, 1970, 5-55; Über
Fasten - Ausgabe: J. B. Pitra, Spicilegium Solesmense IV,
Paris 1858, 481-487; Über die Azymen - Ausgaben: B. Leib,
Deux inédits byzantins sur les azymes au début au XIIᵉ s. in:
OrChrA II, 3, 1924, 209-211, 240-283; Sammelwerke -
Ausgaben: Ch. Papadopulos, 'Οπαῖριαρκης 'Αντιοκειος
'Ιωάννης Ε'ὁ Οξειτης, in: Επετηρὶς 'Εταιρείας βυζαν-
τινῶν σπουδῶν XII, 1936, 361-388; Paul Gautier, Jean V
l'Oxite, patriarche d'Antioche, in: REByz XXII, 1964, 128-
157.

Lit.: A. Mai, Scriptorum veterum nova collectio V, Rom
1831, 162; — Guillaume de Tyr, Historia lib. VI, c. 23, in:
Recueil des historiens des croisades occident. I, 1844, 274;
— Albert d'Aix, Historia hierosolymitana li. V, c. 1, in:
Recueil des historiens des crisades occident. IV, 1879, 433;
— F. Chalandon, Essai sur le règne d'Alexis Iᵉʳ Comnène
(1081-1118), Paris 1900, 282-286; — J. Darian, L'essence
des arguments clairs sur la verité concernant la nation maro-
nite (arabisch), in: Le Caire, 1909, 252-292; — V. Grumel,
Les patriarches d'Antioche du nom ou Jean (XIᵉ et XIIᵉ s.),
in: EO XXXII, 1933, 286-299; — Ders., Jean ou Denys?
Note sur un patriarche d'Antioche, in: REByz IX, 1951,
161-163; — Ders., Les documents athonites concernant Léon de Chalcédoine, in: Miscellanea Mercati III, 116-135; —
Ders., Nicon de la Montagne Noire et Jean IV (V) l'Oxite.
Remarques chronologiques, in: REByz XXI, 1963, 270-272;
— E. Herman, Richerche sulle istituzioni monastiche bizan-
tine. Typika kterorika, caristicari e monasteri liberi, in:

OrChrP VI, 1940, 317-318, 322-324, — G. Graf, Gesch. der christl. arab. Lit. II, Vatikan, 1947, 98-100; — J. Darrouzès, Notes d'epistolographie et d'histoire du texts: Le florilège de Jean l'Oxite, in: REByz XII, 1954, 180-181; — Ders., Dossier sur le charisticariat, in: Polychronion, Festschr. für Fr. Dölger, Heidelberg, 1966, 155; — R. Janin, Le monarchisme byzantin au moyen age. Commende et typica (X°-XIV° s.), in: REByz XXII, 1964,9-10; — J. Ch. Konstantinidès, in: Θρησκευτική καὶ ἠθική ἐγκυκλοπαιδεία, VII, 1965, 10-12; — P. Lemerle, Un aspect du rôle des monastères à Byzance, in: Académie des Inscriptions et Belles Lettres. Comptes rendus, Paris 1967, 9-28; — H. Ahrweiler, Le charisticariat et les autres formes d'attribution de couvents aux X°-XI° s., in: Études sur les structures administratives et sociales de Byzance VIII, Londres 1971, 21-27; — M. D. Sparado, Siculor, in: Gymnasium XXVI, 1973, 363-386; — H. G. Beck, Gesch. der orthod. Kirche im byzant. Reich, Göttingen 1980; — Krumbacher², 156; — Chevalier ²II, 2344; — DThC III, 863-864; VIII, 751-752; XII, 1133; — CathEnc VIII, 469; — DDC III, 614-617; — DSp V, 504-510; VIII, 641-645; — Catholicisme VI, 526; — Beck; — LThK V, 999; — S. F. W. Hoffmann, Bibliogr. Lexikon der Griechen II, 1961, 398; — Buchwald, Holweg, Prinz, Tusculum-Lexikon griech. und lat. Autoren des MA.s und Altertums, München 1982, 404-405.

Barbara Hartmann

JOHANNES BAR APHTONIA, Monophysit, †
537. — J. war Abt des Klosters des Heiligen Thomas in Seleukia am Orontos und nahm 531 am Religionsgespräch in Konstantinopel teil. Als zu dieser Zeit die Verfolgung der Monophysiten einsetzte, gründete er ein neues Kloster, Keneschre, am Euphrat, das zum Zentrum für griechische und biblische Studien wurde. Jakob von Edessa (s.d.) gehört zu den zahlreichen Gelehrten und monophysitischen Patriarchen, die aus diesem Kloster hervorgingen. Von den Werken J.s haben sich nur syrische Übersetzungen einiger Hymnen und eines Kommentares zum Hohelied erhalten.

Werke: Kommentar zum Hohen Lied. — Ausgaben: P. Krüger, J. und die syr. Übersetzung seines Kommentars zum Hohen Lied, in: OrChr L, 1966, 61-71.

Lit.: F. Nau, Histoire de Jean bar Aphtonia, in: ROC VII, 1902, 97-135; — Ders., Vie de Bar Aphtonia, texte syriaque publié et traduit, in: Bibliotheca Hagiographia Orientalis II, 1902, 39 ff.; — E. W. Brooks, James of Edessa, The Hymns of Severus of Antioch and others, in: PO VII, 799-802; — W. Wright, A short history of syriac literature, London 1894, 84-85; — Chevalier ²II, 2345; — HN ³I, 488; — R. Duval, La Littérature syriaque, 1907, 359; — Baumstark, 180, 185; — DSp VIII, 284; — J. B. Chabot, Littérature syriaque, Paris 1934, 73; — Catholicisme VI, 589; — Ortiz de Urbina,

Patrologia syriaca, Rom 1953, 166, 188; — LThK V, 1006-1007.

Barbara Hartmann

JOHANNES APOKAUKOS, Metropolit von
Naupaktos, * etwa 1155, † 1233 oder 1235. — J. wurde in Konstantinopel erzogen und trat dann als Diakon in die Dienste seines Onkels Konstantinos Manasses, der Metropolit von Naupaktos war. Nach dessen Tod, der etwa 1187 erfolgte, kehrte J. nach Konstantinopel zurück und wurde dort schließlich Hypomnematigraphos in der Patriarchatskanzlei, als der er für die Registrierung der Sitzungsprotokolle der Synoden und die Kopialbücher zuständig war. — 1204, als es zur Aufteilung des Byzantinischen Kaiserreichs zwischen dem lateinischen Kaisertum, den Kreuzfahrerstaaten und Venedig kam, war J. bereits Metropolit von Naupaktos. Diese Stadt wurde ein wichtiges Zentrum des 1207 gegründeten Staates Epiros. J. unterstützte den Despoten Theodoros Ducas Angelos in dessen Autonomiebestrebungen gegenüber Theodoros I. Laskaris, der 1208 zum Kaiser des neugegründeten byzantinischen Staates um das Zentrum Nikaia gekrönt worden war. J. weigerte sich, sich dem ökumenischen Patriarchen von Nikaia zu unterwerfen und bei Bischofswahlen dessen Zustimmung einzuholen. Auch lehnte J. eine Einladung Theodoros I. Laskaris nach Nikaia ab, um über die Wiederaufnahme der Verhandlungen mit dem Papst zu beraten. — Als Theodoros Ducas Angelos 1230 bei Klokonitza geschlagen wurde und sein Nachfolger Manuel Ducas Angelos sich mit Kaiser Johannes III. Ducas Vatatzes zu verständigen suchte, forderte der Patriarch von Nikaia, Germanos II., die Demission J.s, die 1232 erfolgte. J. zog sich daraufhin in das Kloster Kozyle zurück. — Obgleich J. zweifellos entscheidenden politischen Einfluß besaß, liegt seine Hauptbedeutung darin, daß er als einer der Fortsetzer der großen juristischen Tradition von Byzanz anzusehen ist. Von seinen Schriften sind Briefe mit wichtigen kirchengeschichtlichen Nachrichten, kanonische Erlasse und Entscheidungen, sowie Epigramme erhalten.

Werke: Epigramme (Jugendwerke) — Ausgaben: 'Αθηνᾶ,

XV, Athen 1903, 462-478; Briefe u. a. — Ausgaben: S. Pétridès, Jean A., lettres et autres documents inédits, Sophia 1909; Ἐπετηρίς XXVII, 1957, 26-42; Gesamtwerk - Ausgaben: Byz.-neugriech. Jahrbücher XXI, 1971-1976, 1-247.

Lit.: A. Papadopulo-Kerameros, Ἰωάννης Ἀπόκαυκος καὶ Γεώργιος Βαρδνής, in: Vizantiiskii Vremenik VIII, Petersburg 1906, 334-352; — M. Wellnhofer, J. A., Metropolit von Naupaktos in Aetiolien (ca. 1155-1233). Sein Leben und seine Stellung im Despotate von Epirus unter Michael Doukas und Theodoros Komnenos, Diss. München 1913; — S. P. R. Polakes, Ἰωάννης Ἀπόκαυκος μετροπολίτης Ναυπάκτου, Jerusalem 1923 und in: Νεά Σιών, ebd., 1923; — D. M. Nicol, The despotate of Epiros, Oxford 1957; — G. Moravcsik, Die byz. Quellen der Gesch. der Turkvölker, in: Byzantinoturcica I, 1958[2], 315-316; — Joseph Gill, Byzantium and the Papacy 1198-1400, New Brunswick (N.J.), 1979, 49-50; — DThC VIII, 645-646; — Beck 708; — Catholicisme VI, 586-587; — LThK V, 999; — HdKG III, 2, 186-187; — Buchwald, Holweg, Prinz, Tusculum-Lexikon griech. und lat. Autoren des MA.s und Altertums, München 1982, 65.

Barbara Hartmann

JOHANNES DER APOSTEL war Sohn des Fischers Zebedäus aus Betsaida und Bruder des Apostels Jakobus des Älteren. Er gehörte der Jüngerschar um Johannes dem Täufer an, bevor er Jesus folgte. Jesus nannte ihn und seinen Bruder wegen ihres heftigen Temperamentes »Donnersöhne« (Mk 3,17). Davon zeugt die kleine Episode, daß, als Jesus einmal mit den Jüngern in einem Dorf Samarias keine Aufnahme fand, die beiden Feuer vom Himmel als göttliches Strafgericht wünschten (Lk 9,54). J. dürfte der Jünger gewesen sein, »den Jesus liebte« (Joh. 20,2) und der beim Abendmahl an der Brust Jesus ruhte (Joh 21,20). Mit Petrus und Jakobus dem Älteren gehörte er zu den Vorzugsjüngern Jesus'. Bei gewissen Gelegenheiten nahm Jesus nur diese drei mit sich, so bei der Auferweckung der Tochter des Jairus (Mk 5,37), bei der Verklärung auf dem Tabor (Mk 9,2 par) und bei seiner Todesangst in Gethsemani (Mk 14,33 par). Paulus nennt diese drei die »Säulen der Kirche« (Gal 2,9). Der Lieblingsjünger Jesus' wird im Evangelium nie namentlich genannt, doch setzt die christliche Kirche schon früh J., den Sohn des Zebedäus, mit diesem gleich. Der Überlieferung nach ist der Apostel J. auch der Verfasser des 4. Evangeliums und dreier Briefe. Der Legende nach soll J. in Kleinasien gewirkt haben (wohl nach dem jüdisch-römischen Krieg 69/70) und während der Verfolgung unter Kaiser Domitian (81-96), als er nicht auf dem Altar der Artemis in Ephesos opfern wollte, verhaftet und nach Rom gebracht worden sein. An der Porta latina (heute S. Giovanni a Porta latina) sollte er in einem Kessel voll siedendem Öl sterben. J. entstieg jedoch unversehrt und wurde auf die Insel Patmos (südwestlich von Ephesos im Ägäischen Meer) verbannt, wo er, so die Legende, die Apokalypse geschrieben haben soll. Nach dem Tod des Kaisers soll er nach Ephesos zurückgekehrt sein und dort sein Evangelium verfaßt haben. Er starb danach wohl um 100/101 in sehr hohem Alter. Die altkirchliche Tradition nennt als Verfasser des 4. Evangeliums fast ausnahmslos den Apostel J. Diese Überlieferung geht im wesentlichen auf Irenäus von Lyon († um 202) zurück, der als junger Mann noch Polykarp von Smyrna († um 155) kennengelernt hatte, der seinerseits ein Schüler des Apostels J. war. Diese J.-Überlieferung fand aber in der rationalistischen Bibelkritik seit 1820 heftigen Widerstand. Heute ist man im allgemeinen der Auffassung, daß das heute vorliegende 4. Evangelium nicht unmittelbar von J. selbst geschrieben wurde, sondern von einem oder mehreren seiner Schüler nach der mündlichen Predigt des Apostels niedergeschrieben und zusammengefaßt wurde.

Lit.: Th. Zahn, FGNK VI, 1900, 175 ff.; — E. Schwartz, Über den Tod der Söhne Zebedaei, in: AGG NF 5 (1904); — Ders., Zur Chronologie des Paulus, in: NGG 1907, 263-299; — J. Chapman, John the Presbyter and the Fourth Gospel, 1911; — W. Larfeld, Die beiden J. v. Ephesus, 1914; — M. Goguel, Introduction au NT II, 1923; — Hennecke, 1924[2], 119 f.; — W. F. Lofthouse, The Disciple, whom Jesus loved, 1934; — E. Hirsch, Studien zum 4. Evangelium, 1936, 140 ff.; — E. B. Redlich, An Introduction to the Fourth Gospel, 1940; — H. P. V. Nunn, The Authorship of the Fourth Gospel, 1952; — W. M. Smaltz, AThR 35, 1953, 8-17; — C. K. Barrett, The Gospel according to St. John, 1955, 83 ff.; — J. N. Sanders, Studies in the Fourth Gospel, ed. by F. L. Cross, 1957, 72-82; — O. Cullmann, NTS 5, 1958-59, 157-173; — J. Munck, HThR 52, 1959, 223-243; — A. Kragerud, Der Lieblingsjünger im Joh.-Ev., 1959; — F. M. Braun, Jean le theologien et son Ev. dans l'Eglise ancienne, 1959; — RGG III, 803 f.; — LThK V[2], 999 ff.

Werner Schulz

JOHANNES ARGYROPULOS, byzantinischer Humanist, * um 1415 in Konstantinopel, † 26.6.

1487 in Rom. — J. nahm vermutlich 1438/39 am Konzil von Ferrara/Florenz teil, von etwa 1441-44 studierte er an der Universität Padua Philosophie und promovierte dort. 1448 kehrte er nach Konstantinopel zurück und lehrte dort fünf Jahre lang am Katholikon Museion. Nach der Eroberung der Stadt im Jahre 1453 reiste er einige Zeit durch Italien, um dann 1454 in Mistra die Schule Plethons zu besuchen. 1456 sandte ihn Thomas Paleologus nach Italien, Frankreich und England, um dort auf das Schicksal der von den Türken gefangenen Griechen aufmerksam zu machen. 1457-71 und nochmals 1477-81 lehrte er an der Seite Marsilio Ficinos am Studio in Florenz, 1471-77 und 1481-87 in Rom, wohin ihn Papst Sixtus IV. berufen hatte, Philosophie. — J.s Hauptbedeutung liegt in seiner Lehrtätigkeit; so berühmte Männer wie Lorenzo di Medici und Johannes Reuchlin gehörten zu seinen Schülern. Besonders verdient machte er sich auch um die Übersetzung von Schriften des Aristoteles, obgleich er auch andere Autoren übersetzte und z. B. eine Schrift über den Ausgang des Heiligen Geistes, die J. als Anhänger der Kirchenunion kennzeichnet, verfaßte.

Werke: Ausgaben: Ioannis Argyropuli Liber de processione Spiritus S. et Concilii Florentini decreto, in: Leonis Allatii Graecia orthodoxa I, Rom 1652, 400-418; Dass., in: MPG CLVIII, 991-1008; Briefe, in: C. Marchesi, Bartholomeo Della Fonte, Catane 1900; Inguanez/G. Müller, Joannis Argyropuli Dialectica ad Petrum de Medicis, Monte Cassino 1943; G. F. Muscarilla, A Latin Translation of the Pseudo-Aristotle »De mundo« by Argyropulos. Text und Analyses, in: Dissert. Abstracts XIX, 1958/59, 2607; C. Vasoli, Giovanni Argiropulo, Compendium de regulis et formis ratiocinandi, in: Renascimento 2. Ser. IV, 1964, 285-339; Karl-August Neuhausen/Erich Trapp, Lat. Humanistenbriefe zu Bessarions Schrift »In Calumniatorum Platonis« (lat./dt.), Jahrbuch der österr. Byzantinistik XXVIII, 1979, 141-165; Bibliogr.: Fabricius-Harleß, Bibliotheca graeca II, 383-384 und X, 425-426; E. Legrand, Bibliographie hellénique ... aux XVᵉ s. III und IV, Paris 1903-1906; Sp. P. Lampros, in: Αρχυροπουλεια, Athen 1910, 351.

Lit.: J. Fijalek, Jan Argyropul i promocuja jego doktorska w Padwie w lipeu 1444 roku, Krakau (um 1902); — G. Cammelli, Il Giovanni Argiropulo: I dotti Byzantini e le origini del umanismo II, Florenz 1941; — E. Garin, La giovinezza di Donato Acciaiuoli (1429-56), in: Renascimento I, 1950, 43-70; — Ders., A proposito della biografia di Giovanni Argiropulo, in: Renascimento I, 1950, 104-107; — Ders., Plotino nel 400 fiorentino, in: Renascimento I, 1950, 107-108; — Ders., La cultura fiorentina nell' età di Leonardo, in: Belfragor VII, 1952, 272-289; — E. Bigi, La cultura di Poliziano, in: Belfragor IX, 1954, 632-653; — L. Minio-Pa-

luello, Le texte de »De anima« d'Aristote. La tradition latin avant 1500, in: Autor d'Aristote, Löwen 1955, 217-243; — Ders., Note sull' Aristotele latino medioevale, in: Revista Filos. neo-scolast. LIV, 1962, 131-147; — G. Kisch, Erasmus und die Jurisprudenz seiner Zeit, Basel 1960; — R. Ridolfi, Bernardo Segni e il suo volgarizzamento della »Rhetorica«, in: Belfagor XVII, 1962,511-526; — V. Brown, Giovanni Argiropulo on the agent intellect, in: Essays in honour of Anton Charles Pegis, Toronto 1974, 160-175; — HN ³II, 1020; — DHGE IV, 91-93; — DThC I, 1778-1779; — Beck; — Catholicisme VI, 587-588; — EC I, 1880-1881; — LThKV, 1005; — S. F. W. Hoffmann, Bibliogr. Lexikon der Griechen II, 1961², 398; — Buchwald, Holweg, Prinz, Tusculum-Lexikon griech. und lat. Autoren de MA.s und Altertums, München 1982, 75-76.

Barbara Hartmann

JOHANNES *von Au(e)rbach*, Humanist, 1. Hälfte des 15. Jahrhunderts. J.s Geburts- und Sterbejahr sind unbekannt. Der Beiname verweist auf eine mögliche Herkunft aus dem zur Erzdiözese Bamberg gehörenden Auerbach in der Oberpfalz. Auch über Ort und Umfang seiner Studien ist nichts überliefert. Man weiß lediglich, daß er die akademischen Grade eines Magister artium und eines Doctor decretorum erworben hatte. Daraus läßt sich schließen, daß J. außer dem Studium der Artes auch ein juristisches Studium absolviert hat. Diese Verbindung war damals gewöhnlich, vor allem für Angehörige der ärmeren Volksschichten, die grundlegende Voraussetzung für eine Karriere, die sich zudem meist im kirchlichen Raum vollzog. Für die Jahre 1418 und 1422 ist sein Aufenthalt in Nürnberg bezeugt. Es ist daher zu vermuten, daß er in dieser Zeit Lehrer an einer der Nürnberger Pfarrschulen und/oder Priester an einer der Kirchen der Stadt gewesen ist. Seit der Mitte des 15. Jahrhunderts wirkte J. als Domvikar und als Lehrer an der Domschule in Bamberg. Dort verfaßte er seine »Summa de auditione confessionis et de sacramentis«, die auch unter dem Titel »Directorium pro instructione presbyterorum« gedruckt wurde. Dieses Werk muß ziemlich verbreitet gewesen sein, da allein in der Bamberger Bibliothek vier handschriftliche Abschriften vorhanden und wenigstens zwei verschiedene Druckausgaben bekannt sind. Da der Druck von 1469 in Reutlingen bei Zainer hergestellt wurde, darf man daraus schließen, daß das Werk auch über die Grenzen des Bamberger Bistums hinaus geschätzt wurde. Dieser Popularität J.s ist es wohl zu verdanken, daß Johannes Trithemius ihn sowohl in das 1494 gedruckte Werk »De scriptoribus ecclesiasticis«, als auch in den ein Jahr später erschienenen »Catalogus illustrium virorum Germaniae« aufgenommen hat. Allerdings besitzen seine Angaben wenig biographischen Wert, da er im »Catalogus« J. mit dem etwa zur gleichen Zeit lebenden und an der Universität Erfurt lehrenden Juristen Johannes Urbach verwechselt hat. Dieser Irrtum hielt sich hartnäckig bis ins 19. Jahrhundert. Daneben gab es verschiedentlich den Versuch, J. mit dem Pfarrer Johannes Koppischt aus Grebern zu identifizieren. Dieser hatte um 1470 für eigene Zwecke Abschriften von Werken theologischen Inhalts angefertigt. Teil dieser Sammelhandschrift ist auch die »Summa« J.s. Obwohl sich Koppischt ausdrücklich als Kopisten bezeichnet, glaubten einige Autoren trotz allem eine Identität mit J. herstellen zu müssen. — Die von J. überlieferte Schrift vermittelt uns das Bild eines um die Reform der Geistlichkeit bemühten Theologen. Die »Summa« ist eine Sammlung von Anweisungen liturgischer und kirchenrechtlicher Natur für die Spendung der Sakramente. Man darf vermuten, daß diese Schrift als eine Art »Handbuch« für Pfarrer gedacht war, um zumindest für den Bereich der Erzdiözese Bamberg zu einer verbindlichen Ordnung in Bezug auf die Sakramentenspendung zu gelangen. Der Gedanke einer »Disziplinierung« der Bamberger Geistlichkeit liegt also nahe. Mit dem darin ausgesprochenen Reformgedanken gehört J. ohne Zweifel in den Kreis der Frühhumanisten.

Werke: Summa de auditione confessionis et de sacramentis, 1469; (= Directorium pro instructione presbyterorum, o. J.). Bibliogr.: 1. Zu den Hss.: Friedrich Leitschuh/Hans Fischer, Katalog der Hss. der Kgl. Bibliothek zu Bamberg I/1, 1895-1906, 593, 784, 808, 810; I/3, 1908, 36; II, 1887, 116. 2. Zu den Druckausgaben: Hain I, 2123-2125; GKW III, 2852-2854.

Lit.: Johannes Trithemius, De scriptoribus ecclesiasticis, 1494, 102ᵛ; — Ders., Catalogus illustrium virorum Germaniae, 1495, 45ᵛ-46ʳ; — Johann Albert Fabricius, Bibliotheca Latina mediae et infimae aetatis IV, 1735, 146; — Joachim Heinrich Jäck, Pantheon der Literaten und Künstler Bambergs I, 1812, 34 ff.; — Johann Georg Theodor Graesse, Trésor de livres rares et précieux ou nouveau dictionnaire bibliographique I, 1859, 257; — Roderich Stintzing, Gesch. der populären Lit., 1867, 241-245; — Moritz August Bethmann-Hollweg, Civilprozeß VI, 1874, 260-263; — Johann

Friedrich von Schulte, Gesch. der Quellen der Lit. des canon. Rechts von Gratian bis auf die Ggw. II, 1877, 447 f.; — Th. Muther, Johannes Urbach, 1882, 44 f.; — Friedrich Wachter, General-Personalschematismus der Erzdiözese Bamberg 1007-1907, 1908, 269; — Jacques-Charles Brunet, Manuel du libraire et de l'amateur de livres I, 1922, 569 f.; — Johannes Kist (Hrsg.), Die Matrikel der Geistlichkeit des Bistums Bamberg, 1965, 202; — Jöcher/Adelung I, 1270; — NBG III, 745; — ADB I, 688; — LThK ²V, 1006.

Hans-Josef Olszewsky

JOHANNES *von Avila*, heilig, Prediger und Schriftsteller, * 6.1. 1499 oder 1500 in Almodovar del Campo als Sohn des wohlhabenden jüdischen Konvertiten Alonso de Avila und der Catalina Xixón, † 10.5. 1569 in Montilla. — J. begann im Alter von vierzehn Jahren ein Studium der Iurisprudenz, das er jedoch ohne Abschluß beendete, kehrte dann für drei Jahre ins Elternhaus zurück, um danach an der Universität Alcalá Philosophie und, nach Erlangung des Bakkalaureats, bis 1526 oder 1527 Theologie zu studieren, wobei Dominicus Soto zu seinen Lehrern gehörte. — Inzwischen auch ordiniert, beabsichtigte J. als Missionar in die Neue Welt zu gehen, doch wurde ihm dies wegen seiner halbjüdischen Herkunft verwehrt. — Durch die Vermittlung Hernando de Contreras wurde der Generalinquisitor und Erzbischof von Sevilla, Alonso Manrique, auf J. aufmerksam und setzte ihn als Prediger und Volksmissionar in Andalusien ein, was J. letztlich den Beinamen »Apostel von Andalusien« einbringen sollte. Da J. aber in seinen stest gut besuchten Predigten auch Mißstände innerhalb der Kirche anprangerte, wurde er 1531 als gefährlicher Neuerer vor der Inquisition angeklagt, 1533 jedoch freigesprochen; allerdings mit der Auflage, sich künftig zu mäßigen. Mit der Inquisition geriet er dann nochmals in Konflikt, als sein Hauptwerk, die Schrift »Audi, Filia«, die er während seiner Inhaftierung durch die Inquisition für Sancha Carillo geschrieben hatte, im Jahre 1556 - unautorisiert und verändert - gedruckt wurde. Die Schrift, ein mystisches Werk über christliche Vervollkommnung, stand infolgedessen bis 1574 auf dem Index der verbotenen Bücher. Nach 1533 setzte J. seine Predigten fort, gründete daneben auch etwa fünfzehn Kollegien, von welchen elf den Rang von Gymnasien, mindestens drei den von Universitäten hatten. Die bedeutendste Gründung ist die der Universität von Baeza. — Etwa ab 1537 arbeitete J. zusammen mit dem Erzbischof Gasparo Avalos an der Organisation der 1526 gegründeten Universität von Granada und durfte sich von nun an Maestro Avila nennen. Sein schlechter Gesundheitszustand erlaubte ihm bereits 1551 nicht mehr, am Konzil von Trient teilzunehmen. Sein Studienfreund, der nunmehrige Erzbischof von Granada, Pedro Guerrero, der ihn als Berater hinzuziehen wollte, nahm jedoch J.s »Memoriales al concilio de Trento« mit nach Trient. 1554 zwang seine Krankheit J., sich in Montilla niederzulassen, doch spielten seine »Advertencias para el sínodo de Toledo« auf der 1565 stattfindenden Toleder Synode nochmals eine große Rolle bei der praktischen Umsetzung der Konzilsbeschlüsse. — J.s Leben wurde sehr stark durch seine halbjüdische Herkunft mitbestimmt. Sie führte vermutlich zum Abbruch seines Jurastudiums, verhinderte seine Missionstätigkeit in der Neuen Welt und später auch seinen Eintritt in die Societas Jesu, mit deren Gründer Ignaz von Loyola er seit 1554 gut bekannt war und in die auch viele seiner Schüler nach 1554 eintraten, wobei der Provinzial des Ordens in Andalusien, Pater Bustamente, den Konvertiten jedoch die Aufnahme ebenso wie J. selbst verweigerte. Deswegen nimmt es nicht wunder, daß J. sich für Minderheiten und Unterdrückte einsetzte: sowohl für konvertierte Juden und Morisken, als auch für die Armen. An letztere hatte er nach dem Tod seiner Eltern (vor 1527) sein Vermögen verteilt, seine Angriffe gegen die von den Reichen und Mächtigen hervorgerufenen Mißstände hatten die Inquisition gegen ihn aufgebracht. Innerhalb der Kirche wirkte J. als Reformer des klerikalen Lebens und er verfaßte mehrere Schriften über das Zölibat der Priester, die katholischeErziehung und die Verehrung der Altarsakramente. Aufgrund seines großen Bekanntenkreises war auch seine Korrespondenz beträchtlich: über 250 Briefe sind erhalten. Zu seinen Bekannten gehörten dabei so bedeutende Persönlichkeiten wie Theresa von Avila, Johannes von Gott, der Jesuitengeneral Franz von Borgia, Petrus von Alcántara und J.s Schüler und erster Biograph Ludwig von Granada. J. hat aber auch noch z. B. den bekannten Poeten Lope

de Vega († 1635) beeinflußt. — J. wurde 1894 selig und am 31.5. 1970 heilig gesprochen. Sein Fest ist am 10. Mai. Papst Pius XII. erklärte ihn am 2.7. 1946 zum Patron des weltlichen Klerus Spaniens.

Werke: Audi, Filia (1531-1533). Ausgaben: J. Cherprenet, Le Bx. Jean d'Avila Audi, filia, Paris 1954; Schriften zum Konzil von Trient (1551-1561): Camillus M. Abad, Beato Juan de A. Dos memoriales inéditos para el Concilio de Trento, in: Miscellanea Comillas III, 1945; Ders., El segundo memorial del B. Juan de A. para Trento, in: Miscellanea Comillas V, 1946, 279-292; Ders., Escritos del Beato Juan de A. en torno al Concilio de Trento, in: Maestro Avila I, 1947, 269-295 und II, 1948, 27-56; Ders., Los dos memoriales del Beato A. para Trento, Comillas, 1962. Verschiedenes - Ausgaben: Sermon inédito del Beato Juan de A. en el dia de todos los santos, in: La Cuidad de Dios LXXIX, 1909, 306-316; Cartas inéditas del Beato Juan de A., in: La Cuidad de Dios LXXX, 1909, 198-211, 488-497; Raphael Sanchez de Lamadrid, Un manuscrito inédito del Beato Juan de A., in: ATG IV, 1941, 137-241; J. Gomá Civit, Un texto inédito del Beato Maestro Juan de A. sobre el estudio de la Sagradu Escritura, in: EstB II, 2, 1943, 107-119; Joseph Sola, Un inédito del B. A. sobre las Bienaventurancas, in: Manresa XV, 1943, 271-282; Camillus M. Abad, Un tratado inédito sobre el sacerdocio original del B. Juan de A., de hacia 1567, in: Sal Terrae XXXII, 1944, 51-59, 113-115; Ders., Un sermón inédito del Beato Juan de A., in: Sal Terrae XXXIII, 1945, 304-312, 428-439; R. Garcia Villoslada, Sermones inéditos del Maestro Juan de A., in: EE XIX, 1945, 423-461; Ders., Sermones inéditos del Beato A., in: Manresa XVII, 1945, 389-403; Ders., Sermón inédito del Beato A. In Dominica tertia Adventus sermo, in: Manresa XVIII, 1946, 87-97; Camillas M. Abad, Más Inéditos del Beato Juan de A., in: Miscellanea Comillas VI, 1946, 177-188; Valentinus Sanchez Ruiz, Una carta inédita del M. A. a la Condesa de Feria, in: Maestro Avila I, 1946, 45-47; Ders., Tres cartes inédites del Beato A., in: Manresa XVIII, 1946, 184-191; Ders., Una hija espiritual del Maestro A., in: Manresa XIX, 1947, 354-363; Camillus M. Abad, Ultimos inéditos extensos del Beato Juan de A., in: Miscellanea Comillas XIII, 1950, 117-159; L. Sala Balust, Cartas inéditas del P. Mtro. Juan de A. y documentos relativos a Fr. Domingo de Valtanás en la Hispanic Society of America, in: HS XIV, 1961, 155-170. Sammelwerke - Ausgaben: Don Vicente Garcia de Diego, B° Juan de A., Epistulario spiritual, Madrid 1912; J. M. De Buck, Lettres de direction, Löwen 1927; M. de Montoliu, Bto. Juan de A., epistulario espiritual, Saragossa 1940; Valentius Sanchez Ruiz, Obras Espirituales del Padre Maestro Beato Juan de A. Predicador en la Andalucía, 2 Bde., Madrid 1941; J. Durantez, Manuscritos inéditos del Beato Juan de A., in: Revista de espiritualidad II, 1943, 233-330; R. Garcia Villoslada, Collección de sermones inéditos del Beato Juan de A., Miscellanea Comillas VII, 1947; (Juan de Avila), Sermones del Espiritu Santo, Madrid 1957; Pierre Jobit, Marie-Madeleine Verneau, Bienhereux Jean d'Avila. Sermons sur le Saint-Esprit, Namur 1961; J. Esquerda Bifet, Juan de Avila, Escritos sacerdotales, Madrid 1969. Gesamtwerk - Ausgaben: Martin Ruiz, Vida y obras de Juan de A. predicador apostolico de l'Andaluzia, 4 Bde., Madrid 1618, 1757²; L. Sala

Balust, Juan de A. Obras completas. Edicion critica, 2 Bde., 1952 und 1954; L. Sala Balust/F. Martín Hernández, Santo Maestro Juan de A. Edicíon especial von motivo de la canonización del santo Maestro, 6 Bde., Madrid 1970 und 1971; F. J. Schermer, J. A. Werke, 7 Bde., deutsch, Regensburg 1856-1881. Bibliographien: G. Andrés, Los escritos del Beato Juan de A., in: La Cuidad de Dios CL VII, 1945, 362-368; Joseph Sola, Nota bibliografica: Codices, estudios, vidas, iconografía y ediciones de las obras del B. A., in: Manresa XVII, 1945, 351-388.

Lit.: J. B. Macleod, L. De Oddi's Life of the blessed Master John of Avila, N. Y., 1898; — P. Rousselot, Los misticos españoles I, Barcelona 1907; — P. Pourrat, La spiritualité chrétienne III, 1, Paris 1925; — Luis de Granada, Vida del Beato Juan de A. y partes que ha de tener un predicador del evangelio, Madrid 1935, 1943[2]; — H. Jedin, Juan de A. als Kirchenreformer, in: ZAM XI, 1936, 124-138; — Ders., Gesch. des Konzils von Trient, Bde. 3 und 4, 1970 und 1975; — I. Menendez Reigada, El Bto. Juan de A. Maestro de vida espiritual, in: Vida sobrenatural XXXIX, 1940, 13-23, 102-109, 190-195; XL, 1941, 27-36, 91-99; XLI, 1942, 28-36; — L. Marcos, La doctrina del Cuerpo místico en el Beato Juan de A., in: RET III, 1943, 309-345; — Ders., El Bto. Juan de A. Maestro de santidad sacerdotal, Vitoria 1948; — H. Sancho, Una fundación docente del Beato Juan de A. desconocida, in: Archivo-Ibero-Americano III, 1943, 328-377; — L. Aguirre Prado, El Bto. Juan Paladin de la Eucaristía, in: Verdad y Vida II, 1944, 422-436; — Joseph A. Aldama, Un problema de authenticidad. Dias exhortationes ad clerum Cordubensem, in: Manresa XVII, 1945, 347-350; — Ders., El B. Juan de A., preursar de Santa Margarita. Ma Allaconque en la devoción al Sagrado Corazón de Jesús, in: Maestro Avila, I, 1947, 255-268; — J. Calveras, La devoción al Corazón de María del Bto. A., in: Manresa XVII, 1945, 296-346 und XVIII, 1946, 3-29 und 221-256; — Ricardo Garcia Villoslada, La figura del Beato A., in: Manresa XVII, 1945, 253-273; — Ders., Histórico-literaria. El P. Juan de la Plaza y el Bto.. Juan de A., in: Maestro Avila I, 1947, 429-442; — Ders., Una tesis doctoral sobre el Beato Juan de A., in: Maestro Avila II, 1948, 123-130; — Ders., El paulinismo de S. Juan de A., in: Gregorianum LI, 1970, 615-647; — B. Jimenez Duque, El Beato Juan de A. y su tiempo, in: Manresa XVII, 1945, 274-295, — Ders., Un pequeño dato para la biografía del Bto. A., in. Maestro Avila II, 1948, 119-122; — Ders, Juan de A. en la Encrucijada, in: RET XXIX, 1969, 445-474; — M. Nicolau, La virtud de la fe en el Bto. A., in: Manresa XVII, 1945, 239-252; — Alphonsus Torres, El B. J. de A., reformador, in: Manresa XVII, 1945, 193-201; — F. Cerecede, Dos projectos de »Instuto biblico« en España durante el siglo XVI, in: RF CXXXIII, 1946, 275-290; — Camillus M. Abad, La díreccion espiritual en los escritos y en la vida del Beato Juan de A., in: Manresa XVIII, 1946, 43-74; — Ders., El proceso de la Inquisición contra el Beato Juan de A. Estudio critico a la luz de documentos desconocidos, in: Miscellanae Comillas VI, 1946, 95-167; — Ders., La espiritualidad de S. Ignacio de Loyola la del Bto. A., in: Manresa XXVIII, 1956, 455-478; — J. Durantez Garcia, El proceso de la justificación en el adulto a la luz del Maestro Juan de A., in: RET VI, 1946, 535-572; — J. Janini Cuesta, La catequesis de adultos, según el P. A., in: Apostolado sacerdotal III, 1946, 454-458, — Ders., El epostolado sacerdotal, a la Juan de A., en las escuelas, in: Apostolado sacerdotal IV, 1947, 441-445, 492-498; — Ders., Juan de A., reformador de la educacion primaria en la época del Concilio de Trento, in: Revista española de Pedagogía VI, 1948, 33-59; — José Ma. Regueira, El estudio de la Sagrada Escritura en el Beato Juan de A., in: Maestro Avila I, 1946, 31-37; — Valentin de San José, El Beato Juan de A. y e Concilio de Trento, in: Revista Espiritualidad V, 1946, 222-237; — Arthurus Cageula, El hombre de la purísima intención, in: Manresa XVIII, 1946, 30-42; — Arthurus Segovia, El amor de Dios en las cartas del Padre Avila, in: Maestro Avila I, 1946, 147-152; — Arsenius Cantero, El Beato Avila y el sacerdocio, in: Maestro Avila I, 1947, 427-428;—Lacome Castan, Destellos sacerdotales, Vida del Bto. Maestro Juan de A., Saragossa 1947; — J. Sanchis Alventosa, Doctrina de Beato Juan de A. sobre la oración, in: Verdad y Vida V, 1947, 5-64; — A. Duval, Quelques idées du bienheureux Jean d'A. sur le ministère pastoral et la formation du clergé, in: Vie spirituel, Supplément II, 1948/49, 121-153; — R. Réchard, Du noveau sur le Bx Juan de A., in: RAM XXIV, 1948, 135-142; — L. Sala Balust, La causa de Canonizacion del beato Maestro Juan de A., in: Revista española de derecho canonico III, 1948, 847-882; — Ders., La »Dotrina christiana« del Maestro A., in: Maestro Avila II, 1948, 57-64; — Ders., Vicisitudes del »Audi, Filia«, del Maestro A. Diferencias doctrinales de sus dos ediciones (1556/74), in: HS III, 1950, 65-127; — Ders., Una censura de Melchor Cano y de Fr. Domíngo de Cuevas sobre algunos ecritos del P. Mtro A., in: Salmanticensis II, 1955, 677-685; — Ders., Luis de Granadas Licensiado Luis Muñoz Vidas dc Padre Maestro Juan de A., in: Espirituales españoles, Serie A, Texte, Nr. 14, Barcelona 1964; — Ders., La espiritualidad española en la primeras mitad del siglo XVI, in: Cuadernos de Historia I, 1967, 169-187; — M. Larrayoz, La vocacion al sacerdocio según la doctrina de Beato Juan de Avila, Pamplona 1949; — J. B. Gomis, El amor puro en el B. Juan de A. y cn Molinos, in: Verdad y Vida VIII, 1950, 351-370; — Ders., Estilos del pensar místico, el Bto. Juan de Avila, in: Revista de espiritualidad X, 1951, 443-450; — A. Marín Ocete, Contribución al epistolario del Maestro A., in: Boletin de Universidad de Granada XXIII, 1951, 37-71; — B. Moran Sanchez, La enfermedad en la ascética del Bto. Maestro Juan de A., Madrid 1951; — C. Bayle, El sepulcro del Beato Maestro Juan de A., in: RF CXLVII, 1953, 492-503; — T. Herrero Del Collado, El Beato Maestro Juan de A. y la formación biblica del sacerdote catolico, in: ATG XVIII, 1955, 133-163; — Ders., La Inmaculada en el Beato Juan de A., in: Estudios marianos XVIII, 1957, 374-380; — I. Behn, Spanische Mystik, Düsseldorf 1957, 52-77; — A. Huerga, El Beato A. y el Maestro Valtanás. Dos criterios distintos en la suestión disputada de la comunión frecuente, in: CTom LXXXIV, 1957, 425-457; — Ders., El Bto. A., imitador de san Pablo, in: Teologia espiritual IX, 1965, 247-291; — Ders., Sobre la catequesis en España durante los siglos XV-XVI. (En el IV. centenario del B. Juan de A.), in: AST XLI, 1968, 299-345, — Ders., La reforma de la »Santa Madre Iglesia« según el Maestro Juan, in: Communio III, 1970, 175-225; — Ders., Affinità tra San Paolo e San Giovanni d'A., in: Renovatio VI, 1971, 63-79; — Ders., San Juan de A. y Fray Luis de Granada, in: Teologia espiritual XLVII, 1972, 239-270; — J. M. CardaPitarch, Los efectos de la Eucaristia en los escritos del Beato A., in: RET XVIII,

1958, 283-316; — Fernández Iriarte, Evolucíon y fuentes principales de la espiritualidad eucarística de Apóstel de Andalucia, in: Revista de Espiritualidad XVII, 1958, 33-55; — A. Berengueras de Vilar, La abnegación las pruebas internas en los escritos del Beato Juan de A., in: Verdad y Vida XVII, 1959, 76-96; — Juan Esquerda Bifet, Criterios de selección y formación clerical en el Bto Juan, in: Seminarios VII, 1961, 25-45; — Ders., Mensaje sacerdotal de Juan de A., in: Surge XIX, 1961, XX, 1962 und XXI, 1963 (6 Folgen); — Ders., Escula sacerdotal española del s. XVI: Juan de A., in: Anthologia Annua XVII, 1969, 133-185, — Ders., Juan de A., sacerdote de postconcilio, in: Surge XXVII, 1969, 104-113; — Ders., Espiritualidad sacerdotal mariana en Juan de A., in: Estudios Marianos XXXV, 1970, 85-114; — Ders., Razón de ser del sacerdocio ministerial... Doctrina de Juan de A., in: Theologia del sacerdocio II, 1970, 121-163; — Ders., La oración contemplativa en relación a la devoción mariana, según el Maestro San Juan de A., in: Anthologia annua XXIV-XXV, (1977-78) 1981, 499-550; — G. Esquerda, Criterios de selección y vocación clerical en el Beato Maestro Juan de A., in: Seminarios VII, 1961, 25-45; — M. Fernandez Conde, El Bto. Juan de A., Cordoba 1961; — N. Gonzales Ruiz/J. L. Gutiérrez, Juan de A., Apóstel de Andalucia, Madrid 1961; — Redento de la Eucaristía, Presencia del Bto. Juan y de sus discipulos en la reforma teresiana, in: el Monte Carmelo LXIX, 1961, 3-46; — B. Jereczek, Sur deux prologues discutés, in: Bulletin hispanique LXV, 1963, 5-19; — Ders., Louis de Granada disciple de Jean d'A., thèse de Sorbonne, Fontenay-le Comte, 1971; — Martin Moreno, Juan Bosco entre Christo y Juan de A, Madrid 1964; — Juan Jesús Navarro Santos, La reforma de la Iglesia en los escritos del Maestro A., Granada 1964; — Hilario de San José, Espiritualidad avilina y espiritualidad carmelitana, in: El Monte Carmelo LXXII, 1964, 337-364; — R. Arce, San Juan de A. y la reforma de la Iglesia en España, Madrid 1970; — Roberto Cayuelo, San Juan de A. y San Ignacio de Loyola, in: Christianad XXVII, 1970, 171-177; — Luis Gónzales Hernández, San Giovanni d'A. la Compagnia di Gesù, in: Gesuiti, Annuarium Societatis Jesu, Rom 1970, 121-126; — St. Gryga, Saint John de A. as the Minister of the Word of God and spiritual Director of Souls, Rom 1970; — Rafael de Hornedo, El estilo coloquial del Beato A., in: RF CLXXXI, 1970, 513-524; — F. Javier Rodríguez Molero, Dos Santos A. y Borja, en Granada, in: Manresa XLII, 1970, 253-278; — Manuel Ruiz Jurado, Un Santo »Dei Nostri«, Giovannid'A., in: Ai nostri amici XLI, 1970, 174-176; — Ders., San Juan de A. y la Compañía de Jesús, in: AHSI XL, 1971,153-172; — C. M. Nannei, La doctrina christiana de S. Juan de A., Pamplona 1977; — Fl. Sánchez Belle, La reforma del clero en San Juan de A., Madrid 1981; — NBG III, 866-867; — J. E. Stadler, Vollst. Heiligen-Lexikon oder Lebensgesch. III, 1869,336; — Wetzer-Welte I, 1763-1766, — DThC XI, 1375; — HN ³III, 135; — CathEnc VIII, 469; — DSp VIII, 269-283; — Doyé I, 573; — VSB XIII, 37-45; — Catholicisme VI, 417-419; — EC II, 550-551; — LThK V, 1006; — ODCC, 733; — RGG ³III, 813; — BS II, 649-656; — Peter Manns, Die Heiligen in ihrer Zeit II, Mainz ³1967, 204-206; — HdKG IV und V; — NewCathEnc VII, 1029.

Barbara Hartmann

JOHANNES A BACULO (auch: von Bastone), selig, † 24.3. 1290 in Fabriano. — Der Lehrer der Grammatik J. schloß sich in Fabriano dem heiligen Silvester Guzzolini an, wurde später ordiniert und lebte sechzig Jahre lang im Kloster auf dem Monte Fano. — Der Kult des Seligen wurde 1772 bestätigt, sein Fest ist am 24.3.

Lit.: Andreas Jacobi a Fabriano, Vita J.s hrsg. v. J. Mercati, Camerino, 1613 (verändert); — Andreas Jacobi a Fabriano, Vita J.s, in: Acta canonizationis, Rom 1772; — Index Prozessorum Authentiorum Beatificationes et Canonizationes, in: Bibliotheca Nationale Parisiensi, o. J., 3795-3802; — G. Guidi, Brevo notizie ... del b. Giovanni del Bastone, Fabriano, 1916; — Gino Fattorini, La spiritualità nell' Ordine di S. Benedetto di Montefano, Fabriano, 1976; — Ders., La »Vita B. Joannis a Baculo confessoris et mirifice erimitae«, in: Inter Fratres XXVI, 1976, 9-26; — Reginald Gregoire, Agiografia silvestrina medievale, Fabriano 1983; — J. E. Stadler, Vollst. Hll.-Lex. oder Lebensgesch. III, 1869, 300; — BHL I, 641-642; — Chevalier ²II, 2355; — Doyé I, 575; — Zimmermann I, 367-370; — LThK V, 1006; — NewCathEnc VII, 1967, 1035.

Barbara Hartmann

JOHANNES BALLEMAJUS (auch: Bellesmajus, Bellesmains, von Belmeis), Erzbischof von Lyon, * um 1120 in Canterbury, † um 1204 in Clairveaux. — In Canterbury freundete sich J. vielleicht 1142 mit seinen Mitschülern Thomas Becket und Johannes von Salisbury an. Ehe J. um 1155 Domherr und Schatzmeister des Kapitels von York wurde, hatte er auch auf dem Festland studiert. 1162 wurde J. Bischof von Poitiers und ergriff als solcher anfangs die Partei Beckets in dessen Auseinandersetzung mit König Heinrich II. von England, der als Graf von Poitiers dort die Kompetenzen der kirchlichen Gerichte einschränken wollte. J. trat aber 1169/70 als Vermittler zwischen beiden auf. 1174 brachte er aus Canterbury Reliquien des 1170 ermordeten Märtyrers Thomas Becket nach Poitiers. Im gleichen Jahr wurde J. apostolischer Legat für Frankreich. 1178 sekundierte er dem Cardinal-Legaten Peter von Pavia bei den Häretikern der Languedoc, 1179 nahm J. am dritten Laterankonzil teil. 1181 Erzbischof von Narbonne, wurde J. 1187 als Nachfolger seines Freundes Guichard Erzbischof von Lyon. Wie Guichard bekämpfte J. die Waadter, um sie 1184 oder 1185 gänzlich zu vertreiben. Er vervollständigte etwa 1185 auch die Statuten eines Zeremoniells Guichards, die ordo officiorum. 1192 gründete J. das Kollegiatkapitel von Fourvière. J., dem auch die Vergrößerung der Besitzungen der Kirche von Lyon gelungen war, resignierte 1193, zog sich als Mönch nach Clairvaux zurück und starb dort etwa 1204. — Erhalten sind lediglich neun Briefe J.s, von denen sechs an Thomas Becket gerichtet waren, sowie einige Briefe Johannes' von Salisbury an J., während J.s Sermonensammlung und eine Zeitgeschichte verschollen sind.

Barbara Hartmann

Werke: Briefe PL 190, 1022-1036; 209, 877-882; Briefe v. Johannes v. Salisbury an ihn: Pl 199, 180-183 (Reg.), eine Predigtsmlg. und eine Gesch. seiner Zeit sind verloren.

Lit.: Gallia Christiana II, 1180, IV, 130, VI, 56; — P. Pouzet, L'Anglais Jean, dit Bellesmains (1122-1204?), èveque de Poitier, puis archeveque de Lyon, 1927; — Wilhelm Janssen, Die päpstl. Legaten in Frankreich (1130-1198), 1961; — Nikolaus Häring, Zur Gesch. der Schulen v. Poitiers im 12. Jh., in: AKultG 47, 1965, 23-47; — Horst Bitsch, Das Erzstift Lyon zw. Frankreich und dem Reich im hohen MA., 1971; — Janet Burton, The Cartulary of the Treasurer of York Minster, 1978; — DNB IV, 196-198; — DBF V, 1348-1349; — Catholicisme VI, 590-591; — LThK V, 1009.

Heike Mierau

JOHANNES HILTALINGEN *von Basel*, OSA, bedeutender Theologe und Prediger, * um 1315 in Basel als Sohn des Klaus von Hiltalingen, † kurz vor dem 10. Oktober 1392, beigesetzt in der Augustinerkirche zu Freiburg i.Br. — J.H. trat in jungen Jahren in das Augustinerkloster seiner Vaterstadt ein. Nach Studien in Avignon wirkte er seit 1357 als Lesemeister am Studium generale seines Ordens in Straßburg. 1365/66 hielt er in Paris seine Sentenzenlesung und erwarb dort 1371 den Grad des Magisters der Theologie. 1371-77 leitete er als Provinzoberer die rheinisch-schwäbische Augustinerprovinz. Im Mai 1377 wurde er auf dem Generalkapitel seines Ordens zu Verona zu dessen »procurator« beim Heiligen Stuhl gewählt. Als solcher arbeitete er in Rom mit Eifer am Heiligsprechungsprozeß der Birgitta von Schweden († in Rom 1373) (s.d.) mit. Auch wurde er im Sommer 1377 von Papst Gregor XI (s.d.) in einer Friedensmission nach Florenz gesandt. Nach der Wahl Urbans VI. (s.d.) zum Papst im April 1378 übernahm er die ehrenvolle Aufgabe, vor dem Neugewählten bei einem Gottesdienst zu predigen. Als aber im September des Jahres Clemens VII. (s.d.) als Gegenpapst gewählt worden war, entschied er sich für diesen, folgte ihm nach Avignon und wurde von ihm am 18. September 1379 zum Generalprior der Augustiner ernannt. In diesem Amt zeichnete er sich durch Eifer für die Ordenszucht und Sorge für das Wohl der ihm anhängenden Ordensprovinzen aus. Gleichzeitig setzte er sich - offensichtlich aus Überzeugung - als Prediger und päpstlicher Legat in Frankreich, England und am Oberrhein sehr aktiv für Clemens VII. ein. Seinem Einfluß ist es zuzuschreiben, daß sich Herzog Leopold III. von Österreich für den avignonesischen Papst entschied. Am 10. März 1389 bestellte ihn dieser zum Bischof von Lombèz (in der Gascogne). Wenige Tage später, am 17. März des Jahres, erließ Papst Urban VI. gegen ihn als »schismaticorum non minimus defensor et protector« einen Haftbefehl, der aber wirkungslos blieb. Auch in den folgenden Jahren war J.H. im Auftrag des Gegenpapstes noch mehrfach am Oberrhein tätig. — J.H. verband mit einer hervorragenden Begabung für kirchliche Leitungsaufgaben ein profundes theologisches Wissen, wie seine erhaltenen Schriften beweisen. Sie sind ausgezeichnet durch gründliche Benützung der theologischen Quellen, zumal der Bibel und der Werke des hl. Augustinus, sowie durch eine sehr exakte Zitationsmethode, die für das Erwachen des historischen Bewußtseins jener Zeit charakteristisch ist. Seinen Sentenzenkommentar hat D. Trapp wegen der häufigen kritischen Stellungnahmen zu den Auffassungen anderer, vor allem zeitgenössischer Theologen als ein »petit dictionaire de la théologie du XIVe siècle« bezeichnet. Er selbst erscheint in seiner Lehre als gemäßigter Vertreter des spätmittelalterlichen Augustinismus im Sinne Gregors von Rimini und ist wie dieser in der »via moderna« des 14. Jahrhunderts beheimatet.

Werke nur handschriftlich erhalten: Sehr umfangreicher Kommentar zu den vier Büchern der Sentenzen des Petrus Lombardus; 10 »Responsiones«, d.h. Vorlesungen aus der Zeit nach seiner Sentenzenlesung; »Vesperiae«, d.h. eine

Vorlesung, die er am Abend vor seiner Magisterpromotion hielt; zwei »Propositiones« aus seiner römischen Zeit, in denen er vor Papst und Kardinälen die Kanonisation der Birgitta von Schweden befürwortete; ein gleichzeitiges unvollendetes Werk »Dictamen super sermones angelicos a beata Birgitta auditos«, in dem J.H. die Echtheit ihrer »Offenbarungen« verteidigt; ein Schriftchen aus derselben Zeit »Justificationes constitutionum beatae Birgittae«; ein nichtdatierter »Sermo de sancto Johanne Evangelista«, den er als Magister hielt.

Lit.: Antonin Höhn, Chronologia Provinciae Rheno-Suevicae Ordinis Eremitarum S. Augustini, 1744, 65-68; — Franz Ehrle, Der Sentenzenkommentar Peters von Candia, 1925, 87 ff u. 272 ff; — Albert Lang, Die Wege der Glaubensbegründung bei den Scholastikern des 14. Jahrhunderts, 1930, 202-209; — Dominicus X. Duijnstee, S'Pausen Primaat in de latere Middeleeuwen en de Aegidiaansche School III, 1939, 156-165; — Ernst Borchert, Der Einfluß des Nominalismus auf die Christologie der Spätscholastik, 1940, 90-93 u. 138-140; — Adolar Zumkeller, Hugolin von Orvieto u. seine theol. Erkenntnislehre, 1941, 236-238 u. 247; — Ders., Die Lehrer des geistlichen Lebens unter den deutschen Augustinern..., in: S. Augustinus vitae spiritualis Magister, II, 1959, 239-338, bes. 274 f; — Ders., Die Augustinerschule des Mittelalters: Vertreter u. philosophisch-theologische Lehre, in: AAug. 27, 1964, 167-262, bes. 231-233; — Ders., Manuskripte von Werken der Autoren des Augustiner-Eremitenordens..., 1966, 242- 243 u. 599-601; — Ders., Der Augustinertheologe J.H. von B. über Urstand, Erbsünde, Gnade und Verdienst, in: AAug. 43, 1980, 59-162; — Ders., Erbsünde, Gnade, Rechtfertigung und Verdienst nach der Lehre der Erfurter Augustinertheologen des Spätmittelalters, 1984, passim; — Giuseppe Tumminello, L'immacolata concezione di Maria et la scuola agostiniana del secolo XIV, 1942, 51-62; — Damasus Trapp, Hiltalinger's Augustinian Quotations, in: Augustiniana 4, 1954, 412-449; — Ders., J.H. de B., in: Archivo Agustiniano 48, 1954, 291-295; — Ders., Augustinian Theology of the XIVth Century, in: Augustiniana 6, 1956, 146-274, bes. 242-250; — Joseph M. Ozaeta, La unión hipostática en la escuela egidiana, in: La Ciudad de Dios (170 f, 1957 f) bes. 171, 1958, 73-75; — Francis Roth, The Great Schism and the Augustinian Order, in: Augustiniana 8, 1958, 280-298, bes. 282-288; — Josef Koch, Kritische Studien zum Leben Meister Eckharts, in: Archivum fratrum Praedicatorum (29 f, 1959 f), bes. 30, 1960, 20 f. 43-47; — Fulgence A. Mathes, The Poverty Movement and the Augustinian Hermits, in: AAug. (31 f, 1968 f) bes. 32, 1969, 55-56; — Adalbero Kunzelmann, Geschichte der deutschen Augustiner-Eremiten II, 1970, 206-213; — David Gutiérrez, Die Augustiner im Spätmittelalter 1357-1517, deutsch: 1981, 18-25 u. 159. — Hauck VIII, 77 f; — ADB L, 351 f; — Encicl. Eccles. IV, 39; — LThK V², 1007; — DSp VIII, 554-556; — NDB IX, 162.

Adolar Zumkeller

JOHANNES BASSANDUS, seliger Reformer, * 1360 in Besançon, † 26.8. 1445 im Kloster Collemaggio bei Aquila (Italien). — Nachdem J. 1378 in das Augustinerkloster in Besançon eingetreten war, schloß er sich 1390 dem Orden der Zölestiner an, in dessen Auftrag er ein Kloster in Amiens gründete. In Amiens wurde er der rector spiritualis der Heiligen Coletta. Zwischen 1411 und 1441 war er fünfmal Provinzial von Frankreich, außerdem bekleidete er das Amt des Priors von Paris. 1443 wurde J. zum Generalprior ernannt und reformierte das Hauptkloster seines Ordens, Collemaggio. Reformen waren auch der Zweck zahlreicher Reisen gewesen, die er als Visitator unternommen hatte, und die ihn nach Italien, Spanien und England geführt hatten. Eine weitere Reise hatte er im Auftrag Karls VII. von Frankreich unternommen, um Amadeus von Savoyen, den Gegenpapst Felix' V., zum Verzicht auf seine Ansprüche auf die Tiara zu bewegen, war in seinen Bemühungen jedoch gescheitert. Zu den Freunden J.s gehörte Johannes Gerson, der ihm sein Werk »De susceptione humanitatis Christi« widmete. J.s Grabrede hielt der Heilige Johannes Capristan. — J.s Festtag ist der 26.8.

Lit.: C. Telera, Uomini illustri della Congregatione dei Celestini, AS, 1648, 159-193; — AS Aug. V, 1741, 870-892; -- J. E. Stadler, Vollst. Heiligen-Lex. oder Lebensgesch., III, 1869, 318; — Chevalier ²II, 2362; — DHGE VI, 1263-1264; — Doyé I, 594; — Zimmermann II, 366-367; — LThK V, 1008; — NewCathEnc VII, 1967, 1035.

Barbara Hartmann

JOHANNES DE BASSOLIS hat nach dem Explicit einer heute verschollenen Handschrift um 1313 in Reims die Sentenzen kommentiert. Außer diesem Datum ist nur sein Todesjahr 1348 bekannt. Er war ein, vielleicht sogar der Lieblingsschüler des Johannes Duns Scotus, und er gilt als treuer Vermittler und Verteidiger der Lehren seines Meisters, wenngleich er auch in manchen Fragestellungen und Lösungen eine bemerkenswerte Eigenständigkeit beweist. In der Bußlehre ist er traditionsgebundener als Duns Scotus. Eine wichtige Rolle spielen bei ihm die Spekulationen über die absolute Macht Gottes, die ihn mitunter auch in eine negative Richtung abgleiten lassen. Was logisch möglich ist, wird - im Gegensatz zu Duns Scotus - manchmal ohne Rücksicht darauf als theologische These vertreten, ob es sich mit der biblischen Offenbarung vereinbaren läßt oder nicht. So vertritt er z. B. die Ansicht, daß Gott de potentia absoluta auch einen Menschen verdammen könnte, der die Gnade besitzt. — Von J. de B. ist nur der Sentenzenkommentar erhalten, der gedruckt (Paris 1517) vorliegt. Wie weit dieser Text womöglich nicht zum Vorteil des Autors verändert wurde, ist nicht festzustellen, weil Handschriften zum Vergleich fehlen. Beachtenswert ist auf jeden Fall, daß - wie es in der Epistola dedicatoria zu Beginn des 1. Buches heißt - Korrekturen vorgenommen wurden.

Lit.: Charles-Victor Langlois, Jean de Bassolis Frère Mineur, in: RevHistFranc 1 (1924), 288-295; — Valens Heynck, Die Reuelehre des Skotusschülers J. de B., in: FranzStud 28 (1941), 1-36; — Ders., Zur Lehre von der Beichtjurisdiktion in der Hochscholastik, in: FranzStud 52 (1970), 70-88; — Anneliese Maier, Diskussionen über das aktuell Unendliche in der ersten Hälfte des 14. Jh.s, in: DivThom(Fr) 25 (1947), 147-166, 317-337; — Dies., Literarhist. Notizen über P. Aureoli, Durandus und den »Cancellarius« nach der Handschr. Ripolls 77bis in Barcelona, in: Greg 29 (1948), 213-251; M. Pasiecznik, John de B., O.F.M. I. The Life of John de B., in: FrancStud 13 (1953), H. 4, 59-77; — Werner Dettloff, Die Entwicklung der Akzeptations- und Verdienstlehre von Duns Scotus bis Luther mit bes. Berücks. der Franziskanertheologen (1963).

Werner Dettloff

JOHANNES XI. BEKKOS, Patriarch von Konstantinopel, * zwischen 1230 und 1240 in Nikaia, † etwa 1297 auf Burg St. Georg in Bithynien. — J. wurde etwa 1263 Chartophylax (Archivar und Hilfskanzler), bald darauf Megas Skeuophylax (Sakristan) des Patriarchen von Konstantinopel. 1268 nahm J. auch an einer Gesandtschaft zu König Stefan Urô von Serbien, 1270 an einer zu König Ludwigs IX. von Frankreich teil. Als J. sich im Auftrag des Patriarchen Joseph I. etwa 1273 in Gegenwart des Kaisers Michael VIII. Paleologus gegen dessen Unionspolitik aussprach, wurde J. deswegen inhaftiert. Im Gefängnis wurde J. durch die Lektüre der Schriften des Nicophoros Blemmida jedoch zu einem Anhänger der Kirchenunion. Aus der Haft entlassen, wurde J. am 2.6. 1275 zum Patriarchen von Konstantinopel ernannt, weil Patriarch Joseph sich geweigert hatte, der auf dem zweiten Lyoner Konzil von 1274 zustandegekommenen Union zuzustimmen. — 1276 pro-

klamierte J. das katholische Dogma der Prozession des Heiligen Geistes und erkannte gleichzeitig den Vorrang des Papstes an. Sein Vorgehen schuf ihm viele Feinde unter den Klerikern, zumal er begann, zahlreiche antiunionistische Schriften zu widerlegen und im Juli 1277 Schismatiker exkommunizierte. — Sein Einsatz für Arme und Verbannte und seine Versuche, ein Vordringen des Staates in den kirchlichen Bereich zu verhindern, brachten in andererseits aber auch in Gegensatz zu Kaiser Michael, weshalb J. 1279 beinahe sein Amt niedergelegt hätte. Wegen einer Legation aus Rom verbesserte sich J.s Stellung gegenüber dem Kaiser jedoch so, daß er sein Amt bis zum Tode Michaels behielt. Erst als am 11.12. 1282 Andronikos II. Paleologus zum Kaiser gekrönt wurde und dieser sich von der Union abwandte, die zur gleichen Zeit auch von Papst Martin IV. widerrufen wurde, mußte J. abdanken. — 1238 wurde J. nach einem Prozeß nach Prusa in Bithynien verbannt. Weil er sich jedoch in Schriften gegen den Patriarchen Gregorius II. Cyprios wandte, wurde J. später auf der Burg St. Georg eingekerkert. — J. besaß über den Tod hinaus eine große Wirkung auf Anhänger und Gegner einer Kirchenunion, denn noch 150 Jahre später beschäftigten sich diese mit seinen Schriften. Die bedeutendsten Werke J.s sind: »περὶ τῆς ἐνώσεως καὶ εἰρήνης τῶν τῆς παλαιᾶς καινέας Ῥώμης ἐκκλησιῶν«, (über Patristik und byzantinische Theologen) und »Ἐπιγραψαί« (eine Sammlung patristischer Texte).

Werke: Briefe an Päpste - Ausgaben: A. Theiner, F. Miklosich, Monumenta spectantia ad unionem ecclesiarum graece et latinae, Wien 1872, 21-28; J. Pitra, Analecta Novissima, Paris 1885, 611-613; Vitalien Laurent, Lettre inédite de Jean XI. Beccos ... au pape Grégoire X. (1271-76), in: L'Unité de l'Église XII, Paris 1934, 266-270; Georgius Hofmann, Patriarch J. B. und die lat. Kultur, in: OrChrP XI, 1945, 141-164. — Kanonische Schriften - Ausgaben: M. Gédéon, Νέα βιβλιοθήκη ἐκκλησιαστικῶμ συγγραφέωνI, 1903; Ders., Ἀρχεῖοω ἐκκλησιαστικῆς ἱστορίας, I, 1911. — Verschiedenes - Ausgaben: J. Dräseke, Drei Kapitel aus der Friedensschrift des Patriarchen J., Wandsbeck 1907; Ders., J.s Widerlegung der Syllogismen des Photius, Wandsbeck 1912; A. Mercati, Note archivistiche bibliografiche, paleografiche, storiche su un documento del anno 1277 di Giovanni B., in: OrChrP XXI, 1955, 256-264. — Gesamtwerk - Ausgaben: Ioannis Becci, episcopi Constantinopoli, opuscula varia, graece et latinae, in: Leonis Allatio Graecia orthodoxa I, Rom 1652, 61-378 und II, Rom 1659, 1-641; H.

Laemmer, Scriptorum Graeciae orthodoxiae bibliotheca select, Freiburg 1864, 191-652; MPG CXLI, 1-1032. — Bibliographie: Fabricius Harleß, Bibliotheca graeca XI, 344.

Lit.: Leo Allatius, De ecclesiae occidentalis atque orientalis perpetua consensione II, 15, Köln 1648, 727-769; — Georgius Pachymeres, Michael Paleologus, in: MPG CXLIII; — Ders., Andronicus Paleologus, in: MPG CXLIV; — Nicepheros Gregoras, Historia Byzantina, in: MPG CXLVIII; — R. Souarn, Tentatives d'Union avec Rome: Un patriarche grec catholique du XIIIᵉ siecle, in: EO III, 1899/1900, 229-237, 351-370; — J. Dräseke, Nikolaos von Methone im Urteile der Friedensschrift des J.' B., in: ZWTh XLIII, 1900, 105-141; — Ders., Johannes Phurnes bei B., in: ZWTh XLIII, 1900, 237-257; — Ders., J. B. und seine theol. Zeitgenossen, in: NKZ XVIII, 1907, 877-894; — Ders., Zur Friedensschrift des Patriarchen J. B., in: ZWTh L, 1907, 231-253; — W. Norden, Das Papsttum und Byzanz, o. O., 1903; — S. Petrides, Sentence synodique contre le clergé unioniste, in: EO XIV, 1911, 133-136; — A. D. Zotos, Ἰωάννης ὁ Βέκκος πατριάρχης κωνσταντινουπόλεως. Νέας Ῥώμης ὁ λατινόφρων, München (Freising), Diss. 1920; — V. Grumel, Un ouvrage récent sur Jean Beccos, patriarche de Constantinople, in: EO XXIV, 1925, 26-32; — Jugie I, 418-421; — Vitalien Laurent, Le date de la mort de Jean Beccos, in: EO XXV, 1926, 316-319; — Ders., Les signatures de second synode de Brakhernes, in: EO XXVI, 1927, 129-149; — Ders., Le cas de Photius dans l'Apologetique du patriarche Jean XI. Beccos, in: EO XXIX, 1930, 396-415; — Ders., La correspondance inédite de Georges Babouscomitès, in: Ες μνημηω Σπυρίδωνος͵ Λάμπρου, Athen 1935, 93-94; — Ders., La chronologie des patriarches de Constantinople de chronologie et d'histoire byzantine de la fin du XIIIᵉ siecle, in: REByz XXVII, 1969, 209-228; — F. Dvornik, Le schisme de Photius, Paris 1950, 544-556; — E. Hermann, Absetzung und Abdankung der Patriarchen von Konstantinopel 381-1453, in: 1054-1954. L'Église et les Eglises I, Chevetogne 1954, 281-307; — H. Evert-Kap-pesowa, Une page de l'histoire des relations byzantino-latines II, in: Byzantinislavica XVII, 1956, 1-18; — M. Sotomayor, El patriarca Becos, según Jorje Paquimeres, in: EE XXXI, 1957, 327-368; — E. Candal, Bessarion Nicaenus, Oratio dogmatica de Unione: Concilium Florentinum. Documenta et scriptores Seria B VII, Rom 1958, LVIII-LXIV; D. J. Geanakoplos, Emperor Michael Paleologus and the West, 1258-1282, Cambridge, Mass., 1959; — I. Anastasiu,ʿοῦ πυλουμενος διωγμὸς τῶν ἀγορειτῶν ὑπὸ τοῦ Μιχαήλ, Η' παλαιολογου και τοῦ Ἰωαννου Βέκκου, in: 'Η Ἀθωνικὴ πολιτεία, Tessaloniki 1963, 207-257; — Joseph Gill, John Beccus, patriarch of Constantinople, 1275-1282, in: Byzantina VII, 1975, 251-266; — Ders., Byzanz and the Papacy, New Brunswick, NJ, 1979; — G. Dagron, Byzance et l'Union, in: 1274-Année charnière, Mutations et continuités, Paris 1977, 191-202; — A. Failler, Le séjour d'Athanase II d'Alexandrie à Constantiople, in: REByz XXXV, 1977, 43-71; — J. Gouillard, Michel VIII et Jean Beccos devant l'Union, in: 1274-Année charnière. Mutations et continuités, Paris 1977, 179-190; — H. G. Beck, Gesch. der orthodox. Kirche im byz. Reich, Göttingen 1980, 198-204; — N. G. Xixakis, Ἰωάννης Βέκκος καὶ αἱ Θεολογικαὶ ἀντιλήψεις αὐτοῦ, Athen 1981; — Mansi XXIV, 306-307;

— Wetzer-Welte II, 162-165; — Hefele VI; — Chevalier ²II, 2504-2505; — HN ³II, 402; — DThC VIII, 656-60; — CathEnc II, 380-381; — DHGE VII, 354-364 und VIII, 362; — Catholicisme I, 1367; — EC VI, 527-528; — Beck; — LThK V, 1008-1009; — RGG ³III, 813; — S. F. W. Hoffmann, Bibliogr. Lex. der Griechen ²II, 1961, 398; — HdKG III, 2, 157-158; — NewCathEnc VII, 1026-1027; — Buchwald, Holweg, Prinz, Tusculum-Lex. griech. und lat. Autoren des MA.s und Altertums, München 1982, 381-382.

Barbara Hartmann

JOHANNES BELETH, Liturgiker des 12. Jahrhunderts. — J. stammte möglicherweise aus England, er verbrachte jedoch die meiste Zeit in Frankreich. Er war um 1135 in Chartres, etwa 1141 Schüler Gilbert Porettas und lehrte später an der Universität von Paris. 1182 findet sich sein Name aber im Zusammenhang mit der Kirche von Amiens. Zwischen 1160 und 1164 entstand J.s »Summa de ecclesiasticis (bzw. divinis) officiis«. Dieses Werk enthält eine Beschreibung der Liturgie, wie sie in der Mitte des 12. Jahrhunderts praktiziert wurde, und war damals weit verbreitet. Johannes Trithemius nennt J. auch als Autor eines Sermonen-Buches, doch dieses ist verschollen.

Werke: Summa de ecclesiasticis officiis (zwischen 1160 und 1164 entstanden). — Ausgaben: PL CCII, 12-166; H. Douteil (Hrsg.), Johannis Belith Summa de ecclesiasticis officiis. Corpus Christianorum. Continuatio medievalis XLI und XLI A, Turnhout, 1976.

Lit.: J. G. de Brouwere, La Catalogue de l'Hôspital d'Audenarde, in: Gulden Passer XXV, 1947, 292-296; — D. van den Eynde, Deux sources de la Somme théologique de Simon de Tornai, in: Antonianum XXIV, 1949, 19-42; — Ders., Précisions chronologiques sur quelques ouvrages théologiques du XIIᵉ siecle, in: Antonianum XXVI, 1951, 223-246; — J.F. Maurel, Jean Beleth et la »Summa de ecclesiasticis officiis«, in: École nationale de Chartres, Positións des thèses, soutenues par les elévès de la promotion de 1953, Paris 1953, 77-80; — M. Mabille, Les manuscrits de Gérards Bruine, dit le Reims, conservés à la Bibliotheque Nationale de Paris, in: Bibliotheque École Chartres CXXXI, 1973, 198-208; — R. Guntrup, Die Bedeutung der liturg. Gebärden und Bewegungen in lat. und dt. Auslegungen des 9.und 13. Jh.s, München 1978; — D. Gagnan, Office de la Passion, prière quotidienne de Saint François d'Assise, in: Antonianum LV, 1980, 3-86; — J. Longère (Hrsg.), Petrus Pictaviensis Summa de Confessone, Turnhout 1980; — HistLittFrance XIV, 218-222; — Chevalier ²II, 2365; — HN ³II, 212; — DGHE VII, 517-518; — DACL II, 649-650; — DSp VIII, 285-286; — Catholicisme VI, 590; — LThK V, 1009; — NewCathEnc VII, 1967, 1035; — Buchwald, Holweg, Prinz, Tusculum-Lex. griech.

und lat. Autoren des MA.s und Altertums, München 1982, 386.

Barbara Hartmann

JOHANNES Bellesmajus siehe JOHANNES BALLEMAJUS

JOHANNES *von Beverley* (auch: Hagulstadensis), heilig, Bischof, * in Harpham, † 7.5. 721 in Beverley. — Nachdem J. Unterricht bei Erzbischof Theodor von Canterbury genossen hatte, verbrachte er, nunmehr Benediktiner, einige Zeit im Kloster der Heiligen Hilda in Streaneshalch (Whitby). Dann zog J. als Prediger durch das Land, bis er 687 Bischof von Hagulstad (Hexham) wurde. Dort weihte er Bede, seinen späteren Biographen, 692 zum Diakon, 703 zum Priester. 705 nahm J. an der Synode von Nidd teil, auf der die Rehabilitierung des Heiligen Wilfried besprochen wurde. Wilfried wurde im selben Jahr J.s Nachfolger in Hexham, als J. Bischof von York wurde. J. resignierte etwa 718 und zog sich in die von ihm gegründete Abtei Beverley zurück. — J. war hochgebildet und ein erfolgreicher Prediger. Außerdem stand er bereits zu Lebzeiten im Geruch der Heiligkeit und vollbrachte, laut Bede, mehrere Wunder, deren Zahl sich nach seinem Tod noch vermehrte. Von den Schriften J.s, die Bede aufzählt, ist nichts mehr erhalten. — 1416 wurden der Todestag J.s, der 7. 5., und der Tag seiner Translation im Jahre 1044, der 25.10., zu Festtagen erklärt.

Lit.: AS Maii II, Anversa, 1680, 166-194; — Beda, Historia ecclesiastica gentis Anglorum IV, 23 und V, 2-6, in: MPL XCV, 209-210, 230-236; — Alcuin, De pontificibus et sanctis Eboracensis Ecclesiae, in: MPL CI, 834-836, — J. Raine, The Historians of the Church of York and its Archbishops I (Rolls Series LXXI), 1879, 239-347; — Le Méné, Histoire des paroisses du diocèse de Vannes II, Vannes 1896; — Margaret R. Toynbee, S. Louis of Toulouse and the Process of Canonisation in the Fourteenth Century, Manchester 1929, 240; — Paul Grosjean, De S. Johanne Bridlingtoniensi Collectanea, in: AnBoll LIII, 1935, 101-119 (102); — Ders., Un Fragment d'Obituaire Anglo-Saxon du VIIIᵉ Siècle, in: AnBoll LXXIX, 1961, 320-345; — Vita S. Roberti Novi Monasterii in Anglia Abbatis, in: AnBoll LVI, 1938, 334-360; — R. M. Wilson, The last literature of Medieval England, London 1952, 216-217; — J. E. Stadler, Vollst. Heiligen-Lex. oder Lebensgesch. III, 1869, 233; — Maunder, Cates, The biographical Treasury, London 1876, 96; — DCB III, 377-378; — Wetzer-Welte VI, 1602-1603; — DNB XXIX, 435-436; —DNB² X, 872-873; — BHL, 4338-

4351; — Chevalier ²II, 2367; — HN ³II, 677; — CathEnc VIII, 469-470; — VSB V, 138-139; — Doyé I, 578; — Catholicisme VI, 419; —Zimmermann II, 155-177, 183; — EBrit ²XIII, 102; — Thurston-Attwater II, 247-248; — LThK V, 1010; — ODCC, 734; — BS VI, 627-628; — NewCathEnc VII, 1967, 1036.

Barbara Hartmann

JOHANNES *von Biclaro*, Chronist, * um 540 als Sohn gotischer, aber katholischer Eltern, † etwa 621. — Etwa zwischen 560 und 576 studierte J. in Konstantinopel. Nach seiner Rückkehr wurde er seines Glaubens wegen von dem arianischen König Leovigild nach Barcelona verbannt. Nach dessen Tod im Jahre 586 konnte J. im Nordosten Spaniens das Kloster Biclaro gründen, er nahm zwischen 592 und 614 an vier spanischen Konzilien aber bereits als Bischof von Gerona teil. - Erhalten ist von J. eine Chronik, die als Fortsetzung derjenigen des Victor von Tunnuna anzusehen ist und den Zeitraum von 567 bis 590 umfaßt. J.s Mönchsregel, die er für das Kloster Biclaro schrieb, ist dagegen verloren.

Werke: Chronik - Ausgaben: H. Canisius, Ingolstadt, 1600; MPL LXXII, 863-870; MG AA XI, 207-220; P. Alvarez Rubiano, La crónica de Juan Biclarense. Versión castellana y notas para su estudio, in: AST XVI, 1943, 7-44; I. A. Arias, Cronica Biclarense, in: Cuadernos de Historia de España X, 1948, 129-141; Julio Campos, Juan de B., obispo de Gerona. Su vida y su obra, Madrid 1960; Ders., Ediciones del Cronicón de Juan de B., obispo de Gerona, in: Salmanticensis II, 1955, 686-690.

Lit.: S. Isidore, De viris illustribus XLIV, in: MPL LXXXIII, 1195-1206; — Görres, J. v. B., in: ThStKr LXVIII, 1895, 103-135; — Dom Aimé Lambert, La famille de S. Braulio et l'expansion de la Règle de Jean de Biclar, in: Revista Zurita I, 1933, 65-80; — José Morera, Juan Biclarense, in: AST XII, 1936, 59-84; — J. Pérez de Urbel, El Maestro, San Benito y Juan Biclarense, in: Hispania I, 4, 1940, 7-12 und Hispania II, 1, 1941, 3-52; — B. Sánchez Alonso, Historia de la historiografía española I, Madrid 1941²; —Julio Campos, Sobre la Regla de San Juan de Biclaro, Salmanticensis III, 1956, 240-248; — M. C. Díaz y Díaz, La transmisión textual del Biclarense, in: AST XXXV, 1962, 57-76 und in: Ders., De Isidoro al siglo XI., Barcelona 1976, 117-140; — A. C. Vega, De patrología española. El tomo a la herencia de Juan de B., in: Boletín de la Real Academia de la Historia CLXIV, 1969, 13-74; — L. Vázques de Parga Iglesias, San Hermenegildo ante las fuentes historicas, Madrid 1973; — J. M. Gárate Córdoba, La rebelion de San Hermenegildo, in: Revista de historia militar, XIX, 1975, 7-48; — A. de Vogüé, De Trithème, la Règle de Macaire et l'heritage littéraire de Jean de Biclar, in: SE XXIII, 1978/79, 217-224; — B. Saitta,

Un momento di desgregazione nel regno visigoto in Spagne: La rivolta di Ermenegildo, in: Quaderni catanesi I, 1979, 81-134; — Ders., I giudei nella Spagna visigota. Da Recaredo a Sisebuto, in: Quaderni catanesi II, 1980, 221-263; — S. Grabowski, Jan Biclar i jego kronika, in: Meander XXXV, 1980, 63-73; — G. Kampers, Die Genealogie der Könige der Spaniensueben in prosopographischer Sicht, in: Frühmittelalterliche Studien XIV, 1980, 5-58; — E. Sánchez Salor, El providencialismo en la historiografía christiano-visigótica de España, in: Anuario de Estudios Filologecos V, 1982, 179-192; — DCB III, 374-376; — Wetzer-Welte VI, 1603; — Wattenbach, Deutschlands Geschichtsquellen im MA I, Leipzig 1893, 83; — Bardenhewer V, 396-398; — Chevalier [2]II, 2368; — HN [3]I, 535-537; — CathEnc VIII, 470; — Manitius I, 216; — DHGE VIII, 1421-1422; — Pauli-Wissowa IX, 1809; — DSp IV, 2, 1102 und VIII, 291; — Catholicisme VI, 528; — EC VI, 528-529; — LThK V, 1010; — Altaner[5], 219; — P. Grimal, Dictionnaire de Biographies I, 1958, 775; — Christian Gottlieb Jochers Allgemeines Gelehrtenlexikon II, 1961, 1911; — NewCathEnc VII, 1036.

Barbara Hartmann

JOHANNES BLANKENFELD, * um 1471 in Berlin (?), † 9.9. 1527 in Torquemada (Kastilien). — J., Sohn des Berliner Kaufmanns und Bürgermeisters, studierte Rechtswissenschaften in Leipzig, Frankfurt/Oder und Bologna. Nach der Promotion (2.8. 1503) wurde er juristischer Ordinarius in Frankfurt/Oder. Anschließend trat er als Generalprokurator (1512-1514) an der päpstlichen Kurie in den Dienst des Hochmeisters des Deutschen Ordens, Albrechts von Brandenburg. Hier erwarb er sich die Gunst Leos X., der ihm zum Besitz livländischer Bistümer verhalf: 1514 wurde J. Bischof von Reval, 1518 in der Nachfolge Christian Bonhowers zudem Bischof von Dorpat; sechs Jahre später ernannte ihn Papst Clemens VII. zum Erzbischof von Riga. Die inzwischen lutherisch gesinnte Mehrheit der Bürgerschaft entzog J., einem vehementen Gegner der evangelischen Bewegung, die Unterstützung. Im September 1525 schließlich kam es zum Bruch mit Wolter von Plettenburg, dem Ordensmeister in Livland. Als J. mit König Sigismund von Polen und in Moskau geheime Verhandlungen aufzunehmen beschloß, nahm ihn die Ritterschaft des Erzstiftes auf Veranlassung von Plettenbergs gefangen. Im Juni 1526 (Landtag zu Wolmar) unterstellte sich J. dem Schutz des Deutschen Ordens, und er bestätigte den livländischen Ordensmeister als Ober-

haupt des Landes. Um bei Kaiser Karl V. zu intervenieren, reiste J. nach Spanien, doch er starb, kurz bevor er sein Ziel erreicht hatte.

Lit.: K. E. H. Krause, Dr. Heinrich Boger's Gedicht auf die Promotion des späteren Erzbischofs in Riga, J. B., in: Mitteilungen aus dem Gebiet der Gesch. Liv-, Est- und Kurlands 13, 1886, 287-290; — Wilhelm Schnöring, J. B. Ein Lebensbild aus den Anfängen der Reformation, Halle 1905; — Alexander Berendts, Über den angebl. Verrat J. B.s, in: Baltische Monatsschr. 54, 1902, 354-364; — Ders., J. B., Erzbischof von Riga, Bischof von Dorpat und Reval, in: Baltische Monatsschr. 53, 1902, 408-427 und 54, 1902, 29-60; — Leonid Arbusow, Die Einführung der Reformation in Liv-, Est- und Kurland, Leipzig 1921; — Hans Quednau, Livland im polit. Wollen Herzog Albrechts von Preußen, Leipzig 1939; — Reinhard Wittram, Die Reformation in Livland, in: Ders., Baltische Kirchengesch., Göttingen 1956, 35-56; — Helene Dopkewitsch, Die Hochmeisterfrage und das Livlandproblem nach der Umwandlung Preußens in ein weltl. Herzogtum durch den Krakauer Vertrag vom April 1525, in: Zs. für Ostforschung 16, 1967, 201-255; — ADB II, 689-690; — LThK [1]V, 483; — LThK [2]V, 1010; — Lex. des MA.s II (1983), 262-263.

Reinhard Tenberg

JOHANNES BONVISI, OFM, Hl. und Reformator der Franziskaner-Observanten, * 1409 in Lucca, † 21.5. 1472 in Portiuncula bei Assisi. — In Handelsgeschäften in Spanien, wurde er 1431 in Aragon Franziskaner-Konventuale. Sein unruhiges Sehnen nach voller Armut führte ihn in verschiedene Klöster. Um 1438 schloß er sich in der it. Provinz Umbrien der strengeren Ordensrichtung der Observanten an und wirkte hier - abgesehen von einer kurzen Unterbrechung in Neapel und Aragon - als Novizenmeister, Provinzdefinitor und zweimal als Guardian (Narni u. Perugia) und als Schwesternbeichtvater. 1448 reformierte er die Klarissen in Perugia und war auch an der Reform anderer Klöster beteiligt. Charismatisch begabt, war er ein Muster strenger Abtötung. Fest: 14.5.

Werke: (Lucas Wadding, Scriptores Ordinis Minorum. 1906 (ND), 132, nennt einige von ihm verfaßte Traktate, über deren Druck jedoch nichts bekannt ist.)

Lit.: Benedetto Mazzara, Leggendario Francescano. I, 1676, 683-692; — AS Maii V., 1685, 100-124; — Lucas Wadding, Scriptores Ordinis Minorum. 1906 (ND), 132; — ders., Annales Minorum. XIV, 1933 (ND), 24-36; — Johannes H. Sbaralea (opus posthumum), Supplementum et castigatio ad scriptores trium ordinum S. Francisci a Waddingo, aliisve descriptos, cum adnotationibus ad syllabum martyrorum eorumdem ordinum. II, 1921 (ND), 42; — Antonio Fantozzi, Documenti intorno alla beata Cecilia Coppoli Clarissa (1426-1500). In: AFrH 19, 1926, 206 Anm. 1; — ders., La riforma Osservante dei Monasteri delle Clarisse nell' Italia centrale (Doc. sec. XV-XVI). In: AFrH 23, 1930, 371 f; — LThK¹ V, 483; — LThK² V, 1011; — DE II, 162. — Bibliographie: Sbaralea (s.o), 42; — Chevalier II, 1960 (ND), 2371.

Klaus-Bernward Springer

JOHANNES von Botzheim siehe Botzheim, Johannes v.

JOHANNES BREMER, 15. Jahrhundert, OFM. — J., zuerst im Jahr 1420 als »lector secundarius« im Leipziger Franziskanerkonvent bezeugt, wurde im Wintersemester des gleichen Jahres an der Universität bei der »Natio Saxonum« intituliert; vier Jahre später war er »lector secundarius« im Erfurter Konvent. Hier setzte er sein Studium fort, das er am 23.10. 1429 mit der Promotion zum Doktor der Theologie abschloß. Am 20.10. 1434 schrieb er sich als »sacrae scripturae professor« an der Universität Rostock ein, um der Promotion des Helmich von Gandersheim beizuwohnen. In der Nachfolge seines Ordensbruders Matthias Döring leitete J. bis 1444 und mit großem Erfolg das Franziskanerstudium an der Erfurter theologischen Fakultät. Ferner wirkte und predigte er in Breslau (1425), Heidelberg (1441), Liegnitz (1442), Halberstadt und Goslar (1444) sowie in Braunschweig (1455). — J. hat ein umfangreiches theologisches Œuvre hinterlassen. Neben zahlreichen Predigten und Gutachten zu kirchenrechtlichen Fragen (etwa zum »Heiligblutwunder« von Wilsnack; zur Frage der Neutralität der Kurfürsten) ist vor allem zu nennen der um 1424/25 entstandene, vollständige und nur in einer Handschrift überlieferte Kommentar zu den vier Sentenzbüchern des Petrus Lombardus. Das wohl am Studium generale in Erfurt verfaßte und für Franziskaner - streng systematisch - geschriebene Werk zitiert ausführlich Bonaventura, Duns Scotus, Thomas von Aquin u. a. J. verkörpert - nach Meier (1935) - »die beste Tradition der Franziskanerschule«, und er müsse zu den bedeutendsten Theologen des 15. Jahrhunderts gerechnet werden.

Werke: Quaestio de Ecclesia; Quaestio disputata de Ecclesiae potestate, um 1442; Sermo de sanguine Christi, um 1443; Quaestio magistralis de sanguine Christi, um 1455; Informatio super officio praedicationis.

Lit.: Ludger Meier, Der Sentenzkommentar des J. B., in: FS 15, 1928, 161-169; — Ders., Neue Angaben über den Erfurter Franziskanertheologen J. B., in: Scholastik 6, 1931, 401-417; — Ders., Studien zur Franziskanertheologie an den Universitäten Leipzig und Erfurt, in: FS 20, 1933, 261-285; — Ders., Der Erfurter Franziskanertheologe J. B. und der Streit um das Wilsnacker Blutwunder, in: Aus der Geisteswelt des MA. Festschr. Martin Grabmann zum 60. Geb. 2. Bd., Münster 1935, 1247-1264; — Ders., Die Barfüßerschule zu Erfurt, Münster 1958; — Erich Kleineidam, Universitas Studii Erffordensis, T. 1: 1392-1460, Leipzig 1964 (s. Reg. Bd. 2); — LThK ²V, 1011; — VerfLex ²I, Sp. 1018-1023 (Verz. der Hss. u. Lit.).

Reinhard Tenberg

JOHANNES de Brevi Coxa (Jean Courtecuisse), französischer Theologe und Kirchenpolitiker, * um 1350 in Allaines (Dep. Orne), † 4.3. 1423 in Genf. — J. studierte seit 1367 in Paris Grammatik, Philosophie und Theologie, seit 1389 nahm er ebendort Lehrtätigkeit wahr. Wegen seiner gründlichen Kenntnisse erhielt er den Beinamen »doctor sublimis«. Als Kanoniker von Poitier, Notre Dame de Paris und Le Mans bezog er reiche Pfründen. J. wurde 1408 Aumônier Karls VI., von 1416-21 war er Dekan der Theologischen Fakultät der Sarbonne in Paris. König und Universität betrauten ihn mit wichtigen Missionen nach England, Deutschland und nach Avignon, um Anhänger für die »via cessionis« (Abdankung der beiden Päpste Bonifaz IX. und Benedikt XIII.) zu gewinnen. Als Benedikt 1407 eine Bannbulle gegen seine Nichtanhänger erlies, rief J. in einer Rede mit drei Anklagepunkten zur Verbrennung derselben auf, die am 21.5. 1408 in Paris erfolgte. Nach dem Scheitern der »via conventionis« nahm J. an den Konzilien von Paris (1408), Pisa (1409) und Rom (1412), vielleicht auch am Konstanzer Konzil teil. J. wurde 1420 auf Veranlassung Karls VI. zum Bischof von Paris gewählt, konnte wegen des Widerstandes des englischen Königs Heinrich V. das Amt nicht antreten und wurde 1422 von Papst Martin V. nach Genf versetzt. Sein reicher literarischer Nachlaß umfaßt neben wissenschaftlichen Disputationen Reden und Predigten. Bedeutend ist der »Tractatus de fide et ecclesia«, in dem J. die Unfehlbarkeit des Papstes und des Generalkonzils diskutiert. — J. bemühte sich seit Ausbruch des Abendländischen Schismas, die Einheit der Kirche wiederherzustellen.

Werke: Exercises théologiques; Tractatus de fide et ecclesia, de romano pontifice et concilio generali, ed. L. E. Dupin, 1706, 805-904; Cédule de vote à l'assemblée du clerge de maijuillet 1398; Traité de Quarte Vertus translaté en françois; Quinze Discours; Vingt Discours et Sermones contenus; Die Reden sind ediert bei: G. di Spephano, L'oeuvre oratoire francaise de Jean Courtecuisse, 1969.

Lit.: Martin de Alpartits, Chronica actitatorum temporibus Benedicti XIII, ed. F. Ehrle, 1906, 25, 161; — A. Coville, Les Cabochiens et l'ordonnance de 1413, 1888; — Ders., Recherches sur Jean Courtecuisse et ses Œuvres oratoires, in: Bibl. de l'Ecole des Chartres 65, 1904, 469-529; — Ders., Jean Petit: La question du tyrannicide au commemcement des XVe siècle, 1932; — P. Féret, La Faculté de Theologie de Paris, Moyen Age, Bd. 4, 1897, 169-180; — Noël Valois, La France et le Grand Schisme d'Occident, Bd. 3-4, 1901-1902; — L. Dax, Die Universitäten und die Konzilien von Pisa und Konstanz, 1910; — Georges de Lagarde, La Naissance de l'esprit laique au déclin du Moyen Age, 1956-1970[2]; — E. Delaruelle u. a., L'Église au temps du Grand Schisme et de la crise conciliaire, 1963/64; — Heiko A. Oberman, The Harvest of Medieval Theology, 1963 (dt. Übers. »Spätscholastik und Reformation«, 1965; — Remigius Bäumer, Nachwirkungen des konziliaren Gedankens in der Theologie und Kanonistik des frühen 16. Jh.s, Reformationsgesch. Studien und Texte 100, 1971; — Howard Kaminsky, The Politics of France's Subtraction of obedience from Pope Benedict XIII, in: Proc. of the American Philos. Society 115, 1971, 366-397; — Ders., Simon de Cremaud and the Great Schism, 1983; — Hermann-Josef Sieben, Die »questio de infallibilitate concilii generalis« (Ockhamexzerpte) des Pariser Theologen Jean Courtecuisse, in: Annuarium historiae conciliorum 8, 1976, 176-199; — Ders., Traktate und Theorien zum Konzil vom Beginn des großen Schismas bis zum Vorabend der Reformation (Frankfurter Theol. Studien 30), 1983; — Francis Oakley, The »Tractatus De Fide Et Ecclesia, Romano Pontifice Et Concilio generali« of J., in: Annuarium Historiae conciliorum 10, 1978, 99-130; — DHGE XIII, 953-954; — DBF IX, 1009-1010; — EC III, 87; — NewCathEnc II, 793; — DThC III, 2, 1984-1985; — DSP VIII, 405-406; — LThK V, 1011-1012.

Heike Mierau

JOHANNES *von Bromyard* (auch: Bromeard, Bromierde, Bronnerde), OP, * in Bromyard, Herefordshire, † nach 1409 in Oxford. — Nach dem Studium der Theologie und Jurisprudenz in Oxford wurde J. Lektor für Theologie in Cambridge und Professor in Oxford. Er war heftiger Gegner John Wicliffs; ob er 1382 am 4. Londoner Konzil, auf dem Wicliffs Thesen verurteilt

wurden, teilnahm, läßt sich nicht sicher klären. Die von ihm zwischen 1360 und 1368 verfaßte »Summa Praedicantium« (1474 Basel, 1485 Nürnberg, 1518 Paris und Nürnberg u. ö.) ist eines der wichtigsten Predigerhandbücher des späten Mittelalters. Nach Schulte (II, 561) ist er auch der Autor der Schrift Opus trivium, die in einigen Ausgaben allerdings einem Philipp v. B. zugeschrieben wurde. — Durch die viel gelesene Schrift »Summa Praedicantium« hatte J. auf die Entwicklung der Predigt in England, aber auch auf dem Kontinent großen Einfluß.

Werke: Summa Praedicantium; Opus trivium perutilium materiarum praedicabilium; Tractatus contra Wiclefislas; Summa de b. Virgine; Lecturae Scriptuarum; Exhortationes; Registrum; Distinctiones LV.

Lit.: Quétif-Échard I, 700-701; — L. Hain, Repertorium bibliographicum I, 1, 1826, Nr. 3993-3996; — Beryl E. R. Formoy, The Dominican Order in England before the Reformation, 1925; — G. R. Owst, Preaching in Medieval England, 1926; — Ders., Literature and Pulpit in Medieval England, 1933, 1962[2]; — A. B. Emden, A Biographical Register of the Univ. of Oxford to A. D. 1500, 1957-1959; — J. I. Catto, The History of the Univ. of Oxford, 1984; — Catholicisme VI, 530-531; — CathEnc II, 797-798; — DNB VI, 405-406; — DDC VI, 95-96; — LThK V, 1012.

Heike Mierau

JOHANNES de Bronhiacco (Jean de Brogny), Kardinalbischof von Ostia, * 1342 in Brogny (Savoyen) als Sohn des wohlhabenden Mermet Fraczos, † 16.2. 1426 in Rom. — J. studierte in Genf und Avignon, wo er 1370 zum Doktor der Rechte promovierte. Der Gegenpapst Clemens VII. beauftragte ihn mit der Erziehung seines Neffen Amé de Saluces und übertrug ihm 1382 das Bistum Viviers. 1384-1385 redigierte er das Breviarium iuris. 1395 ernannte Clemens VII. ihn zum Kardinalpriester. Von 1391 bis zu seinem Tod war er Vizekanzler der römischen Kirche. P. Benedikt XIII. machte ihn 1405 zum Kardinalbischof von Ostia. 1410 übergab ihm P. Johannes XXIII. die Administation des Bistums Arles. Als Dekan des Kardinalkollegiums leitete er nach der Flucht P. Johannes XXIII. (17. April 1415) das Konstanzer Konzil. P. Martin V. ernannte ihn 1423 zum Administrator von Genf. In Annecy, Avignon und Genf machte er reiche Stiftungen. — J. gehört zu den zentralen Persönlichkeiten der Zeit des Großen Schismas.

Lit.: Acta concilii Constancienis, ed. Heinrich Finke, 1896-1928; — J.-L.-G. Souliave, Histoire de Jean d'Alonzier Allarmet de Brogny, cardinal de Viviers, 1774; — J.-F. Gonthier, Le cardinal de Brogny et sa parenté, 1889; — A. Mazon, Essai historique sur le Vivarais, 1890; — M. Souchon, Die Papstwahlen in der Zeit des Großen Schismas, 1898-1899; — Noël Valois, La France et le Grand Schisme d'Occident, 1902; — Johannes Hollnsteiner, Studien zur Geschäftsordnung am Konstanzer Konzil, in: FS Heinrich Finke, 1925, 240-256; — Konradin Zähringer, Das Kardinalskollegium auf dem Konstanzer Konzil, 1935; — Michel de Bouard, La France et l'Italie au temps du Grand Schisme d'Occident, 1936; — Karl Gatzemeier, Stellung und Politik der Kardinale auf dem Konstanzer Konzil nach der Absetzung Johannes' XXIII., Diss. Münster 1937; — Louise Ropes Loomis, The Council of Constance, 1961; — Karl August Fink, Das Konzil von Konstanz, in: Ulrich Richental, Das Konzil V. Konstanz, 1964, 11-20; — A. Franzen/W. Müller, Das Konzil von Konstanz, 1964; — Remigius Bäumer, Die Erforschung des Konstanzer Konzils, in: Wege der Forschung 415, 1977, 3-34; — Catholicisme II, 283; — DHGE II, 475-477 (s. v. Allarmet); — LThK V, 1012.

Heike Mierau

JOHANNES BURIDAN, Professor an der Pariser Universität, * um 1300 in Béthume (Grafschaft Artois), † bald nach 1358. — J.B. gehörte zum Pariser Ockhamistenkreis und führte 1325 und 1348 das Rektorat der Pariser Universität. Er war der bedeutendste unter Ockhams unmittelbaren Schülern. J.B. hat spezifisch theologische Themen nicht bearbeitet. Sein Interesse galt logischen, ethischen, psychologischen, metaphysischen und physikalischen Fragen. Er war der umfassendste Ausleger der Schriften des Aristoteles. Neben dem ethischen Problem der Willensfreiheit beschäftigten ihn vor allem Fragen aussagenlogischer Konsequenzbildung. Besondere Bedeutung haben die physikalischen Lehren J.B.s. Bei äußerlicher Anlehnung an die physikalische Bewegungslehre des Aristoteles, aber in tatsächlicher Abkehr von ihr, entwickelte er eine Impetus-Theorie, die im Ansatz das Trägheitsgesetz und den physikalischen Kraftbegriff umfaßte. Diese Dynamik faßte J.B. als eine Himmelsmechanik auf, womit die Gestirnintelligenzen der aristotelischen Kosmologie entbehrlich wurden. J.B.s Dynamik, im Kreise der Pariser Nominalistenschule entstanden, markiert die in der Spätscholastik beginnende Ablösung der Naturwissenschaften von der formal-ontologischen Diskussion des traditionellen Aristotelismus und ihren Neueinsatz bei den empirischen Phänomenen.

Werke: Johannis Buridani Summulae oder Compendium logicae mit dem Kommentar des Johannes Dorp, Paris 1487, 1504, Venet. 1489, 1499, Oxoniae 1637, Londini 1740; Quaestiones super octo physicorum libros, Paris 1509, 1516, unveränderter Nachdruck Frankfurt a.M. 1964; Quaestiones in libros de anima, Paris 1516; Quaestiones et decisiones physicales insignium virorum: Alberti de Saxonia, Thimonis, Buridani, recogn. et emend. summa accur. et iudicio Magistri Georgii Lockert, Paris 1516, 1568; In metaphysicen Arist. Quaestiones, Paris 1518, unveränderter Nachdruck Frankfurt a.M. 1964; Quaestiones super decem libros ethicorum Arist. ad Nicom., Paris 1489, 1500, 1513, 1518, Oxford 1637, unveränderter Nachdruck Frankfurt a.M. 1968; Quaestiones in libros politicorum Arist., Paris 1500, Oxford 1640; Quaestiones super Libris quattuor de caelo et mundo. Ed. by E.A. Moody, Cambr. (Mass.) 1942.

Lit.: Bulaeus, Hist. Univ. Paris. IV, 212; — A. Stöckl, Gesch. d. Phil. d. Mittelalt. II, Mainz 1865, 1023-1028; — Ders., Kirchenlexikon 2, 2.Aufl. 1883, 1536-1539; — C. Prantl, Gesch. d. Logik IV, Leipzig 1870, 14-38; J.B. Hauréau, Hist. de la philos. scol. II, 2, Paris 1880, 452f.; — H. Denifle, Chart. Univ. Paris II, 1, Paris 1891, 307, 621 f., 645f.; — J.Ed. Erdmann, Grundriß d. Gesch. d. Philos. I, 4. Aufl. Berlin 1896, 473; Wagenmann-Schmid, Realenzyklop. f. prot. Theol. 3, 3. Aufl. 1897, 570f.; — H. Siebeck, Die Willenslehre bei Duns Scotus u. s. Nachfolgern, in: Zschr. f. Philos. 112, 1898, 199-206; — J. Verweyen, Das Problem d. Willensfreiheit in der Scholastik, Heidelberg 1909, 218-229; — P. Duhem, Études sur Léonard de Vinci, 2e série, Paris 1909, 379-384 (über das Unendliche), 420-423 (über das Wesen der Schwere), 431-438 (über das Individuationsprinzip), Ders., Ebenda 3e série, Paris 1913, 1-112 (Jean Buridan et Léonard de Vinci, 113-259 (La tradition de Buridan et la science italienne au XVI. siècle) 279-286 La dynamique de Jean Buridan et la dynamique des Soto), 350-360 (La dynamique d'Oresme et la dynamique de Buridan); — M. de Wulf, Hist. de la philos. en Belgique, Bruxelles-Paris 1910, 130-132, Ders., Gesch. d. mittelalt. Philos., dt. Übers. v. R. Eisler, Tübingen 1913, 383f.; — O. Klemm, Gesch. d. Psychologie, Leipzig 1911, 375f.; — F. Ueberweg u. M. Baumgartner, Grundriß d. Gesch. d. Philos. d. patristischen und scholastischen Zeit, 10. Aufl., Berlin 1915; — K. Michalski, Les courants philos. à Oxford et à Paris pendant le XIVe siècle 1922, Ders., Le Criticisme et le Scepticisme dans la philos. du XIVe siècle 1925; — A. Maier, Das Problem der intensiven Größe in der Scholastik, 1939, Dies. , Die Impetustheorie der Scholastik, 1940, Dies., An den Grenzen von Scholastik und Naturwissenschaft, 1943, Dies., Die Vorläufer Galileis im 14. Jh., 1949; — V. Rüfner, Probleme mittelalterlicher Physik und ihre Weiterbildung in der Neuzeit, in: Dt. Vjschr. 1942, 133ff; — E. Faral, Jean Buridan. Notes sur les manuscrits, les éditions et le contenu de ses ouvrages. In: Archives d'hist. doctr. et littér. du m.-â. 15, 1946, 1-53; — Ders., J.B., maître des arts de l'Université de Paris, Paris 1950; — I.M. Bocheński Formale Logik, Freiburg u. München 1956; — W. Ziegenfuss, Philosophen-Lexikon, 1949, 159f.; — E. A. Moody, J.B. and the habitability of the earth, in: Speculum 16, 1941, 415-25; — Ders., Ockham, B. and Nicolas of Autrecourt, in: Franciscan Studies 7, 1947, 113-46; — R.S. Ingarden, Deux Conceptions de la science, B. et Copernicus, in: Pensée, 1954, 17-28; — M.E. Reina, Note sulla psicologia di B., Milano 1959; — Ders., Il Problema del linguaggio in B., Venezia 1959; — M. Grignaschi, Un Commentaire nominaliste de la »Politique« d'Aristote: J.B., in: Anciens Pays et Assemblées d'Etats 19, 1960, 123-42; — V. Zoubov, J.B. et les concepts du point au quatorzième siècle, in: Mediaeval and Renaiss. Studies 5, 1961, 43-95; — J.J. Walsh, Is B. a sceptic about free will?, in: Vivarium 2, 1964, 50-61; — Ders., B. and Seneca, in: Journ. hist. of ideas 27, 1966, 23-40; — T.K. Scott, J.B. on the objects of demonstrative science, in: Speculum 40, 1965, 654-73; — G. Federici Vercovini, La Concezione della natura di G.B., in: Atti del 3. Congr. internaz. di filos. medioev., Milano 1966, 616-24; — J.B. Korolec, Le Commentaire de Jean Buridan sur l'éthique à Nicomaque et l'université de Cracovie dans la première moitié du XVe siècle, in: Organon 10, 1974, 188-208; — Ders., J.B., La philosophie de la liberté de Jean Buridan, in: Studia Mediewistyczne 15, 1974, 109-152, Ders., J.B., L'éthique à Nicomaque et le problème du libre arbitre à la lumière des commentaires parisiens du XIIIe siècle et la philosophie de la liberté de Jean Buridan, in: A. Zimmermann (Hg.), Die Auseinandersetzungen an der Pariser Universität im XIII. Jahrhundert, Berlin New York 1976, 321-348; — E.A. Moody, Studies in Medieval Philosophy, Science and Logic, Berkely 1975; — A. Ghisalberti, Giovanni Buridano, dalla metafisica alla fisica, Milano 1975; — H. Blumenberg, Die Genesis der kopernikanischen Welt, Frankfurt a.M. 1975; — G. Krieger, Der Begriff der praktischen Vernunft nach Johannes Buridanus, Münster 1986.

Jendris Alwast

JOHANNES *von Capestrano*, Wander - und Bußprediger, Ordensreformator, Kirchenpolitiker, * 24.6. 1386 in Capestrano (Abruzzen), † 23.10. 1456 zu Ilok an der Donau. — J. studierte zunächst Rechtswissenschaften in Perugia. Als Vertrauter von König Ladislaus von Neapel, der Pfandrechte auf die umbrische Stadt hatte, wurde er hier Richter, jedoch in einer kriegerischen Fehde gefangengenommen. Diese Gefangenschaft (1416) war der äußere Anstoß für seine innere Umkehr. Unter dem Eindruck einer Vision des Franz von Assisi bat er um das franziskanische Ordenskleid, nachdem er sich für eine hohe Summe freigekauft und den Rest des Geldes an die Armen verteilt hatte. Nach dem Studium (unter Bernhardin von Siena, seinem Freund) trat er seit etwa 1425 als Bußprediger auf, dem die Massen zuströmten. Das brachte ihm das Vertrauen mehrerer, nacheinander regierender Päpste, die ihn (wie übrigens auch mehrere weltliche Herrscher) mit verschiedenen kirchenpolitischen Aufgaben betrauten. Innerhalb seines Ordens wirkte er als Reformer, unter anderem durch Anhebung der Anforderungen der theologischen Studien. Seine folgenreichsten Aufgaben waren einerseits die Hussitenmission: Es wird von der Rückführung von 16.000 Hussiten zur katholischen Kirche berichtet. Andererseits griff er nach Art eines Kreuzzugspredigers in den Türkenfeldzug von 1456 ein. Die Rettung Belgrads war weitgehend sein Werk. 1690 wurde J. heiliggesprochen. — Der Vielfalt seiner Tätigkeiten bzw. Interessen entspricht die Vielfalt seiner literarischen Tätigkeit. Es existieren aus seiner Feder kanonistische Untersuchungen, theologische Abhandlungen und Traktate, Bußbücher, Briefe und vieles mehr. Er gehört auch in dieser Hinsicht zu den facettenreichsten Gestalten der Kirchen - bzw. Heiligengeschichte. Eine umfassende Gesamtwürdigung steht noch aus.

Werke: Eine Gesamtausgabe, die aber bruchstückhaft blieb, bereitete im letzten Jahrhundert der Franziskaner J. A. Sessa vor. Was er sammelte, umfaßt ca. 20 Bände, die der römischen Bibliothek Ara Coeli zugänglich sind. Einen ersten, lit. Überblick verschafft das Werk von A. Chiappini, La produzione letteraria di S. Giovanni da Capestrano, Gubbio 1927; Vgl. Ders., Reliquie letterarie Capestranesi, Aquila 1927, wo Zahlreiches an Nachlaßbeständen aus dem Franziskanerkloster von Capestrano und aus Privatsammlungen verzeichnet ist. In Wien wird seit 1957 die Briefliteratur gesammelt. Nicht Weniges (größtenteils ungedruckt) findet sich verstreut in verschiedensten Bibliotheken.

Lit.: S. Massanonio, Della maravigliosa vita, gloriose attioni felice passagio al cielo del B. G. di C., Venedig 1627; — P. A. Hermann, C. triumphans, Köln 1700; — Jakoschitsch, Synopsis vitae, mortis et operum J. de C., Buda 1803; — Kirchhueber, Vita S. J. C., München 1691 (dt.: Augsburg 1847); — Blase, Der hl. J. v. C., son siècle et son influence, Bordeaux-Paris 1887; — F. Banfi, Le fonti per la storia di S. G. di C., in: Studi Francescani 53, 1956, 299-344; — J. Hofer, J. K. Ein Leben im Kampf der Kirche (hrsg. v. O. Bonmann), 2 Bde., Rom 1966 (Lit.); — WWKl VI, 1606-1611; — LThK V, 1014 f.

Harald Wagner

JOHANNES CAPGRAVE, OSA, angesehener Theologe und Hagiograph, bedeutender Historiker, Verfasser zahlreicher Werke in englischer Sprache, * 21. April 1393 zu King's Lynn (Norfolk), † ebd. 12. August 1464. — Um 1410 trat er, wohl in seiner Vaterstadt, in den Augustiner-orden ein. 1416/17 empfing er die Priesterweihe und erwarb 1421 den Grad des Lector. Bald nach 1422 hielt er in Cambridge seine Senten-zenlesung und wurde dort um 1430 zum Magi-ster der Theologie promoviert. 1446 ist er als Prior seines Heimatklosters bezeugt. 1450/51 verbrachte er einige Zeit auf einer Pilgerfahrt in Rom. 1453-57 war er Provinzial der englischen Augustinerprovinz. Die weitaus meiste Zeit sei-nes Lebens konnte er sich dem Studium und seinen literarischen Arbeiten widmen. Die Liste seiner Werke beträgt nicht weniger als 44. Doch ist von ihnen nur ein relativ kleiner Teil erhalten geblieben. Verschollen sind sein Sentenzen-kommentar und die meisten seiner zahlreichen Bibelkommentare, auch sein »Manipulus doctri-nae christianae«. Von seinen erhaltenen Schrif-ten seien hervorgehoben: »De illustribus Henri-cis libri tres« von 1446/47 (ediert 1858), eine Abhandlung von mehr panegyrischem Charak-ter, die er dem englischen König Heinrich VI. widmete. J.C. bietet die Viten der Kaiser Hein-rich I. bis Heinrich VII., die der englischen Kö-nige Heinrich I. bis Heinrich VI. und die zwölf weiterer Persönlichkeiten mit Namen Heinrich, darunter Fürsten, Bischöfen und Literaten. — »Ye Solace of Pilgrimes in three books« (ediert 1911), ein Werk, das J.C. um 1451 nach seiner Rückkehr von Rom verfaßte. Man hat es als die beste Beschreibung des antiken und christlichen Rom bezeichnet, die im Spätmittelalter von ei-nem Engländer geschrieben wurde. Im gleichen Englisch, dem Dialekt von Norfolk, verfaßte er auch mehrere Heiligenleben, darunter die um-fangreichen Dichtungen »The Life of St. Nor-bert« von ca. 1440 (ediert 1977) und »The Life of St. Katharine of Alexandria in five books« von ca. 1445 (ediert 1893). Sein bedeutendstes Werk ist »The Chronicle of England« von ca. 1462 (ediert 1858). Es ist die älteste Darstellung der Geschichte Englands in englischer Sprache, vom Verfasser König Eduard IV. gewidmet. J.C. führt seine Chronik von der Erschaffung des ersten Menschen bis zum Jahre 1417 fort. Für die letzten hundert Jahre ist das Werk eine wert-volle historische Quelle. — Auch wenn J.C.s historische und hagiographische Schriften zum Teil mehr kompilatorischen Charakter tragen, so ist seine schriftstellerische Leistung doch be-

deutsam. Er zeigt sich in vielem gut unterrichtet und bemüht sich um eine klare und im allgemei-nen auch objektive Darstellung.

Werke: a) nur handschriftlich sind überliefert: Commentari-us in Genesim, verfaßt 1437/38; Commentarius in Exodum, verfaßt 1439/40; Commentarius in Actus Apostolorum, ver-faßt nach 1457; De fidei symbolis libri tres, verfaßt um 1462; b) in einem Band ediert wurden 1910 (reimpr. 1971): The Life of St. Augustine, verfaßt vor 1451; The Life of St. Gilbert of Sempringham, verfaßt 1451; Tretis of the Orderes that be undyr the Reule of oure Fader Seynt Augustin, verfaßt 1451; c) Nova legenda Anglie, wiederholt gedruckt, zuletzt 1901. Autor des Werkes ist Johannes von Tyne-mouth; J.C. hat es nur etwas überarbeitet und ergänzt heraus-gegeben.

Lit.: Wilhelm Dibelius, J.C. und die englische Schriftspra-che, in: Anglia 23, 1900, 153-194, 323-375, 427-472; 24, 1901, 211-263, 269-308; — George Sanderlin, J.C. speaks up for the Hermits, in: Speculum 18, 1943, 358-362; — Rudolph Arbesmann, Jordanus of Saxony's Vita S. Augusti-ni, the source for J.C.s Life of St. Augustine, in: Traditio 1, 1943, 341-353; — Ders., The »Malleus« metaphor in medie-val characterization, ebenda, 3, 1945, 389-392; — Alberic de Meijer, J.C., in: Augustiniana 5, 1955, 400-440; 7, 1957, 118-148, 531-575; — Nicolaus Toner, Augustinian Spiritual Writers of the English Province..., in: Augustinus vitae spi-ritualis Magister II, 1959, 493-523, bes. 507-512; — Auvo Kurvinen, The Source of C.s »Life of St. Katharine of Alex-andria«, in: Neuphilologische Mitteilungen 61, 1960, 268-324; — A. B. Emden, A Biographical Register of the Uni-versity of Cambridge to 1500, 1963, 121-122; — Th. Wol-pers, Die englische Heiligenlegende des MA, 1964, 330-342, 404-408; — Francis Roth, The English Austin Friars 1249-1538, I, 1966, 110-116, 413-424, 523-528; — Peter J. Lucas, J.C.... Scribe and »Publisher«, in: Transactions of the Cambridge Bibliographical Society V, 1, 1969, 1-35; — Ders., J.C. and the Nova Legenda Anglie. A survey, in: The Library, 5.ser., 15, 1970, 1-10; — Ders., Consistency and Correctness in the Orthographic Usage of J.C.s Chronicle, in: Studia Neophilologica 45, 1973, 323-355; — Ders., A fifteenth - century copyist at work under authorial scrutiny: an incident from J.C.s scriptorium, in: Studies in Biblio-graphy 44, 1981, 66-95; — Edmund Colledge - Cyril Sme-tana, C.s Life of St. Norbert. Diction, Dialect and Spelling, in: Medieval Studies 34, 1972, 422-434; — Edmund Colled-ge, The C. »Authographs«, in: Transactions of the Cam-bridge Bibliographical Society 6, 1974, 137-148; — Ders., J.C.s literary vocation, in: AAug. 40, 1977, 185-195; — Jane C. Fredeman, J.C. s Life of St. Gilbert of Sempringham, in: Bulletin of the John Rylands Library 55, 1972-73, 112-145; — Dies., J.C.s first English composition, »The Life of St. Norbert«, in: Bulletin of the John Rylands Library 57, 1975, 280-309; — Dies., J.C.s »Life of St. Augustine«, in: Augu-stiniana 28, 1978, 288-309; — Dies., The Life of J.C., in: Augustiniana 29, 1979, 197-237; — Dies., Style and charac-terization in J.C.s »Life of St. Katherine«, in: Bulletin of the John Rylands Library 62, 1979-80, 346-387; — D. Pearsall, J.C.s »Life of St. Katharine« and popular romance style, in: Medievalia et Humanistica n.ser. 6, 1975, 121-137; — M. A. Stouck, Chaucer and C.s »Life of St. Katharine«, in: The

American Benedictine review 33, 1982, 276-291; — Stegmüller RB III nrr. 4283-4304; — DNB III², 929-931; — Encicl. Eccles. I, 593-594; — Encicl. Cathol. I, 662; — DHGE XI, 855-856; — Dizionario Eccles. I, 500; — NCBEL I, 663-665; — LThK V², 1015-1016; — Encycl. Brit. IV, 792; — NewCathEnc. III, 78-79; — Lex. MA II, 1471; — Für weitere Literatur siehe »Bibliographie Historique de l'Ordre de Saint Augustin«, in: Augustiniana 26, 1976, bes. 191-192; 28, 1978, bes. 484-485; 31, 1981, bes. 85-86; 35, 1985, bes. 95-96.

Adolar Zumkeller

JOHANNES CAPREOLUS (? - 6.4. 1444), Dominikaner-Kommentator Thomas von Aquins. Geburtsjahr, Herkunft und weltlicher Name sind unbekannt. Die einzigen zuverlässigen Lebensdaten sind sein Eintritt in die Ordensprovinz in Toulouse (1407), sein Lizentiat an der Pariser Universität (1411), wo er einige Jahre gelehrt zu haben scheint, sowie seine Anwesenheit - z. T. als Regens - in den Konventen von Toulouse (1418) und Rodez (ab 1426), wo er starb. — Sein einziges, allerdings viele Jahrhunderte hindurch berühmtes Werk ist ein Sentenzenkommentar (entstanden 1409-1432), der erstmals 1483 in Venedig im Druck erschien. Anstatt wie üblich die Sentenzen des Lombardus zu kommentieren, enthält der Text eine umfassende, als Verteidigung konzipierte Gesamtdarstellung des Werkes Thomas von Aquins. Dabei berücksichtigte C. im Gegensatz zu den Kommentatoren des 16. Jahrhunderts, Thomas del Vio (Kardinal Cajetan: Kommentar zur Summa Theologiae) und Francesco de Ferrara (de Sylvestris Ferrariensis: Kommentar zur Summa contra Gentiles) alle, auch die kleineren Werke von Thomas. Deshalb galt er jahrhundertelang als »Princeps Thomistarum« und noch Grabmann bezeichnete seine Defensiones als »das geschichtlich bedeutsamste Werk, das die Thomistenschule zur Verteidigung des Aquinaten hervorgebracht hat«. Von historischer Bedeutung ist insbesondere seine Auseinandersetzung mit Duns Scotus und den Nominalisten; die Lehre von Thomas hätte ohne das Werk von C. wohl nie das 15. Jahrhundert überlebt. Obwohl er an Thomas-Kenntnis und -Treue erheblich die beiden anderen großen Thomas-Kommentatoren übertrifft, ist C.s monumentales Werk von den

Neothomisten freilich nur noch vereinzelt berücksichtigt worden.

Werke: Bibliographie in P. Wyser, Hrsg., Der Thomismus, Bern 1951, 24 ff.; über die Manuskripte und älteren Ausgaben vgl. Th. Kaeppeli, Scriptores Ordinis Praedicatorum Medii Aevi, Rom 1975, II, 395 ff.; die jüngste und beste Ausgabe des Sentenzenkommentars ist jene von C. Paban und T. Pègues: Defensiones theologicae Divi Thomae Aquinatis, Tours 1899-1908, 7 Bde. Die bis heute grundlegende Darstellung: M. Grabmann, J. C., in: Divus Thomas (Fribourg) XX (1944), 85-109, 145-170, vgl. ders., Mittelalterl. Geistesleben, München 1956, Bd. III, 370-410.

Lit.: J. Ude, Doctrina Capreoli de influxu Dei in actus voluntatis humanae, Graz 1905; — J. Kraus, Utrum Capreolus sit Thomista, Radkersburg 1931; — K. Forster, Die Verteidigung der Lehre des hl. Thomas von der Gottesschau durch J. C., München 1955.

Nikolaus Lobkowicz

JOHANNES Cassianus = Johannes von Massilia (Marseille), Mönch und kirchlicher Schriftsteller, Lehrmeister der abendländischen Mönchsregeln, * um 360, nach dem derzeitigen Forschungsstand wahrscheinlich in der römischen Provinz Scythia minor, der heutigen Dobrudscha, Sohn offensichtlich wohlhabender und frommer Eltern, † 430/435 (nach R. d'Amat wenig nach 433) in Marseille. — Zwar ist nicht bekannt, wo er studiert hat, aber daß er eine im damaligen Sinn klassische Bildung genossen hat, ergibt sich aus seinem eigenen Werk. Als junger Mann pilgerte er nach Palästina. In einem Kloster zu Bethlehem verschrieb er sich dem Mönchsleben. Allerdings zog er etwa 385 mit einem Freund namens Germanus in die Wüste weiter, um dort die Quellen des christlichen Zönobitentums aus eigener Anschauung kennenzulernen. Seine Mitbrüder ließen die beiden jedoch nur gegen das Versprechen ziehen, baldmöglichst wieder zurückzukehren. Offensichtlich gefiel denen aber die Erhabenheit des Anachoretentums derart, daß sie trotz erheblicher Gewissensbisse auf die Beschwichtigungen des Altvaters Joseph hin volle sieben Jahre blieben. Danach erst kehrten sie zurück. Doch nur für kurze Zeit. Bald gingen sie für noch drei weitere Jahre zu den Einsiedlern in die Thebais. Um 401 verließ J. C. mit seinem Gefährten wohl im Zusammenhang mit der Auseinandersetzung zwischen dem Patriarchen Theophilos von Alexandrien (345 bis ca. 412) und den anthropomorphitisch gesinnten Mönchen der Wüste endgültig Ägypten. Der Ruf des Patriarchen Johannes Chrysostomos (344/354-407) zog sie nach Konstantinopel. Sein Schüler gewesen zu sein, sah J. C. stets als eine große Ehre an. Von ihm wurde er zum Diakon geweiht. Die Priesterweihe erhielt er wohl später in Rom. Dorthin war er nämlich 405 mit Germanus vom treuen Klerus Konstantinopels geschickt worden, um den Schutz des Papstes Innozenz I. (s.d.) für den durch die Verleumdungen der mit der Kaiserin Eudoxia verbündeten Bischöfe verfolgten Chrysostomos zu erwirken. Diese Mission hat er erfolgreich erledigt. Ob er daraufhin wieder nach dem Osten zurückgekehrt ist, läßt sich bislang ebensowenig feststellen wie die Gründe, die ihn eines Tages bestimmten, in die Provence zu ziehen. Dort jedenfalls gründete er (der Name seines Freundes Germanus taucht jetzt nicht mehr auf) nach Gennadius (†492/505) um 415 bei Marseille das Kloster »St. Victor« für Männer und ein Frauenkloster. Sie wurden in einer Zeit barbarischer Verwüstung Zufluchtsort für Menschen in Not und Stätten des Friedens, sowie Zentren intellektuellen Lebens und monastischer Spiritualität. Sie wirkten getreu dem Geiste ihres Gründers weit hinein nach Gallien und Spanien. J. C. starb gegen 435. Schon Papst Gregor d. Große (s.d.) nennt ihn einen Heiligen (PL LXXVII, 866). In Marseille wird sein Fest am 23. Juli gefeiert. — J. C. übermittelte durch seine Schriften dem Westen die geistige Erfahrung der Mönchsväter des Ostens. So hat er nachhaltig das abendländische Mönchtum geprägt und für seine Ausbreitung gesorgt. In der Theologiegeschichte apostrophiert man ihn gern als den Vater des Semipelagianismus, doch sollte daneben seine überragende Bedeutung für die Entwicklung der Moraltheologie nicht übersehen werden. — 419-426 schrieb er für den Bischof Castor von Apta Julia seine erste große Arbeit, die zwölf Bücher »De institutis coenobiorum et de octo principalibus vitiis«. Darin stellt er zunächst das monastische Leben und die Gebräuche der Zönobiten auf Grund seiner persönlichen Erlebnisse dar. Anschließend folgt eine Beschreibung der acht Hauptsünden, sowie eine Darlegung der Mittel zu ihrer Bekämpfung, wobei er sich an Euagrios Pontikos (346-399)

anlehnt. Hier finden sich die Anfänge zur »Kasuistik«. — Sein zweites maßgebendes Werk sind die 24 Bücher »Collationes patrum«. In der Form eines Gesprächs beschreibt er darin das beschauliche Leben der orientalischen Mönche. Der große aszetische Reichtum, der sich hier auftat, machte tiefen Eindruck auf das Klosterleben des Abendlandes. — 430 schrieb er auf Bitten des späteren Papstes Leo d. Großen (s.d.), der den Kenner des Anachoretentums und Schüler Joh. Chrysostomos besonders schätzte, sieben Bücher gegen Nestorius, »De incarnatione Christi«. Erst durch diese dritte umfangreiche Arbeit wurden die nestorianischen Wirren auch im Westen bekannt. Obwohl J. C. als Verteidiger der rechten Lehre auftritt, geriet er in den Verdacht der Irrlehre. Prosper von Aquitanien machte umgehend Augustinus (s.d.) auf semipelagianische Ansichten J. C.s aufmerksam. Dieser sah sich dadurch veranlaßt, sich noch einmal, schon am Ende seines Lebens, zu einer Widerlegung auch dieser Form des Pelagianismus aufzuraffen (»De praedestinatione sanctorum« und »De bono perseverantiae«). Indes kann J. C. unmöglich der formellen Häresie beschuldigt werden, denn zum einen grenzt er sich scharf gegen Pelagius ab und folgt eher der Lehre des Augustinus, zum anderen entzog erst das später von Rom bestätigte Konzil von Orange (529) den Streit um die Gnadenfrage der allgemeinen Diskussion. Jedenfalls konnte diese Auseinandersetzung dem J. C. nicht schaden. Er starb im Ruf der Heiligkeit.

Werke: De institutis coenobiorum: PL XLIX, 53-476; CSEL XVII, 1-231; Collationes patrum: PL XLIX, 477-1328; CSEL XIII, 1- 711; De incarnatione Christi: PL L, 9-371; CSEL XVII, 233-391. Dt. Übers.: A. Abt/K. Kohlhund, 2 Bde.: BKV, 1879; A. Kemmer/K. Kass, Weisheit der Wüste, ausgewählte Texte, Ei 1948; — Eine Paraphrase der »Collationes fratrum« verfaßte Johannes Nider (1380-1438) unter dem Titel »Vierundzwanzig guldin Harfen halten den nächsten beg zum Himmel« (nicht ediert!).

Lit.: Gennadius von Marseille, De viris illustribus: PL LVIII, 1094 f.; — Bardenhewer IV, 558 ff.; — Altaner/Stuiber[9], 452-454; — H.-J. Marrou, Geburtsort J. C., in: OrChrP XIII, 1947, 588-596; — A. Kemmer, Quellen des J. C., in: OrChrP XXI, 1955, 451-466; — Texte der Kirchenväter (Alfons Heilmann Hrsg.), V, 128 f.; — Refferscheid u. M. Petschenig, Über die textkrit. Grundlagen von Cassians Collationes, in: Sitz. Ber. d. Wiener Akademie, CIII, 491-519; — H. O. Weber, Die Stellung J. C. zur außerpachomianischen Mönchstradition, Münster 1961; — Wetzer u. Welte II, 2021-2025; — DThC II/2, 1823-1829; — LThK[1] II,

Freiburg 1931, 783 f.; — ECatt III, 1001-1004; — RGG³ I, 1626; — DBF VII, 1325; — LThK² V, 1016 f.

Karl-Heinz Kleber

JOHANNES (de) CAULIBUS (de San Geminiano), OFM, spiritueller franziskanischer Schriftsteller, lebte um 1300 im Kloster San Geminiano in der Toskana. — Zu seiner Person ist fast nichts bekannt, wichtig ist er als möglicher Autor der »Meditationes vitae Christi«. Das für eine Klarissin verfaßte, jahrhundertelang dem hl. Bonaventura zugeschriebene Werk wurde bald das rel. Volksbuch des 14. Jh., es war von nachhaltigem Einfluß auf das rel. Leben, auf Literatur, Kunst (bes. Malerei) und diente als Quelle sowie Vorbild für viele rel. Schriftsteller. Erst in neuester Zeit wurde die Frage der Verfasserschaft von J.C. breiter gestellt und auch wieder angezweifelt, ganz überzeugende Gründe gibt es nicht.

Werke: Lat. Text: Bonaventura Sanctus, Liber aureus de vita Christi. 1485 (?); — ders., Vita Christi. ~ 1496; — ders., Meditationes vitae Christi. 1504; — ders., Opera omnia. VI, 1596, 349-419; — ders., Opera omnia... edita studio et cura A.C. Peltier. XII, 1848, XLI-XLIV (ND v. Benoit Bonnelli, Prodromus ad opera omnia S. Bonaventurae. 1767), XLIX, 509-630; — — (kritische Edition:) Isa Ragusa/Rosalie B. Green (Hgg.), Meditations on the Life of Christ. An illustrated Manuscript of the Fourteenth Century: Paris B.N. ital. 115. 1961; — — dt. Übersetzungen: Philibert Seeböck, Das Leben Jesu im Geiste des hl. Bonaventura neu dargestellt. 1875; — Das Leben Christi erzählt und betrachtet von dem hl. Bonaventura. 1890; — Bonaventura, Die Betrachtungen über das Leben Christi.... ins Deutsche übertragen von Johann Jakob Hansen. 1896; — J.C., Betrachtungen vom Leben Jesu Christi. Verdeutscht von Vinzenz Rock. (Franziskanische Lebenswerte. Reihe 2. Bd. 1 u. 2) 2 Teile. Berlin 1928; — dass. Eingel. u. teilweise umgearb. v. Gallus Haselbeck. Berlin 1929 (1931²). Übersetzungen in andere Sprachen: S. Bonaventura 1274-1974. V: Bibliographia Bonaventuriana (ca. 1850-1973) cura Jaques Guy Bongerol. 1974, 687.

Lit.: Benoit Bonnelli (s.o.); — A. Allmayer, Fra Giovanni da San Gimigniano Guardiano del Convento de' Minori in Sarzana nell' anno 1308. In: Miscellanea Storica del Valdelsa 2, 1894, 39-46; — Lucas Wadding, Scriptores Ordinis Minorum. 1906 (ND), 135; — ders., Annales Minorum. VIII, 1932 (ND), 391; — L. Van Puyvelde, De Invloed der »Meditationes vitae Christi« van den Pseudo Bonaventura op de Kunst. In: G. Van den Gheys (Hg.), Annales du 23e Congrès de Gand 1913. Documents et compte rendu. (Fédération archéologique et historique de Belgique) II, 1914, 190-216; — Livario Oliger, La »Meditationes vitae Christi« del Pseudo-Bonaventura. In: Studi Francescani 7, 1921, 143-

183/8, 1922, 18-47; — ders., Revelationes B. Elisabeth. Disquisitio critica una cum textibus latino et catalaunensi. In: Antonianum 1, 1926, 24 f, 28/2, 1927, 483 f; — Johannes H. Sbaralea (opus posthumum), Supplementum et castigatio ad scriptores trium ordinum S. Francisci a Waddingo, aliisve descriptos, cum adnotationibus ad syllabus martyrorum eorumdem ordinum. I, 1921 (ND) 51 f, II, 1921 (ND) 52 f; — N. Broeckaert, Vermaning om het Lijden en de lifde van Kristus te beschouwen. In: Bode 51, 1927/1928, 196-198; — Columban Fischer, Die »Meditationes vitae Christi«. Ihre handschriftliche Ueberlieferung und die Verfasserfrage. In: AFrH 25, 1932, 3-35, 175-209, 305-348, 449-483; — A. Vincke, Bouc van ons Heeren Levens in West-Vlaamse vertaling van de Meditationes Vitae Jesu Christi door pseudo-Bonaventura. (Licentiaatsthesis Gent) 1948; — Alberto Vaccari, Le »Meditazione della vita di Cristo« in volgare. In: ders., Scritti di erudizione e di filologia. I. (Storia e letteratura 42) 1952, 341-378; — Kurt Ruh, Bonaventura deutsch. Ein Beitrag zur deutschen Franziskaner-Mystik und -scholastik. 1956, 269-272; — Georgio Petrocchi, Sulla composizione e data delle »Meditationes vitae Christi«. In: Convivium, raccolta nuova, 1952, 757-778; — M. Munsterberg, Meditations on the Life of Christ. In: Boston Public Library Quarterly 10, 1958, 222 f; — Giuliano Gasca Queirazza, Intorno ad alcuni codici delle »Meditationes vitae Christi«. In: AFrH 55, 1962, 252-258/56, 1963, 162-174/57, 1964, 538-551; — F.R. Goff, An undescribed Spanish Incunabulum. In: Gutenberg-Jahrbuch 39, 1964, 110-114; — Jordan Stallings, Meditationes de passione Christi olim sancto Bonaventurae attributae, edited from the Manuscripts with Introduction and Commentary. (Thesis of the Catholic University of America, Washington) 1965; — Meinholf Mückshoff, Der Einfluss des hl. Bonaventura auf die deutsche Theologie mit bes. Berücksichtigung der Theologie und Mystik des seligen Heinrich Seuse. In: S. Bonaventura 1274-1974. Volumen commemorativum anni septies centenarii a morte S. Bonaventurae Doctoris Seraphici cura et studio commissionis internationalis Bonaventurianae. II: 1973, 249-253; — LThK¹ V, 486; — LThK² V, 1017; — DSp I, 1848-1856; — DSp VIII, 324-326. — Bibliographie: S. Bonaventura V. (s.o.), 687.

Klaus-Bernward Springer

JOHANNES, Metropolit von Chalkedon († ca. 825) — Quellen für J. sind epp. 166 und 221 (Mai-Cozza Luzi) (245 und 312 F.) sowie catech. parv. 22 (S. 79 f. Auvray) des Theodoros Studites. J. war der Nachfolger des Metropoliten Kosmas in der Metropolis von Chalkedon. Er entstammte einer vornehmen Senatorenfamilie, sein weltlicher Familienname war Kamulianos. Er wird von Theodoros Studites als treuer Ikonenverehrer und Bekenner der Kirche gelobt. Während der Regierung Leons V. (813-820) wurde J. festgenommen und eingesperrt. Nach der Thronbesteigung Michaels II. wurde er offenbar freigelassen; denn im Jahr 824 genießt er volle Bewegungsfreiheit, da er den Eremiten Ioannikios besuchte. J. ist an Fleckfieber gestorben. Er darf nicht mit dem gleichnamigen Metropoliten von Chalkedon verwechselt werden, der im 12. Jahrhundert kanonische Antworten auf Anfragen schrieb.

Lit.: J. Pargoire, Les premiers évêques de Chalcédoine. Échos d' Orient 4 (1900-1901) 110 f.; — M. Le Quien, Oriens christianus, I. Paris 1740, 604 f.

Georgios Fatouros

JOHANNES von Chalkitos (Chalke) († 825-826) — Als Quellen für einen kurzen biographischen Abriß des Abtes J. von Chalkitos sind epp. 5, 123, 189, 210, 223 (Mai-Cozza Luzi) (76, 197, 268, 298, 318 F.) des Theodoros Studites zu erwähnen. Wir erfahren, daß J. adliger Abstammung war und daß er während der Regierung Leons V. (um 816-817) als Ikonenverehrer ins Exil geschickt wurde. Theodoros Studites lernte er offenbar auf der Insel Chalke kennen, als dieser im Jahre 809 dorthin verbannt wurde. Auf Chalke hatte J. ein Kloster gegründet, welches mit dem späteren, vom Patriarchen Photios ausgebauten Hagia-Trias-Kloster identisch sein könnte. Vom Tod des J. spricht Theodoros Studites in ep. 2, 208 (Sirmond) (542 F.) sowie in catech. parv. 13 (S. 46 Auvray).

Lit.: A.P. Dobroklonskij, Prep. Theodor, ispovednik i igumen Studiiskij, II. Odessa 1914, 198 f.; 297.; 358 f.

Georgios Fatouros

JOHANNES Chrysostomus, * 344/354 in Antiochien am Orontes, 397-404 Patriarch von Konstantinopel, † 14.9.407 in Komana im Pontos, seit dem 6. Jahrhundert Chrysostomos, d. h. Goldmund, genannt. — Über seine Jugend sind wir schlecht unterrichtet. J. selbst kommt nur an vier Stellen seines umfangreichen Werkes auf Umstände bzw. Ereignisse dieser Zeit zu sprechen. Sein Vater war früh verstorben, so daß er von seiner Mutter Anthusa erzogen wurde. Deren freie Wahl, das damals gewiß harte Schicksal einer Witwe auf sich zu nehmen (dazu Anthusa selbst: De sacerdotio I,2, 37-61.67-74 ed.

A.-M. Malingrey [CPG 4316]), findet in der Bewunderung eines Lehrers von J. einen eindrucksvollen Widerhall (Ad uidam iuniorem, 2, 95-104 ed. G. H. Ettlinger/B. Grillet [CPG 4314]). Daß dieser Lehrer, wie oft behauptet, Antiochiens berühmter Rhetor Libanios gewesen sei, läßt sich nicht beweisen (P. Petit). Damit ist nicht in Abrede gestellt, daß J. eine gründliche Schulbildung im Sinn der hellenistischen Tradition besaß. Wie seine Mutter blieb er der Gemeinde des Meletios verbunden und ließ sich im Jahre 369 taufen; 375 hat er das Amt eines Lektors (Anagnosten) übernommen. In dieser Zeit gewinnt er seine Vertrautheit mit der antiochenischen Exegese in der Schule Diodors von Tarsos. Nach einigem Zögern (Ad Demetrium de compunctione 6: PG 47, 403 [CPG 4308]) wird J. gegen den Willen seiner Mutter (De sacerdotio I, 2, 32.75-96 ed. A.-M. Malingrey [CPG 4316]) Mönch. »Sehr wahrscheinlich« verfaßte er »schon in dieser Zeit« (Ch. Baur, I, S. 91) zwei seiner spirituell-monastischen Schriften: (a) eine Apologie: »Gegen die Feinde des Mönchtums« (CPG 4307); (b) eine Paränese: »An den abtrünnigen Theodor«, der das Leben als Mönch aufgegeben und geheiratet hatte (CPG 4305). Eine dritte Schrift, literarisch gesehen ein christliches Progymnasma, das man in diesem Zusammenhang zu nennen pflegt, die »Comparatio regis et monachi« (CPG 4500), wird in ihrer Authentizität angezweifelt (J. A. de Aldama, Repertorium, n. 327). — Nach vier Jahren als Eremit kehrte J., in seiner Gesundheit angeschlagen, »in die Welt« zurück. Im Jahre 381 wurde er Diakon des betagten Bischofs Meletios von Antiochien und 386 durch dessen Nachfolger Flavianos zum Priester geweiht. Dem caritativen Wirken, insbesondere der Armenpflege, sollte er sich sein Leben lang verbunden fühlen; seine Erfahrungen spiegeln sich in den lebensnahen Exempeln seiner späteren Predigten wider. Noch als Diakon schrieb J. zwei Trostschriften: (a) anläßlich eines Falles von »Besessenheit« verfaßte er drei Bücher über die Geduld im Leiden: »Ad Stagirium« (CPG 4310), und, (b) als eine junge Frau nach fünfjähriger Ehe ihren Mann verlor, die sogenannten »Trostworte an eine junge Witwe« (CPG 4314). Ferner handelte er (c) in zwei Schriften über den Sinn und die Notwendigkeit der Buße (CPG

4308. 4309). In einer Abhandlung (d) über die Jungfräulichkeit sucht er deren soteriologischen Wert gegen die Absolutsetzung der Manichäer und gnostischer Kreise zu bestimmen, wobei er die Ehe relativiert, wenn auch nicht verurteilt (CPG 4313). In diese Zeit fällt auch seine Warnung an Witwen, ein zweites Mal zu heiraten (CPG 4315). Hinzugefügt seien hier seine beiden Schriften gegen das Syneisaktentum, die wahrscheinlich in die Zeit seines Diakonats (vor 384, sofern Hieronymus sie damals schon zu kennen scheint) fallen (CPG 4311. 4312). — Mit seiner Priesterweihe beginnt für J. jene Predigttätigkeit, die ihm den Namen »Goldmund« einbringen sollte. Als Ende Februar 387 Kaiser Theodosios I. eine neue Steuer einforderte, kam es in Antiochien zu Unruhen, bei denen u. a. auf dem Marktplatz die Standbilder des Kaisers und von einigen seiner Familienangehörigen von ihren Sockeln heruntergerissen und durch die Straßen der Stadt geschleift wurden. Das kaiserliche Strafgericht schien unabwendbar; schon ließ der Stadtpräfekt, ein Heide, foltern und zum Tode verurteilen sowie Vermögen konfiszieren. Nach dem Aufstande hatten sich die Menschen nicht mehr auf die Straßen gewagt, wie J. berichtet, und auch trotz Fastenzeit nicht mehr in die Kirche getraut. Da beauftragte Flavianos, da er selbst eiligst nach Konstantinopel aufbrach, um beim Kaiser um Gnade für seine Stadt zu bitten, J. damit, trotz allem die Fastenpredigten zu beginnen: Es werden die berühmten sogenannten Säulenpredigten des Ch. (CPG 4330). Andere Predigtzyklen aus dieser Zeit sind z. B. die acht, nicht unmittelbar hintereinander gehaltenen Predigten gegen judaisierende Christen, »Aduersus Iudaeos« genannt (CPG 4327), in denen u. a. die Attraktivität der jüdischen Feste für die überwiegend christliche Bevölkerung der Stadt greifbar wird, ferner jene gegen Eunomios von Kyzikos und dessen Anhänger gerichteten neun Homilien »Über die Unbegreiflichkeit Gottes und die Wesenseinheit des Sohnes mit dem Vater« (CPG 4318. 4320-4323), die J. seit Oktober 386 vorgetragen hat und die erst B. de Montfaucon mit drei Predigten der Konstantinopler Zeit zu einer Predigtreihe verbunden hat. Unter den Gelegenheitspredigten dieser Zeit verdienen vor allem die Panegyrikoi auf Heilige der antiochenischen Kirche Erwähnung: auf Ignatios, den

Ruhm ihrer Frühzeit (CPG 4351), auf den heiligen Babylas, der im 3. Jahrhundert Bischof von Antiochien war (CPG 4347), auf die heilige Märtyrerin Pelagia (CPG 4350), nicht zu verwechseln mit der heiligen Sünderin gleichen Namens aus Antiochien (Homilia 67 in Matthaeum: CPG 4424), auf Märtyrer wie die heiligen Iuventinus und Maximus (CPG 4349) usw. (vgl. Werke: 3.b.bb.). Von den sieben Festreden auf den Apostel Paulus (CPG 4344) sind die erste, zweite und vierte sicher, die übrigen aber höchst wahrscheinlich, wie ihr Herausgeber, A. Piédagnel, meint, in Antiochien gehalten worden, ebenso wie z. B. die drei Predigten auf die Makkabäer (CPG 4354) oder die fünf Homilien auf Samuels Mutter Anna (CPG 4411). Enkomia trug er auch auf Zeitgenossen vor, so auf den Bischof seiner Jugendtage, Meletios (CPG 4348), auf seinen Lehrer Diodor von Tarsos (CPG 4406) oder auf den Heiligen der anderen, nicht seiner eigenen nikänischen Gemeinde in Antiochien, nämlich den Bischof Eustathios (CPG 4352). In diese Zeit seiner Tätigkeit als Priester gehören auch die bedeutendsten Predigtzyklen zu bestimmten Büchern des Alten und Neuen Testaments, in denen J. seine Exegese vor allem für eine ethisch-praktische Bewußtseinsbildung seiner Zuhörer zu aktualisieren weiß und dogmatische Fragen kaum berührt werden, sieht man z. B. von den 88 im Jahre 391 gehaltenen Homilien zum J.evangelium ab, bei denen sich eine Auseinandersetzung mit den Eunomianern, d. h., vereinfacht gesagt, mit den strengen Arianern der zweiten Generation, nicht umgehen ließ (CPG 4425). Der große Zyklus von 67 Homilien zum Buche Genesis (CPG 4409) dürfte in der Fastenzeit des Jahres 388 gehalten worden sein; in welchem Verhältnis sie zu den sogenannten Sermones in Genesim (CPG 4410) stehen, die gewiß auch in der Fastenzeit entstanden sind, bedarf trotz der Beobachtungen von Ch. Baur und W. A. Markowicz noch einer Klärung. Hier sind besonders die 90 Predigten zum Matthäusevangelium (CPG 4424) aus dem Jahre 390 sowie die 32 Homilien zum Römerbrief (CPG 4427) zu nennen, die »unmittelbar nach« der Predigtreihe zu J. (CPG 4425) gehalten wurden (Ch. Baur, I, S. 248). Der überwiegende Teil seiner »exegetischen« Predigten zu Paulus stammt aus den Antiochener Jahren. Einzig seine m. W. nicht weiter datierbare Auslegung des Galaterbriefes (CPG 4430) hat die Form eines fortlaufenden Kommentars, eine Form, die J. selten gebrauchte (vgl. Werke: 4.). Aus dem Jahre 388 (389 nach M. von Bondsdorff) stammen auch die sieben Reden auf Lazarus (CPG 4329), ferner jeweils vier Homilien über den Beginn der Apostelgeschichte (CPG 4371) und über den Namenswechsel bei biblischen Gestalten (CPG 4372), jeweils eine Predigt zum »Gründonnerstag« (Verrat des Judas: CPG 4436.1: PG 49, 373-382), Karfreitag (CPG 4338) und Ostern (CPG 4340), schließlich nach B. de Montfaucon auch die Homilien über den König Ozias, sieht man von der vierten ab (CPG 4417), doch dürften die zweite und dritte sowie fünfte und sechste der letztgenannten, die einen zusammengehörigen Zyklus formen, nach ihrem Herausgeber J. Dumortier schon früher gehalten worden sein, und die erste setzt eine politische Situation voraus, die eher in den Jahren 395-398 gegeben war. Ein anderer Predigtzyklus der Antiochener Epoche liegt in den von A. Wenger im Codex Athonensis Stauronikita 6 entdeckten acht Katechesen vor: Zwei richten sich ebenso wie die beiden von B. de Montfaucon zu Unrecht als zusammengehörig herausgegebenen Katechesen (CPG 4460. 4464) an Taufbewerber (CPG 4465. 4466), die übrigen an Neugetaufte, sei es in einer Osternacht (CPG 4467), sei es in der darauf folgenden Osterwoche (CPG 4468-4472). Bezüglich der beiden genannten, von B. de Montfaucon edierten Katechesen ist anzumerken, daß die zweite in der handschriftlichen Überlieferung fast unwidersprochen im Anschluß an die oben erwähnten Säulenreden aus der Fastenzeit des Jahres 387 erscheint, während die erste, wie A. Papadopoulos-Kerameus entdeckt hatte, als erste mit drei weiteren Taufkatechesen (CPG 4461-4463) überliefert wird; deren letzte aber ist mit der dritten der von A. Wenger herausgegebenen (CPG 4467) identisch. Schließlich muß ein Thema genannt werden, das J. immer wieder beschäftigt hat, nämlich das Verhältnis des göttlichen Vorherwissens zur menschlichen Willensfreiheit. Auf dieses Thema konzentrieren sich vor allem drei Antiochener Predigten: (a) eine Homilie über die bei Jeremias 10,23 stehende Aussage: »Nicht in der Macht des Menschen

liegt sein Lebensweg« (CPG 4419) sowie (b) zwei Reden über die Frage, warum die Propheten des Alten Testaments über Christus, die Berufung der Heiden und die Verwerfung der Juden so dunkel und undeutlich geweissagt haben, daß sie in Israel keinen Glauben fanden (CPG 4420). J. war der geborene passionierte Redner; in dieser Rolle konnte er voll aufgehen. In einer wahrscheinlich in Antiochien gehaltenen Homilie bekennt er, nachdem er längere Zeit wegen seiner Abwesenheit von der Gemeinde nicht hatte predigen können: »Ich habe euch nie vergessen können ... Ob ich saß oder stand, ob ich ging oder ruhte, heimkam oder ausging, immer habe ich mich mit euch beschäftigt, und selbst im Traum ließ mich der Gedanke an euch, meine Lieben, nicht los. Denn nicht bloß am hellen Tag, nein, auch in der Nacht habe ich in solchen Vorstellungen geschwelgt. Mir ging es wie Salomon, der da sagt: 'Ich schlafe, aber mein Herz wacht' (Cant. 5,2). Die Macht des Schlafes hat mir die Augen geschlossen; aber die Gewalt meiner Liebe hat mir die Augen meiner Seele geöffnet. Und oft glaubte ich im Traum, auf dem Ambo zu stehen und zu euch zu sprechen.« (De poenitentia, homilia 1: 1, PG 49, 277-278 [CPG 4333]). Aus dem Stegreif sprach J. selten. Doch, obwohl er seine Texte vorbereitete, trug er sie frei vor, und zwar, wie sein Biograph Georg von Alexandrien vermerkt, zum Erstaunen der Antiochener ohne ein Blatt oder Buch in der Hand zu halten (Vita Chrysostomi, 17, ed. F. Halkin, Douze récits [vgl. unten Quellen], S. 115 [CPG 7979]). J. war imstande, eine, ja eineinhalb Stunden im Rhythmus der Kunstprosa (E. Norden) vorzutragen. P. Maas, dem man ein gutes Urteil zuschreiben kann, hat J. mit Libanios verglichen und kommt zu dem Ergebnis, ersterer verstehe sich meisterlich auf Rhetorik, doch »er überrascht nie, er reißt nie fort, er ist kurzatmig. J. dagegen ist ein Redner von Gottes Gnaden, er spricht mühelos, kommt sofort in Schwung und läßt sich von seinen eigenen Worten weitertreiben.« (Zitiert nach Ch. Baur, I, 185.) — In Antiochien hat J. auch seinen Dialog mit Basileios von Kaisareia über das Priestertum geschrieben (ed. A.-M. Malingrey [CPG 4316]); er wird 392 schon von Hieronymus erwähnt. Die Frühdatierung (vor 386) ist heute aufgegeben: die Herausgeberin schlägt »trotz vieler Unsicherheiten«

das Jahr 390 vor. Auffällig sind die Beziehungen dieser sechs Bücher »De sacerdotio« zu der an Weihnachten des Jahres 362 von Gregor von Nazianz gehaltenen Verteidigungsrede, in der er der Gemeinde seines Vaters verständlich machen will, warum er sich nach seiner Priesterweihe in die Einsamkeit zurückgezogen hat, also nicht der übernommenen Verpflichtung nachgekommen ist (Apologia de fuga: ed. J. Bernardi [Sources Chrétiennes 247], Paris, 1978, 84-240 [CPG 3010]). Neben diesem Dialog und den vielen Predigten hat J. in dieser Zeit einerseits eine Apologie des Christentums gegen die kulturbewußte intellektuelle Elite des »ausgehenden Heidentums« (De sancto Babyla contra Iulianum et gentiles [CPG 4348]), andererseits eine Art christlicher Pädagogik, äußerlich im Stil einer Predigt, geschrieben: sein »Büchlein über Hoffart und Kindererziehung« (CPG 4455), wie S. Haidacher in seinem gleichnamigen Werk (S. 20-23; vgl. Literatur) nachgewiesen hat und von der Herausgeberin mit einigen Einschränkungen wiederholt wird (A.-M. Malingrey, S. 41-47). — Im Jahre 397 wurde nach dem Tode von Nektarios der Bischofssitz von Konstantinopel vakant. Der Patriarch von Alexandrien, Theophilos, versuchte, einen ihm ergebenen Kandidaten, den Presbyter Isidor, zu inthronisieren. Er scheiterte an dem Einfluß des damals mächtigsten Mannes im Reich, dem praepositus sacri cubiculi Eutropios; und damit betritt J. Ch. jene Bühne, auf der damals die große Politik spielte. Ende November 397 wird er von dem in Antiochien residierenden Comes Orientis gebeten, sich mit ihm bei den Martyrien vor dem Romanesischen Tor, also auf der Seite des Orontes, zu treffen. Dort wird J. schlichtweg vom genannten Statthalter entführt und bei der Poststation Pagrae kaiserlichen Boten übergeben, die ihn nach Konstantinopel bringen. Er sei, wie sie ihm mitteilten, zum Bischof der Hauptstadt auserkoren (Sozomenos, Historia ecclesiastica, 8,2; Palladius, Dialogus, 5). Theophilos selbst mußte ihn — laut Synaxar der Stadt am 15. Dez. 397 — weihen, und am 26. Febr. 398 wurde er inthronisiert. Wie sich im folgenden schon bald zeigte, war er dem Intrigenspiel bei Hof und unter Bischöfen nicht gewachsen. Schwierig gestaltete sich sein Verhältnis zur Kaiserin Eudoxia, Tochter eines fränkischen Generals, deren Heirat mit Arkadios

im Jahre 395 der schon genannte Eutropios unter Umständen vermittelt hatte, die den Sturz des damaligen Leiters der kaiserlichen Politik, Rufinus, und damit eine Entwicklung einleiteten (K. G. Holum, Theodosian Empresses, S. 52 f.), die Ende 395 mit dessen Ermordung durch Soldaten des Goten Gainas und der »Machtergreifung« des Eutropios endete. Zunächst scheint die Kaiserin dem neuen Bischof mit großem Wohlwollen begegnet zu sein; und dieser wußte ihr dies zu danken. Deutliche Zeugnisse dafür finden sich in J.'s Predigten, die er in Anwesenheit der Kaiserin z. B. bei der Übertragung der Reliquien des heiligen Phokas nach Konstantinopel (CPG 4364) oder jener des heiligen Thomas nach dem Vorort Drypia (CPG 4441.1) gehalten hat: Er preist ihren Glauben, ihre Bescheidenheit, ihre Demut. Daß J. es aber wagte, gegen Eutropios anzutreten, Personen, die durch ihn verfolgt wurden, wie z.B. Pentadia, die Witwe des Generals Timasios, in Schutz zu nehmen, ja ihm sogar, wie er später in einer Rede andeutete, seine unmenschlichen Taten vorhielt und dabei auch auf die Rechte der Kirche abhob (In Eutropium 1.4.5: PG 52, 392 [CPG 4392]), mußte ihn auf die Dauer nicht nur die Feindschaft des Eutropios einhandeln, sondern auch in einen Gegensatz mit der Kaiserin verwickeln. Letzteres kam all jenen zu gute, gegenüber denen er auf eine christliche Lebensführung drängte und Kritik anzubringen wagte. Auch nach dem Gotenaufstand im Jahre 399 und dem dabei erfolgten Sturz des Eutropios, den nebenbei zuerst die Kaiserin fallen ließ (bes. Philostorgios: Historia ecclesiastica 11, 6, ed. J. Bidez, S. 136; vgl. auch K. G. Holum, a.a.O., 62 f.), hat sich kein besseres Verhältnis zur Kaiserin entwickelt, vielleicht gerade deshalb, weil J. mit seiner oben schon erwähnten Rede dem in seine Kirche geflüchteten Eutropios zunächst das Leben gerettet hat. Daß dies nicht nach Wunsch von oben verlaufen war, zeigt die Tatsache, daß Eutropios, kaum an seinem Verbannungsort in Zypern angekommen, nach der Hauptstadt zurückgebracht und in Chalkedon durch den neuen Vertrauensmann der Kaiserin, Aurelianos, als Majetätsverbrecher verurteilt und hingerichtet wird. — Aus der Konstantinopler Zeit sind bedeutend weniger Predigten erhalten geblieben als aus den Antiochener Jahren. Aus den Jahren 398-400 stammt eine Reihe von fünfzehn Homilien, von denen B. de Montfaucon schon elf veröffentlicht hat; die übrigen wurden von A. Wenger entdeckt; eine kritische Edition dieser homiliae nouae (CPG 4441) ist ein echtes Desiderat. Eine von ihnen, die neunte, hielt J., »nachdem die Goten ihre Lesung gehört hatten und ein gotischer Presbyter gepredigt hatte« (A. Wenger, La tradition, 39 f.), und ist somit jenen Zeugnissen hinzuzufügen, die des J.'s seelsorgerisches Bemühen um diese weitgehend gräzisierten Barbaren zeigt. — In den folgenden eineinhalb Jahren wird die Position des J. immer schwieriger. Das offene Zerwürfnis mit der Kaiserin zeigt sich, als Bischof Porphyrios von Gaza J. bittet, für ihn beim Kaiser vorstellig zu werden, um die heidnischen Tempel in Gaza schließen zu lassen. J. antwortet ihm, er könne leider für ihn beim Kaiser nichts erreichen, da er bei der Kaiserin in Ungnade gefallen sei; er habe ihr Vorhaltungen wegen eines unrechtmäßig erworbenen Gutes gemacht (Marcus Diaconus, Vita Porphyrii 37, 12-15 ed. H. Grégoire/M.-A. Kugener). Ob man nun mit den Herausgebern der Quelle annimmt, dieses Gespräch habe im Oktober des Jahres 400 stattgefunden (man vgl. die kritischen Bemerkungen von Ch. Baur, II, 155-160), oder aber ein späteres Datum kurz nach Ostern des Jahres 401 voraussetzt, für das m. E. vor allem das Geburtsdatum und die Taufe von Theodosios II. sprechen (vgl. unten), eines steht fest, Eudoxia war zu diesem Zeitpunkt auf dem Höhepunkt ihrer Macht. Am 9. Jan. 400 hatte sie den Rang einer Augusta erhalten, was sie »verfassungsrechtlich« (im Sinn von H.-G. Becks Sprachgebrauch) auf eine Weise aufwertete, die außerhalb der theodosianischen Dynastie kein Analogon findet: Sie war wie der Kaiser a Deo coronata (K. G. Holum, a.a.O., 65-67.69); und nachdem Gainas im Juni 400 die Stadt verlassen und die anti-gotische Partei unter Führung von Aurelianos die Herrschaft für sich gesichert hatte, war die Macht von Augustus und Augusta in der Stadt ungebrochen. Daß Eudoxia dem Kaiser am 10. April 401 (H. Grégoire/M.-A. Kugener, Quand est né l'empereur Théodose II?, in: Byzantion 4 (1927/28), 337-348) nach drei Töchtern einen Sohn gebar, dürfte angesichts der oben angesprochenen dynastischen Gefühle in der Familie der Theodosianer (mochten diese

auch im Prinzip der ungeschriebenen Verfassungswirklichkeit des Reiches zuwiderlaufen) ihre Stellung noch gestärkt haben. Mitte Januar 401 war Ch. nach Ephesos gereist, wie es heißt, auf Bitten der Bischöfe und Kleriker von Asia, um insbesondere gegen Simonisten ordnend einzugreifen. Von dort kehrte er erst nach Ostern, d. h. nach dem 14. April 401, zurück. Als seinen Vertreter im Predigtamt hatte er vor seiner Abreise einen Bischof, Severian von Gabala, und als Sachwalter über die wirtschaftlichen Belange einen Diakon, Serapion, eingesetzt. Ersterer fühlte sich eines Tages durch den Diakon nicht hinreichend in seiner Würde beachtet, als dieser sich vor ihm, dem Bischof, nicht, wie es üblich war, von seinem Sitz erhob, um ihn vorbeigehen zu lassen. Serapion behauptete, Severian nicht bemerkt zu haben; doch dieser wies jede Entschuldigung zurück und forderte von J., als dieser wieder in der Stadt war, Serapion abzusetzen. Es kam zu einem gespannten Verhältnis zwischen Severian und J.; Severian aber besaß das Vertrauen der Kaiserin (so Sozomenos, Historia ecclesiastica 8, 10). Er hatte in Abwesenheit des J. den neugeborenen Theodosios II. getauft (vgl. Gennadius, De uiris illustribus 21). Mochte auch der Streit zwischen beiden Bischöfen, nachdem die Kaiserin und einige Hofdamen zugunsten Severians eingegriffen hatten (Socrates, Historia ecclesiastica 6, 11), zu einem in der Öffentlichkeit durch Predigten demonstrierten Friedensschluß führen (vgl. J.'s Predigt »De recipiendo Seueriano« [CPG 4395] und Severians Antwort, die Predigt De pace [CPG 4214; vgl. unten Quellen], die im allgemeinen zu den echten Severiana gerechnet wird, wenn auch die im Kontext schwer situierbaren Ausführungen über wütende, gedemütigte Häretiker zur Vorsicht mahnen sollten), unter der Oberfläche schwelte es weiter (vgl. die Zusammenfassung bei M. Aubineau, Un traité, 12-15). Und da manches auch in die Öffentlichkeit gedrungen war, wie J. in der soeben genannten Predigt bezeugt, kam es in der Stadt zu ersten Parteibildungen. Gefährlich wurde für J. vor allem ein Kreis ihm feindlich gesinnter Bischöfe, die in der Hauptstadt weilten und ihrer Residenzpflicht in der Provinz nicht nachkamen, wohl aber gute Kontakte zum Hof besaßen, wie z. B. Akakios von Beröa und Antiochos von

Ptolemais. Unter den Damen aus dem Gefolge der Eudoxia besaß J. nicht wenige erbitterte Feindinnen (Palladius, Dialogus, 4); zu ihnen gehörten z. B. Marsa, eine Gotin und Witwe des Generals Promotus, deren Ziehkind die Kaiserin nach dem Tode ihres Vaters Bauto gewesen ist. J. hatte dem Bischof von Gaza selbst mitgeteilt, daß das Zerwürfnis zwischen ihm und der Kaiserin damit zusammenhänge, daß er ihr Vorwürfe wegen einer unrechtmäßigen Aneignung irgendeines Besitzes gemacht hat: um was es sich handelt, wird nicht gesagt, und auch nicht, wer der Vorbesitzer gewesen ist. In späteren Quellen wird daraus die Geschichte vom Weinberg der Witwe des Theognostos. Die Vermutung liegt nahe, daß im Zusammenhang mit dieser Version die von Palladius (Dialogus, 8) überlieferte Anklage der Eichensynode (vgl. unten) steht, J. habe Eudoxia eine Jezabel genannt; wie es zu einer solchen Anklage kommen konnte, bleibt auf Grund der Quellenlage letztlich undurchsichtig. Doch sollte man hier einerseits die Berichte nicht vergessen, Severian von Gabala und seine Freunde hätten die Predigten des J. nach Anklagemöglichkeiten durchsucht, ja sie hätten einige ver- oder gefälscht, um zu beweisen J. habe die Kaiserin und andere Personen vom Hof verspotten wollen (Palladius, Dialogus, 6; vgl. auch Socrates, Historia ecclesiastica, 6, 15; Sozomenos, Historia ecclesiastica, 8, 16). Andererseits hat Eudoxia sicher kein offenes Ohr für kritische Worte an ihrer Lebensführung gehabt, und J. war gewiß jemand, der offen seine Abneigung gegen weibliche Eitelkeiten in seinen Predigten zeigte. Die neuerdings vertretene These — bei K. G. Holum, a.a.O., 71.72 mit der wichtigsten Literatur wiederholt —, bei dem Besitz, den die Kaiserin für sich zu vereinnahmen suchte, habe es sich um Güter der Diakonissin Olympias gehandelt, mit der sich J. stets besonders verbunden fühlte, findet in den Quellen keinen Anhalt. — Kirchenpolitische Dimensionen bekam das Zerwürfnis, als J. im Jahre 402 in den durch Epiphanios von Salamis (Zypern) angezettelten und vor allem durch Hieronymus entfachten ersten Origenistenstreit hineingezogen wurde. Der Alexandriner Patriarch Theophilos hatte kräftig in diesen eingegriffen und dadurch eine Handhabe gefunden, um seine Macht in die nitrische Wüste auszudehnen; als nun von dort geflohene Mönche, die vier sogenannten Langen Brüder und ihr Anhang, in Konstantinopel eintrafen und bei J. Klage gegen Theophilos zu erheben suchten, bei ihm aber angesichts der kirchenrechtlichen Situation nichts erreichten (Palladius, Dialogus, 6-7) und sodann im Martyrium des Johannes des Täufers auf dem Hebdomon der Kaiserin, vermutlich am 24. Juni 402, ihre Klageschriften übergeben hatten und der Kaiser Theophilos nach Konstantinopel vorladen ließ (Palladius, Dialogus, 8), da fand sich J. in einen Konflikt verwickelt, in dem er letztlich scheitern mußte, weil er bei Hof keinen Rückhalt besaß. Er wurde durch den Kaiser, ohne daß er sich jemals damit einverstanden erklärt hatte (vgl. seinen auch bei Palladius, Dialogus, 2, überlieferten Brief an Papst Innozenz [CPG 4402]), zum Richter des Alexandriner Patriarchen bestellt, der nun geschickt mit Verzögerungstaktik antwortete. Als erstes erscheint nämlich als Theophilos Vorhut in der Kaiserstadt der gerade genannte Epiphanios von Salamis, bei aller Bildung ein frommer, naiver Ketzerjäger, wie sie öfter in der Kirchengeschichte begegnen; er sucht unter den Gläubigen Unmut gegen Origenes Lehre und so gegen die Langen Brüder und J. zu schüren; doch verließ er die Stadt, da ihm wegen des durch J. deutlich ausgeübten Gegendruckes Erfolg nicht beschieden schien; der Kirchenhistoriker Sozomenos (8, 15) meint, daß ihn ein Gespräch mit den Langen Brüdern milder gestimmt und zum Abbruch seiner Aktion bewegt habe; wie dem auch sei, er fuhr ab und starb auf hoher See am 12. Mai 403. Als zweites ließ Theophilos eine Verleumdungskampagne gegen J. inszenieren, um die Kaiserin so unversöhnlich zu stimmen, daß sich der gegen ihn anstehende Prozeß zu seinen Gunsten und zum Nachteil seines Richters wenden lassen sollte. Dazu gebraucht er eine im Wortlaut nicht mehr erhaltene Predigt des J. gegen die weibliche Putzsucht und jene schon genannten Bischöfe wie Severian von Gabala, die der Kaiserin den Inhalt der Predigt hinterbrachten und als eine gegen ihre Person gerichtete Spitze des J. interpretierten (Palladius, Dialogus, 6; Socrates, Historia ecclesiastica, 6, 15; Sozomenos, Historia ecclesiastica, 8, 16). Erst im August 403 traf Theophilos ein, und zwar in Chalkedon, gegenüber der Hauptstadt. Der dortige Bischof

Kyrinos war Ägypter, Freund des Severian von Gabala und offener Feind des J. Bei diesem versammelte Theophilos seinen Anhang, die Gegensynode, um, wie er sagte, J. abzusetzen. Dann erst ließ er zu einem Palast der Eudoxia übersetzen, wo er drei Wochen verblieb, ohne Kontakt zu J., wohl aber zu dessen Feinden zu suchen (Palladius, Dialogus, 8). Es kam somit zur sogenannten Eichensynode, benannt nach jenem Landgut in der Nähe von Chalkedon, wo sie im Herbst 403 stattfand. Daß sie tagen konnte, setzte das Einverständnis des Hofes voraus; angesichts der Tatsache, daß der Kaiser selbst J. nach der Ankunft des Theophilos in Chalkedon aufgefordert hatte, »hinüberzufahren« und den Prozeß gegen den Alexandriner zu beginnen (Palladius, Dialogus, 2), zeigt sich mit der Eichensynode die faktische Macht der Kaiserin. Alle Feinde des J. waren hier versammelt; die Anklagepunkte sind uns im Codex 59 der sogenannten Bibliothek des Photios überliefert. J. weigert sich, vor der Synode zu erscheinen und wird offenbar, da dies von seinen Feinden später stets betont wird, abgesetzt. Der Kaiser läßt ihn verbannen; doch kaum aus der Stadt, wird er wieder zurückgeholt. Die Gründe bleiben für die Nachwelt undurchsichtig. Socrates und Sozomenos sprechen allgemein vom Volkszorn, der die Kaiserin erschreckt habe; Palladius deutet eine Fehlgeburt der Eudoxia an. Ihren Niederschlag haben diese Vorgänge um die erste Verbannung des J. in einigen Predigten gefunden; die überlieferten Texte (CPG 4396-4399) sind zumindest teilweise bezüglich ihrer Authentizität umstritten. Kaum heimgekehrt, sah sich J. neuen Intrigen ausgesetzt. Als im November 403 der Stadtpräfekt Simplikios auf dem Augusteion genannten Platz gegenüber Bischofskirche und -palast das berühmte Silberstandbild der Eudoxia errichten ließ und die damit verbundenen Volksbelustigungen den Gottesdienst störten, soll J. eine unglückliche Bemerkung gemacht haben, die der Kaiserin hinterbracht wurde (Socrates, Historia ecclesiastica, 8, 20). Als er dann den Kaiser bat, eine Synode einzuberufen, um vor ihr seine Unschuld zu beweisen (Palladius, Dialogus, 2), als er drittens, wie Socrates und Sozomenos a.a.O. berichten, im Winter 403/404 auf dem Hebdomon beim Martyrion des Johannes Baptista eine Predigt mit den Worten beginnen ließ: »Wiederum rast die Herodias, wiederum gerät sie außer sich, wiederum tanzt sie, wiederum verlangt sie danach, das Haupt des J. auf einer Schüssel serviert zu bekommen!« (wahrscheinlich der historische Kern für die pseudo-chrysostomische Predigt CPG 4570), da dürfte bei der Kaiserin der Entschluß klar gewesen sein, J. endgültig aus der Stadt zu entfernen. Eine »Synode« wurde inszeniert; da der Kaiser aber eine Vertretung beider Parteien verlangte (Palladius, Dialogus, 9), kamen auch die Anhänger des J. zu Wort; doch zu einer Entscheidung des Kaisers kam es über Monate nicht. Die Folge war, daß sich die Parteiung in der Bevölkerung deutlicher herausschälte. Erst kurz vor dem Osterfest des Jahres 404 erließ der Kaiser ein an J. gerichtetes Edikt: Ohne ihn abzusetzen, befahl er ihm, seine Kirche zu verlassen. J. antwortete, er werde nur offener Gewalt weichen. Daraufhin wurde er durch ein kaiserliches Schreiben abgesetzt, durfte aber laut Schreiben, da man sich offenbar nicht zu irgendeiner gewaltsamen Maßnahme gezwungen sehen wollte, in seinem Palast bleiben. Ostern nahte; in diesem Jahr fiel es auf den 17. April. Und mit Ostern kam die Taufe der Katechumen; im Jahre 404 sollen es über 3000 gewesen sein, und die Gegner des J. versuchten alles, um zu verhindern, daß diese durch einen Anhänger des »Gefangenen im Bischofspalast« getauft würden. Selbst Militär setzten sie ein. Es wurde eine blutige Osternacht; und in den folgenden Wochen kam es zur Verfolgung der »Johanniten«. Unter diesen Umständen gab Ch. nach und ließ sich am 8. Juni 404, ohne sich von seiner versammelten Gemeinde verabschiedet zu haben, aus der Stadt bringen: Seine zweite Verbannung hatte begonnen. Als er vom Schiff aus auf Konstantinopel zurückblickte, sah er seine Bischofskirche, in der seine Gemeinde vergeblich auf ihn gewartet hatte, in Flammen aufgehen. Was den Brand verursacht hat, ist nie geklärt worden; viele Anhänger des J. wurden als Brandstifter verurteilt, unter ihnen Olympias, die oben erwähnte Vorsteherin der Diakonissinen (Sozomenos, Historia ecclesiastica, 8, 24); sie wurde nach Nikomedien verbannt, wohin ihr J. aus dem Exil siebzehn Briefe schickte (CPG 4405). — Die ersten Jahre seiner Verbannung verbrachte J. im östlichen Kappadokien, der damaligen Provinz Armenia Secunda, in Kukusus bzw., wenn die Gegend durch isaurische Räuberbanden verunsichert wurde, in der befestigten Stadt Anabissos, dem heutigen Yarpuz. Von dort schrieb er unermüdlich an seine verlassene Gemeinde; wir besitzen noch über 200 von diesen Briefen (CPG 4405). In zwei »Traktaten«, die damals entstanden sind, beschäftigt er sich in apologetischer Absicht mit dem Thema der göttlichen Vorsehung. Der erste, von Frau A.-M. Malingrey leider als »Lettre d'exil« herausgegeben, allgemein benannt nach seiner paradox formulierten Leitthese »Quod nemo laeditur nisi a seipso« (CPG 4400), ist seinem genus litterarium nach eine Diatribe, die sich von den kynisch-stoischen Diatriben der zweiten Sophistik nur durch die biblischen Beispiele unterscheidet (M. A. Schatkin, S. 82-105). Der zweite »Traktat«, von J. selbst ein λόγος genannt, der zum Vor- oder lauten Lesen bestimmt ist (Ep. ad Olympiadem 17,4; PG 52,384 [CPG 4405]), stellt keine rein theoretische Abhandlung über die Vorsehung dar und ist in diesem Sinn kein Traktat, sondern eine durch die persönliche Erfahrung eingefärbte Apologie oder Verteidigungsschrift für die göttliche Vorsehung, die sich an jene Menschen richtet, die angesichts der Verbannung des J. und der Zustände ihrer Kirche Anstoß nehmen und leiden (M. A. Schatkin, S. 105-158). Es geht J. hier darum, Leiden auf Grund eines umfassenderen Sinnverständnisses annehmbar erscheinen zu lassen. — Da sich die kirchliche Situation in Konstantinopel nicht beruhigen konnte, solange J. in so intensivem Kontakt mit seinen Anhängern stand, wie es durch die genannten Briefe und Schriften bezeugt wird, beschloß der Kaiser im Frühjahr 407, J. an einen einsameren Ort, nach Pityus am Schwarzen Meer, deportieren zu lassen. Nach Palladius (Dialogus, 11) stellte man dem die Order ausführenden Offizier eine Beförderung in Aussicht, falls J. unterwegs, wie es dann tatsächlich geschah, an den Entbehrungen dieses langen Fußmarsches sterben sollte. Im Hochsommer brach man von Anabissos auf; J. starb vor Erschöpfung am 14. September im pontischen Komana. Die Kirche gedenkt seiner am 27. Januar.

Werke: Wenn keine modernen Editionen vorliegen, wird im folgenden die Ausgabe von J. P. Migne, Patrologia Graeca, Paris, 1857-1886, Band 47-64 genannt (= PG), die im we-

sentlichen nichts anderes als eine Wiedergabe der Ausgabe von B. de Montfaucon, S.P.N. Ioannis Chrysostomi opera omnia quae exstant uel eius nomine circum feruntur, tom. 1-13, Parisiis, 1718-1738, darstellt; wenn von einem Text nur die lat. Übers., die wahrscheinlich um 415 von Annianus von Celeda angefertigt wurde, erhalten ist, wird dies ausdrücklich vermerkt. Vgl. dazu A. Wilmart, La collection des 38 homélies latines de saint J. Ch., in: Journal of Theological Studies 19 (1918), 305-327; E. Honigmann, Patristic Studies (Studi e Testi 173), Città del Vaticano, 1973, 54-58; W. Wenk, Zur Sammlung der 38 Homilien des Ch. Latinus, Diss., Wien 1980. Mit dem Sigel PL wird auf den entspr. Band von J. P. Migne, Patrologia Latina, editio prior Parisiis, 1844-1864, verwiesen. — 1. Abhandlungen: a. monastisch-spirituellen Inhalts und Verwandtes: Ad Theodorum lapsum libri 1-2: ed. J. Dumortier, S. J. Ch. A Théodore (Sources chrétiennes 117), Paris, 1966 (CPG 4305); Aduersus oppugnatores uitae monasticae libri 1-3: PG 47, 319-386 (CPG 4307); De uirginitate: ed. H. Musurillo/B. Grillet, J. Ch. La virginité (Sources Chrétiennes 125), Paris, 1966 (CPG 4313). b. pastoralen Inhalts: Ad Demetrium de compunctione liber primus: PG 47, 393-410 (CPG 4308); Ad Stelechium de compunctione liber secundus: PG 47, 411-422 (CPG 4309); Ad Stagirium libri 1-3: PG 47, 423-494 (CPG 4310); Contra eos qui subintroductas habent: ed. J. Dumortier, Saint J. Ch. Les cohabitations suspectes (Les Belles Lettres), Paris 1955, 44-94 (CPG 4311); Quod regulares feminae uiris cohabitare non debeant: ed. J. Dumortier, a.a.O., 95-137 (CPG 4312); Ad uiduam iuniorem: ed. G. H. Ettlinger/B. Grillet, J. Ch. A une jeune veuve. Sur le mariage unique (Sources Chrétiennes 138), Paris 1968 (CPG 4314); De non iterando coniugio: ed. G. H. Ettlinger/B. Grillet, a.a.O., 112-159 (CPG 4315); De inani gloria et de educandis liberis: ed. A.-M. Malingrey, J. Ch. Sur la vaine gloire et l'éducation des enfants (Sources Chrétiennes 188), Paris 1972. c. apologetischen Inhalts: De s. Babyla contra Iulianum et gentiles: ed. M. Schatkin, Critical Edition of, and Introduction to St. John Chrysostom's »De Sancto Babyla, contra Iulianum et Gentiles«, Ann Arbor, Michigan 1968 (CPG 4348); Quod nemo laeditur nisi a seipso: ed. A.-M. Malingrey, J. Ch. Lettre d'exil (Sources Chrétiennes 103), Paris 1964 (CPG 4400); Ad eos qui scandalizati sunt: ed. A.-M. Malingrey, J. Ch. Sur la providence de Dieu (Sources Chrétiennes 79), Paris 1961. — 2. Dialog: De sacerdotio libri sex: ed. A.-M. Malingrey, J. Ch. Sur le sacerdoce (Sources Chrétiennes 272), Paris 1980. — 3. Predigten: a. Predigtzyklen oder -reihen: aa. zur Auslegung einzelner Schriften des AT bzw. NT: 1) Homiliae in Genesim: PG 53, 21-54, 580 (CPG 4409); in welchem Verhältnis zu diesen die neun Sermones in Genesim (PG 54, 581-630: CPG 4410) stehen, bedarf noch einer Klärung (vgl. Ch. Baur, in: Theologische Quartalschrift 108 (1927), 221-232; W. A. Markowicz, in: Theological Studies 24 (Baltimore 1963), 652-664. 2) In Matthaeum homiliae 1-90: PG 57, 13-58, 794 (CPG 4424). 3) In Iohannem homiliae 1-88: PG 59, 23-482 (CPG 4425). 4) In Acta Apostolorum homiliae 1-55: PG 60, 13-384 (CPG 4426). 5) In epistula ad Romanos homiliae 1-32: ed. F. Field, Ioannis Chrysostomi interpretatio omnium epistularum Paulinarum, Oxford 1845-1862: vol. I (CPG 4427). 6) In epistulas I et II ad Corinthos: ed. F. Field, a.a.O., vol. II. III (CPG 4428. 4429). 7) In epistulam ad Ephesios homiliae 1-24; ed. F. Field, a.a.O., vol. IV (CPG 4431). 8-11) In epistulam ad Philippenses, ad Colossenses necnon ad I et II Thessalonicenses: ed. F. Field, a.a.O., vol. V (CPG 4432-4435). 12-15) In epistulam I et II ad Timotheum, ad Titum, ad Philemonem: ed. F. Field, a.a.O., vol. VI (CPG 4436-4439). 16) In epistulam ad Hebraeos homiliae 1-34: ed. F. Field, a.a.O., vol. VII (CPG 4440). bb. sonstige: 1) Ad populum Antiochenum homiliae 21 (sog. Säulenreden): PG 49, 15-222 (CPG 4330). 2) De incomprehensibili dei naturae homiliae Antiochiae habitae (Reden gegen die Eunomianer): hom. 1-5 ed. A.-M. Malingrey, Jean Chrysostome. Sur l'incompréhensibilité de Dieu (Sources Chrétiennes 28bis), Paris 1970 (CPG 4318); hom. 6-9: PG 48, 755-796 (CPG 4320-4323); hier werden gewöhnlich zwei weitere Predigten hinzugefügt: Contra Anomoeos homilia Constantinopoli habita: PG 48, 795-802 und De Christi diuinitate: PG 48, 801-812 (CPG 4324-4325). 3) Aduersos Iudaeos orationes octo: PG 48, 843-942 (CPG 4327). 4) De Lazaro conciones septem: PG 48, 963-1054 (CPG 4329). 5) De Maccabaeis homiliae tres: PG 50, 617-628 (CPG 4354). 6) In principium Actorum homiliae quattuor: PG 51, 65-112 (CPG 4371). 7) De mutatione nominum homiliae quattuor: PG 51, 113-156 (CPG 4372). 8) De Anna sermones quinque: PG 54, 631-676 (CPG 4411). 9) De Dauide et Saule homiliae tres: PG 54, 675-708 (CPG 4412). 10) In Oziam, communiter In illud: Vidi dominum (Is. 6,1-6) homiliae II.III.V.VI: ed. J. Dumortier, Jean Chrysostome. Homélies sur Ozias (Sources Chrétiennes 277), Paris 1981 (CPG 4417). 11) Catecheses ad illuminandis [a] series prima: PG 49, 223-232; A. Papadopoulos-Kerameus, Varia graeca sacra, Petropoli (= St. Petersburg) 1909, 154-183 (CPG 4460-4463); [b] series tertia: ed. A. Wenger, J. Ch. Huit catéchèses baptismales (Sources Chrétiennes 50), Paris 1957 (1970²) (CPG 4465-4472). — b. Gelegenheitsreden: aa. handschriftlich zu einer Edition verbunden: Homiliae XV in Constantinopoli habitae (ita dictae nouae homiliae): PG 63, 467-494; 56, 263-270; 63, 493-524; 56, 247-256; 63, 523-530 und zwei unedierte Predigten: A. Wenger, La tradition des oeuvres de saint Jean Chrystome, in: (REB) Revue des Études Byzantines 14 (1956), 32-43 (CPG 4441). bb. Panegyriken: De beato Philogonio: PG 48, 747-756 (CPG 4319); In sanctum Paulum apostolum homiliae septem: ed. A. Piédagnel, J. Ch. Pánegyriques de S. Paul (Sources Chrétiennes 300), Paris 1982 (CPG 4344); In sanctum Lucianum martyrem: PG 50, 519-526 (CPG 4346); In Babylam martyrem: PG 50, 527-534 (CPG 4347); In Iuuentinum et Maximum martyres: Ignatium martyrem: PG 50, 587-596 (CPG 4351); In Eustathium Antiochenum: PG 50, 597-606 (CPG 4352); In Romanum martyrem: PG 50, 605-612 (CPG 4353); In s. Bernicem et Prosdocem: ed. W. Vander Meiren, vgl. Analecta Bollandiana 102 (1984) (CPG 4355); In Iulianum martyrem: PG 50, 665-676 (CPG 4360); In Barlaam martyrem: PG 50, 675-682 (CPG 4361); In Drosidem martyrem: PG 50, 683-694 (CPG 4362); In martyres Aegyptios: PG 50, 693-698 (CPG 4363); In Phocam martyrem: PG 50, 699-706 (CPG 4364); In Heliam: PG 51, 337-348 (CPG 4387). Auf vom Prediger zu ihren Lebzeiten noch gekannte Persónen: De Meletio Antiocheno: PG 50, 515-520 (CPG 4345); Laus Diodori Tarsensis: PG 52, 761-766 (CPG 4406; vgl. CPG 4407). Zu Epiphanie: De baptismo Christi: PG 49, 363-372 (CPG 4335); vgl. auch die unter ee. genannte Predigt zu Tit. 2,11 (CPG 4456). Zur Auferweckung des Lazarus (in der späteren Liturgie Gedächtnis am Palmsamstag): PG 50, 641-644 (CPG 4356). Zum Karfreitag: De cruce et latrone homiliae: PG 49, 399-418 (CPG

4338. 4339). Zu Ostern: De resurrectione mortuorum: PG 50, 417-432 (CPG 4340);De resurrectione Christi: PG 50, 433-442 (CPG 4341); In sanctum pascha: PG 52, 765-772 (CPG 4408: vielleicht nicht authentisch). Zu Himmelfahrt: In ascensionem Christi: PG 50, 441-452 (CPG 4342). Zu Pfingsten: In sancta pentecoste homiliae: PG 50, 453-470 (CPG 4343). cc. Reden zu bestimmten Ereignissen: Sermo cum presbyter fuit ordinatus: PG 48, 693-700 (CPG 4317); In kalendas, initio anni 388 habita homilia: PG 48, 953-962 (CPG 4328); In diem natalem: PG 49, 351-362 (CPG 4334); De terrae motu: PG 50, 713-716 (CPG 4366); In Eutropium: PG 52, 391-396 (CPG 4392); De Saturnino et Aureliano: PG 52, 413-420 (CPG 4393); De regressu ex Asia: ed. A. Wenger, L'homélie de saint J. Ch. »à son retour d'Asie«, in: REB 19 (1961), 110-123; De recipiendo Seueriani Gabalitensi: PG 52, 423-426 lat. Übers. des Annianus von Celeda (CPG 4395); Sermones cum iret in exilio: PG 52, 427*-432, 435*-438 (CPG 4396. 4397); Sermones post reditum ab exilio: PG 52, 439-442 (lat. Übers. des Annianus von Celeda), 443-448 CPG 4398. 4399). dd. apologetischen Inhalts: Contra Iudaeos et gentiles quod Christus sit deus: ed. N. G. McKendrick, Quod Christus sit Deus, Microfilms, Ann Arbor, Michigan 1966 (CPG 4326); De prophetiarum obscuritate homiliae duae: PG 56, 163-192 (CPG 4420). ee. zu bestimmten Schriftworten: In Ps. 48, 17 homiliae duae: PG 55, 499-518 (CPG 4414); In Is. 45, 7: PG 56, 141-152 (CPG 4418); In Ier. 10, 23: PG 56, 153-162 (CPG 4419); De decem millium talentorum debitore: PG 51, 17*-30 (CPG 4368); In Matth. 26,39: PG 51, 31-40 (CPG 4369); In Rom. 8,28: PG 51, 165-172 (CPG 4374); In Rom. 12,20: PG 51, 171-172 (CPG 4375); In Rom. 16,3 homiliae duae: PG 51, 187-208 (CPG 4376); In I Cor. 7,2: PG 51, 217-226 (CPG 4377); In I Cor. 10,1: PG 51, 241-252 (CPG 4380); In I Cor. 11,19: PG 51, 251-260 (CPG 4381); In II Cor. 4,13 homiliae tres: PG 51, 271-302 (CPG 4383); In II Cor. 11,1: PG 51, 301-310 (CPG 4384); In Gal. 2,11: PG 51, 371-388 (CPG 4391); In I Tim. 5,9: PG 51, 321-338 (CPG 4386); In II Tim. 3,1: PG 56, 271-280 (CPG 4423); In Tit. 2,11: ed. A. Wender, Une homélie inédite de J. Ch. sur l'Épiphanie, in: REB 29 (1971), 117-135; hinzufügen kann man hier eine Predigt auf den Ps. 145: PG 55, 519-528 (CPG 4415) sowie eine Homilia in poenitentiam Niniuitarum: PG 64, 424-433(CPG 4442). ff. sonstige Gemeindepredigten: De diabolo tentatore homiliae 1-3: PG 49, 241-276 (CPG 4332); De paenitentia homiliae 1-5; PG 49, 277-323 (CPG 4333); De proditione Judae homilia prima: PG 49, 373-382 (CPG 4336); Non esse ad gratiam concionandum: PG 50, 653-662 (CPG 4358); Quales ducendae sint mulieres: PG 51, 225-242 (CPG 4379); De eleemosyna: PG 51, 261-272 (CPG 4382); De futurae uitae deliciis: PG 51, 347-354 (CPG 4388); Peccata fratrum non euulgandum: PG 51, 353-364 (CPG 4389); Non esse desperandum: PG 51, 363-372 (CPG 4390); De coemeterio Constantinopoli habita: PG 49, 393-398 (CPG 4337); allgemein auf Märtyrer: PG 50, 645-654 (CPG 4357); PG 50, 661-666 (CPG 4359); PG 50, 705-712 (CPG 5365); In Oziam, communiter In illud Vidi Dominum (Is 6,1-6) homiliae I et IV: ed. J. Dumortier, Jean Chrysostome. Homélies sur Ozias (Sources Chrétiennes 277), Paris 1981. Keine vollst. Predigten sind die sechs kleinen Texte De fato et prouidentia: PG 50,749-774 (CPG 4367); Fronton du Duc hielt sie für Blütenlesen (»florilegia«), was B. de Montfaucon bezweifelte; wahrsch. handelt es sich um Eklogen (vgl. CPG 4684. 4685), die in der handschriftl. Überlieferung in Verbindung mit zwei ähnlich kurzen Texten älteren Ursprungs auftreten (CPG 4912. 4956). — 4. Exegetische Kommentare: Expositiones in psalmos: nur mehr fragmentarisch überliefert, vgl. PG 55, 39-498 (Lit. CPG 4413); Commentarius in Job: H. Sorlin, J. Ch. Commentaire sur Job. I. II (Sources Chrétiennes 346, 348), Paris 1988; aus Katenen stammende Zitate zum Buch Job, die aber nicht nur aus diesem unedierten Traktat, sondern aus dem gesamten Opus des Ch. genommen sind, finden sich in PG 64, 503-656 (CPG 4443. 4444); Commentarius in Prouerbia ineditus: Codex Patmensis 161, ff. 1-62ᵛ (10. Jh.) (CPG 4445. 4446); Commentarius in Isaiam: Fragment zu Is. 1-8,10: ed. J. Dumortier, J. Ch. Commentaire zur Isaïe (Sources Chrétiennes 304), Paris 1983 (CPG 4416); In epistulam ad Galatas commentarius: ed. F. Field, Ioannis Chrysostomi interpretatio omnium epistularum Paulinarum, Oxford 1845-1862, vol. IV, 1-103 (CPG 4430). — 5. Briefe: Epistulae duae ad Innocentium papam: PG 52, 529-536 (CPG 4402-4403); Epistulae 1-17 ad Olympiadem: ed. A.-M. Malingrey, Lettres à Olympias (Sources Chrétiennes 13ᵇⁱˢ), Paris 1968 (CPG 4405); Epistulae aliae ab exilio missae: PG 52, 623-758, zu vergleichen ist P. G. Nicolopoulos, Αἱ εἰς τόν Ἰωάννην τόν Χρυσόστομον ἐσφαλμένως ἀποδιδόμεναι ἐπιστολαί, Athens, 1973 (CPG 4405). — Quellen zum Leben des J.: Marcus Diaconus, Vita Porphyrii episcopi Gazensis: ed. H. Grégoire/M. A. Kugener, Marc le Diacre. Vie de Porphyre, évêque de Gaza. Texte établi, traduit et commenté (Collection byzantine de l'Association G. Budé), Paris 1930 (CPG 6722); Palladius, Dialogus de uita Iohannis Chrysostomi: PG 47, 5-82 und P. R. Coleman-Norton, Palladii Dialogus de Vita s. Joannis Chrysostomi, Cambridge 1928 (1958²) (CPG 6037); Philostorgius, Historia ecclesiastica, ed. J. Bidez/F. Winkelmann, Philostorgius, Kirchengeschichte (Die griech. christl. Schriftsteller o. N.), Berlin 1972; Seuerianus Gabalitensis, De pace: ed. A. Papadopoulos-Kerameus, I, Petropoli (= St. Petersburg), 1891, 15-26 (CPG 4214); Socrates Scholasticus, Historia ecclesiastica: PG 67, 33-841 (CPG 6028); Photii Bibliothecae codex 59, ed. R. Henry (Collection byzantine de l'Association G. Budé), tome I, Paris 1959, 52-57; Sozomenos, Historia ecclesiastica: ed. J. Bidez/G. C. Hansen, Sozomenus Kirchengeschichte (Die griech. christl. Schriftsteller 50), Berlin 1960 (CPG 6030); Viten des J.: ed. F. Halkin, Douze récits byzantins sur saint J. Ch. (Subsidia Hagiographica 60), Bruxelles 1977; F. van Ommeslaeghe, Une vie acéphale de saint J. Ch. dans le Batopedinus 73, in: Analecta Bollandiana 94 (1976), 331-333. Als Quelle für das Verhältnis von Severian zu Theodosios II. wurde zitiert: Gennadius, De uiris illustribus: ed. E. C. Richardson (Texte und Untersuchungen 14, 1), Leipzig 1896. *Lit.:* 1. Instrumenta: Ch. Baur, S. J. Ch. et ses oeuvres dans l'histoire littéraire, Paris/Louvain 1907; — M. Geerard, Clauis Patrum Graecorum, Vol. II, Turnhout, 1974 (= CPG); — J. A. de Aldama, Repertorium Pseudochrysostomicum (Documents, Études et Répertoires publiés par l'Institut de Recherche et d'Histoire des Textes, X), Paris 1965; — Codices Chrysostomici Graeci (Documents, Études et Répertoires publiés par l'Institut de Recherche et d'Histoire des textes) (= CCG); I: Codices Britanniae et Hiberniae descripsit M. Aubineau, Paris 1968; — II: Codices Germaniae, descripsit R. E. Carter, Paris 1968; — III: Codices Americae et Europae occidentalis, descripsit R. E. Carter, Paris 1970; — IV: Codices Austriae, descripsit W. Lackner, Paris 1981; — V: Codicum Italiae partem priorem descripsit R. E. Carter, Paris 1983; — A.-M. Malingrey, Indices Chrysostomici, I: Ad Olympiadem. Ab exilio epistula. De provindentia Dei, Hildesheim/New York 1978; — II: De Sacerdotio, Hildesheim/New York 1989; — D. C. Burger, A Complete Bibliography of the Scholarship on the Life and Works of Saint John Chrysostom, Evanston, Illinois 1964. — 2. Zu Werk und Biographie: Ch. Baur, J. Ch. und seine Zeit, I.II, München 1929-1930 (engl. Übers. von M. Gonzaga: John Ch. and His Time, I.II, Westminster, Maryland 1959-1960); — M. von Bondsdorff, Zur Predigttätigkeit des J. Ch., biogr.-bibliogr. Studien über seine Homilien zu neutest. Büchern, Diss., Helsingsfors 1922; — H. Lietzmann, J. Ch., in: Pauly-Wissowa, Realenzyklopädie der class. Altertumswissenschaft 9 (1916 Stuttgart) 1811-1828 (= Kl. Schrr. I [Texte und Untersuchungen 67], Berlin 1958, 326-347); — A. Moulard, Saint Chrysostome: sa vie — son oeuvre, Paris 1941; — W. R. W. Stephens, St. Chrysostom: Hif Life and Times, London 1872. 3. Ausgewählte Lit.: A. d'Alès, De incomprehensibili chez J. Ch., in: Recherches de science religieuse 23(1933), 306-320; — Th. E. Ameringer, The Stylistic Influence of the Second Sophistic on the Panegyrical Sermons of St. John Chrysostom: A Study in Greek -Rhetoric (Catholic University of America Patristic Studies, no. 5), Washington, D.C. 1921; — G. Bardy, J. Ch., in: Dictionnaire de théologie catholique, VIII, Paris 1924, 660-690; — Ch. Baur, Ideal der christl. Vollkommenheit nach dem hl. Ch., in: Theologie und Glaube 6 (1914), 564-574; — Ders., Der Weg der christl. Vollkommenheit nach dem hl. Ch., in: Theologie und Glaube 20 (1928), 26-41; — St. Bezdeki, J. Ch. et Plato, in: Ephemeris Dacoromana 1 (1923), 291-337; — E. Boularand, La venue de l'homme à la foi d'après saint J. Ch., Rome 1939; — M. A. Burns, Saint John Chrysostom's Homilies on the Statues, Washington D. C., 1930; — R. E. Carter, The Future of Chrysostom Studies, in: Studia Patristica 10 (Texte und Untersuchungen 107), Berlin 1970, 14-21; — Ders., The Future of Chrysostom Studies: Theology and Nachleben, in: ΣΥΜΠΟΣΙΟΝ, Studies on St. John Chrysostom (Analecta Vlatadon 18), Thessaloniki 1973, 129-136; — P. R. Coleman-Norton, St. Chrysostom's use of the greek poets, in: Classical Philology 27 (1932), 213-221; — L. Daloz, Le travail selon saint J. Ch., Paris 1959; — A. Danassis, J. Ch. Päd.-psychol. Ideen in seinem Werk, Bonn 1971; — J. Dumortier, La culture profane de S. Jean Chrysostome, in: Mélanges de science religieuse 10 (1953), 53-62; — G. M. Ellero, Maternità e virtù di Maria in San Giovanni Crisostomo, in: Marianum 25 (1963), 405-446; — Ders., Exegesi e Teologia dell'Incarnazione secondo Giovanni Crisostomo, Vicenza 1967; — C. Fabricius, Adressat und Titel der Schriften an Theodor, in: Classica et Mediaevalia 20 (1959), 68-97; — Ders., Zu den Jugendschriften des J. J. Ch. Untersuchungen zum Klassizismus des 4. Jh.s, Lund 1962; — A. J. Festugière, Antioche païenne et chrétienne: Libanius, Chrysostome et les moines de Syrie, Paris 1959; — G. Fittkau, Der Begriff des Mysteriums bei J. Ch., Bonn 1953; — T. Foerster, Ch. in seinem Verhältnis zur antiochenischen Schule, Gotha 1869; Ders., Ch. als Apologet, in: Jahrbücher für dt. Theol. 15 (1870), 428-454; — S. Haidacher, Des hl. Johanns Ch. Büchlein über Hoffahrt und Kindererziehung samt einer Blumenlese über Jugenderziehung aus seinen Schriften, Freiburg i. Br. 1907; — Ch. Kannengiesser

(Hrsg.), J. Ch. et Augustin: Actes du colloque de Chantilly 22-24 septembre 1974, Paris 1975; — J. Korbacher, Außerhalb der Kirche kein Heil? Eine dogmengeschichtl. Unters. über Kirche und Kirchenzugehörigkeit bei J. J. Ch, München 1963; — L. M. Laistner, Christianity and Pagan Culture in the Later Roman Empire, Ithaca/New York 1951; — J.-M. Leroux, Monachisme et communauté chrétienne d'après saint J. Ch., in: Théologie de la vie monastique, Paris 1961, 143-190; — Ders., Saint Jean Chrysostome: Les Homélies sur les Statues, in: Studia Patristica III (Texte und Unterss. 78), Berlin 1961, 233-239; — Ders., Relativité et transcendance du texte biblique d'après J. Ch., in: La Bible et les Pères, Paris 1971; — Ders., J. Ch. et la querelle origéniste, in: Epektasis, Mélanges patristiques offerts au Cardinal Jean Daniélou, publiés par J. Fontaine et Ch. Kannengiesser, Paris 1972, 335-341; — A.-M. Malingrey, La controverse antijudaïque dans l'oeuvre de J. Ch. d'après les discours Adversus Judaeos, in: De l'antijudaïsme antique à l'antisemitisme moderne, Lille 1979, 87-104; — I. Auf der Maur, Mönchtum und Glaubensverkündung in den Schriften des hl. J. J. Ch, Fribourg 1959; — E. Amand de Mendieta, L'amplification d'un thème socratique et soïcien dans l'avant-dernier traité de Jean Chrysostome, in: Byzantion 36 (1966), 353-381; — A. Merzagora, Giovanni Cristostomo commenatore di s. Paolo, in: Didaskaleion 9 (1931 Turin), 1-73; — L. Meyer, Saint J. Ch., maître de perfection chrétienne, Paris 1933; — A. Moulard, Saint Jean Chrysostome, le défenseur du mariage et l'apôtre de la virginité, Paris 1921; — A. Naegele, J. Ch. und sein Verhältnis zum Hellenismus, in: Byzant. Zschr. 13 (1904), 73-113; — E. Nowak, Le chrétien devant la souffrance: Étude sur la pensée de J. Ch. (Théologie historique 19), Paris 1972; F. van de Paverd, Zur Gesch. der Messliturgie in Antiocheia und Konstantinopel gegen Ende des 4. Jh.s. Analyse der Quellen bei J. Ch. (Orientalia Christiana Analecta 187), Roma 1970; — J. Pelikan, The Preaching of Chrysostom — Homilies on the Sermon on the Mount, Philadelphia 1967; — O. Plassmann, Die Almosen bei J. Ch., Münster 1961; — A. Puech, Un réformateur de la societé chrétienne au IVe siècle: St. J. Ch. et les moeurs de son temps, Paris 1891; — A. M. Ritter, Charisma im Verständnis des J. Ch. und seiner Zeit, Göttingen 1972; — M. A. Schatkin, John Chrysostom as Apologist (Analekta Vlatadon 50), Thessaloniki 1987; — M. Soffray, Recherches sur la syntaxe de saint J. Ch. d'après les homélies sur les statues, Paris 1939; — Ders., St. J. Ch. et la littérature païenne, in: Phoenix 2 (1947/48), 82-85; — P. Stockmeier, Theologie und Kult des Kreuzes bei J. J. Ch., Trier 1966; — M. Striedl, Antiker Volksglaube bei J. J. Ch., Diss., Würzburg 1948; — G. J. Theocharidis, Beiträge zur Gesch. des Profantheaters im 4. und 5. Jh., haupts. auf Grund der Predigten des J. J. Ch., Thessaloniki 1940; — A. Uleyn, La doctrine morale de s. J. Ch. dans le commentaire sur saint Matthieu et ses affinités avec la diatribe, in: Revue de l'Université d'Ottawa 27 (1957), 5*-25*, 99*-140*; — St. Verosta, J. Ch.: Staatsphilosoph und Gesch.theologe, Graz 1960; — A. J. Visser, J. J. Ch. als anti-joods polemicus, in: Nederlands Archief voor Kerkgeschiedenis 40 (1954), 193-206; — J. Volk, Die Schutzrede des Gregor von Nazianz und die Schrift über das Priestertum von J. J. Ch, in: Zschr. für prakt. Theol. 17 (1895), 56-63; — A. Wenger, La tradition des oeuvres de saint J. Ch., in: REB 14 (1956), 5-47; — Ders., J. Ch., in: Dictionnaire de Spiritualité ascétique et mystique, VIII (Paris 1972), 331-355; — R. L. Wilken, John Chrysostom and the Jews, Berkeley 1983. — 4. Ch.liturgie: aa. Text: Edition des langen Textes: P. de Meester, La divine Liturgie de s. J. Ch., Rome 1907 (mit dt. Übers. München 1932); — Weitere Ausgaben sowie jene des sog. kurzen Textes: F. E. Brightman, Liturgies Eastern and Western, Oxford 1896, 309-399 (CPG 4686). — bb. Literatur: Zur Echtheitsfrage: A. Raes, in: Orientalia Christiana Periodica 24 (1958), 5-16; — P. de Meester, in: Dictionnaire d'archéologie chrétienne et de liturgie 6, Paris 1596-1604; — A. Jacob, La tradition manuscrite de la liturgie de S. J. Ch. (VIIIe-XIIe s.), in: Eucharisties d'Orient et d'Occident, II (Lex orandi, 47), Paris 1970, 109-138; — G. Wagner, Der Ursprung der Ch.liturgie, Münster 1973; — 5. Weitere hier zitierte Literatur: M. Aubineau, Un traité inédit de christologie de Sévérien de Gabala in centurionem et contra Manichaeos et Apollinaristas (Cahiers d'Orientalisme V), Genève 1983; — H. Grégoire/M.-A. Kugener, Quand est né l'empereur Théodose II?, in: Byzantion 4 (1927-28), 337-348; — K. G. Holum, Theodosian Empresses. Women and Imperial Dominian in Late Antiquity, Berkeley-Los Angeles-London 1982; — E. Norden, Die antike Kunstprosa vom VI. Jh. v. Chr. bis in die Zeit der Renaissance, 1915-18[3] (Nachdruck Stuttgart 1958[2]); — P. Petit, Libanius et la vie municipale à Antioche au VIe siècle après J.-C., Paris 1955.

Karl Heinz Uthemann

JOHANNES CINI (J. della Pace, de Porta Pacis, Giovanni Soldato, Stipendario), sel., Eremit und Ordensgründer in Pisa, * um 1230 in Pisa als Sohn einer adeligen Familie, † nach 1331. — J.C war in den Bürgerkrieg in seiner Vaterstadt verwickelt und nahm am 8.10. 1296 an einem Angriff gegen Geistliche teil. Um 1305 zog er sich aus der Politik zurück und wurde Franziskaner. Zunächst lebte er als Einsiedler an der Porta Pacis, später gründete er dort den Orden der Fraticelli della Penitenza (Terziar-Eremiten) und förderte verschiedene religiöse Einrichtungen wie die Pia casa di misericordia und eine Geißlervereinigung. Der Kult wurde 1857 bestätigt, die Verwechslung mit einem pisanischen Namensvetter († 1433) aber erst nach 1900 durch Barsotti aufgeklärt. Sein Fest liegt am 12. November.

Lit.: Analecta Iuris Pontificii III, 1858, 378-80; — S. Barsotti, Pro memoria sul B. Giovanni della Pace, 1901; — Ders., Un nuovo fiore serafico, 1906; — Philibert Seeböck, Die Herrlichkeit der katholischen Kirche in ihren Heiligen und Seligen des 19. Jahrh.. 1900, 248; — L'aureola serafica. Vite dei Santi e Beati dei tre Ordini di S. Francesco, per il M.R.P. Leone, hrsg. P. Marino Marcucci, VI, 1950[2], 97-104; — Johann Evangelist Stadler, J.N. Ginal, Vollständiges Heiligenlexikon III, 1869, 420 u. 422f.; — Holweck, 557; — Dom

Baudot, Dictionnaire d'Hagiographie, 1925, 371; — Doyé I, 600; — Enciclopedia Cattolica III, 1949, 1679; — Thurston-Attwater IV, 326; — LThK V, 1021

Ruth Finckh

JOHANNES *von Cluny*, Mönch und kirchlicher Schriftsteller der cluniazensischen Richtung, zuletzt wahrsch. Abt, 10. Jh. — J. stammte aus Italien, wurde Kanoniker in Rom und daselbst von dem Abt Odo v. Cluny bei dessen dortigem Aufenthalt Anfang 938 für das cluniazensische Mönchtum gewonnen. Odo nahm ihn mit nach Pavia und übergab ihn daselbst dem sich dort aufhaltenden Prior Hildebrand v. Cluny, der ihn nach Cluny bringen und dort monastisch ausbilden sollte. Ende dess. J. 938 diente J. dem Abt Odo bei einer neuerlichen zum Zwecke der Verbreitung der cluniazensischen Klosterreform nach Rom und wahrsch. wieder nach Pavia unternommenen Reise als Begleiter. 940 machte Odo ihn zum Prior des Klosters St. Paul z. Rom. Von dort aus unternahm er 943 zum Zwecke der weiteren Förderung der cluniazensischen Reform eine Reise zu einem Kloster in Salerno, wo er erkrankte und noch in dems. J. 943 die erste Fassung seiner Vita Odonis abbatis Cluniacensis in 3 Büchern (Rezension A) schrieb; diese verzichtet weitgehend auf die damals beliebten legendarischen Züge und macht einen recht zuverlässigen Eindruck. Nach seiner Genesung wurde er wahrsch. Abt dieses Klosters in Salerno und verfaßte als solcher für seine Mönche eine kürzere Bearbeitung der Vita Odonis (Rez. B).

Werke: Vita Odonis abbatis Cluniacensis, Rez. A: Ausg. MPL 133, 43-86; Auszüge aus Rez. A bietet L. de Heinemann, MG SS XV/2, 586-588; Rez. B: Hs. in Paris, vgl. Ernst Sackur, Zur Vita Odonis abbatis Cluniacensis auctore Iohanne, in: NA 15, 1890, 105-116; darin auf S. 109-112 Ausz.e aus Rez. B; Opusculum ex Gregorii Moralibus defloratum (Hs. in Monte Cassino); — Ganz unsicher ist die Angabe eines Anecdota-Katalogs aus dem frühen 18. Jh., derzufolge J. einen Liber de miraculis verfaßt habe.

Lit.: Ernst Sackur, Die Cluniacenser in ihrer kirchlichen u. allgemeingeschichtlichen Wirksamkeit bis zur Mitte des 11. Jh.s I, Halle 1892, 107-111. 359-363; II, ebd. 1894, 336 (Nachdr. beider Bde. Darmstadt 1965); — Joachim Wollasch, Zur Herkunft Abt Odos v. Cluny, in: Neue Forschungen über Cluny u. die Cluniacenser, hrsg. v. Gerd Tellenbach, Freiburg i. Br. 1959, 120-142; hier: 128-134. 138-141; — HistLittFrance VI, 265-271; — LThK V, 1021 f.

Adolf Lumpe

JOHANNES COLOMBINI, * um 1300 in Siena (Toskana, Mittelitalien), † am 31.7. 1367 in Aquapendente. Er war Patrizier und ein reicher Handelsmann in Siena, war verheiratet und hatte zwei Kinder. — Dieser sehr erfolgreiche Geschäftsmann schenkte, nachdem er eines Tages durch Zufall in einem Buch über das Leben der Heiligen die Geschichte der heiligen Büßerin Maria von Ägypten gelesen hatte, unter dem Eindruck dieser Lektüre den größten Teil seines Vermögens zwei Klöstern und einem Hospital. Seiner Frau setzte er ein Leibrente aus, übergab seine Tochter (sein Sohn war bereits gestorben) einem Kloster und widmete sich selbst ganz der Bußpredigt und den Werken der Nächstenliebe. Mit seinem Freund Franz Mini lebte er in apostolischer Armut; er erbettelte sich die nötigste Nahrung und fühlte sich glücklich, wenn man ihn die niedrigsten Dienste in Spitälern und Privathäusern verrichten ließ. Mit seinem Freund gründete er um 1360 in Siena den Laienorden der Jesuaten (Clerici apostilici S. Hieronymi), eine Art barmherziger Brüder zur Mitarbeit am Heil der Seelen durch Gebet und Buße und Werke der Nächstenliebe. Im Jahre 1367, als Papst Urban V. aus dem Avignon'schen Exil nach Rom zurückkehrte, reiste ihm J. mit seinen Schülern nach Corneto entgegen, um die päpstliche Bestätigung ihrer Gemeinschaft zu erlangen. Auf dem Wege dorthin erhielten sie den Namen Jesuaten, weil sie auf den Straßen die Worte riefen: »Es lebe Jesus, gelobt sei Jesus Chrsitus!« Papst Urban bestätigte ihre Genossenschaft, nachdem sie nicht mehr unter dem Verdacht standen, mit den schwärmerischen Fraticellen zusammenzuhängen. Der Papst bestimmte ihre Kleidung, die aus einem weißen Talar mit viereckiger Kapuze, einem braunen Mantel und Sandalen bestand. Er gab ihnen die Weisung, nicht mehr in größeren Gruppen das Land zu durchziehen, sondern feste Niederlassungen zu gründen. Ihren Statuten lag zunächst die Benedikt-, später die Augustinusregel zu Grunde; sie bildeten jedoch nicht einen eigentlichen Orden, sondern nur eine fromme Genossenschaft, weshalb sie auch keine feierlichen Gelübde ablegten. Die Jesuaten waren in vielen Städten Italiens verbreitet, außerhalb Italiens aber nur in Toulouse. Außer dem Gebet und den Kasteiungen widmeten sie sich besonders der

Krankenpflege und der Zubereitung von Arznei-en und Liqueuren, weswegen sie auch Aquavi-ta-Väter hießen. Nach und nach scheinen sie ausgeartet zu sein, so daß im Jahre 1668 Papst Clemens IX. ihre Gesellschaft aufhob. Länger erhielt sich die Genossenschaft der Jesuatinnen (Schwestern von der Heimsuchung Mariä), die auf Veranlassung J.'s dessen Cousine Katharina um 1367 gestiftet hatte und bis 1872 als Kongregation in Italien bestand.

Lit.: Helyot III, 407 ff.; — C. J. v. Hefele, Beitr. zur KG I (1864), 197 ff.; — Acta Sanctorum (ActaSS), ed. Bollandus etc., IuI. VII (1868), 344-420; — Vita von F. Belcari (1449), hrsg. von R. Chiarini (1904); — Wetzer-Welte VI, 1371-1374; — Heimbucher ³I, 596 ff.; — Baudot et Chaussin, Vies des Saints et des Bienheureux selon l'ordre du calendrier avec l'historique des fêtes, 12 Bde. (1935-1956), VII, 746-752 (Lit.); — Enciclopedia Cattolica (ECatt) (1949 ff.), III, 2006 f.; — LThK ²V, 912/1022.

Werner Schulz

JOHANNES *von Cornwall* (Cornubiensis), * 1125/30 in Cornwall, † 1199/1200. — J. war in früheren Jahren ein Schüler der Dialektiker, Ab-älards u. A. Seit etwa 1173 lehrte er sehr wahr-scheinlich in Oxford Theologie; 1196/97 war er Archidiakon in Worcester. Als Gegner des chri-stologischen Nihilianismus der Dialektiker, oder der Behauptung, daß Christus in der Menschwerdung »Nichts« geworden sei, tritt J. um 1177/79 auf in der Schrift »Eulogium ad Alexandrum Papam III., quod Christus sit ali-quis homo«. Er rekapituliert hier die Entwick-lung der theologischen Streitfrage, die in dem Beweis kulminiert, daß Christus als Mensch ein wirklicher Mensch ist (Assumptus-Homo-Theo-logie). Die Verurteilung des sog. Nihilianismus suchte er durch das 3. Laterankonzil (1179) zu erreichen.

Werke: a) Echt: Prophetia Merlini cum expositione Johannis Cornubiensis (1155/60), ed. C. Greith: Spicilegium Vatica-num (1838), 92-106 (Übersetzung aus dem Walisischen und Erklärung einer Weissagung über 7 engl. Könige); Eulogium (Patrologia Latina [PL], hrsg. v. J. P. Migne, (1878-90), 199, 1043-1086; ed. N. M. Haring: Mediaeval Studies [MS, hrsg. v. Pontifical Institute of Mediaeval Studies (1939 ff.), 13 (1951), 253-300). — b) Unecht: Apologia de Verbo incarna-to (um 1160) (PL 177, 295-316; ed. N. M. Haring: Francis-can Studies (FStudies) 16 (1956), 102-143, 17 (1957), 85; De canone mystici libaminis (PL 177, 455-470); Quaestio de homine assumpto (ed. E. Rathbone: s. Lit.).

Lit.: DThC VIII, 756-759; — Landgraf E (A. M. Landgraf, Einführung in die Gesch. der theol. Lit. der Frühscholastik ..., 1948, span. übers. 1956), 111 f. (span. Ausg. 189 ff.); — E. Rathbone (Biogr.): RThAM 17 (1950), 46-60; — L. Ott: Chalkedon II, 913 ff.; — LThK ²V, 1022.

Werner Schulz

JOHANNES A CRATICULA (Jean de la Grille, John of the Grating, fälschlich J.v. Châtillon), hl., Bischof von St. Malo, * Ende des 11. Jh. (Bretagne), † 1.2. 1163. — J.a.C. stammte aus einfachen Verhältnissen, wurde zunächst Augu-stinerchorherr in Bourgmoyen, dann erster Abt des Klosters Guingcamp, ab 1144 Bischof von Alet. Aufgrund der wachsenden Bedeutung der Insel Aaron in seinem Bistum verlegte er den Bischofssitz dorthin und änderte den Ortsnamen in St. Malo. Wegen seiner Reformbestrebungen war er in langjährige Auseinandersetzungen verwickelt, die ihm immer wieder Niederlagen einbrachten und ihn zwangen, seine Sache selbst in Rom zu vertreten. Mit der Hilfe mächtiger Freunde, unter anderem Bernhards von Clair-vaux, brachte er jedoch die meisten seiner Anlie-gen zum Erfolg. Besonders zu erwähnen ist in diesem Zusammenhang die Einsetzung von Au-gustinerchorherren in seiner Kathedrale (um 1150), die auf den Widerstand der benachbarten Bischöfe stieß. Ein Jahr vor seinem Tod nahm J.a C. an dem Konzil von Montpellier teil (1162). Der Beiname a C. ist von dem Eisengit-ter um sein Grab in St. Malo abgeleitet. Er wurde 1517 heiliggesprochen, sein Fest liegt am 1. Februar.

Lit.: Gui Alexis Lobineau, Les Vies des saints de Bretagne, et des personnes d'une eminente pieté qui ont veçu dans la même Provence II, 1836, 393-410; — AS, Feb. 1, 250-54; — Johann Evangelist Stadler, J. N. Ginal, Vollständiges Heiligen- Lexikon III, 1869, 217; — A. Le Grand, Les vies des saints de la Bretagne Armorique, 1901⁵, 37-40, 600; — F. Duine, Catalogue des sources hagiograph. pour l'hist. de la Bretagne jusqu'à la fin du XII° siècle, 1922, 13f.; — Baudot/Chaussin, Vies des Saints et des Bienheureux selon l'ordre du calendrier avec l'historique des fêtes II, 1936, 26f.; — A. M. Rouanet, Le bienheureux Jean-de-la-Grille, premier évêque de St-Malo, 1960 (masch.); — H. Guillotel, Les évêques d'Alet du IX° au milieu du XII° siècle. Ann. de la Soc. d. hist. et d'archéologie de l'arrondissement de St-Malo, 1979, 265f.; — Holweck, 534; — Zimmermann I, 154; — Thurston-Attwater I, 229f.; — LThK V, 1022; — Bibliotheca Sanctorum ed. F. Caraffa u.a., 1961ff, VI, 815;

— Dict. des auteurs cisterciens I, 399-400; — Lexikon des Mittelalters V, 1990, 565

Ruth Finckh

JOHANNES *von Damaskos*, Mönch und Theologe, * 650 in Damaskus, † um 750 im Kloster Mar Saba bei Jerusalem. — »Eine Augenzeugen-Vita hat es von J. offenbar nie gegeben; wenigstens hat sich keine Spur davon erhalten« (J. M. Hoeck, S. 7). Alle sieben Viten, die uns überkommen sind, haben weitgehend legendären Charakter. Auffallend ist, daß die älteste uns bewahrte griechische »Lebensgeschichte« des J. erst um die Mitte des 10. Jahrhunderts als Bearbeitung einer offenbar recht einfach geschriebenen arabischen Vita (PG 94, 433 B) entstanden ist; dies ist um so merkwürdiger, als J. jener Theologe war, der in seinen drei Reden zur Verteidigung des Bilderkults (und vielleicht noch anderen ähnlichen Streitschriften [vgl. PG 94, 476. 505] — drei uns erhaltene laufen zu Unrecht unter seinem Namen [CPG 8114: die längere Version aus den Jahren 768-775; CPG 8115; CPG 8121: aus dem Jahre 770]) die Transformation des Erscheinungsbildes der orthodoxen Kirche im Zeitalter des sogenannten Ikonoklasmus (8./9. Jahrhundert) entscheidend mitgeprägt hat, und diese Tatsache, wie z. B. die Vita des Stephanos des Jüngeren (PG 100, 1067-1186) aus dem Jahre 806 zeigt, der Partei der Bilderverehrer durchaus bewußt war und blieb. — J. stammt aus einer christlichen arabischen oder arabisierten Familie. Da er Spielgefährte des späteren Kalifen Yazid war, der zwischen 642 und 647 geboren ist, dürfte er ungefähr gleichaltrig, vielleicht etwas jünger gewesen sein. Dem entspricht die Überlieferung, daß er im hohen Alter, angeblich mit 104 Jahren, gestorben sei, sofern dies sicher vor dem Jahre 754 geschehen ist, als in Hiereia bei Chalkedon jene ikonoklastische Synode tagte, die sich selbst als 7. ökumenisches Konzil bezeichnet hatte; ihre Akten nennen J. als Schriftsteller, Exeget und Lehrer. — In jungen Jahren soll er Mitarbeiter seines Vaters Sargun ibn Mansur gewesen sein, dem die Finanzen des Kalifats anvertraut waren. Seine Karriere erfuhr offenbar durch die mit Kalif Abd el Malek (685-705) einsetzende Dis-kriminierung der Christen, insbesondere durch ihre Verdrängung aus öffentlichen Funktionen einen Bruch. Noch vor dem Jahre 700 trat J. zusammen mit seinem Adoptivbruder Kosmas von Majuma in das Kloster Mar Saba bei Jerusalem ein, wo er sich auf Grund seiner Wirkungsgeschichte bei der Nachwelt einen Namen als Gelehrter, Theologe, Prediger und Dichter erwarb. Im allgemein bildungsfeindlichen Milieu des palästinensischen Mönchtums blieb er, wie oben schon angedeutet, unbeachtet. Durch den Patriarchen Johannes V. von Jerusalem (706-735) wurde er zum Priester geweiht und so mit entsprechenden Funktionen, insbesondere mit Predigt und Lehre beauftragt. — Nachdem sich im Spätsommer 726 Kaiser Leon III. (717-741) erstmals in Reden gegen den Bilderkult ausgesprochen hatte, von denen nichts mehr, kein einziges Zitat, im Wortlaut erhalten ist, und in einem am 17. Januar 730 abgehaltenen Silention, d. h. Konsistorium, den Patriarchen Germanos von Konstantinopel (seit 715 Patriarch, gestorben 733) abgesetzt hatte, weil dieser sich weigerte, in einem Glaubensbekenntnis gegen den Bilderkult Stellung zu nehmen, kam es zu der Erscheinung, die als byzantinischer Ikonoklasmus in die Geschichte eingehen sollte und mit einer kurzen Unterbrechung (775-815) bis zur sogenannten Wiederherstellung der Orthodoxie (843) die offizielle Gestalt des Christentums im byzantinischen Reiche darstellte. Die Entwicklung einer Theologie der Ikone, die für die Orthodoxie kennzeichnend werden sollte, verdankt, sofern die Quellen ein Urteil erlauben, die entscheidenden Impulse den drei Reden des J. »wider die Verleumder der Bilder« (CPG 8045). Umstritten ist, wann J. sie verfaßt hat und so außerhalb des Reiches (ebenso wie im 89. Kapitel der sogenannten »Expositio fidei« [CPG 8043; Näheres vgl. unten]) eine theologische Argumentation entwickelte, die von den Bilderverehrern im Reich aufgegriffen wurde. Früher nahm man an, er habe die drei Reden in den Jahren 726-730 verfaßt; der Herausgeber, B. Kotter, rückt die erste Rede nahe an den Januar 730 heran, die zweite sei »kurz nach der ersten anzusetzen, vielleicht noch 730 oder bald darauf«, die dritte erlaube keine Datierung (Schriften [vgl. Werke], III, S. 7). Andere setzen zumindest die letztere (D. Stein, Beginn, 204), andere alle drei Reden (P. Speck, Artabasdos, 179-243) nach 741 an. — Als Theologe ist J. bewußt jemand, der sich in die Tradition einordnen will: »Nichts Eigenes« ist die Formel, mit der er seine Arbeit zu kennzeichnen sucht. Daß eine solche Perspektive kritischen und damit selbständigen Umgang mit den Quellen nicht ausschließt, zeigen alle seine theologischen Schriften, vor allem sein Hauptwerk, »Quelle der Erkenntnis« (Pege Gnoseos) genannt, in der zum ersten Mal in der Geschichte des christlichen Glaubens eine systematisch aufgebaute Summe der Dogmatik geschaffen wurde. Sie besteht aus drei Teilen: (1) aus einer umfangreichen Definitionensammlung, allgemein »Dialectica« genannt (CPG 8041), in der sich neben byzantinischer Schultradition und aus kontroverstheologischem Bedürfnis seit dem 6. Jahrhundert entstandene »Capita philosophica« vor allem die Isagoge des Porphyrios niedergeschlagen hat, (2) aus einer »Ketzergeschichte«, d. h. einer Aufzählung aller Häresien (CPG 8044), und (3) aus einer umfassenden Darstellung des kirchlichen Glaubensgutes, der sogenannten »Expositio fidei« (CPG 8044), im Titel ἔκδοσις ἀκριβὴς τῆς ὀρθοδόξου πίστεως genannt, in der die rationale Unterbauung des Glaubensinhalts im Vordergrund steht. Eine Art Entwurf der soeben zitierten terminologischen, in diesem Sinn philosophischen Propädeutik bildet die für einen Bischof Johannes von Laodikeia geschriebene »Institutio elementaris« (CPG 8040). In kleineren apologetischen Traktaten wendet sich J. gegen zu seiner Zeit noch oder wieder aktuelle christologische Ketzereien wie z.B. den Nestorianismus (CPG 8053, 8054), den Monophysitismus (CPG 8047, 8049, 8051) und den Monotheletismus (CPG 8052). Zu seinen kleineren Streitschriften gehört auch ein Dialog zwischen einem Orthodoxen und einem Manichäer (CPG 8048), während es bei zwei Opuscula gegen den Islam umstritten, besser unwahrscheinlich ist, daß sie von J. stammen (CPG 8075: hrsg. von B. Kotter, Schriften, IV, 427-438; CPG 8076). Ein umfangreiches Florilegium, die sogenannte »Sacra Parallela«, eigentlich τὰ ἱερά genannt (CPG 8056), zeigt in drei Büchern die umfangreiche Kenntnis der christlichen Überlieferung (1) von Gott und seiner Erkenntnis, (2) vom Menschen und der Schöpfung. (3) von Ethik

und Spiritualität, die J. besaß. — Die liturgischen Handschriften haben nicht wenige Homilien unter dem Namen des J. bewahrt; unter den echten ist vor allem eine Trilogie auf Mariens Koimesis zu nennen (CPG 8061-8063), deren Einfluß auf die Entwicklung des Gedankens von Mariae Himmelfahrt im lateinischen Westen sich u. a. durch die Aufnahme in die Collectio von Reichenau (Codex Augiensis 80) belegen läßt. In diesen Predigten herrscht ebenso wie in des Johannes Panegyriken auf Heilige, wie z. B. auf Barbara (CPG 8065), Anastasia (CPG 8068) oder Johannes Chrysostomos (CPG 8064), eine überschwenglich barocke Enkomiastik vor. — Umstritten ist, ob der Roman »Barlaam und Joasaph« (CPG 8120) ein Werk des Damaskeners ist; wie die »Clauis« von M. Geerard zeigt, trifft das Schicksal, zu den Dubia zu gehören, nicht wenige Werke, die handschriftlich unter dem Namen des J. laufen (CPG 8075-8100). Der genannte Roman hätte zumindest hier und nicht unter den Spuria (CPG 8110-8127) seinen Platz verdient. Schließlich muß erwähnt werden, daß J. »ein begabter Dichter« war, »der sowohl Metrik wie Rhythmik beherrschte« (J. M. Hoeck); die liturgische Dichtung und Musik verdankt ihm viel (CPG 8070).

Werke: a. Dogmatische Werke: Hauptwerk: Quelle der Erkenntnis (Πηγὴ γνώσεως), bestehend aus drei Teilen: (1) Dialectica: hrsg. von B. Kotter, Die Schriften des J., I (Patristische Texte und Studien [= PTS] 7), Berlin 1969, 51-146 (CPG 8041); (2) De haeresibus: hrsg. von dems., a.a.O., IV (PTS 22), Berlin 1981, 19-67; (3) Expositio fidei: hrsg. von dems., a.a.O., II (PTS 12), Berlin 1973. — Entwurf einer Propädeutik: Institutio elementaris: hrsg. von dems., a.a.O., I (PTS 7), Berlin 1969, 20-26. — Kleinere apologet.-dogm. Traktate: Contra Jacobitas: hrsg. von dems., a.a.O., IV (PTS 22), Berlin 1981, 109-153 (CPG 8047); De duabus in Christo uoluntatibus: ebd., 173-231 (CPG 8052); De fide contra Nestorianos: ebd., 238-253 (CPG 8054); Contra Nestorianos: ebd., 263-288 (CPG 8053); Epistola de hymno trishagio: ebd., 304-332 (CPG 8049); De natura composita contra Acephalos: ebd., 409-417 (CPG 8051). — Dialoge: Contra Manichaeos: ebd., 351-398; in seiner Authentizität umstritten und handschr. nicht dem J. zugewiesen, wohl von B. Kotter unter seinem Namen veröff.: Disputatio Christiani et Saraceni: ebd., 427-438 (CPG 8075). — Reden: Contra imaginum calumniatores orationes tres: hrsg. von dems., a.a.O., III (PTS 17), Berlin 1975. b. Florileg: Sacra Parallela: zu den versch. Rezensionen und teilweise vorliegenden Editionen vgl. bes. M. Richard, Florileges Damascéniens, in: Dictionnaire de Spiritualité ascétique et mystique V (1964, Paris), 476-486 (CPG 8056). c. Predigten: Homilia in ficum arefactam et in parabolam uineae: hrsg. von B. Kotter, a.a.O., V (PTS 29), Berlin 1988, 102-110 (CPG 8058); In sabbatum sanctum: ebd., 121-146 (CPG 8059); Passio s. Artemii martyris: ebd., 202-245 (CPG 8082); Laudatio s. Barbarae: ebd., 256-278 (CPG 8065); Laudatio s. Anastasiae martyris: ebd., 289-303 (CPG 8068); Laudatio s. Iohannis Chrysostomi: ebd., 359-370 (CPG 8064); Homilia in natiuitatem domini: ebd., 324-347 (CPG 8067); In transfigurationem domini: ebd., 436-459 (CPG 8057); Trilogie: In dormitionem s. dei genitricis Mariae I-III: ebd., 483-500, 516-540, 548-555 (CPG 8061-8063). — d. Liturgische Dichtung: Zu den jambischen sowie anderen Kanones, den Idiomela und Stichera vgl. die in CPG 8070 genannte Literatur. — e. Roman: Barlaam et Ioasaph: der Text aus PG 96, 860-1240 liegt zugrunde bei G. R. Woodward/H. Mattingly, St. John Damascene: Barlaam and Joasaph. Introduction by D. M. Lang (The Loeb Classical Library), London-Cambridge, Mass. 1967 (CPG 8120).

Lit.: H.-G. Beck, Kirche und theol. Lit. im byzant. Reich (Byzant. Handb. im Rahmen des Handb.s der Altertumswissenschaft, Zweiter Teil, Erster Band), München 1959, 476-486; — M. Geerdard, Clauis Patrum Graecorum, III, Turnhout 1979 (=CPG); — J. M. Hoeck, Stand und Ausgaben der Damaskenos-Forschung, in: Orientalia Christiana Periodica 17 (1951), 5-60; — A. Kallis, Handapparat zum J. D.-Studium, in: Ostkirchl. Studien 16 (1967), 200-213. — Schrifttum in Auswahl a.) zu Leben und Werk: M. Jugie, La vie de S. J. D., in: Échos d'Orient 23 (1924), 137-161; — Ders., Une nouvelle vie et un nouvel écrit de S. J. D., in: ebd. 28 (1929), 35-41; — N. Nasrallah, Saint Jean de Damas. Son époque - sa vie - son œuvre, Harissa 1950; — S. Vailhé, Date de la mort de S. J. D., in: Échos d'Orient 9 (1906), 28-30 (am 4.12.749; doch vgl. R. P. Blake, Deux lacunes comblées dans la Passio XX monachorum Sabaitarum, in: Analecta Bollandiana 68 (1950), 27-43). — b.) Zur Überlieferung und Theologie: J. Bilz, Die Trinitätslehre des hl. J. v. D. (Forschungen zur christl. Literatur- und Dogmengesch. 9,3), Paderborn 1909; — C. Chevalier, La Mariologie de Saint J. D. (Orientalia Christiana Analecta, 109), Roma 1936; — F. Dölger, Der griech. Barlaam-Roman ein Werk des hl. J. v. D. (Studia Patristica et Byzantina, 1. Heft), Ettal 1953; — M. Gordillo, Damascenica (Orientalia Christiana, 8), Roma 1926; — J. Grégoire, La relation éternelle de l'Esprit au Fils d'après les écrits de Jean de Damas, in: Revue d'histoire ecclésiastique 64 (1969), 713-755; — A. Kallis, Der menschl. Wille in seinem Grund und Ausdruck nach der Lehre des J. D., Münster 1965; — B. Kotter, Die Überlieferung der Pege Gnoseos des hl. J. v. D. (Studia Patristica et Byzantina, 5. Heft), Ettal 1959; — A.Th. Khoury, Les théologiens byzantins et l'Islam, Louvain/Paris 1969²; — P. Khoury, J. D. et l'Islam, in: Proche-Orient chrétien 7 (1957), 44-63; 8 (1958), 313-359; — J. Langen, J. v. D. Eine patrist. Monographie, Gotha 1879; — H. Menges, Die Bilderlehre des hl. J. v. D., Münster 1938; — G. Richter, die Dialektik des J. v. D. Eine Unters. des Textes nach seinen Quellen und seiner Bedeutung (Studia Patristica et Byzantina, 10. Heft), Ettal 1964; — K. Rozemond, La christologie de saint J. D. (Studia Patristica et byzantina, 8. Heft), Ettal 1959; — D. J. Sahas, J. of D. on Islam. The »Heresy of the Ishmaelites«, Leiden 1972; — B. Schultze, Das Beten Jesu nach J. v. D., in: Wegzeichen (Das östl. Christentum NF 25), Würzburg 1971, 101-130; — S. Studer, Die theol. Arbeitsweise des J. v. D. (Studia Patristica et byzantina, 2. Heft), Ettal 1956. —

3. Bei der Darstellung des byzant. Ikonoklasmus vorausgesetzte Literatur: St. Gero, Byzantine Iconoclasm during the reign of Leo III. With particular attention to the oriental sources (CSCO, 346. Subsidia 41), Louvain 1973; — Ders., Byzantine Iconoclasm during the reign of constantine V (CSCO, 384), Louvain 1977; — M.-F. Rouan, Une lecture »iconoclaste« de la vie d'Etienne le Jeune, in: Travaux et Mémoires VIII (1981), 414-436; — Ch. Schönborn, Die Christus-Ikone. Eine theol. Hinführung, Schaffhausen 1984; — P. Schreiber, Der byzant. Bilderstreit: Krit. Analyse der zeitgen. Meinungen und das Urteil der Nachwelt bis heute, in: Bisanzio, Roma e l'Italia nell'alto medioevo, 3-9 aprile 1986 (Settimane di Studio del Centro Italiano di Studi sull'alto medioevo, XXXIV), Spoleto 1988, 319-407; — P. Speck, Artabasdos, der rechtgläubige Vorkämpfer der götl. Lehren. Untersuchungen zur Revolte des Artabasdos und ihrer Darst. in der byzant. Historiographie, Bonn 1981; — D. Stein, Der Beginn des byzant. Bildertreits und seine Entwicklung bis in die 40er Jahre des 8. Jh.s, München 1980.

Karl-Heinz Uthemann

JOHANNES *von Dambach* (auch: a Tambaco), * 1288 im elsässischen Dambach, † 3.1.(10.10.) 1372 höchstwahrscheinlich im Dominikanerkloster zu Freiburg im Breisgau. — J. trat mit 20 Jahren zu Straßburg in den Predigerorden (Ordo Fratrum Praedicatorum). Theologie studierte er teils in seinem Kloster zu Straßburg, teils in Köln (Schüler Meister Eckeharts). Mit anderen begabten Ordensmitgliedern (u. a. Johannes Tauler) wurde er an die berühmte Schule der Theologie nach Paris geschickt, wo er im Kloster St. Jakob wohnte. Dem Orden wie dem Kloster in Paris blieb J. für diese Begünstigung sein Leben lang dankbar. Auf Fürbitte des Kaisers Karl IV. gestattete Papst Clemens VI. am 10.2. 1347, daß J. in Montpellier zum Magister theologiae promoviert wurde. Der neuberufene Magister wurde auf dem zu Pfingsten desselben Jahres abgehaltenen Generalkapitel zum Professor primarius der Theologie an der 1346 gegründeten Universität Prag bestimmt. Bald nach 1360 muß J. Prag verlassen haben, denn in dem Prolog zu seiner Schrift »De consolatione theologiae« wird erwähnt, daß er dieses Werk auf der Flucht aus dem Straßburger Kloster zu seinem Trost geschrieben habe. Von dort sei er, wie es heißt, von den Kampfhelden gegen die Gerechtigkeit und gegen die heilige römische Kirche aus seiner heimatlichen Zelle vertrieben worden. — J. gehörte noch 1370 zum Straßburger Kloster, seinem trotz einiger Unterbrechungen häufigsten Aufenthaltsort während der zwei letzten Jahrzehnte seines Lebens. Dies ist die Zeit des reichen schriftstellerischen Wirkens. Die Periode der äußeren Tätigkeit ist vorüber, er wirkt nun für den Orden vorwiegend mit der Feder. J. lebte insgesamt 64 Jahre im Orden. Die Ordenschronik bezeichnet ihn als einen bescheidenen, ruhigen, demütigen, klugen, ernsten und freundlichen Mann, voll Liebenswürdigkeit im Umgang, unermüdlich tätig, mit größtem Eifer dem Studium der heiligen Schrift zugewandt.

Werke: De consolatione theologiae; De sensibilibus deliciis paradisi; De culpa et gratia; Kleinere Traktate; De proprietate Mendicantium; De qualitate et virtute indulgentiarum; De privilegio exemptorum; De simonia claustralium; Exhortatio ad Carolum IV; Hss. und Nachweise der Werke bei A. Auer (s. Lit.).

Lit.: A. Bzovius, Annales Ordinis Fratrum Praedicatorum (OP) (bis 1348), 1756; — Quetif I, 667-670, II, 821; — ALKGMA 2 (1886), 222, 3 (1887), 640 ff.; — RQ 11 (1897), 301, 309; — B. M. Reichert, Acta capitulorum general. OP II, 1899; — HJ 46 (1921), 532 ff.; — N. Paulus: Bull. eccl. de Strasbourg 41 (1922), 52 ff., 146 ff.; — G. Löhr, Beitr. zur Gesch. des Kölner Dominikanerklosters im MA II (1922), 121; — A. Auer, J. v. Dambach und die Trostbücher vom 11.-16. Jh., 1928; — G. Boncr, Das Predigerkloster in Basel (1935), 173 ff., 179 ff.; — Stammler-Langosch II, 589 ff. (Dt. Lit. des MA.s, Verfasserlex., 5 Bde., Bd. I-II, hrsg. v. w. Stammler, Bd. III-V hrsg. v. K. Langosch, Berlin-Leipzig 1933-55); — AFP 16 (1946), 133; — Walz 236-240 (A. Walz, Compendium historiae Ordinis Praedicatorum, Rom 1948²; — Grabmann MGL III, 350; — LThK ²V, 1026.

Werner Schulz

JOHANNES *de Deo*, Kanonist, * 1189/1191 in Silves (Portugal), † 15.3. 1267 in Sanctarena (Santarém, Portugal). — J. studierte in Bologna, wo er seit 1229 (oder 1247-1253: Grabmann) auch kanonisches Recht lehrte. Ab 1241 ist J. Kanonikus in Lissabon. J.' Schriften waren in der Scholastik hoch angesehen und z. T. weit verbreitet; J. fügte die causae 23-26 der Summa Huguccios (s.d.) zu.

Werke: Summa super quattuor, 1223-1226; Causis decretorum, 1243; Commentum super novellis decretalibus, 1245; Liber iudicium; Liber de poenitentiis; Liber distinctionum; Quaestiones de processu canonico; Liber dispensationum; Liber poenitentiarius; Breviarium decretorum; Concordantiae decretorum cum titulis decretalium.

Lit.: J. P. von Schulte, Geschichte der Quellen und der Literatur des kanonischen Rechts II, Stuttgart 1877, 94-107;

— M. Grabmann, Die Geschichte der katholischen Theologie seit dem Ausgang der Väterzeit, Freiburg 1933 = Darmstadt 1983, 139; — A. D. de Sousa Costa, Joâo de Deus, vida e obras, Braga 1957; — ders., in: Antonianum 33 (1958) 76-124; — LThK V 1026.

Klaus-Gunther Wesseling

JOHANNES DEVENTER (Davantriae), Kontroverstheologe, † 21.10. 1553 in Emmerich. — J. hielt 1532 als Prediger an der Hauptkirche zu Münster in Westfalen ein Religionsgespräch gegen den zwinglianisch gesinnten Bernhard Rothmann und veröffentlichte den Hauptinhalt seiner Beweisführung im folgenden Jahr unter dem Titel »Christianae veritatis telum«. Als Domprediger zu Köln trat er für die Erhaltung des katholischen Glaubens im Rheinland ein und schrieb gegen die Augsburger Konfession (»Exegesis evangelicae veritatis« (1533)). Als Provinzial der Minoriten in der Kölner Provinz (1532-35, 1546-49 und seit 1552) machte er sich um das Ordensleben verdient.

Lit.: J. Niesert, Beiträge zu einem Münster. Urkundenbuch I (1823), 160-164, 170 ff.; — P. Schlager, Gesch. der Kölner Franziskaner-Ordens-Provinz während des Reformationszeitalters (1909), 83 ff., 240-244; — Die Matrikel der Univ. Köln, bearb. v. H. Keussen, I (1928), Nr. 213; — W. Kullmann, Unsere Toten: Rhenania Franciscana (1941), 184; — LThK ²V, 1026 f.

Werner Schulz

JOHANNES DIACONUS *von Rom*, Hymmonides, Schriftsteller, * um 824, † vor 882. — Die Biographie J.s ist nahezu unbekannt. J. war vielleicht Mönch in Monte-Cassino und stand in Verbindung mit dem Hofe Karls des Kühnen. Nach 875 befand er sich im Kreise um J. VIII. (872-882), wo er in Kontakt stand mit Anastasius Bibliothecaris und Gauderich von Velletri. Seine Stellung als päpstlicher Sekretar wird bezweifelt. — Bedeutung hat J. als Autor der im Auftrag des J. VIII. abgefaßten »Vita Gregorii Magni«. Das Werk hat Einfluß ausgeübt auf die griechischen Stundengebetslesungen. Es ist für das Studium der Papstregister wichtig, weil J. das Register Gregors I, benützt hat. Weiter schrieb J. auf Antrag des Gauderichs ein Leben des Clemens von Rom (verloren) und versifizierte die apokryphe Coena Cypriani. Er hat eine Kirchengeschichte geplant auf Grund verschiedener, von Anastasius übersetzten griechischen Kirchenhistoriker (Nikephoros, Georgios Synkellos, Theophanes). Möglich ist er der Autor der Vita Hadriani II. im Liber Pontificalis. Die Authentizität der für die Liturgiegeschichte wichtigen Schrift »Epistula ad Senarium« ist zweifelhaft. Der Verfasser gleichen Namens ist wahrscheinlich identisch mit dem Papst J. I. (523-526).

Werke: Vita Gregorii pape: ActSS Mart. II (1668), 137-211; PL 75, 59-242; Vita sancti Clementis pape I, Bibl. Cas. IV (1880) Floril., 374-390; Coena Cypriani, hrsg. v. Karl Strecker, MGH.PL IV/2-3, 1923, (857-) 870-900; Le souper de Jean Diacre, hrsg. v. Arthur Lapôtre, MAH 21 (1901), 317-323; Nachdr. in: Arthur Lapôtre, Études sur la papauté au IXe siècle, Turin 1978, 57-137.

Lit.: Arthur Lapôtre, MAH 21 (1901), 305-385; — Hippolyte Delehaye, S. Grégoire dans l'hagiographie grecque, in: AnBoll 23 (1904), 449-454; — Max Manitius, Gesch. der lat. Lit. des MA.s I, München 1911, 689-695; — G. Laehr, Die Briefe und Prologe des Bibliothekars Anastasius, in: NA 47 (1928), 416-468; — N. Ertl, Diktatoren frühmittelalterl. Papstbriefe, in: AUF 15 (1938), 121-126; — G. Arnaldi, Giovani Immonide e la cultura a Roma al tempo di Giovanni VIII, in: BISI/Amur (1956), 33-89; — Claudio Leonardi, La »Vita Gregorii« di Giovanni Diacono; Schede per un seminario, in: Roma e l'eta Carolingia, Atti del giornate di studio 3-8 Maggio 1976, Roma 1976, 381-393; — Baudouin de Gaiffier, Un passage de Jean Diacre relatif à la fête de S. Grégoire, pape, in: AnBoll 94 (1976), 34; — J. Semmler, LThK² V, 1027; — J. J. Muzas, NCE VII, 1049 f.; — Edward A. Synan, Dictionary of the Middle Ages VII, 142 f.

Adriaan Breukelaar

JOHANNES Diaconus von Venedig, siehe Sagomino, Giovanni

JOHANNES DISCALCEATUS wird als Seliger verehrt, Gedenktag am 15.12., * um 1280 in Saint-Vaugay (Bretagne), † 15.12. 1349 in Quimper. — 1303 wurde J. Priester in der Diözese Rennes, 1316 Eintritt in OFM. Er widmete sich den Werken der Nächstenliebe, wobei er selbst in radikaler Armut lebte. Sein Beiname rührt von daher, daß er ständig barfuß ging. Er förderte im Orden den Gebets- und Bußeifer sowie die Liebestätigkeit. Die Bestätigung seines Kultes wird angestrebt.

Lit.: F. M. Paolini, Un document inédit du XIVe siècle sur la

vie du St. Jean Discalcéat (Rom 1910); — Acta OFM 33 (1914), 162 f., 50 (1931), 50; — R. Cardialaguet (Paris 1942); — W. Lampen, Collectanea Francescana 26 (1956), 421-424; — W. Forster, in: Lex. für Theol. und Kirche, Bd. 5 (Freiburg 1960), Sp. 1028.

Lothar Hardick

JOHANNES DOMINICI OP, Theologe und Seliger, * 1357 in Florenz, † 10.6. 1419 in Buda. — J., 1374 in den Dominikanerorden eingetreten, war 1387-1399 in Venedig (wo er 1395 das Nonnenkloster Corpus Christi eröffnet), dann bis 1406 in Florenz Prediger. In diesem Jahr wird J. Prior des von ihm gegründeten Konvents von Fiesole und 1408 zum Kardinal und Erzbischof von Ragusa durch Gregor XII. ernannt, dessen Berater er von 1406-1415 ist und den er während des Konzils von Konstanz (1415) auch zum Rücktritt bringt. 1417-1419 betraut ihn Martin V. mit dem Legat zur Beendigung des Hussitismus in Böhmen und Mähren, das allerdings erfolglos verläuft. — J. wirkte neben seinen diplomatischen Missionen als Volksprediger, Reformator seines Ordens (s.u. Raimund von Capua) und Pädagoge; gegen Renaissance-Strömungen verteidigte J. Christus als wahren übernatürlichen Tugenderzieher. J.' Fest wird am 10.6. begangen.

Werke: Regola del governo di cura familiare [1400-1405] ed. D. Salvi, Florenz 1860 (= dt: [A. Rösler] Bibliothek der katholischen Pädagogik 7, Freiburg 1894, 25-66); II libro d'amore di carità ed. A. Ceruti, Bologna 1889; Lucula noctis [1405/1406] ed. R. Coulon, Paris 1908.

Lit.: ActaSS Iun II, 1698, 394-418 [unzuverlässig]; — Quétif-Échard I 768 ff; — H. V. Sauerland, Cardinal J. D. und sein Verhalten zu den kirchlichen Unionsbestrebungen während der Jahre 1406-1415: ZKG 9 (1886) 240-292; 10 (1887) 345-398; — ders., Kardinal J. D. und Papst Gregor XII und deren neuester Panegyriker P. Augustin Rösler: ZKG 15 (1895) 387-418; — A. Rösler, Kardinal J. D., O. Pr. 1357-1419. Ein Reformatorenbild aus der Zeit des großen Schismas, Freiburg/Br. 1893; — ders., Kardinal J. D.s Erziehungslehre, in: Bibliothek der katholischen Pädagogik 7, Freiburg 1894, 1-24; — P. Mandonnet, HJ 21 (1900) 388-402; — Acta Concili Constanciensis I ed. H. Finke, Münster 1896, 191-203.272-277; — AEP 22 (1952) 451; 23 (1953) 5-39; 27 (1957) 425; 29 (1959) 284; — DThC IV 1661-1667; — EC IV 1839f; — LThK V 1028f.

Klaus-Gunther Wesseling

JOHANNES DOXOPATRES (Doxapatres?), Mönch und Schulrhetor in Konstantinopel im 11.Jhdt. Er kommentierte die rhetorischen Schriften des Aphthonios und Hermogenes und schrieb Prolegomena zur Rhetorik. Seine Gleichsetzung mit dem gleichnamigen Chartophylax, der einen kanonischen Bescheid über den 31. Kanon der Synode von Laodikeia verfaßte, ist fraglich. Hingegen ist das früher ihm zugeschriebene dogmatische Werk über die Schöpfung und Christologie wahrscheinlich dem Neilos Doxopatres zuzuweisen.

Werke: Kommentar zu den Progymnasmata des Aphthonios, ed. Chr. Walz, Rhetores graeci II, Stuttgart 1835, 81-564; H. Rabe, Prolegomenon sylloge, Leipzig 1931; Kanonischer Bescheid, ed. M. Gedeon, Ekklesiastike Aletheia 36 (1916) 2.

Lit: Hunger, Die hochsprachl. prof. Lit. d. Byz. I 79, 83f., 86f; — Beck, Kirche 599f., 620; — LThK V (1960) 1029 (Th. Niggl).

Erich Trapp

JOHANNES *von Drändorf*, siehe Drändorf, Johannes v.

JOHANNES *von Dukla* (Prag), Franziskanerminorit, Seliger, Patron von Polen, * 1414 in Dukla, † 29.9. 1484 in Lwow (Lemberg). Mit voller Sicherheit steht fest, daß Johannes in Dukla geboren wurde. Dieser Ort liegt in den Karpaten, an den südlichen Grenzen der Krakauer Diözese. Der Ort Dukla wird urkundlich zum ersten Mal im Jahre 1366 erwähnt und seit 1400 als Stadt genannt. Urkundlich sind nicht zu belegen die Namen der Eltern und das genaue Geburtsdatum. Einer späteren Überlieferung nach sollte seine Familie Dźwig heißen. Es ist nur bekannt, daß er »hoch betagt« gestorben ist. Später wurde von dieser Eintragung her von den Biographen sein Lebensalter: »septuagenarius« (siebzigjähriger) festgelegt. Einer Überlieferung nach aus der 2. Hälfte des 17. Jh. soll er an der Krakauer Akademie studiert haben, jedoch ist sein Namen in den Dokumenten nicht zu finden. Den Elementarunterricht erhielt er vermutlich in dem nahegelegenen Krosno. In seiner Jugend sollte er auch eine Zeitlang ein Einsiedlerleben geführt haben. Von der Zeit seines Aufenthaltes im Or-

den der Minoriten (Konventualen) sind mehr Angaben vorhanden, obwohl auch diese nicht chronologisch vollständig sind. Zwischen 1434 und 1440 ist er ins Kloster eingetreten, das sich wahrscheinlich im nahegelegenen Ort Krosno befand. In diesem Orden bekam er die Ausbildung eines Franziskaners. Er beendete das Noviziat und das Vorbereitungsstudium »trivium«. Später studierte er Theologie in einem der Klöster in der Kustodie in Lwów, die auch »Russische Kustodie« genannt wurde und ein Teil der tschechisch - polnischen Ordensprovinz war. Das Datum der Priesterweihe ist unbekannt. Im Orden erfüllte er verschiedene Pflichten, wie Beichtvater und Prediger. Einige Male wurde er zum Guardian gewählt. Er war auch Vorsteher der Klöster in Krosno und Lwów, wie auch in der Kustodie in Lwów, wahrscheinlich in den Jahren zwischen 1443 und 1461. Die genannte Kustodie bestand aus sieben Klöstern mit dem Hauptsitz im Kloster des Heiligen Kreuzes in Lwów. Ihre Missionsarbeit bestand in der Bekehrung der russisch-orthodoxen Ruthenen zum Katholizismus. Im Jahre 1461 war J. deutscher Prediger in der Krankenhauskirche des Heiligen Geistes in Lwów, in der sich die deutschen Einwohner versammelten. In demselben Jahr war er auch Mitglied einer Kommission, deren Ziel es war, die Lasten der Einwohner des Klosterdorfes Czyszki bei Lwów zu lindern. Etwa 1463 ging er zu den Minderbrüdern Observanten über, die in Polen Bernhardinermönche genannt wurden und die seit 1453 in Polen angesiedelt sind. Nach Kraków wurden sie vom heiligen Johannes Kapistran gebeten. Im Jahre 1460 bauten sie ihr Kloster in Lwów. Während des Besuches des mährischen Provinzials Johannes Stryczek bat J. um die Erlaubnis, zu den Observanten überzugehen. Auch dieser Zeitraum des Lebens von J. ist nicht vollständig dokumentarisch überliefert. Sein ältester Biograph Johannes aus Komorowo (gest. 1536) gab zusätzliche Einzelheiten aus dem Leben an, um seine These, J. sei ein großer Heiliger, zu untermauern. Bei den Observanten verlebte er 21 Jahre, darunter einige Zeit in Poznań, und den Rest seines Lebens im Kloster des Heiligen Andreas in Lwów. In diesem war er bis zum Tode Prediger und Beichtvater der Mönche und der Laien. Er bekleidete jedoch keine Ämter, deshalb ist sein

Name bei keinem wichtigen Ereignis im Orden erwähnt. Seine Lebensweise war außerordentlich streng, er achtete stets auf die Einhaltung aller Vorschriften des Ordens. Sein Eifer ließ auch dann nicht nach, als er am Ende seines Lebens blind wurde. Bis zum letzten Atemzug erfüllte er die Pflichten eines Predigers. Unter den Brüdern zeichnete er sich durch ungewöhnliche Tugenden aus. Seine ganze Freizeit widmete er der körperlichen Arbeit im Garten und in der Küche und geistigen Übungen. Es kam auch vor, daß er ganze Nächte im Gebet versunken war. Im Klostergarten errichtete er sich eine Art Einsiedelei bzw. eine Kapelle, in der er sich der Kontemplation hingab. Am Ende seines Lebens litt er zusätzlich an einer nicht näher bekannten Krankheit an den Beinen. Nach seinem Tode wurde sein Körper unter dem Presbyterium der Klosterkirche in Lwów begraben. Auf Grund der historischen Überlieferungen war J. ein musterhafter Ordensbruder und Priester im Orden der Minoriten (Konventualen) und Observanten. Er wies intellektuelle und moralische Tugenden auf. Er führte ein aktiv-kontemplatives Leben, bei Minoriten als Administrator, bei Observanten als Seelenhirt. — J. soll Sammlungen von Predigten und selbstverfaßten Gebeten hinterlassen haben. Die im Jahre 1751 im Auftrag der Riten-Kongregation durchgeführten Untersuchungen brachten aber keine Resultate. Die Johannesverehrung entwickelte sich gleich nach seinem Tode, besonders in den östlichen Wojewodschaften Polens. Alle früheren Biographen - angefangen von Johannes von Komorowo - berichteten über Gnaden, die an seinem Grab erbeten wurden. Im Jahre 1487 ließ der Papst Innocentius XXII. seinen Leichnam erhöhen, aber diese Feierlichkeit vollzog sich erst 1521. Nach der Errichtung einer neuen Kirche im Jahre 1608 wurden die Reliquien J. in einem prächtigen Sarkophag untergebracht und 1740 in ein silbernes Sarkophag-Reliquiar umgelegt und auf den Altar gestellt. Seit dem Jahre 1945 bleiben die Reliquien in der Franziskanerkirche in Rzeszów. Der Seligsprechungsprozeß begann aber erst 1615. Am 2. Januar 1733 wurde J. von Clemens XII. selig gesprochen (beatificatio aequipollens). Derselbe Papst erklärte J. zum Patron von Polen und Litauen und setzte einen liturgischen Feiertag für den 19. Juli ein. Gegenwärtig wird dieses Fest in Polen am 1. Oktober und im Orden am 18. September gefeiert. Im Jahre 1740 begann Familie Mniszech im Heimatsort des seligen Johannes Dukla, ein Kloster für Observanten zu bauen. Der Prozeß der Heiligsprechung (Kanonisation) wurde allerdings erst 1947 unternommen, jedoch bis heute ohne Erfolg.

Quellen: Die älteste Quellenüberlieferung über das Leben von Johannes ist die Chronik von Johannes von Komorowo OFMObs. aus dem Jahre 1521 u. d.T. Memoriale Ordinis Fratrum Minorum (herausgegeben in Monumenta, Poloniae Historica, Bd. 5, 1886, S. 246-250; die gleiche wurde von einem anderen Kodex von H. Zeissberg in Arch. f. Kunde oesterr. Geschichtsquellen, Bd. 49, 1873, 2 H., S. 297-425 herausgegeben). In Anlehnung an diese Quelle erschienen der Reihe nach: »Krótkie zebranie życia wielebnego Jana z Dukli...« (Kurze Lebensbeschreibung des ehrwürdigen Johannes von Dukla...) von einem anonymen Autor sowie die Lebensläufe in den Werken: K. Warszawicki, Reges, sancti, bellatores, scriptores Poloniae, Romae 1601, S. 149-150; H. Pruszcz, Forteca monarchów (Festung der Monarchen), Kraków 1662, S. 149-150; C. Damirski OFMObs., Thaumaturgus Russiae Beatus Joannes de Duchla..., Leopoli 1672; das gleiche polnisch, erweitert durch die Beschreibung der Ehre und der Wunder nach seinem Tode, Zamość 1673. Nicht viele biographische Materialien beinhalten die Prozesse: der Diözesanprozeß in den Jahren 1615-1619 und die apostolischen Prozesse in den nachfolgenden Jahren, veröffentlicht in: »Positio super dubio an constet de cultu ab immemorabili tempore dicto beato exhibito et casu ... excepto a decretis Urbani papae VIII in casu«, Romae 1732. Auch andere Dokumente, die mit dem Seligsprechungsprozeß von Johannes von Dukla verbunden sind, bringen wenige Lebensdaten. In den Jahren 1688-1990 sind über 30 Lebensläufe von Johannes von Dukla erschienen, darunter viele in Sammelwerken, die auf Grund des sich verbreiteten Kultus vom seligen Johannes entstanden. Alle diese Lebensbeschreibungen sind populär, verschönert, legendäre Erzählungen, meistens mit zusätzlichen Andachtsgebeten an den seligen Johannes. Man kann daran verfolgen, wie sich die Entwicklung der Legenden vom Seligen vollzogen hat. Sie wurden am farbigsten dargestellt von Czesław Bogdalski OFM, dem Verfasser des Buches u.d.T. »Jan z Dukli. Wspomnienia z jego życia i czci pośmiertnej« (Johannes von Dukla. Erinnerungen an sein Leben und seine Verehrung nach dem Tode), Kraków 1903, 1938[6].

Lit.: Kritische Bearbeitungen: K. Kantak, Les données historiques sur les bienheureux Bernardins polonais. Archivum Franciscanum Historicum 22, 1929, 433-461; — E. Wyczawski OFM, Błogosławiony Jan z Dukli. Życie i cześć pośmiertna (Seliger Johannes von Dukla. Leben und Verehrung nach seinem Tode), Kraków 1957; — Das gleiche - Nachdruck in einer Sammelausgabe: Polscy Święci, t. 3, Akademia Teologii Katolickiej (Polnische Heilige, Bd. 3, Akademie für Katholische Theologie), Warszawa 1984, S. 133-184. Das gleiche als Zusammenfassung in: E. Wyczawski, Jan z Dukli (Johannes von Dukla), in: Polski Słownik Biograficzny, t. 10. (Polnisches biographisches

Wörterbuch, Bd. 10), 1962, S. 450; — und in: Hagiografia Polska. Słownik bio-bibliograficzny. Dzieło zbiorowe pod red. o. Romualda Gustawa OFM, Księgarnia św. Wojciecha (Polnische Hagiographie. Bio-bibliographisches Wörterbuch. Kollektivarbeit unter der Leitung des Vaters Romuald (Gustaw OFM, Buchhandlung des Heiligen Adalbertus), Poznań 1971, Bd. 1, S. 587-594; — Romuald Gustaw OFM, Bibliografia (Bibliographie), ebenda, S. 595-602; — Doyé I, 590; — EC VI, 556; — LThK V, 1029 f.; — VSB VII, 457.

Bogdan Brzuszek

JOHANNES ENEN, Weihbischof in Trier, * um 1480, † 31.7. 1519 in Trier. — J. stammte aus Enen bei Wormeldingen (Luxemburg), studierte in Trier, wurde im Mai 1498 zum Magister der Artistenfakultät promoviert und erhielt bald darauf eine Professur. 1502 erscheint er als Dekan, 1512 als Rector magnificus der Universität; gleichzeitig amtiert er als Domprediger. 1514 veröffentlichte er, veranlaßt durch die erstmalige Zeigung des heiligen Rockes vor Kaiser Maximilian I. im Jahre 1512, eine kurze Geschichte der Stadt Trier, ihrer Kirchen und Heiligtümer, die »Medulla Gestorum Treverensium«, einen der ersten Versuche einer (wenn auch noch unkritischen) Stadtgeschichte in deutscher Sprache, die auch von statistisch-topographischem Wert für die mittelalterliche Stadtgeschichte Triers ist. J. wurde 1515 zum Doktor der Theologie promoviert und 1517 als Titularbischof von Azot und Weihbischof in Trier konsekriert (päpstliche Bestätigung am 13.11. 1517). Neben seinem Amt als Weihbischof versah er bis zu seinem frühen Tod auch das eines Dekans der Theologischen Fakultät. Begraben wurde er in Trier-St. Maximin.

Lit.: Johann Nikolaus v. Hontheim, Historia Treverensis, Bd. II, 1750, 546 f.; — Johann Anton Josef Hansen, Die Weihbischöfe von Trier, 1834, 17; — Karl Joseph Holzer, De Proepiscopis Trevirensibus, 1845, 69-71; — Jakob Marx d. Ä., Gesch. des Erzstifts Trier, Bd. 2, 1859, 494 f.; — Leonhard Keil, Akten und Urkunden zur Gesch. der Trierer Univers., in: Trierisches Archiv, Ergänzungsheft 16 (1917), 15, 17, 21, 30; — Josef Schweisthal, Die Trierer Weihbischöfe, ungedr. Manuskript Trier 1935, 24; — Emil Zenz, Die Trierer Universität 1473 bis 1798. Ein Beitrag zur abendländ. Universitätsgesch., 1949, 27, 185, 193; — Handbuch des Bistums Trier XX, 1952, 50; — Hermann Ries, Trierer Ereignisse aus den Jahren 1512 bis 1517. Biblio- und biograph. Studien zu einem Kapitel trierischer Kirchengesch., in: Ekklesia. Festschr. für Bischof Dr. Matthias Wehr, dargebr. von der Theol. Fakultät Trier (= Trierer theol. Studien Bd. 15), 1962, 181-211; — Wolfgang Seibrich, Johannes

Enen. Weihbischof von Trier (1517-1519), in: Paulinus. Trierer Bistumsblatt 114 (1988) Ausgabe Nr. 48 vom 27. November 1988 S. 16-17; — ADB VI, 111; — NDB IV, 498 f.

Martin Persch

JOHANNES *von Ephesus* (J. von Amida; J. von Asien), monophysitischer Theologe und Historiograph. * ca. 507 im Gebiet von Ingila (das spätere Armenia IV, dessen Hauptort Amida war, daher sein 2. Beiname), † 586 in Chalcedon. J. kam mit 3 oder 4 Jahren in das Kloster des Styliten Maro in Ar 'a Rabtha. Nach Maros Tod siedelte er im Alter von 15 Jahren in ein Kloster über, das Johannes von Urtaya in Amida gegründet hatte, dessen Mönche aber infolge der Verfolgung von 521 nach Hazim ausgewichen waren, wo sie bis 526 blieben. 530 kehrten sie jedoch auf Befehl Justinians I. (s.d.) nach Amida zurück. Das ruhige Klosterleben in Amida behagt J., der noch 529 zum Diakon geweiht worden war, aber offenbar nicht. Deshalb unternimmt er mehrere Reisen zu berühmten Klöstern und Einsiedlern (532 nach Antiochien, 534 nach Ägypten, 535 nach Konstantinopel). 536 kam es zur erneuten Verfolgung der Monophysiten. 539 wurden ihre Klöster aufgelöst. Ein Großteil der Mönche, darunter auch J., zogen sich bis an den Euphrat zurück. Von dort gelangte J. dann 540 (vielleicht im Gefolge seines Archimandriten) nach Konstantinopel. 541 unternahm er eine 2. Ägyptenreise, von der er über Palästina, Mesopotamien und Syrien nach Konstantinopel zurückkehrte. 542 beauftragte ihn Justinian I. mit der Heidenmission in den Bergen Anatoliens (mit der Auflage, daß die Bekehrung zum chalced. Bekenntnis zu erfolgen habe). Dieser Aufgabe soll J. sich späteren Berichten zufolge mit großem Erfolg gewidmet haben: 96 Kirchen und 12 Klöster sollen von ihm gegründet und 70000 Heiden von ihm bekehrt worden sein. Daß er bei dieser Tätigkeit auch den Monophysitismus propagierte, ist deswegen wahrscheinlich, weil er ca. 558 zum (monophysitischen) Bischof geweiht wurde. Sein Bischofssitz sollte Ephesus, die Metropole der Asia, sein (daher auch der Beiname J. v. Asien), doch hat er nie in Ephesus residiert. Vielmehr finden wir ihn nach 566 als den anerkannten Führer der

Monophysiten in Konstantinopel. Nach dem Tode Justinians I., der (zusammen mit Theodora) den Monophysiten aus kirchenpolitischen Gründen einen gewissen Schutz gewährt hatte, wurde der Monophysitismus wieder heftig verfolgt. J. wurde eingekerkert und starb 586 nach etwa einjähriger Haft im Kerker von Chalcedon.

Werke: Sein frühestes literarisches Werk war eine Geschichte der Verfolgung, es ist völlig verloren gegangen. Wahrscheinlich hat er auch eine Beschreibung der Seuche von 541/542 verfaßt, die aber ebensowenig erhalten ist. Beide Werke sind indessen wahrscheinlich in seine »Kirchengeschichte« miteingegangen; diese bestand ursprünglich aus drei Teilen zu jeweils 6 Büchern, von denen der erste fast völlig verloren ist (geblieben sind nur ein paar Zitate bei Michael dem Syrer); Teil II ist in Exzerpten bei Michael dem Syrer und Ps.-Dionysius von Tell-Mahre auf uns gekommen; Teil III, der die Zeit von 571-585 beschreibt, ist als einziger vollständig überliefert, er ist eine erstrangige Quelle für die Geschichte des Monophysitismus nach Chalcedon. Erhalten ist auch eine »Geschichte der morgenländischen Seligen«, eine Sammlung von 58 Viten aus dem monphysitischen Mönchsleben, von großem kulturhistorischen Interesse, verfaßt zwischen 566 und 568 im Exil. Beide Werke sind in syrischer Sprache abgefaßt. Eine Apologie zur Frage der von Justin II. 571 erzwungenen Union (geschrieben vor 575) ist verloren. — Ausgaben der KG: William Cureton, The Third Part of the Ecclesiastical History of John Bishop of Ephesus, 1853; Jan Pieter Nicolaas Land, Joannis Episcopi Ephesi Monophysitae scripta historica quotquot adhunc inedita Syriace edidit, Anecdota Syriaca II, 1868 (= Edition der commentarii de Beatis Orientalibus und der Exzerpte von Teil II der KG, 1-288); Ernest Walter Brooks, Joannis Ephesini Historiae Ecclesiasticae Pars III, CSCO 105 (syr. Text) und 106 (lat. Übers.), 1935 (ND 1952); Jean Baptiste Chabot, Chronicon Anonymum Pseudo-Dionysianum vulgo dictum I, CSCO 91, 1927 (ND 1953) (syr. Text); Ders., Incerti Auctoris Chronicon Pseudo- Dionysianum vulgo dictum II, accedunt Ioannis Ephesini fragmenta curante Ernest Walter Brooks, CSCO 104, 1933 (ND 1952) (syr. Text von Teil II der KG); Ders., Incerti Auctoris Chronicon Pseudo-Dionysianum vulgo dictum, CSCO 121, 1949 (lat. Übers. zu CSCO 91). — Ausgaben der Viten: Ernest Walter Brooks, John of Ephesus. Lives of the Eastern Saints I, PO XVII, 1, 1923, 1-304; II, PO XVIII, 4, 1924, 513-697; III, PO XIX, 2, 1925, 153-273 (jeweils mit engl. Übers.). — Weitere Übersetzungen: R. Payne Smith, The Third Part of the Ecclesiastical History of John Bishop of Ephesus. Now first translated, 1860; Joseph M. Schönfelder, Die Kirchengeschichte des J. v. E. aus dem Syr. übers. Mit einer Abhandlung über die Tritheiten, 1862; W. J. van Douwen/ J. P. Land, Joannis Episcopi Ephesi Syri Monophysitae commentarii de beatis orientalibus et historiae ecclesiasticae fragmenta Latine verterunt, in: Letterk. Verh. der Kon. Akad., deel XVIII, 1889.

Lit.: Josephus Simonius Assemanus, Bibliotheca Orientalis I, 1719, 359-386; — Jan Pieter Nicolaas Land, J. Bischof v. Ephesus, der erste syrische Kirchenhistoriker, 1856; — Ders., De Gedenkschriften van een Monophysiet uit de zesde eeuw, in: Verslagen en Mededeelingen der Kon. Akad. van Wetenschappen, Afd. Letterkunde, 3ᵉ reeks, deel V, 1888; — H. G. Kleyn, Jacobus Baradeus, de Stichter der Syrische Monophysietische Kerk, 1882; — Ders., Een blik of het godsdienstig leven in de oostersche Kerk de 6ᵈᵉ eeuw, in: Theol. Studien VII, 1889, p. 7; — François Nau, Analyse de la seconde partie inédite de l'Historire Eccl. de Jean d'Asie, in: Revue de l'Orient Chrétien II, 4, 1897, 457-493; — A. D'jakonov, Ioann Efesskij, 1908 (russ.; grundlegend); — Ernest Honigmann, Jean d'Ephèse. L'Histoire ecclésiastique, in: Byz(B) XIV, 1939, 615-625; — Ders. , Evêques et évêchés Monophysites d'Asie Mineure au VIᵉ siècle, CSCO 127, 1951, 207-215; — William Hugh Clifford Frend, Recently Discovered Materials for Writing the History of Christian Nubia, in: The materials, sources and methods of ecclesiastical history. Papers read at the 12ᵗʰ summer meeting and the 13ᵗʰ winter meeting of the Ecclesiastical History Society ed. by Derek Baker, 1975, 19-30; — P. Allen, A New Date for the Last Events in John of Ephesus' Historia Ecclesiastica, in: Orientalia Lovaniensia Periodica 10, 1979, 251-254; — Peter Plank, Mimēsis Christu. Zur Interpretation der 52. Heiligengeschichte des Ioannes von Ephesos, in: Unser ganzes Leben Christus unserm Gott überantworten. Studien zur ostkirchlichen Spiritualität. Fairy von Lilienfeld zum 65. Geburtstag, ed. Peter Hauptmann, 1982, 167-182; — A. Schall, Syroaram. 'qlybn und seine griechische Vorlage. Zu einer verkannten Stelle im Geschichtswerk des J. v. E., in: 20. Deutscher Orientalistentag vom 3. - 8. Oktober 1977, Vorträge ZDMG Suppl. 4, 1982, 300-303; — T. Olajos, Ein Beitrag zur Frage der nachjustinianischen politischen Propaganda Anthol. Gr. XVI, 72, Johannes Ephesinus und Corippus, in: Oikumene 4, 1983, 259-267; — Susan A. Harvey, Physicians and Ascetis in John of Ephesus. An expedient alleance, in: Dumbarton Oaks Papers 38, 1984, 87-93; — W. Wright, A Short History of the Syriac Literature, 102-107; — Krumbacher 404; — RE IX, 301 f.; — Baumstark, Geschichte der syr. Literatur, 181 f.; — Ders. Handbuch der Orientalistik III, 2-3, 186 f.; — Rubens Duval, Histoire de la littérature Syriaque, 1907³, 181-184; — DThC VIII, 752 f.; — Ortiz de Urbina, Patrologia Syriaca, 155-157; — RGG III, 814 f.; — LThK V, 1030; — Altaner⁸ 229. 241; — DSp VIII, 484-486.

Hans-Udo Rosenbaum

JOHANNES *von Erfurt*, Franziskaner, Kanonist und Theologe, * um 1250, † um 1320 in Erfurt (?). — Über J., der auch unter dem Namen J. Erfordensis, J. de Erfordia, seltener J. de Saxonia oder J. Alamannus begegnet, sind wenig biographische Details bekannt. Er stammt vermutlich aus dem sächsischen Raum und ist erstmals 1275 als Lektor in Erfurt bezeugt. Später, vielleicht um 1280, wechselte er nach Magdeburg ans Provinzialat der Franziskaner, dort ist er 1285 nachgewiesen. Wo er die nächsten Jahre seines Lebens verbrachte, ist umstritten. Die Auffassung, er sei mit dem 1295 in Bologna belegten Studenten der Rechtswissenschaft »J. de Herfordia« identisch und habe dort promoviert, könnte seine Berechtigung zur Erklärung der Sentenzen und seinen später geführten Titel »doctor iuris utriusque« erklären (Merzbacher, NDB). Demgegenüber steht die Meinung, er sei 1295 als Lektor in Magdeburg nachgewiesen (Brieskorn/Honemann, VerfLex). Einigkeit besteht darin, daß er im 1. Jahrzehnt des 14. Jahrhunderts wieder nach Erfurt zurückkehrte, da er sich selbst in seinem 1309 verfaßten Werk »Libellus in Britonem« als »lector ... erfordiae« bezeichnet. — Sein juristisches Hauptwerk, die »Summa Confessorum« - ein Handbuch für Beichtväter - bespricht die sieben Hauptsünden und den Dekalog, würdigt aber auch den Ablaß. Daß J. stark von Bonaventura beeinflußt war, zeigt auch sein theologisches Hauptwerk, ein Kommentar zu den Sentenzen des Petrus Lombardus. Die starke Rezeption dieses Kommentars und die Breite seines Werkes rechtfertigen die Charakterisierung J.s als einen bedeutenden Vertreter der kirchlichen Wissenschaft des späten 13. Jahrhunderts.

Werke: Tabula iuris utriusque; Quaestio; Decem casus respicientes episcopum; Summa confessorum; Ausg.: Norbert Brieskorn, Die S. C. des J. v. E., Teil 2 u. 3, 1981; Sentenzenkommentar; Libellus in Britonem; Tabula originalium; Vermutl. verlorene Werke: Tabula tocius philosophie naturalis; Tabula loyce (logicas); Tabula tocius philosophie moralis; Kommentare: Super Job et ysaiam et cantica canticorum et apocalipsim; Uolumen sermonum.

Lit.: F. X. Wegele, Chronicon ecclesiasticum Nicolai de Siegen OSB, 1855, 385; — J. F. v. Schulte, Die Gesch. der Quellen u. Lit. d. Canon. Rechts II, 1877, 385 ff.; — J. Dietterle, Die Summae Confessiorum sive de casibus conscientiae - von ihren Anfängen bis zu Silvester Prieirias, in: ZKG 24, 1903, 353-364, 520-548, 1904, 248-272, 26, 1905, 59-81, 349-362, 27, 1906, 70-79,166-188, 296-310, 431-442, 28, 1907, 401-431; — F. Doelle, J. v. E. Ein Summist aus dem Franziskanerorden um die Wende des 13. Jh.s, in: ZKG 31, 1910, 214-248; — Ders., Das Partikularstudium der sächs. Provinz im MA, in: FS 14, 1927, 244-241; — Ders., Die Rechtsstudien der dt. Franziskaner im MA u. ihre Bedeutung für die Rechtsentwicklung der Gegenwart, in: Aus d. Geisteswelt d. MA.s, M. Grabmann gewidmet, 1935, 1037-1064; — B. Kurtscheid, Die Tabula iuris utriusque des J. v. E., in: FS 1, 1914, 269-290; — Ders., De studio iuris canonici in ordine fratrum minorum saeculo XIII, in: Antonianum 2, 1927, 157-202; — Ders., De utriusque iuris studio saeculo XIII, in: Acta congressus iuridici internationalis, Bd. II, 1934, 309-342; — F. J. H. Sbaralea, Supplementum et castigatio ad scriptores trium ordinum S. Francisci, ed. nova, Pars II, 1921, 69 f.; — Th. Noll, Das Totenbuch der Mühlhäuser Franziskaner, in: FS 17, 1930, 12-35; — L. Meier, De schola franciscana Erfordiensi saeculo XV, in: Antonianum V, 1930, 37-94, 157-202, 330-362, 443-473; — Ders., Die Barfüßerschule zu Erfurt, 1958; — F. M. Delorme, Questions de Jean d'Erfurt et de Roger Marston autour de canon »Omnis utriusque sexus«, in: Studi franciscani 31, 1934, 319-335, — O. Bonmann, Ein franzisk. Literarkatalog d. XV. Jh.s, in: FS 23,. 1936, 113-149; — V. Heynck, Studien zu J. v. E., I: Das vierte Buch seines Sentenzenkommentars, in: FS 40, 1958, 329-360; — Ders., II: Sein Verhältnis zur Olivischule, in: FS 42, 1960, 153-196; — W. Trusen, Forum internum und gelehrtes Recht im Spät-MA, Summae confessorum und Traktate als Wegbereiter der Rezeption, in: ZRG KA 57, 1971, 83-126; — Norbert Brieskorn, Die Summa confessorum des J. v. E., 3 Bde., 1980, — ADB XIV, 454 f.; — DThC XIV/1, 1235-1240; — LThK V, 1030; — NDB X, 548 f.; — VerfLex, 2. Aufl., IV, 583-589; — DDC VI, 98 f.

Roland Böhm

JOHANNES *von Euböa*, † 27. Mai 1730. Der heilige Johannis ho Rosos in Prokopion auf Euböa. Ein russischer Bauernjunge aus der Ukraine, Soldat Zar Peters des Großen bei dessen Feldzug gegen die Türkei 1711, der als Kriegsgefangener in türkische Hand fiel, wurde so eigentümlich durchs weitere Leben geführt, daß aus ihm ein Heiliger wurde - als Russe ein Heiliger der griechischen Nation. J. wurde auf dem Sklavenmarkt von einem türkischen Reiteroffizier gekauft und nach Prokopion nicht weit von Cäsarea, damals ein Janitscharenstandort, gebracht. J. widerstand der Versuchung, der viele seiner Kriegskameraden erlagen, nämlich sich durch Übertritt zum Islam ein besseres Los zu verschaffen. Im Pferdestall, der ihm als Schlafplatz zugewiesen war, sang er des nachts die Psalmen Davids in Kirchenslawisch. In einem kleinen St. Georgs-Kirchlein des griechischen Teils der Bewohnerschaft, das zwischen Felsen versteckt lag, empfing er des sonntags die Eucharistie. Daraus gewann er seine geistliche Kraft. Der russische Stallknecht von Prokopion soll ein eigentümliches Wunder vollbracht haben: der Aga des Ortes, plötzlich zu Reichtum gelangt, wollte in einer Pilgerfahrt nach Mekka Allah Dank sagen. Unzählige Hindernisse hatte er auf dieser Fahrt zu überwinden. Während seiner Abwesenheit lud die versorgte Gattin zu einem Bitt-Mahl ein, das auf Gott eindringen sollte, er möge den Gatten unversehrt zum Ziel seiner Wallfahrt gelangen lassen. Der heilige J. diente zu Tische. Unter den Gerichten, die dargeboten wurden, zählte auch Pilav - ein Lieblingsmahl des Orients. "Ach, wie schön wäre es, wenn mein Gatte jetzt auch davon speisen könnte", seufzte die Frau des Aga. Dies griff der Heilige schnell auf: "Gut, gib mir einen Teller voll, den ich mit Gottes Hilfe zum Aga gelangen lasse." Unter dem Gelächter der Gäste übergab man ihm den Pilav. Alle dachten, dieser Schlaumeier wollte den Pilav doch für sich haben. Doch J. ging in seine Gebetsecke im Stall und bat den Allmächtigen, die köstliche Speise zu seinem Herrn im fernen Mekka gelangen zu lassen. Gott, der ansah, daß diese Bitte den Sinn hatte, nicht den armen Stallknecht, sondern den rechten Glauben zu Ruhm gelangen zu lassen, erhörte den schlichten Wunsch. Der Pilav entschwand vor des J. Augen. Der armen Beter berichtete dem Gelage der Muslime davon, das ihn noch lauter auslachte. Aber als der Aga bei seiner Rückkehr von dem überraschenden Empfang des Pilav berichtete, waren alle wie versteinert. Von dieser Stunde an sah man im Dorf, ob Muslim oder Christ, den kriegsgefangenen Russen als einen Gerechten Gottes an. Man wollte dem J. ein reicheres Haus übereignen. Aber er wollte sich nicht von seiner Armut trennen. J. mochte etwa 40 Jahre alt geworden sein, als er am 27. Mai 1730 starb. Drei Jahre darauf im November erstaunten die orthodoxen Gläubigen über eine Lichterscheinung, die über dem Grab des Russen aufleuchtete. Aus dem Grabe gehoben, sahen sie seinen Leichnam unverwest - in der Orthodoxen Kirche ein Anzeichen von Heiligkeit. Sie betteten ihn in einen Holzschrein der St. Georgskirche. 1868 wurde übrigens diese Kirche dem heiligen J. geweiht. Als 1832 der Sohn des ägyptischen Khediven, der berühmte Ibrahim Pascha heranrückte und einen Aufstand gegen Sultan Mahmud II. provozierte, ließ der Sultan eine Armee von 80 000 Mann unter Oglu Osman Pascha in Prokopion aufmarschieren. Es kam zur Schlacht. Die Christen des Orts versteckten sich aus Angst in Höhlen. Bei der Plünderung erbrachen die Soldaten auch den Sarg des J., erschraken aber vor einem Lichtstrahl. Jetzt häuften sich die Wunder am Schrein des Russen. 1878 langte in Prokopion ein Mönch des russischen Athosklosters Panteleimon an mit Namen Andreas. Der blieb aus Verehrung für den Heiligen eine ganze Zeit in Prokopion.

Dann schloß sich der Mönch Mitreisenden an, deren Ziel Konstantinopel war. Der russische Mönch wurde durch die Vision eines Reiters auf rotem Pferd zur Umkehr bewogen, der ihn vor Wegelagerern warnte. Die Mitreisenden waren ihres Geldes und ihrer Kleidung beraubt worden. Es wird erzählt, daß die orthodoxen Bewohner von Prokopion sich eine großräumige neue Kirche, dem heiligen Basilios geweiht, erbauten und dem heiligen J. dort einen Ehrenplatz schaffen wollten. Doch die Reliquie sei auf unerklärliche Weise stets wieder in das kleine, zwischen den Felsen versteckte Kirchlein zurückgekehrt. Neben der Basilioskirche war die Schule errichtet. Nun hatte eine der Frauen aus dem Ort 1862 einen Traum, in dem sie den hl. J. sah, wie er aus dem Sarg stieg und auf seinen Händen das Schuldach trug. Kaum hatte die Frau nach der Göttlichen Liturgie in der Basilioskirche den Nachbarn ihren Traum erzählt, als sich ein ungeheures Krachen vernehmen ließ. Mit Entsetzen sahen die Gläubigen, daß das Schuldach eingestürzt war. Sie fingen an zu jammern, weil sich ihre Kinder gerade zu dieser Stunde in der Schule befanden. Verzweifelt liefen sie dorthin. O Wunder! Keinem der zwanzig Kinder war ein Leid geschehen. Sie erzählten, daß sie ein Beben verspürt und bei dieser Vorwarnung unter den Tischen Zuflucht gesucht hätten. Als die griechischen Flüchtlinge von Prokopion, aus der Türkei ausgesiedelt, 1924 mit dem Schiff "Vasilios Destounis" aus Kleinasien wegfuhren, nahmen sie die kostbare Reliquie mit. Der Kapitän wies den Gebeinen des heiligen Johannis einen eigenen Gebetsraum auf dem Schiffe an. Im neu gegründeten Prokopion auf Euböa haben die Gläubigen die Reliquie des Heiligen in einen silbergetriebenen Schrein gebettet, den man in Athen fertigen ließ. Da Hilfesuchende beim Kuß auf die Hand des Leichnams kleine Stücke herausbissen, wurde der Schrein mit einer Glasdecke verschlossen. Der Heilige soll den Pilgern erschienen sein und gesagt haben: "Wie würdet Ihr empfinden, wenn man Euch in die Hand bisse?" Eine Hand fehlt dem Leichnam. Sie wurde schon 1737 abgetrennt und dem Athoskloster Panteleimon vermacht. Das reiche russische Kloster stiftete dafür eine goldene Hand zum Ersatz. Der Leichnam des Johannis ho rosos ist heute schwarz. Die Priester berichten, aus Mißgunst hätten die Türken den Heiligen verbrennen wollen. Eine ganze Nacht brannte das Feuer, schwärzte zwar die Gebeine, aber verbrannte sie nicht. Einen wunderbaren Jüngling sahen die Türken aus den Flammen aufsteigen. Jeweils nach zwanzig Jahren wird der Leichnam des hl. J. mit neuen Kleidern umhüllt. Als dies zuletzt geschah, und die Gläubigen die Füße des Heiligen küßten, verbreitete sich ein wunderbarer Duft und man spürte süßen Geschmack im Munde. Noch zwei Wochen lang war die Kirche von Wohlgeruch erfüllt. Eindrucksvoll handelnde Priestermönche dienen den Pilgern, die herbeiwandern, an jedem frühen Morgen mit der Göttlichen Liturgie. Die neue Kirche, 1930 begonnen, 1951 fertiggestellt, füllt sich dann mit Hunderten von Besuchern in tiefster Andacht. Die Heilungswunder, die in der bis dahin unbekannten Flüchtlingssiedlung Prokopion am unverwesten Leichnam des Russen J. geschahen, haben den Ort in ganz Griechenland berühmt gemacht. Vor vier Jahren hatte eine verkrümmte alte Frau aus Zypern darum gebeten, sie auf der Wallfahrt nach Prokopion mitzunehmen. Die Ärtze hatten ihre Heilung für unmöglich erklärt. Hier betete sie, angetan mit einem Käppchen und einem Gürtel, der dem, was der Heilige an sich trug, nachgestaltet war. Als die Frau nach dem Gebet im Begriff stand, aus der Kirche herauszugehen, spürte sie, daß eine Hand sie am Nacken faßte und hochzog. Den Krückstock, auf den gestützt sie gekommen war, sieht man jetzt beim Reliquienschrein als Votivgabe. Ein anderes Wunder ereignete sich an Pfingsten 1983. Ein Mann aus einem nachbarlichen Dorfe, der schon fünf Jahre lang an der Parkinson'schen Krankheit litt, spürte beim Gebet im Johannisheiligtum, wie das Zittern aufhörte. Man hörte ihn gellend durch die Kirche schreien: »Ich bin gesund!« Bis heute hat sich bei ihm kein Krankheitsphänomen mehr gezeigt. Im Nartex der großen doppeltürmigen Kirche Prokopions prangt eine Erzählikone des hl, J. mit zehn an der Umrandung angebrachten Szenen aus der Vita des Thaumaturgen. Seitlich der doppeltürmigen Kirche erhebt sich ein gewaltiger Bau eines Pilgerxenodochions. Am Festtag des hl. Johannis ho Rosos, dem 27. Mai, strömen 15.000 herzu. Der neue Wallfahrtsort der Kirche von Hellas ist einem Heiligen zu danken, der, Nationengrenzen überschreitend und Trennmeere zwischen Kontinenten überbrückend, das Allverbindende der Orthodoxie zum Ausdruck bringt. Den unter den Griechen verehrten Russen ruft man im Hesperinos in der Kirche von Prokopion an: »Echos Alpha. Freue Dich in dem Herrn, Stadt Prokopion! Jauchze und tanze, die Du im Glauben glänzest, weil Du Johannes, Rußlands Sproß, wie einen Schatz an Deinem Herzen trägst. Empfange seine Wunder, schaue die Heilungen und stehe aus Dank dem Heiland zur Seite!«

Lit.: Ὅσιος Ἰωάννης ὁ Ρῶσος εἰκονογραφημένη Βιογραφία, verfaßt vom Mönch Johannes Branos, 1990; — Βίος καὶ ἀσματικὴ ἀκολουθία τοῦ ὁσίου Ἰωάννου, zusammengestellt von Photios Kontoglou aus Kydonia.

Friedrich Heyer

JOHANNES EUGENIKOS (Beiname Metaxopulos), byz. Schriftsteller, 1. H. 15. Jhdt., * nach 1394 auf Imbros (?), † nach 1454, Sohn des Hymnographen Georgios Eugenikos und der Maria, jüngerer Bruder des Markos Eugenikos, hatte mehrere Kinder. Er bekleidete 1421 am Patriarchat das Amt eines Notars, 1437-1454/5 das eines Nomophylax und Diakons, war 1452 Verwalter der Metropole Lakedaimon. Begab sich ca. 1425 nach Mistras, wo er Plethon kennenlernte. Um 1430 kehrte er wieder nach Konstantinopel zurück, wo er im Jahr 1435 Giovanni Tortelli d'Arezzo Griechischunterricht erteilte. Reiste dann zum Unionskonzil nach Ferrara, das er aber am 15. Sept. 1438 wieder verließ. Auf der Rückfahrt erlitt er Schiffbruch, mußte den Winter in Ancona verbringen und kehrte im Sommer 1439 nach Konstantinopel zurück, wo er als Gegner der Kirchenunion auftrat. Um 1442 und 1450-52 befand er sich in Mistras, vor 1450 einmal in Trapezunt sowie 1454/5 in Mesembria. Als Schriftsteller zeichnete er sich nicht nur durch theologische, sondern auch durch klassische Bildung aus. Er kopierte auch selbst Handschriften.

Werke: Widerlegung des Tomos der Union, ed. Dositheos von Jerusalem, Τόμος καταλλαγῆς, Jassy 1692, 206-273; Traktate über das Mönchsleben, gedruckt nur: Über die Pflichten des Beichtvaters, O. Lampsides, Ἀρχεῖον ἐκκλησιαστικοῦ καὶ κανονικοῦ δικαίου 12 (1957) 190-3; Ermahnung zum christlichen Leben an Theodoros Palaiologos, S. Lampros, Παλαιολόγεια καὶ Πελοποννησιακά

I (1912-23) 67-111; Verse auf den Apostel Johannes, ed. Nikodemos von Naxos, Κανόνες ὀκτώηχοι, Leipzig 1799, 84-96; Akoluthie auf seinen Bruder Markos: S. Petrides, Le synaxaire de Marc d 'Ephèse, Rev. Or. Chret. II 5 (1910) 97-107, bzw. L. Petit, Acoluthie de Marc Eugénicos, Studi Bizantini 2 (1927) 193-235; Fünf Prosagebete, ed. Nikodemos von Naxos, Konstantinopel 1799; Kanon auf den hl. Eugenios, ed. O. Lampsides, 'Αρχεῖον Πόντου 18 (1953) 129-201; Beschreibung von Trapezunt, ed. ders. ebd. 20 (1955) 25-36; Ders., 'Ανέκδοτα ὑμνογραφικὰ ἔργα 'Ιωάννου τοῦ Εὐγενικοῦ, Νέον 'Αθήναιον 5 (1964-66) 5-26; Ekphrase von Imbros, ed. J. Boissonade, Anecdota Nova, Paris 1844, 329-346; von Korinth und Petrina in Lakonien, ed. S. Lampros, Παλαιολόγεια I 47-55; Monodie auf den Tod der Kaiserin Maria, ed. S. Lampros, a.O. I 112-4; Epitaphe auf verschiedene Personen, ders. a.O. 211-218; Bericht über seinen Schiffbruch, ders. a.O. 271-314; 36 Briefe, ders. a.O. 154-210; Rede auf die Einnahme der Mauer von Korinth, ed. G. Mercati, Opere minore IV, Rom 1937, 25-28; Rede auf die Eroberung von Konstantinopel, ed. S. Lampros, Neos Hellenomnemon 5 (1908) 219-226; Protheoria zu Heliodoros Aithiopika, ed. H. Gärtner, Byz. Ztschr. 64 (1971) 322-5; C. Hannick, L. 'éloge de Jacques le Perse par Jean Eugenicos, An. Boll. 90 (1972) 261-187.

Lit: Beck, Kirche 758f; — Dict. Spir. VIII (1974) 501-6 (D. Stiernon); — Prosopographisches Lexikon der Palaiologenzeit 3, Wien 1978, Nr. 6189 (mit Bibl.); — Tusculum Lexikon 235f; — D. Pallas, Les »Ekphrasis« de Marc et de Jean Eugénikos, in: Hommages à Ch. Delvoye, Brüssel 1982 u. (Forts.) Byzantion 52 (1982) 357-374; — A. Sideras, Zum Verfasser und Adressaten einer anonymen Monodie, Byzantion 54 (1984) 300-314; — E. Gamillscheg - D. Harlfinger, Repertorium der griechischen Kopisten II, Wien 1989, Nr. 2 17 (m. Bibl.); — A. Giomblakes, 'Ιωάννης ὁ Εὐγενικός.Thessalonike 1982.

Erich Trapp

JOHANNES Faventinus (von Faënza), Dekretist, * Faënza (?), † um 1190. — Wahrscheinlich ist der Dekretist J. nicht mit dem gleichnamigen Kanoniker in Faënza identisch, sondern mit dem 1164 und 1174 in Urkunden bezeugten Magister Johannes sowie mit dem Bischof J. von Faënza (1177-1189/90), der auch Papst Urban III. in Rechtsfragen beriet. Den Beinamen »Faventinus«, mit dem er zu Lebzeiten nicht genannt wurde, verdankt J. vermutlich seinem Wirken als Bischof von Faënza und nicht seiner (lediglich vermuteten) Vaterstadt Faënza. In den Handschriften steht die Sigle »Jo.« (»Jo.Fa.«) für J. — Die Summe des J. zum Decretum Gratiani, eine Kompilation aus den Summen des Rufinus und des Stephanus von Tournai, fand weite Verbreitung und verdrängte bald ihre Vorlagen. J. wird in der Lit. als »einer der meistzitierten Glossatoren des 12. Jh.« gewürdigt.

Werke: Summe zum Decretum Gratiani (um 1171); Glossen (70er Jahre des 12. Jh.).

Lit.: Josef Juncker, Summen und Glossen. Beiträge zur Literaturgeschichte des kanonischen Rechts im zwölften Jh., in: ZSavRGkan 14, 1925, 384-474, bes. 462-471; — Ioannes Argnani, I. F. glossator. Brevis commentatio de vita et operibus eius, in: Apollinaris 9, 1936, 418-443 u. 640-658; — Stephan Kuttner, Repertorium der Kanonistik (1140-1234). Prodomus Corporis Glossarum I, 1937 (Nachdr. 1981) (StT 71), bes. 143-146; — Ders., Bernardus Compostellanus Antiquus. A Study in the Glossators of the Canon Law, in: Traditio 1, 1943, 277-340, bes. 281 Anm. 11; — M. B. Hackett, An Unnoticed J. F. Fragment, in: Traditio 14, 1958, 505-508; — Rudolf Weigand, Die bedingte Eheschließung im kanonischen Recht I. Ein Beitrag zur Geschichte der Kanonistik von Gratian bis Gregor IX., 1963 (MThS.Kan 16), bes. 154-160, 233 f.; — Ders., Die Naturrechtslehre der Legisten und Dekretisten von Imerius bis Accursius und von Gratian bis Johannes Teutonicus, 1967 (MThS.Kan 26), bes. 152 f.; — Ders., Die Glossen des J. F. zur Causa 1 des Dekrets und ihr Vorkommen in späteren Glossenapparaten, in: AkathKR 157, 1988, 73-107; — Charles Lefebvre, Formation du droit classique, in: Gabriel Le Bras (Ed.), Histoire du Droit et des Institutions de l'Eglise en Occident, Bd. 7, 1965, bes. 279, 282, 287 f., 289, 372; — Knut Wolfgang Nörr, Die kanonistische Lit., in: Helmut Coing (Hrsg.), Handb. der Quellen und Lit. der neueren europäischen Privatrechtsgeschichte, Bd. 1, 1973, bes. 372; — Hubert Müller, Der Anteil der Laien an der Bischofswahl. Ein Beitrag zur Geschichte der Kanonistik von Gratian bis Gregor IX., 1977 (KStuT 29), bes. 48-50; — Titus Lenherr, Die Exkommunikations- und Depositionsgewalt der Häretiker bei Gratian und den Dekretisten bis zur Glossa ordinaria des Johannes Teutonicus, 1987 (MThS.Kan 42), bes. 202 f., 276-280; — Norbert Höhl, Die Glossen des J. F. zur Pars I des Decretum Gratiani. Eine literargeschichtliche Untersuchung, in Vorbereitung (Forschungen zur Kirchenrechtswissenschaft); — Catholicisme VI, 535 f.; — DDC VI, 99-102; — Feine 279; — LThK V, 1031; — NewCathEnc VII, 996; — Plöchl II, 68, 507; — Schulte I, 137-140, 221, 224.

Franz Kalde

JOHANNES *von Falkenberg*, Dominikaner, * um 1365 in Denzig (Hinterpommern), † um 1435 in Liegnitz. — Aus J.s Leben sind nur wenige Daten gesichert. Um 1385 studierte er in Wien, wurde Magister theol., 1408 ist er als Prediger in Prag, 1411 als Inquisitor in Magdeburg bezeugt. Geschichtlich faßbar wird er erst in seinen Werken, in denen er in scharfer Polemik Stellung bezog zu den Themen seiner Zeit: Dem großen Schisma und der Auseinandersetzung zwischen den Polen und dem Deutschen

Orden. Unter dem Eindruck der Schlacht bei Tannenberg 1410 schrieb er eine Kampfschrift gegen die Polen, in der er sie als Götzendiener und Ungläubige bezeichnete, den Kampf gegen sie als christliches Werk empfahl und den Tyrannenmord verteidigte. In derselben entschiedenen Weise nahm er Partei für das Papsttum. Im Jean-Petit-Prozeß vertrat er in mehreren Schriften gegen Gerson und d'Ailly die Meinung, daß nur der Gesamtkirche bzw. dem Papst das Recht zustehe, einzelne Lehrsätze als häretisch zu verdammen, nicht aber den Bischöfen. Auf dem Konstanzer Konzil wurde seine antipolnische Schrift von der Glaubenskommission untersucht und J. selbst gefangengenommen. Dem Schutze Papst Martins V. hat er es wohl zu verdanken, daß seine Werke nicht als häretisch, sondern nur als ärgerniserregend eingestuft wurden. Das Generalkapitel des Dominikanerordens verurteilte ihn auf Druck der Polen dennoch zu lebenslanger Kerkerhaft. Martin V. nahm ihn aber mit nach Italien und entließ ihn 1425 aus der Haft. J. kehrte daraufhin nach Deutschland zurück und starb hier nach einem ruhigen Lebensabend.

Werke: De monarchia mundi (gegen Mattäus v. Krakau); Tres tractatuli dati iudicaliter in concilio Constantiensi circa novem assertiones Johannis Parvi magistri sacrae facultatis Parisiensis a Johanne Gersono cancellario Ecclesiae Parisiensis denuntiatas, in: Gersonii opera ed. Du Pin, 1706, T. V, 1020-1029; Tractatus doctoris cuiusdam de Prutenis contra Polonos et paganos de potestate papae et imperatoris respectu infidelium (sog. »Satira«). — Ausg.: Zofia Wlodek, La Satira de Jean Falkenberg. Texte inédit avec introduction, 1973 (Mediaevalia philosophica Polonorum 18).

Lit.: J. Quétif-J. Echard, Scriptores ordinis Praedicatorum I, 1719, 760 f.; — C. R. v. Höfler, Der Streit der Polen und der Deutschen vor d. Constanzer Concil, 1880 (SB d. phil.-hist. Classe d. kaiserl. Akad. d. Wiss. 95); — B. Bess, J. F. O.P. und der preußisch-polnische Streit vor dem Konstanzer Konzil, in: ZKG 16, 1896, 385-464; — Ders., Die Lehre vom Tyrannenmord auf dem Konstanzer Konzil, in: ZKG 36, 1916, 1-61; — Gustav Sommerfeld, Das Vorwort zu J. F.s Schrift »De monarchia mundi« und seine Erwiderung in einem Klageverfahren vom Jahre 1406, in: HJ 27, 1906, 606-617; — Ders., J. F.s Stellung zur Papstfrage in der Zeit vor dem Pisaner Konzil (1408), in: MIÖG 31, 1910, 421-437; — H. V. Sauerland, Ein Beitrag zur Lebens- und Leidensgesch. des preußischen Dominikaners J. F., in. Altpreußische Monatsschrift 46, 1909; — P. Nieborowski, Der Deutsche Orden und Polen in der Zeit des größten Konflikts, 1924[2]; — J. Fijalek, Dwai dominikanie krakowsky: Jan Biscupiec i Jan Falkenberg, in: Ksiega pamiatkowa kuczci O. Balzera, 1925, 297-348; — H. Finke, Acta Concilii Con-

stant. IV, 1928, 249-254, 352-432; — L. Ehrlich, Sprawa Falkenberga na Soborze w Konstancji, in: Tätigkeits- u. SB d. Poln. Akad. d. Wiss. 53, 1952, 384-391; — Stefan Belch, Magistri Pauli Vladimiri, Scriptum denunciatorum errorum Satyrae I. F. O.P., Concilio Constantiensi datum, in: Sacrum Poloniae Millenium II, 1955, 165-192; — K. A. Fink, Zum Streit zwischen dem Deutschen Orden und Polen auf den Konzilien von Konstanz und Basel, in: Reformata reformanda. Festg. f. H. Jedin, 1965; — Hartmut Boockmann, Zu den polit. Zielen des Deutschen Ordens in seiner Auseinandersetzung mit den preußischen Ständen, in: Jb. f. d. Gesch. Mittel- u. Ostdeutschlands 15, 1967, 57-104; — Ders., Aus den Handakten des Kanonisten Johannes Urbach. Die Satira d. J. F. und andere Funde zur Gesch. des Konstanzer Konzils, in: DA 28, 1972, 497-532; — Ders., Zur polit. Gesch. des Konstanzer Konzils, in: ZKG 85, 1974, 45-673; — Ders., J. F., Der Deutsche Orden und die poln. Politik. Untersuchungen zur polit. Theorie d. späteren MA.s, (Habil.-Schr. Göttingen), 1975; — Ders., Jan F. i jego obrona zakonu KrzyŻAckiego (Zapiski Historyczne 41), 1976; — Zofia Wlodek, Odnaleziona »Satyra« Falkenberga, (Studia Historyczne 14), 1971; — ADB VI, 554, — Wetzer-Welte VI, 1660 f.; — RE V, 736 ff.; — LThK V, 1031 f.; — NDB V, 10.

Roland Böhm

JOHANNES DER FASTER siehe JOHANNES IV. (genannt der Ieiunator)

JOHANNES *von Feckenham*, eigentlich Howman, * ca. 1518 nahe Feckenham Forest (Worcestershire); † 16.10. 1585 Wisbeach Castle. — Der Sohn armer Bauern trat nach Ausbildung durch den Dorfgeistlichen in das Benediktinerkloster Evesham ein. Von dort wurde er zum Studium nach Oxford entsandt, wo er am Gloucester College 1539 den Grad eines Bachelor of Divinity (B.D.) erwarb. Nach der Auflösung von Evesham Abbey im Zuge der Klöstersäkularisation Heinrichs VIII. wurde J.F. 1539 Kaplan des Bischofs Bell von Worcester und wechselte 1543 als Kaplan zu Bischof Bonner von London. Zugleich war er seit 1544, vielleicht auch schon früher, Rektor von Solihull in Worcestershire. Wegen seiner Weigerung, die Sakramente nach dem Ritus des reformierten Prayer Book zu erteilen, wurde er 1549 in den Tower geworfen, konnte sich jedoch 1551 aus der Haft auf altgläubiger Seite in Religionsgesprächen über das Eucharistieverständnis profilieren. Nach dem Regierungsantritt Marias der Katholischen (1553-1558) begann J.F.s Aufstieg. Die Königin machte ihn zu ihrem Kaplan und Beichtvater, 1554 wurde er zunächst Domherr und einige Monate später Dekan von St. Paul's. Daneben war er Rektor von Finchley, dann von Greenford in Middlesex. 1556 wurde ihm in Oxford der Doktorgrad verliehen. Im gleichen Jahr wurde J.F. Abt der wiederhergestellten Abtei Westminster. In den Jahren der marianischen Restauration spielte er als Prediger und Teilnehmer an Religionsgesprächen eine wichtige Rolle. Mehrfach wurde er geschickt, führende Protestanten, darunter Lady Jane Grey, zur Konversion zu bewegen. Sein spektakulärster Erfolg war die Bekehrung von Sir John Cheke. Nach dem Regierungsantritt Elisabeths I. (1558-1603) stellte sich J.F. im Oberhaus, dem er als Abt angehörte, gegen die Wiedereinführung der Reformation und wurde — nach der neuerlichen Auflösung von Westminster Abbey 1559 — wieder verhaftet. 1563 wurde er in den Hausarrest zu Bischof Horne von Winchester entlassen, dessen Versuche, ihn von seiner religiösen Überzeugung abzubringen, scheiterten und zu Spannungen zwischen den beiden führten. Die folgenden Jahre verbrachte J.F. teils im Tower (1565-1574), teils auf freiem Fuß (1574-1577), teils im Arrest des Bischofs Cox von Ely (1577-1580). Im Zuge der Verschärfung der elisabethanischen Katholikenpolitik wurde er 1580 nach Wisbeach Castle gebracht, wo er 1585 starb.

Werke: A Conference Dialoguewise held between the Lady Jane Dudley and Master J. F. ... touching the faith and belief of the sacrament and her religion, London 1554; Two Homilies on the first, second, and third Articles of the Creed, London 1555 (?); A notable Sermon at the Exequies of Joan, Queen of Spain, London 1555; The Oration of Dr. F. made in the Parliament House, London 1559 (Somers Tracts Bd. 1, 1748); The Declaration of such Scruples and Stays of Conscience touching the Oath of Supremacy, London 1566; — Objections or Assertions made against Mr. John Gough's Sermon preached in the Tower of London, London 1570.

Lit.: E. Taunton, The English Black Monks of St.-Benedict, London 1897; — J. Spillmann, Gesch. der Katholikenverfolgung in England, Bd. 4, Frankfurt 1909; — DNB VI, 1146 ff.; — David M. Loades, Maria Tudor (1516-1558). England unter Maria der Katholischen, München 1982.

Günther Lottes

JOHANNES *von Fécamp* (Johannelinus, Johannulinus), benediktinischer Reformer und Schriftsteller, * vermutlich kurz nach 990 in der Gegend von Ravenna, † 22.2. 1078 in Fécamp. — J. trat früh in ein benediktinisches Kloster ein. 1015/1016 erscheint er als Mönch von St. Bénigne in Dijon, dessen Abt Wilhelm von Volpiano sein Lehrer und Förderer wurde. Wilhelm entsandte J. 1017 als Prior in das Kloster La Trinité von Fécamp (Normandie), das er 1001 reformiert hatte. Von 1028 bis zu seinem Tod war J. Abt von Fécamp, das unter ihm ein Zentrum des Geisteslebens und der Klosterreform in der Normandie wurde. Zeitweise leitete er daneben auch St.-Bénigne in Dijon und andere Klöster; seine kirchenpolitische Wirksamkeit führte ihn nach Italien und England. — J. war nicht nur ein führender Vertreter der monastischen Reformbewegung im 11. Jahrhundert, sondern zugleich ein Anhänger des wiedererwachten eremitischen Lebensideals und Verfasser bedeutender und wirkungsmächtiger geistlicher Schriften.

Werke: Confessio theologica (erstmals hrsg. unter dem Namen Johannes Cassians, Paris 1539, danach unter dem Augustins, Antwerpen 1545 u. ö., später in Vergessenheit geraten; Bruchstücke einer verkürzten Fassung MPL 147, 459-461), vor 1028; Libellus de scripturis et verbis patrum collectus ad eorum praesertim utilitatem, qui contemplativae sunt amatores (hrsg. mit fremden Zusätzen unter dem Titel: Meditationes S. Augustini, MPL 40, 897-942), vermutlich 1030/1050; Confessio fidei (erstmals hrsg. unter dem Namen Alcuins, Dijon 1656; MPL 101, 1027-1098), nach 1050; mehrere Gebete und Gedichte, deren Authentizität z. Tl. noch nicht geklärt ist; neun Briefe (Edd.: TRE XVII, 133). Krit. Ed. der Hauptwerke: Jean Leclercq/Jean-Paul Bonnes, Un maître de la vie spirituelle au XIe siècle, Jean de F., Paris 1946 (Études de théol. et d'hist. de la spiritualité, 9), 107-230; Giovanni da F., La confessione teologica, in: Giuseppe di Luca (ed.), Prosatori minori del trecento, I, Milano-Napoli 1954, 609-654; Giovanni di F., Pregare nel medioevo. La »Confessio theologica« e altre opere, trad. e note da Giorgio Maschio, Milano 1986 (Coll. Biblioteca di Cultura Medievale. Di fronte e attraverso, 163).

Lit.: HistLittFrance, nouv. éd., 8, 1868, 48-59; — Josef Geiselmann, Stud. zu frühma. Abendmahlsschrr., Paderborn 1926 (51-97: Ps. - Alkuins Confessio Fidei pars IV de corpore et sanguine Domini); — André Wilmart, Auteurs spirituels et textes dévots du moyen âge latin, Paris 1932 (Nachdr. Paris 1971); — Ders., Formes successives ou paralleles des »Méditations de Saint Augustin«, in: RAM 17 (1936), 337-357; — Ders., Deux préfaces spirituelles de Jean de Fécamp, in: RAM 18 (1937), 3-44; — Jean Leclercq/Jean-Paul Bonnes, Un maître de la vie spirituelle au XIe siècle, Jean de F., Paris 1946 (Études de théol. et d'hist. de la spiritualité, 9); — Jean Leclercq, Écrits spirituels de l'école de Jean de F., in: AnMon 1 = Studia Anselmiana 20,

1948, 91-114; — Ders., La prière au sujet des vices et des vertus, in: AnMon 2 = Studia Anselmiana 31, 1953, 3-17; — Ders., in: Jean Leclercq/François Vandenbroucke/Louis Boyer, La spiritualité du moyen âge (Histoire de la spiritualité, 2), Paris 1961, 156-160; — Ders., Prières attribuables à Guillaume et à Jean de Fruttuaria, in: Monasteri in Alta Italia dopo le invasioni saracene e magiare (sec. X-XII), Turin 1966, 157-166; — L'abbaye bénédictine de Fécamp. Ouvrage scientifique du XIII° centenaire 658-1958, 4 Bde., Fécamp 1959-1963; — Robert Bultot, Christianisme et valeurs humaines. A. La doctrine du mépris du monde, en Occident, de S. Ambroise à Innocent III, IV/2, Louvain/Paris 1964, 11-23; — Gérard Mathon, Jean de Fécamp théologien monastique? (Notes de Lecture de Confessio fidei, III, 36-40), in: La Normandie bénédictine au temps de Guillaume le Conquérant (XI° siècle), Lille 1967, 485-500; — Neithard Bulst, Unters. zu den Klosterreformen Wilhelms v. Dijon (962-1031), Bonn 1973 (Pariser Hist. Stud., 11); — Joseph Daoust, Art. Fécamp: Dizionario degli Istituti di perfezione 3, 1976, 1425-1428; — Walter Baier, J. v. F.: Gebet um ein von Gott geformtes Herz, in: GuL 54, 1981, 316 f.; — DSp VIII, 509-511; — LThK V, 1032; — RGG III, 815; — TRE XVII, 132-134.

Ulrich Köpf

JOHANNES Fidanza siehe Bonaventura

JOHANNES *von Freiburg*, auch J. Rumsik, Choriantus oder Teutonicus genannt, Dominikanertheologe und Kanonist, * um 1250 in Haslach, † 10.3. 1314 in Freiburg i. Br. — Über J.s Leben ist kaum etwas bekannt, nur wenige Daten sind gesichert. Wahrscheinlich begann er um 1270 mit kanonistischen und scholastischen Studien im Dominikanerkonvent von Straßburg als Schüler Ulrichs von Straßburg. Möglicherweise war er vor 1277 in Paris, um Thomas von Aquin (s.d.) zu hören. Ab 1280 ist er als Lektor und Prior im Dominikanerkonvent zu Freiburg bezeugt, hier starb er 1314 auch. — J.s gesamte literarische Tätigkeit dreht sich um die Beichtstuhljurisprudenz. Er gilt als Nachfolger und Fortsetzer des Werkes Raymunds v. Peñafort, dessen Werke er glossierte. Sein Hauptwerk, die »Summa confessorum« war eine Weiterentwicklung der Raymundina und erfreute sich großer Beliebtheit, wie die über 200 erhaltenen Handschriften, sowie die vielen Übersetzungen in Landessprachen zeigen.

Werke: Registrum seu tabula super textu et apparatu seu glossa Raymundi secundum ordinem alphabeti; Libellus de questionibus casualibus; Summa confessorum (Erstdruck Augsburg 1476); Manuale super summam confessorum; Confessionale seu tractatus de instructione confessorum; Tabula summae confessorum ex sexto libro decretalium addita. — Handschriften bzw. Drucknachweise bei Ludwig Hain, Repertorium bibliographicum, in quo libri omnes ab arte typographica invento usque ad annum MD typis expressi ordine alphabetico vel simpliciter enumerantur, 1925; Thomas Kaeppeli, Scriptores ordinis praedicatorum medii aevi, II, 1975; M. Bloomfield, Incipits of Latin works on the virtues and vices, 1100-1500, 1979.

Lit.: R. Stinzing, Gesch. d. populären Lit. d. röm.-kanon. Rechts in Deutschland, 1867 (Nachdr. 1959), 400-529; — J. F. v. Schulte, Die Gesch. d. Quellen u. d. Lit. d. can. Rechts II, 1875 (Nachdr. 1956), 385 f., 419-423; — Übrige ältere Lit. bei O. Geiger, Studien über Bruder Berthold, in: Freib-DiözArch 21, 1920, 1-54; — P. A. Walz, Hat J. v. F. in Paris studiert? in: Angelicum 11, 1934, 245-249; — A. Fries, J. v. F., Schüler Ulrichs v. Straßburg, in: RThAM 18, 1951, 332-340; — J. G. Ziegler, Die Ehelehre d. Pönitentialsummen von 1200-1350, 1956; — P. Michaud-Quantin, A propos de premières »Summae confessorum«, in: RThAM 26, 1959, 264-306; — Ders., Sommes de casuistique et manuels de confession au moyen âge, in: Analecta medievalia Namurcensia 13, 1962, 43-50; — W. Trusen, Forum internum und gelehrtes Recht im Spät-MA. Summae confessorum u. Traktate als Wegbereiter d. Rezeption, in: ZRG KA 57, 1971, 83-126; — L. E. Boyle, The »Summa Confessorum« of John of Freiburg and the popularization of the moral teaching of St. Thomas and of some of his contemporaries, in: Commemorative Studies II, 1974, 245-268; — J. Goering, The Summa of Master Serlo and 13th century penitential literature. in: MS 40, 1978, 290-311; — Marlies Hamm, Die Entstehungsgesch. der »Rechtssumme« d. Dominikaners Berthold. Ihr Verhältnis zu »SC« d. J. v. F. u. zu deren lat. Bearbeitungen, in: Die Rechtssumme Bruder Bertholds. Eine dt. abecedarische Bearbeitung der »SC« des J. v. F. Unters. I, hg. v. M. Hamm u. H. Ulmschneider (Texte u. Textgesch. 1), 1980, 35-115; — ADB XIV, 455; — Wetzer-Welte VI, 1675 f.; — DThC VIII, 761 f.; — EC VI, 559 f.; — DDC VI, 103 ff.; — RGG III, 817 f.; — LThK V, 1033f.; — NDB X, 550 f.; — Meyers enzykl. Lex. XIII, 161; — DSp VIII, 529 ff.; — VerfLex, 2. Aufl., IV, 605-611.

Roland Böhm

JOHANNES FROISSART, siehe Froissart, Jean

JOHANNES Gallicus, Hildesheimer Domherr, * um 1150, † zwischen 8.11. 1214 und 15.9. 1216. — Vielleicht Bruder des Hildesheimer Domherren Eilbert, Propst von Oelsburg (1175/79-1195). Nach einem Studium (in Paris?), das er mit dem Magister artium abschloß, wurde J. Pfarrer an der Hildesheimer Marktkirche St. Andreas, der er 1195 Eigengut vermachte. Zwischen 1186 und 1194 war er vielleicht als Notar Heinrichs des Löwen (s.d.) tätig. Aus eigenem Vermögen gründete er 1200 ein Kanonikerstift an St. Andreas, dessen erster Dekan er wurde und für das er als kaiserlicher Kleriker 1209 und 1210 Privilegien Ottos IV. (s.d.) erwirkte. Eine jüngere Quelle nennt ihn cancellarius (d.i. Notar) Ottos, was er wahrscheinlich jeweils in der Zeit nach 1198 und nach 1211/12 gewesen ist. J. gilt als Autor des Liber dictaminum, der sog. Hildesheimer Briefsammlung (um 1190). Dagegen wird seine von historischer Seite (W. Berges, H.M. Schaller) angenommene Identität mit dem Maler der Fresken im Braunschweiger St. Blasiusdom (inschriftlich IOHANNES GALLIC' und IOH. GALE; fälschlich WALE gelesen) wegen der - freilich ungesicherten - Datierung der Malereien auf »ca. 1229« bzw. »ca. 1250« von der Kunsthistorie (Klamt, Gosebruch) bestritten.

Quellen: Ed. in Vorbereitung für die MGH durch R. De Kegel nach dem Mskr. Univ.-Bibl. Leipzig cod. 350 (Liber dictaminum); Teiled. vgl. Bruno Stehle, Über ein Hildesheimer Formelbuch, Phil. Diss. Straßburg 1878; Otto von Heinemann, Hildesheimer Briefformeln des 12. Jahrhunderts, in: Zs. d. Hist. Ver. f. Nieders. 1896, 102-118; Urkundenb. d. Hochstifts Hildesheim 1 Nr. 514, 530, 557 f., 577, 579, 589 f., 594, 602, 614, 616, 619, 624, 627, 629, 631, 635 f., 640, 642, 647 und 684 (Privilegien und Erwähnungen als Zeuge).

Lit.: Wilhelm Berges und Hans-Jürgen Rieckenberg, Eilbertus und Johannes Gallicus. Ein Beitrag zur Kunst- und Sozialgeschichte des 12. Jahrhunderts, Nachr. d. Ak. d. Wiss. Gött. I, Phil.-hist. Kl. Jg. 1951 H. 2; — Richard Drögereit, Eilbertus und Johannes Gallicus, in: Nieders. Jb. f. Landesgesch. 24, 1952, 144-160 (ebd. 25, 1953, 132-141 Erwiderung von Berges und Rieckenberg und 142-154 Feststellungen dazu von Drögereit); — Rudolf Meier, Die Domkapitel zu Goslar und Halberstadt in ihrer persönlichen Zusammensetzung im Mittelalter, 1967, 413-428; — Johann-Christian Klamt, Die mittelalterliche Monumentalmalereien im Dom zu Braunschweig, Phil. Diss. Berlin, 1968; — Hans Martin Schaller, Das geistige Leben am Höfe Kaiser Ottos IV., in: DA 45 (1989) 54-82 (dort 63-66); — Bernd Ulrich Hucker, Kaiser Otto IV. (Schriften d. MGH 34, 1990) 411-414 Nr. 41; — NDB X, 551 f.; — Thieme-Becker, Künstlerlex. 35, 82 (Wale).

Bernd Ulrich Hucker

JOHANNES *von Garland* (Garlangia, Guerlandia, Guerlangia) Lehrer der Artes liberales, Grammatiker, Schulschriftsteller, Dichter, * um 1195 in England, † um 1272. — J. erhielt seine erste Schulbildung in Oxford, ging dann vor 1220 nach Paris, wo er im Kloster an der Rue de Garlande, dem »Clos de Garlande«, unterrichtete. 1229 berief man ihn zusammen mit Roland von Cremona als Lehrer der Grammatik und Rhetorik an die neuerrichtete Universität Toulouse, aber schon 1232 kehrte er nach Paris zurück, wo er anscheinend bis zu seinem Tod blieb. — JG. ist vor allem als Schulschriftsteller bedeutend; seine zahlreichen, fast immer in Versen abgefaßten Werke, dienten späteren Autoren oft als »Fundgrube« für Memorier-Verse und -Bücher. Insofern muß JG.s Einfluß auf die Bildungsgeschichte des MAs hoch eingeschätzt werden. Seine Werke bieten zudem reiches Material für eine Geschichte des Bildungsbetriebes der Universität Paris im 13. Jh. Da seine Werke in immer neuen Zusammenstellungen oft auch verkürzt abgeschrieben wurden, ist die hs.-liche Überlieferung sehr verworren und schwer zu überschauen (Hss.-Liste zu den einzelnen Werken bei Bursill-Hall, Ergänzungen bei F.J. Worstbrock). Oft wird JG. mit anderen Autoren verwechselt (Peter v. Blois, ed. Migne PL 150, 1575-1592); wohl kaum ist er der Verf. der musiktheoretischen Schrift »De mensurabili musica«, die einem gleichnamigen und zeitgleichen Pariser Musiktheoretiker zugeschrieben werden muß. Das Interesse ab dem 15. Jh. konzentriert sich vor allem auf JG.s schultheoretische Schriften. Diese sind oft schon kurz nach ihrem Erscheinen kommentiert und später teilweise auch übersetzt worden. Mit Beginn des Frühdruckes finden sich vor allem in Deutschland (Köln) und im (nieder)rheinischen Raum (Antwerpen, Deventer) zahlreiche Druckausgaben (vgl. Hain-Copinger n. 7469-7491, Suppl. n. 2629-2645). Neben den Schultraktaten fand die weiteste Verbreitung sein »Poenitentiarius«, eines der ältesten Beichtbücher des MA, das auch in die Volkssprachen übertragen wurde (dt. Überlieferung bei Worstbrock, 620-622).

Werke: JG. Œuvre ist bislang noch kaum gesichtet und kommentiert, die Fragen zu Chronologie, Zuschreibung und Echtheit sind zahlreich. Carmen de mysteriis ecclesiae, ed. F.W. Otto, Gießen 1842; De triumphis ecclesiae, ed. Th. Wright, Coll. Roxburghe Club, London 1856; Cornutus, ed. E. Habel 1908; Dictionarius, ed. A. Scheler, in: Jb. f. rom. u. engl. Literatur 6, 1865, passim; Dictionarius metricus (Olla patella), ed. A. Scheler, in: Revue de l'instruction publique en Belgique 21, 1878, passim, 22, 1879, passim; Equivoca, ohne Ed.; Exempla honestae vitae, ed. E. Habel, in: RF 29, 1911, 131-154; Hymni, ed. JG. Dreves, in: Analecta hymnica medii aevi 1, Leipzig 1907, 545-557; Integumenta Ovidiae et Allegoriae super Metamorphoses, ed. F. Ghisalberti, Testi e documenti inediti o rari 2, Messina / Mailand 1933; Morale scolarium, ed. L.J. Paetow, Berkeley 1927; Poenitentiarius, ed. Migne PL 207, 1153-1156; Poetria Parisiana, ed. T. Lawler. Yale Studies in english 182, New Haven / London 1974; Stella Maris (Miracula beatae Mariae Virginis), ed. E.F. Wilson, Cambridge (Mass.) 1946; Synonyma, ed. M. Kurz, in: Jb. d. K.K. Staatsgymnasiums im IX. Bezirk Wien 1884/85.

Lit.: A.F. Gatien-Arnoult, Jean de Garlande, docteur-régent de grammaire à l'université de Toulouse de 1229 à 1232, in: Revue de Toulouse 1866, 117ff.; — Barthélemy Hauréau, Notice sur les oeuvres authentiques et supposées de Jean de Garlandia. Notices et extraits de mss. de la Bibliothèque Nationale 27/2, 1879, 1-86; — Edwin Habel, J.v.J., ein Schulmann des 13. Jhs., in: Mitteilungen d. Ges. f. dt. Erziehungs- und Schulgeschichte 19, 1909, 1-34, 118-130; — Louis John Paetow, Morale scolarium of John of Garland (Johannes de Garlandia) with an Introduction on the Life and Works of the Author, in: Memoirs of the University of California, Berkeley 1927, 69-273; — Evelyn Faye Wilson, The 'Georgica Spiritualia' of Johan of Garland, in: Speculum 8, 1933, 358-377; — Martin Grabmann, Mittelalterliches Geistesleben. Abhandlungen zur Geschichte der Scholastik und Mystik. Bd. II, München 1936, passim; — Ders., Forschungen über die lateinischen Aristotelesübersetzungen des 13. Jahrhunderts, S. 26; — Marie-Dominique Chenu, Grammaire et théologie aux XIIᵉ et XIIIᵉ siècles, in: Archives d'Histoire doctrinale et littéraire du Moyen Age, 1936, 5ff.; — Lester Kruger Born, J. of J., in: Transactions and Proceedings of the American Philol. Assoc. 70, Lancaster 1939, 303-317; — Ders., Analysis of the quotations and citations in the compendium grammatice of J. of J., in: Classical, medieval and renaissance studies in honor of B.L. Ullman, 2, Rom 1964, 51-83; — Ceslas Spicq, Esquisse d'une histoire de l'exégèse latine au moyen age. = Bibliothèque thomiste Bd. 26, Paris 1944, 80; — William Gilman Waite, J.d.J., Poet and Musician, in: Speculum 35, 1960, 179-195; — Astrik L. Gabriel, Garlandia. Studies in the History of the Medieval University. Notre Dame, Indiana 1969; — Yves Dossat, Les premiers maîtres à l'université de Toulouse: Jean de Garlande, Hélinand. Les universités du Languedoc au XIIIᵉ siècle, in: Cahiers de Fanjeaux 5, 1970, 179-203; — Marvin L. Colker, New Evidence that John of Garland Revised the Doctrinale of Alexander de Villa-Dei, in: Scriptorium 28, 1974, 68-71; — Geoffrey Lesley Bursill-Hall, J.d.J. — Forgotten Grammarian and the Manuscript Tradition, in: Historiographia Linguistica 3, 1976, 155-175; — Jacques le Goff, Die Intellektuellen im Mittelalter. Stuttgart 1986, S. 90f., 181; — Dict. de Spiritualité VIII, 534-536; — LThK V, 1035; — MGG VII, 92-95; — VerfLex ² 4, 612-623 (F.J. Worstbrock).

Hans-Walter Stork

JOHANNES BALBI *von Genua* (J. Balbus de Janua; Joannes Januensis), OP, Theologe, * in Genua, † um 1298 (1286?) in Genua. — Über

J.'s Leben ist nichts bekannt; als Theologe trat J. auch nicht hervor. Sein Dialogus (s.u.) ist weitgehend von (s. d.) Petrus Lombardus und Thomas von Aquin abhängig. Sollte die Agenda (s. u.) ihm zuzuschreiben sein, so gehört J. zu den wenigen Autoren kirchlicher Offizien. J.'s Summa (s.u.) ist weniger wegen seiner profunden Bibel- und Väterexegesekenntnis hervorzuheben, sondern wegen ihrer druckgeschichtlichen Bedeutung: diese als exegetisches Hilfsmittel konzipierte Enzyklopädie in vier Abteilungen ist eine der ersten Inkunabeln (Mainz 1460) mit interessanter Graphik (Catholicon-Type) und Schlußschrift. Ungedruckt blieben seine Postillae super Evangelia; die Handschriften sind im Genuenser Dominikanerkloster aufbewahrt.

Werke: Quellen: RepBibl III, nn. 4220, 4221; GWK III, nn. 3182-3205. — Dialogus de quaestionibus animae ad spiritum (C. Vat. lat. 1308-1309); Summa grammaticalis valde notabilis, quae Catholicon nominatu, Mainz 1460.

Lit.: L. Coellen, Die Stilentwicklung der Schrift, Darmstadt 1922, 39 ff.; — M. B. Stilwell, Gutenberg and the Catholicon of 1460, New York 1936; — Th. Längin, ZBLB 55 (1938), 205-211; — Grabmann, MGL I, 369-373; — LThK V, 1036.

Klaus-Gunther Wesseling

JOHANNES (eig. Charlier) Gerson, einflußreicher Theologe und Kirchenpolitiker, * 14.12. 1363 in Gerson bei Rethel in der Diözese Reims, Sohn eines Bauern der Champagne, von seinen tief religiösen Eltern zum geistlichen Stand bestimmt, † 12.7. 1429 in Lyon. — Nach einem ersten Unterricht in Rethel und Reims studierte J. G. seit 1377 im angesehenen Navarra- Kolleg in Paris. Peter d'Ailly war sein Lehrer. 1382 Magister artium, erlangte er 1392 das Lizeniat der Theologie und wurde 1394 zum Dr. theol. promoviert. Seit 1395 war er Professor der Sorbonne und Kanzler der Universität Paris. 1397 erfolgte seine Ernennung zum Dekan in Brügge. Er blieb dort vier Jahre, in denen er »De modo se habendi tempore schismatis« schrieb. 1383 und 1384 hatten ihn seine Landsleute zum Prokurator der französischen Nation gewählt. 1387 wurde er Mitglied einer Gesandtschaft an Papst Clemens VII. (s.d.) nach Avignon. Ihm ging es dabei allerdings vorrangig um das Ansehen der

Universität und weniger um die dogmatische Streitfrage, die zur Debatte stand. Damals erlitten die Dominikaner eine Niederlage, die sie ihm sehr verübelten, doch 1408 kam es endlich nicht ohne Einfluß J. G.s zu einer Aussöhnung zwischen ihnen und der Pariser Universität. Entschieden trat er in Wort und Schrift für die Beseitigung des Schismas ein. Aber er warnte ebenso vor der Obedienzentziehung, als der nach dem Tod Clemens VII. gewählte Benedikt XIII. (s.d.) nicht zurücktrat. Dennoch kam es 1398 zum Bruch der französischen Kirche mit Benedikt XIII. Daß Frankreich 1403 wieder zur Obedienz zurückkehrte, war mit das Verdienst J. G.s, der in dieser Sache einen eigenen Trialog verfaßt hatte: »De restitutione obedientiae«. Andererseits konnte J. G. weder durch eine Ansprache vom 9.11. 1403 zu Marseille, noch durch seine Predigt vom 1.1. 1404 Benedikt XIII. von der Notwendigkeit einer Zession überzeugen. Nur umso intensiver bemühte sich J. G. danach um die Union. Er verfaßte dieserhalb 1409 die beiden Schriften »De unitate ecclesiae« und »De auferibilitate papae ab ecclesia«. Darin vertritt er den Konziliarismus, ohne aber dem Papst den Primat abzusprechen. Diese Theorie vom allgemeinen Konzil ohne und über den Papst vertrat er auch auf dem Konzil von Konstanz (1414-1418), wo sie als eine Art Notstandsregelung in der schier ausweglosen Lage nach der Flucht Johannes XXIII. Anerkennung fand (Dekrete »Sacrosancta« und »Frequens«). Neben Peter d'Ailly zählte er zu den führenden Männern dieser Kirchenversammlung. Auf Wunsch der Synode schrieb er eine Abhandlung über die Kommunion unter beiden Gestalten (1417) und beteiligte sich an den Verhandlungen gegen J. Wyclif (s.d.) und J. Hus (s.d.). Folgenschwer für ihn persönlich war sein unerbittlicher Kampf gegen die Lehre des Johannes Parvus (s.d.) über die Erlaubtheit des Tyrannenmords. Denn das Konzil verwarf auf sein Betreiben hin diese These. Damit zog sich J. G. den Zorn des Herzogs von Burgund zu, weshalb er nach Abschluß des Konzils ins Exil nach Rattenberg am Inn, auch Neuburg a. d. Donau und zuletzt nach Melk a. d. Donau ging. Aus dieser Zeit stammt sein Traktat »De consolatione theologiae«. Nach dem Tod des Herzogs kehrte er 1419 nach Frankreich heim; doch zog er sich ins Kollegiatsstift St. Paul in Lyon zurück. Hier verbrachte er noch drei Jahre in fruchtbarer schriftstellerischer Tätigkeit. Er starb, von der Bevölkerung bis heute als Seliger verehrt, und wurde in der Laurentiuskirche begraben. — J. G. hat man den Ehrentitel »Doctor christianissimus« beigelegt. In seinem philosophischen Denken war er, beeinflußt von seinem Lehrer Peter d'Ailly, Nominalist, ohne aber den Realismus gänzlich aufzugeben. Glauben und Wissen sieht er in einem harmonischen Verhältnis: das Wissen wird durch den Glauben ergänzt. In der Theologie gab er der Mystik den Vorrang vor der Scholastik. Zeit seines Lebens arbeitete er daran, beide zu vereinen. Für ihn ermöglicht allein die Mystik eine vollkommene Erkenntnis Gottes. In seinem theologischen Hauptwerk »De mystica theologia« (1408) unterscheidet er zwischen einer spekulativen Mystik und einer praktischen. Neue Wege weist er nicht auf. Er bietet eigentlich nur eine geschickt und systematisch ausgewählte Zusammenschau dessen, was Hugo und Richard v. St. Victor sowie Bonaventura im Anschluß an Augustinus und Dionysios Areopagites gelehrt haben. Übertreibungen war er abhold und warnte stets vor mystischer Schwärmerei, eingebildeten Visionen und allen Formen des Aberglaubens. Voll gerecht wird man ihm nur, wenn man ihn als praktischen Seelsorger sieht. Neben seinem akademischen Amt war J. G. eifrig in Predigt und Katechese tätig. Sein »Opus tripartitum« gilt geradezu als der erste Katechismus. Sogar als Hymnendichter ist er hervorgetreten. Mehr als 400 Titel umfaßt sein Werk.

Werke: Initiation à la vie mystique, ed. P. Pascal, Paris 1945; Six sermons inédits, ed. L. Mourin, Paris 1946; De mystica theologica, ed. A. Combes, Lugano 1958; Erste Gesamtausgabe, 4 Bde. , Köln 1483-1484; Opera Omnia, ed. L.-E. Dupin, 5 Bde., Antwerpen 1706; Oeuvres complètes, Introduction, texte et notes, hrsg. v. P. Glorieux, 10 Bde., Paris 1960-1973; Pädagog. Schriften d. J. G., hrsg. v. F. X. Kunz, in: Bibl. d. kath. Pädagogik XV, Freiburg 1904.

Lit.: J. B. Schwab, J. G., Professor der Theologie und Kanzler der Universität Paris, eine Monographie, Würzburg 1858; — A. M. Masson, J. G., sa vie, son temps, ses œuvres, Lyon 1894; — A. Lafontaine, Jehan Gerson, Paris 1906; — J. L. Connolly, J. G., reformer and mystic, Löwen 1928; — J. Stelzenberger, Die Mystik des J. G., Breslau 1928; — W. Dress, Die Theologie J. G.s, Gütersloh 1931; — K. Schäfer, Die Staatslehre des J. G., phil. Diss. Köln 1935; — E. Vansteenberghe, G. à Bruges, in: RHE 31 (1835), 5-52; — A. Combes, Essai sur la critique de Ruysbroek par G., 2 Bde.,

Paris 1945/1948; — P. Glorieux, La vie et les œuvres de Gerson, in: AHD 18 (1950/1951), 149-192; — L. Mourin, J. G. prédicateur francais (Brügge 1952); — P. Glorieux, Note sur le Carmen Magnificat de Gerson, in: RThAM 25 (1958), 143-150; — E. Iserloh, Der Nominalismus, in: H. Jedin (Hrsg.), Handb. d. Kirchengesch. III/2 (Freiburg 1968), 425-438; — Ders., Die Deutsche Mystik, a.a.O. (Freiburg 1968), 477; — A. Combes, La théologie mystique de Gerson, 2 Bde. (Rom 1963/1964); — Wetzer und Welte V, 457-473; — LThK[1] IV (Freiburg 1932), 441 ff.; — DThC VI, 1313-1330; — RGG II, 1449; — ECatt VI, 185-191; — LThK[2] V (Freiburg 1960), 1036 f.

Karl-Heinz Kleber

Lit.: J. Friedrich, J. W. Ein Bild aus der Kirchengeschichte des 15. Jahrhunderts, Regensburg 1862; — E. Miller, W. G. Life and Writings and Pricipal Works, transl. by J. Scudder, 2 Bde., New York [1]1917; — M. van Rhijn, W. G., s'Gravenhage 1917; —Ders., Studien over W. G. en zijn Tijd, Utrecht 1933; — A. Renaudet, Préreforme et Humanisme à Paris, Paris [2]1953; — A. J. Persijn, W. G. De oratione dominica in een dietse bewerking, Assen 1964; — H. A. Obermann, Forerunners of the Reformation, New York 1966; — L. Snyder, W. G. and the Art of Meditation, Diss. Cambridge, Mass. 1966; —R. Post, The Modern Devotion, 1966 (SMRT 3); —M. Ogilvie, W. G.'s Theology of Church Government, in: NAKG 55, 1974/75, 125-150; — DThC XV, 3531-3536; — LThK V, 1034 f.; — TRE XII, 25-28.

Harald Wagner

JOHANNES Wessel Gansfort, Philosoph, Theologe, Humanist, * um 1419 in Groningen, † 4.10. 1489 in Groningen. — Er war zunächst Schüler an der Schule der Brüder vom gemeinsamen Leben in Zwolle, danach unterrichtete er dort als Latein- und Logiklehrer. Besonders am Ende seiner siebzehnjährigen Tätigkeit in Zwolle hatte er engeren Kontakt zu Thomas von Kempen, einem der Hauptvertreter der Devotio moderna. Von 1449 bis 1475 studierte und lehrte er, von seinem unruhigen Geist umhergetrieben, in Köln, Heidelberg und Paris. In seiner philosophisch-theologischen Grundeinstellung wandelte er sich vom Thomisten zum Skotisten und dann zum Nominalisten. In seinen theologischen Ansichten kam er bestimmten reformatorischen Positionen nahe (u. a. Bestreitung der Unfehlbarkeit der Konzilien, der Lehre vom Ablaß und vom Fegefeuer). In den siebziger Jahren des Jahrhunderts war er als Vermittler zwischen dem Papst, dem französischen König und der Universität tätig. Die letzten Jahre seines Lebens verbrachte der Gelehrte mit Studium, Schriftstellerei und geistigem Austausch wichtiger Zeitgenossen in seiner Heimat. Über seine Schriften beeinflußte er theologisch Zwingli und Erasmus. Auch seine frömmigkeits-geschichtliche Nachwirkung (bis hin zu Exerzitien des Ignatius von Loyola) ist zu betonen.

Werke: M. Wesseli Gansfortii Groningensis Opera, ed. A. Hardenberg, Groningen 1614 (1966 neu editiert in den Monumenta Humanistica Belgia 1). Seine (Gelegenheits-) Schriften entstanden fast durchweg zwischen 1475 und 1489: De benignissima Dei providentia, De causis incarnationis, De magnitudine passionis, De dignitate et potestate Ecclesiastica, De Sacramento Eucharistiae, De oratione, Scalae meditationis.

JOHANNES GILEMANNUS (Jan, Johannes Gielemans, Gilemans, Gillemans), Regularkanoniker, bekanntester Hagiograph des Windesheimer Kapitels, * 1427 laut eigener Angabe, † 8.5. 1487 in Rooclooster. — J.G. war mit dem Gründer des Rooclosters im Sonienwald bei Brüssel, dem ersten Prior Wilhelm Danccls († 1392), verwandt; er wurde 1464 in diesem Windesheimer Priorat zum Priester geweiht. Er bekleidete viele Jahre, bis zu seinem Tod, das Amt eines Suppriors in Rooclooster und kurz im benachbarten Windesheimer Kloster Zevenborren. Er war als Kopist für die eigene Klosterbibliothek tätig und hat mehr als 20 Bände kopiert, unter ihnen die »Postillae« des Nikolaus von Lyra (Hs. Brüssel, KB, II 5819) und die »Historia Ecclesiastica« des Eusebius. Um 1460 verfaßte er in der Form eines Dialogs das für die Geschichte des Rooclosters wichtige »Primordiale Rubeae Vallis« vollendet. Im Jahre 1471 hat er den zweiten Teil seines »Sanctilogium« und 1479 dessen dritten Teil; in den vier Teilen (Hss. Wien, ÖNB, Series nova 12811-14) sind mehr als 1000 Viten ohne jede logische Ordnung aufgenommen. Zwischen 1476 und 1484 verfaßte er das »Hagiologium Brabantinorum«; in diesem Werk (Hss. Wien, ÖNB, 12706-07) beschreibt J.G. besonders die Biographien der heiligen Abkömmlinge Karls des Großen. In den Jahren 1483-1485 schrieb er das »Novale Sanctorum« (Hss. Wien, ÖNB, 12708-09), in dem er sich vor allem der Biographie von Heiligen nach 1300 widmete und auch Personen aus dem Kreis der Devotio Moderna (Gerhard Grote, Florenz Radewijns, Thomas von Kempen) und Klöster aus dem Groenendaler Kapitel (Groenendaal, Rooclooster, Zevenborren, Herr-Isaaks-Bosch) beschrieb. Schließlich verfaßte er noch das »Historiologium Brabantinorum« (Hs. Wien, ÖNB, 12710), in dem die Geschichte Brabants seit den Kreuzzügen behandelt wird. Seine seit der Aufhebung von Rooclooster verloren geglaubten Werke sind von den Bollandisten in der Österreichischen Nationalbibliothek Wien aufgefunden und von ihnen zum Teil herausgegeben worden. — J.G.s besonderes Verdienst ist das fleißige Sammeln von Viten der Hagiographie für seine Zeit in Brabant und die Forschungen der Bollandisten gedient. Sein Werk ist aber nicht durch Ursprünglichkeit gekennzeichnet und weist zahlreiche Entlehnungen auf, die er oft kritiklos übernommen hat, z.B. aus Aegidius van Damme O.Cist. (Ter Duinen, † 1463?), »Legendarium«. J.G. ist als der wichtigste Hagiograph der Niederlande des späten Mittelalters zu betrachten.

Werke: Hagiologium Brabantinorum (2 Teile); Novale sanctorum (2 Teile); Sanctilogium (4 Teile, u.a. Primordiale Rubeae Vallis); Historiologium Brabantinorum. - Teilausg. in: Anecdota ex codicibus hagiographicis Iohannis Gielemans, canonici regularis in Rubea Valle prope Bruxellas, ediderunt C. De Smedt u.a., An. Boll., XIV, 1895, 5-83; A. Poncelet, De codicibus hagiographicis Iohannis Gielemans, canonici regularis in Rubea Valle prope Bruxellas, adiectis Anecdotis. Partim excerptum ex Analectis Bollandianis, tom. XIV. Subsidia hagiographica 3 (o.J.). Die Werke des J.G. sind besonders von den Bollandisten für ihre »Acta Sanctorum« benutzt worden. Vgl. »Collectanea Bollandiana« in der K.B. Brüssel: J. van den Gheyn, Catalogue des manuscrits de la Bibliothèque Royale, V, 406-675 (Nr. 3439-3560). Auch die Editoren der Monumenta Germaniae Historica und Regionalgeschichtler haben häufig aus dem Schrifttum des J.G. geschöpft.

Lit.: Gaspar Ofhuys, Catalogus fratrum regularium coenobii Rubeae Vallis, in: Hs. Brüssel, KB, II 480, ff. 223r-223v; — J.G.R. Acquoy, Het klooster te Windesheim en zijn invloed, 1875-80, II, 208, Anm. 1; III, 17; — Bibliotheca hagiographica latina antiquae et mediae aetatis, ed. socii Bollandiani, Subsidia hagiographica, 12, 1898-1911, II, Nr. 62-63; — B. Belpaire, Note sur les Anecdota de Johannes Gielemans, in: Miscellanea historica in honorem Leonis vander Essen, 1947, II, 409-412; — Handschriften en gedrukte werken ·over de geschiedenis van de Nederlanden 1475-1600, Katalog KB Brüssel, 1962, Nr. 125-127; — Petri Trudonensis Catalogus scriptorum Windeshemensium, hrsg. v. W. Lourdaux u. E. Persoons, Publicaties op het gebied van de geschiedenis en de filologie, 5. Reihe, III, 1968, 108-110 (Nr. 73) mit wichtiger Bibliographie; — F. Unterkircher, Maximilian I., 'Dux Brabantinorum', im Historiologium Brabantinorum des Johannes Gielemans, In: Litterae textuales. Es-

says presented to G.I. Lieftinck, 1972, II, 56-60; — G. Philippart, Les légendiers latins et autres manuscrits hagiographiques, Typologie des sources du Moyen Age occidental, 24-25, 1977, 62 u. 96. — Biographie Nationale, VII, 758; — Katholieke Encyclopedie, XI, 798; — Enciclopedia Cattolica, VI, 1951, 387; — Dictionnaire de Spiritualité, III, 738; — Lexikon für Theologie und Kirche, 1960, 1037; — Monasticon belge, IV, 1089-1103; — Monasticon Windeshemense, I, 109-130; M. Carasso-Kok, Repertorium van verhalende historische bronnen uit de middeleeuwen, 1981, passim; — Dictionnaire d'Histoire et de Géographie Ecclésiastiques, XX, 1256-1257.

Rudolf Th.M. van Dijk

JOHANNES *von Gischala* (Johannes ben Levi). Anführer von jüdischen Aufständischen im Krieg gegen Rom (66-70 nach Christus), Sohn eines Levi, aus Gischala (Gusch Halav) in Obergaliläa, Geburtsdatum unbekannt, gestorben nach 70 wahrscheinlich in Rom. Alles, was wir von ihm wissen, stammt von dem jüdischen Historiker Josephus Flavius (s.d.), der ihn als seinen Konkurrenten und Gegenspieler darstellt. — Angeblich aus armen Verhältnissen stammend und ein enger Freund von Simon, dem Sohn Gamaliels, stand J. zu Beginn des Aufstandes einem Abfall von Rom noch ablehnend gegenüber. Seine Haltung änderte sich aber nach der Zerstörung Gischalas durch die Bewohner umliegender romfeindlicher Städte, weil die Römer dies untätig geschehen ließen. Er baute die Mauern Gischalas wieder auf und befestigte sie in Erwartung der kriegerischen Auseinandersetzung mit Rom. Außerdem sammelte er eine schlagkräftige Truppe, die zum überwiegenden Teil aus Flüchtlingen aus Tyrus und Umgebung bestand; mit ihrer Hilfe versuchte er, den Aufstand gegen Rom zu organisieren. In den Monaten bis zur Eroberung Galiäas durch Titus kennen wir ihn darüber hinaus als Rivalen des Josephus, der Galiäa als militärischer Befehlshaber im Auftrag des Synhedrions kriegsbereit machen sollte: Der kompromißlos die militärische Konfrontation mit den Römern suchende J. versuchte, den vorsichtigeren Josephus aus dessen Position zu verdrängen und möglicherweise sogar (in Tiberias) mit Gewalt aus dem Wege zu räumen. Eine von ihm mit dem Ziel, Josephus absetzen zu lassen, nach Jerusalem geschickte Gesandtschaft war insofern erfolgreich, als die dortigen Autoritäten tatsächlich beschlossen, Josephus abzusetzen, und brachte dem J. erhebliche finanzielle Unterstützung für den Ausbau seiner Truppe ein. Josephus wußte jedoch die Durchsetzung seiner Ablösung zu verhindern, so daß dem diesbezüglichen Bemühen des J. der Erfolg versagt blieb. — Unmittelbar vor der Einnahme Gischalas durch die Römer flieht J. mit seiner Truppe nach Jerusalem. Hier schloß er sich bald den Zeloten an und gewann mit ihrer und der Hilfe von heimlich in die Stadt eingelassenen Idumäern die alleinige Macht in Jerusalem, die er mit großer Energie auf die Belagerung durch die Römer vorbereitete. Ob er hier die messianische Würde anstrebte, bleibt unsicher, läßt sich aber nicht ausschließen. Seiner Gewaltherrschaft in Jerusalem fielen vor allem die gemäßigten Führer des Aufstandes sowie ein großer Teil der städtischen Elite zum Opfer. Die Monate bis zur Eroberung der Stadt durch Titus waren bestimmt durch bürgerkriegsartige Auseinandersetzungen, für deren Entstehung J. und seine Gefolgsleute maßgeblich Verantwortung tragen. Sie wurden von miteinander rivalisierenden zelotischen Gruppen ausgetragen, und zwar von J. und seiner Truppe, die sich auf dem Tempelberg und im äußeren Tempelvorhof verschanzt hatten, priesterlichen Zeloten, die sich unter Eleazar ben Simon von ihm abgelöst hatten und das eigentliche Heiligtum beherrschten (dort aber von J. bald wieder hinausgedrängt wurden), und Simon bar Giora, der zur Beendigung der Gewaltherrschaft des J. in die Stadt eingelassen worden war und die Oberstadt sowie einen großen Teil der Unterstadt besetzt hielt. Bei Beginn des römischen Angriffs auf Jerusalem vereinigte sich J. jedoch mit Simon und leitete die Verteidigung der Antonia und des Tempels. Von dort vertrieben, floh er in die Oberstadt, wo er ergriffen wurde. Titus ließ ihn nach Rom bringen und dort lebenslänglich gefangensetzen. Hier verliert sich seine Spur.

Lit.: Flavius Josephus, Bellum Judaicum II, 575, 585 ff.; IV, 84 ff., 121 ff., 208 ff., 389 ff., 566 ff., 577 ff.; V, 2 ff., 72 ff., 98 ff., 248 ff., 278 f., 304, 469 ff., 562 ff.; VI, 28 ff., 71, 95 ff., 433 ff.; VII, 118, 262 ff.; — Ders., Vita 43 ff., 70 ff., 82 ff., 122 ff., 189 ff., 236 ff., 253 f., 301 ff., 313 ff., 368 ff.; — Emil Schürer, Geschichte des jüdischen Volkes im Zeitalter Jesu Christi, I, 1901³, 608 f., 617-634; — Max Jungmann, Jochanan von Giskala. Ein Schauspiel, 1928; — Cecil Roth, The Zealots in the War of 66-73, in: Journ. Sem. Stud. 4, 1959, 332-355; — Martin Hengel, Die Zeloten, 1961 (1976²), 64 f., 380 f.; — Solomon Zeitlin, A Survey of Jewish Historiography, in: JQR 60, 1969, 56-60; — D. M. Rhoads, Israel in Revolution 6-74 C. E., 1976; — Günther Baumbach, Einheit und Vielfalt der jüdischen Befreiungsbewegung im 1. Jh. n. Chr., in: EvTh 45, 1985, 93-107; — RGG³ III, 815; — EncJud X, 163 f.

Michael Wolter

JOHANNES XIII. GLYKYS, byzantinischer Gelehrter, Patriarch von Konstantinopel (1315-1319). Geb. ca. 1260 (Geburtsort wohl Konstantinopel oder Nikaia; über seine Familie ist nichts bekannt); Rhetorikunterricht erhielt er vom späteren Patriarchen Georgios Kyprios, mit dem ihn enge Freundschaft verband. Schon während der Studienjahre und auch später war er als Handschriftenkopist tätig (von seiner Hand stammen wahrscheinlich Teile des Cod. Mutinensis gr. 82). Früh trat er in kaiserliche Dienste: Ab 1280/82 war er ἐπὶ τῶν δεήσεων, 1294 unternahm er zusammen mit Theodoros Metochites im Auftrag Kaiser Andronikos' II. Palaiologos eine Gesandtschaftsreise nach Zypern an den Hof König Heinrichs II. von Lusignan: Zweck der allerdings vergeblichen Mission war es, eine Tochter Heinrichs als Braut für Andronikos' Sohn Michael IX. zu gewinnen. Erfolgreich hingegen verlief die darauffolgende Reise nach Kleinarmenien (Kilikien) an den Hof König Hethums II. in derselben Angelegenheit. 1295/96 wurde er zum λογοθέτης τοῦ δρόμου ernannt; dieses Amt bekleidete er bis 1315. Zugleich gehörte er dem Senat an. Er stand in freundschaftlicher Verbindung mit den Gelehrten und Literaten Maximos Planudes, Nikephoros Chumnos, Theodoros Metochites, Nikephoros Gregoras, Michael Gabras, Manuel Gabalas und Theodoros Hyrtakenos, wie an ihn adressierte Schreiben in deren Briefcorpora bezeugen, und genoß als Schriftsteller und Grammatik- und Rhetoriklehrer Ansehen; zu seinen Schülern zählte Nikephoros Gregoras (ab 1312). Im Zusammenhang mit seiner Lehrtätigkeit entstand der grammatische Traktat Περὶ ὀρθότητος συντάξεως mit einer bemerkenswerten sprachphilosophischen Einleitung. Obwohl verheiratet, Vater mehrerer Söhne und Töchter und Laie, wurde er auf Wunsch des Kaisers von der

Synode einstimmig zum Patriarchen von Konstantinopel gewählt. Die Weihe erfolgte am 12. Mai 1315. Im Gegensatz zu seinem korrupten Vorgänger Nephon (1310-1314) führte er sein Amt korrekt. Das Patriarchatsregister, das mit dem Jahr 1315 einsetzt, enthält 62 Eintragungen aus seiner Amtszeit. Daraus geht hervor, daß er im besonderen um die Besetzung vakanter Bistümer bemüht war; er ließ sie zumeist an Bischöfe vergeben, die von den Osmanen von ihren ursprünglichen Sitzen vertrieben worden waren. Er suchte auch die Verbindung zu den übrigen orthodoxen Patriarchaten aufrechtzuhalten; hingegen ist von Kontakten zur römischen Kirche nichts bekannt. Zunehmende Kränklichkeit zwang ihn zum Rücktritt (11. Mai 1319). Er zog sich in das Kyriotissa-Kloster in Konstantinopel zurück, wo er gegen Ende des Jahres 1319 starb.

Werke: De vera syntaxeos ratione ed. A. Jahn. Bern 1849. — Je ein Brief an Theodoros Metochites und an Kaiser Andronikos II. Palaiologos, Gebet für den Kaiser, Abdankungsschreiben (Παραίτησις) ed. S.I.Kuruses, 'Ο λόγιος οἰκονμενικὸς πατριάρχης 'Ιωάννης ΙΓ' ὁ Γλύκυς. 'Επετηρὶς τῆς 'Εταιρείας Βυζαντ. Σπουδῶν 41 (1974) 387-402. — Amtl. Schreiben: H. Hunger-O. Kresten, Das Register des Patriarchats von Konstantinopel 1. Wien 1981, 100-398. — Unediert: Homilie auf Basileios den Großen (BHG 262h); Zuweisung dreier weiterer unedierter Homilien ungesichert: De decollatione Ioannis Prodromi (BHG 843y), De hypapante (BHG 1962g), De transfiguratione (BHG 1996m). — Verloren: Lobrede auf Konstantinopel, Bericht über die Gesandtschaftsreise des Jahres 1294. — Pseudepigrapha: Das mehrfach Johannes Glykys zugeschriebene Patriarchalhomilie II stammt von Johannes IX. Agapetos. — Johannes Glykys, der Verfasser eines Traktats über den Kirchengesang (Ψαλτικὴ τέχνη), ist nicht mit dem Patriarchen identisch.

Lit.: M. I. Gedeon, Πατριαρχικοὶ πίνακες. Konstantinopel 1890, 415-418; — Krumbacher 293. 589 f. 599. 678; — R. Guilland, Essai sur Nicéphore Grégoras. Paris 1926, 6. 75. 119-121; — V. Laurent, La chronologie des patriarches de Constantinople de la première moitié du XIVe siècle. Rev. des Études Byz. 7 (1949) 150 f; — H.-G. Beck, Theodoros Metochites. München 1952, 5 f. 11; — Beck 631. 690. 719; — J. Verpeaux, Nicéphore Choumnos. Paris 1959, 38. 42. 44. 65. 72. 106. 116. 147; — LThK^2 V (1960), 1037 f. (O. Volk); — Θρησκευτικὴ καὶ 'Ηθικὴ 'Εγκυκλοπαιδεία 7 (1965), 26 f. (T.A.Gritsopulos); — Catholicisme VI (1967), 520 (V. Laurent); — J. Darrouzès, Le Registre synodal du Patriarcat byzantin au XIVe siècle (Arch. de l'Orient Chrétien 12). Paris 1971, 95-102; — S. I. Kuruses, Μανουὴλ Γαβαλᾶς εἶτα Ματθαῖος μητροπολίτης 'Εφέσου (1271/72-1355/60) 1. Athen 1972, 27 f; — G. Fatouros, Die Briefe des Michael Gabras (ca.1290-nach 1350) (Wiener Byz. Stud. 10/1). Wien 1973, 46; — S. I. Kuruses, 'Ο λόγιος οἰκουμενικὸς πατριάρχης 'Ιωάννης ΙΓ' ὁ Γλύκυς.

'Επετηρὶς τῆς 'Εταιρείας Βυζ. Σπουδῶν 41 (1974) 297-405 (grundlegend); — J. Darrouzès, Les Regestes des actes du Patriarcat de Constantinople 5. Paris 1977, 19-72 (Nr. 2028-2079); — H. Hunger, Die hochsprachliche profane Literatur der Byzantiner 1. München 1979, 236. 454. 459; 2. München 1979, 16 f. 191; — W. Lackner, Ein angeblicher Brief des Patriarchen Ioannes XIII. Glykys über Ioannes Chrysostomos. Jahrb. d. österr. Byz. 28 (1979) 127 f; — E. Trapp (Hrsg.), Prosopograph. Lex. der Palaiologenzeit 4. Wien 1980, 218 (Nr. 4271); — Tusculum-Lex. griech. u. lat. Autoren des Altertums u. des Mittelalters. Zürich-München ³ 1982, 382 (A. Hohlweg); — R.E. Sinkewicz-W.M. Hayes, Manuscript Listings for the Authored Works of the Palaeologan Period (Greek Index Project Series 2). Toronto 1989, Mikrofiche 1, M. 19. N. 19. B. 20; — Lex. d. Mittelalters 5 (1990), 551 (P. Schreiner).

Wolfgang Lackner

JOHANNES *von Goch* (auch Johannes Pupper oder Capupper), Mystiker, Reformtheologe, * zu Beginn des 15. Jahrhunderts in Goch am Niederrhein (daher auch Gochius bzw. Gochianus, gelegentlich Mechliniensis, weil er eine längere Zeit in Mecheln verbrachte), † 28.3. 1475. — Es ist wenig, was man aus seinem Leben weiß. Gelernt bzw. studiert hatte er wohl bei den Fraterherren (Brüder vom gemeinsamen Leben) und an der Universität Köln. Dort wurde er 1454 in der juristischen Fakultät immatrikuliert. 1459 gründete er das Augustinerinnenkloster (Kanonissen) Thabor bei Mecheln, das er bis zu seinem Tode leitete. Keine sichere Antwort gibt es auf die Frage, warum er sich - bereits Priester und gut fünfzig Jahre alt - an der Universität einschrieb. Unklar sind auch die Umstände, wie er gewissermaßen aus dem Studium heraus ein Kloster gründen konnte. Mit C. Ullmann wurde und wird er von vielen als »Reformator der Reformation« angesehen. Jedoch erscheint er in den zur Diskussion stehenden Problemkreisen (Lehre von der »Schrift allein«, von der Rechtfertigung und bezüglich seiner Einstellung zur Scholastik) eher ekletisch bis orthodox zu sein.

Werke: (Nicht alle Titel sind genau bekannt): De libertate christianae religionis, 1473; Epistola apologetica, 1474; Dialogus de quattuor erroribus circa evangelicum legem, 1523; In div. gratiae et christianae fidei commendationem, 1522. Genannt werden noch: Descripturae sacrae dignitate; De scholasticorum scriptis; De statu animae per vitam; De scholasticorum scriptis; De reparatione generis humani per Christum; De votis et obligationibus. - Der Dialogus und die

Epistola apologetica sind abgedr. bei Ch. F. Walch, Monimenta medii aevi, Göttingen 1760. F. Pijper bringt: De libertate christiana und die Epistola Apologetica in einer Ausgabe Den Haag 1909.

Lit.: Foppens, Bibliotheca belgia, II, Brüssel 1739; — C. Ullmann, Reformation vor der Reformation, I, Gotha, [2]1866, 17-148; — O. Clemen, J. P. v. G., Leipzig 1896; — G. Ritter, Romantische und revolutionäre Elemente in der dt. Theologie am Vorabend der Reformation, in: DVfLG 5, 1927, 342-380, — W. Andreas, Deutschland vor der Reformation, Stuttgart [5]1948; — WWKL VI, 1678-1684; — DThC XIII, 1162 f.; — LThK V, 1038.

Harald Wagner

Lit.: F. De Castro, Miraculosa vida y santas obras del b. Juan de Dios, Granada 1588 (in mehrere Sprachen übersetzt); — J. Girard de Villethiery, Vie de S. Jean de Dieu, Paris 1691; — H. Pedicaro, Vita di S. Giovanni di Dio, Palermo 1666; — P. Wasserburger, Anmüthig und lehrreich in tausend ... Singesätzen verfaßte Lebensbeschreibung ... Joannis de Deo, Wien 1767; — Lechner, Leben des hl. J. v. G. Aus den Quellen dargest., Regensburg; — L. Ruland, Gespräche um J., Würzburg 1947; — Ders., Ein armseliger Mensch, ein Heiliger, Frankfurt [2]1949; — C. Salvaderi, Incontri con s. Giovanni di Deo, Rom 1959; — WWKL VI, 1686-1688; — LThK V, 1038 f.

Harald Wagner

JOHANNES *von Gott*, Ordensstifter, * 8.3. 1495 in Monté-mor o Novo bei Evora in Portugal, † 8.3. 1550 in Granada. — Mit acht Jahren von zu Hause entführt oder entflohen, war er zunächst Hirte. Da sein Familienname nicht bekannt war, nannte man ihn »Johannes von Gott«. 1532 kämpfte er mit den Österreichern gegen die Türken. Die Nachricht vom lange zurückliegenden Tod seiner Eltern motivierte ihn zu einem besseren christlichen Leben als bisher. Er verdiente seinen Unterhalt als Buch- und Bilderhändler. Der Einfluß des Johannes von Avila, besonders dessen Predigten, vertieften seinen Entschluß, christlich zu leben. Selbst für eine Zeit im Hospital, wo er unter dem Erlebnis litt, als Narr behandelt zu werden, gründete er 1540 ein Krankenhaus in Granada. Seine offensichtlichen Erfolge brachten ihm bald reichliche Unterstützung bis hin zu König Philipp II. Sein Tod war wohl auch die Folge von schwerer Arbeit im Dienst an den Kranken. Die lose Genossenschaft, die er um sein Werk versammelt hatte, erhielt 1571 die Anerkennung als Orden (»Hospitaliter«, »Brüder der Liebe«, »Fate bene fratelle«, in Deutschland: »Barmherzige Brüder«). Die Seligsprechung erfolgte 1630, 1690 die Heiligsprechung. Papst Leo XIII. erhob ihn zum Patron der Krankenhäuser, des Krankenpflegepersonals und der Kranken selber. In seinen Behandlungsformen war er seiner Zeit weit voraus: Aufgrund klarer Erkenntnis für die psychosomatische Struktur des Menschen entwickelte er ganzheitliche Behandlungsmethoden, führte im Ansatz psychoanalytische Behandlungen durch und reformierte in seinem Umfeld die Behandlung von Geisteskrankheiten.

JOHANNES DE GROCHEO, Musiktheoretiker, 13./14. Jahrhundert. — Über das Leben J.s ist nichts bekannt. Als einziges Lebenszeugnis existiert seine musiktheoretische Schrift »De musica«, die in zwei Handschriften überliefert ist. Das eine Exemplar wird in der Bibliothek des British Museum in London aufbewahrt, das andere befindet sich in der Landesbibliothek Darmstadt. Aus dem Inhalt dieses Werks geht hervor, daß J. vermutlich um das Jahr 1300 in Paris als Musiktheoretiker und als Priester gewirkt hat. — Als Musiktheoretiker gehört J. in den Kreis der vor allem in Paris lebenden und lehrenden Wissenschaftler Johannes de Garlandia, Franco von Paris, Franco von Köln, Petrus Picardus, Hieronymus von Mähren, Walter Odington, Robert de Handlo und anderer, namentlich nicht mehr bekannter Lehrer. Unter all diesen Theoretikern gibt J. in seinem Traktat die umfassendste Darstellung der Musik seiner Zeit. Darüber hinaus besitzt dieses Werk die eigenwilligste Form. Die Schrift J.s ist, im Gegensatz zu den anderen vergleichbaren Arbeiten seiner Zeit, nicht einfach eine Aneinanderreihung der bekannten Erkenntnisse, sondern setzt sich relativ kritisch mit den überlieferten Meinungen auseinander. Daher übernimmt er nicht einfach Einteilungen anderer, sondern findet zu einer eigenen Ordnung. Nach ihm gliedert sich die Musik in die einstimmige Musik (musica simplex, civilis oder vulgaris), mehrstimmige Musik (musica composita, regularis, canonica oder mensurata) und kirchliche Musik (musica ecclesiastica). Dieses Einteilungsschema ist allerdings für die Musikgeschichte ohne Wirkung geblieben. Interessant an dieser Gliederung ist insbesondere die Steigerung von einstimmiger zu mehrstimmiger bis zur kirchlichen Musik. Gerade das Hervorgehen der kirchlich liturgischen Musik aus der weltlichen Musik hat in der zeitgenössischen Darstellung keine vergleichbare Parallele. Innerhalb der ersten beiden Formen diskutiert J. die zu seiner Zeit bekannten Gattungen. Dabei ist besonders auffallend, wie J. einzelne Gattungen bestimmten gesellschaftlichen Schichten zuweist, zum Beispiel die »chanson de geste«, die dazu dienen soll, daß Angehörige der niederen Volksschichten ihre Leiden mit größerer Geduld ertragen. Diese Art der Zuordnung ist in der Musikgeschichte einmalig. J.s Bemühen läßt sich also dahin verstehen, die Funktion der Musik in bezug auf die gesellschaftlichen Phänomene zu erkennen und zu beschreiben. Damit erweist er sich als ein ausgesprochen moderner Denker, vor allem, wenn man berücksichtigt, daß die Musiksoziologie erst im 20. Jahrhundert entwickelt wurde. Erst in Verbindung mit der Musikforschung der Jahrhundertwende wurde J. deshalb wiederentdeckt.

Werke: De musica. - Handschriften: London, British Museum (Ms. Harl. 281); Darmstadt, Landesbibliothek (Ms. 2663, Fol. 56^r-69^r). — Ausgaben: Johannes Wolf, Die Musiklehre des J. de G., in: SIMG I, 1899, 65-130 (nach dem Ms. Darmstadt, mit dt. Übers.); H. Müller, Zum Texte der Musiklehre des J. de G., in: SIMG IV, 1902, 361-368; V, 1903, 175 (ergänzende Lesarten und Berichtigungen); Ernst Rohloff, Der Musiktraktat des J. de G., 1943 (philologisch revidierte Ausgabe nach dem Ms. Darmstadt mit dt. Übersetzung).

Lit.: F. W. E. Roth, Btrr. z. Musiklit. des MA.s und der Neuzeit, in: MfM XX, 1888, 50 f.; — Robert Eitner, Quellenlex. IV, 1900, 381; — Johannes Wolf, Gesch. der Mensuralnotation I, 1904, 14, 363; — Ders., Rezension von: E. Rohloff, Der Musiktraktat des J. de G., 1943 (s. o.), in: Mf II, 1949, 72-74; — P. Aubry, Estampies et danses royales, in: Mercure musical III, 1906, 169 ff.; — Hugo Riemann, Handb. der MG II/1, 1907, 1, 85; — Ders., Gesch. der Musiktheorie im IX.-XIX. Jh., 1921^2; — Johann Baptist Beck, Die Melodien der Troubadours, 1908, 72, 77, 82, 88, 94 ff.; — Hans Joachim Moser, Stantipes und Ductia, in: ZfMw II, 1920, 194 ff.; — Guido Adler, Handb. der MG, 1924, 226; — Heinrich Besseler, Studien zur Musik des MA.s I, in: AfMw VII, 1925, 180; — Ders., Die Musik des MA.s und der Renaissance, 1931-1934, 135, 181; — Ders., Zur Ars Musicae des J. de G., in: Mf II, 1949, 229-231; — Charles van der Borren, Guillaume Dufay, 1925, 13 f., 98 f.; — Jacques Handschin, Über Estampie und Sequenz, in: ZfMw XII, 1929, 1-20; XIII, 1930, 113-132; — Ders., Über die Laude »a propos d'un livre récent«, in: AMus X, 1938, 27 ff.; — Ders., MG im Überblick, 1948, 172; — Gerhard Pietzsch, Die Klassifikation der Musik von Boethius bis

Ugolino von Orvieto, 1929, 8, 35, 98 f.; — Ernst Rohloff, Studien zum Musiktraktat des J. de G., 1930; — Ders., Rückerinnerung und Erwiderung, in: Mf VIII, 1955, 471-474; — Ders., Die Quellenhss. zum Musiktraktat des J. de G., 1972; — Théodore Gérold, La Musique au Moyenâge, 1932, 83, 105, 154 f., 160, 291, 381; — Ders., Histoire de la musique des origines à la fin du XIVe siècle, 1936, 182, 256, 327, 333 f., 349, 351 f., 354, 385, 408; — Curt Sachs, Eine Weltgesch. des Tanzes, 1933, 193-196; — Yvonne Rokseth, Les Polyphonies du XIIIe siècle IV, 1939, 11, 14, 41, 76, 83 f., 201, 211, 218, 221 f., 290; — Gustave Reese, Music in the Middle Ages, 1940, 204, 209 f., 216, 222, 227, 288, 308, 311, 316, 327; — Ders., Fourscore Classics of Music Literature, 1957, 23; — Paul Henry Lang, Music in Western Civilisation, 1941, 88, 107, 138, 141, 161; — L. Hibberd, Estampie and Stantipes, in: Speculum XIX, 1944, 222 ff.; — Jacques Chailley, Etudes musicales sur la chanson de geste et ses origines, in: Revue de Musicologie XXX, 1948, 1-3, 10-13, 23-25; — Ders., Histoire musicale du moyen âge, 1950, 81, 92, 202, 243; — Salvatore Gullo, Das Tempo in der Musik des XIII. und XIV. Jh.s, Diss. Bern 1964; — Albert Seay, J. de G. Concerning Music (De musica), 1967; — J. E. Maddrell, Mensura and the Rhythm of Medieval Monodic Song, in: Current Musicology, 1970; — Ders., G. and the mensurability of medieval music, 1971; — H. Vanderwerf, Concerning the mensurability of medieval music, 1970; — Matthias Bielitz, Materia und forma bei J. de G. Zur Verwendung philos. Termini in der ma. Musiktheorie, in: Mf XXXVIII, 1985, 257-277; — Ellinore Fladt, Der artifizielle Prozeß im Hoch-MA, in: Mf XL, 1987, 203-229; — Timothy J. Macgee, Medieval Dances: Matching the Repertory with G.s Descriptions, in: The Journal of Musicology VII, 1989, 498ff; — MGG VII, 95-100; — The New Grove IX, 664 f.; — LThK 2V, 1039.

Hans-Josef Olszewsky

JOHANNES Grünwalder, Bischof von Freising (1443/48-1452), * vermutlich nach Jan. 1392 im Jagdschloß Grünwald bei München als illegitimer Sohn Herzog Johanns II. von Bayern-München (1340-1397), † 2. 12. 1452 in Wien. — J.G. studierte 1411 in Wien, 1415-1418 in Padua, wo er Ende 1418 zum Doctor iuris canonici promoviert wurde. Seit 1411 Domherr zu Freising, erwarb er in den folgenden Jahren weitere Pfründen: die Propsteien der Kollegiatstifte zu Isen (1414-1421) und Innichen im Pustertal (1420-1446) sowie die Pfarrei St. Peter zu München (1416-1445). Nach dem Tod des Freisinger Bischofs Hermann von Cilli Ende 1421 postulierte ihn das Domkapitel im Jan. 1421 zum Bischof. Papst Martin V. verwarf die Wahl wegen mangelnden Alters des Postulierten und entschied sich im März 1422 für den von Herzog Heinrich XVI. dem Reichen von Bayern-Landshut unterstützten Nikodemus della Scala. J.G. verzichtete in der zweiten Jahreshälfte 1423 zugunsten des päpstlichen Kandidaten, der ihn am 14. 2. 1424 zu seinem ständigen Generalvikar bestellte. In dieser Eigenschaft wirkte J.G. von 1426 an maßgeblich an der Visitation verschiedener bayerischer Benediktinerklöster und Augustinerchorherrenstifte im Sinne der Melker Reform mit. Seit Anfang 1432 nahm er als Vertreter Freisings und Bayern-Münchens am Konzil zu Basel teil, wo er besonders im Ausschuß für Kirchenreform eine bedeutende Rolle spielte. Im Konflikt mit Papst Eugen IV. stellte er sich auf die Seite des Konzils. Am 12.10. 1440 ernannte ihn der Konzilspapst Felix V. zum Kardinal, was zum Bruch mit dem papsttreuen Bischof Nikodemus führte. Nach dessen Tod wählte das Domkapitel J.G. im Sept. 1443 einstimmig zum Bischof. Das Konzil bestätigte diese Wahl am 13.11. 1444, während Papst Eugen IV. und König Friedrich III. Heinrich Schlick, den Bruder des königlichen Kanzlers Kaspar Schlick, unterstützten, der sich jedoch in Freising nicht durchzusetzen vermochte. Am 23.5. 1448 belehnte der König J. G. mit den Regalien. Am 21.8. 1448 verzichtete Schlick auf seine Ansprüche. Am 15.1. 1449 erkannte Papst Nikolaus V. J.G. nach Aufgabe des Kardinalstitels als Bischof an. — J.G. machte sich um die Reform von Weltklerus und Klöstern in der Diözese Freising verdient. In seinen Schriften trat er als energischer - wenn auch nicht erstrangiger - Verteidiger des konziliaren Gedankens gegen den päpstlichen Primat auf.

Werke: Tractatus de auctoritate generalium conciliorum, 1437 (BStB München Cod. lat. 6503, fol. 260r-307r); Tractatus contra neutralitatem, 1440/43 (BStB München Cod. lat. 6606, fol. 303r-332v); Sermo conceptus... ad pronendum in dieta Franfordiensi..., 1442 (UB Salamanca Hs. 188, fol. 141r-161r)

Lit: Georg Voigt, Enea Silvio de' Piccolomini, als Papst Pius d. Zweite, und sein Zeitalter I, 1856, 310-320; — Ernest Geiß, Geschichte der Stadtpfarrei St. Peter in München 1868, 30-50; — Joseph Schlecht, Eine Dispensbulle Martins V für Dr. J.G., in: HJ 30, 1909, 806-809; — Otto Hufnagel, Caspar Schlick als Kanzler Friedrichs III., in: MIÖG Ergbd. 8, 1911, 253-460, bes. 334-348; — August Königer, J. III. G., Bischof von Freising, 1914 (= Progr. des K. Wittelsbacher-Gymnasiums in München für das Schuljahr 1913/14) (grundlegend); — Virgil Redlich, Tegernsee und die deutsche Geistesgeschichte im 15. Jh., 1931 (= Schriftenreihe zur bayerischen Landesgeschichte 9); — Hubert Strzewitzek,

Die Sippenbeziehungen der Freisinger Bischöfe im Mittelalter, 1938 (= Beitr. zur altbayerischen Kirchengeschichte 16), 170-173; — Romuald Bauerreiß, Kirchengeschichte Bayerns V, 1955; — Gerda Koller, Princeps in Ecclesia. Untersuchungen zur Kirchenpolitik Herzog Albrechts V. von Österreich, 1964 (= AÖG 124), 120-127; — Heinz Lieberich, Die gelehrten Räte. Staat und Juristen in Bayern in der Frühzeit der Rezeption, in: ZBlG 27, 1964, 120-189, bes. 171; — Klaus Frhr. von Andrian-Werburg, Urkundenwesen, Kanzlei, Rat und Regierungssystem der Herzoge Johann II., Ernst und Wilhelm III. von Bayern-München (1392-1438), 1971 (= Münchener Historische Studien. Abt. Geschichtl. Hilfswissenschaften 10), 113f.; — Helmut Rankl, Das vorreformatorische landesherrliche Kirchenregiment in Bayern (1378-1526), 1971 (= Miscellanea Bavarica Monacensia 34); — Heribert Roßmann, Der Magister Marquard Sprenger in München und seine Kontroversschriften zum Konzil von Basel und zur mystischen Theologie, in: Mysterium der Gnade. Festschr. für Johann Auer. Hrsg. v. Heribert Roßmann und Joseph Ratzinger, 1975, 350-411, bes. 356-365 (Anm. 18 mit weiteren Literaturangaben); — Erich Meuthen, Antonio Roselüs Gutachten für Heinrich Schlick im Freisinger Bistumsstreit (1444), in: Aus Kirche und Reich. Studien zu Theologie, Politik und Recht im Mittelalter. Festschr. für Friedrich Kempf. Hrsg. v. Hubert Mordek, 1983, 461-472; — Ders., J.G. Rede für den Frankfurter Reichstag 1442, in: Land und Reich - Stamm und Nation. Probleme und Perspektiven bayerischer Geschichte. Festg. für Max Spindler. Hrsg. v. Andreas Kraus I (= Schriftenreihe zur bayerischen Landesgeschichte 78), 415-427; — Ders., Der Freisinger Bischof und Kardinal J.G. († 1452), in: Christenleben im Wandel der Zeit. Hrsg. v. Georg Schwaiger I, 1987, 92-102; — Josef Maß, Das Bistum Freising im Mittelalter, 1986 (= Geschichte des Erzbistums München und Freising I), 297-315; — Handbuch der bayerischen Geschichte. Hrsg. von Max Spindler II, 1988²; — ADB X, 60; — NDB X, 485; — LThK¹ IV, 724f.; — LThK² V, 1039f.

Manfred Hörner

JOHANNES GUALBERTI (auch: GUALBERTUS), Gründer des Ordens von Vallombrosa,

JOHANNES GUALBERTI (auch: GUALBERTUS), Gründer des Ordens von Vallombrosa, * um 1000 in Petroio bei Florenz, † 12.7. 1073 in Passignano. — J. Sohn des Gualbertus (Galbertus, Walbertus), entstammte einer adeligen florentinischen Familie. In jugendlichem Alter trat er, gegen den Willen seines Vaters, in die Abtei S. Miniato ein. Anlaß seiner »Bekehrung« war nach Darstellung der älteren Lebensbeschreibungen ein visionäres Erlebnis: J.G. hatte dem Mörder eines nahen Verwandten, der sich in Kreuzesform vor ihm auf den Boden warf, unter Verzicht auf die Blutrache Verzeihung gewährt; als er kurz darauf die Kirche S. Miniato betrat, nickte ihm der Crucifixus des Hochaltars dankend zu. Mit dem Abt seines Klosters, Hubert, der sich sein Amt von dem Bischof Hatto erkauft hatte, geriet J.G. alsbald in Konflikt. Mit Unterstützung des Eremiten Teuzo versuchte er in einer Rede auf dem Wochenmarkt das Volk von Florenz gegen den Abt einzunehmen, um dessen Vertreibung zu erreichen. Er wurde jedoch von den Anhängern des Bischofs halbtot geprügelt und mußte fliehen. Hierauf weilte er kurzfristig in mehreren Klöstern, darunter auch Camaldoli. Schließlich traf er an dem Ort Aquabella, später Vallombrosa genannt, auf die beiden Einsiedler Paulus und Guntelm, denen er sich anschloß. Aus Florenz und den umliegenden Klöstern trafen bald weitere Gesinnungsgenossen ein, und die Gemeinschaft der Eremiten wuchs sehr rasch. Als Gründungsjahr von Vallombrosa wird 1036 angenommen. Das Gelände für das Kloster stiftete die Äbtissin Itta von St. Hilarius (Sant'Ellero im Arno-Tal). Alsbald wurde die Gründung weiterer Klöster erforderlich: S. Salvi, S. Pietro di Moscheto, S. Paolo di Razzuolo (Diöz. Florenz); S. Cassiano di Montescalari (Diöz. Fiesole). Auch bereits bestehende Klöster schlossen sich der Reformbewegung an: S. Salvatore a Settimo (Diöz. Florenz), S. Michele di Passignano (Diöz. Fiesole), Sta. Reparata di Marradi (Diöz. Faenza). Die Klöster waren in einem lockeren Verband zusammengeschlossen, der keine eigentliche Kongregation war. Sie waren an J.G. als pater, senex pater der Gemeinschaft persönlich gebunden. 1049 wird J.G. praepositus genannt, später nahm er den Titel eines Abtes an. Sein Leben und das seiner Mönche war geteilt zwischen zurückgezogener Meditation in den Klöstern und öffentlicher Agitation in den Städten der Toscana gegen »Simonisten« (Käufer und Verkäufer geistlicher Ämter) und »Nikolaiten« (Priester, die in ehelicher oder eheähnlicher Verbindung lebten). Zum Hauptgegner wurde der Bischof Petrus Mediabarba (Pietro Mezzabarba), dem sein Vater, Teuzo Mezzabarba aus Pavia, den Bischofsstuhl von Florenz für 3000 Pfund Gold gekauft hatte. Auf der Synode von Rom im Frühjahr 1067 erhoben die Vallombrosaner Anklage gegen ihn wegen Simonie. Die versammelten Bischöfe, insbesondere Petrus Damiani, wandten sich jedoch gegen die Mönche. Nur Hildebrand (der spätere Gregor VII.) trat für sie ein. Die Absetzung des Pietro Mezzabarba erfolgte ein Jahr später, auf der Ostersynode 1068, unter dem Eindruck der spektakulären Feuerprobe, die J.G. am 13.2. 1068 in Settimo veranstaltet hatte. Dabei war auf sein Geheiß der Mönch Petrus unversehrt über glühende Kohlen geschritten. Petrus, der seitdem den Beinamen »Igneus« trug, wurde in der Folgezeit Abt von Fucecchio am unteren Arno, später Kardinalbischof von Albano. Unter Gregor VII. weilte er als päpstlicher Legat in Deutschland und Frankreich. Der Einfluß des J. G. im Kampf gegen Simonie und Nikolaitismus reichte bis nach Norditalien. Von ihm ausgesandte Mönche predigten und agitierten in Mailand und anderen Städten der Lombardei. Er starb am 12.7. 1073 in seinem Kloster Passignano, wo er drei Tage später auch bestattet wurde. — J.G. gehört zu den herausragenden Gestalten, die in der Mitte des 11. Jh. der sog. »gregorianischen Reform«, d.h. der Verwirklichung eines rigoros mönchischen Lebensideals beim gesamten Klerus, zum Siege verhalfen. Gregor VII. selbst, der Namensgeber der Bewegung und des Zeitalters, hat ihn, der einer seiner getreuesten und fanatischsten Parteigänger war, nach seinem Tode in einem Brief an die Mönche von Vallombrosa gewürdigt. Am 1.10. 1193 wurde er, nach zweitägiger Überprüfung seines Lebenswandels, durch den Papst Cölestin III. kanonisiert. Der berühmte Crucifixus des J.G. wurde am 25.11. 1671 von S. Miniato nach S. Trinità übertragen, wo er sich seither befindet.

Werke: Innerhalb der ma. Lebensbeschreibungen sind zwei Briefe J.G.s überliefert: 1. an den Bischof Hermann von Volterra, gegen die simonistische Häresie (MPL 146, 792-794); 2. sein geistliches Testament (ebd. 700 f.). Die unter seinem Namen überlieferte Sammlung von Gebeten (A.S. Jul. tom. III, die 12, 322-326; MPL 146, 969-979) geht nicht auf ihn als Autor zurück, sondern ist bereits im karolingischen Zeitalter entstanden.

Lit.: Aus dem 11. Jh. sind drei Lebensbeschreibungen erhalten: S. Joannis Gualberti Vita auctore Andrea abbate Strumensi: A.S. Jul. tom. III, 343-365; MPL 146, 765-960; S. Joannis Gualberti Vita auctore Attone: A.S. ebd. 365-382; MPL 146, 667-706; Vita Johannis Gualberti adhuc inedita, in: Robert Davidsohn, Forschungen zur älteren Geschichte von Florenz [I], 1896, 55-60; — Vitae Sancti Johannis Gualberti, ed. F. Baethgen, in: MGH SS 30, 1076-1110, 1934 (Nachdr. 1964) (unvollständig); — Gregorii VII Epistolae collectae, 2, in: Monumenta Gregoriana, ed. Philipp Jaffé (Bibl. Rer. Germ. II), 1865 (Nachdr. 1964), 522 f.; — De Sancto Joanne Gualberto Abbate Ordinis Vallumbrosani fundatore in monasterio Passiniano in Etruria Commentarius: A. S. Jul. tom. III, die 12, 311-326; MPL 146, 705-766;

— Robert Davidsohn, Geschichte von Florenz I, 1896, 163-170; 178-181; 226-251; 595-597; — Ders., Forschungen zur älteren Geschichte von Florenz [I], 1896, 41; 47-60; — André Wilmart, Le manuel de prières de saint Jean Gualbert. Rev. Bén. 48 (1936), 259-299; — S. Casini, Storia di S. Giovanni Gualberto Fiorentino, 1934; — B. Quilici, Giovanni Gualberto e la sua riforma monastica, 1959; — Giovanni Miccoli, Pietro Igneo. Studi sull'età gregoriana (Istituto Storico Italiano per il Medio Evo, Studi Storici, 40-41), 1960; — Sofia Boesch Gajano, Giovanni Gualberto e la vita comune del clero nelle biografie di Andrea da Strumi e di Atto da Vallombrosa, in: La vita comune del clero nei secoli XI e XII (Atti della Settimana di studio: Mendola, sett. 1959), t. 2, 1962, 228-235; — Dies., Storia e tradizione vallombrosane. Boll. dell'Ist. Stor. Ital. per il M.E. e Arch. Mur. 76 (1964), 99-215; — Giovanni Spinelli, Giustino Rossi (Hrsg.), Alle origini di Vallombrosa. Giovanni Gualberto nella società dell' XI secolo, 1984. — Enc. Catt. XII (1954), 997-999; — LThK² V (1960), 1040; — NewCathEnc. VII (1967), 1054; — Dict. Spir. VIII (1974), 541-543.

Helmut Feld

JOHANNES GUALLENSIS (J. Vallensis, John of Wales, Jean de Galles) OFM, * zwischen 1210 und 1230, walisischer Herkunft; † wahrscheinlich 1285 in Paris.

— J.G. kommt 1257 mit abgeschlossenem Theologiestudium als baccalaureus theologiae zu den Franziskanern in Oxford. 1258-1262 ist er am dortigen Ordensstudium als Lektor tätig. Für die Zeit bis 1281 weist eine Universitätspredigt vom 29. Juni 1270 auf eine Lehrtätigkeit in Paris hin. 1281-1283 ist J.G. magister regens theologiae an der dortigen Universität. In diese Zeit fällt ein politischer Auftrag: 1282 reist er als Gesandter des Erzbischofs von Canterbury, John Peckham (um 1230-1292), nach Wales zu Lleywelyn ap Gruffydd (1246-1282). 1283-1285 ist J.G. dann Mitglied der Kommission, die beauftragt ist, die Schriften des Petrus Johannis Olivi (1248/49-1298) zu prüfen. J.G. stirbt wohl 1285 und ist wahrscheinlich in Paris begraben. Er erhielt den Beinamen »arbor vitae«. — Durch seine Kompilationen, ohne systematischen Anspruch, bemühte sich J.G., den Predigern seiner Zeit Material, vor allem solches von antiken Schriftstellern, zur moralischen Auferbauung ihrer Zuhörer an die Hand zu geben, sie selbst aber mit den Normen für ihr Verhalten und mit ihren Pflichten vertraut zu machen.

Werke: 1. Postilla super Johannem; 2. Collationes in Johannem; 3. Breviloquium de virtutibus antiquorum principum et philosophorum sive de quattuor virtutibus cardinalibus; 4. Communiloquium sive Summa collationum ad omne genus hominum; 4.1 Communiloquium... (kürzere Fassung); 5. Compendiloquium de vita et dictis illustrium philosophorum; 6. Breviloquium de philosophia sive sapientia sanctorum; 7. Ordinarium vel Alphabetum vitae religiosae; 8. Moniloquium vel Collectiloquium vel Summa de vitiis et virtutibus; 9. Legiloquium sive liber de decem preceptis; 10. Summa Iustitia sive Tractatus de septem vitiis; 11. Expositio Regulae S. Francisci. — Außerdem sind in Paris vier Predigten erhalten: 29. Juni 1270 (Fest der Hll. Peter und Paul), 11. November 1281 (Fest des Hl. Martin), 19. April 1283 (Ostern), 1. Mai 1283 (Fest der Hll. Philippus und Jakobus). — Drucke: Nr. 1,2: Opera Bonaventurae II Rom 1589, 313-466. 467-510; Nr. 3,6: Köln 1475, Löwen ca. 1480; Nr. 3, 4, 5, 6, 7: Venedig 1496, Lyon 1511, Straßburg 1518; Nr. 4: Köln nach 1472, Augsburg 1475, Ulm 1481. 1493; Nr. 4.1: Köln 1472, Straßburg 1489, Paris 1516; Nr. 5, 6: Rom 1655; Nr. 11: Paris 1512 (Firmamenta trium ordinum B.P.N. Francisci, III, 98-106).

Lit: Antoine Charma, Étude sur le Compendiloquium de vita, moribus et dictis illustrium philosophorum de Jean de Galles, Mémoires lus à la Sorbonne (Hist.Phil), Paris 1866; — Barthelemy Hauréau, Art.: Jean de Galles, Théologien, in: Histoire Littéraire de la France XXV, Paris 1869, 177-200; — Andrew George Little, The Grey Friars in Oxford, Oxford 1892, 143-151; — Ders.: Studies in English Franciscan History, Manchester 1917, 174-192; — Ders.: The Franciscan School at Oxford in the Thirteenth Century, in: AFrH 19, 1926, 803-874, bes. 845f; — Lucas Waddingus, Scriptores Ordinis Minorum, Rom 1906; — R. Galle, Eine geistliche Bildungslehre des Mittelalters, in: ZKG 31, 1910, 524-555; — Hyacinthus Sbaralea, Supplementum et castigatio ad Scriptores trium ordinum S. Francisci II, Rom 1921 (Nachdruck 1978), 83-88; — Norbert d'Ordal, Joan de Gal.les, Breviloqui, Barcelona 1930; — Palémon Glorieux, Répertoire des maîtres en théologie de Paris au XIIIᵉ siècle, Paris 1933; — Ders.: La Faculté des arts et ses maîtres au XIIIᵉ siècle, Paris 1971; — Victorin Doucet, Maîtres franciscains de Paris. Supplément au Répertoire des Maîtres en théologie de Paris au XIIIᵉ siècle par Chan. P. Glorieux, in: AFrH 27, 1934, 550-553; — Victor Scholderer, The Early Editions of Johannes Vallensis, in: Cylchgrawn Llyfrgell Genedlaethol Cymru. The National Library of Wales Journal 3, 1944, 76-79; — William Abel Pantin, John of Wales and Medieval Humanism, in: Studies presented to Aubrey Gwynn SJ, Ed. J.A. Watt et al., Dublin 1960, 297-319; — Beryl Smalley, English Friars and Antiquity in the Early 14th Century, Oxford 1960, 51-55; — Balduinus ab Amsterdam, The Commentary on St. John's Gospel edited in 1589 under the name of Bonaventure, an authentic work of John of Wales, O. Min., in: CollFr 40, 1970, 71-96; — Curt J. Wittlin, La Suma de Colacions de Juan de Gales en Cataluña, in: Estudios Franciscanos 71, 1971, 189-203; — Ruth Leslie, La obra de Juan de Gales en España, in: Actas del Cuarto Congreso Internacional de Hispanistas II, Salamanca 1982, 109-116; — Peter Lebrecht Schmidt, Das Compendiloquium des Johannes Vallensis - die erste mittelalterliche Geschichte der antiken Literatur?, in: From Wolfram and Petrarch to Goethe and Grass, Studies in Honour of Leonard Forster, Ed. D.H. Green et al., Baden-Baden 1982, 109-123; — Jenny Swanson, John of Wales - A Study of the Works und Ideas of a Thirteenth Century Friar, Cambridge, 1989; — Dies.: John of Wales and the Birmingham University Manuscript 6/III/19, in: AFrH 76, 1983, 342-349; — Conrado Guardiola Alcover, La Influencia de Juan de Gales en España, in: Antonianum 60, 1985, 99-119; — Ders.: Juan de Gales Cataluna y Eiximenis, in: Antonianum 64, 1989, 329-365; — Giuseppe Rizzardi, La controversia con l'Islam di J.G. O.F.M., in: Studi Francescani 82, 1985, 245-269; — Wetzer-Welte, VI, 1688-1690; — DNB LIV, 119-121; — Quétif-Échard I 386. 745; — EuG, Sektion II, Teil 21, 193; — J. Cox Russel, Writers of Thirteenth Century England, 1936, 78f; — Alfred Brothernton Emden, A Biographical Register of the University of Oxford to A.D. 1500, Bd. III, 1959, 1960f; — LThK V, 1040; — New Catholic Encyclopedia VII, 1077.

Monika Rappenecker

JOHANNES *von Hagen*, Benediktiner, Abt von Bursfelde und erster Organisator der Bursfelder Kongregation, Geburtsdatum und -ort unbekannt, † 11.8. 1468 in Bursfelde. — J. war angeblich zunächst Kurialbeamter und Kanoniker an St. Maria Magdalena im Schüsselkorb (»in Cartallo«) in Hildesheim. Er wurde nach dem Tode von Johannes Dederoth (6.2. 1439) zu dessen Nachfolger als Abt des Benediktinerklosters Bursfelde gewählt. Der kleinen Union von drei Klöstern, die bei seiner Amtsübernahme den Nucleus der Kongregation bildete, traten bis zu seinem Tode 33 weitere Klöster im ganzen Reichsgebiet bei. Verschiedene Maßnahmen festigten in den ersten Jahren seiner Amtszeit die einsetzende Reformbewegung: Am 11.3. 1446 bestätigte Ludwig Aleman, Legat des Basler Konzils, die Kongregation und gab ihr damit eine erste rechtliche Grundlage, woraufhin bereits vom 1.-16.5. 1446 das erste Generalkapitel in Bursfelde unter Vorsitz des J. abgehalten wurde. In den vierziger Jahren war er maßgeblich an der Gestaltung des »Liber ordinarius« beteiligt, in dem die liturgischen Gewohnheiten der Reformgemeinschaft festgeschrieben wurden. Weitere Unterstützung erhielt Bursfelde durch den Kardinallegaten Nikolaus von Kues, der im Juni 1451 vom gerade beigetretenen Kloster St. Peter in Erfurt aus ebenfalls die Kongregation bestätigte, sowie durch Papst Nikolaus V., der sich 1453 in einem Breve anerkennend und seinen Reformeifer lobend an J. wandte. Am 23.3. 1461 übertrug Papst Pius II. den Äbten von Bursfelde und St. Jakob in Mainz die Reform der deutschen Benediktinerklöster. — J. wurde in seiner fast dreißigjährigen Amtszeit der erste große Förderer und Organisator der Bursfelder Reformbewegung. Seine Person tritt indes in der Geschichtsschreibung der Kongregation stark zurück, so daß bisher sein persönlicher Beitrag zum Fortschreiten der benediktinischen Reform nicht genau zu umreißen ist. Es ist nicht auszuschließen, daß J. einer der Hauptverantwortlichen dafür war, daß die geplante Zusammenführung der Reformbewegungen von Bursfelde, Kastl und Melk in den sechziger Jahren des 15. Jh.s gescheitert ist, was schon von Zeitgenossen der starren Haltung der Bursfelder in bezug auf ihre Vorrangstellung und die Beibehaltung ihrer Observanz zugeschrieben wurde. - Ein schriftliches Werk hat er nicht hinterlassen.

Lit.: Johannes Busch, Chronicon Windeshemense und Liber de reformatione monasteriorum [um 1475], hg. von Karl Grube, 1886, 519-524; — Johannes Linneborn, Die Reformation der westfälischen Benedictiner-Klöster im 15. Jh. durch die Bursfelder Kongregation, in: StMOB 20, 1899, 266-314, bes. 273f.; — Ders., Die Bursfelder Kongregation während der ersten hundert Jahre ihres Bestehens, in: Deutsche Geschichtsbll. 14, 1912, 3-30, bes. 15ff.; — Hermann Herbst, Das Benediktinerkloster Klus bei Gandersheim u. die Bursfelder Reform, 1932 (Beiträge zur Kulturgesch. des MAs u. der Renaissance 50), 104ff.; — Paulus Volk, Die erste Fassung des Bursfelder Liber ordinarius, in: Ders., Fünfhundert Jahre Bursfelder Kongregation, 1950, 126-192, bes. 128ff.; — Ders., Urkunden zur Geschichte der Bursfelder Kongregation, 1951 (KStuT 20), 3ff., 54ff.; — Ders., Die Generalkapitels-Rezesse der Bursfelder Kongregation I, 1955, 1-138; — RE III, 576; — LThK V, 1041; — Lexikon des MAs II, 1108-1110.

Falk Eisermann

JOHANNES DE HAUVILLA, lateinischer Dichter, * gegen 1150, † nach 1200. — Magister J., zwischen 1184/85 und 1199 in Rouen nachweisbar, lehrte wohl an der Kathedralschule. Seine Poetik und carmina minora sind verloren, erhalten ist das dem Erzbischof von Rouen gewidmete Epos Architrenius (4361 Hexameter). Der »Erzklager« schildert in der Form des satirischen Reiseromans die Laster und Verkehrtheiten der Welt im Kloster, bei Hofe und an der Universität (früheste Beschreibung des Pariser Studentenlebens). Die Selbsterlösung des Titelhelden erfolgt nach moralischer Unterweisung durch die Göttin Natur und die Philosophen des Altertums in der allegorischen Hochzeit mit der Tugend Moderantia. Das in manieriertem Stil verfaßte Epos, ein Hauptwerk der sog. »Renaissance des 12. Jahrhunderts«, galt im Spätmittelalter als Meisterwerk der Rhetorik und wurde mehrfach kommentiert.

Lit.: Ausgabe: J. de Hauvilla, Architrenius, hrsg. von P. G. Schmidt, München 1974.

Paul Gerhard Schmidt

JOHANNES *von Herklein*, * 1249/50 in der Gegend des Parthenios am Schwarzen Meer (heute Bartin in der Türkei), † 1328 in Pontoherakleia. 1268 verließ er den kaiserlichen Dienst mit dem Ziel, ein Leben in Askese zu führen. 1270 wurde er gewaltsam zurückgebracht. Fünf Jahre später wurde er wieder ausgeschlossen, weil er sich weigerte, die Unionspolitik zwischen der byzantinischen Kirche und Rom mitzutragen. 1283 erscheint J. in der Umgebung des byzantinischen Kaisers Andronikos II Palaiologos (1282-1328), der ihn als Metropoliten von Nikomedeia einsetzte. Jedoch zog sich J. bald danach 12 Jahre lang in die Einsamkeit und Kontemplation zurück. Von dort zurückgekehrt, wurde er Metropoloit von Herakleia. J. wurde vor allem verehrt wegen seiner asketischen Lebensweise, seines Gerechtigkeitssinnes und seiner Güte - alles Eigenschaften, die ihn oft in Konflikt mit den Machthabern brachten.

Lit.: Vita v. seinem Neffen Nikephoros Gregoras, ed. V. Laurent: Ἀεχτον Πόντου (1934), 1-67; — R. Guilland, Essai sur N. Grégoras (1926) 4ff. 180-183; — V. Laurent, La personnalite de Jean d'Héraclée...: Hellenika, Athen 1928ff, 3 (1930) 297-315; — LThK V² 1041.

Werner Schulz

JOHANNES HESYCHASTES (lat. J. Silentiarius, d. h. J. der Einsiedler; auch J. Sabaites). Bischof von Kolonia, später Einsiedler-Mönch der Sabas-Laura. — Die einzige Quelle, die über J.H. Auskunft gibt, ist die Heiligenvita, die Kyrill von Skythopolis über ihn verfaßt hat (sie ist noch zu Lebzeiten des J.H. entstanden und beruft sich mehrfach auf Augenzeugenschaft

und persönliche Nachfrage; trotz einiger legendärer Züge gelten ihre Nachrichten daher als historisch zuverlässig). Nach Angabe dieser Quelle ist J.H. »am 8. Januar des 4. Jahres des Marcian, 7. Indiction«, d.h. am 8.1. 454 geboren. Sein Geburtsort ist Nikopolis. Als er 18 Jahre alt ist, sterben seine Eltern, und er wird Erbe eines großen Vermögens, das er zum Teil für die Gründung eines Klosters in Nikopolis verwendet, in dem er fortan lebt. Außerdem läßt er eine Marienkirche bauen. Als der Bischof von Kolonia (in Armenien) stirbt, weiht ihn der Metropolit trotz Sträubens als 28-jährigen zum Bischof (482). Dieses Amt versieht er 9 Jahre lang (482-491), dann entzieht er sich ihm, indem er in die Sabas-Laura flüchtet, die ihm in einer Traumvision als Aufenthaltsort bestimmt geworden war. Hier hält er seine Identität geheim und verrichtet die niederen Klosterarbeiten (491-503). Von 503 bis 509 lebt er dann als Einsiedler in der nahen Wüste, auch wohl deshalb, weil seine Identität inzwischen bekannt geworden war. 509 kehrt er dann in die Laura zurück, wo er nunmehr eine Einzelzelle bewohnt. Über wundersame Begebenheiten, die sich in dieser Zeit zutragen, berichtet die Vita ausführlich. Bei ihrer Abfassung im Jahre 557 ist J.H., inzwischen 103 Jahre alt, noch unter den Lebenden. Über seinen Tod berichtet ein Postscriptum, das nur in einer georgischen Handschrift erhalten ist, von seinem Herausgeber aber für authentisch angesehen wird; danach ist J.H. an einem Mittwoch, der auf den 8. Januar fiel, gestorben. Das erste Jahr, für das diese Konstellation (nach 557) zutrifft, ist das Jahr 559.

Ausgaben der Vita: Acta Sanctorum Maii III, 1680, 16*-21* (in der 3. ed. 14*-18*), lat.: 230-236; Eduard Schwartz, Kyrillos von Skytopolis, in: TU 49,2, 1939, 201-222; André-Jean Festugière, Les moines d'orient III, 3: Les moines de Palestine, 1963, 13-34 (frz. Übersetzung des Textes von Schwartz); K. M. Koikylides, in: Νέα Σιών 3, 1906, Anhang 14-32; G. Bayan, Le synaxaire arménien de Ter Israel, Mois de Maréri (= Mai), PO 21, 4, 1928, 458-462 (eine verkürzte Fassung in Armenisch mit frz. Übers.); Gérard Garitte, La mort de S. Jean l'Hésychaste d'après un texte Géorgien inédit, AnBoll 72, 1954, 75-84 (Edition des Postscriptums).

Lit.: Bardenhewer V, 127-129; — DACL VI, 2362-2365; — Beck 409 f.; — LThK V, 1041; — Altaner⁸ 241.

Hans-Udo Rosenbaum

JOHANNES IV., Bischof von Hildesheim, * 1483 (?), † 20.11. 1547. — Als Sohn des Herzogs Johann V. von Sachsen-Lauenburg wurde Johannes zum Bischof von Hildesheim gewählt, nachdem sein Bruder Erich, der 1502 zum Hildesheimer Bischof gewählt worden war, 1503 zu seinen Gunsten resigniert hatte. Nach der Wahlbestätigung durch Papst Julius II. (s.d.) trat Johannes 1504 die Herrschaft im Stift an, die bischöfliche Weihe erhielt er 1511, die Regalien erst 1518 durch Kaiser Maximilian verliehen. Das Wirken J. ist gekennzeichnet durch den Versuch, durch Abtragen der Schulden die bischöfliche Landeshoheit im Stift Hildesheim zu konsolidieren, insbesondere vom Stiftsadel die verpfändeten Burgen und Ämter einzulösen. In der aus diesem Grund ausgelösten Hildesheimer Stiftsfehde wurde der Stiftsadel von den benachbarten Herzögen Heinrich d. Jüngeren von Wolfenbüttel und Ernst von Calenberg sowie von Bischof Franz von Minden unterstützt, während der Bischof und das Domkapitel mit den Städten im Stift, Herzog Heinrich von Lüneburg und den Grafen von Hoya, Diepholz und Schaumburg verbündet war. Militärisch siegten die Verbündeten 1519 in der Schlacht von Soltau, konnten aber ihren Sieg nicht ausnutzen, weil vor allem Herzog Heinrich von Lüneburg als Parteigänger des französischen Königs Franz galt. So konnte Herzog Heinrich d. Jüngere von Wolfenbüttel bei Kaiser Karl V. (s.d.) erreichen, daß über Bischof J. und Herzog Heinrich von Lüneburg die Reichsacht verhängt wurde, die von den Wolfenbütteler und Calenberger Herzögen zu vollstrecken war. Im Quedlinburger Rezeß verzichtete Bischof J. 1523 auf den größten Teil des Stifts zugunsten seiner Gegner, ihm verblieben nur die Ämter Marienburg, Peine und Steuerwald (»Kleines Stift«). Bischof J. ging ins Exil, 1527 resignierte er und zog sich bis zu seinem Tod auf seine Domherrenstelle in Ratzeburg zurück. Der traditionellen Frömmigkeit verpflichtet, unterstützte er die Reformation nicht; die Zerschlagung des Stifts hatte allerdings zur Folge, daß Bischof und Domkapitel die Einführung der Reformation im Stift Hildesheim nicht verhindern konnten, als Wolfenbüttel und Calenberg lutherisch geworden waren. Nur im Kleinen Stift konnte sich die Gegenreformation durchsetzen, der größte Teil des Stifts Hildes-heim blieb auf Dauer evangelisch geprägt.

Lit.: A. Lüntzel, Die Stiftsfehde. Erzählungen und Lieder, Hildesheim 1846; — A. Bertram, Die Bischöfe von Hildesheim, Hildesheim-Leipzig 1896, S. 108-120; — R. Doebner, Die Hildesheimer Stiftsfehde; in: Studien zur Hildesheimer Geschichte, Hildesheim 1902, S. 93-99; — W. Rossmann, Die Hildesheimer Stiftsfehde (1519-1523), hggb. und ergänzt von R. Doebner, Hildesheim 1908; — A. Bertram, Geschichte des Bistums Hildesheim, Bd. 2, Hildesheim-Leipzig 1916, S. 6-50; — B. Meyer-Wilkens, Hildesheimer Quellen zur Einführung der Reformation in Hildesheim, in: Die Diözese Hildesheim in Vergangenheit und Gegenwart 40, 1982, S. 1-82; — U. Stanelle, Die Hildesheimer Stiftsfehde in Berichten und Chroniken des 16. Jahrhunderts, Hildesheim 1982; — Ders., Die Hildesheimer Bischofschronik des Hans Wildesfuer, Hildesheim 1986, S. 186-195. — ADB XIV, S. 224-226; — NDB X, S. 489-491.

Hans Otte

JOHANNES HINDERBACH, Bischof * 1418 Rauschenberg bei Kassel/Hessen, † 21.9. 1486 Trient. — Der Urgroßneffe Heinrichs von Langenstein studierte ab 1434/35 an der Universität Wien und wurde dort 1436 Bakkalaureus und 1438 Magister der Artes. Das anschließende Rechtsstudium (1439) setzte er 1441 in Padua fort. Er trat in die Dienste König Friedrichs III. (1440-1493) ein, der ihn 1448/49 mit einer Gesandtschaft nach Mailand betraute. Von diesem König wurde er 1449 mit der Pfarrei Mödling belohnt. Später gelangte er in den Genuß von Kanonikaten in Passau, Regensburg und Trient (dort ab 1455 auch Dompropst). An den Vorbereitungen von Friedrichs III. Romzug (1451/52) beteiligt, wurde er am 14.1. 1452 in Padua in Anwesenheit des Königs zum doctor in decretis promoviert. Vom Kaiser mehrmals an die Kurie entsandt, leistete er 1455 vor Calixt III. (1455-1458) und 1459 vor Pius II. (Enea Silvio Piccolomini (1458-1464), mit dem ihn schon eine längere Freundschaft verband, den Obedienzeid. Kaiserin Eleonore empfahl ihn 1464 für das Bistum Brixen. Mit ihrer Hilfe erlangte er im August 1465 das Bistum Trient. Am 12. Mai 1466 wurde er vom Papst bestätigt, erhielt am 20. Juli desselben Jahres in Rom die Bischofsweihe und zog am 21.9. 1466 in Trient ein. Nach seiner Belehnung durch den Kaiser (13.2. 1471 in Venedig) vertrat er diesen wieder an der Kurie, eröffnete für ihn den Tag zu Regensburg (1471) und nahm für Friedrich III. am Reichstag von Augsburg (1474) teil. Nach der Rückkehr von einer Gesandtschaft nach Venedig starb er am 21.9. 1486 in Trient an einem Blutsturz und wurde im Dom bestattet. — J.H. war sicher der gelehrteste der Trienter Bischöfe des 15. Jh.s. Es sind von ihm juristische Vorlesungsnachschriften aus Padua erhalten geblieben sowie zahlreiche Gelegenheitsgedichte und viele von ihm hinterlassene und glossierte Handschriften. Eine Geschichte Friedrichs III. für die Jahre 1460-1462 ist nur noch in einem Druck faßbar (vgl. Kollár, 555-666). Chronologisch geordnete, bislang ungedruckte Aufzeichnungen für die Jahre 1432-1470 sollten wohl die Vorstufe für eine Selbstbiographie sein. Die Obedienzansprache vor Papst Pius II. (Enea Silvio Piccolomini), gehalten am 29.10. 1459 zu Mantua, zeugt von seiner humanistischen Bildung. Ein umfangreicher, noch unpublizierter Briefwechsel und eine Reihe von Übersetzungen vom Deutschen ins Lateinische sowie Aufbereitungen von Erziehungstraktaten des Enea Silvio für den jungen Maximilian spiegeln seine weitreichenden Beziehungen und seine pädagogischen Absichten wider. Sein formal korrektes, aber ungerechtfertigtes Vorgehen gegen die eines Ritualmordes beschuldigten Trienter Juden (1475/6) läßt freilich auch erkennen, daß er von der offenen Judenfeindschaft seiner Zeit geprägt war. Den Besitz der gefolterten und hingerichteten Juden zog er u.a. deshalb ein, um den Seligsprechungsprozeß des von ihnen angeblich ermordeten Knaben Simon finanzieren zu können. Papst Sixtus IV. (1471-1484) anerkannte 1478 die formale Richtigkeit des gegen die Juden angestrengten Prozesses. Allerdings genehmigte erst Gregor XII. (1572-1585) im Jahre 1582 den Kult des Knaben Simon, der 1965 endgültig untersagt wurde.

Werke und Lit.: Adam Franz Kollarius (Kollár), Analecta monumentorum omnis aevi Vindobonensis II, 1762; — Emanuel Hannak, Ein Btr. zur Erziehungsgesch. Kaiser Maximilians I. aus dem Jahre 1466, in: Mitteilungen der Gesellsch. für dt. Erziehungs- und Schulgesch. 2 (1892) 145-163; — Victor von Hofmann-Wellenhof, Leben und Schrr. des Doctor J.H., Bischofs von Trient, in: Zeitschr. des Ferdinandeums 3. Folge 37 (1893) 203-262; — Ernst Havelka, Die Fortsetzung der Gesch. Friedrichs III. von J.H. von Rauschenberg, Programm Sternberg 1896 und 1897; — Hans von Voltelini, Eine Aufzeichnung des Bischofs Hinderbach über den Palast der Bischöfe von Trient in Bozen, in: Zeitschr. des Ferdinandeums 3. Folge 42 (1898) 381-385; — Giuseppe Menestrina, Gli Ebrei a Trento, in: Tridentinum 6 (1903) 304-316, 348-374, 385-411; — Willehad Paul Ekkert, Aus den Akten des Trienter Judenprozesses, in: Judentum im MA, 1966, 283-336; — Alfred A. Strnad, J.H.s. Obedienz-Ansprache vor Papst Pius II., in: RHM 10 (1967) 43-183; — Mariano Welber, I.H. rerum vetustarum studiosus: vita e cultura del vescovo di Trento Giovanni IV Hinderbach (1418-1486), 1969-1970 (Tesi di Laurea); — Armando Costa, I vescovi di Trento, 1977, 121-125; — Karl Langosch, Donisii 'Comedia Pamphile', Untersuchung und Text, 1979, vor allem 27-37; — Jakob Obersteiner, Ein Brief von J.H. an den Gurker Bischof Ulrich III. Sonnenberger, in: Carinthia 1, 175 (1985) 199-213; — Mariarosa Cortesi, Il vescovo J.H. e la cultura umanistica a Trento, in: Bernardo Clesio e il suo tempo, 1988, 477-502; — »Pro bibliotheca erigenda«: manoscritti e incunaboli del vescovo di Trento I.H. (1465-1486), 1989; — LThK V, 1042; — NDB X, 538 f.; — Repfont V, 508 f.; — Verf. Lex^2 IV, 41-44.

Georg Kreuzer

JOHANNES von Höfen siehe Danticus, Johannes

JOHANNES IV., (Ieiunator) Patriarch von Konstantinopel (582-595), genannt der Faster (lat. Ieiunator, griech. Nesteutes), wurde in dieser Stadt im ersten Drittel des 6. Jahrhunderts geboren; laut Nikephoros Kallistos lernte er zunächst den Beruf eines Handwerkers in einem Feinmetallgewerbe, vielleicht in der Münzanstalt, bevor er unter Patriarch Johannes III. Scholastikos (565-577) Sakellarios, d.h. Leiter der Finanzverwaltung der Hagia Sophia, und damit einer der großen Diakone der Hauptkirche des Patriarchats wurde. Vielleicht war er, wie E. Honigmann behauptet (S. 60), davor eine Zeit lang Mönch gewesen. Am 12. (oder 15./16.) April 582 wurde er auf den Sitz von Konstantinopel erhoben. Zeitgenossen und Spätere rühmen seinen streng asketischen Lebenswandel, insbesondere seine Fastenpraxis, und seine caritativen Leistungen für die Armen der Stadt. Während der monophysitische Kirchenhistoriker Johannes von Ephesus seine Milde und Duldsamkeit gegen andersgläubige Christen betont, indem er ihm die Aussage in den Mund legt: »Wie kann ich Christen verfolgen, die untadelig in ihrem Christentum leben«, erweist er sich intolerant gegen vermeintliche Heiden und fordert sogar in einem Fall gegen den Willen des Kaisers die Todesstrafe für Apostasie. Wie es seiner Funktion als Patriarch entsprach, war er am 14. August 582 zugegen, als der todkranke Kaiser Tiberios (578-582) Maurikios zu seinem Mitkaiser erhob; er krönte letzteren zum Kaiser (582-602), segnete dessen Ehe mit Tiberios Tochter ein und krönte am 26. März 590 deren ältesten Sohn Theodosios zum Mitkaiser. In diese Jahre fällt der mit wechselhaftem Erfolg gegen Persien vor allem um Armenien geführte Krieg, der schließlich im Jahre 591 damit endete, daß Maurikios, innere Wirren des persischen Reiches ausnützend, direkten Einfluß auf die Politik des Gegners gewinnen konnte, indem er Chosrau II. Parviz auf den Thron half und mit ihm einen Friedensvertrag schloß, auf Grund dessen ein Großteil des persischen Armenien an Byzanz fiel. Johannes der Faster stellte sich nach einer Angabe des Chronisten Johannes von Nikiu gegen dieses Unternehmen, das einen Vatermörder, nämlich Chosrau II., zur Macht verhelfen sollte; er soll dem Kaiser gesagt haben: »Christus, unser wahrer Gott, wird für uns zu allen Zeiten gegen alle Völker, die uns angreifen, kämpfen« - eine Aussage, die gut das christlich-eschatologische Reichsbewußtsein eines Byzantiners in dieser Zeit höchster Bedrängnis belegt (wie es als Hintergrund für die Darstellung von G. Podskalsky vorauszusetzen ist). — In die Geschichte ist Johannes der Faster vor allem durch einen Streit eingegangen, in den Papst Gregor I., der Große (590-604), ihn verwickelte, um die Vorrechte Alt-Roms zu wahren. In einem Synodalurteil über Patriarch Gregor von Antiochien (570-593), das gegen 587 zu datieren ist, hatte Johannes sich »ökumenischer Patriarch« nennen lassen. Gregor der Große griff dies in einem Brief an Johannes auf und behauptete, schon sein Vorgänger, Papst Pelagius II. (578-590), habe »Schwerwiegendes« in dieser Frage an ihn geschrieben (Reg. V 44: I, 339). In späteren Schreiben, z.B. in einer Enzyklika an die illyrischen Bischöfe (Reg. IX 156: II, 157) und in einem Brief vom Juni 595 an die Patriarchen Anastasios I. von Antiochien und Eulogios von Alexandrien (Reg. V 41: I, 331), wird seine Sprache härter: An letztere schreibt er, Johannes habe »versucht, sich allgemeiner (universalis) Bischof nennen zu lassen«, und an erstere, als Johannes schon tot ist, er habe sich den Titel »ökumenisch« im Sinn von »universalis« widerrechtlich angeeignet (usurpasse). Im Osten, selbst bei dem ihm freundschaftlich verbunde-

nen Anastasios, stieß Gregor auf kein Verständnis: Für ein Nichts (pro nulla causa) habe er Anstoß (scandalum) gegeben. Die Forschung hat gezeigt, daß der Gebrauch des Titels »ökumenischer Patriarch« in bestimmten Zusammenhängen schon vor Johannes dem Faster im 6.Jahrhundert vorkam, daß er aber nie von den Patriarchen selbst als Titulatur zur Bezeichnung ihres Amtes benützt wurde, daß schließlich jener Brief des Papstes Pelagius, in dem Johannes angeklagt wird, er habe in einem Schreiben zur Einberufung einer Synode (gemeint ist die oben genannte gegen Gregor von Antiochien) mit dem Titel »episcopus universalis« unterschrieben, nichts anderes als eine Fälschung ist, nämlich zu den pseudo-isidorischen Dekretalen gehört. — Das 6. Jahrhundert ist nicht nur die Zeit der Rechtskodifikationen des Kaiser Justinians, sondern auch der ersten umfangreicheren kanonistischen Kodifizierung der byzantinischen Kirche. Mit diesem Vorgang verbindet die Überlieferung auch den Namen Johannes des Fasters. Bedeutende Schriften zur Bußdisziplin werden ihm zugeschrieben, sind aber später entstanden; einzig für das sog. Syntagma XIV titulorum (CPG 7556) rechnet zumindest E. Honigmann (S. 59-64) damit, daß dieses Sammelwerk im 6. Jahrhundert entstanden ist: Die älteste Version soll unter des Johannes Vorgänger grundgelegt und von Johannes selbst vollendet worden sein; dagegen aber steht nach H.-G. Beck (S. 146) ein gewisser Konsens, der diese Version in die Zeit zwischen 629 und 640 datiert. In handschriftlicher Überlieferung erscheint auch eine Bußrede, die einer Nonne gewidmet ist (CPG 7555), weitgehend aber nichts anderes als einen Cento vor allem aus Predigten des Johannes Chrysostomos darstellt. — Am 2. September 595 verstarb Johannes in großer Armut; all seinen kärglichen Besitz hatte er als Sicherung von Krediten zugunsten der Armen an den Kaiser verpfändet; als das wenige, was er sein eigen nennen konnte, nach seinem Tod in den kaiserlichen Palast gebracht wurde, um dem Recht zu genügen, staunte das Volk von Byzanz angesichts dieses Zeugnisses gelebten Christentums. Die byzantinische Kirche gedenkt seiner sowohl an seinem Sterbetag als auch am 18. Februar, an dem sie ihn zusammen mit dem Patriarchen Thomas (607-610), der Sakellarios des Johannes gewesen war, kommemoriert. Kurz nach dem Tod des Kaisers Maurikios (602) verfaßte ein Presbyter der Hagia Sophia, der Ekdikos (d.h. der eigentliche juristische Berater des Patriarchen) Photinos, eine Vita des Johannes, von der uns durch die Akten des 7. ökumenischen Konzils von Nikaia noch ein Fragment überliefert ist.

Quellen zum Leben und Werk: V. Grumel, Les regestes des actes du patriarcat de Constantinople, Vol. I, Fasc. I, Paris, 1972, n. 264-272; Fragment der von Photinos geschriebenen Vita in den Akten der 7. ökumenischen Synode von Nikaia (787): J.D. Mansi, Sacrorum Conciliorum nova et amplissima collectio, XIII, (Florentiae, 1759-1767) Graz, 1960, 80-85 (= BHG 893); ferner: Synaxarium Ecclesiae Constantinopolitanae, ed. H. Delehaye, Propylaeum ad Acta sanctorum novembris, Bruxelles, 1908, col. 7-8. 474; Evagrii Scholastici Historia ecclesiastica, ed. J. Bidez - L. Parmentier, (London, 1898) Amsterdam ²1964 (franz. Übers.: A.J. Festugière, in: Byzantion 45(1975) 188-471): VI, 7; Ioannis Ephesii historiae ecclesiasticae pars tertia, latine vertit E.W. Brooks (Corpus Scriptorum Christianorum Orientalium 106 [= syr. 55]), Louvain, 1952: III,3,39.51-52. 5,21, p. 128.134-135.206 (deutsch: J.M. Schönfelder, Die Kirchengeschichte des Johannes von Ephesus, München, 1882); Theophylactos Simocattes, Ἱστορία οἰκουμενική, ed. C. de Boor, Lipsiae, 1883: bes. I,1,2. 10,2. 11,14-20, p. 39. 57. 61-62; VII, 6,1, p. 254; Gregorii Magni Epistulae, ed. P. Ewald - M. Hartmann, Monumenta Germaniae Historica, Epistolae I-II, 1891.1899: oben zitiert mit Hinweis auf das Registrum, vgl. auch V. Grumel, n. 264; Sophronius von Jerusalem im cod. 231 von Photius Bibliothek: 287 a 18-20 (ed. R. Henry, V, p. 66); Isidor von Sevilla, De viris illustribus, 39, J.-P. Migne, Patrologia latina (= PL), 83, 1101-1102; Johannes von Nikiu: Chronique de Jean évêque de Nikiou, Texte éthiopien publié et traduit par M.H. Zotenberg (Notes et extraits des manuscrits de la Bibliothèque Nationale 241), Paris, 1883: 96, p. 528; Theophanis Chronographia, rec. C. de Boor, Vol. I, Lipsiae, 1883; Nicephorus Callistus Xanthopulus, Ecclesiasticae historiae libri, XVIII, 34, J.-P. Migne, Patrologia Graeca (= PG) 147, 396-397; Hinschius, Decretales Pseudoisidorianae, Lipsiae, 1863, 720 (= J.D. Mansi, a.a.O., X, 900; PL 72, 739).

Werke: Syntagma XIV titulorum: ed. V.N. Beneševič, Petropoli, 1906-1907 (M. Geerard, Clavis Patrum Graecorum, III, Turnhout, 1979 [= CPG], 7556); ed. Voel-Justel, Bibliotheca Juris canonici, II, Paris, 1661, 789 ff. (zur angezweifelten Authentizität: vgl. oben). — Zweifelhafte Werke: Sermo de paenitentia et continentia et virginitate, ed. F. du Duc, PG, 88, 1937-1977 (CPG 7555: auch koptische, syrische, georgische, altslavische Übersetzungen; in CPG nicht zitiert: S. Haidacher, Chrysostomus-Exzerpte in der Rede des Johannes Nesteutes über die Buße, in: Zeitschrift für katholische Theologie 26 [1902] 380-385); Sermo de Susanna, PG 56, 589-594 (CPG II, Turnhout, 1974: 4567), steht in der koptischen Überlieferung unter dem Namen des Johannes des Fasters: E.A.W. Budge, Coptic Homilies in the Dialect of Upper Egypt, London, 1910, 46-57 (Text). 192-203 (engl. Übersetzung); vgl. auch F. Rossi, I Papiri copti del Museo

Egizio di Torino, Torino, 1887-1892, II, 2, p. 26 sqq. — Unechte Werke: Sermo de pseudoprophetis, PG 59, 553-568 (CPG II: 4583) wird nach H.-G. Beck in manchen Handschriften Johannes dem Faster zugeschrieben, ist aber eine Predigt des Anastasios Sinaites (7. Jahrhundert), die unter die Masse der Pseudo-Chrysostomica geriet; Paenitentialia unter dem Namen des Johannes: (1) Canonarium: Abhandlung über die Buße mit der Absicht, die φιλανθρωπία Gottes (und damit Humanität) im Vollzug von Bußübungen zu sichern (CPG III: 7558), die nach E. Herman von einem Mönch Johannes zu Anfang des 9. Jahrhunderts geschrieben wurde; (2) Didascalia Patrum (CPG III: 7559): abhängig von (1), die als eigene Werke zitierten Schriften (a) Ἀκολουθία καὶ τάξις, ed. J. Morinus, PG 88, 1889-1917, und (b) Sermo de confessione et paenitentia, ed. J. Morinus, PG 88, 1920-1932, sind nach E. Herman nichts anderes als Teile der Didascalia; (3) Canonicum (CPG 7560): drei verschiedene Sammlungen kanonistischen Inhalts, mit deren einer in der handschriftlichen Überlieferung eine Didascalia für die Bußpraxis von Nonnen verbunden ist, die nach H.-G. Beck in gewisser Hinsicht korrigiert, was in (2) zu männlich ausgefallen war. — Verloren: Schrift über die Taufe an den Erzbischof Leander von Sevilla: Isidor von Sevilla, De viris illustribus, 39, PL 83, 1102 A. Mit Blick auf (2) und (3) hat K. Holl (S. 289; 295-298) als möglichen Verfasser den Mönch Johannes Nesteutes aus der zweiten Hälfte des 11. Jahrhunderts genannt, auf den ein Enkomion des Patriarchen Kallistos I. von Konstantinopel (sedit: 1350-1353, 1355-1363) überliefert ist: ed. H. Gelzer, in: Zeitschrift für Wissenschaftliche Theologie 29 (1886) 64-89.

Lit.: H.-G. Beck, Kirche und theologische Literatur im byzantinischen Reich, München, 1959, 63. 423-424; — E. Caspar, Geschichte des Papsttums, II, Tübingen, 1933, 452-465; — A. Ehrhard, in: K. Krumbacher, Geschichte der byzantinischen Litteratur, (München, 1897), New York, 1970, 144.187; — H. Gelzer, Der Streit über den Titel des ökumenischen Patriarchen, in: Jahrbücher für protestantische Theologie 13 (1887) 549-584; — J. Gouillard, in: Annuaire de l'École pratique des Hautes Études, V⁰ section, Tome 85, Paris, 1977, 365-370; — E. Herman, Il più antico penitenziale greco, in: Orientalia Christiana Periodica 19 (1953) 70-127; — K. Holl, Enthusiasmus und Bußgewalt beim griechischen Mönchtum, (Leipzig, 1898) Hildesheim, 1969, 289-301; — E. Honigmann, Trois mémoires posthumes d'histoire et de géographie de l'Orient Chrétien, in: Académie Royale de Belgique, Classe des Lettres, Mémoires, Collection in-8⁰. Deuxième série, Tome LIV, fasc. 6, Bruxelles, 1961, 48-64; — V. Laurent, le titre de patriarche oecuménique et la signature patriarcale, in: Revue des Études Byzantines 6 (1948) 5-26; — R. Paret, Dometianus de Mélitène: ebd. 15 (1957) 58-60; — P. Peeters, Sainte Golindouch, martyre perse († 13 juillet 591), in: Analecta Bollandiana 62 (1944) 74-125: 101 f.; — ders., Les ex-voto de Khosrau Aparwez à Sergiopolis, in: ebd., 65 (1947) 5-56: 12; 44; — G. Podskalsky, Byzantinische Reichseschatologie. Die Periodisierung der Weltgeschichte in den vier Großreichen (Daniel 2 und 7) und dem Tausendjährigen Friedensreiche (Apok. 20), München, 1972; — D. Stiernon, Jean le Jeûneur, in: Dictionnaire de Spiritualité VIII, Paris, 1974, col. 586-589; — T. Strotmann, L'évêque dans la tradition orientale, in: Irénikon 34 (1961) 152-155; — A. Tuillier, Le sens de l'adjectif »oecuménique« dans la tradition patristique et dans la tradition byzantine, in: Nouvelle Revue Théologique 86 (1964) 260-271; — S. Vailhé, Saint Grégoire le Grand et le titre de patriarche oecuménique, in: Échos d'Orient 11 (1908) 161-171; — G. Weiss, Studia Anastasiana I (Miscellanea Byzantina Monacensia 4), München, 1965, 39-41.

Karl-Heinz Uthemann

JOHANNES ITALOS, byzant. Philosoph, Geburts- und Todesjahr sind unbekannt. — Er stammte aus Kalabrien, nahm zunächst mit seinem Vater an einem Feldzug nach Sizilien teil und kam ca. 1049 nach Konstantinopel, wo er als Schüler des Michael Psellos sich dem Studium Platons und der Neuplatoniker Jamblichos und Proklos widmete. Als Psellos sich zeitweise in ein Kloster auf dem bithyn. Olymp zurückziehen mußte, wurde I. 1055 sein Nachfolger als »Konsul der Philosophen« (ὕπατος τῶν φιλοσόφων). 1077 bewahrte ihn noch die Protektion seines kaiserlichen Schülers Michael VII. Dukas (1071-1078) vor der Anklage wegen Häresie, doch im März 1082 veranlaßte Kaiser Alexios I. Komnenos den Patriarchen Eustratios Garidas (1081-1084) zur Aufnahme eines Untersuchungsverfahrens gegen I., das bereits am 13.3. zur feierlichen Verurteilung seiner in elf Anathematismen zusammengefaßten Lehre und zur Einweisung des I. in ein Kloster führte. I. wurde in den Anathematismen beschuldigt, »die frivolen Lehren der Hellenen« (Platon und die Neuplatoniker) in Bezug auf die Seele, den Himmel und die übrige Schöpfung in die Orthodoxie einführen zu wollen. Als solche wurden u. a. verurteilt: die Seelenwanderung, die Anfangslosigkeit der Materie und der Ideen, die Leugnung der Schöpfung aus dem Nichts, die Behauptung, die Menschen würden beim Jüngsten Gericht mit anderen Leibern als ihren jetzigen auferstehen, und die Aussage, daß die Höllenstrafen nur zeitlich und nicht ewig seien. Weitere Sitzungen der Patriarchatssynode am 20./21.3. und am 11.4. 1082 befaßten sich vor allem mit den Schülern des I..

Quellen: Anna Komnena, Alexias (V, 8/9); Jean Gouillard, Le Synodikon de l'Orthodoxie. Edition et Commentaire, in: Travaux et Mémoires 2, 1967, 1-316, dort 56-61 (Anathematismen gegen J. I.; deut. Übersetzung: Hans-Georg Beck, Byzant. Lesebuch, 1982, 145-147); R. Romano, Pseudo-Lu-

ciano: Timarione, 1974, 88/89 (Verspottung des J. I.; deut. Übersetzung: Beck, Byzant. Lesebuch, 1982, 158/159)

Werke: logische Traktate: Ioannis Itali Opuscula Selecta I-III: de syllogismis, de arte dialectica, de arte rhetorica, ed. G. Cereteli, Tbilissi 1924-1926; Quaestiones Quodlibetales. Editio princeps von Perikles Ioannou, 1956; Opera, ed. N. Kečakmadze. Tbilissi 1966.

Lit: Fedor Uspenskij, Deloproizvodstvo po obvineniju Ioanna Itala v eresi, in: Izvestija Russkago Archeologičeskago Instituta v Konstantinopole 2, 1897, 1-66; — Sévérien Salaville, Philosophie et théologie ou épisodes scolastiques à Byzance de 1059 à 1117, in: EO 29, 1930, 132-156, darin bes. 141-145; — Ivan Dujcev, L'umanesimo di Giovanni Italo, in: Studi bizantini 5, 1939, 432-436; — P. Stephanou, J. I., philosophe et humaniste, 1949; — Perikles Ioannou, Christl. Metaphysik in Byzanz, I: Die Illuminationslehre des Michael Psellos und des J. I., 1956; — Jean Gouillard, La religion des philosophes, in: Travaux et Mémoires 6, 1976, 306-315; — Gerhard Podskalsky, Theologie und Philosophie in Byzanz, 1977, bes. 75-77 und 114-116; — Lowell Clucas, The trial of J. I. and the crisis of intellectual values in Byzantium in the eleventh century, 1981; — Venance Grumel-Jean Darrouzès, Les Regestes des Actes du Patriarchat de Constantinople I, Fasc. 2/3: Les Regestes de 715 à 1206, 1989², 400-403 Nr. 923-927; — Beck, 542; — DThC VIII, 826-828; — EC VI, 565/566; — LThK V, 1043; — Catholicisme VI, 607/608; — Θρησκευτικὴ καὶ Ἠθικὴ Ἐγκυκλοπαιδεία VII, 6-9; — NewCatEnc VII, 1055.

Klaus-Peter Todt

JOHANNES *von Janduno*, französischer Philosoph, bedeutendster Vertreter des Averroismus in der ersten Hälfte des 14. Jahrhunderts. * vor 1290 in Jandun in den Ardennen, † zwischen dem 1. und 15. Sept. 1328 in Montalto. — J. studierte die artes liberales, wurde 1310 magister artium an der Universität Paris, anschließend lehrte er seit 1315 am »Kolleg Navarra« ebenfalls in Paris. Papst Johannes XXII. sicherte ihm im Rahmen eines Förderprogramms für die Lehrer der artes 1316 die Anwartschaft auf eine Domherrenpfründe in Senlis zu. Durch J. erfolgte eine intensive Rezeption der Werke des Aristoteles und Averroes; J. verfaßte zahlreiche, noch ungedruckte, teils verlorene Kommentare dazu. Mit Marsilius von Padua befreundet und in vielen Bereichen ähnlich denkend, flossen wohl auch von ihm Anregungen in M.'s »Defensor pacis« ein. Da in diesem Werk die kirchliche Hierarchie in Frage gestellt, die Suprematie des Kaisers über den Papst und die Souveränität des Volkes als Quelle aller politischen Macht vertreten wurde, schritt der Papst dagegen ein. Als die Verfasserschaft bekannt wurde, flohen beide 1326 an den Hof Ludwigs IV. des Bayern. 1327 wurden mehrere Sätze des D.p als häretisch verurteilt, Johannes XXII erklärte Marsilus und J.v.J. zu Häretikern. In der Folge hielten sich beide am Hofe Ludwigs auf, nahmen an dessen Italienzug teil. Am 1.5. 1328 wurde J. von Kaiser Ludwig 1328 zum Bischof von Ferrara ernannt, ohne sein Amt wegen der politischen Schwierigkeiten antreten zu können. Am 15. Juli 1328 wurde er zum Rat und Sekretär des Kaisers ernannt, starb aber schon im September nach dem Abmarsch des kaiserlichen Heeres aus Rom auf dem Weg nach Pisa.

Werke: Erstdrucke gewöhnlich in Venedig erschienen: Quaestiones super libros Aristotelis de coelo et mundo, Padua 1475, Venedig 1551, Expositio et quaestiones in Averroem de substantia orbis, 1481, Quaestiones in libros Physicorum 1488, Quaestiones in parva naturalia Aristotelis 1505, Questiones in duodecim libros metaphysicae Aristotelis 1505, De laudibus Silvanecti, De laudibus Parisius, hg. v. A.K.V. Le Roux de Lincy, L.M. Tisserand, Paris et ses historiens 1867, 1-79.

Lit: L. Schmugge, J.v.J, Untersuchungen zur Biographie und Sozialtheorie eines lateinischen Averroisten (Pariser Hist. Studien 5, 1966) mit Werkverzeichnis und Lit.; — Ders., in: Il pensiero politico del Basso Medioevo, CS 21, 1984; — A. Gewirth, J. of J. and the Defensor pacis, Speculum 23, 1948, 267-272; — M. Grignaschi, Il penisero politico e religioso de Giov. d.J., Boll. dell. Ist. stor. Ital. 70, 1958; — Ders., L'ideologia marsiliana si spiega con l'adesione dell'autore all' uno o all'altro dei grandi sistemi filosofici dell' inizio del Trecento, in: Marsilio di Podova, Convegno internazionale 1980, Medioevo 5, 1982, 210-222; — Karl Bosl, Die »geistliche Hofakademie« Kaiser Ludwigs des Bayern im alten Franziskanerkloster zu München, in: Der Mönch im Wappen 1960; — Ders., Der geistige Widerstand am Hofe Ludwigs des Bayern gegen die Kurie, VUF 9, 1965; — S. Pines, La philosophie dans l'economie du genre humain selon Averroès: une réponse à al Farbi, in: Multiple Averroès, Actes du Colloque international 1976; — R. Imbach, Lulle face ax Averroistes, in: Raymond Lulle et le Pays d'Oc, Cahiers de Fanjeaux 22, 1977, 261-282; — G. Dell'Anna, Il problema della pluralità dei mondi nell' averroismo latino: Giovanni di Jandun, BSFiL 6, 1978, 203-237; — Ders., Studi sul Medioevo e il rinascimento 1984; — Ders., Giovani di Jandun ed il problema dell' »imaginatio« 1985:- L. Park, Alberts influence on late medieval psychology, in: Albertus Magnus and the Sciences, Commemorative Essays, 1980, 501-535; — W. Dunphy, Doctrinal Perspectives of the »questiones« on »metaphysics« in cod. Vat Lat. 2173, The seventh Saint Louis Conference on Manuscript studies 1981; — M.C. Vitali, Z. Kuskewicz, Note sur les deux rédactions du »De anima« de Jean de Janduno, BPhH 24, 1982, 90; — J. Pinborg, Anonymi Questiones in Tractatus Petri Hispani I-III, traditae in Codice Cracoviensi 742, CIMA 41, 1982,

1-167; — Ders., The 14 th. c. Schools of Erfurt, Repertorium Erfordiense, CIMA 41, 1982, 157-193; — C.J. Ermatinger, Jean de Jandun, Maino de Maineri and Taddo da Parma on: »intellectus agens«, The ninth Saint Louis Conference on Manuscript studies 1983;- Ders., Investigations into the Commentary on Aristotele's »physics« by Jean de Jandun, The thirteenth Saint Louis Conference, Manuscripta 30, 1986; — R. Lamberti, A. Tabarroni, Le »questiones super Metaphysicam« attribuite a Giovanni di Jandun. Osservazioni e problemi, Medioevo 10, 1984, 41-104; — L. Bianchi, Velare philosophiam non est bonum. A proposito della nuova edizione delle »questiones in metaphysicam« di Sigieri di Brabante, RSF 40, 1985, 225-270; — Z. Kuskewicz, Les problemata de Pietro d'Abano et leur »rédaction« par Jean de Jandun, Medioevo 11 (1985) 113-125; — Burkhard Maisisch, Mittelalterliche Grundlagen neuzeitlicher Erkenntnistheorie. Renovatio et Reformatio, Fs. L. Hödl, 1985, 155-169; — A. Pattin, Les differents traités de Jean de Jandun sur le »De sensu agente«, Actes de la 7e congrès international de Philosophie médiévale 1982, 1986, S. 583-590; — Ders., Pour l'historie du sens agent. La controverse entre Barthélemy de Brugues et Jean de Jandun, ses antécédens et son évolution. Etudes et texte inédits 1988; — E. P. Mahoney, John of Jandun and Agostino Nofo on human felicity, ebd. 465-477; — C. Crisciani, Filosofia e medicina in Pietro d'Albano: nota da un convegno, RSF 41, 1986, 795-804; — E. Grant, Medieval and Renaissance scholastical conceptions of the influence of the celestical region on the terrestrial, JMRS 17 (1987) 1-23; — Überweg, Grundriss II, S. 615 f; — Bosl Bayer. Biog. 391; — Enc.Catt VI, 566; — NCE VII, 1055f.; — LThK V, 1043; — DThC VIII, 764 f.

Lothar Kolmer

JOHANNES von Jenz(en)stein siehe JOHANN II von Jensenstein

JOHANNES II., Bischof von Jerusalem, geboren um 356, gest. am 10. Januar 417, gewinnt als Kirchenpolitiker, Prediger und Theologe in den letzten Jahren mehr und mehr an Kontur, mag auch in vielen Punkten kein allgemeiner Konsens in der Forschung bestehen; einen ersten Schritt zur neuen Bewertung vollzog 1922 F. Cavalleras Kritik an des hl. Hieronymus Urteil über die Position des Johannes in der ersten großen origenistischen Kontroverse (393 bis 397 bzw. bis 402) einerseits und bei der Ankunft des Pelagius in Palästina (415) anderseits. — Im Jahre 387 wurde der junge Mönch Johannes zum Nachfolger des Bischofs Kyrill von Jerusalem geweiht. Rufinus aus Aquileia, der sich mit Melanie der Älteren seit 378 auf dem Ölberg bei Jerusalem niedergelassen hatte, war mit dem neuen Bischof, der ihn um 390 zum Priester weihte, befreundet; und auch Hieronymus, der 386 provisorisch und seit 389 endgültig in Bethlehem eine Klostergemeinschaft mit der hl. Paula und anderen Frauen und Männern gegründet hatte, schien ihm in den ersten Jahren seines Episkopats geneigt zu sein, mochte er auch später andeuten, daß seines Erachtens Johannes einst, vielleicht sogar stets ein Krypto-Arianer gewesen sei. Im Jahre 392 weihte Johannes den aus Thessaloniki stammenden Konvertiten aus dem Judentum Porphyrius, den späteren Bischof von Gaza, zum Priester und ernannte ihn, der durch eine Vision des Gekreuzigten und des Guten Schächers von einer schweren hoffnungslosen Krankheit geheilt worden war, zum Staurophylax der Jerusalemer Kirche, d.h. zum Bewahrer des Hl. Kreuzes. Hier scheinen zwei Bemerkungen nicht unangebracht. Das ausgehende 4., beginnende 5. Jahrhundert ist zum einen die Zeit der ersten spektakulären Funde altchristlicher Reliquien, die nicht selten zur kirchenpolitischen Aufwertung eines Bischofssitzes beitrugen. Die Kirche von Jerusalem untersteht in diesen Jahren noch immer dem Metropoliten des palästinischen Kaisareia und damit dem Sitz von Antiochien; und manches weist, wie vor allem später die Auseinandersetzung mit Hieronymus zeigt, darauf hin, daß Johannes sich darum bemühte, seinen Sitz durch Appellation nach Alexandrien bzw. nach Rom aus der geschichtlich gewordenen hierarchischen Bindung zu lösen. Zum anderen scheint das Hl. Kreuz, für spätere Jahrhunderte die wertvollste Reliquie der Christenheit, ursprünglich der kleinen judenchristlichen Gemeinde von Jerusalem gehört zu haben; es wurde offensichtlich nicht bei den von Konstantin 326 angeordneten Arbeiten entdeckt, und doch wird es seit der Mitte des 4. Jahrhunderts öffentlich verehrt, wenn man einem Satz des Kyrill von Jerusalem mit dieser Interpretation gerecht werden sollte; seit ungefähr 375 entwickelt sich die Legende von der Kreuzauffindung. Aegeria nennt zwar in ihrem Pilgerbericht um 384 m.W. als erste zwischen Anastasis und Grabeskirche die Stelle, wo man ein Kreuz verehrte, berichtet aber noch nichts über die Auffindung desselben, sei es durch Helena, sei es durch die Frau des Kaisers Claudius, sei es durch den in allen Legenden genannten Jerusalemer Bischof Judas-Kyriakus, der in der Bischofsliste

nach dem Zeugnis des Eusebius von Kaisareia noch vor dem Jahre 135 auftaucht, also vor jener Zeit, in der Jerusalem unter Hadrian zu Aelia Capitolina wurde und (zumindest über Jahrzehnte) keine jüdischen Bürger mehr besaß. Und wie das Zeugnis des Johannes Chrysostomus zeigt, weiß man in Antiochien um 390 wohl um das Hl. Kreuz in Jerusalem, doch nichts davon, daß es bei seiner Auffindung daran erkannt und von den Kreuzen der beiden Schächer unterschieden wurde, daß ein junger Mann bzw. ein Mädchen durch die Berührung desselben geheilt wurde. Chrysostomus spricht einzig vom sog. Titulus, d.h. von der Aufschrift, die Pilatus hatte anbringen lassen; durch diesen Titulus hatte man es bei der Auffindung der drei Kreuze unterscheiden können (PG 59, 461,9-18). Zum ersten Mal begegnet die Legende mit dem Heilungswunder im Jahre 395 in einer Ansprache des Ambrosius zum Tode von Kaiser Theodosius I. (379 - 17.1.395). Sollte hier nun ein Zusammenhang mit der oben erwähnten Heilung des Porphyrius bestehen? Sollte, wie M. van Esbroeck zu vermuten scheint, eine Maßnahme des Jerusalemer Bischofs, vielleicht nur eine einladende Geste gegenüber einer noch vorhandenen (?) judenchristlichen Gemeinde, einen Beitrag zur Entwicklung der Legende geleistet haben? Porphyrius begegnet wiederum in einer am 15. September 394, also am Tag nach dem Fest der Kreuzerhöhung, gehaltenen Festpredigt des Johannes (CPG 3626): Die Jerusalemer Kirche feiert an diesem Tag die Einweihung der Sionskirche. Porphyrius wird hier von Johannes in einer Homilie, die in der Auslegung der typologischen Funktion des Alten Testaments die Einteilung der sieben Himmel aus der apokrypen Schrift über die Himmelfahrt des Isaias benutzt, viermal angesprochen; u.a. wird er mit Nathanael verglichen und als Israelit bezeichnet, an dem kein Falsch ist. Für M. van Esbroeck ist es kein Zufall, daß das genannte Apokryphon, aber auch das vierte Buch Esdra und Aussagen, die zum Nikodemusevangelium und den Acta Pilati hinführen, in zwei weiteren Quellen begegnen, die in das Leben des Johannes gehören, nämlich in dem Bericht über die Auffindung der Gebeine des hl. Stephanus im Jahre 415 und der zusammen mit dieser Narratio überlieferten Passio des Protomärtyrers. Johannes zeige sich noch mit der judenchristlichen Tradition Palästinas vertraut, und er habe versucht, dieser damals noch existierenden (?) Minorität in der Jerusalemer Kirche eine Heimat zu bieten. Ob diese Interpretation einer Wiederbelebung der veritas hebraica, die in der christlichen Welt des 4. und 5. Jahrhunderts einmalig wäre, den Texten gerecht wird, muß künftige Forschung klären. - Zu Anfang des Jahres 393 war in Palästina eine merkwürdige Gestalt aufgetaucht, Aterbius (oder Atarbios), Agent des Bischofs Epiphanius von Salamis, der mit seinem 374 bis 377 verfaßten »Panarion« die Hetze gegen Origenes als prominentem Häretiker eröffnet hatte; offensichtlich ging es darum zu prüfen, wie weit ein ketzerischer Origenismus in den Klöstern Palästinas Eingang gefunden hatte. Im Unterschied zu Hieronymus reagierten Johannes und Rufinus nicht auf diese Einmischung des bekannten Ketzerjägers. Im September 393 kam dieser selbst nach Jerusalem und predigte in der Anastasis-Kirche gegen die Origenisten; am nächsten Tag »antwortete« Johannes von der Kanzel mit einem Angriff auf die dem Origenismus zuwiderlaufende Position, den theologischen Anthropomorphismus. Doch Epiphanius gab sich nicht zufrieden und verlangte eine öffentliche Verurteilung des Origenes, »des Vaters von Arius, der Wurzel und Quelle aller Häresie« (Hieronymus, Brief 51). Johannes antwortete nochmals in einer Predigt, indem er ein Glaubensbekenntnis vortrug, das vor allem die Auferstehung von den Toten betonte und die Identität des künftigen mit dem verstorbenen und begrabenen Körper interpretierte. Daraufhin schwieg Epiphanius, ja er scheute sich nicht, zusammen mit Johannes an einer liturgischen Feier teilzunehmen. Doch, als er zu Beginn des Jahres 394 Paulinianus, den Bruder des Hieronymus, ohne Wissen des Johannes und damit gegen die Kanones zum Priester weihte, protestierte letzterer energisch; Epiphanius, der inzwischen nach Zypern zurückgekehrt war, ging auf diese Frage nicht ein, griff aber Johannes in einem Brief, der an diesen gerichtet war, unmittelbar an: Rufinus und jeder, der mit diesem kirchliche Gemeinschaft halte, sei ein Origenist und Häretiker. Er forderte in einem Schreiben an die Mönche Palästinas auf, mit Johannes zu brechen. Letzterer ließ sich nicht einschüchtern und

exkommunizierte Hieronymus und dessen Anhänger. Nachdem Rufinus durch eine Indiskretion im Herbst 395 in den Besitz einer lateinischen Übersetzung des genannten Briefes, den Epiphanius an Johannes geschrieben hatte, gelangte, die Hieronymus angefertigt und mit Randglossen versehen hatte, bemühte sich Johannes in Konstantinopel darum, Hieronymus aus Palästina verbannen zu lassen; nur der Sturz und Tod des praefectus praetorio Rufinus (27. November 395), der den entsprechenden Befehl hatte ausfertigen lassen, verhinderte dies. Nun suchte Johannes über seinen Freund Rufinus aus Aquileia, der längere Zeit in Ägypten verbracht hatte, den Patriarchen Theophilus von Alexandrien (385-412) über dessen damals noch nicht gestürzten Vertrauten Isidor, den Leiter des kirchlichen Hospizes in Alexandrien, der wegen seiner Sympathien für die Theologie des Origenes bekannt war, als Bundesgenossen zu gewinnen. Letzterer kam nach einigem Zögern nach Pfingsten 396 nach Jerusalem und sollte bei dieser Gelegenheit zwei Briefe des Theophilus überbringen, den einen an Hieronymus, den anderen an Johannes: Ersterer wurde auf Drängen des Johannes nicht überreicht, da diesem an einer Aussöhnung mit Hieronymus nicht gelegen war. Wie die Antwort des Jerusalemer Bischofs an Theophilus zeigt, hatte der Patriarch ihn nicht persönlich angesprochen, sondern sein Schreiben an die Kirche von Jerusalem gerichtet, für die er auf Grund seiner apostolischen Autorität im besonderer Weise Sorge zu tragen habe. Johannes scheint diese Formel zu akzeptieren, geht aber nicht auf das Angebot einer Vermittlung ein, sondern liefert stattdessen eine ausführliche Rechtfertigung seines eigenen Verhaltens; darum wird dieser Brief allgemein »die Apologie des Johannes« genannt. Nach Gennadius von Marseille (gest. 495/505), der sie wohl noch vollständig gelesen hat, handelt es sich um ein Buch, daß den Grundgedanken von Origenes herausarbeiten wollte, ohne aber dessen, wohl besser: der Origenisten Glaubensbekenntnis zu übernehmen. Da nun Johannes sein eigentliches Anliegen in Alexandrien nicht hinreichend gesichert schien, wandte er sich nach Rom, wo Hieronymus selbst schon längst vorbeugend tätig geworden war. Wie üblich schickte Johannes das gesamte Dossier an den Papst, das so über

Hieronymus Gewährsmann in Rom, den Senator Pammachius, nach Bethlehem gelangt. Noch im Winter 396/397 schreibt Hieronymus eine polemische Schrift Contra Johannem und nimmt zugleich, wie sein 82. Brief zeigt, unmittelbar mit Theophilus von Alexandrien Verbindung auf. Ob der Patriarch einen Einfluß darauf hatte, daß Hieronymus und Rufinus einander Ostern 397 während der Liturgie in der Anastasis-Kirche »die rechte Hand« gaben und zunächst einmal aussöhnten, ist auf Grund der Quellen nicht zu beantworten. Indirekt hatte dieser Gestus für Johannes die Bedeutung, daß für ihn der Streit mit Hieronymus beigelegt war, mochte auch die origenistische Frage in diesen Jahren immer wieder für kirchenpolitischen Zündstoff sorgen, vor allem gegen 399, als Theophilus in Ägypten mit brachialer Gewalt gegen die Vertreter origenistischer Spiritualität in den Kellien vorging: Auf ihrer Flucht nach Konstantinopel kamen die »Langen Brüder« auch nach Jerusalem, wo sie von Johannes empfangen wurden. Anderseits teilt Johannes bzw. die Synode der Bischöfe Palästinas im September des Jahres 400 Theophilus mit, daß man in ihren Kirchen keine Anhänger des Origenismus mehr entdeckt habe. Um dieselbe Zeit vermittelt Johannes in Rom zugunsten des dort durch Hieronymus angeklagten Rufinus aus Aquileia. Obwohl man dort in keiner Weise der Verbreitung von Origenes Schrift »De principiis«, die Rufinus ins Latein übersetzt hatte, gewogen war, wird Johannes selbst im Westen nicht angefeindet; Augustinus nennt ihn sogar ausdrücklich bei der gegen die Donatisten gerichteten Rechtfertigung seines Begriffs der ecclesia catholica als rechtgläubigen Bürgen der Katholizität (PL 43, 300 C). Auch das Verhältnis zu Hieronymus scheint sich normalisiert zu haben; Johannes begleitet im Bethlemer Kloster die hl. Paula in ihrer letzten Stunde und beerdigt sie (Hieronymus, Brief 108). - Hieronymus hatte in seiner Schrift gegen Johannes diesen ironisch als eine Prediger bezeichnet, der »beredsamer als Demosthenes« sei (PL 23, 358C). Die Ironie scheint angesichts der unter seinem Namen überlieferten Homilien und der sog. mystagogischen Katechesen, die er (und nicht sein Vorgänger) in der Osteroktav für Neugetaufte gehalten hat, nicht völlig unberechtigt, und dies gilt erst recht, sollten auch jene pseudo-chrysostomischen Predigten, die F.J. Leroy ihm zuschreiben wollte, auf ihn zurückgehen. - Die letzten Jahre des Episkopats von Johannes sollten wieder durch innerkirchlichen Streit überschattet sein. Im Jahre 410 hatten die Westgoten unter Alarich Rom eingenommen und geplündert. Unter den vielen Flüchtlingen war auch Pelagius; über Karthago kam er um 412 nach Jerusalem, wo er von Johannes in die kirchliche Gemeinschaft aufgenommen wird. Schon 414 beginnt Hieronymus vor ihm zu warnen; doch zum offenen Konflikt kommt es erst mit der Ankunft des Priesters Orosius aus Braga, der auf der Flucht vor den Vandalen zunächst zu Augustinus (414), dann aber nach Palästina ging (415). In Anwesenheit des Johannes kam es im Juli dieses Jahres zu einem öffentlichen Zusammenstoß zwischen Orosius und Pelagius, wobei sich Orosius auf Augustinus als Autorität berief. Daraufhin soll Johannes gesagt haben: »Augustinus, das bin ich!« Im übrigen wurde beschlossen, die Angelegenheit nicht selbst zu entscheiden, sondern Papst Innozenz vorzutragen, handele es sich doch um eine Glaubensfrage, über die am besten Lateiner urteilen könnten (Orosius, 6,4, S. 610). Doch konnte Johannes nicht verhindern, daß sich eine Synode der palästinensischen Kirche, die sich im Dezember 415 in Diospolis um ihn und den Bischof Eulogius von Kaisareia versammelte, wiederum mit Pelagius und dessen in den Augen der Lateiner häretischen Lehre auseinandersetzen mußte. Augustinus lobt in seiner Schrift De gestis Pelagii aus dem Jahre 417 (PL 44, 342-343) und in einem Brief, den er im Sommer 417 an Paulinus von Nola schickte (Brief 186), die dort von Johannes vorgetragene Argumentation, insbesondere seine Exegese bestimmter Stellen aus dem paulinischen Briefcorpus. Da die Synode nach Anhören des Pelagius fand, daß dieser rechtgläubig sei, erregte sie das Ärgernis des Hieronymus (Brief 143); Augustinus jedoch interpretierte sie dahingehend, daß sie entgegen dem reinen Wortlaut ihrer Entscheidung der Sache nach den Pelagianismus verurteilt habe. Bei Johannes unterstellte er Mißverständnisse, die auf Fehler des Dolmetschers zurückgingen (PL 44, 344-345). In einem analogen Sinn hatte er schon 416 warnend an den Jerusalemer Bischof geschrieben, dieser würde die Worte des Pelagius im Rahmen katholischer Glaubenslehre verstehen und nicht erkennen, was sie tatsächlich meinten (Brief 179). Im Spätsommer oder Herbst desselben Jahres kam es in Bethlehem zu Gewalttaten von Mönchen, die Anhänger des Pelagius waren; sie brannten in den lateinischen Klöstern, die sich um Hieronymus Niederlassung entwickelt hatten, Gebäude nieder und ermordeten einen Diakon. Papst Innozenz protestierte bei Johannes; doch dürfte dieser den Brief nicht mehr empfangen haben, da er am 10. Januar 417 verstorben war. In die letzten zwei Lebensjahre fielen nicht nur die genannten dogmatischen Streitigkeiten: Im selben Monat, in dem die Synode von Diospolis tagte, entdeckte man in der Nähe Jerusalems, in Kefar-Gamla, die Reliquien von vier Heiligen, unter ihnen jenc des ersten christlichen Märtyrers, des hl. Stephanus. Johannes ließ sie am 26. Dezember 415 in das Diakonikon der Sionskirche übertragen. Die Frage, ob sich in der mit dem Auffindungsbericht verbundenen Passio sancti Stephani als Zeugnis für eine judenchristliche Gemeinde interpretieren läßt, die zu diesem Zeitpunkt in Jerusalem noch existierte, und ob Johannes ein besonderes Interesse daran besaß, der veritas hebraica in der Kirche von Jerusalem wieder Heimatrecht zu geben, wird, wie oben schon gesagt, künftige Forschung klären. Als Theologe scheint Johannes eher aus altkirchlicher Überlieferung gedacht zu haben und weniger den neuen Formeln gefolgt zu sein; seine Verehrung für Origenes Sicht, seine Nähe zur Spiritualität jener Mönche, die sich mit Evagrius Ponticus auf Origenes beriefen, mußte ihn als Bischof von Jerusalem in einen Konflikt mit den damaligen Zentren der Christenheit, Alexandrien und Rom, verwikkeln. In diesem, vor allem aber im pelagianischen Streit fällt auf, daß Johannes die Verbindung nach Antiochien meidet; hieran zeigt sich das kirchenpolitische Interesse des Johannes, für die Jerusalemer Kirche einen höheren Rang und damit eine größere Selbständigkeit zu sichern, mochte dieses Ziel auch erst eine Generation später erreicht werden.

Werke: (im Text benutzte Abkürzungen werden im folgenden erklärt): — (I) Dogmatische Schriften: (1) Schreiben an den Patriarchen Theophilus von Alexandrien, im allgemeinen Apologie genannt (CPG [= M. Geerard, Clauis Patrum Graecorum, II, Turnhout, 1974] 3620): Fragmente in lateinischer Übersetzung sind noch in Hieronymus Schrift gegen

Johannes II. von Jerusalem (CPL [= E. Dekkers, Clauis Patrum Latinorum, in: Sacris Eruditi 3 (1961)] 612) erhalten (PL [= Patrologia latina, ed. J.P. Migne, 1-221, Paris, editio prior, 1844-1864) 23, 355-396 [editio altera: 371-412]); vgl. Gennadius von Marseille, De scriptoribus ecclesiasticis, 30, PL 58, 1076-1077 (CPL 957) ; aus Hieronymus lassen sich insbesondere (a) die Adresse des Briefe und (b) ein in einer Predigt in Anwesenheit des Epiphanius vorgetragenes Glaubensbekenntnis rekonstruieren: zusammengestellt von C.P. Caspari, Ein Glaubensbekenntniss des Bischofs Johannes von Jerusalem (386-417) in syrischer Übersetzung aus einer nitrischen Handschrift des British Museum, sammt allem, was uns sonst von Johannes übrig geblieben, in: Ungedruckte, unbeachtete und wenig beachtete Quellen zur Geschichte des Taufsymbols und der Glaubensregel, I, Christiana, 1866 (Nachdruck Bruxelles, ²1964), 166-172, übernommen durch A. Hahn, Bibliothek der Symbole und Glaubensregeln der alten Kirche, Breslau, ³1897, 294-296; mit Korrekturen auf Grund neu kollationierter Handschriften und mit einer Übersetzung ins Französische: P. Nautin, La lettre de Théophile d'Alexandrie à l'église de Jérusalem et la réponse de Jean de Jérusalem (juin-juillet 396), in: Revue d'histoire ecclésiastique 69 (1974) 370-373; 374-379; (2) ein weiteres Glaubensbekenntnis, welches in des Timotheus Aelurus, Patriarch von Alexandrien, »Widerlegung der auf der Synode zu Chalkedon (451) festgesetzten Lehre«, im Armenischen überliefert wird: hrsg. durch K. Ter-Mekerttschian - E. Ter-Minassiantz, Leipzig, 1908, 274,31 - 276,38; syrische Übersetzung mit Übertragung in das Deutsche: C.P. Caspari, a.a.O., 185-190; diese deutsche Übersetzung findet man auch bei A. Hahn, a.a.O., 296-298; zitiert bei Sevcrus von Antiochien; R. Hespel (hrsg.), Sévère d'Antioche. La polémique antijulianiste, I (CSCO [= Corpus Scriptorum Christianorum Orientalium] 245), Louvain, 1964, 107-108; 194-195; 219-220; IIA (CSCO 296), Louvain, 1968, 76; IIB (CSCO 302), Louvain, 1969, 225 (Übersetzung); (3) nach D. Stiernon besteht noch ein drittes Glaubensbekenntnis des Johannes aus der pelagianischen Krise der Jahre 415-417 (CPG 3621), welches E. Bihain in einer Athoshandschrift entdeckt hat; in der Clauis wird die Edition E. Bihains: La profession de foi »Sanctae et adorandae trinitatis« de 415 de Jean de Jérusalem. Original grec et version arménienne (für Byzantion) angekündigt, ist aber m.W. nicht erschienen; ob dieses griechisch überlieferte Bekenntnis sich von dem an zweiter Stelle genannten unterscheidet, müßte trotz D. Stiernon (vgl. Lit.) noch geklärt werden. — (II) Predigten: (1) zum Fest der Engel (CPG 3625), hrsg. mit einer Übertragung ins Lateinische von M. van Esbroeck, Nathanaël dans une homélie géorgienne sur les Archanges, in: Analecta Bollandiana 89 (1971) 155-176; (2) zum Fest der Einweihung der Sionskirche im Jahre 394 (CPG 3626), hrsg. mit lateinischer Übersetzung von M. van Esbroeck, Une homélie sur l'église attribuée à Jean de Jérusalem, in: Le Muséon 86 (1973) 283-304; französische Übersetzung von dems., in: Analecta Bollandiana 102 (1984) 115-125. — (III) Katechesen für die Osteroktav (CPG 3586; 3622), hrsg. von A. Piédnagel - P. Paris, Cyrille de Jérusalem. Catéchèses mystagogiques (Sources Chrétiennes, 126), Paris, 1966; zur Authentizität: W.J. Swaans, A propos des »Catéchèses mystagogiques« attribuées à S. Cyrille de Jérusalem, in: Le Muséon 55 (1942) 1-43; W. Telfer, Cyril of Jerusalem and Nemesius of Emesa, London - Philadelphia, 1955, 39-42; G. Kretschmar, Studien zur frühchristlichen

Trinitätstheologie, Tübingen, 1956, 165-169; ders., Die frühe Geschichte der Jerusalemer Liturgie, in: Jahrbuch für Liturgik und Hymnologie 2 (1956) 22-46; E. Bihain, Une vie arménienne de saint Cyrille de Jérusalem, in: Le Muséon 76 (1963) 340, Anm. 73; A. Renoux, Les Catéchèses mystagogiques dans l'organisation liturgique hiérosolymitaine du IVe et du Ve siècle, in: Le Muséon 78 (1965) 355-359; ders., Une version arménienne des Catéchèses mystagogiques de Cyrille de Jérusalem?, in: Le Muséon 85 (1972) 147-153; A. Piédnagel in der Einleitung zur genannten Edition, 19-40, hält an der traditionellen Zuweisung an Kyrill von Jerusalem fest, ohne aber, wie er S. 39 sagt, die Gegenargumente entkräften zu können. — (IV) Entgegen der These von F.J. Leroy, Pseudo-Chrysostomica: Jean de Jérusalem. Vers une résurrection littéraire?, in: Studia Patristica X (Texte und Untersuchungen, 107), Berlin, 1970, 131-136, bisher nicht für Johannes II. gesicherte Predigten: (1) drei Predigten, die in einem armenischen Florileg des 7. Jahrhunderts, Sigillum fidei genannt (armenisch hrsg. von K. Ter-Mekerttschian, Etschmiadsin, 1914), Johannes von Jerusalem zugeschrieben werden, in der griechischen Überlieferung aber dem Johannes Chrysostomus: (a) Contra Judaeos, gentiles et haereticos: PG (= Patrologia graeca, ed. J.P. Migne, 1-161, Paris, 1857-1886) 48, 1075-1080 (CPG 4506); (b) Sermo tertius in Genesim: PG 54, 590-593 (CPG 4410); (c) In illud: Pater, si possibile est (Matth. 26,39): PG 61, 751-756 (CPG 4654): J. Lebon, Les citations patristiques grecques du »Sceau de la foi«, in: Revue d'histoire ecclésiastique 25 (1929) 26; (2) In venerabilem crucem: PG 50, 815-820 (CPG 4525; BHG[a] [= Auctarium bibliothecae hagiographicae graecae, ed. F. Halkin, Bruxelles, 1969] 446), im zuvor genannten Florileg unter dem Namen des Johannes Chrysostomus; (3) In sancta lumina (CPG 4735), kurze Rezension (BHG[a] 1930m: hrsg. von F. Combefis, S. Joannis Chrysostomi de educandis liberis liber aureus, Parisiis, 1656, 118-168), ältester Text (BHG[a] 1936m: hrsg. von K.-H. Uthemann, Die pseudo-chrysostomische Predigt In baptismum et tentationem (BHG 1936m; CPG 4735), erscheint in: Traditio; — Ch. Renoux, Une homélie sur Luc 2,21 attribuée à Jean de Jérusalem, in: Le Muséon 101 (1988) 77-95; — Zum Todesdatum: V. Grumel, Traité d'études byzantines, I. La chronologie, Paris, 1958, 451. — Zu Porphyrius von Gaza: H. Grégoire et M.-A. Kugener (ed.), Marc le diacre, Vie de Porphyre, évêque de Gaza (Collection Byzantine, Association Guillaume Budé), Paris, 1930; P. Peeters, La Vie géorgienne de saint Porphyre de Gaza, in: Analecta Bollandiana 59 (1941) 65-216. — Zur Kreuzauffindungslegende: Ambrosius, De obitu Theodosii, 45-48, ed. O. Faller (CSEL [= Corpus Scriptorum Ecclesiasticorum Latinorum] 73), Wien, 1955, 394-397; eine Zusammenfassung zu den Quellen und Traditionen bei M. van Esbroeck, L'opuscule »Sur la croix« d'Alexandre de Chypre et sa version géorgienne, in: Bedi Kartlisa 37 (1979) 102-132, bes. ab 111; ders., Jean II de Jérusalem (unten), 126-134.

Quellen zu Johannes II.: Im Zusammenhang des origenistischen Streites: Abgesehen von der oben unter I (1) genannten Schrift Contra Johannem des Hieronymus, sind hier dessen Schrift Contra Rufinum (PL 23, 397-492 [²415-514]; CPL 613-614) sowie dessen Briefe zu nennen, insbesondere epist. 51, 57, 63, 82, 83, 87-93, 96, 98: rec. I. Hilberg (CSEL 54-55), Vindobonae - Lipsiae, 1910 - 1912 (Nachdruck:

New York - London, 1961), ferner des Rufinus von Aquileia Schriften Apologia contra Hieronymum (CPL 197) und De adulteratione librorum Origenis (CPL 198a), hrsg. von M. Simonetti (CCSL [= Corpus Christianorum Series Latina] 20, Turnhout, 1961).

Quellen zu Johannes II.: Im Streit um Pelagius: In der genannten Briefsammlung des Hieronymus vor allem die Epistulae 133-138, 143: CSEL 56, 1918, ferner Orosius, Liber apologeticus (CPL 572), rec. C. Zangemeister, Pauli Orosii Historiarum adversum paganos libri VII, accedit eiusdem liber apologeticus (CSEL 5), Vindobonae, 1882, 601-680, schließlich Augustinus, abgesehen von den oben zitierten Stellen aus De gestis Pelagii, vor allem die Briefe 179 und 186: rec. A. Goldbacher, S. Aureli Augustini Hipponiensis episcopi Epistulae, Pars III (CSEL 44), Pragae - Vindobonae - Lipsiae, 1904, 691-697; IV, 1911, 45-80 (CPL 262). - Brief von Papst Anastasius an Johannes II. in der Frage des Rufinus (401): hrsg. E. Schwartz, Acta Conciliorum Oecumenicorum, I, 5, Berlin, 1924/1925, 3-4. — Brief des Johannes Chrysostomus an Johannes II., geschrieben im Exil um 405: Epistula 88, PG 52, 654-655. — Zur Auffindung der Gebeine des hl. Stephanus: BHG (= Bibliotheca hagiographica graeca, ed. F. Halkin, Bruxelles, ³1957) 1648 x-y; PO (= Patrologia Orientalis) 35,1 (1969) 176-178.

Quellen zu Johannes II.: in der Kirchengeschichtsschreibung des 5. Jahrhunderts: Socrates, Historia ecclesiastica, V, 15, PG 67, 604 (CPG 6028); Sozomenus, Historia ecclesiastica, VII, 14,4; VIII, 1,1, ed. J. Bidez - G.C. Hansen (GCS [= Die griechischen christlichen Schriftsteller] 50), Berlin, 1960 (CPG 6030); Theodoret von Kyrus, Historia ecclesiastica, V, 35,1; 38,1, ed. L. Parmentier - F. Scheidweiler (GCS 44), Berlin, ²1954 (CPG 6222); Hydatius von Aquae Flaviae (im spanischen Galizien), Chronicon, XII-XIII, ed. Th. Mommsen, Chronica minora, 2 (Momumenta Germaniae Historica, Auctores antiquissimi, 11), Berlin, 1894, 17.

Lit.: F. Cavallera, Saint Jérôme. Sa vie et son œuvre, I-II, Louvain - Paris, 1922, I: 193-227; 323-326; II: 31-46; — G. de Plinval, Pélage, ses écrits, sa vie et sa réforme, Lausanne, 1943, 214; 271; passim; — Fr. X. Murphy, Rufinus of Aquileia (345-411). His life and works, (The Catholic University of America. Studies in Mediaeval history, N.S. vol. 6), Washington, D.C., 1945, 59-157; — A. Guillaumont, Les »Kephalaia gnostica« d'Evagre le Pontique et l'histoire de l'origénisme chez les grecs et chez les syriens (Patristica Sorbonensia, 5), Paris, 1962, 47; 63-72; 79-99; 110-123; passim; — P. Baton, Les sources de la biographie de Jean II, évêque de Jérusalem, (Diss.) Louvain, 1969; — Y.-M. Duval, Sur les insinuations de Jérôme contre Jean de Jérusalem: de l'arianisme à l'origénisme, in: Revue d'histoire ecclésiastique 65 (1970) 353-374; — S.J. Voicu, »Giovanni de Gerusalemme« e Pseudo-Crisostomo, in: Euntes docete 24 (1971) 66-111; — D. Stiernon, Jean de Jérusalem, in: Dictionnaire de Spiritualité, VIII, 1974, Sp. 565-574; — M. van Esbroeck, Jean II de Jérusalem et les cultes de S. Etienne, de la Sainte-Sion et de la Croix, in: Analecta Bollandiana 102 (1984) 99-134. — Überholt sind die Positionen von: G. Morin, Homélies inédites attribuées à Jean de Jérusalem dans la seconde partie du ms. 427 de Reims, in: Revue bénédictine 22 (1905) 12-14; — H. Quentin, Jean de Jérusalem et le Commentaire sur les Evangiles attribué à Théophile d'Antioche, in: ebda 24 (1907) 107-109.

Karl-Heinz Uthemann

JOHANNES VON JESUS MARIA, Karmelit, geistlicher Schriftsteller, * 27.1. 1564 in Calahorra (Spanien) als Juan de San Pedro y Ustarroz, † 28.5. 1615 in Montecompatri bei Rom. — Nach dem Studium der Philosophie in Alcalá (1579-82) trat J. in den von Teresa von Avila reformierten Karmeliterorden ein. Es folgten theologische Studien in Alcalá (vielleicht auch in Salamanca) und 1585/86 in Genua. Von da an wirkte J. ganz in Italien. Er war maßgeblich am Aufbau einer eigenen italienischen Provinz des reformierten Karmeliterordens und an der Ausarbeitung der Constitutiones beteiligt. Von 1590-1611 wirkte er vor allem als Novizenmeister in Genua und in Rom. 1611-14 war er der dritte Generalsuperior der italienischen Kongregation. Nach seinem Generalat zog er sich in den Konvent von Montecompatri bei Rom zurück. — Beeinflußt von der Pädagogik des Humanismus, vor allem aber von den Reform-Ideen der Teresa von Avila, formte er durch seine verschiedenen Tätigkeiten im Orden und durch seine Schriften maßgeblich die Lebensordnung sowie die Spiritualität des Karmel.

Werke: Sein lit. Schaffen umfaßt mehr als 70 in Latein oder Italienisch geschr. Werke, die größtenteils noch zu seinen Lebzeiten gedruckt und zum Teil auch in andere Sprachen übers. wurden. Es sind Auslegungen bibl. Bücher (Job, Ps 41, 83 und 136, Hohes Lied, Klagelieder), Schriften über die Ordensdisziplin (Instructio novitiorum, Instructio magistri novitiorum, Disciplina monastica) und vor allem Schriften über das geistl. und myst. Leben (Theologia mystica, Arte di amare Dio, De schola Jesu Christi etc.). - GA: Köln 1622, in 3 Bd.n; Köln 1650 in 4 Bd.n; Florenz 1771-74 in 3 Bd.n in-folio. Bibliographie in: Cosme de Villiers, Bibliotheca carmelitana II, Orléans 1752, 13-17; A. Palau y Dulcet, Manual del librero hispanoamericano VII (1954) n. 123778-123864; E. Allison Peers, Studien of the spanish Mystics III, London 1959, 293-297; G. M. Strina, La teologia mistica del V. P. Giovanni ..., Diss. Rom 1967; Ders., DSp VIII, 577.

Lit.: Isidorus a sancto Joseph, Vita, virtutes et epistolae spirituales P. F. Joannis a Jesu..., Roma 1649; — Florencio del Niño Jesús, El V. P. Fr. Juan de Jesús María, Burgos 1919; — Silverio de Santa Teresa, Historia del Carmen Descalzo en España, Portugal y América VIII, Burgos 1937, 54-79; — G. M. Strina, La teología mística del V. P. Giovanni..., Genua 1967; — P. Sainz Rodríguez, Antología de la literatura espiritual española IV, Madrid 1985, 273-287; — Klaus Reinhardt, Bibelkommentare spanischer Autoren (1500-1700), I, 1990, 233-234; — LThK V, 1044-1045; — DSp VIII, 576-581; — Diccionario de historia eclesiástica de España II, 1249-1250.

Klaus Reinhardt

JOHANNES MARIA A S: Joseph, * 27.2. 1589 zu Melfi (Basilicata) /Italien mit dem Namen Giovanni Battista Centurione, gestorben zu Rom am 10.1. 1634. — J. kehrte seine Familie 1599 nach Genua zurück, wo er bereits im Alter von 14 Jahren bei den Unbeschuhten Karmeliten eintrat und in Rom unter der Leitung des in seinem Orden angesehenen Juan de Jesús María (San Pedro y Ustarroz) sein Noviziat machte. Eine seiner Schwestern wurde mit dem Namen Paola Maria di Gesù Unbeschuhte Karmelitin und wurde zur Gründerin der Klöster in Wien und Graz. Nach Ablegung seiner Profeß am 7.3. 1605 und nach Abschluß seiner Studien wurde er im Jahre 1611 nach Lublin (Polen) gesandt, wo er Philosophie und Theologie dozierte und in der Auseinandersetzung mit dem Kalvinisten Ioannes Statorius hervortrat. Nach der Aufteilung der italienischen Kongregation des Teresianischen Karmel (Unbeschuhte Karmeliten) in sechs Provinzen wurde er im Jahre 1617 Definitor der polnischen Ordensprovinz, 1619-1620 Prior des Klosters in Lublin, 1620 Provinzial der polnischen Provinz. Auf dem Generalkapitel 1626 wirkte er mit an der Errichtung der deutschen Ordensprovinz mit den Konventen Köln, Wien und Prag und wurde zu deren erstem Provinzial gewählt (1626-1628; 1631-1632); als solcher gründete er 1627 den Konvent Würzburg. Auf dem Generalkapitel 1632 wurde er zum Generalprokurator des Ordens gewählt, später zum Erzbischof in Irland oder England ernannt, was er aber ablehnte; gestorben zu Rom am 10.1. 1634. Durch sein Wirken legte er die Fundamente für den Teresianischen Karmel in Deutschland und Österreich.

Werke: In universam Philosophiam Commentaria; In sacram Theologiam Commentaria. ms.; Fundamenta inconcussa fiduciae in Deo, ms., Roma, Archivum Generale OCD, 344, 9; Exercitia ascetica, 7 vol., Milano 1671.

Lit.: Gasparo di S. Michele, Vita del venerabil Padre Fr. Gio: Maria di San Giuseppe. In Genova 1656. ms. Roma, Arch.

Gen. Ord. Carm. Dic. 317c; — Daniel a Virgine Maria, Speculum Carmelitanum, II, Antverpiae 1680, 1130; — Philippus a sanctissima Trinitate, Decor Carmeli religiosi, Tertia Pars, Lugduni 1665, 100-101; — Petrus a sancto Andrea, Historia generalis fratrum discalceatorum ordinis beatae Virginis Mariae de Monte Carmelo, II, Romae 1671, 754-759; — Martialis a s. Joanne, Bibliotheca scriptorum utrusque congregationis et sexus carmelitarum excalceatorum, Burdigalae 1730, 257-259; — Bartholomaeus a S. Angelo, Henricus M. a SS. Sacramento, Collectio scriptorum ordinis carmelitarum excalceatorum utrisque congregationis et sexus, I, Savonae 1884, 333-335; — Ignatius a sancto Ioanne, Fasciculus annorum Prouinciae Spiritus Sancti Carmelitarum Discalceatorum in Regno Poloniae. Collectus ex Archius Prouinciae ac certis Relationibus, ms. Roma, Arch. Gen. Ord. Carm. Disc. 90a; — Luigi Maria Levati, Vita del servo di Dio Stefano Centurione. Genova 1918; — Liber funeralis [conventus Sanctae Mariae de Scala Urbis], n° 42. Roma, Arch. Gen. Ord. Carm. Disc. 83 d 7; — Cosmas de Villiers, Bibliotheca carmelitana, notis criticis et dissertationibus illustrata, II, hg. von Gabriel Wessels, Romae 1927, 48-50; — Marcellino di santa Teresa, Nel III centenario della morte del P. N. Giovanni Maria di S. Giuseppe Procuratore Generale dei Carmelitani Scalzi, in Il Carmelo e le sue missioni all'estero e Il Terziario Carmelitano Teresiano, 33 (1934) 27-28; — Ders., Series illustrata professionum emissarum a carmelitis discalceatis in coenobio S. Mariae de Scala, Urbis ab initio congregationis italicae s. Eliae usque ad annum 1873, fasc. I, annis 1599-1606, Romae 1934, 32-33; — Benignus Jozef Wanat, Zakon Karmelitow Bosych w Polsce. Klasztory karmelitow i karmelitanek bosych 1605-1975 [L'ordine dei carmelitani scalzi in Polonia. Conventi dei carmelitani e delle carmelitane 1605-1975], Krakow 1979, passim; — Acta Definitorii Generalis O.C.D. Congregationis S. Eliae (1605-1658), (Monumenta Historica Carmeli Teresiani: Subsidia 3), hg. von A. Fortes, Roma 1985, passim; — Acta Capituli Generalis O.C.D. Congregationis S. Eliae, I (1605-1641), (Monumenta Historica Carmeli Teresiani 11) hg. von A. Fortes, Romae 1990, passim.

Silvano Giordano

JOHANNES KACHIK, siehe KACHIK, Johannes

JOHANNES I. TZIMISKES, Kaiser von Byzanz 969-976, * unbekannt, † 10. oder 11.1. 976.

— J. begann seine Karriere 958 in Mesopotamien, unter Kaiser Nikephoros II. Phokas (963-969) wurde er Oberbefehlshaber im Osten des Reiches. Als solcher wurde er der Geliebte der Kaiserin Theophano: mit ihrer aktiven Mithilfe ermordete er in der Nacht vom 10. zum 11.12. 969 den Kaiser. Wegen dieses Mordes verlangte der Patriarch Polyeuktes von J. Kirchenbuße, erst danach krönte er J. zum Kaiser. Nun aber

heiratete J. nicht seine ehemalige Geliebte, die jetzige Witwe des Kaiser Nikephoros Phokas, sondern nahm Theodora zur Frau, die Schwester des Kaisers Romanos II. J. siegte 971 über die Bulgaren und Russen, 974-975 in Syrien und Palästina. Er verbesserte das Verhältnis zu dem abendländischen Kaiser: im April 972 verheiratete er seine Nichte Theophano (nicht zu verwechseln mit der oben genannten Theophano) in Rom mit dem Kaisersohn Otto II. Sein Vorgänger hatte 963 die Große Laura auf dem Athos gegründet, für diese Mönchsgemeinde legte J. die Verfassung (»Tragos«) fest. Trotz seiner kurzen Regierungszeit wurde er einer der machtvollsten Kaiser der byzantinischen Geschichte.

Lit.: Charles Diehl, Figures byzantines, 2 Bde., 1908-1909, Nachdruck 1965; — Regesten der Kaiserurkunden des Oström. Reiches, bearb. von Franz Dölger, 1. Teil: Regesten von 565-1025, München-Berlin 1924; — Franz Dölger, Die Chronologie des großen Feldzugs des Kaisers J. gegen die Russen, in: Byz. Zschr. 32, 1932, 275-292; — Ders. (Hrsg.), Mönchsland Athos, 1943; — Ders., Wer war Theophano?, in: Hist. Jb. 62-69, 1949, 646-658; — A. Michel, Die Kaisermacht in der Ostkirche, 1959; — Georg Ostrogorsky, Gesch. des byz. Staates, 1963³; — Romilly Jenkins, Byzantium: The Imperial Centuries, A. D. 610-1071, New York 1966; — W. Ohnsorge, Die Heirat Kaiser Ottos II. mit der Byzantinerin Theophano 972, in: Braunschweigisches Jb. 54, 1973, 24-60; — Hans-Georg Beck, Kirche und theol. Lit. im byz. Reich, 1977²; — P. E. Walker, The "crusade" of J. in the light of new arabic evidence, in: Byzantion 47, 1977, 301-327; — M. van Esbroeck, L' empereur J. dans le calendrier de Georges L' Athonite, in: Bedi kartlisa 41, 1983, 67-72; — Krijnie Ciggaar, The Empress Theophano (972-991), in: Victoria D. van Aalst-Krijnie Ciggaar (Hrsgg.), Byzantium and the Low Countries in the Tenth Century 1985, 33-76; — LThK² V, 1045; — Catholicisme VI, 520 f.; — NewCathEnc VII, 1021.

Wilhelm Blum

JOHANNES II. KOMNENOS, Kaiser von Byzanz 1118-1143, * 1092 als Sohn des Kaisers Alexios I. und dessen Gemahlin Irene Dukas, † (wahrscheinlich ermordet) 8.4. 1143. — Zunächst hatte Anna Komnene, die berühmte spätere Geschichtsschreiberin, den Kaiserthron des Alexios I. für ihren Mann und sich selbst usurpieren wollen, doch J., der legitime Thronfolger, konnte sich durchsetzen. Militärisch siegte J. 1122 endgültig über die Petschenegen, 1128 in Ungarn, 1135 in Melitene und 1137/38 in Kili-

kien und Syrien. Auf dem Wege der Diplomatie fand er in den Kaisern Lothar von Supplinburg (1125-1137) und Konrad III. (1138-1152) Bundesgenossen gegen die Normannen in Unteritalien und Sizilien. Dazu verhalf ihm auch seine kluge Heiratspolitik: Kaiser Konrad III. war verheiratet mit der Oberpfälzer Prinzessin Gertrud von Sulzbach, deren Schwester Bertha von Sulzbach verlobte sich 1142 mit J.'s Sohn Manuel, diesen heiratete sie dann 1146 und wurde so byzantinische Kaiserin, J. wäre mithin der Schwager des deutschen Kaisers geworden. J. war ein bedeutender Herrscher, starb jedoch zu früh, um weiterreichende politische Erfolge aufweisen zu können.

Lit.: Ferdinand Chalandon, Les Comnène: Jean II Comnène (1118-1143) et Manuel I Comnène (1143-1180) 1912, Neudruck 1971; — Regesten der Kaiserurkunden des oström. Reiches, bearb. von Franz Dölger, 2. Teil: Regesten von 1025-1204, 1925; — Paolo Lamma, Comneni e Staufer, Ricerche sui rapporti fra Bisanzio e l' Occidente nel secolo XII, 2 Bde., 1955-1957; — Franz Grabler, Die Krone der Komnenen, Die Regierungszeit der Kaiser Johannes und Manuel Komnenos (1118-1180), aus dem Gesch.werk des Niketas Choniates, 1958²; — Robert Browning, The death of J., in: Byzantion 31, 1961, 229-235; — Georg Ostrogorsky, Gesch. des byzant. Staates, 1963³; — Sibyll Kindlimann, Die Eroberung von Konstantinopel als polit. Forderung des Westens im Hoch-MA, 1969; — Wolfram Hörandner, Theodoros Prodromos, Hist. Gedichte, 1974; — Charles M. Brand, Deeds of John and Manuel Comnenus by John Kinnamos, 1976; — Hans-Dietrich Kahl, Röm. Krönungspläne im Komnenenhaus, in: Archiv für Kulturgesch. 59, 1977, 259-320; — H. Vollrath, Konrad III. und Byzanz, ebd., 321-365; — Ralph-Johannes Lilje, Byzanz und die Kreuzfahrerstaaten, 1981; — Michael Angold, The Byzantine Empire 1025-1204, A Political History, 1984; — Ralph-Johannes Lilje, Das Zweikaiserproblem und sein Einfluß auf die Außenpolitik der Komnenen, in: Byz. Forschungen 9, 1985, 219-243; — LThK² V, 1045; — Catholicisme VI, 521 f.; — NewCathEnc VII, 1021.

Wilhelm Blum

JOHANNES III. VATATZES, Kaiser des byzantinischen Reiches von Nikaia-Nymphaion 1222-1254, * 1192 (oder 1194) als Sohn des Basileios Vatatzes und dessen Gemahlin Angelina in Didymoteichon, † 3.11. 1254 im Garten des Palastes von Nymphaion (heute: Nif, Kemalpata). — J. hatte, wohl 1212, die Tochter des Kaisers Theodor I. Laskaris, Irene, geheiratet: als Schwiegersohn des Kaisers konnte er bei dessen Tod sofort die Nachfolge antreten (Janu-

ar 1222). 1224 erfocht er einen glänzenden Sieg über die Lateiner bei jenem Poimanenón, bei dem Theodor I. 1204 schmählich verloren hatte; doch als die gefährlichsten Gegner erwiesen sich nicht so sehr die Lateiner als vielmehr die griechischen Herrscher von Epiros aus dem Geschlecht der Angeloi. Theodor Angelos hatte sich nach der Einnahme von Thessalonike 1224 zum Kaiser ausrufen lassen, was offenkundig gegen den Herrschaftsanspruch von J. gerichtet war. Doch am 9.3. 1230 wurde Theodor Angelos bei Klokotnitza vernichtend geschlagen, und zwar von den Bulgaren unter Ivan II. Asen: dieser bulgarische Sieg diente in doppelter Hinsicht den Interessen des J. Zum einen erhoben sich die Angeloi niemals mehr gegen J.: im Winter 1241 unterwarf sich ihm Johannes Angelos, im Dezember 1246 schließlich zog Kaiser J. mit allem Pomp und Prunk selber in Thessalonike ein, die Herrschaft der Angeloi über Nordgriechenland war damit zu Ende. Zum zweiten aber ging J. ein Zweckbündnis mit den Bulgaren ein: 1234 bis 1237 belagerten Byzantiner und Bulgaren gemeinsam die damals lateinische Hauptstadt Konstantinopel, konnten aber trotz aller Bemühungen die Lateiner nicht vertreiben. Im Frühjahr 1235 fand die Hochzeit des Kaisersohnes Theodor Laskaris mit der bulgarischen Zarentochter Helena Asen statt, 1237 schließlich wurde der endgültige Friede zwischen den Griechen und den Bulgaren unterzeichnet. In der Zwischenzeit aber waren als die gefährlichsten Feinde des byzantinischen Reiches von Nikaia-Nymphaion die Mongolen aufgetaucht: gegen diese schloß J. 1243 ein Bündnis mit dem ehemaligen Erzfeind, mit den Seldschuken von Konya. Seit 1238 schon hatte er sich der Freundschaft des Stauferkaisers Friedrich II. versichert; nach dem Tode seiner ersten Frau heiratete er 1244 (oder schon 1242?) Friedrichs und der Beatrice Lancia blutjunge Tochter Anna-Konstanze († 1313 als Nonne in Valencia), hielt sich jedoch deren Dienerin, eine Contessa aus Italien, als Mätresse, die er allerdings auf Grund heftiger Anfeindungen relativ bald in ihre Heimat zurückschicken mußte. — J. betrieb eine äußerst kluge und vorausschauende Politik, nach außen durch die erwähnten Siege und die diplomatischen Bündnisse, im Inneren durch Maßnahmen der Volksbildung (so etwa Neugründung von öffentlichen Bibliotheken), durch das Anlegen von großen Getreidevorräten und besonders durch die Befestigung der Grenzen seines Reiches. Er war ein Herrscher, wie er nur selten einem Volke beschieden ist (B. Sinogowitz); so ist es verständlich, daß er schon kurz nach seinem Tode als Heiliger verehrt wurde.

Lit.: August Heisenberg, Kaiser J. der Barmherzige, in: Byz. Zschr. 14, 1905, 160-233; — Bernhard Sinogowitz, Die abendländ. Politik der griech. Staatenwelt zur Zeit des Lat. Kaiserreichs (1204-1261), Diss. München 1944; — Herbert Hunger, Von Wissenschaft und Kunst der frühen Palaiologenzeit, in: Jb. der Österr. Byz. Gesellschaft 8, 1959, 123-155; — Georg Ostrogorsky, Gesch. des byz. Staates, 1963³; — Hélène Ahrweiler, L'histoire et la géographie de la région de Smyrne entre les deux occupations turques (1081-1317), particulièrement au XIIIᵉ siècle, in: Travaux et Mémoires 1, 1965, 1-204; — Demetrios I. Polemis, The Doukai, A Contribution to Byzantine Prosopography, 1968; — G. Cankova-Petkova, Griech.-bulgar. Bündnisse in den Jahren 1235 und 1246, in: Byzantino-Bulgarica 3, 1969, 49-79; — Johannes Irmscher, Nikäa als "Mittelpunkt des griech. Patriotismus", in: Byz. Forschungen 4, 1972, 114-137; — S. Brezeanu, Notice sur les rapports de Frédéric II de Hohenstaufen avec J., in: Rev. des Etudes Sud-Est-Européennes 12, 1974, 583-585; — Erasmo Merendino, Federico II e Giovanni III Vatatzes, in: Byzantino-Sicula 2, 1975, 371-383; — Hélène Ahrweiler, L'expérience nicéenne, in: Dumbarton Oaks Papers 29, 1975, 21-40; — Regesten der Kaiserurkunden des Oström. Reiches, bearb. von Franz Dölger, 3. Teil: Regesten von 1204-1282, bearb. von Peter Wirth, 1977²; — John Springer Langdon, John III Ducas' Vatatzes Byzantine Imperium in Anatolian Exile, 1222-1254: The Legacy of his Diplomatic, Military and Internal Program for the Restitutio Orbis, Diss. University of California, 1978, 1979; — Alexis G. C. Savvides, Byzantium in the Near East: Its Relations with the Seljuk Sultanate of Rum in Asia Minor, the Armenians of Cilicia and the Mongols A.D. 1192-1237, 1981; — Donald M. Nicol, Byzantium and Venice, A study in diplomatic and cultural relations, 1988; — Georgios Akropolites (1217-1282), Die Chronik, eingel., übers. und erl. von Wilhelm Blum, 1989; — LThK² V, 1045; — Catholicisme VI, 521 f.; — NewCathEnc VII, 1022.

Wilhelm Blum

JOHANNES IV. LASKARIS, Kaiser des byzantinischen Reiches von Nikaia-Nymphaion 1258-1261, * 1250 (wahrscheinlich 25.12.) als Sohn des Kaisers Theodor II. Laskaris und dessen Gemahlin Helena Asen, † ca. 1305. — Beim Tode des Kaisers Theodor II. Laskaris im August 1258 war J. als legitimer Nachfolger zur Stelle, der allerdings noch nicht einmal acht Jahre alt war. J. wurde zwar Kaiser, aber durch eine Art Volksbefragung wurde Michael Palaiologos

vorgezogen und am 1.1. 1259 zum Kaiser ausgerufen, ein revolutionärer Vorgang, wenngleich auch Michael zunächst nur Mitkaiser war. Michael VIII. ließ J. nach der Rückeroberung von Konstantinopel blenden (Weihnachtstag 1261) und in einer Festung in Bithynien gefangensetzen, ein offenkundiges Verbrechen. Geblendet und in Gefangenschaft lebte J. noch mehr als 40 Jahre, möglicherweise nahm er gegen Ende seines Lebens das Mönchsgewand.

Lit.: Hélène Glykatzi-Ahrweiler, La politique agraire des empereurs de Nicée, in: Byzantion 28, 1958, 51-66; — Deno J. Geanakoplos, Emperor Michael Palaeologus and the West 1258-1282, A study in Byzantine-Latin Relations 1959; — Georg Ostrogorsky, Gesch. des byzant. Staates, 1963³; — Demetrios I. Polemis, The Doukai, A Contribution to Byzantine Prosopography, 1968; — Michael Angold, A byzantine government in exile: Government and Society under the Lascarids of Nicaea (1204-1261), 1975; — Regesten der Kaiserurkunden des Oströmischen Reiches, bearb. von Franz Dölger, 3. Teil: Regesten von 1204-1282, bearb. von Peter Wirth, 1977²; — Georgios Akropolites (1217-1282), Die Chronik, eingel., übers. und erläut. von Wilhelm Blum, 1989; — Catholicisme VI, 522.

Wilhelm Blum

JOHANNES V. PALAIOLOGOS, Kaiser von Byzanz (15.6. 1341 - 15./16.2. 1391), * 18.6. 1332 in Didymoteichon, seine Eltern waren Kaiser Andronikos III. Palaiologos und Kaiserin Anna (v. Savoyen) Palaiologina, J. wurde mit Helene Palaiologina verheiratet, † 15./16.2. 1931 in Konstantinopel, wo man ihn im Kloster Hodegon beisetzte. — J. wurde im Jahre 1341 gekrönt, regierte aber zunächst unter der Vormundschaft seiner Mutter, des Patriarchen Johannes XIV. Kalekas und des Groß-Domestikos Johannes VI. Kantakuzenos, seines späteren Gegners im Bürgerkrieg (Kantakuzenos selbst wurde als Johannes VI. zusammen mit seinen Söhnen 1347 zum Kaiser gekrönt). J. V. wurde schließlich mit der Hilfe der Genuesen im Jahre 1354 Alleinherrscher. Wegen der innen- und außenpolitischen Probleme reiste J. 1369 nach Rom und unterschrieb vor Papst Urban V. ein Glaubensbekenntnis, welches als persönliche Entscheidung zugunsten einer Union mit der römischen Kirche betrachtet werden kann. 1370-1371 befand er sich in Venedig. Patriarch Philotheos Kokkinos (1353-1354, und wieder

1364-1376) war ein Gegner seiner Unionspolitik, welche letztlich nicht erfolgreich war. Sein Sohn Andronikos IV. enthob ihn zeitweise der Macht und regierte von 1376 bis 1379. Sein Nachfolger wurde sein Sohn Manuel II. Palaiologos (1391-1425).

Lit.: O. Halecki, Un empereur de Byz. á Rom, Warschau 1930; — H. Hunger, Kaiser J. V. P. und der Hl. Berg, in: Byzant. Zeitschr. 45, 1952, 357-379; — R. Loenertz, Wann unterschrieb J. V. den Tomos von 1351, in: Byzant. Zeitschr. 47, 1954, 116; — Ders., Une erreur singuliére de Laonic Chalcocondyle. Le prétendu second mariage de J. V. P., in: Revue des Études Byz. 15, 1957, 176-181; — Ders., Jean V. P. a Venise (1370-1371), in: Revue des Études Byz. 16, 1958, 217-232; — Ders., Fragm. d'une lettre de J. V. P. à la commune de Gennes 1387-1391, in: Byz. Zeitschr. 51, 1958, 37-40; — Jean Meyendorff, Projets de concile oecumenique en 1367. Un dialogue inedit entre Jean Cantac. et le Paul, in: Dumbarton Oaks Papers 14, 1960, 149-177; — P. Joannou, Joannes XIV. Kalekas Patr. v. Konst., uned. Rede zur Krönung J.'s V., in: Orientalia Christiana Periodica 27, 1961, 38-45; — F. Dölger, Zum Aufstand des Andronikos IV. gegen seinen Vater J. V. im Mai 1373, in: Revue des Études Byz. 19, 1961, 328 332; — P. Wirth, Die Haltung Kaisers J.'s V. bei den Verhandlungen mit König Ludwig I. von Ungarn zu Buda im Jahre 1366, in: Byz. Zeitschr. 56, 1963, 271-272; — S. Dimitrijevic, Zajednicki novac careva J. V. P. i Jovana VI. Kantakuzina, in: Zbornik Radova Viz. Inst. 8/2 (= Mélanges G. Ostrogorsky II), 1964, 47-52; — J. Chrysostomides, J. v. P. in Venice (1370-1371) and the chronicle of Caroldo: a re-interpretation, in: Orient. Christ. Period. 31, 1965, 76-84; — T. Gerasimov, Les hyperpéres d'Anna de Savoie et le J. V. P., in: Byzantin-bulgarica 2, 1966, 329-335; — D. M. Nicol, The abdication of John VI. Cantacuzeno, in: Festschr. Franz Dölger II = Byzant. Forschungen 2, 1967, 269-283; — Elizabeth A. Zachariadou, The conquest of Andrianopel by the Turks, in: Studi Veneziani 12, 1970, 211-217; — Fr. Pall, Encore une fois sur le voyage diplomatique de J. V. P. en 1365/1366, in: Rev. ét. sud-est. europ. 9, 1971, 535-540; — A. Carile. Manuele Nothos Paleologo. Nota prosopografica, in: Thesaurismata 12, 1975, 137-147; — Maria Holban, Autour de voyage de l'empereur J. V. à Bude (printemps 1366) et de ses répercussions sur le Banat, in: Actes d. XVIᵉ cogr. intern. études byz. Bucarest 1975, II. 121-125; — N. S. Tanatoca, O mentiune bizantină a Românilor gretit datata, in: Studii ti mater. de ist. medie 8, 1975, 230-232; — J. Gill, John V. P. at the court of Louis of Hungary (1366), in: Byzantinoslavica 38, 1977, 31-38; — Margaret Caroll, A minor Matter of imperial Importance in the Sphrantzes Chronicle, in: Byz. 49, 1979, 88; — F. Tinnefeld, Kaiser J. V. P. und der Gouverneur von Phokaia 1356-1358, in: Rivista Studi Bizant. Slavi 1, 1981, 259-270; — Lidia Perria, Due documenti greci del XIV. secolo in un codice della Bibliotheca Vaticana (Vat. gr. 1335), in: Jahrb. der Österr. Byz. 30, 1981, 259-297; — Evridice Lappa-Zizikas, Un chrysobulle in connu en faveur du monastére des Saints-Anargyres de Kosmidion, Hommage à P. Lemmerle, in: Travaux et Mémoires 8, (Paris 1981), 255-268, — Basilike Nerantze-Barmaze, To Byzantio kai e dyse (1354-1369) (Diss. Thessalonike), 1982; — M. Ziroji-

novic, Jovan V. P. i Jovan VI. Kantakuzin od 1351 do 1354 godine, in: Zbornik Radova 20, 1982, 127-141; — Ageliki Laiou, John V. P., in: Dict. of the Midlle Ages 7, 1986, 128; — LThK V, 1046, — Prosopograph. Lex. der Palaiologenzeit 21484.

Georgios Tsigaras

JOHANNES VI. KANTAKUZENOS, Kaiser

(1347-1354), neben Michael VIII. die bedeutendste Persönlichkeit der byzantinischen Politik der Paläologenzeit und einer der wichtigsten Autoren von Spätbyzanz, * 1295/96 in Konstantinopel, † 15.6. 1383 in Mistra. — Hauptquellen für sein curriculum vitae sind seine als »Geschichte« betitelten Memoiren sowie der zeitgenössische Historiker Nikephoros Gregoras. Auskunft über sein Leben und seine politische Tätigkeit erhalten wir etwa ab 1320. Zu dieser Zeit hatte er das Amt des Großpapias inne und war mit Irene Asanina verheiratet. Über seinen Vater ist kaum etwas bekannt, von seiner Mutter Theodora hingegen ist in den Quellen des öfteren die Rede. Mit dem späteren Kaiser Andronikos III. Palaiologos (1328-1341) war J. K. seit seiner Jugend eng befreundet oder sogar zusammen mit ihm aufgewachsen. Als ersterer im Jahr 1321 gegen seinen Großvater, den Kaiser Andronikos II. Palaiologos (1282-1328) revoltierte, folgte ihm J. K. und wurde während des folgenden Bürgerkrieges zu seinem wichtigsten Mitarbeiter in der Funktion eines Großdomestikos. Nach kurzen Unterbrechungen wurde der Bürgerkrieg im Mai 1328 beendet, als Andronikos III. und J. K. sich der Hauptstadt bemächtigten und Andronikos II. absetzten. Nach dem Tode Andronikos' III. am 15.6. 1341 kam es zu einer politischen Krise, in deren Folge J. K. von seinen Gegnern während seiner Abwesenheit von der Hauptstadt seines Militärkommandos enthoben und zum Rebellen erklärt wurde. Auf den Thron stieg der minderjährige Johannes V. Palaiologos, dessen Vormundschaft die Kaiserinmutter Anna und der Patriarch Johannes Kalekas übernahmen. J. K. antwortete auf seine Absetzung, indem er sich am 26.10. 1341 in Didymoteichon durch seine Truppen zum Kaiser proklamieren ließ. Es folgte ein für den bereits weitgehend in Verfall geratenen byzantinischen Staat verheerender Bürgerkrieg, aus welchem J. K., der die Partei gegen die Vormünder anführte, nach wechselvollen Geschicken als Sieger hervorging und am 3.2. 1347 in Konstantinopel eindringen konnte. Es kam zu einer Vereinbarung mit Johannes V., und in der Folge heiratete dieser die Tochter des J. K. Helena. J. K. übernahm die Regierung des Staates, dessen Probleme er nicht bewältigen konnte. Bald erhob sich J. gegen seinen Schwiegervater. Im Dezember 1354 dankte dieser im Blachernenpalast feierlich ab und nahm die Mönchskutte unter dem Namen Joasaph. Er zog sich in ein Kloster der Hauptstadt zurück. — Eine schlimme Zeit erlebte J. K. während der Jahre 1379-1381, als er zusammen mit seinen Töchtern von seinem aufsässigen Enkel Andronikos IV. in Galata als Geisel festgehalten wurde. Dieses Abenteuer bestärkte ihn in seinem Entschluß, Konstantinopel für immer zu verlassen und sich auf die Peloponnes zu begeben. Er starb in Mistra am 15.6. 1383 und wurde ebenda begraben. — Das Hauptwerk des J. K., die »Memoiren« (Historia), ist in vier Bücher eingeteilt und behandelt die Zeit von 1320-1356, in einzelnen Details bis 1363. Obgleich es die Objektivität des Historikers stark vermissen läßt, gilt dieses äußerst interessante Dokument als die wichtigste Quelle für den erwähnten Zeitraum und gibt außerdem Aufschluß über Entwicklungen und Kräfte, durch die das Reich ein Jahrhundert später zugrunde gehen sollte. Außer den »Memoiren« hat J. K. mehrere Abhandlungen theologischen Inhalts hinterlassen, von denen die meisten noch unediert sind.

Lit.: L. Schopen, Ioannis Cantacuzeni eximperatoris historiarum libri IV, graece et latine, Bd. 1-3, Bonn 1828-1832 (mit lat. Übers.); — T. S. Miller, The History of John Cantacuzenus (Book IV), Washington 1975 (mit engl. Übers.); — E. Voordeckers/F. Tinnefeld, Iohannis Cantacuzeni Refutationes duae Prochori Cydonii et Disputatio cum Paulo. Brepols 1987; — Dt. Übers.: G. Fatouros/T. Krischer, J. K., »Geschichte« (Buch 1-2), Bd. 1-2, Stuttgart 1982-1986; — Weitere Lit.: V. Parisot, Cantacuzène, homme d'état et historien, Paris 1845; — D. M. Nicol, The byzantine Family of Kantakouzenos, ca. 1100-1460, Washington 1968; — G. Weiß, Johannes Kantakuzenos, Aristokrat, Staatsmann, Kaiser und Mönch, Wiesbaden 1969; — F. Dölger, Johannes VI. Kantakuzenos als dynastischer Legitimist. Paraspora. Ettal 1961, 194 f.

Georgios Fatouros

JOHANNES VII. PALAIOLOGOS, Kaiser von Byzanz 1390, * ca. 1370 als Sohn des Kaisers Andronikos IV. Palaiologos und dessen Gemahlin Maria aus Bulgarien, † 22.9. 1408. — Johannes V. war nominell 1341-1391 Kaiser, doch während seiner Herrschaft regierten zeitweise andere Kaiser: Johannes VI. Kantakuzenos 1347-1354, Andronikos IV. 1376-1379 und eben J. 1390. Johannes V. anerkannte 1379 Andronikos und dessen Sohn J. als rechtmäßige Nachfolger, nach dem Tode des Andronikos IV. im Juni 1385 machte J. seine Ansprüche geltend und am 14.4. 1390 wurde er mit osmanisch-türkischer(!) Hilfe Kaiser - doch diese Würde entriß ihm schon am 14.9. 1390 der spätere Kaiser Manuel II. (also nicht Johannes V.!). 1392 war J. für kurze Zeit in Italien, und während der Reise Manuels durch Westeuropa (1399-1403) verwaltete J. das Reich von Byzanz. Nach 1403 lebte J. bis zu seinem Tode als Teilkaiser in Thessalonike, von wo aus er sich besonders der Athosklöster annahm.

Lit.: Franz Dölger, J. VII., Kaiser der Rhomäer, in: Byz. Zschr. 31, 1931, 21-36, — Averkios Th. Papadopoulos, Versuch einer Genealogie der Palaiologen 1259-1453, Diss. München 1938, Neudruck 1962; — John W. Barker, John VII in Genoa: A problem in Late Byzantine source confusion, in: Orientalia Christiana Periodica 28, 1962, 213-238; — Regesten der Kaiserurkunden des Oströmischen Reiches, bearb. von Franz Dölger, 5. Teil: Regesten von 1341-1453, unter verantw. Mitarbeit von Peter Wirth, 1965; — Peter Wirth, Zum Gesch.bild Kaiser J.'s, in: Byzantion 35, 1965, 592-600; — George T. Dennis, An unknown Byzantine Emperor, Andronicus V. Palaeologus (1400-1407 ?), in: Jb. der Österr. Byz. Gesellschaft 16, 1967, 175-187; — Donald M. Nicol, The last centuries of Byzantium, 1972; — Eurydice Lappa-Zizicas, Le voyage de Jean VII. Paléologue en Italie, in: Revue des Etudes Byzantines 34, 1976, 139-142; — Elizabeth A. Zachariadou, John VII. (alias Andronicus) Palaeologus, in: Dumbarton Oaks Papers 31, 1977, 339-342; — LThK² V, 1047; — Catholicisme VI, 523.

Wilhelm Blum

JOHANNES VIII. PALAIOLOGOS, Kaiser von Byzanz 1425-1448, * 16.12. 1392 als ältester Sohn des Kaisers Manuel II. und dessen Gemahlin Helena Dragas, † 31.10. 1448. — J. kämpfte 1413-1416 auf der Peloponnes zur Unterstützung seines Bruders Theodor, am 19.1. 1421 wurde er Mitkaiser (als solcher reiste er in den Westen) und mit dem Tode seines Vaters am

21.7. 1425 Kaiser von Byzanz, wobei sich das Reich auf die Hauptstadt und deren unmittelbare Umgebung beschränkte. Von November 1422 bis Oktober 1423 war J. in Ungarn, und von 1437 bis 1439 war er ein zweites Mal in Italien. Am 24.11. 1437 hatte er Konstantinopel verlassen und war im Frühjahr 1438 in Ferrara eingetroffen (in seiner Begleitung befanden sich Geistliche wie Bessarion, aber auch der neuheidnische Laie Georgios Gemistos Plethon). Nachdem das Konzil von Ferrara nach Florenz verlegt worden war - es wird als das 17. Allgemeine Konzil gezählt -, wurde am 6.7. 1439 in Anwesenheit des Kaisers J. in Florenz wieder einmal die Union zwischen der griechischen und der lateinischen Kirche verkündet. Diese hatte aber noch geringere Aussicht auf Erfolg als seinerzeit 1274 bei dem Konzil von Lyon, was J. nach seiner Rückkehr nach Konstantinopel am 1.2. 1440 sofort merken mußte. Das Ziel des Kaisers J. war nicht so sehr eine kirchliche Union als vielmehr eine Hilfe des Abendlandes gegen die türkische Gefahr, doch die Griechen lehnten eine kirchliche Union mit aller Vehemenz ab, und die Lateiner waren zu einem Beistand gegen die Türken nicht bereit, was auch für die Zeit nach dem Tode des J. zutraf. Sein Bruder und Nachfolger Konstantin XI. ließ am 12.12. 1452 in der Hagia Sophia noch einmal die Kirchenunion verkünden, doch der Erfolg war mehr als gering: höchstens 2000 Lateiner und Italiener standen zu Verteidigung von Konstantinopel bereit, und so konnten die Türken am 29.5. 1453 die Stadt und damit das byzantinische Reich endgültig erobern.

Lit.: Franz Dölger, Facsimiles byz. Kaiserurkunden, 1931; — Dionysios A. Zakythinos, Le despotat grec de Morée, Tome I: Histoire Politique, 1932; — Averkios Th. Papadopoulos, Versuch einer Genealogie der Palaiologen, Diss. München 1938, Neudruck 1962; — Dionysios A. Zakythinos, Le despotat grec de Morée, Tome II: Vie et institutions 1953; — Konstantinos I. Amantos, Schéseis Hellénon kaì Turkón apò toû endekátou aiônos méchri toû 1821, Tomos I, 1955 (neugriech.); — Joseph Gill, J., in: Studi Bizantini 9, 1957, 152-170; — Georg Ostrogorsky, Gesch. des byz. Staates, 1963³; — Joseph Gill, Personalities of the council of Florence, 1964; — John W. Barker, Manuel II. Palaeologus (1391-1425): A study in Late Byzantine Statesmanship, 1969; — Donald M. Nicol, The last centuries of Byzantium, 1972; — Bozidar Ferjancic, Medjusobni sukobi poslednjih Paleologa, 1425-1449, in: Zbornik Radova Viz. Inst. 16, 1975, 131-160 (serbokroat. mit frz. Zus.fassung); — Igor P. Medvedev, Vizantijskij Gumanism XIV-XV vv., 1976 (russ.); — Prosopograph. Lex. der Palaiologenzeit, erst. von Erich Trapp unter Mitarb. von Rainer Walther und Hans-Veit Beyer, 1976 ff.; — Constance Head, Imperial Twilight, The Palaiologos dynasty and the decline of Byzantium, 1977; — Kenneth M. Setton, The Papacy and the Levant (1204-1571), Vol. 2: The Fifteenth Century, 1978; — Jan-Louis van Dieten, Polit. Ideologie und Niedergang im Byzanz der Palaiologen, in: Zschr. für Hist. Forschung 6, 1979, 1-35; — Armin Hohlweg, Kaiser J. und der Kreuzzug des Jahres 1444, in: Byz. Zschr. 73, 1980, 14-24; — J. Djuric, Sumrak Vizantije (Vreme Jovana VIII. Paleologa, 1392-1448, 1984 (serbokroat. mit frz. Zus.fassung); — Georgios Gemistos Plethon, Politik, Philosophie und Rhetorik im spätbyz. Reich (1355-1452), übers. und erl. von Wilhelm Blum, 1988; — LThK² V, 1047; — Catholicisme VI, 523 f.; — NewCathEnc VII, 1023; — Enc. Catt. VI, 564.

Wilhelm Blum

JOHANNES XIV. KALEKAS, Ökumen. Patriarch von Konstantinopel, geboren um 1282 im thrakischen Ápros (Bestimmung nach Nikephoros Gregoras, Historia Rhomaike XVI, 4.2), † am 29.12. 1347 in Konstantinopel. — J.K. stammte aus bescheidenen Verhältnissen, war Priester, verheiratet und hatte einen Sohn und eine Tochter. Der Großdomestikos Kantakuzenos, sein Gönner und späterer Gegner, nahm ihn zunächst in eigene Dienste, sorgte dann für seine Aufnahme in den Palastklerus und setzte i. J. 1334 gegen den Widerstand der Patriarchatssynode zunächst seine Wahl zum Metropoliten von Thessalonike und anschließend auch seine Erhebung zum Patriarchen durch. Noch im selben Jahr vertraute ihm Andronikos III. die Regentschaft für die Kaiserin Anna und den minderjährigen Thronfolger Johannes V. an, bevor er gegen Syrgiannes Palaiologos und den Serbenkönig Stephan Dušan ins Feld zog. 1341 wurde J.K. durch Barlaam, der ihm und der Patriarchatssynode ein gegen Gregorios Palamas und die Gebetsmethode der Athosmönche gerichtetes Werk zur Beurteilung vorlegte, zum Eingreifen in den seit 1334 schwelenden hesychastischen Streit gezwungen. Auf der Synode vom 10. Juni 1341 wurde Barlaam veranlaßt, seine Anklagen gegen Palamas und die athonitischen Hesychasten zurückzuziehen. Eine weitere Synode im August 1341 verurteilte auch Gregorios Akindynos, der die palamitische Unterscheidung zwischen dem Wesen Gottes und seinen Energien ablehnte. K. unterzeichnete auch den

gegen Barlaam und Akindynos gerichteten Tomos, der die Ergebnisse der Synode vom Juni
1341 formulierte. Im Herbst 1341 kam es zum
Bürgerkrieg zwischen den Anhängern der Kaiserin Anna von Savoyen und des Patriarchen
einerseits und den Parteigängern des Großdomestikos Johannes Kantakuzenos andererseits,
weil sowohl der Großdomestikos wie der Patriarch Anspruch auf die Regentschaft für den
noch minderjährigen Johannes V. erhoben, den
K. am 19.11. 1341 gekrönt hatte. K. ließ Palamas im September 1342 unter der Anschuldi-
gung verhaften, mit Kantakuzenos konspiriert
zu haben. Am 4.11. 1344 wurde Palamas von K.
exkommuniziert. Akindynos durfte seine Polemik gegen die von den Synoden des Jahres 1341
bestätigte Lehre des Palamas mit Genehmigung
des Patriarchen fortsetzen, der ihn sogar gegen
den Willen der Kaiserin Anna zum Diakon und
schließlich zum Priester weihte. Dies wurde K.
zum Verhängnis. Nachdem ihn bereits eine kan-
takuzenische Synode im Mai 1346 wegen der
Weihe eines verurteilten Häretikers abgesetzt
hatte, ließ ihn auch die Kaiserin von einer weiteren Synode am 2.2. 1347 absetzen. Nach dem
Einzug des Kantakuzenos in Konstantinopel
(3.2. 1347) wurde die Absetzung des Patriarchen von einer weiteren Synode und von einem
Prostagma des Kantakuzenos (März 1347) bestätigt. K. wurde zunächst nach Didymoteichon
verbannt, dann im Herbst 1347 nach Konstantinopel zurückgebracht, wo er am Jahresende verstarb.

Werke: J.K's Urkunden sind abgedruckt bei Franz Miklo-
sich-Josef Müller: Acta et Diplomata Graeca Medii Aevi
Sacra et Profana II, 1862, 168-243 (vgl. auch MPG 150,
891-894 und 900-903; MPG 152, 1215-1282); Zwei seiner
Homilien bei Greiser, De Cruce Christi, 1600, 197 ff (=
MPG 150, 249-280); Seine Homilie zur Krönung Johannes'
V. (19.11. 1341) publizierte Perikles Joannou: Joannes XIV.
Kalekas, Patriarch von Konstantinopel, unedierte Rede zur
Krönung Joannes' V. In: OCP 27, 1961, 38-45.

Lit: George T. Dennis, The deposition of the Patriarch J.K..
in: Jahrb. der Österr. Byzant. Gesellschaft 9, 1960, 51-55; —
John Meyendorff, Le Tome synodal de 1347, in: Zbornik
Radova Vizantološkog Instituta 8, 1963, 209-227; — Ders.,
A Study of Gregory Palamas, 1964, 46-81; — Ursula V.
Bosch, Kaiser Andronikos III. Palaiologos, 1965; — Günter
Weiss, Joannes Kantakuzenos-Aristokrat, Staatsmann, Kai-
ser und Mönch - in der Gesellschaftsentwicklung von By-
zanz, 1969, 31/32, 107-110, 118-123, 148-150; — Konstan-
tinos P. Kyrris, The causes of dichotomy of Imperial institu-

tion in the Byzantine Empire during the period 1341-1354,
in: Byzantina 3, 1971, 369-380; — Lowell Clucas, The
Hesychast controversy in Byzantium in the fourteenth cen-
tury I-II (Diss. University of California), 1975; — Otto
Kresten, Der sog. »Absetzungsvermerk« des Patriarchen Jo-
hannes XIV. Kalekas im Patriarchatsregister von Konstantinopel (Cod. Vind. Hist. Gr. 47, F. 116^V), in: Byzantios.
Festschrift H. Hunger, 1984, 213-219; — Franz Tinnefeld,
Faktoren des Aufstieges zur Patriarchenwürde im Späten
Byzanz, in: Jahrb. der Österr. Byzantinistik 36, 1986, 89-
115, dort 95, 99, 100, 101, 102, 113; — — Jean Darrouzès,
Les Regestes des Actes du Patriarchat de Constantinople I,
Fasz. V: Regestes de 1310 à 1376, 1977, 127-218 Nr. 2168-
2270; — Beck, 728/729; — Ders., Geschichte der orthodoxen Kirche im byzantin. Reich, 1980, 212, 218-223; — Joan
M. Hussey, The Orthodox Church in the Byzantine Empire,
1986, 258, 287-289; — DHGE XI, 378-380; — LThK V,
1047/1048; — Catholicisme II, 377/378; — Θρησκευτική
και 'Ηθική 'Εγκυκλοπαιδεία VII, 28/29; — NCE VII,
1027/1028; — Prosopograph. Lexikon der Palaiologenzeit
Fasz. V, 26/27 Nr. 10288.

Klaus-Peter Todt

JOHANNES X. KAMATEROS, Patriarch von
Konstantinopel (1196-1206), † 1206 in Didymoteichon (Thrakien). — J. hielt im Jahre
1199/1200 eine Synode in Konstantinopel über
die Eucharistielehre des Myros Sikidites (= Michel Glykas) ab. Die Synode befaßte sich mit der
Frage der Verderblichkeit (to phtharton) des
Leibes Christi in der Eucharistie. Nach Michael
Glykas, dessen Ansicht auch J. vertrat, vollzieht
sich die Wandlung der Gaben zum Leib Christi
während der Kommunion. Diese These fand in
der Synode viele Anhänger, dennoch entschied
sich die Synode (in Berufung auf die Anathematismen von 1156/57 im Falle des Soterichos
Panteugenes), über die Schriften des Glykas ein
Verbreitungsverbot zu verhängen. Nach dem
Fall Konstantinopels (1204) ging J. freiwillig ins
Exil, wahrscheinlich nach Bulgarien. J. gehört
zu den Dogmatikern der Übergangszeit (1204 -
bis Gr. Palamas), die eine deutlich antilateinische Tendenz vertreten.

Werke: Erster Brief an Innozenz III., PL 214, 756-758;
Frage. des zweiten ed. M. Jugie IV. 340-341, 386-387, 456-
457 (Grumel Reg. 1194, 1196) es ist die Antwort auf den
Papstbrief PL 214, 758-765; Drei Abhandlungen, ed. Bi-
schof Arsenij (Moskau 1892); Rede zum Epiphaniefest
(Cod. Escorial. Y II 10 fol. 211, XI 16 fol. 231); Responsa
theol. (Cod. Paris. gr. 1302 fol. 275-281); Katechet. Reden
(Cod. Paris. gr. 1302 fol. 281-295; vgl. PG 139, 896).

Lit.: Notices et extraits des manuscrits de la Bibliothèque

Nationale et autres bibliothéques 23, 1872, 1-112, 277-616; — L. Weigl, Studien zu dem uned. astrolog. Gedicht des Johannes Kamateros (Münnerstadt), 1902; — V. Grumel, La chronologie des patriarches de Constantinople de 1111 á 1206, in: Revue des Études Byzantines 10, 1944, 263-268; — P. Wirth, Zur Frage eines polit. Engagements Patriarch Johannes X. Kamateros nach dem viertem Kreuzzug, in: Byzant. Forschungen 4, 1972, 239-252; — S. G. Merkati, Nota a Giovanni Camatero, in: Byzant. Zeitschr. 26, 1926, 286-287; — A. Papadakis — Alice Mary Talbot, John X. Camaterus confronts Innocent III.: An unpublished correspondence, in: Byzantinoslavica 30, 1972, 26-41; — A. Andrea, Latin evidence for the accession date of John X. Camateros, Patriarch of Constantinople, in: Byzant. Zeitschr. 66, 1973, 354-358; — D. Stoiernon, I rapporti ecclesiastici tra Roma e Byzanzio. Il patriarca di Constantinopoli Giovanni X. Kamateros e il primato Romano, in: Problemi di storia della chiesa il medioevo dei secoli XII-XIV. (Mailand 1976), 90-132; — R. Browning, An unpublished Address of Nicephorus Chrysoberges to Patriarch John X. Kamateros of 1202, in: Byzantine Studies 5, 1978, 37-68; — LThK V, 1048; — H. G. Beck, Kirche und theol. Lit. im Byzant. Reich 58, 314, 343 f., 625, 664 f.

Georgios Tsigaras

JOHANNES KANNEMANN, OFM, * um 1400 in Niedersachsen, † in Frankfurt/Oder, niederdeutscher Schriftsteller und Prediger, wurde 1440 in Erfurt immatrikuliert und dort 1444 zum Dr. theol. promoviert. Von 1446-1449 war er Magister regens des Ordensstudiums in Magdeburg, nach 1457 Lector theol. in Berlin, 1458 Inquisitor des Bistums Brandenburg gegen die Waldenser. 1461 wurde J.K. Visitator regiminis in der sächsischen Ordensprovinz und ab 1466 trat er in Wismar als Kreuzprediger gegen die Hussiten auf. — Von 1446-1449 war J.K. neben Matthias Döring Hauptverteidiger des Wilsnacker Wunderblutes. In diesem Streit unternahm er mehrere Reisen, wovon ihn eine 1446/1447 nach Rom führte. Beim sogenannten Wilsnacker Wunderblut ging es um die Auffindung dreier mit Blutstropfen besprengten Hostien nach der Zerstörung der Wilsnacker Kirche (Bistum Havelberg) 1383. J.K. war ein Verteidiger der Glaubwürdigkeit dieses Wunders besonders gegen den Magdeburger Dompropst Heinrich Tocke. Möglicherweise machte sich J.K. deswegen so sehr für das Wilsnacker Wunderblut stark, weil der Landesherr Kurfürst Friedrich II. dieses so sehr verehrte. Der tieferliegende Grund dafür war aber, daß die Franziskaner im Gegensatz zu den Dominikanern der Auffassung waren, daß etwas vom kostbaren Blut Christi durchaus noch auf Erden sein könne, weil Christus das bei seinem Leiden vergossene Blut nicht vollständig mit in den Himmel aufgenommen habe. Der Wunderblutstreit verlief trotz des heftigen Eintretens J.K.s ohne Ergebnis. J.K.s hohes Ansehen wird deutlich in seiner Ernennung zum Inquisitor in Pommern und ganz Brandenburg. J.K.s Stellung zur strikten Befolgung der neuen Bischöflichen Anordnungen hinsichtlich der Neuregelung der Beichtvollmacht der Patres war ablehnend. J.K. sah darin, daß die Patres sich jährlich nach persönlicher Vorstellung beim Bischof die Beichtvollmacht neu erteilen lassen sollten, einen Verstoß gegen den bisherigen Rechts- und Gewohnheitszustand. Besonders schwer zu schaffen machte J.K. eine Verleumdungsaktion gegen ihn, in deren Zusammenhang ihm vorgeworfen wurde, er habe sich in einer Predigt in häretischer Weise zur kirchlichen Gewalt geäußert. J.K. verteidigte sich zwar gegen diese Vorwürfe (Defensorium sui 1463), unterwarf sich aber dem Urteil der Kirche und der Theol. Fakultät von Erfurt, ohne dabei auf seine Kritik an den mißbräuchlichen Häufungen der kirchlichen Zensurmaßnahmen zu verzichten. — J.K.s Bedeutung liegt einerseits in seiner Treue zu den Traditionen seines Ordens, andererseits aber auch in seiner Bereitschaft zu reformieren, wo es not tat. Als Prediger war er unermüdlich tätig und riß seine Zuhörer durch gemütsbewegende Anschaulichkeit mit. Auch nahm er das Volk gegen die von der kirchl. Obrigkeit zu oft verhängten kirchlichen Strafmittel in Schutz.

Werke: Passio Johannis Kanneman sacre theologie profess. ordinis Minorum. Necnon alius tractatus de Christi passione. Una cum legenda beate Katherine virginis. s.l.a. et n. typ 4°, nach Copinger I 287, Basileae 1500; Hain *9759; Kannemanns Text mit Titel 49 Bl. — Außerdem zwei anonyme Ausgaben: Insignis duarum passionum domini Jesu Christi nostri salvatoris collectio quorundam divini verbi disertissimorum predicatorum... (mit der Legende der hl. Katherina), s.l.a. et n. typ. in fol., nach Copinger I 171, Coloniae, Joh. Koelhoff, c. 1474; Hain *5480; Kannemanns Text 33 Bl. — Collectura insignis duarum passionum domini nostri Jesu Christi quorundam divini verbi disertissimorum predicatorum... (ohne die Legende der hl. Katherina), s.l. a. et n. typ. 4°, Hain *5479; Copinger I 171; Kannemanns Text 44 Bl. — P. Albert 65, Anm. 2 gibt eine Ausgabe: Argentorati 1478, an. — De decem Praeceptis: HSSS.: Milichsche Bibliothek Görlitz, cod. 17, chart. fol. saec. XV, f. 1ra-81ra, geschrieben 1465 von Br. Mauritius OMin., der auch ib. f. 206rb-207va das alphabetische Register schrieb; ehem. kgl. Bibliothek Berlin, cod. lat. 561, theol. qu. 41, chart. saec. XV, f. 1r-217r, (Beginnt: Inter omnia hominum agnitioni necessaria); f. 218r-227r; alphabetisches Reg.; Städt. Bibliothek Braunschweig, cod. XCIX, chart. saec. XV, f. 109-210; Städt. Bibliothek Lüneburg, nach Lemmers, Niedersächsische Franziskanerklöster, Hildesheim 1896, 26, der keine Spur angibt. — De oratione dominica: HSSS.: Milichsche Bibliothek Görlitz, cod. 57, chart. saec. XV, f. 1ra-46rb, geschrieben 1467 von Br. Mauritius, Guardian zu Berlin, dazu f. 47ra-49rb von anderer Hand; alphabetisches Reg., Städt. Bibliothek Lüneburg, nach Lemmers 27. — Super salutationem angelicam: HSS.: Milichsche Bibliothek Görlitz, cad. 57, chart. saec XV, fol. 50ra-82rb, geschrieben 1468 von Br. Mauritius, der 1476 das alphabetische Reg. dazu, f. 82ra-84rb, schrieb; Städt. Bibliothek Lüneburg, nach Lemmers 27. — Expositio symboli: HSS.: Milichsche Bibliothek Görlitz, cod. 57, chart. saec. XV, fol. 85ra-168vb, geschrieben 1475 von Br. Mauritius, der 1476 das alphabetische Reg. dazu, fol. 169ra-172rb, schrieb (in der HS fehlt Kannemanns Name, jedoch steht auf dem Spiegel des vorderen Deckels in gleichzeitiger Hand: »Scriptum laudabile fratris Johannis Kanneman super Pater noster et Ave Maria et Credo«); Städt. Bibliothek Lüneburg, nach Lemmers 27. — Scutum defensionis oder Tractatus de praesentatione fratrum episcopis facienda 1446: HSS.: Herz. Bibliothek Wolfenbüttel, cod. Helmst. 550, chart. saec. XV, f. 174r-187v. — De libertate confessionem audiendi: HSS.: Herz. Bibliothek Wolfenbüttel, cod. Helmst. 550, chart. saec. XV, f. 170v-172r (es ist ein Kommentar zu c. Omnis utriusque sexus). — Declarationes super Quaestionibus magistri Hinrici Toke contra locum Wilsnacensem oder: Die Antwort der Gesandten 1446: HSS.: Herz. Bibliothek Wolfenbüttel, cod. Helmst. 550, f. 155r-159r mit längerem Postscriptum; ebd. cod. Helmst. 680, f. 229v: Sequitur tractatus magistri Johannis Kamman(!)contra Erfordenses. — Defensorium sui 1463: HSS.: Milichsche Bibliothek Görlitz, cod. IV 77, chart. saec. XV, f. 392v-400r.

Lit.: E. Breest, Das Wunderblut von Wilsnack (1383-1552), in: Märkische Forschungen XVI (1881) 131-302; — Ferdinand Doelle, Die Reformbewegung unter den Visitator regiminis der sächsischen Ordensprovinz, in: FS 3 (1916) 246-289; — ders., Die Martianische Reformbewegung, Münster 1921, 6ff. 40. 67. 139; — L. Oliger, Johannes Kannemann. Ein deutscher Franziskaner aud dem 15. Jh., in: FS 5 (1918) 39-67; — N. Paulus, Johannes Kannemann. 1469 Ablaßprediger, in FS 8 (1921) 84-85; — L. Meier, Die Barfüßerschule zu Erfurt, Münster 1958, 23-26. 53-54. 82. 95. 97. 102; — LThK V, 1048- 1049.

Ernst Pulsfort

JOHANNES II. Kappadokes, Patriarch von Konstantinopel (518-520). — J. war Priester und Synkellos (= Haus- und Lebensgefährte, daher auch Ratgeber) des Patriarchen von Konstantinopel (s.d.) Timotheos I., als er nach dessen Tod im April 518 sein Nachfolger wurde; er war Patriarch bis Februar 520. Hatte sich J. unter Kaiser Anastasios angeblich gegen die Entscheidungen des Konzils von Chalkedon ausgesprochen, so entschied er sich in einer Synode in Konstantinopel (Juli 518) mit Sicherheit dafür, wohl auch unter dem Druck mönchischer Kreise und im Einvernehmen mit dem neuen Kaiser Justin. Die Akten der Synode sind nicht erhalten, sondern nur einige Briefe von J. In einem Brief antiochenischer Kleriker wird J. bei dieser Synode zum ersten Mal in der Kirchengeschichte mit dem Titel »ökumenischer Patriarch« angeredet. In der Zeit zwischen dieser Synode und März 519 erfolgten Verhandlungen zur Aufhebung des sogenannten »akakianischen« Schismas, d.h. der in den Jahren 484-485 vollzogenen Spaltung zwischen dem Patriarchat von Rom einerseits und dem Patriarchat von Konstantinopel andererseits. Die Basis hierfür bildete das Schreiben des Papstes (s.d.) Hormisdas vom Jahr 515, bekannt als »formula Hormisdae«. Dieses Schreiben wurde von J. mit leichten, dem Geist der Ostkirche entsprechenden Veränderungen am 28. März 519 in Konstantinopel angenommen und in der Form eines Briefes an Hormisdas zurückgeschickt. Darin betonte er die Einheit der Kirchen des alten und neuen Rom (»superioris vestrae et novelae istius Romae«), hob die Verbindlichkeit der Entscheidungen der vier Ökumenischen Konzile in bezug auf Glaube und Verfassung der Kirche (d.h. einschließlich des Kanon 28 des Konzils von Chalkedon) hervor und verdammte nicht nur Nestorios, Eutyches und Dioskur, sondern auch Akakios, nach dessen Namen er aber den Satz von Hormisdas (»der vom apostolischen Thron verurteilt wurde«) weggelassen hat. Die orthodoxe Kirche verehrt J. als Heiligen und feiert sein Fest am 25. August.

Quellen: J.D. Mansi, Sacrorum conciliorum nova et amplissima collectio, Bd. 8, Sp. 436 f. 451-452. 514 f. 1066 f. Migne PL 63, 443 D-445 B. V. Grumel, Les regestes des actes du Patriarcat de Constantinople, vol. 1, Fasc. 1, Kadiköy-Istanbul: Socii Assumptionistae Chalcedonenses 1932, Nr. 206-210. 212. Theophanes Homologetes, Chronographia, ed. C. de Boor, Bd. 1, Bonn 1883, S. 164 f. Migne PG 108, 381 A-385 B

Lit: Carl-Joseh von Hefele, Conciliengeschichte. Nach den Quellen, Bd. 2, Freiburg i. Br. ²1875, S. 688; — E. Caspar, Geschichte des Papsttums von den Anfängen bis zur Höhe der Weltherrschaft, Bd. 2, Tübingen 1933, S. 175; — B.

Stephanidis, 'Εκκλησιαστικὴ 'Ιστορία, Athen ²1959, S. 230-232. 291 f.; — E. Schwartz, Zur Kirchenpolitik Justinians, Abhandlungen der Bayerischen Akademie der Wissenschaften, Heft 2, München 1940, S. 33-37; — Ders., Gesammelte Schriften, Bd. 4, Berlin 1960, S. 276-328; — A.A. Vasiliev, Justin the First, Cambridge/Mass. 1950, S. 68-82; — A. Grillmeier u. H. Bacht (Hgg), Das Konzil von Chalkedon. Geschichte und Gegenwart, Bd. 2, Würzburg ⁵1979, S. 84-92. 681-686; — H.-G. Beck, Geschichte der orthodoxen Kirche im byzantinischen Reich, (Die Kirche in ihrer Geschichte, Bd. 1, D 1), Göttingen 1980, S. 17 ff.

Theodor Nikolaou

JOHANNES *von Kastl*, spätmittelalterl. Theologe, Prior des Benediktinerstiftes Kastl/Oberpfalz, † nach 1426. — Die biograph. Nachrichten über J. sind sehr dürftig. Ein J. de Castello wurde am 12.9. 1388 als Prüfling für das Baccalaureat der philos. Fakultät in der Universitätsmatrikel von Prag erwähnt. Um 1399 wurde J. Prior des Oberpfälzer Nordgauklosters Kastl im Bistum Eichstätt, dem bei der Erneuerung des Benediktinerordens eine führende Rolle zukam. J. war unter den Kastler Mönchen, mit deren Hilfe das Kloster Weihenstephan im Jahre 1418 erfolgreich reformiert wurde. Seine Werke spiegeln die für das ausgehende 14. Jh. nicht ungewöhnliche kompilatorische Arbeitsweise ihres Verfassers wider, der sehr belesen in den Schriften der antiken Autoren, der Kirchenväter und des Aquinaten war. J. ist der Verfasser eines sehr umfangreichen scholast.-jurist. Kommentars zur Benediktinerregel sowie einer Reihe von dogmatischen und liturgischen Schriften. Sein Traktat De adhaerendo Deo wurde fälschlicherweise Albert d. Gr. oder Bonaventura zugeschieben, bis M. Grabmann (1920) und J. Huijben (1922/23) den Nachweis der Verfasserschaft J.s erbrachten. Der von seinen Zeitgenossen hochgeachtete J. gilt als repräsentativer Vertreter der benediktinischen Mystik und Spiritualität des späten MA.

Werke: De fine religiosae perfectionis et de modo fruendi Deo in praesenti vita (auch als De adhaerendo Deo überliefert), zw. 1390 und 1414; Breviarum Bibliae, vor 1400; Expositio super regulam s. Benedicti (3 Bde.), um 1400; De lumine increato (1410); Clenodium religiosorum ad Canonicos in Untersdorf, 1426; Noch nicht datiert sind J.s Schriften Ars moriendi; Ars praedicandi; Expositio Psalmorum; Formulae vitae religiosae; De natura gratia gloria et beatitudine in patria; Spiritualis philosophia de sui ipsius vera et humili cognitione; De trinitate; verschollen sind seine Schriften Epistolarum ad diversos; De viris illustribus O.S.B.; Sermones de sanctis.

Lit.: J. Trithemius, Catalogus illustrium virorum, in: M. Freher (Hrsg.), Opera I, Frankfurt 1601, 152; — M. Ziegelbauer, Historia Rei literariae Ord. S. Benedicti, Bd. 4, Augsburg 1754, 19, 46, 527; — E. Martène, Commentarius in Regulam S.P. Benedicti, Paris 1690; — I. Brunner, Das Merkwürdigste von der Herrschaft, dem Gotteshause und Kloster Kastl im Regenkreise Bayerns, Sulzbach 1830; — F. Pelster, Kritische Studien zum Leben und zu den Schriften Alberts des Großen, in: StZ, Ergänzungsheft II, 4 (1920); — J. Bernhardt, Die philosophische Mystik des Mittelalters von ihren antiken Ursprüngen bis zur Renaissance, München 1922; — Ders., Literatur zur Mystik, in: DVfLG 2 (1924), 302-329; — Ders., Vom Geistesleben des Mittelalters, Ein Literaturbericht, in: DVfLG 5 (1927), 172-212; — E. Drinkwelder, Der Weg zu Gott in der Regelerklärung des J. von Kastl, in: BM 5 (1923), 50-57, 73-82, 164-173; — B. Wöhrmüller, Zur Geschichte der Kastler Reform, in: StMBO NE 11 (1924), 10-40; — O. Karrer, Die große Glut, München 1926, 385-394; — E. Raitz von Frentz, Die Schrift De adhaerendo Deo, Kritisches zur Textüberlieferung und zur Autorenfrage, in: Scholastik 2 (1927), 79-92; — A. Sturm, Neue Forschungsprobleme zum Ackermann aus Böhmen, Lit. Beilage der Augsburger Postzeitung 9 (1929), 33-35, 10 (1929), 38-40, 11 (1929), 41-43; — J. Weigl, Die Verfassung des Benediktinerklosters Kastl bei Amberg (1098-1560), Schramberg 1933; — K. Bosl, Das Nordgaukloster Kastl, Regensburg 1939; — M.- T. d'Averny, Le second commentaire de Thomas Gallus, abbé de Verceil sur le cantique des cantiques, in: AHDL 15-17 (1940-42), 391-401; — A. Kreiner, J. von Kastl, ein bayerischer Mystiker, in: Oberpfalz 28 (1939), 225-227; — H. Utz, J. von Kastl, ein bairischer Mystiker, in: Oberpfalz 38 (1950), 63-66; — P. Weißenberger, Zur Geschichte des Benediktinerklosters Kastl, Oberpfalz, im 14.-15. Jahrhundert, in: ZBKG 19 (1950), 101-106; — R. Bauerreiß, Die Kirchengeschichte Bayerns, Bde. IV u. V., St. Ottilien 1953, 1954, 88f.; — W. Andreas, Deutschland vor der Reformation, eine Zeitenwende, Stuttgart 1956⁶; — J.A. Bizet, Mystigues Allemands du XIVe siècle, Paris 1957; — H. Fischer, Neue Forschungen zur deutschen Dichtung des Spätmittelalters 1230-1500, in: DVfLG 31 (1957), 303-345; — J.A. Bizet, Mystiques Allemands du XIVe siècle, Paris 1957; — B. Geyer, Die alten Kataloge der Werke des hl. Albertus Magnus, in: Studi e Testi 122, Rom 1964, 398-412; — C. Stroick, Unpublished Theological Writings of J. Castellensis, Ottawa (Canada) 1964; — D. Picker, Der Traktat De fine religiosae perfectionis (adhaerendo Deo), Verfassung, Überlieferung, Text, Würzburg 1965; — J. Sudbrack, Die Geistliche Theologie des J. Kastl, 2 Bde. (Beiträge zur Geschichte des Alten Mönchtums und des Benediktinerordens 27), 2 Bde., Münster/Westf. 1967, Lit., Texte u. Verzeichnis der Textausgaben; — R. Wagner, Spiritualis philosophia, Ein nütz und schone ler von der aygen erkanntnuss, Diss. München 1968; — Grabmann, MGL I, 487-524, II, 324-412, 512-613; — Überweg II, 407, 630, 740; — DIP IV, 1230-1232; — DLL VIII, 621-622; — DSp VIII, 592-594; — EC VI, 566-567; — EDR II, 1915; — LThK V, 1049-1050; — NDB X, 556f.; — RGG³ III, 816; — Schmitz III, 172; — VerfLex II, 603-605; — VerfLex² IV, 652-658.

Michael Tilly

JOHANNES KECK, Dr. der Theologie, Professor an der Wiener Artistenfakultät, Prediger. * 1400 in Giengen an der Brenz in Schwaben als Sohn eines bürgerl. Wagners; † 29.6. 1450 in Rom. — Nach dem Besuch der Pfarr- und Stadtschule in Giengen setzte K. anfangs der zwanziger Jahre seine Ausbildung mit dem Studium in Wien fort, wurde um 1427 Baccalaureus artium, 1429 Magister artium. Von 1429 bis 1431 war er Magister regens an der Artistenfakultät, hielt dort Vorlesungen über die Artes liberales. Zugleich widmete er sich dem Studium der Theologie, wurde 1432 cursor biblicus, 1434 Baccalaureus theologiae formatae, weitere kanonistische Studien folgten. Nach 1435 kam er nach München, wurde Präbendar an der Peterskirche. Er genoß die Protektion durch eine Münchner Patrizierfamilie, ferner durch J. Grünwalder, den späteren Bischof v. Freising, und durch Herzog Albrecht III., dessen Beichtvater er war. Er findet sich unter den Teilnehmern am Konzil von Basel 1441, dort wurde er um 1441/42 zum Doktor der Theologie promoviert, Gesandter zu Friedrich III 1442. Im gleichen Jahr legte er, aus Sehnsucht nach einem kontemplativen Leben, die Profeß im Benediktinerkloster Tegernsee ab. Dort wurde Bibliothekar, von 1443 bis 1446 Prior. Im Kloster fand er Zeit zu weiteren schriftstellerischen Arbeiten, von 1446-1448 verfaßte K. einen Kommentar (ungedruckt) zur Benediktregel, ferner stammen aus seiner Feder Traktate zur Rechtmäßigkeit des Basler Konzils und zur Beilegung des Schismas. 1449 wurde K. durch päpstliche Verfügung Poenitentiarius minor an der röm. Kurie, vielleicht dort noch Dr. iur. can. Als Opfer der Pest ist er in Rom 1450 gestorben. Seine eigentliche Bedeutung wird in der komtemplativen Theologie gesehen. Die zahlreichen Werke J.K.s umfassen ein breites Spektrum, sind größtenteils Gelegenheitsschriften zu kirchenpolitischen- rechtlichen und sonstigen Zeitfragen. Es existiert keine Gesamtausgabe, von den Werken sind überhaupt nur wenige ediert.

Werke: Auswahl aus seinen Predigten, Selectiorum R.P.D. Joannis Kekkii, theologiae artiumque liberalium Magistri et Decretorum Doctoris... Sacrorum Sermonum Sylvulae, Tegernsee 1574. Ed. ferner: Introductorium musicae, M. Gerbart, SS de mus. 3, S. 319-329; Briefe: Redlich 1931, S. 195-198; M. Kropff, Bibliotheca Benedictino-Mellicensis, Wien 1747, S. 301-308; B. Pez, Ph. Hueber, Codex diplomatico-historico, Augsburg, Graz 1729 Universitätsschriften: Danksagungsansprache bei der Promotion, München clm 19606, 155r-157v, die dazugehörige Vorlesung ebd, 183r-184v., weitere Schriften in clm 18782 und 18298, 19606 und in Wien cod. 3473, 4957, 5253, ausführliches Verzeichnis bei H. Rossmann, Verf. Lex.

Lit: Ältere Lit. bei Rossmann, Verf. Lex. Sp. 1103 f.; — V. Redlich, Eine Universität auf dem Konzil in Basel, Hist. Jb. 49 (1929) 92-101; — Ders., Tegernsee in der deutschen Geistesgeschichte im 15. Jahrhundert, Schriftenreihe z. Bayer. Landesgeschichte 9, 1931; — Ders., Die Basler Konzilsuniversität, Fs. J. Lortz, hg. v. E. Iserloh u. P. Manns, Bd. 2 (1958), 355-361; — H. Rossmann, Der Magister Marquard Sprenger in München und seine Kontroversschriften zum Konzil v. Basel und zur mystischen Theologie, in Fs. J. Auer, hg. v. H. Rossmann, J. Ratzinger 1975, S. 371-384; — Ders., Der Tegernseer Benediktiner J.K. über die mystische Theologie, in: Das Menschenbild des Nikolaus von Kues u. d. christl. Humanismus, Mitt. u. Forschungsbeiträge d. Cusanus-Gesellschaft 103, 1978, 300-352; — H. Rossmann, Verfasserlexikon VI, 1090-1104; — MGG VII 774f.; — LThK V, 1050; — NDB XI, 387f.

Lothar Kolmer

JOHANNES *von Kiew*, weltl. Christos Prodromos, als Ioann II. siebter Kiewer Metropolit, * Konstantinopel, † (nach dem 14.8.) 1089 in Kiew. — J. entstammte der griech. Bildungsschicht Konstantinopels und war wohl ein Onkel des bekannten Dichters Theodoros Prodromos. Er lebte zunächst als Mönch in der byzant. Hauptstadt und wurde um 1076/7 vom ökumen. Patr. Kosmas I. zum Nachfolger des ebenfalls griechischstämmigen Metr. Georg geweiht. Zu seinen bekannten Amtshandlungen zählen die Bischofsweihe Isajas von Rostow (nach dem 15.7. 1077), die Gründung der Bistümer Wladimir in Wolhynien (vor 1085) und Turow (um 1088) sowie mehrere Kirchenweihen (des Michaelsklosters in Wydubitschi, 1088, und Mariä Himmelfahrts-Katholikon im Kiewer Höhlenkloster, 14.8. 1089). 1086 weilte J. in Konstantinopel zur Teilnahme an der Synode zur Verurteilung des Leon von Chalkedon und leitete die Beisetzungszeremonie des Fürsten Jaropolk Isjaslawitsch von Wladimir. J. wurde im Kiewer Höhlenkloster bestattet; als sein Gedenktag gilt der 31. August. — Die ostslaw. Chronisten rühmen J. als gütigen, bescheidenen, hochgebildeten und wortgewandten Mann, der als Oberhirte seinesgleichen sucht. Dieses Urteil bestätigen die gesicherten Schriften, worin J. als maßvoller Verfechter der Orthodoxie und milder Richter bei der Bekämpfung überkommener heidnischer Gepflogenheiten sowie gewisser Unsitten im Lebenswandel des weltlichen und geistlichen Stands erscheint; so wendet er sich insbesondere gegen die Todesstrafe und den Verkauf von Andersgläubigen. Das Unionsangebot des Gegenpapstes Clemens III. (Wibert von Ravenna) beantwortet J. höflich und verständnisvoll, ohne jedoch von den traditionellen östlichen Positionen abzuweichen. Im Sinne des Kerullarios und Photios fordert er darin die Abschaffung der Azymen, des Sabbatfastens, der Laktizinien in der 1. Fastenwoche, des Priesterzölibats, der ausschließlichen Firmung durch Bischöfe sowie des sog. Filioque. Unter dem Kiewer Hochadel ziemlich wirkungslos blieb J.s Warnung vor Ehen mit Lateinern. Obwohl J. zweifellos nur griechisch schrieb, darf er als erster bedeutender Kanonist und Polemiker der russ. Kirche und Vorkämpfer der ökumenischen Bewegung gelten. Die Aufnahme seiner kanonist. Antworten an einen Mönch Jakob in den frühostslaw. Nomokanon (13. Jh.) und des Papstschreibens in einen späteren Seitenzweig desselben sicherte diesen bleibende Ausstrahlung, wie dies auch Herbersteins Rezeption und ein Auszug des Briefes in der Kirillova kniga bekräftigen.

Werke: Responsa canonica ad Jacobum monachum, griech. Kernbest. um 1083/4, ed. R.G. Pichoja, Vizant. monach - russkij mitr. Joann II kak kanonist i diplomat, in: Ant. drevn. i sredn. veka 11, 1975, 138-141; altslaw. ausf. Fassg. ('Pravilo') ed. Konstantin Kalajdovič, in: Russk. dostopamjatnosti I, Moskau 1815, 89-103; Makarij (M.P. Bulgakov), Istorija russkoj cerkvi I, SPb. 1846, 207sqq. (II², 1868, 369-376; II³, 1889, 352-359); griech. m. slaw. Par., russ. Übers. u. Komm. A.S. Pavlov, Otryvki greč. teksta kanon. otvětov russk. mitr. Ioanna II, in: Zap. imp. AN 22, 1873, Pril. 5, 1-21 (resp. SbORJaS 15, 1876, 3. Abh.); verm. Abdr. in: Pamjatniki drevne-russk. kanon. prava 1 (= RIB VI), SPb. 1880 (1908²), 1-20, 321-346; Red. m. dt. Übers. u. Komm. Karl Goetz, Kirchenrechtl. u. kulturgesch. Dmm. Altrußlands (= KRA 18/19), Stuttg. 1905 (Nachdr. Amsterdam 1963), 115-170; slaw.-griech. V.N. Beneševič, Sbornik pamjatnikov po istorii cerk. prava, SPb. 1915, I 108-120; krit. Neued. ders., in: Syntagma XIV tt. sine scholiis II, hrsg. v. Ja.N. Ščapov et al. Sofia 1987, 76-89; lat. Kurzf. bei Sigm. v. Herberstein, Rerum Moscovit. commentarii, Wien 1549, Basel 1551 etc. (Reg.); mod. Abdr. u.a. bei Pavlov, Pamjatniki 1, 375-384; dt. u.a. v. Traudl Seifert, Sigismund zu Herberstein, Reise z. d. Moskowitern 1526, München 1966, 112-114; Epistola ad Clementem papam, um 1085-88, ed. S.K. Oikonomos, Τοῦ ὁσ. πατρὸς ἡμ. ᾽Ιωάννου μητρ. ῾Ρωσίας ἐπιστολὴ πρὸς Κλήμεντα πάπαν ῾Ρώμης, Athen 1868, 1-13; altslaw. ('Poslanie') ed. Konstantin Kalajdovič, Pamjatniki rossijsk. slovesnosti XII v., Moskau 1821, 209-218; griech. u. slaw. V.I. Grigorovič, Poslanie mitr. Ioanna II, in: Učen. zap. Vtor. otd. imp. AN 1, 1854, 4-20; A.S. Pavlov, Kritič. opyty po istorii drevnějšej greko-russkoj polemiki protiv latinjan (= XIX-yj Otčet o pris. Uvarovsk. premii), SPb. 1878, 169-186; Ausz. d. altslaw. Fassg. in: Kirillova kniga, Moskau 1644, 257 (cf. Karataev 509); lat. bei Herberstein, op. cit.; russ. Übers. (nach d. Ausg. Frankfurt 1600) in: Christ. čtenie 4, 1838, 348-358; dt. v. Seifert, op. cit., 106sqq.; Tractatus de azymis, nur griech., ed. Oikonomos, op. cit., 13-18; erw. (?) Fassg. (Joh. v. Damaskus zugeschr.) in MPG 95, 1860, 388 A-396 C (M. Lequien) (cf. CPG 8116); unsicher ist J.s Beteiligung am Offizium auf d. Hll. Boris u. Gleb, gänzl. unhaltbar seine Mitw. an kompil. Übersetzungswerken wie d. sog. Izbornik v. 1073 u. 1076 od. d. Kormčaja Efrems. - Nikolaj Nikol'skij, Materialy dlja povr. spiska russk. pisatelej i ich soč. (X-XI vv.), SPb. 1906², 211-225, 527 (Quellenverz.).

Lit.: Polnoe sobr. russk. letopisej I.1: Povest' vremennych lct, Leningrad 1926² (resp. in: Hdb. z. Nestorchronik, hrsg. v. Ludolf Müller, I, München 1977), 207sq. (a. 1088-89), II.: Ipat'evsk. letopis', SPb. 1908² (Nachdr. Moskau 1962), 197 (a.m. 6594), 198 (a.m. 6595), 199 (a.m. 6596), 199sq. (a.m. 6597); — Das Väterb. d. Kiewer Höhlenklosters, ed. Dietrich Freydank et al., Leipzig 1988, 48-51 (6.a.m. 6597); — Theodoros Prodromos, Histor. Gedichte, ed. Wolfram Hörandner, Wien 1974 (= Wiener byz. Stud. 11), 480 et pass. (Reg.); — Semeioma, ed. Sakéllion, in: Bull. de Corresp. Hellén. 2, 1878, 127; — K.A. Nevolin, O mitr. Joanně II kak sočinitelě poslanija archiepiskopu rimsk. ob oprěsnokach, in: IzvORJaS 2, 1853, 95-101 (Nachdr.: Poln. sobr. soč. VI, SPb. 1859, 637-643); — Andrej Popov, Istor.-liter. obzor drevne-russkich polem. sočinenij protiv latinjan (XI-XV vv.), Moskau 1875 (Nachdr. London 1972), 91-99; — Pavlov, Opyty, 58-62; — M. Čelcov, Polemika meždu grekami i latinjami po voprosu ob opresnokach v XI-XII vv., SPb. 1879; — A.I. Jacimirskij, Iz slav. rukopisej. Teksty i zam., Moskau 1898 (= Uč. zap. Mosk. univ., otd. istor.-fil. 24), 11-13; — S.D. Papadimitriu, Joann II, mitr. Kievskij, i Feodor Prodrom, in: Letopis' istor.-filol. obšč. pri imp. Novoross. univ. 10, vizant.-slav. otd. VII, 1902, 1-54; — Goetz, op. cit., 98-113 et pass.; — V.G. Vasil'evskij, Vizantija i pečenegi, in: Trudy I, SPb. 1908, 174-175; — M.D. Priselkov, Očerki po cerk.-političeskoj istorii Kievskoj Rusi X-XII vv., SPb. 1913, 142-147; — Bernhard Leib, Deux inédits byzantins sur les azymes, in: OrChr (A) 9 (= II.3), 1924, 149, 157, 162; — Ders., Rome, Kiev et Byzance à la fin du XIᵉ siècle, Paris 1924, 32-41 et pass.; — Walter Holtzmann, Unionsverh. zw. Kaiser Alexios I u. Papst Urban II im J. 1089, in: ByZ 28, 1928, 38-67, bes. 59sq.; — Aemilius Herman, De fontibus iuris eccl. Russorum, Vatikan 1936 (= Codif. can. orient. ser. 2, fasc. 6), 14-15; — A.M. Amman, Unters. z. Gesch. d. kirchl. Kultur u. d. relig. Lebens bei d. Ostslawen I, Würzburg 1955 (= Das östl. Christentum N.F. 13), 67-70; — Vitalien Laurent, Le corpus des sceaux de l'Empire byzantin V, Paris 1963, 1 A Nr. 781; — A.V. Soloviev, Zu d. Metropolitensiegeln d. Kiever Rußland, in: ByZ 56, 1963, 317-320 u. Tab. VII (Nachdr. in: Byzance et la formation de l'état russe, London 1979, IXb); — Ders., Un

sceau gréco-russe du XIe s., in: Byz (B) 40, 1970/1, 435sq.
u. Abb. (Nachdr. in: Byzance..., V); — A.P. Každan, Prodrom i ego stichi na roždenie Alekseja Komnina, in:
VizVrem 24, 1964, 66-67; — Andrzej Poppe, Chronologia
utworów Nestora hagiografa, in: Slavia Orient. 14, 1965,
299-300; — Ders., Uwagi o najstarszych dziejach Kościoła
na Rusi III, in: Przegląd histor. 56, 1965, 566sq.; — Ders.,
Państwo i kościół na Rusi w XI wieku, Warschau 1968 (=
Diss. Univ. Vars. 26); — Ders., L'organisation diocésaine de
la Russie aux XIe-XIIe s., in: Byz (B) 40, 1970, 165-217
(Nachdr. in: The Rise of Christian Russia, London 1982,
VIII); — Ders., Werdegang d. Diözesanstruktur d. Kiever
Metropolitankirche, in: Tausend Jahre Christentum in Rußland, hrsg. v. K. Chr. Felmy et al., Göttingen 1988, 251-290,
hier bes. 262, 265sq., 268sq., 271, 289sq.; — Peter Hauptmann, Christen u. Juden im Großfürstentum Kiev, in: Kirche
u. Synagoge II, hrsg. v. K.H. Rengstorf u. S. v. Kortzfleisch,
Stuttgart 1970, 640-643; — Ludolf Müller, Russen in Byzanz u. Griechen im Ruś-Reich, in: Bull. d'inf. et de coordination, Athen/Paris 1971, 96-118; — Pichoja, op.cit., 133-
138; — Ja.N. Ščapov, Vizantijskoe i južnoslav. pravovoe
nasledie na Rusi v XI-XIII vv., Moskau 1978; — Jannis
Spiteris, La Critica Bizantina del Primato Romano nel sec.
XII, Rom 1979 (= OrChrA 208), 38-44; — Otto Mazal,
Byzanz u. d. Abendland, Graz 1981, 206; — Georg Podskalsky, Der Beitrag d. griechischstämmigen Metr. (Kiev),
Bischöfe u. Mönche z. altruss. Originallit. (Theol.) 988-
1281, in: Cahiers du monde russe et sov. 24, 1983, 498-515;
— Vladimir Vodoff, Naissance de la chrétienté Russe, 1988,
passim; — Die orthodoxe Kirche in Rußland. Dokumente
ihrer Geschichte, hrsg. v. Peter Hauptmann u. Gerd Stricker,
Göttingen 1988, 257-259; — Heinz Miklas, Berlinski Sbornik, Graz 1988 (= Cod. sel. 79), 24, 37sq., 42; — Makarij,
op. cit., II³ 11, 173-178, 246-257; — N.P. Barsukov, Istoč-
niki russkoj agiografii, SPb. 1882 (= OLDP, Num. izd. 81;
Nachdr. Leipzig 1970), 244-245; — I.I. Sreznevskij,
Drevnie pamjatniki russk. pis'ma i jaz. (X-XIV vv.). SPb.
1882², 31-32; — Filaret (D.G. Gumilevskij), Obzor russkoj
duchovn. lit. I: 862-1720, SPb. 1884³, 15-16; — Azbučnyj
ukazatel' imen russkich dějatelej dlja Russk. biografič. slo-
varja I, SPb. 1887-88 (= Sbornik imp. Russk. istor. obšč.
60/62; Nachdr. Vaduz 1963), 315-317; — Sergij (I. Spass-
kij), Polnyj měsjaceslov Vostoka II.1, Vladimir 1901², 266;
— Russkij biografič. slovar' VIII, SPb. 1907 (Nachdr. N.Y.
1962), 283sq.; — E.E. Golubinskij, Istorija russkoj cerkvi
I.1, Moskau 1901² (Nachdr. The Hague-Paris 1969), 856sq.;
— DThC VIII, 802sq.; — Jugie I, 278, 551 sq.; — Evgenij
(Bolchovitinov), Slovar' istor. o byvšich v Rossii pisateljach
duchovn. čina greko-rossijskoj cerkvi I, SPb. 1927² (Nachdr.
Leipzig 1971), 251 sq.; — LThK V, 1050; — Beck, 610,
611; — Ukrajińśki pyśmennyky. Biobibliografičnyj slovnyk
I, Kyjiv 1960, 70-72; — Μεγάλη Ἑλληνικὴ ἐγκυκλοπαιδεία XIII, 366; — Θρησκευτικὴ καὶ ἐθικὴ ἐγκυκλοπαιδεία VII, Athen 1965, 2-3; — Słownik starożytności słowia-
ńskich IV, Wrocław etc. 1970, 356-357; — Gerhard Podskalsky, Christentum u. theol. Lit. in d. Kiever Rus' (988-
1237), München 1982, 174sq., 186sq., 286sq. et pass. (Reg.);
— Tusculum-Lexikon griech. u. lat. Autoren d. Altertums u.
d. MA, 1984³, 400; — Slovar' knižnikov i knižnosti Drevnej
Rusi I, Leningrad 1987, 206-209.

Heinz Miklas

JOHANNES KLENKOK, angesehener Theologe und Bekämpfer des »Sachsenspiegels«, * um
1310 in Bücken bei Hoya (Niedersachsen) als
Sohn des Edelmannes Heinrich K. und seiner
Gattin Margarete, † 15.6. 1374 in Avignon. Seit
etwa 1342 studierte er in Bologna kanonisches
Recht, trat 1345 in Herford in den Augustinerorden ein und empfing wahrscheinlich 1346-51 in
Prag seine theologische Ausbildung. Zwischen
1354 und 1356 hielt er in Oxford seine Sentenzenlesung und wurde dort am 5.8. 1359 Magister der Theologie. Seit 1361 wirkte er lange
Jahre als Studienregens an den Generalstudien
seines Ordens in Erfurt und Magdeburg und war
gleichzeitig 1363-68 Provinzial der sächsisch-
thüringischen Ordensprovinz. 1369 wandte er
sich mit der Schrift »Dekadikon« gegen 10 Artikel des deutschen Rechtsbuchs »Sachsenspiegel«, weil sie nach seiner Ansicht die Rechte des
Papstes beeinträchtigten bzw. die Anwendung
unchristlicher Mittel zur Urteilsfindung vorsa-
hen. Er überreichte das Werk auch Albert von
Sachsen, dem Bischof von Halberstadt, und dem
Erfurter Rechtsgelehrten Herbord von Bischofs-
roda. Ein Gutachten der Augustinertheologen
Rudolf Bloch und Jordan von Quedlinburg, das
Bischof Albert einholte, sprach sich gegen K's
Vorgehen aus. In der Zwischenzeit hatte der
aufgebrachte Magdeburger Stadtrat die niederdeutschen Städte von K's Polemik in Kenntnis
gesetzt, weshalb er 1370 flüchten mußte. Er
wandte sich nach Prag und Olmütz, wo er die
persönliche Freundschaft des Johannes von
Neumarkt, Kanzlers Karls IV. und Bischofs von
Olmütz, genoß. Mit drei weiteren Schriften verteidigte er sich gegen die Magdeburger und
überreichte 1371 eine erweiterte Liste von 21
»errores« Gregor XI. in Avignon, wo er selbst
seine letzten Lebensjahre als »poenitentiarius
papae« verbrachte. Die Verurteilung von 14 Sätzen durch den Papst am 8.4. 1374 hat er noch
miterlebt. — Als Theologe verfügte K. über eine
gute Augustinus-Kenntnis. Gestützt auf ihn
kämpfte er, ähnlich wie Gregor von Fimini und
Thomas Bradwardine, gegen den »Pelagianismus« seiner Zeit bzw. gegen das, was er für
Pelagianismus ansah, und fand derartige Verir-
rungen nicht zuletzt bei Johannes Duns Scotus.
Gleichzeitig kritisierte er aber auch scharf die
deterministischen Tendenzen des Bradwardine.

Auf die deutschen Augustinertheologen der Folgezeit, etwa auf Angelus Dobelinus († nach 1420) und Johannes Zachariae († 1428) hat er maßgeblichen Einfluß ausgeübt.

Werke: »Expositio litteralis super quattuor libros Sententiarum« aus der Zeit um 1354-59, ediert kurze Exzerpte bei A. Zumkeller, Erbsünde, Gnade, Rechtfertigung und Verdienst nach der Lehre der Erfurter Augustinertheologen des Spätmittelalters, 1984, 531-536; »Quaestiones super secundum librum Sententiarum«, um 1359, ediert Quaestiones 14, 18, 19 und 20 bei Zumkeller l.c. 536-543 und 507-530; »Super librum Actuum Apostolorum«, wohl aus seiner Lehrzeit in der sächsisch-thüringischen Ordensprovinz, handschriftlich erhalten in Eichstätt cod. ms. 204, fol. 117-192; »Quaestiones super materiam totam Canonicae Johannis«, wohl aus gleicher Zeit, handschriftlich überliefert in Oxford, Bodleian Library cod. ms. 24463, fol. 247-258; Sermones magistrales 1-5, wohl auch aus seiner Lehrzeit, handschriftlich überliefert in Erfurt, cod. ms. Amplon. Q 118, fol. 108-117; Brief an den Karmeliten Johannes von Hildesheim, geschrieben zwischen 1364 und 1371, ediert von R. Hendriks, in : Carmelus 4, 1957, 234f; »Dekadikon«, von 1369, handschriftlich erhalten in Wolfenbüttel cod. ms. Nov. 314, fol. 1-7; »Dekadikon«, von ca. 1370, ediert in: Nieuwe Reeks 8, 1882, 386-409; »Replicatio«, von ca. 1370, handschriftlich überliefert in dem erwähnten Wolfenbütteler Manuskript fol. 16-21; Traktat »Universis Christifidelibus«, von 1370/71, handschriftlich erhalten in Breslau cod.ms. IV. F. 57, fol. 81-84, z.T. ediert bei G. Homeyer, J.K. wider den Sachsenspiegel, Abhandlung der Königlichen Akademie der Wissenschaften zu Berlin 1855, 432a-432b. »Reprobationes« (niederdeutsch), von ca. 1372/73, ediert bei Hoymeyer l.c. 416-423; erweitertes »Dekadikon« von 1372/73, ediert bei Ch. L. Scheidt, Bibliotheca historica Goettingensis I, 1758, 63-102.

Lit.: G. Homeyer (wie vorstehend); — Hugo Böhlau, Zur Chronologie der Angriffe K's wider den Sachsenspiegel, in: Zeitschrift der Savigny-Stiftung für Rechtsgeschichte, germanische Abteilung 4, 1883, 118-123; — Otto Franklin, J.K., 1884; — Hans Bütow, Zur Lebensgeschichte des Augustinermönches J.K., in: Historische Vierteljahrsschrift 3, 1935, 541-575; — Damasus Trapp, Teólogos agustinos alemanes del siglo XIV, in: Archivo Agustiniano 48, 1954, 277-300, hier 283-291; — Ders., Augustinian Theology of the 14th century, in: Augustiniana 6, 1956, 146-247, hier 203 und 223-239; — Ders., Notes of J.K., in: Augustinianum 4, 1964, 358-404; — A.B. Emden, A Biographical Register of the University of Oxford to A.D. 1500, II, 1958, 1057; — Hans Josef Kullmann, K. und die »articuli reprobati« des Sachsenspiegels, juristische Dissertation, Frankfurt/M., 1959; — A. Zumkeller, Die Augustinerschule des Mittelalters, in: AAug. 27, 1964, 167-262, hier 228-230; — Ders., Manuskripte von Werken der Autoren des Augustiner-Eremitenordens in mitteleuropäischen Bibliotheken, 1966, 246-250 und 601 f; — Ders., Urkunden und Regesten zur Geschichte der Augustinerklöster Würzburg und Münnerstadt II, 1967, 604-608; — Ders., J.K. ... im Kampf gegen den »Pelagianismus« seiner Zeit. Seine Lehre über Gnade, Rechtfertigung und Verdienst, in: Rech.Aug. 13, 1978, 231-333; — Ders., Erbsündenlehre des deutschen Augustiner-theologen J.K., in: Augustiniana 29, 1979, 316-365; — Ders., Erbsünde ... nach der Lehre der Erfurter Augustinertheologen (wie oben erwähnt), vor allem 17-135 und 507-543; — Jaroslav Kadlec, Das Augustiner-Generalstudium bei St. Thomas in Prag in der vorhussitischen Zeit, in: Augustiniana 17, 1967, 389-401, hier 392 f; — Willigis Eckermann, Eine unveröffentlichte historische Quelle zur Literaturgeschichte der westfälischen Augustiner des deutschen Mittelalters, in: AAug. 34, 1971, 185-238, hier 198f und 210-212; — Adalbero Kunzelmann, Geschichte der deutschen Augustiner-Eremiten III, 1972, 314f und V, 1974, 334-336 u.ö.; — David Gutiérrez, Die Augustiner im Spätmittelalter 1357-1517, 1981, 211 f; — Manfred Schulze, »Via Gregorii« in Forschung und Quellen, in: Gregor von Rimini, Werk und Wirkung bis zur Reformation, ed. Heiko Augustinus Oberman, 1981, 1-126, hier 34-38; — LThK ²V 1050f; — NewCathEnc. VII, 1057; — HWB zur deutschen Rechtsgeschichte II, 874f; — NDB XII, 43 f; — VL ²IV 1206-1213.

Adolar Zumkeller

JOHANNES KLIMAKUS, griechischer asketischer Schriftsteller, † nach 600. — Durch seine Schrift » « (»Paradiesleiter«), die für die asketische Mystik der griechischen Kirche (Hesychasmus) besondere Bedeutung gewann, ist er bekannt. In der jüngeren Vergangenheit trat sein Name ins Bewußtsein einmal dadurch, daß Textstücke aus der »Paradiesleiter« in der »Kleinen Philokalie« (weitverbreitetes Andachtsbuch in der russisch-orthodoxen Kirche) Aufnahme gefunden hatten und dieses Meditationsbuch auch im Westen gelesen wurde, zum andern dadurch, daß S. Kierkegaard die »Philosophischen Brocken oder ein bißchen Philosophie« (1844) unter diesem Pseudonym schrieb. — Über das Leben des J. - den Namen Klimakus erhielt er durch seine Schrift; aber er heißt auch Sinaites und Scholastikus - ist wenig bekannt. Vielleicht wurde er um 525 geboren; mit 16 Jahren trat er ins Sinaikloster ein; 40 Jahre lang lebte er als Eremit am Berg Sinai, bis er im Alter noch Abt des dortigen Klosters wurde. Aus einem Brief Gregors des Großen vom 1.9.600 (Ep 11,2, MGp 261) an J. weiß man, daß er nach 600 (vielleicht 616) gestorben sein muß. Der Mönch Daniel aus dem Kloster Raithu, nahe dem Sinaikloster gelegen, schrieb die Vita J. (MSG 88, 596-603). Die Schrift » « (gegen Ende des 6. Jahrhunderts entstanden, da die Kenntnis der Moralia Gregor des Großen deutlich ist) schildert in 30 Graden (Leitersprossen) entsprechend dem verborgenen Leben Jesu in Anlehnung an Euagrius Pontikus mit Gen 28,10ff die einzelnen Seelenzustände und Schritte der Läuterung; sie haben das Leben in der Schau Gottes zum Ziel. Durch Meditationsmethoden, im Kampf gegen Leidenschaften und Sinnlichkeit, aber auch Selbstsucht und Eitelkeit gelangt der Mensch durch Gebet und Demut zur Entledigung der Sinnenwelt, zum höheren sittlichen Urteilsvermögen und zuletzt zur Apathie in der Schau des göttlichen Lebens. Die 30. Stufe trägt den Titel »Glaube, Liebe, Hoffnung«; hier erhält in der bildlichen Darstellung der Asket aus der Hand Jesu Christi die himmlische Krone. Ursprünglich bildete der » «, der an Johannes von Raithu gerichtet war, den Schluß der Schrift; er schildert das Bild des Klosterhirten, ein Vorbild mönchischen Lebens.

Werke: MSG 88, 583-1248; Ladder of Divine Ascent, tr. L. Moore, intro. M. Heppell, New York 1959.

Lit.: DThC VIII, 690-693; — NewCathEnc VII, 1045; — RE [3]IX, 305 f.; — K. Krumbacher, Gesch. der byzant. Lit., 1897[2], 143 ff.; — Kl. Philokalie, übers. M. Dietz, eingel. J. Smolitsch, Zürich, Einsiedeln, Köln 1971; — J. R. Martin, The Illustrations of the Heavenly Ladder of John Climacus (Princeton Studies in MS Illumination 5, Princeton 1954).

Michael Plathow

JOHANNES *von Köln*, 3. Dombaumeister in Köln, * um 1270 als Sohn des 2. Dombaumeisters Arnold, † nach 1330 (letzte urkundliche Erwähnung). — Historisch faßbar wird J. seit 1296, zunächst lediglich als Sohn des Dombaumeisters Arnold erwähnt, 1308 zum erstenmal als magister operis maioris ecclesiae coloniensis bezeichnet, als nun leitender Baumeister der Kölner Dombauhütte. Art und Umfang seiner Ausbildung sind unbekannt, doch hält die Forschung eine Mitarbeit J.s am Dombau schon unter seinem Vater Arnold für sehr wahrscheinlich und eruiert- ausgehend von stilistischen Eigentümlichkeiten an den unter J. entstandenen Bauteilen- eine mögliche Lehrzeit in Straßburg und Freiburg sowie enge Kontakte zu frz. Bauhütten. In J.s Amtszeit wurde der Dombau zügig weitergeführt und fand seinen Höhepunkt in der Vollendung des Chores, des einzigen im Mittelalter fertig gewordenen Bauteils, der am 27.9.

1322 durch Erzbischof Heinrich Graf v. Vineburg seine feierliche Schlußweihe erhielt. Neben den äußeren Bauarbeiten am Chor, die nach der Datierung des Chorgestühls auf die Jahre 1308-1311 (durch dendrochronologische Untersuchungen) spätestens 1311 beendet gewesen sein müssen, scheint J. sich schon recht früh der Westfassade zugewandt zu haben, da die von ihm begonnene Fundamentierung des Südturmes sowie die aufgehende Südwand des Turmerdgeschoßes älter sind als die ab 1325 errichteten Teile des südlichen Seitenschiffes des neuen Langhauses. Die Beschäftigung mit der Westfassade spiegelt auch der ihm zugeschriebene Fassadenplan F wider, der - 1814/1816 von G. Moller und S. Boisserée in 2 Teilen wieder aufgefunden - der größte (4,05 m hoch), vollständig ausgeführte und erhaltene mittelalterliche Pergamentriß ist und eine »modernisierte« Überarbeitung eines älteren Fassadenentwurfs darstellt. Das zeitliche Verhältnis von Riß (1300,1310,1320 ?) und tatsächlich gebauter Architektur konnte bisher allerdings noch nicht geklärt werden. Der Plan J.s ist dann im 19.Jh. Grundlage für den Aus-und Weiterbau der Westfassade geworden. Gebaut wurde daneben aber offenbar auch am Portal des Nordquerschiffes, das freilich unvollendet blieb und im 19.Jh. abgerissen wurde. J. hatte aber nicht nur die großen Baumaßnahmen zu leiten, ihm oblagen ebenso Organisation und Koordination der vielen verschiedenen Arbeiten, die im Rahmen der Bauhütte zur künstlerischen Ausstattung des Chores stattfanden. Die Herstellung des Chorgestühls und des etwa gleichzeitig entstandenen Hochaltars sind eindrucksvolle Zeugnisse für die Leistungsfähigkeit der Bauhütte. Die gute Zusammenarbeit der einzelnen Handwerker beruhte wohl auch auf nahen, freundschaftlichen Beziehungen J.s zu seinen Mitarbeitern, wie im Falle des Domzimmermanns Gerard, der seiner Frau J. als zuverlässigen Freund und Berater in Notlagen empfahl. Persönliche Beziehungen bestanden auch zum Steinmetzhandwerk, denn J. war in erster Ehe mit Mechtildis, der Tochter des Steinmetzen Meister Thilman v. Salecgin verheiratet. Im Laufe der Jahre gelangte er zu stattlichem Vermögen, das viele Häuser und Renten umfaßte. Sein künstlerischer Stil hebt sich klar von dem seines Vaters ab. Charakteristische

Elemente seiner Formensprache sind die großen vierbahnigen Fenster mit Wimpergen, das reiche, durchbrochene Maßwerk an Chorgalerien und Strebebögen und das die Flächen mehrschichtig überdeckende feine Stabwerk. In der mit diesen Elementen einhergehenden Vertikalbetonung und der Leichtigkeit und Schwerelosigkeit der Formen erlebt J.s Stil seine höchste Entfaltung.

Werke: Architektur (sämtlich für den Kölner Dom ausgeführt): Vollendung des schon von seinem Vater weitergeführten Chorbaues, spätestens 1311 abgeschlossen (Schlußweihe 1322); vor 1325 Beginn der Bauarbeiten für den Südturm; ab 1325 Errichtung von Teilen des südlichen Seitenschiffs. — Zeichnung: großer Fassadenriß F. 1300,1310,1320 ? (Köln, Dombauarchiv).

Lit.: Arnold Wolff (Hrsg.), Der gotische Dom in Köln, Köln 1986,bes.16-20; — Ders., Der Kölner Dom, Stuttgart 1988[5],bes.14,23,92f.; — ADB XIV, 460; — NDB X, 557f.; — Thieme-Becker XIX, 43; — LThK V, 1051; — Wasmuth III, 297.

Ingrid Münch

JOHANNES *von Köln* (span.: Juan de Colonia), Baumeister, geb. vermutlich um 1410 in Köln, gest. vor dem 3.8. 1481. — Über sein Leben liegen nur wenige konkrete Angaben vor und diese beziehen sich fast ausschließlich auf seine seit etwa 1440 in Spanien ausgeübte Tätigkeit eines »maestro de las obras« - 1444 zum erstenmal erwähnt - an der Kathedrale von Burgos. Alter Überlieferung zufolge soll J.s Auftreten in Burgos durch den dortigen Bischof Alonso di Cartagena veranlaßt worden sein, der von 1435-1440 Teilnehmer am Konzil von Basel war. Mit diesem Bischof setzten rege bauliche Aktivitäten ein, die die Umgestaltung einiger Teile der Außenarchitektur wie auch die Erneuerung von Innenräumen der schon 1260 geweihten, nach hochgotischen frz. Vorbildern errichteten Kathedrale von Burgos zum Ziel hatten. Alonso di Cartagena beauftragte J. zunächst mit dem Bau der Capilla de la Visitación als Begräbnisstätte für den Bischof selbst, die 1446 vollendet wurde. Gleichzeitig plante und leitete J. die Errichtung der beiden westlichen Turmfreigeschosse und ihrer Maßwerkhelme, die er nach 16jähriger Bauzeit 1458 fertigstellen konnte. Noch nicht eindeutig gesichert ist seine Autorschaft für die Brüstungen über dem westl. Portalgeschoß und über der Maßwerkgalerie der Mitteltravee. 1454 legte er den Entwurf für den Neubau der Kartause von Miraflores in Burgos vor, ein Projekt, das erst von seinem Sohn Simon realisiert wurde. Das bedeutendste Bauvorhaben J.s in der 2.Hälfte des 15.Jh.s war der Vierungsturm der Kathedrale, der nach einem zeitgenössischen Reisebericht in 8 Fialen endete und mit reichem Bildwerk geschmückt war, aber bereits 1539 einstürzte und durch einen - heute noch stehenden - Neubau ersetzt wurde. 1477 begann J. mit den Arbeiten zu der von Bischof Luis de Acuña ebenfalls als Begräbnisstätte in Auftrag gegebenen Capilla de la Concepción, die er bei seinem vor dem 3.8.1481 erfolgten Tod unvollendet hinterließ. Sein Sohn Simon stellte den Bau erst 1483 fertig. Weitere bauliche Unternehmungen J.s auch außerhalb von Burgos sind denkbar, doch wie im Falle des für 1474 belegten Abschlusses von Arbeiten an Grabdenkmälern im Kloster von San Juan de Ortega (nördlich von Burgos), für deren Ausführung J. bzw. seine Werkstatt in Anspruch genommen werden, wissenschaftlich nicht genügend geklärt. Die künstlerische Formensprache der Werke J.s spiegelt ein Ambiente wider, in dem sich westeuropäische und traditionelle spanische Einflüsse mischten und zu eigenständiger Formulierung gelangten. Paradebeispiele sind dafür die mächtigen, eindrucksvollen Westtürme der Kathedrale, deren durchbrochene Maßwerkhelme und das charakteristische Motiv der horizontalen Steinbrüstung (»Mastkorb«) unterhalb der Helmspitze in süddtschen spätgotischen Turmhelmen (Frauenkirche in Eßlingen, Entwurf zum Ulmer Münsterturm), die ihrerseits in engem Beziehungsgeflecht zu flandrisch-brabantischen Turmanlagen stehen, ihre nächste Parallele finden, die ornamentale Verwendung von Inschriften und Wappen an den Türmen und der Maßwerkgalerie des Mitteltrakts der Westfassade dagegen »einheimischem« Formengut verpflichtet ist. Der beruflich so erfolgreiche Werdegang J.s in Burgos scheint sich auch in seinem Privatleben positiv ausgewirkt zu haben. 1449 wird er zum erstenmal als Zeuge benannt, was auf entsprechendes Ansehen schließen läßt. Auch beachtlicher Grundbesitz war vorhanden. Aus seiner Ehe mit der Spanierin Maria Ferrandes gingen 6 Kinder hervor, von denen Simon als der vom Domkapitel bestimmte offizielle Nachfolger in dieser Funktion die Baumeistertradition des Vaters bravourös weiterführte.

Werke: (sämtlich für die Kathedrale in Burgos ausgeführt): Capilla de la Visitación 1440-1446; Westtürme 1442-1458; Vierungsturm 2.Hälfte d. 15.Jh.s (1539 eingestürzt); Capilla de la Concepción 1477-1483 (vollendet vom Sohn und Nachfolger Simon de Colonia).

Lit.: Carl Justi, Die kölnischen Meister an der Kathedrale von Burgos, in: Miscellaneen aus drei Jahrhunderten span. Kunstlebens, I, Berlin 1908, 3-34; — Hugo Kehrer, Die Türme der Kathedrale von Burgos und Hans von Köln,in: Münchner Jahrbuch d. bildenden Künste N.F. 5, 1928, 477-489; — Ders., Eine dtsche Künstler-Dynastie in Burgos: Hans von Köln, Simon von Köln, Franz von Köln, in: Deutschland in Spanien, München 1953, 69-89; — Fernando Chueca Goitia, Burgos y los Colonia, in: Historia de la Arquitectura española. Edad antigua y Edad media, Madrid 1965, 553-559; — Teófilo López Mata, Juan de Colonia, in: La Catedral de Burgos, Burgos 1966², 397-399; — Henrik Karge, Die Kathedrale von Burgos und die span. Architektur des 13. Jh.s, Berlin 1989, bes. 41f.; — ADB XIV, 461; — Thieme-Becker VII, 252 (s.v. Colonia, Juan de); — LThK V, 1051 f. (s.v. Johannes v. Köln Nr. 2); — Wasmuth II, 70 (s.v. Colonia, Juan de); — Dictionary of the Middle Ages VII, New York 1986, 153 (s.v. Juan and Simón de Colonia).

Ingrid Münch

JOHANNES VOM KREUZ, * 24.6. 1542 bei Avila/Spanien in einer verarmten Adelsfamilie, † im Dezember 1591. — J. trat 1560 in den Orden der Karmeliten ein. Er studierte in Salamanca die Theologie der Kirchenväter und vor allem die Auslegung der Bibel. Je länger desto stärker wurde ihm der verwahrloste Zustand seines Ordens zum Ärgernis. 1567 begegnete er Teresa von Avila, die ihn für ihre Reformpläne des Karmelitenordens gewann. Damit begann eine lebenslange innig-geistliche Beziehung zwischen den beiden, in der sie leidenschaftliche Sehnsucht nach Gott, nach der Erfahrung seiner Nähe bis in ekstatische Ur-Erlebnisse hinein teilten; ihr Briefwechsel ist leider nicht erhalten. 1568 gründete J. als Juan de la Cruz das Männerkloster der »unbeschuhten Karmeliten« in Duruelo, dessen Lebensregel ein Spiegel seiner asketischen Frömmigkeit und ekstatischen Gotteserfahrungen wurde: »Verlange nichts als das Kreuz, und zwar ohne Trost, denn das ist vollkommen ... Verzichte auf deine Wünsche, und

du wirst erlangen, was dein Herz begehrt« (Ges. Werke, Bd. V, S. 61, 135). Fortan setzte er wie Teresa alle Kraft für die Reform seines Ordens ein, geriet damit aber in Gegensatz zur Gruppe der »beschuhten Karmeliten«, die ihn zunehmend als Bedrohung empfanden; am 3. Dezember 1577 ließen sie ihn mit Gewalt in ihr Kloster Toledo entführen, in dessen Kerker er grausamen Quälereien ausgesetzt wurde, bis ihm nach vielen Monaten die Flucht gelang. Diese Kerkerzeit wurde für ihn zur eigentlichen Mitte seiner Gotteserfahrung und der daraus entstammenden visionär-mystischen Dichtung, die er von 1578 an ausführlich kommentierte; so entstanden seine Hauptschriften, an denen er trotz erneuter Verleumdungen und Verfolgung und trotz aller Beanspruchungen durch seine Ämter im Orden bis an sein Ende arbeitete. Die päpstliche Anerkennung seines Ordens der »unbeschuhten Karmeliten« 1593 erlebte er nicht mehr; im Dezember 1591 starb er im Kloster Ubeda. 1675 wurde er selig- und 1726 heiliggesprochen; seit 1926 gilt er als »Doctor Ecclesiae«. — Nicht von ungefähr war der zum Katholizismus konvertierten Jüdin Edith Stein die »Kreuzeswissenschaft« des Johannes vom Kreuz eine entscheidende Motivation dafür, den Weg in die ihr und ihrem jüdischen Volk bereitete Auschwitz-Qual zu gehen. »Erst wenn die Seele in tiefster Erniederung förmlich zu nichts geworden ist, kommt ihre geistige Vereinigung mit Gott zustande. ...Diese besteht einzig in einem Kreuzestod bei lebendigem Leibe...« (E. Stein, Band 1 ihrer gesammelten Werke, Freiburg 1954, S. 27).

Lit.: G. Ruhbach, J. v. K., TRE Band XVII, 1988, 134 ff. (ausführl. Lit.verzeichnis); — G. Schwab, Die sämtl. Schr. des Hl. J. v. K., 2 Bde., Sulzbach 1830; — W. Herbstrith (Hg.), J. v. K. Sprechen und Schweigen, München 1979; — I. Moossen, Das unselige Leben der »seligen« Edith Stein. Eine dokument. Biographie, Frankfurt/Main 1987; — W. Nigg, Große Heilige, Zürich 1946, 221 ff.

Paul Gerhard Aring

JOHANNES *von Kronstadt*, Ioann Kronštadtskij = Ivan/Ioann Il'ič Sergiev; Liturg, Prediger, Erzieher und Seelsorger. * 19./31. Okt. 1829 in Sura, Gebiet Archangel'sk als Sohn eines »Psalmensängers« (psalomščik) an der Nikolaj-Kirche in Sura, entstammt einer alten Priesterfamilie (s. etwa 1450), † 20. Dez. 1908/ 2. Jan. 1909 in Kronštadt. — I.K. besuchte zwischen 1839 und 1845 die Gemeindeschule (prichodskoe učilišče) in Archangel'sk. Größere Lernschwierigkeiten überschatteten diese Zeit und ließen ihn Zuflucht zum inbrünstigen Gebet nehmen, das seine Erhörung fand und ihn zum besten Schüler werden ließ, so daß er anschließend bis 1851 das Geistliche Seminar in Archangel'sk besuchen konnte. Wegen hervorragender Leistungen konnte I.K. bis 1855 an der Geistlichen Akademie Sankt Petersburg auf Staatskosten weiterstudieren. Hier erfuhr er die höchste Ausbildung, die ein Theologe im russischen Kaiserreich erhalten konnte. Kurz vor Ende seiner Studienzeit wurde ihm eine Priesterstelle an der Andreaskathedrale in Kronštadt angeboten, die er in der Überzeugung annahm, von Gott an diesen Platz gestellt zu sein; er war deshalb auch bereit, die Tochter seines Amtsvorgängers zu ehelichen. Dies schloß für I.K. sexuelle Enthaltsamkeit nicht aus. Nach seiner Eheschließung wurde er am 11. Nov. 1855 zum Diakon, am 12. Nov. 1855 durch Bischof Christofor von Vinnica in der Peter-Pauls-Kathedrale in St. Petersburg zum Priester geweiht. Gleich nach Antritt seines Dienstes in Kronštadt begann er mit dem Besuchsdienst in den Elendsvierteln der Stadt; seine ausgeprägte Liebe zu den Entkirchlichten in ihrer tiefen Verzweiflung trug bald ihre Früchte: Das Vertrauen dieser Menschen führte sie in die Göttliche Liturgie. Daß es zu Spannungen zwischen I.K., der Gemeinde und seinen Amtsbrüdern kam, darf nicht verwundern. Neben seinem Priesteramt erteilte I.K. zwischen 1857 und 1889 Religionsunterricht - erst an der Bezirksschule, ab 1862 am Gymnasium Kronštadt. Seit 1874 wurde sein Werk institutionalisiert: Der Fürsorge folgte ein »Haus der Arbeitsliebe«, das am 12. Okt. 1882 eröffnet werden konnte: Neben Arbeitsplätzen vermittelte es eine Berufsausbildung. Ein Nachtasyl (als Neubau) wurde 1888 errichtet, 1891 eine Pilgerherberge. Mit der Zeit wurde das »Haus der Arbeitsliebe« durch ein Waisenhaus, eine Kindertagesstätte, ein Armenhaus für Frauen, einen Volksspeiseraum und eine Verteilerstelle von Bekleidung jeglicher Art ergänzt. Diese umfassende Tätigkeit führte allmählich zur Wirksamkeit in ganz Rußland; neben vielen schriftlichen Anfragen führte ihn seit 1888 eine ausgedehnte Reisetätigkeit durch das russische Kaiserreich - u. a. nach Sura, Moskau, Simbirsk, Saratov, Kursk, Voronež, Chaŕkov und Odessa. Eigene Boote und Sonderwagen, die er als Geschenk erhalten hatte, standen ihm dafür zur Verfügung. Obwohl I.K. Mitglied des rechtsradikalen »Russischen Volksbundes« (sojuz Russkogo Naroda) war, enthielt er sich jeglicher politischen Stellungnahme. Die einzige Polemik focht er mit Lev N. Tolstoj und dessen Gefolgsmann Nikolaj S. Leskov aus. Erheblich mehr setzte ihm die Sektenbildung der »Ioannity« zu, die vom »Haus der Arbeitsliebe« ausging und in I.K. den neuen Christus sah: Vor I.K.s Bildern wurde die Liturgie abgehalten! Aber auch die Verehrung nahm schon zu Lebzeiten überhand: Sein Geburtshaus in Sura wurde zur Wallfahrtsstätte orthodoxer Christen ohnegleichen. Am Morgen des 20. Dez. 1908/2. Jan. 1909 verstarb der »Hirte aller Russen« (vserossijskij pastyŕ) in klarer Erwartung seines Endes. — I.K. erreichte schon zu Lebzeiten die höchste Rangstufe des Priesteramtes - er wurde Erzpriester mit dem Recht, eine Mitra zu tragen, und Glied des Heiligsten Sinods. Seine Bedeutung für die Russische Orthodoxe Kirche ist vielfältig: Die Wertschätzung des begnadeten Liturgen und Predigers reichte vom Erzieher und Seelsorger - er führte die Allgemeinbeichte im Gottesdienst ein! - bis zum Beter für Kranke und scharfsichtigen Menschen. Seine umfangreiche Erbauungsliteratur umfaßt v. a. Predigten und Tagebucheintragungen. — Nach einem langwierigen Entscheidungsprozeß wurde I.K. 1990 von der Russischen Orthodoxen Kirche (Moskauer Patriarchat) und 1964 von der Russischen Orthodoxen Kirche »im Ausland« (za rubežom) in den Heiligenkalender aufgenommen.

Werke: Moja žizń vo Christě ili minuty duchovnago trezvenija i sozercanija, blagogovejnago čuvstva, duševnago ispravlenija i pokoja v Bogě. Izvlečenie i dnevnika. 2 Bde. M 1894, Reprint Utica, N. Y. 1957; Slova i poučenija. 3 Bde. SPb 1897-99; Bogopoznanie i samopoznanie, priobretaemye iz opyta. SPb 1900; Christianskaja filosofija. SPb 1902; Mysli christianina o pokajanii i pričaščenii. Tallinn 1936; Mysli o Bogosluženii Pravoslavnoj Cerkvi. Iz dnevnika o. Ioanna Kronštadtskago. Jordanville, N. Y. 1954; Mein Leben in Christo. Aus dem Tagebuch. Bd I. Hochberg 1976; Mein Leben in Christo. Neue Folge. Rissen 1988; G. P.

Fedotov (Ed.): A Treasury of Russian Spirituality. London 1952, S. 350-416; W. J. Grisbrooke (Ed.): Spiritual Counsels of Father John of K. London 1967; Polnoe sobranie sočinenij /bis 1890/. 3 Bde. Kronštadt-SPb 1890-1892[1].

Lit.: Michail (Hrsg.), Otec Ioann Kronštadtskij. Polnaja biografija. SPb 1903; — Vospominanija ob otce Ioanne. SPb 1909; — Taisija (M. V. Solopova), Besedy otca protoiereja Ioanna. Petrograd 1915[2]; — A. I. Vitovič, Zapiski sudebnogo pristava po ochranitel'noj opisi imuščestva otca Ioanna Kronštadtskago. Petrograd 1915; — P. P. Levitskij, Protoierej Ioann II 'ič Sergiev Kronštadtskij: Nekotorye čerty iz ego žizni. Petrograd 1916; — V. T. Verchovcova, Vospominanija ob otce Ioanne Kronštadtskom ego duchovnoj dočeri. Sergiev Posad 1916; — Otec Ioann Kronštadtskij, ego žizń, podvigi, čudesa. Paris 1929; — G. V. Florovskij, Puti russkago bogoslovija. Paris 1937, 1982[2], S. 400 f.; — Pamjatuika ko dnju tridcatiletija smerti pastyrja zemli russkoj. o. Ioanna K. Paris 1938; — I.K. Surskij, Otec I.K. 2 Bde. Belgrad 1938-1941 (Repr.: Forestville 1979-1980); — S. Četverikov, Duchovnyj Oblik o. I.K. i ego pastyrskie zavety. Berlin 1939; — A. Nikolaevskij, Velikij pastyf zemli russkoj. München 1948; — A. A. Sollogub, O. Ioann K. Žizń, dejatel'nost', izbrannyja čudesa. Jordanville 1951; — A. Semenov-Tjan-Šanskij., O. Ioann K. New York 1955 (Engl.: Crestwood 1979); — S. V. Životovskij, Na sever s otcom Ioannom K. New York 1956; — P. M. Čižov, Otec I.K. Žizń, dejatel'nost' i končina dobrago pastyrja, velikago molitvennika i duchovnago svetil'nika Zemli Rossijskoj. Jordanville 1958; — P. Hauptmann, J. v. K. - »Der große Hirte des russischen Landes«. KiO 3/1960, 33-71; — N. Zernov, The Russian Religious Renaissance of the Twentieth Century. New York 1963; — K.I. Zaicev, Duchovnyj oblik Otca I.K. Jordanville 1964; — K. Chr. Felmy, Predigt im orthodoxen Rußland. Göttingen 1972; — L. A. Lassus, Jean de Cronstadt, prêtre de Dieu - ami des hommes. Contacts 94/1976, 143-154; — Venjamin (Hrsg.), Nebo na zemle. Učenie Sv. Prav. I.K o Božestvennoj Liturgii. Forestville 1978; — G. Vernadsky, Russian Historiography. Belmont/MA 1978; — Alexander, Father J. of K.: A Life. London 1979; — J. Besse, Saint Jean de Kronstadt, consolateur de la Russie. Contacts 115/1981, 171-173; — A. Selawry, J. v. K. Starez Rußlands. Basel 1981; — N. M. Nikol'skij, Istorija Russkoj Cerkvi. M 1983[3]; W. Goerdt, Russische Philosophie. Freiburg 1984; — A. E. Levitin-Krasnov, Narodnye svjatye v Rossii. Otec I.K. CMRS 29/1988, 455-470; — C. v. Tsurikov, Der hl. I.K.: Die Beteiligung der Kirche an den sozialen Aufgaben. In: 1000 Jahre Christliches Rußland. Zur Geschichte der Russischen Orthodoxen Kirche. Recklinghausen 1988, 355-357.

Wolfgang Heller

JOHANNES BAR KURSOS (auch: von Tella), Monophysit, * um 483 in Kallinikos (heute: Rakka, Syrien), † 538 in Antiochia. — J., der sich zur monophysitischen Christologie des Severus von Antiochia bekannte, trat, nachdem er als Soldat gedient hatte, in ein Kloster ein und wurde 519 Bischof von Tella im nördlichen Mesopotamien, mußte jedoch wegen der Verfolgung der Monophysiten durch Justin I. sein Bistum verlassen und zog sich in die Nähe von Mardin (Türkei) zurück. — Nachdem zu Beginn der Regierungszeit Justinians I. dogmatische Diskussionen in Konstantinopel abgehalten worden waren, an denen 533 auch J. teilnahm, kam es im Winter 536/537 zu zahlreichen Verhaftungen. J. wurde nach Antiochia gebracht, wo er 538 im Gefängnis starb. — J. war nicht nur ein strenger Verfechter des monophysitischen Glaubens, er trug auch zur Stabilisierung desselben bei. Die Ordinierung zahlloser Priester und die Weihe persischer Bischöfe wurde von ihm vorgenommen. — Vier der Werke J.s sind erhalten: ein Glaubensbekenntnis, gerichtet an die Mönche der Umgebung seines Bischofssitzes; 28 Kanones über die Liturgie an dieselben; 28 Kanones über die Eucharistie als Antwort auf einen gewissen Sergius und ein Kommentar des Trisagions. Jedoch sind nur die beiden Kanonsammlungen ediert worden.

Werke: Kanon-Sammlung über die Eucharistie. — Ausgaben: Th. Lamy, Dissertatio de Syrorum fide et disciplina in re eucharistia, Louvain 1859, 62-97 (lat.); — Kanon-Sammlungen über Eucharistie und Liturgie (Gesamtausgaben); C. Kuberozyk, Canones Johannis Bar Cursos, Tellae Mauzlatae episcopi, e codicibus syriacis parisiano et quattuor londensibus editi, Leipzig 1901 (lat.); F. Nau, Les canons et les résolutions canoniques de Rabbould, Jean de Tella etc., Paris 1906, 8-30 (frz.).

Lit.: Johannes von Ephesos, Lebensbeschr. östlicher Heiliger, PO XVIII, 1903, 513-526; — A. v. Roey, Les débuts de l'Église jacobite, in: Chalkedon II, 532-536; — Joseph R. Ghanem, The biography of John of Telle by Elias, Wisconsin, Diss. 1970; — Chevalier [2]II, 2499; — DThC Tables générales, 2450; — R. Duval, La littérature syriaque, Paris 1907, 359; — Baumstark, 174; — J. B. Chabot, Littérature syriaque, Paris 1934, 70-71; — Catholicisme VI, 574; — EC VI, 610; — Ortiz de Urbina, Patrologia Syriaca, Rom 1958, 152-153; — LThKV, 1007.

Barbara Hartmann

JOHANNES DE LAPIDE, OCart, Vertreter des deutschen Frühhumanismus am Oberrhein und bedeutender Prediger, * um 1430 in Stein (nördlich von Pforzheim), † 12.3. 1496 in Basel. — Der Familienname des J. wird meist mit Heynlin angegeben, doch kommen eine Reihe weiterer Schreibformen des Namens vor: Heynlein, Henelyn, Henlin, Hélin, Hemlin, Hegelin, Lapierre, de la Pierre, Steinlin, Lapidanus. — Seine Studien begann J. in Erfurt (1446-1448) und Leipzig (1448-1452); dort erwarb er Ende September 1450 das Baccalaureat in den Artes. Das überzeugende Auftreten des Wanderpredigers Johannes von Capestrano (s.d.) veranlaßte J. vermutlich zum Studium der Theologie. Er begab sich zunächst nach Löwen (1453), damals ein Zentrum des Realismus, und ging dann zum Weiterstudium ab Herbst 1453 nach Paris. Im Jahre 1455 wurde er dort Magister der Artes, 1462 Baccalaureus der Theologie. Von 1456 an war J. zwölfmal Prokurator der deutschen Nation, 1458/59 Rezeptor. An der Artistenfakultät hielt J. Vorlesungen über Aristoteles, Porphyrios und Gilbert de la Porrée und verfaßte Kommentare zu einzelnen Werken dieser Autoren, die er aber erst 1495 drucken ließ. Als Lehrer des J. in Paris verdienen besondere Erwähnung Lucas Desmoulin, Thomas von Courcelles und Petrus de Vancello. Zudem verkehrte er im Humanistenkreis um Gregorio Tifernas. Freunde waren u. a. Guillaume Fichet und Johannes Vergenhans Nauclerus, der spätere Kanzler der Universität Tübingen. Als Schüler sind v. a. Geiler von Kaysersberg, Matthias von Gengenbach und Ulrich Surgant, später noch Johannes Reuchlin, Rudolf Agricola, Johannes Wessel Gansfort und Johann Amerbach zu nennen. Im Jahre 1464 verließ J. für einige Zeit Paris, um in Basel am Aufbau der 1459 vom Papst Pius II. gegründeten Universität mitzuwirken. An der Formulierung der Statuten der Artistenfakultät war er maßgeblich beteiligt. Dabei war es ihm ein Anliegen, die via antiqua gegenüber der via moderna als gleichberechtigte Lehrmethode durchzusetzen. Für die Zeit von 1465-1467 fehlen eindeutige Lebenszeugnisse, doch gilt es als wahrscheinlich, daß sich J. in Mainz in der Gutenberg-Fust-Schöfferschen Offizin aufhielt, um sich der Herausgabe von Büchern zu widmen. Seit 1467 war er wieder in Paris, wo er Vorlesungen über die Sentenzen hielt. In den Jahren 1468 und 1470 war er Prior, 1469 Rektor der Sorbonne. Im Streit um den Löwener Theologen Heinrich von Zoemern gehörte J. zu den 24 Professoren der Pariser Universität, die sich für die Beibehaltung der via antiqua ausgesprochen hatten (1471). Dieses Gutachten führte u.

a. zu dem am 1.3. 1473 durch den französischen König Ludwig XI. ausgesprochenen Verbot nominalistischer Lehre, das allerdings zehn Jahre später wieder aufgehoben wurde. J. erwarb am 15.2. 1472 das Lizentiat, am 12.10. des gleichen Jahres das Doktorat der Theologie. Zusammen mit seinem Freund Fichet betrieb er in Paris eine private Druckerei, in der sie v. a. Werke antiker Autoren (Cicero, Sallust, Valerius Maximus) und von Humanisten (Laurentius Valla, Kardinal Bessarion, Fichet) veröffentlichten. Diese Druckerei bestand von 1472-1474 und gehörte zu den frühesten Druckereien in Paris. Im Jahre 1474 ging J. wieder nach Basel und wirkte dort als Prediger zunächst an der Kirche St. Theodor, dann an St. Peter, schließlich bei den Augustiner-Chorherren (Windesheimer Kapitel) an St. Leonhard. Er wandte sich zunehmend vom wissenschaftlichen Betrieb ab, um v. a. durch volkstümlich gehaltene Predigten auf eine innere Reform der Kirche und eine sittliche Besserung der Menschen hinzuarbeiten. Die Beziehung zu den Augustinermönchen dürfte dabei nicht ohne Einfluß auf seine diesbezügliche Entwicklung gewesen sein. In den Jahren 1476, 1478 und 1480 trat J. als Ablaßprediger in Bern auf, ohne sich allerdings fester an diese Stadt binden zu lassen. 1477/78 vertrat er etwa ein Jahr lang den durch Krankheit verhinderten W. Textoris als Prediger am Basler Münster. Durch den Einfluß seines Freundes Nauclerus und einem Ruf des Grafen Eberhard im Bart folgend ging J. 1478 nach Tübingen, um dort am Aufbau der ein Jahr zuvor gegründeten Universität mitzuwirken. Vom Oktober 1478 bis Mai 1479 war er Rektor der Universität, verließ diese aber schon kurze Zeit später, um, dem Wunsche des Markgrafen Christoph von Baden folgend, eine Stelle als Kustos und Thesaurarius am Chorherrenstift in Baden-Baden anzunehmen. Dazu gehörte auch die Seelsorge im Zisterzienserinnenkloster Lichtental. Während seines Aufenthaltes in Baden-Baden entstanden freundschaftliche Beziehungen zum Humanistenkreis am Oberrhein, besonders zu Hochberg, Molitoris und Schott. Im Jahre 1484 kehrte J. nach Basel zurück und wurde Prediger am Münster. Hier verstärkten sich die Beziehungen zu den Humanisten, nun v. a. zu seinem früheren Schüler Johann Amerbach, in dessen Druckerei er als Herausgeber und Berater mitwirkte. Im Unterschied zu seiner Verlegertätigkeit in Paris, wo er vorwiegend philosophische Werke zum Druck befördert hatte, wandte er sich nun hauptsächlich Werken des religiösen Schrifttums zu. Neben Ausgaben der Bibel, die er betreute, wirkte er als Herausgeber von Schriften der Kirchenväter (bes. Ambrosius und Augustinus) und veranstaltete eine Ausgabe von Predigten Meffrets, zu der er eigens eine Vorrede (Premonitio circa sermones de conceptione gloriose virginis Marie) verfaßte. Gegen Ende seines Lebens ist bei J. eine Vertiefung der religiösen Gesinnung, verbunden mit mystischen Elementen, festzustellen. Eine Folge davon war der Eintritt in das Karthäuserkloster St. Margaretental in Basel am 15.8. 1487. Der Bibliothek dieses Klosters schenkte er seine wertvolle Sammlung von 283 Büchern. Auch in der Abgeschiedenheit des Klosterlebens setzte J. seine vielfältigen Interessen fort, was die Eifersucht des Priors Jakob Lauber zur Folge hatte. Hier entstand sein meistverbreitetes Werk, das »Resolutorium dubiorum circa celebrationem missarum occurentium« für den Klerus, das seit 1492 mehrere Auflagen erlebte. — In seinem Denken steht J. noch fest auf dem Boden der mittelalterlichen Theologie. Gleichwohl erkannte er die Vorzüge der durch den Humanismus vermittelten neuen Weltanschauung und wurde so durch seine Vermittlerposition zwischen via antiqua und via moderna zu einem der Wegbereiter des Humanismus in Deutschland. Neben seiner wissenschaftlichen Tätigkeit ist sein Wirken als Prediger von besonderer Bedeutung. In Basel haben sich 1410 von ihm verfaßte Predigten handschriftlich erhalten. Diese sind zwar in lateinischer Sprache geschrieben, doch darf man davon ausgehen, daß J. auf deutsch gepredigt hat. Der Aufbau seiner Predigten ist einfach. Nach einem meist gereimten Spruch, der die Hauptgedanken der jeweiligen Predigt kurz und prägnant zusammenfaßt, folgen Begrüßung des Volkes oder ein kurzes Gebet und die Anrufung des göttlichen Beistandes. Im Zentrum der Predigt stehen dann die Wiederholung der Schriftlesung in deutscher Sprache, meist frei und deren Auslegung. Charakteristisch für J. sind die Verwendung von Rätseln und Anekdoten, Anspielungen auf Bräuche und bekannte Vorgänge in der Stadt, Gestaltung einzelner Ab-

schnitte in Dialogform und das Erzählen bilderreicher Gleichnisse. Die Predigten J.s zielen auf eine moralische Besserung des Volkes, die er durch Warnungen und Verheißungen zu erreichen sucht und die für ihn Teil der Reform der Kirche insgesamt ist.

Werke: Compendiosus de arte punctandi dialogus, in: Orthographia Clarissimi Oratoris Gasparini Bergomensis, 1470; Premonitio circa sermones de conceptione gloriose virginis Marie, in: Meffret, Sermones de tempore et de sanctis, 1488; Resolutorium dubiorum circa celebrationem missarum occurentium, 1492; Libri artis logicae Porphyrii et Aristotelis c. commento J. (Kommentare zu Werken des Aristoteles, Gilbert de la Porrée, Porphyrios), 1495; Zahlreiche unveröff. Manuskripte in der Universitätsbibliothek Basel.

Lit.: Johannes Trithemius, De scriptoribus ecclesiasticis, 1494; — Adumbratio eruditorum Basiliensium, 1780, 101-105; — Friedrich Fischer, JH, 1851; — Wilhelm Vischer, JH, genannt a Lapide, akad. Vortrag, Basel, 1851; — Ders., Gesch. d. Univ. Basel, 1860, 143 f.; — F. Zarncke (Hrsg.), Sebastian Brants Narrenschiff, 1854, XVI-XXI; — C. Prantl, Gesch. der Logik im Abendlande IV, 1870, 229 f.; — Ch. Schmidt, Histoire littéraire de l'Alsace à la fin du XVe siècle et au commencement du XVIe siècle I, 1879, 194; — J. Philippe, Origine de l'imprimerie à Paris, 1885; — Ders., Guillaume Fichet, 1892, 82-94; — Carl Christoph Bernoulli, Basels Klosterbibliotheken, in: Basler Jb., 1895; — Joh. Bernoulli, Die Kirchengemeinden Basels vor der Reformation, ebd.; — Denifle/Chatelain, Auctarium Chartularii Universitatis Parisiensis. Liber receptarum nationis Alemanniae II, 1897, 903. 907. 913. 916. 917. 921; — P. Feret, La faculté de théologie de Paris et ses docteurs les plus celèbres IV, 1897, 162-164; — J. Hürbin, Peter von Andlau, 1897; — A. Claudin, The first Paris press. An account of the books printed for G. Fichet and JH. in the Sorbonne 1470-72, 1898, 35-37; — A. Franz, Die Messe im dt. MA, 1902, 558 f.; — P. Champion, Les plus anciens monuments de la typographie parisienne, 1904, 1. 2. 50. 59. 86; — Heinrich Hermelink, Die theol. Fakultät in Tübingen vor der Reformation 1477-1534, 1906, 191 ff.; — Ders., Die Matrikeln der Universität Tübingen I, 1906, 21 f.; — M. Hoßfeld, J. aus Stein, in: Basler Zeitschr. für Gesch. und Altertumskunde VI, 1907, 309-356; VII, 1908. 79-219. 235-431; — Ders., Der »Compendiosus dialogus de arte punctandi« und sein Verfasser JH., in: ZBlfBibl XXV, 1908, 161-165; — Johannes Haller, Die Anfänge der Universität Tübingen I, 1927, 19-25. 129 ff.; II, 1929, 5 ff.. 43 ff.; — E. Stolz, Die Patrone der Universität Tübingen und ihrer Fakultäten, in: ThQ CVIII, 1927, 9-11. 37-49; — H. v. Greyerz, Ablaßpredigten des JH., in: Archiv des Historischen Vereins des Kantons Bern XXXII, 1933, 113-171; — Ders., Studien zur Kulturgesch. der Stadt Bern, in: Archiv des historischen Vereins des Kantons Bern XXXV, 1940, 177 ff.; — M. Burckhardt, J., in: Schweizer Sammler XVI, 1942, 29 ff.; — O. Trost, Der Geburtsort des J., in: ZGORh NF LV, 1942; — F. Landmann, Zur Gesch. der oberelsässischen Predigt in der Jugendzeit Geilers von Kaysersberg, in: Archives de l'Église d'Alsace N.S. I, 1946; II, 1947/48; III, 1949/50; — Matrikeln der Universität Basel I, 1951; — F. Luchsinger, Der

Basler Buchdruck als Vermittler italienischen Geistes, in: Basler Beiträge zur Geschichtswissenschaft XLV, 1953, 11 ff.; — J. Monfrin, Les lectures de G. Fichet et de JH. d'après le registre de Prêt de la Bibl. de la Sorbonne, in: Bibl. d'Humanisme et Renaissance XVII, 1955,7-23. 145-153; — Edgar Bonjour, Die Universität Basel von den Anfängen bis zur Gegenwart, 1960, 66 ff.; — F. Sander, JH. von Stein, in: Pforzheimer Geschichtsblätter I, 1961; — Jöcher II, 2276; — ADB XII, 379; — NDB IX, 98-100; — VerfLex II, 434-440; V, 409 f.; — DThC VI, 2354-2358; — LThK ²V, 1055; — RE VIII, 36-38; — RGG ³III, 311 f.

Hans-Josef Olszewsky

JOHANNES Baptist de La Salle, Priester, Erzieher und Ordensstifter, * 30.4. 1651 in Reims, † 7.4. 1719 in Rouen. — J. kommt aus einer Familie von Juristen, die dem Adel angehört. Sein geistlicher Berater, der die Not des einfachen Volkes früh selbst kennengelernt hatte, gewann ihn für das Anliegen der Erziehung Jugendlicher. J. gab seine Stelle als Domherr samt der dazugehörigen Pfründe auf und rief die Genossenschaft der Brüder der christlichen Freischulen ins Leben. Sie gründeten Sonntagsschulen, Erziehungsanstalten für verwahrloste Jugendliche sowie Lehrerseminare. J. und seine Brüder gehen pädagogisch neue Wege: Der Unterricht ist situations- und lebensnah, der Einzelunterricht wird durch Klassenunterricht abgelöst u. a. m. Es hat seine inneren Gründe, wenn der 1900 heilig gesprochene J. zum Patron des Lehrerstandes erklärt wurde.

Werke: Regeln der Brüder der christl. Schulen (dt.: Wien 1903); Leitung christl. Schulen (dt.: Freiburg 1911); Regeln des Wohlverhaltens und der christl. Höflichkeit (dt.: Straßburg 1910).

Lit.: P. Paltram, Die Pädagogik des hl. J. B. de L. S. und der christl. Schulbrüder, 1911; — F. Brug, Der hl. J. und seine pädagog. Stiftung, Regensburg 1919; — J. Waltert, Die Erziehungsprinzipien von J. (Diss. Freiburg 1925); — G. Rigault, Histoire générale de l'Institut des Frères des écoles chrétiennes, 9 vol., Paris 1937-53; — LThK V, 1055 f.

Harald Wagner

JOHANNES LEONARDI, Hl. und Ordensgründer, * 1541 o. 1543 in Diecimo (bei Lucca/Toscana), † 9.10. 1609 zu Rom. — Er war erst Apothekergehilfe, studierte später Theologie und wurde 1573 zum Priester geweiht. Mit gro-

ßem Eifer war J.L. zu Lucca in Spitälern, Gefängnissen, durch Erteilung von Religionsunterricht, Predigen und Beichthören tätig. Zur Erziehung der Jugend gründete er die »Bruderschaft der christlichen Lehre«, 1574 die »Kongregation reformierter Priester«, die später in »Regularkleriker der Mutter Gottes« umbenannt wurde (auch »Leonardini« genannt; 1583 kanonische Errichtung durch den Ortsbischof, päpstl. Bestätigung 1593, 1614-1617 kam es zu einer kurzfristigen Vereinigung mit den Piaristen des hl. Joseph von Calasanza. Seit 1621 Orden, dehnte sich die Gründung Leonardis als rel. Genossenschaft für Selbstheiligung, Seelsorge und Armenschulunterricht bes. in It. und Sizilien aus, ging im 18. und 19. Jh. aber stark zurück). Bald verlegte J.L. die Leitung wegen ständiger starker Anfeindungen in Lucca nach Rom. Von dort aus, wo er auch das Spital- und Schulwesen förderte und v. der Kurie wichtige Aufträge erhielt, leitete er seine Gründung zeitlebens. 1592 war er als päpstlicher Beauftragter in Neapel; Papst Clemens VIII. übertrug ihm die Reform und Visitation mehrerer Orden: u. a. 1596/97 der Wilhelmiten (Kongregation von Monte Vergine) u. 1601 der Vallombrosaner. 1603 gründete er zusammen mit Juan Battista Vives in Rom ein Kolleg zur Ausbildung von Missionaren (Vorläufer des 1627 von Papst Urban VIII. errichteten Missionskollegs »Propaganda fide«). Begraben ist er in S. Maria in Campitelli in Rom. 1861 selig-, am 17.4. 1938 heiliggesprochen. Fest: 9.10. — Im Kontext der kath. Reform liegen seine Verdienste im Bereich der Bildung und der schulischen Erziehung der Jugend und außerdem in der Reform von Seelsorge, Klerus und Orden.

Werke: Dottrina cristiana da insegnarsi dalli curati nelle loro parrochie a' fanciulli della città di Lucca e sua dioecesi. 1574; Instituzione d' una famiglia cristiana. 1591 (1642, 1673, 1861); Trattato del vano ornamento delle donne. 1593 (1594, 1673, 1862); Trattato della buona educazione de' figliuoli. 1594 (1862); Narrazione della miraculosa imagine della B. Virgine... di S. Maria in Portico di Roma. 1605 (1656, 1673); Memoriale alle donne maritate per vivere virtuosamente co'loro mariti. 1607 (1673, 1737). — Bibliographie: DSp VIII, 610 (auch Verweis auf nicht edierte Werke).

Lit.: Fr. Leonardi, Breve relazione della vita e morte del. Ven. P. G.L. 1652; — Ludovico Marracci, Vita del Ven. P. G.L., lucchese. 1673; — Helyot IV, 252-263; — dt.: Hippolyt Helyot, Ausführliche Geschichte aller geistl. und weltl. Klöster u. Ritterorden für beyderlei Geschlecht. IV, 1754, 297-

310; — ebd. V., 363; — C. A. Evra, Vita di G.L. 1758; — A. Bianchini, Vita del beato G.L. Rom 1861; — A. Guerra, La vita del beato G.L. 1895; — E. Lazzareschi, Regolamento generale della compagnia fondata del B. G.L. 1907; — ders., L'insegnamento della Dottrina cristiana in Lucca. 1909; — S. Bongi, Compendio cronologico della vita del b. G.L. 1909; — v. Pastor IX, 89, 139/XI, 429-431; — L. Ponnelle/L. Bordet, S. Philippe Neri. 1928, 553; — Anonymus (= Francesco Ferraironi) S. G.L. fondatore dei Chierici regolari della Madre de Dio. 1938; — Francesco Ferraironi, S. G.L. è Propaganda fide. 1938; — ders., S. G.L., confondatore di »Propaganda Fide«. In: Rivista italiana di Storia delle Missionari 1, 1938, 11-27; — ders., Tre secoli di storia dell' Ordine della Madre di Dio. 1939; — AAS 30, 1938, 369-380; — Breviarium Romanum. Die 9. Octobris. S. Joannis Leonardi Confessoris. Leipzig 1953; — Vittorio Pascucci, S. G.L. Un protagonista della spiritualità del XVI secolo. 1963; — N.D.'Amato, S. J.L., Confessor, Fundator Clericorum Regularium a Matre Dei ejusque opera ad Fidem in gentibus propagandam. 1966; — J. Metzler (Hg.), Sacrae Congregationis de Propaganda Fide Memoria rerum. 350 Jahre im Dienst der Weltmission. 1622-1972. I, 1971, 76 f; — Wetzer-Welte VI, 1709 f; — Doyé I, 598; — EItal XVII, 248; — LThK¹ V, 512; — LThK² V, 1056; — Heimbucher II, 113 f; — Catholicisme II, 1215; — EC VI, 630 f; — Vies des Saints et des bienheureux selon l'ordre du calendrier avec l'historique des fêtes par les RR. PP. Bénédictins de Paris. X, 1952, 302-305; — DE II, 148; — DSp VIII, 607-614; — BS VI, 1033-1039; — David H. Farmer, The Oxford Dictionary of Saints. 1979², 245; — Peter Manns, Art. »J.L.« In: ders. (Hg.), Die Hll. Alle Biographien zum Regionalkalender für das dt. Sprachgebiet. 1979⁴, 476-478; — Otto Wimmer/Hartmann Melzer, Lexikon der Namen und Hll. 1984⁵, 438. — Bibliografie: H. Helyot (dt. Ausgabe, s.o.) IV, 310; — Vies des Saints (s.o.), 305; — DSp VIII, 613 f (auch Literatur zum Orden).

Klaus-Berward Springer

JOHANNES LICCI (Giovanni Liccio), OP, sel., bed. Prediger des Dominikanerordens in Sizilien, * Mitte April 1426 (?) in Caccamo (ca. 30 km östl. v. Palermo), † 14.11. 1511 ebd. — Das Geburtsjahr JL's ist nicht bekannt. Durch die schon früh einsetzende Legendenbildung kam es bald zu der Behauptung, JL sei im Jahre 1400 geboren, also 111 Jahre alt geworden. Eine andere Meinung erklärte das Jahr 1446 als Geburtsjahr. Neuere Forschungen von Mitgliedern des Dominikanerordens lassen ein Geburtsjahr zwischen 1426 und 1434 als wahrscheinlich gelten. — Der möglicherweise schon bald verwaiste Knabe soll sich bereits in jungen Jahren durch eine nicht alltägliche Frömmigkeit ausgezeichnet haben. So wird berichtet, daß er die Wochentage Mittwoch und Freitag weitgehend im Gebet verbracht habe. Um das Jahr 1442 trat JL in den Konvent S. Zita in Palermo ein. Seit 1456 wirkte er zunehmend als Prediger in der Öffentlichkeit, zuerst in Palermo in S. Domenico, dann in S. Zita. Im Jahre 1466 wurde er, zusammen mit Matteo Carreri, als Prediger nach Vicenza an die Kirche S. Corona gesandt, wo er zwei Jahre blieb. 1469 gründete JL in Polizzi Generosa das Kloster Spirito Santo. Um das Jahr 1471 kehrte er nach Palermo zurück und wirkte anfangs in S. Zita, später wieder in S. Domenico. Per Dekret vom 4. August 1479 wurde er als Prediger an das Kloster S. Domenico in Neapel berufen, aber schon 1481 kehrte er wieder nach S. Domenico in Palermo zurück. Im Jahre 1487 gründete JL den Konvent S. Maria degli Angeli in Caccamo, seinem Geburtsort, Baubeginn war der 8. Mai. Am 24. Mai 1494 wurde er zum ersten Prior und Novizienmeister dort bestimmt. Um das Jahr 1497 erfolgte dann die Gründung eines Klosters, das den Namen Santa Maria della Raccomandata bekam. Vom 3. Oktober 1497 bis Ende Januar 1498 übte JL das Amt eines Leiters der Ordensprovinz Sizilien aus, unter anderem mit dem Auftrag, die Klöster in Augusta und Taormina zu reformieren. Etwa 1501 kehrte JL endgültig nach Caccamo zurück, wo neben seiner weiteren Predigttätigkeit auch eine Reihe von Wunderheilungen bezeugt sind. Schon bald nach seinem Tod wurde in Rom der Prozeß der Kanonisation betrieben (seit 1555). Zu diesem Zweck verfaßte Antonio Faso in den Jahren 1556-58 eine erste Lebensbeschreibung, die heute in der Stadtbibliothek von Palermo aufbewahrt wird. Aber schon 1559, nach dem Tod des Papstes Paul IV. (s.d.), wurde der Prozeß unterbrochen und die ganze Angelegenheit geriet in Vergessenheit. Erst im Jahre 1746 wurde auf Betreiben des Generaloberen des Dominikanerordens der Kanonisationsprozeß wieder aufgenommen und am 18. Juli 1750 mit positivem Ergebnis abgeschlossen. Am 25. April 1753 hat Papst Benedikt XIV. (s.d.) die Seligsprechung vollzogen. — Für das religiöse Leben des Ordens war JL eine wertvolle Bereicherung. Aufgrund seines integren Lebenswandels war keiner so wie er geeignet, im nicht gerade sittenstrengen 15. Jhdt. eine Reform des Ordens zu betreiben und zur moralischen Bildung des Volkes durch Predigten beizutragen. Die tiefe Verehrung, die er schon zu Lebzeiten genoß, wird vor allem auch durch die Berichte von Wunderheilungen bezeugt. Im Volk ist die Erinnerung an ihn bis zum heutigen Tage lebendig geblieben.

Lit.: Antonio Senese, Chronica Ordinis Praedicatorum, 1585; — Michele Piò, Degli Uomini Illustri di S. Domenico, 1607; — Maurizio di Gregorio, Isola di Sicilia Beata di S. Domenico, cioè Compendio delle vite dei frati singolari Beati di Sicilia dell' Ordine di detto Santo, 1611; — Ottavio Gaetani, Idea Operis de Vitis Siculorum Sanctorum, 1617; — Juan López, Historia de los Santos canonizados y beatificados de la Orden de Predicadores, 1622 (ital. 1662); — Domenico Marchese, Sacro Diario Domenicano VI, 1681, 52-56; — Etienne-Thomas Souèges, Année dominicaine, 1684-1693; — Agostino Inveges da Sciacca, Della Cartagine Siciliana, 1709; — Manuel de Lima, Angiologio Dominico IV, 1712, 408-412; — Biagio M. Abos, Orazione panegirica in onore del B. GL, 1753; — Evangelista da Marsala, Oraz. pan. II, 1753; — Giuseppe Antonio Carabella, Oraz. pan. III, 1753; Gioseffo Lombardo e Lazio, Oraz. pan., 1754; — Vincenzo Aurelio Bellotti, La storia della vita del B. GL, 1754; — Vito Amico, Lexicon Siculum, 1757; — Michele Ponte, Vita del B. GL, 1853; — R. F. Rohrbacher, Storia universale della Chiesa XI, 1859, 620; — Meditations sur la vie et les vertus des saints et des Bienheureux de l' Ordre de S. Dominique, 1859, 342 f; — Jacques-Marie Trichaud, La Religieuse dominicaine en retraite, 1872 (ital. 1882); — Domenico Ponsi, Sacro Diario Domenicano, 1873; — Acta Capit. Gen. O. P. IX, 1904, 157. 229. 230. 259; — Année Dominicaine (Nov. I), 1906, 496-506; — Giovanni Barreca, Vita del B. GL da Caccamo, 1911 (1926[2], 1953[3]); — Martyriologium S. Ordinis Fr. Praedicatorum, 1925; Matteo Angelo Coniglione, Il B. GL da Caccamo, 1932 (1980[2]); — Ders., La Provincia Domenicana di Sicilia, 1937; — MOP XIV, 1935; — Baudot-Chaussin, Vies de Saints XI, 1935-56, 446 f; — Francesco Castelluzzo, Il B. GL da Caccamo, 1946; — Bibliotheca Sanctorum VIII, 1966, 33-36.

Hans-Josef Olszewsky

JOHANNES *von Lichtenberg*, Astrologe, * in der 1. Hälfte des 15. Jahrhunderts in Grünbach bei der Burg Lichtenberg in der Pfalz, † Anfang März 1503. — J. wurde meist »der Lichtenberger« genannt, daneben kam aber auch die latinisierte Namensform »Claromontanus« oder »de claro monte« vor. Er selbst nannte sich, wenigstens in den ersten Druckausgaben seines Werks, Peregrinus Ruth. Eigentlich hieß er, wie neuere Forschungen ergeben haben, Johannes Grümbach. Dieser Name deutet auf eine Herkunft aus dem Ort Grünbach in der Nähe der Burg und Herrschaft Lichtenberg in der Pfalz hin. In einigen Dokumenten wurde er auch Bey-

moldern genannt, wohl nach dem Ort Baumholder nahe Grünbach. Damit ist die bisherige Meinung, J. sei in Lichtenberg im Elsaß geboren, hinfällig. Der Beginn seiner Laufbahn als Astronom und Astrologe dürfte in das Jahr 1468 fallen. Damals hat er Berechnungen für den am 22. September erschienenen Kometen aufgezeichnet. Da J. in seinem 1488 erstmals gedruckten Werk »Pronosticatio« auf eine zwanzigjährige Tätigkeit zurückblickt, wird diese Arbeit vielleicht seine erste gewesen sein. Danach erstellte er astrologische Daten für einige Fürsten in Deutschland. Im Jahr 1471 verfaßte er ein Horoskop für den Herzog Ludwig den Reichen von Bayern-Landshut, bald danach wurde er Hofastrologe des Kaisers Friedrich III. Aus den folgenden Jahren, die wohl zu den erfolgreichsten seines Lebens gehören, haben sich einige astronomische und astrologische Aufzeichnungen erhalten, so eine Deutung der Erscheinung eines Kometen im Jahr 1472 für Köln, eine Deutung der Coniunctio Saturni et Martis aus dem Jahre 1473 und ein Horoskop der Neusser Fehde für das Jahr 1474. Danach scheint der Stern J.s verblaßt zu sein, denn er verließ den Hof des Kaisers und wurde Pfarrer in Brambach. Da im März 1503 diese Stelle neu besetzt wurde, in der erhaltenen Urkunde heißt es ausdrücklich wegen Tod des Vorgängers, muß er kurz zuvor gestorben sein. Aus alten Aufzeichnungen geht außerdem hervor, daß er in Otterstadt bei Speyer begraben wurde. — Seine Popularität verdankte J. seinem 1488 zum ersten Mal gedruckten Werk Pronosticatio, das auch unter dem Titel Practica astrologica (so erstmals 1494) erschienen ist. Diese Schrift enthält eine Sammlung von Prophezeiungen auf die nahe und fernere Zukunft. Unter den zahlreichen zeitgenössischen Prognostiken war diejenige von J. die bekannteste und beliebteste, sie wurde daher auch in wiederholten Auflagen und verschiedenen Sprachen, 1492 etwa erschien eine italienische Übersetzung, gedruckt und verbreitet. Allein vor dem Jahr 1500 gab es mindestens neun Ausgaben. Im Jahr 1527 erschien in Wittenberg eine Ausgabe in deutscher Sprache, zu der Martin Luther eine ausführliche Vorrede verfaßt hatte. J.s Werk diente auch als Vorbild für eine Reihe weiterer Sammlungen von Vorhersagen in den folgenden Jahrhunderten.

Werke: Pronosticatio, 1488 (im gleichen Jahr erschienen sowohl eine lat. als auch eine dt. Ausgabe); Druck unter dem Titel Practica astrologica, 1494. — Bibliogr.: Hain 10080-10089.

Lit.: Georg Spalatin, Eines Mathematici Urteil von den ggw. und zukünftigen zeiten, 1521, in: M. J. E. Kapp, Kleine Nachlese einiger, grössten Theils noch ungedruckter ... Urkunden I, 1727, Nr. 26; — Kilian Leib, Gründtliche anzaygung und bericht, auss was ursachen ... ketzereyen ... erwachsen sind, 1552; Tentzel, Monatl. Unterredungen einiger guter Freunde, 1689, 844, 978; — S. S. Roth, Nachr. von einem im Jahre 1527 gedr. merkwürdigen Büchlein (von J. L.), in: Neuer Lit. Anzeiger II, 1807, 314 f.; — Emil Weller, Alte hist. Prophezeiungen, in: Anz. f. Kunde der dt. Vorzeit, Neue Folge VII, 1860; — Ders., Repertorium typographicum. Die dt. Lit. im ersten Viertel des 16. Jh.s, 1864, 424; — Ders., Scherzkalender und Spottpraktiken, in: Serapeum XXVI, 1865, 236 ff.; — Johann Georg Theodor Graesse, Trésor de livres rares et précieux ou nouveau dictionnaire bibliographique IV, 1863, 203-205; — Johann Friedrich, Astrologie und Reformation, 1864, 45; — Rochus von Liliencron, Die hist. Volkslieder der Dt. vom 13.-16. Jh., II, 1866, 42-58; — Charles Guillaume Adolphe Schmidt, Histoire littéraire de l'Alsace I, 1879, XXVIII f.; — Ders., Zur Gesch. der ältesten Bibliotheken und der ersten Buchdrucker zu Straßburg, 1882, 120; — G. Hellmann, Repertorium der dt. Metereologie 1883, Sp. 291, 608 f.; — Ders. (Hrsg.), Wetterprognosen und Wetterberichte des XV. u. XVI. Jh.s, 1899; — Friedrich von Bezold, Zur dt. Kaisersage, in: SAM, 1884, 596-599; — Karl Sudhoff, Bibliographia Paracelsica, 1894, 12 f., 39, 42 f., 131, 408, 629 f.; — F. Lauchert, Materialien zur Gesch. der Kaiserprophetie im MA, in: HJ XIX, 1898, 844-872; — J. Rohr, Die Prophetie im letzten Jh. vor der Reformation als Gesch.quelle und Gesch.faktor, in: HJ XIX, 1898, 29-56, 547-566; — J. Hansen, Quellen und Untersuchungen zur Gesch. des Hexenwahns und der Hexenverfolgung im MA, 1901, 504; — A. Warburg, Heidnisch-antike Weissagung in Wort und Bild zu Luthers Zeit, in: SAH, 1919 (wiederabgedr. in: Ders., Ausgew. Schriften und Würdigungen, 1980², 199-309); — E. Zinner, Verzeichnis der astronomischen Hss. des dt. Kulturgebiets, 1925, Nm. 6479, 6481-6484, 7320; — Wolfgang Stammler, Von der Mystik zum Barock, 1927, 303; — Gustav Braunsperger, Btrr. zur Gesch. der Astrologie in der Blütezeit vom 15.-17. Jh., Diss. München, 1928; — D. Fava, La fortuna del pronostico di G. L. in Italia nel quattrocento e nel cinquecento, in: Gutenberg-Jb. V, 1930, 126-148; — Willy Andreas, Dtld. vor der Reformation, 1932; — E. Donckel, Studien über die Prophezeiung des Fr. Telesforus von Cosenza, O.F.M. (1365-1386), 1933 (auch in: AFrH XXVI, 1933, 29-104); — L. Thorndike, A History of Magic and Experimental Science IV, 1934 (1966⁴, 473-480); — Walter Haarbeck, J. L. Astronomus, in: Saarpfälzische Abhh. zur Landes- und Volksforschung III, 1939, 152-171; — Will-Erich Peuckert, Die große Wende, 1948, 103-110; — Otto Deneke, L.s Ahnen, 1950; — Arthur Hübscher, Die große Weissagung. Texte, Gesch. und Deutung der Prophezeiungen von den bibl. Propheten bis auf unsere Zeit, 1952, 31 f., 34, 131, 140-142, 146-150, 175, 189, 191; — Dietrich Kurze, J. L. Leben und Werk eines spätma. Astrologen, Diss. Berlin, 1955, Teilabdruck in: AKultG XXXVIII, 1956, 328-343; — Ders., Prophecy and History. L.s Forecasts of Events to Come, in: Journal of the Warburg and Courtauild Institutes XXI, 1958, 63-85; — Ders., J. L. († 1503). Eine Studie zur Gesch. der Prophetie und Astrologie, 1960 (= HStud 379); — M. Reeves, The Influence of Prophecy in the Later Middle Ages, 1969; — Hans Rupprich, Die dt. Lit. vom späten MA bis zum Barock, 1970, 353, 362, 369, 678 (= Helmut de Boor/Richard Newald, Gesch. der dt. Lit. von den Anfängen bis zur Ggw. IV/1); — P. Zambelli, Fine del mondo o inizio della propaganda? Astrologia, filosofia della storia e propaganda politico-religiosa nell dibattito sulla coniunzione del 1524, in: Scienze, credenze occulte, livelli di cultura, Conv. inter. di studi (Firenze 26.-30. giugno 1980), 1982, 291-368; — Jöcher II, 1928 f.; — NBG XXXI, 141 f.; — ADB XVIII, 538-542; — Wetzer-Welte I, 1527; VI, 1711; — LThK ²V, 1057.

Hans-Josef Olszewsky

JOHANNES PICARDI *von Lichtenberg*, Dominikaner, Magister der Theologie. Genaues Geburts- und Todesdatum unbekannt. — J.P. erscheint 1303 als Provinzialdiffinitor und Lesemeister des Studium generale der Dominikaner in Köln. Danach weilte er offensichtlich in Paris, denn er wird 1308 als baccalaureus Parisiensis bezeichnet. Dort las er wohl die Sentenzen in thomistischer Prägung. 1308 wurde Vikar der teutonischen Dominikanerprovinz, im Herbst des gleichen Jahres zum Provinzial gewählt. Im Sommer 1310 sandte ihn das Generalkapitel als Lehrer nach Paris, dort erfolgte am 3.1. 1310 die Promotion zum Magister der Theologie. 1311 erscheint er als Ratgeber im Gefolge Kaiser Heinrichs VII. in Italien, stand vielleicht noch bis ins nächste Jahr in dessen Diensten. Von Papst Clemens V. wurde er in Avignon am 4. Apr. 1313 zum Bischof von Regensburg ernannt. Da aber das Domkapitel vor der Anspruchnahme der päpstl. Reservation eine rechtsgültige Wahl vollzogen hatte, mußte die Ernennung des J.P. aufgehoben werden. Nach diesem Zeitpunkt fehlen weitere Belege für J.P. — Seine Lehrtätigkeit stand unter dem Einfluß des Thomismus. Seine Quaestiones disputatae weisen zahlreiche Thomasziate auf. In den Quaestiones liegt zudem die erste komplette Sammlung für das Kölner Studium vor, ein wichtiges Zeugnis für die deutsche Dominikanerschule.

Werke: Quaestiones disputatae, Vat. Lat. 859, f. 151r-182v, ed: W. Senko, J.P. de L. quaestio disputata de esse et essentia ex codice 748 Bibliothecae Jagellonicae, Medievalia Philosophica Polonorum 8 (1961) 3-28. — Ungedruckt: Quaestiones super sententias, Sermones, Spruch. Hs. aufgeführt bei Sturlese, Verf. Lexkon 4, Sp.- 709 f.

Lit: A. Landgraf, J.P. de L O. Praed. und seine Quaestiones disputatae, ZKTH 46 (1922) 510-555; — M. Grabmann, Forschung zur ältesten deutschen Thomistenschule des Dominikanerordens, in: Ders., Mittelalterliches Geistesleben 1 (1926) 410-420; — A. Fries, Cod. Vat. Lat. 1114 und der Sentenzenkommentar des J.P.v.L. OP, AFP 7 (1937) 305-319; — G. Löhr, Die Kölner Dominikanerschule vom 14. bis zum 16. Jahrhundert (1948) 41f.; — B. Decker, Die Gotteslehre des J. v. Metz, Beitr. z. Geschichte d,. Philosophie und Theologie des Mittelalters 17, 1, 1967, S. 609; — A. Pattin, in: Bulletin de Philosophie medievale 13 (1971) 88f.; — T. Kaepelli O.P., Scriptores Ordinis Praedicatorum Medii Aevi 2 (1975) 527f.; — L. Sturlese, Albert der Große und die deutsche philosophische Kultur des Mittelalters, Freiburger Zs. f. Philosophie und Theologie 28 (1981) 133-147; — L. Sturlese, Idea di un Corpus Philosophorum Teutonicorum Medii Aevi, SM 25 (1984) 459-465; — LThK V, 1056f.

Lothar Kolmer

JOHANNES *von Lodi*, Heiliger, Eremit und Bischof, * in Lodi um 1040, † 7.9. 1105 in Gubbio. — Über die Familie des J. existieren keine Nachrichten. J. selbst erfuhr eine Ausbildung in den Artes liberales, nach der er sich bald vom weltlichen Leben zurückzog. Wahrscheinlich 1059 machte J. die Bekanntschaft des Eremiten und Kirchenreformers Petrus Damiani (s.d.), dem er wohl kurz danach in die Einsiedelei Fonte Avellana folgte. Er wurde bald ein enger Vertrauter Damianis und begleitete ihn auch auf seinen Reisen. 1082 wurde J. zum Prior von Fonte Avellana gewählt. Er zeichnete sich vor allem durch strenge persönliche Lebensführung und großen Einsatz für Bedürftige aus, insbesondere während einer Hungersnot, die 1084/85 in der Gegend um Fonte Avellana herrschte. Gegen Ende des Jahres 1104 wurde J. zum Bischof von Gubbio gewählt. Während seines kurzen Episkopats bemühte er sich um die Reformierung von S. Mariano in Gubbio. Dazu holte er den jungen Ubaldo, den späteren Lokalheiligen, in die Stadt. Außerdem trug er zur Beendigung des Schismas zwischen den Kirchen von Parma und Rom bei. — Die Bedeutung des J. liegt vor allem in seiner Beziehung zu Petrus Damiani. Zwischen 1076 und 1082 verfaßte J. die Vita des 1072 gestorbenen Petrus Damiani. Daneben stellte er die sogenannten »Collecta-

nea« zusammen, ein Verzeichnis aller in den Werken Damianis behandelten Bibelzitate. Das Autograph existiert heute noch, der Cod. Vat. lat. 4930. — Ebenso stammen Teile des Cod. Vat. lat. 3797, einer der ältesten Sammlungen der Briefe des Petrus Damiani von seiner Hand. Briefe von J. sind nicht mehr erhalten. — Schon bald nach seinem Tod erfuhr J. Verehrung als Heiliger. Der Vita nach wurde er bereits von Paschalis II. (1099-1118) kanonisiert. Sein Grab befindet sich in der Kathedrale von Gubbio. Fest: 7. September.

Werke: Vita Petri Damiani PL 144, 113-146; Collectanea Veteris et Novi Testamenti PL 145, 891-910, 985-1184.

Lit.: Vita I Gubbio, Archivio Storico, Arch. Armanni II C 2 fol. 289ʳ-292ᵛ, AA. SS. Sept. III (1750), 161-170; — Vita II Gubbio, Archivio Storico, Arch. Armanni II D 30 fol. 44-51, AA. SS. Sept. III (1750), 171-174; — D. Lodi, Vita di s. Giovanni da Lodi, 1614; — Mauro Sarti, La vita di s. Giovanni da Lodi ... tratta da un antichissimo codice, 1748; — Ders., De Episcopis Eugubinis, 1755; — Alberto Gibelli, Monografia dell'antico monasterio di S. Croce di Fonte Avellana. I suoi priori ed abbati, 1896; — Giovanni Mercati, Opere Minori, II, 1897-1906. Nachdruck in: Studi e Testi 77, 1937; — Pio Cenci, Vita di San Giovanni di Lodi, 1906; — Umberto Pesci, I vescovi di Gubbio, 1918; — Alfons M. Zimmermann, J. v. L., in: Kalendarium Benedictinum, III, 1937, 25, 27; — Kurt Reindel, Studien zur Überlieferung der Werke des Petrus Damiani, in: DA 15 (1959), 23-102; — Carte di Fonte Avellana hg. von Celestino Pierucci und Alberto Polverari (Thesaurus ecclesiarum Italiae IX, 1), 1972; — Giovanni Lucchesi, Giovanni da Lodi »Il discepolo«, in: San Pier Damiano. Nel IX centenario della morte (1072-1972), IV. Cesena. Centro Studi e ricerche sulla antica provincia ecclesiastica Ravennate, 1978, 7-66; — Eugenio Massa, Paolo Giustiniani e gli antichi manoscritti avellanesi di San Pier Damiano, in: Fonte Avellana nella società dei secoli XV e XVI. Atti del IV Convegno del Centro di studi avellaniti (1980), 77-160; — EC VI, 1951, 568; — LThK V, 1960, 1057; — Bibl. SS VI, 1965, 822-824; — NCE VII, 1967, 1059.

Stephan Freund

JOHANNES *von Lykopolis*, genannt der »Seher der Thebais«, * ca. 300 in Lykopolis (heute Assiut in Oberägypten), † 394. — Mit etwa 40 Jahren zog J. sich in die Nähe des Berges Lykos zurück, wo er in einer Grotte als Einsiedler lebte. Er soll Wundertaten vollbracht und Prophezeiungen gemacht haben. Über diese berichten Evagrius Ponticus und vor allem Palladios (Historia Lausiaca, Kap. 43-45). Johannes Cassianus preist seinen Gehorsam (De inst. coenob. IV 33,4-6), spielt aber auch auf die Prophezeiung des J. über Kaiser Theodosius an (ebd. IV 23-26). Diese Prophezeiung der Siege des Theodosius über den Tyrannen Maximos (388) und Eugenios finden wir auch erwähnt bei Augustinus (De civ. Dei V26) und Rufinus (HE XI 19.33). Interessanterweise erwähnen die Martyrologien lobend die Gabe der Prophezeiung, die J. nach 30 Jahren seines Eremitentums erhalten hat, aber keiner der griechischen Historiker bringt sie mit Theodosius in Zusammenhang. J. starb im Rufe der Heiligkeit 394. Die Kirchen des Ostens und des Westens verehren J. als Heiligen: Die koptische Kirche begeht sein Fest am 17. Oktober, das Martyrologium Romanum gedenkt seiner am 27. März.

Lit.: Acta SS. Martii, Antwerpen 1668, III, 692-699; — E. Amélineau, Monuments pour servir à l'histoire de l'Egypte chrétien aux IVe-VIIe siècles, Paris 1888, 650-665; — BHG², 2189 f.; — BHO, 514 f.; — BHL, 4329; — W. Till, Kopt. Heiligen- und Martyrerlegenden (= OCA 102), Rom 1935, 138-154; — P. Peeters, Une vie copte de st Jean de Lycopolis, in: AnBoll 54 (1936), 359-381; — MartRom, 115; — J. Muyldermanns, in: RSR 41 (1953), 525-530, 43 (1955), 395-401; — ECatt VI, 568; — LThK ²V, 1058.

Johannes Madey

JOHANNES (AARON) BAR MA^C DANĪ (Johannes XV.), jakobitischer Patriarch, † 1263. — Nach einer umstrittenen Wahl wurde er am 4. Dez. 1252 als Johannes XV. zum Patriarchen ordiniert, aber erst 1261 nach dem Tode des Gegenpatriarchen Dionysius VII. allgemein anerkannt. Vor seiner Erhebung zum Patriarchen amtierte er zunächst als Bischof von Mardin im Tūr ^C Apdīn, dann ab 1248/49 als »Maphrian (d.h. 'Befruchter', also Ordinator) des Orients«. In diesem, neben dem Patriarchat höchsten geistlichen Amt in der jakobitischen Kirche war er zuständig für die Jakobiten in der Diözese Orient, d.h. im Gebiet des ehemaligen Sasanidenreiches mit Sitz im Kloster Mar Mattai bei Mosul. — Er gilt als Verfasser zahlreicher Gedichte religiösen Inhalts und Predigten, die, in syrisch und arabisch geschrieben, fast nur handschriftlich zugänglich sind.

Werke: Angaben zu den Hss. und den ed. Texten bei Anton Baumstark, Geschichte der syr. Literatur, 1922 (Repr. 1968),

307-308 und Georg Graf, Geschichte der christlichen arab. Literatur II, 1947, 268-269.

Lit.: Assemani, BO II, 242 f. 454 f.; — Gregor Barhebräus, Chronicon Ecclesiasticum (edd. Abbeloos und Lamy, 1872-77) II, 707 ff. 744; III, 405 ff.; — William Wright, A short history of Syriac literature, 1894² (Repr. 1966), 263 ff.; — Baumstark, GSL, 307 f.; — Graf, GCAL II, 267 ff.; — Peter Kawerau, Die jakobitische Kirche im Zeitalter der syrischen Renaissance, 1960²; — LThK V, 1007.

Wolfgang Schwaigert

JOHANNES Malalas (der Beiname M. geht auf das syrische Wort malala zurück, das ursprünglich soviel wie das griechische Rhetor und schließlich auch Scholastikos, d. h. Anwalt, bedeuten kann; J. M. ist aus diesem und anderen Gründen von Haury mit J. Scholastikos, d. h. mit dem konstantinopolitanischen Patriarchen J. III. identifiziert worden; diese Identifizierung ist nicht ganz unproblematisch, hat sich aber weitgehend durchgesetzt und wird daher im Folgenden vorausgesetzt). — Die Lebensverhältnisse sind so gut wie unbekannt: * um die Wende vom 5. zum 6. Jahrhundert (491?/503?) in Seremios bei Antiochia, † 31.8. 577 in Konstantinopel. Er war vermutlich der Sohn eines Geistlichen, übte aber offenbar lange Zeit den Beruf des Anwalts in Antiochien aus. Wann und aus welchen Motiven J. M. nach Konstantinopel kam, ist umstritten [Petit, DThC VIII, 830 hat gemeint, er habe von Dom(i)nos, dem Patriarchen von Antiochia, mit der Aufgabe eines Apokrisiarius, d. h. des ständigen Vertreters des Antiochenischen Stuhls in Konstantinopel, betraut werden wollen, sei deshalb (ca. 550) in den geistlichen Stand eingetreten und so in Konstantinopel ansässig geworden; Krumbacher, Byz. Litt. I 331 mutmaßt dagegen, diese Übersiedlung sei nach der Zerstörung Antiochias durch Chosroes im Jahre 540 erfolgt]. Fest steht nur, daß J. Scholastikos am 15. 4. 565 zum Patriarchen von Konstantinopel erhoben wurde. Das ist (wenn die Gleichsetzung der beiden Personen richtig ist) zwar erstaunlich, weil die ersten 17 Bücher seiner Weltchronik neben einem deutlichen Interesse an Antiochien einen theologischen Standort im Monophysitismus verraten. Genauso auffällig ist aber der Bruch in diesem Werk kurz nach Beginn des 18. Buches, denn der Schlußteil verrät eine unverkennbar orthodoxe Gesinnung, und in den Mittelpunkt der Darstellung ist nunmehr Konstantinopel gerückt. So kann man annehmen, daß mit dem Ortswechsel des J. auch ein Gesinnungswandel verbunden war. Zwingend ist aber auch diese Annahme nicht, denn daß dieser Schlußteil eine nachträgliche Ergänzung von anderer Hand ist, kann genausowenig ausgeschlossen werden wie die Annahme einer orthodoxen Überarbeitung. Die beiden letzten Lebensjahre des J. M. waren von einer schweren Krankheit überschattet, an der er am 31.8. 577 starb. — J. M. ist der Verfasser der ältesten erhaltenen byzantinischen Weltchronik (Χρονογραφία) und (unter dem Beinamen Scholastikos) Redaktor der ersten erhaltenen systematischen Sammlung kirchenrechtlicher Vorschriften. Die Χρονογραφία ist in der zeitgenössischen griechischen Volkssprache geschrieben, ihr Stil kommt dem Geschmack breiterer Bevölkerungsschichten stark entgegen, so daß das Buch zu einem echten Volksbuch wurde und erheblichen Einfluß auf die Nachwelt ausübte. Ihre Nachrichten sind indessen sehr häufig unzuverlässig. Erst für die Zeit nach 476, wo J. M. auf die Berichte noch lebender Zeugen zurückgreifen kann, hat sein Werk als Geschichtsquelle wirklichen Wert. In ihrer jetzigen Form reicht sie bis 563, ging ursprünglich aber wohl bis 573. Seine kirchenrechtliche Sammlung Συναγωγή κανόνων in 50 Rechtskategorien (τίτλοι) geht auf die Arbeit eines unbekannten Sammlers zurück. Die erste Bearbeitung durch J. erfolgte noch in Antiochien. Daneben veranstaltete er eine Exzerptensammlung aus den Justinianischen Novellen, soweit sie kirchliche Angelegenheiten betrafen ... Man nennt diese zweite Sammlung heute gewöhnlich die Collectio 87 capitum«. (Beck, Kirche und theol. Lit., p. 423.) Die endgültige Redaktion erfolgte etwa 570. Eine weitere Schrift ist durch ihre Erwähnung bei Photius, cod. 75, wenigstens dem Titel und dem Gegenstand nach bekannt: es handelt sich um einen κατηχητικὸς λόγος über die Trinität. Der unter den Namen des Scholastikos gehende Nomokanon, das ist eine Zusammenstellung weltlicher und kirchlicher Gesetze (Voell-Justel II, 603-660), ist das Werk eines späteren Redaktors, der das Material des Johannes weiter aufbereitet.

Werke und Ausgaben: Χρονογραφία (eine Weltgeschichte in 18 Büchern, die mit der biblischen Geschichte beginnt, die griechischen Mythen miteinbezieht, ebenso die orientalischen Völker; es folgen die römische Königsgeschichte, die Geschichte der Diadochenreiche, die römische Kaisergeschichte und die Geschichte des byzantinischen Kaisertums. Die einzige Voll-Handschrift bricht mit dem Jahre 563 ab, einige fr. beweisen, daß sie sicher bis 565, vielleicht sogar bis 574 reichte). Editio princeps: E. Chilmeadus, Oxford 1691 (mit lateinischer Übersetzung), auf ihr (nicht auf der Handschrift) beruht die sogenannte Bonner Ausgabe: Ioannis Malalae Chronographia rec. Ludwig Dindorf, Corpus scriptorum historiae Bzynatinae, Bonn 1831; sie ist wiederholt bei MPG 97, 9-790 (chronogr.: 65-717); Buch 9-12 ist hrsg. durch Alexander Schenk von Stauffenberg, Die röm. Kaisergeschichte bei Malalas, 1931. Eine krit. Ausgabe (die auch die Exzerpte und nichtgriech. Fragmente berücksichtigen müßte) fehlt. Die (in der Bonner Ausgabe fehlende) Vorrede bei A. Wirth, Chronograph. Späne, 1894, 3-10; für eine Auflistung der Exzerpt-Editionen und der Ausgaben der Übersetzungsüberlieferung (lat., georgisch, slavisch - mit vollständigerem Text als die griech. Überlieferung) vgl. Gyula Moravcsik, Byzantinoturcia, ²1958, I 331; Editio princeps der Συναγωγή κανόνων bei G. Voell; H. Justel, Bibliotheca juris canonici veteris, 1661, Bd. II, 499-602; vgl. 603-660 (hier in nomokanonischer Bearbeitung); Neuausgabe durch Vladimir Nikolaèvič Beneševič, Joannis Scholastici synagoga L titulorum ceteraque eiusdem opera iuridica I, 1937 (AAM NF 14); Die Collectio 87 capitum edierte Gustav Ernst Heimbach, Anecdota I, 1840, 202-240; Nachträge bei Jean Baptiste Pitra, Juris ecclesiastici Graecorum historia et monumenta II, 1868, 368-374, 385-405.

Lit.: Karl Ottried Müller, De antiquitatibus Antiochenis dissertatio prior qua Antiochiae ad Orontem sub Graecis regibus quae fuerit figura et quae praecipua ornamenta explicatur, 1834; — Ders., De antiquitatibus Antiochenis commentatio altera, qua Antiochiae urbis forma quibus modis sub Romanorum imperio mutata sit ostenditur, 1839 (beides wiederholt in: Ders., Kleine deutsche Schriften 1, 1847, 90-102; 110-129); — Adolf Koecher, De Joannis Antiocheni aetate (Diss. Bonn), 1871, 7; — Theodor Mommsen, Bruchstücke des Johannes von Antiochia und des J., in: Hermes 6, 1872, 223-283; — Ders., Lateinische Malalasauszüge, in: ByZ 4, 1895, 487 f.; — G. Körting, Scriptorum et Graecorum et Latinorum quos J. chronographus Byzantinus laudavit index, Progr. Münster 1879; — Ders., De vocibus Latinis, quae apud Joannem Malalam chronogr. Byz. inveniuntur, Progr. Münster 1879 und 1879/80; — Karl Johannes Neumann, Der Umfang der Chronik des Malalas in der Oxforder Hs., in: Hermes 15, 1880, 356-360; — H. Haupt, Über die altslavische Übers. des J., in: Hermes 15, 1880, 230-235; — Ders., Dares, Malalas und Sisyphos, in: Philologus 40, 1881, 107-121; — Vatroslav Jagić, Zum altslavischen Malalas, in: Hermes 15, 1880, 235-237; — Heinrich Gelzer, Sextus Julius Africanus und die byz. Chronographie I, 1880, 57-74, II, 1885, 129-138; — Ders., Zu Africanus und J., in: ByZ 3, 1894, 394 f.; — Ludwig Jeep, Die Lücken in der Chronik des Malalas, in: RheinMus 36, 1881, 351-361; — Ders., Die Lebenszeit des Zosimos, in: RheinMus 37, 1882, 425-433; — Albin Freund, Beiträge zur antioch. und konstantinopol. Stadtchronik (Diss. Jena), 1882; — Urs Philip Boissevain,

Über die dem J. Antioch. zugeschriebenen Excerpta Salmasiana, in: Hermes 22, 1887, 161-178; — Georgios Sotiriadis, Zur Kritik des J. v. A., in: Jahrbücher für classische Philologie, Suppl. 16, 1888, 1-25; — Martin Erdmann, Adversaria critica in Malalae chronographiam, in: Festschr. des prot. Gymn. II, Straßburg, 1888, 69-88; — Edwin Patzig, Unerkannt und unbekannt gebliebene Malalas-Fragmente, Prog. Leipzig 1891; — Ders., J. Antiochenus und J., Progr. Leipzig, 1892; — Ders., Über einige Quellen des Zonaras, in: ByZ 5, 1896, 24-53; — Ders., Der angebliche Monophysitismus des Malalas, in: ByZ 7, 1898, 111-128; — Ders., Die Abhängigkeit des J. Antiochenus von J. M., in: ByZ 10, 1901, 40-53; — Ders., Malalas und Tzetzes, in: ByZ 10, 1901, 385-393; — Ders., Malalas und Diktys führen zur Lösung eines archäologischen Problems, in: ByZ (B) 4, 1927/28, 281-300, — Ders., Von Malalas zu Homer, in: ByZ 28, 1928, 1-11; — Ernest Walter Brooks, The Date of the Historian John Malala, in: The English Historical Review 7, 1892, 291-301; — A. Carrière, Nouvelles sources de Moïse de Khoren, 1894; — Franz Cumont, Malalas et Corippe, in: Revue de l'instruction publique en Belgique 37, 1894, 77-79; — E. Gleye, Zu den Nachrichten vom Tode Julians, in: Philologus 53, 1894, 587; — Ders., Beiträge zur J.-Frage, in: ByZ 5, 1896, 422- 464; — Ders., Über monophysit. Spuren im Malalaswerke, in: ByZ 8, 1899, 312-327; — Ders., Ein Beitrag zur Charakteristik des Malalaswerks, in: Pädagogischer Anzeiger für Rußland 4, 1912, 360-362; — Anton Rüger, Studien zu Malalas: Präpositionen und Adverbien, Münnerstädter Gymn. Progr., Bad Kissingen 1895; — John Bagnell Bury, J. M., The Text of the Codex Baroccianus, in: ByZ 6, 1897, 219-230; — Hermann Bourier, Über die Quellen der ersten vierzehn Bücher des J. M. I- II, Progr. Augsburg, 1899/1900; — Jakob Haury, J. M. identisch mit dem Patriarchen J. Scholastikos?, in: ByZ 9, 1900, 337-56; — Frederick Cornwallis Conybeare, The Relation of the Paschal Chronicle to Malalas, in: ByZ 11, 1902, 395-405; — Joseph Bidez, Sur diverses citations et notamment sur trois passages de Malalas retrouvés dans un texte hagiographique, in: ByZ 11, 1902, 388-394; — O. Schissel von Fleschenberg, Dares Studien, 1908, 16-34; — Ders., Die psychoethische Charakteristik in den Porträts der Chronographie des J. M., in: Studien zur vergleichenden Literaturgeschichte, hrsg. v. M. Koch, 9, 1909, 428-433; — K. Wolf, Studien zur Sprache des Malalas, I. Formenlehre, II. Syntax, Progr. München, 1911/12; — Ludwig Merz, Zur Flexion des Verbums bei Malalas, Progr. Pirmasens, 1910/11; — Otto Rossbach, Servius bei J. M., in: Berliner Philolog. Wochenschrift 37, 1917, 30-32; — C. M. Patrono, Contributi alla storia dell'arte. Spunti di storia dell'arte in un cronista bizantino, in: Nuova rivista storica 4, 1920, 482-502; — G. Misener, Iconistic Portraits, in: Classical Philology 19, 1924, 97-123; — M. Th. Laskaris, Αἱ βυζαντιναὶ χρονογραφίαι ἐν τῇ παλαιοσλαβικῇ λογοτεχνίᾳ, in: Ἐπετηρὶας Ἑταιρεὶς Βυζαντιῶν Σπουδῶν 2, 1925, 330-341; — E. Černousov, Études sur Malalas. Époque d'Anastase Dicoros, in: ByZ 2, 1926, 65-72; — W. Weber, Studien zur Chronik des Malalas, in: Festgabe für Adolf Deißmann, 1927, 20-66; — F. Schehl, Die Kaiserzeit bis Diokletian in ihrer Darst. bei Malalas, in: Actes du IIIᵐᵉ congrès international d'études byzantines, 1932, 124 f.; — Eduard Schwartz, Die Kanonesammlung des J. Scholastikos, in: AAM 6, 1933; — Glanville Downey, References to Inscriptions in the Chronicle of Malalas, in:

Transactions and Proceedings of the American Philological Association 65, 1935, 55-73; — Ders., Malalas in the History of Antioch under Severus and Caracalla, in: Transactions and Proceedings of the American Philological Association 68, 1937, 141-156; — Ders., Imperial Building Records in Malalas, in: ByZ 38, 1938, 1-15, 299-311; — Ders., Seleucid Chronology in Malalas, in: American Journal of Archaeology 42, 1937, 106-120; — Ders., The Work of Antoninus Pius at Antioch, in: Classical Philology 34, 1939, 369-372; — Ders., The Wall of Theodosios at Antioch, in: American Journal of Philology 62, 1941, 207-213; — Henri Grégoire, Du nouveau sur la chronographie byzantine: Le 'Scriptor incertus de Leone Armenio' est le continuateur de Malalas, in: Académie royale de Belgique. Bulletin de la classe des lettres et des sciences morales et politiques, 5. sér., XXII. 10-12, 1936, 420-436; — Kurt Weitzmann, Illustrations for the Chronicles of Sozomenos Theodoret and Malalas, in: ByZ (B) 16, 1942/43, 87- 134; — Lysimaque Oeconomos, Remarques sur trois passages de trois historiens grecs du moyen-âge in: ByZ(B) 20, 1950, 177-183; — A. Dehler, Excerpts from Strabo and Stephanus in Byzantine Chronicles, in: Transactions of the American Philological Association 81, 1950, 241-253; — Elias Bikerman, Les Maccabées de Malalas, in: ByZ (B) 21, 1951, 63-83; — Gyula Moravcsik, Byzantinoturcica I, Die byzant. Quellen der Gesch. der Türkvölker, 1958², 329-334 (mit Bibliogr. bis 1956); — Roger Paret, Note sur un passage de Malalas concernant les Phylarques arabes, in: Arabica 5, 1958, 251-262; — S. Costanza, Sull' utilizzazione di alcune citazioni teologiche nella Chronografia di Giovanni Malala e in due teste agiografici, in: ByZ 52, 1959, 247-252; — Zinaida Vladimorovna Udal'cova, La chronique de Jean Malalas dans la Russie de Kiev, in: Byz (B) 35, 1965, 575-591; — Dies., Mirovozzrenie vizantijskogo chronista Ioanna Malaly, in: Visantijskij Vremennik 32, 1971, 3-23; — K. Weierholt, Studien im Sprachgebrauch des Malalas (Diss. Oslo), 1963; — Ders., Zur Überlieferung der Malalaschronik, 1965; — S. A. Sofroniou, Studies in the Vocabulary of Early Mediaeval Greek, with Special Reference to John Malalas, the Chronicon Paschale, Theophanes Confessor and the De administrando imperio of Constantine Porphyrogenitus (Diss. London), 1965; — Evangelos Chrysos, Eine Konjektur zu J. M., in: Jahrbuch der Österr. Byzantin. Gesellschaft 15, 1966, 147-152; — E. M. Šustorovič, Chronica Ioanna Malaly i anticnaja tradicija v drevnerusskoj literature, in: Trudy Otdela drevnerusskoj literatury 23, 1968, 62-70; — Ders., Drevneslavjanskij perevod Chroniki Ioanna Malaly. Istorija izučenija, in: Visantijskij Vremennik 30, 1969, 136-152; — Johannes Irmscher, Geschichtsschreiber der Justinian. Zeit, Wissenschaftl. Zeitschr. der Universität Rostock 18, 1969, 469-474; — R. Cantarella, Giovanni Malala, Themis e le origini della tragedia, Acme 23, 1970, 61-66; — P. Helms, Syntakt. Untersuchungen zu Ioannes Malalas und Georgios Sphrantzes. Die konjunktionalen Nebensätze in ihrem sprachhist. Zusammenhang, in: Helikon 11-12, 1971-72, 309-388; — Raffaele Cantarella, Parva quaedam, in: Athena 73/74, 1972/73, 525-531; — I. Sorlin, La diffusion et la transmission de la littérature chronographie byzantine en Russie prémongole du XIᵉ au XIIIᵉ siècle, in: Travaux et Memoires 5, 1973, 385-408; — J. Fitton, Domitian and St. John in Malalas, in: ByZ (B) 44, 1974, 193 f.; — O. V. Tvorogov, Drevnerusskije Chronografy, 1975, 13-24, 47-52, 126-139;

— D. Tschižewskij, Euhemerismus in den altslav. Literaturen, in: A. Blane, The Religious World of Russian Culture, Russia and Orthodoxy, Vol. II, Essays in Honor of Georges Florovsky, 1975, 31-33; — J. A. Wyatt, The History of Troy in the Chronicles of John Malalas (Diss. Berkeley), 1976; — R. Fishman-Duker, The Second Temple Period in Byzantine Chronicles, in: ByZ (B) 47, 1977, 126-156; — André-Jean Festugière, Notabilia dans Malalas I, in: RPh 52, 1978, 221-241; — Ders., Notabilia dans Malalas II, in: RPh 53, 1979, 227-237; — Aldo Landi, Un' esemplificatione di prestito dal latino nella lingua della tarda grecità, in: Κοινωνία 2, 1978, 301-324; — Guilelmus Ballaira, Su Tzetzes Hist. 118 (Chil. VII, 163-176, Leone), in: Giornale Italiano di Filologia 31, 1979, 116-118; — E. and M. Jeffreys, The Attitudes of Byzantine Chroniclers Towards Ancient History, in: ByZ (B) 49, 1979, 223-225; — Elsa Hörling, Mythos und Pistis. Zur Deutung heidn. Mythen in der christl. Weltchronik des J. M. (Diss. Lund), 1980; — H. Wada, Über die Demen bei Malalas, Chronographia lib. XVI-XVIII, in: Orient XXIII, 1, 1980, 145-159 (in Japanisch); — Barry Baldwin, κοπίδερμία κοπίδερμος, in: Glotta 59, 1981, 117 f.; — Stephen William Reinert, Greek Myth in J. M.' Account of Ancient History before the Trojan War (Diss. Los Angeles), 1981; — R. Scott, Malalas and Justinian's Codification, in: Byzantine Papers. Proceedings of the first Australian Byzantine conference, Canberra, 17.-19. May 1978, ed. by E. and M. Jeffreys, A. Moffat, Australian Assoc. for Byz. stud. 1981, 12-31; — I. Olajos, Le monument du triomphe de Trajan en Parthe, Quelques renseignements in observés, in: Acta Antiqua Academiae Scientiarum Hungaricae 29, 1981 [ersch. 1984], 379-383; — J. N. Ljubarskij, Die Chronographie des J. M. Probleme der Komposition, in: Festschr. für Fairy von Lilienfeld zum 65. Geburtstag, hrsg. v. A. Rexheuser und K. H. Ruffmann, 1982, 411-430 (in Russisch); — Ermanno Arrigoni, Manicheismo, Mazdakismo e sconfessione dell' eresiarca romano-persiano Bundos, Coll. Sebastiani, 1983; — G. Huxley, An Argive Dynasty in Malalas, in: Greek, Roman and Byzantine Studies 24, 1983, 345-347; — ders., A Theban Kinglist in M., in: Philologus 131, 1987, 159-161; — M. Peachin, J. M. and the Moneyers' Revolt, in: Studies in Latin literature and Roman history III (Coll. Latomus 180), 1983; — I. Rochow, Malalas bei Theophanes, in: Klio 65, 1983, 459-474; — R.D. Scott, Malalas, The Secret History and Justinians Propaganda, Dumbarton Oaks Papers 39, 1985, 99-109; — Barry Baldwin, Dio Cassius and J.M., Two Readings of Virgil, in: Emerita 55, 1987, 85-86; — Paolo Carrara, A Line from Euripides Quoted in J.M.'s Chronographia, in: ZPE 69, 1987, 20-24; — Krumbacher 325; — RE IX, 319 und XII, 97 f.; — Hefele-Leclercq I, 1139 ff.; — Pauly-Wissowa IX, 1795-1799; — Bardenhewer V, 75 f., 121 f.; — DThC VIII, 829- 831; — DDC VI, 118-120; — Beck 422 f.; — RGG III, 818; — LThK V, 1058; — Altaner[8] 220; — Kl. Pauly III, 925 f.; — Hunger, HAW V. 1.1 (Byz. Hb.), 319-326.

Hans-Udo Rosenbaum

JOHANNES *von Mantua* (Johannes Mantuanus) nennt sich der Verfasser von zwei der (Mark)gräfin Mathilde von (Tuszien-) Canossa

(† 1115) gewidmeten und angeblich in ihrem Auftrag geschriebenen biblisch-exegetischen Schriften: Kommentare zum Hohen Lied Salomos (Tractatus in Cantica canticorum) und zur lukanischen Marien-Perikope (Lk. 1, 26-56) (Liber de sancta Maria) über die Verkündigung des Engels (Annuntiatio Mariae) und über den Besuch bei Elisabeth (Visitatio Mariae samt Magnificat). Sie lassen sich aufgrund von zeithistorischen Andeutungen im Text zwischen Frühjahr 1081 und Herbst 1083 datieren und sind in Abschrift aus der Zeit um 1100 in einer aus Italien stammenden, über England nach Berlin gekommenen Handschrift (Staatsbibliothek der Stiftung Preußischer Kulturbesitz, Ms. theol. lat. oct. 167) erhalten. Ihre Entdeckung und Bekanntmachung erst 1948 verdankt man dem Münchener Historiker Bernhard Bischoff. — Über den Autor weiß man bisher nur, was er über sich mitteilt und sich aus seinen beiden Schriften erschließen läßt. Demnach stammte er wohl aus Mantua, dem Hauptort der Mathildischen Güter, oder lebte dort, vielleicht im Dienste des Bischofs Ubald von Mantua (1077-1102), gemäß seiner Selbstbezeichnung (grammaticus) als Lehrer der Artes liberales, wohl ein gelehrter Laie mit stark theologischen Interessen. Daß er der Lehrer auch von Mathildens Biographen Donizo von Canossa († nach 1136) gewesen und mit dem bei ihm genannten Abt Johannes von Canossa (ca. 1092-1106) zu identifizieren sei, bleibt Vermutung. Sicher ist nur, daß er zu den Beratern der Großgräfin gehörte. — Sein in vier Bücher geteilter, aber in Briefform gestalteter Hohelied-Kommentar geht in seiner Zielsetzung über die traditionelle allegorische Bibelexegese hinaus und will der mehrmals mit Anspielung auf den Bibeltext als Braut (sponsa) angeredeten Mathilde zur Kontemplation dienen, ohne jedoch politische Aktivitäten (die vita activa) gerade in jener Zeit des sog. Investiturstreites gering zu achten. Selbstverständlich ist J. kirchenpolitischen wie Mathilde auf päpstlicher Seite. Der unvollendete »Liber de sancta Maria« hat poetischen Charakter und verwendet die Reimprosa. Der Stil des J. verrät noch kaum die Schulung an klassischen Vorbildern, in der Diktion sind jedoch scholastische Einflüsse feststellbar. J. vertritt einen strengen Realismus in der Sakramentslehre und lehnt den kürzlich (1079) in Rom verurteilten Berengar von Tours († 1088) als Häretiker ab. Als Exeget fußt J. auf anerkannten Autoritäten der Theologiegeschichte oder schließt sich dem ihn sicher auch persönlich bekannten, damals in Rom lehrenden Robert von Tombelaine († ca. 1090) an. Seine Werke vermitteln interessante Einblicke in das geistige und politische Leben jener Zeit und in der Umgebung der Markgräfin Mathilde, können aber auch im Rahmen der Frühscholastik theologiegeschichtlich Aufmerksamkeit beanspruchen.

Werke: Iohannis Mantuani in Cantica canticorum et De sancta Maria Tractatus ad comitissam Mathildam, ed. Bernhard Bischoff u. Burkhard Taeger, Spicilegium Friburgense 19, 1973.

Lit.: Bernhard Bischoff, Der Canticumkommentar des J. v. M., in: Lebenskräfte in der abendländischen Geistesgeschichte, Dank- und Erinnerungsschr. f. W. Goetz, hrsg. v. Wolfgang Stammler, 1948, 22-48; — Friedrich Ohly, Hohelied-Studien, Schr. d. Wiss. Ges. an d. J. W. Goethe-Univ. Frankfurt a. M., Geisteswiss. Reihe 1, 1958, 107 ff.; — H. Riedlinger, Die Makellosigkeit der Kirche in der lat. Hohelied-Kommentaren des Ma., BGPhMa 38/3, 1958, 106 ff.; — Rosemarie Herde, Das Hohelied in der lateinischen Lit. d. Ma. bis z. 12. Jh., in: Studi Medievali III 8, 1967, 959 u. 1017 f.; — Giampaolo Ropa, Studio e utilizzazione ideologica della Bibbia nell' ambiente Matildico (sec. XI-XII), in: Studi Matildici, Reggio E. 7-8-9 ott. 1977, Modena 1978, 406 ff.; — Ders., Intorno ad un tema apologetico della letteratura matildica: Matilde di Canossa »sponsa Dei«, in: Reggiolo Medievale. Atti e memorie del Convegno di Studi Matildici. Reggiolo 9 aprile 1978, Reggio-E., 1979, 25-51; — Beryl Smalley, The Study of the Bible in the Middle Ages, Notre Dame, Indiana 1984³, 49; — Silvia Cantelli, Il commento al Cantico dei Cantici di Giovanni da Mantova, in: Studi Medievali III 16, 1985, 101-184; — LThK V, 1059; — W. Wattenbach/R. Holtzmann, 3, 1971, 928 f.

Harald Zimmermann

JOHANNES MARIENWERDER, Domdekan im Bistum Pomesanien, bedeutendster Theologe des preußischen Deutschordensstaates, * 1343 in Marienwerder als Sohn eines Petrus, benannt nach seiner Geburtsstadt, † 19.9. 1417 ebd. — Nach dem Besuch der Domschule in Marienwerder setzte J. seine Studien seit etwa 1365 an der Universität Prag fort, wo er zunächst den üblichen Bildungsgang an der Artistenfakultät absolvierte (1367 Baccalaureus, 1369 Lizentiat, Doktor und Magister artium, 1374 Dekan), sich seit 1369 gleichzeitig mit dem Studium der Theologie befaßte und 1373 die Priesterweihe empfing. Sein weiteres Leben widmete er gänzlich der Theologie. Bereits 1375 Baccalaureus cursor dieser Disziplin, wechselte er 1377 endgültig zur theologischen Fakultät über, wurde Baccalaureus formatus und trat im gleichen Jahr als Kanonikus in das von Kaiser Karl IV. 1348 gestiftete Allerheiligenkolleg ein. 1380 erwarb er das Lizentiat, dozierte wenig später als Magister und wirklicher Lesemeister und erhielt schließlich 1384 als Magister regens eine ordentliche Professur. Einflußreichster Lehrer J.s war Heinrich (Totting) v. Oytha. Infolge nationaler Zwistigkeiten zwischen Deutschen und Böhmen an der Prager Universität sah sich J. 1386 gezwungen, die böhmische Hauptstadt zu verlassen. Wohl im Blick auf eine ihm in Aussicht gestellte theologische Professur an der für Kulm geplanten Deutschordensuniversität kehrte er in seine Heimatstadt zurück. Zwar zerschlug sich das Universitätsprojekt, doch fand J. einen neuen Wirkungskreis. 1387 trat er in den Deutschen Orden ein, erlangte daraufhin im August desselben Jahres ein Kanonikat im Domkapitel von Pomesanien und wurde dort bereits 1388 zum Dekan gewählt. Als solchem kamen ihm vorwiegend administrative und pastorale Aufgaben zu, besonders in der Zeit des Wiederaufbaus nach der Schlacht von Tannenberg (1410). Von nachhaltigem Einfluß auf Leben und Denken J.s gestaltete sich seine Begegnung mit der Mystikerin Dorothea v. Montau, die seit 1392 als Rekluse in einem Seitentrakt des Doms zu Marienwerder lebte. J. wirkte als Beichtvater und geistlicher Führer Dorotheas; ihre Gebete und Visionen zeichnete er in drei (nicht mehr erhaltenen) Bänden auf; nach ihrem Tod (1394) verfaßte er mehrere Viten der Klausnerin, in denen er auch ihre mystischen Erlebnisse verarbeitete, und regte ihren Kanonisationsprozeß an (abgeschlossen erst 1976 mit Heiligsprechung Dorotheas). — J. galt seinen Zeitgenossen als »eyn achtbar lerer der heyligen schrifft ... gar eyn selig man seynes lebins« (Scriptores rerum Prussicarum III, 371, hier zit. nach Hipler, J. M., der Beichtvater (s.u.), 92). Seine Meinung zu theologischen Fragen wurde viel beachtet, so z. B. im Streit um den täglichen Kommunionempfang und bei der Prüfung der Schriften der heiligen Birgitta v. Schweden. Die Forschung charakterisiert ihn als frommen, pragmatisch orientierten Theologen, Vertreter der devotio moderna, der zwischen Thomismus und Nominalismus zu vermitteln suchte. Unter dem Einfluß seines Beichtkindes Dorothea beschäftigte er sich eingehender mit der Mystik, ohne sie jedoch selbst gänzlich nachvollziehen zu können. Versuche, ihn zum Wegbereiter der Reformation in Preußen zu erklären (so z. B. Schleiff, s. u.), lassen sich wohl nicht halten. — Die größte Bedeutung erlangte J. als theologischer Schriftsteller. Seine theologisch, kulturgeschichtlich wie sprachwissenschaftlich aufschlußreichen Werke - im Spätmittelalter weit verbreitet und seit der zweiten Hälfte des 19. Jahrhunderts wieder von der Forschung beachtet - lassen sich entsprechend seiner Lebensstationen in drei Gruppen untergliedern: 1. Während der Prager Zeit schrieb J. in lateinischer Sprache den Traktat »De octo beatitudinibus« sowie eine kurze Paraphrase des Vaterunsers. 2. Als Domdekan von Pomesanien begann er eine Chronik des Kathedralkapitels in Annalenform; seine in Abwehr der Irrlehren Wiclifs entstandene »Expositio symboli Apostolici« trug ihm den Ehrentitel »Professor eximius« ein. 3. Die meisten Schriften verfaßte J. zur Biographie Dorotheas v. Montau; seine einzige deutschsprachige Lebensbeschreibung »Das Leben der zeligen Frawen Dorothee Clewsenerynne in der Thumkirchen czu Marienwerder des Landes czu Prewszen«, 1492 von Jakob Karweyse in Marienburg gedruckt, gilt als ältestes im preußischen Ordensstaat entstandenes deutsches Prosawerk und zugleich als erstes in Preußen gedrucktes Buch. Darüber hinaus sind noch Predigten und Briefe von J. erhalten.

Werke: De octo beatitudinibus (ungedr.); Paraphrase des Vaterunsers (Franz Hipler, in: Pastoralbl. f. d. Diöz. Ermland 15, 1883, 142 f. u. 21, 1889, 62 f.); Ernst Strehlke/Max Toeppen, (Hrsg.), Annales capituli Pomesaniensis, frgm. 1391-1398 (Scriptores rerum Prussicarum, Bd. 5, 1874, Nachdr. 1965, 430-434); Expositio symboli Apostolici, 1399 (gedr. nur die Tabula exposicionis u. der Prolog bei Marian Borzyszkowski, Komentarz, s. u.), dt. Übers. »Erclerung der 12 Artickel des christenlichen Glaubens« (gedr. Ulm 1485); Vita brevis, 1394 (ungedr.); Vita complens, 1395 (Codex Diplomaticus Prussicus, Bd. 5, hrsg. v. Johannes Voigt, 1857, Neudr. 1965, 82-84); Vita prima B. Dorotheae, 1395 (Remigius de Buck, in: AS 13, 1883, 493-499; Hans Westpfahl, in: Der Dorotheenbote 26, 1968, 122-133); Vita b. Dorotheae gen. Lindana, 1396 (Erstdr. durch Adrian v. Lin-

de, Oliva b. Danzig 1702; Remigius de Buck, in: AS 13, 1883, 499-560); Liber de festis (= Appariciones venerabilis Domine Dorotheae), 1397 (gedr. nur einzelne Kapitel, vollst. Ed. geplant); Septililium venerabilis dominae Dorotheae, um 1400 (Franz Hipler, Septililium B. Dorotheae, Sonderdr. aus AnBoll 2-4, 1883-85, 1885); Vita Latina (= Vita venerabilis Dominae Dorotheae), 1404 (Hans Westpfahl/Anneliese Triller (Hrsg.), Vita Dorotheae Montoviensis Magistri Johannis Marienwerder, 1964); Das Leben der zeligen Frawen Dorothee Clewsenerynne in der Thumkirchen czu Marienwerder des Landes czu Prewszen, vollendet um 1404 (Erstdr. durch Jakob Karweyse, Marienburg 1492; Max Toeppen, (Hrsg.), Scriptores rerum Prussicarum, Bd. 2, 1863, Nachdr. 1965, 197-350); Ansprachen an die Mitglieder der Priesterbruderschaft zu Marienwerder (Franz Hipler, in: Pastoralbl. f. d. Diöz. Ermland 21, 1889, 63-70). Ausführliche Werkbesprechung mit weiteren Angaben zu Hss. u. Drucken von Anneliese Triller, in: Die deutsche Literatur des MAs. Verfasserlexikon, 1987², 56-61, bes. 57-60.

Lit.: Franz Hipler, J. M., Domdechant von Pomesanien, in: Pastoralbl. f. d. Diöz. Ermland 21, 1889, 62 f.; — Ders., J. M., der Beichtvater der seligen Dorothea v. Montau. Erg. durch Hans Westpfahl, hrsg. v. Hans Schmauch, in: Zeitschr. f. d. Gesch. u. Altertumskunde Ermlands 29, 1956, 1-92 (ausführlichste aus d. Quellen erarb. Biogr.); — Arnold Schleiff, Die Bedeutung J. M. s für Theologie und Frömmigkeit im Ordensstaat Preußen, in: ZKG 60, 1941, 49-66; — Richard Stachnik, J. M., der Seelenführer und Biograph der seligen Dorothea, in: Der Dorotheenbote 7, 1955, 2-8; — Ders., Einige Gedanken über J. M., den Biographen Dorotheas, in: Der Dorotheenbote 17, 1962, 16-18; — Ders., Zur Veröffentlichung der großen Lebensbeschreibung Dorotheas v. Montau von J. M., in: Zeitschr. f. Ostforschung 17, 1968, 713-717; — Ders., Zum Schrifttum über die hl. Dorothea v. Montau, in: Ders./Anneliese Triller (Hrsg.), Dorothea v. Montau, eine preußische Heilige d. 14. Jh.s, 1976, 60-67 u. Bibliogr. 99-103; — Ders. u. a. (Hrsg.), Die Akten des Kanonisationsprozesses Dorotheas v. Montau von 1394 bis 1521, 1978; — Lucas Kunz, Zum Aufbauplan der großen lateinischen Dorotheenvita des Magisters J. M., in: Der Dorotheenbote 21, 1964, 7-10; — Hans Westpfahl, Die große lateinische Lebensbeschreibung Dorotheas v. Montau, in: Der Dorotheenbote 23, 1966, 51-58; — Ders., Die erste kurze Lebensbeschreibung Dorotheas von J. M. Die Vita Prima, in: Der Dorotheenbote 25 (1967), 114-118; — Ders., J. M. (1343-1417), der Beichtvater Dorotheas, in: Der Dorotheenbote 29, 1972, 198-203; — Marian Borzyszkowski, Jana z Kwidzyna († 1417) kazanie synodalne »Expergiscimini hodie«, wygloszone w Pradze po 1384 roku (Die Synodalpredigt J. M.s »E. h.«, gehalten in Prag nach 1384), in: Studia Warminskie 6, 1969, 509-522; — Ders., Problematyka filozoficzna i teologiczna w twórczosci Jana z Kwidzyna (1343-1417) (Philos. u. theol. Probleme im Werk J. M.s), 1970; — Ders., Komentarz do prologu Expositio symboli apostolorum Jana z Kwidzyna (Kommentar zum Prolog d. E. s. a. J. M.s), in: Textus et studia historiam theologiae in Polonia excultae spectantia, Vol. II, fasc. 2, 1974, 39-61; — Ders., Tekst i problematyka listu Jana z Kwidzyna († 1417) do ksiecia Austrii Albrechta, na temat apostolatu modlitwy i uczynków zaslugujacych (Text u. Problematik eines Briefes von J. M. an Erzherzog Albrecht v. Österreich über d. Thema

d. Gebetsapostolats u. d. verdienstvollen Werke), in: Studia Warminskie 14, 1977, 539-549; — Renate Bicherl, Die Magister der Artistenfakultät der Hohen Schule zu Prag und ihre Schriften im Zeitraum von 1348 bis 1409 (Diss. Erlangen), 1971, bes. 31 f.; — Heribert Rossmann, J. M. O. T., ein ostdeutscher Theologe des späten MAs, in: Arch. f. Kirchengesch. v. Böhmen-Mähren-Schlesien 3, 1973, 221-253; — A. Högberg, Der Vokalismus der Stammsilben in J. M.s »Leben d. hl. Dorothea v. Montau«, 1981; — ADB XX, 381-383; — Wetzer-Welte VI, 1713-1716; — Altpreuß. Biogr. I, 305 f.; — LThK V, 1059; — NDB X, 561 f.; — DSp VIII, 622 f.

Barbara Wolf-Dahm

JOHANNES de Marignollis, OFM, * gegen Ende des 13. Jahrhunderts in Florenz, † 1358/1359 in Breslau (?). — J. war Gesandter Papst Benedikts XII. an den Großkhan der Monglen bzw. Kaiser von China, letzter Augenzeuge der lateinischen Kirche in China. 1338 brach er von Avignon mit europäischen Begleitern und der »tartarischen« (= mongolischen) Gesandtschaft des Großkhans nach Europa in Richtung China auf. Nach langer Reise durch Innerasien, Indien und China erreichte er 1342 Khanbaliq (= Peking), wo der Großkhan Torghun Tomür (chin. Shun Ti) ihn sehr ehrenvoll empfing. In den chinesischen Annalen jedoch fand nur das dem Großkhan geschenkte europäische Pferd Beachtung. — Nach seiner Rückkehr 1353 wurde J. 1354 Bischof von Bisignano, wirkte aber als Hofkaplan Kaiser Karls IV., in dessen Auftrag er das sogenannte »Chronicon Bohemiae« (Geschichte Böhmens von Anbeginn der Welt an) verfaßte, das vor allem durch die vielen eingeflochtenen Reiseerinnerungen an seine Chinamission von Interesse ist.

Werke: »Chronicon Bohemiae«, lat.: P. Gelasius Dobner, Monumenta Bohemiae nusquam edita II, 1764[1], 1768[2]; J. Emler, Fontes Rerum Bohemicarum III, 1882, 485-604; — Auszüge: De Gubernatis, Storia del Viaggiatori Italiani, 1875, 142-160; Marcellino da Civezza, Saggio, 1879, 373-383; Anastasius Van den Wyngaert, Sinica Franciscana I, 1929, 524-560, dt.: J. G. Meinert, J. v. M., minderen Bruders und Päbstlichen Legaten Reise in das Morgenland vom Jahre 1339 bis 1353, in: Abhandlungen der königl. böhm. Ges. der Wissenschaften, 1820; Külb, Die Reisen der Missonäre I, 3, 1839, 201-229, engl.: Henry Yule, Cathay and the Way thither II, 1866[1], 335-394, III, 1914[2], 209-269; A. C. Moule, Christians in China before the Year 1550, 1930[1], 1977[2], 252, 254-260.

Lit.: L. Wadding, Scriptores Ordinis Minorum, 1650, 213;

— Henri Cordier, Bibliotheca Sinica II, 1895, col. 942; — Henry Yule, Cathay and the Way tither, III, 1914[2], 175-208; — Girolamo Golubovich, Bibliotheca bio-bibliografica della Terra Santa e dell'Oriente francescano, IV, 1923, 271-296; — Anastasius Van den Wyngaert, Sinica Franciscana I, 1929, 513-523; — A. C. Moule, Christians in China...; — L. Oliger, Antonianum 18, 1943, 29-34; — R. Henning, Terrae incognitae III, 1953[2], 231, 247; — Regina Müller, Jean de Montecorvino (1247-1328) — premier archevêque de Chine, NZM 44, 1988, 270 f.; — R. Streit/J. Dindinger, Bibliotheca Missionum IV, 1929, 80 f. (gute Übers. über die ältere Lit.); — LThK V, 1059.

Claudia von Collani

JOHANNES MARON, oder genauer JOHANNES VON MARON (aramäisch = Yuhannan d-MORUN), lebte als Mönch im Kloster des hl. Maron zwischen Apamaea und Antiochien (Nord-Syrien und Süd-Türkei). Geburtsort und Geburtsdatum sind - wie bei den meisten Heiligen jener Zeit - nicht überliefert. — Durch seine Gelehrtheit gelangte J. M. zu großem Ansehen, wurde zum Bischof und später zum ersten Patriarchen der Maronitenkirche gewählt. Dies alles geschah zwischen den Jahren 630 und 707. Nach seinem Tode wurde er im Ort Kfarhay, nahe der Stadt Botrys (= Batrun, an der nördlichen Libanonküste) begraben. Er wird seitdem als heilig verehrt, und sein Fest wird heute am 2. März gefeiert. Die Maroniten verdanken ihm besonders die hierarchische Organisation ihrer Kirche sowie die autonome Verwaltung ihres Volkes, zuerst in der Ebene der Syria Secunda (etwa ab dem J. 659), später in den Bergsiedlungen Phöniziens (heute Nord- und Zentrallibanon), ab ca. 675. Diese Hauptdaten seines Lebens lassen sich bestätigen einerseits durch die Zeitereignisse im Nahen Osten, andererseits auch durch die patristischen Quellen (Zitate und Fragmente), die J.M. in seinem literarischen Nachlaß uns gerettet hat.

Werke: Johannes Maron hinterließ als authentische Werke: 1) eine »Anaphora« (Meßliturgie), die besonders bei Epidemien und Zeiten der Drangsal verwendet wird; 2) eine »Auslegung des Glaubens« (Chartiso d-Haymonuto) mit zahlreichen Exzerpten aus den vier ökumenischen Konzilien (Nizäa, Konstantinopel, Ephesus und Chalkedon) sowie 67 Fragmente aus Werken der Kirchenväter (Kappadokier, Byzantiner und Syro-Aramäer); 3) eine Auswahl von »Fragen und Antworten gegen die Monophysiten«; 4) eine Auswahl von »Fragen und Antworten gegen die Nestorianer«. — Das von Th. Nöldeke entdeckte und veröffentlichte »Chronicon

Maroniticum« registriert für das Jahr 659 in Damascus einen Disput vor dem Angesicht des Khalifen Moawia zwischen den Bischöfen der Maroniten und jenen der Jakobiten (= Monophysiten), geführt von Theodor, »den sie mit dem Namen Patriarch versehen haben«. Die Jakobiten unterlagen dabei und wurden zu einer Strafe verurteilt. F. Nau vermutet mit Recht, daß die von J. M. geschriebenen »Fragen und Antworten gegen die Monophysiten« bei dieser Gelegenheit verwendet wurden, und daß er als »Bischof« an dem Disput teilgenommen habe. Diese Vermutung wird heute dadurch bestärkt, daß J. M. der einzige Zeuge ist, der durch die patristischen Exzerpten seiner »Auslegung des Glaubens« uns einen verlorenen Text des Kirchenvaters Sahdona (Martyrius) bewahrt hat und dessen Autor (Sahdona) als Heiligen (also schon Verstorben) bezeichnet. Sahdona, wie wir inzwischen wissen, lebte sicher bis über das Jahr 650 A.D. hinaus. J. M. konnte ihn deshalb im J. 659 als »Heiligen« zitieren. Anläßlich meiner Ausgabe der theologischen Werke des J. M. konnte ich noch folgende Auszüge bei ihm identifizieren, die leider in den übrigen Quellen verlorengegangen waren: Ein Fragment der »Professio Fidei« des hl. Amphilochius von Ikonium; ein Fragment der Akten der Synode von Antiochien (J. 266-269); ein Fragment des »Péri Arkhon« (= IV/V Contra Eunomium des hl. Basilius; weitere Texte von Gregor von Nyssa, Proclus von Konstantinopel, Johannes Chrysostomus und ein Hinweis auf eine korrekte Rezension der Werke vom hl. Ephrem dem Syrer. Alles deutet darauf hin, daß J. M. in der zweiten Hälfte des VII. Jhds. lebte, und daß er Glaubensquellen benutzt hat, die anderswo verloren waren oder mindestens nicht - wie bei ihm - die Originaltreue bewahrt haben. Dies hat sich insbesondere bestätigt in bezug auf den fälschlich ihm und seiner Maronitenkirche zugeschriebenen Monotheletismus, von dem keine berechtigte Spur in den echten Schriften des J. M. zu finden war. — Werksausgaben: Jean Maron, Exposé de la foi et autres opuscules edités (en syriaque) avec traduction française et annotations par Michel Breydy in Corpus Script. Christ. Orient., Series Syriaca, B. 497-498, Louvain 1988. Frühere Teilausgabe bei François Nau, Opuscules Maronites, in Revue Orient-Chretien, 1899, S. 124-226. Der syrische Text mit arabischer Übersetzung bei M. Ghibril, Histoire de l'Eglise syriaque maronite d'Antioche, Baabda (Libanon) B. 1, 1900; Von J. B. Chabot († 1948) erschien in posthumer Edition die »Anaphora des J. M.« unter dem Titel »La liturgie attribuée à S. Jean Maron«, in Notices et extraits de la Bibliothèque Nationale et autres bibliothèques, Tome XLII (Paris 1963) S. 1-42.

Lit.: Zwischen Freunden und Gegnern der Maroniten grassiert seit über 250 Jahren eine dauerhafte Polemik über J. M. und seine Heiligkeit bzw. Orthodoxie. Eine ausführlich detaillierte Literatur darüber bis 1987 ist in den folgenden Werken von Prof. M. Breydy zusammengetragen: M. Breydy, Geschichte der Syro-arabischen Literatur der Maroniten vom VII. bis XVI. Jahrhundert, 1985, S. 6-25 und 70-129; — Ders., Jean Maron, Explication de la foi et autres opuscules, Version CSCO 1988 (Bd. 498), S. VI-XII und 1-14. Neuere Literatur, siehe: M. Breydy, Les Attestations patristiques parallèles et leurs sources chez les Ps.-Léonce et Jean Maron in Nubia et Oriens Christianus, Köln 1988, S. 3-16; — Ders., La personne controversée de Léonce et ses pseudepigraphes in Journal of Oriental and African Studies, Vol. 1, Athens

1989, S. 11-23; — Ders., Une nouvelle méthode pour constater l'originalité des hymnes syriaques. Compléments au sujet des différentes versions et éditions d'Ephrem, in Studia Semitica necnon iranica, edid. Maria Macuch, Ch. Müller-Kessler, B.G. Fragner, Wiesbaden 1989, S. 33-49; — Ders., Les temoignages de Sévère d'Antioche dans l' Exposé de la foi de Jean Maron, in Le MUSÉON (Louvain) Tom. 103, S. 215-235.

Michael Breydy

JOHANNES von Massilia siehe Johannes von Cassianus

JOHANNES *von Matera*, der hl., O(rdo) S(ancti) B(enedicti), Stifter der Kongregation von Pulsano, wurde 1070 zu Matera, einer Stadt Apuliens, geboren. Als junger Mann verließ er heimlich seine reichen und angesehenen Eltern und lebte in äußerster Armut als Hirte auf einer Insel bei Tarent. Auf eine innere Eingebung hin zog er dann nach Sizilien und lebte in einer Wüste zwei Jahre lang von bitteren Kräutern und Feigen. Er kehrte darauf nach Apulien zurück und trat nach dreijährigem Einsiedlerleben als Bußprediger in Bari auf, wo er als Verbreiter ketzerischer Lehren verklagt und von seinem Erzbischof inquiriert wurde. Nachdem sich seine Unschuld herausgestellt hatte, sammelte er in Pulsano mehrere Jünger um sich. Mit diesen gründete er um 1130 in Pulsano auf dem Monte Gargano die Eremiten-Kongregation nach der Benediktregel, errichtete mehrere Klöster für Mönche und für Nonnen, wofür er die päpstliche Bestätigung erhielt, und behielt die Leitung über den ganzen Orden bis zu seinem Ende. Er starb im Kloster zu St. Jakob in der Nähe von Pulsano am 20. Juni 1139 und wurde auch dort begraben. Sowohl an seinem Grabe als auch in dieser Kirche sollen auf seine Fürbitte viele Wunder geschehen sein. Der von ihm gegründete Orden existiert schon längst nicht mehr. Dessen ehemaliges Bestehen ist nur noch durch die von den Bollandisten gesammelten und veröffentlichten päpstlichen Bullen und Privilegien bestätigt.

Lit.: Acta Sanctorum Iun. IV (1707) 37-58, ed. Bollandus etc., (Antwerpen, Brüssel, Tongerloo) Paris 1643ff, Venedig 1734ff, Paris 1863ff; — Helyot VI 159-167; — M. Morelli (Bari 1930); — Zimmermann II, 337f, 340; — A. F. Pecci (Putignano di Bari 1938); — EC VI 569f; — Baudot-Chaussin VI 329f, Baudot et Chaussin, Vies des Saints et des Bienheureux selon l'ordre du calendrier avec l'historique des fêtes (par les RR. PP. Benedictins de Paris), 12 Bde, Paris 1935-1956.

Werner Schulz

JOHANNES *von Meissen* (von Belgern), Bischof von Ermland, geb. in Belgern?, Kr. Torgau, um 1300? als Sohn eines Frank?, † Heilsberg 30. Juli 1355, begraben im Frauenburger Dom. — Angaben zur Herkunft vermittelt seine erstmals 1326 belegte Notarsunterschrift: »Johannes quondam Franconis de Belgern Mysnensis dyocesis«. Mehrfach wird ihm der Magister-Titel beigelegt. Ungewiß ist seine Identität mit dem 1314 in Bologna verzeichneten »Johannes de Misna procurator« (Knod identifiziert diesen mit einem in Fritzlar tätigen Geistlichen). 1326 betätigte sich J. als öffentlicher Notar in Neiße und im schlesischen Weidenau bei Freiwaldau. Erstmals am 27. Oktober 1332 wird J. als Notar des Deutschordens-Hochmeisters Luther von Braunschweig (s.d.) erwähnt. Mit ihm und seinem Mitnotar Hermann von Kemnade begann die regelmäßige Nennung der Hochmeister-Notare in den Zeugenlisten. Als Notar in der Hochmeister-Kanzlei wird J. letztmals im Oktober 1334 genannt, ein Nachfolger jedoch erst 1336. Als öffentlicher Notar stellte J. auch auf Ersuchen des Hochmeisters zwei Notariatsinstrumente aus. Sein Notarssignet - eine Hand hält eine Fahne mit Ordenskreuz - bezeugt J.s Verbundenheit mit dem Deutschen Orden. Daß J. Priesterbruder des Ordens war, wie gelegentlich gemutmaßt wird, ist jedoch völlig unbelegt. — Bereits im Juli 1333 wird J. als ermländischer Domherr bezeichnet, im März 1334 als Pleban der Domstadt Frauenburg. 1337 wurde er Pfarrer von Kulm, nach 1345 Domdekan. Unmittelbar nach dem Tod Bischof Hermanns von Prag am 31. Dezember 1349 wurde J. vom ermländischen Domkapitel zum Bischof gewählt. Zur Sicherung der Wahl reiste J. sogleich nach Avignon, wo er am 29. April 1350 providiert und geweiht wurde. — Intensiv widmete sich J. der Besiedlung des mittleren und südlichen Teils des bischöflichen Territoriums, nachdem 1343 die Westgrenze zum Ordensgebiet festgelegt worden war. Insbesondere gab er zahlreiche Dienstgüter aus. Unter J. soll zum Schutz dieses Gebietes vor Litauereinfällen mit dem Bau der Burgen Rößel und Seeburg begonnen worden sein. Ebenso wird J. zugeschrieben, bei seinem Amtsantritt die bischöfliche Residenz nach Heilsberg verlegt zu haben - dort blieb sie bis 1776 - und den Bau des Langhauses des Frauenburger Domes begonnen zu haben. Dort wurde J. auch begraben. — Mit 5 Jahren war J.s Amtszeit nicht sehr lang. Dennoch hat er Bedeutsames in Gang gesetzt. Mit dem Deutschen Orden pflegte J. ein gutes Einvernehmen. Damit hob er sich deutlich von seinem Nachfolger Johannes Stryprock ab, dessen 18jährige Amtszeit durch heftige (und fruchtlose) Auseinandersetzungen mit dem Orden, insbesondere um die Südgrenze des bischöflichen Territoriums, geprägt war und der schließlich in Avignon starb.

Lit.: Anton Eichhorn, Geschichte der ermländischen Bischofswahlen 1, in: ZGAE 1 (1860) S. 93-190, hier S. 112f; — ders: Die Prälaten des Ermländischen Domkapitels, in: ZGAE 3 (1866) S. 305-397, 529-643, hier S. 348f; — Franz Hipler, Die Grabstätten der ermländischen Bischöfe, in: ZGAE 6 (1878) S. 281-362, hier S. 296-299; — Viktor Röhrich: Die Kolonisation des Ermlands, 1899, erneut in 11 Teilen in ZGAE 12 (1899) 601-724 bis 22 (1924) S. 1-38 (insges. 68 Vorkommen J.s, Einzelnachweis im Register der Zeitschrift); — ders.: Geschichte des Fürstbistums Ermland, 1925 S. 146ff; — Gustav Carl Knod: Deutsche Studenten in Bologna 1289-1562, 1899 Nr. 2330; — Franz Fleischer, Die Servizienzahlungen der vier preußischen Bistümer bis 1424, in: ZGAE 15 (1905) S. 721-759, hier S. 725, 729-731; — Eugen Brachvogel, Die Bildnisse der ermländischen Bischöfe, in: ZGAE 20 (1919) S. 516-601, hier S. 519 (Siegel), 529 (Wappen); — Hans Schmauch, Die Besetzung der Bistümer im Deutschordensstaate (bis zum Jahre 1410) in: ZGAE 20 (1919) S. 643-752, hier S. 716f und 21 (1923) S. 1-192, zu J. mehrfach; — ders., Besiedlung und Bevölkerung des südlichen Ermlandes, in: Prussia 30,1 (1933) S. 142-165; — Rudolf Grieser, Das älteste Register der Hochmeister-Kanzlei des Deutschen Ordens, in: Mitteilungen des Instituts für österreichische Geschichtsforschung 44 (1930) S. 417-456; — Karl Kasiske, Die Siedlungtätigkeit des Deutschen Ordens im östlichen Preußen bis zum Jahre 1410, 1934 S. 86-100; — Fritz Luschek, Notariatsurkunde und Notariat in Schlesien, 1940 S. 181 und 243; — Brigitte Poschmann, Bistümer und Deutscher Orden in Preußen 1243-1525, Diss. (Münster) 1962 auch in ZGAE 30 (1962) S. 227-354; — Karl Hauke und Werner Thimm, Schloß Heilsberg, Residenz der Bischöfe von Ermland, Geschichte und Wiederherstellung 1927-1944, 1981; — Martin Armgart, Beiträge zum Urkundenwesen des Deutschen Ordens, Diss. (Bochum) 1990, Druck dann. als: Die Handfesten des preußischen Oberlandes bis 1410 und ihre Aussteller (Veröffentlichungen aus den Archiven Preußischer Kulturbesitz Beihefte 2), 1992; — Altpreußische Biographie I S. 304.

Martin Armgart

JOHANNES DE MERCURIA (Jean de Mirecourt /Johann von M.), lothringischer Theologe in Paris (um 1344-1347), † nach 1349. — Seine lothringische Herkunft (Mirecourt: Frankreich, Département des Vosges) wird dank der Explicitationsformel (in der Erfurter Handschrift) seiner zweiten Rechtfertigungsschrift dokumentiert: »natione Lotharingia«. J. von M. gehörte dem Zisterzienserorden an, wurde zuerst Mönch in Citeaux und studierte in Paris. Aus dem »Chartularium Universitatis Pariensis« ergibt sich, daß er als »baccalaureatus in theo.« 1345 die »Sententiae« des Petrus Lombardus im Collège Saint-Bernard öffentlich las und unter dem Einfluß der damals in Paris sehr stark wirkenden nominalistischen Lehre kommentierte: Infolgedessen wurde er gezwungen, vermutlich im Jahre 1346, vor 41 Pariser Theologen 43 seiner Thesen zu verteidigen. 1347 wurde eine neue Liste von 63 seiner Thesen wegen ihrer Überbetonung der Willkür Gottes und wegen ihrer Lehre über die Prädestination und die Person Christi zensiert. Inzwischen hatte J. von M. zwei schriftliche Rechtfertigungen herausgeben. Nach 1347 verschwindet er; K. Michalski vermutete, er sei Abt von Royaumont (Frankreich, Département du Val d'Oise) 1348-1349 gewesen. — J. von M. war strenger Nominalist und offensichtlich von der Lehre Ockhams sowie von den Thesen anderer Nominalisten, insbesondere englischer Kommentatoren der Sentenzen wie Adam Woadham, Robert Halifax, Thomas Bradwardine und Robert Holkot, beeinflußt. Die handschriftliche Überlieferung gilt als Zeugnis für die Verbreitung seines Werkes in Italien (Bologna, Florenz, Padua, Rom, Turin), in den mittelalterlichen Reichsgebieten (Erfurt, Erlangen, Lilienfeld, Metz, Prag) und in Polen (Krakau), sowie in Frankreich (Paris) und Spanien (Toledo). J. von M. soll seinerseits Pierre de Ceffonds, Pierre d'Ailly, Gottschalk, Conrad von Ebrach und Thomas von Krakau beeinflußt haben. Am Ende des 15. Jh. wurde er noch unter den Beinamen »monachus cisterciensis« oder »monachus albus« in Frankreich als einer der wichtigsten Vertreter des Nominalismus betrachtet: So wird er als solcher in dem Edikt Ludwigs XI. vom 1. März 1474 zitiert und nochmals verurteilt. Bis zum Anfang dieses Jahrhunderts fast völlig in Vergessenheit geraten, wurde er von den Polen Konstanty Michalski und Aleksander Birkenfeld erst nach dem Ersten Weltkrieg wiederentdeckt. Erst vor einigen Jahren betonte R.J. Van Neste nicht nur die Originalität seiner Epistemologie, sondern auch die Besonderheit seiner Lehre gegenüber der Okhams und des Lothringers Nicolas d'Autrecourt.

Werke: Kommentar zu den Sentenzen des P. Lombardus: (Nur die sieben in der Folge zitierten Handschriften enthalten das ganze Werk) Bologna, Bibl. communale, A 921, f° 1-227 (2. Hälfte 14. Jh.); Metz, Bibl. municipale, ms. 211, f° 1-197 (Ende 14. Jh.. Handschrift 1944 verschwunden; Ein Originalmikrofilm von Stegmüller 1932 ist bei der Bibl. mun. Metz verfügbar und eine Kopie bei dem IRHT, Paris); Toledo, Cabildo XIII-39 (2. Hälfte 14. Jh.); Florenz, Bibl. Laur., Acquisiti i doni 347, f° 1-228 (14. Jh.); Lilienfeld (BRÖ), 198, f° 2-325 (1389); Paris, BN, Lat. 15882, f° 4-184 und Lat. 15883, f° 3-150 (Anfang 15. Jh.).; Edition: Biblia Maxima Patrum, Lyon 1667, XXVI, 483; Rechtfertigungen (oder Apologien) J. von M.: Aleksander Birkenmayer, Ein Rechtfertigungsschreiben Johannes von Mirecourt in: Vermischte Untersuchungen zu Geschichte der mittelalterlichen Philosophie, 4, 1922, S. 91-128 und 216-226; Die zensierten Thesen hatten schon Henri Denifle und Emile Chatelain, Chartularium Universitatis Parisiensis, Bd. II, 1891, S. 610-614 ediert.

Lit.: Friedrich Stegmüller, Die zwei Apologien des Jean de Mirecourt, in: Recherches de théologie ancienne et médiévale, 5, 1933, S. 40-78 und 192-204; — Gilbert Ouy, Un commentateur des »Sentences« au XIVème s., Jean de Mirecourt, Ecole Nationale des Chartes, 1946 (Zusammenfassung in: Ecole Nat. des Ch., Positions des thèses soutenues..., 1946, S. 117-122); — Anna Franzinelli, Questioni inedite di Giovani di Mirecourt sulla conscenza, in: Rivista critica di storia della filosofia, 13, 1958, S. 319-340 et 415-449; — Georges Tessier, Jean de Mirecourt, in: Histoire Littéraire de la France, Bd 40, 1986, S. 1-52; — William J. Courtenay, John of Mirecourt and Gregor of Rimini on Whether God Can Undo the Past, in RTAM, 39, 1972, S. 224-258 und 40, 1973, S. 147-174; — Roy J. van Neste, The epistemology of John of Mirecourt: a reinterpretation, in: Citeaux, 27, 1976, S. 5-28; William J. Courtenay, The reception of Ockham's thought at the university of Paris, in: Z. Kaluza und P. Vignaux, Preuve et raison à l'université de Paris, Logique, ontologie et théologie au XIVème siècle., 1984 (Etudes de philosophie médiévale, hors-série), S. 43-64.

Jean-Luc Fray

JOHANNES Meyer siehe Meyer, Johannes

JOHANNES MILIČ, * etwa 1305 in Kremiser (Mähren), † 29.6. 1374 in Avignon, war wohl der wortmächtigste Reformprediger im Böhmen des 14. Jahrhunderts. Zum geistlichen Amt kam J. erst in späteren Jahren. Nach seinen Studien diente er zunächst am Hofe Kaiser Karls IV. (1358-1360) und anschließend in dessen Kanzlei (bis 1362). Nach seinem Ausscheiden aus kaiserlichen Diensten ließ er sich zum Priester weihen. Man übertrug ihm in Prag ein Kanonikat und bestimmte ihn zum Schatzmeister, doch gab er bald auch diese Ämter auf, da sie nicht seiner Spiritualität entsprachen. Seine persönliche Frömmigkeit und sein asketisches Leben in der Nachfolge Christi veranlaßten ihn, in seinen Predigten zur inneren Reform und Bekehrung aufzurufen. Besonders stark geißelte er die beim Klerus weitverbreitete Korruption. Er rief seine Mitbrüder auf, sich zu bekehren und ein Leben zu führen, das ihrer Berufung entsprach. Die Eucharistie sah J. als Mitte und Quell christl. Lebens an und förderte daher - im Gegensatz zur damaligen Praxis - den täglichen Empfang der heiligen Kommunion. Ebenfalls setzte er sich für die Übertragung der Heiligen Schrift in die Volkssprache ein. J. war eine Zeitlang zumindest davon überzeugt, daß das Ende der Welt nahe sei. Er verließ daher Prag und ging nach Rom, wo er für 1362 das Ende der Welt und die Ankunft des Antichristen voraussagte. Dies trug ihm eine Inquisitionshaft ein, während der er seinen »Libellus de Antichristo« schrieb. Papst Urban V., der J. persönlich angehört hatte, erlaubte ihm jedoch, bald darauf wieder nach Prag zurückzukehren. Sofort nahm er seine Predigttätigkeit in deutscher und tschechischer Sprache wieder auf. Für die Büßerinnen gründete er ein Haus in Prag. J. war kein Revolutionär, es ging ihm einzig und allein um Reformen innerhalb der Kirche, um ein wahrhaft christliches Leben im Sinne der Nachfolge Christi. Seine Erfolge erweckten jedoch den Neid mancher Prager Kleriker, die ihn beim Papst der Häresie bezichtigten, zumindest häretischer Neigungen. Darauf begab sich J. nach Avignon, wo Papst Gregor XI. mit seiner Kurie residierte, um sich zu rechtfertigen. Noch vor seiner Rückreise ereilte ihn dort der Tod.

Lit.: S. Palacký, Vorläufer des Hussitismus in Böhmen, Prag 1869, 18-46; — J. Emler (Hrsg.), Fontes rerum Bohemicarum, Prag 1871, I, 401-436; — H. Hurter, Nomenclator literarius theologiae catholicae, Innsbruck 1903-1913³, II, 663; — J. Loserth, Hus und Wiclif, München 1925², bes. 36-42; — F. Hrejca, Dějiny křestanstvi v Československu, Prag 1947, 176-186; — Dějiny česke literatury, Prag 1959, bes. 147-150; — F. Dvornik, Slavs in European History and Civilization, 1962; — LThK ²V, 1061; — Encyclopedic Dictionary of Religion, Philadelphia-Washington, D. C. 1979, 1917.

Johannes Madey

JOHANNES Monachus (Monachi, Le Moine, Le Moyne, Cardinalis), Dekretalist, * in Crécy/Picardie, † 22.8. 1313 in Avignon; J. ist vermutlich adeliger Abstammung. Der Beiname Monachus ist die lateinische Form des Familiennamens »Le Moine«; J. war niemals Mönch. — J. war nach einem Studium in Paris an der römischen Kurie als Procurator, später als päpstlicher Kaplan und schließlich von 1288 bis zu seiner Ernennung zum Kardinalpriester von St. Marcellinus und Petrus 1294 als Vizekanzler der römischen Kirche tätig. Höhepunkt seiner Laufbahn war seine Mission als Legat des Papstes in Frankreich 1303, wo er - allerdings ohne Erfolg - im Konflikt zwischen Bonifaz VIII. und Philipp dem Schönen zu vermitteln versuchte. In Paris gründete J. das »Collège du Cardinal Lemoine«, das bis zur Französischen Revolution bestand. Seine letzten Lebensjahre waren ausgefüllt mit kurialer Tätigkeit unter Benedikt XI. und Klemens V. In den Handschriften steht die Sigle »Jo.Mo.« für J. — In seiner wissenschaftlichen Beschäftigung mit dem Dekretalenrecht spiegelt sich die praktische kuriale Erfahrung des J.; seine Glossen sind knapp, klar und ohne längere historische Exkurse; sie fanden weite Verbreitung. J. hat bes. die althergebrachten Rechte des Kardinalskollegiums verteidigt, insbes. gegen deren Mißachtung durch die Amtsführung Bonifaz VIII.

Werke: Glossa aurea (Glossenapparat zum Liber Sextus) (vor dem 16.2. 1301 vollendet): Druckausg. 1535 (Nachdr. 1968), 1585, 1602; Glossen zu Dekretalen Bonifaz VIII., Benedikts XI. und Klemens V.

Lit.: Charles Jourdain, Le Collége du Cardinal Lemoine, in: Mémoires de la Société de l'Histoire de Paris et de l'Ile-de-France 3, 1876, 42-81; — Felix Lajard, Jean Le Moine, cardinal, canoniste, in: HistLittFrance 27, 1877, 201-224; — Heinrich Finke, Aus den Tagen Bonifaz VIII. Funde und Forschungen, 1902 (Vorreformationsgeschichtliche Forschungen 2), bes. 126-145, 177-186; — Richard Scholz, Die Publizistik zur Zeit Philipps des Schönen und Bonifaz' VIII. Ein Beitrag zur Geschichte der politischen Anschauungen des Mittelalters, 1903 (Nachdr. 1962) (KRA 6-8), bes. 194-198; — Walter Ullmann, The Origins of the Great Schism.

A study in fourteenth-century ecclesiastical history, 1948, bes. 204-209; — Brian Tierney, Foundations of the Conciliar Theory. The Contribution of the Medieval Canonists from Gratian to the Great Schism, 1955, bes. 180-191, 208 f., 260; — Charles Lefebvre, Formation du droit classique, in: Gabriel Le Bras (Ed.), Histoire du Droit et des Institutions de l'Église en Occident, Bd. 7, 1965, bes. 326 f., 329; — Giuseppe Alberigo, Cardinalato e collegialità. Studi sull'ecclesiologia tra l'XI e il XIV secolo, 1969, bes. 144-149; — Heribert Schmitz, Appellatio extraiudicialis. Entwicklungslinien einer kirchlichen Gerichtsbarkeit über die Verwaltung im Zeitalter der klassischen Kanonistik, 1970 (MThS.Kan 29), bes. 137-139; — John A. Watt, The Constitutional Law of the College of Cardinals: Hostiensis to Joannes Andreae, in: MS 33, 1971, 127-157, bes. 139-143; — Knut Wolfgang Nörr, Die kanonistische Lit., in: Helmut Coing (Hrsg.), Handb. der Quellen und Lit. der neueren europäischen Privatrechtsgeschichte, Bd. 1, 1973, bes. 367, 377; — Ronald A. Steckling, Cardinal Lemoine's Legation to France, 1303. A Diplomat's Dilemmas, in: Res publica litterarum V/2, 1982, 203-225; — R. M. Johannessen, Cardinal Jean Lemoine and the authorship of the glosses to Unam sanctam, in: BMCL 18, 1988, 33-41; — Ders., Cardinal Jean Lemoine. Curial Politics and Papal Power (Diss.), 1989; — Catholicisme VI, 610 f.; — DDC VI, 112 f.; — Feine 291; — Hefele VI, 351 f., 359, 453 f.; — Hefele-Leclercq VI/1, 431, 447, 571; — LThK V, 1062; — NBG XXVI, 559 f.; — NewCathEnc VII, 1058 f.; — Plöchl II, 68, 522; — Schulte II, 55, 191-193; — Seppelt IV, 34-36.

Franz Kalde

JOHANNES DE MONTE, Weihbischof in Trier, * um 1360, † 17.12. 1442 in Koblenz. — J. soll nach der Überlieferung aus einer adeligen Familie in Aachen gestammt haben. Im Jahre 1372 trat er in Koblenz dem Dominikanerorden bei. Er studierte in Bologna, wahrscheinlich auch in Wien. 1401/02 ist er als akademischer Lehrer (Lizentiat, Sententiar) in Köln, 1402 als Lektor in Trier, sodann bis 1410 als Doktor in Prag bezeugt, wo er vor allem im Kampf gegen die Hussiten hervortrat. J. wurde dann Professor der Theologie in Köln, bekleidete 1416 auch das Amt eines Vizekanzlers der dortigen Universität und wurde am 4.9. 1419 Weihbischof in Trier (Titularbischof von Azot). 1432 wurde er auch Kanoniker in Lüttich und nahm 1440 mit dem Bischof von Lüttich an der Kölner Provinzialsynode teil. Gemeinsam mit dem damaligen Propst von Münstermaifeld, dem späteren Kardinal Nikolaus von Kues, führte er wichtige Aufträge des Trierer Erzbischofs aus, so die Inkorporation der Pfarrkirche Trier-St. Isidor in das Katharinenkloster 1440 und im Folgejahr die Visitation der Kollegiatstifte St. Simeon und St. Paulin. J. ist auch als Kommendatar-Pfarrer von St. Wendel bezeugt; ob er identisch mit jenem J. d. M. ist, der am 17.2. 1415 auf dem Konstanzer Konzil predigte, ist unsicher. Jedenfalls unterstützte er den Erzbischof tatkräftig bei der Einführung der von diesem Konzil angeordneten Reformen. J. erhielt wunschgemäß sein Grab in der Dominikanerkirche in Koblenz.

Lit.: Johann Anton Josef Hansen, Die Weihbischöfe von Trier, 1834, 15; — Karl Josef Holzer, De Proepiscopis Trevirensibus, 1845, 53-57; — Jakob Marx d. Ä., Gesch. des Erzstifts Trier, Bd. 4, 1862, 448; — Hermann Keussen, Die Matrikel der Univ. Köln 1389-1475, 1892, 18; — Ders., Die alte Univers. Köln. Grundzüge ihrer Verfassung und Gesch., 1934, 423; — Conrad Eubel, Hierarchia catholica medii aevi, Bd. I, 1913², 555; — Heinrich Volbert Sauerland, Urkunden und Regesten zur Gesch. der Rheinlande aus dem Vatikan. Archiv, Bd. 7: 1400-1415, hrsg. von H. Thimme, 1913, 1121; — Acta Concilii Constanciensis, hrsg. von H. Finke, Bd. 2, 1923, 396; — Josef Schweisthal, Die Trierer Weihbischöfe, ungedr. Manuskript Trier 1935, 20 f., — Gabriel M. Löhr, Die Kölner Dominikanerschule vom 14. bis zum 16. Jh., 1948, 87 u. 94; — Ders., Der Dominikanerorden und seine Wirksamkeit im mittelrhein. Raum, in: AmrhKG 4 (1952), 120-156, 129; — Die Matrikel der Univers. Wien, Bd. I, 1954/56, 2; — Repertorium Germanicum 4, Verzeichnis der in den Registern und Kameralakten Martins V. vorkommenden Personen, Kirchen und Orte des dt. Reiches, seiner Diözesen und Territorien 1417-1431, bearb. v. K. A. Fink, 1941-1958, 2168; — Aloys Schmidt/Hermann Heimpel, Winand von Steeg (1371-1453), ein mittelrhein. Gelehrter und Künstler und die Bilderhandschr. über Zollfreiheit des Bacharacher Pfarrweins auf dem Rhein aus dem Jahr 1426 (Handschrift 12 des Bayerischen Geheimen Hausarchivs zu München), 1977, 117.

Martin Persch

JOHANNES *de Montesono[s]* OP, * um 1350 in Monzón, Aragonien, † nach 1412. — Nach Lehraufenthalten an verschiedenen Ordensstudien wird J. Theologieprofessor an der Kathedralschule von Valencia. 1387 in Paris promoviert veröffentlicht J. sogleich 14 Thesen, in denen (10-13) er sowohl die scotische Lehre der unbefleckten Empfängnis (als Fest 1380 durch die gallische Nation an der Pariser Universität eingeführt) als auch die franziskanische Doktrin der Erbsündlosigkeit Mariens scharf angreift; als Prediger malte er sogar kräftig die Beflekkung der Gottesmutter aus. Unter der Ägide von Johannes Vitalis (s.d.) erstellt die Fakultät ein Gegengutachten und verurteilt am 6.7. J.s strittige Thesen. Da dieser jedoch nicht widerruft, wird er am 23.8. von Erzbischof Peter von Orgemont mit Exkommunikation bedroht. Gleichzeitig interveniert eine Gesandtschaft der Universität, der u.a. Johannes Gerson (s.d.) angehört, bei Clemens VII. in Avignon. J. war inzwischen über Aragón nach Rom gereist, um einer möglichen Verurteilung zu entgehen. Nach dreimaligen Nichterscheinen vor der Kurie wird J. schließlich am 27.1. 1389 exkommuniziert; er flieht in seine Heimat. 1393 ist J. auf Sizilien bezeugt.

Werke: Tractatus brevis de electione papae, qui dicitur Informatorium; Correptorium contra epistolam fundamenti schismatis; Opus quod dicitur Scopos LXXII conclusionum ad paragrandam viam Ecclesiae a devio triviali ad papam Bonifatium IX.

Lit: Quétif-Échard I 691ff; — H. Denifle, Chartularium Universitais Parisiensis III, Paris 1889-1897, nn. 1408. 1480ff. 1557-1583; — A. Mortier, Histoire des maîtres généraux de l'ordre des frères prêcheurs III, Paris 1903, 620-631. 635-641. 644f; — R. Doucoeur, Les premières interventions du Saint-Siège relatives à l'Immaculée Conception: RHE 8 (1907) 266-285; 9 (1908) 278-293; M. R. Bonniwell, A History of the Dominican Liturgy, New York 1944, 240-247; — C. Sericoli, De praecipuis Sedis Apostolicae documentis de B. M. V. Immaculatae Conceptione: Antonianum 29 (1954) 378-408; — C. Balic, Joh. Duns Scotus et historia Immaculatae Conceptionis, Rom 1955; — DThC VII 1079ff; VIII 791f; — Grabmann, MGL III 281; — LThK V 1062f; — RE XII 322, 44ff.

Klaus-Gunther Wesseling

JOHANNES MOSCHOS (Beiname Eukratas), byzantinischer asketischer Schriftsteller und Wandermönch, * ca. 550 in Kilikien, † 634 (619 ?) in Rom. Vor 578 wurde er Mönch im Theodosioskloster bei Jerusalem, befand sich ca. 578 in Ägypten und lebte dann 10 Jahre auf dem Sinai. 603 beim Einfall der Perser begab er sich von Palästina zunächst nach Antiochia, von dort nach Alexandria und 614 mit Sophronios nach Rom. Bestattet wurde er im Theodosioskloster. Auf seinen Reisen im östlichen Mittelmeerraum sammelte er, begleitet von seinem Schüler Sophronios, dem späteren Patriarchen von Jerusalem (634-8), erbauliche Mönchserzählungen, den Λειμών (Pratum spirituale). Das Werk, dessen Ziel die Erbauung durch Beispiele christlicher Tugend ist, war im Mittelalter sehr beliebt,

wovon die zahlreichen Hss. und Übersetzungen (lat., slav., oriental.) zeugen. Zusammen mit Sophronios verfaßte er eine Vita des Johannes Eleemon.

Werke: Λειμών, PG 87/3, 2852-3112; den Prolog ed. H. Usener, Der hl. Tychon, Leipzig 1907, 91-93; in PG fehlende Kapitel: Ph. Pattenden, The Text of the Pratum Spirituale, Journ.Theol.Stud. NS 26 (1975) 38-54; F. Nau, Rev.Or.Chr. 7 (1902) 604-617 u. 8 (1903) 9 1-100; L. Clugnet, ib. 10 (1905) 39-56; Th. Nissen, Byz. Ztschr. 38 (1938) 354-372; E. Mioni, Or.Chr.Per. 17 (1951) 84-94 u. Studi biz. e neoell. 8 (1953) 27-36. — Zur Vita des Patriarchen Johannes des Barmherzigen vgl. E. Lappa-Zizicas, An. Boll. 88 (1970) 265-278.

Lit: Beck, Kirche 412f. (mit Bibl.); — Mihevc-Gabrovec, Études sur la syntaxe de Joannes Moschos. Ljubljana 1960; — M. Rouët de Journel, Jean Moschus, Le Pré spirituel, Paris 1960; — LThK V (1960) 1063 (H.-G. Beck); — I. Opelt, Der Edelstein im Bauch des Fisches. Ein orientalisches Novellenmotiv bei Johannes Moschos, in: Mullus, Festschrift Th. Klauser, München 1964, 268-272; — Θρησκ. Ἠθικὴ Ἐγκυκλ. 6 (1965) 1214f; — R. Paret, Un parallèle byzantin à Coran, Rev.ét.byz. 26 (1968) 137-159; — J. Rougé, Miracles maritimes dans l'œuvre de Jean Moschos, Cahiers d'histoire 13 (1968) 231-6; — Dict. Spir. VIII (1974) 632-640 (E. Mioni, mit Bibl.); — H. Chadwick, John Moschus and his Friend Sophronius the Sophist, Journ.Theol.Stud. N.S. 25 (1974) 41-74; — I. Kwilecka, Synajski pateryk, in: Slownik star. slowian. 5 (1975) 507f; — K. Rozemond, Jean Mosch, Patriarch de Jérusalem en exil, Vigiliae Christianae 31 (1977) 60-67; — W. Lackner, Zwei membra disiecta aus dem Pratum spirituale des Joannes Moschos, An. Boll. 100 (1982) 341-350; — J.A. Munitiz, The Link between some membra disiecta of John Moschos, An. Boll. 101 (1983) 295f; — Mönch Theologos Stauroniketianos, Ἰωάννης Μόσχος, Λειμωνάριον, Hagion Oros 1983; — R. Maisano, Tradizione orale e sviluppi narrativi nel Prato die Giovanni Mosco, Boll. Grott. N.S. 38 (1984) 3-17; — C. Pasini, Il monachesimo nel Prato di Giovanni Mosco e i suoi aspetti popolari, Vetera Christianorum 22 (1985) 331-379; — Theol. Realenz. 17 (1987) 140-4 (Ph. Pattenden, mit Bibl.).

Erich Trapp

JOHANNES von Münden siehe Dederoth, Johannes

JOHANNES DE MURIS, Mathematiker, Astronom und Musiktheoretiker, * um 1290 im Gebiet der Diözese Lisieux, † zwischen 1351 und 1368. — Die in Frankreich gebräuchliche Schreibform des Namens als Jean oder Jehan de Murs oder Meurs ist urkundlich nirgends bezeugt. — J. war ein umfassend gebildeter Wissenschaftler, dessen Schaffen in verschiedenen Disziplinen von nachhaltiger Bedeutung war. So sind Beziehungen zu den zeitgenössischen Wissenschaftlern Philipp de Vitry (Musiktheoretiker) und Leo Hebraeus (Mathematiker) und zu Pierre Roger, dem späteren Papst Clemens VI., der ihn zu einer von ihm geplanten Kalenderreform heranzog, bekannt. Die erste von J. stammende Schrift, die sich erhalten hat, ist eine astronomische Arbeit über die Planetenbewegung und wurde im Jahre 1318 in Evreux im Département Eure verfaßt. Von diesem Jahr ausgehend hat Heinrich Besseler die Zeit um 1290 als Zeitpunkt der Geburt J.s bestimmt. Da dieser sich aber in diesem Traktat als Student bezeichnet, ist mit Lawrence Gushee die Zeit der Geburt eher zehn Jahre später anzusetzen. Im darauffolgenden Jahr entstand die musiktheoretische Abhandlung »Ars novae musicae«, vermutlich in Paris. Im Jahre 1321 schrieb J. drei weitere astronomische Traktate. Ungefähr zur gleichen Zeit erwarb er den akademischen Grad eines Magister artium. Für den 26. Juni dieses Jahres ist ein Aufenthalt in Bernay, zwischen Lisieux und Evreux gelegen, bezeugt. Zwei Jahre später veranstaltete er eine Ausgabe der »Musica speculativa« des Boethius, der ein Jahr später dessen Arithmetik folgte. Beide Werke bildeten durch viele Jahrhunderte hindurch die Grundlage für den Unterricht der entsprechenden Fächer des Quadriviums. Astronomische Berechnungen aus den Jahren 1326 und 1327 weisen auf einen Aufenthalt J.s im Kloster Fontevrault, im Département Maine et Loire gelegen, hin. Mit einem Erlaß vom 29.11. 1329 gewährte ihm Papst Johannes XXII. ein Benefizium an der Abtei Le Bec-Hellouin im Bereich der Diözese Rouen, das Weltpriestern vorbehalten war. In den Jahren 1336 und 1337 war J. wieder in Paris, wo er sich, vermutlich zu Studienzwecken, an der Sorbonne aufgehalten hatte. Von 1338-1342 gehörte er als Kleriker zum Haushalt Philipps von Evreux, des Königs von Navarra. Während dieser Zeit, in den Jahren 1339 und 1341, verfaßte er zwei weitere astronomische Schriften. Seit dem Jahre 1342 hatte J. ein Kanonikat in Mezières-en-Brenne im Département Indre inne. Als sein eigentliches Hauptwerk betrachtete er die Schrift »Quadripartitum opus numerorum«, die am 13.11. 1343 vollendet wurde. Im Jahre 1344 wurde er von Papst Clemens VI. nach Avignon eingeladen, um an einer geplanten, dann aber doch nicht durchgeführten Kalenderreform mitzuwirken. Ein Jahr später überreichte er seinen Reformvorschlag, den er gemeinsam mit Firminus de Bellavalle erarbeitet hatte, zusammen mit einem Widmungsschreiben dem Papst. Als Spätwerke gelten ein mathematischer Traktat, der Philipp von Vitry gewidmet ist und nach dessen Ernennung zum Bischof von Meaux am 3.1. 1351 entstanden sein muß und der gleichfalls undatierte »Libellus cantus mensurabilis«. Die früher J. zugeschriebenen Werke »Speculum musicae« und »Summa musicae« hat die musikwissenschaftliche Forschung als Schriften anderer Provenienz identifiziert. Dagegen dürfte er der Komponist einer dem Papst Johannes XXII. gewidmeten Doppelmotette gewesen sein. Wann J. gestorben ist, ist unbekannt. Der Karmeliter Jean de Venette nennt ihn in seiner zwischen 1340 und 1368 geschriebenen Chronik gegen Ende des Manuskripts als längst verstorben. — Die Bedeutung J.s liegt vor allem in der Verbindung der Wissenschaften des Quadriviums. Grundlage des Zusammenhangs bildete für ihn das Wesen der Zahl. Damit steht er in einer dem Mittelalter eigenen Tradition des Denkens vom Prinzip der Einheit. Seine Art der Darstellung erweist ihn gleichzeitig als einen Wegbereiter der systematischen Naturforschung. Auch für die Musiktheorie seiner Zeit, der Entwicklung der Ars nova, waren seine Schriften von zentraler Bedeutung.

Werke: De introitu solis in ariete, 1318; Ars novae musicae, 1319; Tabula tabularum et Canones tabulae tabularum, 1321; Tractatus canonum tabulae minutiarum, 1321; Musica speculativa secundum Boethium, 1323 (ausführl. Fassung; eine Kurzfassung dieser Schrift vermutl. aus dems. Jahr); Bearb. von Boethius, Artihmetica, o. J.; Fractiones Magistri J. de M., 1324; Quaestiones super partes musice (= Accidentia musice magistri J. de M. in Musica speculativa practica), o. J.; Canones de eclipsi lunae, 1339; Pronosticatio super conjunctionem Saturni, Jovis et Martis, 1341; Opus quadripartitum numerorum sive de mensurandi ratione, 1343; Epistola super reformacione antiqui Kalendarii, 1345; Libellus de correctione numeri aurei, 1345; Epistola magistri J. de M. ad Clementem sextum, o. J. (vor 1352); Epistola J. de M. ad Philippum de Vitriaco episcopum Meldensem, o. J. (nach 1351); Libellus cantus mensurabilis, o. J. — Komposition: Motette »Per grama protho paret« (vor 1334, Autorschaft zweifelhaft). — Druckausgaben: 1. Frühe Drucke: Musica manuscripta et composita, 1496 (Teile der Musica speculativa); Epytoma J. de M. in Musicam, 1508; — Boethius, Arithmetica, zahlr. Drucke, die letzten 1515 und 1538. 2. Neuere Drucke: Summa musicae, in: Martin Gerbert, Scriptores ecclesiastici de musica sacra III, 1784, 189-248 (Reprint, 1963); Musica speculativa, kurze Fassung, ebd., 249-255; Musica speculativa, ausführl. Fassung, ebd., 255-283; De numeris, qui musicas retinet consonantias, secundum Ptolemaeum, ebd., 284-286; Tractatus de proportionibus, ebd., 286-291; Musica practica, ebd., 292-301; Quaestiones super partes musicae, ebd., 301-306; De discantu, ebd., 306-308; De tonis, ebd., 308-312; De proportionibus, ebd., 312-315; Libellus cantus mensurabilis, in: Edmond de Coussemaker, Scriptores de musica medii aevi, Nova series III, 1864, 46-58; Ars contrapuncti, ebd., 59-68; Ars discantus, ebd., 68-113; Teile aus Ars novae musicae in: O. Strunk, Source Readings in Music History, 1950, 172-179 (in engl. Übers.); Notitia artis musicae et compendium musicae practicae, in: Ulrich Michels (Hrsg.), Corpus sriptorum de musica XVII, 1972.

Lit.: M. Mersenne, Harmonicorum libri XII, 1648, 8; — Johann Albert Fabricius, Bibliotheca latina mediae et infimae aetatis IV, 1735, 309; — Th. Tanner, Bibliotheca Britannico-Hibernica, 1748, 537; — J. J. Rousseau, Dictionnaire de musique, 1767; — Ch. Burney, A General History of Music II, 1782, Kap. III; — J. N. Forkel, Gesch. der Musik II, 1801, 425-434; — R. G. Kiesewetter, Gesch. der ... Musik, 1834, Kap. V; — H. Géraud, Chronique latine de Guillaume de Nangis II, 1843, 181; — Edmond de Coussemaker, Histoire de l'Harmonie au moyen âge, 1852; — Ders., Les harmonistes du XIVe siècle, 1869; — Ders., Scriptores de musica medii aevi II, 1867, XII-XXII; — A. de Lafage, Essais de diphthérographie musicale, 1862; — F. J. Fétis, Biographie universelle de musiciens VI, 1864², 265-268; — Theodor Nisard, J. de M., 1866; — F. Trépier, J. de M. ou un Savoyard méconnu au XIVe siècle, in: Mémoires del'Academie de Savois, 2. série XII, 1872, 81-103; — F. Kaltenbrunner, Die Vorgesch. der Gregorianischen Kalenderreform, in: SAW LXXXII, 1876, 289-414; — A. Favaro, Intorno alla vita e alle opere di Prosdocimo de'Beldemandi, matematico padovano del secolo XV, in: Bulletino di Bibliografia e di Storia delle Scienze matematiche e fisiche XII, 1879, 1-74, 115-251; — R. Hirschfeld, J. de M., seine Werke und seine Bedeutung als Vertreter des Classischen in der Tonkunst, 1884; — A. Nagl, Das Quadripartitum des J. de M. und das prakt. Rechnen im 14. Jh., in: Abhh. zur Gesch. der mathem. Wissenschaften, 1890; — H. Denifle/E. Chatelain, Chartularium Universitatis Parisiensis II, 1891, 640; III, 1894, 4, 6; — Hugo Riemann, Gesch. der Musiktheorie im IX.-XIX. Jh., 1898; — E. Déprez, Une tentative de reforme du calendrier sous Clément VI., J. de M. et la chronique de Jean de Venette, in: Ecole française de Rome, Mélanges d'archéologie et d'histoire XIX, 1899, 131-143; — M. Cantor, Vorlesungen über Gesch. der Mathematik II, 1900²; — M. Curtze, Urkunden zur Gesch. der Trigonometrie im christl. MA, in: Bibliotheca mathematica, 3. Serie I, 1900, 413-416; — Johannes Wolf, Gesch. der Mensuralnotation I, 1904; — Ders., Handb. der Notationskunde I, 1913; — H. Abert, Die Musikanschauung des MA.s und ihre Grundlagen, 1905; — H. E. Wolldridge, The Polyphonic Period, in: The Oxford History of Music II, 1905; — R. Steglich, Die Quaestiones in Musica, 1911, 186-190; — Peter Wagner, Einführung in die gregorian. Melodien II (Neumenkunde), 1912, 172, 376; — L. C. Karpinski, The »Quadripartitum

numerorum« of J. of M., in: Bibliotheca mathematica XIII, 1912/1913, 99-114; — Pierre Duhem, Le système du monde, histoire des doctrines, cosmologiques de Platon à Copernic IV, 1916, 30-40 (Reprint, 1954); — F. Ludwig, die Quellen der Motette ältesten Stils, in: AfMw V, 1923, 295 f.; — W. Grossmann, Die einleitenden Kapitel des Speculum Musicae von J. de M. Ein Btr. zur Musikanschauung des MA.s, 1924; — Heinrich Besseler, Studien zur Musik des MA.s, in: AfMw VII, 1925, 167-252; VIII, 1926, 137-258; — A. Machabey, Notice sur Philippe de Vitry, in: La Revue Musicale X, 1929, Nr. 4, 20-39; — G. Pietzsch, Die Klassifikation der Musik von Boethius bis Ugolino von Orvieto, 1929; — Ders., Zur Pflege der Musik an den Universitäten bis zur Mitte des 16. Jh.s, in: AfMf I, 1936, 257-292, 424-451; III, 1938, 302-330; V, 1940, 65-83; VI, 1941, 23-56; — A. Pirro, L'enseignement de la musique aux universités françaises, in: Mitt. d. IGMW II, 1930, 26-32, 45-56; — A. Coville, Philippe de Vitri, notes biographiques, in: Romania LIX, 1933, 520-547; — Lynn Thorndike, A History of Magic and Experimental Science III, 1934, 294-324; — J. Smits van Waesberghe, Muziekgeschiedenis der Middeleeuwen I, 1936-1942; — P. Fournier, Pierre Roger (Clément VI.), in: HistLittFrance XXXVII, 1938, 209-238; — G. Reese, Music in the Middle Ages, 1940, Kap. XII; — W. Apel, The Notation of Polyphonic Music 900-1600, 1942; — A. Maier, Die Vorläufer Galileis im 14. Jh. Studien zur Naturwissenschaft und Naturphilosophie der Spätscholastik, in: Storia e Letteratura XXII, 1949; — Roger Bragard, Le Speculum Musicae du compilateur Jacques de Liège, in: Musica Disciplina VII, 1953, 59-104; VIII, 1954, 1-17; — Ders. (Hrsg.), Jacobi Leodiensis Speculum Musicae, in: Corpus Scriptorum de Musica I, 1955; — S. Clercx, Jacques d'Audenarde ou Jacques de Liège, in: Revue Belge de Musicologie VII, 1953, 95, 101; — N. C. Carpenter, Music in the medieval and renaissance universities, 1958; — Leo Schrade, The Chronology of the Ars Nova in France, in: Les Colloques de Wégimont II (1955). L'ars nova (Bibliothèque de la Faculté de Philosophie et Lettres de l'Université de Liège, fasc. CXLIX), 1959, 37 ff.; — Lawrence Gushee, New Sources for the Biography of J. de M., in: JAMS XXII, 1969, 3-26; — Ders., Questions of Genre in Medieval Treatises on Music, in: Gattungen der Musik in Einzeldarstellungen. Gedenkschr. Leo Schrade I, 1973, 365-433; — Ulrich Michels, Die Musiktraktate des J. de M., 1970; — H. C. L. Busard, Die »Arithmetica Speculativa« des J. de M., in: Scientiarum Historia XIII, 1971, 103-132; — M. Haas, Musik zw. Mathematik und Physik. Zur Bedeutung der Notation in den »Notitia artis musicae« des J. de M. (1321), in: Festschr. für Arno Volk, 1974, 31 ff.; — Ders., Die Musiklehre im 14. Jh. von Johannes de Garlandia bis Franco, in: Frieder Zaminer (Hrsg.), Gesch. der Musiktheorie V, 1984, 89-158; — K.-J. Sachs, Der Contrapunctus im 14. und 15. Jh. Unterss. zum Terminus, zur Lehre und zu den Quellen, 1974; — Jöcher III, 765; — NBG XXXVI, 1012-1015; — MGG VII, 105-115; — LThK ²V, 1064.

Hans-Josef Olszewsky

JOHANNES *von Murro* (auch: Murrovalle), OFM, † in Avignon. — Im Jahre 1283 wurde J.

in Paris in die Kommission berufen, welche die Schriften des P. J. Olivi auf ihre Rechtgläubigkeit untersuchen sollte. Er war damals Baccalaureus. Aber da blieb er ein entschiedener Gegner der Spiritualen. 1289-1290 war er Magister regens an der Universität Paris, wurde dann zum Lektor an der päpstlichen Kurie berufen. 1296-1304 war er der Generalobere der Minderbrüder, und das, obwohl er schon 1302 zum Kardinal ernannt war. Seine theologischen Werke sind nicht alle erhalten: Nur 11 Quaestiones zum III. Sentenzenbuch, einige Quaestiones disputatae und ein Quodlibet können als von ihm stammend nachgewiesen werden.

Lit.: E. Longpré, Mélanges Aug. Pelzer (Louvain), 1947, 476-492; — Enciclopedia Cattolica, VI, 574; — P. Glorieux, in: Recherches de Théologie ancienne et médiévale 20 (1954), 136-139; — G. Fussenegger, in: Lex. für Theol. und Kirche, Bd. 5 (1960), Sp. 1064; — L. Iriarte, Der Franziskusorden (Altötting 1984), 126 f.

Lothar Hardick

JOHANNES *von Neapel*, Bischof um 414, † 2.4. (Festtag) 432 in Neapel. — Über das Leben J.s ist nichts bekannt, außer seiner Translation der Gebeine des Heiligen Ianarius von Neapel in die Katakombe von Capodimonte. — Nach dem »Calendarium marmoreum« fand seine Depositio am 3. April statt. Das Fest (am 2. April) wurde 1262/69 aufgehoben, da man den Bericht des Uranius (»Epistula de obitu s. Paulini«) fälschlich auf J. IV. Scriba bezog. 1956 wurde es wieder eingeführt im neuen Proprium Officiorum von Neapel.

Werke: Quellen: Gesta episcoporum Neapolitanorum Pars I c. 6, hrsg. v. Georg Waitz, MGH.SRL, 1964 (= 1878), 406; Martyrologium Romanum, 205; Uranius, Epistula de obitu s. Paulini, PL 53, 864.

Lit. Hippolyte Delehaye, Hagiographie Napolitaine III: Les martyrs et les saints évêques, in: AnBoll 59 (1941), 19 ff.; — Domenico Mallardo, S. Giovanni I e s. Giovanni IV vescovi di Napoli (un errore del Martirologio Romano e del Breviario), in: EL 61 (1947), 297-308; — Ders., Il calendario marmoreo di Napoli, Roma 1947, 22, 50, 53 f., 105; — Ders., Il nuovo Proprium Officiorum et Missarum archidioecesis Neapolitanae, Napoli 1957, 23; — A. P. Frutaz, LThK² V, 1064.

Adriaan Breukelaar

JOHANNES *de Regina von Neapel* OP, † nach 1336. J.' Biographie ist schwer nachzuzeichnen; in Paris begegnet J. 1311 /1312 als Baccalaureus, er liest Sentenzenkommentare; 1315 als Licentiat und bis 1317 als Magister. 1313-1314 gehört J. mit Petrus de Palude (s.d.) der Kommission zur Prüfung des Nominalismus' des Durandus de Sancto Porciano (s.d.) an, die vom Generalkapitel von Metz eingesetzt wurde: 1316/1317 benennt J. 235 Lehrirrtümer. Das dominikanische Ordenskapitel von Pamplona ernennt J. 1319 zum Lektor des Ordensstudiums in Neapel. 1324 ist er auf dem Generalkapitel von Bordeaux bezeugt; letztmalig ist J. 1336 urkundlich erwähnt, seine Spur verläuft sich. — J. ist ein Verfechter des Thomismus, ohne dem Aquinaten in allen Punkten zu folgen (Individuationsprinzip) und gilt als größter Vertreter der älteren Thomistenschule Italiens. J. wirkte bei den Auseinandersetzungen um die Armut Christi und des Franziskanerordens mit; 1323 verhindert ihn eine Erkrankung, im 2. Kanonisationsprozeß Thomas v. Aquins sein Gutachten vorzutragen.

Werke: [42] Quaestiones Parisiis disputatae, Neapel 1618; Quodlibeta (vgl. Xenia Thomistica 3, Rom 1925, 88-101).

Lit.: Quétif-Échard I 567; — Glorieux I 159-173; — M. Grabmann, La scuola tomistica italiana nel XIII e principio del XIV secolo: RFNS 15 (1923) 138-143; — ders., MGL 111 380-382; — C. J. Jellouschek, J. v. N. und seine Lehre vom Verhältnis zwischen Gott und Welt (Xenia Thomistica) Rom 1925; — J. Koch, Durandus de S. Porciano. Forschungen zum Streit um Thomas von Aquin zu Beginn des 14. Jahrhunderts, Münster 1927, 200-205. 285-314; — C. Balic, Ioannis de Polliaco et I. de N. quaestiones disputatae de immaculata conceptione Beatae Mariae virginis, Sibenik 1931 (73-95: Quellen); — T. Kaeppeli, Giovanni R. di N.: AEP 10 (1940) 48-71; — DThC VIII 793f; — LThK V 1064f; — NCE VII 1062f.

Klaus-Gunther Wesseling

JOHANNES *von Nepomuk*, Heiliger, Generalvikar der Erzdiözese Prag, * um 1350 in Pomuk (heute Nepomuk) in Südböhmen vermutlich als Sohn eines Welflin oder Wölflin (Richter in Pomuk?), † 20.3. 1393 in Prag (Tod durch Ertränken). — Jugend und Anfänge der Ausbildung liegen im Dunkeln. Um 1370 erscheint J. als öffentlicher Notar, etwa gleichzeitig auch als Kleriker in Diensten des Erzbischofs Johann

men im gesamten kirchlichen Bereich. Es geht ihm zunächst um die Rückführung der Religiosen zu ihren ursprünglichen Idealen; vornehmlich hat er die Observanzbewegung des eigenen Ordens im Blick, beschäftigt sich aber auch mit nicht-monastischen religiösen Lebensformen. In N.s Predigten und den »24 goldenen Harfen«, seiner einzigen Schrift in deutscher Sprache, werden klösterliche Ideale unbesehen für das Leben von Laien übernommen. Ein weiteres Anliegen ist ihm die Hebung des Säkularklerus, für dessen Gebrauch er u.a. einen Beichtspiegel und eine Dekalogauslegung verfaßte. Sein Hauptwerk ist zweifellos der »Formicarius«; der Ameisenstaat wird dem Leser als Vorbild für eine wohlgeordnete Gesellschaft vor Augen gehalten. Als Autorität galt dem Dominikaner N. besonders Thomas von Aquin; auch sonst stellt er sich ganz in die Tradition anerkannter Theologen und erhebt keinen Anspruch auf Originalität. Trotz einiger sprachlicher Anklänge an die Texte mystischer Autoren des 14. Jahrhunderts kann man N. nicht als Mystiker bezeichnen; es handelt sich dabei um Übernahmen von Gedanken und Wendungen, die seinem theologischen Konzept entsprechen. Die Hochschätzung, die man N. zu Lebzeiten und noch bis weit ins 16. Jahrhundert entgegenbrachte, läßt sich an den zahlreichen Frühdrucken, die von seinen Schriften erschienen, ablesen. Neuere oder gar kritische Ausgaben seiner Werke liegen nicht vor.

Werke: 1) zu Askese und Observanz: De reformatione religiosorum seu status coenobitici; Vier und zwanzig guldin Harfen; De saecularium religionibus; De paupertate perfecta. — 2) zur allgemeinen Seelsorge (für Beichtväter und Prediger): Manuale confessorum; Praeceptorium divinae legis; Tractatus de morali lepra; De vigore consuetudinis et dispensatione canonica; De abstinentia esus carnium; Consolatorium timoratae conscientiae; Dispositorium moriendi. Gesellschaftliche Gruppen seiner Zeit betreffen die Schriften: Tractatus de vera et falsa nobilitate; Tractatus de contractibus mercatorum. — 3) Formicarius (H. Biedermann, 1971, Faksimileausgabe der 1480 bei Guldenschaff in Köln erschienenen Inkunabel). — 4) zur Hussitenfrage: Contra heresim hussitarum; Briefsammlung (G.G.D. Mansi, Sacrorum conciliorum nova et amplissima collectio, 1757-98, Bd. 29, S. 441-44. 613-17. 633-34. 643-44). — 5) Predigten (gedruckt: Sermones totius anni et de sanctis cum quadragesimali, Ulm s.a., u.ö., vgl. auch: Karin Morvay, Dagmar Grube, Bibliographie der deutschen Predigt des Mittelalters, 1974, S. 157-58). — 6) Briefe (einige Briefe bietet auszugsweise in deutscher Übersetzung: Wilhelm Oehl, Deutsche Mystikerbriefe des Mittelalters, 1100-1500, 1931, S. 502-18). Ein Verzeichnis der Schriften N.s sowie einen Überblick über die handschriftliche Überlieferung und die Drukke bietet: Thomas Kaeppeli, Scriptores Ordinis Praedicatorum medii aevi, Bd. 2, 1975, S. 500-15. Zur Ergänzung: Eugen Hillenbrand, Art. Nider, Johannes O.P.«, VerfLex[2] Bd. 6, 1987, Sp. 971-77. Schriften, die N. nicht eindeutig zugeschrieben werden können, sind oben nicht aufgeführt.

Lit.: Friedrich Steill, Ephemerides dominicano-sacrae Das ist Heiligkeit und Tugend voller Geruch, der auß allen Enden der Welt Zusammen getragenen Ehren-Blumen deß Himmlisch-fruchtbaren Lust-Gartens Prediger Ordens, Bd. 2, 1692, S. 230ff; — Apfalterer, Scriptores antiquissimae ac celeberrimae universitatis Viennensis ordine chronologico propositi, 1740, S. 112-24; — Joseph Aschbach, Geschichte der Wiener Universität im ersten Jahrhundert ihres Bestehens, 1865, S. 446-51; — K. Schieler, Magister Johannes Nider aus dem Orden der Prediger-Brüder. Ein Beitrag zur Kirchengeschichte des fünfzehnten Jahrhunderts, 1885; — Franz Jostes, Meister Eckhart und seine Jünger. Ungedruckte Texte zur deutschen Mystik, 1895 (Collectanea Friburgensia; 4. Nachdruck 1972); — K. Schieler, Art. »Nider, Johannes, O. Pr.«, Kirchenlexikon Bd. 9, 1895, Sp. 342-48; — Johannes Meyer, Buch der Reformacio Predigerordens, hg. v. Benedictus Maria Reichert, Leipzig 1908/9 (Quellen und Forschungen zur Geschichte des Dominikanerordens in Deutschland; 2/3); — R. P. Mortier, Histoire des maitres généraux de l'ordre des Frères Precheurs, Bd. 4: 1400-1486, 1909, S. 218-50; — G. M. Häfele, Franz von Retz. Ein Beitrag zur Gelehrtengeschichte des Dominikanerordens und der Wiener Universität am Ausgang des Mittelalters, 1918; — Johannes Meyer, Liber de viris illustribus Ordinis Praedicatorum, hg. v. Paulus von Löe, 1918 (Quellen und Forschungen zur Geschichte des Dominikanerordens in Deutschland; 12); — Philipp Schmidt, Die Bibliothek des ehemaligen Dominikanerklosters in Basel, Basler Zeitschrift für Geschichte und Altertumskunde 18 (1919), S. 160-254; — J. Villers, Nider est-il l'auteur de »l'Alphabetum divini amoris«?, Revue d'ascétique et mystique 4 (1923), S. 367 ff; — Gabriel Löhr, Die Teutonia im 15. Jahrhundert. Studien und Texte vornehmlich zur Geschichte ihrer Reform, 1924 (Quellen und Forschungen zur Geschichte des Dominikanerordens in Deutschland; 19); — Annette Barthelmé, La réforme dominicaine au XVe siècle en Alsace et dans l'ensemble de la province de Teutonie, 1931 (Collection d'etudes sur l'histoire du droit et des institutions de l'Alsace, 7); — Norbert Weinrich, Die deutsche Prosa des Dominikaners Johannes Nider in seinen »Vierundzwanzig goldenen Harfen«, 1933 (Diss.); — G. Boner, Das Predigerkloster in Basel, 1935; — Gabriel Löhr, Art. »Nider, Johann«, LThK Bd. 7, 1935, Sp. 546-47; — ders., Das Nürnberger Predigerkloster im 15. Jahrhundert, Mitteilungen des Vereins für Geschichte der Stadt Nürnberg 39 (1944), S. 223-32; — Gundolf M. Gieraths, Johannes Nider O.P. und die »deutsche Mystik« des 14. Jahrhunderts, Divus Thomas 30 (1952), S. 321-46; — R. Rudolf, Ars moriendi, 1957, S. 83-84; — H. Fischer, Art. »Johannes Nider«, LThK[2] Bd. 5, 1960, S. 1066-67; — Gundolf M. Gieraths, Johannes Tauler und die Frömmigkeitshaltung des 15. Jahrhunderts, E. Filthaut (Hg.), Johannes Tauler, ein deutscher Mystiker. Gedenkschrift zum 600. Todestag, 1961, S. 422-34; — Pierre Michaud-Quantin, Sommes de casuistique et manuels de confession au moyen age (XII-XVI siècles), 1962 (Analecta

Medievalia Namurcensia; 13), S. 78-79; Johannes Kist, Klosterreform im spätmittelalterlichen Nürnberg, Zeitschrift für bayrische Kirchengeschichte 32 (1963), S. 31-45; Beatrice Galbreth, Nider and the Exemplum. A study of the Formicarius, Fabula 6 (1964), S. 55-72; — Isnard Wilhelm Frank, Hausstudium und Universitätsstudium der Wiener Dominikaner bis 1500, 1968 (Archiv für österreichische Geschichte; 127), S. 202-05. 214- 17; — Hans Rupprich, Die deutsche Literatur vom späten Mittelalter bis zum Barock, Bd. 1: Das ausgehende Mittelalter, Humanismus und Renaissance, 1370-1520, 1970 (Geschichte der deutschen Literatur von den Anfängen bis zur Gegenwart; 4,1), S. 411-12; — W. Trusen, De contractibus mercatorum. Wirtschaftsethik und gelehrtes Recht im Traktat Johannes Niders (1438), Jus et commercium. Festschrift Fr. Laufke, 1971, S. 51-71; — William A. Hinnebusch, The History of the Dominican Order, Bd. 2: Intellectual and Cultural Life to 1500, 1973; S. 262-67; — Jean-Claude Schmitt, Mort d'une hérésie. L'eglise et les clercs en face aux béguines et béghards du Rhin supérieur du 14e au 15e siècle, 1978 (Civilisations et Sociétés; 56); — P. Uiblein (Hg.), Die Akten der Theologischen Fakultät der Universität Wien (1396-1508), 1978; — Guy-Thomas Bedouelle, Art. »Nider (Jean)«, Dictionnaire de spiritualité, ascétique et mystique Bd. 11, 1982, Sp. 322-25; — John Dahmus, Preaching to the Laity in Fifteenth-Century Germany: Johannes Nider's 'Harps', The Journal of Ecclesiastical History 34 (1983), S. 55-68; — ders., A medieval preacher and his sources: Johannes Nider's use of Jacobus de Voragine, Archivum Fratrum Praedicatorum 58 (1988), S. 121-76.

Marie-Luise Ehrenschwendtner

JOHANNES PAGUS (Pagius, Jean le Page, John Page), der älteste uns bekannte Lehrer der Logik an der Pariser Universität in der ersten Hälfte des 13. Jahrhunderts. Über sein Leben ist wenig bekannt. In einem Empfehlungsschreiben Papst Gregors IX. an den heiligen Ludwig (Ludwig IX.) - datiert vom 6. Mai 1231 - wird er als »Magister«, zusammen mit Gottfried von Poitiers und Wilhelm von Auxerre genannt. Diese hatten auf Anordnung des Papstes während des großen Universitätsstreiks in Paris 1229-1231, der zur Einstellung der Vorlesungen und zur Abwanderung von Lehrern und Studenten in andere Städte - Toulouse, Orléans, Reims, besonders Angers - führte, die Belange der Universität in Rom vertreten. Es scheint - so die Ansicht von Van Steenberghen -, daß J. P. innerhalb der Universitätsdelegation, die nach Rom reiste, als Abgesandter der Artistenfakultät auftrat; vielleicht hat er aber auch nur Wilhelm von Auxerre auf dessen Romreise Anfang 1230 begleitet. Aufgrund der schweren Krise an der Pariser Universität, die Gregor IX. durch seinen Brief vom 13. April 1231 an die Studenten und Lehrer der Universität beigelegt hatte - nach Denifle die »magna charta« der Universität Paris -, ist es nur allzu verständlich, daß die aus Rom zurückkehrende Delegation sich vom Papst ein Schreiben erbat, in dem er gegenüber dem König von Frankreich die Loyalität der Gesandtschaft versichert. Aufgrund des päpstlichen Schreibens vom 6. Mai 1231 läßt sich die philosophische Karriere des J. P., d. h. seine Lehrtätigkeit an der Artistenfakultät, in die Jahre um 1230 ansetzen. Ein weiteres Dokument, nämlich die Handschrift Paris, Bibl. Nat. lat. 15652, die M.-D. Chenu untersucht hat, bezeugt die Tätigkeit des J. P. als Bakkalaureus der Theologie um 1240-1242 bzw. 1245. So darf man davon ausgehen, daß er seine theologischen Studien zwischen ca. 1231 und 1235 aufgenommen hat, und seine philosophische Lehrtätigkeit als Magister an der Artistenfakultät in die Jahre von ungefähr 1225-1231 fällt. — J. P. war auch als Bakkalaureus der Theologie wirkungsreich, wenn auch nicht unumstritten. Sein Sentenzenkommentar wird des öfteren von Zeitgenossen zitiert, war Gegenstand heftiger theologischer Diskussionen, und schließlich wurde 1241 eine Liste von zehn Sätzen unter dem Titel »errores Pagi« verurteilt. Sein Hauptwirkungskreis war dann freilich nicht die Theologie, sondern die Logik, oder besser Dialektik. Hier wird man in ihm wohl einen herausragenden Kenner der logischen Schriften des Aristoteles und Lehrer der Logik bzw. Dialektik sehen müssen - jener Disziplin des Trivium, die zu seiner Zeit noch als Inbegriff der Logik galt. In der »Schlacht der sieben freien Künste« des Henri d'Andelys wird er als einer der drei Leutnants in der unter dem Befehl des Pierron de Courtenay stehenden Armee der Dame Logik angeführt. Bedeutendes hat er auf dem Gebiet der synkategorematischen Termini geleistet - also jener Begriffe und Wörter, die im Satzzusammenhang nicht unter die kategorematischen Wörter, welche das Subjekt und Prädikat bzw. Substantiv und Verbum bezeichnen, klassifizierbar sind, wie z. B. solus, omnis, totus, praeter, non, si etc. Lambert von Auxerre ist von ihm abhängig; desgleichen läßt sich ein starker Einfluß auf Petrus Hispanus, des späteren Papstes Johannes XXI. verzeichnen, wenn er nicht sogar - wie L. M. de Rijk meint - dessen Lehrer war. Auf weiten Strecken in der ersten Hälfte des 13. Jahrhunderts hat J. P. wohl die akademische Szene an der Artistenfakultät in Paris beherrscht, namentlich auf dem Gebiet der Logik, wo er mit seinen »Appellationes« einen Grundtext der Pariser Logiktradition vorgelegt hat.

Werke: Kommentare zur Logica vetus: Die Handschrift Padua, Ms. Bibl. Univ., 1589, enthält: Rationes super Predicamenta Aristotelis (fol. 24ra-67vb), ediert von E. Franceschini, Giovanni Pago: Le sue »Rationes super Predicamenta Aristotelis' e la loro posizione nel movimento aristotelico del secolo XIII«, in: Sophia 2 (1934), 172-182, 329-350, 476-486; weiter die Kommentare zu: Isagoge (f.3a-22va); De interpretatione (fol. 69a-93b) und Liber sex principiorum (f.94a-172vb), noch unediert; Syncategoremata (Ms. Paris, Bibl. Nat. lat. 15170, fol. 65ra-70vb und 46ra-48rb), in Auszügen ediert von H. A.G. Braakhuis, De 13de Eeuwse Tractaten over Syncategorematische Termen, I: Inleidende Studie, 1979, 168-248; Appellationes (Paris, Bibl. Nat. lat. 11412 und 15170), ediert von Alain de Libera, Les appellationes de Jean le Page, in: Archives d'Histoire Doctrinale et Littéraire du Moyen Age 51 (1984), 208-255; Zwei Einführungslesungen (»introitus«) und eine Reportatio der Sentenzenlesung, Paris, Bibl. nat. lat. 15652 und wahrscheinlich sein Sentenzenkommentar, Ms. Padua Bibl. Antoniana, 139; diese Schriften sind noch unediert.

Lit.: Franz Pelster S. J., Literaturgeschichtliches zur Pariser theol. Schule aus den Jahren 1230-1256, in: Scholastik 5 (1930), 46-78; — Marie-Dominique Chenu O.P., Maîtres et Bacheliers de l'Université de Paris v. 1240. Description du manuscrit Paris, Bibl. Nat. lat. 15652, in: Études d'histoire littéraire et doctrinale du XIIIᵉ siècle (Publications de l'Institut d'Études Médiévales d'Ottawa I), 1932, 11-39; — Victorin Doucet O.F.M., La date des condamnations parisiennes dites de 1241. Faut-il corriger le Cartulaire de l'Université?, in: Mélanges Auguste Pelzer, 1947, 183-193; — Johannes Gründel, Die Sentenzenglosse des Johannes Pagus (circa 1243-1245) in Padua, Bibl. Ant. 139, in: Münchener Theol. Zschr. 9 (1958), 171-185; — L. M. de Rijk, Ph. D., Peter of Spain (Petrus Hispanus Portugalensis) Tractatus called afterwards Summule Logicales. First Critical Edition from the Manuscripts with an Introduction, Assen 1972; — H. A. G. Braakhuis, De 13de Eeuwse Tractaten over Syncategorematische Termen, I: Inleidende Studie, 1979; — Alain de Libera, Les appellationes de Jean le Page, in: Archives d'Histoire Doctrinale et Littéraire du Moyen Age 51 (1984), 193-207; — Fernand Van Steenberghen, La Philosophie au XIIIᵉ siècle (Philosophes médiévaux IX), 1966 (dt.: Die Philosophie im 13. Jh., 1977); — The Cambridge History of Later Medieval Philosophy, ed. by N. Kretzmann, A. Kenny and J., Pinborg 1982.

Jakob Hans Josef Schneider

JOHANNES *von Palomar*, spanischer Theologe auf dem Konzil von Basel. Seine genauen Le-

bensdaten sind nicht bekannt. — Ausgebildet in zivilem und kanonischem Recht, war er Archidiakon des Bistums Barcelona, Auditor causarum sacri palatii in Rom (seit November 1430) und Kaplan des Papstes Eugen IV. (1431-1447). 1431 eröffnete er zusammen mit Johannes von Ragusa in Vertretung des päpstlichen Legaten Giuliano Cesarini das Konzil von Basel. Als Auditor Cesarinis vertrat er im allgemeinen die Position des Papstes, besaß aber auch das Vertrauen des Konzils. In den Verhandlungen mit den Böhmen (Hussiten) war er der führende Kopf des Konzils und nahm dabei eine konziliante Haltung ein. 1436 wurde er auch Mitglied der Konzilsdelegation des Königs Alfons V. von Aragón. Als das Konzil 1437 auseinanderbrach, ging er an die Kurie und verteidigte die Translation des Konzils nach Ferrara.

Werke: Seine in zahlreichen Handschriften erhaltenen Werke sind bisher nur teilweise ediert und untersucht worden: 1) Dialogus inter Jacobum et Johannem, ed. in: Concilium Basiliense I, Basel 1896, 183-189; 2) De civili dominio clericorum (Responsio ad quartum articulum Bohemorum), in: Mansi XXIX, 1105-1168; 3) Pro temporalitate et iurisdictione ecclesiae et pro defensione eiusdem, in: Mansi XXX, 475-485; 4) Historia de initio dissidiorum inter concilium et papam, in: Mansi XXXI, 197-206; 5) Quaestio cui parendum est, an Eugenio IV, an concilio Basiliensi, in: J. von Döllinger, Materialien zur Geschichte des 15. und 16. Jahrhunderts, 1863, 414-441. Handschriften: De esu carnium; De excommunicatione regulari; De communione sub utraque specie, und weitere Werke, siehe Lit.

Lit.: N. Antonio, Bibliotheca Hispana Vetus II, Madrid 1696, 223-225; — HN II, 815-816; — H. Santiago Otero, Juan de Palomar. Manuscritos de sus obras en la Staatsbibliothek de Munich, RET 33, 1973, 47-57; — W. Krämer, Konsens und Rezeption. Verfassungsprinzipien der Kirche im Basler Konziliarismus, 1980, 306-309; — M. Andrés (ed.), Historia de la teología española I, 1983, 509-511; — DThC VIII, 796-797; — LThK V, 1067; — Diccionario de Historia Eclesiástica de España III, 1872 und Supl. I, 208-209; — Repertorio de Historia de las Ciencias Eclesiásticas en España I, 1967, 429; II, 198; — Lex MA V, 778.

Klaus Reinhardt

JOHANNES (BURALLI) *von Parma*, achter Generalminister des Minoritenordens, * 1208 in Parma, † 19.3. 1289 in Camerino (Marche). — J. entstammte einer angesehenen Familie in Parma. In den Quellen des 13. Jh. wird der Name »Buralli« nicht genannt. L. Wadding nennt als Namen seines Vaters »Petrus Burallus«. Nach

Salimbene de Adam hieß der Vater jedoch Albert, mit dem Beinamen Auceps (Vogelfänger). J. wuchs bei seinem Onkel auf, der Leiter des St. Lazarus-Hospitals war. Als junger Mann lehrte J. in seiner Heimatstadt Grammatik und Logik. Er wurde, wegen seiner kleinen Gestalt, Magister Johanninus de Sancto Lazaro genannt. Unter dem Generalat des Bruders Elias von Cortona trat er 1233, im Alter von 25 Jahren, in den Franziskanerorden ein. Er war zunächst Lektor der Philosophie und Theologie in den Konventen von Bologna und Neapel. 1245 wurde er nach Paris berufen, wo die beiden großen Franziskanertheologen Alexander von Hales und Johannes de Rupella im gleichen Jahr gestorben waren. Das Generalkapitel, das an Pfingsten (19.5.) 1247 in Lyon tagte, wählte ihn als Nachfolger des Crescentius von Iesi zum Generalminister des Ordens. Während der ersten drei Jahre seines Generalates reiste er zu Fuß in nahezu alle Länder Europas. In Oxford hielt er 1248 ein Provinzialkapitel der englischen Franziskaner. Während seines Aufenthaltes in England traf er mit dem König Heinrich III. zusammen. Kurz darauf begegnete er auf dem Kapitel von Sens auch dem französischen König Ludwig IX. Im Anschluß an das Generalkapitel von Metz 1249 sandte der Papst Innocenz IV. ihn als Legaten nach Griechenland zu dem Kaiser Vattazes (Johannes III. Dukas). 1254 vermittelte J. in dem Streit, der an der Universität Paris zwischen den Lehrern aus den Mendikanten-Orden und den übrigen Magistern ausgebrochen war und der insbesondere durch Wilhelm von St.Amour geschürt wurde. J. war eng befreundet mit Hugo von Digne und wie dieser ein Anhänger der apokaplyptischen und heilsgeschichtlichen Spekulationen des Abtes Joachim von Fiore. Innerhalb des Ordens suchte er den ursprünglichen Idealen des Franziskus wieder Geltung zu verschaffen. Alle Erklärungen der Ordensregel, auch die päpstlichen, hielt er für überflüssig und ließ allein das Testament des Franziskus als Kommentar zur Regel gelten. Beides - seine joachimitische Gesinnung und der Kampf gegen die von den Päpsten favorisierte laxere Richtung im Orden - brachte ihn in Gegensatz zu der Römischen Kurie. Der Papst Alexander IV. nötigte ihn auf dem Generalkapitel im Konvent Ara Coeli in Rom (2.2. 1257) zur Abdankung und

zum Verzicht auf Wiederwahl, die von der Mehrheit der Kapitularen gewünscht wurde. J. selbst empfahl den erst 34jährigen Bonaventura von Bagnoregio, damals Professor in Paris, als seinen Nachfolger. Unter diesem, der den Orden bis zu seinem Tode im Jahre 1274 leitete, ging man gegen J. und seine Anhänger vor. Zunächst wurden zwei von seinen engsten Gefährten und Mitarbeitern, Gerhard und Leonhard, zu lebenslänglichem Kerker verurteilt. Dann wurde J. selbst der Prozeß gemacht. In Città della Pieve wurde er von einer Kommission verhört, die unter dem Vorsitz des Giovanni Gaetani Orsini, Kardinal-Diakon von S. Nicola in Carcere (später Papst Nikolaus III.), stand und der auch Bonaventura angehörte. Diesem war der Prozeß gegen seinen Vorgänger wohl unangenehm, doch scheint er dem Druck von seiten des Papstes aus Feigheit nachgegeben zu haben. J. gab in dem Verhör nur knappe Antworten, was seine Richter erbitterte. Als einer von ihnen beantragte, ihn als Häretiker für den Rest seines Lebens in den Kerker zu schicken, soll er laut das Credo gebetet haben. Vor der Verurteilung bewahrte ihn das Eintreten des hochangesehenen Kardinals Otto Bonus Fieschi, des Neffen des früheren Papstes Innocenz IV., der später selbst für kurze Zeit (1276) als Hadrian V. den Apostolischen Stuhl innehatte. Der Kardinal schrieb zwei Briefe gleichen Tenors an den Vorsitzenden der Kommission und an den Generalminister, die beide den entscheidenden Satz enthalten: »Sein Glaube ist auch mein Glaube.« J. durfte sich in den kleinen Konvent Greccio bei Rieti zurückziehen, wo er 30 Jahre lang ein dem Studium und der Meditation gewidmetes Leben führte. Im Alter von 80 Jahren wollte er sich noch auf eine Missionsreise nach Asien begeben. Er kam aber nur noch bis Camerino, wo er am 19.3. 1289 starb. Er hatte auch den Brüdern, die von der laxeren Richtung im Orden und den Behörden der Römischen Kirche verfolgt wurden, die Emigration nach Asien empfohlen. In der »Chronica XXIV Generalium« (Anal. Fr. 3, 283-284) und in den »Fioretti« (c. 48) ist die berühmte Vision des Bruders Jacopo dalla Massa überliefert, in der er den Orden als Baum sieht. J. und sein Nachfolger Bonaventura werden dort miteinander verglichen, und Franziskus selbst muß im Auftrage Christi dem Bruder Bonaventura die eisernen Krallen beschneiden, die ihm gewachsen sind und mit denen er J. bedroht. — J. gehörte zu der radikalen Richtung (»Zelanti«) im Franziskanerorden, die sich um eine Erhaltung bzw. Wiederherstellung der ursprünglichen Ideale des heiligen Franziskus bemühte. Als »großer Joachimit« erwartete er die Ablösung der gegenwärtigen »Fleisch-Kirche« durch eine kommende »Geist-Kirche«. Der Chronist Salimbene de Adam, der wie er aus Parma stammte und ihn persönlich sehr gut kannte, hat sein Äußeres und seine Charakterzüge ausführlich beschrieben und ihn am eingehendsten gewürdigt. J. war eine Persönlichkeit mit überragenden Fähigkeiten: ein bedeutender philosophisch und rhetorisch geschulter Theologe, ein hervorragender Prediger; neben vielen anderen Qualitäten werden sein Schreibstil und seine musikalische Begabung gerühmt. Er war gütig, zuvorkommend und freundlich gegen jedermann. Seine körperliche Leistungsfähigkeit und Zähigkeit erregte die Bewunderung der Zeitgenossen. Ubertino von Casale, der im Juli 1285 eingehende Gespräche mit ihm in Greccio führte, zählt ihn »unter die liebenden und seraphischen Menschen und die größten Heiligen der Kirche«. Die päpstliche Ritenkongregation billigte am 23.2. 1777 seinen Kult als »Seliger« (Beatus). — Die »Chronica XXIV Generalium« schreibt J. die Autorschaft des »Sacrum Commercium beati Francisci cum Domina Paupertate« zu; doch gibt es dafür keinen hinreichenden Beweis.

Werke: Sacrum Commercium S. Francisci cum Domina Paupertate, Quaracchi 1929 (fraglich); dt. Übers.: Der Bund des heiligen Franziskus mit der Herrin Armut. Einführung, Übersetzung, Anmerkungen: K. Esser und E. Grau (Franz. Quellenschr. 9), Werl 1966; Fonti Francescane, [3] 1982, S. 1629-1666.

Lit.: Fratris Thomae vulgo dicti de Eccleston Tractatus de adventu fratrum minorum in Angliam, ed. A. G. Little (Coll. d'Ét. et de Doc., 7), 1905; [2]1951; — Anal. Fr. 1, 1885, 215-256; — Cronica Fratris Salimbene de Adam Ordinis Minorum, ed. O. Holder-Egger, MGH SS 32, 1905-1913; ed. G. Scalia, 2 Bde., 1966; — Ubertinus de Casali, Arbor vitae crucifixae Iesu, 1485 (Neudr. 1961); — Angelus Clarenus, Chronicon seu Historia septem tribulationum ordinis minorum, ed. A. Ghinato, 1959; — I Fioretti di San Francesco, ed. P. B. Bughetti, 1926; Fonti Francescane, [3]1982, S. 1441-1624; — Chronica XXIV Generalium Ordinis Minorum: Anal. Fr. 3, 1897; — Lucas Wadding, Annales Minorum III, 1732, 171-173; 208-210; IV, 1732, 1-12; — Ireneo Affò, Vita del beato Giovanni da Parma, 1777; — Luigi da Parma,

Vita del b. Giovanni da Parma, 1900; — Heribert Holzapfel, Handbuch der Geschichte des Franziskanerordens, 1909, 30-33; — Ernst Benz, Ecclesia spiritualis. Kirchenidee und Geschichtstheologie der franziskanischen Reformation, 1934, [2]1964; — Raphael M. Huber, A Documented History of the Franciscan Order, 1944, 129-144; — Rosalind B. Brooke, Early Franciscan Government. Elias to Bonaventure (Cambridge Studies in Medieval Life and Thought, 7), 1959; — Teodosio Lombardi, Storia del Francescanesimo, 1980, 127-130; — Gratien de Paris, Histoire de la fondation et de l'évolution de l'ordre des Frères Mineurs au XIIIe siècle, 1982, 239-246; 276-277; — DThC VIII/1 (1924), 794-796; — Enc. Catt. VI (1951), 594; — LThK[2] V (1960), 1068.

Helmut Feld

JOHANNES *von Paris*, OP, genannt Quidort, auch Surdus oder Monoculus, scholastischer Philosoph und Theologe, * um 1260 in Paris, † 22.9. 1306 in Bordeaux. — Weder das genaue Geburtsjahr noch Herkunft und Werdegang J.s sind bekannt. Da er 1290 als Magister artium dem Dominikanerorden beitrat, ist mit einem Studium in den davorliegenden Jahren (in Paris) zu rechnen. J. erwarb das Baccalaureat der Theologie und trat in der Folgezeit als Verfasser theologischer und politischer Schriften hervor. Aus den Jahren 1292-1294 stammt ein Sentenzenkommentar; etwa gleichzeitig schrieb er das »Correctorium corruptorii Circa«, eine Verteidigung der Lehre des Thomas v. Aquin gegen Wilhelm de la Mare. Bekannt sind außerdem ein »Quodlibetum«, verschiedene philosophische und naturwissenschaftliche Traktate (z. B. »De unitate esse et essentie in creatis«, »De yride super librum metheorum«), mehrere Predigten sowie die gegen die Lehren Arnolds v. Villanova gerichteten theologischen Abhandlungen »De adventu Christi secundum carnem« und »De Antichristo«. Da die beiden letzteren Schriften erst zwanzig Jahre nach J.s Tod von Nikolaus v. Straßburg unter eigenem Namen veröffentlicht wurden, hielt man diesen lange Zeit für den Verfasser. Nach 1300 lebte J. im Konvent St. Jacques zu Paris. Seine politische Hauptschrift »De potestate regia et papali« entstand wohl Ende 1302. Vermutlich auf Veranlassung König Philipps IV. v. Frankreich griff J. damit in die sich verschärfende Auseinandersetzung zwischen der französischen Krone und Papst Bonifaz VIII. um das Verhältnis von geistlicher und weltlicher Gewalt ein. Indem er Sacerdotium und Imperium, die »zwei Schwerter« (vgl. Lk 22,38) als gleichermaßen von Gott eingesetzte, somit gleichwertige Mächte nebeneinander stellte, negierte er den päpstlichen Anspruch auf Überordnung und Oberherrschaft über das französische Königtum. Nach Saenger (s. u.) geht auch die in diesem Zusammenhang veröffentlichte »Quaestio de potestate papae« (= »Rex pacificus«, 1303) in wesentlichen Teilen auf J. zurück. 1304 erwarb J. das Lizentiat und wurde Magister der Theologie. In jener Zeit entstand seine Impanationslehre, ein Erklärungsmodell für die Gegenwart Christi in der Eucharistie, erläutert in der Schrift »De transsubstantiatione panis et vini in sacramento altaris«. Ausdrücklich betont er darin, daß er die alte Transsubstantiationslehre zwar nicht leugne, doch sie nicht als Glaubenswahrheit auffasse; vielmehr werde die Brotsubstanz nicht verwandelt, sondern bleibe - obwohl unmittelbar mit dem Leib Christi verbunden - auch nach der Wandlung noch unter den Akzidentien bestehen. Daraufhin ließ die theologische Fakultät der Universität Paris, welche bereits früher einzelne Sätze von J.s Sentenzenkommentar verworfen hatte, prüfen, ob diese Lehre mit der kirchlichen Tradition vereinbar sei. Der nachfolgende Prozeß führte 1305 zum Ausschluß J.s aus der Universität und zur Überweisung seines Falles an die Kurie. Zur Verteidigung seiner Sache begab sich J. nach Bordeaux, dem Sitz Papst Clemens' V., wo er allerdings noch vor der endgültigen Entscheidung starb. — Das theologische und philosophische Werk J. s, dessen genauer Umfang bis heute noch nicht feststeht, weist ihn als umfassend gebildeten spekulativen Denker der Spätscholastik aus. Seine Stellungnahme im Kampf zwischen Papst und Königtum macht ihn zu einem Vorläufer von Marsilius v. Padua und Wilhelm v. Ockham.

Werke: Sentenzenkommentar (Hss. in Univ.-Bibl. Basel, Stiftsbibl. Admont, Hofbibl. Wien; hrsg. v. Johannes P. Müller, 1961-1964); Correctorium corruptorii Circa (hrsg. v. Johannes P. Müller, 1941); Quodlibetum Johannis Parisiensis (hrsg. v. A. J. Heiman, in: Studies and Texts 1, 1956, 271-291); De unitate esse et essentie in creatis; De yride; Super librum metheorum; Determinatio de confessionibus fratrum (Hss. in Oxford, Leipzig, Wien; vgl. die Aufstellung bei Scholz, s. u., 284 f.); Sermones (hrsg. v. Th. Käppeli, in:

AFP 27, 1957, 120-167); De adventu Christi secundum carnem (Hs. in Paris); De Antichristo (gedr. v. Theolosophorus de Cusentia, De magnis tribulationibus in proximo futuris, Venedig 1516; Text u. engl. Übers. bei Clark, s. u.); De potestate regia et papali (hrsg. v. Jean Leclercq, 1942; textkrit. Ed. mit dt. Übers. v. Fritz Bleienstein, 1969; engl. Ausgg. v. J. A. Watt, 1971 u. Arthur P. Monahan, 1974); De transsubstantiatione panis et vini in sacramento altaris (= De modo existendi corpus Christi in sacramento altaris)(Hss. in München, Paris; hrsg. v. Peter Allix, London 1686; Text u. engl. Übers. bei Martin, s. u.).

Lit.: Heinrich Finke, Aus den Tagen Bonifaz' VIII., Funde und Forschungen, 1902; — Richard Scholz, Die Publizistik zur Zeit Philipps des Schönen und Bonifaz' VIII., 1903, Neudr. 1962/69, bes. 275-333; — Martin Grabmann, Le Correctorium Corruptorii du dominicain Jean Quidort de Paris, in: RNPh 19, 1912, 404-418; — Ders., Studien zu J. Quidort v. P. O.P., in: AAM phil.-hist. Kl. 3, 1922, 1-603; — Heinrich Weisweiler, Die Impanationslehre des J. Quidort. Ein Beitrag zur Dogmengesch. des beginnenden 14. Jh.s, in: Scholastik 6, 1931, 161-195; — Jean Leclercq, Jean de Paris et l'ecclésiologie du XIIIᵉ siècle, 1942; — A. J. Heiman, The Esse of Creatures in the Doctrine of John Quidort (Diss. Toronto), 1949; — Friedrich Merzbacher, Wandlungen des Kirchenbegriffs im Spät-MA. Grundzüge der Ekklesiologie des ausgehenden 13., des 14. und 15. Jh.s, in: ZSavRGkan 39, 1953,274-361, bes. 343-346; — Brian Tierney, Foundations of the Conciliar Theory. The Contribution of the Medieval Canonists from Gratian to the great Schism, 1955; Neudr. 1968; — Johannes P. Müller, Jean Quidort de Paris, in: Angelicum 37, 1956, 361-414 u. 38, 1959, 129-162; — Ders., Eine Quästion über das Individuationsprinzip des J. v. P. OP, in: Festg. A. Hufnagel, 1974, 335-356; — Walter Ullmann, Principles of Government and Politics in the Middle Ages, 1961; — Wilhelm Kölmel, Regimen christianum, 1970; — Fritz Bleienstein, Zur Säkularisierung der Staatsidee. Die Funktion der Volkssouveränität bei J. Quidort v. P., in: Festschr. Carlo Schmid, 1971, 19-35; — John Hilary Martin, The Eucharistic Treatise of Jean Quidort of Paris, in: Viator 6, 1975, 195-240 (214- 240 Text u. Übers. d. Traktats); — A. Pattin, Jean de Paris († 1306) et son traité sur l'impanation, in: Angelicum 54, 1977, 184-206; — Jean Favier, Philippe le Bel, 1978, bes. 364 ff.; — G. Heiman, John of Paris and the Theory of the Two Swords, in: Classica et Mediaevalia 32, 1971-1980, 323-347; — Sara Beth Peters Clark, The Tractatus de Antichristo of John of Paris - a critical edition, translation and commentary, 1981; — Francis Oakley, Natural Law, the Corpus Mysticum, and Consent in Conciliar Thought from John of Paris to Matthias Ugonius, in: Speculum 56, 1981, 786-810; — Paul Saenger, John of Paris, Principal Author of the Quaestio de potestate papae (Rex pacificus), in: Speculum 56, 1981, 41-55; — Janet Coleman, Medieval discussion of property: Ratio and Dominium according to John of Paris and Marsilius of Padua, in: History of Political Thought 4, 1983, 209-228; — Dies., Dominium in the thirteenth and fourteenth-century political Thought and its seventeenth century Heir: John of Paris and Locke, in: Political Studies 33, 1985, 73-100; — Heiner Bielefeldt, Von der päpstlichen Universalherrschaft zur autonomen Bürgerrepublik. Aegidius Romanus, J. Quidort v. P., Dante Alighieri und Marsilius v. Padua im Vergleich, in:

ZSavRGkan 72, 1987, 70-130, bes. 82-94; — Wetzer-Welte VI, 1744 f.; — DThC VIII, 840 f.; — EC VI, 593 f.; — LThK V, 1068; — HdKG III/2, 340 f. (Lit.), 438-453, bes. 442 f.

Christof Dahm

JOHANNES Parvus (Jean Petit), Theologe, * um 1360 in Caux (Normandie), † 15.7. 1411 in Hesdin. — 1385 war J. Magister artium, 1402 Magister theologiae an der Universität Paris. Schon während seines Studiums vom Herzog von Burgund unterstützt, wurde J. P. im Jahr 1406 einer seiner Berater. Nach dem vom Herzog Johann von Burgund geplanten Attentat auf seinen politischen Gegner Ludwig von Orléans, den Bruder des französischen Königs Karl VI., am 13.10. 1407, übernahm J. P. am 8.3. 1408 in seiner »Justification du duc de Bourgogne« die öffentliche Rechtfertigung des Herzogs. J. P. verteidigt die Tat als »löblichen Tyrannenmord« durch eine syllogistische Verknüpfung der scholastischen Tyrannenmordlehre mit dem durch die französische Königsvorstellungen entwikkelten Begriff des Majestätsverbrechens. In 8 »veritates« stellt J. P. die möglichen Majestätsverbrechen dar, besonders die 3. erregte großes Aufsehen: »Es ist jedem Untertan erlaubt, ohne Auftrag und nach den moralischen, natürlichen und göttlichen Gesetzen, einen ehrlosen Verräter oder Tyrannen zu töten oder töten zu lassen; es ist nicht nur erlaubt, sondern sogar ehren- und verdienstvoll, wenn dieser so große Macht hat, daß der Souverän keine Justiz mehr gegen ihn ausüben kann.« Am 9.3. 1408 begnadigte Karl VI. Johannes von Burgund; nach einer Gegenrede des Abtes Thomas von Cerisy am 11.9. 1408 vom Parlament aufgehoben. 1413 ergriff der Pariser Theologe Jean Gerson die Partei der Orléans; er legte der Synode von Paris 1413-1414 7 »assertiones« als Thesen des J. P. vor, die aber J. P.s Verständnis vom Untertan als Tyrann gegen den Souverän nicht widerspiegeln. Verurteilt wurden in Paris am 23.2. 1414 9 neu erstellte »assertiones«, sowie die gesamte Justification. Die Häresieanklage auf dem Konstanzer Konzil endete nur mit der Verurteilung eines Satzes aus den 7 »assertiones« des J. Gerson, die Verdammung der Justification des J. P. hob das Konzil am 16.1. 1416 auf, das Parlament von Paris registrierte die Annullation 1419.

Werke: Justificatio ducis Burgundiae, in: J. Gersonii Opera, V, 1728, 15-42; frz. Übers. in: E. Monstrelet, Chroniques, I, 177-244.

Lit.: B. Bess, Frankreichs Kirchenpolitik und der Prozeß des J. P. über die Lehre vom Tyrannenmord, 1891; — C. Kamm, Der Prozeß gegen die Justificatio ducis Burgundiae auf der Pariser Synode 1413-1414, 1911; — A. Coville, Jean Petit, La question du tyrannicide au commencement du XVe s., 1932; — L. Mirot, L'Assassinat de Louis d'Orléans et la théorie du tyrannicide au XVe s., 1933; — F. Schoenstedt, Der Tyrannenmord im Spät-MA., 1938; — J. d'Avout, Les Querelles des Armagnacs et Bourguignons, 1943; — P. Glorieux, Le Concile de Constance au jour le jour, 1964; — R. Vaughan, John the Fearless, 1966; — C. C. Willard, The Manuscripts of Jean Petit's Justifications. Some Burgundian Propaganda methods of the Early 15th c., in: Studi francesi 13, 1969, 271-280; — H. Boockmann, Zur pol. Gesch. des Konstanzer Konzils, in: Zschr. für KG 85, 1974, 45-63; — E. Bourassin, Les ducs de Bourgogne, 1985.

Susanne Stracke

JOHANNES und PAULUS, zwei frühchristliche Märtyrer, Heilige, liturgisches Gedächtnis am 26. Juni. Ihre Verehrung in Rom ist seit dem 6. Jhrh. nachweisbar. Historisch ist jedoch über die Zeit und die Art ihres Martyriums nichts Sicheres bekannt. Im 6. Jahrhundert wurde ihnen auf dem Mons Caelius in Rom eine Basilika geweiht, an der Stelle einer aus dem 4. Jahrhundert bekannten Basilika »Titulus Pammachii«, die ihnen auch schon geweiht gewesen sein soll. Die Legende aus dem 5. Jahrhundert machte die beiden Heiligen zu Brüdern und zu hohen Hofbeamten der Konstantia, der Tochter Kaiser Konstantins. Kaiser Julian Apostata habe sie durch den Befehlshaber der kaiserlichen Leibwache Terentianus in ihrem Haus auf dem Mons Caelius heimlich enthaupten lassen, weil sie den Dienst verweigerten. Dort seien sie auch begraben worden. Nach archäologischen Befunden standen auf dem Platz der Basilika ursprünglich 3 römische Wohnhäuser. Ihre Besitzer richteten im Erdgeschoß eine christliche Kultstätte ein, in der man Spuren eines Totenkultes aus dem 4. Jahrhundert fand. Diesen Kultraum ließ man offensichtlich beim Bau der Basilika als unabhängigen Betraum bestehen. Darüber aber errichtete man einen Altar, der 1575 bei der Erhebung der Gebeine zerstört wurde. Man fand 2 offenkundig geheimgehaltene Gräber. Reliquien wurden nach mehreren Städten Italiens, Frankreichs und

Deutschlands versandt, namentlich nach Avignon, Venedig, Tours, Fulda, Wien und anderswo. Erste bildliche Darstellungen finden sich im Hirs. Pass., im Zwief. Mart. des 12. Jhrh. und an einem Reliquienschrein in Mittelzell, Reichenau, 1. Hälfte des 14. Jhrh. Spätere finden sich vom 15. Jhrh. an besonders in Süddeutschland und Österreich, wo sie als Wetterheilige verehrt wurden. Vielfach als römische Ritter dargestellt, bekam Johannes als Attribut Palme und Schwert, Paulus Lanze und Blitz. Als »Wetterheilige« oder »Wetterherren« wurden sie mit einer Garbe kenntlich gemacht. In Margarethenberg a.d. Alz / Obb. trägt Johannes ein Kanonenrohr und Blitze, Paulus Wolken, aus denen Hagel niederfällt. Die liturgische Festfeier wurde im Laufe der Zeit verschieden gewichtet. Ihre Namen werden heute im Gedächtnis der Heiligen des römischen Meßkanons I und in der Allerheiligen-Litanei genannt.

Lit.: P. Franchi de' Cavalieri, Nuove Note agiografiche (R 1902) 55-65; — ders. V (R 1915) 43-62, VIII (Città del Vaticano 1935) 335-354, IX (1953) 167-200; — F. Lanzoni: Riv A/C 2 (1925) 208ff; — S. Ortolani (Rom 1925); — Delehaye OC 295; — H. Delehaye, Etude sur le légendier romain. Le Saints de novembre et decembre (Brüssel 1936) 126-130; — Mart Rom 256; — E. Catt VI 632ff; — A. Prandi, Il complesso monumentale della basilica celimontana dei SS. Giovanni e Paolo... (Città del Vaticano 1953); — ders. SS. Giovanni e Paolo (R 1958); — B. de Gaiffier: An Boll 74 (1956) 34ff, 75 (1957) 43ff; — H. Gregoire u. P. Orgels: Bull. de l'Acad. Royale de Belgique, Classe des Lettres 42 (Brüssel 1956) 125-146; — dies.: Silloge bizantina in onore di S. G. Mercati (R 1957), 171-175; — Vollst. Heiligen-Lexikon, Augsburg 1869, Bd. III, 249 (Nachdruck Hildesheim - New York 1975); — Lexikon der Namen und Heiligen, Innsbruck 1982, 442 und Wien [6]1988, 442f; — LThK V (1960) 1106/07; — Reclams Lexikon d. Heiligen und d. bibl. Gestalten, Stuttgart [5]1984, 330f.

Karl Mühlek

JOHANNES *von Peckham* (Pecham), OFM, Kirchenlehrer und Erzbischof von Canterbury, »doctor ingeniosus«, * um 1220/1225 in Patcham, Sussex, † am 8.12. 1292 in Mortlake Manor, Surrey. — Nach in Lewes empfangener Schulbildung studiert J. von 1245-1250 an der artistischen Fakultät der Sorbonne; ob Roger Bacon (s.d.) sein Lehrer war, kann nicht mit Sicherheit ausgemacht werden. Nach Studienabschluß in Oxford kehrt J. nach Paris zurück

und widmet sich der Theologie; anzunehmen ist, daß Bonaventura (s.d.) zu seinen Dozenten gehörte. Um das Jahr 1250 fällt J.'s Eintritt in den Franziskanerorden, dessen Armutsideale er gegen den Weltklerus wiederholt verteidigt und so nicht nur zum theologischen Gegner des Thomas von Aquin (s.d.) wird. 1269-1271 ist J. magister regens der Sorbonne und liest (seine?) Sentenzen. 1271/1272 kehrt J. nach Oxford zurück und führt dort den akademischen Brauch, disputationes de quodlibet abzuhalten, ein. 1275 wird J. Ordensprovinzial in England, 1276 nimmt er federführend am Generalkapitel der Franziskaner in Padua teil. Als erster Minorit wird J. 1277 zum römischen magister s. Palatii ernannt. Am 28.1. 1279 wird J. als Nachfolger Robert Kilwardbys (s.d.) zum Erzbischof von Canterbury und englischen Primas gewählt. J., als jähzorniger Charakter geschildert, führt sein Amt mit strenger Kirchenzucht. Entsprechende Dekrete seines Vorgängers (1277) sowohl gegen klerikale Laxheit als auch gegen averroistische und thomistische Lehren erneuert J. am 29.10. 1284 zu Oxford und vertritt sie auf mehreren von ihm veranlaßten Provinzialsynoden. Etwas undurchsichtig sind die Hintergründe, die am 30.4. 1286 zur Verurteilung einiger Lehrsätze Richard Knapwells (s.d.) führten. 1290 predigt J. den Kreuzzug. Neben scholastisch-theologischen Schriften, die zum Teil noch unediert sind, verfaßt J. Abhandlungen zu psychologischen und mathematisch-physikalischen Fragen und tritt zudem als Hymnendichter hervor. — Theologiegeschichtlich ragt J. als Mitbegründer der neuaugustinischen Schule in der Scholastik heraus. Als Franziskaner gehört er zu den führenden Denkern, die gleichfalls unter dem Einfluß des durch Avicenna (s.d.) vermittelten Aristotelismus fruchtbare Gegenpositionen zu den Dominikanertheologen aufbauen und so Grundlegendes zu der Ausbildung einer Wissenschaftstheorie im ausgehenden 13. Jahrhundert beitragen. Die Differenzierung des Gegenstandes (materia) der Theologie formt J. anstatt aristotelisch drei- nunmehr viergliedrig aus (-ex qua, -in qua, -de qua, -circa quam). In Fortentwicklung seines Lehrers Bonaventura rückt bei J.'s inhaltlicher Gestaltung des Problems der Theologie und der Sentenzwissenschaft der Mensch in das Blickfeld: Glaube, biblisches

Zeugnis und Sentenz unterscheiden sich nur hinsichtlich ihrer Beziehung zum Subjekt, auf dessen Tugend (caritas) sie ausgerichtet sind. Wo die Schrift vom Besonderen handelt, spricht die Sentenz extrapolierend vom Allgemeinen und zielt so auf eine ethische Pragmatik. Ist ein Wesenszug der Scholastik das Bemühen, Theologie als Wissenschaft zu begreifen und sie vom Vorwurf, lediglich Meinung und somit beliebig zu sein, zu befreien, so ist es erstmals J., der nach der Möglichkeit wissenschaftlicher Wahrheitserkenntnis vor der summarischen Traktierung theologischer Methodik fragt. Im Rekurs auf Augustinus' (s.d.) Wissensbegriff, der sich aus Wissen und sittlicher Wahrnehmung zusammenfügt, determiniert J. sein epistemologisches Konzept. Ethisches Handeln, Gottesverehrung und Wahrheitserkenntnis erfordern den theologischen Diskurs; eingeschränkt wird es allerdings dadurch, daß J. vierfach begründet, wieso Theologie als Wissenschaft keiner Beweise bedürfe. Hierin liegt eine deutliche Kritik am Aquinaten und der Dominikanertheologie: nur aus Ungläubigkeit erwachse der Versuch, Glauben durch Erkenntnis zu gewinnen, und nur aus unverhohlener Neugier mag (vergebens) versucht werden, Glauben zu transzendieren und Unerkennbares erkunden zu wollen. Die von Bonaventura übernommene ethisch-pragmatische Ausrichtung von wissenschaftlich betriebener Theologie formuliert J. mit einer Spitze gegen Thomas aus, denn spekulative Theologie sei nicht mit einer Beziehung zum Handeln zu vermitteln. Theologie ist für J. Entfaltung (explicatio) der Schrift und der Sentenzen, propädeutisch im Trivium als Erläuterung des Schriftsinnes, im Quadrivium als Eröffnung der geistigen Ebene. Sein System will J. auch auf das Curriculum angewandt wissen: eine theologische Ausbildung lehnt J. bei Mangel an Fähigkeit und ungenügender sittlicher Integrität ab.

Werke: Quellen: RepBibl III nn. 4841-4855. — Perspectiva communis, Venedig 1504, 1593; Collectarium Bibliae I-IV, Köln 1513, 1541, Paris 1513/14; Registrum epistolarum, 3 Bde., London 1882-1885; III. Tractatus de pauperitate, Aberdeen 1910, Paris 1925; Tractatus de numeris; de sphaera; de anima. BGPhMA 19/5-6 (Münster 1918); Officium SS. Trinitatis. FrFr 11 (Paris 1928), 223-229; Summa de esse et essentia: StFr 25 (Florenz 1928), 61-70; Quaestiones disputatae; Quodlibeta I-IV; Quodlibet Romanum, Rom 1938; Tractatus de anima, Florenz 1948; Canticum pauperis. BFA-MA 4 (Quaracchi 1949^2); Postilla in Ioannem: FS 31 (1949), 396 ff.; 35 (1953), 440 ff.; Q.2 a.2 c.2 ist ediert bei Amorós (s.u.), 281-284.

Lit.: F. Ehrle, J. über den Kampf des Augustinismus und Aristotelismus in der 2. Hälfte des 13. Jh.s, in: ZKTh 13 (1889), 172-193; — H. Spettmann, Quellenkrit. zur Biographie des J., in: FS 2 (1915), 170-207, 266-285; — Ders., Die Psychologie des J., in: BGPhMA 20/6 (Münster 1919); — Ders., Der Sentenzenkommentar des Franziskanerbischofs J. († 1292), in: DT 5 (1927), 327-334; — A. Callebut, J. OFM et l'Augustinianisme, in: AFH 18 (1925), 441-472; — G. A. Little, The Franciscan School at Oxford in the Thirteenth Century, in: AFH 19 (1926), 803-874; — D. E. Sharp, Franciscan Philosophy at Oxford, Oxford 1930; — L. Amorós, La teologia como ciencia practica en la escuela franciscana en los tiempos que preceden a Escoto, in: AHDL 9 (1934), 261-303; — P. Glorieux, La littérature quodlibétique, in: II. BThom 21 (Paris 1935), 173-180; — D. Knowles, Some Aspects of the Career of Archbishop J., in: EHR 47 (1942), 1-18, 178-201; — G. Melani, Tractatus de anima J., Florenz 1948; — J. J. Smith, The Attitude of J. towards Monastic Houses under His Jurisdiction, Washington 1949; — D. L. Douie, The Conflict between the Seculars and the Mendicants at the University of Paris in the Thirteenth Century. AqP 23 (London 1954); — A. B. Emden, A Biographical Register of the University of Oxford to AD 1500, III. Oxford 1959, 1445-1447; — C.R. Cheney, The so-called Statutes of John Pecham and Robert Winchesley for the Province of Canterbury: JEH 12 (1961) 14-34; — Decima L. Douie, Archbishop Pecham's Register, in: C.W. Dugmore/Charles Duggan (Edd.), Studies in Church History I (London 1964), 173-175; — U. Köpf, Die Anfänge der theol. Wissenschaftstheorie im 13. Jh. BHTh 49 (Tübingen 1974); — AHMA L, 92 ff.; — DThC XII, 100-140; — EC IX, 1042 f.; — LThK V, 1069 f.; — NCE VII, 1065.

Klaus-Gunther Wesseling

JOHANNES PHILÓPONOS GRAMMATIKOS CHRISTIANOS, geboren in den frühen 90-er Jahren des 5. Jh. n. Chr. wahrscheinlich in Alexandria oder Umgebung, gestorben daselbst um 570, der einzige frühchristliche Denker, der auch als Naturwissenschaftler (und vor allem als solcher) eine hervorragende Rolle, besonders in der Geschichte der Physik, spielte. Nicht verwechselt darf er werden mit anderen Johannes Grammatikoi, einer angeblich Bischof von Caesarea, Verteidiger des Chalcedonense, einer um 475 bis 485 Presbyter in Antiochien und glänzender Redner, Gegner des Henotikon, schließlich gab es auch einen Patriarchen von Konstantinopel (837-843) dieses Namens, Gegner der Bilderverehrung und Anhänger der okkulten Wissenschaften (J. Gouillard). »Grammatikos«

nannten sich damals alle Kommentatoren und Exegeten, Philoponos verfaßte vor allem umfangreiche Aristoteles-Kommentare, außerdem u.a. auch zwei grammatische Schulbücher für die Studenten, die im Mittelalter viel benutzt wurden. Er wurde wohl schon christlich geboren und erzogen, nur herrschte in Alexandria das monophysitische Christentum, nicht das orthodoxe. Der Beiname »Philóponos« (Φιλόπονος) = der Arbeitsame, bezieht sich wahrscheinlich schlicht auf den großen Umfang seines Œuvres, könnte aber auch eine Zugehörigkeit zu den »φιλόπονοι« bezeichnen, einer christlichen Aktionsgemeinschaft (in Antiochien nannten sie sich »σπουδαῖοι« und anderswo wieder »συνάδελφοι«), die sich mit Krankenpflege, Armendienst, Bau und Reparatur von Kirchen, musikalischer Ausgestaltung des Gottesdienstes u. dgl. befaßte, manche stenographierten die Predigten des Bischofs mit und ein solcher Stenograph und Schriftführer könnte auch Joh. Philoponos gewesen sein. Seine Gegner und Feinde verdrehten den Namen allerdings zu »Mataióponos« (der »vergeblich sich Bemühende«, »eitle Streber«). Die »Philoponoi« gaben sich freilich auch manchmal militant und beschädigten z.B. heidnische Tempel oder attackierten die heidnischen Professoren und Gelehrten der Hochschule. Der Lehrer des Johannes Philoponos, der Neuplatoniker Ammonios Hermeiou, der nie in seinem Leben Christ wurde, mußte daher mit dem Bischof (Athanasios, 490-497, Nachfolger von Peter Mongo, 482-490) ein Kompromißabkommen schließen, um unbehelligt zu bleiben. In seinen Vorlesungen mußte er auf die vielen christlichen Zuhörer (das waren damals schon die meisten) Rücksicht nehmen, die Vorlesungen über die Platonischen Dialoge stellte er überhaupt ein und las nur mehr über Aristoteles. Später, Jahre nach dem Tode des Bischofs, nach 500, hat er allerdings die Plato-Vorlesungen wieder aufgenommen. Aber damals wurden zeitweise auch die Schriften Platos zur Tarnung unter dem Namen des Aristoteles oder Dionysius herausgegeben. Johannes Philoponos war wohl Ammonios' Assistent und schrieb die Vorlesungen mit, versah sie mit eigenen Ergänzungen und gab sie unter seinem und seines Lehrers Namen heraus, die späteren nur mehr unter seinem. Er weicht oft in seiner Meinung sowohl von der des Ammonios wie von der des Aristoteles ab und sagt das auch offen. Er will auch nicht um jeden Preis wie die anderen neuplatonischen Kommentatoren seine Ansichten dem Aristoteles aufzwingen und Aristoteles mit Plato in Einklang bringen. Diese geistige Freiheit verschaffte ihm von Anfang an wohl sein christlicher Standpunkt. Selbst hatte Joh. Philoponos offenbar nie einen Lehrstuhl inne, denn er nannte sich nie »Philosoph«. Er nimmt nichtsdestoweniger eine Schlüsselstellung in der Konfrontation des Christentums mit der heidnischen Philosophie ein. Sein Einfluß strahlte nach Byzanz (Photius und Sophonias haben ihn gelesen), nach Bagdad und ins Abendland aus, Wilh. v. Moerbeke hat seinen Seelenkommentar teilweise für Thomas v. Aquin ins Lateinische übersetzt, auch sein Kommentar zu »De gen. et corruptione« war im Mittelalter sicher bekannt. Das spezifisch Christliche kam allerdings erst später in seiner Kosmologie und Theologie zum Durchbruch, in jungen Jahren, in seinen Aristoteles-Kommentaren steht er noch sehr stark unter dem Einfluß des Neuplatonismus, aber auch stoische u.a. Ansichten findet man, bei ihm fließen viele Gedankenströme zusammen und er ist nicht frei von Eklektizismus. Mit seinen christlich-theologischen Schriften stellt Joh. Philoponos auf jeden Fall unter allen Neuplatonikern, Heiden wie Christen, einen Sonderfall dar. Es gelangen ihm vor allem neue fundamentale Einsichten über den Freien Fall, über den lotrechten und schiefen Wurf, über die Lichtfortpflanzung u.a., die gegenüber Aristoteles einen großen Fortschritt bedeuteten, daher im Spätmittelalter ziemlich allgemein anerkannt waren, allerdings nicht unter seinem Namen liefen (vielleicht weil er als Häretiker nicht genannt werden durfte, weswegen es oft sehr schwierig ist, seinen Einfluß direkt zu beweisen). So wurde er der Erwecker der Dynamik, nachdem 750 Jahre früher Archimedes die mechanische Statik begründet hatte. Im Anschluß an eine Theorie des lotrechten Wurfes und freien Falles bei Hipparch, von der der bekannte Aristoteles-Kommentar Simplikios (übrigens eine Zeitlang ein Mitschüler des Philoponos bei Ammonios, auch Boëthius gehörte zeitweise zu diesem Kreis) berichtet, von der es aber schwer ist zu sagen, wie sie eigentlich genau gemeint war, entwirft Philoponos seine später so genannte »Impetustheorie«, die er ganz allgemein auf alle räumlichen Bewegungen bezieht. Der Unterschied gegenüber der Aristotelischen liegt vor allem darin, daß eine Rolle der Luft oder irgendeines anderen Mediums bei der Kraftübertragung von der schleudernden Hand, Schleuder oder Wurfmaschine auf den geworfenen Körper (Geschoß) radikal geleugnet wird. Nach Aristoteles sollte das Werfende zuerst in der Luft Wirbelbewegungen oder etwas dergleichen erzeugen und erst diese Luftströmungen sollen es sein, die den geworfenen Körper weitertreiben, auch nachdem er die Schleuder (werfende Hand) bereits verlassen hat. Auch Hipparch dachte wahrscheinlich an die Vermittlung durch ein (stoisches) Pneuma. Nach der Philoponischen Impetustheorie überträgt aber das Werfende direkt, ohne alle Vermittlung, auf das Geworfene einen immateriellen Impuls (Impetus), der es weitertreibt, allerdings im Laufe der Bewegung immer schwächer wird und sich schließlich aufzehrt (dann fällt der Körper wieder herunter). Philoponos verwendet viele Mühe, auch durch Verweis auf Erfahrungstatsachen und technische Versuche an Schleudermaschinen, eine Einwirkung der Luft zu widerlegen, außer daß sie eine bremsende Wirkung ausübt. Auch im reinsten Vakuum könnte eine solche Kraftübertragung und -vermittlung stattfinden und somit wäre auch im leeren Raum eine Wurfbewegung möglich. Er stellt sich damit in bewußtem Gegensatz zu Aristoteles. Raum und Kraft werden bei ihm zu selbständigen Entitäten und damit erst ist eine physikalische Modellkonstruktion möglich (Wieland). Seine Schriften, hauptsächlich Kommentare zu den Schriften des Aristoteles, sind meist sehr umständlich und ausführlich, aber auch sehr klar mit Argumenten und Gegenargumenten im dialektischen Stil verfaßt, im Grundstock wohl Nachschriften nach den Vorlesungen des Ammonios, aber sehr stark erweitert, vielleicht die freie Wiedergabe von wissenschaftlichen Gesprächen und Diskussionen unter Gelehrten und Schülern der berühmten Hochschule von Alexandrien, wie sie damals stattgefunden haben mögen. Daß das Hochschulmilieu damals schon weitgehend christianisiert war, ist für seine physikalischen Theorien nicht unwesentlich: von mehreren möglichen Interpretationen der Aristotelesstellen wählt er immer die aus, die sich mit der christlichen Religion am ehesten verträgt. Grunddogma für ihn ist vor allem, daß Gott vor einer gewissen Zeit die Welt aus dem Nichts, auch der Materie nach und auch die Zeit selbst erschaffen hat. Mit seinem Christentum hängt auch seine, ursprünglich wohl von den Neuplatonikern übernommene, Überzeugung zusammen, daß es immaterielle Energien gibt, die die Körper durchdringen und von einem Körper zum anderen hinüberwandern, z.B. das Licht, die Töne, die Wärme und eben auch der Impetus. Auch göttliche und menschliche Natur durchdringen sich ja in der Person Christi und vereinigen sich zu e i n e r zusammengesetzten Natur, ohne sich ineinander zu verwandeln. Im Alter verfaßte Philoponos auch noch christologische und theologische Schriften, erstere im monophysitischen Sinn und letztere mit einer Trinitätslehre, die ihn in den Ruf eines Tritheisten brachten.

Werke: Die chronologische Abfolge seiner Schriften ist nicht immer ganz klar zu eruieren, nur bei den wichtigsten kann man das genaue oder ungefähre Datum ihrer Abfassung angeben. Die Titel verraten eine enorme Vielseitigkeit seiner Gelehrsamkeit. Zuerst, als Ammonios noch über Platon las, scheint Philoponos einen Kommentar zum Platonischen Phaedon verfaßt zu haben, der aber verloren gegangen ist; Die Aristoteles-Kommentare des Philoponos sind, soweit erhalten, abgedruckt in: Commentaria in Aristotelem graeca edita consilio et auctoritate Academiae Litterarum Regiae Borussicae, Berlin; Band VII: Simplikios' Kommentar zu De Caelo (mit Philoponos-Fragmenten) (ed. I.L. Heiberg), Berlin 1894; Band IX und X: Simplikios' Kommentar zu den Physica (mit Philoponos-Fragmenten) (ed. H. Diels), Berlin 1882 u. 1895; Band XIII, 1: Joh. Philoponos: Kommentar zu den Kategorien (ed. A. Busse), Berlin 1898; Band XIII, 2: Joh. Philoponos: Komm. zu den Anal. priora (ed. M. Wallies), Berlin 1905; Band XIII, 3: Joh. Philoponos: Komm. zu den Anal. post. (ed. M. Wallies), Berlin 1909; Band XIV, 1: Joh. Philoponos: Komm. zu den Metereologica (verfaßt nach 529 n. Chr.) (ed. M. Hayduck), Berlin 1901; Band XIV, 2: Joh. Philoponos: Komm. zu De Gen. et Corruptione (ed. H. Vitelli), Berlin 1897; Band XV: Joh. Philoponos: Komm. zu De Anima (ed. M. Hayduck), Berlin 1897; Band XVI und XVII: Joh. Philoponos: Kommentare zu den Physica (verfaßt 517 n. Chr.) (ed. H. Vitelli), Berlin 1887 und 1888; Verloren sind die Kommentare zu den Sophistischen Trugschlüssen, zu den Topica und zu De Caelo; Der Kommentar zu De Anima liegt in mehreren, einigermaßen voneinander abweichenden Versionen vor. Schissel erklärt das damit, daß es sich um Nachschriften verschiedener Schüler nach den Vorlesungen des Philoponos handele und die Zusätze z. T. Alexander v. Aphrodisias und Themistios entnommen seien. Ähnlich ist es bei den Kommentaren zur ersten und zweiten Analytik. Der Komm. zu Buch III von De Anima in der obigen Ausgabe (Bd. XV) stammt überhaupt nicht von Philoponos, sondern von Stephanos von Alexandrien (1. Hälfte 7. Jh.), (bei dem man übrigens von spezifisch christlichen Einflüssen noch nicht viel merkt); der echte, u. zw. nur Kapitel 4 bis 8 (De Intellectu) existiert nur mehr in der lateinischen Übersetzung des Wilhelm von Moerbeke, der sie für Thomas von Aquin angefertigt hat (Blumenthal). Er beeinflußte nach A. Sparty wesentlich die Thomasische Theorie über den Intellekt, mußte ihm aber eine wichtige Hilfe bei der Interpretation des Aristoteles-Textes in seiner Polemik mit dem Averroismus sein. Neue, auf Grund eines verläßlichen Manuskripts verbesserte Ausgabe der Übersetzung des Wilh. von Moerbeke: »Edition critique avec une Introduction sur la Psychologie de Philopon par G. Verbeke, Louvain-Paris 1966« (vorher schon von Marcel de Corte in: Bibliothèque de la Faculté de Philosophie et des Lettres de l'Université de Liège, Fascicule LXV, Paris 1934, herausgegeben). »Griechische Originalfragmente« dieser Übersetzung wurden von S. van Riet entdeckt, siehe: Revue Philosophique de Louvain 63 (1965), 5-40. Der Originaltext reflektiert sich auch im Paraphrasen-Kommentar des Sophonias (14. Jh.). »Der Metaphysik-Kommentar« (Cod. Vatic. Urbin. 49 und Cod. Vindob. phil. graec. 189, lateinisch Ferrara 1583) ist in ungewöhnlich kurz angebundenem Stil verfaßt, seine Echtheit wird daher stark angezweifelt; aber vielleicht ist er doch echt (H. Reiner). In der Bibliotheca Teubneriana erschienen: Band 770: Joh. Philoponos: »De aeternitate mundi contra Proclum« (ed. H. Rabe), Leipzig 1899. Verfaßt wurde diese Schrift im Jahre 529 n. Chr., als die Athener Schule von Kaiser Justinian geschlossen wurde; wahrscheinlich im Einvernehmen mit Ammonios, um ein ähnliches Schicksal von der Alexandrinischen Schule abzuwenden, was auch gelang. Die Schule bestand bis 718, in welchem Jahre sie nach Antiochien verlegt wurde, um 835 nach Harran und 850 weiter nach Bagdad zu emigrieren. Band 910: Joh. Philoponos: »De opificio (creatione) mundi«, der Hexaemeron-Kommentar (ed. G. Reichardt), Leipzig 1897, zwischen 557 und 560 gegen die Antiochenischen Nestorianer verfaßt. Zwischen diesen beiden Schriften liegen noch zwei andere: eine verlorene »Über die Feuershpäre« und die bedeutende Schrift »De aeternitate mundi contra Aristotelem«, von der Fragmente von Simplikios, gegen den sie eigentlich gerichtet ist, überliefert sind. »Die christologischen und theologischen Schriften« des Philoponos sind nur in mehr oder weniger umfangreichen Fragmenten und diese auch nur syrisch erhalten, sie wurden von A. Šanda (Prag) gesammelt und mit einer lateinischen Übersetzung herausgegeben: »Opuscula monophysitica Joannis Philoponi«. Beirut 1930 (Typ.Cath.Soc.Jesu); und zwar sind das: »De paschate« (über das richtige Datum des Osterfestes, das Abendmahl wird darin als mystisches Mahl gedeutet), ein Traktat »Über das Allgemeine und das Besondere« (an Sergius, späteren Patriarchen von Antiochien adressiert, vor 546 verfaßt), vor allem aber der »Schiedsrichter (διαιτητής)« (wahrscheinlich ebenfalls auf dessen Verlangen verfaßt), sowie eine Kurzfassung davon und eine Widerlegung der Einwände gegen den Schiedsrichter, schließlich ein Brief an Kaiser Justinian. Verloren sind die Schriften »De Theologia« (oder »De Trinitate«) (von den orientalischen Archimandriten anathematisiert) (das »βιβλιδάριον« , nach 568 verfaßt, von dem Photius spricht und das sich gegen die byzantinischen Dogmatiker, insbesondere gegen Johannes den Scholastiker richtet, scheint damit identisch zu sein), weiters »Contra Themistium« (gegen welchen ? vielleicht das Oberhaupt der Agnoëten) (Fragmente davon bei Michael dem Syrer und in einer Gegenschrift, vgl. H. Martin). Verloren sind weiter »Über die Götterbilder« (gegen Jamblich), »Über die Auferstehung« (die lt. Contra Proclum einen neuen Schöpfungsakt erfordert), eine Schrift »gegen das Konzil von Chalcedon« (seine Entscheidungen führen zum Nestorianismus) und eine »Gegen die Häretiker« (womit wahrscheinlich die Sekte der Akephalen gemeint ist). Von den sonstigen Schriften des Joh. Philoponos sind noch, wie schon gesagt, erhalten zwei grammatische, im Mittelalter viel benutzte Schulbücher für die Studenten. Erhalten ist auch der bedeutsame »Traktat über das Astrolabium« (ein sehr kompliziertes astronomisches Meßinstrument zur Bestimmung der Zeit während der Nacht), veröffentlicht im »Rheinischen Museum«, 1839, S. 127-171; eine entsprechende Schrift von Ptolemäus ist rein theoretisch, Philoponos beschreibt auch die Anwendung, er sagt auch, daß Ammonios ebenfalls über das Instrument geschrieben habe. Weiters existiert noch eine im Mittelalter wegen ihrer Klarheit und Präzision viel benützte und oft abgeschriebene »Einführung in die Arithmetik des Nikomachos von Gerasa« , ed. von R. Hocke im »Programm des Gymnasiums von Wesel«, 2 Bde. 1864 und 1865; verfaßt wurde die Schrift jedenfalls nach 529, vgl. dazu E. Evrard in: Revue des Études grecques 58 (1965), pp. 591-598. Verloren ist ein Werk vermischten Inhalts »über Mathematik und Optik« (vielleicht gleich nach 529 verfaßt). In Handschriften erhalten, aber noch nicht gedruckt sind zwei Schriften medizinischen Inhalts »Über Entzündungen« (Cod. Vatic. 280, 15. Jh.) und »Über Fieber« (Cod. Mosqu. 446, 16. Jh.). Eine weitere medizinische und eine astronomische Schrift werden ihm wohl zu Unrecht zugeschrieben. Aus der Schule des Ammonios in Alexandria erstand zur Zeit des Philoponos und nachher eine ganze Schule von Galen- und Hippokrates-Kommentatoren, aus der viele sehr bedeutende medizinische Werke mit großer Nachwirkung auf die Araber und Perser und das lateinische Mittelalter hervorgingen, z.B. die berühmten »Pandekten«. Als Naturwissenschaftler habe ich, da es sonst auch wohl niemand getan hätte, die wichtigsten Teile aus Philoponos' Werken mit Kommentaren versehen in deutscher Übersetzung herausgebracht: Johannes Philoponos Grammatikos von Alexandrien (6. Jh. n. Chr.). Christliche Naturwissenschaft im Ausklang der Antike ..., München-Paderborn-Wien (Schöningh) 1967.

Lit.: Emil Wohlwill: Die Entdeckung des Beharrungsgesetzes. In: Zeitschrift für Völkerpsychologie und Sprachwissenschaft, 14 (1883), S. 398 f. u. 406; 15 (1884), S. 366; — Ders., Ein Vorgänger Galileis im 6. Jh., In: Physikalische Zeitschrift 7 (1906), S. 27 a; — Paul Tannery: Notes critiques sur le Traité de l'astrolabe de Philopon. In: Revue de philologie, de littérature et d'histoire anciennes, XII (1888), p. 60-73; — Arthur E. Haas: Über die Originalität der physikalischen Lehren des Johannes Philoponos. In: Bibliotheca mathematica, 3. Folge, 6. Bd., Leipzig 1905, s. 337-342; — Pierre Duhem: Études sur Leonard de Vinci. Ceux qu'il a lus et ceux qui l'ont lu. Drei Bde., Paris 1906, 1909 und 1913; — Ders., Le Système du Monde, Bd. I., Paris 1913, bes. pp. 351 ff., Bd. VII, Paris 1958; — H. Wieleitner: Das Gesetz vom Freien Fall in der Scholastik, bei Descartes und Galilei.

In: Ztschr. f. math. u. naturwiss. Unterricht 45 (1914) (Leipzig-Berlin), S. 209-228; — Ders.: Nicolaus Oresme und die graphische Darstellung der Spätscholastik. In: Natur und Kultur 14 (1917), S. 529-536; — Gudemann und Kroll: Johannes Philoponos. In: Paul-Wissowa-Kroll: Realenzyklopädie der classischen Altertumswissenschaften. Neue Bearb. Stuttgart 1916, Bd. IX, Spalten 1764-1795; — Gustave Bardy: Jean Philopon. In: Dictionnaire de Théologie catholique, VIII, Sp. 831-839 (Paris 1926); — Th. Hermann: Johannes Philoponos als Monophysit. In: Ztschr. f. neutest. Wiss. (Gießen), 29 (1930), S. 209-264; — O. Schissel von Fleschenberg: Kann die Expositio in libros »De Anima« des Thomas Aquinas ein Kommentar des Joh. Philoponos zu Aristoteles' Περὶ ψυχῆς sein? In: Byzantinisch-neugriechische Jahrbücher 9 (1932), 104-110; — M. Meyerhof: La fin de l'école d'Alexandrie d'après quelques auteurs arabes. In: Archeion 15 (1933), 1-15; — F. Rüsche: Das Seelenpneuma. Seine Entwicklung von der Hauchseele zur Geistseele. Paderborn 1933; — E. Borchert: Die Lehre von der Bewegung bei Nicolaus Oresme (Beitr. z. Gesch. d. Philos. u. Theol. d. Mittelalters, Bd. 31, Heft 3). Münster i. W. 1934; — S. Pines: Les précurseurs musulmans de la théorie de l'impetus. In: Archeion 21 (1938), 298-306; — R. Vancourt: Les dernieres Commentateurs Alexandrins d'Aristote. L'école d'Olympiodor, Etienne d'Alexandrie. Lille 1941; — A. Koyré : Études Galiléennes. 3 Bde., Paris 1939; — Ders., Galileo and Plato. In: Journ. of the Hist. of Ideas 4 (1943), 400-428; — A. Maier: Das Problem der intensiven Größe in der Scholastik. Leipzig 1939; — Dies., Die Impetustheorie der Scholastik. Wien 1940, 2.A.Rom 1951; — Dies., An der Grenze zwischen Scholastik und Naturwissenschaft. Essen 1943, 2.A. Rom 1952; — Dies., Die Vorläufer Galileis im 14. Jh., Rom 1949 u.a.; — G. Verbeke: L'évolution de la doctrine du Pneuma du Stoicisme à S. Augustin. Étude philosophique. Paris-Louvain 1945; — A. Mitterer: Zeugung der Organismen...., Wien 1947; — Ders., Augustins Entwicklungslehre. In: Wissenschaft und Weltbild (Wien), 7 (1954), 401 ff.; — A.G. Drachmann: Ktesibios, Philon and Heron. A study in ancient Pneumatics. Copenhagen 1948; — E.A. Moody: Galileo and Avempace. In: Journ. of the Hist. of Ideas 12 (1951), 163-193, 375-422; — J. Lebon: La christologie du monophysisme syrien. In: Das Konzil von Chalkedon (hrsg. v. A. Grillmeier und H. Bacht), Bd. I, Würzburg, 1951, 425-580; — E. Evrard: Les convictions religieuses de Jean Philopon et la date de son Commentaire aux Météorologiques. In: Bulletin de la Classe des Lettres et des Sciences morales et politiques, 5e Serie, Tome 34, Bruxelles 1953, 299-357; — H.D. Saffrey: Le chrétien Jean Philopon et la survivance de l'école d'Alexandrie au VIe siècle. In: Revue des études grecques 67 (1954), 396-410; — H. Reiner: Der Metaphysik-Kommentar des Joh. Philoponos. In: Hermes 82 (1954), 480-482; — O. Pedersen: Nicole Oresme og hans naturfilosofiske system. Kobenhavn 1956, p. 281; — J. Gouillard: Joh. Grammatikoi. In: Revue des Études byzantines 24 (1966), 171-181; — B.G. Kusnezow: Die Lehre des Aristoteles von der relativen und der absoluten Bewegung im Lichte der modernen Physik. In: Gerhard Harig (Hrsg.): Sowjetische Beiträge zur Geschichte der Naturwissenschaft. Berlin 1960, SS. 27-61, bes. 43-45 (Die Raumlehre des Ph. u. Vorgänger). Vgl. auch SS. 161-191. W. Subow: Minima naturalia u. mixtio; — S. Sambursky: Philoponus' Interpretation of Aristotle's theory of light. In:

Osiris 13 (1958), 114 ff; — Ders., The physical world of late antiquity. London 1962, p. 156; — Ders., Note on John Philoponos' rejection of the Infinite. In: Islamic Philosophy and the Classical Tradition. Festschrift für R. Walzer. Oxford 1972, 351-353; — H. Martin: Jean Philopon et la Controverse trithêiste du VIe siècle. In: Studia patristica 5 (1962), 519-525; — E. Grant: Motion in the Void and the Principle of Inertia in the Middle Ages. In: Isis 55 (1964), 265-292; — Ders., Aristotle, Philoponus, Avempace and Galileo's Pisan Dynamics. In: Centaurus 11 (1965), 79-95; — E. Behler: Die Ewigkeit der Welt. München-Paderborn-Wien 1965, S. 135-145, 153 f. und 162 (Einfluß der Philoponischen Schrift gegen Proklos auf die arabische Philosophie und durch diese wahrscheinlich auf das lateinische Mittelalter bis herauf zu Pascal und Leibniz); — L.G. Westerink: Deux Commentaires sur Nicomaque: Asclépius et Jean Philopon. In: Revue des Études grecques 77 (1964), 526-535; — E. Evrard: Jean Philopon, son commentaire sur Nicomaque et ses rapports avec Ammonios. In: Revue des Études grecques 78 (1965), 591-598; — W. Haase: Ein vermeintliches Aristoteles-Fragment bei Joh. Philoponos. In: Synusia, Festgabe für Wolfg. Schadewaldt, hrsg. v. Helmut Flashar und Konrad Gaiser. Pullingen 1965; — W. Wieland: Die Ewigkeit der Welt (Der Streit mit Simplikios, auch von Samburs ky ausführlich behandelt). In: Die Gegenwart der Griechen im neuen Denken. Festschrift für H.G. Gadamer. Tübingen 1960, 291-316; — Ders., Zur Raumtheorie des Joh. Philoponos. In: Erich Fries (Hrsg.): Festschrift für Joseph Klein. Göttingen 1967, 114-135; — G. Morrow: Qualitative Change in Aristotle's Physics. In: I. Düring (Hrsg.) Naturphilosophie bei Aristoteles und Theophrast. Verhandlungen des 4. Symposion Aristotelicum. Heidelberg 1966, 154-167; — L.v. Bermann: Quotations from Al-Farabi. In: Journal of Semitic Studies (Manchester), 12 (1967), 268-272; — M. Wolff: Fallgesetz und Massebegriff: zwei wissenschaftstheoretische Untersuchungen zur Kosmologie des Joh. Philoponos. Berlin 1971; — R.S. Westfall: Circular Motion in 17th c. Mechanics. In: Isis 63 (1972), 184-189; — Andrze Sparty: De Intellectu des Joh. Philoponos und das Werk des hl. Thomas (polnisch mit franz. Zusammenfassung, in: Roszniki filozoficzne, Annales de philosophie (Lublin), 23 (1975), I, 81-99; — Ders., La Doctrine de Jean Philopon dans »De Intellectu« et son application chez Thomas d'Aquin (polnisch). In: Acta medievalia (kath. Univ. Lublin), 3 (1978), 167-231; — Robert B. Todd: Some Concepts in Physical Theory in John Philoponus' Aristotelian Commentaries. In: Archiv für Begriffsgeschichte (Bonn), 24 (1980), 151-170; — N. Öffenberger: Philoponos und Pseudo-Ph. (Verfasser des Metaphysikkommentars) über secundum essentiam und secundum praedicationem (über einen kleinen formallogischen Fehler in der Philoponischen Logik). In: Archiv für Begriffsgeschichte 28 (1984),49-62; — D. Gutas: Philoponos und Avicenna on the separability of the intellect: a case of orthodox christian - muslim agreement. In: The greek orthodox theological Review (Brookline Mass.), 31 (1986), 121-129. (Nachweis, daß Avicenna Philoponos'Seelenkommentar in der arabischen Übersetzung gelesen haben muß. Aber daß Gutas einleitend Philoponos als »orthodoxenChristen« bezeichnet, erscheint mir absurd; offenbar hat er die theologischen Schriften gar nicht gelesen, sie sind auch schwer zugänglich); — H.J. Blumenthal: Neoplatonic Elements in the De Anima-Commentaries. In: Phronesis 21 (1976), 64-87; — Ders., John Philoponus and Stephanus of Alexandria. In: D.J. O'Meara (Ed.): Neoplatonism and Christian Thought (Studies in Neoplatonism, ancient and modern, 3), Norfolk 1982, 54-63; — Ders., Body and Soul in Philoponus. In: The Monist (La Salle, Ill.) 69 (1986), 370-382 (Die Seelenlehre des Philoponos); Ders., John Philoponus: an Alexandrian Platonist? (Wie weit mag sein Denken vom Christentum entscheidend beeinflußt sein und wie weit unterscheidet er sich von den anderen Neuplatonikern?) In: Hermes 114 (1986), 314-335 (Gute Zusammenfassung aller bisherigen Forschungen); — G. Vlastos: Creation in the Timaeus: is it a fiction?. In: R.E. Allen (Ed.): Studies in Plato's metaphysics. London 1965, 401-419 (sie ist tatsächlich als zeitliche Schöpfung gemeint und wurde auch von den frühen Plato Schülern so verstanden, nicht mehr jedoch von den Neuplatonikern, ausgenommen Philoponos). Vgl. auch SS. 379-399. The Disorderd Motion in the Timaeus; — Ioannis Alexandrini Commentaria in sextum Ibrum Hippocratis epidomiarum. Recognovit et adnotatione critica instruxit C.D. Pritchet. Leiden 1975; — M. Baltes: Weltentstehung des platonischen Timaeus nach den antiken Interpreten. Leiden, Bd. I, 1976; II, 1979; — L.W. Daly: Joh. Phil. De Vocabulis quae diversum significatum exhibent sec. differentiam accentus. On the accent of homonyms. (American philos. soc. memoirs 151). Philadelphia 1983; — R.R.K. Sorabji: Time, Creation and the Continuum. London 1983, S. 268/9: Über die Interpretation des Platonischen Timaeus; — Ders., Philoponus, and the rejecition of Aristolelian science. London u. Ithaca 1987; — K. Verryckens: God and the World in the Philosophy of John Philoponus. Diss. Leuven 1985; gekürzt auch in den Schriften der Royal Belgian Academy; — Chr. Wildberg: Philoponus, against Aristotle: on the eternity of the World. Ithaca 1987; — Ders., John Philoponus' Criticism of Aristotle's theory of aether. Berlin-New York 1988.

Walter Böhm

JOHANNES DE POLLIACO (Pouilly), Theologe, † nach 1321 in Paris (?). — J., Schüler Gottfrieds von Fontaines, ist seit Ende des 13. Jahrhunderts socius an der Pariser Sorbonne, wo er seit 1301 Theologie lehrt. 1307 erwirbt er den Magistergrad. 1308 sieht man ihn in die Verurteilung des Templerordens verwickelt, und 1310 gehört J. zu den 21 Theologen, die ein harmloses mystisches Schriftchen der Margaret Porette verurteilen und die Autorin auf den Scheiterhaufen bringen. 1312 ist J. in den Streit um die Bußpredigten der Mendikanten verwickelt. 1318 wird J. in dreizehn Punkten von Pierre de la Pallu angeklagt und in dieser Sache vor Johannes XXII. nach Avignon geladen. Von den Vorwürfen, auf neun Artikel reduziert, werden schließlich drei Sätze in der Bulle »Vas electionis« vom 24.7.1321 verworfen. Feierlich widerruft J. seine Ansichten zu Beichte und ekklesiologischer, nicht göttlicher Autorität des Papstes in Paris, wo er alsbald ungehindert seine Lehrtätigkeit fortsetzen kann. J., nominalistischer Thomist und Anhänger eines christlichen Aristotelismus, gilt als Gegner (s.d.) Heinrichs von Gent. Seine Werke sind nicht ediert und umfassen sechs quaestiones disputatae, mehrere quaestiones ordinariae und etliche quodlibeta.

Lit.: J. Koch, in: RThAM 5 (1933), 391-422; — L. Hödl, Die Kritik des J. an der philos. und theol. ratio in der Auseinanders. mit den averroistischen Unterscheidungslehren. MGT, H. 3 (München 1959), 11-30; — J. und der Streit um die Begründung der menschl. Willensfreiheit; — DThC VII/1, 797 ff.; — LThK V, 1071 f.

Klaus-Gunther Wesseling

JOAHNNES *von Prado* wird als Seliger verehrt, Gedenktag 24. Mai, * 1563 in Morgovejo (León), † 24.5. 1631. — J. trat 1584 in OFM ein, war Provinzial des OFM von Andalusien. Er ging im Jahre 1630 mit P. Matias de S. Francisco und B. Ginés de Ocaña nach Marokko. Das geschah mit Billigung der römischen Konkregation de Propaganda fide. In Marokko wurde er am 24. Mai 1631 vom Sultan eigenhändig enthauptet. Weil seine zwei Begleiter die Verfolgung überlebten und aus Spanien neue Missionare nachrückten, gilt J. als der Gründer der neueren Franziskanermission in Marokko.

Lit.: L. Wadding, Annales Ordinis Minorum, XXVII, 223-235, 361-366; — D. Rancano, Missionswissenschaftl. Studien (Festschr. J. Dindinger, Aachen 1951), 371-392; — G. Fussenegger, in: Lex. für Theol. und Kirche, Bd. 5 (1960), Sp. 1072; — L. Iriarte, Der Franziskanerorden, Altötting 1984, 233, 377.

Lothar Hardick

JOHANNES der *Priesterkönig* (Presbyter), legendäre Gestalt des 12. - 16. Jahrhunderts. — Die Expansion der Araber im 7. und 8. Jahrhundert, in deren Gefolge fast der gesamte Osten und Süden des Mittelmeerraumes der Christenheit verloren ging, bewirkte keineswegs die vollständige Islamisierung der betroffenen Gebiete, in denen sich bis heute kleinere christliche Inseln erhalten haben. Eine vage Erinnerung an

sen der heidnischen Autoren (Aristoteles, Cicero, Seneca, Averroes, Avicenna usw.) wurde im theologischen Unterricht mit den Lehrmeinungen der theologischen Autoren (Augustinus (s.d.), Boethius (s.d.), Anselm von Canterbury (s.d.), Hugo von St. Vikor (s.d.), Petrus Lombardus (s.d.) usw.) zusammengenommen und diskutiert. Die verschiedenen Bestimmungen der Seele und ihrer Potenzen (des Intellekts und freien Willens), der Tugend und der Gnade, des Gesetzes und der Gebote widersprechen sich in der Wirklichkeit des menschlichen Lebens nicht, sondern lehren diese in verschiedenen Perspektiven sehen und erkennen. Der Theologe muß die Gottebenbildlichkeit des Menschen in dessen Geistwesen betrachten, die Gnade im Zusammenhang mit der Tugend und Gottes Gebot in der Begründung des Ewigen Gesetzes. Die Fülle dieses philosophisch-theologischen Wissens wurde erst in den sechziger Jahren des 13. Jh.s zum angespannten Problembewußtsein der Philosophie und Theologie. Bleibenden (aber anonymen) Einfluß auf die Geistesgeschichte des 13. Jh.s gewann J. durch seinen bemerkenswerten Beitrag zur »Summa fratris Alexandri«, begonnen nach 1235, Lib. I-III (unvollständig) ed. 4 Bände, Quaracchi 1924-1948. Nachweislich wurden zahlreiche Quästionen des J. in die gen. Summa aufgenommen (vgl. Alexandri de Hales O.M., Summa theologica. Tom IV: Prolegomena, Quaracchi 1948, CCXI-CCXXIV). Wie weit die redaktionelle Mitarbeit des J. bei der Abfassung der Bücher I und III ging, wird noch immer kontrovers diskutiert. Die Bezeichnung »Summa fratris Alexandri« braucht auch dann nicht zurückgenommen werden, wenn wir feststellen, daß auch Magister J. (und andere Theologen) ihren Beitrag geleistet haben, denn viele von diesen standen unter dem Einfluß des Alexander. Neben seinem Namen wird bei den franziskanischen Historiographen immer auch der des Ioannes de Rupella genannt.

Werke: Die Schriftkommentare verzeichnet F. Stegmüller, Repertorium biblicum medii aevi. Bd. III, Madrid 1951, 411-417, nr. 4888-4915.— F. Delorme, Deux leçons d'ouverture de cours biblique données par Jean de la Rochelle, in: La FranceFranciscaine 21 (1933) 345-360; A. Fries, Ein Psalmenkommentar des Johannes von La Rochelle O.F.M., in: Franz. Stud. 34 (1952) 235-265; E. Lio, Alcune »Postillae« sui Vangeli nei rapporti con Alexandro de Hales, Giovanni de la Rochelle e la »Summa fratris Alexandri«, in:

Anton. 30 (1955) 257- 313; C. Nappo, La postilla in Marcum di Giovanni de Rupella e suoi riflessi nella Summa Halesiana, in: Arch. Fratr. Hist. 50 (1957) 332-347.— Die Predigten (Sermones) verzeichnet J. B. Schneyer, Repertorium der lat. Sermones des Mittelalters, Bd. III, Münster 1971, 703-720.— Balduinus de Amsterdam OFM, Tres sermones inediti Ioannis de Rupella in honorem s. Antonii Patavini, in: Collect. franc. 28 (1958) 33-58; Ioannes de Rupella, Eleven Marian Sermons, ed. K. F. Lynch, Franc. Instit. Publicat. 12, Paderborn 1961; ders., A List of the Sermons of John de Rupella, in: Rech. théol. anc. méd. 31 (1964) 287-319; ders., Three Sermons on the Doctor Evangelicus by John de la Rochelle, in: Franc. Stud. 23 (1963) 213-237; L. Duval-Arnould, Trois sermons synodaux de la collection attribué à Jean de la Rochelle, in: Arch. Fratr. Hist. 69 (1976) 336-400.— Die Summen und Traktate verzeichnet: Alexandri de Hales O.M., Summa theologica. Tom. IV: Prolegomena, Quaracchi 1948, CCXII-CCXVI, CCXVI-CCXXIV (65 Quaest. disp., deren Echtheit noch nicht überall gesichert ist); O. Lottin, Psychologie et morale aux XIIe et XIIIe siècles. Tom. III: Problèmes de Morale, Löwen 1949, 707-710 (Verzeichnis).— »Summa de vitiis« (Frühschrift, unediert), »Tractatus de divisione multiplici potentiarum animae« ed. P. Michaud-Quantin, Textes philosoph. du m.â., Bd. 11, Paris 1964 (um 1237); »Tractatus de anima et virtutibus« (unediert); »Summa de anima«, ed. T. Domenichelli, Prato 1982; »Summa de virtutibus« (noch nicht aufgefunden); »Expositio ... super Regulam fratrum Minorum« s.o.; Quaestiones de gratia, ed. L. Hödl, Die neuen Quästionen der Gnadentheologie des Johannes von Rupella OM († 1245) in Cod. lat. Paris. 14726. Mitteilungen des Grabmann-Instituts, Heft 8, München 1964; N. M. Häring, Commentaries on the Pseudo-Athanasian Creed, in: Med. Stud. 34 (1972) 208-252.

Lit.: Alexandri de Hales O.M., Summa theologica. Tom. IV: (P. V. Doucet) Prolegomena in librum III necnon in libros I et II »Summa fratris Alexandri«, Quaracchi 1948, CCCLXXVIII-CCCLXXXVII); — O. Lottin, Psychologie et morale aux XIIe et XIIIe siècles. Bd. I-VI, Gembloux 1942-1960 (mit vielen, teils früher schon veröffentlichen Beiträgen über Ioannes de Rupella); — R. Zavalloni, Richard de Mediavilla et la controverse sur la pluralité des formes, Löwen 1951; — H. Lio, Determinatio »superflui« in doctrina Alexandri Halensis eiusque scholae. Spicil. Pontif. Athenaei Antoniani, Rom 1953; — P. H. D. Salman, Jean de la Rochelle et l'averroisme latin, in: Arch. Hist. doctr. litt. M.A. 16 (1947-48) 133-142; — W. H. Steinmüller, Die Naturrechtslehre des Johannes von Rupella und des Alexander von Hales, in: Franz. Stud. 41 (1959) 310-422; — R. Hisette, Roger Marston a-t-il professé l'hylémorphisme universel?, in: Rech. théol. anc. méd. 39 (1972) 205-223 (bes. 207- 209); — B. Smalley, William of Auvergne, John of La Rochelle and St. Thomas Aquinas on the Old Law, in: St. Thomas Aquinas 1274-1974. Commemorative Studies II, Toronto 1974, 11-71.

Ludwig Hödl

JOHANNES *von Rokycany* (Johann Rokycana), Mönch, Priester, Magister, Pfarrer an der Prager Teynkirche, * um 1391 in Rokycany bei Pilsen,

† 1471. — J. war Schüler des Wiclif-Anhängers Jakobus von Mies und wichtiger Führer der böhmischen Reformbewegung (»Utraquisten«, »Calixtiner«) in den Wirren, die nach dem Märtyrertod des Jan Hus auf dem Konstanzer Konzil die Mitte des 15. Jahrhunderts heimsuchten. 1435 wählte ihn der böhmische Landtag zum (»hussitischen«) Erzbischof von Prag. Er versuchte während seiner kurzen Amtszeit, die nach dem Basler Konzil von 1433 geltenden »Prager Kompaktaten«, die in einer Übereinkunft mit Kaiser Sigmund 1436 zur Beendigung der Hussitenkriege bekräftigt worden waren, in das kirchliche Leben der tschechischen Kirche umzusetzen. Damit scheiterte er, obwohl er als begabter Prediger großen Einfluß auf das Volk ausübte. Um des Friedens willen (nach schrecklichen Kriegsjahrzehnten) stimmte er Kompromissen zu, die der Rekatholisierung Böhmens und Mährens wie auch der damit verbundenen konsequenten Unterdrückung aller protestantischen Bewegungen (vgl. die Geschichte der »Böhmischen Brüder«) den Weg bereiteten. Seine Grabstätte wie auch die seines hussitischen (taboritischen) Kontrahenten Jan Ziska wurde in den »gegenreformatorischen« Drangsalen des 17. Jahrhunderts gründlich zerstört.

Lit.: B. Czerwenka, Gesch. der evang. Kirche in Böhmen, 2 Bde., 1869/70; — A. Hauck, Kirchengesch. Deutschlands, Bd. V/2, 1920 (Lit.); J. Müller, Gesch. der Böhm. Brüder, Bd. 1, 1922; — R. Rican, Das Reich Gottes in den böhm. Ländern. Gesch. des tschech. Protestantismus, 1957; — Ders., Die Böhm. Brüder. Ihr Ursprung und ihre Gesch., 1958 (ausf. Lit.verzeichnis S. 323 ff.).

Paul Gerhard Aring

JOHANNES DE RUPELLA siehe JOHANNES *von La Rochelle*

JOHANNES *de Rupescissa* (auch: Jean de Roquetaillade), Franziskaner, Kirchenkritiker und politischer Visionär, Alchemist, * Anfang des 14. Jahrhunderts in Marcolès bei Aurillac, † nach 1365 im Franziskanerkloster von Avignon. — Nach dem Studium der Philosophie in Toulouse trat J. 1332 in den Franziskanerorden ein. Seine radikale Position im ausklingenden franziskanischen Armutsstreit und seine vom Gedankengut des Joachim von Fiore (s.d.) geprägten eschatologischen Ideen trugen ihm langjährige Inhaftierungen ein, u.a. auch im päpstlichen Gefängnis von Avignon. — Unter den erhaltenen Werken entfaltet die politisch-visionären Ideen des J. am ausführlichsten der »Liber Ostensor« (1356), der neben verschiedenen joachimitischen Orakeln auch die Weissagungen der Hildegard von Bingen (s.d.) auf die zeitgeschichtlichen Ereignisse bezieht. Die weiteste Verbreitung haben im spätmittelalterlichen und frühneuzeitlichen Europa das »Vade mecum in tribulatione« sowie der »Liber de consideratione quintae essentiae« und der »Liber lucis« gefunden. Von diesen drei Werken existieren auch zahlreiche volkssprachliche Versionen. Das »Vade mecum in tribulatione« (1356) prophezeit für das Jahr 1367, nach den schweren Heimsuchungen des verdorbenen Klerus und der Schreckensherrschaft des Antichrist, den Beginn des dritten Zeitalters und die Ankunft des Engelpapstes, der zusammen mit dem französischen Endkaiser die Welt erneuern wird. Der häufig mit dem Namen des Raimundus Lullus (s.d.) verbundene »Liber de consideratione quintae essentiae« (1351/52) handelt von der alchemistischen Herstellung eines Elixiers, das die im Geist des Evangeliums lebenden Gläubigen vor Krankheit und Anfechtung schützen soll. Nach der Überzeugung des J. kann dieses Elixir durch verschiedene Destillationsverfahren als Quintessenz nicht nur aus dem Wein, sondern grundsätzlich aus allen Dingen gewonnen werden. Der »Liber lucis« (auch: »Liber de confectione veri lapidis philosophorum«) befaßt sich mit dem Stein der Weisen, dessen geheimnisvolle Gewinnung die Auserwählten in der laut J. unmittelbar bevorstehenden Bedrängnis der Endzeit stärken soll.

Werke: Commentum in oraculum beati Cyrilli; Liber secretorum eventuum; De oneribus orbis (Veh mundo in centum annis); Liber Ostensor; Vade mecum in tribulatione (Ausg.: E. Brown, Fasciculus rerum expetendarum et fugiendarum II, London 1690, 493-508); Liber de consideratione quintae essentiae (Ausgg.: Ioannis de Rupescissa... de consideratione quintae essentiae..., [ed. G. Gratarolus], Basel 1561, 10-168, u. 1597, 8-144); Liber lucis (Ausgg.: G. Gratarolus, Verae Alchemiae, artisque metallicae, citra aenigmata, doctrina, Basel 1561, Teil 2, 226-231; D. Brouchuisius, Secreta Alchimiae magnalia D. Thomae Aquinatis, Köln 1579, Leiden 1598 u. 1602, 41-56; L. Zetzner, Theatrum chemicum III, Ursel 1602, 191-200 [= Gratarolus] u. 297-306 [= Brouchuisius]; Straßburg 1613, 179-188 u. 278-290; 1659, 189-

197 u. 284-295; J.J. Manget, Bibliotheca chemica curiosa II, Genf 1702, 80-83 u. 84-87 [wie Zetzner]).

Lit: F. Kampers, Die dt. Kaiseridee in Prophetie u. Sage, 1896 (Nachdr. 1969), 116-119; — K. Burdach, Vom MA z. Reformation, bes. II 5, 1929, 298-300 u. 472 f.; — F. Baethgen, Der Engelpapst (Schrr. d. Königsberger Gelehrten Ges., geisteswiss. Kl. 10,2), 1933, 102 f.; — L. Thorndike, A History of Magic and Experimental Science, bes. III, New York 1934, 347-369 u. 722-740; — J. Bignami-Odier, Etudes sur Jean de Roquetaillade (Johannes de Rupescissa), Paris 1952 (verb. u. erg. Neuaufl. u. d. T.: Jean de Roquetaillade [de Rupescissa]. Théologien, polémiste, alchimiste, in: HistLittFrance XLI, 1981, 75-240); — M. Reeves, The Influence of Prophecy in the Later Middle Ages, Oxford 1969; — H. de Lubac, La postérité spirituelle de Joachim de Flore I, Paris 1979 (1987²), bes. 117 f.; — E. Wickersheimer, Dictionnaire biographique des médecins en France au moyen âge. Suppl. par D. Jacquart, Genf 1979, 177 f.; — R. Halleux, Les ouvrages alchimiques de Jean de Rupescissa, in: HistLittFrance XLI, 1981, 241-284; — H. Herkommer, Johannes de Rupescissa, in: VerfLex (2. Aufl.) IV, 1983, 724-729 (mit weiterer Lit.); — U. Benzenhöfer, Johannes' de Rupescissa »Liber de consideratione quintae essentiae omnium rerum« deutsch. Stud. z. Alchemia medica des 15. bis 17. Jh.s mit krit. Ed. des Textes (Heidelberger Stud. z. Naturkunde der frühen Neuzeit 1), 1989.

Hubert Herkommer

JOHANNES *von Šitboř* siehe Johannes *von Tepl*

JOHANNES SĀBĀ, nestorianischer Mönch und Eremit im 8. Jhdt, dessen Herkunft und Wirkungsorte in den Norden des heutigen Iraq und den Südosten der Türkei weisen. — J. Sābā (»der Alte«; Ehrentitel für seine hohe Gelehrsamkeit und sein Ansehen) ist in der Literatur auch als Johannes von Dalyātā bekannt. Er stammte aus Ardamušt (heute Kawāši) in der Landschaft Bēt Nūhadrā, war Mönch im Kloster Mār Yōzādāq im Qardū-Gebirge, dann Einsiedler im Gebirge von Bēt Dalyātā (daher der Name J. von Dalyātā) und zuletzt Klostergründer bzw. -erneuerer bei Argūl im Qardū - Gebirge. Patriarch Timotheus I. (780-823) verurteilte seine Schriften auf der Synode des Jahres 786. — Sein umfangreiches Schrifttum (syrisch und in arab. Übersetzung) monastischen Inhalts, bestehend aus Homilien, Briefen und einem Kompendium des geistlichen Lebens (»Kapitel der Erkenntnis«) gelangte auch in jakobitischen und koptischen Mönchskreisen zu hohem Ansehen. Wohl zu Unrecht wurden seine mystischen Schriften messalianistischer und sabellianistischer Ten-

denzen bezichtigt. Sein Schrifttum ist bislang nur teilweise ediert und übersetzt.

Werke: Angaben zu den Hss. bei Anton Baumstark, Geschichte der syr. Literatur, 1922 (Repr. 1968), 225 und Georg Graf, Geschichte der christlichen arab. Literatur I, 1944, 434-436; P. Zingerle u. G. Moesinger, Monumenta Syriaca ex Romanis codicibus collecta I, 1869, 102-104 (syr. Text von 2 Homilien); Polycarp Sherwood, Jean de Dalyata: Sur la fuite du monde, in: OrSyr 1, 1956, 305-312 (frz. Übers. einer Homilie); Robert Beulay, Jean de Dalyatha et sa Lettre XV, in: ParOr 2, 1971, 261-279 (frz. Übers.); Ders., La collection des Lettres de Jean de Dalyatha, syriaque et français, in: PO 39,3, 1978; Julius Çiçek (ed.), Martyānūtā d-abāhātā d-ᶜīdtā, Glane 1985, 50-72 (6 Exzerpte von J.S.)

Lit.: Assemani, BO I, 433-444; BO III, 1, 103-104; — Jean-Baptiste Chabot, Le livre de la chasteté, composé par Jésusdenah, évêque de Baçrah. Publié et traduit, in: MAH 16, 1896, Nr. 126; — S. Grébaut, La lettre et la notice finales du Vieillard spirituel, in: ROC 20, 1915-17, 77-81; — Anton Baumstark, GSL, 225 f.; — Jean-Baptiste Chabot, Littérature syriaque, 1934, 106; — Georg Graf, GCAL I, 434 ff.; — A. Guillaumont, Sources de la doctrine de Joseph Hazzāyā, in: OrSyr 3, 1958, 3-24; — Ignatius Ortiz de Urbina, Patrologia Syriaca, 1965², 153; — Jean Maurice Fiey, Assyrie chrétienne II, Beyrouth 1965, 694; — Brian E. Colless, Le mystère de Jean Saba, in: OrSyr 12, 1967, 515-524; — Ders., The Biographies of John Saba, in: ParOr 3, 1972, 45-63; — Robert Beulay, Des centuries de Joseph Hazzaya retrouvées?, in: ParOr 3, 1972, 5-44; — Brian E. Colless, The mysticism of John Saba, in: OrChrP, 39, 1973, 83-102; — Arthur Vööbus, Die Entdeckung wichtiger Urkunden für die syrische Mystik: Johannan von Dalyata, in: ZDMG 125, 1975, 267-269; — Robert Beulay, Un mystique de l'Église syro-orientale au VIII e siècle: Jean de Dalyatha, in: Carmel 3, Venasque 1977, 190-201; — Ders., Précisions touchant l'identité et la biographie de Jean Saba de Dalyatha, in: ParOr 8, 1977/78, 87-116; — Ders., La lumière sans forme. Introduction à l'étude de la mysticisme chrétienne syro-orientale, 1987; — Ders., Formes de lumière et lumière sans forme. Le thème de la lumière dans la mystique de Jean de Dalyatha, in: Mélanges A. Guillaumont. Cahiers d'Orientalisme 20, 1988, 131-141; — LThK V, 1079; — DSp VIII, 449-452.

Wolfgang Schwaigert

JOHANNES *von Salermo*, OP, * um 1190 in Salermo (bei Neapel), wahrscheinlich aus adligem normannischen Geschlecht, † am 9.8. oder 10.9. 1242 in Florenz. — J. wurde 1219 wohl vom hl. Dominikus in den Orden aufgenommen; unter seiner Leitung wurden 1219 der Konvent S. Maria Novella zu Florenz, dessen erster Prior J. war, und 1230 das Schwesternkloster zu Ripoli gegründet. Papst Gregor IX ernennt J. 1227 zum päpstlichen Inquisitor und beauftragt ihn mit der Bekämpfung der Patarini, bes. in Florenz. Die Quellen stellen J. als erfolgreichen und begnadeten Redner dar (schon im 13. Jhdt. wurde J. der Titel »martellus haereticorum« gegeben), sowie als tiefgläubigen und wundertätigen Seelsorger.

Lit: V. Fineschi, Memorie istoriche che possono servire alle vite degli Uomini illustri del Convento di S. Maria Novella, 1790, 1-90; — Pius Th. Masetti, Monumenta et antiquitates veteres disciplinae Ordinis Praedicatorum praesertim in Romana provincia, 1864, I, 158; — AnBoll 7, 1888, 85-95; — Année Dominicaine, Aug. I, 1898, 477-485; — AFP 6, 1936, 24, 26; 20, 1950, 31; 21, 1951, 57; 26, 1956, 265; 32, 1962, 310-311; 38, 1968, 108; — S. Orlandi, Il Beati Giovanni da S. Domenicano fondatore del Convento di S. Maria Novella, 1945; — Angelus Walz, Compendium historiae Ordinis Praedicatorum, 1948², 141, 203, 258, 289; — AS, Sept. III, 626-636; — LThK V, 1079; — BS VI, 896-897.

Franz Hölzl

JOHANNES *von Salisbury*, engl. John of Salisbury, ab 1176 Bischof von Chartres, engl. Humanist und Philosoph, * ca. 1115/20 in Old-Satrum bei Salisbury, † 25. Oktober 1180 in Chartres. — J. begann seine Studien 1136 in Paris bei Petrus Abaelard, Robert von Melun und Alberich von Paris in Logik und Dialektik, bei Wilhelm von Conches (eventuell auch in Chartres), Richard l'Evéque, Thierry von Chartres und Peter Elias in latcinischer Literatur und Rhetorik, bei Gilbert Poitiers, Robert Pullen und Simon von Poissy in Theologie. Später war J. Lehrer für die artes liberales in Paris. 1147 wurde er zum Priester geweiht und trat zunächst in den Dienst seines lebenslangen Freundes Abt Petrus Cellensis. Er folgte einer Empfehlung Bernhards von Clairvaux und ging 1147 an den Hof des Erzbischofs Theobald von Canterbury, als dessen Abgesandter er sich zwischen 1148 und 1152 mehrfach in Rom aufhielt und dessen Sekretär und Rechtsberater er um 1154 wurde. Hier verfaßte er seine erste Schrift 'Entheticus' (1155-57), ein in Distichen verfaßtes Lehrgedicht über das philosophische Lehrgebäude, die Notwendigkeit der trivialen Bildung und der antiken Philosophie. Eine nicht deutlich faßbare Anfeindung ließ ihn von 1156-59 bei König Heinrich II. von England in Ungnade fallen. In dieser Zeit verfaßte er seine beiden bedeutendsten Werke, das 'Metalogicon' (1159) und den 'Policraticus' (1156-59). Ziel des 'Metalogicon', das einen Einblick in den Studien- und Wissenschaftsbetrieb seiner Zeit gibt, ist es, die klassische Bildung methodisch zu strukturieren. Sein 'Policraticus' bietet eine moralisierende, zeitkritische Staats- und Gesellschaftslehre. Danach schuf Gott das staatliche Gemeinwesen als einen natürlichen hierarchisch gegliederten Organismus, der wie alle Dinge dieser Welt dem Gesetz der Gerechtigkeit, der aequitas, unterworfen ist. Die höchste Stellung in diesem Organismus, den Platz der Seele, nehmen nach J. die Geistlichen ein. Den Fürsten kommt der Platz des Hauptes zu. 1162 trat J. in den Dienst des neuen Erzbischofs von Canterbury Thomas Becket, mit dem er freundschaftlich verbunden war. Sein Eintreten für die kirchlichen Freiheiten führte 1163 zu seiner Verbannung, als der Konflikt zwischen Erzbischof und König über die Abgrenzung kirchlicher und weltlicher Jurisdiktion und über die königlichen Rechte bei der Wahl von Bischöfen und Äbten offen ausbrach und 1164 zu Beckets Flucht nach Frankreich führte. J. ging nach St.Remigius in Reims zu seinem Freund Petrus Cellensis, wo er die 'Historia Pontificalis' schrieb, die er vielleicht schon früher begonnen hatte. Im Mittelpunkt dieser Kirchen- und Papstgeschichte der Jahre 1148-52 steht das Reimser Konzil von 1148 und damit eine Verteidigung Gilberts. Ebenfalls 1163 verfaßte er zur Kanonisierung Anselms von Canterbury die 'Vita Anselmi'. Als Becket 1170 nach der Aussöhnung mit Heinrich II. nach Canterbury zurückkehren konnte, wurde J. beauftragt dies vorzubereiten. Er befand sich bei Becket, als dieser am 29.12.1170 in der Kathedrale ermordet wurde. Sein schriftlicher Bericht über dieses Ereignis an Bischof Johannes von Poitiers, der später (1173) zu einer volkstümlichen 'Passio sancti Thome' erweitert wurde, fand weite Verbreitung. In den folgenden Jahren hält er sich bei verschiedenen englischen Bischöfen auf. Seit 1174 ist er Schatzmeister in Exeter. 1176 wird er auf Betreiben von Erzbischof Wilhelm von Sens und des französischen Königs Ludwig VII. auf den Bischofsstuhl von Chartres gewählt, den er bis zu seinem Tode innehatte. — Seine hohe Bildung und wissenschaftliche Kenntnisse machten ihn zu einem Führer der Erneuerungsbewegung des 12.Jh.'s.

Er war wohlbewandert in der klassischen Literatur, die er jedoch nicht immer sorgfältig wiedergab. Er gilt als Vorläufer des Ockhamismus.

Werke: Entheticus, 1155-57, ed. Ronald E. Pepin, in: Traditio 31, 1975, 127-193; Metalogicon, 1159, ed. Clement C.J. Webb, 1929; engl. Übers.: Daniel D. McGarry, The Metalogicon of John of Salisbury. A twelfth-century defense of the verbal and logical arts of the trivium, 1955, Nachdr. 1962; Policraticus sive de nugis curialium, 1156-59, ed. Clement C.J. Webb, 2 Bde., 1909; engl. Übers.: Buch 4-6 und Teile von 7-8 v. John Dickinson, 1927; Buch 1-3 und Teile von 7-8 v. Joseph B. Pike, 1938; Murray F. Markland, J. Policraticus. The Statesman's Book, 1979; Vita beati Anselmi, 1163, MPL 199, 1009-1040; Historia Pontificalis, 1163/64, ed. Marjorie Chibnall, J.'s Memoirs of the Papal Court, 1965, Nachdruck 1986; Vita beati Thome, 1171-73, ed. James C. Robertson/John B. Sheppard, Materials for the History of Archbishop Thomas Becket II, Rerum Britannicarum medii aevi scriptores 67, 1876, 301-322; The Letters of J. I: The Early Letters, 1153-61, ed. W.J. Millor/H.L. Butler/Christopher N.L. Brooke, 1955, Nachdr. 1979; The Letters of J. II: The Later Letters, 1163-80, ed. W.J. Millor/Christopher N.L. Brooke, 1979. — Gesamtausgabe: Opera Omnia, ed. John A. Giles, 5 Bde., 1848, Nachdr. 1969, auch in: MPL 199, 1855, 1-1040.

Lit.: Bibliographien: Hans Hohenleutner, J. in der Literatur der letzten zehn Jahre, in: HJ 77, 1958, 493-500; — David Luscombe, A Bibliography 1953-1982, in: The World of J., hrsg. v. Michael Wilks, 1984, 445-457; — ders., J. in Recent Literature, in: The World of J., hrsg. v. Michael Wilks, 1984, 21-38. — Carl M.W. Schaarschmidt, Johannes Saresberiensis, 1862; — Clement C.J. Webb, J., 1932; — R.L. Poole, The Masters of the School of Paris and Chartres in J.'s Time, in: ders., Studies in Chronology and History, Oxford 1934, 228ff.; — Hans Liebschütz, J. and Pseudo-Plutarch, in: Journal of the Warburg and Courtland Institutes 6, 1943, 33-39; — ders., Mediaeval Humanism in the Life and Writings of J., Studies of the Warburg Institute 17, 1950; — ders., Englische und europäische Elemente in der Erfahrungswelt des J., in: Die Welt als Geschichte 11, 1951, 38-45; — ders., Chartres und Bologna. Naturbegriff und Staatsauffassung bei J., in: AKG 50, 1968, 3-32; — Johan Huizinga, Ein praegothischer Geist: J., in: ders., Parerga, 1945; — R.W. und A.J. Carlyle, A History of Medieval Humanism in the Life and Writings of J., 1950; — Barbara Helbling-Gloor, Natur und Aberglaube im Policraticus des J.'s (Diss. Zürich), 1956; — M.A. Brown, J., in: Franciscan Studies 19, 1959, 241-297; — G. Misch, J. und das Problem des mittelalterlichen Humanismus, in: Geschichte der Autobiographie III. 2.2, 1962, 1157-1295; — Richard H. Rouse/Mary A. Rouse, J. and the Doctrine of Tyrannicide, in: Speculum 42, 1967, 693-709; — E.K. Tolan, J. and the Problem of Medieval Humanism, in: Etudes d'histoire littéraire et doctrinale, 1968; — Janet Martin, J. and the Classics (Diss. Cambridge/Mass), 1968; — dies., J.'s Manuscripts of Frontinus and of Gellius, in: Journal of the Warburg and Courtland Institutes 40, 1977, 1-26; — dies., Uses of Tradition. Gellius, Pretonius and J., Viator 10, 1979, 57-76; — Brian P. Hendley, J.'s Defense of the Trivium, in: Arts libéraux et philosophie au moyen age, 1969; — ders., J. and the Problem of

Universals, in: Journal of the History of Philosophy 8, 1970, 289-302; — Georg Miczka, Das Bild der Kirche bei J., 1970; — Beryl Smalley, The Becket Controversy and the Schools. A Study of Intellectuals in Politics, 1973, 87-108; — Ursula Odoj, Wissenschaft und Politik bei J., 1974; — Roman W. Brüschweiler, Das sechste Buch 'Policratus' von J., 1975; — Amnon Linder, The Knowledge of J. in the Late Middle Ages, in: Studi medievali 18, 1977, 315-355; — Max Kerner, J. und die logische Struktur seines Policraticus, 1977; — ders., Randbemerkungen zur Institutio Traiani, in: The World of J., hrsg. v. Michael Wilks, 1984, 203-206; — ders., Die Institutio Traiani - spätantike Lehrschrift oder hochmittelalterliche Fiktion?, Fälschungen im Mittelalter 1, 1988, 715-738; — Klaus Guth, J. (1115/20-1180), 1978; — ders., Standesethos als Ausdruck hochmittelalterlicher Lebensform, FZPhTh 28, 1981, 111-132; — W. Ullmann, J.'s Policraticus in the later Middle Ages, in: Festschrift H. Löwe, 1978, 519-545; — Tilman Struve, Die Entwicklung der organologischen Staatsauffassung im Mittelalter, 1978, 123ff.; — ders., Vita civilis naturam imitetur ... Der Gedanke der Nachahmung der Natur als Grundlage der organologischen Staatskonzeption J.'s, in: HJ 101, 1981, 341-361; — J. Flori, La chevalerie selon J. nature, fonction, idéologie, in RHE 77, 1982, 35-77; — C.C. Nederman, Aristotelianism in J.'s Policraticus, in: Journal of the History of Philosophy 21, 1983, 203-229; — ders., The Physiological Significance of the Organic Metaphor in J.'s Policraticus, in: History of Political Thought 8, 1987, 211-223; — ders., Aristotelian Ethics and J.'s Letters, Viator 18, 1987, 161-173; — ders., A duty to kill ..., in: The Review of Politics 50, 1988, 365-389; — Anne J. Duggan, J. and Thomas Becket. The World of J. and Thomas Becket, in: The World of J., hrsg. v. Michael Wilks, 1984, 427-438; — Jan van Laarhoven, Thou shalt not slay a tyrant! The socalled theory of J., in: The World of J., hrsg. v. Michael Wilks, 1984, 319-341; — Joseph Möller, J., in: Exempla historica. Epochen der Weltgeschichte in Biographien: Mittelalter, 15, 1984, 67-85; — K.S.B. Keats-Rohan, The Chronology of J.'s Studies in France, in: Studi medievali 28, 1987, 193-203; — Robert Blake, Salisbury. The man and his policies, 1987; — Ueberweg II, 242-245; — EBrit XIII, 95; — EncF II, 766-769; — RE³ IX, 314-319; — RGG³ III, 820; — LThK² 5, 1079-1080; — Lexikon MA 5, 599-601; TRE XVII, 153-155; — Dict.of the MA 7, 139-140; — The Encyclopedia of Philosophy 4, 284-286.

Udo Krolzik

JOHANNES, Metropolit von Sardeis (erster Drittel des 9. Jahrhunderts) — Quellen für J. sind hauptsächlich epp. 85 (Mai-Cozza Luzi) und 2, 108 (Sirmond) (157 und 451 F.) des Theodoros Studites. J. war der Nachfolger des Metropoliten Euthymios von Sardeis (754-831), der unter der Regierung Nikephoros' I. (802-811) abgesetzt und verbannt wurde. Während der Regierung Leons V. (813-820) wurde auch J. in die Verbannung geschickt. Nach der Thronbesteigung Michaels II. wurde er freigelassen;

wir erfahren ferner, daß er zu dieser Zeit schwer krank war. Er ist wahrscheinlich während der Regierungszeit Michaels II. (820-829) gestorben. J. ist Autor hagiographischer Schriften (zu den Heiligen Barbara und Nikephoros); außerdem hat er einen Kommentar zu den Progymnasmata des Aphthonios geschrieben.

Ed: Ioannes Sardianus, Commentarium in Aphthonii Progymnasmata, ed. H. Rabe (Rhetores graeci XV). Leipzig 1928.

Lit: J. Pargoire, Saint Euthyme et Jean de Sardes. Échos d'Orient 5 (1901-1902) 157 f.; — A. Ehrhard, in: K. Krumbacher, Gesch. d. byzant. Litteratur. München ²1897, 199; — H.-G. Beck, Kirche und theologische Literatur im byzantinischen Reich. München 1959, 510; — H. Hunger, Die hochsprachliche profane Literatur der Byzantiner, I. München 1978, 78 f.; — Metropolit Germanos, Ἱστορικὴ μελέτη περὶ τῆς ἐκκλησίας τῶν Σάρδεων. Konstantinopel 1928, 50 f.

Georgios Fatouros

JOHANNES *von St. Arnulf,* OSB, Abt und Hagiograph, Zeit und Ort der Geburt unbekannt, † vor 984 in Metz. — Über das Leben J.s ist wenig bekannt. Er scheint eine umfassende Bildung besessen zu haben, die über die Grenzen Frankreichs hinaus bis nach Sachsen und Bayern gerühmt wurde. Um das Jahr 960 wurde er Abt des Klosters St. Arnulf in Metz. Dieses Amt hatte er vermutlich bis zum Jahr 973 inne. Gestorben ist er vor dem Jahr 984, nach anderen Quellen schon bald nach 977. — Bedeutung hat J. vor allem durch seine Heiligenbiographien erlangt, unter denen die Vita seines Freundes Johannes von Gorze die wichtigste ist. Dieser war Abt des nahe bei Metz gelegenen Klosters von Gorze, das durch ihn wiederbesiedelt und reformiert worden war. Er ist am 7.3.976 gestorben. Demnach kann J. selbst nicht vor diesem Datum gestorben sein. Diese Lebensbeschreibung zeichnet sich aus durch eine Fülle von geschichtlichen Ereignissen der Zeit, die mit einer für damalige Verhältnisse ungewöhnlichen Genauigkeit aufgezeichnet worden sind. Neben dieser nicht vollendeten Lebensbeschreibung hat J. noch eine Vita der heiligen Glodesindis verfaßt und Melodien zum Offizium der heiligen Lucia komponiert, wahrscheinlich anläßlich einer Translatio von Reliquien der heiligen Lucia im Jahre 973.

Werke: Vita Sanctae Glodesindis, in: MPL CXXXVII, 211-218; Historia translationis Sanctae Glodesindis, in: ebd., 218-239; Vita Joannis abbatis Gorciensis, ebd., 239-310 (auch in: MG SS XXIV, 335-377).

Lit.: J. Lelong, Bibliothèque historique de la France, 1719, 11997; — Johann Albert Fabricius, Bibliotheca latina mediae et infimae aetatis IV, 1735, 125; — HistLittFrance VII, 1742, 421-429; — R. Ceillier, Histoire générale des auteurs sacrés et ecclésiastique XIX, 1754, 666-669 (2. Auflage, Bd. XII, 865-867); — Contzen, Gesch.schreiber der sächs. Kaiserzeit, 1837, 126-135; — Chevalier ²II, 1907, 2485; — Johannes Hoops, Reallex. der german. Altertumskunde II, 1913-1915, 614; — Max Manitius, Gesch. der lat. Lit. des MA.s II, 1923, 189-195; — W. Wattenbach/R. Holtzmann, Dtlds. Gesch.quellen im MA I, 1967, 179-181; — Jöcher II, 1909; — NBG XXVI, 530 f.; — LThK ²V, 1077.

Hans-Josef Olszewsky

JOHANNES GONZALES A S. FACUNDO (heute Sahagún), angesehener Prediger, * um 1430 in Sahagún (Provinz León), † in Salamanca 11.6. 1479. — Nach philosophischen und theologischen Studien in Sahagún wurde er in Burgos zum Priester geweiht, verzichtete aber auf sein Kanonikat und andere Benefizien, um sich der Predigt und dem Studium der Heiligen Schrift zu widmen. Seit 1457 studierte er in Salamanca kanonisches Recht und erwarb sich den Grad des Baccalaureus. Entsprechend einem Gelübde, das er in schwerer Krankheit abgelegt hatte, trat er 1463 in Salamanca in den Augustinerorden ein. 1471-73 und 1477-79 wirkte er daselbst als Prior. In den blutigen Parteikämpfen, die die Stadt damals erschütterten, wurde er zum Friedensstifter. Auch hat er als Prediger von großem Freimut sich gegen die sozialen Mißstände der Zeit gewandt und Hoch und Niedrig furchtlos ihre Vergehen vorgehalten. Es ist von ihm der Ausspruch überliefert: »Ein Prediger muß die Wahrheit verkünden, indem er Mißstände tadelt und Gutes anerkennt; er muß bereit sein, für die Wahrheit auch zu sterben.« Aus seinem Leben werden verschiedene Wunder berichtet. 1690 erfolgte seine Kanonisation. Er ist Patron von Stadt und Diözese Salamanca. Sein Fest ist am 12. Juni. Man besitzt von J.G. Marginalnoten zur Heiligen Schrift, sowie zur Summa Bartolina: ediert bei Thomas de Herrera, Historia del convento de San Agustín de Salamanca, 1652, 74-78 und bei Cámara (siehe unten), 1925, 366-370. — Es existiert eine zeitgenössische »Vita« des Johannes von Sevilla vom Jahre 1498: ediert bei De Herrera 1.c. 57-72; lateinische Übersetzung in: Acta Sanctorum Junii II, 1698, 616-630.

Lit: Tomás Jenaro Cámara y Castro, Vida de S.J. de S., 1891, ²1925, deutsch: 1892, niederländisch: 1924; — G. Santiago Vela, Ensayo de una biblioteca... de la orden de S. Agustín VII, 1925, 7-24; — Franz v. Sal. Doyé, Heilige und Selige I, 1929, 583f; — J. Braun, Tracht und Attribute der Heiligen in der deutschen Kunst, 1943, 376; — Luis Camblor, S.J. de S., 1962; — H. Quaranta, Vita del beato Giovanni di San Facondo, 1973; — Juan Manuel Cuenca Coloma, Ecos de un centenario. S.J. de S.: Apóstol de la paz (1479-1979), in: Archivio Agust. 63, 1979, 315-319; — F. López, Vida y milagros de S.J. de S., 1979 (reich illustriert); — Vies des Saints VI, 216 ff; — LThK ²V, 1078; — Bibliotheca Sanctorum VI, 899-901; — DSp VIII, 698 (mit den Lebensbeschreibungen des 16. und 17. Jahrhunderts); — Lex.d.chr. Ikonographie VII, 131 f.

Adolar Zumkeller

JOHANNES a S. GEMINIANO, Prediger und Schriftsteller. * um 1260-1270, † nach dem 6.5. 1333. Trat in Siena in den Orden ein. J. war 1299-1302 Lektor in Arezzo, 1305 in Rom, Santa Maria sopra Minerva. 1310-1313 Prior in Siena. Er erhielt verschiedene Schenkungen für Siena und auch für die Gründung eines Konventes in San Geminiano (1325).

Werke: Sermones de tempore; Quadragesimale de epist. et evang.; Expositiones epistolarum et prophetiorum Quadragesimae; Sermones de sanctis; Sermones VII de operibus sex dierum; Sermones de mortuis; Liber de exemplis et similitudinibus rerum; Legenda S. Finae; Sermones XIII de Adventu ex historia Judith. — Werkausgaben: RBMA III, n. 4932-7; J. B. Schneyer, Repertorium der lat. Sermones des Mittelalters III, 1971, 722-765.

Lit.: Antoine Dondaine, La vie et les œuvres de Jean de San Geminiano, AFP 9 (1939) 128-183; — Emilio Panella, Ricerche su Riccoldo da Monte di Croce - Giovanni da S. Geminiano prende le distanze da Riccoldo?, AFP 58 (1988) 49-56; — Thomas Kaeppeli, Scriptores Ordinis Praedicatorum Medii Aevi II, 1975, 539-543; — EC VI, 605 f; — Scriptores OP I, 528f.; II, 819.

Meinolf Lohrum

JOHANNES A S. THOMA, portug.-span. Theologe und Philosoph, * 9. oder 11.7. 1589 in Lissabon als Sohn des Sekretärs des Erzherzogs Albert von Österreich, Petrus Poinsot, † 17.6. 1644 in Fraga, Spanien. — J. studierte in Coimbra, Portugal, und Löwen Philosophie und Theologie. Nachdem er 1612 in Madrid in den Dominikanerorden eingetreten war, lehrte er 1613-30 am Ordensstudium in Alcalá, 1630-43 als Theologieprofessor an der dortigen Universität. Ab 1643 war er Berater und Beichtvater des Königs Philipp IV. von Spanien, auf dessen Katalonienfeldzug er während der Belagerung von Lérida starb. — J., der aus Verehrung für Thomas von Aquin den Namen 'a S. T.' wählte, schuf in seinem 'Cursus theologicus' einen der bedeutendsten Thomas-Kommentare. Er verteidigte die genuinen Lehren des Aquinaten gegen doktrinäre Neuerungen vor allem bei F. Suárez und G. Vázquez, von denen er das thomasische Denken in wesentlichen Punkten falsch gedeutet sah. Sein zweites Hauptwerk bilden die später in einem 'Cursus philosophicus' zusammengefaßten naturphilosophischen und logischen Abhandlungen. J. übte starken Einfluß auf die Neuscholastik aus.

Werke: Artes logicae, 2 Bde., Alcalá 1631-32; Naturalis Philosophia, 4 Bde., I. Madrid 1633, II. nicht ed., III.-IV. Alcalá 1634-35; zus. in: Cursus philosophicus, 3 Bde., Rom 1636, ed. B. Reiser, Turin 1930-1937, 1948²; engl. Teileditionen: The Material Logic of J. of St. T.. Basic Treatises, transl. by Y.R. Simon, J.J. Glanville, G.D. Hollenhorst, Chicago 1955; Outlines of Formal Logic, transl., introd. by F.C. Wade, Milwaukee 1955; Tractatus de signis. The semiotic of John Poinsot, transl. and presented by J.N. Deely with R.A. Powell, Berkeley 1985 (lat./engl. Parallelausg.); Cursus theologicus, 8 Bde. I. Alcalá 1637, II. Lyon 1643, III.-VII. Madrid 1643-56, VIII. Paris 1667; ed. Benediktiner v. Solesmes, I.-IV. in 5 Bdn., Paris/Tournai/Rom 1931-1965.

Lit: T. Salgueiro, O conhecimento intelectual na filosofia de Fr. J. de S. T., in: Biblos 16, 1940, 573-621; — J. Menéndez-Reigada, Fray J. de S. T., in: Ciencia tomista 69, 1945, 7-20; — L.E. Palacios, J. de S. T. y la ciencia moral, in: Rev. de estudios políticos 18, 1945, 557-70; — Ders., La Analogía de la lógica y la prudencia en J. de S. T., in: Ciencia tomista 69, 1945, 221-35; — Ders., J. de S. T. en le coyuntura de nuestro tiempo y la naturaleza de la ciencia moral, in: Anales Acad. de ciencias mor. y polít. 6, 1954, 7-20; — J. Thomas, Material implication in J. of St. T., in: Dominican Studies 3, 1950, 180-85; — J.J. Doyle, J. of St. T. and mathematical logic, in: New Scholasticism 27, 1953, 3-38; — F. Guil Blanes, Las raices de la doctrina de J. de S. T. acerca del universal lógico, in: Estudios filos. 5, 1956, 215-32; — L. Cazzola Palazzo, Il valore filosofico della probabilità nel pensiero di Giovanni di San Tommaso, in: Atti Accad. delle science di Torino 92, 1957/58, 96-142; — W.D. Kane, The subject of predicamental action according to J. of St. T., in:

Thomist 22, 1959, 366-88; — A. Moreno, Implicación material en J. de S. T., in: Sapientia 14, 1959, 188-91; — Ders., Lógica proposicional en J. de S. T., in: Notre Dame J. Formal Logic 4, 1963, 113-34; — J.G. Herculano de Carvalho, Segno e significazione in Joao de Sao T., in: H. Flasche (ed.), Aufsätze zur portugiesischen Kulturgeschichte II., Münster 1961, 152-76; — T.J. Mahonski, The radical interiority of liberty according to the principles of J. of St. T., Rome 1962; — M. Prieto del Réy, Significatión y sentido ultimado. La noción de »suppositio« en la lógica di J. de S. T., in: Convivium 15/16, 1963, 33-73; 19/20, 1965, 45-72; — E. Bondi, Predication. A study based in the Ars Logica of J. of St. T., in: Thomist 30, 1966, 260-94; — U. Degl' Innocenti, Il principio d'individuazione dei corpi e G. di S. T., in: Aquinas 12, 1969, 59-99; — R. Waszkinel, Conditions nécessaires de la connaissance selon Jean de Saint Thomas (Poln. Text), in: Roczn. filosz. 21, 1973, 47-67; — Ders.: Objekt und Subjekt in der Erkenntnis nach J. a S. T. (Poln. Text), in: Roczn. filosz. 24, 1976, 17-48; — J.N. Deely, The two approaches to language. Philosophical and historical reflections on the point of departure of Jean Poinsot's semiotic, in: Thomist 38, 1974, 856-907; — J. Ruiz de Santiago, Doctrina de Juan de Sto. Tomás acerca de la moralidad, in: Rev. Filos. Méx. 10, 1977, 433-65; — P. Jemiot, Aristotle's conception of scientific-constructive evidence and it's classification in formulation of John Poinsot, in: Stud. Philos. Christ. 15, 1979, 85-120; — E. Wolicka, Notion of truth in the epistemology of J. of ST. T., in: New Scholasticism 53, 1979, 96-106; — E. Rivera de Ventosa, Significación de Juan de S. Tomás en la historia del pensamiento, in: Rev. Portug. Philos. 38, 1982, 581-92; — Festschrift zum 300. Todestag, in: Ciencia tomista 69, 1945, 1-240; — Wetzer-Welte VI., 1770; — LThK V., 1078 f.; — J.M. Ramirez, Jean de Saint-Thomas, in: Dictionnaire de théologie catholique VIII., Paris 1947, 803-808; — The Encyclopedia of Philosophy IV., P. Edwards (ed.), New York/London 1967, 284; — Enzyklopädie Philosophie und Wissenschaftstheorie II., J. Mittelstraß (ed.), Mannheim/Wien/Zürich 1984, 322 f.

Christoph Kann

JOHANNES Schiphower (de Meppis), OESA. Theologe u Historiker, * 1463 Meppen, † nach 1521. — J. trat um 1478 in das Augustinerkloster Osnabrück ein und wurde 1484 zum Priester geweiht. Anschließend dreijähriger Studienaufenthalt in Bologna zur Erlangung eines theol. Grades. 1488 wurde J. vom Prov.kapitel in Osnabrück zum Cursor (Dozenten) am Partikularstudium im Kloster Nordhausen ernannt. 1489-91 erneute Studienreise nach Italien (Siena), wo J. den theol. Lektorgrad erwarb. 1491 wurde J. zum Prior in Anklam (Mecklenburg) gewählt, wo 1492 sein Traktat über die unbefleckte Empfängnis Mariens entstand (dem Caminer Bischof Benedikt v. Walsten gewidmet). J. versucht hierin den Satz zu widerlegen, Maria sei bei ihrer Empfängnis mit dem Makel der Erbsünde behaftet gewesen. 1494 Flucht vor der Pest u. Rückkehr nach Osnabrück. Im dortigen Kloster widmete sich J. dem Studium u. der schriftstellerischen Tätigkeit (1495 entstanden hier zwei heute verlorene Werke über das Leiden Christi und über die Verteidigung der Sakramente). 1497 dritter Italienaufenthalt (Ordenskapitel in Rom), bei dessen Gelegenheit J. zum Baccalaureus der Theologie promoviert wurde. Wieder zurück in Deutschland wurde J. als Terminarius seines Ordens nach Oldenburg entsandt, wo er bald auch ein Vertrauter des Grafen Johann v. Oldenburg wurde. In Oldenburg verfaßte er 1500 einen Sermon über die Entstehung der Ordensgemeinschaften. Sein wichtigstes Werk aus dieser Zeit ist die Oldenburgische Grafenchronik (Erzgrafen!), die auf Bitten des Graf Johann 1503-05 angefertigt wurde (fortgesetzt bis 1521). 1504 wurde J. nach Osnabrück zurückgerufen, blieb aber Beichtvater des Grafen und Lehrer von dessen Sohn, Grafen Christian v. Oldenburg. Das Todesdatum v. J. ist unbekannt. — J. darf als ein bedeutender Vertreter der Augustinergelehrten des norddeutschen Raumes angesehen werden. Mit seiner Oldenburger Grafenchronik hat er ein wertvolles Dokument für die Geschichte der Augustinerschule und für die nordwestdeutsche Landesgeschichte hinterlassen.

Werke: Tractatus de immaculatae Virginis conceptione, 1492 (Druck: Lübeck 1495; hrsg. v. Pedro de Alva et Astorga, Monumenta antiqua immaculatae conceptionis sacratissimae Virginis..., I, 1664, 13-106); Passio, 1495 (verloren); Tractatus de sacramentorum defensione, 1495 (verloren); Epistola pro recommendatione librorum Gottschalci Hollen, 1496 (ed. Willigis Eckermann, in: AnAug 34, 1971, 204-217); Sermo de ordinibus, 1500 (verloren); Chronicon archicomitum Oldenburgensium, 1503-05/21 (ed. Heinrich Meibom, SS rerum Germanicarum, II, 1688, 121-192; 1506 auch ins Niederdt. übers. durch Johann v. Haren); Tractatus de paupertate Christi, 1504 (verloren).

Lit.: Hermann Oncken, Zur Kritik der Oldenburgischen Geschichtsquellen im MA, Diss. Berlin 1891, S. 77-124; — Adolar Zumkeller, Mss. v. Werken der Autoren des Augustiner-Eremitenordens in mitteleuropäischen Bibll., (= Cassiciacum, 20), 1960, 267-269, 604; — Willigis Eckermann, Eine unveröffentlichte hist. Quelle zur Liturgiegeschichte der westfälischen Augustiner des Spätma., in: AnAug 34, 1971,

187-238; — Ders., J.S., Augustinertheologe u. Chronist der Grafen v. Oldenburg. Eine biographische Skizze, in: Joachim Kuropka/W.Eckermann (Hrsgg.), Oldenburger Profile, (= Vechtaer Univ.schrr., 6), 1989, 9-34; — ADB 31, 306f.; — VerfLex IV, 73f.; — LThK V, 1080.

Achim Krümmel

JOHANNES SCHOLASTIKUS siehe Johannes von Skytopolis

JOHANNES DIRKS van Schoonhoven, Theologe und Schriftsteller der Devotio moderna, Schüler Ruusbroecs, * um 1356 in Schoonhoven südlich Gouda, † 22.1. 1432 in Groenendaal bei Brüssel, aus wohlhabender Familie, Neffen: Simon (1383 Profeß, 1387-1395 Propst in Eemsteyn), Nikolaus (Mag. theol. der Universität Paris, Profeß in Eemsteyn), Willem Vryman van Delft (um 1400 Kartäuser in Nieuwlicht bei Utrecht, † 24.10. 1456, Adressat des Traktats »De passione domini«). — J.v.Sch. studierte in Paris, promovierte am 8.4. 1374 in der Philosophischen Fakultät, trat 1377/78 in das Kloster Groenendaal ein, wo er unter dem Einfluß von Ruusbroec († 2.12. 1381) stand, war 1409/10 Prior, nach dem Anschluß an Windesheim seit 1412 Subprior, auch Novizenmeister. — Die Hauptprinzipien seiner Lehre enthält der Traktat »De contemptu mundi«, worunter nicht Verachtung, sondern Geringschätzung der Welt im Vergleich mit der alles übersteigenden Liebe Gottes verstanden wird. Leitmotiv ist 1. Joh.2,15: »Habt nicht lieb die Welt, noch was in der Welt ist. So jemand die Welt liebhat, in dem ist nicht die Liebe des Vaters«, und Jac.4,4: »Wisset ihr nicht, daß der Welt Freundschaft Gottes Feindschaft ist? Wer der Welt Freund sein will, der wird Gottes Feind sein«. Die amor Dei ist also bedingt durch die contemptus mundi. Der Weg zu Gott führt nur durch Christus: »Cui Christus incipit dulcescere, necesse est amarescere mundum«. Ständige Betrachtung des Christus-Mensch führt zur Umformung der Seele, ein die gesamte Devotio moderna durchziehendes Motiv, das wahrscheinlich von Bonaventura entlehnt ist. Abseits im Werk J.v.Sch. steht die »Epistola responsalis super epistolam cancellarii«, in der J.v.Sch. seinen Lehrer Ruusbroec gegen den Kanzler der Universität Paris, Johannes Gerson, verteidigt, der ersterem vorgeworfen hatte, in pantheistischer Weise die gottbetrachtende Seele mit Gott gleichzusetzen. J.v.Sch. betonte Ruusbroecs Übereinstimmung mit den Kirchenvätern, übernahm aber dessen Lehre nicht, sondern trat bescheiden hinter Ruusbroecs Einmaligkeit zurück. Überhaupt stellt er seine Ansichten in den Schatten von Autoritäten. Er vertritt insgesamt eine christozentrische Spiritualität.

Werke: Traktate: Epistola prima in Eemsteyn sive exhortatorium spirituale (1383/87) hrsg. v. F. Becker, in: De Katholiek 86, 1884, 204-210, 352-361 und 87, 1885, 12-141; Epistola secunda in Eemsteyn sive de cursu monachi (1398/1400); Epistola de contemptu mundi (1400/19) hrsg. v. A. Gruijs in: Bulletin Du Cange 33, 1963, 35-97; Epistola seu tractatus de passione domini (1407/20) hrsg. v. dems., Jean de Schoonhoven III, 52-64; Epistola ad fratrem Egidium sive de profectu monachi (1430). — Gelegenheitsschriften: Epistola cuidam: Sapere et intelligere (1380/1412) hrsg. v. dems., III, X-XI) Epistola ad magistrum Jacobum (dictum Botterman de Scoenhovia) (1380/88) hrsg. v. dems., III, XI-XIV; Declarationes quorundam dubiorum (nach 1393); Epistola ad magistrum Egidium Bruyn (1398/99); Epistola in Eemsteyn (1414/16); Epistola contra errores cuiusdam prioris (d.i. Egidius van Breedeyck, Prior von Zevenborren) (1415) hrsg. v. dems. II, IV-VII; Epistola ad fratrem Johannem de Bastonia (Profeß zu St. Jacob in Lüttich); Epistola ad quendam fratrem; Epistola ad quendam magistrum hrsg. v. dems., III, VII-IX; Epistola de quiete et tranquillitate mentis hrsg. v. dems., III, XIV-XV. — Predigten: Sermo in visitatione (1409/10); Sermo in capitulo generali Windesim (um 1415), teilweise hrsg. in: Revue ascétique et mystique 1923, 262f.; Collatio in Windesim (1416/25), hrsg. v. St.Axters, in: Ons Geestelijk Erf 17, 1943, 27-45; Collatio sive sermo de peccata fugiendo (vor 1419); Sermo ad omnes religiones sive sermo de spirituali ambulatione claustralium (1426). — Anderes: Epistola responsalis super epistolam cancellarii (1408), hrsg. v. A. Combes I, 648-771; Gesta J.v.Sch., verloren. — Liste der 153 ermittelten Handschriften mit Werken: A. Gruijs en E. Persoons, Index des manuscrits contenant les œuvres de Jean de Sch., in: Scriptorium 20 I, 1966. — Literatur bis 1852: A.J. van der Aa, Biographisch Woordenboek der Nederlanden VI, Haarlem 1852, Nachdruck Amsterdam 1969, 128f.; Literatur bis 1912: Biographie Nationale XXI, 1911/13, 883-903.

Lit: L. Reypens, Le sommet de la contemplation mystique II: Jean Dirks de Sch., in: Revue d'ascétique et mystique 1923, 256-265; — J. Huyben, J.v.Sch., leerling van dan zaligen Jan van Ruysbroeck, in: Ons Geestelijk Erf 6, 1932, 282-303; — St.Axters, Een onuitgegeven brief van J.v.Sch., ebd. 16, 1942, 130 ff.; — Ders., Sch.kapittelpreek »Nos autem gloriari«, ebd. 17, 1943, 27-45; — Ders., Mystiek Brevier I, Antwerpen 1944, 134-137; — W. de Roy, Briefwisseling tusschen Petrus van Herenthals en J.v.Sch., in: Ons Geeste-

lijk Erf 19, 1945, 151-207; — H. Gielen, De middelneder-
landsche vertaling van J.v.Sch. kapittelpreek »Nos autem
gloriari oportet« (unveröff. Lic. Löwen 1954); — C.G.N. de
Vooys, Middelnederlandse vertalingen van J.v.Sch. werken,
in: Nederlandsche Archief voor Kerkgeschiedenis 41, 1956,
129-141; — St.Axters, Geschiedenis van de Vroomheid in
de Nederlanden II, Antwerpen 1957; — F. Hermans, Ruysbroeck admirable et son école III: Jean de Sch., Paris 1958,
211-218; — A. Gruijs, Introduction à la vie et à l'œuvre de
Jean de Sch., in: Annales de l'Ecole pratique des Hautes
Etudes, Section Sciences religieuses 1960; — J. van Staten,
J.v.Sch. en Ss. Bernardus, in: Cîteaux in de Nederlanden 10,
1959, 219-223; — A. Ampe, Les rédactions successives de
l'apologie Schoonhovienne pour Runsbroec contre Gerson,
in: Revue d'Histoire ecclésiastique 55, 1960, 401-452, 797-
818; — A. Gruijs, Jean de Sch. 1356-1432. Sa vie et son
œuvre, in: Bulletin Du Cange 32, 1962, 135-187; — Ders.,
Jean de Sch., De contemptu mundi, ebd. 33, 1963, 35-97; —
A. Ampe, L'authenticité de l'Epistola de caritate et son rôle
dans la controverse entre Sch. et Gerson, in: Revue du
Moyen-Age Latin 2, 1955 (erschienen 1965), 288-317; — A.
Gruijs, J. de Sch., Textes et études I-III, Nijmegen 1967; —
Ders., Jean de Sch., quatre lettres inédites de direction spiri-
tuelle, in: Divinitas 9, 1967; — H. Beckers, Seuse-,
Ruusbroec- und Sch.-Texte in einer mystisch-ascetischen
Sammelhandschrift aus dem Benediktinerkloster Korten-
berg in Brabant, in: Leuvense Bijdragen 63, 1974, 301-309;
— Biographie Nationale XXI, 1911/13, 883-903; — Natio-
naal Biografisch Woordenboek I, 1964, 797-905; — Nieuw
Nederlandsch Biografisch Woordenboek IX, 1933, 995f.; —
Enciclopedia Cattolica VI, 1951,608; — Dictionnaire de
Spiritualité III, 1957,732; — LThK V, 1960, 1081; — Ency-
clopédie du Catholicisme XXIV, 1964, 571 f.; — Nationaal
Biografisch Woordenboek III, 1968, 782-797; — Diction-
naire de Spiritualité VIII, 1973, 724-735; — Monasticon
Windeshemense I: Belgien, 1976; und 3: Niederlande, 1980;
4: Register. 1984.

Wilhelm Kohl

JOHANNES *von Segovia*, spanischer Theologe,
* gegen 1395 in Segovia (Juan Alfonso de Segovia), † 24.5. 1458 in Ayton (Savoyen). — J.
studierte an der Universität Salamanca Artes
und Theologie; 1422 erlangte er den Grad eines
Magisters der Theologie und wurde rasch einer
der einflußreichsten Salmantiner Professoren.
Zweimal, 1421/22 und 1431 schickte ihn die
Universität zu Verhandlungen über ihre Satzungen nach Rom. 1433 wurde er als Vertreter der
Universität Salamanca zum Konzil von Basel
entsandt. Dort verteidigte er die Lehre von der
Unbefleckten Empfängnis Mariens, diskutierte
mit den Griechen über die processio Spiritus
sancti und mit den Hussiten über die communio

sub utraque specie. Vor allem aber entwickelte
er sich immer mehr zu einem entschiedenen
Verfechter des Konziliarismus. Als das Konzil
auseinanderbrach, setzte er sich 1439 für die
Wahl des Grafen Amadeus von Savoyen zum
(Gegen-) Papst ein; 1440 wurde er von Amadeus, der sich als Papst Felix V. nannte, zum
Kardinal erhoben. J. vertrat ihn und das Konzil
1440 auf der Nationalversammlung zu Bourges
und auf den Reichstagen in Mainz 1441 und
Frankfurt 1442. Nach Beendigung des Schismas
1449 mußte J. auf den Purpur verzichten und
zog sich, von Papst Nikolaus V. zum Titular-
Erzbischof ernannt, in das Kloster Ayton in Savoyen zurück. Dort widmete er sich seinen literarischen Werken (Geschichte des Konzils von
Basel, Übersetzung des Korans, Liber de substantia ecclesiae) und korrespondierte über seine
Vorstellungen mit Theologen und Humanisten
wie Nikolaus von Kues, Jean Germain und Enea
Silvio Piccolomini. 1457, kurz vor seinem Tod,
vermachte er seine Bibliothek der Universität
Salamanca. — Einer der bedeutendsten Theologen des späten Mittelalters besonders im Hinblick auf die Lehre von der Kirche.

Werke: Das Verzeichnis seiner größtenteils nicht edierten
Schriften (B. Hernández Montes, Obras de Juan de Segovia,
in: Repertorio de Historia de las Ciencias Eclesiásticas en
España VI, Salamanca 1977, 267-347) umfaßt 81 Werke,
darunter: Historia gestorum generalis synodi Basiliensis (unvollständig) (Wien 1873-1935, Monumenta conciliorum generalium saeculi XV, vol. II-IV); Tractatus decem avisamen-
torum... de insuperabili sanctitate ecclesiae et suprema generalis concilii auctoritate (ed. W. Krämer, Konsens und Rezeption, 385-415: Avisamentum I); Excerpta (ed. W. Krämer, a.a.O., 416-433); Concordantiae partium sive dictio-
num indeclinabilium totius Bibliae (Basel 1496; vgl. GW
7422, u. ö.); Septem allegationes... circa ss. virginis Mariae
immaculatam conceptionem (Brüssel 1664; repr. 1965);
Ausgabe des Koran in Arabisch, Lateinisch und Spanisch
(verfaßt zusammen mit einem span. Korangelehrten) (nur
Prolog erhalten); De gladio divini Spiritus in corda mittendo
sarracenorum (Fragmente); Liber de substantia ecclesiae.
Lit.: J. González, El maestro Juan de Segovia y su biblioteca
(1944); — D. Cabanellas Rodríguez, Juan de Segovia y el
problema islámico (1952); — U. Fromherz, J. als Geschichtsschreiber des Konzils von Basel (1960); — W. Krämer, Konsens und Rezeption. Verfassungsprinzipien der
Kirche im Basler Konziliarismus (1980), 207-255; — B.
Hernández Montes, Biblioteca de Juan de Segovia, Edición
y commentario de su escritura de donación (1984); — I.
Vázquez Janeiro, En torno a la biblioteca de Juan de Segovia
(† 1458), in: Antonianum 60 (1985) 670-688. — K. Rein-

Uta-Renate Blumenthal (Hrsg.), Carolingian Essays. Andrew W. Mellon Lectures in Early Christian Studies, 1983, 151-167; — M.L. Colish, J.'s Christology and Soteriology in Relation to his Greek Sources, in: Downside review, April 1982, 138-151; — Gangolf Schrimpf, Der Beitrag des J. zum Prädestinationsstreit, in: Heinz Löwe (Hrsg.), Die Iren u. Europa im früheren MA, 1982, 819-865; — ders., Das Werk des J. im Rahmen des Wissenschaftsverständnisses seiner Zeit. Eine Hinführung zu Periphyseon, 1982; — ders., J. u. die Rezeption des Martianus Capella im karolingischen Bildungswesen, in: Eriugena. Stud. zu seinen Quellen, hrsg. v. Werner Beierwaltes, 1980, 135-148; — Jean Trouillard, Érigène et la naissance du sens, in: Platonismus u. Christentum. Festschrift Heinrich Dörrie. hrsg. v. Horst-Dieter Blume/Friedhelm Mann, in: JAC Erg.Bd. 10, 1983, 267-276; — Carlo Riccati, 'Processio' et 'explicatio'. La doctrine de la creation chez J. et Nicolas de Cues, 1983; — Helmut Meinhardt, Neuplatonismus, christliche Schöpfungsmetaphysik, Geschichtsphilosophie, in: Renovatio et reformatio, 1985, 141-154; — G.H. Allard (Hrsg.), J.. Actes du IVe Colloque international (Montréal 28.8.-2.9. 1983), 1986; — Michael Herren, Eriugena's 'Aulae Siderae'. The 'codex Aureus', and the Palatine Church of St. Mary at Compiégne, in: Studi medievali 28, 1987, 593-608; — ders.; St.Gall 48. A Copy of Eriugena's Glossed Greek Gospels, in: Tradition und Wertung. Festschrift F. Brunhölzl, hrsg. v. G. Bernt/F. Rädle/G. Silagi, 1989, 97-105; — Wolf-Ulrich Klünker, J. Denken im Gespräch mit dem Engel, 1988; — Thomas Michael Thomasic, The Logical Function of Metaphor and Oppositional Coincidence in the Pseudo-Dionysius and J., in JR 68, 1988, 361-376; — EncF 5, 1191-1197; — DThC V, 401-434; — RGG[3] III, 820-821; — LThK[2] 5, 1082-1083; — RE[3] XVIII, 86-100; — Überweg II, 164ff.; — EC XI, 162ff.; — TRE XVII, 156-172; — Lexikon MA 5, 602-605; — Dictionary of the Middle Ages 7, 141-142; — Encyclopedia of Philosophy 3, 44-45; — NewCathEnc 7, 1072-1074.

Udo Krolzik

JOHANNES *von Skytopolis* (auch Johannes Scholastikos), Bischof von Skytopolis in Palästina (die Gleichsetzung des Bischofs mit dem Scholastikos (= Anwalt gleichen Namens) ist wahrscheinlich, wenn auch nicht völlig gesichert), Verfechter der neuchalkedonischen Theologie, literarischer Bekämpfer des Monophysitismus; er lebte in der ersten Hälfte des 6. Jahrhunderts und besaß anscheinend eine umfassende Bildung. Seine näheren Lebensumstände sind nicht bekannt.

Werke: Von seinem ursprünglich ziemlich umfangreichen Schrifttum besitzen wir nur kleine Bruchstücke. Vor 512 veröffentlichte er eine Schrift gegen Eutyches, Dioskur und seine Anhänger. Aus den Jahren 512-518 stammt eine ursprünglich mindestens 8 Bände umfassende Apologie des Konzils von Chalcedon. Beide Schriften sind vollständig verloren. Etwa 527 dürfte ein Werk »Gegen Severos« ent-

standen sein, das auf der 6. Synode zitiert wird; erhalten sind nur einige Fragmente. Berühmt sind seine Scholien zum Corpus Areopagiticum, denn J. ist der erste Scholiast dieser Schriften. Auf uns gekommen sind sie nur vermischt mit den Scholien des Maximos Homologetes, mit denen sie im 12. Jahrhundert zusammengeworfen wurden. Ausgaben: Mansi X, 1107. XI, 437-440 (an beiden Stellen Fragmente der Schrift gegen Severos); Franz Diekamp, Doctrina Patrum, 1907, 86-87; MPG 4, 15-432, 527-576 (Areopagita-Scholien).

Lit.: Friedrich Loofs, Leontius von Byzanz, 1887, 269-272; — Hans-Urs von Balthasar, Das Scholienwerk des J. v. S., in: Scholastik XV, 1940, 16-38; — Ders., Kosmische Literatur, 1961[2], 644-672; — Siegfried Helmer, Der Neuchalkedonismus, 1962, 176-182; — W. Beierwaltes/R. Kannicht, Plotin-Testimonia bei J. v. S., in: Hermes 96, 1968, 247 ff.; — Werner Beierwaltes, J. v. S. und Plotin, Studia Patristica 11, in: TU 108, 1972, 3-7; — B. E. Colless, Parole de l'Orient, 1972, 45-63; — Beate Regina Suchla, Die Überlieferung des Prologs des J. v. S. zum griechischen Corpus Dionysiacum Areopagiticum. Ein weiterer Beitrag zur Überlieferungsgeschichte des Corpus Dionysiacum, in: NAG 1984, Heft 4; — dies., Eine Redaktion des griechischen Corpus Dionysiacum Aeropagiticum im Umkreis des J. v. S., des Verfassers von Prolog und Scholien. Ein dritter Beitrag zur Überlieferungsgeschichte des Corpus Dionysiacum, in: NAG 1985, Heft 4; — Krumbacher 137. 56; — RE IX, 320; — Bardenhewer V, 16; — Beck, 376 f.; — Chalkedon I, 635; — RGG III, 821; — LThK V, 1083; — Altaner[8], 508 f.

Hans-Udo Rosenbaum

JOHANNES SORETH, OCarm, selig (Gedenktag 24. Juli), General und Reformer der Karmeliten, Begründer des II. und III. Ordenszweiges, * 1394 bei Caen, dort wohl vor 1417 Eintritt in den Karmelitenorden, † 25.7. 1471 in Angers. — J. S. studierte in Paris, gab dort ab 1430 als biblicus ordinarius selbst Vorlesungen über Röm, Gal, 2 Kor und Hebr, und wurde nach dem Lizentiat 1437 und der Promotion 1438 magister regens der Theologie. Ab 1440 vertritt er als Provinzial seine Heimatprovinz Francia auf den Generalkapiteln des Ordens von Asti (1440), Chalons (1444) und Rom (1447). Bereits als Provinzial ging J. S. an die Reformierung einiger französischer Konvente, hatte doch die Provinz Francia im Laufe des 100jährigen Krieges (1337-1453) zahlreiche Niederlassungen und auch viel ihrer inneren Konsolidität eingebüßt. Als 1450 der bisherige Ordensgeneral Johannes Faci auf den Bischofsstuhl von Riez berufen wurde, wird J. S. als Generalvikar des Ordens aufgestellt und schließlich durch das

Generalkapitel von Avignon am 1. Nov. 1451 zum Generalprior des Ordens gewählt; er übt dieses Amt bis zu seinem Tode im Jahre 1471 aus. — I. J.S. als Reformer. — J. S. versuchte, durch eine intensive Visitationstätigkeit den Stand des spirituellen Niveaus des gesamten Ordens anzuheben; er konnte sich dabei auf folgende zwei Faktoren stützen: Bereits mit Beginn des 15. Jahrhunderts und speziell nach der zweiten Regelminderung durch Papst Eugen IV. (Bulle Romani Pontificis vom 13. Febr. 1432) setzte im Orden ein Strom religiöser Erneuerung ein. So bildeten unter dem Generalat Johannes Facis (1411-34) die Konvente von La Selve (1413), Geronde (1425) und Mantua (vor 1434) eine Reformkongregation, der Mantua den Namen gab und die in der Folgezeit nach der Bulle Fama laudabilis von Papst Eugen IV. vom 3. Sept. 1442 als Eugenianische Observanz bekannt wurde. Sie kann als südlicher Grundpfeiler des von J. S. weitergeführten Reformwerkes gelten; so hat er der Mantuaner Kongregation etwa im Jahre 1466 das studium generale von Bologna unterstellt. Für den mitteleuropäischen Raum konnte J. S. bei Reformbestrebungen ansetzen, die für die Oberdeutsche Provinz in Heilbronn und für die Niederdeutsche Provinz in Mörs und Enghien schon im Gange waren: Mörs bestätigte J. S. sofort im November 1451, Heilbronn im Juni 1452. Darüber hinaus sollten die Prioren von Mörs und Enghien Reformstatuten erarbeiten, die J. S. vom Generalkapitel 1456 in Paris als Dekret für die reformierten oder noch zu reformierenden Konvente (Ms: Univ. Bibl. Würzburg, M. ch. o. 35 f. 12v) verabschieden ließ. Papst Kalixtus III. bestätigte dieses Dekret am 13. April 1457; von daher leitet sich die Bezeichnung der »Kalixtinischen Observanz« für die sorethianische Reform ab, die zwar auf der gemilderten Regel von 1432 aufbaute, aber eben deren strikte Observanz suchte. Tatsächlich hatte J.S. in der Niederdeutschen Provinz den größten und in der Oberdeutschen Provinz und der Francia noch recht guten Erfolg, wie folgende Reformdaten ablesen lassen. Für die Niederdeutsche Provinz: 1449 Enghien, 1451 Löwen, 1452 Mörs, 1454 Mecheln, 1455 Haarlem, Worms und Schoonhoven, 1465 Tönisstein, 1467 Alkmaar, 1468 Geldern, 1469 Mainz und Frankfurt, 1471 Köln. Für die Oberdeutsche

Provinz: 1451 Heilbronn, 1458 Würzburg, Bamberg und Augsburg, 1466 Nürnberg, 1469 Ravensburg, 1472 Schweinfurt, 1476 Eßlingen. Für die Provinz Francia: 1452 Lüttich, 1454 Valenciennes, 1462 Rouen, 1466 Gent, 1468 Utrecht, 1480 Ter Muilen. Um die Nachhaltigkeit seiner Tätigkeit sicherzustellen, unterzog J. S. bis zur Verabschiedung der erneuerten Konstitutionen durch das Generalkapitel von Brüssel 1462 (Sacre constitutiones nove fratrum et sororum bte Marie de Monte Carmelo, Venedig 1499, MS: London, British Museum add. ms. 11426 ff. 21r-89r) die studia generalia von Wien, Löwen, Paris und Köln ebenfalls einer Reform. Seinen bevorzugten Konvent Lüttich zeichnete J.S. dadurch aus, daß er dort 1455 seine Regel für den Dritten Orden »Troisième Règle des Carmes« und wohl auch seine »Expositio Paraenetica« verfaßte. In Lüttich übernahm er 1462 auch die Vermittlung in einem Streitfall zwischen Louis de Bourbon, dem Bischof von Löwen, und seinen Bürgern. — II. J. S. als Gründer des II. und des III. Ordens. - Aufgrund einer weitreichenden Entscheidung am Beginn seines Generalates gilt J. S. als Begründer des weiblichen (II.) Ordenszweiges und des III. Ordens vom Berge Karmel: Er nahm am 10. Mai 1452 in Köln die Beginen von Ten Elsen in Geldern in den Orden auf; mit der Bulle Cum nulla fidelium Nikolaus' V. erhielt dieser Akt seine päpstliche Absegnung. Durch Dum attenta Sixtus' IV. vom 28. Nov. 1476 wurde auch die Errichtung des III. Ordens endgültig bestätigt. Fälle, daß sich Männer und Frauen teils mit, teils ohne Gelübde den Karmeliten anschlossen, sind bereits aus der Frühzeit des Ordens im 13. Jahrhundert bekannt; seine weiblichen Mitglieder traten in Italien unter dem Namen pinzocchere oder mantellate, in Spanien als beatas auf. Als prominentestes Beispiel einer Mantellatin mag wohl die selige Johanna Scopelli gelten, die 1428 in Reggio Emilia geboren wurde, nach Empfang des weißen Mantels zunächst bei ihren Eltern wohnen blieb, dann mit einer Witwe und deren Töchtern eine Hausgemeinschaft bildete und 1485 in ihrer Heimatstadt schließlich ein Kloster für Karmelitinnen eröffnete. Bis zum Ende des 15. Jahrhunderts bildeten sich von Florenz ausgehend insgesamt acht weitere Konvente der Schwestern. Im rheinischen Raum hingegen waren es speziell die Beginen, die mit den Mendikantenorden allgemein in guter Verbindung standen und die für die Entstehung der Karmelitinnen zum konstitutiven Element wurden; so waren die ersten drei Schwesternkonvente, die J. S. gründete, alle aus vorgängigen Beginengemeinschaften entstanden. Selbst die Errichtung des II. Ordens in Köln 1565 geht noch auf eine Beginage aus dem Jahre 1304 zurück, die die Karmeliten betreuten. Bis zum Tode J. S. entstanden im nordfranzösisch-belgisch-niederländischen Raum folgende neun Konvente: 1452 Geldern, 1455 Dinant und Nieukerk, 1457 Lüttich, 1463 Bondon, 1466 Harlem und Huy, 1468 Namur, 1469 Vilvoorde. Der Konvent von Bondon bei Vannes entstand maßgeblich durch die Initiative der Franziska d'Amboise (1427-85), die 1468 dort selbst eintrat. Ihre Einkleidung erfolgte durch J. S. persönlich, der immer darauf bedacht war, die Frauenklöster nur durch reformierte Konvente betreuen zu lassen. Für die Entwicklung in Spanien und Portugal ist noch anzufügen, daß in Barcelona bereits im Jahre 1346 gewisse moniales der Karmeliten Gelder zum Bau eines Konventes sammelten. Wenn auch dieses Projekt nicht verwirklicht wurde, sind bis zum Ende des 15. Jahrhunderts doch Niederlassungen in Ecija (1454/57), Piedrahita (um 1460), Avila (1474) und Fontiveros (um 1500) bezeugt, die alle aus ehemaligen beaterios hervorgingen (so auch noch Valencia (1502), Granada (1508) und Aracena (1536)). Auch die erste portugiesische Niederlassung in Beja (1541) existierte seit 1512 als beaterio. Ins Kloster der Menschwerdung zu Avila trat 1535 Teresa de Ahumada ein. Sie lebte dort bis zur Einweihung ihres Klosters San José am 24. Aug. 1562. Mit ihr nahm der Orden der Unbeschuhten Karmeliten seinen Anfang.

Werke: Ioannes Soreth, Expositio Paraenetica in Regulam Carmelitarum (Ms: Bruxelles, Bibl. royale ms. 2387-94 ff., 175-237. München Clm. 471 ff., 1-55), ed. Léon de Saint Jean, Parisiis 1625. Zweite Auflage durch Constantinus ab Immaculata Conceptione, Saint Omer 1894; Troisième Règle des Carmes (Ms: Mons, Bibl. publ. ms 83/19 f. 76r-v: Philippe de la Visitation, Rudera historica), ed. Gabriel Wessels, De B. Iohanna Tolosana et de Reclusis seu Inclusis ac de 2° et 3° Ordine nostro, in Analecta Ord. Carm. 3 (1914-16), 263-265; Die Vorlesungen J.S. als biblicus in Paris finden sich in Paris, Bibl. Nat. Ms. lat. 704 ff. 1-414.

Lit.: Johannes Asen, Die Beginen in Köln, in: AHVNRh 111

(1927), 81-180, 112 (1928), 71-148, 113 (1929), 13-96; — Gilbert Remans, Eenige onbekende charters uit het Begijnhof van Tongeren, in: OGE 20 (1946), 378-389; — Ludovico Saggi, Originale bullae »Cum nulla« qua Nicolaus V. Papa canonice instituit II et III Ordines Carmelitarum, in: Analecta Ord. Carm. XVII (1952), 191-194; — Ders., La Congregazione Mantovana dei Carmelitani sino alla morte el B. Battista Spagnoli (1516), 1954; — Ders., Santi del Carmelo, 1972; — Marcus Reuver, Prima Biographia B. Ioannis Soreth e codice Viennensi Novale Sanctorum (12709) transcripta, in: Carmelus 5 (1958), 73-99; — Adrian Staring, Der Karmelitengeneral Nikolaus Audet und die kath. Reform des 16. Jh.s, 1959; — Thomas Motta Navarro, Tertii carmelitici saecularis ordinis historico-juridica Evolutio, 1960; — Adalbert Deckert, Die Oberdeutsche Provinz der Karmeliten nach den Akten ihrer Kapitel von 1421 bis 1529, 1961; — Claudio Catena, Le donne nel Carmelo Italiano, in: Carmelus 10 (1963), 9-55; — Ders., Le Carmelitane: storia e spiritualità, 1964; — Alberto Martino, Monasteri femminili del Carmelo attraverso i secoli, in: Carmelus 10 (1963), 263-312; — Adrian Staring, The Carmelite Sisters in the Netherlands, in: Carmelus 10 (1963), 56-92; — Otger Steggink, Beaterios y monasterios Carmelitas españoles en los siglos XV y XVI, in: Carmelus 10 (1963), 149-205; — Ders., Erfahrung und Realismus bei Teresa von Avila und Johannes vom Kreuz, 1976; — Vital Wilderink, Les premiers monastères de Carmélites en France, in: Carmelus 10 (1963), 93-148; — Leo van Wijmen, La Congrégation d'Albi (1499-1602), 1971; — Carlo Cicconetti, La regola del Carmelo. Origine - natura - significato, 1973; — Bryan D. Deschamp, The Expositio Sacratissimae Religionis Fratrum of Blessed John Soreth († 1471) on the Carmelite Rule, Critical Edition and Study, Diss. Leuven 1973; — Franz Bernard Lickteig, The German Carmelites at the medieval Universities, 1981; — Joachim Smet/Ulrich Dobhan, Die Karmeliten. Eine Geschichte der Brüder U. L. Frau vom Berge Karmel [I.]. Von den Anfängen (ca. 1200) bis zum Konzil von Trient, 1981; — Joachim Smet, Cloistered Carmel. A brief history of the Carmelite Nuns, 1986; — Dieter Froitzheim/Adam Wienand, Almanach für das Erzbistum Köln, 1982; — Joachim Smet, Pre-Tridentine Reform in the Carmelite Order, in: Kaspar Elm, Reformbemühungen und Observanzbestrebungen im spätmittelalterlichen Ordenswesen, Berlin 1989 (Berliner Historische Studien Band 14 Ordensstudien VI), 293-323; — DSp II, 165-169; — DSp VIII, 772 f.; — LThK ¹V, 843 f. (Karte); — LThK ²V, 1366-1372; — TRE XVII, 658-662.

Stephan Panzer

JOHANNES *von Spanien* (Joh. Hispanus). Spanischer Übersetzer des 12. Jahrhunderts; Mitarbeiter von Dominicus Gundisalvi in Toledo. J. war, wie vor ihm schon Gundisalvi, Archidiakon von Cuéllar (Segovia), dann Dekan des Domkapitels von Toledo. 1212 oder 1213 wurde er Bischof von Albarracín-Segorbe. Alter und Krankheit hinderten ihn daran, am 4. Laterankonzil teilzunehmen, das vom 11. bis 30.11. 1215 abgehalten wurde. J. starb kurz danach am 11.12. 1215. Seine Bücher vermachte er der Kirche von Toledo. — Zusammen mit Dominicus Gundisalvi hat J. das Werk Fons vitae des jüdischen Philosophen Ibn Gabirol (Avicebron) aus dem Arabischen ins Lateinische übersetzt. Inwieweit die zahlreichen anderen Übersetzungen, die man ihm bisher zugeschrieben hat, wirklich von ihm stammen, ist noch nicht geklärt; denn man hat ihn bisher oft irrtümlicherweise identifiziert mit anderen Übersetzern, die einen ähnlichen Namen tragen, nämlich Johannes Hispalensis (J. von Sevilla), der vor allem astrologische Werke übersetzt und auch selbst verfaßt hat, ferner mit dem jüdischen Gelehrten Johannes Avendauth (Ibn Daud) von Toledo, der zusammen mit Dominicus Gundisalvi den Anima-Kommentar des Avicenna und anderes mehr übersetzt hat und dem auch der »Brief von Toledo« zugeschrieben wird, der für das Jahr 1186 Naturkatastrophen apokalyptischen Ausmaßes vorhersagt; schließlich wurde J. auch mit dem Erzbischof Johannes von Toledo († 1166) gleichgesetzt oder mit einem Übersetzer Johannes von Toledo, der zu Beginn des 13. Jh.s wirkte. Nach den neueren Forschungen handelt es sich jedoch mit großer Wahrscheinlichkeit um je verschiedene Autoren.

Lit.: G. Sarton, Introduction to the History of Science II (1931) 169-72; — José Maria Millás Vallicrosa, Una obra astronómica desconocida de Johannes Avendaut Hispanus, in: Osiris 1 (1936) 451-475, in leicht überarbeiteter Form nachgedruckt in: Ders., Estudios sobre historia de la ciencia española I (1987) 263-288; — Ders., Las traducciones orientales en los manuscritos de la Biblioteca Catedral de Toledo (1942) 74; — Manuel Alonso, Notas sobre los traductores toledanos Domingo Gundisalvo y Juan Hispano, in: Al-Andalus 8 (1943) 155-188; — Ders., Juan Sevillano, sus obras propias y sus traducciones, in: Al-Andalus 18 (1953) 17-49; — G. Théry, Toledo grande ville de la renaissance médiévale (Oran 1944) 127-49; — Marie-Thérèse d'Alverny, Avendauth?, in: Homenaje a Millás-Vallicrosa I (1954) 19-43; — dies., Translations and translators, in: Renaissance and Renewal in the Twelfth century, ed. by Robert L. Benson and Giles Constable with Carol D. Lanham (1982) 421-462, bes. 444-447; — Manuel C. Díaz y Díaz, Index scriptorum latinorum medii aevi hispanorum (1959) nn. 928-932, 955-980; Lynn Thorndike, John of Seville, in: Speculum 34 (1959) 20-38; — Juan Francisco Rivera Recio, Nuevos datos sobre los traductores Gundisalvo y Juan Hispano, in: Al-Andalus 31 (1966) 267-280; — Ders., La Iglesia de Toledo en el siglo XII (1086-1208), II (1976) 394-406; — Ders., La Escuela de Traductores de Toledo, in: Ricardo García-Villoslada, Historia de la Iglesia en España II/1 (1982) 458-62; — Guillermo Fraile, Historia de la Filosofia española desde la época romana hasta fines del siglo XVII (1971) 138-43; — R. Gonzálvez, El traductor maestro Juan de Toledo, in: Toletum 11 (1981) 177-189; — José S. Gil, La escuela de traductores de Toledo y sus colaboradores judíos (1985) 30-38; — A. H. and H. E. Cutler, The Jew As Ally of the Muslim. Medieval Roots of Anti-Semitism (1986) 186; — EncF II, 759-60; — LThK V, 1083-84; — LexMA V, 581, 605-606.

Klaus Reinhardt

JOHANNES *von Sterngassen* (J. Korngin v. S.), dominikanischer Theologe und Prediger des 14. Jh.s. Er stammte aus Köln; sein Geburts- und Todesdatum sind unbekannt. — Er war möglicherweise Magister der Theologie. Nachweisbar ist er 1310 in Straßburg, 1316 dort als Prior und Lesemeister des Dominikanerklosters. 1320 ist er in Köln (als Leiter des Studium generale?); noch 1333 und 1336 ist ein J. v. S. dort bezeugt. Nachgewiesen ist 1310-1325 auch ein Gerhard v. S. (ein Bruder des J.?), dem vielleicht ein Teil der dt. Werke zuzuschreiben ist. — In seinen lat. Werken zeigt J. sich als frühen, bedeutenden Vertreter des Thomismus. Er folgt dem Aquinaten, mit Abweichungen in der Behandlung des Unterschiedes von Dasein und Wesenheit, in allen wesentlichen Lehren. Seine dt. Schriften erweisen ihn als originellen und sprachgewaltigen Prediger mit mystisch-spekulativen Tendenzen, gelegentlich beeinflußt durch den Zeitgenossen Meister Eckhart.

Werke: Zahlreiche exegetische Werke sind verloren; erhalten ein Commentarius in IV libros sententiarum sowie Quaestiones quodlibetales. Ediert nur ein Abschnitt aus dem Sentenzenkommentar bei Martin Grabmann, Die Lehre des Johannes Theutonikus O. Pr. über den Unterschied von Wesenheit und Dasein (Cod. Vatic. Lat. 1092), in: Jb. f. Philosophie u. spekulative Theologie 17, 1903, 43-51; Quaestio 'Utrum anima intellectiva sit forma corporis' bei Landgraf (s. Lit.) 473-480; eine weitere Quaestio bei Grabmann, MGL I, 395f.; dt. Predigten und Sprüche: Wilhelm Wackernagel, Altdt. Predigten u. Gebete aus Handschriften, 1876, 163-168, 544-546; Wolfgang Stammler, Studien zur Gesch. der Mystik in Norddtld., in: ARW 21, 1922, 155f.; Franz Pfeiffer, Predigten und Sprüche dt. Mystiker, in: ZDADL 8, 1851, 251-258; Ders., Sprüche dt. Mystiker, in: Germania 3, 1858, 235-238; Karin Morvay/Dagmar Grube, Bibliogr. d. dt. Predigt des MAs, 1974 (Münchener Texte u. Untersuchungen z. dt. Lit. des MAs 47), 115-119.

Lit.: Rudolf Cruel, Gesch. der dt. Predigt im MA, 1879, 404f.; — Wilhelm Preger, Gesch. d. dt. Mystik im MA II, 1881, 116-123; — Heinrich Denifle, Quellen zur Gesch. des Predigerordens im 13. u. 14. Jh., in: ALKGMA 2, 1886, 165-248, hier 228; — Anton Linsenmayer, Gesch. der Predigt in Dtld., 1886, 440-442; — Philipp Strauch, Kölner Klosterpredigten des 13. Jh.s, in: Niederdeutsches Jb. 37, 1911, 21-48, hier 22; — Martin Grabmann, Neuaufgefundene lat. Werke dt. Mystiker, in: SAM 1921 (1922), 7-34; — Artur Landgraf, J. S. O.P. u. sein Sentenzenkommentar, DTh 4, 1926, 40-54, 207-214, 327-350, 467-480; — Nikolaus Paulus, Der Dominikaner J. v. S., kein geborener Straßburger, in: AElsKG 4, 1929, 405-407; — Adolf Spamer, Die Mystik, in: Germanische Philologie. Fs. Otto Behaghel, 1934, 368ff.; — Gerard Meersseman, Laurentii Pignon Catalogi et Chronica, Rom 1936 (MOP 18), 63; — Gabriel Löhr, Die Kölner Dominikanerschule, 1946, 38f.; — Ders., Über die Heimat einiger dt. Prediger und Mystiker aus dem Dominikanerorden, in: ZDADL 82, 1948/50, 175; — Gundolf Gieraths, Reichtum des Lebens. Die dt. Dominikanermystik des 14. Jh.s, 1956, 32f., 94f.; — Hermann Ley, Studie zur Gesch. des Materialismus im MA, 1957, 462-468; — Wolfgang Stammler, Mal. Prosa in dt. Sprache, in: Dt. Philologie im Aufriß II, 1960², 954, 997, 1076, 1093; — Thomas Kaeppeli, Antiche biblioteche domenicane in Italia, in: AFP 36, 1966, 19, 42; — Ders., Scriptores Ordinis Praedicatorum Medii Aevi III, 1980, 15f.; — Gustav Meyer/Max Burckhardt, Die mal. Handschriften der Universitätsbibliothek Basel, Abt.B, II, 1966, 257; — Bruno Decker, Die Gotteslehre des Jakob v. Metz, 1967 (BGPhMA 42, H. 1), 45f., 406-408; — R. A. Ubbink, De Receptie van Meister Eckhart in de Nederlanden, 1978, (Amsterdamer Publikationen z. Sprache u. Lit. 34), 145f.; — Lotte Kurras, Ein Eckhart-Fragment aus d. Klarissenkloster in Freiburg, in: ZDADL 107, 1978, 216-218; — Quétif-Échard I, 700; — ADB XXXVI, 120-122; — Grabmann, MGL I, 329f., 392-400; — RepBibl III, 432; — LThK V, 1084; — NDB X, 559; — VerfLex II, 635f.; — VerfLex² IV, 760-762; — Lexikon des MAs V, 606f.

Falk Eisermann

JOHANNES der Täufer, hebr. Jochanan ben Sacharja, Prophet, Bußprediger, Täufer Jesu aus Nazareth, Heiliger, * ca. 1/2 Jahr vor Jesus (vgl. Lk 1,26.36) als Kind des Priesters Zacharias (s.d.) und der Aaronidin Elisabeth, † ca. 29. n. Chr. - Als ursprüngliche, voneinander unabhängige schriftliche Quellen über J. stehen uns allein die Täufertraditionen der synoptischen Überlieferung und des Johannesevangeliums sowie die kurze Täufernotiz bei Josephus in Ant. XVIII 116-119 zur Verfügung. Während Josephus daran interessiert ist, die religiöse, insb. eschatologisch-messianische Komponente des Auftretens J.s zu unterdrücken, um ihn allein als frommen Sittenprediger und Tugendlehrer darzustellen, spiegelt die neutestamentliche Überlieferung die Auseinandersetzung zwischen (ehemaligen ?) Täuferanhängern und der christ-

lichen Gemeinde wider. Vorstellbar ist auch der Prozeß einer sukzessiven Integration früherer Johannesjünger und deren religiösen Erfahrungshorizontes in die christlichen Gemeinden bzw. deren Kerygma. Die populären - und daher nicht einfach zu unterdrückenden - ursprünglichen Inhalte der Überlieferung über J. wurden spätestens von den Endredaktoren der synoptischen Evangelien mit erkennbaren Schwierigkeiten rezipiert und sekundär mit der Christusverkündigung harmonisiert. Täuferüberlieferungen, aus denen sich ein Bild des historischen J. rekonstruieren läßt, wurden übernommen und modifiziert, um eine mit dem christl. Kerygma konkurrierende Verehrung J.s abzuwehren. Denkbar wäre auch das Interesse der Evangelisten, eine Eingliederung früherer J.anhänger zu ermöglichen, ohne damit zugleich eine Abwehrbewegung der christlichen Gemeinden gegen die interne »Konkurrenzbewegung«, oder gar ein superstitiöses Selbstverständnis der ehemaligen Johannesschüler innerhalb der nachösterlichen Christenheit zu begründen. Diese redigierten, christologisch verzeichneten Täuferüberlieferungen ermöglichen den Versuch einer Rekonstruktion der Biographie des J., denn gerade weil ihr Verschweigen im Widerspruch zu der mndl. Überlieferung der christlichen Gemeinde und insb. der Täuferanhänger gestanden hätte, wurden Traditionen, die in Auftreten, Schicksal und Botschaft J.s wurzeln, solcherart in die urchristliche Literatur aufgenommen, daß sich hinter ihrer christologischen Übermalung noch ursprüngliche Inhalte erkennen lassen. Der dritte Evangelist stellte seinem Evangelium zwei unter dem Leitgedanken des überbietenden Parallelismus miteinander verwobene Erzählungen über Geburt und Kindheit sowohl J.s als auch Jesu aus Nazareth voran (Lk 1f.). Die Geschichte von der Ankündigung der Geburt des Täufers durch einen Engel (Lk 1,5-25) erzählt zunächst von der priesterlichen (aaronidischen) Herkunft beider Elternteile (1,5). Die trotz ihrer Unfruchtbarkeit und ihres hohen Alters göttl. bewirkte Empfängnis der Elisabeth (1,7) wurde dem Zacharias hiernach während eines von ihm dargebrachten Räucheropfers im Jerusalemer Tempel durch den Erzengel Gabriel angekündigt (1,8-20). Der Engel sagte ihm den bedeutungsvollen

Namen seines zu erwartenden Sohnes (1,13), sowie dessen asketische Lebensweise (1,15) und hohe heilsgeschichtliche Bedeutung (1,14f.16-17) voraus. Das Motiv des gottgewirkten wundersamen Empfangens und Gebärens einer unfruchtbar geglaubten Frau stellt J. in eine Reihe mit Isaak (Gen 17,15-21; 21,1-7), Joseph (Gen 30,22-24), Simson (Ri 13) und Samuel (1Sam 1). Die Ankündigung, J. würde die abgefallenen Israeliten zu ihrem Gott bekehren und ihnen voranschreiten im Geist und in der Kraft Elias (Lk 1,16f.), weist auf eine frühe Identifikation J.s mit dem in Mal 3,1.23f. angekündigten Elias redivivus hin. Zacharias verlor nach der Begegnung mit dem Gottesboten sein Sprachvermögen (1,22), Elisabeth wurde schwanger (1,24). In der Geschichte von der Geburt, der Beschneidung und der Namengebung J.s (Lk 1,57-80) liegt das Schwergewicht auf der Schilderung seiner außergewöhnlichen Namengebung (1,59-66). Unabhängig von der Botschaft des Engels an den danach verstummten Zacharias wollte auch Elisabeth dem Neugeborenen den Namen Johannes (hebr. = »Jahwe ist gnädig«) geben. Die Erwähnung J.s in der lukan. Vorgeschichte endet mit der Notiz, er hätte seine Jugend in der Wüste verbracht, um dort an Körper und Geist zu wachsen bis zu dem Tag, an dem er seinen göttlichen Auftrag vernehmen sollte (Lk 1,80). Der Vers muß nicht als überleitende Vorwegnahme des Ortes seiner nachmaligen Wirksamkeit (Lk 3,2ff.) interpretiert werden (J. Ernst) und ist auch kein sicherer Beleg für das Heranwachsen J.s bei den Essenern in Qumran (A.S. Geyser, B. Reicke), sondern gehört zur Topik der Geburtslegenden Isaaks (Gen 21,7), Simsons (Ri 13,24f.) und Samuels (1Sam 2,21), und ordnet ihn diesen Heroen der Zeit Israels bei (O. Böcher). J. könnte die Essenergemeinde aufgrund ihrer lokalen Nähe zum Ort seiner Wirksamkeit und der partiellen Verwandtschaft der eschatologischen Naherwartung bzw. der daraus erwachsenden (Reinigungs-) Riten zwar gekannt haben, doch ist eine engere Verbindung oder gar Mitgliedschaft durch die erhaltenen Quellen nicht belegt. Die gesamte Geburtsgeschichte J.s, die ursprünglich keine christl. Tendenz zeigt, und allein der Verherrlichung des Täufers diente, entstammt dem Traditionsgut von ehemaligen Täuferanhängern, und gelangte von hier aus in die Überlieferung der christlichen Gemeinschaft. Zwar setzte das Interesse an einer legendarischen Schilderung von Herkunft, Geburt und Kindheit J.s erst nach seinem Tod ein, doch könnte das Bewußtsein der priesterlichen Herkunft, der göttlichen Beauftragung und der immanenten Verbindung der eigenen Existenz mit Isaak, Simson und Samuel bereits das Selbstverständnis J.s geprägt haben. Positive Aussagen über J. wurden bei der Aufnahme der Geburtslegende J.s in die urchristl. Überlieferung nicht negiert, sondern durch entsprechende Aussagen über Jesus aus Nazareth überboten und heilsgeschichtlich vor- und unterordnend fixiert. Nach Lk 3,1ff. war der Beginn des öffentlichen Auftretens J.s im 15. Jahr der Regierung des Kaisers Tiberius, also im Jahre 27/28 n. Chr.. Bei dieser Datierung ist jedoch zu beachten, daß der dritte Evangelist generell bestrebt war, die Authentie des ihm vorliegenden Traditionsmaterials durch eine minutiöse Datierung der berichteten Ereignisse zu betonen. Der göttliche Verkündigungsauftrag erging an J. nach Darstellung des Lukasevangeliums als Worterereignis in der Wüste (Lk 3,2; vgl. Mk 1,2f. parr.). Im Bewußtsein seiner göttl. Beauftragung predigte er die Bußtaufe zur Vergebung der Sünden und taufte die Bußwilligen im Jordan (Mk 1,4-11 parr.; Mt 3,7-12 par. Lk 3,10-14). Als Orte seines Auftretens als Bußprediger werden neben der Wüste Judäas und dem Unterlauf des Jordan (Mk 1,4 parr.) auch Bethanien (Joh 1,28) und Änon bei Salim (Joh 3,23) genannt. Auch in anderen Teilen Palästinas könnte J. gewirkt haben, da Herodes Antipas, der ihn auf seinem Hoheitsgebiet gefangennahm (Mk 6,17 parr.), Landesherr von Galiläa und Peräa war. J. ernährte sich von Heuschrecken und wildem Honig (Mk 1,6 par.), nahm kein Fleisch (griech. »ártos«= aram. »lëhëm«, was sowohl Fleisch als auch Brot bedeuten kann) und keinen Wein zu sich (Mt 11,18 par.; vgl. Lk 1,15), und trug einen Mantel aus Kamelhaar und einen ledernen Gürtel (Mk 1,6 par.; vgl. Mt 11,8 par.). Eine solche qualitatives Fasten und die Bekleidung mit einem Mantel aus Tierfell (O. Böcher) können als passive Zeichenhandlungen betrachtet werden (vgl. insb. Mt 11,16-19 par., wo die Nahrungsaskese des J. der Antizipation des eschatol. Freudenmahls durch die Mahlgemeinschaft Jesu mit Sündern gegenübergestellt wird). Sie signalisierten, ebenso wie der Wüstenaufenthalt J.s, in Analogie zur bibl. und außerbibl.- frühjüd. Prophetenüberlieferung (Fasten: Ex 34,28; 1Kön 19,8; vgl. VitPr 16,8-10; Bekleidung: 1Kön 19,13.19; 2Kön 1,8; 2,8ff.; Sach 13,4 vgl. MartJes 2,10) möglicherweise sein Selbstverständnis als eschatologischer Jahweprophet. Vielleicht wollte J. selbst sich hierdurch als der erwartete Elias redivivus stilisieren (P. Joüon, anders Ph. Vielhauer, J. Ernst). Wahrscheinlicher ist jedoch, daß Tracht und Speise des Täufers ihren Sinn als eschatologische Demonstration haben, ohne daß daraus ein direktes Anhängigkeitsverhältnis herzuleiten wäre. Als Elias redivivus wurde J. - entgegen den Redaktionen des Lk und des Joh - bezeichnet von Mk (9,11-13) und Mt (11,14). Auch Jesus aus Nazareth selbst sprach J. nach Mt 17,9-13 diesen Würdetitel zu. Ein Selbstverständnis J.s als Moses redivivus ist hingegen angesichts der Quellenlage unwahrscheinlich, da eine vorneutestamentl.-jüd. Tradition hierfür nicht belegt ist. Verkündigung und Taufe J.s dienten der Bereitung des Weges für den in naher Zukunft erwarteten endzeitlichen Richter (bes. Mt 3,1-10 par.), als dessen Vorläufer er sich verstand (Mk 1,7f. parr). Es ist davon auszugehen, daß J. im Rahmen der Eschatologie des zeitgenöss. Judentums Jahwes Kommen selbst erwartete (vgl. LXX Dtn 10,7; Ps 7,12 u.ö.; ferner 1Kor 1,25; Apk 18,8). Erst als die christliche Gemeinde sich genötigt sah, die heilsgeschichtliche Bedeutung bzw. Minderwertigkeit J.'s zu definieren, wurde er allein als Wegbereiter des Christus Jesus dargestellt. J.s geistbegabende (Mk 1,9ff. parr.; vgl. insb. Ez 36,25-27) Wassertaufe wurde von denen, die sich ihr unterzogen, als letzte Möglichkeit der Sühne vor dem drohenden Zorn Jahwes über die unreinen und widerspenstigen Menschen und vor dem Hereinbrechen des endzeitlichen Gerichts verstanden. Der Inhalt der ursprünglichen Botschaft J.s war der Aufruf zur Buße, die sich in der Teilnahme an dem von ihm angebotenen Wasserritus der Taufe vollzog, und durch die der Bußfertige sich der göttlichen Vergebung seiner Sünden gewiß sein konnte, um so das drohende eschatologische Feuergericht Jahwes im lustrierenden Wasserbad der Taufe zu antizipieren (O. Böcher) und sein unbelastetes Gottesverhältnis

wiederherzustellen (Mk 1,8; Mt 1,11f. par.). In seiner Bußpredigt zerstörte der vollmächtig auftretende J. seinen jüdischen Zuhörern ihre allein auf die Abrahamsohnschaft gegründete Hoffnung auf ein Bestehen im Endgericht (Mt 3,7-10 par.). Er drohte die baldige göttliche Bestrafung ihrer Sünden an (Mt 3,10 par.) und rief auf zur Umkehr und tätigen Buße (Mt 3,8 par.). J. reflektierte damit, ebenso wie mit den auf die Sündlosigkeit des gesamten Volkes abzielenden, konkreten sozialethischen Forderungen seiner sog. Standespredigt (Lk 3,10-14), die massiv eschatologische Bedeutung seiner Botschaft. Die prophetische Symbolhandlung der J.taufe, die das reine Gottesvolk, das im Strafgericht bestehen würde, schaffen sollte, und die als wirksame Realisation der göttlichen Sündenvergebung verstanden werden kann, unterschied sich sowohl von den rituellen Waschungen der Essener in Qumran als auch von der jüdischen Proselytentaufe durch ihre Einmaligkeit und die Durchführung durch einen aktiven Täufer an einem passiven Täufling. Auch Jesus aus Nazareth hat sich von J. am Jordan taufen lassen (Mk 1,9-11 parr.), und damit die Legitimität seines Wirkens bestätigt. Die Tatsache, daß sich Jesus diesem sündenvergebenden Bußritus unterzogen hatte, wurde von den Evangelisten in ihrer Bedeutung herabgemindert (Mt 3,14f.; Lk 3,21f.) oder gar verschwiegen (Joh 1,29-34). Die J.taufe wurde dem Wirken Jesu jedoch auch in parallelisierender (möglicherweise sogar in konstitutiver) Weise gegenübergestellt (Mk 6,14-16 parr.; 8,28 parr.). Ein Lehrer-Schüler-Verhältnis zwischen J. und Jesus aus Nazareth scheint der frühesten Tradition bekannt gewesen zu sein (Mt 3,11f. par.), was sich aus dem vehementen Bemühen der Evangelisten, ein solches Verhältnis umzukehren, rückschließen läßt (O. Böcher, anders J. Ernst). Auch könnte Jesus die Ehelosigkeit sowie die Instabilitas loci von ihm übernommen haben. Als J. Herodes Antipas wegen dessen - dem jüd. Gesetz widersprechenden (Lev 18,16; 20,21; vgl. Dtn 25,5) - Ehe mit seiner Schwägerin Herodias, durch die das gesamte Volk kultisch verunreinigt wurde (vgl. Dtn 24,4; Lev 18,25.27f.; Num 35,34), öffentlich anklagte, ließ dieser nach einer von den Evangelisten kaum redigierten, in ihrer vorliegenden Form jedoch sicher unhistorischen, volkstümlichen Legende (Mk 6,17-29 parr.; vgl. Jos. Ant. XVIII 116ff.) den beim Volk populären Täufer gefangennehmen und auf die Festung Machërus bringen. Bei einem Festbankett anläßlich seines Geburtstages ließ sich Herodes auf Betreiben der Herodias (»Tanz der Herodiastochter«) dazu verleiten, die Enthauptung des gefangenen J. anzuordnen. Nach Darstellung des Josephus ließ Herodes ihn hingegen aus dem Weg räumen, weil er fürchtete, J. könnte das jüdische Volk zum Aufruhr treiben. Dies scheint historisch zwar haltbarer als die Erzählung von der blutigen Belohnung der Tochter Herodias, doch erscheint J. in der synoptischen Überlieferung als Verteidiger des jüd. Gesetzes, der an seine göttliche Legitimation glaubte, vom (das Gesetz mißachtenden) Oberhaupt des Volkes gefangengesetzt und schließlich getötet wurde. Ein solch typisch gewaltsames Geschick der Propheten überliefern auch VitPr und MartJes, was zu der Frage Anlaß gibt, ob J. möglicherweise wissentlich seinen Tod in Kauf nahm, da er von dem Schicksal der prophetischen Mahner gegenüber den von Jahwe und seinem Gesetz abgefallenen Herrschern (1Kön 18,4.13; Jer 26,20-24; 36,26 vgl. Neh 9,26; Hos 9,8) wußte. Nach dem gewaltsamen Ende des J. lebte dessen Prophetenschule, deren Kennzeichen besondere Fastengebräuche (Mk 2,28 parr.) und eigene Gebete (Lk 11,1) waren, ohne »ekklesiologisches« Selbstverständnis weiterhin fort, um schließlich in die christlichen Gemeinde, welche insb. die Wasser- und Geisttaufe des J. als Aufnahmeritus in ihre Gemeinschaft weiterführte, integriert zu werden. Die in der urchristlichen Überlieferung zu erkennenden Gegensätze zwischen »täuferischem« und »christlichem« Selbstverständnis (vgl. insb. Apg 18,24-28; 19,1-7) spiegeln die geschichtliche Entwicklung, deren Anfangspunkt in der Auseinandersetzung mit einer »konkurrierenden« Täufersekte zu bestehen scheint, und die schließlich in einem internen Dialog zwischen ehemaligen Täuferschülern und nachösterlichen Christen mündet. Obgleich J. selbst als vollmächtige jüd. Prophetengestalt den zum Weltgericht nahenden Gott ankündigte, als dessen Wegbereiter er sich verstand, und erst die christliche Kirche ihm seinen Platz als heilsgeschichtlicher Vorläufer Jesu Christi zuwies, besteht zwischen der Täuferbewegung und dem frühen Christentum eine erkennbare Kontinuität. Ehemalige Täuferanhänger wurden zu Christen. Das Christentum übernahm die Johannestaufe als Mittel, die heilvolle und vergebende Zuwendung Gottes zum Menschen zu bezeugen. J. selbst kann daher als das verbindende Element zwischen dem Christentum und seiner jüdischen Umwelt bezeichnet werden. Die noch heute im Gebiet des Irak existierende Sekte der Mandäer weist in ihrer Lehre zahlreiche Bezüge auf J. auf, doch ist eine Urheberschaft des Täufers nicht wahrscheinlich, da J. hier erst in jüngeren Quellen begegnet. Die Kirche ordnete J. nach Joh 3,30 (vgl. Lk 1,36) das Fest der Sommersonnenwende zu. J.feuer (vgl. Joh 5,35) sind belegt seit dem 9. Jh. und seit dem 12. Jh. verbreitet in Europa. J. wurde zum ersten überregional verehrten Heiligen der christlichen Kirche in Ost und West; er ist seit ca. 1113 Schutzherr des Johanniterordens. Sein Leben wurde in zahlreichen Zeugnissen der christl. Dichtung, Musik und Kunst dargestellt (s. M. Bocian). J. ist die Mehrzahl der Baptisterien geweiht, mehrere Ordensgenossenschaften tragen seinen Namen.

Quellen.: Mk 1,1-6 par. Mt 3,1-6 par. Lk 3,1-6; Mk 1,7-8 par. Mt 3,11 par. Lk 3,15f.; Mk 1,9-11 par. Mt 3,13-17 par. Lk 3,21. 22; Mk 2,18-20 par. Mt 9,14-15 par. Lk 5,33-35; Mk 6,14-16 par. Mt 14,1-2 par. Lk 9,7-9; Mk 6,17-29 par. Mt 14,3-12 vgl. Lk 3,19-20; Mk 8,28 par. Mt 16,14 par. Lk 9,19; Mk 9,11-13 par. Mt 17,10-13; Mk 11,27-33 par. Mt 21,23-27 par. Lk 20,1-8; Mt 3,7-10 par. Lk 3,7-9; Mt 3,12 par. Lk 3,17; Mt 11,2-6 par. Lk 7,18-23; Mt 11,7-19 par. Lk 7,24-35; Mt 11,12 vgl. Lk 16,16; Lk 1,5-25.39-56.57-80; 3,10-14; 11,1; Joh 1,1-18. 19-20.29-34.35-40; 3,22-36; 4,1; 5,32-36; 10,40; Apg 18.24-28; 19,1-6; vgl. Apk 11,3-4; Josephus, Antiquitates XVIII 116-119, die im sog. »slavischen Josephus« hinter Jos.Bell. II 110. 168 eingeschalteten Täuferreferate sind als christl. Zusätze ohne jeden Quellenwert allein Zeugnis der Legendarisierung und Mythisierung J.'s; Vitae prophetarum §37 (vgl. Theodor Schermann, Propheten- und Apostellegenden [TU 31], Leipzig 1907, 115); Epiphanius, Haer. XXX, 13,6; 14,3; EvThom (NHC II,2), Log. 46.78. 104; EpJac (NHC I,2), 6,28-31; ExAn (NHC II,6),135,19b-24; EvAeg (NHC III,2), 65,23; 2 LogSeth (NHC VII,2), 63,26-64,6; ExpVal (NHC XI,2), 41,21-38; TestVer (NHC IX,3), 30,18-31-15; 39,15-40,2; 45,6b-22; PS Kap. 7,30-36; S. 8,1-12; PS Kap. 60-62, S. 76,33-36; S. 79,23-24.27-33; S. 80,18-29; PS Kap. 133, S. 227,30-37; S. 228,1-5; PS Kap. 135, S. 230,11-13; PrJak 8,2-7; 10,1-3; 12,1-5; 22-24; vgl. R Ginza 11,151-153; V, 4.

Lit.: Erich Haupt, J.d.T., Gütersloh 1874; — Otto Zurhellen, J.d.T. und sein Verhältnis zum Judentum, Diss. Bonn 1903; — Eberhard Nestle, Zum Mantel aus Kamelshaaren, in: ZNW 8 (1907), 238; — Otto Proksch, J.d.T. (BZSF Ser. III.5), Berlin 1907; — Theodor Innitzer, J.d.T. nach der Hl.

Schrift und der Tradition, Wien 1908; — Friedrich Spitta, Die Sendung des Täufers zu Jesus, in: ThStKr 83 (1910), 534-551; — Martin Dibelius, Die urchristl. Überlieferung von J.d.T. (FRLANT 15), Göttingen 1911; — Ders., Art.: J.d.T., in: RGG² III (1929), 315-319; — Alois Konrad, J.d.T., Graz, Wien 1911; — Heinrich Peter, J.d.T. in der urchristl. Überlieferung, Marburg 1911; — Alexander Pottgiesser, J.d.T. und Jesus Christus, Köln 1911; — C.R. Bowen, J. the Baptist in the NT, in: AJT 16 (1912), 90-106; — Wilhelm Heitmüller, Art.: J.d.T., in: RGG¹ III (1912), 590-595; — Rudolf Schumacher, Der Alexandriner Apollos, Kempten/München 1916; — Carl Albrecht Bernoulli, J.d.T. und die Urgemeinde, Leipzig 1918; — Anthony C. Deane, The Ministry of J. the Baptist, in: The Expositor 8 (1917), 420-431; — Denis Buzy, St. J.- Baptiste, Paris 1922; — J.M. Creed, Josephus on J. the Baptist, in: JThS 23 (1922), 59ff.; — Wilhelm Michaelis, Die sog. J.-Jünger in Ephesus, in: NKZ 38 (1927), 717-736; — Ders., Täufer-Jesus-Urgemeinde, Die Predigt vom Reiche Gottes vor und nach Pfingsten (NTF 2,3), Gütersloh 1928; — Ders., Zum jüdischen Hintergrund der J.taufe, in: Judaica 7 (1951), 81-120; — Maurice Goguel, Au Seuil de l'Évangile, J.- Baptiste, Paris 1928; — Johannes Leipoldt, Die urchristliche Taufe im Lichte der Religionsgeschichte, Leipzig 1928; — Robert Eisler, Jesous Basileus ou Basileusas, 2 Bde., Heidelberg 1929/30; — Joachim Jeremias, Der Ursprung der J.-Taufe, in: ZNW 28 (1929), 312-323; — Ders., Proselytentaufe und NT, in: ThZ 5 (1949), 418-428; — Richard Reitzenstein, Die Vorgeschichte der christl. Taufe, Leipzig, Berlin 1929, Nachdr. Darmstadt 1969; — Herbert Preisker, Apollos und die J.Jünger in Apg 18,24-19,6, in: ZNW 30 (1931), 301-304; — Emmanuel Flicoteaux, La Noël d' Été et le culte de St. J.-Baptiste, Brügge 1932; — Ernst Lohmeyer, Zur evangelischen Überlieferung von J.d.T., in: JBL 51 (1932), 300-319; — Ders., Das Urchristentum, Bd. 1, J.d.T., Göttingen 1932; — Albrecht Oepke, Art.bápto, in: ThW 1 (1933), 527-544; — Hans Windisch, Die Notiz über Tracht und Speise des Täufers J. und ihre Entsprechungen in der Jesusüberlieferung, in: ZNW 32 (1933), 65-87; — Paul Joüon, Le costume d'Elie et celui de J. Baptiste, in: Bibl 16 (1935), 74-81; — G.H.C. MacGregor, Some Outstanding NT Problem VII: J. the Baptist and the Origins of Christianity, in: ET 46 (1935/36), 355-362; — George Edward Hicks, J. the Baptist: The Neglected Prophet, London 1942; — H. Vogels, Zur Gestalt des Täufers, in: Gloria Dei 1 (1946/47), 93-100; — C. Lattey, St.J. the Baptist, in: The Clergy Review 28 (1947), 391-396; — F.M. Braun, Le Baptême d'aprés le quatrieme Evangile, in: RThom 56 (1948), 347-393; — Harald Sahlin, Die Früchte der Umkehr, in: StTh 1 (1948), 54-68; — Walter Baumgartner, Zur Mandäerfrage, in: HUCA 23 (1950/51), 41-71; — Ders., Der heutige Stand der Mandäerfrage, in: ThZ 6 (1950), 401-410; — William Hugh Brownlee, A Comparison of the Convenients of the Dead Sea Scrolls with Pre-Christian Jewish Sects, in: BA 13 (1950), 69-72; — Ders., J. the Baptist in the New Light of Ancient Scrolls, in: Krister Stendahl (Hrsg.): The Scrolls and the NT, New York 1957 = London 1958, 33-53; — A. Retif, J. le Baptiste, missionaire du Christ, Paris 1950; — Carl Hermann Kraeling, J. the Baptist, New York/London 1951; — Ernst Käsemann, Die J.Jünger in Ephesus, in: ZThK 49 (1952), 144-154; auch in: Ders., Exegetische Versuche und Besinnungen 1, Göttingen ⁶1970, 158-168; — Ders., Aufbau und Anliegen

des johann. Prologs, in: Libertas Christiana, FS F. Delekat, München 1957, 75-99, auch in: Ders., EVB II, 155-180; — William Manson, J. the Baptist, in: Bulletin of the John Rylands Library 36 (1953-54), 395-412; — Alexandre Masseron, St. J. dans l'Art, Paris 1953; — Paul David van Royen, Jezus en J. de Dooper, Leiden 1953; — Antoine Franceschi, St. J.-Baptiste, Paris 1954; — Norbert Krieger, Fiktive Orte der J.-Taufe, in: ZNW 45 (1954), 121-123; — Jan Willem Doeve, De doop van J. en de proselietendoop, NedThT 9 (1954/55), 137-157; — Nils Alstrup Dahl, The Origin of Baptism, in: NTT 56 (1955), 36-52; — Jean Steinmann, Saint J. et la spiritualité du désert, Paris 1955; — Ders., J.d.T. in Selbstzeugnissen und Bilddokumenten, Hamburg 1960; — Albert S. Geyser, The Youth of J. the Baptist, in NovTest 1 (1956), 70-75; — Ders., The »Semeion« at Cana of the Galilee, in: Ders. u.a. (Hrsg.), Studies in John, FS J.N. Sevenster, Leiden 1970, 12-21; — Adolf Schlatter, J.d.T. (1880), Basel 1956; — Ethelbert Stauffer, Probleme der Priestertradition, in: ThLZ 81 (1956), 135-150; — Michael Brunec, De legatione Ioannis Baptistae, in: VD 35 (1957), 193-203; 262-270; 321-331; — Rudolf Macuch, Alter und Heimat des Mandäismus nach neuerschlossenen Quellen, in: ThLZ 82 (1957), 401-408; — John A.T. Robinson, The Baptism of J. and the Qumran Community, in: HThR 50 (1957), 175-191; — Ders., Elijah, J. and Jesus, An Essay in Detection, in: NTS 4 (1958), 263-281; — Ernst Bammel, Is Luke 16,16-18 of Baptist Provenience?, in: HThR 51 (1958), 101-106; — Ders., J. Did no Miracle, in: Charlie F.D. Moule (Hrsg.), Miracles, London 1965, 179-202; — Ders., The Baptist in the Early Christian Tradition, in: NTS 18 (1971/72), 95-128; — Otto Betz, Die Proselytentaufe der Qumransekte und die Taufe im NT, in: RdQ I (1958), 213-234; — Jean Daniêlou, Qumran und der Ursprung des Christentums, Mainz 1958, 16-28; — Ders., J.-Baptiste, témoin de l'Agneau, Paris 1964; — Rudolf Schnackenburg, Das vierte Evangelium und die J.-Jünger, in: HJ 77 (1958), 21-38; — Ders., Die Erwartung des »Propheten« nach dem NT und den Qumran-Texten, in: Studia Evangelica 73 (1959), 622-639; — Walter C. Till, J.d.T. in der apokalyptischen Literatur, in: MDAI (Abt. Kairo) 16 (1958), 310-332; — Geza Vermes, Baptism and Jewish Exegesis, in: NTS 4 (1958), 308-319; — Gerhard Friedrich, Art. profétes ktl. D. NT, in: ThW VI (1959), 838-842; — Clemens Kopp, Die heiligen Stätten der Evangelien, Regensburg 1959, 130-183; — Eduard Schweizer, Art. pneûma, in: ThW VI (1959), 387-453; — Wolfgang Trilling, Die Täufertradition bei Matthäus, in: BZ.NF 3 (1959), 271-289; — Agustin Arce, El topónimo natal del Precursor, in: EE 34 (1960), 825-836; — Ernest Best, Spirit-Baptism, in: NovTest 4 (1960), 236-243; — Raymond E. Brown, Three Quotations from J. the Baptist in the Gospel of John, in: CBQ 22 (1960), 292-298; — Kurt Rudolph, Die Mandäer I u. II (FRLANT 74/75), Göttingen 1960/61; — Ders., Antike Baptisten (SSAW.PH 121,4), Berlin 1981, 1012; — Edmund F. Sutcliffe, Baptism and Baptismal Rites at Qumran?, in: Heythrop Journal I (1960), 179-188; — Pierre Benoit, L'enfance de J.-Baptiste selon Luc I, in: NTS 3 (1956/57), 169-194; — Ders., Qumrân et le NT, in: NTS 7 (1961), 276-296; — Jean Bergeaud, S. J.-Baptiste, Tours 1961; — Marie-Emile Boismard, Le Prologue de Saint J., Paris 1953; — Dies., L'ami de l'Époux (Joh 3,29), in: Maurice Jourjon u.a. (Hrsg.), A la reconte de Dieu, [o.O.] 1961, 289-295; — Dies., Les traditions johannigues concernant le Baptiste, in: RB 70 (1963), 5-42; G.C. Darton, St. J. the Baptist and the Kingdom of Heaven, London 1961; — Jacques Dupont, L'ambassade de J.- Baptiste: NRTh 83 (1961), 805-821. 943-959; — David Flusser, The Baptism of J. and the Dead Sea Sect (hebr.), in: Essays on the Dead Sea Scrolls in Memory of Eleazar L. Sukenik, Jerusalem 1961, 209-239; — Ders., J.d.T., Leiden 1964; — Joachim Gnilka, Die essenischen Taufbäder und die J.-Taufe, in: RdQ 3 (1961-62), 185-207; — Ders., Der Täufer J. und der Ursprung der christl. Taufe, in: Bibel und Leben 4 (1963), 39-49; — Ders., Das Martyrium J.d.T.'s (Mk 6,17-29), in: Paul Hoffmann u.a. (Hrsg.), Orientierung an Jesus, Zur Theologie der Synoptiker, FS Josef Schmid, Freiburg i.Br./Basel/Wien 1973, 78-92; — Karl Barth, Von der Taufe des J. zur Taufe auf den Namen Jesu, in: Ders. u.a. (Hrsg.), Existenz und Ordnung, FS Erik Wolf, Frankfurt a.M. 1962, 3-14; — George R. Beasley-Murray, Baptism in the NT, London 1962; — Alfred Robert Clare Leaney, The Birth Narratives of St.Luke and St.Matthew, in: NTS 8 (1962), 158-166; — Georg Richter, Bist du Elias?, in: BZ 6 (1962), 79-92, 238-256; — Ders., Zu den Tauferzählungen Mk 1,9-11 und Joh 1,32-34, in: ZNW 65 (1974), 43-56; — John Pryke, J. and the Qumran Community, in: RdQ 4 (1963-64), 483-496; — William Foxwell Albright, Recent Discoveries in Palestine and the Gospel of St.John, in: William David Davies u. David Daube (Hrsg.), The Background of the NT and its Eschatology, Cambridge 1964, 153-171; — K. Chamblin, J. the Baptist and the Kingdom of God, in: TynB 15 (1964), 10-16; — Josef A. Sint, Die Eschatologie des Täufers, die Täufergruppen und die Polemik der Evangelien, in: Kurt Schubert (Hrsg.), Vom Messias zum Christus, Freiburg i.Br./Basel/Wien 1964, 55-163; — Traugott Holtz, Die Standespredigt J.d.T.'s, in: Albert Schweitzer (Hrsg.), Ruf und Antwort, FS Emil Fuchs, Leipzig 1964, 461-474; — Hartwig Thyen, Baptisma metanoías eis áphesin hamartiōn, in: Erich Dinckler (Hrsg.), Zeit und Geschichte, FS Rudolf Bultmann, Tübingen 1964, 47-54, 93-125; — Ders., Studien zur Sündenvergebung im NT und seinen atl. u. jüd. Voraussetzungen (FRLANT 96), Göttingen 1970, insb. 131-145; — Ders., Art. J. in: EWNT 2 (1981), 518-521; — Heinrich Schützinger, Die arabische Legende von Nebukadnezar und J.d.T., in: Der Islam 40 (1964-65), 113-141; — J. Duncan M. Derret, Herod's Oath and the Baptist's Head, in: BZ 9 (1965), 45-59, 233-246; — Leander E. Keck, J. the Baptist in Christianized Gnosticism, in: C. Jouco Bleeker (Hrsg.), Initiation (SHR 10), Leiden 1965, 184-194; — Ulrich Mann, Die Bedeutung J.d.T.'s für den Johanniterorden im 20.Jahrhundert, in: Gemeinsame Johannestagsfeier der Johanniter- und Malteserritter, Heidelberg 1965, 12-22; — Philipp Vielhauer, Das Benedictus des Zacharias (Lk 1,68-79), in: Ders., Aufsätze zum NT (TB 31), München 1965, 28-46; — Ders., Tracht und Speise J.d.T.'s, ebd., 47-54; — Herbert Braun, Der Täufer, die Täufertaufe und die christl. Taufe, in: Ders., Qumran und das NT, Bd. 22, Tübingen 1966, 1-29; — Ders., Die Täufertaufe und die qumranischen Waschungen, in: ThViat 9 (1963), 1-4; — John Knox, »Prophet« in NT Christology, in: R.A. Norris (Hrsg.), Lux in lumine, FS W. Norman Pittenger, New York 1966, 23-34; — Ignace de La Potterie, Mors Joannis Baptistae (Mk 6,17-29), Charakteres litterarii huius narrationis, in: VD 44 (1966), 142-151; — Ders., J. et Jésus témoins de la vérité d'aprés le 4e Evangile, in: Enrico Castelli (Hrsg.), Le témoignage, Paris 1972, 317-

330; — Patrik Reuterswärd, Den unge J. Döparen i öknen: Kring en teckning av Filippino Lippi, in: E.Forssman u.a. (Hrsg.), Konsthistoriska Studier, FS Sten Karling, Stockholm 1966, 79-100; — W.-J. Duliére, Les adaptions de J. le Baptiste à la structuration du NT, in: ZRGG 19 (1967), 308-320; — Leo Oster, Propheten als Leitbilder priesterlicher Existenz, J.d.T. - Freund des Herrn, in: Sein und Sendung 32 (1967), 270-274; — M. Sabbe, Le baptême de Jésus, Etudes sur les origines litteraires du récit des Évangiles synoptiques, in: Ignace de la Potterie (Hrsg.), De Jésus aux Évangiles, FS Joseph Coppens (BEThL 25), Gembloux 1967, 184-211; — Roland Schütz, J.d.T. (AThANT 50), Zürich, Stuttgart 1967; — Martin Hengel, Nachfolge und Charisma (BZNW 34), Berlin 1968, 38-40; — James Marrow, J. the Baptist, Lantern for the Lord, in: Oud-Holland 83 (1968), 3-12, 85 (1970), 188-193; — Arthur Gerald Patzia, Did J. the Baptist Preach a Baptism of Fire and the Holy Spirit ?, in: Evangelical Quarterly 40 (1968), 21-27; — Walter Wink, J. the Baptist in the Gospel Tradition (MSSNTS 7), Cambridge 1968; — Morna Hooker, J. the Baptist and the Johannine Prologue, in: NTS 16 (1969/70), 354-358; — A. Rebic, Das Auftreten und die Predigt J.d.T.'s, Rom 1969; — C.H.H. Scobie, J. the Baptist, London 1969, insb. 58-69, 112ff.; — Sebastian P. Brock, The Baptist's Diet in Syriac Sources, in: OrChr 54 (1970), 113-124; — Augustin George, Le paralléle entre J. et Jésus en Lc 1-2, in: Albert Descamps u. André de Halleux, Mélanges bibliques en hommage au R.P. Béda Rigaux, Gembloux 1970, 147-171; — Heinrich Kahlefeld, Die Gestalt des Täufers in den Evangelien, in: BiKi 25 (1970), 20-23; — Werner Georg Kümmel, »Das Gesetz und die Propheten gehen bis J.« - Lk 16,16 im Zusammenhang der heilsgeschichtlichen Theologie der Lukasschriften, in: Otto Böcher, Klaus Haacker (Hrsg.), Verborum Veritas, FS Gustav Stählin, Wuppertal 1970, 89-102, auch in: Erich Grässer, Otto Merk (Hrsg.), Heilsgeschehen und Geschichte, Bd. II, Marburg 1978, 75-86; — Ders., Jesu Antwort an J.d.T., in: Sitzungsberichte der wissenschaftl. Gesellschaft an der J.W.Goethe- Univ. Frankfurt a.M. 11,4, Wiesbaden 1974, 129-159, auch in: Erich Grässer, Otto Merk (Hrsg.), Heilsgeschehen und Geschichte, Bd.2, Marburg 1978, 177-201; — Christian Payot, J. censuré, in: Etudes théologigues et religieuses 45 (1970), 273-284; — Renato Roli, Un inedito San J. di Francesco Zaganelli, in: Mario Fanti u.a. (Hrsg.), San Giovanni Battista dei Celestini, Bologna 1970, 95-104; — Barbara Nordmeyer, Bilder von J.d.T., in: Die Christengemeinschaft 43 (1971), 202ff.; — Otto Böcher, Wasser und Geist, in: Ders., Klaus Haacker (Hrsg.), Verborum Veritas, FS Gustav Stählin, Wuppertal 1970, 197-209; — Ders., »Aß J.d.T. kein Brot?« (Lk 7,33), in: NTS 18 (1971-72),90-92; — Ders., J.d.T. in der neutestamentl. Überlieferung, in: Rechtfertigung, Universalismus, Realismus, FS Adolf Köberle, Darmstadt 1978, 45-68; — Ders., Lukas und J.d.T., in: SNTU 4 (1979), 27-44; — Ders., Art. J.d.T., in: TRE 16 (1987), 172-181; — Kurt Aland, Zur Vorgeschichte der christl. Taufe, in: NT und Geschichte, FS Oscar Cullmann, Zürich/Tübingen 1972, 1-14; — Jürgen Becker, J.d.T. und Jesus von Nazareth (BSt 63), Neukirchen-Vluyn 1972; — John H. Hughes, Disciples of J. the Baptist, Master Thesis Durham 1969; — Ders., J. the Baptist, the Forerunner of God Himself, in: NovTest 14 (1972), 191-218; — John Reumann, The Quest for the Historical Baptist, in: Ders. (Hrsg.), Understanding the Sacred Text, FS Morton S.

Enslin, Valley Forge 1972, 181-199; — J.Merle Rife, The Standing of the Baptist, in: Eugene Howard Barth u. Ronald Edwin Cocroft (Hrsg.), FS Felix Wilbur Gingrich, Leiden 1972, 205-208; — Anton Vögtle, Die sog. Taufperikope Mk 1,9-11, Zur Problematik der Herkunft und des ursprünglichen Sinns, in: EKK.V 4, Zürich, Einsiedeln, Köln, Neukirchen-Vluyn 1972, 105-139; — Ders., J.d.T., in: Peter Manns (Hrsg.), Die Heiligen, Mainz 1975, 1-6; — James K. Elliot, Did the Lord's Prayer Originate with J. the Baptist?, in: ThZ 99 (1973), 215ff.; — Eta Linnemann, Jesus und der Täufer, in: Gerhard Ebeling u.a. (Hrsg.), FS Ernst Fuchs, Tübingen 1973, 219-236; — Joseph Schmitt, Le milieu baptiste de J. le Précurseur, in: RevSR 47 (1973), 391-407; — Martin Völkel, Anmerkungen zur lukan. Fassg. d. Täuferfrage Lk 7,18-23, in: Walter Dietrich u.a. (Hrsg.), Theokratia, FS Karl Heinrich Rengstorf, Leiden 1973, 166-173; — Ders., »Freund der Zöllner und Sünder«, in: ZNW 69 (1978), 1-10; — E.W. Burrow, Did the Baptist call Jesus »the Lamb of God«?, in: Expository Times 85 (1974), 245-249; — Morton S. Enslin, J. and Jesus, in: ZNW 66 (1975), 1-18; — Leonhard Goppelt, J., in: Jürgen Roloff (Hrsg.), Theologie des NT, Bd. 1, Göttingen 1975, 83-93; — S.T. Lachs, J. the Baptist and His Audience, in: Gratz College Annual of Jewish Studies 4 (1975), 28-32; — Friedrich Lang, Erwägungen zur eschatologischen Verkündigung J.d.T.'s, in: Georg Strecker (Hrsg.), Jesus Christus in Historie und Theologie, FS Hans Conzelmann, Tübingen 1975, 460-473; — Olof Linton, J. Doeber, J.dab og andsdab i Lukasskriftene, in: Niels Hyldahl (Hrsg.), Hilsen til Noack, Kopenhagen 1975, 43-49; — Peter von der Osten-Sacken, Der erste Christ, J.d.T. als Schlüssel zum Prolog dem 4.Evangeliums, in: ThViat 13 (1975/76), 155-173; — Eugene A. La Verdiere, J. the Prophet, in: BiTod 77 (1975), 323-330; — Peter Wolf, Gericht und Reich Gottes bei J. und Jesus, in: Paul Fiedler, Dieter Zeller (Hrsg.), Gegenwart und kommendes Reich, FS Anton Vögtle, Stuttgart 1975, 43-49; — Albert Fuchs, Intention und Adressaten der Bußpredigt des Täufers bei Mt 3, 7-10, in: Ders. (Hrsg.), Jesus in der Verkündigung der Kirche (SNTU A,1), Linz 1976, 62-65; — Bo Reicke, Die Verkündigung des Täufers bei Lukas, ebd., 50-61; — Ders., Die jüd. Baptisten und J.d.T., ebd., 76-88; — Ders., The Historical Setting of J.'s Baptism, in: Ed Parish Sanders (Hrsg.), Jesus, the Gospels and the Church, Macon, Ga. 1987, 209-224; — Lars Hartmann, Taufe, Geist und Sohnschaft, in: Albert Fuchs (Hrsg.), Jesus in der Verkündigung der Kirche (SNTU A,I), Linz 1976, 89-109; — Sheerin Daniel, St.J. the Baptist in the Lower World, in: VigChr 30 (1976), 1-22; — Dale G. Robinson u.a., The Fire Image in Heraklitus and J. the Baptist, a Cross-Cultural Comparison, in: International Journal of Symbology 7 (1976), 28-41; — Santos Sabugal, La embajada mesiánica del bautista, in: Augustinianum 17 (1977), 395-424; — Ders., La embajada de J. Bautista, Madrid 1980; — David R. Catchpole, J. the Baptist, Jesus and the Parable of the Tares, in: SJTh 31 (1978), 557-570; — Harold E. Fagal, J. the Baptist and the Synoptic Tradition, in: W. Ward Gasgue (Hrsg.), Scripture, Tradition and Interpretation, Grand Rapids, Mich. 1978, 127-145; — Paul W. Hollenbach, Social Aspects of J. the Baptizer's Preaching Mission in the Context of Palestinian Judaism, in: ANRW II 19,1 (1979), 856-875; — Ders., The Conversion of Jesus, in: ANRW II 25,1 (1982), 196-219; — E. Chafik-abn-el-Malek, Les reliques de St. J.-Baptiste sont-elles en Egypte?, in: Le Monde Copte 6 (1979), 55-62; — Otto F. Meinardus, The Relics of St. J. the Baptist and the Prophet Elisha, in: Leslie S. MacCoull (Hrsg.), Coptic Studies, FS Mirrit Boutros Ghali, Kairo 1979, 26-63; — Barbara Elizabeth Thiering, Redating the Teacher of Righteousness, (Australian and New Zealand studies in theology and religion 1), Sydney 1979; — Michael Bachmann, J.d.T. bei Lukas: Nachzügler oder Vorläufer?, in: Wilfrid Haubeck (Hrsg.), Wort in der Zeit, FS Karl Heinrich Rengstorf, Leiden 1980, 123-155; — Leonard F. Badia, The Qumran Baptism and J. the Baptist's Baptism, Lanham 1980; — Ders., The Qumran Baptism, in: IJT 33 (1984), 10-23; — Helmut Köster, Einführung in das NT, Berlin/New York 1980, 506ff.; — Robert J. Matthews, A Burning Light, in: Mark E. Petersen u.a. (Hrsg.), A Symposium on the NT, Salt Lake City 1980, 123-127; — John P. Meier, J. the Baptist in Matthew's Gospel, in: JBL 99 (1980), 383-405; — Etienne Trocmé, J.- Baptiste dans le quatrieme Évangile, in: RHPhR 60 (1980), 129-151; — Samuel Benetreau, Baptemes et ablutions dans le Judaisme: L'Originalite de J.-Baptiste, in: Foi Vie 80 (1981), 96-108; — Helmut Merklein, Die Umkehrpredigt bei J.d.T. und Jesus von Nazareth, in: BZ 25 (1981), 29-46; — Pierson Parker, Jesus, J. the Baptist and the Herods, in: Perspectives in Religious Studies 8 (1981), 4-11; — Joseph Kottackal, The Herald of Repetance, in: Biblebhasyam 8 (1982), 21-28; — Volker Schönle, J., Jesus und die Juden (BET 17), Frankfurt a.M., Bern 1982; — V. Schou-Pedersen, Überlieferungen über J.d.T. (1940), in: Geo Widengren (Hrsg.), Der Mandäismus (WdF 167), Darmstadt 1982, 206-226; — Stevan L. Davies, J. the Baptist and Essene Kashrut, in: NTS 29 (1983), 569-571; — Edgar M. Krentz, None Greater Among Those Born From Women: J. The Baptist in the Gospel of Matthew, in: Curr Th Miss 10 (1983), 333-338; — Gösta Lindeskog, J.d.T., Einige Randbemerkungen zum heutigen Stand der Forschung, in: ASTI 12 (1983), 55-83; — Walter L. Owensby, Jesus' Baptism and the Call of Disciples and Prophets, in: Dieter T. Hessel (Hrsg.), Social Themes of the Christian Year, Louisville, Ky. 1983, 74-79; — Ellis Rivkin, Locating J. the Baptizer in Palestinian Judaism: The Political Dimension, in: SBL Seminary Papers 22 (1983), 79-85; — Wolfgang Schenk, Gefangenschaft und Tod des Täufers, Erwägungen zur Chronologie und ihren Konsequenzen, in: NTS 29 (1983), 453-483; — Charles K. Barrett, Apollos and the Twelve Disciples of Ephesus, in: William C. Weinrich (Hrsg.), The New Testament Age, FS Bo Reicke, Bd. I, Macon Ga. 1984, 29-39; — J. Doignon, Le sens d' une formule relative a J.-Baptiste dans l'in Matthaeum d' hilaire de poitiers, in: Vetera Christianorum 21 (1984), 27-32; — Josef Ernst, Öffnet die Türen dem Erlöser, J.d.T., seine Rolle in der Heilsgeschichte, in: ThGl 74 (1984), 137-165; — Ders., War Jesus ein Schüler J. des Täufers?, in: Hubert Frankemölle, Karl Kertelge (Hrsg.), Vom Urchristentum zu Jesus, FS Joachim Gnilka, Freiburg i.Br., Basel, Wien 1989, 13-33; — Ders., J.d.T. (BZNW 53), Berlin, New York 1989; — Harry Fleddermann, J. and the Coming One, in: SBL Seminary Papers 23 (1984), 377-384; — Gordon MacDonald, J. the Baptizer and Obedience, in: John E. Kyle (Hrsg.), The Unfinished Task, Ventura, Ca. 1984, 39-47; — Robert Macina, J. le Baptiste etait-il Elie, in: POC 34 (1984), 209-232; — Vyacheslav Reznizov, On the Day of the Beheading of J. the Baptist, in: J Moscow Patr 8 (1984), 48-49; — Christiane Saulnier, Herode Antipas et J. le Baptiste, in: RB

91 (1984), 362-376; — Chong-Hyon Sung, Sündenvergebung Jesu bei den Synoptikern und ihre Voraussetzungen im
AT und Frühjudentum, Diss. Tübingen 1984; — Etienne
Nodet, Jésus et J.-Baptiste selon Joséphe, in: RB 92 (1985),
321-348.497-524; — Michael Wolter, Apollos und die ephe-
sinischen J.jünger, in: ZNW 78 (1987), 49-73; Hermann
Lichtenberger, Täufergemeinden und frühchristl. Täuferpo-
lemik im letzten Drittel des 1. Jh.s, in: ZThK 84 (1987),
36-57; — Ders., Reflections on the History of J. the Baptist's
Communities, in: FolOr 25 (1989), 45ff.; — Rainer Riesner,
J.d.T. auf Machärus, in: BiKi 39 (1984), 176; — Joseph
Vives, J. Bautista, heraldo de la novedad del Reino, in: Sal
Terrae 72/857 (1984), 775-784; — Maurice Chevalon, J. le
Baptiste et Salomé ou l'insaisissable vérité, in: Cahiers du
Cercle Ernest-Renan 33/40 (1985), 24-26; — Poul Nepper-
Christiansen, Die Taufe im Mt.-Evang. im Lichte der Traditionen über J.d.T., in: NTS 31 (1985), 189-207; — Carl R.
Kazmierski, The Stones of Abraham, in: Bibl 68 (1987),
22-40; — Joan E. Taylor, A Graffito Depicting J. the Baptist
in Nazareth?, in: PEQ 119 (1987), 142-148; — Stephanie
von Dobbeler, Das Gericht und das Erbarmen Gottes (BBB
70), Frankfurt a.M. 1988; — Edmondo Lupieri, Viva San J.,
in: Numen 35 (1988), 79-107; — ders., J. fra Storia e Legenda (Bibliotheca di Cultura Religiosa 53), Brescia 1988; —
ders., J. nelle tradizioni sinottiche (Studi Biblici 82), Brescia
1988; — Robert J. Miller, Elijah, J. and Jesus in the Gospel
of Luke, in: NTS 34 (1988), 611-622; — Thomas Kaut,
Befreier und befreites Volk (BBB 77), Frankfurt a.M. 1990;
— Jerome Murphy O'Connor, J. the Baptist and Jesus:
History and Hypotheses, in: NTS 36 (1990), 359-374; —
F.H. Scheffler, The Social Ethics of the Lucan Baptist, in:
Neotestamentica 24 (1990), 21-36; — Otto Betz, Was J. the
Baptist an Essene?, in: BibRev 6 (1990), 18-25; — Caetano
Minette de Tillesse, Uma tradição batista?, in: Revista Bíbli-
ca Brasileira [Fortaleza] 7 (1990), 213-248; — Knut Back-
haus, Die »Jüngerkreise« des Täufers J. (PThS 19), Pader-
born, München, Wien, Zürich 1991; — Robert C. Webb, J.
the Baptizer and Prophet (JSNT Suppl. 62), Sheffield 1991;
— Bauer[6], 780; — BHH II, 871f.; — BS VI, 599-624; —
Catholicisme VI, 365-377; — DBV III, 1156-1159; — DSp
VIII, 175-192; — DThC VIII, 1, 646-656; — EC VI, 515-
527; — EKL II, 355-357; — EDR II, 1907f.; — EDTh
587ff.; — Martin Bocian u.a., Lexikon der bibl. Personen,
Stuttgart 1989, 251-257 (J. in Dichtung, Musik und Kunst);
— LThK[2] V, 1084-1089; — NTL II, 170-175; — RE IX,
320-327; — RGG[3] III, 804-808; — SBU I, 1188ff.; —
Wetzer-Welte VI, 1525-1536.

Michael Tilly

JOHANNES TAULER (Taler, Taweler), OP,
deutscher Mystiker, * im ersten Jahrzehnt nach
1300 in Straßburg, † 16.6. 1361 (Grabstein am
Hauptportal der neuen Kirche). — Im Alter von
etwa 14 Jahren trat J. in den Dominikarorden in
Straßburg ein und erhielt die zu seiner Zeit übliche 6-7jährige Ausbildung. Nikolaus von Straßburg gehörte zu seinen Lehrern. Ob J. anschließend zu einem höheren theologischen Studium
nach Köln geschickt wurde und dort mit Eckhart
und Seuse zusammentraf, ist umstritten. Bis
1338/39 wirkte J. als Prediger und Seelsorger in
Straßburg. In den Auseinandersetzungen zwischen Papsttum und Kaiser schloß Straßburg
sich an Ludwig den Bayern an und wurde von
Johannes XXII. mit dem Interdikt belegt. Der
Dominikanerkonvikt und mit ihm J. waren gezwungen, die Stadt zu verlassen und gingen
nach Basel. Dort kam J. in Kontakt mit Heinrich
v. Nördlingen und dem Kreis der Gottesfreunde.
1346/47 kehrte er nach Straßburg zurück und
fand auch dort einen Kreis von Gottesfreunden
vor, u. a. Rulman Merswin. Reisen führten ihn
wiederholt nach Köln, Paris und Holland. J.
stand in Verbindung mit Heinrich Seuse, Heinrich v. Loewen, Johannes Ruysbroek, Egenolf v.
Ehenheim, Dietrich v. Colmar, Christine und
Margareta Ebner, Venturio v. Bergamo. Der Bericht der Bekehrung vom »Gottesfreund im
Oberland« im Jahr 1346, das sogenannte Mei-
sterbuch (in der ersten Druckausgabe von J. Predigten - 1948/Leipzig - als Historia Tauleri enthalten), wurde lange für J.s Beschreibung eines
entscheidenden Abschnittes in seinem Leben
gehalten. Seit der zweiten Hälfte des letzten
Jahrhunderts ist die Frage nach der Identität des
Gottesfreundes und nach dem Verfasser umstritten und gilt heute als ungelöst. Dennoch gibt die
Erzählung Auskunft darüber, wie J. lange Zeit
aufgefaßt und mit welcher geistigen Strömung
er in Verbindung gebracht worden ist. Ethisches
Erneuerungsstreben, eine Form von Laienfröm-
migkeit und Antiklerikalismus bilden Schwerpunkte des »Meisterbuches« und kennzeichnen
seine Verbindung mit einer mystischen Fröm-
migkeitsbewegung, zu der auch die »Gottesfreunde« zählten, eine nicht organisierte Gemeinschaft von Frauen und Männern, die Glau-
bensvertiefung und ethische Entwicklung suchten. — J.s Lehre ist auf dem Hintergrund zeitbe-
dingter Umstände zu sehen. Zum einen zeigen
sich Verfallsymptome im eigenen Orden mit der
Folge, daß das strenge Gemeinschaftsleben zugunsten privater Bequemlichkeiten aufgegeben
wurde. Zum anderen führte der politische Konflikt zwischen Papsttum und Kaiser zu einer
erheblichen Einschränkung der öffentlichen
Gottesdienstarbeit der Klöster. Private Seelsor-

ge trat in den Vordergrund. Die große Pest von 1439, der innerhalb von 7 Jahren ein Viertel der europäischen Bevölkerung zum Opfer fiel (in Straßburg starben etwa 16.000 Menschen), führte zu drastischer Verschlechterung der Lebensmittelversorgung und der Wirtschaftslage, das Bildungssystem erreichte einen Tiefpunkt, Aufstandsversuche wurden blutig niedergeschlagen. Die Pest wurde als Strafe Gottes verstanden; die Endzeitstimmung äußerte sich in Reaktionen wie Flagellantentum, extremen religiösen Erlebnissen, Teufelskulten, Gottesverleugnung, Aberglaube, Dekadenz einer »ars moriendi«. J.s Lehre basiert auf den beiden Schwerpunkten: Vereinigung des Menschen mit Gott in unio mystica und ethische Vervollkommnung des Menschen. Der Mensch strebt von Natur aus der Annäherung an Gott zu; das vollkommene Sein Gottes ist sein Ziel. Um die Gottesvereinigung erfahren zu können, muß der Mensch zuerst zu einer persönlichen inneren Einheit gelangen. J. gibt Ratschläge und Weisungen zur Vorbereitung auf die Erfahrung der unio mystica, der Seins-Erfahrung, in der der Mensch die Zusammengehörigkeit alles Seienden erlebt. Die Vorbereitung, bei der die Liebe zu Gott Antrieb des Willens und entscheidender als Vernunft und Verstand ist, muß aktiv betrieben werden, die Erfahrung der Gottesvereinigung, bestimmt von Gefühl und Erlebnis, dagegen kann nicht herbeigeführt werden. Vorbereitung zu und Erfahrung in unio mystica wirken in ethisch verantwortetem Leben nach. Die aktive persönliche Vorbereitung ist für das mystische Erlebnis Voraussetzung und gibt dieser Erfahrung durch die ethische Ausrichtung des Menschen die entscheidende Bedeutung. Die persönliche Erfahrung religiöser Inhalte - in je individueller, zeitgebundener Ausgestaltung - und die aktive, auf das alltägliche Leben gerichtete ethische Verantwortung sind Ziel der Entwicklung zu und in der Gottesvereinigung und Kern Taulerscher Mystik.

Werke: J. T., Predigten, Basel 1522, unveränd. Neudruck 1966; Die Predigten J.s aus den Engelberger und den Freiburger Handschriften, hrsg. v. F. Vetter, in: Deutsche Texte des MA.s, hrsg. v. der Königl. Preuss. Akademie der Wissensch., Bd. XI, 1910; The Sermons and Conferences of J. T. First Complete English Translation by W. Elliot, 1910; œuvres complètes de J., I, hrsg. v. E. P. Noël, 1911; T.s Predigten, übertr. v. W. Lehmann, 2 Bde., 1913; J. T.s Predigten, in

Auswahl übers. und eingel. v. L. Naumann: Der Dom, Bücher dt. Mystik, 1923; Ausgew. Predigten J. T.s, hrsg. v. L. Naumann, in: Kleine Texte für Vorlesungen und Übungen, hrsg. v. H. Lietzmann, Nr. 127, 1914; G. Théry, Sermons de T. I. Introduction historique, 1928; Sermons et autres écrits de J. T., ed. par É. Hugueny, G. Théry, A. L. Corin, 3 Bde., 1927, 1930, 1935; Signposts to Perfection. A Selection from the Sermons of J. T. Selected, edited and translated by E. Strakosch, 1958; J. T. Predigten. Vollst. Ausgabe. Übertr. und hrsg. v. G. Hofmann, 1961; Dt. Mystik. Aus den Schriften v. Heinrich Seuse und J. T. Ausgew. und mit einem Nachwort vers. v. W. Zeller, 1967; Textbuch zur Mystik des dt. MA.s: Meister Eckhart, J. T., Heinrich Seuse, hrsg. v. J. Quint, 1978[3].

Lit.: C. Schmidt, J. T. von Straßburg, 1841, Neudruck 1972; — H. S. Denifle, T.s Bekehrung krit. unters., in: Quellen u. Forschungen z. Sprach- und Culturgesch. d. germ. Völker, 36, 1879; — G. Siedel, Die Mystik T.s nebst einer Erörterung über den Begriff der Mystik, 1911; — A. Müller, Luther und T. - auf ihren theol. Zusammenhang neu unters., 1918; — O. Scheel, T.s Mystik und Luthers reform. Entdeckung, in: Festgabe für Julius Kaftan, 1920; — A. Vogt-Terhorst, Der bildliche Ausdruck in den Predigten J. T.s, in: Germanistische Abhandlungen, 51, hrsg. v. Fr. Vogt, 1920; — J. Zahn, T.s Mystik in ihrer Stellung zur Kirche, in: Ehrengabe dt. Wissenschaft f. Joh. Georg zu Sachsen, hrsg. v. Fr. Fessler, 1920; — A. Corin, La tombe de T., in: Revue Belge de philologie e d'histoire, I, 1922; — H. Dick, T. als Prediger, 1923; — A. Korn, T. als Redner, 1928; — K. Grunewald, Studien zu T.s Frömmigkeit, in: Beiträge z. Kulturgesch. des MA.s u. der Renaissance, 44, 1930; — C. Kirmsse, Die Terminologie des Mystikers J. T., Diss. Leipzig, 1930; — G. Fischer, Gesch. der Entdeckung der dt. Mystiker Eckhart, T. und Seuse im XIX. Jahrhundert, 1931; — W. Oehl, Dt. Mystikerbriefe des MA.s 1100-1550, 1931; — Fr.-W. Wentzlaff-Eggebert, Stud. zur Lebenslehre T.s, in: Abhandl. der Preuss. Akad.- d. Wissenschaften, phil.-hist. Kl. Nr. 15, 1940; — L. Karsch, Das Bild vom Menschen bei T. und Thomas a Kempis, Diss. Würzburg, 1947; — J. M. Clark, The Great German Mystics, T. and Suso, 1949; — M. Brügger, Der Weg des Menschen nach der Predigt des J. T. Stud. z. Bedeutungsfelde des Wortes »Minne«, Diss. Tübingen, 1955; — M. de Gandillac, Valeur de temps dans la pédagogie spirituelle de J. T., 1956; — B. Moeller, Die Anfechtung bei T., Diss. Mainz, 1956; — H. Kunisch (Hrsg.), Eckhart, T., Seuse, Ein Textbuch aus der altdt. Mystik, in: Mittelalterl. Theol. u. Philos., Bd. 1, 1958; — P. Wyser, Der Seelengrund in T.s Predigten, in: Lebendiges MA, Festgabe für Wolfgang Stammler, 1958; — M. E. Becker, Unters. zu dem Tauler zugeschriebenen Lied »Es kumpt ein Schiff galaden«, in: J. T. Ein dt. Mystiker. Gedenkschrift zum 600.Todestag, hrsg. v. E. Filthaut, 1961; — A. Hufnagel, T.s Gottesbild und Thomas von Aquin, in: Gedenkschrift, 1961; — E. Kihm, Die Drei-Wege-Lehre bei T., in: Gedenkschrift, 1961; — H. Ch. Scheeben, Zur Biographie J. T.s, in: Gedenkschrift, 1961; — D. Schlüter, Philos. Grundlagen der Lehren J. T.s, in: G. M. Schneiders, Die Askese als Weltentsagung und Vollkommenheitsstreben bei T., in: Gedenkschrift, 1961; — I. Weilner, T. und das Problem der Lebenswende, in: Gedenkschrift, 1961; — Ders., J. T.s Bekehrungsweg. Die Erfahrungsgrundlagen seiner Mystik. Studien z. Gesch. d. kath. Moraltheologie, hrsg. v. M. Müller, Bd. 10, 1961; — D. Mieth, Die Einheit von vita activa und vita contemplativa in den dt. Predigten und Traktaten Meister Eckharts und bei J. T., 1969; — G. Wrede, Zur Frage des Gottesbegriffes bei J. T., in: Studia Theologica, 23, 1969; — Ders., Unio Mystica. Probleme der Erfahrung bei J. T., 1974; — G. v. Siegroth-Nellessen, Versuch einer exakten Stiluntersuchung für Meister Eckhart, J.T. und Heinrich Seuse, 1979; — L. Gnädiger, Gotteserfahrung und Weg in die Welt, J. T., 1983; — E. Jungclaussen, Der Meister in dir. Entdeckungen der inneren Welt nach J. T., 1986[7]; — A.M. Haas, Geistl. Mittelalter, 1984.

Jürgen Lott

JOHANNES *von Tepl* (oder: von Šitboř), Verfasser eines ergreifenden Streitgesprächs über den Tod, * um 1345/50 in Šitboř/Westböhmen, † 1414/15 in Prag. — J. besuchte die Klosterschule zu Tepl (mit Tschechisch und Deutsch als Unterrichtssprachen), studierte (da in Prag erst seit 1390 Römisches Recht gelehrt wurde) in Paris, wo er den Magistergrad sowie scholastische und juristische Kenntnisse erwarb. Sein Vater Henslin de Šitboř, »dominus« genannt und Besitzer des Dorfes, war wohlhabend genug, J.'s Studium zu finanzieren. J. kehrte etwa 1370 zurück, lernte in der kaiserlichen Kanzlei, wo er den Einfluß des Frühhumanisten, Stilistikers und Übersetzers J. von Neumarkt erfuhr, der aber 1371 bei Karl IV. in Ungnade fiel und sich 1373 ganz auf seinen Bischofssitz Olmütz zurückzog. Schon 1373 wurde J. Stadtschreiber in Saaz sowie »rector scholarium« der Saazer Lateinschule, zusätzlich »notarius publicus imperiali auctoritate« (unklar ist, ob diese Ernennung noch durch Karl IV. erfolgte oder erst durch König Wenzel, der J. 1404 »für treue Dienste« Besteuerung jedes auf dem Saazer Markt Fleisch Verkaufenden zusprach). Im Jahr 1411 wurde J. Stadtnotar der Prager Neustadt, erkrankte 1413 und starb 1414/15. — Die Gebildetenschicht Böhmens in der Luxemburgerzeit war durchwegs dreisprachig (tschechisch, deutsch, lateinisch). Da J. im rein tschechischen Šitboř aufwuchs und Glossen sowie Gedichte in tschechischer Sprache schrieb, war seine Muttersprache wohl Tschechisch und diese Sprache brauchte er auch in Tepl, Saaz und Prag in Schule und Amtsstube. Sein als »Ackermann aus Böhmen« (AaB) weltbekanntes deutsches

Streitgespräch zwischen Witwer und Tod verwertet lateinische Stilistik und verleugnet nicht das Vorbild des Seneca zugeschriebenen Gespräches zwischen Witwer und Tod und des »Dialogus mortis cum homine«. Die zum Teil wörtlichen Anklänge in dem viel umfangreicheren, 1409 verfaßten tschechischen »Tkadlecek« mit viel ausführlicheren Autorenzitaten und andere Einzelheiten erweisen, daß Ludwig (von Prag ?) bei seinem »Tkadleček« einen lateinischen Vorgänger des AaB aus der Zeit Karls IV. († 1378) benutzt hat. Da J.'s Vater den noch im AaB Kapitel 27 enthaltenen Rat, in den geistlichen Stand zu treten, wirklich befolgte und vor 7.5. 1375 als Dorfpfarrer (»plebanus«) von Šitboř starb, hat J. wohl um 1370 beim Tod der Mutter zum Trost des Vaters eine scholastische Disputation zwischen Witwer und Tod verfaßt, die sowohl die Grundlage für Ludwigs »Tkadleček« 1409 wie für J.'s eigenen AaB von 1401 wurde. Zu Ehren seiner 1400 im Kindbett gestorbenen deutschsprachigen Gattin und in tiefem Schmerz um sie machte er aus der lateinischen Disputation ein stilistisches deutsches Wortkunstwerk und eine tiefgründige Auseinandersetzung mit dem Problem des Todes. Den 33 Kapiteln, die mit dem Richterspruch Gottes schließen, fügt er eine litaneiartige, an das Buch der Liebkosungen des Johann von Neumarkt angelehnte Fürbitte für die Seele der Toten an, die auf Anrufung der Heiligen verzichtet und den unergründlichen Gott in zahllosen Vergleichen beschwört und J. auf dem Weg vom Mittelalter zu Renaissance und Reformation zeigt.

Werke: Ausgaben: AaB hg. von Johann Knieschek, Prag 1877; Alois Bernt/Konrad Burdach, 1917 (Vom MA zur Ref. III, 1); Arthur Hübner, 1937 (vgl. H. Rosenfeld, Archiv für das Stud. nach Spr. und Lit. 173, 1938, 257 f.); Hans Rupprich, 1938; L. L. Hammrich/Günther Jungbluth, Kopenhagen 1951 (vgl. H. Rosenfeld, Studia neophilologica 25, 1955, 87 ff.); Willy Krogmann, 1954 (Dt. Klassiker des MA.s, NF 1); Günther Jungbluth, 1969; M. O'C. Walshe, London 1962. — Übersetzungen: v. Alfred Hübner, 1947; Felix Genzmer, 1951 (Reclams Universalbibliothek 7666); Willy Krogmann, 1957 (Inselbücherei 148).

Lit.: Konrad Burdach, Der Dichter des AaB und seine Zeit, 1926/1932 (Vom MA zur Ref. 2/3); — Erich Gierach, J. v. Saaz, Verfasserlex. der Dt. Lit. des MA.s 2, 1936, 623-628 (Lit.); — Arthur Hübner, Das Deutsche im AaB. Sitzungsberr. der Berliner Akad. der Wiss., Phil.-Hist. Kl. 1935, XVIII, 323-398; — Ders., Dt. MA und ital. Renaissance. Zschr. für Deutschkunde 51, 1937, 225-239; — Willy Krogmann, Textausgabe, 1954, Einleitung 5-98, 249-264 (Lit.); — Franz H. Bäuml, Rhetorical devices and structure in the AaB, Berkeley/Los Angeles 1960; — Gerhard Hahn, Die Einheit des AaB, 1963; — Emil Skála, Schriftsprache und Mundart im AaB. Abhandlungen der Sächs. Gesellschaft der Wiss. in Leipzig 57, 1964/65, H. 2, 63-72; — Ernst Schwarz (Hrsg.), J. v. T. und seine Zeit, 1968 (Wege der Forschung 143); — Giorgio Sichel, Der AvB, storia alla critica, Firenze 1971; — Antonín Hrubý, Der Ackermann und seine Vorlage, 1971 (MTU 35); — Wolfgang Mieder, Streitgespräch und Sprichwort-Antithetik. Beitrag zu AaB und Sprichwortforschung, Daphnis 2, 1973, 1-32; — Hellmut Rosenfeld, Das Röm. Bild des Todes im Ackermann, in: Francis B. Brévart. Festgruß Hellmut Rosenfeld zum 70. Geb. 24.8. 1977, 1977 (GAG 234), 11-16; — Samuel Jaffe, Des Witwers Verlangen nach Rat, Daphnis 7, 1978, 1-53; — Rosemarie Natt, Der AaB des J. v. T., 1978 (GAG 235); — Hellmut Rosenfeld, J. v. Šitboř, der Tkadleček und die beiden Ackermannfassungen von 1370 und 1401. Die Welt der Slaven 26, 1981, 102-124; — Ders., Der alttschechische Tkadleček in neuer Sicht: Ackermann-Vorlage, Waldenserallegorie oder höf. Dichtung?, ebd. 26, 1981, 357-378; — Nigel F. Palmer, »Antiquitus depingebatur«: the Roman pictures of death in the AaB und Tkadleček and the writings of the English classicizing friars, Dt. Vierteljahrsschr. für Lit.wiss. und Geistesgesch. 57, 1983, 171-239; — Gerhard Hahn, J. v. T., Verfasserlex. der Dt. Lit. des MA.s 4, 1983[2], 763-774 (Lit.); — Günther Jungbluth † . J. v. Saaz' AaB. Kommentar, hg. von Rainer Zach, 1983; — Samuel Jaffe, Prehumanistic humanisme in the AaB. Storia della storigrafia Nr. 9, Milano 1986, 16-45; — Hellmut Rosenfeld, Der AaB — scholast. Disputation von 1370 oder human. Wortkunstwerk von 1401?, in: H. Rosenfeld, Ausgewählte Aufss., 1987 (GAG 473), 239-245.

Hellmut Rosenfeld

JOHANNES TEUTONICUS (auch J. von Wildeshausen genannt), Ordensmeister der Dominikaner, * um 1180 in Wildeshausen (Oldenburg), † 4.11. 1252 in Straßburg. Er soll noch vom hl. Dominikus († 1221) in Bologna in den Orden aufgenommen worden sein. Seit 1224 begleitete er den päpstlichen Legaten durch Deutschland, er war Kreuzzugsprediger in Süddeutschland. J. vermittelte im Konflikt zwischen den Stedingern und dem Erzbischof von Bremen. 1231-33 war er Provinzial in Ungarn; 1233-37 war er Bischof von Diakovar in Kroatien. 1237 ging er als Gesandter Gregors IX. zum Bulgarenfürsten Asen II. 1238-40 Provinzial der Lombardei. 1241 wurde J. in Paris zum Ordensmeister gewählt. Man nannte ihn »Frater magister episcopus.« Er predigte in fünf Sprachen. Zur röm. Kurie hatte er gute Beziehungen. Unter seiner Leitung beschlossen die Generalkapitel zwei

wichtige Änderungen der Konstitutionen: Die Generalkapitel finden nicht mehr nur abwechselnd in Bologna und Paris statt, sondern in einem vom Kapitel festzulegenden Konvent, so 1245 in Köln, 1247 in Montpellier, 1249 in Trier, 1250 in London. Das Hochschulmonopol von Paris wurde durchbrochen und 1248 neue Generalstudien in Montpellier, Bologna, Köln und Oxford errichtet. Seine Bedeutung liegt auf dem Gebiet des Ordenslebens. J. sorgte für die Vereinheitlichung der dominikanischen Liturgie und gab der Ordensgesetzgebung eine festere Struktur. J. förderte besonders die Predigt, die Missionen und das Studium.

Lit.: Antonin Mortier, Histoire des Maîtres Généraux de l'Ordre des Frères Prêcheurs, I, 1903, 287-413; — Nikolaus Pfeiffer, Die ungarische Dominikanerprovinz 1221-1242, 1913, 62-69 u. 122-124; — Johannes Meyer, Chronica brevis OP, hrsg. v. Heribert Christian Scheeben, 1933, 31-33; — Angelus Walz, Compendium Historiae Ordinis Praedicatorum, 1948[2], 35-38; — Heribert Christian Scheeben, Johann von Wildeshausen, NOrd 2 (1948) 113-126; — EC, VI 610; — LThK V, 1091; — BS VI, 910 f.; — NDB X, 571.

Meinolf Lohrum

JOHANNES TEUTONICUS ZEMEKE (Zemeken, Semeca, Cemeca, Semeko), Verfasser der »Glossa ordinaria« zum Decretum Gratiani, * vermutlich in oder um Halberstadt, † 25.4. 1245 in Halberstadt; seine angeblich kleinbürgerliche Herkunft bleibt unbewiesen. — J. ist vermutlich identisch mit dem 1245 als Dompropst von Halberstadt verstorbenen Magister Johannes Zemeke. J., der den Beinamen seiner nationalen Abstammung verdankt, studierte römisches (bei Azo) und kanonisches Recht in Bologna, wo er dann bis gegen 1220 lehrte. Für seinen Apparat zum Decretum Gratiani, den J. nach 1210 ausarbeitete, benutzte er insbesondere die »Glossa Palatina« als Vorlage, die bald durch das knapper gefaßte, präzise und umfassende Werk des J. verdrängt wurde. Vor der Fertigstellung dieses Apparates, die wohl 1217 anzusetzen ist, glossierte er die Konstitutionen des vierten Laterankonzils bald nach deren Veröffentlichung, verfaßte und glossierte die (später sog.) »Compilatio IV«, die er Papst Innozenz III. zur Approbation vorlegte, was dieser ablehnte. Dies mag ein Grund für die Aufgabe seiner Lehrtätigkeit in

Bologna gewesen sein. Seit 1220 begegnet in Halberstadt ein Domscholasticus J. Zemeke, der von 1223 an zugleich Propst des Halberstädter Liebfrauenstiftes war und 1235 Dekan des Domkapitels wurde; 1241 wählte ihn das Domkapitel zum Dompropst; in seiner sächsischen Heimat betätigte er sich wiederholt als Schiedsrichter, einmal als päpstlich delegierter Richter (1234) und als Verfasser von Rechtsgutachten. Das Siegel des J. zeigt einen Vogel und eine Schlange; die Sigle »Jo.« kennzeichnet in den Handschriften die johanneische Glossierung, darf aber nicht in jedem Fall mit J. identifiziert werden. — Das bedeutendste Werk J.s ist der Apparat zum gratianischen Dekret, der später - wegen seiner Bedeutung für die Rechtsschulen und die Praxis - die Bezeichnung »Glossa ordinaria« erhielt; sie wird in der Literatur allerdings als wenig originell gewertet. Die »Glossa ordinaria« wurde, von Bartholomäus von Brescia († 1258) überarbeitet und dem Dekretalenwerk Gregors IX. (1234) angepaßt, mit einigen weiteren Zusätzen in die Druckausgaben des Decretum Gratiani bis ins 17. Jahrhundert aufgenommen. Die »Glossa ordinaria« ist noch heute eine der Hauptquellen für die wissenschaftliche Beschäftigung mit der klassischen Kanonistik. — Die von J. verfaßte »Compilatio IV« wurde zwar im Bullarium Benedikts XIV. (1740 - 1758) und von einzelnen Kanonisten als authentische Sammlung angesehen, bleibt aber mangels Promulgation Privatsammlung.

Werke: Apparatus in Concilium quartum Lateranense (zwischen Nov. 1215 und Juli 1216): Constitutiones Concilii quarti Lateranensis una cum commentariis glossatorum, ed. v. Antonio García y García, 1981 (MIC A 2), 173-270; Quaestiones disputatae (zwischen 1210 und 1216); Glossae in arborem consanguinitatis (nach 1215): Antonio García y García, Glosas de Juan Teutónico, Vicente Hispano y Dámaso Húngaro a los Arbores Consanguinitatis et Affinitatis, in: ZSavRGkan 68 (1982), 153-185; Compilatio IV samt Glossenapparat (1216/17): Antonio Agustín (Ed.), Antiquae Collectiones Decretalium, 1576 (Nachdr. 1609, 1621) und Opera omnia IV, 1769, 610-692; Glossa ordinaria zum Decretum Gratiani (abgeschlossen frühestens Herbst 1216): Erich Will, Decreti Gratiani Incunabula. Beschreibendes Gesamtverz. der Wiegendrucke des Gratianischen Dekretes, in: StG 6, 1959, 1-280; Aldo Adversi, Saggio di un Catalogo delle edizioni del Decretum Gratiani posteriori al secolo XV, in: StG 6, 1959, 281-451; Apparatus glossarum in Compilationem tertiam (fertiggest. gegen 1218): Johannis Teutonici Apparatus glossarum in Compilationem tertiam, Bd. 1, ed. v. Kenneth Pennington, 1981 (MIC A 3); Consilium (Rechtsgutachten) (zwischen 1223 und 1232): Kenneth Pennington,

A 'Consilium' of Johannes Teutonicus, in: Traditio 26 (1970), 435-440; Tituli decretalium (nach 1234); — Glossen zur Dekretale Super Speculam (1219) und einzelne Glossen zur Compilatio V lassen sich nicht mit Sicherheit J. zuschreiben; Bibliogr. in: VerfLex IV, 778-782.

Lit.: Johann Friedrich von Schulte, Die Glosse zum Decret Gratians von ihren Anfängen bis auf die jüngsten Ausgg., 1872; — Ders., Johannes Teutonicus (Semeca, Zemeke), in: ZKR 16, 1881, 107-132; — Oskar Reich, Über die Zeit der Veröffentlichung der Johanneischen Glosse zum Decret, in: ZKR 19, 1884, 426-432; — Karl Gottfried Hugelmann, In den ban mit rechte komen (Ssp. Landr. III 54 § 3), in: ZSavRGkan 7, 1917, 33-97, bes. 78-87; — Ders., Der Sachsenspiegel und das vierte Lateranensische Konzil, in: ZSavRGkan 13, 1924, 427-487, bes. 463-472; — Franz Gillmann, Anh.: Die Entstehungszeit der Glossa ordinaria zum Gratianischen Dekret, in: Ders., Zur Lehre der Scholastik vom Spender der Firmung und des Weihesakraments, 1920, 184-220, Nachdr. in: Rudolf Weigand (Ed.), Gesammelte Schriften zur klassischen Kanonistik von Franz Gillmann 1, 1988 (Forschungen zur Kirchenrechtswissenschaft 5/1), Nr. 12; — Ders., Zu Gratians und der Glossatoren, insbes. des Johannes Teutonikus Lehre über die Bedeutung der causa iusta für die Wirksamkeit der Exkommunikation, in: AkathKR 104, 1924, 5-40; — Ders., Wer ist der Verfasser der Compilatio IV?, in: AkathKR 116, 1936, 127-157; — Ders., Hat Johannes Teutonikus zu den Konstitutionen des 4. Laterankonzils (1215) als solchen einen Apparat verfaßt?, in: AkathKR 117, 1937, 453-466; — Ders./Ernst Rösser, Der Prager Codex XVII A 12 (früher I B I) und der Dekretapparat des Laurentius Hispanus, in: AkathKR 126, 1954, 3-43, Nachdr. in: Rudolf Weigand (Ed.), Gesammelte Schriften zur klassischen Kanonistik von Franz Gillann 1, 1988 (Forschungen zur Kirchenrechtswissenschaft 5/1), Nr. 15; — Stephan Kuttner, Eine Dekretsumme des Johannes Teutonicus (Cod. Vat. Pal. lat. 658), in: ZSavRGkan 21, 1932, 141-189; — Ders., Repertorium der Kanonistik (1140-1234). Prodomus Corporis Glossarum I, 1937 (Nachdr. 1981) (StT 71), bes. 93-99, 254, 271, 357, 370-381, 384 f.; — Ders., Johannes Teutonicus, das vierte Laterankonzil und die Compilatio quarta, in: Miscellanea Giovanni Mercati, Bd. 5, 1946 (StT 125), 608-634, Nachdr. in: Ders., Medieval Councils, Decretals, and Collections of Canon Law, 1980 (Collected Studies 126), Nr. X und Retractationes, 9-11; — Ders., Gratian and the schools of law 1140-1234, 1983 (Collected Studies 185); — Antonio García y García, El Concilio IV de Letrán (1215) y sus comentarios, in: Traditio 14, 1958, 484-502, bes. 493-498; — Ders., Canonistica Hispanica (III), in: Traditio 26, 1970, 457-469, bes. 460 f.; — Charles Lefebvre, Formation du droit classique, in: Gabriel Le Bras (Ed.), Histoire du Droit et des Institutions de l'Église en Occident, Bd. 7, 1965, 299 f.; — Rudolf Meier, Die Domkapitel zu Goslar und Halberstadt in ihrer persönl. Zusammensetzung im MA, 1967 (Studd. zur Germania Sacra 1), 285-288; — Kenneth Pennington, A Study of Johannes Teutonicus' Theories of Church Government and of the Relationship between Church and State, with an Edition of his Apparatus to Compilatio tertia (Diss. Cornell), 1972; — Ders., The Manuscripts of Johannes Teutonicus' Apparatus to Compilatio tertia. Considerations on the Stemma, in: BMCL 4, 1974, 17-31; — Ders., The making of a decretal collection. The genesis of Compilatio tertia, in: Stephan Kuttner u. Kenneth Pennington (Ed.), Proceedings of the Fifth International Congress of Medieval Canon Law (Salamanca 1976), 1980 (MIC C 6), 67-92, bes. 75-77; — Ders., Johannes Teutonicus and Papal Legates, in: AHP 21, 1983, 183-194; — Ders., The epitaph of Johannes Teutonicus, in: BMCL 13, 1983, 61 f.; — Knut Wolfgang Nörr, Die kanonistische Literatur, in: Helmut Coing (Ed.), Handb. der Quellen und Lit. der neueren europäischen Privatrechtsgeschichte, Bd. 1, 1973, 365-382; — Othmar Hageneder, Eine neue Edition von Glossenapparaten der frühen Dekretalistik, in: ZSavRGkan 68, 1982, 462-469; — Gérard Fransen, A propos des Questions de Jean le Teutonique, in: BMCL 13, 1983, 39-47; — Titus Lenherr, Die Exkommunikations- und Depositionsgewalt der Häretiker bei Gratian und den Dekretisten bis zur Glossa ordinaria des Johannes Teutonicus, 1987 (MThS.Kan 42); — ADB XIV, 475 f.; — Catholicisme VI, 634 f.; — DDC VI, 120-122; — Feine, 279-283, 285 f.; — LThK V, 1091 f.; — NDB X, 571-573; — NewCathEnc VII, 998; — Plöchl II, 476, 509-512; — Schulte I, 172-175; — TRE XIII, 458 f.; — VerfLex IV, 777-783.

Franz Kalde

JOHANNES *von Thérouanne* (auch J. von Warmeton nach seinem Geburtsort in Flandern genannt). Sein Geburtstag ist nicht überliefert. J. starb als Bischof von Thérouanne in Nordfrankreich; das 1559 nach Boulogne transferierte Bistum gehörte damals als Suffragandiözese zur Kirchenprovinz Reims. — J. war ein Schüler des Ivo v. Chartres. Nach seiner Priesterweihe wurde er zuerst Kanonikus in Lille. In Mont St-Éloi bei Arras schloß er sich der Gemeinschaft der Regulierten Chorherren an. Der Bischof von Arras ernannte ihn zum Archidiakon des Bistums. Seit 1099 war er Bischof von Thérouanne. Seine besondere Sorge galt der Reform des Klerus und der Hebung des klösterlichen Lebens in seinem Bistum. Während seines Episkopats nahm er auch an verschiedenen Synoden teil, so bereits 1099 an der von St-Omer, 1114 an der von Beauvais und 1115 an den Synoden von Reims und Châlons-sur-Marne. Die katholische Kirche verehrt J. als Seligen und begeht sein Gedächtnis am 27. Januar, seinem Sterbetag.

Lit.: Acta SS. Januarii, Antwerpen 1643, II, 794-802; — L. Duchesne, Fastes Épiscopaux de l'ancienne Gaule, Paris 1907-1915², III, 130 ff.; — BHL 4439; — Baudot-Chaussin, Vie des Saints et Bienheureux ..., Paris 1935, I, 560 ff.; — É. de Moreau, Histoire de l'Église de Belgique, Brüssel 1945², I, 308, III, 710 (Reg.); — LThK ²V, 1092.

Johannes Madey

JOHANNES I., Erzbischof von Thessalonike (ca. 580 - vor 650). — Über die Person des J. fließen die Quellen äußerst spärlich; uns stehen praktisch nur die Anspielungen auf seine Person zur Verfügung, die J. selbst und ein anonymer Autor in der Erzählung der Wunder des Heiligen Demetrios machen. Danach hatte J. den Erzbischofsthron von Thessalonike zwischen den Jahren 610 und 649 inne. Er ist mit dem gleichnamigen Erzbischof, der die Akten des 6. Ökumenischen Konzils von Konstantinopel (681) unterschreibt, nicht identisch. J. spielte eine wichtige Rolle bei der Verteidigung der Stadt während der avaro-slavischen Angriffe der Jahre 615 und 618. Er genoß seitdem hohes Ansehen unter seinen Mitbürgern und erwarb sich den Ruf eines heiligen Mannes.

Werke: Hauptwerk des J. ist das 1. Buch der Sammlung der Wunder des Heiligen Demetrios, des Patrons von Thessalonike. Dieses hagiographische Werk stellt zugleich eine vorzügliche historische Quelle zu den Angriffen der Slaven und der Avaren gegen Thessalonike während der Regierung des Kaisers Maurikios (582-602) sowie zu anderen Ereignissen dieser Zeit dar. Es scheint während der ersten Jahre des Heraklios (610-641) geschrieben worden zu sein. J. muß außerdem der Autor einer Sammlung von Homilien gewesen sein; denn in den Akten des 7. Ökumenischen Konzils von Nikaia (787) ist von einer Homiliensammlung des Erzbischofs die Rede (vgl. Mansi XIII, 164 f.). Von diesen Homilien sind praktisch nur drei erhalten, die Homilien auf die Koimesis der Theotokos, auf die Myrophoren und auf den Heiligen Demetrios. Ed.: P. Lemerle, Les plus anciens recueils des miracles de Saint Démétrius, I: Le texte, Paris 1979, 47-158; Migne, PG 116, 1203-1324; M. Jugie, Patr. Orient. 19 (1925), 344-438; F. Halkin, Une légende byzantine de la dormition: L'épitomé du récit de J., in: REB 11 (1953), 161 f.

Lit.: P. Lemerle, a.a.O. II: Commentaire, Paris 1981, 32 f.; — Th. L. F. Tafel, De Thessalonica eiusque agro dissertatio geographica, Berlin 1839, 72 f.; — M. Jugie, La vie et les œuvres de J., in: EO 21 (1922), 293 f.; — Ders., Analyse du discours de J. sur la dormition de la S. Vierge, in: EO 22 (1923), 385 f.; — Ders., in: DTC 8 (1924), 819 f.; — J. Laurent, Sur la date des Églises St. Démétrius et Ste. Sophie à Thessalonique, in: BZ 4 (1985), 425 f.; — H.-G. Beck, Kirche und theol. Lit. im byz. Reich, München 1959, 458.

Georgios Fatouros

JOHANNES *von Toledo*, SOCist., Kardinal, englischer Herkunft, † 13.7. 1275 in Lyon. — Johannes von Toledo war fast 60 Jahre an der pästlichen Kurie tätig und führte dort allgemein den Namen »Cardinalis Albus«, der »weiße Kardinal«, weil er stets das weiße Ordensgewand der Zisterzienser getragen hat; den für einen Engländer auffälligen Beinamen »von Toledo« dürfte sich J. aufgrund eines Studienaufenthaltes an der Universität Toledo erworben haben. — Aus der »Chronica« des der sizilischen Finanzkammer Kaiser Friedrichs II. zugeteilten Notars Riccadus von S. Germano läßt sich zumindest indirekt entnehmen, daß J. sich unter jenem römischen Prälaten befand, die nach einer Seeschlacht am 3. Mai 1241 in die politische Gefangenschaft Friedrichs II. gerieten. J. wird mehrfach als Begleiter des Kardinals Jakob von Praeneste genannt, den der Kaiser als einen seiner gefährlichsten Gegner betrachtete. Vermutlich gemeinsam mit diesem wurde J. im Mai 1243 aus der Haft entlassen. Der am 25. Juni 1243 gewählte Papst Innozenz IV. (s.d.) ernannte ihn als Zeichen seiner besonderen Wertschätzung am 28. Mai 1244 zum Kardinalpriester vom Titel des hl. Laurentius in Lucina und damit zu seinem Nachfolger an dieser Titelkirche. Im Zusammenhang mit dieser Ernennung weisen die Chronisten eigens sowohl auf seine englische Abkunft hin, als auch auf seine Zugehörigkeit zum Zisterzienserorden. Am 24. Dezember 1261 ernannte ihn Papst Urban IV. (s.d.) zum Kardinalbischof von Porto, als solcher starb er am 13. Juli 1275 unter dem Pontifikat Gregors X. (s.d.). — Die Tätigkeit an der Kurie und insbesondere seine lange Zugehörigkeit zum Kardinalskollegium ließen J. zu einer der einflußreichsten Persönlichkeiten seiner Zeit werden. Die Chronisten vermitteln uns das Bild eines engagierten Förderers des Zisterzienserordens. Durch zahlreiche Interventionen wußte J. die Stellung seines Ordens zu sichern und auszubauen. Aufgrund der Eximierung von der Verpflichtung, die Ordensgelübde des Gehorsams und der Armut in der gewohnten Strenge zu halten, war es ihm möglich, seine bedeutenden Einkünfte für die Stiftung von Klöstern wie auch für politische Zwecke zu verwenden. Er wurde daher zu einem tatkräftigen Protektor der Zisterzienser. J. setzte sich bei der Kurie für die Wahl seines Landsmannes Richard v. Cornwallis zum deutschen König ein. — Der Kardinal stand jedoch in dem Ruf großer theologischer Gelehrsamkeit. Als einer der theologischen Sachverständigen der Kurie griff er in den berühmten Medikantenstreit an der Pariser Universität ein. So verurteilte Alexander IV. u.a. auf Betreiben J. am 5. Oktober 1256 die aufsehenerregende Schrift Wilhelm von S. Amours »De periculis novissimorum temporum«. — J. war jedoch nicht nur als Theologe bekannt; seine Studien an der Universität von Toledo hatten ihm Kenntnisse in Medizin und in den Naturwissenschaften vermittelt. Eine Zuordnung der verschiedenen auf uns gekommenen medizinischen Schriften, die einem Johannes Toletanus zugeschrieben werden, ist jedoch nicht eindeutig möglich. So kann der »liber de sanitate a magistro Johanne de Toledo compositus« durchaus von dem älteren, ehemals jüdischen Johannes Hispalensis saec. XII verfaßt worden sein. Die dort erwähnte, aber ansonsten nicht bezeugte Augenkrankheit Papst Innozenz IV., die J. durch ein eigenes entwickeltes Medikament geheilt habe, kann ein späterer Zusatz sein. Es ist möglich, daß gerade die Kenntnisse in Chemie es waren, die dem Kardinal den Weg zum Papstthron versperrten. Im Mittelalter haftete der Heilkunst zu sehr noch der Geruch des Magischen an. Auch als Astrologe, Prophet und Nekromant erwarb sich J. einen großen Namen. Wichtig in diesem Zusammenhang ist seine politische Dichtung, in der er im Jahre 1256 das Kommen eines großen, siegreichen Weltherrschers verheißen hat, der die Nachkommenschaft Friedrichs II. ausrotten und auch die Anhänger Mohammeds zu Christus zu führen berufen sei. Allerdings stammt unter den ihm zugeschriebenen Prophezeiungen der von Riccardus von S. Germano überlieferte astrologische sogenannte Toldobrief nicht von ihm. Im Unterschied zu den damals verbreiteten pessimistischen Stimmen, die den drohenden Untergang der Welt beschworen und den Beginn der letzten Zeiten erwarteten, richtet Johannes einen hoffnungsfrohen Blick auf den kommenden mächtigen Herrscher der Welt, der siegreich den Erdenkreis bezwingen wird und alle Menschen hin zu Christus führen wird. Gerade im Blick auf die düsteren Prognosen trat J. für die Fortdauer der Kaisermacht ein.

Lit.: H. Grauert, Meister Johann von Toledo, München 1901 (= Sitzungsbericht der philos.-philol. und histor. Classe der kgl. bayer. Akademie der Wissenschaften 1901, Heft 2) (dort Abdruck der gesicherten Prophezeiung von 1256); — M.-Br.

Demein, t. 6, Paris 1967, 632 f.; — J. Vincke, Johannes von Toledo, in: LThK V. 1902; D. Willi, Päpste, Kardinäle und Bischöfe aus dem Cistercienser-Orden, Bregenz 1912, 20.

Ekkart Sauser

JOHANNES *von Treviso*, Theologe. Über sein Leben ist wenig bekannt. * in Oberitalien. J. studierte vermutlich in Paris und trat in Treviso in den Dominikanerorden ein. J. wird neben Hugo v. St. Cher und Roland v. Cremona zu den bedeutenden Theologen der jüngeren Dominikanerschule gerechnet. Zwischen 1230 und 1235 verfaßte er eine »Summa in theologia«, die auf die Praxis ausgerichtet ist.

Lit.: Albert Fries, Ein Abriss der Theologie für Seelsorger aus der ersten Hälfte des 13. Jh., AFP 6 (1936) 351-360; — O. Lottin, Psychologie et Morale aux XIIᵉ et XIIIᵉ siècles I, 1942, 109-111; — Johannes Gründel, Die Lehre von den Umständen der menschlichen Handlung im Mittelalter, BGPhMA XXXIX. 5, 1963, 430-433; — Thomas Kaeppeli, Scriptores Ordinis Praedicatorum Medii Aevi III, 1980, 22; — LThK V, 1092 f.

Meinolf Lohrum

JOHANNES LANTRUA *von Triora*, wird als Seliger verehrt, Festtag 13. Februar, * 15.3. 1760 in Molini di Triora (Ligurien), † 7.2. 1816 in Changsha. — J. trat 1777 in OFM ein und 1784 wurde er zum Priester geweiht. Dann war er Lektor der Theologie zu Corneto, seit 1785 Guardian zu Velletri. 1798 ging er als Missionar nach China und wirkte dort unter ständigen Gefahren segensreich in den Provinzen Hupe, Shansi und Hunan. J. wurde im Juli 1815 eingekerkert und nach sieben Monaten ans Kreuz gefesselt und erdrosselt. Das geschah am 7.2.1816 in Changsa, seine Gebeine wurden 1866 nach Rom (Araccoeli) überführt. 1900 wurde er seliggesprochen. Der Heiligsprechungsprozeß wurde 1910 eingeleitet.

Lit.: G. Antonelli, Uno martire della Cina, il B. Giovanni da Triora (Rom 1900); — L. Oliger, in: Archivum Franciscanum Historicum 18 (1925), 310 f.; — Enciclopedia Cattolica, VII, 398; — R. Streit, Bibliotheca Missionum, XII, 38-41; — G. Fussenegger, in: LThK, Bd. V (1960), Sp. 1093; — L. Iriarte, Der Franziskusorden (Altötting 1984), 250, 2786, 376; — L. S. Mecocci OFM: Il B. Giovanni Lantrua da Triora a Tarquinia (Corneto), in: Archivum Franciscanum Historicum 82 (1989), 406-424.

Lothar Hardick

JOHANNES de Turrecremata (Juan de Torquemada), Dominikanermönch, Theologe, Bischof, * 1388 in Valladolid, † 26.9. 1468 in Rom. — J. absolvierte seine Studien in Valladolid und Paris. Sehr wichtig war für sein Leben die Teilnahme an den Konzilien von Konstanz (noch als Student) sowie Basel und Ferrara-Florenz (auf beiden Konzilien mit aktiven Aufgaben betraut). Er war nacheinander Bischof an verschiedenen Orten: Cadiz, Orense, Palestrina, Sabina und Léon. — J. ist vor allem durch seine »Summa de Ecclesia« Vater der katholischen Ekklesiologie. Wenn er hier auch bis zu seinem gewissen Grad kompiliert, ist das Werk doch in anderer Hinsicht sehr originell. Er beschreibt in vier Büchern Natur und Geheimnis der Kirche, den römischen Primat, die Konzilien, Schisma und Häresie. Im übrigen hat J. sich mit anderen theologischen Fragen befaßt (mit der Struktur geistlicher Gewalt, Fragen der Mariologie).

Werke: Meditationes, 1467; Summa de Ecclesia, 1561; In Gratiani: Decretorum commentarii, 1578; Expositio in psalterium, 1524; Apparatus super Decretum Florentinum Unionis Graecorum, ed. E. Candal (Concilium Florentinum II/1), 1942; Oratio Synodalis de Primatu, ed. Ders., 1954; Tractatus contra Madianitos et Ismaelitos, ed. N. López Martínez/V. Proaño Gil, 1957; Symbolum pro informatione manichaerum, ed. dies., 1958.

Lit.: E. Dublanchy, T. et le pouvoir du pape dans les questions temporelles, in: RThom 28, 1923, 74-101; — Ch. Gremper, Des Kardinal J. v. T. Kommentar zur Regel des hl. Benedikt, in: SMBO, NF 14, 1927, 223-283; — S. Frankl, Cardinalis Joannis de Turrecremata doctrina de notis Ecclesiae, in: CoTh 14, 1933, 250-254; — B. de Heredia, Collection de documentos inéditos para illustrar la vida del card. J. de T. O.P., in: AFP 7, 1937, 210-245; — H. Jedin, J. de T. und das Imperium Romanum, in: AFP 12, 1942, 247-278; — J. Theeuws, J. de T. Les relations entre l'Eglise et le pouvoir civil d'après un théologien du XVᵉ siècle, in: RTHP 18, 1943, 135-178; — R. Creytens, Raphael de Pomaxio O.P., auteur du »Du potestate papae et concilii generalis« faussement attribué à J. de T., in: AFP 13, 1943, 108-137; — J. F. R. Stockmann, Joannis de Turrecremata OP vita eiusque doctrina de corpore Christi mystico, Bologna 1951; — K. Binder, Kard. J. de T. Verfasser der »Nova Ordinatio Decreti Gratiani«, in: AFP 22, 1952, 268-293; — Ders., El cardenal J. de T. y el movimiento de reforma ecclesiástica en el siglo XV, in: RET 3, 1953, 42-65; — Ders., Wesen und Eigenschaften der Kirche bei Kard. J. de T. O.P., Innsbruck 1955; — Ders., Zum Schriftbeweis der Kirchentheologie des Kard. J. d. T., in: Wahrheit und Verkündigung (Festschr. M. Schmaus), I, Paderborn 1967, 511-550; — Ders., Konzilsgedanke bei Kard. J. de T. O. P. (WBTh 49), Wien 1976; — P. Massi, Magistero infallibile del papa nella teologia di G. da T., Torino 1957; — M. G. Moralles, El cardenalato de institución divina y el episcopada en el problema de la sucesión apostólica según J. de T., in: XVI Sem. Esp. Teol., Madrid 1957, 249-274; — V. P. Gil, Doctrina de J. de T. sobre el concilio, in: Burg. 1, 1960, 73-96; — N. López Martínez, El cardenal T. y launidad de la Iglesia, in: Burg 1, 1960, 45-71; — A. Molina Meliá, J. d. T. y la teoría de la potestad indirecta de la Iglesia en asuntos temporales, in: Anales Valentinos 2, 1976, 45-78; — DThC XV, 1235-1239; — DDC VI, 122-127; — LThK VI, 103 f.; — Theologenlexikon, 246 f.

Harald Wagner

JOHANNES *von Valence*, * 1070 in der Diözese Lyon, † 21.3. 1145 in Valence, hl. (Fest am 26. April), S(acer) O(rdo) Cist(erciensis). — J. war zuerst Mönch in Cîteaux; 1118 war er erster Abt von Bonnevaux. Als Bischof von Valence (seit 1141) machte er sich durch sein soziales Engagement verdient. Seine Reliquien wurden bis 1562 in der Kathedrale von Valence aufbewahrt und von den Hugenotten schließlich zerstreut. 1903 wurde seine Verehrung als Heiliger bestätigt.

Lit.: Vita et Miracula von dem Augenzeugen Magister Girald v. Valence: Martène T III 1693-1702 (E. Martène u. U. Durand, Thesaurus novus anecdotorum, 5 Bde, Paris 1717); — BHL 4446; — Cist 27 (1915) 11; — Zimmermann I, 364ff; — Lenssen 69ff (S. Lenssen, Hagiologium Cisterciense, Tilburg I, 1948, II, 1949, III, Suppl.-Bd 1951 (hekt.); — LThK V² 1094.

Werner Schulz

JOHANNES VERCELLI, sel., Ordensmeister der Dominikaner, * wahrscheinlich Anfang des 13. Jh. in Mosso S. Maria (Biella) aus der Familie Garbella, † 30.11. 1283 in Montpellier. J. studierte in Paris und lehrte kanonisches Recht in Paris, Pavia u. Vercelli; als Weltpriester wurde er 1229 von Jordanus von Sachsen für den Orden gewonnen. J. gründete 1234 den Konvent in Vercelli und war dort Lektor. 1254 Prior von Bologna, 1257-1264 Provinzial der Lombardei. J. wurde 1264 zum Ordensmeister gewählt und leitete in den fast 2O Jahren seiner Regierung 2O Generalkapitel. 1267 konnte J. den jahrelangen Streit mit den Dominikanerinnen um die Schwesternseelsorge beilegen. J. tat sich besonders hervor durch die Leitung des immer größer und bedeutender werdenden Ordens. Im Auftrage des Papstes führte er mehrere Friedensmissionen durch.

Werke: Litterae encyclicae (MOFPH V, 63-129); Sermones ad clerum; Sermo magistri ord. Jacobitarum dom. ante Ascensionem; Sermo in festo Pentecostes.

Lit.: P. Mothon, Vita del B. Giovanni da Vercelli, 1903; — Antonin Mortier, Histoire des Maîtres Généraux de l'Ordre des Frères Prêcheurs II, 1905, 1-170; — Giovanni Donna D'Oldenico, Dei Rapporti tra Giovanni Garbella da Vercelli VI° Maestro generale dei Domenicani con Giovanni Gersen Abate di S. Stefano di Vercelli nei riguardi della imitazione di Cristo, MDom 68 (1951) 201-211; — Ders., B. Giovanni Garbella da Vercelli VI° Maestro generale, MDom 69 (1952) 259-265; — Reginaldo Francisco, Chi era il beato Giovanni da Vercelli. Biografia del VI. Maestro generale dei Domenicani, 1983; — Jacobus Quétif / Jacobus Echard, Scriptores Ordinis Praedicatorum, I 210-212; — Thomas Kaeppeli, Scriptores Ordinis Praedicatorum Medii Aevi III, 198O, 42 f.; — EC VI, 612; — LThK V, 1O94; — BS VI, 918 f.; — NCE VII, 1076.

Meinolf Lohrum

JOHANNES A VIA (zum Wege), Kontroversist, * um 1520 (?) zu Köln, † 1582 (?) in Hildesheim. — In Trier zum Priester geweiht, war er 1554 Pfarrer von St. Emmeran, Mainz. Er promovierte 1555 in Ingolstadt zum Doctor theol. 1556 wurde er Nachfolger des Wormser Dompredigers Johannes Wild, dessen Predigten er herausgab. Beim Wormser Religionsgespräch 1557 war er Notar und veröffentlichte gegen die Berichte der Protestanten die »Warhaffte ... Antwort«. Seine Tätigkeit empfahl ihn Hzg. Albrecht V. von Bayern. J.a.V. erhielt die Propstei am Stift St. Kastulus zu Moosburg. Vor 1569 wurde er von demselben Hzg., in dessen Auftrag er auch die »Christliche Lehre« schrieb, zum Hofkaplan und ständigen Hofprediger ernannt; zugleich war er auch Kanonikus an der Liebfrauenkirche in München. Als Kaiser Maximilian II. ihn im Januar 1569 nach Wien berufen und möglicherweise zum Bischof bestellen wollte, erhob der Nuntius Einspruch, da er J.a V. wohl für zu nachgiebig hielt. Nach Hzg. Albrechts Tod 1579, dem er die Totenrede hielt, wurde er von dessen Sohn, Fürstbischof Ernst, 1581 zum Dechant und Offizial des St. Moritzstiftes zu Hildesheim berufen. — J.a V. stellte seine eifrige Tätigkeit als Schriftsteller, Übersetzer und Prediger in den Dienst der kath. Erneuerung.

Werke: Orationes duae cum epitaphiis quibusdam in obitum R.D. Erasmi Volfii Landesperg. Theologi et ad D. Mauricium Pastoris in Academia Ingolst. recitatae et editae. 1553; Jo. Ferus, libellus precationum latinitate donatus per M. Jo. a. Via. 1554; Ad calumnias Confessionistarum. 1557; auch dt.: Warhaffte vnd Bestendige Antwort auff den ungegründten Abschied. 1557; Joan. Ferus, Postillae Pars III. de sanctis, interprete D. Joanne a Via. 1559; Confession. Das ist: Ein Christliche Bekanntnuß Des Cath. Glaubens ... Durch ... Herrn Stanißlaum Hosium, Bischoffen zu Ermelandt in Latein erstlich beschriben: Vnd darnach durch Johann zu Wege ... auß dem Latein in das Teutsch gebracht. 1560; Epitome sermonum ... habita per Johannem a Via, adjecti sunt J. Feri in threnos Hieremiae conciones. 1562; Joh. Ferus, Postillae sive conciones in Epistolas et evangelia ... per circulum anni latine don. per M. Joannem a Via. 1562; Christl. Lehr vnnd ermanung. 1569; Jugis ecclesiae cath. sacrificii ... defensio. 1570; Der erste Theil Bewerter Historien der Lieben Heiligen Gottes ... auß dem Latein von Johan. a Via der H. Schrifft Doctorn, trewlich verteutschet. 1574; Vita ss. Marini ep. hypernobavari M. et Aniani archidiaconi conf. patronorum monasterii in Rota. 1579, dt: Das leben der Heiligen S.S. Marine Bischoues Martyrers, vnd Aniani Archidiaconus Bekenners ... 1579; Epicedion encomiasticon paramythicon super Alberti V. Baioariae principis funere. 1579; Christus salvans. d.i. Daß Christus der himmlisch newe Mensch im Abendmahl erstattet, was Adam der jrrdisch alt mensch im Paradeiß verderbet. 1582. — Bibliographie der Werke: F.W.E. Roth, Johannes zum Wege (Johannes a via) ein Kontroversist des 16. Jahrhunderts. Eine bio-bibliographische Studie. In: HJ 16, 1895, 572-575; Wilbirgis Klaiber (Hg.), Kath. Kontroverstheologen und Reformer des 16. Jh. Ein Werkverzeichnis. (Reformationsgeschichtliche Studien und Texte 116) 1978, 156.

Lit.: Petrus Dathenus, Brevis ac perspicua vani scripti, quo Joannes a Via theologos Augustanae Confessionis impie traducit ac malitiose insectatur, refutatio. Adiecimus praeterea compendiosam ad Friderici Staphyli apostatae ac Bartholomaei Latomi rhetoris calumnias responsionem, in qua idem fere argumentum tractatur. 1558; — Franz Falk, Der bayrische Hofprediger Zumweg (Joa. a Via), ein Controversist des 16. Jh. In: ZKTh 2, 1878, 802 f; — F.W.E. Roth, Johannes zum Wege (Johannes a via) ein Kontroversist des 16. Jh. Eine bio-bibliographische Studie. In: HJ 16, 1895, 565-575; — ders., Johannes zu Wege, ein Controversist des 16. Jh. In: Theologische Arbeiten aus dem Rheinischen wissenschaftl. Prediger-Verein. NF 15, 1914, 40-46; — v. Pastor, VII, 1904[13], 603; — Nuntiaturberichte aus Deutschland nebst ergänzenden Aktenstücken. Abt. 2, VI, 1939, LXXXVIII, 285 f, 381; — Wetzer-Welte VI, 1780 f; — HN III, 199; — DThC VIII, 825 f; — LThK[1] V, 535; — LThK[2] V, 1094 f. — Bibliographie: Schottenloher II, 1956[2], 354.

Klaus-Berward Springer

JOHANNES *von Viktring*, Zisterzienserabt und Geschichtsschreiber, † zwischen 30.6. 1345 und 31.10. 1347. — J. Lebenslauf vor seiner Wahl zum Abt des Zisterzienserklosters Viktring in Kärnten 1312 liegt völlig im Dunkeln. Geboren wurde er möglicherweise in den 70er Jahren des 13. Jahrhunderts, seine Herkunft, ob aus Lothringen (Fournier) oder dem bayerisch-österreichischen Raum (Fichtenau) ist umstritten. Seine Bildung läßt auf vornehme Abkunft schließen. J. unterhielt gute Beziehungen zur führenden Oberschicht, unter seiner Leitung blühte das Kloster auf. Er war Hofkaplan und Rat Herzog Heinrichs von Kärnten und seines Nachfolgers Herzog Albrechts II. von Österreich. In der gleichen Funktion war er für den Patriarchen Bertrand von Aquileja tätig. — J.s Bedeutung gründet sich vor allem auf sein Hauptwerk, dem »liber certarum historiarum«. Dieses als Weltchronik konzipierte, aber in eine Geschichte des Hauses Österreich übergehende Werk gilt als eine der bedeutendsten Leistungen spätmittelalterlicher Historiographie, zum Teil wird J. mit Otto von Freising verglichen.

Werke: Liber certarum historiarum; Ausgg.: H. Pez, Scriptores rerum Austriacarum I, 1721, 753 ff.; J. F. Böhmer, Fontes rerum germ. I, 1843, 271-450; Fedor Schneider (Hg.), Johannis abbatis Victoriensis liber certarum historiarum, 2 Bde., 1909/10 (MGH SS in usum scholarum); Das Buch gewisser Geschichten. Übers. v. Walter Friedensburg, 1888 (MGH, Die Gesch.schreiber d. dt. Vorzeit 86); Cronica Romanorum; Ausg.: J. v. V., Cronica Romanorum, hg. v. Alphons Lhotsky (Buchreihe d. Landesmuseums f. Kärnten 5), 1960; Historia fundationis coenobii Victoriensis; Ausg.: Die Kärntner Gesch.quellen 811-1202, hg. v. A. v. Jaksch (Monumenta hist. duc. Carinthiae III), 1904, 289-295, 305 f., 326 f., 337.

Lit.: A. Fournier, Abt J. v. V. und sein liber certarum historiarum, 1875; — R. Mahrenholtz, Über J. v. V. als Historiker, in: Forschungen z. dt. Gesch. 13, 1873, 533-576; — Fedor Schneider, Studien zu J. v. V., in: NA 28, 1903, 137-191 und NA 29, 1904, 394-442; — Ders., Zur Überlieferungsgeschichte J. v. V.s, in: Carinthia I, 103, 1903, 117-130; — W. Erben, Die Berichte der erzählenden Quellen über d. Schlacht b. Mühldorf, in: AÖG 105/2, 1917, 419-434; — E. Klebel, Zu den Fassungen und Bearbeitungen von J. v. V. Liber cert. hist., in: MIÖG, Erg.bd. 11, 1929, 354-373; — Alphons Lhotsky, Quellenkunde zur ma.lichen Gesch. Österreichs, in: MIÖG Erg.bd. 19, 1963, 292-307; — Ders., J. v. V., in: Europäisches MA, Das Land Österreich (= Aufsätze und Vorträge I), 1970, 131-148; — Siegfried Haider, Untersuchungen zu d. Chronik des »Anonymus Leobiensis«, in: MIÖG 72, 1964, 364-381; — K. Runge, Die fränkisch-karolingische Tradition in d. Gesch.schreibung d. späten MA.s (Diss. Hamburg), 1965, 14-80; — E. Kleinschmidt, Herrscherdarstellung (Bibliotheca Germanica 17), 1974, 184-189; — H. Fichtenau, Herkunft und Sprache J.s v. V., in: Carinthia I, 165, 1975, 25-39; — ADB XIV, 476 f;

— Wetzer-Welte VI, 1785 f.; — LThK V, 1095; — NDB X, 574 f.; — Verf.Lex., 2. Aufl., IV, 789-793.

Roland Böhm

JOHANNES VINCENTIUS, hl. (Fest 21.12.) Benediktinermönch, † 1012. — Auf seinem Epitaph wird er ein Schüler des hl. Romuald genannt. Obgleich er Bischof in der Provinz Ravenna - er ist jedoch nicht identisch mit dem Erzbischof J. XIII. Angelopte von Ravenna - war, zog er sich in eine Einsiedelei auf dem Monte Caprisio zurück. Dort versammelte er eine Gruppe von Einsiedlern um sich, die als Gemeinschaft von Santa Maria delle Celle bekannt wurde. Die von ihm 987 auf dem Monte Pirchiriano (Piemont) erbaute St.-Michaels-Kapelle wurde Ausgangspunkt für die um 1000 gegründete Abtei San Michele di Chiusa. J. V. war auch an der Gründung von San Solutore in Turin (etwa 1006) beteiligt. Seine Gebeine wurden 1154 in die Pfarrkirche von San Ambrogio übertragen; der Gedenktag der Übertragung ist am 12. Januar.

Lit.: LThK ²V, 1095; — Encyclopedic Dictionary of Religion, Philadelphia-Washington 1979, 1924; — Chronicon Monasterii S. Michaelis Clusini, in: MGSS XXX/2, 961-964; — A. Zimmermann, Kalendarium Benedictinum, Metten-Wien 1933-38, III, 466ff.; — G. Lucchesi, Bibliotheca sanctorum (12 Bde, Rom 1961-1969), VI, 1964f.

Johannes Madey

JOHANNES (Giovanni [Maria]) VITELLESCHI, Kardinal, Patriarch von Alexandria und Condottiere der Sancta Romana Ecclesia, * in Corneto Tarquinia, † 1. (2.?) 4. 1440 (in Rom ?). — J., der seine humanistische Ausbildung unter Papst Martin V. (s.d.) erhielt und seine Laufbahn als Apostolischer Protonotar begann, wird 1431 zum Bischof von Recanati erhoben, nachdem er in seiner Jugend der Bande Tartaglias angehörte. Zeitgenössische Quellen verhehlen nicht die Derbheit seines Charakters, der schwerlich zur geistlichen Laufbahn passen mag. 1434/1435 ist J. bereits Patriarch von Alexandrien sowie Erzbischof von Florenz. Mit besonderer Grausamkeit agiert J. als condottiere und Potentat. 1436 verleiht die Stadt Rom ihm (und allen Bewoh-

nern seiner Heimatstadt) das städtische Bürgerrecht und zeichnet ihn zudem mit dem Titel des tertius pater patriae post Romulum aus; in Dankbarkeit für die Befreiung von Tyrannei (die J. nun durch seinen Despotismus ersetzte) und Hungersnot (J. lieferte billigen Weizen) dekretiert der Senat am 12.9. sogar die Errichtung eines Reiterstandbildes. Das Kardinalspurpur erhält J. am 9.8. 1437 in Bologna offenbar in Zusammenhang mit der von ihm im Auftrag von Papst Eugen IV. (s.d.) geleiteten Belagerung (Ergebung am 18.8. 1436) und Zerstörung Palestrinas im März/April d. J. in den Wirren der Kämpfe um den Kirchenstaat sowie für seine (allerdings erfolglose) Unterstützung des Thronprätendenten René von Anjou. 1439 erobert J. Foligno. Am 19.3. 1440 wird J. unter dem Verdacht der Usurpation gegen den Papst, wohl nicht ohne Zutun seines Gegners und Nachfolgers Ludwig, Patriarch von Aquileja, verhaftet und vermutlich auf der Engelsburg getötet. Papst Nikolaus V. (s.d.) erlaubt im Jubeljahr 1450 die Überführung der Gebeine in den Dom von Corneto. — Trotz seiner militärischen Härte und Erfolge wird J. als mildtätig und kränklich geschildert; er soll deswegen um seine Entlassung aus dem Waffendienst und die Ernennung eines Nachfolgers nachgekommen sein. J. förderte das Schulwesen in Corneto und propagierte die Restauration des antiken Rom-Ideals. J. ließ sich auf den Fundamenten eines Vorgängerbaues in seiner Vaterstadt einen für das Verständnis des Quattrocento kunsthistorisch hochinteressanten Palazzo mit einer wertvoll ausgestatteten Bibliothek, überhaupt der ersten fürstlich-privaten, errichten, der am 8.2. 1439 vollendet wurde.

Lit.: Pauli Jovii [Paolo Giovio] Novocomensis Episcopi Nucerini, Elogia virorum bellica virtute illustrium veris imaginibus supposita quae apud musaeum spectantur (Florenz 1551), Basel 1561, II, 147-155; — Ders., Vitae illustrium virorum tomis duabus et propiis imaginibus illustrata, Basel 1578, 60-63; — Pietrantonio Petrini, Memorie Prenestine, disposte in forma di annali, Rom 1795, 448-452; — Felix Papencordt, Gesch. der Stadt Rom im MA. Hg. und mit Anm., Urkunden, Vorw. und Einl. vers. von Konstantin Höfler, Paderborn 1857, 476-481; — V. E. Bianchi, Giovanni Maria V. ed un verbale del Consiglio Comunale di Roma nel 1436: La Rassegna nazionale 26 (1904), 403-417; — R. Schulz, Eine ungedr. Schilderung der Kurie aus dem Jahr 1438: AKuG 10 (1912), 400; — G. Cultrera, Il Palazzo V. in Corneto Tarquinia: Ausonia 10 (1921), 260-297; — v. Pastor, I, 290-195 u. ö.; — Gregorvius VII³, 50-79; — P. Paschini, Roma nel Quatrocento. Storia di Roma XII, Bologna 1940; — Fliche-Martin XIV, 1 (1962), 257-259; — D. Witehouse, Palazzo V. di Tarquinia. Una strana storia: Pro Tarquinia 1984; — Renate Schumacher-Wolfgarten, »Anticapella« del Palazzo V., in: Società Tarquiniense di Arte e Storia. Bolletino dell'anno 1985 (1986), 73-90; — Dies., Eine Privatbibliothek des 15. Jh.s in Tarquinia: RQ 81 (1986), 195-228; — Dies., Kardinal J. V., Zur röm. Bildnistradition im 15. Jh.: RQ 82 (1987), 183-205; — P. Nobili Vitelleschi, Storia del Cardinale Giovanni V., in: Società Tarquiniense di Arte e Storia. Bolletino dell'anno 1985 (1986), 104 ff.; — EC XII, 1528 f.; — LThK V, 1095 f.

Klaus-Gunther Wesseling

JOHANNES *Pfeffer von Weidenberg*, † 1493 in Freiburg i. Br. Er studierte und dozierte zuerst in Heidelberg; 1460 war er Professor der Theologie in Freiburg i. Br.; dort wirkte er 10 Jahre als einziger Ordinarius seiner Fakultät und war viermal Rektor. In seiner wissenschaftlichen Tätigkeit griff er fast ausschließlich auf hochscholastische Standardwerke zurück. Hierin spiegelt sich seine deutlich konservative und grundsätzlich thomistische und antinominalistische Einstellung wider. Der Charakter seiner extrem kompilatorischen Werke zeigt ausgeprägt eklektizistische Tendenzen.

Werke: Commentarium in primum librum Sententiarum Petri Lombardi (handschr., Univ.-Bibl. Freiburg); Directorium sacerdotale (ohne Erscheinungsort, ohne Jahresangabe); Tractatus iam noviter compilatus de materiis diversis indulgentiarum (ohne Ersch.-Ort, ohne Jahresangabe); — Varii Sermones (handschr., Hof-Bibl. Wien).

Lit.: A. Füssinger, J. P. v. W. und seine Theologie (1957); — LThK V² 1096.

Werner Schulz

JOHANNES WENCK, Theologe, Vertreter der Spätscholastik, * um 1396 in Herrenberg, † vor dem 4. Juni 1459 in Heidelberg. — J.s Name kommt in verschiedenen Schreibweisen vor: Wenck, Wenk, Weenk, Wench, Wenc, Winck. — Die früheste Erwähnung J.s findet sich in der Liste der deutschsprachigen Studenten der Universität Paris, wo er sich dieser Angabe zufolge seit 1413 aufgehalten hat. Er gehörte der Artistenfakultät an, erwarb 1414 das Lizentiat und wurde vermutlich 1415 zum Magister promo-

viert, die Eintragungen seit diesem Jahr enthalten zumindest diesen Titel. Dem o. g. Verzeichnis entsprechend ist J. als Angehöriger der Pariser Universität bis zum Jahre 1418 nachgewiesen. Ob er weiterhin in Paris geblieben ist oder, wie es damals üblich war, auf Wanderschaft gegangen ist oder auch als Privatlehrer tätig war, ist nicht bekannt. Im August 1426 wurde er an der Universität Heidelberg unter dem Rektorat des Arnold de Thoren immatrikuliert, als »Magister Parisiensis Johannes Winck de Herenberch, presbiter Spir. dioc.«, wie es im Matrikelbuch der Universität heißt. Zu dieser Zeit war er also bereits Priester der Diözese Speyer. Die Heidelberger Promotionslisten verzeichnen in groben Zügen den dortigen Studiengang. Demnach begann er sein Theologiestudium am 29. Juli 1427 bei Nicolaus de Jawor, wurde am 3. Juli 1430 demselben Professor für die Vorlesung über die Sentenzen vorgeschlagen und hörte diese Vorlesung in der Zeit vom 29.1. 1431 bis zum 6.2. 1432. Am 11. September 1432 erwarb er das theologische Lizentiat. Bald danach dürfte J. auch mit eigenen Vorlesungen begonnen haben. Der Fakultät gehörte er dann als Professor bis zu seinem Tode an. Dreimal verwaltete er das Amt des Rektors der Universität, das erstemal vom 20.12. 1435 bis zum 22.6. 1436, dann wieder vom 19.12. 1444 bis zum 22.6. 1445 und schließlich vom 23.6. bis zum 19.12. 1451, einmal war er Vizerektor, zusammen mit Johannes Vaihinger vom 23.6. bis zum 19.12. 1440. Seit 1440 bis zu seinem Tode war er zudem Dekan der Theologischen Fakultät. Danach vermachte J. seine umfangreiche Bibliothek der Universität, ein Haus mit einem dazugehörenden Grundstück als Burse für Studenten, mit der Bedingung, daß diese der Richtung der via antiqua anzugehören hatten. — Bekannt geworden ist J. durch die literarische Fehde mit Nicolaus Cusanus, gegen dessen »De docta ignorantia« (1440) er seine Schrift »De ignota litteratura« (1442/43) verfaßte. Cusanus seinerseits antwortete mit der »Apologia de docta ignorantia« (1449). Lange Zeit war die Schrift J.s verschollen und nur durch die Invektiven des Cusanus in groben Zügen vorstellbar, bis Vansteenberghe 1910 den Text wiederentdeckt und herausgegeben hat. J. erweist sich in seiner Kritik als strenger Anhänger der Lehre des Aristoteles, wenn er gegen die Erkenntnismethode des Cusanus an der aristotelischen Abstraktionstheorie festhält. Besonders das »incomprehensibiliter apprehendere«, Kernstück der »Docta ignorantia«, kann er nicht akzeptieren, v. a., da er hier den Einfluß der Mystik (Meister Eckhart) und des Neuplatonismus spürt. Einer solchen spekulativen Theologie kann J. als Realist nichts abgewinnen. Er verteidigt dagegen die Notwendigkeit einer gesicherten Erkenntnis, die aus der Logik gewonnen werden kann und durch die Heilige Schrift bestätigt wird. Dieser Standpunkt läßt sich auch in anderen Schriften J.s, die fast alle unveröffentlicht geblieben sind, verfolgen. Er erscheint dabei als ein Vertreter des Albertismus, verdankt aber auch dem Thomismus einige wertvolle Anregungen. Daneben hat er sich, trotz seiner so entschiedenen Ablehnung gegenüber Cusanus, sogar dem Neuplatonismus zugewandt, wie sein Kommentar zur »Caelestis Hierarchia« des Pseudo-Dionysios (1455) beweist. Insgesamt erweist sich J. als ein gewissenhafter und fleißiger Kompilator, der die Anregungen seiner Zeit mit Aufmerksamkeit und kritischer Urteilsfähigkeit aufgenommen und verarbeitet hat. Ein durchaus eigenständiger Zug ist seine intensvie Auseinandersetzung mit den Schriften der Bibel, zu denen er zahlreiche Kommentare verfaßt hat. Trotz seiner relativen Offenheit gegenüber anderen Standpunkten blieb J. sein ganzes Leben lang der via antiqua treu. Hier zeigt sich wohl der frühe und nachhaltige Einfluß seiner Studienjahre in Paris. Umso überraschender erscheint in diesem Zusammenhang die Tatsache, daß er sich die Universität Heidelberg zum Weiterstudium gewählt hatte, die im Jahre 1385 als zur Richtung des Nominalismus gehörende Universität gegründet worden war und diese Richtung, wenn auch in gemäßigter Form (Marsilius von Inghen), vertrat. Um die gleiche Zeit begann an den Universitäten ein Streit zwischen den Anhängern der via antiqua und der via moderna, der auch in Heidelberg zu heftigen Auseinandersetzungen führte. Wie weit J. darin verwickelt war, ist nicht bekannt, aber er wird sich kaum die Gelegenheit haben entgehen lassen, die Lehre nach der via antiqua an der Universität Heidelberg einzuführen, wie es dann 1452 auch durch Verfügung des Kurfürsten Friedrich I. tatsächlich geschehen ist. Die entschiedene Haltung J.s wird wohl diese Bestimmung mit beeinflußt haben.

Werke: Die Schriften J.s sind bis auf zwei unveröffentl. geblieben. Die in Klammern angegebenen Jahreszahlen verweisen auf die tatsächl. oder vermutete Entstehungszeit. — Parva logicalia (verm. vor 1426); De ymagine et similitudine contra eghardicos (1430); Principium zum 1. Sentenzenbuch (1431); Das Büchlein von der Seele (1436; s. Lit.: G. Steer, 1967); Aufzeichnungen über Ereignisse am Mainzer Reichstag (1441); Antwortbrief an Johannes von Gelnhausen (1442); De ignota litteratura (1442/43; s. Lit.: Vansteenberghe, 1910); Memoriale divinorum officiorum (1445); Paradigmata ingeniorum artis (nach 1445); De facis scolae doctae ignorantiae (zw. 1449 u. 1455); Kommentar zur Caelestis Hierarchia (1455); Sermo in die nativitatis Christi (1457); De consequentiis (o.D.); Kommentare zu: Boethius, Liber de hebdomadibus; Aristoteles, De anima III und Liber de causis (o.D.).

Lit.: J. F. Hautz, Gesch. der Univ. Heidelberg, 1862; — Gustav Toepke, die Matrikel der Univ. Heidelberg I-III, 1884-1889; — A. Thorbecke, Gesch. der Univ. Heidelberg I (1386-1449), 1886; — Denifle/Chatelain, Auctarium Chartularii Universitatis Parisiensis. Liber receptarum nationis Alemanniae II, 1897; — E. Vansteenberghe, Le »De ignota litteratura« de Jean Wenck de Herrenberg contre Nicolas de Cues. Texte inédit et étude, in: BGPhMA VIII, 1910, H. 6; — Ders., Autour de la docte ignorance. Une controverse sur la théologie mystique au XVe siècle, in: BGPhMA XIV, 1915, H. 2-4; — Ders., Le Cardinal Nicolas de Cues (1401-1464), 1920; — Gerhard Ritter, Via antiqua und via moderna auf den dt. Universitäten des XV. Jh.s, 1922 (unveränd. Nachdruck 1963); — Ders., Die Heidelberger Universität. Ein Stück dt. Gesch. I (1386-1508), 1936; — H. Schreiber, Die Bibliothek der ehemaligen Mainzer Kartause. Die Handschriften und ihre Gesch., in: ZBlfBibl Beiheft 60, 1927; — Stegmüller RB III, 1940-1954, 5059-5062; — R. Haubst, J. aus Herrenberg als Albertist, in: RThAM XVIII, 1951, 308-323; — Ders., Studien zu Nikolaus von Kues und J. Aus Handschriften der Vatikanischen Bibliothek, in: BGPhMA XXXVIII, 1955, H. 1; — Ders., Das christol. Schrifttum des J. in Codex Mainz 372 und die von ihm benutzten ps.-albertinische »Litania de sanctis«, in: RQ LII, 1957, 211-228; — Ders., Nikolaus von Kues und J. Neue Erörterungen und Nachträge, in: RQ LIII, 1958, 81-88; — Ders., Zu Erich Meuthen, Bemerkungen zu R. Haubst: 1957, in: RQ LVI, 1961, 75-77; — I. Backes, Bespr. zu R. Haubst: 1955, in: TThZ LXV, 1956, 64; — E. W. Platzeck, Bespr. zu R. Haubst: 1955, in: Antonianum XXXI, 1956, 332 f.; — K. Weiß, Bespr. zu R. Haubst: 1955, in: ThLZ LXXXI, 1956, Nr. 7/8, Sp. 451 f.; — G. Dumeige, Bespr. zu R. Haubst: 1955, in: RSR XLV, 1957, 304 f.; — H. Jedin, Bespr. zu R. Haubst, : 1955, in: ThR LVI, 1957, 18 f.; — Erich Meuthen, Bespr. zu R. Haubst: 1955, in: HJ LXXVI, 1957, 358-360; — Ders., Bemerkungen zu R. Haubst: 1957, in: RQ LIV, 1959, 114-116; — J. Simmert, Die Gesch. der Kartause zu Mainz, 1958; — B. Decker, Bespr. zu R. Haubst: 1955, in: Archiv für mittelrhein. Kirchengesch. XII, 1960, 361-363; — C. Giacon, Il »De ignota litteratura« di Giovanni Wenck. Nicoló da Cusa. Relazioni tenute al convegno interuniversitario di Bressanone nel 1960 (= Publicationi della Facolta di

Magisterio dell' Universita di Padova IV), 1962, 63-74; — F. X. Bantle, Nikolaus Magni de Jawor und J. im Lichte des Codex Mc. 31 der Universitätsbibliothek Tübingen, in: Scholastik XXXVIII, 1963, 536-574; — G. Steer, J.: Das Büchlein von der Seele, in: Kleine dt. Prosadenkmäler des MA.s, H. 3, 1967; — Hermann Weisert, Die Rektoren der Ruperto Carola zu Heidelberg und die Dekane ihrer Fakultäten 1386-1968, 1968, 11 f., 25; — K. Wriedt, Die Epistola in causa schismatis des J., in: MFCG X, 1973, 125-129; — A. L. Gabriel, »Via moderna« und »via antiqua« and the Migration of Paris Students and Masters to the German Universities in the Fifteenth Century, in: Miscellanea Mediaevalia IX, 1974, 439-483; — Klaus Dieter Kuhnekath, Die Philosophie des J. von Herrenberg im Vergleich zu den Lehren des Nikolaus von Kues, Diss. Köln, 1975; — LThK²V, 1096.

Hans-Josef Olszewsky

JOHANNES Ruch(e)rath (auch Rich(e)rath) *von Wesel* (de Vesalia). — Eher unbekümmerter Promulgator seinerzeit geläufiger, zum Teil kirchenkritischer Lehrmeinungen, als wegweisender Vorläufer der Reformatoren, * (nur zu vermuten) zwischen 1400 und 1425 zu Oberwesel am Rhein, † 1481 (?) in Mainz. — J. hat seit 1441 in Erfurt studiert. Dort wurde er 1445 Magister artium und erwarb 1456 den Doktorgrad in Theologie. Er lehrte an der Universität, zu deren Rektor er 1456/57 gewählt wurde. 1460 ging er als Domherr nach Worms; Gründe dafür sind nicht bekannt. 1461 übernahm er einen Lehrstuhl für Theologie in Basel, kehrte jedoch schon 1463 als Domprediger nach Worms zurück. Seine herausfordernde Kritik an Kirche und Lehre erregte Ärgernis. Da eine Verwarnung nichts fruchtete, enthob ihn Bischof Reinhard von Sickingen 1477 seines Amtes. Nichtsdestoweniger wurde er alsbald Dompfarrer in Mainz. Wegen seiner Beziehungen zu den Hussiten verklagte ihn der Dominikanerprior von Frankfurt/Main. Erzbischof Dieter von Isenburg stellte ihn daraufhin vor ein Inquisitionsgericht von Universitätsprofessoren aus Heidelberg, Köln und Mainz unter dem Vorsitz des Kölner Inquisitors Gerhard von Elten und Jakob Sprengers OP. Außer der Leugnung des Filioque konnten ihm freilich keine formalen Häresien vorgeworfen werden. Zum Verhängnis wurden ihm vielmehr seine Kontakte zu den Hussiten und deren Lehre, sowie seine vorwitzigen Predigten und Traktätchen, durch die er schon nicht mehr unangefochtene theologische Lehransich-

ten seiner Zeit unters Volk brachte. Am 21.2. 1479 widerrief er öffentlich im Mainzer Dom 19 seiner vom Gericht als häretisch bezeichneten Sätze. Daraufhin wurde er zu lebenslänglicher Haft im Mainzer Augustinerkloster verurteilt. Dort ist er zwei Jahre später gestorben. — Man überschätzt J., wenn man ihn zu den »Vorreformatoren« zählt. Es fehlt ihm dazu an wissenschaftlicher Originalität und Akribie, sowie an pastoraler Seriosität. Immerhin blieben seine Vorlesungen und Schriften in Erfurt offensichtlich lange Zeit unvergessen, wenn später M. Luther sich rühmt, daraus studiert zu haben, und J. Wimpfeling J. eine Zierde Erfurts nennt. Dabei gelten die damals verfaßten Kommentare zur Physik des Aristoteles und den Sentenzen des Lombarden heute nur als ein abgedroschener Ockhamismus. Andererseits offenbarte er frühzeitig seine ablehnende Haltung gegenüber der Ablaßlehre der Kirche. Schon um das Jubeljahr 1450 schrieb er eine »Disputatio adversus indulgentias«. Gemäß der Lehre des W. Ockham unterscheidet er scharf zwischen göttlichem und bloß kirchlichem Gesetz, stellt die Souveränität Gottes und die Freiheit des Menschen eigens heraus. Auch in der Erbsündenlehre folgt er Ockham, ohne die Erbsünde jedoch zu leugnen, wie man ihm nachgesagt hat. Sein Kirchenbegriff ist hussitisch beeinflußt. Weil er allein das Schriftprinzip gelten ließ, verwarf er natürlich die Tradition als Glaubensquelle. So kam er dazu, das Filioque zu leugnen, weil er dafür keine biblische Begründung gegeben sah. In seinen popularwissenschaftlichen Abhandlungen befaßte er sich mit vielfachen Fragen der praktischen Seelsorge, mit moraltheologischen und kirchenrechtlichen Problemen. Sein darin geübter Stil und die herausfordernde Art brachten ihn unausweichlich in Konflikt mit der kirchlichen Obrigkeit. Eigene Wege zu einer inneren Erneuerung hat er für seine Zeit nicht aufgewiesen.

Werke: (Manche sind verloren gegangen.) Disputatio adversus indulgentias (1475), hrsg. von Ch. W. F. Walch, in: Monumenta medii aevi I/1 (Göttingen 1757), 111-156; Opusculum de auctoritate, officio et potestate pastorum ecclesiasticorum, hrsg. v. Ch. W. F. Walch, in: aao II/2 (Göttingen 1764), 142 ff.; Kommentar zur aristotel. Physik; Exercitium metaphysicae; Sentenzenkommentar; De potestate ecclesiastica; De indulgentiis; De jejunio; Abhandlung über die Unbefleckte Empfängnis (1470); Disputatio per litteras mit Johannes v. Lutter, ob der Papst Stellvertreter Christi sei und ob er oder das Konzil etwas unter Todsünde verbieten könne; Super modo obligationis legum humanarum ad quendam Nicolaum de Bohemia (um 1478); Ad quendam fratrem de Carthusia de purgacione renum.

Lit.: Ortwin Gratius (van Graes), Fasciculus rerum expetendarum ac fugiendarum (Köln 1935) (= Relation A des Prozesses); — Charles Du Plessis d'Argentré, Collectio judiciorum de novis erroribus I/2 (Paris 1724), 291 ff.; — C. Ullmann, Reformatoren vor der Reformation I (Gotha² 1866), 149-346; — O. Clemen, Über Leben und Schriften des J., in: DZGw NF 2 (Freiburg 1898), 143-173 (mit Relation B des Prozesses); — Ders., Zu dem Ketzerprozeß J.'s, in: HV 3 (1900), 521-523; — Ders., in: RE 21, 127-131; — N. Paulus, J. über Bußsakrament und Ablaß, in: ZKTh 24 (1900), 644-656; — Ders., ZKTh 27 (1903), 601; — Ders., Geschichte des Ablasses III (Paderborn 1923), 524-527; — Ders., Wimpfeling als Verfasser eines Berichtes über den Prozeß gegen J., in: ZGObrh 81 (NF 42) (1929), 296-300, 451 ff.; — G. Ritter, Studien zur Spätscholastik III: Neue Quellenstücke zur Theologie des J. (SAH 1926/27) 5; — R. Samoray, J. (Diss.masch. Münster 1954); — J. F. G. Goeters, J., in: Monatshefte f. ev. KG des Rheinl. 16 (1967), 184-191; — Wetzer und Welte VI, 1786-1789; — DThC XIV/1, 145-149; — LThK ¹V (Freiburg 1933), 536 f.; — ECatt VI (1951), 613; — RGG ³V, 1207; — LThK ²V (Freiburg 1960), 1097.

Karl-Heinz Kleber

JOHANNES VIII. XIPHILINOS, Patriarch von Konstantinopel 1064-75, * zw. 1010 und 1012 in Trapezunt, † 1075. Begab sich etwa 1030 nach Konstantinopel, zuerst zum Studium, dann als Anwalt und Richter, war Schüler des Johannes Mauropus und Freund des Michael Psellos. 1045 wurde er mit dem Titel Nomophylax verantworticher Leiter der juristischen Studien in der Hauptstadt, ging 1054 zusammen mit Psellos als Mönch auf den bithynischen Olymp, von wo er 1063 zurückkehrte. Seine philosophischen Traktate, in denen er den Platonismus des Psellos kritisierte, sind verloren. Erhalten sind einige juristische Entscheidungen (bes. zum Eherecht), ein Martyrion auf den hl. Eugenios von Trapezunt und dessen Gefährten sowie ein Bericht über dessen Wunder, außerdem sind ihm wahrscheinlich auch Scholien zu den Basiliken zuzuweisen.

Werke: jurist. Entscheidungen zum Eherecht, PG 119, 756-7; N. Oikonomides, Un décret synodal inédit du patriarche Jean VIII Xiphilin concernant l'élection et l 'ordination des évêques, Rev.ét. byz. 18 (1960) 55-78; Martyrion des Eugenios ed. O. Lampsides, in: Ἅγιος Εὐγένιος ὁ πολιοῦχος τῆς Τραπεζοῦντος, Athen 1984.

Lit: Beck, Kirche 556f. (mit Bibl.); — LThK V 1097f. (J. Hoeck); — R. Anastas: Sull' epitafio di Psello per Giovanni Xiphilino, Siculorum Gymnasium n.s. 19 (1966) 52-56; — E. Follieri, Sulla novella promulgata da Costantino IX Monomaco per la restaurazione della facoltà giuridica a Costantinopoli, in: Studi in onore di E. Volterra II, Mailand 1971, 647-664; — U. Criscuolo, Sui rapporti tra Michele Psello e Giovanni Xifilino, SA: Atti dell 'Accad. Pontaniana n.s. XXIV (1975); — Ja. Ljubarskij, Psell v otnošenijach s sovremennikami: Ioann Mavropod, Ioann Ksifilin, Konstantin Lichud, Palestinskij Sbornik 23 [86] (1971) 125-143; — Wanda Wolska-Conus, Les écoles de Psellos et de Xiphilin sous Constantin IX Monomaque, Travaux et Mémoires 6 (1976) 223-243; — Dies., L 'école de droit et l'enseignement du droit à Byzance au XI° siècle, Travaux et Mémoires 7 (1979) 1-107; — Tusculum Lexikon 380; — Dict. of the Middle Ages 7 (1986) 126 (R. Browning).

Erich Trapp

JOHANNES XIPHILINOS der Jüngere, Neffe des gleichnamigen Patriarchen, auch als Philosoph bezeichnet, lebte um 1080 als Mönch und Logothetes in Konstantinopel. Er machte sich einen Namen sowohl als homiletischer wie auch als historischer Schriftsteller. In der Fortsetzung des Symeon Metaphrastes verfaßte er ein Kaiser Alexios I. Komnenos (1081-1118) gewidmetes Menologion für die Monate Februar bis August, das allerdings nur in einer georgischen Fassung erhalten ist. Weiters kennen wir von ihm 53 Predigten (Ἑρμηνευτικαὶ διδασκαλίαι) auf die Sonntage des Jahres, die in einigen Handschriften anderen Autoren zugeschrieben wurden. Sein Vorbild ist dabei besonders Johannes Chrysostomos. Außerdem verfaßte er im Auftrag des Kaisers Michael VII. Dukas (1071-8) einen Auszug aus den Büchern 36-80 des Cassius Dio, welche die Zeit von 68 v.C. bis 229 n.C. betreffen.

Werke: Georgisches Prooimion zum Menologion, ed. K. Kekelidse, Christianskij Vostok 1 (1912) 325-347; M. van Esbroeck, La légende »romaine« des SS. Côme et Damien et sa métaphrase géorgienne par Jean Xiphilin, OCP 47 (1981) 389-425 u. 48 (1982) 29-64; Die Homilien 1-25 ed. S. Eustratiades, Ὁμιλίαι εἰς τὰς κυριακὰς τοῦ ἐνιαυτοῦ I, Triest 1903; Cassius Dio, ed. Boissevain I-V, Berlin 1895-1931.

Lit: Beck, Kirche 629f. (mit Bibl.); — LThK V (1960) 1098 (F. Dölger); — F. Halkin, Le concile de Chalcédoine esquissé par Jean Xiphilin, Rev. ét. byz. 24 (1966) 182-8; — H. Hennephof, Der Kampf um das Prooimion im xiphilinischen Homiliar, Studia byzantina et neohellenica Neerlandica 3 (Leiden 1972) 281-299; — Dict. Spir. VIII (1974) 792f. (D.

Stiernon, mit Bibl.); — Der Kleine Pauly V (1975) 1434 (K. Ziegler); — L. Canfora, Xifilino e il libro LX die Dione Cassio, Klio 60 (1978) 403-7; — P. Brunt, On Historical Fragments and Epitomes, Class. Quart. NS 30 (1980) 477-494.

Erich Trapp

JOHANNES Aegidius *von Zamora*, spanischer Franziskaner, Polyhistor, * wahrscheinlich in Zamora als J. Aegidius (oder eher Aegidii), spanisch Juan Gil, † nach 1318. — Um 1269 trat J. in den Franziskanerorden ein. J. studierte einige Jahre in Paris, wohl zwischen 1274 und 1278. 1278 treffen wir ihn in Zamora als lector theologiae. Um 1300 war er Provinzial seines Ordens. J. war in besonderer Weise mit dem königlichen Hof verbunden. Er arbeitete mit an den literarischen Projekten des Königs Alfons X. des Weisen (1252-84), besonders an der »Crónica general« und an den «Cantigas de santa María« und verfaßte auf Bitten des Königs das »Officium almifluae Virginis Mariae« (hrsg. von F. Fita, 1885-88). J. war vermutlich auch Erzieher des Infanten Sancho, des späteren Königs Sancho IV. (1284-95); für diesen verfaßte er zwischen 1278 und 1282 das Werk »De preconiis Hispaniae«, eine Art Fürstenspiegel und Geschichte Spaniens (hrsg. v. M. de Castro, Madrid 1955).

Werke: (Die meisten sind noch nicht ediert.) Dictaminis epithalamium (hrsg. von Ch. Faulhaber, 1978); Proslogion (Prosodion) seu tractatus de accentu et de dubiliis Bibliae; Ars musicae; Archivum seu armarium scripturarum (nur Fragmente); Liber illustrium personarum; Liber de Jesu et Maria; Liber de historia naturali; Contra venena et animalia venenosa (hrsg. von M. de Castro, 1976); Sermones sanctorum; Legenda sanctorum; Liber meditationum et orationum; Commentarium in Canticum canticorum (Autorschaft zweifelhaft).

Lit.: G. Cirot, De operibus historicis J. Ae. Zamorensis (1913); — M.-R. Vílchez, El liber Mariae de Gil de Zamora, in: Eidos 1 (1954), 9-43; — H. Riedlinger, Die Makellosigkeit der Kirche in den lat. Hoheliedkommentaren des MA.s (1958), 303-306; — M. de Castro, Las ideas políticas y la formación del príncipe en el »De preconiis Hispanie«, in: Hispania 22 (1962), 507-541; — Ders., »Legenda prima« de san Antonio según Fr. Gil de Zamora, in: Archivo iberoamericano 34 (1974), 551-612; — Ch. Faulhaber, Las retóricas hispanolatinas medievales (s. XIII-XV), in: Repertorio de Historia de las Ciencias Ecclesiásticas en España VII (1979), 19-20; — F. J. Talavera Esteso, La Historia naturalis de Juan Gil de Zamora y la tradición enciclopedística latina del s. XIII. Edición de sus prólogos, in: Analecta Malacitana 6 (1983) 151-176; — K. Reinhardt/H. Santiago Otero, Biblioteca Bíblica Ibérica Medieval (1986), 194-202; — LThK V, 1098; — DSp VI, 367-369; — Diccionario de Historia Ecclesiástica de España II, 1022; — LexMA V, 776.

Klaus Reinhardt

JOHANNES *von Zazenhausen*, Weihbischof in Trier, * in Zazenhausen bei Stuttgart, † um 1380 in Mainz. — Die spärlich bekannten Lebensdaten bezeugen, daß J. dem Mainzer Franziskanerkonvent angehörte und dort »moderator conscientiae«, d. h. Spiritual des damaligen Mainzer Domizellars (Anwärter auf ein Kanonikat) und späteren Trierer Erzbischofs Kuno v. Falkenstein (1360 Koadjutor, 1362 Erzbischof) war. J. ist ab 1361 (bis 1376) durch Konsekrationsurkunden als Weihbischof in Trier nachgewiesen. Er ist Verfasser einer dem Erzbischof Gerlach v. Mainz (1346-71) gewidmeten deutschsprachigen Passio, welche die Leidensgeschichte Jesu schildert und nach einem lateinischen Prolog mit dem Dienstag der Karwoche beginnt. Die Passionshistorie basiert auf den Evangelisten, dem Nazaräer- und Nicodemus-Evangelium und den Kirchenvätern, ist in schlichter Sprache gehalten und bricht mit dem Pfingstereignis ab. Der Traktat zielt fast immer auf den sensus historicus und ist »der Typus der Historia passionis in Reinkultur« (Kurt Ruh). J. soll freiwillig als Weihbischof resigniert und seinen Lebensabend in Mainz verbracht haben, wo er in der Mauritiuskirche begraben wurde.

Lit.: U. F. von Gudenus, Codex Diplomaticus, Frankfurt und Leipzig 1751, 975, — Karl Josef Holzer, De Proepiscopis Trevirensibus, 1845, 46 f.; — Franz Falk, Der Trierer Weihbischof J. v. Z. und die Meistersänger von Mainz, in: Pastor bonus 14 (1901/02), 129 f.; — Heinrich Volbert Sauerland, Urkunden und Regesten zur Gesch. der Rheinlande aus dem Vatikanischen Archiv, Bd. 5, 1910, 366 Nr. 936; — Florenz Landmann, Zum Predigtwesen der Straßburger Franziskanerprovinz in der letzten Zeit des MA.s, in: Franziskan. Studien 15 (1928), 96-120, 110; — Livarius Oliger, Die dt. Passion des J. v. Z. O.F.M. Weihbischofs von Trier († ca. 1380), in: Franziskan. Studien 15 (1928), 245-251; — Handb. des Bistums Trier XX, 1952, 49; — Fritz Michel, Zur Gesch. der geistl. Gerichtsbarkeit und Verwaltung der Trierer Erzbischöfe im MA, 1953, 77; — Wolfgang Stammler, Deutsche Scholastik, in: Zeitschr. für dt. Philologie 72 (1953), 1-23, 15 (= Kl. Schriften I, 1953, 142); — H. Unger, Eine dt. Bearbeitung von Michael de Massas Passionstraktat »Angeli pacis amara flebunt« im Verhältnis zu dem lat. Vorbild, ungedr. wissenschaftl. Arbeit, München 1963, 58-60, 123; — Walter Baier, Unters. zu den Passionsbetrachtungen in der »Vita Christi« des Ludolf v. Sachsen (= Analecta Cartusiana Bd. 44), 1977, 411; — DLL VIII, 647; — Verf-Lex IV, 827-830 (Kurt Ruh).

Martin Persch

JOHANSSEN, Ernst * 14.8. 1864 in Sofienhof bei Preetz , † 20.3. 1934 in Marburg. Missionstheologe. Besuch des Gymnasiums in Ploen. Studium der Theologie in Rostock, Erlangen, Basel und Kiel. Schon während des Studiums Entschluß, Missionar zu werden. Eintritt in die Evangelische Missionsgesellschaft für Deutsch-Ostafrika (später Bethel-Mission). Ordination und Abordnung in Berlin 1891. Beginn der Missionsarbeit in demselben Jahre in Usambara, einem Gebirgsland in der damaligen Kolonie Deutsch-Ostafrika (jetzt Tanzania). Gründung der ersten Missionsstation in Mlalo, in jener Zeit meistens als Hohenfriedeberg bekannt. J. leistete dort mit einigen Mitarbeitern den Dienst eines Pioniermissionars, erlernte und erforschte die Sprache, das Schambala, baute Häuser, Schulen und Kirchen, verkündete die christliche Botschaft, gab Unterricht und widmete sich diakonischer Arbeit. Als seine Mission 1907 in Ruanda, damals eine Art Protektorat im Nordwesten des Schutzgebietes Deutsch-Ostafrika, heute ein selbständiger Staat, eine neue Missionsarbeit begann, wurde J. dorthin versetzt und leistete Pionier- und Leitungsdienste wie vorher in Usambara. Im Ersten Weltkrieg von Belgiern gefangengenommen, gelangte er 1917 nach Deutschland, übernahm ein Pfarramt in Bethel und lehrte nebenamtlich Missionswissenschaft an der dortigen Theologischen Schule. Im Jahre 1919 gründete er den »Bund deutscher evangelischer Missionare«. Nachdem er 1925 die Erlaubnis erhalten hatte, nach Ostafrika, das als Tanganyika Territory inzwischen Britisches Mandatsgebiet geworden war, zurückzukehren, wirkte er kurze Zeit in Usambara, von 1926 an aber unter den Haya am Victoria-See. Auch hier leistete er im Wesentlichen Erstlings- und Leitungsarbeit. Nach seiner endgültigen Rückkehr nach Deutschland 1931 erhielt er in der Theologischen Fakultät der Universisät Marburg einen Lehrauftrag für »Mission und Primitivreligion in Afrika«. J. war ein typischer Missionar der alten Generation, dem es am Herzen lag, Men-

schen zum Glauben an Jesus Christus zu führen. Gleichzeitig legte er den Grund für drei selbständige lutherische Kirchen in Usambara, Bukoba, und Ruanda. Darüber hinaus hat er viel für die Erforschung der afrikanischen Völker geleistet, unter denen er gearbeitet hat.

Werke: Bilder aus Ruanda, 1910; Aufbau einer Missionsstation in Ruanda, 1910; Das Leben der Schambala, beleuchtet durch ihre Sprichwörter, Zeitschrift für Kolonialsprachen, 1914/15; Ruanda, Kleine Anfänge - große Aufgaben, 1915; Mysterien eines Bantuvolkes, 1925; Geistesleben afrikanischer Völker, 1931; Führung und Erfahrung in 40jährigem Missionsdienst, drei Bände, o.J; Außerdem zahlreiche Aufsätze in theologischen, kirchlichen und missionarischen Zeitschriften; Herausgeber der Zeitschrift »Unsere Erfahrung«, des Organs des Bundes deutscher evangelischer Missionare.

Lit: W. Trittelvitz, Erinnerungen an Missionar Johanssen' Missionsblatt der Bethelmission 1934.

Ernst Dammann

JOHANSSON, Gustaf (1844-1930), finnischer evangelisch-lutherischer Theologe, Sohn eines pietistischen Pfarrers. — J. war 1875-1885 Dozent und dann Professor der Dogmatik und Ethik an der Staatsuniversität in Helsinki, 1885 Bischof von Kuopio, 1892 Bischof von Savonlinna und seit 1899 bis zu seinem Tode Erzbischof von Turko/Åbo und damit Primas der Kirche Finnlands. Seinen Einsatz in Finnland kann man vergleichen mit dem Bischof Martensens, des Bischofs von Seeland, mit dem er Ähnlichkeit hat. Beide waren Männer der theologischen Wissenschaft und haben dann mehrere Jahrzehnte die Entwicklung ihrer Kirche bestimmt. Beide standen auf biblischem Grund. J. erhielt entscheidende Impulse von Joh. Tob. Beck, bei dem er 1868/69 in Tübingen studiert hatte, vertrat aber den Volkskirchengedanken. Lutherischer Konfessionalismus war ihm fremd, sein Staatsbegriff machte ihn jedoch gegenüber dem russischen Zarentum allzu nachgiebig. Sein starker Biblizismus führte zur Ablehnung des Liberalismus wie auch der Ökumene und Nathan Söderbloms. J. hat einen nachhaltigen Einfluß auf die finnische Theologie ausgeübt. Seine Schüler wurden die »Kuopioer Schule« genannt.

Lit.: O. Tiililä, Uuden elämän etiikka, Helsinki 1940 (dort ist ein Verzeichnis aller Schr. und Aufsätze J.'s); — Y. Alanen,

G. J., Porvoo 1947; — G. Sentzke, Die Theol. J. T. Becks und ihr Einfluß in Finnland II, Helsinki 1957; — Ders., Die Kirche Finnlands, Göttingen 1963; — W. A. Schmidt, J., RGG ³III, 852 f.

Burkard Krug

JOJACHIN (andere Namensform: Chonja, Jer 22,24-30), König von Juda von Dezember 598 bis März 597 vor Christus, * um 616 als Sohn des späteren Königs Jojakim, † nach 560 im babylonischen Exil. Folgt im Dezember 598 seinem Vater Jojakim auf den Thron. Nebukadnezar von Babel nutzt den Thronwechsel, um sich das abtrünnige Juda wieder zu unterwerfen. Beim Nahen des babylonischen Heeres ergibt sich J. und gerät in Gefangenschaft (2 Kön 24,8-12). Nach in Babel gefundenen Keilschrifturkunden wird er weiter als »König des Landes Juda« bezeichnet. In Jerusalem besteigt sein Onkel Zedekia den Thron. Die Hoffnung nationaler Kreise in Juda wie in der Gola, daß J. bald auf den Thron zurückkehren werde (Jer 28,4; 29,26-28), erfüllt sich nicht. Er bleibt in babylonischer Gefangenschaft, wird aber 560 aus dem Gefängnis entlassen und erhält einen Sitz an der königlichen Tafel (2 Kön 25,27-30; Jer 52,31-34). — J.s Bedeutung besteht unter anderem darin, daß er bis weit nach der Zerstörung Jerusalems (587) am Leben bleibt und am Ende seiner Tage von den Babyloniern begnadigt wird. So kann sich an seinen Enkel Serubbabel (1 Chr 3,17-19) unter den ersten Rückkehrern aus der Gola die Hoffnung auf Wiedererrichtung der legitimen davidischen Herrschaft knüpfen (Hag 2,20-23; Sach 4,6-10).

Lit.: Herbert Gordon May, Three Hebrew Seals and the Status of Exiled Jehoiakin, in: AJSL 56, 1939, 146-148; — Ernst F. Weidner, J., König von Juda, in babylonischen Keilschrifttexten, in: Mélanges syriens offerts à Monsieur René Dussaud II, 1939, 923-935; — Aug. Bea S. J., König J. in Keilschrifttexten, in: Bibl 23, 1942,78-82; — A. Malamat, Jeremiah and the Last Two Kings of Judah, in: PEQ83, 1951, 81-87; — Hans-Jürgen Hermisson, Jeremias Wort über J., in: Werden und Wirken des Alten Testaments, FS Westermann, 1980, 252-270; — Christopher T. Begg, The Significance of Jehoiachin's Release: A New Proposal, in: JSOT 36, 1986, 49-56; — KL VI, 1269 f.; — DBV III, 1210-1212; — RE IX, 335 f.; — JE VII, 84; — EJud VIII, 917 f.; — EC VII, 144 f.; — LThK V, 1111; — CBL, 678; — LB, 715 f.; — DB, 462; — BL, 875; — EncJud IX, 1318 f.

Rainer Kessler

JOJADA, Jerusalemer (Ober-)Priester im 9. Jahrhundert vor Christus. — J. (jᵉhojᵃda = »Jahwe kennt«) trat vor allem als Inthronisator und Ratgeber König Joas von Juda in Erscheinung (2. Kön 11 - 12; 2. Chr. 24). Den jungen Prinzen Joas bewahrte J. zusammen mit seiner Frau Joseba vor den mörderischen Nachstellungen der Königin Athalja, indem er ihn im Jerusalemer Tempel verbarg, um ihn einige Jahre später im Zuge eines ausgeklügelten Plans dem Volk als den rechtmäßigen Nachfolger auf den Thron der Daviddynastie zu präsentieren. So der Verheißung Jahwes für den Bestand des Hauses David dienend, verdient sich J. in der theologischen Perspektive des dtrG hohes Lob, auch wegen seiner Initiative zur Abschaffung des Baalkultes in Jerusalem und seiner Verdienste um die Restauration des Tempels. Ausdruck für sein Jahwe wohlgefälliges Leben ist sein hohes Lebensalter, das er erreicht haben soll (2. Chr 24,15).

Lit.: E. Kautzsch, Art. »Jojada«, in: RE IX, 1896-1913 (Nachdr. 1970), 336 f.; — Anton Jirku, Gesch. des Volkes Israel, 1931, 186; — Martin Noth, Gesch. Israels, 1950 (1976⁸), 216; — Kurt Galling, Die Bücher der Chronik, Esra, Nehemia, 1954, 132-141; — Martin Rehm, Echter Bibel AT II, 1956, 223-234; — G. Reinwald, Art. »Jojada«, in: LThK V, 1960, 1110 f.; — Martin Metzger, Grundriß der Gesch. Israels, 1963², 105 f.; — Antonius H. J. Gunneweg, Gesch. Israels bis Bad Kochba, 1972 (1976²), 101; — Siegfried Herrmann, Gesch. Israels in at.licher Zeit, 1973 (1980²), 279 f.; — Hans Schmoldt, Art. »Jojada«, in: Reclams Bibellexikon, hrsg. v. Klaus Koch u. a., 1978, 253; — Hendrik Jagersma, Israels Gesch. zur at.lichen Zeit, 1979 (dt. 1982), 209; — Martin Rehm, Das zweite Buch der Könige, 1982, 123-127; — Georg Fohrer, Gesch. Israels, 1977, 142 ff.; — Ernst Würthwein, Die Bücher der Könige (1. Kön 17 - 2. Kön 25), 1984, 352-358; — G. Hentschel, Zwei Könige, 1985, 54-58; — Manfred Clauss, Gesch. Israels. Von der Frühzeit bis zur Zerstörung Jerusalems (587 v. Christus), 1986, 125; — Herbert Donner, Gesch. Israels und seiner Nachbarn, 1986, 251-254.

Hartmut Rosenau

JOJAKIM (ursprünglich Eljakim, 2 Kön 23,34), König von Juda 608-598 vor Christus, * etwa 633 als Sohn des Königs Josia, † Dezember 598. Nach Absetzung seines Bruders Joahas von Pharao Necho II. als König eingesetzt, rächt sich J. zunächst am judäischen Landvolk, das den jüngeren Joahas entgegen dem Erstgeburtsrecht an die Macht gebracht hatte, indem er ihm die von

Ägypten verhängte Geldbuße auflegt (2 Kön 23,35). Zunächst von Ägypten abhängig, unterwirft sich J. nach der ägyptischen Niederlage in der Schlacht von Karkemisch 604 den siegreichen Babyloniern. 601 fällt er wieder von ihnen ab, kommt aber, weil die Babylonier anderweitig gebunden sind, zunächst mit gelegentlichen Angriffen kleinerer Streifscharen davon (2 Kön 24,1 f.). Erst unter seinem Sohn Jojachin wird Jerusalem zum erstenmal eingenommen. Im Inneren wendet sich J. vom bescheidenen Regierungsstil seines Vaters Josia ab und läßt sich in Fronarbeit einen neuen Palast erbauen, was ihm die erbitterte Kritik Jeremias einbringt (Jer 22,13-19). Kritische Propheten werden blutig verfolgt (Jer 26,20-23; 36). — J.s Regierung bedeutet das Ende der unter Josia begonnenen Sozialreformen. Die Kritik Jeremias zeigt eine Gesellschaft, die immer stärker in eine besitzende Oberschicht und eine verarmende Unterschicht auseinanderfällt, wobei J., anders als Josia, dem nicht entgegensteuert, sondern davon profitiert.

Lit.: KL VI, 1481 f.; — DBV III, 1551-1555; — RE IX, 337 f.; — JE VII, 85; — EJud VIII, 919 f.; — BC VII, 145 f.; — LThK V, 1111; — CBL, 678 f., — LB, 716 f.; — DB, 462; — BL, 874 f.; — EncJud IX, 1321 f.

Rainer Kessler

JOKTAN, Stammvater südarabischer Völkerschaften, begegnet im Alten Testament nur in der Völkertafel Gen 10,25-29 sowie in dem davon abhängigen und fast wörtlich identischen Abschnitt 1 Chr 1,19-23. Vielleicht ist er identisch mit Jokschan in Gen 25,2 f. In Gen 10 kommt J. nur im jahwistischen Teil der Völkertafel vor. Er gehört in die Genealogie der Semiten und stammt von Arpachschad, Schelach und Eber ab. Ihm werden dreizehn Söhne zugeschrieben, die die Namen südarabischer Stämme repräsentieren. Die bekanntesten von ihnen sind Hazarmawet (Hadramaut Scheba (Gen 25,3; 1 Kön 10,1-13 u. a.), Ofir (1 Kön 9,28; 10,11; 22,49 u. a.) und Hawila (Gen 2,11).

Lit.: C. Westermann, Genesis. 1. Teilband: Genesis 1-11 (BK I/1), Neukirchen-Vluyn 1983³, 701-704; — K. Matthiae/W. Thiel, Bibl. Zeittafeln, Neukirchen-Vluyn 1985, Übersichtstafel 2.

Winfried Thiel

JOLBERG, Regine, geb. Zimmern, Gründerin einer Kinderpflegerinnenschule, * 30.6. 1800 in Frankfurt a. Main, † 5.3. 1870 in Nonnenweier (Baden). — J. stammte aus einer jüdischen Bankiersfamilie, wurde aber in einem christlichen Pensionat unterrichtet. Mit ihrem 2. Mann trat sie 1826 zum evangelischen Glauben über. Ihre beiden Ehen (1821- 1825 und 1826-1829) endeten jeweils durch den frühen Tod der Männer. Danach widmete sie sich der Erziehung ihrer Töchter sowie der Pflege ihres Vaters. Aus ihrer religiösen Überzeugung heraus, einem werktätigen Pietismus, richtete sie 1840 in Leutesheim b. Kehl eine Arbeitsschule und dann ein Mutterhaus für Kinderpflegerinnen ein. 1851 übersiedelte sie mit ihren Mitarbeiterinnen nach Nonnenweier. Dort und in den ebenfalls von ihr gegründeten Schwesternheimen in Wilchingen und Neuenheim wurden bis 1870 über 350 Kinderpflegerinnen ausgebildet, welche überwiegend in Südwestdeutschland und der Schweiz eingesetzt wurden. Die Ausbildung erinnert an Fröbel, doch ist nirgends eine Beeinflussung J.s durch Fröbel nachzuweisen. Das Diakonissenhaus Nonnenweier besteht heute noch.

Lit.: M. G. W. Brandt, Biographie v. Mutter J., 2 Bde., 1871 f.; — BadBiogr I, 1875; — W. Ziegler, Mutter J. u. d. Väter d. Nonnenweierer Werkes, 1925; — NDB X, 585 f.

Roland Böhm

JOLY BÉNIGNE, Venerabilis; franz. Kleriker, Theologe u. Verfasser religiös-aszetischer Schriften, * 22.8. 1644 in Dijon, entstammt einer in der Bourgogne hochangesehenen Beamtenfamilie, † 9.9. 1694 in Dijon. — Für die Kirchenlaufbahn bestimmt, wurde B.J. mit 12 Jahren in den Klerikerstand aufgenommen, am 13.7. 1657 zum Domherrn von Saint-Étienne in Dijon ernannt. Eine umfassende Ausbildung erhielt er bei den Oratorianern in Beaune (1654-1658), den Jesuiten in Dijon (1658-1660) und Reims (1660-1661). Er studierte am Collège de Navarre und an der Sorbonne in Paris, erwarb 1664 den Magister und 1667 das Bakkalaureat der Theologie. Nach geistlicher Vorbereitung im Seminar des Saint-Lazare, der Missions Étrangères und der Pères de la Doctrine chrétienne wurde B.J. am 2.4. 1672 in Paris zum

de Jonas, in: Anales Valentinos, 1975, 271-286; — J.A. Miles, Jr., Laughing in the Bible: Jonah and Parody, in: JQR 65, 1975, 163-181; — John D.W. Watts, The Books of Joel, Obadiah, Jonah, Nahum, Habakkuk and Zephanja, 1975; — Hans Walter Wolff, Studien zum Jonabuch: BiblStud 47, 1975²; — ders., Dodekapropheton 3. Obadja und J.: BK XIV/3, 1990²; — L.C. Allen, The Books of Joel, Obadiah, Jonah and Micah, 1976; — Ludwig Schmidt, »De Deo«. Studien zur Literarkritik und Theologie des Buches J., des Gesprächs zwischen Abraham und Jahwe in Gen 18,22ff. und von Hi 1: BZAW 143, 1976; — Terence E. Fretheim, The Message of Jonah, 1977; — ders., Jonah and Theodicy, in: ZAW 90, 1978, 227-237; — S. Schreiner, Das Buch J. - ein kritisches Resümee der Geschichte Israels, in: ThVers 9, 1977, 37-45; — B.S. Childs, Canonical Shape on the Book of Jonah, in: Biblical and Near Eastern Studies, 1978, 122-128; — G. Vanoni, Das Buch J. Literar- und formkritische Untersuchung: ATS 7, 1978; — H. Witzenrath, Das Buch J. Eine literaturwissenschaftliche Untersuchung: ATS 6, 1978; — Artur Weiser, Das Buch der zwölf Kleinen Propheten I: Die Propheten Hosea, Joel, Amos, Obadja, J., Micha: ATD 24, 1979⁷; — Stanislav Segert, Syntax and style in the Book of Jonah: six simple approaches to their analysis, in: FS Fohrer, BZAW 150, 1980, 121-130; — Friedrich Weinreb, Das Buch Jonah. Der Sinn des Buches Jonah nach der ältesten jüdischen Überlieferung, 1980²; — J.C. Holbert, »Deliverance belongs to Jahweh!« Satire in the Book of Jonah, in: JSOT 21, 1981; — Jerome T. Walsh, Jonah 2,3-10: A Rhetorical Critical Study, in: Bib. 63, 1982, 219-229; — Peter Weimar, Jon 4,5. Beobachtungen zur Entstehung der Jonaerzählung, in: BN 18, 1982, 86-109; — ders., Literarische Kritik und Literarkritik. Unzeitgemäße Beobachtungen zu J. 1,4-16, in: FS Schreiner, 1982, 217-235; — ders., Jon 2,1-11. Jonapsalm und Jonaerzählung, in: BZ NF 28, 1984, 43-68; — J.D. Magonet, Form and Meaning. Studies in Literary Techniques in the Book of Jonah, 1983; — B. Vawter, Job and Jonah: Questioning the Hidden God, 1983; — Alfons Deissler, Zwölf Propheten II. Obadja. J. Micha. Nahum. Habakuk, 1984; — T.D. Alexander, Jonah and Genre, in: TynB 36, 1985, 35-59; — H. Gese, J. ben Amittai und das Jonabuch, in: Theol. Beitr. 16, 1985, 256-272; — A.J. Hauser, J.: In Pursuit of the Dove, in: JBL 104, 1985, 21-37; — E.W. Hesse / I.M. Kikawada, Jonah and Genesis 11-1, in: AJBI 10, 1985, 3-19; — Bernard P. Robinson, Jonah's Qiqayon Plant, in: ZAW 97, 1985, 390-403; — Friedemann W. Golka, Jonaexegese und Antijudaismus, in: KuI 1, 1986, 51-61; — Jürgen Ebach, Kassandra und J. Gegen die Macht des Schicksals, 1987; — D. Stuart, Hosea - Jonah: WBC 31, 1987; — R. Payne, The Prophet Jonah: Reluctant Messenger and Intercessor, in: ET 100, 1988/89, 131-134; — Robert Couffignal, Le Psaume de Jonas (Jonas 2,2-10). Une catabase biblique, sa structure et sa fonction, in: Bib. 71, 1990, 542-552; — Kenneth M. Craig jr., Jonah and the reading process, in: JSOT 47, 1990, 103-114; — J. Day, Problems in the Interpretation of the Book of Jonah, in: OuSt 26, 1990, 32-47; — S.W. van Heerden, Naive realism and the historicity of the book of Jonah, in: Old Testament essays 3, 1990, 71-91; — J.H. Potgieter, Jonah - a semio-structuralistic reading of a narrative, in: Old Testament essays 3, 1990, 61-69; — R.J. Ratner, Jonah, the Runaway Servant, in: Maarav 5-6, 1990, 281-305; — Jack M. Sasson: AB 24B, 1990; —

Michael L. Barré, S.S., Jonah 2,9 and the Structure of Jonah's Prayer, in: Bib. 72, 1991, 237-248.

Rainer Kessler

JONAS *von Bobbio* (Jonas Bobiensis), Mönch und Hagiograph, * um 600 in Susa (Piemont), † nach 659. — J. trat 618 in das von Columbanus dem Jüngeren (ca. 530-615) 614 gegründete Kloster Bobbio (in Apennin, südlich von Piacenza) ein, wo er bald Sekretär der Nachfolger des irischen Gründers, der Äbte Atalla († 626) und Bertulf († 639) wurde, wohl aufgrund seiner für die damalige Zeit beachtlichen literarischen Fähigkeiten. 628 begleitete J. Abt Bertulf nach Rom. Letzterer beauftragt J., eine Vita des Heiligen Columbanus zu schreiben. Um die eigenen Kenntnisse über das Leben des Klostergründers und Verfassers der Ordensregel zu ergänzen, begibt sich J. vor 629 zu Eustasius, dem Abt von Luxeuil († 629), der selbst Columbanus noch gekannt hatte, und unternimmt Reisen im rheinisch-lothringischen Gebiet. Nach etwa zehn weiteren Jahren in Bobbio verläßt J. sein Kloster kurz vor dem Tode Bertulfs 639, um in der Gallia Belgica als Missionar zur Bekehrung noch vorhandener Heiden zu wirken. Er verbringt mehrere Jahre zusammen mit dem Heiligen Amandus, dem Gründer des berühmten Klosters St. Amand-les-Eaux im Gebiet der mittleren Schelde. Weitere Reisen führen ihn nach Châlons-sur-Saône, Arras, in die Klöster Elnon und Faremoutiers. 659 hält er sich in Reomé (bei Samur-en-Auxois) auf, wo er eine Vita des Abtes Johannes verfaßt. Einige Jahre trug er den Titel eines Abtes, es ist jedoch nicht sicher, von welchem Kloster. Nach 659 fehlen zuverlässige Nachrichten über J. — J. verfaßte neben der »Vita Columbani«, seinem Hauptwerk, die Viten der Äbte Attala und Bertulf, des Eustasius, sowie weitere Mönchsviten aus Bobbio und Faremoutiers. Ebenso bearbeitete er in Arras die Vita des Heiligen Vedastus (St. Vaast) und schrieb in Reomé die genannte »Vita Johannes Reomanensis«. Der »Vita Columbani« sind wohl nicht von J. verfaßte Hymnen zu Ehren des Heiligen angefügt. Diese Vita und diejenigen der nachfolgenden Äbte, des Eustasius und die bobiensischen Mönchsviten sind die beiden Bücher seines Hauptwerkes »Vita Columbani et Discipulorum eius«, das in den meisten Handschriften verbreitet ist, deren älteste die bereits von dem irischen Forscher J. Ussher († 1656) entdeckte, jedoch erst 1955 von Dom J. Leclercq OSB beschriebene Handschrift des Grand Séminaire von Metz ist (älteste Teile aus dem 9. Jahrhundert). J. schreibt in einem unvollkommenen, aber für seine Zeit nicht schlechten Latein, das Kenntnisse antiker Autoren beweist. In der »Vita Sancti Vedasti« benutzt er Gregor von Tours (Historia Francorum), ansonsten schöpft er aus Johannes Cassianus, Cyprianus, Ambrosius, Augustinus, Hieronymus u.a., sowie aus früheren Hagiographien iroschottischer Mönche (z. B. Adamnanus), sowie aus der Bibel, besonders dem Psalter, Matthäus und Lukas. Entsprechend der allgemeinen Charakteristik des Schrifttums seiner Zeit, weisen seine Viten Mängel in Aufbau und Chronologie auf, jedoch zeichnet sich J. durch das Bemühen um Vollständigkeit des Berichtes aus, um Vergleich und Erweiterung seiner Quellen, zu welchem Zwecke er ausgiebige Reisen unternimmt. Ebenso ist er bemüht, die Fakten möglichst korrekt und genau zu präsentieren. - Wie in der gesamten Hagiographie seiner Zeit steht der Bereich des Wunderbaren im Vordergrund: die Vita sollte vor allem die Kraft des Heiligen beweisen, Wunder tun, um sein Ansehen und das seiner klösterlichen Gründungen zu heben. Doch verleiht der für J. typische Hang zu relativer faktischer Genauigkeit seinem Werk einen erstklassigen Rang als historischer Quelle, etwa über die Vorgänge im burgundisch-merowingischen Hochadel, die J. in der »Vita Columbani« berichtet. Weiterhin gelingt es J., seine Protagonisten in ihrer charakterlichen Eigenheit zu zeichnen, den strengen, oft heftigen Columbanus, den mildtätigen Attala, den kontemplativen Eustasius, usw. Und letztlich präsentieren uns die anekdotischen Berichte über das Wirken der Heiligen (ähnlich oft zu den Fioretti des Heiligen Franz) auch mit dem alltäglichen Leben der Menschen in einer Zeit, von der wir sonst nicht viel wissen. — J. gilt als einer der bedeutendsten, wenn nicht der bedeutendste italienische Schriftsteller des 7. Jahrhunderts, was angesichts der Armut dieses Jahrhunderts nicht viel heißen mag. Sein Werk aber belegt Existenz

Grad und Weise des Fortlebens lateinischen Schrifttums in der geistesgeschichtlichen »Lücke«, die zwischen dem Jahrhundert des Boethius und Cassiodor einerseits, und der karolingischen Renaissance andererseits klafft.

Werke: Boninus Mombritius Sanctuarius, Mailand 1475, Bd. 1, f. 207-209 (Via Columbani); Nova Legenda Anglie, London 1516, 65-68 (V. Col.), neu Oxford 1901, Ed. C. Horstmann; Ven. Beda Opera Historica, Basel 1563, Bd. 3, 275-305 (V. Col); Laurent Surius, De probatis Sanctorum historiis, Köln 1571-1575, Bd. 2, 92-95 (V. Attal.), ibid, 421-428 (V. Eust.), Bd. 4, 752-756 (V. Bert.), Bd. 6, 484-505) V. Col); Vincent Barralis, Chronologia Sanctorum et aliorum virorum illustrium ac Abbatum sacrae insulae Lerinensis, Lyon 1613, Bd. 1, 97-101 (V. Attal.), Bd. 2, 83-110 (V. Col); Th. Messinghamus, Floril. insulae Sanctorum seu vitae et acta Sanctorum Hiberniae, Paris 1624, 219-239 (V. Col.); Patr. Flemingi, Hib. Collectanea Sacra seu S. Columbani hib. abb. acta et opuscula, Löwen 1667, 214-242 (V. Col.); Acta Sanctorum cur J. Bollandus S. J. Mart., Rom. 2, Antwerpen 1668, 43-45 (V. Attal.), Mart. Tom. 3, Antwerpen 1668, 785-790 (V. Eust.), Aug. Tom. 3, Antwerpen 1737, 752-753 (V. Bert.), Oct. Tom. 9, Paris 1869, 617 (Vita Merovei monachi); J. Mabillon, Acta Sanctorum O.S.B. 2, Paris 1669, 5-29 (V. Col), 116-123 (V. Eust.), 123-127 (V. Attal.), 160-166 (V. Bert.), 438-449 (Miracula Evoriacensis); J.-P. Migne, PL 87, Sp. 1011-1084 (V. Col., Eust., Attal., Bert., Mir., Ev.); B. Rossetti, Bobbio Illustrato, Turin 1795, 1, 13-51 (V. Col), 3, 5-24 (V. Attal. et Bert.); B. Krusch, Vit. Col. lib. 1 u. 2, MHG, Scriptores, 4, Hannover/Leipzig 1902, 64 ff.; Ders., Vit. Col. (in usum scholarum), ebd. 1905; M. Todi (Ed.) Jonas:, Vita Col. et discipulorum eius, Piacenza 1965.

Lit.: DACL, J., Bd. 7, 1927, Sp. 2631-2641; — Lex. f. Th. u. K., J., Bd. 5, 1960, Sp. 1115; — Dict. de Spir., J., Bd. 8, 1972, Sp. 1267-1269; — New Catholic Encyclop., J., s. a., Bd. 7, Sp. 1095; — D.-A. Stracke, Over S. Jonatus of S. Jonas en J. van B., Ons Geestelijk Erf, Antwerpen, Bd. 33, 1959, 68-75; — J. Leclercq, Un receuil d'hagiographie columbanienne, Anal. Bol., Bd. 73, 1955, 193-196; — Ders., L'univers religieux de Saint Colomban et de J. de B., RAM, Bd. 42, 1966, 15-30; — G. Roques, La culture de J. de B., d'apres le livre I de la V. Col. (Dipl. d'Et. Sup.), Paris 1967; — I. Müller, Die älteste Gallus-Vita, ZSKG 66, 1972, 209-249; — B. Löfstedt, Bemerkungen zur Sprache des J. v. B., Arctos 8, 1974, 79-95; — R. Roques, Breve reponse aux »Bemerkungen...« de M. B. Löfstedt, Arctos 9, 1975, 89-91; — G. Vinay, Alto Medioevo latino: conversazioni e no, Neapel 1978; — C. Gindele, Columban verzichtet auf seinen Meßpriester Gallus, Stud. u. Mitt. z. Gesch. d. Benedikt. Ord. u. s. Zweige 90, 1979, 438-445; — D. Norberg, Un hymne de type irlandais en Italie, Paradoxos politeia (Festschr. G. Lazzati), Mailand 1979, 347-357; — (Hrsg. R. Cantalamessa/L. F. Pizzolato) F. Delbeau, Un plagiat anonyme de la V. Col. Archiv. Bobiense 3, 1981, 59-64; — I. Meyer-Sickendieck, Gottes gelehrten Vaganten, Stuttgart 1980; — I. Wood, A prelude to Columbanus: the Monastic Achievement in the Burgundian Territories, Columbanus and Merovingian Monasticism, Ed. H. B. Clarke/M. Brennan, Oxford

1981, 3-32; — H. Wolfram/H. Haupt/A. Kusternig, Quellen zur Gesch. des 7. und 8. Jh.s, Darmstadt 1982; — H. Löwe (Hrsg.), Die Iren in Europa im frühen Mittelalter. 2.Bd., Stuttgart 1982; — F. G. Nuvolone, Ed. Il Compendium Jonae, il Sermo de Charitate Dei ac Proximi, il viaggio di Colombano a Roma e l'aggiogamento dell'orso, Edizioni e spunti analitici. Archivium Bobiense 4, 1982, 91-174; — S. Boesch Gaiano, La tipologia dei miracoli nell'agiografia altomedievale. Qualche riflessione, Schede medievali 5, 1983, 303-312; — M. Lapidge, Columbanus and the Antiphonary of Bangor, Peritia 4, 1985, 104-116; — D. Norberg, Glanure lexicographique, ALMA 44-45, 1983-85 (1987), 213-221; — M. Van Uytfanghe, Stylisation biblique et condition humaine dans l'hagiographie merovingienne, Verhandl. der Kgl. acad. voor Wetensch., Letteren en Schone Kunsten Brussel, Klasse der Letteren, Jaarg. 49, No. 120, Brüssel 1987.

Christoph Dröge

JONAS *von Orléans*, * vor 780 in Aquitanien, † 843. — Nach seiner Erziehung in Aquitanien erhielt J. die kirchlichen Weihen, danach unternahm er eine Bildungsreise nach Asturien. Im Jahre 818 wurde er Bischof von Orléans und blieb dort bis zu seinem Tod. Berühmt wurde er als Verfasser eines an König Pippin von Aquitanien gerichteten Fürstenspiegels (»De Institutione Laicali«), weniger bekannt ist sein Werk zugunsten der Bilderverehrung (»De Cultu Imaginum«), in dem er sich polemisch gegen Bischof Claudius von Turin wandte.

Werke: Migne, Patrologia Latina 106, Sp. 121-394; MGH, Epistulae 5, 346-355.

Lit.: K. Amelung, Leben und Schriften des Bischofs J., Diss. Leipzig 1888; — J. Reviron, Les idées politico-réligieuses d' un évêque du 9e siècle: J. et son De institutione regia, 1930; — E. Delaruelle, J. et le moralisme carolingien, in: Bulletin de Littérature Ecclésiastique 55, 1954, 29-43, 221-228; — Henri-Xavier Arquillière, L'augustinisme politique, 1955[2]; — A. García Martinez, El primer tratado politico-religioso, in: Crisis 4, 1957, 239-264; — Max Manitius, Gesch. der lat. Lit. des MA.s, Bd. 1, 1959[2]; — W. A. Schmidt, Verfassungslehren im 9. Jh., Diss. Mainz 1961; — J. M. Wallace-Hadrill, The Via Regia of the Carolingian ages, in: B. Smalley (Hrsg.), Trends in medieval political thought, 1965, 22-41; — Hans Hubert Anton, Fürstenspiegel und Herrscherethos in der Karolingerzeit, Diss. Bonn 1966, 1968; — Pierre Hadot, Fürstenspiegel, RAC 8, 1969, 555-632; — Alois Dempf, Sacrum Imperium, 1973[3]; — Otto Eberhardt, Der Fürstenspiegel Smaragds von St. Mihiel und seine lit. Gattung, Diss. Münster 1976, 1977; — Tilman Struve, Die Entwicklung der organolog. Staatsauffassung im MA, 1978; — LThK[1] V, 553; — LThK[2] V, 1115 f.; — Catholicisme VI, 946-948; — NewCathEnc VII, 1096; — Enc. Catt. VI, 430 f.

Wilhelm Blum

JONAS, Justus (Jodocus Koch), Jurist und lutherischer Theologe, * 5.6. 1493 als Sohn des Bürgermeisters Jonas Koch in Nordhausen, † 9.10. 1555 in Eisfeld/Werra. — J. studierte in Erfurt und Wittenberg Jura und schloß sich 1520 dem thüringischen Humanistenkreis an, an dessen Spitze Hessus und Mutian standen. In die gleiche Zeit fällt die Latinisierung seines Namens, sowie die Auseinandersetzung mit Erasmus, der ihm den Weg zur Heiligen Schrift und zu den Vätern wies. 1518 wurde J. Professor des kanonischen Rechts in Erfurt und 1521 in Wittenberg, wo er besonders durch die sogenannten Kirchenvisitationen für die Durchführung der Reformation in Kursachsen und Meißen wirkte. Als Jurist entwarf er im Auftrag der Fakultät eine konsistoriale Kirchenverfassung für Kursachsen. Ab 1541 war J. als Prediger in Halle bei der Einführung der Glaubenserneuerung maßgebend beteiligt. Nachdem er ab 1544 als Superintendent dort tätig war, wurde er aufgrund seiner Schmähungen gegen Karl V. im Schmalkaldischen Krieg 1546 aus Halle vertrieben. J. wendete sich zunächst Hildesheim, dann Jena zu. 1551 wurde er Hofprediger in Coburg, 1552 organisierte er das protestantische Kirchenwesen in Regensburg, 1553 wurde er Superintendent in Eisfeld, wo er bis zu seinem Tod blieb. J., einer der Hauptmitarbeiter Luthers und Melanchthons, gewinnt an Bedeutung für die Reformation durch seine Tätigkeit als Übersetzer von fünfunddreißig lateinischen Schriften Luthers und Melanchthons, sowie als Verfasser und Visitator von Kirchenordnungen (Zerbst, Hzt. Sachsen), als Reformator Halles und durch seine Teilnahme am Marburger Religionsgespräch und am Augsburger Reichstag. J. begleitete Luther 1546 nach Eisleben, um dort dem Reformator in seiner Sterbestunde beizustehen und ihm die Grabrede zu halten.

Werke: Übers. von Luthers 95 Thesen, 1517; Von den Geistlichen und Klostergelübden, M. Luthers Urteil an Hans Luther, seinen lieben Vater, verdeutscht durch D. J. J., Propst zu Wittenberg, Wittenberg 1522; Praefatio methodica totius scripurae in epistolam Pauli ad Romanos e vernac. M. Luth. in lat. versa per J. J., ebd. 1523; Adversus Joanem Fabrum, Cosntantiensem vicarium, scortationis patronum proconiugio sacerdotali J. J. defensio, Tiguri 1523; Libellus Mart. Luth. Christum Jesum verum Judaeum et semen esse Abrahae e germ. vers. per J. J. cum epistola Jonae ad And. Remum, Wittenberg 1524; Annotationes J. J. in Acta Apostolorum. Ad Jo. Fridericum Saxon. Ducem Wittenberg 1524 (Basel 1525); Vom alten und newen Gott, glawben und lere, gecorrigirt und gebessert, Wittenberg 1526; Das der freie Wille nichts sey, D. Mart. Luther an Erasmus Rot. Verdeutscht von J. J., ebd. 1526; Libellus M. Luth. de Sacramento Eucharistae ad Valdenses fratres e germ. transl. per J. J., ebd. 1526; Das siebend capitel Danielis von des Türken Gotteslästerung und schrecklicher Moderey mit unterricht J. J., 1530; Responsio ad apologiam Croti Rubeani, 1532; Oratio de gradibus in Theologia, 1533; Ludus Sylvani Hessi in defectionem Georgii Vuicelii ad Papistas cum Praefatione J. J. Respondo stulto iuxta stulticiam suam, ne videatur sibi sapiens, Wittenberg 1534; De missa privata et nuctione sacerdotum libellus Mart. Luth. e germ. in lat. transl. per J. J., ebd. 1534; Apologia der Confessio Augustana, 1535; Bedenken der Consistorien halben, 1538; Oratio J. J. Doctris Theologiae de studiis theologicis, Wittenberg anno 1539; Christlicher und kurzer Unterricht von Vergebung der Sünden und Seligkeit durch J. J., ebd. 1542; Vorrede inn die gantz Bibel, wie die ware Kirche Gottes auff Erden jren anfang gehabt, aus dem Latin verdeutscht durch J. J., Erfurt 1548.

Lit.: L. Reinhard, De vita et obitu Justi Jonae, Vimariae 1731; — H. G. Hasse, J. J. Leben, Leipzig und Dresden 1862; — Meurer, Leben der Altväter der luther. Kirche II, ebd. 1862; — Theodor Pressel, J. J., Elberfeld 1862; — Nitzsch, Leben und ausgew. Schriften der Väter und Begründer der luther. Kirche II, ebd. 1862; — Gustav Kawerau (Hg.), Der Briefwechsel des J. J., 2 Bde., Halle 1884/85; — R. Meyer, Festschrift zur Jubelfeier des 400jährigen Geb. des Dr. J. J., Nordhausen 1893; — E. Brandenburg, Kursachsen und Magdeburg in den Jahren 1541 und 1542, in: DZ für Gesch. Wissensch. I, 1896, 295 ff.; — M. E. Lehmann, J. J. - a Collaborator with Luther, in: Lutheran Quaterly 2, 1950, 189-200; — Walter Delius, Lehre und Leben J. J.s, 1952; — Ders., Die Ref. Gesch. der Stadt Halle, 1953; — H. Abe, Der Erfurter Humanismus und seine Zeit (Diss. Jena), 1953; — F. W. Krapp, Der Erfurter Mutiankreis und seine Auswirkungen (Diss. Köln), 1954; — S. Fornaçon, J. J., in: MGG VII, 1958, Sp. 155-157; — Joachim Scharf, Studien zu Smaragdus und Jonas, in: DA 1961, 333-348; — ADB XIV, 492-494; — Wetzer-Welte VIII, Sp. 1810-1812; — RE IX, 341-346; — ThViat I, 71-79; — RGG ³III, 856; — NDB X, 593-594; — LThK ²IV, Sp. 553-554.

Karin Groll

JONATHAN, Sohn König Sauls (um 1000 vor Christus). J. (jᵉhonᵃtᵃn = »von Gott gegeben«) zeichnete sich besonders durch seine wagemutigen, an Tollkühnheit grenzenden Kriegserfolge gegenüber den Philistern aus, die er zusammen mit seinem Vater Saul als dessen General bekämpfte (1. Sam 13,1-14,23). Dies machte ihn beim Volk Israel so beliebt, daß es sogar für ihn zur Abwendung eines Gottesurteils wegen eines unwissentlich übertretenen Gelübdes seines Vaters bat (1. Sam 14,24-46). Gleichwohl kam er zusammen mit seinen beiden jüngeren Brüdern Abinadab und Malchisua im Zusammenhang mit dem tragischen Untergang des Vaters bei einer Philisterschlacht ums Leben (1. Sam 31,1-7). — In anderer Hinsicht ist J. vor allem wegen seiner oft als vorbildlich hingestellten Freundschaft zu David, dem späteren Nachfolger König Sauls, bekannt, die wohl trotz ihrer Uneigennützigkeit auch ein politisches Motiv gehabt haben wird (1. Sam 18,1-5). Ihn schützte J. vor den Nachstellungen des mißtrauischen Vaters zunächst durch gutes Zureden (1. Sam 19,1-7), dann aber erneut durch einen ausgeklügelten Fluchtplan auch unter Gefährdung seines eigenen Lebens (1. Sam 20). Einen Einblick in die Tiefe dieser Freundschaft vermittelt das Klagelied, das David auf den Tod Sauls und J.s gedichtet haben soll (2. Sam 1,19-27), sowie Davids Einhaltung des Freundschaftsbundes (1. Sam 20,42) über J.s Tod hinaus, indem er sich um den gelähmten Sohn J.s, Meribaal, kümmerte (2. Sam 9).

Lit.: Anton Jirku, Geschichte des Volkes Israel, 1931, 121, 123, 127; — Martin Noth, Geschichte Israels, 1950 (1976⁸), 160f., 172, 183; — Karl Gutbrod, Das Buch vom König. Das erste Buch Samuel, 1956 (1959²), 94 ff., 101-107, 153 ff., 161 ff., 168-175; — Hans Wilhelm Hertzberg, Die Samuelbücher, 1956 (1973⁵), 81, 88-93, 123 f., 131 f., 138-142, 195-197; — Karl Gutbrod, Das Buch vom Reich. Das zweite Buch Samuel, 1958, 14-25, 127 ff.; — Julius Wellhausen, Israelitische und Jüdische Geschichte, 1958⁹, 55; — Friedrich Hauss, Biblische Gestalten. Eine Personenkonkordanz, 1959, 89 f.; — Martin Rehm, Art. »Jonathan«, in: LThK V, 1960, 1117; — Martinus Adrianus Beek, Geschichte Israels, 1961 (1976⁴), 51, 53; — Martin Metzger, Grundriß der Geschichte Israels, 1963, 73; — G. W. Anderson, The History and Religion of Israel, 1966, 51, 53, 68; — Antonius H. J. Gunneweg, Geschichte Israels bis Bar Kochba, 1972 (1976²), 55, 57-61, 63, 65; — Siegfried Herrmann, Geschichte Israels in alttestamentlicher Zeit, 1973 (1980²), 179, 183, 193, 212; — Hans Joachim Stoebe, Das erste Buch Samuelis, 1973, 247, 261-265, 347 f., 358 f., 382-390; — Hans Schmoldt, Art. »Jonathan«, in: Reclams Bibellexikon, hrsg. v. Klaus Koch u. a., 1978, 253; — Fritz Stolz, Das erste und zweite Buch Samuel, 1981, 82 ff., 90-96, 122 f., 128 f., 135-139, 186-189, 230; — Manfred Clauss, Geschichte Israels. Von der Frühzeit bis zur Zerstörung Jerusalems (587 v. Chr.), 1986, 46.

Hartmut Rosenau

JONATHAN, der Makkabäer, 160-143 v. Chr. Feldherr, Fürst und Hohepriester der Juden. J. (jᵉhonᵃtᵃn = «Geschenk Jahwes«) ist nach

1.Makk 2, 1-5 einer der fünf Söhne des Makkabäers Mattathias gewesen, der sich den Hellenisierungsmaßnahmen unter dem Seleukidenherrscher Antiochus IV. Epiphanes und seinen Nachfolgern in Palästina massiv entgegenstemmte. Wie sein Bruder Judas setzte J. mit großer Unterstützung des Volkes den Kampf gegen die Überfremdung des jüdischen Kultes erfolgreich fort (s. 1.Makk 9,23-13,32). Durch seine Kriegserfolge ist er zu einem gewichtigen und daher umworbenen Bündnispartner in der Auseinandersetzung vor allem zwischen Seleukiden, Ptolemäern und Römern um die Herrschaft in Palästina geworden, was er durch taktisches Geschick zugunsten seiner makkabäischen Interessen auszunutzen verstanden hat. Doch schließlich ist er von dem Ptolemäer Tryphon gefangengenommen und umgebracht worden (vgl. auch JosAnt XIII, 1-10).

Lit.: Emil Kautzsch, Die Apokryphen u. Pseudepigraphen d.AT I, 1900 (Nachdr. 1962), 24-81; — Martin Noth, Gesch. Israels, 1950 (1976[8]), 333, 336 ff., 362; — Julius Wellhausen, Israelit. u. jüd. Gesch., 1958, 241-258; — Martin Rehm, Art. »Jonathan 3.«, in: LThK V, 1960, 1117; — Martinus Adrianus Beek, Gesch. Israels, 1961 (1976[4]), 136-140; — Martin Metzger, Grundriss d. Gesch. Israels, 1963, 181 ff., 190; — Antonius H. J. Gunneweg, Gesch. Israels bis Bar Kochba, 1972 (1976[2]), 156-160, 164, 166; — Siegfried Herrmann, Gesch. Israels in alttestamentl. Zeit, 1973 (1980[2]), 444-448, 451, 463.

Hartmut Rosenau

JONE, Heribert (Taufname: Joseph), Kanonist und Moraltheologe, * 30.1. 1885 in Schelklingen/Württemberg als Sohn des Söldners u. Stadtpflegers August J. u. der Theresia Müller, † 26.12. 1967 in Stühlingen/Baden. — J., der 1904 in Sigolsheim in den Kapuzinerorden eingetreten war, absolvierte seine philos.-theol. Studien in versch. Studienklöstern und empfing 1910 in Köln die Priesterweihe. Nach einer Missionstätigkeit auf den Karolinen 1913 bis 1919 setzte er seine bereits 1911 bis 1912 begonnenen Studien an der Päpstlichen Universtität Gregoriana fort und promovierte 1922 zum Dr. iur. can. Von 1924 bis 1949 dozierte er kanonisches Recht und Moraltheologie an der Ordenshochschule in Münster und war darüberhinaus von 1925 bis 1949 Synodalrichter und Prosynodalrichter am kirchlichen Ehegericht in Münster und gehörte

von 1931 bis 1937 als Definitor der Provinzleitung an. — Die beiden Hauptwerke J., sein Kommentar zum Codex Iuris Canonici von 1917, der eine paraphrasierende Wiedergabe der Canones enthält, und seine Moraltheologie, wurden auf Grund ihrer prägnanten, kasuistischen Darbietung des Stoffes zu Nachschlagewerken für die seelsorgerische wie kanonistische Praxis und erlangten weite Verbreitung und internationale Anerkennung.

Werke: Kath. Moraltheologie. Unter bes. Berücks. des Codex Iuris Canonici sowie des deutschen, österreichischen u. schweizerischen Rechtes, 1930, [18]1961 (französische, niederländische, englische, italienische, portugiesische u. arabische Übers. versch. Aufl.); Gesetzbuch des kanonischen Rechtes. Erklärung der Kanones, 3 Bde., 1939/1940 (2. verm. u. verb. Aufl.: Gesetzbuch der lateinischen Kirche. Erklärung der Kanones, 3 Bde., 1950/1952/1953) (lat. 1950/1954/1955). — Zahlreiche Beiträge in der ThPQ 79 (1926)-86 (1933). — Bibliogr.: Schelklinger Hefte 13, 25-27.

Lit.: AnCap 83, 1967, 538 u. 84, 1968, 287 f.; — Wilhelm Lederer, Pater Dr. H. J. Ein Leben für Gott und die Wissenschaft, 1988 (Schelklinger Hefte 13); — Catholicisme VI, 954.

Franz Kalde

JORAM (hebr. Jo/Jahwe ist erhaben) *von Israel*, König von Samaria 852-841, Sohn des Königs Ahab (873-853) und der tyrischen Prinzessin Isebel, Nachfolger seines älteren Bruders Ahasja (853- 852). Von J., dem Letzten der Omridendynastie, berichten die deuteronomistischen Geschichstheologen in 2 Kön 3,1-27. Seiner Regierungszeit, welcher »die Sünde Jerobeams« (3,3), d. h. der Abfall von Jerusalem und der Davidsdynastie, vorgeworfen wird, gilt das Urteil: »Er tat, was dem Herrn mißfiel« (3,2). Einschränkend wird aber ebd. hinzugefügt: »Doch trieb er es nicht so schlimm wie sein Vater und seine Mutter, denn er entfernte das Steinmal des Baal, das sein Vater errichtet hatte«. Beraten von Elischa, zog J. zusammen mit Joschafat von Juda und dem König von Edom um 850 gegen Mescha, den König von Moab; sie konnten aber diesen nicht besiegen, wovon auch die 1886 entdeckte Siegesstele des Mescha berichtet (ANET S. 320 f.). J. ist vielleicht auch der in zwei Elischa-Erzählungen genannte König von Samaria: 2 Kön 6,8-23 Gefangennahme eines aramäischen Heeres und 2 Kön 6, 24-7,20 Ende des Hungers im belagerten Samaria. Ermutigt durch Elischa und unterstützt durch konservative, jahwetreue Kreise, bringt ein Usurpator, Jehu (841-817), J. um. Das gleiche Schicksal erfahren der bei J. anwesende König Ahasja von Juda, die Königinmutter Isebel und die Baalspriester (2 Kön 9,1-10,29).

Lit.: John Bright, Gesch. Israels, 1966, 241-248; — J. Maxwell Miller, The Fall of the House of Ahab, in: VT 17, 1967, 307-324; — Hans-Christoph Schmitt, Elisa, 1972; — J. Strange, Joram King of Israel and Judah, in: VT 25, 1975, 191-201; — Manfred Weippert, Jau(a) mar Humri - Joram oder Jehu von Israel?, in: VT 28, 1978, 113-118; — Martin Rehm, Das zweite Buch der Könige, 1982, 38-48. 69-80. 88-102; — Stefan Timm, Die Dynastie Omri, FRLANT 124, 1982; — Antonius H. J. Gunneweg, Gesch. Israels bis Bar Kochba, 1984[5], 108 f.; — Ernst Würthwein, Die Bücher der Könige. 1. Kön. 17-2. Kön. 25, ATD 11/2, 1984, 279-287, 304-316; — Georg Hentschel, 2 Könige, Die neue EchtB, 1985, 12-16. 27-34. 41-44; — Manfred Clauss, Gesch. Israels, 1986, 102-109; — Herbert Donner, Gesch. des Volkes Israel und seiner Nachbarn in Grundzügen, 1987, 250 f., 272-284; — Bibl.-Hist. Hdwb. (Reicke/Rost) II, 884; — BL 878 f.; — Catholicisme VI, 959; — CBL 682; — DBV III, 1641-1644; — Enciclopedia della Bibbia IV, 352-354; — Interpreter's Dict. of the Bible II, 972 f.; — JüdLex III, 321; — LB 720 f.; — LThK V, 1117 f.

Otto Wahl

JORDAN, P. Franziskus M. vom Kreuz (Johann Baptist), Ordensgründer, * 16.6. 1848 in Gurtweil/Baden, † 8.9. 1918 in Tafers/ Schweiz. — In armen Verhältnissen aufgewachsen fühlte J. sich nach seiner Ausbildung im Malerberuf und nach der damals für Gesellen üblichen »Walz« durch Europa als Kolpingssohn zum Priestertum berufen und begann als Spätberufener in Freiburg/Brsg. das Studium der Theologie. Herausragende Lehrer öffneten ihm während seiner Studienjahre noch mehr den Blick für die geistigen und religiösen Notstände seiner Zeit und der Kirche, vor allem in der Situation des Kulturkampfes in Deutschland. Kontakte mit dem »Paulus-Werk« von Josef Schorderet in Fribourg /Schweiz sowie sein Interesse für die Katholikentage und die erwachenden Laienbewegungen bezeugen sein frühes Suchen und seinen Willen zu besonderem Engagement in der Kirche. 1878 empfing er in St. Peter (b. Freiburg) die Priesterweihe, konnte jedoch aus politischen

Gründen in Deutschland nicht als Priester tätig werden. Ein Stipendium ermöglichte ihm in Rom ein weiteres Studium zur Förderung seiner außerordentlichen Sprachbegabung. In Rom auch reifte, und auf einer Palästina-Reise festigte sich sein Entschluß zur Gründung eines eigenen Werkes, das er als »Apostolische Lehrgesellschaft« im Jahre 1881 in Rom ins Leben rief (ab 1882 »Katholische Lehrgesellschaft«, seit 1893 »Gesellschaft des Göttlichen Heilandes«, SDS, »Salvatorianer« genannt). Erste, erfolgversprechende Bemühungen um einen Zusammenschluß mit dem »Cassianeum« L. Auers in Donauwörth scheiterten. Das selbständige Institut J.s, das ursprünglich in 3 Graden für Priester und Laien, Wissenschaftler und Berufstätige offenstand und sich in einem »Schutzengelbündnis« an die Kinder wandte, nahm eine rasche Entwicklung. Der erste Grad wurde von J. jedoch auf Drängen der Kirchenleitung in ein Ordensinstitut umgewandelt. Die ursprünglichen Ideen einer Zusammenarbeit mit Laien, die J. selbst nicht verwirklichen konnte, blieben jedoch in der Kirche stets lebendig. Die erste Gründung (1883) einer Schwesterngemeinschaft in Rom mit Amalie Streitel (Sr. Franziska vom Kreuz) trennte sich von J. und nahm eine eigene Spiritualität an (Kongregation der Schwestern von der Schmerzhaften Mutter», Addolorataschwestern). Die zweite Gründung zusammen mit Freifrau Therese von Wüllenweber (sel. Mutter Maria v.d. Aposteln) im Jahre 1888 in Tivoli führte zu einem selbständigen weiblichen Institut salvatorianischer Zielsetzung und Spiritualität (Kongregation der Schwestern vom Göttlichen Heiland, Salvatorianerinnen). Ziel seiner Gründungen, die aus den Erlebnissen der Glaubensnot seiner Zeit, der Unterdrückung der Kirche im Kulturkampf und unter dem Einfluß der neuen Laienbewegungen entstanden sind, ist die Stärkung und Vertiefung des Glaubens in den verschiedensten Bereichen des menschlichen Lebens mit allen zu Gebote stehenden Mitteln, sowie die Ausbreitung des Glaubens in den Missionsländern. 1915 mußte J. infolge des 1. Weltkrieges in die neutrale Schweiz umsiedeln, wo er 1918 im Alter von 70 Jahren starb. — Seine Gesellschaft wirkt heute mit 1.200 Mitgliedern in 14 Provinzen und 3 Missionen auf allen 5 Kontinenten.

Werke: Briefe, Ansprachen, Regeldrucke, Geistl. Tagebuch sind veröffentllcht in: Documenta et Studia Salvatoriana, Rom 1971 ff, und in einzelnen Studienausgaben.

Lit.: P. Pfeiffer, P. Franziskus Maria vom Kreuze Jordan, Berlin 1930 (engl. 1937); — B. Meisterjahn, Damit kein Mensch vor Gott sich rühme, Steinfeld o.J. (engl. u. span. o.J.); — — E. Federici, Il Padre Jordan, Rom 1948; — J. Lammers, Das Gebetsleben P. Jordans, Helmond 1957; B. Schweizer, Pater Jordan. Ein heiligmäßiger Ordensstifter unserer Zeit, Augsburg 1965²; — E. Skwor, Chronological Study of Early Developments, Milwaukee, 1968; — L. Gerke, Life of Father Francis Jordan, reprint 1977; — T. Edwein, hist.-kritische Studie über J. in: Documenta et Studia Salvatoriana, Nr. XIII ff, Rom 1979 ff; — A. Kiebele u.a., Die Salvatorianer in Geschichte und Gegenwart 1881-1981, Rom 1981 (niederl. 1986, span. 1987); — M. Stark, Damit sie dich erkennen. Die Pläne des Joh. Baptist Jordan, Steinfeld 1981; — P. van Meijl, Notre fondateur - un prophète, Herverlee 1986; — P. van Meijl, Die apostolische Visitation und P. Jordan, Diss. Theol. Leuven 1990.

Günther Mayer

JORDANUS FORZATÉ, OSB, Seliger, * um 1158 in Padua, † 7.8. um 1248 in Venedig. — Nach juristischen Studien tritt J. 1174 in den Benediktinerorden ein und wird Prior der Abtei San Benedetto Novello in Padua, deren Neubau J. 1195 leitet; als doctor decretalibus lenkt J. im Rat die Geschicke seiner Heiamtstadt, als er 1237 nach Ezzelino III. (s.d.) Stadteroberung eingekerkert wird. Friedrich II. (s.d.) erwirkt J.'s Befreiung und übergibt ihn der Obhut des Patriarchen von Aquileja. Sein Leben beendet J. in der Klausur des Klosters della Celesta in Venedig. 1810 wurden seine Gebeine nach Padua überführt. — Während des Kanonisationsverfahrens von Antonius (s.d.) übernimmt J. den Part des Examinators. — Gedenktage 7., 9., 13. und 17. VIII.

Lit.: Acta SS Aug. II (1735), 200-214; — N. Constantini, Memoriale istoriche concementi Giordans Forzatè, Venedig 1745; — I. Rosa, Il B. Giordano F. abate e priore di S. Benedetto in Padova (1158-1248). ScrMon 14, Praglia 1932; — Doyé I, 610; — EC V, 1545; — LThK V, 1119; — VSB VIII, 118; — Zimmermann II, 568, 570 f.

Klaus-Gunther Wesseling

JORDAN *von Giano* (JORDANUS DE YANO), Franziskaner, Verfasser einer berühmten Chronik, * um 1195 in Giano (Diöz. Spoleto), †

nach 1262 in Magdeburg. — Über das Leben J.s wissen wir nur das, was er selbst in seiner Chronik mitteilt. Vermutlich ist er 1217/18 in den Minoritenorden eingetreten. An dem Generalkapitel, das an Pfingsten 1221 bei der Portiuncula-Kirche tagte, wurde er gegen seinen Willen der Gruppe von 27 Brüdern zugesellt, die nach Deutschland ziehen sollten, um dort den Orden auszubreiten. Die Gruppe, die Ende September unter Führung des Caesarius von Speyer von Trient aus aufbrach, erreichte Mitte Oktober Augsburg. Von dort wurde J. mit zwei anderen Brüdern nach Salzburg geschickt. Im Frühjahr 1222 reiste er über Würzburg, Mainz und Worms nach Speyer. In den drei zuletzt genannten Städten wirkte er ein Jahr lang. Am 18.3. 1223 wurde er in Speyer zum Priester geweiht. Er wurde Guardian des dortigen Konventes, den die Franziskaner außerhalb der Stadtmauern bei einem Leprosen-Hospiz errichtet hatten. Danach war er Guardian der Niederlassung in Mainz. Von dort schickte ihn Albert von Pisa, der Caesarius von Speyer als Provinzialminister für Deutschland abgelöst hatte, mit sieben anderen Brüdern nach Thüringen. Am 11.11. 1224 kam J. in Erfurt an. In rascher Folge wurden Konvente in Eisenach, Gotha, Erfurt, Nordhausen, Mühlhausen gegründet. Während J. Oberer (Custode) der Brüder in Thüringen war, reiste er zweimal, 1230 und 1238, nach Italien. Auf der ersten Reise besuchte er in Assisi seinen alten Freund Thomas von Celano, der ihm einige Reliquien des heiligen Franziskus schenkte. Die zweite Reise unternahm er, um sich bei dem Papst Gregor IX. selbst über das Regime des Generalministers Elias von Cortona und die Willkür seiner Emissäre zu beschweren. 1241 wurde J. Custode für Böhmen und Polen. Auf dem Provinzialkapitel zu Halberstadt 1262 erhielt er den Auftrag, seine Erinnerungen über Ankunft und Entwicklung des Ordens in Deutschland festzuhalten. Er diktierte seine Chronik dem Bruder Balduin von Brandenburg. — Die Chronik, die den Zeitraum von 1209 bis 1262 umfaßt, ist neben derjenigen des Thomas von Eccleston eines der wertvollsten Dokumente für die Ausbreitung des Minoritenordens im nördlichen Europa. Besonders lebhaft und lebensnah sind die Ereignisse des Jahrzehnts von 1219 bis 1229 geschildert, während der Bericht über die darauf folgenden Jahre im Stil trockener Annalistik verfaßt ist. Die Chronik enthält zahlreiche, auch humorvolle und anekdotische Einzelzüge, die von dem gesellschaftlichen Milieu und der Mentalität der beiden ersten Franziskanergenerationen ein anschauliches Bild vermitteln.

Werke: Chronica fratris Iordani a Iano, in: Anal. Fr. 1, Quaracchi 1885, 1-19; Chronica fratris Iordani, ed. H. Boehmer (Coll. d'Ét. et de Doc., 6), Paris 1908; Deux lettres de Jourdain, ebd. 72-75; MGH SS 28, 207-209; dt. Übers.: L. Hardick (Hrsg.), Nach Deutschland und England. Die Chroniken der Minderbrüder Jordan von Giano und Thomas von Eccleston (Franz. Quellenschr., 6), Werl 1957.

Lit.: Leonard Lemmens, Continuatio et finis Chronicae fratris Iordani de Jano O.F.M. AFH 3 (1910), 47-54; — E.J. Ausweiler, The Chronica Fratris Jordani a Giano, Washington 1917; — Luigi Pellegrini, Introduzione zu: Cronache e altre testimonianze, in: Fonti Francescane, ³ 1982, S. 1801-1897; — Enc. Catt. VI (1951), 436; — LThK² V (1960), 1119 f.

Helmut Feld

JORDANUS *von Osnabrück*, Magister, Mitglied des Domkapitels zu Osnabrück (Domscholaster und Domdechant), * wahrscheinlich um 1220 im Osnabrücker Nordland, † 15.4. 1284 in Osnabrück. — Mit seinem kurzen Traktat »De praerogativa Romani imperii« eröffnete Magister J. in der zweiten Hälfte des 13. Jahrhunderts die Reihe historisch-politischer Stellungnahmen von Publizisten im Hoch-und Spätmittelalter zur Bedeutung des Heiligen Römischen Reiches als christliche Idee. Als geistige Grundlage der Einheit Mitteleuropas müsse sie trotz der Krise der universalen Reichsauffassung nach dem Interregnum (1254-1273) lebendig bleiben. Er fühlte sich herausgefordert durch die »kaiserlose, die schreckliche Zeit« und bemühte sich um die Beantwortung der Frage nach dem Wesen des Reiches und seiner Bedeutung in der damaligen Welt sowie der Aufgabe des Kaisertums in ihr. Diesen kurzen Traktat nahm der Kölner Kanoniker Alexander von Roes 1281 »auf Bitten einiger Freunde« in seine Denkschrift »Memoriale de praerogativa Romani imperii« auf und stellte ihn an den Anfang seiner Ausführungen, da die Aussagen des Osnabrücker Stiftsherrn, eines »hochgelehrten und ehrenwerten Mannes«, wie Alexander selbst sagt, den

kaiserlichen Anspruch auf die Führung des Heiligen Römischen Reiches in gesteigertem Maße wieder lebendig machte. Die kleine Schrift des J. wirke, wie Grundmann feststellt, dadurch so überzeugend geschlossen, zugleich auch abschließend und grundlegend, daß sie mit einem »Arsenal biblischer Argumente für Kaiser und Reich, noch nie so planvoll geordnet, so vollständig und übersichtlich zusammengestellt«, für Recht und Wesen des deutschen Kaisertums in der damaligen Welt eintritt. Der daher auch von zeitgenössischer Seite (Alexander von Roes) durchaus geschätzte Osnabrücker Domherr Magister J. erscheint in den Osnabrücker Urkunden zunächst 1254 und 1255 als Scholaster (scholasticus) des Domkapitels. Als solcher hatte er den Unterricht in der Domschule zu leiten und die Studien der angehenden Kleriker zu überwachen. Er war damit einer der ersten Würdenträger des Kapitels. Erstmals erwähnt wird sein Name in einer speziellen Urkunde des Osnabrücker Bischofs Bruno von Isenburg (1251-1258) aus dem Jahre 1251, und zwar bereits mit dem Magistertitel versehen. Weitere urkundliche Hinweise auf Geburtsdatum und Geburtsort sowie hinsichtlich der familiären Herkunft des J. liegen nicht vor. Doch wird seine Tätigkeit als Kanoniker im Osnabrücker Domkapitel in der Zeitspanne zwischen 1251 und 1284, seinem überlieferten Sterbejahr, noch mehrfach belegt. In den 33 Jahren seiner Zugehörigkeit zur Osnabrücker Kapitulargeistlichkeit blieb er somit nicht einfacher Domherr, sondern hat in diesem Zeitraum mindestens zwei der wichtigsten Ämter, die im Domkapitel zu vergeben waren, innegehabt: nach dem des Scholastikus (s.o.) auch das ehrenvolle Amt des Domdechanten oder Dekans, das ihm 1258 übertragen wurde und das er zwei Jahre (bis 1259) verwaltete. In dieser Amtszeit erließ er als Dekan ein Statut (Statutum ecclesiae Osnabrugensis de emancipatione et studiis Canonicorum), in dem festgesetzt wurde, daß kein Kleriker als stimmfähig in das Domkapitel aufgenommen werden sollte, der nicht das 20. Lebensjahr vollendet und mindestens ein Jahr oder mehr in Paris oder einer anderen Universität (Ravenna, Padua, Bologna, Salerno) dem studium generale obgelegen hätte. Wohl als geistiger Vater dieses Erlasses knüpfte er damit an seine eigene Erfahrung mit diesem

Studium an der Sorbonne in Paris an, durch das er zum »vir doctissimus et venerandus« (Alexander von Roes) heranreifte. In welchen Jahren J. in Paris studiert hat und wann er dort zum Magister promoviert wurde, läßt sich nicht genau feststellen. Auf jeden Fall muß es vor 1251 gewesen sein, denn er erscheint bereits in einer Urkunde dieses Jahres (s.o.) als Magister. Wohl aber wird von Justus Möser in der »Osnabrückischen Geschichte« ein junger Kaplan namens J. angeführt, dem 1238 die Stelle eines Vikars am Zisterzienserinnenkloster Bersenbrück im Osnabrücker Nordland entzogen wurde, weil er sich, aller Ermahnungen ungeachtet, nicht zur Übernahme dieses Seelsorgeamtes in diesem neugegründeten Kloster einfand. Bereits 1234 in dieses Amt berufen, wie eine Urkunde aus dem Jahre 1238 feststellt, wird weiter über diesen Kaplan J. verlautbart, daß er »durch lange Abwesenheit« faktisch und rechtlich die Anwartschaft auf diese Stelle, die ihm vermutlich als Sproß einer alten Osnabrücker Adelsfamilie zugedacht war, verloren habe. Statt dessen wandte sich der junge Kleriker - nach langer Wanderung zu Fuß von Kloster zu Kloster - dem theologischen Studium an der Universität in Paris zu, das sich wohl über eine Reihe von Jahren erstreckte und schließlich mit der Erwerbung der Magisterwürde erfolgreich abgeschlossen wurde. Manche widrigen Umstände und sonstige Unterbrechungen auf der langen »Reise« hin und zurück dürften dazu beigetragen haben, daß J. erst nach einer Spanne von 17 Jahren (1234-1251) wieder urkundlich genannt wird, aber nunmehr als Magister und in Spitzenpositionen des Domkapitels tätiger Kanoniker des Osnabrücker Domstifts. Nach 1259 wird er wiederum längere Zeit nicht in Urkunden des Osnabrücker Domkapitels erwähnt, möglicherweise wegen eines Romaufenthalts (Grauert) und der langen, beschwerlichen Reise auch nach dort hin und zurück, die er als welterfahrener Kanoniker wohl im Auftrage des Domkapitels zu unternehmen hatte. Erst ab 1268 bis 1283 ist er sodann wieder des öfteren als Magister und Osnabrücker Stiftsherr urkundlich nachweisbar, u. a. als Zeuge sowie auch als Testamentsvollstrecker oder Schiedsrichter. Der Nekrolog des Domkapitels, der seinen Todestag auf den 15. April des nächsten Jahres (1284) festlegt, gibt über die Vermögensverhältnisse und im Zusammenhang damit auch über die familiäre Herkunft des J. gewisse Aufschlüsse. Da von den Domherren die Ablegung der geistlichen Armutsgelübde nicht verlangt wurde und J. wohl aus einem ritterbürtigen Geschlecht des Osnabrücker Landes mit ausgedehnten Liegenschaften - von Varendorf - stammte, das auch in der Stadt Osnabrück über einen großen Herrenhof, dem späteren Ledenhof im Kirchspiel St. Katharinen, verfügte und von dort aus auch im Osnabrücker Patriziat des ausgehenden Mittelalters eine beträchtliche Rolle spielte, verfügte er über Pfründen und die damit verbundenen Einkünfte geldlicher Art. So konnte er, wie im Nekrolog des Jahres 1284 urkundlich festgehalten, nach seinem Tode seinen Kapitelbrüdern im Domstift, wohl zur Feier seines jährlichen Seelgedächtnisses (pro memoria), eine stattliche Rente hinterlassen. Eine weitere namhafte Geldgabe in jährlicher Wiederkehr aus seinem Besitztum erhielt auch das Kloster Bersenbrück (s.o.), das er 1234 wegen seines angestrebten Studiums an der Universität zu Paris im Stich gelassen hatte. Aus diesen Stiftungen, die weit über den Rahmen geistlicher Armut hinausgingen, läßt sich schließen, daß Magister J. als Sproß eines reich begüterten Adelsgeschlechtes in recht vermögenden Verhältnissen gelebt hat. Sein Osnabrücker Wohnsitz dürfte, wie aus Anmerkungen im Nekrolog hervorgeht, der heute noch als alter Adelshof unter Denkmalschutz stehende, glänzend restaurierte Ledenhof sein, der zu J.s Zeiten den Charakter einer Domherrenkurie hatte. So war dieser namhafte Streitschriftenschreiber in der zweiten Hälfte des 13. Jahrhunderts, wenn auch publizistisch nicht voll gerechtfertigt, wohl der berühmteste Osnabrücker des hohen Mittelalters wegen des von ihm verfaßten Traktats »De praerogativa Romani imperii«, ein Werk, das als zwar nur ein Teil der ihm zunächst insgesamt zugeschriebenen großen Denkschrift »Memoriale de praerogativa Romani imperii« des Kölner Stiftsherrn Alexander von Roes jedoch unter seinem Namen seit 1281 in zahlreichen alten Handschriften in den großen Bibliotheken Deuschlands, Frankreichs, Englands und Italiens erschien und noch heute erhalten ist.

Werke: Traktat »De praerogativa Romani imperii« (Vom Vorrang des Hl. Röm. Reiches), 1281 der Denkschrift »Memoriale de praerogativa Romani imperii« des Alexander von Roes, Kanoniker in St. Marien auf dem Kapitol in Köln, vorangestellt.

Lit.: Justus Möser, Osnabr. Gesch. hrsg. v. Bernh. Rud. Abeken, Teil 1-4, 3 Bde., Berlin 1843, Teil 3, 110; — Joh. Dietrich Heinrich Meyer (Hrsg.), Calendarium et Necrologium vetustissimum ecclesiae cathedralis Osnabrugensis, Osn. Mitt. Bd. 4, 1855, 70 ff.; — Georg Waitz, Des J. v. O.s Buch über das Röm. Reich, Abhandl. der Kgl. Gesellschaft der Wissenschaften zu Göttingen 14, Göttingen 1868; — Wilhelm Wattenbach, Textkrit. zum Traktat J. v. O.s, Besprechung der Ausgabe von Waitz, in: Heidelberger Jahrbücher der Literatur 62, 1869, 363 ff.; — H. Dühne, Gesch. der Kirchen und der Reformation im Fürstentum Osnabrück, Osnabrück 1879, 66 f.; — Osnabrücker Urkundenbuch (Osn. U. B., hrsg. v. F. Philippi u. M. Bär, Bd. II (1896), Nr. 369, Bd. III (1899), Nr. 38, 39, 100, 110, 132, 202, 216, 217, 617, Bd. IV (1902), Nr. 100; — H. Grauert, Jourdain d'Osnabrück et la Noticia saeculi, in: Mélanges Paul Fabre, 1902; — J. Jaeger, Die Schola Carolina Osnabrugensis, Osnabrück 1904, 15 f.; — Wilhelm Schaub, J. v. O. und Alexander von Roes. Ein Beitrag zur Gesch. der Publizistik im 13. Jh., Heidelberger Abhandlungen zur mittl. und neueren Gesch. 26, 1910; — Hermann Rothert, J. v. O., ein polit. Schriftsteller des XIII. Jh.s, in: Möser-Blätter, Beiblatt der Osnabrükker Ztg. Nr. 18, März 1926; — Herbert Grundmann, Polit. Gedanken mittelalterl. Westfalen, in: Zeitschr. Westfalen, Hefte für Gesch., Kunst und Volkskunde, Münster 1948, Heft 1, 14 ff.; — Ders., Über die Schriften des Alexander von Roes, DA 8, 1950, 154 ff.; — Ludwig Schirmeyer, Der berühmteste Lehrer des Carolinums, in: 1150 Jahre Gymnasium Carolinum Osnabrück, Festschr. zum Gedenkjahr 1954, Osnabrück 1954, 63 ff.; — Herbert Grundmann/Hermann Heimpel, Alexander von Roes, Schriften, Stuttgart 1958, 1-40 (Monumenta Germaniae Historica - Staatsschriften des späteren MA.s I/1); — Gebhardt, Handbuch der dt. Gesch., 9. neu bearb. Auflage, hrsg. von Herbert Grundmann, Bd. 1. Erster unveränd. Nachdruck, Stuttgart 1973, § 163, 514 ff.; — Heinrich Koch, J. v. O. Ein Beitrag zu seiner Biographie. Zum 15. April 1984, Osn. Mitt. Bd. 89, 1983, 11-24.

Heinrich Koch

JORDAN *von Quedlinburg,* auch de Saxonia, bedeutender spiritueller Schriftsteller und hervorragender Prediger, * um 1300 zu Quedlinburg, † 1380 (oder 1370) wahrscheinlich zu Vienne. Nach seinem Eintritt in das Augustinerkloster seiner Vaterstadt empfing er seine philosophisch-theologische Ausbildung in den Studienhäusern seines Ordens zu Bologna (1317-19) und Paris (ca. 1319-22). Lange Jahre wirkte er als Lektor an den Generalstudien der Augustiner in Erfurt (nachweislich 1327-33) und Magdeburg (nachweislich 1336-38). 1331-49 war er im kanonischen Prozeß gegen die Mörder des Magdeburger Bischofs Burchard III. (ermordet 1325) als Richter tätig. Im Sommer 1343 beauftragte ihn der Ordensgeneral Thomas von Straßburg, die Akten des Mailänder Generalkapitels Papst Clemens VI. nach Avignon zu überbringen, und bestellte ihn zum Visitator der französischen Ordensprovinz und zum Präses ihres Provinzkapitels vom 8. September jenes Jahres. Wiederholt - nachweislich in den Jahren 1346-51 - war er Provinzial seiner Heimatprovinz Sachsen-Thüringen und hatte als solcher in den Pestjahren 1348-51 in deren Klöstern nicht weniger als 244 Todesopfer zu beklagen. Danach konnte er sich ungestörter seinen literarischen Arbeiten widmen, die weiteste Verbreitung fanden und die spätmittelalterliche Frömmigkeit stark beeinflußt haben. Sie haben z.T. bis in die Neuzeit weitergewirkt. — J., eine starke religiöse Persönlichkeit, wußte im Sinne Augustins in seinem Leben Aktion und Kontemplation gut miteinander zu verbinden. In seiner spirituellen Lehre zeichnete er sich durch gediegenes theologisches Wissen, reiche Erfahrung und reifes Urteil aus. Er war ein Gegner aszetischer Übertreibungen und empfahl, etwa in den Fragen des Armutsstreites, den gesunden Mittelweg. Der mystischen Bewegung seiner Zeit stand er aufgeschlossen gegenüber und wurde vor allem durch (s.d.) Heinrich von Friemar d.Ä. und (s.d.) Meister Eckhart beeinflußt, dessen Johannes-Kommentar er in einer Reihe von Predigten als Quelle benützt hat. Gegen die unchristliche Mystik der sog. »Brüder des freien Geistes« hat er in Predigten wiederholt Stellung genommen. Auch in seinem nicht erhaltenen »Tractatus de spiritu libertatis« dürfte er sich gegen sie gewandt haben. Als Vorgesetzter war J. seinen Mitbrüdern ein »zelator salutis«, aber auch ein »pius pater«, Eigenschaften, die er in seinen Schriften vom Klosteroberen verlangt.

Werke: Schriften, für die keine Edition angegeben wird, sind nur in Manuskripten erhalten; deren Liste siehe bei Adolar Zumkeller, Manuskripte von Werken der Autoren des Augustiner-Eremitenordens..., 1966, 285-319 und 605-608; — »Vita s. Augustini«, »Annotatio temporum s. Augustini«, »Legenda de s. Augustino«, aus seiner Pariser Studienzeit (ca. 1319-22), ed. bei J. Hommey, Supplementum Patrum, 1684, 569-634; »Expositio orationis dominicae«, 1327; nachmals eingefügt in seine »Postilla« (siehe unten) als serm. 289-298; es existiert auch eine gekürzte mittelhochdeutsche Übersetzung; »Expositio psalterii«, vielleicht aus seiner Erfurter Lehrzeit; »Liber Vitasfratrum«, 1357, kritisch ediert 1943 von Arbesmann (siehe unten); italienisch: Rom 1585; spanisch: 2 Bde, EI Escorial 1933-35; deutsch (in Auswahl): in Cor Unum Bd. 10-20; »Postilla de evangeliis dominicalibus« (auch »Opus Postillarum«), aus den letzten Jahrzehnten seines Lebens, ed. Straßburg 1481; zum großen Teil ins Niederländische und Niederdeutsche übersetzt, ed. 14 Predigten von Flensburg (siehe unten) und drei Predigten von Lievens (siehe unten); »Meditationes de passione Christi«, auch betitelt »Articuli LXV de passione Domini cum theorematibus et documentis« (= Postilla serm. 189-254, erst nachträglich verselbständigt), 9 Wiegendrucke, Antwerpen 1502 und 1540, Würzburg 1745; niederländisch: Antwerpen 1487 und Den Haag 1518; deutsch: Würzburg 1758; handschriftlich auch niederdeutsch und hochdeutsch überliefert; »Tractatus de virtutibus et vitiis« (= Postilla serm. 439-441; handschriftlich auch selbständig überliefert); »Sermones de tempore«, genannt »Opus Jor«, verfaßt nach der Postilla; »Sermones quadragesimales« mit dem Initium »Revertere« (= Teil des »Opus Jor«); anderes »Quadragesimale« mit z.T. sehr langen Predigten; »Sermones de sanctis«, genannt »Opus Dan«, verfaßt nach der Postilla, 3 Wiegendrucke, ferner Paris 1500, 1509 und 1521; einzelne Predigten, vor allem 10 vom Fest des hl. Augustinus, wurden auch bald ins Niederdeutsche übertragen; »Tractatus de articulis fidei« (= serm. 52 der »Sermones de sanctis«); »Viginti quattuor gaudia gloriosissimae virginis Mariae«, auch mittelhochdeutsch überliefert.

Lit: Anton Linsenmayer, Geschichte der Predigt in Deutschland..., 1886, reimpr. 1969, 456-461; — J. Flensburg, Die mittelniederdeutschen Predigten des J.v.Q. in Auswahl, 1911; — Rudolph Arbesmann - Winfried Hümpfner, Jordani de Saxonia Liber Vitasfratrum, 1943 (Textedition mit Darstellung des Lebens und Schrifttums sowie der älteren Lit.); — Rudolph Arbesmann, Jordanus of Saxony's Vita S. Augustini the Source for John Capgraves's Life of St. Augustine, in: Traditio 1, 1943, 341-353; — Robrecht Lievens, J.v.Q. in de Nederlanden, 1958; — Adolar Zumkeller, Die Bedeutung der Augustiner für das kirchliche und religiöse Leben in Franken und Thüringen während des 14. Jahrhunderts, in: Würzb. Diözesangeschichtsblätter 18/19, 1956/57, 33-52, hier 47-52; — Ders., Das Ungenügen der menschlichen Werke bei den deutschen Predigern des Spätmittelalters, in: Zeitschrift für kath. Theol. 81, 1959, 265-305, hier 275-281; — Ders., Die Lehrer des geistlichen Lebens unter den deutschen Augustinern..., in: S. Augustinus vitae spiritualis Magister II, 1959, 239-338, hier 246-248 und 261-268; — Josef Koch, Meister Eckharts Weiterwirken im deutsch-niederländischen Raum im 14. und 15. Jahrhundert, in: La Mystique Rhénane, 1963, 133-156, hier 145-148; — A. Ampe, Een vernieuwd onderzoek ontrent enkele »onechte« sermoenen van J.v.Q., in: Handelingen der Kon. Zuidnederlandse Maatschappij voor Taal- en Letterkunde en Geschiedenis 17, 1963, 13-46; — Damasus Trapp, La tomba bisoma di Tommaso da Strasburgo e Gregorio da Rimini, in: Augustinianum 6, 1966, 5-17; — Martin Elze, Das Verständnis der Passion Jesu im ausgehenden Mittelalter und bei Luther, in: »Geist und Geschichte der Reformation«, 1966, 127-151, hier 127-134; —Fulgence Mathes, The Poverty Movement and the Augustinian Hermits, in: AAug. 31, 1968, 5-154 und 32, 1969, 5-116, bes. 32, 77-110; — Robert E. Lerner, The Image of Mixed Liquids in Late Medieval Mystical Thought,

in: Church History 40, 1971, 397-411, hier 404-405; — Adalbero Kunzelmann, Geschichte der deutschen Augustiner-Eremiten V, 1974, 34-41; — Jeremia Hackett, The use of the text quotation from Meister Eckhart by J.of Q., in: Proceedings of the Patristic-Mediaeval and Renaissance Conference 2, 1977, 97-102; — Ders., » Verbum mentalis conceptio« in Meister Eckhart and J.of Q.. A text study, in: Sprache und Erkenntnis im Mittelalter, 1981, II, 1003-1011; — Walter Baier, Untersuchungen zu den Passionsbetrachtungen in der »Vita Christi« des Ludolf von Sachsen I-III, 1977, 309-325 und passim; — J.M. Willeumier - Schalij, De LXV artikelen van de passie van J.v.Q. in middelnederlandse hss., in: Ons geestelijk erf 23, 1979, 15-35; — David Gutiérrez, Die Augustiner im Mittelalter 1256-1356 (= Geschichte des Augustinerordens I, 1), 1985, passim; — Die Augustiner im Spätmittelalter 1357-1517 (= Geschichte des Augustinerordens I, 2), 1981, passim; — Stegmüller RB III Nr. 5137-5141; — Schneyer Rep. III, 802-864; — LThK ²V, 1120; — DSp VIII, 1423-30; — NDB X, 597 f; — VL ²IV, 853-861.

Adolar Zumkeller

JORDAN(US) *von Sachsen*, Nachfolger des Hl. Dominikus und zweiter Generalmagister des Dominikanerordens, * Ende des 12. Jh. in Borgeberge bei Dassel (Westfalen) als Sohn wohlhabender adeliger Eltern, † 13.2. 1237 auf der Rückkehr von einer Visitationsreise dominikanischer Klöster in Palästina bei Schiffbruch vor der syrischen Küste, begraben in der Dominikaner-Kirche zu Akkon. — J.v.S. studierte Philosophie und Theologie an der Universitäten von Paris; dort promovierte er 1218 zum Magister artium. Während seiner Studienzeit lernte er Dominikus kennen und schätzen, so daß er 1220 als Diakon und Baccalaureus theol. in den Dominikanerorden eintrat. 1221 bereits wurde er Provinzial der lombardischen Ordensprovinz, und als Dominikus 1222 starb, übernahm J.v.S. dessen Nachfolge als Ordensgeneral. J.v.S. gewann durch seine Predigten unter den Professoren und Studenten der Universität zu Paris, Oxford, Bologna (hier Albertus Magnus), Vercelli und Montpellier viele Ordensberufe; auch der spätere Papst Innocenz V. wurde durch J.v.S. in den Orden aufgenommen. Unter seiner Leitung breitete sich der Orden rasch über ganz Deutschland bis nach Dänemark aus. Ca. 250 Klostergründungen gehen auf ihn zurück und rund 1000 Männer hat er persönlich eingekleidet. J.v.S. zeichnete sich durch ein hervorragendes Organisationstalent und durch Menschenkenntnis aus. Er gab dem Orden eine Verfassung, die seine

Volksverbundenheit widerspiegelte. Unter seiner Leitung erhielt der Orden zwei Lehrstühle an der Universität Paris. J.v.S. missionierte bei den Sarazenen und trat später in den Dienst der päpstlichen Kurie. Er legte durch sein Predigertalent, seine Organisationskraft und seine unermüdlichen Visitationsreisen den Grundstein zur großen Ausbreitung des Ordens und damit auch indirekt zu einer neuen Blütezeit des religiösen und kirchlichen Lebens, die sich in Scholastik und Mystik entfaltete. J.v.S. wurde am 10.5. 1826 von Papst Leo XII. seliggesprochen.

Werke: In Priscianum minorem (MOP XVIII, 57); In Apoc. (MOP XVIII, 57, 69; AFP 30 [1960] 261); Epistulae - hg. v. B. Altaner, in: Quellen u. Forschungen zur Geschichte des Dominikanerordens XX, Leipzig-Vechta 1907 ff, 6-61; hg. v. E. Bayonne, in: MOP VII; hg. v. M.Aron, Lille-Brügge 1924; deutsche Ausgabe hg. u. übers. v. J. Mumbauer, in: Dominikanisches Geistesleben I, Vechta 1927; in Auswahl bei W. Oehl, Deutsche Mystikerbriefe, München 1931, 152-186; hg. v. A.Walz, in: Angelicum 26 (1949) 143-164, 218-232; ders. (Hg.) (MOP XXIII); Litterae encyclicae ad Ord.Praed., in: AFP 22 (1952) 182-165; Sermones - A.G. Little-O. Douie (Hg.), Three sermons of friar Jordan of Saxony, in: English Hist. Review 54 (1939) 1-19; T.Kaeppeli, in: AFP 9 (1939) 311-314, AFP 26 (1956) 161-191; Libellus de initiis Ord. Praed. MOP XVI, 1-88; deutsche Übers. von M.D. Kunst, Kevelaer 1949; Oratio ad beatum Dominicum - Breviarium O.P., Venedig 1491; H.C. Scheeben, Analecta S.Ord.FF. Praed. XVIII (1927-1928) 564-568; deutsche Übers. v. G.Bedouelle, in ders., Dominikus - von der Kraft des Wortes, Graz-Wien-Köln 1984, 274-276; Compilatio de superbia (Iordani?) Maxima Bibl. vet. Patrum, Lyon 1677, XXV, 788; In Luc. (non authent.) MOP I, 102; Libellus de principii OP - hg. v. H.C.Scheeben, in: MOP XVI, 25-88; Kommentar zu Priscianus Minor; M. Grabmann, Mittelalterliches Geistesleben III, München 1956, 232-242; T. Kaeppeli, Scriptores Ordinis Praedicatorum Medii Aevi II, Rom 1970, 53-55. — Zum literar. Nachlaß - H.C. Scheeben, in: HJ 52 (1932), 56-71.

Lit: G. von Frachet (1.Biographie), in: MOP I, 99-146, 325-343; — ActaSS Febr.II (1658), 720-724; — B. Jordanis de Saxonia alterius Praedicatorum magistri Opera ad res ordinis Praedicatorum spectontia quae exstant. coll. ac denuo ed cura J.J. Bertier, Fribourg (Suisse) 1891; — B.M. Reichert (Itinerar des J.v.S.): Festschr. z. 1100jähr. Jubiläum des dt. Campo santo in Rom, Freiburg i.B. 1897, 153 ff; — A. Mortier, Histoire des maîtres généraux de l' ordre des frères prêcheurs I, Paris 1903 ff, 137-274; — J. Meyer, Chronica Brevis Ordinis Praedicatorum, Leipzig 1933; — H.C. Scheeben, Jordan der Sachse, Vechta 1937; — ders., Beiträge z. Geschichte des J.v.S., Vechta 1938; — H.C. Scheeben, Die Konstitutionen des Predigerordens unter J.v.S., Köln 1939; — R. Arbesmann/W. Hümpfer (Hg.), Liber vitas fratrum, New York 1943; — W. Stammler/K. Langosch (Hg.), Deutsche Literatur des Mittelalters, Verfas-

serlexikon V, Berlin-Leipzig 1955, 480-485; — A. Duval, Jourdain de Saxe, in: DSAM VTII, Páris 1974, 1429-1423; — LThK V, 1120-1121; — RGG III, 857.

Ernst Pulsfort

JORIS, David (Pseud. Johann van Brugge), Täuferführer, * 1501/02 wahrscheinlich in Brügge oder Gent, † 25.8. 1556 in Basel. — J. machte eine Ausbildung als Glasmaler und verbrachte um 1520 Teile seiner Gesellenzeit in Frankr. und Engl. 1524 ließ er sich in Delft nieder und heiratete Dirkgen Willems. Als leidenschaftlicher Anhänger der frühen Reformation störte er am Himmelfahrtstag 1528 eine Prozession. Daraufhin wurde er u.a. zur Durchbohrung der Zunge und dreijähriger Verbannung aus Delft verurteilt. 1534/35 empfing er die Erwachsenentaufe und erhielt von Obbe Philips den Auftrag zu predigen. Die Gewaltanwendung im Täuferreich zu Münster lehnte er ab. Nach dessen Fall profilierte er sich auf dem Bocholter Treffen im August 1536 als Vermittler zwischen den einzelnen Täufergruppen. Im Dezember 1536 erlebte J., ausgelöst durch einen Brief einer Glaubensschwester, eine Reihe von Visionen. J. sah sich z.B. inmitten tanzender Gotteskinder, denen die weltlichen Herrscher ihre Insignien zu Füßen legten. Er selbst fühlte sich berufen, im Zeitalter des dritten David, des »Christus David«, die Schar der Anhänger Christi zu leiten. Dieser einwöchige ekstatische Zustand legitimierte seine prophetisch-charismatische Führerschaft. Ehemalige Anhänger Jan van Batenburgs und Überlebende aus Münster sammelten sich als eigene Sekte um ihn. Den Verfolgungen der Jahre 1538/39 entging J. und er lebte 1539-1544 in Antwerpen. 1544 siedelte J. mit seiner Frau und 11 Kindern als Kaufmann Joh. v. Brugge nach Basel über. Nach außen hin der Reformierten Kirche angepaßt, pflegte J. weiter die Kontakte zu seinen Anhängern und publizierte über 200 separate Titel. 1559 wurde nach Bekanntwerden seiner wahren Identität der Leichnam exhumiert, verurteilt und mit J.'s Bild und Schriften verbrannt. — J. kann zus. mit Menno Simons als Führer des gemäßigten apokalyptischen Melchioristischen Täufertums nach dem Fall Münsters bezeichnet werden, wobei J. die Gründung der nikodemitischen Tradition zukommt. In Konflikt zu Menno geriet er aufgrund seines ekstatischen Spiritualismus und seiner äußeren Anpassung an die etablierten Kirchen. Sein Werben um die Straßburger Täufer 1538 scheiterte auch an seinem Offenbarungsspiritualismus und an der Forderung nach öff. Sündenbekenntnis. Stärker noch als durch sein persönliches Auftreten wirkte J. durch sein voluminöses Schriftwerk, wobei dem mystischen »Twonder Boeck« mit seinen sinnlichen Bildern die stärkste Wirkung zuzuschreiben ist. Anhänger J's gab es bis ins 17. Jh. und ein Nachwirken seiner Schriften ist im Pietismus erkennbar.

Werke: Van die Heerlijcke ende Godlijcke Ordeninge..., 1535; Eene onderwysinge ofte raet omme die gedachten...,1537; Twistreden tot Straetsburch, abgedr. in: Elsaß T. III. Stadt Straßburg 1536-1542, 1986 (QGT 15). 162-238; Een seer suuerlick tractaet van der liefden schoenheit..., 1539; Eyn wtroepinge vam der brudegoms..., 1539; Een seer schöne tractaet off onderwys van mennigerley aert der menschen..., 1539; Neemt waer een Gesicht, van eenen die de Waerheyt ende dat recht Godts lieft,..., 1539; Onschuldt D.J.,..., 1540; Staffinghe ende leer, 1540; Twonder Boeck..., 1542; 1551; Wten Monde Stemmelick ghespooken, 1542; Van dat uoergaen ende naevolgen blyen en vergaen moet, 1543; 1614; Van die Vreemde Tonghen of Talen der Menschen aen v myne Kinderen verschreuen. 1543; Van dat gherechte waere Sion ende Hierusalem..., 1544; Van die ongerechte ende die gerechte ware Predicanten, 1544; Wtspraeck des vaeren Religieons ende verklaering der Ceremonien, 1544; Ernstelijcke Klage, Leere vnde onderwysinghe, aen alle Regenten..., 1544; Van die snootheit des olden vnde duecht des nieuwen mensches, 1545; Van die gherechte waere aenbeders, 1545; Alle Waere Gheloeuighen Saluyt. 1546; Hoe ende jn vat maneren Godt een afsonderige en onderscheit maecken..., 1546; Een der Paradyscher Rivieren Wtvloet..., 1546; Een Klaeckelijck Gebet: nit veelderhande Vragen..., 1546; Een droeuich Beklach ouer des menschen verderffenisse. 1547; Beschreuinghe van veelderley Sonden..., 1552; Onderrichtlijck vermaen tot den inganck der Wijsheyt vnde waerrheyt Godes, 1552; Sommarische gront der leerighe Christi, 1552; Heftige vnde stercke Reden synder Sendinghe nit ontschuldinge eeniger Schelt-worden..., 1552; Een seer schoon vnde heerlyck tractaet off onderwys van Godes Gheest,..., 1553; Veklaringhe der Scheppenissen an v nijn beminde Kinderen..., 1553; 1609; Van den toekomstigen Dach des Heeren, 1554; Spreucken der Wysheyt na die kentenisse des Hemelschen eewighen Waerheyts, 1554?; Wat die Vveth sy:..., 1554; The Plea for Servetus, abgedr. in: R.H. Bainton, Goncerning Heretics, 1935, 305-309; Verscheyden Oonderwijsinghen: Dat Godes Woort niet alleen schriftlijck beroemt maar..., 1555; Tsamen-spreeckinghe Tuschen een Schrift- vnde Geestgeloouige Martha vnde Magdalena,..., 1555; Brüderliche Vereinigung zwischen uns und etlichen Brüdem am Rheinstron, 1556, in: A. Ehrenpreis, Ein Sendbrief an alle die jenigen, so sich rühmen..., 1920, 157-189; Alle Vaten siet men wtgen wat sy inhebben, 1556; Van die Aart, Blindtheyt, Dwalinghe vnde Duysternisse deser arge boose Werlt, 1556; Christelijcke Sendtbriewen,... in vier deelen vervat, 1546-56; Handt Boeexken:...; Dat tweede Handt-Boeexken.; Een geestelyck Liedt-Boeexken, abgedr. in: Koninklijke Vereeniging, Het nederlandsche Lied, 1930; Bibliogr. in Teilen, in: Bibliogr. d. Täufertums 1520-1630, 1962 (QGTX); mehrere kl. Schr. in G. Arnold: s.u.

Lit.: Nikolaas Meyndertsz von Blesdijk, Historia vitae, doctrinae ac rerum gestarum D. Georgii haeresiarchae, 1642; — Gottfried Arnold, D.J. sonderbare lebensbeschreibung aus einem manuscripto: Unpartheyische Kirchen- und Ketzer Historie. 1729 (Nachdr. 1967), II, 703-737; — Friedrich Nippold, D.J. v. Delft: ZHTh (33) 1863,; 3-166; (34) 1864, 483-673; (38) 1868, 475-591; — Antonius v.d. Linde, D.J., Bibliografie, 1867; — C.B. Falkeisen, D.J. und Johann von Brügge, 1559, in: Basl. Stadt- Landgesch. aus dem 16. Jh., 1868; — J.H. Maronier, Het inwendig woord, 1890, 173ff; - P. Tschackert, Entstehung d. luth. u. ref. Kirchenlehre, 1910, 457-60; — Roland H. Bainton, D.J., Wiedertäufer u. Kämpfer für Toleranz im 16. Jh., in: ARG. E. 6, 1937, 26ff; — Hans Kögler, Einiges über D.J. als Künstler, in: Öff. Kunstsamml. Basel, Jber. XXV/XXVII (1929/30), 156-201; — Paul Burckhardt, D.J., in: Basler Biogr. I (1900), 91-157; — Ders., D.J. u. s. Gemeinde in Basel, in: Basler Zs. f. Gesch. und Altertumskunde 48, 1949, 5-106; — Robert Stupperich, Anfang u. Fortgang d. Täufertums nach Ubbo Emmius, in: Nederlands Archief voor Kerkgeschiedenis NS 50, 1969, 28-55; — C.W.A. Willemse, De briefwisseling tussen David Joris en Johannes à Lasco, in: Doopsgezinde Bijdragen N.R. 4, 1978, 9-21; — Klaus Deppermann, Melchior Hoffmann. Soziale Unruhen und apokalyptische Visionen im Zeitalter der Ref., 1979, 312-324; — Sjouke Voolstra, Het woord is vlees geworden. De melchioritisch-menniste incarnatieleer, Kampen 1982, passim; — James M. Stayer, Davidite vs. Mennonite, in: MennQR (58) 1984, 459-476; — Ders., D.J.: A Prolegomenon to Further Research, in: MennQR (59) 1985, 350-361; — Samme Zijilstra, D.J. en de doperse stromingen (1536-1539): Historisch bewogen. Opstellen over de radicale reformatie in de 16e en 17e eeuv, 1984; — Gary K. Waite, Spiritualizing the Crusade. D.J. in the Context of the Early Reform and Anabaptist Movements in the Netherlands, 1524-1543, (Diss. Waterloo) 1986; — Gary K. Waite, Staying Alive: The Methods of Survival as Practiced by an Anabaptist Fugitive, D.J., in: Menn. Quart. Rev. 61 (1987), 46-57; — Ders., D.J.' Apology to Countess Anna of Oldenburt, in: Menn. Quart. Rev. 62 (1988), 140-158; — LThK V, 122; — RGG III³ 857f; — ADB XIV, 532f; — NDB X, 608f; — TRE XVII, 238-242.

Irmgard Wilhelm-Schaffer

JORISSEN, Matthias, reformierter Pfarrer und Psalmenübersetzer, *26.10. 1739 in Wesel als Kaufmannssohn, † 13.1. 1823 in Den Haag. — Zunächst unschlüssig, ob er nicht lieber Arzt werden sollte, wurde er durch seinen Vetter Gerhard Tersteegen (s.d.) bewogen, Theologie zu studieren. Er begann sein Studium 1759 in Duisburg, wo er durch Ludwig Fricker (s.d.) in seinem Entschluß noch bestärkt wurde. Damals schon bestanden freundschaftliche Verbindungen zu Samuel Collenbusch (s.d.) und Johann Christoph Henke. J. setzte sein Studium 1762 in Utrecht fort. Nach dem Examen kam er 1765 in seine Heimatstadt zurück und bekleidete zunächst einen Hauslehrerposten. Gleichzeitig nahm er als Kandidat der Theologie auch Predigtdienste wahr. Nachdem J. in einer Predigt am 28.2. 1768 eine religionskritische Schrift in scharfer Weise gebrandmarkt hatte, kam es zum Konflikt mit dem Magistrat von Wesel. Denn der bislang anonyme Autor dieser Schrift, der Oberstleutnant Friedrich Wilhelm von Gaudi, setzte seinen ganzen Einfluß daran, den jungen Prediger maßregeln zu lassen. Nach kurzer Zeit schaltete sich sogar die königliche Regierung zu Kleve ein und wies den Magistrat von Wesel an, J. einen Verweis zu erteilen und ihn vom Predigtamt fernzuhalten. — Aufgrund dieser Vorgänge zog J. die Konsequenzen und ging in die Niederlande, wo er von 1769-1779 als Pfarrer in Avezathen (Gelderland) wirkte. Im Jahr 1769 heiratete J. die deutsche Kaufmannstochter Johanna Bird. In die Phase seiner ersten Amtstätigkeit fallen neue freundschaftliche Kontakte u. a. mit Johann Heinrich Jung-Stilling (s.d.), Johann Kaspar Lavater (s.d.), Johann Georg Hamann (s.d.), Gottfried Menken (s.d.), Johann Michael Sailer (s.d.) und Matthias Claudius (s.d.), die sich vertieften und z. T. in einem regen Briefwechsel niederschlugen. — Nach weiteren drei Jahren seiner Wirksamkeit (1789-1782 in Hasselt (Oberijssel) folgte J. einem Ruf auf die Stelle als deutscher Pfarrer der Niederländisch-reformierten Gemeinde in Den Haag. Fast vier Jahrzehnte versah er dieses Amt und wurde 1818 in den Ruhestand versetzt, weil die zunehmenden Gesundheitsbeschwerden ihm eine weitere Ausübung seines Dienstes verwehrten. Die letzten Lebensjahre verlebte er bis zum Tode 1823 in Den Haag. — Theologisch nahm J. eine pietistisch geprägte und eng an der Bibel orientierte Position ein, wobei er wieder den mystischen Spekulationen noch den quietistischen Haltungen nancher seiner Freunde folgte. Als Pfarrer pflegte er eine einfache und klare Homiletik, mit Hilfe derer er die biblischen Berichte deutlich zu erläutern verstand. Dabei war es sein Anliegen, die Schrift sich selbst auslegen zu lassen. Dies strebte er durch sorgfältige exegetische Arbeit an. Kernpunkte seiner theologischen Haltung war die Christologie. Dabei legte er den Schwerpunkt auf die Entfaltung der Versöhnungslehre, weshalb er seine verstärkte Aufmerksamkeit auf die Passionsgeschichte richtete. Aus diesem Grund legte er besonderen Wert auf die Feier des Karfreitags, was auch Eingang in die reformierte Tradition fand. Seine Ansichten entfaltete er in den verschiedenen von ihm verfaßten Schriften. Nicht zuletzt ist auch sein Engagement für die Bibelgesellschaft und die Missionsgesellschaft in den Niederlanden zu erwähnen. — Aus der praktischen Erfahrung als Gemeindepfarrer entstand ein Werk J.s, das größere Verbreitung fand. Weil die in der reformierten Kirche verbreiteten Psalmenlieder in der Fassung von Ambrosius Lobwasser (s.d.) aus dem Jahr 1573 veraltet und für den Gottesdienstgebrauch ungenügend waren, bemühte sich J. um Abhilfe. Eine Nachfrage bei Lavater wegen beserrer Psalmdichtungen brachte nicht den gewünschten Erfolg. J. entschloß sich darum, selbt die Psalmlieder zu überarbeiten. Die »Neue Bereimung der Psalmen« erschien 1798. Obgleich J.s Übertragung im Versmaß an den alten französischen Melodien orientiert ist und deshalb beim Singen Schwierigkeiten verursachte, verbreitete sich sein Liederbuch schnell. In den späteren Ausgaben versuchte J., die erkannten Mängel wenigsten teilweise zu beheben. Im Jahr 1806 wurde J.s Gesangbuch durch die Generalsynode von Jülich, Berg und Mark offiziell anerkannt und für den Gemeindegebrauch eingeführt. Eine neue Auflage erschien noch 1860. J. wirkte auch in der niederländischen Gesangbuchkommission mit. Mehrere Lieder von J. finden sich bis heute in den Gesangbüchern, so im Evangelischen Kirchengesangbuch (Stammausgabe: 1950).

Werke: Petrus Nieuwland op zijn sterfbed, 1795; Neue Bereimung der Psalmen, bestimmt für die reform. dt. Gemeinen im Grafenhaag und Amsterdam, 1798; Die Psalmen Davids neu übers. und in Reime gebracht, neue u. verb. Aufl. 1806 (weitere Aufl. 1860); Psalmen und Gesänge für die Reformirten Teutschen Gemeinten im s'Gravenhaag und Amsterdam, verm. u. verb. Aufl. 1818[3]; Die Psalmen Davids, übers. und in Reime gebracht. Vierstimm. f. gem. Chor bearb. v.

Richard Lindner 1897; Het gewigt der beloften Gods aangaande de zaligheid der Heidenen, de grond van het Nederland Zendeling Genootsschap bijzonder voor de Heidenen (Samml. diverse praedicatien III), 1800; Elegie,, over het afsterven van den hoogedelen Herre Coenraad Le Leuw de Wilhelm, vorheen praesident van het gerichtshof van Holland, Zeelanden, Vriesland, 1801; Erinnerungen an Hieronymus van Alphen, der seit 1747 d. 8. August hier unten lebte, seit 1803 d. 2. April hier oben, 1803/04; Der Christenen goede vrijdag, of kort oberzigt van het geheelde lijden en sterven van onzen Heer Jezus Christus, 1820, 1834⁴; Der Charfreytag, oder kurze Übersicht und Betrachtung des Leidens und Sterbens unseres Herrn Jesu Christi. Aus dem Holländischen übers. von einem Freunde (J. W. Berger), 1821; De evangelische wijsheid onzer vaderen in het formulier des heiligen doops, nog in gezegend gebruik bij Hervormden in Nederland overwogen, 1821, 1834²; De evangelische wijsheid onzer vaderen in het formulier des heiligen avondmaals nog in gezegend gebruik bij de Hervormden in Nederland, 1821, 1834²; De onderwijzing der christlijke feesten, 1821.

Lit.: J. A. Mom, M. J. in den gelukkigen avond zijnslevens; benevens eeinige zijner nagelaten schriften, 1825; — Albert Knapp, Ev. Liederschatz für Kirche, Schule u. Haus, 1865³, 561 f.; 784 f., 791, 793 f., 1133; — Eduard Emil Koch, Gesch. des Kirchenliedes und Kirchengesanges der christl. insbes.. der deutschen evangel. Kirche VI, 1869³, 525-527; — A. Lauffs, M. J. Deutsch reform. Prediger in Den Haag, in Reform. Jahrbuch 2, 1927, 83-96; — Friedrich August Henn, M. J. Der deutsche Psalmist in Leben und Werk, 1955; — Handb. zum Evangel. Kirchengesangbuch II, 1: Lebensbilder der Liederdichter und Melodisten, 1957, 267 f.; Sonderbd.: Johannes Kulp, Die Lieder unserer Kirche, 1958, 280- 283, 285 f., 289, 301; — Konrad Ameln / Markus Jenny / Walter Lipphardt (Hrsg.), Das deutsche Kirchenlied (DKL), Krit. Gesamtausgabe der Melodien, I, 1 (Répertoire international des sources musicakles B/VIII, 1), 1975, 706; — J. van der Aa, Biographisch Woordenboek der Nederlanden IV (1852), 66 f.; — ADB XIV, 533 f.; — NDB X, 609; — RGG III³, 858; — DLL VIII, 686 f.

Klaus Martin Sauer

JORISZOON siehe Joris, David

JOSCHAFAT (hebr. Jo/Jahwe richtet/herrscht) *von Juda*, König in Jerusalem 871-848, Sohn von König Asa (911-871) und von Asuba, war zuerst Mitregent seines gelähmten Vaters und wird in 1 Kön 22,41-51/2 Chr 20,31-21,2 als jahwetreuer, vorbildlicher König gelobt: »Er tat, was dem Herrn gefiel« (22,43). Ausführlicher wird J.s Regierungszeit in 2 Chr 17,21-21,2 beschrieben. Herbert Donner S. 251, Anm. 19: »Der außergewöhnlich umfangreiche chronistische Abschnitt über J. (2 Chr 17,1-21,2) enthält Materialien unterschiedlicher Art, die als Quelle für die Formen und Ordnungen des Lebens der nachexilischen Gemeinde, nicht aber für das vorexilische Juda in Betracht kommen«. Im Rahmen der Bemühungen um ein friedliches Nebeneinander mit dem Nordreich heiratete J.s Sohn Joram die samaritanische Prinzessin Atalja, eine Tochter (oder Schwester) des Ahab. Zu J.s Verdiensten zählen die religiöse Belehrung des Volkes (2 Chr 17,7-9), der Ausbau der Rechtspflege (2 Chr 19,4-11), ferner die Vertreibung der Hierodulen (1 Kön 22,47), die Verstärkung der Armee und der Ausbau von Festungen (2 Chr 17,10-19). Die Wiederaufnahme der Ofirfahrten wie zur Zeit Salomos scheiterte bereits im Hafen von Ezjon-Geber, zumal J. die vom Nordreich angebotene Hilfe abgelehnt hatte (1 Kön 22,49f.). Mit Ahab von Samaria kämpfte J. gegen die Aramäer (1 Kön 22,1-40) und mit dessen Sohn Joram gegen König Mescha von Moab (2 Kön 3,4-27). Nach weiteren erfolgreichen Feldzügen (2 Chr 20,1-30) sicherte er sein Reich; auch Philister und Araber sind ihm tributpflichtig (2 Chr 17,11). Unter seinem Sohn und Nachfolger Joram (848-841) wurde J. in Jerusalem begraben.

Lit.: W. F. Albright, The Judicial Reform of Jehoschaphat, in: A. Marx Jubilee Volume, 1950, 61-82; — Kurt Galling, Die Bücher der Chronik, Esra, Nehemia, ATD 12, 1954, 118-128; — Wilhelm Rudolph, Chronikbücher, HAT I/21, 1955, 249-265; — Jacob M. Myers, II Chronicles, Anchor Bible, 1965, 96-117; — John Bright, Gesch. Israels, 1966, 234, 248-250; — Frank Michaeli, Les livres des Chroniques, d'Esdras et de Néhémie, Comm. de l'AT XVI, 1967, 186-196; — Hans-Christoph Schmitt, Elisa, 1972; — Peter Welten, Gesch. und Gesch.darstellung in den Chronikbüchern, WMANT 42, 1973; — Martin Rehm, Das erste Buch der Könige, 1979, 223-225; — Ders., Das zweite Buch der Könige, 1982, 39-48; — Ernst Würthwein, Die Bücher der Könige, 1. Kön. - 2. Kön. 25, ATD 11/2, 1984, 263-265; — Georg Hentschel, 1 Könige, Neue EchtB, 1984, 130-136; — Ders., 2 Könige, Neue EchtB, 1985, 12-16; — Burke O. Long, 1 Kings, The Forms of OT Lit. IX, 1984, 230-242; — Antonius H. J. Gunneweg, Geschichte Israels bis Bar Kochba, 1984⁵, 104-107; — Manfred Clauss, Gesch. Israels, 1986, 124-127; — Herbert Donner, Gesch. des Volkes Israel und seiner Nachbarn in Grundzügen, 1987, 229 f., 249-251; — Bibl.-Hist. Hdwb. (Reicke/Rost) II, 886; — BL 880; — Catholicisme VI, 963; — CBL 683 f., — DBV III, 1647-1650; — Enciclopedia della Bibbia III, 1102-1105; — Harper's Bible Dict. 452 f.; — Interpreter's Dict. of the Bible II, 815 f.; — JüdLex III, 323-325; — LB 723 f.; — LThK V, 1123; — RGG III, 858 f.; — TRE XVII, 242 f. (Lit.).

Otto Wahl

JOSEF, zweitjüngster Sohn des Erzvaters Jakob, begegnet in der biblischen Josefsgeschichte (Gen 37-50) als Siebzehnjähriger. Wegen der Bevorzugung durch den Vater bzw. seiner Träume, die einen Vorrang vor seinen Brüdern und sogar vor seinen Eltern ausdrücken, erregt er den Haß seiner Brüder. Die Absicht der Brüder, ihn zu töten, wird wegen des Einspruchs von Ruben, dem Ältesten, bzw. von Juda nicht ausgeführt. Er wird aber als Sklave an eine ismaelitische bzw. midianitische Karawane und durch diese nach Ägypten verkauft. Dem Vater wird der Tod durch ein wildes Tier vorgetäuscht. J. kommt zu Potifar, einem hochgestellten Ägypter, dessen Haus durch J.s Anwesenheit und treue Dienste gesegnet wird. J. steigt zu höchster Vertrauensstellung im Haus auf. Weil er der Verführung durch Potifars Frau nicht folgte, wurde er umgekehrt von ihr beschuldigt und kam ins Gefängnis. Nach längerer Zeit hatte er Gelegenheit, zwei ebenfalls gefangenen Kämmerern des Pharao ihre Träume auszulegen. Die Auslegung bewahrheitet sich. Wieder nach längerer Zeit hat der Pharao den Traum von den sieben fetten und den sieben mageren Kühen, die die fetten verschlingen, und von den sieben vollen und den sieben leeren Ähren. Während alle Wahrsager und Weisen Ägyptens den Traum nicht deuten können, erinnert sich der Mundschenk des Pharao an seinen früheren Mitgefangenen. J. wird geholt, er kann die Träume deuten und zugleich einen Rat zur Bewältigung der bevorstehenden Hungersnot geben. J. wird damit zum Erfinder der ägyptischen Staats- und Vorratswirtschaft. J. erhält wiederum die zweithöchste Stelle, diesmal nach dem Pharao, und wird als Vater des Landes bezeichnet. In der Zeit der eingetretenen Hungersnot, die sich auch auf Kanaan erstreckt, kommen auch J.s Brüder nach Ägypten, um Getreide zu kaufen. J. erkennt sie, verdächtigt sie aber als Spione, verlangt zum Beweis für ihre Unschuld und für die von ihnen gemachten Angaben zur familiären Situation, daß sie den zu Hause gebliebenen Benjamin mitbringen. Auf der zweiten Reise werden die Brüder nochmals in schwere Bedrängnis gebracht, dann aber von J. freundlich begrüßt, der seine Brüder dem Alter nach zu Tisch setzt. Nach einer weiteren Prüfung erkennt J. die geänderte Haltung seiner Brüder und gibt sich ihnen zu erkennen. Hier

erfahren nun die verwickelten Geschehnisse ihre erste Deutung. »Gott hat mich vor euch hergesandt, um euer Leben zu erhalten« (45,7). In diesem Sinn wird dann Jakob samt seiner ganzen Familie zur Übersiedlung nach Ägypten eingeladen und im östlichen Nildelta, im Land Goschen, angesiedelt. Die weitere Erzählung wendet sich dem Erzvater Jakob zu. Dieser wird als J.s Vater vom Pharao geehrt. Es folgen noch der Segen über J.s Söhne (48) und über Jakobs Söhne, die zugleich die Ahnherren der 12 Stämme Israels repräsentieren (49). In einem abschließenden Rückblick nach Jakobs und vor J.s Tod werden die Ereignisse nochmals zusammenfassend beurteilt: »Ihr gedachtet es böse mit mir zu machen, aber Gott gedachte es gut zu machen, nämlich am Leben zu erhalten ein großes Volk« (50, 22). — Die Darstellung zeigt, daß die Josefsgeschichte die Erzvätergeschichte und die Volksschichte verbindet. Zugleich ist sie einerseits Familiengeschichte, andererseits kennt sie ein geordnetes Staatswesen. Ebenso liegt die Frage, ob ein Bruder über Brüder herrschen darf, nicht nur auf familiärer Ebene, sondern ist auch ein brennendes politisches Problem zur Zeit der Einführung des Königtums in Israel. Die Antwort ist eine positive, sofern die Herrschaft nicht der Bereicherung des einen, sondern dem Vorteil, ja dem Überleben aller dient. Als Führungsgeschichte steht sie weiters im großen Zusammenhang der wunderbaren Wege Gottes zur Bewahrung und Erfüllung der an die Erzväter ergangenen Segensverheißungen. Diese Wege Gottes führen auch durch Verwirrung und menschliches Bösewollen zu ihrem Ziel und schließen dabei nicht nur Israel, sondern auch nichtisraelitische Völker in Gottes Fürsorge mit ein. — Historisch ist J. schwer einzuordnen. Der zweite Mann nach dem Pharao sollte eigentlich in den ägyptischen Quellen erwähnt sein. Ihn in die Zeit der Herrschaft der Hyksos (um 1600 vor Christus), die zwar wie J. Semiten waren, aber über die wir kaum etwas wissen, zu setzen, ist eher eine Verlegenheitslösung, auch wenn diese Einordnung zur Angabe über einen ca. vierhundertjährigen Ägyptenaufenthalt der Israeliten paßt. Zudem sind Kornspeicher und Staats- bzw. Tempelwirtschaft für Ägypten schon im 3. Jahrtausend vor Christus bezeugt. Die Josefsgeschichte in ihrer vorliegenden Gestalt setzt sowohl die Erzväterüberlieferungen als auch das Königtum in Israel voraus. Ein »historischer Kern« ist zwar durchaus anzunehmen, aber schwer festzulegen. Daß Nomaden in Hungerszeiten nach Ägypten kamen, ist in biblischen (Gen 12,10 u. ö.) wie in ägyptischen Quellen (Papyrus Anastasi) belegt. — Literarisch ist die Josefsgeschichte mit einem gewissen Recht als Novelle (nicht Roman) bezeichnet worden. Sie wurde vom Jahwisten Ende des 10. Jahrhunderts vor Christus in seine Darstellung der Frühgeschichte integriert. Der Elohist, ca. 800 vor Christus, legt stärkeres Gewicht auf das ethische Problem des Verhältnisses von J. und seinen Brüdern und auf die Offenbarung Gottes durch Träume. Die Wiederholung ähnlicher Ereignisse (Gründe für die Eifersucht, zwei Reisen nach Ägypten) gehen nicht nur auf die Verbindung der Quellen, sondern bereits auf die Eigenart der Erzählung zurück. Die Nachwirkung der Josefsgeschichte ist innerhalb der Bibel gering. Nur punktuell wird auf sie Bezug genommen. In der griechisch-jüdischen apokryphen Schrift »J. und Aseneth« wird die Erwähnung von J.s ägyptischer Frau (41,45) zu einem Liebes- und Bekehrungsroman ausgestaltet. In der christlichen Auslegung wurde die Erniedrigung und Erhöhung J.s oft als Symbol für Erniedrigung und Erhöhung Christi betrachtet. In jüdischen, christlichen, islamischen und in modernen Erzählungen werden einzelne Motive aufgegriffen und mit aktuellen Anliegen verbunden: bei Firdausi, Yussuf und Suleika, das Liebespaar; in der Aufklärung die Tugendhaftigkeit des J.; in der neueren Zeit dominiert die psychologische Betrachtung bzw. gilt J. als Religions- und Kulturvermittler (Thomas Mann: J. und seine Brüder). Die Josefsgeschichte selbst ist noch wenig gehört worden (Westermann, BK 290).

Werke: Quellen: Gen 37-50; Ps 105, 16-23; Sir 49, 15; Makk 2, 53; Weish 10, 13; Apg 7, 9-16; Hebr 11, 21 f.

Lit.: Hermann Gunkel, Genesis, HK, AT (1901), 1917[4]; — Ders., Die Komposition der Joseph-Geschichten, ZDMG 76, 1922, 55-71; — William Foxwell Albright, Historical and Mythical Elements in the Story of J., JBL 37, 1918, 111-143; — Otto Eißfeldt, Stammessage und Novelle in den Geschichten von Jakob und seinen Söhnen, FS Hermann Gunkel, 1923, 56-77, = KS I, 84-104; — Ders., (Rez. Zu) Jean Vergote, J. en Egypte, OLZ 55, 1960, 36-45; — Hugo Greßmann, Ursprung und Entwicklung der J.-Sage, FS Her-

mann Gunkel, 1923, 1-55; — A. Causse, Sagesse égyptienne et sagesse juive, RHPhR 9, 1929, 149-169; — A. S. Yahuda, Die Sprache des Pentateuch in ihren Beziehungen zum Ägyptischen I, 1929; — Herbert G. May, The Evolution of the J.-Story, AJSL 47, 1930/31, 83-93; — Johannes Fichtner, Die altorientalische Weisheit in ihrer israelit.-jüd. Ausprägung, BZAW 62, 1933; — Wilhelm Rudolph, Die J.-Geschichte, in: Paul Volz/Wilhelm Rudolph, Der Elohist als Erzähler, BZAW 63, 1933, 145-184; — E. W. Heaton, The J.-Saga, ExpT 59, 1947/48, 134-136; — Martin Noth, Die Überlieferungsgesch. des Pentateuch (1948), 1966[3]; — Hellmut Brunner, Die Weisheitslit., HO I, 2, 1952, 90-110; — Siegfried Hermann, Die Königsnovelle in Ägypten und in Israel, WZ Leipzig 3, 1953, 51-62; — Gerhard von Rad, J.-Geschichte und ältere Chokma, VT Suppl., 1, 1953, 120-127 = Ges. Stud.,Theol. Bücherei 8, 1958, 272-280; — Ders., Die J.-Gesch., BiblStud. 5, 1954 = 1964; — Ders., Weisheit in Israel, 1970; — Jozef M. A. Janssen, Egyptiological Remarks on the Story of J. in Genesis, JEOL 14, 1955/66, 63-72; — Siegfried Morenz, J. in Ägypten, ThLZ84, 1959, 401-416; — Jean Vergote, J. en Egypte, Genèse ch. 37-50 à la lumiére des études égyptologiques récentes, Orientalia et biblica Lovaniensia 3, 1959; — Otto Kaiser, Stammesgeschichtl. Hintergründe der J.-Geschichte. Erwägungen zur Vor- und Frühgeschichte Israels, VT 10, 1960, 1-15; — Henri Cazalles, Patriarches, Dictionnaire Bibl. Suppl. 7, 1961, 81-156; — Herbert Donner (Rez. zu) Jean Vergote, J. en Egypte, BiOr 18, 1961, 44-45; — Ders., Die lit. Gestalt der alttestamentl. J.-Geschichte, SAH 2, 1976; — Ders., Geschichte des Volkes Israel und seiner Nachbarn in Grundzügen, I, 1984; — Emma Brunner-Traut, Altägyptische Märchen: Die Märchen der Weltliteratur, 1965[2]; — Lothar Ruppert, Die J.-Erzählung der Genesis. Ein Beitrag zur Theologie der Pentateuchquellen, 1965; — David A. Hubbard, The Wisdom Movement and Israels Covenenant Faith, Tyndale Bull. 17, 1966, 3-33; — B. J. v. d. Merwe, J. as Successor of Jacob, FS Theodor Christian Vriezen, 1966, 221-232; — Claus Westermann, Die J.-Erzählung der Genesis, Calwer Predigthilfen 5, 1, 1966, 11-118; — Ders., Genesis 37-50, BK 1,3, 1982; — Ders., Die Joseph-Erzählung, 1990; — James L. Crenshaw, Method in Determining Wisdom Influence upon »Historical« Literature, JBL 88, 1969, 129-142; — Ders., Wisdom, in John H. Hayes, Old Testament Form Criticsism, 1974, VI, 225-264; — Horst Dietrich Preuß, Erwägungen zum theologischen Ort alttestamentl. Weisheitsliteratur, EvTh 30, 1970, 393-417; — Donald B. Redford, A Study of the Biblical Story of Joseph, VT Suppl. 20, 1970; — Roland de Vaux, Histoire Ancienne d'Israel, 1971; — Robert Martin-Achard, Problèmes soulevés par l'étude de l'histoire biblique de Joseph (Genèse 37-50), RThPh 2 (21), 1972, 94-102; — George W. Coats, The J.-Story and Ancient Wisdom: A Reappraisal, CBQ 35, 1973, 285-297; — Ders., From Canaan to Egypt. Structural and Theological Context for the J.-Story, CBQ MonSeries 4, 1976; — Roger N. Whybay, The Intellectual Tradition in the OT, BZAW 135, 1974; — Arndt Meinhold, Die Gattung der J.- Gschichte und des Estherbuches: Diasporanovelle II, ZAW 88, 1976, 72-93; — Samuel Zeitlin, Dreams and their Interpretation from the Biblical Period to the Tannaitic Time. An Historical Study, JQR 66, 1975/76, 1-18; — Eckart Otto, Die »synthetische Lebensauffassung« in der frühköniglichen Novellistik Israels, ZThK 74, 1977,

371-400; — Thomas L. Thompson/Dorothy Irvin, The J. and Moses Naratives, in: John H. Hayes/J. Maxwell Miller, Israelite and Judean history, 1977; — André Caquot, Israelite perceptions of Wisdom and Strength in the Light of the Ras Shamra Texts, FS Samuel Terrien, 1978, 25-33; — Peter D. Miscall, The Jacob and J. stories as analogies, JSOT 6, 1978, 28-40, — Horst Seebass, Erwägungen zum altisraelit. System der zwölf Stämme, ZAW 90, 1978, 196-219; — Ders., Geschichtl. Zeit und theonome Tradition in der J.-Erzählung, 1978; — Helmut Engel, Die Vorfahren Israels in Ägypten. Forschungsgeschichtl. Überblick über die Darstellungen seit Richard Lepsius 1849, Frankfurter Theol. Stud. 27, 1979; — Ina Willi-Plein, Hist. Aspekte der J.- Geschichte, Henoch 1, 1979, 305-331; — Hans-Christoph Schmitt, Die nichtpriesterl. J.-Geschichte, BZAW 154, 1980; — Rüdiger Bartelmus, Topographie und Theologie. Exegetische und didaktische Anmerkungen zum letzten Kapitel der Genesis (Gen 50,1-14), BN 29, 1985, 35-57; — Earl Hilgert, The Dual Image of J. in Hebrew and Early Jewish Literature, Bibl. Research 30, 1985, 5-21; — Lothar Ruppert, Die Aporie der gegenwärtigen Pentateuchdiskussion und die J.-Erzählung der Genesis, BZ 29, 1985, 31-48; — Siegfried Kreuzer, 430 Jahre, 400 Jahre oder 4 Generationen - zu den Zeitangaben über den Ägyptenaufenthalt der Israeliten, ZAW 98, 1986, 199-210; — Josef Scharbert, Genesis 12-50, Die Neue Echter Bibel, 1986; — Ders., Ich bin Josef, euer Bruder..., 1988; — Ludwig Schmidt, Literarische Studien zur J.-Geschichte, BZAW 167, 1986; — J. Robin King, The Joseph story and Divine Politics: ..., JBL 106, 1987, 557-594; — Zur Nachwirkung: A. Wächter, J.s Geschichte nach Genesis, Targum Onkelos und der Jûsof-Sure des Koran, 1878; — A. v. Weilen, Der ägyptische J. im Drama des 16. Jh.s, 1887; — H. Speyer, Die bibl. Erzählungen im Qoran (1931), 1961²; — Hans Priebatsch, Die J.-Geschichte in der Weltliteratur, 1937; — H. Sprödowsky, Die Hellenisierung der Geschichte von J. in Ägypten bei Flavius Josephus, Diss. Greifswald 1937; — Margarete Nabholz-Oberlin, Der J.-Roman in der deutschen Literatur von Grimmelshausen bis Thomas Mann, Diss. Basel 1950, Marburg 1950; — V. Vigentier, Le dernier conte de Shaharazade... et ses sources anciennes, Bull. of the Fac. of Arts Alexandria Univ., Cairo1955; — A. W. Argyle, J. the Patriarch in Patristic Teaching, ExpT 67, 1966/56, 199-201; — E. Hilscher, Der bibl. J. in orientalischen Literaturwerken, MIO 4, 1956, 81-83; — Christoph Burchard, Unters. zu J. und Aseneth. Überlieferung - Ortsbestimmung, WUNT 8, 1965; — Ders., Der jüd. Asenethroman und seine Nachwirkung, ANRW II/20, 1987, 543-667; — Arnold M. Goldberg, J. in der Sicht des Judentums und der Antike, Bibel und Kirche 21, 1966, 8-10; — Siegfried Raeder, Die J.-Geschichte im Koran und im AT, EvTh 26, 1966, 169-190; — M. Derpmann, Die J.-Geschichte, Auffassung und Darstellung im MA, 1974; — Jean Lebeau, Salvator mundi, L'éxemple de J. dans le théâtre allemand au 16ᵉ siècle, 1976; — Elisabeth Frenzel, J. in Ägypten, Stoffe der Weltliteratur, 1983, 372-375; — Dieter Sänger, Erwägungen zur hist. Einordnung und zur Datierung von »J. und Aseneth«, ZNW 76, 1985, 86-106; — EKL II, 378; — RGG III, 859 f.; — IDB II, 981-986; — IDB-S 491-493; — TRE XVII, 246-249, 255-258.

Siegfried Kreuzer

JOSENHANS, (Friedrich) Joseph, * 9.2. 1812 in Stuttgart als ältestes von 19 Kindern einer in pietistischen Kreisen geachteten Familie, † 25.12. 1884 in Leonberg. — Während des Theologiestudiums in Tübingen hält er Erbauungsstunden und Missionskränzchen gemeinsam mit seinen Freunden Wilhelm Hofacker, Hermann Gundert und Albert Knapp. Nach dem theologischen Examen wirkt er 1834-1836 als Lehrer am Realgymnasium in Stetten. 1838 wird er Repetent am Tübinger Stift. Von 1839 bis 1848 ist er Diakonus (Oberhelfer) in der Irrenanstalt zu Winnenden. 1848 geht er zur Unterstützung des Missionsinspektors Hoffmann zur Basler Mission, 1849 wird er als dessen Nachfolger Missionsinspektor. 1851/1852 unternimmt er eine Inspektionsreise nach Ostindien, für Leiter von Missionen bis dahin ein wenig geübter Brauch. Diese Erfahrungen einer Missionsreise gaben ihm Argumente und Recht, die Basler Mission streng zentralistisch zu organisieren. Eine Fülle von Ordnungen wurde erlassen, u. a. Verordnungen über Verfassung und Organisation der Missionsgebiete, über die persönliche Stellung der Missionare und über Sitte, Kirchenzucht und Verwaltung in den Missionsstationen. Dadurch wurden nicht nur die Missionare der Zentrale in Basel vollständig untergeordnet, sondern auch eine vollständige Abhängigkeit der einheimischen Christen von der Missionszentrale faktisch durchgesetzt. 1879 trat J. in den Ruhestand.

Werke: Frauenvereine zu leiblicher und geistiger Versorgung armer verlassener und berufloser Jungfrauen und Witwen, Stuttgart 1844; Die Herrlichkeit Jesu Christi des Sohnes Gottes, Stuttgart 1846; Ausgewählte Reden bei versch. Anlässen gehalten. Hg. von Cornelius Josenhans und Gottlob Gutbrod, Basel 1886.

Lit.: J. Hesse, J., ein Lebensbild, Calw/Stuttgart 1895; — W. Schlatter, Gesch. der Basler Mission, I, II, 1916.

Adam Weyer

JOSEPH *von Arimathäa*, Heiliger, Festfeier am 17. März seit 1585 (Mart Rom). Arimathaia ist die griechische neutestamentliche Bezeichnung für das hebr. Armathajim im nördl. Juda, dem heutigen Rentis, 10 km nordöstlich von Lydda. Wahrscheinlich ist es mit Ramathajim, dem Geburtsort Samuels, identisch (1 Sam 1,1). Joseph wird als begüterter Ratsherr gekennzeichnet, der als Anhänger Christi erst nach dessen Tod auftritt, von Pilatus den Leichnam Jesu erbittet, diesen zusammen mit Nikodemus vom Kreuz abnimmt, ihn in Leintücher einwickelt und in seinem eigenen neuen Felsengrab nahe bei Golgotha bestattet. Er wird in allen 4 Evangelien erwähnt (Mt 27, 57-60, Mk 15, 42-46, Lk 23, 50-53 und Joh 19, 38-42). Lukas sagt charakterisierend: »ein guter und gerechter Mann, der bei ihrem Todesbeschluß nicht mitgestimmt hatte« (vgl. Vers 50/51). Auf Bildern von Kreuzabnahme und Grablegung wird er meist inschriftlich als der bezeichnet, der die Nägel herauszieht, der Christus an den Schultern faßt, ihn in den Sarkophag legt und ihm sein für sich selbst bestimmtes Grab zur Verfügung stellt. Der sich schon früh bildende Kranz von Legenden schlug sich in verschiedenen apokryphen Schriften nieder: eingekerkert, sei er wunderbar von Jesus befreit worden (Nikodemusevangelium oder Pilatusakte um 400), er und Nikodemus hätten den toten rechten Schächer in die Grabtücher Jesu gehüllt und ihn so zum Leben erweckt (Gamalielevangelium, nach dem 5. Jhrh.), er sei von Herodes gegeißelt und von Gabriel aus dem Kerker geführt worden (Martyrium Pilati). Eine spätere georgische apokryphe Schrift berichtet, daß er die Kirche in Lydda gegründet habe. Noch spätere Legenden erzählen, sein Leichnam sei unter Karl d.Gr. von Jerusalem in die Benediktinerabtei Moyenmoutier (Dep. Vosges, Nordost-Frankreich) übertragen worden oder er habe in Gallien und Britannien missioniert. Literarische Ausstrahlungen bewirkte der Bericht des englischen Geschichtsschreibers Matthaeus Parisiensis OSB († um 1257), wonach Joseph das Blut Jesu am Kreuz in einer Schale aufgefangen habe, die dann 1247 nach Britannien gekommen sei. Sie sei dieselbe gewesen, deren sich Jesus beim Abendmahl bediente (hl. Gral und Gralsage des Mittelalters). Auch wurde ein angeblicher Arm des Joseph von Arim. in der Peterskirche gezeigt. Künstlerische Darstellungen, bekannt seit dem 15. Jhrh., zeigen ihn in reicher bürgerlicher Kleidung mit großer Kappe oder Spitzhut, 3 Nägel haltend, Dornenkrone und Schale oder ein ziboriumartiges Gefäß in Händen. Verehrt wird er als Patron der Leichenbesorger und Totengräber.

Lit.: Acta SS. Mart. II (1668) 507-510; — E. v. Dobschütz: ZKG 23 (1902) 1-17; — Baudot-Chaussin III 365f; — J. Blinzler, Der Prozeß Jesu, Regensburg [4]1969, 391-397, 435-437; — Handbuch d. Bibelkunde, Düsseldorf 1984, 407f; — Vollst. Heiligen-Lexikon, Augsburg 1869, Bd. III (Nachdruck Hildesheim - New York 1975); — Reclams Lexikon der Heiligen und der biblischen Gestalten, Stuttgart [5]1984, 334f; — Lexikon d. Namen und Heiligen, Innsbruck Wien [6]1988, 456f; — LThK (1960) Bd. V, 1124; — Wissenschaftl. Kommentare zu den Evangelien.

Karl Mühlek

JOSEPH BARSABBAS, mit Beinamen Justus (= der Gerechte, beliebter jüdischer Würdename). In Apg. 1,23 Gegenkandidat des Matthias bei der Nachwahl zum Kreis der zwölf Apostel. Wird schon von der Handschrift D (5. Jahrhundert) mit Joseph Barnabas von Apg. 4,36 irrtümlich gleichgesetzt. Da er nach Apg. 1,21 f. seit der Taufe durch Johannes bei Jesus gewesen sein muß, gilt er im 2. Jahrhundert als einer der 70 (72) Jünger von Luk. 10,1. Frühe Jüngerverherrlichung läßt ihn einen Giftanschlag überleben (vgl. Mark. 16,18; Apg. 28,3-6). Die Legenda Aurea (13. Jahrhundert) verankert ihn als Vetter Jesu in der heiligen Sippe; erscheint so als Kind auf mittelalterlichen Sippendarstellungen.

Lit.: Kommentare zu Apg. 1,23; — W. Bauer, Das Leben Jesu im Zeitalter der neutestamentl. Apokryphen, 1909 (1967), 391, 419; — E. Hennecke/W.Schneemelcher (Hg.), Neutestamentl. Apokryphen II, 2. Aufl. 1964, 35 f.; — LThK V, 1124; — H. Sachs/E. Badstübner/H. Neumann, Christl. Ikonographie in Stichworten, 1973, 164 f.

Dietfried Gewalt

JOSEPH KLEMENS *von Bayern*, Kurfürst und Erzbischof von Köln (1688-1723), Fürstbischof von Regensburg (1685-1717), Freising (1685-1694), Lüttich (1694-1723) und Hildesheim (1702-1723), Fürstpropst von Berchtesgaden (1688-1723), * 5.12. 1671 in München als nachgeborener Sohn des Kurfürsten Ferdinand Maria von Bayern und seiner Gemahlin Henriette Adelaide von Savoyen, † 12.11. 1723 in Bonn, beigesetzt im Kölner Dom. — Schon in jungen Jahren für den geistlichen Stand vorgesehen und dafür erzogen, wurde J. diesem 1683 gegen seinen Willen zugeführt (Erteilung der ersten Tonsur), nachdem er auf Veranlassung seines älteren Bruders, des Kurfürsten Max Emanuel von Bayern, vom Regensburger Domkapitel zum Koadjutor cum iure successionis des Fürstbischofs Albrecht Sigmunds, eines nahen Verwandten, postuliert worden war. Weitere Koadjutorien erfolgten 1684 für das Bistum Freising und 1685 für die Fürstpropstei Berchtesgaden. Schon 1685 konnte J. die durch den Tod Albrecht Sigmunds freigewordene Nachfolge als Bischof von Regensburg und Freising antreten und erhielt trotz seiner Minderjährigkeit die vom Papst erforderliche Konfirmation der Amtsübernahme. Bereits drei Jahre später erreichte die kirchliche Karriere J.s ihren Höhepunkt, als es dem bayerischen Kurfürsten Max Emanuel mit tatkräftiger Unterstützung von Kaiser und Papst gelang, die Wahl seines 17jährigen Bruders zum Kurfürsten und Erzbischof von Köln in hartem Ringen gegen den vom Domkapitel favorisierten, französisch gesinnten Kandidaten Wilhelm Egon von Fürstenberg durchzusetzen und damit dem Hause Wittelsbach die seit 1583 innegehabte kölnische Kurwürde auch weiterhin für die »Sekundogenitur« zu sichern. Der Ausbruch des Pfälzischen Krieges (1689-1697) verhinderte J.s sofortige Übersiedlung in sein Kurfürstentum, dessen Regierungsgeschäfte von seinem Kanzler Karg von Bebenburg geführt wurden. Erst gegen Ende des Krieges verlegte J. seine Residenz endgültig von Bayern nach Bonn. 1694 erfuhr der reichskirchliche Besitzstand J.s eine erneute Erweiterung mit der Übernahme des Bistums Lüttich. Der Papst bestätigte zwar J. in diesem Bischofsamt, erklärte aber eine derartige Kumulation von Bistümern für nicht zulässig und verlangte die Retention der Bistümer Regensburg und Freising. In Regensburg wurde J. 1695 vom Domkapitel wieder zum Bischof gewählt, in Freising dagegen gelang die Wiederwahl nicht. Der Verlust des Bistums Freising wurde später durch die Gewinnung des Bistums Hildesheim aufgewogen: 1702 starb der dortige Fürstbischof und J., der in Hildesheim schon 1694 zum Koadjutor gewählt worden war, trat unangefochten dessen Amtsnachfolge an. Pläne zu weiteren Besitzvergrößerungen (z. B. Münster, wo J. Domherr war) mußten durch den Ausbruch des Spanischen Erbfolgekrieges (1701) aufgegeben werden. Schon vor Ausbruch des Krieges hatte J.,

wohl auf Drängen seines Bruders, des Kurfürsten Max Emanuel, und in Hinsicht auf großzügige französische Subsidienangebote einen Bündnisvertrag mit Ludwig XIV. abgeschlossen. Der Kaiser beantwortete diesen Verrat mit der 1706 feierlich proklamierten Ächtung der beiden Kurfürsten, denn auch Max Emanuel war auf die Seite Frankreichs getreten. Schon 1702 nahmen die Reichstruppen Bonn ein. J. floh nach Frankreich in ein über 12 Jahre dauerndes Exil, zunächst nach Namur, seit 1704 in Lille und von 1709-1714 in Valenciennes. Erst 1714 wurden ihm im Frieden von Baden alle seine Würden und Länder restituiert, so daß er 1715 wieder in seine Residenz Bonn einziehen konnte. In den folgenden Jahren widmete J. seine besondere Aufmerksamkeit den großen Bauvorhaben in der Residenz, die allerdings zu seinen Lebzeiten nicht vollendet werden konnten: dem Wiederaufbau des 1689 zerstörten Bonner Residenzschlosses sowie eines kleineren Schlößchens in Poppelsdorf bei Bonn. Als maßgebenden Architekten, den er tatkräftig mit eigenen Ideen und talentvoll angefertigten Skizzen unterstützte, hatte J. noch im Exil den französischen Hofbaumeister R. de Cotte gewonnen. Für beide Bauprojekte zog er außerdem viele französische Künstler hinzu und legte damit den Grundstein zu einer künstlerischen Entwicklung, die sich unter seinem Neffen und Nachfolger Klemens August voll entfaltete. J.s Interessen umfaßten neben der Baukunst auch Theater und Musik. Er selbst konnte Laute spielen und komponierte einige, heute verschollene Motetten für die St. Michaelskirche in München. — Von Natur aus ein labiler, unselbständiger Charakter stand J. zeit seines Lebens unter dem Einfluß der stärkeren Persönlichkeit seines älteren Bruders, des Kurfürsten Max Emanuel, dem er in allen Situationen politische und menschliche Treue hielt. Trotz aufrichtiger persönlicher Frömmigkeit stand J. seiner geistlichen Bestimmung lange Zeit ablehnend gegenüber. Er hatte zwar schon 1688 nach der päpstlichen Konfirmation seiner Wahl zum Erzbischof von Köln die niederen Weihen empfangen, doch ließ er sich erst 1706/07 in seinem französischen Exil in Lille von Fénélon die höheren Weihen erteilen. Eine von schweren Gewissenskämpfen begleitete Sinnesänderung und der große Einfluß der Persönlichkeit Fénélons (s.d.), des Bischofs von Cambrai, hatten diese Hinwendung J.s zu seinem Amt und Auftrag bewirkt. Er blieb auch nach Empfang der Weihen ein dem Lebensgenuß zugetaner Barockfürst, vernachlässigte aber darüber nicht seine kirchlichen Amtspflichten. Obwohl er für viele Probleme der Kirche keinen Blick hatte, bezog J. im Verhältnis zu den Juden seines Kurstaates eine klare (Schutz-) Position und erließ eine neue Judenordnung, die bis zum Ende des 18. Jahrhunderts verbindlich blieb und den Lebensraum der Juden genau regelte. Gegenüber den Jansenisten verhielt sich J. zunächst unentschieden, nahm dann aber unter dem Einfluß Fénélons eine ablehnende Haltung ein. 1719 verkündete er die zweite gegen die Jansenisten gerichtete Bulle des Papstes. Dem Papst durchaus loyal verbunden, widersetzte er sich aber dessen Weisungen entschieden, als dieser von J. die Entfernung der mit ihm aus dem französischen Exil nach Bonn gekommenen Mutter (Mme de Ruysbeck) seiner beiden außerehelichen Söhne verlangte. — Auf J. geht die Gründung der St. Michaels Erzbruderschaft zurück, die er 1693 in der Kapelle seines Lusthauses Josephsburg auf dem kurkölnischen Besitz Berg am Laim bei München vornahm wie auch der gleichzeitig gestiftete Ritterorden zum heiligen Erzengel Michael. Diese religiöse Laienorganisation, die heute noch besteht, war vor allem eine Totenbruderschaft und diente der Sorge um das Seelenheil verstorbener wie auch lebender Mitglieder und der christlichen Vorbereitung auf die Todesstunde. — Unter dem Episkopat J.s wurde 1718 eine Neuauflage des Kölner Breviers publiziert, 1720 die Neuausgabe der Kölner Agende herausgebracht.

Lit: R. Bragard, Fénélon, Joseph-Clément de Bavière et le Jansénisme à Liège, in: RHE 43, 1948, 473-494; — Max Braubach, Kurköln. Gestalten und Ereignisse aus zwei Jahrhunderten rhein. Gesch., Münster 1949, bes. 81-198, 282-295; — Ders., Von den Schloßbauten und Sammlungen der kölnischen Kurfürsten des 18. Jhs. Lesefrüchte aus politischen Akten, in: AHVNrh 153/154, 1953, 98-147; — Ders., J.C. als Vermittler zwischen Versailles und Wien (Diplomatie und geistiges Leben im 17. und 18. Jh.), Bonn 1969; — Dietrich Dehnen, Kurfürst J. und die Landstände des Erzstiftes 1715-1723 (Diss. Masch. Bonn) 1952; — Robert Haass, Die Beichtväter der Kölner Kurfürsten Joseph Clemens und Clemens August (1688-1761), in: AHVNrh 155/156, 1954, 373-391; — Konrad Algermissen, Wittelsbacher Prinzen als Bischöfe von Hildesheim, in: Unsere Diözese in Vergangen-

heit und Gegenwart, Bd. 30, Heft 1, 1961, 37-64; — Peter Claus Hartmann, Die frz. Subsidienzahlungen an den Kurfürsten von Köln, Fürstbischof von Lüttich, Hildesheim und Regensburg, J.C. im Spanischen Erbfolgekrieg (1701-1714), in: HJ 92, 1972, 358-372; — Manfred Weitlauff, Die Reichskirchenpolitik der Kf. Max Emanuel v. Bayern im Rahmen der reichskirchl. Bestrebungen seines Hauses, in: (Hrsg.: Hubert Glaser) Kf. Max Emanuel. Bayern und Europa um 1700, München 1976, 67ff., bes. 73ff; — Ders., Die Reichskirchenpolitik des Hauses Bayern unter Kf. Max Emanuel »1679-1726«. Vom Regierungsantritt Max Emanuels bis zum Beginn des Span. Erbfolgekrieges »1679-1701« (Habil.), Münchner Theol. Studien 1, 1985 (Rez. v. Günter Christ, in: HJ 108, 1988, 282ff.; — v. Hans Schmidt, in: ZBLG 51, 1988, 646ff.); — Franziska Jäger-von Hoesslin, Die Korrespondenz der Kurfürsten von Köln aus dem Hause Wittelsbach (1583-1761) mit ihren bayer. Verwandten, Materialien zur Rhein. Geschichte 1, 1978, bes. 10f., 144ff., 200ff. (Rez. v. Günter Christ, in: ZBLG 42, 1979, 766ff., v. Ludwig Hüttl, in: AHVNrh 183, 1980, 277ff.; — v. Wilhelm Volkert, in: HZ 230, 1980, 705f.); — Eduard Hegel, Gesch. des Erzbistums Köln, 4. Band: Das Erzbistum Köln zwischen Barock und Aufklärung. Vom Pfälz. Krieg bis zum Ende der frz. Zeit 1688-1814, Köln 1979, bes. 43ff (Rez. v. Dietrich Höroldt, in: AHVNrh 183, 1980, 323f.; — v. Peter Fuchs, in: HZ 233, 1981, 687f.; — v. Alois Schröer, in: ThRv 79, 1983, 130f.); — Rainer Egon Blacha, Johann Friedrich Karg von Bebenburg. Ein Diplomat der Kurfürsten Joseph Clemens von Köln und Max Emanuel von Bayern. 1688-1694. (Diss. Typoskript Bonn) 1983 (Rez. v. Hugo Altmann, in: AHVNrh 188, 1985, 264ff.); — John Finley Oglevee (Hrsg.), Letters of the Archbishop-Elector Joseph Clemens of Cologne to Robert de Cotte (1712-1720), Bowling Green State University 1956; — H.-J. Kunst, Die Stadtresidenz der Kölner Kurfürsten von den Anfängen bis zum Brand am 16. Jan. 1777, in: Die Bonner Universität. Bauten und Bildwerke, hrsg. v. Heinrich Lützeler, Bonn 1968; — Günther Elbin, Wittelsbacher Schlösser am Rhein und in Westfalen, Duisburg 1981[1], 10-19; — Wilfried Hansmann, Gisbert Knopp, Internationale Künstler am Bonner Hof der Kurfürsten von Köln (1700-1794). Bildende Kunst zur Zeit der Kurfürsten Joseph Clemens und Clemens August, in: Wilfried Hansmann u.a., Internationale Künstler in Bonn 1700-1860. Ausstellung des Stadtarchivs und der Wissenschaftl. Stadtbibliothek Bonn im Ernst-Moritz-Arndt-Haus, Bonn, vom 12.-30. September 1984, 13-34; — Harald Johannes Mann, Die barocken Totenbruderschaften, in: ZBLG 39 (1), 1976, 127-151, bes. 43f.; — ADB XIV, 562ff.; — NDB X, 622f.; — Biogr. Wb. z. dt. Gesch. II, 1354f.; — Kosch, KD II, 1933; — EnEc IV, 146f. (s. v. Giuseppe Clemente).

Ingrid Münch

JOSEPH BRYENNIOS, * ca. 1350, † ca. 1431. — Von 1382/83-1402/03 war J. als Lehrer der Orthodoxie auf Kreta, seine Tätigkeit war gegen die dort herrschenden Venezianer gerichtet. Im Jahre 1403 wurde er Prediger am Kaiserhofe zu

Konstantinopel. 1406-1412 weilte er als offizieller Vertreter des Patriarchen auf Zypern, 1416 und 1418 war er als Gesandter im Westen, und 1425 war er einer der Testamentsvollstrecker des Kaisers Manuel II. J. war in Wort und Schrift einer der vehementesten Gegner einer Union mit der lateinischen Kirche.

Werke: Eugenios Bulgaris/Th. Mandakases, 3 Bde., Leipzig 1768-1784; Max Treu, Mazaris und Holobolos, in: Byz. Zeitschr. 1, 1892, 86-97; A. Papadopoulos-Kerameus (Hg.), Varia Graeca Sacra 1909.

Lit.: Ph. Meyer, Des J.s Schriften, Leben und Bildung, in: Byz. Zschr. 5, 1896, 74-111; — N. B. Tomadakes, Ho Joseph Bryénnios kaì he kréte katà to 1400, 1947 (Neugriech.); — Raymond-J. Loenertz, Pour la chronologie des oeuvres de J., in: Revue des Etudes Byzantines 7, 1949, 12-32; — N. B. Tomadakes, Syllabos Byzantinôn meletôn kaì keiménon, 1961; — G. Patasci, J. et les discussions sur un concile d' union 1414-1431, in: Kleronomia 5, 1973, 73-94; — Hans-Georg Beck, Kirche und theol. Lit. im byzant. Reich, 1977[2].

Wilhelm Blum

JOSEPH *von Calasanza*, Heiliger, Fest 25. August, wurde am 11. Sept. 1556 auf dem Bergschloß Calasanza bei Petralta de la Sal in Aragonien geboren und starb am 25.8. 1648, 92jährig, in Rom. Sein Vater war Don Pedro de Calasanza, Statthalter von Lérida. Hier studierte er zunächst Philosophie und Rechte, nachher in Valencia und Alcalá Philosophie und Theologie. Am 17. Dez. 1583 empfing er die Priesterweihe, wurde Sekretär des Bischofs von Lérida und ab 1586 bischöflicher Visitator in Urgel, nördlich von Lérida. 1592 übersiedelte er nach Rom und wurde zunächst Theologe von Kardinal Marcantonio Colonna. Er entfaltete eine reiche apostolische Tätigkeit und trat der »Gesellschaft der Schulen der christlichen Lehre« bei. Vor allem widmete er sich dem Unterricht und der Erziehung armer Kinder. 1597 eröffnete er im Pfarrhaus von S. Dorotea in Trastevere die 1. öffentliche unentgeltliche Volksschule von Europa. Joseph hatte großen Erfolg, mußte mehrmals den Standort wechseln und gewann rasch hervorragende Mitarbeiter, die als Gemeinschaft sich zuerst nannten: »Paulinische Schulkongregation der Armen der Mutter Gottes« und dann »Regulierte arme Kleriker der Mutter Gottes der Frommen Schulen«, kurz »Piaristen«. Sie wurden am 25. März 1617 von Papst Paul V. als Kongregation mit einfachen Gelübden anerkannt (den drei gewöhnlichen einfachen Gelübden wurde als viertes hinzugefügt: die Jugend unentgeltlich zu unterrichten) und 1621 von Papst Gregor XI. zum Orden mit feierlichen Gelübden erhoben. Joseph wurde unter dem Namen »Joseph von der Mutter Gottes« zum General ernannt. Urban VIII. schließlich ernannte ihn mit Breve vom 12. Jan. 1832 zum General auf Lebenszeit. Innerhalb weniger Jahre breitete sich der Orden über ganz Italien, in Böhmen, Mähren, Polen, Ungarn und Spanien aus, nach seinem Tod auch in Deutschland und Österreich, ab 1657. Mißverständnisse und innere Uneinigkeit verursachten eine schwere Krise. Joseph selber hatte arge Bitternisse und Anfeindungen zu ertragen, wurde 1642 vor das Inquisitionsgericht gebracht und 1643 wegen angeblicher Alters-, Gedächtnis- und Verstandesschwäche als General abgesetzt. Der Orden wurde zur einfachen Genossenschaft herabgestuft. 1646 wurde Joseph von Innozenz X. zwar wieder als General eingesetzt, die von ihm vorausgesagte Wiedererrichtung der Kongregation erlebte er nicht mehr. Sie erfolgte durch ein Breve Alexanders VII. vom 24. Jan. 1656. Der Leichnam Josephs wurde im Hochaltar von S. Pantaleo beigesetzt, seliggesprochen wurde er 1748 und heiliggesprochen 1767. Zum Patron der christlichen Volksschule wurde er 1948 erhoben. Er ist überdies Patron der Piaristen, verschiedener nach ihm benannter Ordensgenossenschaften und der Kinder, mit denen zusammen er auch im Bild dargestellt wird.

Lit.: Val. Talenti (Roma 1753; Firenz 1917); — Urban Tosetti (Roma 1767; Firenze [20]1930); — Gabr. Bianchi, P. Mussesti, Alessio della Concettione, Vita del ven. P. Gioseppe della Madre di Dio (Roma 1693, 1697; Wien 1712); — Fr. Maria Macci OTheat; Maria Marchesi OP (1753); — F. M. Bonada, vollendet und herausg. von Liberatus a s. Ioanne B. Fassoni (Roma 1764, 2 Bde.); — Leben und Wundertaten Joseph Calasanzas (Wien 1748; Günzburg 1768); — Lebensgeschichte des sel. Jos. C...., aus dem Welschen von S. Seyer a s. Theresia (Wien 1767); — Kurzer Begriff der Lebensgesch. u. Wunderwerke des hl. Jos. C., aus dem Ital. (Günzburg 1768); — Fel. Jos. Lipowsky, Lebensgesch. usw. (München 1820); — Timon David (Marseille 1883 s., 2 Bde.); — W. E. Hubert, Der hl. Jos. C., Stifter der frommen Schulen, 1 Bdchen der »Lebensbilder kath. Erzieher« (Mainz 1886); — Hist.-pol. Blätter CXX, 901 ff.; — Tommaseo (Roma 1898); — Jos. C. Heidenreich (Wien 1907); — Max Heimbucher, Die Orden und Kongregationen der kath. Kirche (Paderborn ³1934, Bd. II, 121-130); — G. Giovannozzi, II C. et l'opera sua (Firenze 1930); — C. Bau, Biografia critica de S.J. de C. (Mainz 1949); — Epistolario di S. G. C. ed. e commentato da L. Picanyol (Roma 1951-1956, 9 Bde.); — Q. Santoloci (dt. von R. Edelmann, Wien 1956); — Vollständ. Heiligen-Lexikon, Augsburg 1869, Bd. III, 458-461 (Nachdruck Hildesheim-New York 1975); — LThK (1960) Bd. V, 1125; — Dic. d. Spir. (Paris 1974, Bd. VIII, 1331-1337); — Theod. Schnitzler, Die Heiligen im Jahr des Herrn (Freiburg 1979, 294f) — Lexikon d. Namen u. Heiligen, Innsbruck 1982, 459.

Karl Mühlek

JOSEPH (DESA) *von Opertino*, OFMConv, Hl. und Mystiker, * 17.6. 1603 Copertino (bei Lecce/Südit.), † 18.9. 1663 zu Osimo (bei Ancona). — Er wurde 17-jährig zuerst Laienbruder OCap und trat 1621 zu den Franziskanerkonventualen ins Kloster La Grotella über. Wegen seiner geringen geistigen Begabung wurde er aber nur mit Hindernissen zum Orden und 1628 zur Priesterweihe zugelassen. J.v.C. erregte durch Ekstasen, Vorhersagen und Wundertaten solches Aufsehen, daß sich mehrmals die Inquisition mit ihm beschäftigte. Um ihn den Blicken des Volkes möglichst zu entziehen, erfolgte seine Versetzung in abgelegene OCap- u. OFM- Klöster (Assisi, Pietrarossa, Fossombrone und ab 1657 Osimo), wo er ganz abgeschieden lebte und z. Tl. viel unter seinen Vorgesetzten und Mitbrüdern litt. Seine Begegnung zu Assisi 1650 mit Hzg. Joh. Friedrich v. Braunschweig-Lüneburg beeinflußte nachhaltig dessen Konversion. 1753 selig-, 1767 heiliggesprochen. Erhebung seiner Reliquien 1930. Fest: 18.9. — J.v.C. ist eine der interessantesten und merkwürdigsten Gestalten der christl. Mystik mit einzigartiger Begnadung.

Lit.: Roberto Nuti, Vita del servo di Dio fra G. da C. 1678; — A. Angeli, Compendio della vita di G. da C. 1753; — Angelo Pastrovicchi, Kurzer Inbegriff des Lebens und der Tugenden und Wunder des sel. J.v.C. 1753; — ders., Compendio della vita, virtu e miracoli del beato G. da C. 1804; — D. Bernino, Vita di S. G. da C., sacerdote dell' ordine de Minori conventuali. 1767; — frz.: Vie de S. J. de C. 1856; — A. Rossi, Compendio della vita, virtu e miracoli di s. G. da C. 1767; — Anonymus, Das wundervolle Leben des hl. J.v.C. 1843; — I. Montanari, Vita e miracoli di s. G. da C. 1853; — AS Sept. V., 1857 (ND), 992-1060; — F. Gattari, La vita di s. G. da C. 1898; — D. Paul Chauvin, Un amant de la Madonne, S. J. de C. 1900; — F.S. Laingt, St. J. of C. 1918; — E. M. Franciosi, Vita di s. G. da C. dell' ordine dei Minori conventuali. 1925; — Ernst Hello, Heiligengestalten. 1934, 257-267; — Walter Nigg, Grosse Hll. 1947 (1967⁷),

364-395; — A. Garreau, Le saint volant: St. J. de C. 1949; — Lucas Wadding, Annales Minorum. XXXI, 1956 (ND), 134-150; — A. Giaccaglia, Il santo dei voli. 1956; — Heribert Thurston, Die körperlichen Begleiterscheinungen der Mystik. 1956, 32-36; — G. Palatucci, Vita di s. G. da C. 1958; — B. Danza, San G. da C. 1963; — G. Parisciani, San G. da C. (1603-1663) alla luce dei nuovi documenti. 1964; — ders., S. G. da C. e la conversione di Giovanni Frederico di Sassonia ... In: CollFr 34, 1964, 391-403; — L. Rauch, Art. »J.D.v.C.«. In: Peter Manns (Hg.), Die Hll. in ihrer Zeit. II, 1967³, 367-370; — Vollständiges Hll.-Lexikon. Hg. von Johann E. Stadler, fortgesetzt von J. N. Ginal. 1869 (ND 1975) 461-465; — Wetzer-Welte VI, 1867-1869; — Doyé I, 617; — LThK¹ V, 571; — LThK² V, 1126; — Vies des saints et des bienheureux selon l'ordre du calendrier avec l'historique des fêtes par les RR. PP. Bénédictins de Paris. IX, 1950, 387-390; — BS VI, 1300-1303; — Otto Wimmer/Hartmann Melzer, Lexikon der Namen u. Hll. 1984⁵, 459; — Brockhaus XI, 1990¹⁹, 226.

Klaus-Berward Springer

JOSEPH II., römischer König, deutscher Kaiser, * 13.3. 1741 Wien, † 20.2. 1790 Wien. — Sohn Maria Theresias (1717-1780) und Franz (I.) Stephans von Lothringen (1708-1765); verheiratet mit Isabella von Bourbon-Parma (1741-1763) und Maria Josepha von Bayern (1739-1767). — 1764 zum römischen König gewählt und gekrönt folgte er seinem 1765 überraschend verstorbenen Vater als Kaiser und Mitregent in den österreichischen Erblanden, in den böhmischen Ländern und im Königreich Ungarn, ehe er nach dem Tod seiner Mutter die Alleinherrschaft antrat. — Mit seinem Namen verbindet man (über die geläufige Polarisierung von Reformkatholizismus und Staatskirchentum hinausführend) ein geschlossenes Programm staatspolitischer, religionspolitischer und sozialpolitischer Regierungsmaßnahmen aufgeklärt-absolutistischen Zuschnittes: Josephinismus, der mit der Formel »Alles für den Staat - nichts durch das Volk!« auf den Begriff gebracht wurde. Unter diesem Vorzeichen gelang es jedenfalls, Österreich zu einem modernen bürokratisch-zentralistischen Staat (unter völliger Zurückdrängung des ständischen Einflusses) mit Großmachtstellung in Europa auszubauen und einen revolutionären Umsturz durch Reformen von oben zu verhindern. — Erzogen im Geiste der katholischen Aufklärung und beeinflußt von den Schriften Muratoris (s.d.) machte J. nicht nur Front gegen den Barockkatholizismus, er setzte sich auch massiv für die Toleranz gegenüber den Nichtkatholiken ein, was zu Konflikten mit seiner Mutter und Rücktrittsdrohungen führte; erst nach deren Tod realisierte er eine weiterführende Toleranzgesetzgebung (Toleranzpatente 1781, 1782) zugunsten der Evangelischen (Augsburgischer und Helvetischer Konfession), der Griechisch-Orthodoxen und Juden, die indes nicht auf der Skepsis der Lessingschen Ringparabel beruht, sondern um die ausschließliche Wahrheit der bevorrechtigten (»dominanten«) römisch-katholischen Staatsreligion als der religio vera zu wissen vermeinte. Sein Eifer zielte allerdings auf ein von allen »Äußerlichkeiten gereinigtes Christentum« mit nationalkirchlicher Zuspitzung; in diesem Sinn verstand sich die mit der Kirchenreform verfolgte Distanznahme gegenüber dem Papst, die Territorialisierung der Kirche unter Bezugnahme auf episkopalistische Kirchenverfassungsprämissen. Dem Utilitätsdenken der Aufklärung entsprach weiters die Aufhebung der kontemplativen Klöster und die Dezimierung der Bettelorden. Das dadurch freiwerdende Klostervermögen kam dem neugebildeten Religionsfonds zugute, mit dessen Hilfe ein dichteres Pfarrnetz geschaffen werden konnte. — Aus den zahlreichen Reformen ragen hervor: die Aufhebung der Leibeigenschaft, die Abschaffung der ständischen Sondergerichte, die Beseitigung von Folter und Todesstrafe. — J. ist insbesondere durch den Liberalismus im 19. Jahrhundert zu einem österreichischen Nationalheiligen stilisiert worden, die Spuren seiner Popularität sind bis in die Gegenwart sichtbar geblieben.

Lit.: Elisabeth Bradler-Rottmann, Die Reformen Kaiser J., 1973; — Karl Otmar Frh. von Aretin (Hg.), Der Aufgeklärte Absolutismus, 1974; — Lorenz Mikoletzky, Kaiser J., Herrscher zwischen den Zeiten, 1979; — Hans Magenschab, J., Revolutionär von Gottes Gnaden, 1979, ³1981; — Österreich zur Zeit Kaiser J. (Katalog zur) Niederösterr. Landesausstellung Stift Melk 1980, 1980; — Peter F. Barton (Hg.), Im Zeichen/Lichte der Toleranz, 2 Bde., 1981; — Horst Haselsteiner, J. und die Komitate Ungarns, 1983; — Inge Gampl, Staat-Kirche-Individuum in der Rechtsgeschichte Österreichs zwischen Reformation und Revolution, 1984, 65-107; — Christian Broda, J., in: Jochen Jung (Hg.), Österr. Porträts, 1985, 42-59; — Österreich im Europa der Aufklärung. Kontinuität und Zäsur in Europa zur Zeit Maria Theresias, 2 Bde., 1985 (mit Bibliogr. 969-1063); — RGG³ III, 862 ff.; — EKL² II, 379 ff.

Karl Schwarz

JOSEPH PIANTANIDA *von Ferno*, * um 1485 in Ferno, † 5.1.1556 in Mailand. — 1503 trat J. in OFMObs ein, 1536 Übertritt zu OFMCap. Er war ein berühmter Prediger und wurde mehrmals zu leitenden Ämtern in seinem Orden gewählt. Er wirkte mit bei der Stiftung der Barnabiten. Es ist nicht klar, ob er oder Antonius M. Zaccaria der Initiator des Vierzigstundengebetes ist. Jedenfalls hat J. am meisten zur Verbreitung dieser Frömmigkeitsübung beigetragen. Feststellbar ist, daß er bei der Einführung des Vierzigstundengebetes im Mailand im Jahre 1537 beteiligt war.

Werke: Istruzioni per celebrare degnamente l'Orazione delle 40 Ore (Milano 1571).

Lit.: Analecta Ordinis Fratrum Minorum Capucinorum 13 (1897), 178-184; — Melchior a Pobladura, Historia generalis Ordinis Fratrum Minorum (Roma 1947-1951), Bd. 1, 264 ff.; — R. Toso, in: Lex. für Theol. und Kirche, Bd. 5 (1960), Sp. 1126; — L. Iriarte, Der Franziskusorden (Altötting 1984), 207.

Lothar Hardick

JOSEPH BEN GORION, Josephus Gorionides, Pseudo-Josephus, Vertreter des obersten Befehlshabers über Jerusalem zu Beginn des Aufstandes der Juden gegen die Römer im Jahre 66 n. Chr., hingerichtet nach dem Sieg der Jerusalemer Zeloten im Frühjahr 68 n. Chr. — Nach Darstellung des jüdischen Geschichtsschreibers Flavius Josephus wurde J. zur Durchführung der Verteidigungsmaßnahmen gegen die erwartete römische Belagerung durch die in den Jerusalemer Tempel einberufene Volksversammlung zum Vertreter des obersten Befehlshabers, des Hohepriesters Ananos, gewählt. Seine dringlichste Aufgabe war die Instandsetzung und Befestigung der Stadtmauer, die beim Angriff der römischen Truppen unter Cestius Gallus stark beschädigt worden war. Die Zeloten in der Stadt lehnten Ananos als obersten Befehlshaber über Jerusalem ab und wählten mit Pinechas ihrerseits einen Hohepriester zum Anführer ihres Widerstandes gegen die Römer. Nach dem Sieg der Zeloten wurde J. im Frühjahr 68 n. Chr. hingerichtet. Gleichzeitig mit J.s Wahl zum Befehlshaber Jerusalems wurde Joseph ben Matthias, der spätere Geschichtsschreiber Josephus, zum

Befehlshaber von Galiläa gewählt. Dieser Umstand trug dazu bei, daß ein mittelalterlicher Abschreiber des »Hegesippus«, der lateinischen Bearbeitung der Geschichte des jüdischen Krieges aus der Hand eines getauften Juden im 4. Jahrhundert, J. ben Gorion mit dem Geschichtsschreiber Josephus ben Matthias identifizierte. Zwischen 900 und 965 n. Chr. verfaßte ein unbekannter Jude in Süditalien in hebräischer Sprache eine jüdische Geschichte vom Niedergang des babylonischen Großreiches bis zum Ende des jüdischen Krieges, die in kompilatorischer Form Hegesipp, verschiedene jüdische Schriften aus hellenistisch-römischer Zeit und zahlreiche lateinische Texte aus dem frühen Mittelalter vereinigte. Der Autor des »Josippon« gab vor, Flavius Josephus zu sein. Es gilt als wahrscheinlich, daß der Verfasser dieses Pseudepigraphs, der wohl kein Griechisch verstand, sich in Fortführung der im Hegesippus vorfindlichen Tradition »J. ben Gorion« nannte, obwohl er als seinen Vater Matthias angab.

Lit.: Jos.Bell. II, 563; — Hegesippus 3.3.2, ed. V. Ussani, CSEL 66, 187, 12-14; — B. Brüne, Josephus, der Gesch.schreiber, Wiesbaden 1912, 38, 70; — S. Dubnow, Die alte Gesch. des jüd. Volkes, Bd. II, Berlin 1925, 438, 449; — M. Kamil, Des J. ben Gorion Gesch. der Juden, 1938; — S. Perowne, Herodianer, Römer und Juden, Stuttgart 1958, 172; — M. Avi-Yonah, Historical Geography of Palestine, in: S. Safrai, M. Stern (Hrsg.), The Jewish People in the First Century, Bd. 1, Assen 1974, 114; — G. Stemberger, Gesch. der jüd. Lit., München 1977, 141 ff.; — D. Flusser, Sefer Josippon, 2 Bde., Jerusalem 1978, 80; — EJud IX, 425 (Lit.); — EncJud X, 296-298; — JewEnc VII, 259-260 (Bibl. zum »Josippon«); — JüdLex III, 335; — NewCathEnc VII, 1124; — RGG³III,864; — UJE VI, 210 f.

Michael Tilly

JOSEPH Wilhelm Friedrich Prinz *von Hohenzollern-Hechingen*, Fürstbischof von Ermland, * 20.5. 1776 in Troppau/östr. Schlesien, † 26.9. 1836 in Oliva bei Danzig. — J. entstammte einer katholischen Linie des Hauses Hohenzollern und war der älteste Sohn des in österreichischen Diensten stehenden, mit Ernestine-Josepha Gräfin von Sobeck-Kornitz verheirateten Generals Friedrich Anton Reichsgraf von Hohenzollern-Hechingen. Nach dem Besuch der Militärakademie in Wien und der Karlsschule in Stuttgart (1787-1791) eröffnete ihm sein Onkel Karl von Hohenzollern-Hechingen (1732-1803; seit 1778 Kommendatarabt von Oliva, 1785-1795 Bischof von Kulm, 1795-1803 Fürstbischof von Ermland) die geistliche Laufbahn. 1790 verschaffte er J. eine Präbende im Breslauer Domstift, 1791 holte er ihn in die Nähe seiner Residenz Oliva. Am Akademischen Gymnasium zu Altschottland bei Danzig setzte J. seine Ausbildung mit dem Theologiestudium fort. Die Priesterweihe empfing er aus der Hand seines Onkels am 31.8. 1800 in Oliva. Wenig später erhielt er ein Kanonikat im Kathedralkapitel des Bistums Ermland zu Frauenburg. Nach dem Tode seines Förderers trat J. durch königliche Nomination dessen Nachfolge als Abt von Oliva an (23.12. 1803); er bekleidete dieses - ihm nach der Säkularisation des Klosters ad personam zugestandene - Amt bis zu seinem Lebensende und residierte auch später bevorzugt in Oliva. Nach mehrjähriger Vakanz wählte das ermländische Domkapitel am 6.7. 1808 den von König Friedrich Wilhelm III. von Preußen nominierten J. zum Fürstbischof von Ermland; infolge des napoleonischen Übergriffs auf den Kirchenstaat erfolgte die päpstliche Präkonisation erst 1817, wonach J. am 12.7. 1818 in Frauenburg zum Bischof geweiht werden und sein Amt antreten konnte. Seit 1809 hatte er das Bistum als Kapitularvikar verwaltet. Bereits in jener Zeit widmete er seine ganze Schaffenskraft der ihm anvertrauten Diözese. Mit wechselndem Erfolg verteidigte er die Rechte der Kirche gegen staatliche Übergriffe, vor allem im Zusammenhang mit dem »Edikt über die Einziehung sämmtlicher geistlichen Güter in der Monarchie« (1810). Von Papst Pius VII. 1821 zum päpstlichen Exekutor der Zirkumskriptionsbulle »De salute animarum« (16.7. 1821) für die preußischen Diözesen ernannt, sollte J. in Zusammenarbeit mit dem Zivilkommissar Johann Heinrich Schmedding jene Verordnung ausführen. Während er diese Aufgabe für die preußischen Westprovinzen subdelegierte, wurde J. in den altpreußischen Bistümern, besonders in seinem eigenen Sprengel, zur herausragenden Gestalt der Reorganisation der katholischen Kirche. — Von ihren früheren Oberhirten vernachlässigt, verheert durch die napoleonischen Kriegszüge, durch staatliche Reglementierungen gehemmt, war die Diözese Ermland geistig wie materiell zerrüttet, als J.

Ermland geistig wie materiell zerrüttet, als J. ihre Verwaltung übernahm. Er setzte zunächst bei der Erneuerung des Klerus an, von dessen Vorbildwirkung im Volk er sich großen Einfluß versprach; sein diesbezügliches Programm umriß er folgendermaßen: »Was allein der Geistlichkeit die so gesunkene Achtung wieder gewinnen kann, ist unerbittliche Strenge gegen unwürdige und Beförderung der wissenschaftlichen Fortbildung bei allen« (Hipler, Briefe, s. u., 562). Um dem eklatanten Priestermangel abzuhelfen, setzte der Fürstbischof die Verbesserung bzw. Neueinrichtung von Gymnasien sowie die Reorganisation des Priesterseminars und der theologisch-philosophischen Hochschule (Lyceum Hosianum) in Braunsberg durch. Doch richtete J. sein Augenmerk nicht nur auf die Geistlichkeit, sondern engagierte sich ebenso für die Hebung der Volksbildung (Ausbau des Schulwescns, Herausgabe vielbeachteter Lesebücher) und die Neubelebung bzw. Vertiefung des religiösen Lebens (z. B. Sammlung und Einführung deutscher Kirchenlieder, Wiederbelebung der Bruderschaften, Anleitungen zum Religionsunterricht, Herausgabe eines Katechismus). Als erster Oberhirte wandte sich J. den Seelsorgeproblemen in den weiten ostpreußischen Diasporagebieten zu. Bei fast allen seinen Unternehmungen stieß der Fürstbischof auf den Widerstand der protestantischen preußischen Regierungsbeamten, vor allem des Oberpräsidenten Heinrich Theodor von Schön, die in Wahrnehmung des landesherrlichen ius circa sacra die freie Ausübung seiner bischöflichen Jurisdiktionsgewalt einzuschränken suchten. Dieser Staat-Kirche-Konflikt, in welchem J. seine verwandtschaftlichen Beziehungen zum Königshaus wenig nutzten und er sich nur selten voll durchzusetzen vermochte, belastete nicht nur seine Amtsführung, sondern betrübte ihn auch persönlich tief. Über J.s Wesen und Denken geben seine Briefe und Tagebuchaufzeichnungen Aufschluß. Demnach läßt er sich als ein stiller, gebildeter, zutiefst frommer und der Romantik verhafteter Mensch charakterisieren. In seinen theologischen Auffassungen stand er dem Reformkreis um Johann Michael Sailer nahe. Er war fest überzeugt von der der Kirche kraft göttlichen Rechts zukommenden Autonomie und faßte sein Bischofsamt als ihm von Gott

gestellte, zu vorbildlichem Seelsorgedienst verpflichtende Aufgabe auf. Als er 1822 für den Erzbischofsstuhl von Köln ausersehen war, lehnte er ab. J. erhielt verschiedene Auszeichnungen; u. a. verlieh ihm die katholisch-theologische Fakultät der Universität Bonn 1835 die Ehrendoktorwürde. Seine letzte Ruhestätte fand der nach längerer Krankheit in Oliva Verstorbene in der dortigen Klosterkirche. — Bis in die Gegenwart gilt J. als »Erneuerer des Ermlandes«. Bei den ermländischen Katholiken genießt er große Verehrung. Aufgrund seiner geistig-religiösen Einstellung, seiner Funktion als päpstlicher Exekutor und nicht zuletzt seiner langen Amtszeit zählt J. zu den bedeutenden Persönlichkeiten der Reorganisationsphase der katholischen Kirche in der ersten Hälfte des 19. Jahrhunderts. Dennoch wäre das Bild des letzten »Fürst«-Bischofs von Ermland in der Historiographie insgesamt etwas kritischer zu beleuchten, als dies bisher der Fall war.

Werke: Literae pastorales ad Clerum Warmiensem d. d. I Maii MDCCCXIX (hrsg. v. Franz Hipler, in: Pastoralbl. f. d. Diöz. Ermld. 8, 1876, 61-65); Anleitung zum Gebrauch der Fiebel und des Lesebuchs für die Schulen des Bisthums Ermland, 1820; Prüfungsspiegel für gewissenhafte Schullehrer, 1828; Ein Brief des Fürstbischofes v. Ermland, Prinz J. v. H., an den Staatsrath Ludwig Nicolovius in Berlin (hrsg. v. Franz Hipler, in: Pastoralbl. f. d. Diöz. Ermld. 2, 1870, 79 f.); Briefe, Tagebücher und Regesten des Fürstbischofs v. Ermland J. v. II. (1776-1836) (hrsg. v. Franz Hipler, 1883); 7 lat. Pastoralschreiben zur Gesch. der ermländ. Diöcesansynoden (hrsg. v. Franz Hipler, in: Pastoralbl. f. d. Diöz. Ermld. 30, 1898, 7-9, 15 f., 32-34).

Lit.: G. Gerlach, Memoria Josephi ab Hohenzollern, principis episcopi quondam Varmiensis, 1837; — J. Walter, J. v. H. und Stanislaus v. Hatten, zwei Bischöfe Ermlands, 1860; — Joseph Bender (Hrsg.), Gesch. der philos. und theolog. Studien in Ermland. Festschr. d. Kgl. Lyceum Hosianum zu Braunsberg zu seiner fuenfzigjährigen Jubelfeier, 1868; — Anton Eichhorn, Gesch. der ermländ. Bischofswahlen, in: Zeitschr. f. d. Gesch. u. Altertumkunde Ermlands 1-4, 1858-1869, hier 4, 1869, 595-636; — Ders., Die Ausführung der Bulle »De salute animarum« in den einzelnen Diöcesen des Preußischen Staates durch den Fürstbischof v. Ermland, Prinz J. v. H., in: Zeitschr. f. d. Gesch. u. Altertumkunde Ermlands 5, 1870-1874, 1-130; — Franz Hipler, Regesten zur ermländ. Diöcesangesetzgebung unter dem Fürstbischofe J. v. H. 1808-1836, in: Pastoralbl. f. d. Diöz. Ermld. 4, 1872, 101-105 u. 5, 1873, 122 f.; — Ders., J. v. H., Fürstbischof v. Ermland. Ein Gedenkblatt zur Feier seines 100. Geburtstages am 20. Mai 1876, 1876; — Ders., In Centenarium Josephi Principis de Hohenzollern- Hechingen Episcopi Warmiensis die XX. Maii a. MDCCLXXVI nati, in: Pastoralbl. f. d. Diöz. Ermld. 8, 1876, 61; — Ders., Heinrich

Schmülling und die Reform des ermländ. Schulwesens am Eingange des 19. Jh.s, in: Zeitschr. f. d. Gesch. u. Altertumskunde Ermlands 8, 1885, 217-451; — J. v. H., Fürstbischof v. Ermland, in: Katholik, 1883, 168-195; — Franz Splett, Josephus v. H., der letzte Abt v. Oliva. Eine pädagog.-hist. Studie, 1898; — Franz Schulz, Aus der Gesch. der Geschlechter Hohenzollern-Hechingen und von Weiher. Eine Erinnerung an Oliva, in: Mitt. d. Westpreuß. Geschichtsvereins 11, 1912, 37- 44; — Philipp Funk, Beiträge zur Biographie J.s v. H.-H. Fürstbischofs v. Ermland (1808-1836), 1927; — Eugen Brachvogel, Das älteste Denkmal für Bischof J. v. H., in: Ermländ. Hauskalender 74, 1930, 30-34 u. in: Unsere ermländ. Heimat 9, 1963, Nr. 4, 16; — Ders., Die Erneuerung der ermländ. Klosterschulen unter Bischof J. v. H., in: Ermländ. Hauskalender 74, 1930, 37-41; — Ders., Das Priesterseminar in Braunsberg. Festschr. zur Weihefeier des neuen Priesterseminars am 23.8. 1932, 1932; — Ders., Wie J. v. H. († 1836) Bischof v. Ermland wurde, in: Ermländ. Hauskalender 80, 1936, 31-39; — A. G. Langkau, Zum Gedächtnis des Bischofs J. v. H., in: Unsere ermländ. Heimat 10, 1930, Nr. 9, 10; — Herward Bork, Zur Gesch. des Nationalitätenproblems in Preußen. Die Kirchenpolitik Theodors v. Schön in Ost- u. Westpreußen 1815-1843, 1933; — F. Eisele, Die Bischöfe aus Hohenzollern, in: Hohenzollerische Jahreshefte 11, 1951, bes. 163 f.; — Hans Preuschoff, Hohenzollern auf dem ermländ. Bischofsthron, in: Ermländ. Hauskalender 88, 1955, 27-51; — Bernhard Maria Rosenberg, Beiträge zur Gesch. des deutschen katholischen Kirchenliedes im Ermland, in: Zeitschr. f. d. Gesch. u. Altertumskunde Ermlands 29, 1958, 438-520; — Helmuth v. Osterroht, Die Hechinger Hohenzollern in West- und Ostpreußen, in: Tradition u. Leben 13, 1961, Nr. 145, 11-14; — Ders., Die Hechinger Hohenzollern u. Oliva, in: Unser Danzig 13, 1961, Nr. 17, 10 f. u. Nr. 18, 8 f.; — Otto Miller, Des Ermlands Erneuerer vor hundert Jahren, in: Unser Ermlandbuch, 1966, 34-46; — Neuer Nekrolog der Deutschen 14, 1836, Tl. 2, 601 (ersch. 1838); — ADB XII, 702 f.; — Altpreuß. Biogr. I, 282 f.; — LThK V, 434 f. u. III, 343 f. (zur Bulle »De salute animarum«); — NDB IX, 499-501 (zur Linie H.-H.); — Erwin Gatz (Hrsg.), Die Bischöfe der deutschsprachigen Länder 1785/1803 bis 1945. Ein biogr. Lexikon, 1983, 326-329 (ausführlichste u. beste neuere Würdigung von Leben u. Wirken J.s durch Brigitte Poschmann).

Barbara Wolf-Dahm

JOSEPH, der Hymnograph (816-886), wurde eher zu Palermo, als zu Syrakus auf Sizilien geboren. Eltern: Photinos und Agathe, beide wohl aus alteingesessenem Geschlecht. Sie ließen J. eine sorgfältige Ausbildung zukommen. 831 im Oktober floh die Familie vor den afrikanischen Arabern auf die Peloponnes. J. gelangte in das Kloster des Soter (später Latomos-Kloster) nach Thessalonike, wo er zum Mönch geschoren wurde und als Handschriftenschreiber (Kalligraph) wirkte. Um 840 Weihe zum Priester. Im Kloster lernte er Gregorios Dekapolites

kennen, der sein Lehrer wurde. Mit ihm ging J. nach Konstantinopel, um als Mönch bei der Kirche des hl. Antipas zu leben (Joannes Diakonos gibt fälschlich Sergios u. Bakchos an). Gregorios Dekapolites schickte J. auf Betreiben bilderfreundlicher Kreise zu Gregor IV. (827-844) nach Rom auf die Reise, um die Bilderstürmer anzuklagen; dieser wurde aber von kretischen Sarazenen auf See abgefangen und in Kreta eingekerkert. Er stärkte Mitgefangene im Glauben und erfuhr Details über Viten kretischer Heiliger, die in seiner späteren Dichtung lebendig wurden. 842/43 erlangte er die Freiheit wieder, eher durch Lösegeld, als durch ein Wunder des hl. Nikolaos (cf. Joannes Diakonos, Nikephoros Kallistos Xanthopulos). Auf der Rückkehr nach Konstantinopel gelangte er in den Besitz von Reliquien des Apostels Bartholomäus. Im Februar 843 begann sein zweiter Konstantinopel-Aufenthalt, Gregorios Dekapolites war ein Vierteljahr vorher gestorben. Dessen Schüler schlossen sich z.T. J. an, der mit ihnen zuerst ein Skriptorium an der Kirche des Joannes Chrysostomos[3] betrieb, dann in einem eigens gegründeten Kloster unweit davon. Dorthin übertrug er 851 die Reliquien des Gregorius Dekapolites und dessen Schülers Joannes. Er errichtete eine Kirche des Apostels Bartholomäus und Gregorios' Dekapolites. Als Abt des Klosters wurde er zum Lehrer des Hymnographen Euodios und Theophanes, seines Biographen. 850-858 ist seine Dichtung auf dem ersten Höhepunkt. Im Zusammenhang mit der Absetzung des Patriarchen von Konstantinopel Ignatios verbannte ihn Kaiser Michael III. nach Cherson, 867 berief ihn Kaiser Basileios I. ehrenvoll zurück.. Er ging in sein Kloster und verwaltete 20 Jahre das auch außenpolitisch wichtige Amt eines Skeuophylax der Hagia Sophia, das er kurz vor seinem Tode am 3. April 886 zurückgab. Dieser dritte Konstantinopel-Aufenthalt, der unter dem Zeichen der Freundschaft mit den Patriarchen Ignatios und Photios stand, ist der zweite Höhepunkt seiner Dichtung. — Durch sein gewaltiges hymnographisches Œuvre (das freilig häufig nicht leicht von dem Josephs des Studiten geschieden werden kann), das von monastischer Spiritualität, Rhetorik und Lyrismen durchzogen und dessen Sprachgewand konservativ ist, hat J. großen Einfluß auf die Entwicklung der liturgischen

Bücher Oktoechos, Triodion, Pentekostarion und die Menaia genommen. Ein Teil seines Schaffens ist in der Ostkirche noch lebendig. Er war nach Romanos wohl einer der bedeutendsten byzantinischen Hymnographen. Seine Leistung als Komponist wird dagegen nicht hoch eingeschätzt. Das hymnographische Werk des Joseph umfaßt 385 Kanones für die Menaia, 68 Kanones für die Parakletiké, 6 Kanones und 34 Triodia-Tetraodia für das Triodion, 2 Kanones und 24 Triodia-Tetraodia für das Pentekostarion. Außerhalb der liturgischen Bücher sind überliefert einige Kanones auf Christus und Maria sowie 13 Stichera. Darüber hinaus werden Joseph zwei Lobreden auf den Apostel Bartholomaeus (überkommen in Paris. gr. 1219, ff. 1-6 u. Vat. gr. 1667 sowie Paris. gr. 1219, ff. 6-11 und Vat. gr. 984, ff. 298-307) zugeschrieben; zu ihnen vgl. F. Halkin, Bibliotheca hagiographica Graeca, t. 1, Bruxelles 1957, Nr. 232 und 232b.

1) Cf. R. Janin, Géographie ecclésiastique de l' empire byzantin, t. 2, Paris 1975, S. 392-394
2) Cf. a.a.O., t. 3, Paris 1969, S. 38
3) Cf. a.a.O., S. 271f.

Quellen zu Leben: Vita a Theophane monacho scripta. A. Papadopulos-Kerameus, Monumenta graeca et latina ad historiam Photii patriarchae pertinentia, t. 2, Petropoli 1901, S. 1-14. Vita a Ioanne diacono scripta. Act. SS April I (1675) XXXIV-XLI; 3. ed. XXIX-XXXV. PG 105, Sp. 939-975. Laudatio Theodori Pediasimi. M. Treu, Theodori Pediasimi eiusque amicorum quae exstant, Potisdamiae 1899, S. 1-14. Memoria seu synaxarium. Papadopulos-Kerameus, a.a.O., S. 15-17. Cf. F. Halkin, Bibliotheca hagiographica Graeca, t. 2, Bruxelles 1957, Nr. 944-947b.

Ed. der Werke: In den Menaia. Darüber hinaus: PG 105, Sp. 983-1422 (Kanones auf Maria, Theotokia). W. Christ u. M. Paranikas, Anthologia graeca carminum christianorum, Leipzig 1871 (Repr. Hildesheim 1963), S. 242-253. J.-B. Pitra, Analecta sacra, t. 1, Paris 1876, S. 381-399. A. Papadopulos-Kerameus, in: Syllogos 26 (1896) S. 38-42 (Akoluthie auf Niketas von Chalkedon). J. Cozza Luzi, in: Bessarione 5 (1899) S. 429-448 (auf hl. Joseph). E. Kurtz, in Zapiski d. k. russ. Akad. d. Wiss. VIII. VI. 1, Petersburg (1902) S. 82-86 (auf hl. Theodora). S. Eustratiades, in: Apostolos Barnabas, II, 4 (Leukosia 1932), S. 5-14. Ders., in: Romanos Melodos 1 (1932/33) S. 413-421 (Kanon auf Akakios von Melitene). Ders., in Theologia 13 (1935) S. 172-179 (Kanon auf Leonides). Ders., in: Makedonika 2 (1941-1952) S. 40-51 (Mitternachtslied). P. Joannou, in: Analecta Bollandiana 65 (1947) S. 134-138 (Kanon auf Bessarion). E. Mioni, I kontakia inediti di Giuseppe innografo, in: Bolletino ... di Grottaferrata 2 (1948) S. 87-98, 177-192 (mit dem Hymnus des Theophanes auf J.). N. A. Oikonomides, in: Archeion Pontu 18 (1953) S. 218-240 (Kanon auf Phokas). A. Gonzato, in: Atti dell Ist. veneto di scienze .... morali 118 (1959/60)

S. 277-314. E. Follieri, in: Revue des ét. byz. 19 (1961) S. 140-151 (Kanon auf Pantinos). Dies., in: Analecta Bollandiana 80 (1962) S. 249-307 (auf die beiden Sabas). E. Follieri u. I. Dujčev in: Byzantion 33 (1962) S. 75-85 (Akoluthie auf die bulg. Märtyrer, die aber eher von Joseph von Studiu stammt). D. Papachryssanthou, in: Analecta Bollandiana 88 (1970) S. 27-51 (Akoluthie auf Petros den Athoniten). Analecta hymnica Graeca e codd. eruta Italiae inferioris, Roma, t. 1, 1966, ed. I. Schirò, S. 88-97. 98-107. 158-167. 178-184. 211-218. 227-235. 269-279. 349-359. 387-396. t. 2, ed. A. Debiasi Gonzato, 1979, S. 12-20. 140-150. 198-206. 274-283. 313-321. 322-331. 352-359. t. 3, ed. A. Kominis 1972, S. 1-11. 12-21. 22-28. 165-174. 189-199. 221-241. 279-287. 289-298. 407-416. 454-464. 478-488. 545-553. T. 4, ed. A. Kominis, 1976, S. 10-23. 76-84. 196-207. 208-217. 319-330. 351-361. 448-459. 653-662. T. 5, ed. A. Proiou, 1971, S. 1-11. 12-21, 69-75 (Autorschaft fraglich). 114-124. 179-189. 267-278. 376-386. 460-470. 513-522. t. 6, ed. Eu. Tomadakis, 1974, S. 256-268. 277-286. 288-298. 310-319. t. 7, ed. Eu. Tomadakis, 1971, S. 15-22. 42-51. 52-61. 70-78. 99-107. 195-205. 220-228. 229-240. 265-274. 290-300. 301-310. 329-337. 338-350. T. 8, ed.C. Nikas, 1970, S. 64-73. 97-105. 106-116. 118-127. 146-155. 157-166. 200-209. 210-218. 226-237. 238-249. 280-288. 289-301. 302-311. 329-338. 339-348. 349-358. T. 9, ed. C. Nikas, 1973, S. 28-36. 158-167 (Autorschaft fraglich), 189-198. 297-307. 308-319. T. 10, ed. Au. Acconcia Longo, 1972, S. 23-35. 36-49 (Autorschaft sehr fraglich). 117-128. 130-139. 145-154. t. 11, ed. A. Acconcia Longo, 1978, S. 23-31. 32-40. 41-49. 50-58. 59-72. 109-118. 172-182. 294-305. 368-378. 481-499. T. 12, ed. A. Proiou, 1980, S. 83-91. 287-297.Tomadakes (s.u.), S. 242-285. A. Labate, Cinque inni biz. ined. per la solennità di pasqua, Messina 1980 (: Hymnen von Montag - Mittwoch).

Lit.: G. Da Costa-Louillet, Saints de Constantinople aux VIIIᵉ, IXᵉ et Xᵉ siècles, 15, in: Byzantion 25-27 (1955-57) S. 812-823; — H.G. Beck, Kirche u. theologische Literatur im byzantinischen Reich, München 1959, S. 601f. (Handbuch d. Altertumswissenschaft XII. 2, 1 = Byzantinisches Handbuch 2,1); —. S. Eustratiades, Hagiologion tes orthodoxu ekklesias, Athenai 1961, S. 242f. (:J. ist orthodoxer Heiliger. Gedenktage: 3., 4. 4.); —. A. J. Phytrakes, Iosoph ho hymnographos kai Ioseph ho Studites, Athen 1970; —. Ders., To ergon Ioseph tu hymnographu, in: La chiesa greca in Italia dall' VIII al XVI s., vol. 2, Padova 1972, S. 523-551; —. Eu. Tomadakes, Ioseph ho hymnographos. Bios kai ergon, Athenai 1971; —. D. Stiernon, La vie et l' œuvre de St. Joseph l' hymnographe, in: Revue des ét. byz. 31 (1973) S. 243-266; —. Ders., Joseph l' hymnographe, in: Dictionnaire de Spiritualité, t. 8, Paris 1974, Sp. 1349-1354; —. N. B. Tomadakes, La lingua di Giuseppe Innografo, in: Byzantino-Sicula 2 (1975) S. 497-506; —. E. Catafygiotou-Toping, St. Joseph the hymnograph and St. Marianne Isapostolos, in: Byzantina 13, 2 (1985) S. 1033-1052; —. A. Gambašidze, Ioseb himnograp 'is ert'i kanonis k'art'uli redak'ciehi, in: Mraval'avi 11 (1985) S. 78-90; — H. Schmidt, Zum formelhaften Aufbau byzantinischer Kanones, Wiesbaden 1979; — Troparia and Kondakia, Cambridge N.Y. 1984; — I. Phuntules, Ho hagios Demetrios sten hymnographia, Gregorios Palamas 68 (1985) 165-181; — K. Mestakes, Byzantine hymnographia apo den epoche tes Kaines Diathekes heos den Eikonomachia, Athen 1986; — P.B. Paschos, Saint Nicolas dans l'hymnographie byzantine, Theologia 57 (1986) 397-422; — A. Armanti, Giuseppe Innografp negli Analecta Hymnica Graeca, Diptycha 4 (1986/87) 141-148.

Hans Thurn

JOSEPH A JESU MARIA [José de Jesús María], mit weltlichem Namen Francisco de Quiroga, * um das Jahr 1562 in Castro de Caldelas (Orense), Spanien, † wahrscheinlich 13.12. 1628. — J. studierte an der Universität Salamanca wahrscheinlich Rechtswissenschaft und gehörte seit dem 13.7. 1592, wenn auch nur für kurze Zeit, dem Domkapitel von Toledo an. Bereits am 2.2. 1595 wurde er bei den Unbeschuhten Karmeliten in Madrid Novize und legte ein Jahr später am gleichen Tag mit dem Namen José de Jesús María dort Profeß ab. Vom Ordensgeneral Elías de San Martín 1597 mit der Aufgabe des Generalgeschichtsschreibers des Ordens betraut, widmete er sich der Sammlung von Materialien, die er in den folgenden Jahren, mit Ausnahme einer kurzen Zeitspanne von 1603-1607, als er Prior des Klosters in Toledo war, verarbeitete. Diese seine schriftstellerische Tätigkeit wurde 1628 abrupt abgebrochen, als er in Brüssel seine »Historia de la Vida y virtudes del V.P. Fray Juan de la Cruz« ohne Erlaubnis der Ordensoberen herausbrachte. Auch wenn nicht ganz klar ist, auf welche Weise er in diese Angelegenheit verwickelt war, wurde er von den Oberen dennoch hart bestraft und mit einem Verbot jeder weiteren schriftstellerischen Tätigkeit belegt. Er starb am 13.12., wahrscheinlich noch im gleichen Jahr 1628 im Kloster zu Cuenca, wohin er von seinen Oberen versetzt worden war. — P. Quiroga war ein vorbildlicher Ordensmann und ein unermüdlicher Arbeiter mit einer umfassenden und vielfältigen Bildung, wie seine Werke beweisen. Diese stellen ihn auf einen der ersten Plätze unter den Schriftstellern des Teresianischen Karmels (Unbeschuhte Karmeliten) und der Mystik im allgemeinen.

Werke: Primera parte de las excelencias de la virtud de la castidad, 4 Bde., aber nur das 1. gedruckt, Alcalá 1601; Historia de Santa Catalina, insigne virgen y mártir y comprobación de la victoria que alcanzó de los filosofos gentiles, Toledo 1608; Historia de la vida y singulares prerrogativas del glorioso San José, dem kurz zuvor gewählten Ordensgeneral José de Jesús María gewidmet, Madrid 1613; Relación

sumaria de la vida de San Juan de la Cruz, herausg. als Einleitung in die Werke des Johannes vom Kreuz Alcalá, 1618, wurde es 1619 neu veröffentl. und auch als Einführung in die von René Gauthier besorgte Ausgabe der Werke des Johannes vom Kreuz 1621 und 1628 verwendet; Historia de la vida virtudes del V. Hermano Fr. Francisco del Niño Jesús, Uclés 1624; da es von anderen überarb. und hrsg. wurde, wollte es der Autor nicht als sein Werk anerkennen. Nachdrucke 1638 in Segovia und 1670 in Madrid, übers. ins Frz. von Mateo de San Juan und veröffentl. in Paris 1626, 1627, 1631, und durch Cipriano de la Natividad 1688 in Lyon, in lat. Sprache 1628 in Köln, in Ital. durch Jerónimo de Santa Teresa, Brescia 1629, Genua 1654, Brüssel 1657; Historia de la vida y virtudes del V.P. fray Juan de la Cruz, Brüssel 1628, Málaga 1717, Burgos 1927. Übers. ins Ital., Brescia 1638, ins Frz., Paris 1638, 1642, ins Lat., Köln 1633; Historia de la Virgen María ... con declaración de algunas de sus excelencias, Antwerpen 1652, Madrid 1657, 1791, 1957, Barcelona 1698, Lérida 1775; ins Ital., Padua 1658, Neapel 1730; Subida del alma a Dios que aspira a la divina unión, Madrid 1656; Segunda parte de la subida del alma a Dios y entrada en el paraíso espiritual, Madrid 1659; Madrid 1675 bzw. Salamanca 1694. Ins ital., Rom 1664 (Subida), Genua (segunda parte) 1669, Venedig 1681, 1739, Rovereto 1730; Concordancia mística en la cual se trata de las tres vías purgativa, iluminativa y unitiva, Barcelona 1667. Veröffentl. von dem Kartäuser Bernardino Planes; Don que tuvo San Juan de la Cruz para guiar almas a Dios, in: Obras de San Juan de la Cruz, Toledo 1914, vol. III, 511-570; Respuesta a algunas razones contrarias a la contemplación afectiva, in: Mensajero de Santa Teresa 4 (1926), 132-135, 164-167, 197-200; Apología mística en defensa de la contemplación divina contra algunos maestros escolásticos, ms. 4478 Autograph; — Manuskripte: Flores del Carmelo antiguo, in: ms. 8.677 de la Biblioteca Nacional de Madrid; Declaración del capítulo 22 del libro de la Vida de Nuestra Santa Madre Teresa, ms. 11.990 de la Biblioteca Nacional de Madrid; Intercesión milagrosa de la Virgen Nuestra Señora, ms. 7006, Autograph; Dictamen sobre la conveniencia de carmelitas descalzas ermitanas, ms. 2.711, 380-385; Respuesta a algunas dudas sobre las sequedades espirituales, ms. 8.452; Respuesta a una duda sobre la doctrina de san Juan de la Cruz, ms. 4.478 Autograph; Tratado de la oración y contemplación, sacado de la doctrina de la ... madre Teresa de Jesús y del V.P. fray Juan de la Cruz (unvollst. Autograph im Archiv des Karmelitinnenkloster Consuegra); Escala mística, 2 vol., die jedoch verschollen sind.

Lit.: Silverio de Santa Teresa, Historia del Carmen Descalzo, vol. 9, Burgos 1940; — José María de la Cruz, El P. Quiroga: Una vida, una obra, un proceso, in: Monte Carmelo (Burgos) 63 (1955), 257-286; — Fortunato de Jesús Sacramentado, Joseph de Jesús Marie (Quiroga), in: Dictionnaire de Spiritualité, Bd. 8 (Paris 1974), col. 1354-1359.

Fortunato Antolín

JOSEPH I. (Galesiotes), Patriarch von Konstantinopel. Aus Kleinasien stammend und dort auch Mönch (vgl. Beiname) geworden, war J. I. bis zu seinem Todestag (23. März 1283) zweimal Patriarch der Hauptstadt (28. Dezember 1266 bis Mai 1275; 31. Dezember 1282 bis zu seinem Tod). Zunächst als (verheirateter) Priester an der Privatkapelle der Kaiserin Irene, der ersten Gemahlin des Kaisers Johannes III. Vatatzes (1222-1254), tätig, wurde J. I. nach dem Tode seiner Frau Mönch (später Abt) auf dem Berge Galesios (bei Ephesos). Kaiser Michael VIII. Palaiologos (1258-1282) berief ihn als Beichtvater an seinen Hof in Nikaia; dies geschah ohne Wissen des Patriarchen Arsenios, der den Kaiser exkommuniziert hatte, weil dieser den legitimen Thronerben, Johannes IV. Laskaris, hatte liquidieren lassen. Wegen der unbeugsamen Hartnäckigkeit des Arsenios ersetzte ihn der Kaiser durch Germanos III. (1265-1266), der aber seiner Aufgabe nicht gewachsen war und zudem in schlechtem Rufe stand (wegen seiner im Osten prinzipiell verbotcncn Versetzung von einem anderen Bischofsstuhl). So löste ihn J. I. ab, der den Kaiser am 2. Februar 1267 feierlich von seiner Zensur freisprach; dieses Vorgehen rief das fast fünfzig Jahre dauernde »arsenitische Schisma« mit den Anhängern des früheren Amtsinhabers hervor. Inzwischen hatte der Kaiser aber ein anderes Projekt vorangetrieben, um einem geplanten Kreuzzug des Karl von Anjou, des Königs von Neapel und Sizilien, zuvorzukommen: in einem Verhandlungspaket schlug er Papst Gregor X. (1271-1276) die Kirchenunion vor. Der aktive Teil der Mönche (unter Führung des Job Jasites) erreichte aber, daß der zunächst zögernde Patriarch eine Eidesformel unterschrieb, in der er versprach, niemals den römischen Primat, die Erwähnung des Papstes in der Liturgie und das Appellationsrecht nach Rom anzuerkennen. Dadurch sah er sich nach vollzogener Union (Lyon II/1274) veranlaßt, wie versprochen, zurückzutreten (sein Nachfolger wurde der Unionsfreund, Johannes XI. Bekkos). Nachdem sich sein Rückzugskloster in der Hauptstadt schnell zum Hort einer Opposition entwickelt hatte, wurde er ans Schwarze Meer verbannt. Der unerwartete Tod Michaels VIII. (11. Dezember 1282) bedeutete den endgültigen Bruch der Union; daraufhin wurde J. I., ein inzwischen kränkelnder Greis, erneut zum Patriarchen eingesetzt und ging sofort mit seinem unionsfreudigen Vorgänger, Johannes XI. Bek-

kos, und dessen Anhängern hart ins Gericht (Verurteilung seiner Schriften als häretisch), bis ihn der Tod drei Monate später erlöste. Sehr schnell wurde er als Bekenner gegen die kaiserliche Religionspolitik kanonisiert (Fest: 30. Oktober).

Werke: Vitalien Laurent, Les Regestes des Actes du patriarcat de Constantinople, I, 4: Les Regestes de 1208 à 1309, 1971, 179-210; 243-247 (Verzeichnis aller Werke);Ders., Le serment antilatin du patr. Joseph Ier (juin 1273), in: EO 26, 1927, 405-407; Nektarios (Patr. von Jerusalem), Περὶ ἀρχῆς τοῦ πάπα ἀντίρρησις, 1682, 237-239 (Glaubensbekenntnis/September 1273,); Τοῦ παῶ Nectarii Patriarchae Hierosolymitani Confutatio Imperii Papae in Ecclesiam, 1702 (dasselbe; lat. Übers.); J. Cavellius, Nuova raccolta d'opuscoli scientifici i filologici 23, 1772, 10-23 (dasselbe; griech./lat.).

Lit.: J. Sykutres, Περὶ τὸ σχίσμα τῶν 'Αρσενίτων, in: 'Ελληνικά 2, 1929, 307-312; 3, 1930, 15-44; — Vitalien Laurent, L'excommunication du patr. Joseph Ier par son prédécesseur Arsène, in: ByZ 30, 1929/30, 489-496; — Ders., Les grandes crises religieuses à Byzance. La liquidation du schisme arsénite, in: Acad. Roumaine. Bulletin hist. 26, 1945, 225-313; — Ders., Les dates du second patriarcat de Joseph Ier, in: RÉByz 18, 1960, 205-208; — Ders., La chronologie des patriarches de Constantinople au XIIIe siècle, in: RÉByz 27, 1969, 144-146; — D. Geanakoplos, Emperor Michael Palaeologus and the West, 1959, 387-417; — B. Roberg, Die Union zwischen der griech. u. lat. Kirche auf dem II. Konzil von Lyon (1274), 1964, 60 f., 112 f., 121 f., 138, 161, 220 f.; — P. G. Nikolopulos, 'Ακολουθία ἀνέκδοτος εἰς 'Αρσένιον πατρ. Κωνσταντινουπόλεως, in: 'Επ. 'Ετ. Βυζ. Σπουδ. 43, 1977/78, 365-383; —Radivoje Ljubinković, Encore sur l'identité de Joseph le Nouveau Confesseur du Synodicon de l'Empereur Boril, in: Studia in honorem V. Beševliev, 1978, 510 f.; — DThC VIII, 2, 1541 f.; — LThK V, 1127 f.; — Catholicisme VI, 996-998; — Prosopographisches Lexikon der Palaiologenzeit I, 4, 1980, 205 f. (Nr. 9072).

Gerhard Podskalsky

JOSEPH II., Patriarch von Konstantinopel (1416-1439). Geboren um 1360, wahrscheinlich als natürlicher Sohn des späteren Zaren Ivan Šišman III. (1365-1393) von Bulgarien und einer byzantinischen Prinzessin (aus der thessalischen Linie der Philanthropenoi), bleibt sein Taufname unbekannt; der Tod ereilte ihn während des Unionskonzils von Florenz (10. Juni 1439); sein Grab fand er in der dortigen Konzilskirche (S. Maria Novella). Von seiner Mutter wohl schon früh für den Eintritt ins Kloster bestimmt, gelangte er vermutlich über Thessalonike auf den Berg Athos; trotz seiner angeborenen Geistesgaben und seines würdigen Auftretens fehlte ihm eine tiefere Bildung in theologischen Fragen. Möglicherweise verschaffte ihm der Übertritt seines Halbbruders, des bulgarischen Prinzen Alexander, zum Islam die Erhebung auf den wichtigen Metropolitansitz von Ephesos (1393/94 bis 21. Mai 1416), von wo aus die Synode ihn zum Patriarchen wählte. Als neuer Oberhirte der Hauptstadt bemühte er sich um die Rückgewinnung der Jurisdiktion über die Orthodoxen unter venezianischer Herrschaft, besonders auf Kreta. Aber das wichtigste Ereignis seiner Amtszeit war die Union mit der lateinischen Kirche auf dem Konzil von Ferrara- Florenz (Bulle »Laetentur caeli«, 6. Juli 1439), deren über zwanzig Jahre dauernde, diplomatische Anbahnung er mittragen bzw. mitverfolgen konnte, ohne deren ersehnten Anschluß noch erleben zu können. Bei der Ankunft der byzantinischen Delegation in Venedig (Februar 1438) war es zunächst nicht klar, ob sich deren Bischöfe dem Baseler Konzil anschließen oder an den Papst wenden sollten; J. II. entschied sich eindeutig für die zweite Wahlmöglichkeit, um mit dem Nachfolger Petri auf gleicher Ebene verhandeln zu können. Auch die dann unausweichlichen Enttäuschungen konnten ihn nicht von seinem festen Willen zur Union abbringen, wie das am Vorabend seines Todes verfaßte Glaubensbekenntnis beweist.

Werke: Acta Sanctorum, Aug. I, 185; Mansi 31, 1007E-1009A (Testament).

Lit.: Spyridon Lambros, Εἰκόνες Ἰωάννου Η' τοῦ Παλαιολόγου καὶ τοῦ πατριάρχου Κωνσταντινουπόλεως Ἰωσὴφ τοῦ Β', in: Νέος Ἑλληνομνήμων 4, 1907, 405-408; — J. J. Velanidiotes, Ὁ αὐτοκράτωρ Ἰωάννης Παλαιολόγος καὶ ὁ πατριάρχης Ἰωσὴφ ἐν Μεθώνῃ, in: Νέα Σιών 11, 1911, 362-368; — Gennadios (Metr. von Heliopolis), Ἡ ἐν Φλωρεντίᾳ διαμονὴ τοῦ οἰκουμενικοῦ πατριάρχου Ἰωσὴφ τοῦ Β', in: Ὀρθοδοξία 30, 1955, 417-423; — Georg Hofmann, Letzter Wille des Patriarchen J. II., in OrChrA 32, 1933, 5-8; — Nicolae Iorga, Un portrait de l'empereur Jean VIII Paléologue et du patr. Joseph, in: Acad. des Inscr. et Belles-Lettres, Comptes Rendus des séances de l'année 1936, Bull. de janvier-mars, 14-16; — Joseph Gill, J. II., Patriarch of Constantinople, in: OrChrP 21, 1955, 79-101; — Ders., The Council of Florence, 1959, 446 f.; — Ders., Personalities of the Council of Florence, 1964, 15-34; — Vitalien Laurent, Les origines princières du patr. J. II. (†1439), in: RÉByz 13, 1955, 131-134; — Ders., Un agent efficace de l'unité de l'Eglise à Florence: Georges Philanthropène, in: RÉByz 17, 1959, 190-194; — Ders., Les

ambassadeurs du roi de Castille au concile de Bâle et le patr. J. II. (févr. 1438), in: RÉByz 18, 1960, 136-144; — Ders., Les préliminaires du concile de Florence: Les neuf articles du pape Martin V. et la réponse du patr. J. II. (oct. 1422), in: RÉByz 20, 1962, 5-60; — M. I. Manusakas, Μέτρα τῆς Βενετίας ἔναντι τῆς ἐν Κρήτῃ ἐπιρροῆς τοῦ πατριαρχείου Κωνσταντινουπόλεως καὶ ἀνέκδοτα Βενετικὰ ἔγγραφα (1418-1419), in: Ἐπ. Ἑτ. Βυζ. Σπουδ. 30, 1960, 85-144; — Ivan Dujčev, A propos de la biographie de J. II., patr. de Constantinople, in: RÉByz 19, 1961, 333-339; — J. Nikolov, Sur la participation du patr. de Constantinople J. II. aux réunions du concile de Constance, in: Byzantino-Bulgarica 4, 1973, 202-212; — LThK V, 1128; — Catholicisme VI, 998-1000; — Prosopographisches Lexikon der Palaiologenzeit I, 4, 1980, 206 (Nr. 9073).

Gerhard Podskalsky

JOSEPH *von Methone*, eigentlich Johannes Plusiadenos, * 1429/30 auf Kreta, † 9. August 1500, Vater des Georgios Plusiadenos. Er bekleidete eine Reihe von kirchlichen Ämtern: Priester und Psaltes (Kirchensänger) 1455-91, ἄρχων τῶν ἐκκλησιῶν 1463-67, Viceprotopapas von Candia 1467-72, Metropolit von Methone/Peloponnes E. 1491-1500 (damals nahm er den Namen Joseph an). Er machte sich einen Namen als Schriftsteller und Kirchenmusiker und war seit 1455 auch als Handschriftenschreiber tätig. Bis ca. zur Mitte des 15. Jhdts. Unionsgegner, wurde er danach ein eifriger Anhänger der Union, trat zur römischen Kirche über und genoß die Unterstützung durch Bessarion, geriet dafür aber in Konflikt mit dem orthodoxen Klerus. 1467 befand er sich in Venedig, 1472 in Siena, 1481 mußte er den Anspruch auf das Amt des Protopapas endgültig aufgeben. Er unternahm später nochmals Reisen nach Italien und fiel bei der Eroberung von Methone durch die Türken.

Werke: Verteidigung des Konzils von Florenz, Apologie gegen Markos Eugenikos, Dialog über die Unterschiede der lateinischen und griechischen Lehre, Gedichte auf das Konzil, ed. in: PG 159, 1023-1394; Kanon auf Thomas von Aquin, ed. R. Cantarella, Archivum fratrum praedic. 4 (1934) 145-185; mehrere Briefe: I. Hardt, Catal. codd. graec. Bavaricae II, München 1806, 256; B. Laurdas, Kretika Chronika 5 (1951) 252-262; M. Manusakas, ib. 11 (1957) 302-7; Gebet an den Hl. Geist, ed. G. Hofmann, Or.Christ.Per. 10 (1944) 106-111; Volkssprachliches Klagegedicht der Muttergottes auf die Passion Christi in 189 Fünfzehnsilbern, ed. M. Manusakas, Athena 68 (1965) 49-72; Seine (unedierten) 61 Διδασκαλίαι für die Fastenzeit sind Übersetzungen aus dem Lateinischen.

Lit: Beck, Kirche 771f. (mit Bibl.); — M. Manoussakas,

Recherches sur la vie de Jean Plousiadénos, Rev.ét.byz. 17 (1959) 28-51; — Ders., 'Αρχιερεῖς Μεθώνης, Peloponnesiaka 3-4 (1960) 97-100; — LThK V (1960) 1128f. (Th. Niggl); — Z. Tsirpanles, 'Ο 'Ιωάννης Πλουσιαδηνὸς καὶ ἡ Σιναιτικὴ ἐκκλησία τοῦ Χριστοῦ Κεφαλᾶ στὸ Χάνδακα, Thesaurismata 3 (1964) 1-28; — K. Mitsakis, The Genuineness of the Salutary Poem on Mary the virgin by John Plousiadenos, Kleronomia 3 (1971) 344-3 54; — Dict. Spir. VIII (1974) 1365-71 (D. Stiernon, mit Bibl.); — P. Basileiu, 'Ο αὐτόγραφος »Θρῆνος τῆς Θεοτόκου« τοῦ 'Ιωάννη Πλουσιαδηνοῦ, Hellenika 32 (1980) 267-287; — E. Gamillscheg-D. Harlfinger, Repertorium der griechischen Kopisten I, Wien 1981, Nr. 176 (mit Bibl.); — Tusculum Lexikon 420f; — Th. Zeses, Die Glaubwürdigkeit der Schriften von Johannes Plousiadenos, Jahrb. d. Österr. Byzantin. 32/4 (1982) 347-355; — A. Alygizakes, 'Η ὀκταηχία στήν ἑλληνικὴ λειτουργικὴ ὑμνογραφία, Thessalonike 1985, 154-8, 235-9.

Erich Trapp

JOSEPH *von Paris*, Pater Joseph, Francois Leclerc du Tremblay (1577-1638). Der angehende Höfling oder Offizier, dann Kapuzinerpater, Missions- und Kreuzzugsorganisator, Theologe und Vertraute, Berater und diplomatische Helfer Kardinal Richelieus (siehe dort) wurde am 4. November 1577 in einem Dorf bei Paris geboren. Sein Vater stammte aus einer Familie des mittleren Beamtenadels; er war als königlicher Rat und Hofbeamter, ferner als Kanzler des Herzogs von Alencon, des Bruders König Karls IX. (siehe dort) und Heinrichs III., tätig. Mütterlicherseits kam er aus dem Landadel. Über den (hugenottischen) Großvater erhielt er den Titel eines Barons von Maffliers. Verwandtschaftsbeziehungen und Freundschaften besonders der Mutter unterstrichen sein Zugehörigkeit zu höchsten Adelskreisen. Die Erziehung zu Hause und in Paris erwies eine erstaunliche Begabung des Knaben für die humanistische Gelehrsamkeit, verbunden mit einer durch den Tod des Vaters und pubertäre Probleme vertieften Religiosität. Die übliche akademische Bildungsreise führte den jungen Adeligen 1595/96 über Florenz u.a. nach Rom, wo er Einblicke in die weltumspannende päpstliche Diplomatie erhielt. Hieran schloß sich der Aufenthalt zu Hofe als letzte Phase der adeligen Ausbildung. In diesem Zusammenhang nahm Francois an der Eroberung von Amiens teil und unternahm eine diplomatische Reise nach England. Die Erfahrungen dieser Reise scheinen das religiöse Element in seiner Lebensorientierung gestärkt zu haben. Seit dem Frühjahr 1598 geriet der beliebte junge Höfling in den Bannkreis des wegen seiner ekstatischen Frömmigkeit bekannten Kapuzinerpaters Benet, der aus Canfield in Essex stammte. Schon am 2. Februar 1599 zog er das Ordensgewand an und erhielt seinen Ordensnamen. Das Noviziat verbrachte er an der Kapuzinerniederlassung in Orléans. Nach Ablegung des Gelübdes in Paris unterzog er sich einer theologischen Ausbildung in Rouen. Die angestrebte Tätigkeit als Theologe und Lehrer im Konvent von Rouen mußte jedoch bereits 1604 abgebrochen werden, weil sich eine Verschlechterung der Sehkraft bemerkbar machte. So wurde Pater J. zur Erziehung der Novizen in Meudon abgeordnet. In seiner rastlosen Aktivität wandte er sich indessen bald erfolgreich der Rückführung der Protestanten im Pariser Raum zu. Im Herbst 1605 versetzten ihn seine Oberen deshalb nach Bourges, dann nach Le Mans, Angers, Saumur, Chinon und Tours, wo die hugenottische Konkurrenz besonders stark war. Die Äbtissin des Klosters von Fontevrault bei Saumur zog den feurigen Prediger zur Reform ihrer Abtei heran. Die streng observierende Gruppe in dieser Abtei gründete unter J.s Einfluß eine eigene Gemeinschaft, die 1617 auf Betreiben des Kapuziners als unabhängiger Orden Unserer Lieben Frau vom Kalvarienberg anerkannt wurde. Die zahlreichen Traktate und Briefe, welche der Pater zur Gründung und Erziehung dieses Ordens schrieb und bisher weitgehend unveröffentlicht sind, legen Zeugnis von seinem eigenartigen mystisch-reformorientierten theologischen Konzept ab. Im Zusammenhang mit der Ordensgründung ergab sich der erste vertiefte Kontakt mit Richelieu, dessen bischöfliche Zuständigkeit einerseits und Funktion als Berater der seit 1610 amtierenden Regentin Frankreichs, Maria von Medici, andererseits berührt war. Der Bischof von Lucon lud J. zur Reform auch seiner Diözese ein. Außerdem stieg J. jetzt zum Provinzial von Touraine auf. Diese Provinz des Kapuzinerordens umfaßte nicht nur den Distrikt von Tour, sondern auch Poitou und große Teile sowohl der Normandie als auch der Bretagne. Der neue Provinzial erzielte bei der Reform seines Gebietes binnen kurzem erstaunliche Erfolge. Den Ruf, welchen er sich dadurch erwarb, setzte er 1615 erstmals auf politischem Gebiet ein. Es gelang ihm, den Fürsten Condé von einem geplanten Aufstand gegen die verhaßte Regentin abzubringen, welcher auch J.s Provinz großen Gefahren ausgesetzt hätte (Abkommen von Loudun). Von nun an bat die Regentin immer öfter um den Rat des Paters, der wenig später erfolgreich die Berufung seines acht Jahre jüngeren Freundes Richelieu in den engeren Mitarbeiterkreis Marias vorschlug. 1616/17 trug J. dem Papst Pläne zur Befreiung der Christen unter der osmanischen Herrschaft und des Heiligen Landes vor, auf die ihn möglicherweise Karl von Gonzaga, der mit Condé zusammenarbeitende Herzog von Nevers, gebracht hatte. Der Herzog hatte die Idee eines neuen Kreuzzugs Europas gegen den Erzfeind der Christenheit entwickelt, um den byzantinischen Thron für sich zu rekonstituieren, auf den er aufgrund seiner Abstammung einen Anspruch zu haben meinte. Pater J. erweiterte diese Idee zur Vision einer kraftvollen, vielleicht gar die konfessionelle Spaltung überwindenden Erneuerung des Christentums mit Hilfe der gemeinsamen Aufgabe eines umfassenden Missions- und Kreuzzuges. Noch Ende 1618 wurde ein entsprechender neuer europäischer Orden, die Militia Christiana, gegründet. J. erwirkte die Unterstützung der französischen Krone, welcher der Tradition der älteren Kreuzzüge entsprechend die Führungsrolle zufallen sollte. Das Papsttum warb um die Hilfe der übrigen Mächte. Angesichts der Weiterungen des Böhmischen Aufstandes zögerte die Schlüsselmacht Spanien ihre Zustimmung jedoch immer weiter hinaus, bis um 1625 die Pläne endgültig dem 30jährigen Krieg zum Opfer fielen. Es scheint, daß die von den beiden habsburgischen Linien gezeigte zögernde Haltung den auch publizistisch voll engagierten Pater darin bestärkte, in Frankreich den einzigen Vertreter des wahren christlichen Interesses zu sehen - eine Auffassung, die bekanntlich auch Urban VIII. teilte. Diese Position bzw. ihr entspringenden Konzepte und Vorschläge wiederum untermauerten die Stellung J.s am französischen Hof, die nach dem Sturz Marias vorübergehend geschwächt worden war. Dank seines diplomatischen Geschicks und seiner persönlichen Überzeugungskraft erzielte der Pater erneut einige wesentliche innenpolitische Erfolge

für die Krone. 1622 konnte Richelieu nicht zuletzt dank der Bemühungen seines älteren Freundes wieder in den Staatsrat einziehen; nur zwei Jahre später wurde er zum Premierminister ernannt. Der Kardinal forderte seinen Mentor sofort auf, nach Paris zu kommen. Ohne seine Tätigkeit für seinen Orden aufzugeben oder auch nur einzuschränken, gestaltete der persönlich nach wie vor höchst bescheiden auftretende Kapuziner fortan als informeller Außenminister Frankreichs Weltpolitik, die sich aus seiner Sicht sowohl aus nationalem als auch christlichem Interesse auf den Kampf gegen Habsburg zu konzentrieren hatte. 1625 unterrichtete J. den Papst von der französischen Strategie im oberitalienisch-schweizerischen Raum. Urban VIII. ernannte ihn im Gegenzug zum Apostolischen Beauftragten für die Missionen. Dadurch wurde der Pater in die Lage versetzt, die Aktivität seines Ordens in den östlichen Mittelmeerraum, nach Asien, ja bis nach Amerika auszuweiten und unmittelbar mit den Bedürfnissen der französischen Politik zu verknüpfen. Die umfassenden Informationen über die Wirtschaft, Gesellschaft und Politik der Missionsgebiete und der europäischen Mächte, welche der Orden offen und versteckt ansammelte, gingen in die Memoranden J.s für Richelieu ein. Auch das epochemachende Memorandum über Kolonisation und Seemacht, welches 1626 dem König ohne Angabe des Verfassers überreicht wurde, gehört in diesen Zusammenhang. 1627/28, bei der Belagerung, Eroberung und anschließenden katholischen Rekonstitution der hugenottischen Festungsstadt La Rochelle, spielten geheime Aktivitäten von Kapuzinern eine entscheidende Rolle. Die ihm deshalb angebotene Bischofswürde der Stadt lehnte der Pater jedoch ab. Sein eigentliches Anliegen bestand nach wie vor darin, den siegreichen französischen König an der Spitze der europäischen Christenheit gegen den türkischen Antichristen kämpfen zu sehen. Diesem Ziel dienten die nach der Eroberung La Rochelles intensivierten Bemühungen, die Hugenotten zur katholischen Kirche zurückzuführen, die vielfältigen, bislang wenig beachteten Anstrengungen zur Beruhigung der gegen die drückenden Steuern aufbegehrenden französischen Bauern und Bürger, und schließlich die berühmt gewordenen außenpolitischen Aktivitäten: die

Beteiligung am sich steigernden Propaganda-krieg gegen den Kaiser; ab 1627 die Verpflichtung Mantuas auf Frankreich; 1630 die Einfädelung und Durchsetzung der Entlassung Wallensteins, den der schlaue Pater zuvor in Memmingen aufgesucht hatte; 1631 die Verhinderung der Wahl des Kaisersohns zum römischen König und der Entwurf der Doktrin, den Kampf gegen Habsburg durch Verhinderung eines für Habsburg rettenden Friedens voranzutreiben (1635 formelle Kriegserklärung Frankreichs, um den Prager Frieden zu unterlaufen); gleichzeitig die Benutzung Gustav Adolfs für die französischen Absichten; 1634 die Beteiligung an der Affäre, die schließlich zur Ermordung Wallensteins führte; schließlich in den Folgejahren die Planung und Durchführung des Mehrfrontenkrieges gegen Habsburg, selbst unter Einschluß des Antichristen, der Türken. Auf diese Weise auf nahezu allen Schauplätzen präsent, erwarb sich der Kapuziner nicht nur den respektvoll-unheimlichen Ruf der »Grauen Eminenz«, sondern er wurde auch zeitweilig zum Hauptziel der gegen Frankreich oder Richelieu gerichteten Pamphletistik. Doch er überstand sowohl diese Angriffe als auch seine gelegentlichen Mißerfolge, zu welchen u.a. die Ablehnung des 1630 in einer (wegen der Erkrankung des französischen Königs) höchst gefährlichen Situation eigenmächtig mit Habsburg abgesprochenen Friedensvertrages durch Richelieu und um 1635 die Empfehlung eines Goldmachers zur Sanierung der königlichen Finanzen zählten. Erst die Folgen eines Schlaganfalls, den er im Mai 1638 erlitt, ließ seine Aktivität erlahmen. Am 18. Dezember desselben Jahres wurde er von einem zweiten, unmittelbar tödlichen Schlag getroffen.

Werke: Eine Gesamtedition fehlt. Entsprechende Hinweise auf das Gesamtwerk finden sich in den Arbeiten von G. Fagniez (s.u.). Für jeweilige Teile des Werkes vgl. L. Dédouvres: Le Père JJoseph, polémiste: ses premiers écrits 1623-1626, Paris 1895, und G. de Vaumas: Lettres et documents du père Joseph de Paris concernant les missions etrangères, 1619-1638, Lyon 1942, sowie S. Patore: Le resseré: Introduction à Joseph du Tremblay, l'Eminence grise, 2 Bde., Paris 1969-70.

Lit.: Eine moderne wissenschaftliche Biographie fehlt, grundlegend sind daher nach wie vor die Arbeiten von G. Fagniez, vor allem: La Mission du Père Joseph à Ratisbonne en 1630, Paris 1885, und Le Père Joseph et Richelieu (1577-1638), 2 Bde., Paris 1894 (mit Hinweisen auf die übrigen einschlägigen Studien dieses Autors). L. Dédouvres: Politique et apotre: Le Père Joseph de Paris, capucin, l'Eminence grise, Paris 1932; — J. Mauzaize: Le role e l'action des Capucins de la Province de Paris dans la France religieuse du XVIIe siècle, Lille-Paris 1978; — E. W. Marvick: The Young Richelieu, Chicago-London 1983; — W. Leitsch: Père Joseph und die Pläne einer Türkenliga in den jahren 1616 bis 1625, in: Habsburgisch-osmanische Beziehungen, hg. A. Tietze, Wien 1985; — C. Piat: Le Père Joseph: le maitre de Richelieu, Paris 1988 (Bibliographie).

Wolfgang Weber

JOSEPH PHILAGRES oder Philagrios, byzantinischer Philosoph und Theologe, lebte in der 2. Hälfte des 14. Jahrhunderts auf Kreta. Er ist nicht identisch mit J. Kalothetos, wie früher vermutet wurde. — J. gilt als der Gründer und Erneuerer des Klosters der heiligen drei Hierarchen (Trion Hierarchon = Basileios der Große, Gregorios der Theologe und Johannes Chrysostomos) auf dem Berg Kophinas. Erzbischof Anthimos von Athen ernannte ihn zum Vorsteher (δικαῖος) und Verwalter für Kreta. Auch wurde J. entweder vom Ökumenischen Patriarchen von Konstantinopel oder vom Athener Erzbischof der Titel Διδάσκαλος Κρήτης »Lehrer von Kreta« verliehen — Von J. stammen mehrere noch nicht edierte Schriften, Kommentare zu Aristoteles oder polemische Abhandlungen gegen die »Lateiner« (= Angehörige der abendländischen Kirche). Manuskripte befinden sich in der Bibliothek des Angelicums in Rom (Cod. 30 [C 3, 16; Autograph v. 1393/94]), der Bibliothèque Nationale in Paris und im Hagias-Kloster, Andros. J. hatte auch Kontakte zu dem byzantischen Polemiker und Prediger J. Bryennios († 1430/31 in Konstantinopel), mit dem er im Briefwechsel stand.

Werke: Oratio adversus Latinos... de processione Spiritus Sancti de voce illa »Pater maior me est« et illa »Quaecumque habet Pater mea sunt« de azymis et de sabbatis; Briefe an Erzb. Anthimos v. Athen; Joseph Bryennios, usw.

Lit.: N. B. Tomadekes, Ὁ Ἰωσὴφ Βρυέννιος καὶ ἡ Κρήτη..., Athen 1947, 88-89; — H.-G. Beck, Kirche und theol. Lit. im byz. Reich, München 1959, 744; — DThC VIII, 1524 f.; — LThK ²V, 1135; — LThK ²III, 390 (dikaios).

Johannes Madey

JOSEPH der Philosoph (Rhakendytes), ca. 1280-1330. — Als Quellen für eine Biographie J.s dienen an erster Stelle eine von ihm abgefaßte autobiographische Darstellung sowie ein von Theodoros Metochites verfaßter Nachruf auf ihn (beides von M. Treu, in: BZ 8 [1899], 2-31 und 34-42 herausgegeben), ferner einige an J. adressierte Briefe von Nikephoros Gregoras, Nikephoros Chumnos, Thomas Magistros und Michael Gabras sowie diverse verstreute Nachrichten zeitgenössischer Autoren. Danach ist J. um 1280 auf der Insel Ithaka geboren und hat nach der Schulausbildung die Mönchskutte genommen. Er verbrachte seine frühe Jugend als Einsiedler in verschiedenen Einsiedeleien Thessaliens sowie auf dem Berg Athos; dann ging er nach Thessalonike, um sich dort dem Studium der Philosophie zu widmen. Kurz vor dem Frühjahr 1308 siedelte er nach Konstantinopel über. Dort stand er bald in hohem Ansehen wegen seiner vorbildlich frommen Lebensführung; er ist daher viermal für den Patriarchenthron vorgeschlagen worden, lehnte die Würde jedoch stets ab. Um das Jahr 1323 verließ er Konstantinopel und ging wieder nach Thessalonike. Er ist um 1330 in einem Kloster bei Thessalonike gestorben. — Das Hauptwerk J.s besteht in einer umfangreichen Enzyklopädie, die Kenntnisse aus allen Wissensgebieten vermitteln sollte; dem Werk, das kaum Originalkenntnisse des Autors enthielt, ist der Erfolg versagt geblieben. Es liegt noch, zum großen Teil unveröffentlicht, im cod. Riccard. 31 vor. J. werden außerdem mehrere Gebete sowie einige andere theologische Kleinigkeiten zugeschrieben.

Lit.: M. Treu, Der Philosoph J. BZ a.a.O. 43 f.; — R. Guilland, Correspondance de Nicéphore Grégoras, Paris 1927, 338 f.; — J. Dräseke, Zum Philosophen J. Zschr. für wissenschaftl. Theologie 42 (1899), 612 f.; — H. Hunger, Von Wissenschaft und Kunst der frühen Palaiologenzeit. JÖBG 8 (1959), 150 f.; — N. Terzaghi, Sulla composizione dell'Enciclopedia del filosofo Giuseppe. Studi Italiani di Fil. Clas. 10 (1902), 121 f.

Georgios Fatouros

JOSEPH A. S. Benedicto, * 5.12. 1654 in Signy (span. Niederlande), † 18.11. 1723 in Montserrat, O(rdo) S(ancti) B(enedicti) Laienbruder (seit 1677 in Montserrat). Er diente zuerst als Soldat und gelangte dann als Laienbruder durch Demut und äußerste Askese zu einem tieferen Verständnis von theologischen und mystischen Fragen. Seine vielfältigen Schriften umfassen Betrachtungen zur Hl. Schrift und theologische Traktate, insbesondere über Maria (lateinisch) und über asketisch-mystische Unterweisungen (spanisch) (Sammel-Band Madrid 1725). — 1750 wurden seine Gebeine in die St.-Anna- (jetzt Herz-Jesu-) Kapelle überführt.

Werke: Mistics catalans IV (Autobiographie), ed. A. Franquesa (Montserrat 1930).

Lit.: F. Curiel, Revista de Montserrat 1 (1907) - 6 (1912) (Vita v. seinem Abt); — R. M. Grau, Analecta Montserrat. 6 (1925) 1-76; — Zimmermann III 351ff.

Werner Schulz

JOSEPH *a Spiritu Sanctu* gen. *Lusitanus* (eig. José Barroso) OCD, * 26.12. 1609 in Braga, † 27.1. 1674 in Madrid.— J.s Profeß fand am 30.5. 1632 in Lissabon statt. Er gründet auf portugiesischem Boden drei Konvente der Barfüßer-Karmeliter (1635 in seiner Heimatstadt, 1653 Bahia, zuletzt Cascais), doch hielt sich J. überwiegend in Madrid auf. J. galt als großer Redner und Seelenführer der karmelitischen Mystik und betonte die kontemplative Frömmigkeit. Die vom portugiesischen Hof ihm angetragene Erhebung zum Bischof schlug er aus.

Werke: Cadena mística carmelitana de los autores carmelitas descalzados, por quién se há renovado en nuestros dias la doctrina mística, Madrid 1678; Enucleatio mysticae theologiae S. Dionysii Areopagitae, (Köln 1684) ed. A. de S. Paulo, Rom 1927.

Lit.: J. Heerinckx, Doctrina mystica Iosephi a S. S. Lusitano OCD: Antonianum 3 (1928) 485-493; — M. Grabmann, Geschichte der katholischen Theologie seit dem Ausgang der Väterzeit, Freiburg 1933 = Darmstadt 1983, 176; — S. de Sta. Teresa OCD, História del Carmel Descalzado, Burgos 1942, X 662-665; — G. della Croce OCD, Der Karmel und seine mystische Schule: JMyTh 8 (Wien 1962) 81f; — S. S. Familia, Mystical Chain of Carmel: Spiritual Life 8 (1962) 99-106; — DThC VIII 1539-1541; — EC VI 816f; — LThK V 1136; — NCE VII 1117f.

Klaus-Gunther Wesseling

JOSEPH (Josepos) *von Skythopolis*, * in Tiberias (Anfang 4. Jahrhundert ?), † nach 356, zuverlässige Nachrichten über J. finden sich nur bei Epiphanios, Panarion I, 30,4,1-13 (ed. K. Holl, GCS 25, p. 338, 13-348,31). Danach war er Jude und hatte es bis zum »Apostolos« des jüdischen Patriarchen Hellel ('Ελλήλ) gebracht. Offensichtlich im Gefolge der missionarischen Bemühungen, die Konstantin dem »Heiligen Lande« zuwandte, trat J. ca. 326 nach schweren inneren Kämpfen und langem Sträuben zum Christentum über und wurde von Konstantin zum Comes ernannt. Die missionarischen Bemühungen Konstantins unterstützte er in der Folgezeit durch Kirchenbauten in Tiberias und anderen Städten Palästinas. Mit Epiphanios und Euseb von Vercelli (der während seiner Verbannung im Hause des J. wohnte, aber nichts über ihn berichtete) war er persönlich bekannt.

Lit.: Lietzmann III, 136 f.; — Handbuch der KG II, 1, 193; — LThK V, 1136.

Hans-Udo Rosenbaum

JOSEPH STUDITES, Erzbischof von Thessaloniki, um 760/762 in Konstantinopel geboren, Bruder des Theodor Studites (759 - 11. Nov. 826), gest. am 15. Juli 832 im politischen Exil, und zwar, wie es im Bericht der Translation seiner und seines Bruders Gebeine in das Studiu-Kloster in Konstantinopel heißt, »irgendwo im letzten Winkel von Thessalien« (S. 58, Z. 36). — Joseph stammt als zweiter Sohn aus einer angesehenen Familie, die in der Hauptstadt des byzantinischen Reiches beheimatet war und aus der in den kirchenpolitischen Auseinandersetzungen des ausgehenden 8. und des ersten Drittels des 9. Jahrhunderts drei der bedeutendsten Verfechter der monastischen Orthodoxie hervorgingen: Joseph und sein Bruder Theodor sowie deren Onkel Platon. Letzterer, Higoumenos des Symbola-Klosters bei Prusa (Bithynien), brachte im Jahre 781 seine männlichen Verwandten dazu, mit ihm auf ihrem Landgut Sakkudion am Fuß des bithynischen Olymps gemeinsam ein klösterliches Leben zu führen. So wurde Joseph mit seinem Vater Photinus, einem Beamten des kaiserlichen Fiskus, und seinen

zwei Brüdern und vier Onkels Mönch, während die Mutter Theoktiste mit ihrer Tochter in ein Kloster in Konstantinopel eintrat. Platon überließ die Leitung von Sakkudion 784 an Theodor, dem Joseph in diesen Jahren spirituellen Reifens viel zu verdanken hat; hier liegen die Wurzeln jener Ausstrahlungskraft, die ihn in die Erinnerung der in Sakkudion gegründeten und später im Studiu-Kloster aufblühenden monastischen Bewegung als »zweiten Theodor« eingehen ließ (Michael Studites in seiner Vita des Theodor: PG 99, 244-245). Im Januar 795 verstieß Kaiser Konstantinos VI., der im Alter von zehn Jahren 780 offiziell die Herrschaft übernommen, doch bis 790 ganz im Schatten seiner Mutter, der Mitkaiserin und Regentin Irene, stand, seine Frau, die Paphlagonierin Maria: Sieben Jahr zuvor hatte er sie auf Wunsch seiner Mutter geheiratet. Statt ihrer nahm er seine Geliebte Theodote, eine Verwandte von Josephs Mutter, unter ungewöhnlichem Prunk zur Frau und krönte sie zur Augusta. Byzanz verstand diesen Akt des ehebrecherischen Kaisers als Provokation; die heftigste Reaktion kam von seiten der radikalen mönchischen Partei, vor allem aus Sakkudion. Der sog. moicheanische Streit (vom griechischen Wort »moichos«, nämlich Ehebruch, abgeleitet) hatte begonnen. Der Patriarch Tarasios vermied den offenen Konflikt mit dem Kaiser; dies aber warfen ihm die monastischen Zeloten vor und kündigten die kirchliche Gemeinschaft mit ihm auf. Der Kaiser selbst versuchte, durch Geschenke die Verwandten von Theodote zu beschwichtigen; im September 796 verbrachte er einige Zeit in den Thermen von Prusa in der Nähe von Sakkudion, nach Meinung der monastisch inspirierten Geschichtsschreibung der Byzantiner des 9. Jahrhunderts in der Hoffnung, man würde ihn dort von Sakkudion aus besuchen. Sicher ist, daß er nach seiner Rückkehr nach Konstantinopel das Kloster aufheben, Platon mit Theodor und Joseph in der Festung Kathara inhaftieren und die beiden letztgenannten sogar geißeln ließ; die Wunden wurden von ihrer Mutter Theoktiste, der es gelungen war, zu ihnen durchzudringen, gepflegt (PG 99, 917). Mitte Februar 797 wird Joseph mit seinem Bruder und Vater sowie weiteren acht Gefährten nach Thessaloniki verbannt, wo sie nach einer beschwerlichen Reise am 25. März eintreffen und mit Wohlwollen empfangen werden, u.a. durch den Erzbischof Thomas, dessen Nachfolger Joseph einst werden sollte. Doch wurden die Brüder schon am nächsten Tag auf kaiserlichen Befehl getrennt. Die Verbannung war von kurzer Dauer. Denn am 15. August 797 wurde der Kaiser auf Anordnung seiner Mutter in jenem Purpursaal, in dem er geboren worden war, geblendet. Irene war nun Alleinherrscherin; sie verstand es, auch die radikale monastische Partei für sich zu gewinnen. Da Bithynien wegen der Angriffe der Araber unsicher wurde, übergab sie den Mönchen von Sakkudion im Frühjahr 799 das alte Studiu-Kloster in Konstantinopel. Der Konflikt mit dem Patriarchen Tarasios schien beigelegt; denn dieser hatte noch im Augustus 797 jenen Priester Joseph, der Konstantinos mit Theodote getraut hatte, seines Amtes enthoben. Doch sollte die Ruhe nicht lange währen, eine Ruhe, die Joseph Studites die Gelegenheit gab, die poetische Seite seines Wesens, wenn auch in asketisch-herben Formen, zu entfalten: Er begann in dieser Zeit damit, religiöse Lieder zu verfassen, wie sie damals modern waren, Kanones genannt. Sein Werk ist vor allem im sog. Triodion bewahrt, wie es in der Ostkirche noch heute in der wahrscheinlich auf Joseph selbst und seinen Bruder Theodor zurückgehenden Redaktion für die Liturgie der zehnwöchigen Fastenzeit einschließlich des Karsamstags benutzt wird; der Name Triodion rührt von der Tatsache her, daß die Kanones hier mit Ausnahme jener für den Samstag nur mehr aus drei Oden bestehen, also im Vergleich mit den ältesten Kanones sehr kurz sind. Doch auch im Pentekostarion, welches die Liturgie von Ostern bis zum ersten Sonntag nach Pfingsten, dem byzantinischen Allerheiligen, abdeckt, finden sich einige Kanones, die Joseph Studites verfaßt hat. Man hat fast dreihundert Kirchenlieder mit ihm in Verbindung gebracht; doch ist die genaue Zuweisung nicht selten dadurch erschwert, daß ein Hymnograph gleichen Namens existierte (um 816 - 3. April 886). Gesichert scheinen für ihn 22 lange Kanones, elf Tetraodia, also Kanones mit vier Oden, und 117 Kanones mit drei Oden, schließlich einige Troparia, die älteste Form liturgischer Poesie in Byzanz. Schaut man auf den Inhalt der Dichtung, dann tritt die Spiritualität der Enthaltsamkeit, der Umkehr und des Erwartens, wie sie die Fastenzeit, aber auch die Existenz des Mönchs kennzeichnet, stark in den Vordergrund. - Im Oktober 802 wurde Kaiserin Irene durch die Spitze des byzantinischen Beamtentums und Heeres gestürzt und verbannt; der neue Kaiser, Nikephoros I. (802-811), gilt allgemein als tüchtig, fand aber bei den mönchischen Zeloten, also auch bei den Studiten, und damit in der von diesen bestimmten Geschichtsschreibung des 9. Jahrhunderts keinen Anklang. Am 25. Februar 806 war der Patriarch Tarasios gestorben; sein Nachfolger, gleichen Namens wie der Kaiser, war vor seiner Erhebung ebenso wie sein Vorgänger Tarasios Laie gewesen. Dieser Konflikt war nur ein kurzes Vorspiel; Josephs Verwandte, Theodor und Platon, landeten dabei für 24 Tage in einem kaiserlichen Gefängnis (PG 99, 837). Entscheidend wurde jedoch, daß jener Priester Joseph, der einst die Ehe des Konstantinos VI. und der Theodote geschlossen hatte, durch eine Synode aus Vertretern von Kirche und Staat wieder in sein liturgisches Amt eingesetzt wurde und nicht nur in seine Funktion als Ökonom der Hagia Sophia; letzteres, so behauptet Theodor Studites in einem Brief, wollten die Studiten durchaus akzeptieren, ersteres nicht (PG 99, 1016). Damit stand der sog. moicheanische Streit wieder zur Debatte. Wann aber war dies? In Handbüchern liest man, die Synode habe im Januar 809 stattgefunden, d.h. in jenem Monat, in dem die leitenden Männer der Studitischen Bewegung aus ihrem Kloster vertrieben wurden. Es wäre also in dieser Affäre schnell zur äußersten Konfrontation gekommen. Dies aber stimmt mit uns bekannten Tatsachen nicht überein. Ein wichtiger Punkt ist, daß Joseph Studites, kurz bevor dieser Konflikt wieder auflebte, zum Erzbischof von Thessaloniki erhoben wurde. Und es spricht alles dafür, daß dies seitens des Kaisers eine versöhnende Geste in Richtung der Studiten gewesen ist. Gegen Ende des Jahres 808 läßt der Kaiser, wie sich aus einem im Namen Josephs geschriebenen Brief an den Mönch Simeon, einen Verwandten des Kaisers und von diesem beauftragt, im Konflikt mit den Studiten zu vermitteln, entnehmen lässt, Joseph fragen, warum er zwar seine Erhebung zum Metropoliten angenommen habe, doch mit dem Patriarchen Nikephoros keine kirchliche Gemeinschaft halte (PG 99, 981). Josephs Antwort weist darauf hin, daß einerseits die Einwohner von Thessaloniki darum gebeten hatten, ihn zum Bischof dieser Stadt zu machen, anderseits der Kaiser dieser vox populi zugestimmt habe; und er fügt hinzu, daß er schon damals vermieden habe, sich durch den Patriarchen zum Bischof weihen zu lassen (ebd.). Ist letzteres ein eindeutiger Hinweis, daß zu diesem Zeitpunkt der sog. moicheanische Konflikt durch die Rehabilitation des Priesters Joseph schon wieder die Kirche von Konstantinopel spaltete? Eindeutig ist dieses Zeugnis nicht; Joseph könnte den Patriarchen Nikephoros wegen dessen widerkanonischer Inthronisation gemieden haben. Nun lesen wir aber in den Briefen des Theodor Studites zweimal, daß der Priester Joseph neun volle bzw. mehr als neun Jahre außerhalb der kirchlichen Gemeinschaft geblieben sei (PG 99, 989; 977); dies ergibt als terminus post quem für die Synode, die ihn wieder in seine priesterlichen Funktionen einsetzte, frühestens den August 806. Der terminus ante liegt sicher eine geraume Zeit vor dem Ende des Jahres 808; denn damals befand sich Joseph Studites wieder im Studiu-Kloster und ist offensichtlich in die Auseinandersetzung zwischen Patriarch und Kaiser einerseits, die radikale mönchische Partei anderseits verwickelt: Joseph wird zu einem kaiserlichen Empfang für die in Konstantinopel anwesenden Bischöfe nicht eingeladen (PG 99, 980) und kurz darauf als Metropolit von Thessaloniki abgesetzt (PG 99, 1009; vgl. ebd., 1068, 1072; 1097); in den folgenden Monat fällt die schon erwähnte gewaltsame Vertreibung der führenden Studiten aus ihrem Kloster. Da die Weihe Josephs zum Bischof von Thessaloniki vor dem Wiederaufleben der moicheanischen Affäre liegt und da Josephs Vorgänger, der oben erwähnte Thomas, am 12. April 806 noch an der Inthronisation des Patriarchen Nikephoros teilnimmt, dürfte seine Weihe in den Sommer bis Winter 806 zu datieren sein. Sein Episkopat schien zunächst nur von kurzer Dauer zu sein; eine Synode, welche die Angelegenheit der Studiten untersucht, setzt ihn ab, da er ohne Erlaubnis des Patriarchen im Studiu-Kloster die Eucharistie gefeiert habe. Getrennt von seinem Bruder, der im Kloster des hl. Mamas inhaftiert bleibt, wird er auf eine der Prinzeninseln, wahrscheinlich Oxia, verbannt. Am 26. Juli 811 fiel Kaiser Nikephoros I. in der vernichtenden Niederlage, welche die Bulgaren seinem Heer beibrachten; sein Sohn Staurakios wurde schwer verwundet und erwählte gegen den Willen seiner Frau, der Athenerin Theophano, seinen Schwager, Michael Rangabe, zum Nachfolger; am 2. Oktober 811 wurde dieser vom Heer und Senat zum Kaiser proklamiert und vom Patriarchen gekrönt, Staurakios aber wurde für die letzten drei Monate seines Lebens Mönch. Die Führer der Studiten kehrten in ihr Kloster zurück; sie versöhnten sich wieder mit dem Patriarchen, nachdem dieser den Stein des Anstoßes, den Priester Joseph, abermals (im Sommer/Herbst 812) exkommuniziert hatte; und für Theodor Studites wurde die kurze Regierungszeit Michaels I. (811-813) zum Höhepunkt seines politischen Einflusses. Joseph Studites kehrte als Metropolit nach Thessanloniki zurück. Aus dieser Zeit stammt seine uns überlieferte Predigt auf den Patron dieser Stadt, den hl. Demetrius (BHG 535). Ob auch ein zweites bisher nicht ediertes Panegyrikon auf den hl. Nestor, welches unter seinem Namen läuft (BHG 2292), in diese Zeit fällt oder nicht, bedarf noch der Untersuchung. Doch neue Stürme brachen an: Am 11. Juli 813 wurde Michael I. durch die kleinasiatischen Militärs nach einer schweren Niederlage gegen das Bulgarenreich gestürzt; Nachfolger wurde der Stratege des Anatolikon, Leon V., genannt der Armenier (813-820), der sich nicht nur in politischer, sondern auch in religiöser Hinsicht die bedeutenden ikonoklastischen Kaiser des 8. Jahrhunderts, Leon III. und dessen Sohn Konstantin V. Kopronymos, zum Vorbild genommen hatte, um die Kraft des byzantinischen Reiches neu zu festigen. Joseph Studites muß auf kaiserlichen Befehl Thessaloniki verlassen; auf einer Synode in Konstantinopel (24. Dezember 814) verteidigt er die Orthodoxie des Bilderkultes. Nach einem kurzen Aufenthalt in Sakkudion wird er als Gefangener nach Konstantinopel gebracht; dort wurde er nach einer Verhandlung, die der Kaiser persönlich leitete, zum Exil verurteilt. Im Winter 815/816 brachte man ihn auf eine Insel, deren Namen in den Quellen nicht genannt wird, und später in die uns ansonsten unbekannte Festung Elpizon. Im Jahre 818 hat Joseph als Antwort auf Jamben, welche die Ikonoklasten zu propagandistischen Zwecken in

Umlauf zu bringen suchten, selbst solche Jamben verfaßt (PG 99, 1201). Es ist die Zeit, in der sein Bruder Theodor zunächst in Metopa, dann in Bonita, schließlich in Smyrna als Verbannter leben mußte. Beide blieben auch in diesen Jahren des Exils durch Briefe und Boten in ständiger Verbindung, bis sie nach der Ermordung Leons V. durch dessen ehemaligen Mitverschworenen, den Begründer der amorischen Dynastie, Michael II. (820-829), ihre Freiheit wiedererlangten. Joseph eilt von Elpizon sofort seinem Bruder entgegen; beide treffen sich auf dem Weg zwischen Smyrna und Prusa (PG 99, 208; 304). Bis zum Tod Theodors am 11. November 826 bleiben sie nun zusammen; mal begegnet man ihnen in der Hauptstadt, mal auf Prinkipo. Im April 824 nimmt Joseph an der Beerdigung des als heilig verehrten Abtes Niketas von Medikion (Bithynien) teil, die in der Nähe des Goldenen Hornes stattfand; doch bei der Bestattung seines Bruders wird er nicht erwähnt. Michael II. und sein Sohn Theophilos (829-842) hielten am Ikonoklasmus als Grundlage ihrer Kirchenpolitik fest, und so ist es selbstverständlich, daß Joseph nicht mehr als Bischof nach Thessaloniki zurückgekehrt ist. Aus dieser Zeit ist uns eine in einer Gemeinde (und darum wohl nicht in einem Exil) gehaltene Predigt des Joseph zum Fest der Kreuzerhöhung (14. September) erhalten geblieben, in der auf die Verfolgung durch die Ikonoklasten angespielt wird (BHG 440). Sollte eine solche pastorale Tätigkeit zu jenem Konflikt mit Kaiser Theophilos geführt haben, der darauf hinauslief, daß Joseph zum vierten Mal in seinem Leben ins Exil geschickt wurde, dieses Mal nach Thessalien? Dies geschah offensichtlich schon vor der ersten neuen Verfolgungswelle, die im Herbst 832 einsetzte. Denn, wie das von Nikolaus Studites 835 geschriebene Evangeliar Uspenskij in einer vom Kopisten selbst dem Kolophon hinzugefügten Notiz bezeugt, ist Joseph als Bekenner seines Glaubens am 15. Juli 832 gestorben. Damit stimmt der Bericht über die Translation seiner sterblichen Reste aus dem Jahre 844 überein: Zwölf Jahre nach seinem Tod fanden die Studiten diese an einem feuchten Ort verscharrt »im äußersten Winkel von Thessalien« und brachten sie nach Konstantinopel, um sie zugleich mit den Gebeinen seines Bruders Theodor an der Seite ihres Onkels Platon im Studiukloster beizusetzen. Der Name Josephs, den Theodor einst als »Säule der Orthodoxie« bezeichnet hatte, wurde unter die Bekenner in das Synodikon zum Sonntag der Orthodoxie (843) aufgenommen (ed. J. Gouillard, 53,123; 143). Die Ostkirche feierte sein Fest ursprünglich an seinem Todestag, dem 15. Juli; später gedachte man seiner schon am Vortag, dem 14. Juli; heute wird er noch in der Liturgie jeweils an diesem Tage kurz kommemoriert. Das Fest der Translation seiner und seines Bruders Gebeine feiert die byzantinische Kirche an jenem Tag, an dem diese im Jahre 844 stattfand: Am 26. Januar. — Als »zweiter Theodor« blieb Joseph Studites im Schatten seines Bruders und dessen, geistesgeschichtlich gesehen, einflußreichstem Unternehmen, das koinobitische Mönchtum aus dem Geist des Basilius von Kaisareia (gest. 379) zu festigen und so dem Drang nach Anachorese und der letztlich individualistischen Spiritualität, die das Erbe des Evagrius Ponticus (um 346-399) für Byzanz war, entgegenzuwirken. Josephs Einsatz für die Reform von Studiu und für eine monastisch geprägte Form allen kirchlichen Lebens war sein bedeutendster und für Byzanz einflußreichster Beitrag zur Geschichte.

Werke: (zu den oben benutzten Abkürzungen BHG und PG vgl. unter II.): — (I) Zu Kirchenliedern des Joseph Studites vgl. man vor allem S. Eustratiades, Ἰωσὴφ ὁ Στουδίτης ἀρχιεπίσκοπος Θεσσαλονίκης, in: Μακεδονικά 2 (1941-1952) 25-88; ferner N.B. Tomadakes, Ἡ βυζαντινὴ ὑμνογραφία, II, Athen, ³1965; schließlich die Liste bei J.B. Pitra, Analecta Sacra Spicilegio Solesmensi parata, I, Paris, 1876, XLIV. Deutsche Übersetzungen von Texten: (1) Triodion: Übersetzung von K. Kirchhoff, Die Ostkirche betet, Band 1-4, Leipzig, 1934-1937. (2) Pentekostarion: Übersetzung von dems., Osterjubel der Ostkirche, Münster, 1940. — Bei einem Kanon auf den hl. Bessarion, hrsg. von P. Joannou als Appendix zu: Un opuscule inédit du Cardinal Bessarion. Le panégyrique de Saint Bessarion, anachorète égyptien, in: Analecta Bollandiana 65 (1947) 134-138, ist nicht geklärt, ob dieser von Joseph Studites oder von dem oben erwähnten Hymnographen Joseph stammt. — (II) Predigten, die ediert sind: (1) auf den hl. Demetrius: hrsg. von F. A(rsenij), Ἰωσὴφ ἀρχιεπισκόπου Θεσσαλονίκης ἐγκώμιον εἰς τὸν ἅγιον μεγαλομάρτυρα Δημήτριον, Moskau, 1889 (BHG [= Bibliotheca hagiographica graeca, ed. F. Halkin, Bruxelles, 1957] 535); (2) auf das Fest der Kreuzerhöhung: hrsg. von I. Gretser, De Cruce, Ingolstadii, 1600, 116-118 (= ders., Opera omnia de sancta cruce, Ingolstadii, 1616, Sp. 1199-1207), in der Gesamtausgabe von I. Gretser, Opera omnia, II, Ratisbonae, 1734, 85-88 (BHG 440); bei M. Geerard, Clauis Patrum Graecorum (= CPG), III, Turnhout, 1979, wird sie unter jenen Texten genannt, die in der handschriftlichen Überlieferung auch unter dem Namen des Johannes I. von Thessaloniki, der dort zwischen 610 und 649 Bischof war, erscheinen, für diesen aber nicht gesichert sind (CPG 7930); eine kritische Edition fehlt, doch weisen m.W. sehr gute alte Textzeugen eindeutig auf Joseph Studites als Verfasser. Die genannte Homilie ist zu unterscheiden von einer anderen zum Fest der Kreuzerhöhung, genauer zum fünftägigen Fasten vor demselben, die unter den Pseudo-Chrysostomica zu finden ist: hrsg. von H. Saville, Eton, 1612-1613, wieder abgedruckt in PG (= J.P. Migne, Patrologia Graecae, I - CLXI, Parisiis, 1857-1886) 59,675-678 (BHG^a [=Auctarium bibliothecae hagiographicae graecae, ed. F. Halkin, Bruxelles, 1969] 442; 444b; CPG [II, Turnhout, 1974] 4598); es handelt sich, wie C. Giannelli, Bybliothecae Apostolicae Vaticanae Codices manu scripti recensiti iussu Pii XII Pont. Max. Codices Vaticani graeci 1485-1683, in Bybliotheca Vaticana, 1950, 202, Anm., zu ff. 218-221^v des Vaticanus gr. 1587, in dem der pseudo-chrysostomische Text unter dem Namen des Joseph überliefert wird, bemerkt, um eine Cento, die (a) aus der Predigt des Joseph Studites (BHG 440), (b) aus Teilen von zwei Predigten des Basilius von Kaisareia (CPG 2845; 2846) und (c) aus einem Text zum Sonntag der Orthodoxie (In festum restitutionis imaginum [BHG 1734], ed. F. Combefis, Nouum auctarium, II, Parisiis, 1648, 742-743) zusammengestellt wurde. Slavische Überlieferung: Ch. Hannick, Maximos Holobolos in der kirchenslavischen homiletischen Literatur (Wiener Byzantinistische Studien, XIV), Wien, 1981, 100. BHG 441 ist nichts anderes als eine Wiedergabe des Beginns von BHG 442. — Nicht edierte Predigten: (1) eine zweite Homilie auf das Kreuz (BHG 429d) deren vollständigen Text M. Aubineau entdeckt hat: Récits »De obsidione CP.« et »De imaginibus«, homélies de Grégoire de Nysse, Jean Chrysostome, André de Crète: Athos, Pantocrator 26, in: Revue de philologie, littérature et d'histoire anciennes 51 (1971) 27; (2) auf den hl. Nestor (BHG 2292), entgegen der Aussage von H.-G. Beck, a.a.O. (unten), 505, behauptet J. Pargoire, Oeuvres (=unten), 209, nicht, daß diese Predigt dem Joseph abzusprechen ist, sondern gibt nur den Hinweis, daß er selbst in einer Handschrift des Athosklosters Iviron die oben erwähnte Predigt auf den hl. Demetrius mit dem Lemma »auf den hl. Nestor« gesehen habe. Da diese Predigt nicht ediert ist, läßt sich die damit aufgeworfene Frage nicht entscheiden; (3) auf Lazarus, die von A. Ehrhard und J. Pargoire, Oeuvres (unten), 209 erwähnt wird; in der von letzterem genannten Turiner Handschrift (C VI 7) ist entgegen seiner Vermutung der Text nicht verbrannt. - In der handschriftlichen Überlieferung teils unter dem Namen des Joseph Studites laufende Predigten, die ihm aber wahrscheinlich nicht zugehören: (1) auf die Myrophoren, d.h. auf die Frauen am Grabe Jesu: hrsg. von F. Combefis, Nouum auctarium, I, Parisiis, 1648, 791-822; ein kürzerer Text: hrsg. von H. Saville, Eton, 1612-1613, nachgedruckt in PG 59,635-644, nach H.-G. Beck, a.a.O. (unten), 458 und M. Jugie, La vie et les oeuvres de Jean de Thessalonique, in: Échos d'Orient 21 (1922) 295, dem oben schon erwähnten Johannes I. von Thessaloniki zugeschrieben (CPG 7922); (2) auf den hl. Bartholomäus: hrsg. in lateinischer Übersetzung PG 105, 1421-1427, gehört trotz des Urteils von A. Ehrhard vielleicht dem oben in der Biographie erwähnten Hymnographen Joseph (BHG 232) oder einem gleichnamigen Kleriker der Hagia Sophia. — (III) Zu oben erwähnten Briefen des Joseph vgl. man das Briefcorpus

seines Bruders Theodor: PG 99, 904-1669; A. Mai et J. Cozza Luzi, Nova patrum bibliotheca, VIII,1, Rom, 1871, 1-244. Darin der von diesem im Namen des Joseph geschriebene Brief an den Mönch Simeon: PG 99,980-981; weitere, doch verlorengegangene Briefe, werden erwähnt: PG 99,1037; 1201. — (IV) Verlorene Schriften: (1) Eine Stellungnahme zur sog. moechianischen Affäre: PG 99,1041; (2) Jamben gegen die Ikonoklasten aus dem Jahre 818: PG 99, 1201.

Quellen zur Biographie: (1) Ausgabe und Kommentar des Translationsberichts von 844 (BHG 1756t): Ch. van den Vorst, La translation de S. Théodore Studite et de S. Joseph de Thessalonique, in: Analecta Bollandiana 32 (1913) 27-62; dazu auch P. Franchi de' Cavalieri, Un'antica rappresentazione della translazione di s. Teodoro Studita, in: ebd., 230-235; (2) Viten des Theodor Studites: BHG 1754-1755; 1756t; (3) Grabreden des Theodor Studites (a) für seinen Onkel Platon: BHG 1553; (b) für seine Mutter Theoktiste: BHG 2422; (4) Das Tetraevangelium des Porphyrius Uspenskij: Zu diesem und seinem Schreiber Nikolaus Studites (gest. 868) zusammenfassend Fr.-J. Leroy in: La Paléographie grecque et byzantine (Colloques Internationaux du C.N.R.S., 559), Paris, 1977, 181-189.

Quellen zur Wirkungsgeschichte: Die bei den Quellen zur Biographie nicht erwähnt wurden: Synodikon des Sonntags der Orthodoxie: hrsg. von J. Gouillard, Le synodicon de l'Orthodoxie: édition et commentaire, in: Travaux et mémoires, II, Paris, 1967, 1-316; insbes. Quellen zum liturgischen Gedächtnis des Joseph Studites: (1) zur ursprünglichen Tradition: Synaxarium ecclesiae Constantinopolitanae, in: Acta sanctorum, (November), Bruxelles, 1902, Sp. 827,19-21; J. Mateos, Le Typicon de la Grande Eglise, I (Orientalia Christiana Analecta, 165), Rome, 1962, 338; (2) zum späteren Brauch: im vorgenannten Synaxarium, Sp. 819,34-44; vgl. auch PG 117, 541 AB; Acta sanctorum, (Juli), III, Anvers, 1723, 710-711; (3) zur Kommemoration der Beisetzung seiner Reliquien: im vorgenannten Synaxarium, Sp. 421,49; Analecta Bollandiana 86 (1968) 189.

Lit.: J. Pargoire, Saint Joseph de Thessalonique, in: Echos d'Orient 9 (1906) 278-282; 351-356; — ders., Oeuvres de saint Joseph de Thessalonique, in: Echos d'Orient 10 (1907) 207-210; — A. Ehrhard, in: K. Krumbacher, Geschichte der byzantinischen Litteratur, I, (²1897, Nachdruck:) New York, 1970, 167; — K. Krumbacher, a.a.O., 677; 686; 688; — H.-G. Beck, Kirche und theologische Literatur im byzantinischen Reich, München, 1959, 250-251.505-506; — D. Stiernon, Joseph Stoudite, in: Dictionnaire de Spiritualité VIII, 1974, Sp. 1405-1408. — Zu den erwähnten Daten der Zeitgeschichte vgl. G. Ostrogorsky, Geschichte des byzantinischen Staates, München, ³1963, 147-152. 154-175.

Karl-Heinz Uthemann

JOSEPHUS, Flavius, der bekannte jüd. Geschichtsschreiber, * 37/38 n. Chr. in Jerusalem als Sohn des Priesters Matthias, † nach 100 in Rom. — J. studierte bei den Pharisäern, Sadduzäern und Essenern, hielt sich bei einem gewissen Bannus in der Einsamkeit auf und schloß sich dann den Pharisäern an. 64 reiste er nach Rom, wo er bei Nero die Freilassung einiger verhafteter jüd. Priester erwirken konnte. Dem jüd. Aufstand schloß er sich nach eigener Darstellung nur gezwungenermaßen an; er wurde 66 mit dem Oberbefehl in Galiläa betraut, wo er 67 nach dem Fall der von ihm verteidigten Festung Jotapata in röm. Gefangenschaft geriet. Er verstand es, die Gunst Vespasians zu erlangen, der ihm nach seiner Kaisererhebung 69 die Freilassung gewährte und das röm. Bürgerrecht verlieh; seitdem nannte er sich Flavius. Den Fall Jerusalems 70 erlebte er im Gefolge des Titus und begab sich dann mit diesem nach Rom, wo Vespasian ihm ein Jahresgehalt aussetzte. Hier widmete er sich der Schriftstellerei. Abgesehen von der nicht erhaltenen aram. Erstfassung des »Jüd. Krieges« (etwa 74) schrieb er seine Werke, vorwiegend unter Hinzuziehung einiger Gehilfen, in attizistischem Griechisch. Die griech. Fassung der Schrift »Über den Jüd. Krieg« (De bello Judaico) in 7 Büchern entstand 75-79; sie behandelt nach einer ausführlichen, bei Antiochos IV. einsetzenden Vorgeschichte den jüd. Aufstand von 66 bis zum Fall von Masada 73. Als Quellen dienten ihm u.a. Aufzeichnungen von Vespasian und Titus. Die Tendenz ist prorömisch, die Ursache allen Unheils wird den Zeloten zugewiesen. Die Reden sind nach dem Vorbild des Thukydides gestaltet. Die »Jüd. Archäologie« (Antiquitates Judaicae) in 20 Büchern wurde 93/94 vollendet; sie behandelt nach dem Vorbild der »Röm. Archäologie« des Dionysios von Halikarnaß die Geschichte der Juden von der Urzeit bis 66 n. Chr. in apologetischer und erbaulicher Absicht ($\alpha\rho\chi\alpha\iota o\lambda o\gamma\iota\alpha$ od. antiquitates bedeutet »alte Geschichte«, die modernen Begriffe der Archäologie und »Altertümer« sind hier fernzuhalten). Die berühmte Stelle über Jesus XVIII, 63 f., das sog. Testimonium Flavianum, ist ein christl. Einschub, ebenso die zweite Erwähnung Jesu XX, 200. Einen Anhang zu diesem Werk (nach Ansicht mancher Gelehrter erst einer zweiten Aufl. nach 100 hinzugefügt) bildet die Autobiographie (Vita), in der sich J. gegen Angriffe in dem Parallelwerk des Justus von Tiberias über den Jüd. Krieg verteidigt. In seiner nach 94 erschienenen Schrift »Ge-

gen Apion« (Contra Apionem) in 2 Büchern verteidigt er das Judentum gegen Angriffe in den »Aegyptiaca« des alexandrinischen Grammatikers Apion; hier finden sich wertvolle Exzerpte aus den Geschichtswerken des Berosos und Manetho. Wie bei Philon von Alexandria wird hier die jüd. Religion hellenisierend gedeutet und zugleich die griech. Philosophie auf Moses zurückgeführt. — J. wurde von den Kirchenschriftstellern viel benutzt und besonders von Hieronymus sehr gelobt; es entstanden lat., syr., armen. und slaw. Überss. Für die Theologie ist er eine wichtige Quelle für die Kenntnis des historischen Hintergrunds des NT.

Werke: GA v. Benedikt Niese b. Weidmann, Berlin, 7 Bde., 1885-95, 2. unv. Aufl. 1955, ohne App. 6 Bde., 1888-95; v. Samuel Adrian Naber b. Teubner, Leipzig, 6 Bde., 1888-96;- Dt. Übers. v. Heinrich Clementz, 4 Bde., Halle/Saale 1899-1900, Nachdr. Köln 1959-60; Fl. J., Der Jüd. Krieg, griech. u. dt., hrsg. v. Otto Michel u. Otto Bauernfeind, 3 Bde. in 4 Tln., München-Darmstadt 1962-69; Johann Georg Müller, Des Fl. J. Schr. gg. den Apion, Text u. Erkl., Basel 1877, Nachdr. Hildesheim 1969; — Heinz Schreckenberg, Bibliogr. z. Fl. J. (= Arbeiten z. Lit. u. Gesch. des hellenist. Judentums 1), Leiden 1968; dazu Suppl.-Bd. mit Gesamtreg. (= dies. Reihe 14), ebd. 1979; Louis H. Feldman, J. and modern scholarship (1937-1980), Berlin-New York 1984 (Bibliogr.); ders., J.: a supplementary bibliography, New York 1986; A complete concordance to Fl. J., ed. by Karl Heinrich Rengstorf, 4 Bde., Leiden 1973-83; dazu Suppl. 1: Abraham Schalit, Namenwörterbuch z. Fl. J., ebd. 1968.

Lit: B. Brüne, Fl. J. u. seine Schrr. in ihrem Verhältnis z. Judentume, z. griech.-röm. Welt u. z. Christentume, Gütersloh 1913, Nachdr. Schaan/Liechtenstein 1981; — Richard Laqueur, Der jüd. Historiker Fl. J.: ein biographischer Versuch auf neuer quellenkrit. Grundlage, Gießen 1920, 2Darmstadt 1970; — Adolf Schlatter, Die Theol. des Judentums nach dem Bericht des J., Gütersloh 1932, Nachdr. Hildesheim 1979; —Ders., Kleinere Schrr. z. Fl. J., hrsg. u. eingel. v. Karl Heinrich Rengstorf, Darmstadt 1970; — Willem Cornelis van Unnik, Fl. J. als hist. Schriftsteller, Heidelberg 1978 (= Franz Delitzsch Vorlesungen 1972); — Zur J.-Forsch., hrsg. v. Abraham Schalit (= Wege der Forsch. 84), Darmstadt 1973; — J.-Stud.: Unterss. z. J., dem antiken Judentum u. dem NT, Otto Michel z. 70. Geb. gewidm., hrsg. v. Otto Betz, Klaus Haacker u. Martin Hengel, Göttingen 1974; — Tessa Rajak, J.: the historian and his society, London 1983; — Rita Egger, J. Fl. u. die Samaritaner (= Novum Testamentum et Orbis antiquus 4), Göttingen 1986; — Pere Villalba i Varneda, The historical method of Fl. J. (= Arbeiten z. Lit. u. Gesch. des hellenist. Judentums 19), Leiden 1986; — J., Judaism and Christianity, ed. by Louis H. Feldman and Gohei Hata, Detroit 1987; — Michael E. Hardwick, J. as a historical source in patristic literature through Eusebius (=Brown Judaic studies 128), Atlanta, Ga. 1989; — Louis H. Feldman, Origen's Contra Celsum and J.' Contra Apionem, in: VigChr 44, 1990, 105-135; — RE IX, 377-86; erg. XXIII, 706; — EKL II, 381 f.; — LThK V,

377-86; erg. XXIII, 706; — EKL II, 381 f.; — LThK V, 1141-43; — TRE XVII, 258-64; — RGG III, 868 f.; — EC VI, 808-11; — DACL VII, 2666-83; — Pauly-Wissowa IX, 1934-2000; — Kl. Pauly II, 1440-44; — EncJud X, 251-65; — UJE VI, 197-202.

Adolf Lumpe

JOSEPHUS A S. Maria. Unbeschuhter Karmelit, als Hieronymus De Sebastienis (oder Sebastiani) am 21.2. 1623 in Caprarola (Viterbo) geboren, machte er am 3.3. 1641 in Rom seine Ordensprofeß, studierte in Graz Philosophie und Theologie und war ab 1651 in seiner Heimat als Lektor für Theologie tätig. 1656 als Missionar nach Malabar (Indien) gesandt, wirkte er mit gutem Erfolg für die Beilegung des Schismas der Thomaschristen. In Rom wurde er im Dezember 1659 zum Bischof von Verapoly und Apostolischen Administrator für Malabar ernannt, wo er sich allerdings nur bis 1663 in Cochin halten konnte, nachdem die Stadt von den Niederländern erobert worden war. Nach einem kurzen Aufenthalt in Goa kehrte er im Mai 1665 nach Rom zurück, war von Juli 1666 bis Juli 1667 als Apostolischer Visitator auf den Ägäischen Inseln tätig, und wurde am 22.8. 1667 zum Bischof von Bisignano in Calabria und am 8.10. 1672 von Città di Castello (Umbrien) ernannt; dort am 15. 10. 1689 verstorben. — In seinen Schriften spiegeln sich seine Tätigkeiten und Verdienste wider: die im Auftrag des Hl. Stuhles ausgeübten Ämter und Reisen sowie sein allseits gerühmter pastoraler Eifer als Bischof.

Werke: Prima Speditione All'Indie Orientali Del P.F. Giuseppe di Santa Maria..., Romae 1666; Breve racconto della Vita, Missioni e Morte Gloriosa Del Ven. P.M.F. Francesco Donati Romano..., Romae 1669; Seconda speditione All'Indie Orientali Di Monsignor Sebastiani..., Roma 1672; De Consolatione ad Episcopos..., Romae 1685; Viaggio e Navigatione Di Monsignor Sebastiani..., Romae 1687; Filolete: ovvero L'Amante della morte..., Romae 1687.

Lit.: Ambrosius a S. Teresia, Nomenclator Missionariorum OCD, Romae 1914, 225f; — derselbe, Hierarchia Carmelitana seu Series Illustrium Praesulum Ecclesiasticorum ex OCD, Romae 1933-1951 (in: Anal OCarmD), 183-200, mit einem vollständigen Verzeichnis aller seiner gedruckten und ungedruckten Schriften; — Sacrae Congregationis de Propaganda Fide memoria rerum. 1622-1972, vol. I/2: 1622-1700, Rom-Freiburg-Wien 1972, passim.

Ulrich Dobhan

JOSIA, König von Juda 639-609 vor Christus, * etwa 647 als Sohn des Königs Amon, gefallen 609 in der Schlacht von Megiddo. — Nachdem Amon in einer Palastrevolte ermordet wird, erschlägt das judäische Landvolk die Mörder und macht den 8jährigen J. zum König. In seinem 18. Regierungsjahr, 622, wird unter maßgeblicher Beteiligung des Priesters Hilkia und des Kanzlers Saphan im Jerusalemer Tempel das »Gesetzbuch« gefunden und in Kraft gesetzt, das wohl im wesentlichen mit dem biblischen Buch Deuteronomium identisch ist. In der einsetzenden josianischen Reform werden die nichtjahwistischen Kulte beseitigt und der Jahwe-Kult auf Jerusalem konzentriert. Das Passa wird als Zentralfest in Jerusalem begangen, und wahrscheinlich erhalten auch die deuteronomischen Sozialgesetze (Abschaffung des Zehnten bzw. Überführung in eine alle drei Jahre zu leistende Sozialabgabe an die Ärmsten der Gesellschaft, Dt 14,22-29; totaler Schuldenerlaß alle sieben Jahre, 15,1-11; Freilassung von Schuldsklaven alle sieben Jahre, 15,12-18; usw.) Geltung. In die Zeit J.s fällt der Niedergang der assyrischen Großmacht, die bis dahin den Vorderen Orient beherrscht hatte (626 Loslösung Babylons von assyrischer Vorherrschaft, 614 Fall Assurs, 612 Fall Ninives). Dies ermöglicht J. Gebietserweiterungen Judas auf Kosten der ehemaligen assyrischen Provinzen bis zur Mittelmeerküste und nach Norden. Als 609 Pharao Necho II. mit einem Heer nach Norden zieht, um sich mit den Assyrern gegen die aufstrebenden Neubabylonier zu verbünden, stellt sich ihm J. bei Megiddo entgegen, um ein ägyptisch-assyrisches Bündnis zu verhindern, das das wiedererstarkte Juda bedrohen würde. J. fällt in der Schlacht und wird in Jerusalem begraben. — Im Urteil der Nachwelt lebt J. als der größte Kultreformer seit David und Salomo (2 Kön 22 f., historisch weniger verläßlich auch 2 Chr 34 f.) bzw. als ein König fort, der ein bescheidenes Regiment führte und für Recht und Gerechtigkeit im Land sorgte (Jer 22,15 f.). Während die Kultreform für die weitere Religions- und Kultgeschichte Israels bestimmend wird (wesentliche Beförderung des Jahwe-Monotheismus; in nachexilischer Zeit einziger Zentraltempel in Jerusalem), scheitert J.s sozialreformerischer Versuch, die fortschreitende Aufspaltung der judäischen Gesellschaft in eine reiche Oberschicht und eine durch Landverlust und Schuldsklaverei verarmende Unterschicht aufzuhalten. Die Propheten Jeremia und Ezechiel zeigen in der nachjosianischen Zeit eine durch schwere Klassengegensätze zerrissene Gesellschaft in Juda.

Lit.: Aage Bentzen, Die josianische Reform und ihre Voraussetzungen, 1926; — Otto Procksch, König J., in: Festgabe Th. Zahn, 1928, 19-53; — Ehrhard Junge, Der Wiederaufbau des Heerwesens des Reiches Juda unter J., 1937; — M. B. Rowton, Jeremiah and the Death of Josiah, in: JNES 10, 1951, 128-130; — Frank M. Cross, Jr./David Noel Freedman, Josiah's Revolt Against Assyria, in: JNES 12, 1953, 56-58; — E. W. Todd, The Reforms of Hezekiah and Josiah, in: SJTh 9, 1956, 288-293; — Alfred Jepsen, Die Reform des J., in: Festschr. F. Baumgärtel, Erlanger Forschungen A/10, 1959, 97-108; — Ernst Kutsch, Zur Chronologie der letzten judäischen Könige (J. bis Zedekia), in: ZAW 71, 1959, 270-274; — E. W. Nicholson, Josiah's Reformation and Deuteronomy, in: Glasgow University Oriental Society Transactions 20, 1963, 77-84; — Stanley Brice Frost, The Death of Josiah: A Conspiracy of Silence, in: JBL 87, 1968, 369-382; — Leonhard Rost, J.s Passa, in: Theologie in Geschichte und Kunst, Festschr. W. Elliger, 1968, 169-175; — Gerhard Pfeifer, Die Begegnung zwischen Pharao Necho und König J. bei Megiddo, in: MIOr 15, 1969, 297-307; — Peter Welten, Die Königs-Stempel. Ein Beitrag zur Militärpolitik Judas unter Hiskia und J.: ADPV, 1969; — H. Darrell Lance, The Royal Stamps and the Kingdom of Josiah, in: HThR 64, 1971, 315-332; — Masao Sekine, Beobachtungen zu der josianischen Reform, in: VT 22, 1972, 361-368; — W. Eugene Claburn, The Fiscal Basis of Josiah's Reforms, in: JBL 92, 1973, 11-22; — Martin Rose, Bemerkungen zum historischen Fundament des J.-Bildes in II Reg 22 f., in: ZAW 89, 1977, 50-63; — Abraham Malamat, Josiah's Bid for Armaggedon. The Background of the Judean-Egyptian Encounter in 609 B.C., in: The Gaster Festschr., JANES 5, 1973, 267-278; — Albrecht Alt, Judas Gaue unter J., in: ALT II, 1978[4], 276-288; — H. G. M. Williamson, The Death of Josiah and the Continuing Development of the Deuteronomic History, in: VT 32, 1982, 242-248; — Christoph Levin, Joschija im deuteronomistischen Geschichtswerk, in: ZAW 96, 1984, 351-371; — Christopher T. Begg, The Death of Josiah in Chronicles: Another View, in: VT 37, 1987, 1-8; — ders., The Death of Josiah: Josephus and the Bible, in EphThLov 64, 1988, 157-163; — Norbert Lohfink, S.J., The Cult Reform of Josiah of Judah: II Kings 22-23 as a Source for the History of Israelite Religion, in: FS Cross, 1987, 459-475; — ders., Die Bundesurkunde des Königs Josias (Eine Frage an die Deuteronomiumsforschung), in: SBAB 8, 1990, 99-165; — Karlo Višaticki, Die Reform des Josija und die religiöse Heterodoxie in Israel, 1987; — H.G.M. Williamson, Reliving the death of Josiah: a reply to C.T. Begg, in: VT 37, 1987, 16-25; — M.J. Paul, Het Archimedisch Punt van de Pentateuchkritiek. Een historisch en exegetisch onderzoek naar de verhouding van Deuteronomium en de reformatie van koning J (2 Kon. 22-23), 1988; — E. Talstra, Der hervorming van J. of de kunst van het beeldenstormen, in: GerTheolTijds 88, 1988, 143-161; — C. Minette de Tellesse, A reforma of Josias, in: RevBiblBrasileira 6, 1989,

41-61; — KL VI, 1889-1891; — DBV III, 1679-1683; — RE IX, 386-389; — JE VII, 295 f.; — EJud IX, 297 ff.; — EC VII, 156-158; — EKL II, 382 f.; — RGG III, 869-871; — LThK V, 1143; — LB, 728 f.; — DB, 532 f.; — BL, 882; — PBL, 592 f.; — EncJud X, 288 ff.

Rainer Kessler

JOSQUIN DESPREZ, Komponist, * ca. 1440, † 27. August 1521 in Condé-sur-l' Escaut. — Die Schreibweise des Namens dieses bedeutenden Komponisten ist reich an Varianten. Neben der heute üblichen Version begegnen u.a. folgende Formen: Josquin des (de) Pres (Prez), Josse Despres, ital. als Juschino, Jusquino, Josquin Dascanio (d' Ascanio), lat. als Jodocus (Jusquinus) a Prato (Pratensis), u.a. — Da Zeit und Ort seiner Geburt unbekannt sind, lassen sich diese Daten aus den verfügbaren Quellen nur ungefähr erschließen. So führt das Datum seiner ersten Anstellung in Italien (1459) zu einem wahrscheinlichen Geburtsjahr um 1440. Auf die Gegend um Cambrai (Nordfrankreich) als Ort der Herkunft verweisen die während des Aufenthaltes in Italien mehrfach auftretenden Namenszusätze wie de frantia, francese, gallus und v.a. picardus. — Für die Jugendzeit gibt es nur zwei dürftige Hinweise. Einmal wird er als Sängerknabe an der Kollegiatskirche von St. Quentin erwähnt, zum anderen besteht die Überlieferung, daß er Schüler Ockeghems gewesen sei. — Als fertig ausgebildeter Sänger kam JD im Juli 1459 nach Mailand an die Domkantorei, der er bis Dezember 1472 angehörte. Von 15. Juli 1474 bis zum 12. April 1479 wurde er als Mitglied der herzoglichen Kapelle der Sforza in Mailand geführt. Diese Kapelle, geleitet und organisiert von Gaspar van Weerbeke, galt als die bedeutendste der damaligen Zeit; zu ihr gehörten zeitweise Alexander Agricola, Johannes Martini und Loyset Compère. Der vermutlich damals schon dem geistlichen Stand angehörende JD wurde wohl durch den 1484 als Kardinal nach Rom kommenden Ascanio Sforza in die päpstliche Sängerkapelle berufen. Mit Unterbrechungen blieb JD dort vom Oktober 1486 bis April 1494, möglicherweise auch länger. Mit Sicherheit aber hat er vor dem Jahr 1501 die Kapelle verlassen. Seine engen Beziehungen zum Kardinal Ascanio Sforza brachten JD den Beinamen Dascanio (d' Ascanio) ein. Daß dieser überaus reiche Kardinal bei der Bezahlung seiner Untergebenen recht knauserig sein konnte, zeigen einige Kompositionen JD's: die beiden bei Petrucci 1504 gedruckten Frottolen »In te, Domine, speravi« und »El grillo è bon grillo è bon cantore« und die Messe »La sol fa re mi«. In der Zeit zwischen 1501 und 1503 hat sich JD vermutlich in Frankreich aufgehalten. Im Jahre 1503 wurde er als Leiter der Kapelle an den Hof der Este nach Ferrara verpflichtet. Der Herzog Ercole I. (gest. 1505) war ein großer Verehrer des Musikers. Für ihn komponierte JD die Messe »Hercules dux Ferrarie« und das fünfstimmige Miserere. Bald nach dem Tod des Herzogs hat JD wohl Ferrara verlassen, da dessen Nachfolger Alfonso I. sich um Antoine Brumel als neuen Kapellmeister bemühte. Aus der Tatsache, daß JD seit 1507 mehrere Werke für die in Mecheln residierende Margarete von Österreich komponierte, läßt sich vermuten, daß er sich wenigstens zeitweise in der Nähe ihres Hofes aufhielt. Zu einem nicht weiter feststellbaren Zeitpunkt wurde JD, wohl durch den Einfluß Marg aretes, Propst an der Kollegiatskirche Notre-Dame in Condé-sur-l' Escaut, eine Stelle, die mit einer reichen Pfründe ausgestattet war. Eine Abschrift der Grabinschrift (die Kollegiatskirche ist 1793 zerstört worden) in einem Manuskript der Bibliothèque Municipale in Lille aus dem 17. Jhdt. enthält als Sterbedatum den 27. August 1521. Dieses Datum ist allerdings fraglich, da nach einer anderen Quelle JD ein 1524 erschienenes Werk des Erasmus von Rotterdam (s.d.), Exomologesis sive modus confitendi, besessen haben soll. Das Buch mit dem Besitzvermerk »Jodocus pratensis me habet«, später im Besitz von Ch. E. H. de Coussemaker, ist allerdings verschollen, so daß auch diese Angabe nicht weiter überprüfbar ist. — Das Schaffen JD's umfaßt, unter Berücksichtigung der Tatsache, daß eine Reihe von Werken auf zweifelhafter Zuschreibung beruhen, 20 Messen, etwa 90 Motetten und ungefähr 70 weltliche Werke, deren Echtheit heute umstritten ist. Vieles davon ist schon zu Lebzeiten des Komp. oder kurz danach gedruckt worden. Der erste Druck von Messen bei Petrucci 1502 enthält Messen von JD und ist zugleich der erste Notendruck, der ausschließlich einem einzigen Komp. gilt. — Als Komp. steht JD in der Tradition von Guillaume Dufay und Johannes Ockeghem. Was durch diese beiden vorbereitet wurde, Entwicklung eines vierstimmigen Satzes, beginnende Durchimitation und freiere Behandlung des Cantus firmus, wird durch JD weitergeführt. Hauptziel JD's ist die Ausbildung einer musikalischen Affektsprache. Dabei geht es ihm vor allem um ein neues Verhältnis von Wort und Ton: der Text soll nicht mehr, wie bisher, von der musikalischen Linienführung einfach »zerschnitten« werden, sondern die Melodie soll dem Sinngehalt des Textes folgen und seine Wirkung möglichst verstärken. Beispiele dafür sind u.a. die Messe »De beata Virgine«, von Glareanus als »perfectissimum corpus« bezeichnet, die Motetten »Stabat mater«, »Miserere mei« und »Memor esto verbi tui« und die Chansons »J'ay bien cause«, »Je ne me puis tenir d'aimer«, »Du mien amant« und »Mille regretz«. Daneben ist die Musik JD's bestimmt von einer zeittypischen Symbolik. Charakteristisch dafür sind die Messen »Pange lingua« und die Motetten »Domine, Domine noster« und »O virgo virginum«. Schließlich ist JD einer der ersten Komponisten, der den Ausdruckswert der Dissonanz bewußt verwendet hat, wie z.B. in der Motette »Absalon fili mi« festgestellt werden kann. Insgesamt ist bei JD eine Tendenz zu individueller Gestaltung der einzelnen Werke und zu einer »Humanisierung der Kunst« (II. Osthoff) festzustellen. Dies geschieht besonders durch die persönliche Behandlung der Melodie, die mehr Eigenständigkeit gegenüber der vorgegebenen Form bekommt.

Werke: Gesamtausgabe, hrsg. von Albert Smijers u.a., Amsterdam, 1921 ff, besteht aus: Messen (4 Bde.), Motetten (5 Bde.), Weltl. Werke (1 Bd.) und Suppl. (1 Bd.). Eine neue GA ist in Vorbereitung. Umfangreichste Bibliogr. v. Sydney R. Charles, JD: a guide to research, 1983; weitere Bibliogr.: MGG VII (1958, H. Osthoff), The New Grove Dictionary of Music and Musicians IX (1980), JD (Reihe: Musik-Konzepte 26/27, 1982, R. Riehn); Aufstellung der Erst- und Frühdrukke bei: Eitner, Bibliogr. d. Musiksammelwerke des XVI. u. XVII. Jhdts., 1877 (Nachdr. b. Olms, Hildesheim, 1963) und ders., Quellenlexikon VIII (ca. 1900), 58-62.

Lit.: Glareanus (Heinrich Loriti), Dodekachordon, Basel, 1547 (Neuausg.: Glareani Dodekachordon, übers. u. übertr. v. P. Bohn = PGfM XVI, 1888-90); — Adrianus Petit Coclico, Compendium musices, Nürnberg, 1552 (Faks.-Ausg. in: Documenta musicologica, R. I, Nr. 11, hrsg. v. M. F. Bukofzer, 1954); — Charles Burney, A General History of Music II, 1776-89; — John Hawkins, A general History of the science and practice of music II, 1776; — Joh. Nik. Forkel, Allg. Gesch. d. Musik II, 1801; — Giuseppe Baini,Memorie storico-critiche della vita e delle Opere di Giovanni Pierluigi da Palestrina II, 1828, 407 ff; — Raphael G. Kiesewetter, Die Verdienste der Niederländer um die Tonkunst, 1829; — Francois-Joseph Fétis, Biographie universelle des musiciens et bibliographie générale de la musique, 1833-44; — Ch. Gomart, Notes historiques sur la Maîtrice de St. Quentin et sur les célébrités mus. de cette ville, 1844; — August W. Ambros, Gesch. d. Musik III, 1868 (1891³, 207 ff); — Edmund van der Straeten, La musique aux Pays-Bas avant le XIXe siècle, 1867-88; — Franz Xaver Haberl, Die röm. »schola cantorum« und die päpstl. Kapellsänger bis zur Mitte des 16. Jhdts. , in: VfMw III, 1887, 189-296; — E. Motta, Musici alla corte degli Sforza, in: Archivio Storico Lombardo XIV, 1887, 29-64. 278-340. 514-561; — Hugo Leichtentritt, Gesch. d. Motette, 1908; — Arnold Schering, Die ndl. Orgelmesse im Zeitalter d. J, 1912; — Peter Wagner, Gesch. d. Messe I, 1913; — Albert Smijers, De uitgave der Werken van JdP, in: TVer X, 1921, 164-179; — Ders., Een kleine bijdrage over J en Isaac, in: Gedenkboek aangebonden aan Dr. D. Scheurleer, 1925, 313-319; — Ders., JdP, in: PRMA, Sess. 53, 1927, 95-116; — Th. W. Werner, Anmerkungen zur Kunst J's und zur GA seiner Werke, in: ZfMw VII, 1924, 33-41; — O. Gombosi, Jacob Obrecht, 1925; — Otto Ursprung, JdP, in: Bulletin de la Société Union musicologique VI, 1928, 11-50; — Friedrich Blume, JdP, in: Jb »Der Drachentöter«, 1929, 52-69; — Heinrich Besseler, Die Musik des MA und der Renaissance, 1931; — Ders., Dt. Lieder von Robert Morton und J, in: Beitr. z. Mus.wiss. XIII, 1971, 174; — H. Birtner, Renaissance und Klassik in der Musik, in: Theodor-Kroyer-Fs., 1933, 40-53; — L. K. J. Feininger, Die Frühgesch. d. Kanons bis JdP, 1937; — J. Delporte, Un document inédit sur JD, in Musique et Liturgie, 1939, 54-56; — Marcus van Crevel, Adrianus Petit Coclico: Leben und Beziehungen eines nach Dtschld. emigrierten J-Schülers, 1940; — Ders., Verwandte Sequensmodulaties bij Obrecht, J en Coclico, in: TVer XV, 1941, 107 ff; — A. Pirro, Histoire de la musique de la fin du XIVe siècle à la fin du XVIe, 1940; — Edward E. Lowinsky, The Goddess Fortuna in Music, in: MQ XXIX, 1943, 45 ff; — Ders., Secret Chromatic Art in the Netherlands Motet, 1946; — Ders., Tonality and Atonality in Sixteenth-Century Music, 1962; — Ders. (Hrsg.), The Medici Codex of 1518, 1968; — Ders., JdP and Ascanio Sforza, in: Il Duomo di Milano Congresso Int., Atti II, 1969, 17ff; — Ders. (Hrsg.), JdP. Proceedings of the International J-Festival-Conference held at the Juillard School at Lincoln Center in New York City, 21-25 June 1971, 1976; — Charles van den Borren, Geschiedenis van de muziek in de Nederlanden I, 1948; — Ders., A propos de quelques messes de J, in: Kgr.-Ber. IGfMw Utrecht 1952, 1953, 79-85; — Ders., Une Hypothèse concernant de lieu ne naissance de JdP, in: Joseph-Schmidt-Görg-Fs., 1957; — Ders., L'énigme des Credo de Village, in: Hans Albrecht in memoriam (Hrsg. W. Brennecke), 1962, 48 ff; — Claudio Sartori, Bibliografia delle opere musicali stampate da O. Petrucci, 1948; — Ders., Due scoperte nell'Archivio del Duomo di Milano, in: AnnMl IV, 1956, 55; — Miroslaw Antonowytsch, Die Motette Benedicta es von JdP und die Messen super Benedicta von Willaert, Palestrina, de la Hêle und de Monte, 1951; — Ders., Renaissance-Tendenzen in den Fortuna- desperata Messen von J und Obrecht, in:

Mf IX, 1956, 1-26; — Ders., Die J-Ausgabe, in: TVer XIX, 1960/61, 6 ff; — Ders., Zur Autorschaftsfrage der Motetten Absolve quaesumus Domine und Inter natos mulierum. Vgl. JdP, Motetten Nr. 82 und 84, in: TVer XX, 1966, 154 ff; — Ders., Die Missa Mater Patris von JdP, in TVer XX, 1967, 206-225; — Ders., Criteria for the Determination of Authenticity. A contribution to the Study of Melodic Style in the Works of JdP, in: TVer XXVIII, 1978, 51 ff; — Helmuth Osthoff, Wohlauf, gut G'sell, von hinnen. Ein Beispiel dt.-frz. Liedgemeinschaft um 1500, in: JbfVf VIII, 1951, 128-136; — Ders., Zur Echtheitsfrage und Chronologie bei J's Werken, in: Kgr.-Ber. IGfMw Utrecht 1952, 1953, 303-309; — Ders., Besetzung und Klangstruktur in den Werken von JdP bis Orlando di Lasso, in: AfMw XI, 1954, 85-102; — Ders., Die Psalm-Motette von JD, in: Kgr. -Ber. Wien 1956, 1958, 452-457; — Ders., JD I/II, 1962/1965; — Alfred Krings, Untersuchungen zu den Messen mit Choralthemen von Ockeghem bis JdP, Diss. Köln, 1951; — Ders., Die Bearbeitung der gregorianischen Melodien in den Meßkompositionen von Ockeghem bis JdP, in: KmJb XXXV, 1951, 36 ff; — Helmuth Reifenstein, Die weltl. Werke des JdP, Diss. Ffm, 1952; — M. E. Brockhoff, Die Kadenz bei J, in: Kgr.-Ber. IGfMw Utrecht 1952, 1953, 86-95; — Carl Dahlhaus, Studien zu den Messen JdP's, Diss. Göttingen, 1953; — Ders., Untersuchungen über die Entstehung der harmonischen Tonalität, 1968; — Ders., Zur Akzidentiensetzung in den Motetten JdP's, in: Fs. f. K. Vötterle, 1968, 206-219; — R. Dammann, Spätformen der isorhythmischen Motette im 16. Jhdt., in: AfMw X, 1953, 16-40; — Walter Wiora, Der religiöse Grundzug im neuen Stil und Weg J's dP, in: Mf VI, 1953, 23-37; - - G. Benoit-Castelli, Ave Maria de JdP et la séquence Ave Maria...virgo serena, in: Etudes grégoriennes I, 1954, 187 ff; — Hans Grüss, Die Bedeutung des Kanons für die Satztechnik des JdP. Ein Beitrag zur Stilistik und Gesch. des Kanons, Diss. Leipzig, 1956; — Joseph Kreps, Le mécènat de la cour de Bruxelles (1430-1559), in: La Renaissance dans les Provinces du nord, 1956; — Bernhard Meier, The Musica reservata of Adrian Petit Coclico and its relationship to J, in: Musica Disciplina X, 1956, 67 ff; — Ders., Die Tonarten der klassischen Vokalpolyphonie. Nach den Quellen dargestellt, 1974, 369-387; — Hans Ch. Wolff, Die Musik der alten Niederländer, 1956; — Ludwig D. Obst, Die Psalmen-Mot. d. JD. Eine quellenkundl. Studie, Diss. Berlin, 1957; — Franz Stock, Studien zum Wort-Ton-Verhältnis in den Credosätzen der Niederländer zw. J und Lasso, in: KmJB XLI, 1957, 20-63; — Emile Martin, JdP, Messe Hercules dux Ferrariae. Notes sur l'interpretation, 1958; — John H. Lovell, The masses of JdP, Diss. Univ. of Michigan, 1959; — Jacquelyn A. Mattfeld, Cantus firmus in the Liturgical Motets of JdP, Diss. Yale Univ.,1959; — Dies., Some relationships between texts and cantus firmi in the liturgical motets of JdP, in: JAMS XIV, 1961, 159ff; — Karl G. Fellerer, J's Missa Faisant regretz in der Vihuela-Transkription von Mudarra und Narváez, in: Ges. Aufsätze zur Kulturgesch. Spaniens XVI, 1960, 179 ff; — Eduard Stam, Eine Fuga trium vocum von JD, in: Mf XIII, 1960, 28 ff; — Ders., Die Vierundzwanzigstimmige Psalmmotette Qui habitat in adiutorio altissimi von JdP, in: TVer XXVI, 1976, 1 ff; — Ludwig Finscher, Zur Cantus-firmus-Behandlung in der Psalm-Mot. der J-Zeit, in: Hans Albrecht in memoriam (Hrsg. W. Brennecke), 1962; — Ida Rosen, The treatment of dissonance in the motets of JdP, Diss. Cornell Univ., 1962;

— Edgar H. Sparks, Cantus Firmus in Mass and Motet. 1420-1520, 1963; — Caldwell Titcomb, The J Acrostic reexamined, in: JAMS XVI, 1963, 47 ff; — Benvenuto Disertori, Una storica mistificatione mensurale di JdP: sue affinitá con Leonardo da Vinci, in: Liber Amicorum Charles van den Borren (Hrsg. Albert van der Linden), 1964, 49 ff; — R. Lagas, Het Magnificat IV Toni van JdP, in: TVer XX, 1964/65, 20 ff; — Martin Picker, The Chanson-Albums of Marguerite of Austria, 1965; — Edward Clinksale, J and Louis XI., in: AM XXXVII, 1966, 67 ff; — Jerald C. Graue, The Milanes motets of JdP, M. Mus. thesis Univ. of Illionois, 1966; — Dieter Heikamp, Zur Struktur der Messe L'homme armé super voces musicales von JD, in: Mf XIX, 1966, 121 ff; — Winfried Kirsch, Die Quellen der mehrstimmigen Magnificat- und Te Deum-Vertonungen bis zur Mitte des 16. Jhdts., 1966; — Chris Maas, J-Agricola-Brumel-De La Rue: een authenticiteitsproblem, in: TVer XX, 1966, 120 ff; — René B. Leanaerts, Zur Ostinato-Technik in der Kirchenmusik der Niederländer, in: Fs-Bruno-Stäblein (Hrsg. Martin Ruhnke), 1967, 157 ff; — Willem Elders, Studien zur Symbolik in der Musik von JdP, 1968; — Ders., Das Symbol in der Musik von JdP, in: AM LXI, 1969, 164 ff; — Ders., Zusammenhänge zwischen den Motetten Ave nobilissima creatura und Huc me sydero von JdP, in: TVer XXII, 1971/72; 67 ff; — Ders., Report of the first J meeting Utrecht 1973, in: TVer XXIV, 1974, 20 ff; — Ders., Short Report of the Second J Meeting, ebd., 541 ff; — Ders. Report of the Third J meeting with a Proposal for an Ordening of the Works in the New J Edition, in: TVer XXVI, 1976, 17 ff; — Ders., Short Report of the Fourth J Meeting, in: TVer XXVII, 1977, 31 ff; — Lilian M. Ruff, Some formal devices in J's motets, in: The Consort, Nr. 25, 1968/69, 362 ff; — Dies., JdP some features of his motets, in: The Consort, Nr. 28, 1972, 106 ff; — Norbert Böker-Heil, Zu einem frühvenezianischen Motettenrepertoire, in: Helmuth Osthoff zu seinem 70. Geb., 1969, 59 ff; — Alan Curtis, J and La belle Tricotée, in: Essays in Musicology (Hrsg. Hans Tischer), 1969, 8 ff; — Albert Dunning, Josquini antiquos. Musac, memoremus amores: a Mantuan Motet from 1554 in Hommage to J, in: AM IL, 1969, 108 ff; — Ders., Die Staatsmotette 1480-1555, 1970; — Martin Staehelin, Zu einigen unter J's Namen gehenden Ordinariumskompositionen, in: Mf XXII, 1969, 195 ff; — Jaap van Benthem, Die Chanson Entré je suis à 4 von JDP und ihre Überlieferung, 1970; — Ders., Zur Struktur und Authentizität der Chansons à 5 & 6 von JdP, in: TVer XXI, 1970, 170 ff; — Ders., Einige wiedererkannte J-Chansons im Codex 18746 der Österr. Nat.bibl., in: TVer XXII, 1971/72, 18 ff; — Ders., Einige Musikintarsien des frühen 16. Jhdts. in Piacenza und J's Propositionskanon Agnus Dei, in: TVer XXIV, 1974, 97 ff; — Ders. , J's kompositorisches Verfahren in J's Propositionskanon Agnus Dei. Antwort an Eduard Stam, in: TVer XXVI, 1976; — Marc Honegger, Les Messes de JdP dans la tabulature de Diego Pisador (Salamanque, 1552). Contribution à l'étude des altérations au XVe siècle, Diss. Paris, 1970; — Nors S. Josephson, The Missa de Beata Virgine of the Sixteenth Century, Diss. Berkeley, 1970; — Ders., Kanon und Parodie in einigen J-Nachahmungen, in: TVer XXV/2, 1975, 23 ff; — Saul Novack, Fusion of Design and Tonal Order in Mass and Motet: JD and Heinrich Isaac, in: The Music Forum II, 1970; — Allan W. Atlas, Rome, Biblioteca Apostolica Vaticana, Capella Giulia XII 27, and the Dissimination of the Franco-Netherlandish Chanson in Italy, C. 1460-ca. 1530, Diss. New York Univ., 1971; — Stanley Boorman, J and his influence, in: Musical Times CXII, 1971, 747 ff; — Claudio Gallico, J nell' archivio Gonzaga, in: Rivista Italiana di Musicologica VI, 1971, 205 ff; — Kwee Him Yong, Sixteenth-century printed instrumental arrangements of works by JdP. An inventory, in: TVer XXII, 1971, 43 ff; — Jeremy Noble, A new motet by J?, in: The Musical Times, CXII, 1971, 749 ff; — Portret van een componist. JdP, ca. 1440- 1521 (Hrsg. W. Elders u.a.), 1971; — Suzanne Clerx-Lejeune, Fortuna Josquini, propositio di un ritratto di JdP, in: Nuova Rivista Musicale Italiana VI, 1972, 315 ff; — Bojan Bujic, J, Leonardo and the Scala Peccatorum, in: International Review of the Aesthetics and Sociology of Music IV, 1973, 145 ff; — Lecman L. Perkins, Mode and structure in the masses of J, in JAMS XXVI, 1973, 189 ff; — Gary L. Unruh, The performance of selected secular works by JdP, Diss. Univ. of Illinois, 1973; — Lewis Lockwood, Messer Gossino and JD, in: Studies in renaissance and baroque music in honor of Arthur Mendel, 1974, 15 ff; — Robert van Haarlem, The Missa de beata Virgine by J used as a model for the Mass of the same Name by Arcadelt, in: TVer XXV/2, 1975, 33 ff; — Isabelle Williams, Manipulation of imitative temporal distance in textural progressions of JdP, Diss. Univ. of Michigan, 1975; — Bonnie J. Blackburn, J's Chansons: Ignored and Lost Sources, in JAMS XXIX, 1976, 30 ff; — Wilhelm Ehmann, JD, Missa Pange lingua, in: Voce et Tuba. Ges. Reden und Aufsätze 1934-1974, 1976, 187 ff; — Alberto Ghislanzoni, JdP, 1976; — Irving Godt, The Restoration of J's Ave mundi spes, Maria, and Some Observations on Restoration, in: TVer XXVI, 1976, 53 ff; — JdP (Musik-Konzepte 26/27), 1982; Mariko Teramoto, Die Psalmmotettendrucke des Johannes Petrejus in Nürnberg (gedr. 1538-1542), 1983; — Stephen C. Krantz, Modal practice in the Phrygian motets of JDP, 1984; — Patrick P. Macey, J's Miserere mei Deus: context, structure and influence, 1985; — Willem Elders, The Performance of Cantus Firmi in J.s Masses based on Secular Monophonic song, in: Early Music VII, 1989, 330-341; — Ders., Le probleme de l'authenticite chez J. et les editione de Petrucci: une investigation preliminaire, in: Fontes Artis Musicae XXXVI, 1989, 108ff; — MGG VII, 190-214; — Riemann ML, 887-889.

Hans-Josef Olszewsky

JOST *von Silenen*, * ca 1435 in Küßnacht als Angehöriger eines alten eidgenössischen Adelsgeschlechts. † Mitte Dezember 1498 in Frankreich, vermutlich am Königshof. — Nach seinen Studien in Pavia (1459) trat er in Rom in die Dienste des Kardinals G. d'Estouteville. 1469 wurde er Propst des Chorherrnstifts Beromünster. 1472 begann er seine diplomatische und politische Laufbahn. Damals trat er in die Dienste König Ludwigs XI. von Frankreich und wurde während der Burgunderkriege zu einer der Hauptstützen der französichen Politik in der

Eidgenossenschaft. In dieser Eigenschaft hatte er als französischer Unterhändler maßgeblichen Anteil am Zustandekommen der »Ewigen Richtung« (30.3. 1474) zwischen der Eidgenossenschaft und Habsburg. In Anerkennung seiner geleisteten Dienste beförderte ihn König Ludwig XI. 1475 zum Koadjutor und 1479 zum Bischof von Grenoble. 1482 wurde er Bischof von Sitten und damit weltlicher Herr des Wallis, wo seine Familie begütert war. Als Herr des Wallis führte er seit 1484 Krieg mit Mailand um den Besitz des Eschentals und der dort gelegenen Alpenpässe. Die vernichtende Niederlage, die er dabei bei Crevola (28.4. 1487) erlitt, erschütterte seine Position im Wallis schwer, wo er durch seine eigenwillige landesherrliche Politik ohnehin kaum Freunde gewonnen hatte. Unter der Führung Georg Supersaxos (Jörg uff der Flüe) bildete sich eine breite Opposition aus, die ihn schließlich am 9.1. 1495 zum Friedensschluß mit Mailand veranlaßte. Das Jahr 1495 leitete auch seinen Sturz als Bischof von Sitten ein. In diesem Jahr geriet das Wallis in den Sog der europäischen Machtpolitik. Das Reich, Mailand, Spanien, Venedig und Rom auf der einen und König Karl VIII. von Frankreich auf der anderen Seite standen sich wegen der französischen Ambitionen auf Mailand feindselig gegenüber und bemühten sich, den Bischof von Sitten wegen der strategisch wichtigen Position des Wallis an den wichtigen Alpenpässen nach Italien auf ihre Seite zu ziehen. J.v.S. schien zunächst Neutralität zu wahren, entschied sich dann aber doch für Frankreich. Mit einem Aufgebot traf er am 7.10. 1495 im französischen Lager bei Vercelli ein. Dieses Unternehmen, das seinem weiteren Aufstieg im Dienste Frankreichs dienen sollte, wurde jedoch zu seinem Verhängnis. Am 10.10. 1495 schlossen nämlich Frankreich und Mailand in Vercelli Frieden. J.v.S. war zu spät gekommen, um aus den kriegerischen Ereignissen Nutzen ziehen zu können. Er mußte unverrichteter Dinge abziehen. Seine innenpolitischen Probleme wurden durch diesen Mißerfolg beträchtlich. Zeichen dafür ist, daß er es gegen den Widerstand des auf der Seite Mailands und des Reiches stehenden Supersaxo nicht vermochte, das Wallis zum Beitritt zum Bündnis der meisten Orte der Eidgenossenschaft mit Frankreich (1.11. 1495) zu bewegen. Statt-

dessen brachte Supersaxo am 1.3. 1496 ein Bündnis des Wallis mit Mailand und dem Frankreich distanziert gegenüberstehenden Bern zustande. Er erwies sich damit politisch stärker als der Bischof. Als J.v.S. versuchte, Supersaxo durch die Festnahme auszuschalten, brach im April 1496 im Oberwallis ein Volksaufstand gegen den Bischof aus. Am 13.4. 1496 schloß Supersaxo Sitten ein. Am 18.4. 1496 mußte J.v.S. als Bischof abdanken, am 19.4. 1496 das Land verlassen und an den französischen Königshof fliehen. Trotz der Unterstützung des französischen Königs konnte er nicht verhindern, daß ihm in Rom der Prozeß gemacht wurde, der am 30.8. 1497 mit der Bestätigung seiner Absetzung endete. Sein Nachfolger als Bischof wurde zunächst Nikolaus Schiner und schließlich Matthäus Schiner (20.9. 1499), der auf der Seite Supersaxos zu seinen entschiedenen Gegnern gezählt hatte und in Abkehr von der Politik J.v.S. das Wallis auf einen antifranzösischen und promailändischen Kurs festlegte. — Das Schicksal J.v.S. ist eine Paradigma für die Konflikte, denen sich die Eidgenossenschaft durch ihre Einbeziehung in das wachsende Spannungsverhältnis zwischen Habsburg und Valois an der Wende vom 15. zum 16. Jh. ausgesetzt sah.

Lit: Wilhelm Ehrenzeller, Die Feldzüge der Walliser und Eidgenossen ins Eschental und der Wallishandel 1484-1494, 1912 (Schweizer Studien zur Geschichtswissenschaft V); — Ders., Der Sturz Josts von Silenen und sein Prozeß vor der Kurie. Ein Beitrag zur Walliser Geschichte der Jahre 1495-1498, in: Jahrbuch für Schweizerische Geschichte 38, 1913, 73-120; — Ernst Gagliardi, Mailänder und Franzosen in der Schweiz 1495-1499. Eidgenössische Zustände im Zeitalter des Schwabenkrieges, 1. Teil, in: Jahrbuch für Schweizerische Geschichte 39, 1914, 1°-283°; — Albert Büchi (Hg.), Urkunden und Akten zur Walliser Geschichte des 15./16. Jahrhunderts, in: Blätter aus der Walliser Geschichte 5, 1920, 1-62, 201-388; — Ders., Kardinal Matthäus Schiner als Staatsmann und Kirchenfürst. Ein Beitrag zur allgemeinen und schweizerischen Geschichte von der Wende des XV.-XVI. Jahrhunderts, 1. Teil (bis 1514), 1923; — Eduard Wymann, Eine Episode aus dem Leben des Bischofs Jost von Silenen, in: Zeitschrift für Schweizerische Kirchengeschichte 27, 1933, 132-138; — K. Müller, Jost von Silenen, 1948; — Wolfgang-Amédée Liebeskind, L'Etat valaisan. Esquisse d'une histoire politique des origins au milieu du 19° siècle, in: Annales valaisannes 46, 1971, 3-80;- Deutsche Reichstagsakten unter Maximilian I., VI: Reichstage von Lindau, Worms und Freiburg 1496-1498, hg. von Heinz Gollwitzer, 1979; — Albert Wolff, La mitre de Josse de Silenen, éveque de Sion, in: Genava 11, 1963, 433-438; — Bréviaire de Josse de Silenen (1493), éveque de Sion. Etude, commentaires et choise, 1980; — Deutsche Reichstagsakten unter Maximilian I., V: Reichstag von Worms 1495, hg. von Heinz Angermeier, 1981; — ADB, XIV, 572-576; — Historisch-Biographisches Lexikon der Schweiz, VI, 1931, 368; — LThK, V, 1960, 1144.

Peter Schmid

JOSUA, Sohn des Nun (j^{e}hosu^a = »Jahwe hilft«; nach LXX: Iesous), nach Mose die wichtigste Gestalt Israels in seiner vorstaatlichen Zeit. Sein ursprünglicher Name lautete nach Num 13,8.17 Hosea, erst nach der Umbenennung durch Mose J. Ist das Motiv für diese Umbenennung auch historisch nicht greifbar, so wird der theologische Grund dafür retrospektiv gesehen in der Vermeidung eines Jahwe-haltigen Namens für eine Person, die bereits vor der Offenbarung des Gottesnamens gelebt hat, zu suchen sein. — War J. zunächst Knecht des Mose (Ex 24,13; Num 11, 28; Dtn 1,38), so avancierte er durch die feierliche Einsetzung als Nachfolger des Mose (Num 27,12-23; Dtn 34,9) zum Knecht Gottes (Jos 24,29; Ri 2,8), wodurch J. zu einer Gestalt der Heilsgeschichte wird. Als solcher ist er der Führer der israelitischen Stämme bei der Landnahme des Westjordanlandes gewesen (Jos. 1-24). — Was durch die Vielzahl der ätiologischen Sagen hindurch von der historischen Person J.s einigermaßen deutlich ist, ist seine Herkunft aus dem Stamm Ephraim (Num 13,9), schließlich sein Grab auf dem Gebirge Ephraim (Jos 24,30; Ri 2,9). Sein Wirken als Kriegsmann bei der Landnahme der Stämme Ephraim und Benjamin als eine Art charismatischer Retter analog der sogenannten »großen« Richtergestalten steht in einer gewissen Spannung zu der historisch wahrscheinlichen Annahme, daß die Landnahme sich insgesamt weniger in Form einzelner kriegerischer Akte als vielmehr als allmähliche Seßhaftwerdung vollzogen hat. Die Bedeutung des J. könnte in diesem Zusammenhang die eines sogenannten »kleinen« Richters der israelitischen Stämme (Jos 17,14 ff.) gewesen sein. — Sein hohes Alter von 110 Jahren (Jos 24,19; Ri 2,8) ist wohl ebenfalls weniger als historische denn als theologische Aussage aufzufassen, die seine wie der großen Gestalten der Frühzeit Israels Nähe zum Schöpfungssegen belegen soll. Ob er als historische Person der Gründer der sogenannten Amphiktyonie der israelitischen Stämme (Jos 24) gewesen ist, läßt sich wie diese sakrale Institution selbst nicht zweifelsfrei nachweisen.

Lit.: Bolck, Art. »Josua, Sohn Nuns«, in: Realencykl. f. prot. Theol. u. Kirche IX, 1896-1913 (Nachdr. 1970), 393-396, dort ältere Lit.; — Albrecht Alt, Josua, in: BZAW 66/1936, 13-29 (= Kleine Schriften zur Gesch. Israels I, 1953, 176-192); — K. Möhlenbrink, Josua im Pentateuch, in: ZAW 59/1942, 43, 14-58; — Martin Noth, Gesch. Israels, 1950 (1976^8), 90 f.; — H. H. Rowley, From Joseph to Josua, 1950; — Hans Wilhelm Hertzberg, Die Bücher Josua, Richter, Ruth, 1953 (1973^5), 139; — E. Höhne, Art. »Josua«, in: EvKL II, 1958, 383 f.; — Robert Bach, Art. »Josua«, in: RGG III, 1959, 872 f.; — Friedrich Hauss, Bibl. Gestalten. Eine Personenkonkordanz, 1959, 67-69; — Josef Scharbert, Art. »Josua«, in: LThK V, 1960, 1145; — Martinus Adrianus Beek, Gesch. Israels, 1961 (1976^4), 32-37, — Martin Noth, Das vierte Buch Mose, 1966 (1982^4), 92; — Siegfried Herrmann, Gesch. Israels in alttestamentl. Zeit, 1973 (1980^2), 132-135; Georg Fohrer, Gesch. Israels, 1977, 66 f.; — Eckart Otto, Art. »Josua«, in: Reclams Bibellex., hrsg. v. Klaus Koch u. a., 1978, 256; — Herbert Donner, Gesch. des Volkes Israel und seiner Nachbarn in Grundzügen I, 1984, 127 f.; — Manfred Clauss, Gesch. Israels von der Frühzeit bis zur Zerstörung Jerusalems (587 v.Chr.), 1986, 31-33, 35 f.

Hartmut Rosenau

JOSUE, hebr. Jehoschua (so bei Haggai und Sacharja) oder Jeschua (so in Esra-Nehemia), »Jahwe ist Hilfe«, erster Hohepriester überhaupt, wirkte in Jerusalem, in erster Linie bei der Errichtung des zweiten Tempels (520-515 v. Chr.). Sein Vater Josadaq findet sich in der Levitenliste 1 Chr 5,27-41 (hier: V.40f) mit dem Hinweis, er sei in die Verbannung geführt worden; hieraus kann man schließen, daß J. in Babylonien geboren wurde und aufgewachsen ist. J.s Großvater war Seraja, der letzte Haupt- oder Oberpriester in Jerusalem. Er wurde im Zusammenhang mit der Zerstörung der Stadt Jerusalem und ihres Tempels 587/586 ermordet (1 Kön 25,18-21a). — Nach der Darstellung des Chronistischen Geschichtswerkes, insbesondere des Esra-Buches (Esr), gehörte J. zu den ersten Heimkehrern aus dem babylonischen Exil (538/537; so Esr 2; Neh 7: die Liste der Heimkehrer aus dem Exil). Sofort errichtete er zusammen mit seinen Brüdern und Serubbabel (zu ihm s. u.) am Orte des zerstörten Heiligtums einen Altar, um dort opfern und das Laubhüttenfest feiern zu können (Esr 3,1-6). Daraufhin begannnen J., Serubbabel, ja alle Heimkehrer nach der Genehmigung des Kyros den Wiederaufbau - oder muß man besser sagen: Neubau? - des Tempels (Esr 3,7-13; nach Esr 5,16 legte allerdings der in 1,8 als Fürst Judas bezeichnete Scheschbazzar die Fundamente des Tempels). Als sich aber die »Feinde Judas und Benjamins«, Bewohner des ehemaligen Nordreiches, an den Bauarbeiten beteiligen wollten, wiesen Serubbabel und J. sie ab (Esr 4,1-3); sie konnten aber erreichen, daß der Aufbau des Tempels für fast 20 Jahre stillstand - bis zur Regierungszeit des Darius (Esr 4,5.24). Erst dann, im Jahre 520 wurden auch unter Einflußnahme der Profeten Haggai und Sacharja die Arbeiten von Serubbabel und J. wiederaufgenommen (Esr 5,1f.), jetzt auf ausdrückliche Anordnung des Königs Darius (Esr 6,3ff). Im Frühjahr 515 konnte die Vollendung des Baues feierlich begangen werden (Esr 6,15ff). Daß J. und Serubbabel bei der Einweihung mitgefeiert hätten, wird nicht berichtet. — Dieses Bild bedarf allerdings einiger Korrekturen: 1. will die Heimkehrerliste Esr 2; Neh 7, nimmt man sie für sich, nicht unbedingt mit dem Datum Esr 1,1 (das »erste Jahr« des Kyros meint nach chronistischem Verständnis nicht das erste Jahr seiner Regierung über Persien 558, sondern das erste Jahr seiner Herrschaft über Babylonien 539/538) zusammengelesen werden, so daß das Datum der Heimkehr der Esr 2 Genannten irgendwann zwischen 538 und 520 gesucht werden muß. 2. ist der Altarbau Esr 3,1-6 wahrscheinlich eine Vordatierung der Ereignisse von 520, was sich nicht allein daraus ergibt, daß man in die Jahre gleich nach der Heimkehr der ersten Gruppen die Wirksamkeit Scheschbazzars datieren muß, der sich, freilich erfolglos, um den Wiederaufbau des Tempels bemüht hat. 3. ist in Haggai 1 (datiert am 29.8.520) die Situation des zerstörten Tempels vorausgesetzt, von einem begonnenen Wiederaufbau ist nicht die Rede, so daß auch der Bericht Esr 3,7ff historisch anzuzweifeln ist - er widerspricht sich ja auch, wie oben erwähnt, mit Esr 5,16. — Auf historisch sichererem Boden befinden wir uns bei den Profeten Haggai (Hag) und Sacharja (Sach), obwohl, das liegt eben an der Natur der Profetie, deren Worte interpretationsbedürftig sind. Nach Hag 1,1ff sprach der Profet den Serubbabel, den Bevollmächtigten oder Statthalter über Juda,

den Enkel des letzten Davididen Jojachin sowie J. an, endlich den Tempelbau in Angriff zu nehmen, mit Erfolg (Hag 1,14). Auf den 21.9. ist der eigentliche Baubeginn zu datieren (Hag 1,15a; 2,15-19). Bei der Bautätigkeit, an der die beiden, wie aus den Worten Sacharjas insgesamt zu entnehmen ist, auch weiterhin mitgewirkt haben, fiel offenbar Serubbabel aufgrund seiner politischen Position die führende Rolle zu. Dies kann man einerseits daran sehen, daß er bei fast allen Erwähnungen an erster Stelle steht (Ausnahme Esr 3,2), andererseits daran, daß in manchen Visionen Serubbabel hervorgehoben wird, J. aber nicht (Hag 2,20-23; Sach 4,6b-10a; 6,9-15 in seinem ursprünglichen Bestand s. u.). Möglicherweise hat diese Machtkonstellation dazu geführt, daß es zwischen den beiden zu den (Kompetenz?-) Streitigkeiten gekommen ist, auf die der Schluß von Sach 6,13 hinweist: ein friedliches Nebeneinander wird (erst) für die Zukunft in Aussicht gestellt. Ist in diesem Zusammenhang auch Sach 3 zu verstehen, wo davon berichtet wird, daß ein Ankläger gegen J. aufgestanden ist? Freilich hatte diese Anklage keinen Erfolg, da J. in dieser Vision feierlich entsühnt (von welcher Schuld?) und mit dem Ornat bekleidet wird. — Vom Ende J.s wissen wir genauso wenig wie von dem Ende seines Mitstreiters Serubbabel. Bemerkenswerterweise schweigt die Überlieferung von J. auch dort, wo von der Vollendung des Tempelbaues geredet wird (Esr 6; Sach 4,8-10a). Kann daraus geschlossen werden, daß J. vorher starb oder auf andere Weise von der Bühne der Geschichte abtrat? Dem Romancier böten sich hier kreative Räume, dem Historiker ist dies untersagt. — Umso größer war die Erwartung, die das Werk J.s und Serubbabels bei ihren Zeitgenossen und bei Späteren ausgelöst hat: In Sach 4,1-6a.10b-14 werden die Ölbäume, die den Leuchter säumen, auf die Gesalbten gedeutet, die vor Jahwe stehen. Damit sind zweifellos J. und Serubbabel gemeint. Diesen beiden (!) wird die Messiaswürde zugesagt. Die Teilung der Messiaswürde ist das gänzlich Neue, ja Einmalige an diesem Text. In Sach 6,9-15 wird die Krone, die der Profet nach der vermutlich ursprünglichen Fassung dieses Abschnittes dem Serubbabel gefertigt hat, von einem späteren Ausleger dieses Textes auf J. übertragen. Hiermit gab er einerseits den späteren historischen Tatsachen ihr Recht, nach denen sich die Hoffnung auf ein Wiedererstehen des Davidischen Großreiches - verbunden mit dem Namen des Davididen Serubbabel - zerschlagen hatte und durch eine Priesteroberschicht ersetzt wurde, andererseits drückte er seine Hoffnung darauf aus, daß im Zuge der Priesterregentschaft, die sich auf J. gründete, die heilige Stadt zu neuer, wenn auch ganz anderer, Bedeutung kam.

Lit.: Eberhard Schrader, Die Dauer des zweiten Tempelbaues. Zugl. ein Beitr. zur Kritik des Buches Esra, ThStKr 40, 1867, 460-504; — Julius Wellhausen, Israelit. und jüd. Gesch., 1895², 154-169; 1958⁹, 153-165;— Eduard Meyer, Die Entstehung des Judentums, 1896 (Neudr. 1965), 79-89, 168-176; — Ernst Sellin, Serubbabel, 1898; — Gustav Dalman, Der zweite Tempel zu Jerusalem, PJB 5, 1909, 29-57; — Aage Bentzen, Quelques remarques sur le mouvement messianique parmi les Juifs aux environs le l'an 520 avant Jesus-Christ, RHPhR 10,1930, 493-503; — Kurt Galling, Das vierte Nachtgesicht des Propheten Sacharja, ZMR 46, 1931, 193-208; — Ders., Studien zur Gesch. Israels im persischen Zeitalter, 1964, darin: Die Liste der aus dem Exil Heimgekehrten, 89-108; — Die Exilswende in der Sicht des Propheten Sacharja, 109-126; — Serubbabel und der Hohepriester beim Wiederaufbau des Tempels in Jerusalem, 127-148; — A. Lods, Les prophètes d'Israel et les débuts du judaisme, 1935; — H. Schmidt, Das vierte Nachtgesicht des Propheten Sacharja (Sach 3,1-10 und 4,6-10), ZAW 54, 1936, 48-60; — Hellmuth Frey, Der siebenflammige Leuchter und die Ölsöhne. Beitrag zu einer theol. Deutung von Sacharja 4, in: In piam memoriam A. von Bulmerincq, 1938, 20-63; — J. Morgenstern, A Chapter in the History of High Priesthood, AJSL 55, 1938, 1-24, 183-197; — Alfred Jepsen, Kleine Beiträge zum Zwölfprophetenbuch III. 4. Sacharja, ZAW 61, 1945-1948, 95-114; — Martin Schmidt, Prophet und Tempel. Eine Studie zum Problem der Gottesnähe im AT, 1948, 192-213; — Stanley A. Cook, The Age of Zerubbabel, in: H. H. Rowley (Hrsg.), Studies in Old Testament Prophecy presented to T. H. Robinson, 1950, 19-36; — J. W. Bailey, The Usage in the Post-Restauration Period of Terms Descriptive of the Priest and High Priest, JBL 70, 1951, 217-225; — José Gregorio Cepeda, La Restauración Provisional, Cultura Biblica (Segovia), 102, 1952, 292-294, 104, 1953, 4-6, 111-112, 1953, 257-261; — Théophane Chary, Les prophètes et le culte à partir de l'exil, 1954, — J. Lécuyer, Jesus, fils de Josédec, et le sacerdoce du Christ, RSR 43, 1955, 82-103; — J. Parrot, Der Tempel von Jerusalem. Golgatha und das Heilige Grab, 1956, 56-62; — N. H. Snaith, The Jews from Cyrus to Herod, 1956, — Walther Eichrodt, Vom Symbol zum Typus. Ein Beitrag zur Sacharja-Exegese, TZ 13, 1957, 509-522; — F. I. Anderson, Who Built the Second Temple?, ABR 6, 1958, 1-35; — H. Lignée/G. Gourbillon, Le Temple Nouveau, Evangile 34, 1959, 5-79; — G. Buccellati, Gli Israeliti di Palestina al tempo dell' esilio, BiO 2, 1960, 199-209; — Salomon Zeitlin, The Temple and Worship, JQR 51, 1960/61, 209-241; — Klaus Baltzer, Das Ende des Staates Juda und die Messias-Frage, in: Studien zur Theologie der alttestamentl. Überlieferungen, hrsg. von Rolf Rendtorff und Klaus Koch, 1961, 33-43; — A. Gelston, The Foundation of the Second Temple, VT 16, 1966, 232-235; — A. Petitjean, La mission de Zorobabel et la reconstruction du temple, Zach 3,8-10, EThL 42, 1966, 40-71; — W. A. M. Beuken, Haggai-Sacharja 1-8, SSN 10, 1967; — Peter Runham Ackroyd, Exile and Restoration. A Study of Hebrew Thought of the Sixth Century BC, 1968, 138-217, 247-256; — Ders., Israel Under Babylonia and Persia, 1970, 163-173, 210-233, — J. M. Myers, The World of Restoration, 1968; — Aelred Cody, A History of Old Testament Priesthood, AnBib 35, 1969, 175-180; — A. A. Akawya, The Chronology of the Two Temples and Their Destruction (hebr.), Tarbiz 39, 1970, 349-355, — G. Victor, Die Gesch. des Hohepriestertums von Jerusalem in nachexilischer Zeit, Diss. Jena 1971; — Karl-Martin Beyse, Serubbabel und die Königserwartungen der Propheten Haggai und Sacharja, AzTh I, 48, 1972; — W. Th. in der Smitten, Hist. Probleme zum Kyrosedikt und zum Jerusalemer Tempelbau von 515, Persica 6, 1972/74, 167-178; — Johannes Marböck, Priestertum im Alten Bund, Linzer Theol. Reihe 1, 1973, 7-31; — J. W. Doeve, Le domaine du Temple de Jerusalem, in: W. C. van Unnik (Hrsg.), La littérature juive entre Tenach et Mischna, 1974, 118-163; — D. L. Petersen, Zerubbabel and Jerusalem Temple Reconstruction, CBQ 36, 1974, 366-372; — Klaus Seybold, Bilder zum Tempelbau. Die Visionen des Propheten Sacharja, SBS 70, 1974; — Frank Moore Cross, A Reconstruction on the Judean Restoration, JBL 94, 1975, 4-18; — Christian Jeremias, Die Nachtgesichte des Sacharja. Unterss. zu ihrer Stellung im Zusammenhang der Visionsberichte im AT und zu ihrem Bildmaterial, FRLANT 117, 1977; — Menahem Mor, The High Priests in Judea in the Persian Period (hebr. mit engl. Zusammenfassung), BethM 72, 1977, 57-67; — Henri Blocher, Zacharie 3. J. et le grand jour des expiations, ETRel 54, 1979, 264-270; — Th. A. Busink, DerTempel von Jerusalem von Salomo bis Herodes. 2. Von Ezechiel bis Middot, 1980, 776-841; — Johann Gamberoni, »... denn sie sind eitel Wunder« (Sach 3,8). Priesterl. Amt und Charisma an einer Wende des AT.s, TGl 70, 1980, 58-71; — Moshe David Herr, Jerusalem, the Temple and its Cult. Reality and Concepts in Second Temple Times (hebr. mit engl. Zusammenfassung), in: Jerusalem in Second Temple Period, 1980, 166-177; — B. Z. Luria, Rückkehr nach Zion (hebr.), BethM 81, 1980, 99-113, 83, 1980, 291-301; — E. J. Bickerman, En marge de l'écriture II: La seconde année de Darius, RB 88, 1981, 23-28; — Walter Harrelson, The Trial of the High Priest J., Zechariah 3, in: H. Orlinsky, Erez - Israel 16, 1982, 116*-124*; — Sara Japhet, Sheshbazzar and Zerubbabel - Against the Background of the Historical and Religious Tendencies of Ezra-Nehemia, ZAW 94, 1982, 66-98; — Dies., People and Land in the Restoration Period, in: Georg Strecker (Hrsg.), Das Land Israel in bibl. Zeit, GTA 25, 1983, 103-125; — W. D. Davies/L. Finkelstein, The Cambridge History of Judaism I, 1984, 70-87, 130-161, 219-278; — Erich Zenger, Israels Suche nach einem neuen Selbstverständnis zu Beginn der Perserzeit, BiKi 39, 1984, 123-135; — Antonius H. J. Gunneweg, Esra, KAT XIX/1, 1985; — Ders., Nehemia, KAT XIX/2, 1987; — Herbert Donner, Gesch. des Volkes Israel und seiner Nachbarn in Grundzügen 2, ATD Ergänzungsreihe 4/2, 1986, 405-416; — Hans Walter Wolff, Haggai, BK.AT XIV/6, 1986; — Adam S. van der Woude, Serubbabel und die messian. Erwartungen des Propheten Sacharja,

ZAW 100, 1988, Supplement, 138-156; — In der Lit.: Schalom Asch, Der Prophet, 1956; — Jüd. Lex. III, 360 f.; — EJ(D) IX, 468; — EJ X, 1-3; — BHH II, 858; — BL², 832 f.; — DEB I, 682; — IDB II, 867 f.; — Illustrated Dictionnary & Concordance of the Bible, 1986, 531 f.; — KL VI, 1901; — LThK V, 1145; — NCE VII, 1124 f.; — RGG ¹III, 665 f.

Klaus Grünwaldt

JOTAM (hebr.: Jahwe hat sich redlich, rechtschaffen erwiesen), nach der alttestamentlichen Überlieferung der jüngste der 70 Söhne der Rettergestalt Gideon-Jerubbaal (Richter 6-8) aus Ofra (Lage unsicher). Die Überlieferungen über J. finden sich in Ri. 9. Hiernach ist das Schicksal J.s eng mit dem seines Bruders Abimelech verknüpft. Dieser schuf auf dem Territorium der Stadt Sichem das erste israelitische Königtum, das freilich nicht mehr war als ein Territorial- oder Stadtkönigtum. Unterstützt wurde er von der Familie seiner Mutter, die selbst aus Sichem stammte. Zur Durchsetzung seines Planes tötete Abimelech alle seine Brüder; lediglich J. überlebte, da er sich versteckt hatte. Als J. die Geschehnisse aus Sichem mitgeteilt wurden, begab er sich auf den Berg Garizim, von wo aus er eine Rede an die Bürger von Sichem hielt (wie das allein akustisch möglich war, bleibt das Geheimnis des Erzählers). Inhalt der Rede war insbesondere die sogenannte J.-Fabel (V.8-15). Sie handelt davon, daß die Bäume ausziehen, um einen König über sich zu salben. Kein anständiger Baum findet sich bereit, einen so unnützen Beruf anzunehmen wie den eines Königs, der nur über den anderen haltlos hin- und herschwankt. Letztlich findet sich nur noch der unnütze Dornbusch, der sich auch sogleich furchtbar aufbläht. Im Anschluß an die Fabel wird noch eine aktualisierend-moralisierende Deutung gegeben (V. 16-20). Nach seiner Rede floh J. nach Beer (V.21; Lage ebenfalls unsicher). Das Scheitern von Abimelechs Vorhaben, die Zerstörung Sichems und der Tod Abimelechs werden V.56f als Erfüllung des Fluches J.s gedeutet. — Soweit das Bild der Tradition; aber diese ist rissig: die J.-Fabel fügt sich schwer in den Kontext, da sie eine Situation beschreibt, die mit der in der Abimelech-Geschichte keinesfalls vergleichbar ist; und daß Abimelech seine 70 Brüder - nach V.2 alle (!) Söhne Jerubbaals - tötet, widerspricht V.5b, nach dem J. übrigbleibt. Zusammen mit der ursprünglich selbständigen, aus dem Nordreich Israel zur Königszeit (ca. 925-722) stammenden Fabel sind auch ihre Rahmung (V.5b.7) und Deutung (zunächst V. 16a.19b-20; danach V. 16b-19a) sowie auch der Erfüllungsvermerk V.56f der Überlieferung von Abimelechs Stadtkönigtum in Sichem nachträglich hinzugefügt worden, vermutlich in exilisch-nachexilischer Zeit. Damit ist aus den Notizen über J. historisch nichts zu ermitteln.

Lit.: Ernst Sellin, Wie wurde Sichem eine israelitische Stadt?, 1922; — K. Fruhstorfer, Abimelechs Königtum (Jdc. 9), ThPQ 83, 1930, 87-106; — P. van Imschoot, Le règne d' Abimelek, Coll. Gand. 22, 1935, 3-13; — Eduard Nielsen, Shechem. A traditio-historical Investigation, 1955, 142-171; — Martin Buber, Königtum Gottes, 1956³; — R. J. Williams, The Fable in the Old Testament, in: A Stubborn Faith. Festschr. W. A. Irwin, 1956, 3-26; — Bernhard W. Anderson, The Place of Shechem in the Bible: BA 20, 1957, 10-19; — M. Adinolfi, Originalità dell' apologo di J. (Giud. 9,8-15), RivB 7, 1959, 322-342; — N. H. Tur-Sinai, In the Tracks of the Language and the Scriptures X (hebr.), Lesh 24 (1959/1960), 1-7; — E. H. Maley, The J. Fable anti-monarchical?, CBQ 22, 1960, 299-305; — A. Penna, Gedeone e Abimelec. Genere letterario e origine di Giudici 6-9, BibOr 2, 1960, 86-89, 136-141; — Gerhard Wallis, Die Anfänge des Königtums in Israel, WZ Halle, Ges.-Sprw. Reihe XII, 1962/63, 239-247, wiederabgedr. in: Ders., Gesch. und Überlieferung. Gedanken üner alttestamentl. Darstellungen der Frühgesch. Israels und der Anfänge seines Königtums, AzTh II/13, 1968, 45-66; — A. D. Crown, A Reinterpretation of Jdg. 9 in the Light of its Humor, Abr-Nahrain 3, 1963, 90-98; — Wolfgang Richter, Traditionsgeschichtl. Unterss. zum Richterbuch, BBB 18, 1963, 246-318; — Uriel Simon, The Parable of J. (Judges IX, 8-15): The Parable, its Application and their Narrative Framework (hebr.), Tarbiz 34, 1964/65, 1-34; — R. S. Boraas, Judges 9 and Tell Balâtah, Diss. Drew University, 1965; — G. Ernest Wright, Shechem. The Biography of a Biblical City, 1965; — E. Eliner, Das Königtum Abimelechs, in: Unterss. im Buch der Richter (hebr.), 1966, o. S.; — L. Hégelé, Des Juges aux Rois, Cahiers de la Pierre - qui - Vire 25, 1966; — J. Gutmann, Die J.-Fabel, in: Unterss. im Buch der Richter (hebr.), 1966, 310-331; — H. Reviv, The Government of Shechem in the El-Amarna Period and in the Days of Abimelech, IEJ 16, 1966, 252-257; — Herbert Haag, Gideon - Jerubbaal - Abimelech, ZAW 79, 1967, 305-314; — Jan Alberto Soggin, Bemerkungen zur alttestamentl. Topographie Sichems mit bes. Bezug auf Jdc. 9, ZDPV 83, 1967, 183-198; — Ders., Il regno di Abîmelek in Sichem (Giudici 9) e le istituzioni della città siro-palestinese nei secoli XV-XI a. C., in: Studi E. Volterra VI, 1971, 161-189; — Herbert Schmid, Die Herrschaft Abimelechs, Judaica 26, 1970, 1-11; — R. Lapointe, Dialogue biblique et dialectique interpersonelle, 1971, 285-294; — Erich Zenger, Ein Beispiel exeget. Methoden aus dem AT, in: Josef Schreiner (Hrsg.), Einführung in die

Methoden der bibl. Exegese, 1971, 97-148; — Eliashiv Oren, The Story of Abimelek (hebr. mit engl. Zusammenfassung), BethM 52, 1972, 21-24; — Barnabas Lindars, J.'s Fable. A New Form - Critical Analysis, JTS 24, 1973, 355-366; — B. Cobbey Crisler, The Acoustics and Crowd Capacity of natural Theaters in Palestine, BA 39, 1976, 128-141; — Karl Jaros, Sichem. Eine archäolog. und religionsgeschichtl. Studie mit bes. Berücks. von Jos 24, OBO 11, 1976, 76-83; — W. C.van Wyk, The Fable of J. in its Ancient Near Eastern Setting, in: Die Ou Testamentiese Werkgemeenskap in Suid-Afrika 15/16, 1972/73, hrsg. 1976, 89-95; — Timo Veijola, Das Königtum in der Beurteilung der deuteronomist. Historiographie. Eine redaktionsgeschichtl. Unters., AASF.B 198, 1977, 103-114; — Frank Crüsemann, Der Widerstand gegen das Königtum. Die antikönigl. Texte des AT.s und der Kampf um den frühen israelitischen Staat, WMANT 49, 1978, 19-42; — B. Halpern, The Rise of Abimelek Ben-Jerubbaal, HebAnR 2, 1978, 79-100; — Eckart Otto, Überlieferung von Sichem und die Ausgrabung auf tell balata, BiNo 6, 1978, 19-26, — E. F. Roop, Living the Bible. A New Method of Group Bible Study, 1979; — Volkmar Fritz, Abimelech und Sichem in Jdc. ix, VT 32, 1982, 129-144; — Edward F. Campbell Jr., Judges 9 and Biblical Archeology, in: The Word of the Lord Shall Go Forth. Festschr. f. David Noel Freedman, hrsg. von Carol L. Meyers und M. O' Connor, 1983, 263-278; — Hartmut N. Rösel, Überlegungen zu »Abimelech und Sichem in Jdc. ix«, VT 33, 1983, 500-503; — Joseph Tzamudi, Structure and Rhetoric of J.'s Parable (hebr.), BethM 98, 1984, 245-248; — Rüdiger Bartelmus, Die sogen. J.-Fabel - eine politisch-religiöse Parabeldichtung TZ 41, 1985, 97-120; — T. A. Boogaart, Stone for Stone. Retribution in the Story of Abimelech and Shechem, JSOT 32, 1985, 45-56; — Manfred Clauss, Gesellschaft und Staat in Juda und Israel, Eichstätter Hochschulreden 48, 1985; — Jürgen Ebach/Udo Rüterswörden, Pointen in der J.-Fabel, BiNo 31, 1986, 11-18; — J. Gerald Janzen, A Certain Woman in the Rhetoric of Judges 9, JSOT 38, 1987, 33-37; — Barry G. Webb, The Book of Judges. An Integrated Reading, JSOT Suppl. 46, 1987, 154-159; — Jüd. Lex III, 363; — EJ(D) IX, 492 f.; — EJ X, 301; — BHH II, 897; — BL², 888; — IDB II, 999; — Illustrated Dictionary & Concordance of the Bible, 1986, 567 f.; — LThK V, 1146; — Martin Noth, IPN 189 f.; — RE ³IX, 396; — RGG ¹III, 668.

Klaus Grünwaldt

JOTAM (hebr. Jo/Jahwe handelt redlich) *von Juda*, König in Jerusalem 739-734, Sohn von König Asarja/Usija (767-739) und von Jeruscha. Nach anderen Berechnungen regierte J. 756-741, unter anderem auch, weil er anstelle seines an Aussatz erkrankten Vaters (2 Kön 15,5-7/2 Chr 26,21 f.) zuerst die Regierung inne hatte. Die Berufung Jesajas »im Todesjahr des Königs Usija« (Jes 6,1) verweist aber auf 739 als Anfang von J.s Königsherrschaft. J. wird in 2 Kön 15, 32-38/2 Chr 27,1-9 gut beurteilt: »Er tat, was

dem Herrn gefiel« (15,34). J. erbaute das Obere Tor des Tempels sowie Befestigungsanlagen im Land und besiegte die Ammoniter. In Ezjon-Geber wurde 1940 ein Siegel mit der Aufschrift l-jtm gefunden, die wohl auf J. verweist (abgebildet in EJud X, 302). J. starb vor Ausbruch des syrisch-efraimitischen Kriegs, in dem Samaria und Damaskus das Südreich und J.s Nachfolger Ahas (734-728) zur Teilnahme an einer antiassyrischen Koalition zwingen wollten.

Lit.: Wilhelm Rudolph, Chronikbücher, HAT I/21, 1955, 287 f., — Jacob M. Myers, II Chronicles, Anchor Bible, 1965, 155-157; — John Bright, Geschichte Israels, 1966, 257, 274 f.; — Frank Michaeli, Les livres des Chroniques, d'Esdras et de Néhémie, Comm. de l'AT XVI, 1967, 216 f.; — Antonius H. J. Gunneweg, Gesch. Israels bis Bar Kochba, 1984⁵, 111 f.; — Ernst Würthwein, Die Bücher der Könige, 1. Kön. 17- 2. Kön. 25, ATD 11/2, 1984, 384 f.; — Georg Hentschel, 2 Könige, Neue EchtB, 1985, 72 f.; — Manfred Clauss, Gesch. Israels, 1986, 127; — Herbert Donner, Gesch. des Volkes Israel und seiner Nachbarn in Grundzügen, 1987, 230, 256; — Bibl.-Hist. Hdwb. (Reicke/Rost) II, 897; — BL 888; — Catholicisme VI, 1039; — CBL 689; — EJud X, 301-303; — Enciclopedia della Bibbia IV, 357 f.; — Interpreter's Dict. of the Bible II, 999 f.; — JüdLex III, 363; — LB 733 f.; — LThK V, 1146.

Otto Wahl

JOUBERT, Léopold-Louis, * 23.2. 1842 bei Nantes, † 24.5. 1927 in Misembe (Belgisch-Kongo). 1860 bis 1870 diente J. bei der päpstlichen Truppe, 1867 als Hauptmann. Er nahm an den Kämpfen um Rom und am deutsch-französischen Krieg (1870-71) teil. Als 1879 Charles-Martial-Allemand Lavigerie, zu dieser Zeit Erzbischof von Algier, die ehemaligen päpstlichen Infanteristen zum Kampf gegen die Sklavenjäger am Tanganyika aufrief, kämpfte J. seit 1880 von Kibanga und Mpala aus erfolgreich gegen Rumaliza und andere Sklavenjäger. 1888 heiratete er eine einheimische christliche Häuptlingstochter. J. war eine einflußreiche Persönlichkeit und leistete wertvolle Dienste für die Mission.

Lit.: Streit XVIII, 295. 344 (Bibliotheca Missionum, begonnen v.R. Streit, fortgeführt v. J. Dindinger, Münster, Aachen) Freiburg i. Br. 1916ff (bis 1955: 21 Bde); — LThK V², 1147.

Werner Schulz

JOVENE, Carlo Maria, katholischer Theologe, * 22.9. 1840 in Maddaloni (Neapel). — J. trat 1853 in die Gesellschaft Jesu ein, studierte in Neapel und Laval, dozierte am Institut Catholique in Paris (1878-1883), in Beirut (1883-1884) Dogmatik und anschließend Exegese in Neapel. Nach Krankheit und Ordensaustritt am 3.1. 1887 verliert sich seine Spur nach Amerika († 1887 ?). Beachtung findet seine spekulative, im Anschluß an C. Passaglia und M. J. Scheeben weiterentwickelte Gnadenlehre, besonders die Auffassung der substantiellen Verbindung mit dem Heiligen Geist, durch den auch Vater und Sohn in der Gotteskindschaft einwohnen.

Werke: Orazione secolare in lode del Ss. Cuore di Gesù, Neapel 1875; Theologiae facultatis in catholica Parisiensi universitate auspicalis oratio, 1878; Declaratio ac defensio scholastica doctrinae sanctorum Patrum Doctorisque angelici de hypostasi et persona ad Aug. Sanct. Trinitatis et stupendae Incarnationis mysteria illustranda. Auctore Claudio Typhano, ed. alt. theologica prolusione C. M. J. aucta, Paris 1881; De vita deiformi. Praelectiones dogmatico-scholasticae, Paris 1882 (anonym, lithographiert).

Lit.: P.-L.Péchenard, L'Ecole de théologie de Paris, in: Rv. du clergé français 27, 15.8. 1901, 571 f.; — Heribert Schauf, Die Lehre von der Einwohnung des Hl. Geistes und der Begnadung bei C. M. J., in: Pastor bonus 49, 1938, 125-138; — Ders., Die Einwohnung des Hl. Geistes, 1941, 184-198; — Sommervogel IV, 860 f.; — Catholicisme VI, 1103.

Erich Naab

JOVIAN (Flavius Claudius Jovianus), römischer Kaiser vom 27.6.363-17.2.364, unmittelbarer Nachfolger des Julian Apostata, dessen religiöse Restaurationsbestrebungen er weitgehend (aber schonend) rückgängig machte und so dem Christentum auf dem Wege zur Staatsreligion einen entscheidenden Schritt weiterhalf; geb. ca. 331 in der Gegend von Singidunum (dem heutigen Belgrad) als Sohn des Comes domesticorum Varronianus. Seine blauen Augen und seine stattliche Körpergröße deuten auf barbarische Abstammung hin; er war verheiratet mit Charito, der Tochter des angesehenen Generals (Magister Equitum) Lucillianus. Der Ehe entstammten zwei Söhne (Flavius Varronianus, der 364 als ganz kleines Kind zusammen mit seinem Vater das Konsulat bekleidete und ein weiterer, über den Näheres nicht bekannt ist). Seinen Kritikern galt er als genußsüchtig (edax,

vino Venerique indulgens). Unter Konstantius war J. Protector domesticus. Unter Julian stieg er (trotz seines offenen Festhaltens am Christentum) zum Primicerius domesticorum auf. In dieser Funktion nahm er am Perserfeldzug Julians teil. Als Julian am 26.6. 363 fiel, wählte man ihn schon am nächsten Tage zum Kaiser. Über die Gründe ist viel gerätselt worden; die Quellen führen meist das Ansehen des Vaters ins Feld. Die Christenfrage scheint jedenfalls keine entscheidende Rolle gespielt zu haben, denn zum einen war die Wahl zunächst auf den Heiden Salutius gefallen (der aber abgelehnt hatte) und zum anderen war auch der ausdrückliche Hinweis J.s auf sein christliches Bekenntnis (der sich allerdings nur in den christlichen Quellen findet) kein Wahlhindernis gewesen. G. Wirth hat neuerdings gemeint, J. habe zu Kaiser Konstantius in engen Beziehungen gestanden (er geleitete seinen Leichnam bei der Überführung nach Konstantinopel als Ehrenwache) und sei deshalb der einzige gewesen, den man für fähig gehalten habe, dessen auf Interessenausgleich gerichtete Partherpolitik fortzusetzen und zu einer tragfähigen Übereinkunft mit Schapur II. zu gelangen. Wenn es Erwartungen dieser Art waren, die ihn zum Kaiser machten, so hat J. sie umgehend erfüllt: Er schloß Frieden mit Schapur II., mußte dabei allerdings Transtigranien und einen Teil von Mesopotamien (mit Singara, Nisibis und Bezabde, deren Einwohner aber freien Abzug erhielten und in Amida angesiedelt wurden) abtreten. Seine Zeitgenossen brachten für diesen Friedensschluß, der dem Heer noch als unbegreifliche Gnade Gottes erschienen war, wenig Verständnis auf und bezeichneten ihn als schimpflich, ein Urteil, das man bis heute fast allenthalben wiederholt findet. Dabei hatte Jovian hier nur die Kosten beglichen, die die abenteuerliche Außenpolitik Julians verursacht hatte. Die Ruhe, die in diesen Gebieten bis zum Ende des nächsten Jahrhunderts eintritt, gibt seiner Einschätzung der Lage recht. Über den aktuellen Anlaß hinausgehende Bedeutung gewinnt der Friedensvertrag durch die Klausel, daß beide Großmächte gemeinsam für die Sicherung der Kaukasus-Pässe gegen die Hunnengefahr Sorge tragen sollten, eine Vereinbarung, die das Verhältnis der beiden Mächte auf eine ganz neue

Basis stellte und für antike Verhältnisse ganz unerhört ist. Der Rückmarsch des Heeres nach Antiochien dauerte mehr als 3 Monate. Offenbar wollte J. Zeit gewinnen, um die notwendigen Maßnahmen ohne Übereilung treffen zu können. J. war ersichtlich daran gelegen, zu einem Interessenausgleich zwischen heidnischem und christlichem Bevölkerungsteil zu kommen. Schon die gemeinsame Entsendung des Heiden Arintheus und des Christen Victor als Verhandlungsführer mit Schapur II. weist in diese Richtung. Auch das (heidnische) Opfer im Anschluß an die Thronbesteigung und die Befragung der Haruspices war sicher nicht das, was die christliche Seite von einem christlichen Kaiser erwartete. Auch daß er die anfangs eingeleiteten Maßnahmen gegen die heidnischen Kulte Ende 363 wieder zurücknahm (nur Wahrsagerei und Zauberei blieben verboten, doch reichte das hin, um eine Verfolgung neuplatonischer Philosophen in Gang zu setzen, woraus sich deutlich ergibt, welcher Zündstoff hier bereitlag), wird auf christlicher Seite wenig Anklang gefunden haben. Andererseits bestand daran, daß seine Herrschaft unter christlichen Vorzeichen stehen sollte, kein Zweifel. Das ergibt sich schon daraus, daß das Christogramm sofort wieder auf dem Heeresbanner und den Münzen erscheint. Das zeigt auch sein bald nach der Thronbesteigung abgegebenes Glaubensbekenntnis. Das zeigt die Rückberufung der unter Julian verbannten Geistlichen. Und das zeigt sich vor allem daran, daß alle Gesetze, die Konstantin und seine Söhne zugunsten des Christentums erlassen hatten, wieder in Kraft gesetzt wurden, wodurch die Christen, wenn auch nicht in vollem Umfang, konfisziertes Kirchengut zurückerhielten. Den noch auf dem Rückmarsch einsetzenden Versuchen, ihn in den christologischen Streitigkeiten zur Partei zu machen, widerstand J. jedoch von Anfang an. Selbst von Athanasius, dessen Bedeutung er offenbar sofort erkannt hatte, und zu dem er nach den Erfahrungen seiner Vorgänger auf ein gutes Verhältnis bedacht sein mußte, hat er sich dogmatisch nicht festlegen lassen. Vielmehr versuchte er (bewußt?), die Probleme in der Schwebe zu halten. Ὁμόνοια (um beinah jeden Preis) war (vorläufig?) sein Programm. Offenbar ist es aber gerade diese Haltung gewesen, die allenthalben Enttäuschung hervorrief und zu jenem negativen Jovianbild geführt hat, das uns aus den Quellen entgegentritt. Aber ob diese ersten politischen Schritte J.s wirklich als Kern und Beginn einer (bisher verkannten) längerfristigen Konzeption gedeutet werden können, wie jetzt Wirth herausgearbeitet hat, oder ob sie nicht doch nur als bloßes Bemühen einer Herrschaftssicherung um jeden Preis (selbst vor der Ermordung seines hochgestellten Namensvetters ist J. ja anscheinend nicht zurückgeschreckt) einzuordnen sind, wie Seeck gemeint hat, wird sich durch Fakten nicht mehr erhärten lassen, denn auf dem Wege von Antiochien nach Konstantinopel ereilte ihn in der Nacht vom 16. auf den 17. Februar 364 in dem bithynischen Städtchen Dadastana im Alter von 33 Jahren ein vorzeitiger (aber wohl nicht gewaltsam herbeigeführter) Tod. Sein Leichnam wurde in Konstantinopel in der Apostelkirche neben den Konstantinern beigesetzt.

Quellen: Die wichtigsten christl. Quellen sind: Sokrates, Historia ecclesiastica III, 21-26; IV, 2, 4; Sozomenos, Historia ecclesiastica VI, 3-7; Theodoret, Historia ecclesiastica VI, 1-5, 22, 10; Philostorgios, Historia ecclesiastica VIII, 1, 5-8; Gennadius, De viris illustribus 1; Rufin, Historia ecclesiastica XI, 1; Zonaras, Epitome historiarum XIII, 14; Suda s. v. Ἰοβιανός — Für einzelnes vgl. außerdem: Ephrem, Hymni contra Julianum II. III (CSCO 174, p. 75-85; übers. in: CSCO 175, p. 69-80); Gregorius Nazianzenus, Oratio V, 15 (MPG 35, Sp. 381), XXI, 33 (MPG 35, Sp. 1121); Athanasius, Epistula ad Jovianum (MPG 26, Sp. 813); Johannes Chrysostomus, In sanctum Babylam et contra Julianum 23 (MPG 50, Sp. 569); idem, In Epistulam ad Philippenses XV, 5 (MPG 62, Sp. 295); idem, Homilia IV de laude S. Pauli Apostoli (MPG 50, Sp. 489); Augustinus, De civitate Dei IV, 29. V, 21; Hieronymus, Chronicon ad annum 2379, 2380; Johannes Lydus, De magistratibus rei publicae Romanae III, 52; Johannes Damascenus, Passio S. Artemii 70 (Opera V, PTS 29, p. 244). Die Hauptquellen auf heidn. Seite sind: Ammianus Marcellinus, Res gestae XXI, 16, 20-21; XXV; XXVI, 6,3 + 8,5; Themistios, Oratio V (= Festrede zum Antritt des Konsulats am 1.1.364); VII, 99 c; VIII, 114 c, 119 c; XVI, 204 c, 213 a; Eutropius, Breviarium ab urbe condita X, 16-18; Ps.-Aurelius Victor, Epitome de Caesaribus 44; Zosimos, Historia nova III, 30-35; IV, 1. 3. Für einzelnes vgl. außerdem Symmachus, Oratio I, 4. 8; Libanios, Oratio XVII, 34, 35; XVIII, 287, 304; XXIV, 9. 13; XXX, 41; idem, Epistulae 1065. 1137. 1322; Inschriftl. Material: Corpus inscriptionum Latinarum V, 8037; VIII, 4647; XI, 1401 (= Dessau, Inscriptiones Latinae selectae 756. 757); Ramsay, Cities and Bishoprics of Phrygia I², 605, Nr. 481; J. B. de Rossi, Inscriptiones christianae urbis Romae I, 175; Inscriptiones Graecae IX, 1, 721; Ein Münzporträt bei Richard Delbrueck, Spätantike Kaiserporträts, 1933, 26 f., 99 f. Sonstige Quellen: Codex Theodosianus V, 13, 3; VII, 4, 9; X, 1, 8; X, 19, 2.

Lit.: Abbé de la Bleterie, Histoire de l'empereur Jovien, 1740; — Gottlob Reinhold Sievers, Studien zur Gesch. der röm. Kaiser, aus dem Nachlaß des Vaters herausgegeben von Gottfried Sievers (1870), 1891, 266; — Victor Schultze, Gesch. des Unterganges des griech.-röm. Heidentums, Bd. I, 1887, 176 ff.; — J. Reinhardt, Der Tod des Kaisers Julian, Programm Köthen, 1891, 42 ff.; — W. Sickel, Das byzantinische Krönungsrecht bis zum 10. Jahrhundert, in: BZ 7, 1898, 511-557 (vor allem 516 und 536); — Wilhelm Ensslin, Kaiser Julians Gesetzgebungswerk und Reichsverwaltung, in: Klio 18, 1922, 104-199 (bes. 165); — Otto Seeck, Gesch. des Unterganges der antiken Welt IV², 1922 (ND 1966), 358-371, 513-519; — Arturo Solari, I partiti nella elezione di Valentiniano, in: Rivista di filologia e di istruzione classica 10, 1932, 75-79; — Ders., Il non intervento nel conflitto tra la Persia i Valente, ebd., 352-358; — Ders., La elezione di Gioviano, in: Klio 26, 1933, 330-335; — Johannes Straub, Vom Herrscherideal in der Spätantike, 1939 (ND 1964), 13 ff., 22, 216; — Ders., Heidn. Geschichtsapologetik in der christl. Spätantike, Antiquitas 4, 1, 1963, 63-74; — Werner Hartke, Röm. Kinderkaiser, 1951 (ND 1972), 216 f.; — Norman H. Baynes, Byzantine Studies and other Essays, 1960, p. 186 ff; — Henric Nordberg, Athanasius and the Emperor, 1963, 69 ff.; — Arnold Hugh Martin Jones, The Later Roman Empire 284-602, 1964, Bd. I, 328; Bd. II, 639 ff.; — W. Harris, The Via Cassia and the Via Trajana Nova between Bolsena and Chiusi, in: Papers of the British School at Rome XXXIII, 1965, 113-133; — M. Thirion, Les vota impériaux sur les monnaies entre 337 et 364, in: Schweizerische Numismatische Rundschau XLIV, 1965, 5-21; — Robert Turcan, L'abandon de Nisibe et l'opinion publique (363 ap. J. C.), in: Mélanges d'archéologie et d'histoire offertes à A. Piganiol, 1966, 875-890; — Rosario Soraci, L'Imperatore Gioviano, 1968; — Hans Gärtner, Einige Überlegungen zur kaiserzeitlichen Panegyrik und zu Ammians Charakteristik des Kaisers Julian, in: Akademie der Wissenschaften und der Literatur Mainz, Abh. der geistes. sozialwissenschaftlichen Klasse 10, 1968, 499-529; — Arnold Hugh Martin Jones/J. R. Martindale/J. Morris, The Prosopography of the Later Roman Empire I, 1971, 461; — François Paschoud, Cinq études sur Zosime, 1975, 195 ff.; — Ders., Zosime, Histoire nouvelle 2, 1979, 192, 211, 21; — Raban von Haehling, Ammians Darstellung der Thronbesteigung Jovians im Lichte der heidn.-christl. Auseinandersetzung, in: Bonner Festgabe Johannes Straub zum 65. Geburtstag am 18. Oktober 1977, dargebr. von Kollegen und Schülern; — Gerhard Wirth, in: Ancient Society 10/11, 1980/81, 342 ff.; — Ders., Jovian, Kaiser und Karrikatur, in: Vivarium, Festschr. Theodor Klauser zum 90. Geburtstag, in: JAC, Ergänzungsbd. XI, 1984, 353-384; — G. Gautier, Un argenteus inédit de Jovien, frappé à Nicomède, in: Gazette Numismatique Suisse 35, 1985, 42; — Pierre Bastien, Le monnayage de l'atelier de Lyon du règne de Jovien à la mort de Jovin (363-413), in: Numismatique rom. Essais, rech. et doc. XVI, 1987; — RE IX, 397 f.; — Hefele-Leclercq I, 971 ff.; — Pauly-Wissowa IX, 2006-2011; VII A 2, 2198 ff.; — R. Paribeni, Da Diocletiano alla caduta dall'Imperio d'Occidente, 1941, 153 ff.; — RAC I, 860 ff. (s. v. Athanasius); — Lietzmann ³II, 274 ff.; — The Cambridge Medieval History I, 1964, 84-86; — Ernest Stein, Histoire du Bas-Empire I, 1968, 170-172; — Handbuch der Kirchengeschichte (ed. Jedin) II, 1, 63, 225; — LThK V, 1147; — Kl. Pauly II, 1444 f.

Hans-Udo Rosenbaum

JOVINIAN(US), (asketischer) Mönch und Ketzer, † vor 406. — Über Geburt, Herkunft, Nationalität und (monastische) Ausbildung J.s ist nichts bekannt. Mit seiner Kritik am coenobitischen Mönchtum und seinen theologischen Sätzen, in Wort und Schrift (»scriptura horrifica« bzw. »conscriptio temperaria« in der Polemik der Gegner) vorgetragen, tritt J. nicht vor 385 in Rom auf und gewinnt rasch eine recht große Anhängerschar. Von Hieronymus (s.d.) von Bethlehem aus scharf attackiert, wird J. 389 von Papst Siricius (s.d.) nach Anhörung einer eigens einberufenen Stadtsynode mitsamt acht namentlich erwähnten Anhängern exkommuniziert. Der römische Bischof teilt diesen Beschluß der Mailänder Gemeinde mit, da sich J. und seine Gruppe (offenbar zwecks einer Appelation beim dort gerade weilenden Kaiser) hierher geflüchtet hatten: durch Edikt vom 17.6.389 hatte Theodosius (s.d.) die Ausweisung der Manichäer aus Rom verfügt, zu denen der Kreis um J. wahrscheinlich mitgezählt wurde. 391 tritt die von Ambrosius (s.d.) anberaumte Provinzialsynode dem Bann des römischen Klerus' bei; verdammt wird nun auch die von J. wohl erst in Mailand vertretene Ablehnung der Jungfräulichkeit Marias in partu. Durch Hieronymus' überzogene Kritik aus dem Jahr 392 (libri II adv. Iov.) schlägt, da Vermittlungsversuche seiner Freunde Pammachius (s.d.) und Domnio scheitern, die gegen J. herrschende Stimmung teilweise um. Von Mailand aus ergreifen J.s Anhänger Partei bei den Streitigkeiten während der Sedisvakanz in Vercellae, allerdings ohne größeren Erfolg. J.s Spur verliert sich; legendarisch dürfte seine Verbannung auf eine dalmatinische Insel (398) auf Geheiß Kaiser Honorius' (s.d.) sein. Sein Tod ist vor 406, wenn nicht sogar noch früher anzusetzen. — Neben dem Laien Helvidius (s.d.) und dem aquitanischen Presbyter Vigilantius (s.d.) ist J. einer der frühesten und entschiedensten Gegner der im Westen Fuß fassenden monastischen Bewegung. Obwohl seine Schriften, darunter auch in Mailand verfaßte Kommentare, nach 428 verschollen sind, so läßt sich aus den Erwiderungen seiner Gegner, sofern stereotype Ketzerpolemiken hiervon abgelöst werden, ziemlich genau seine Lehre rekonstruieren, deren Fokus die Bekämpfung einer mönchischen Werkheiligkeit ist. Zunächst scheint er in Rom lediglich die Gleichwertigkeit von Ehe und Virginität, die Sündlosigkeit der Wiedergeborenen und die ethische Wertlosigkeit des Fastens vertreten zu haben. Eine Weiterentwicklung stellt seine Behauptung der unterschiedlosen Seligkeit der Getauften dar; hinzu tritt in Mailand die Leugnung der ewigen Virginität Marias. Die katholische Geringschätzung der Sexualität rückt J. in die Nähe des Manichäismus; er wendet sich gegen eine Überschätzung der Askese, die dem einzelnen zwar heilsam und notwendig sein, ihm niemals aber ein höheres Verdienst begründen könne. So hat J. auch die Strenge seiner asketischen Praxis gemildert, wandte sich aber nicht, wie Hieronymus höhnt, einem epikureischen Lebenswandel zu, genausowenig wie er seine Ehelosigkeit aufgab oder Priester zum Zölibatsbruch aufgerufen haben soll. Wohl aber wehrt er sich gegen die Geringschätzung der Ehe und ein Mißverständnis von 1Kor 7; ausdrücklich bejaht er die Legitimität von Zweit- oder gar Drittehen, warnt aber auch entschieden vor Verbindungen mit nichtchristlichen Partnern. Fasten ist für J. mit jeglichem Genuß, der unter danksagendem Gebet geschieht, gleichwertig. In die pelagianischen Streitigkeiten gerät J. mit der Behauptung, daß kein Getaufter sündigen könne. J. negiert keineswegs die empirische Sünde, argumentiert aber in der Verlängerung von 1Joh 3,9ff; 5,18f. Die Taufe begründe einen stufenlosen Gnadenstand in der unsichtbaren Kirche, aus der kein Wiedergeborener (renatus) herausfallen könne. Auf Helvidius baut schließlich J.'s These der temporären Jungfräulichkeit Marias auf, die einen deutlichen antimanichäischen Zug mit der Spitze gegen eine doketische Leiblichkeit Jesu trägt. — Neben Ambrosius, Hieronymus und Siricius (s.o.) wurden J. und seine Anhänger vor allem von (s.d.) Ephraim, Epiphanius, Augustinus, Cyrill von Alexandrien, Johannes von Damaskus und Vinzenz von Lerin mehr oder weniger scharf im Ton angegriffen.

Werke: Quellen: Ambr., ep. ad Siric.; ep. ed. Vercell.; Aug., retract. II, 22; de bono conj. 26,34; de nupt. et concup 2,5.23; de haer. 82; Hier., libri II adv. Iov.; c. Vigil. 1,2; ep. ad Pamm.; ep. ad Domn.; c. Pelag. III,1; ad Celant. ep. XIV,8; Pelag., Ad. Claud. sor. de virg.; liber de ind. cord. Pharaon.; Siric., ep. 7.

Lit.: B. Lindner, De Ioviniano et Vigilantio, Leipzig 1839; — A. v. Harnack, Die Lehre von der Seligkeit allein aus dem Glauben, in: ZThK 1 (1891), 138-154; — R. Schulzen, Die Benützung der Schrr. »De monogamia« und »De ieunio« bei Hieronymus, »Adv. Iovinianum«: JDTh 3 (1894), 485-502; — W. Haller, Iovinianus. Die Fragmente seiner Schriften, die Quellen zu seiner Gesch., sein Leben und seine Lehre zus.gestellt, erl. und im Zus.hang dargest. TU 17/2, Leipzig 1897; — F. Valli, Un eretico del secolo IV: Didaskaleion NS 2 (1924), 1-66; — H. A. van Babel, Circa Sacra, 1935, 136; — D. F. Heimann, The Polemical Application of Scripture in St. Jerome, in: StPatr XII, Berlin 1975, 309-316; — Robert C. Gregg, Die Ehe: Patristische und ref. Fragen: ZKG 96 (1985), 1-12; — DThC VIII, 1577-1580; — EC VI, 646 f.; — LThK V, 1147 f.; — RE IX, 398 ff.; — RGG III, 874.

Klaus-Gunther Wesseling

JOWETT, Benjanim, berühmter Rektor des Balliol College in Oxford, * 15.4. 1817. Camberwell, † 1.10. 1893 in der Nähe von London. — J. zeigte bereits im Kindesalter eine ungewöhnlich frühreife Sprachbegabung für Griechisch und Latein, die es ihm sowohl ermöglichte, große Passagen lyrischer Prosa auswendig zu lernen, als auch fließend in beiden Sprachen zu übersetzen. Nachdem er 1835 seine Studien am Balliol College aufgenommen hatte, wurde er bereits drei Jahre später, obwohl selber noch nicht examiniert, mit einer regelmäßige Lehrtätigkeit betraut. Nach Abschluß des M. A. 1842 wurde er zum Tutor, 1855 zum »regius« (königlichen) Professor für griechische Philologie ernannt und 1870 gewählter »master of Balliol College«. Außer durch seine Übersetzungen wurde J. durch sein pädagogisches Engagement sowie vor allem durch seine exegetischen Interpretationen der Paulus-Briefe berühmt. In einem traditionell evangelikalen Milleu aufgewachsen, empfing er 1845 die priesterlichen Weihen und setzte sich immer weiter mit dem Griechisch des Neuen Testaments auseinander. Mit sehr viel Einfühlungsvermögen kritisierte er speziell anhand der Briefe an die Thessaloniker, Galater und Römer die begrenzten sprachlichen Ausdrucksmöglichkeiten des Heiligen Paulus. Dessen gedankliche Tiefe, so der Tenor des Buches von 1855, werde allein aus dem Kontext, nicht aber aus dem vagen Sprachgebrauch der Texte faßbar. Obwohl eine Anklage gegen J. bald fallengelassen wurde, blieb ihm der Häresie-Vorwurf sein Leben lang erhalten. Hatte er sich zunächst ganz aus den theologischen Auseinandersetzungen zurückgezogen, so nahm sein Engagement in den siebziger und achtziger Jahren wieder stark zu. Er predigte landesweit, verzichtete jedoch auf weitere Publikationen. — J. lebte und dachte in dem ständigen Spannungsverhältnis zwischen zersetzender philologischer Kritik und dem Gefühl religiöser Wahrheit. Er suchte diese Wahrheit weniger auf der ideologisch transzendentalen Ebene, sondern vielmehr in allen Bereichen der menschlichen Erfahrung, im offenen Gespräch und mit der ständigen Bereitschaft, die Perspektive zu wechseln. Er erfreute sich einer großen Beliebtheit unter seinen Schülern und erhielt 1875 die theologische Ehrendoktorde der Universität Leiden.

Werke: De Etruscorum cultu moribus et legibus eorumque apud Romanos vestigiis. Oratio in Theatro Sheldoniano habita die junii XV. MDCCCXLI, Oxonii 1841; The Epistles of St. Paul to the Thessalonians, Calatians, Romans: with critical notes and dissertations, London 1855, ³1894; Noyes. A collection of theological essays from various authors, Boston 1856 (darin: The doctrine of the atonement, 221-237; On righteousness by faith, 239-263, On the imputation of the sin of Adam, 265-271; On conversion and changes of character, 273-297; Casuistry, 299-320; On the connection of immorality and idolatry, 321-324; On the quotations from the Old Testament in the New, 329-339; Fragment on the character of St. Paul, 341-356; Evils in the Church of the Apostolical Age, 383-391, On the belief in the coming of Christ in the Apostolical Age, 393-402), On the interpretation of Scripture, In: Recent inquiries in theology, 362-480, Boston 1860, Statements of Christian doctrine and practice, extracted from the published writings of the Rev. B. J., Oxford 1861; The Dialogues of Plato, translated into English, with Analyses and Introductions, 4 Bde., 1871, 5 Bde., ²1875; Lord Lytton, the man & the author, London 1873; Thucydides. Thucydides translated into English, with introduction, marginal analysis, notes and indices, Oxford 1881; Plato. Socrates, The Phaedo of Plato, Boston 1882; Plato. Socrates, The Apology and Crito of Plato, Boston 1882; Plato. Plato's best thoughts, New York 1883; Aristotle's Politics, translated into English, with Introduct1on, 2 Bde, 1885, Aristoteles. The politics of Áristotle, translated by B. J., with a preface by the translator, and a special introduction by Maurice Francis Egan, New York 1890; College sermons, ed. by W. H. Fremantle, London/New York 1895; Essays on men and manners, ed. by Philip Lyttelton Gell, London 1895; Sermons biographical & miscellaneous, ed. by W. H. Fremantle, London/New York 1899; Letters of B. J., M. A.,

master of Balliol college Oxford, arranged and ed. by Evelyn Abbott u. a., London 1899; Sermons on faith and doctrine, ed. by W. H. Fremantle, London 1901; Select passages from the theological writings of B. J., ed. by Lewis Campbell, London/New York 1902; Plato. The four Socratic dialogues of Plato, translated into English with analyses and introductions by B. J., with a preface by Edward Caird, Oxford 1903; The interpretation of scripture and other essays, London 1907; Scripture and truth, dissertations, with introduction by Lewis Campbell, London 1907, Thucydides. The history of Thucydides, translated from the ancient Greek by B. J., New York 1909; Thucydides. Speeches from Thucydides, selected from J.'s translation, with an introduction by Gilbert Murray, Oxford 1919; Plato. The works of Plato, translated into English with analyses and introductions by B. J., New York 1937; Aristoteles. Aristotle's Politics, translated by B. J., with introduction, analysis and index by H. W. C. Davis, Oxford 1931; Success and failure, a sermon, with an introduction by William Lowe Bryan, Herrin (Ill.) 1945.

Lit: J. M. Prest, Robert Scott and B. J., Supplement to Balliol College Record, 1866, 10-14; — W. Ward, William George Ward and the Oxford Movement, 1889; — L. A. Tollemache, B. J., Master of Balliol College, 1895; — Evelyn Abbott and Lewis Campbell, Life and Letters of B. J., 2 Bde., 1897; — G. Faber, J.: a portrait. with background, London 1957; — Geoffrey Best, Temporal Pillars, Cambridge 1964; — James Bentley, Ritualism and Politics in Victorian Britain - the Attempt to legislate for Belief, Oxford 1968; — D. Bowen, the Idea of the Victorian Church, Montreal 1968; — Olive Brose, Church and Parliament: the Reshaping of the Church of England 1828-60, London 1969; — M. A. Crowther, Church Embattled - religious controversy in Victorian England, Newton Abbot 1970; — Owen Chadwick, The Victorian Church, 2 Bde., London ²1972; — G. E. T. Machin, Politics and the Churches in Great Britain 1832-68, Oxford 1977; — Ieuan Ellis, Seven Against Christ, Leiden 1980; — J. Barr, J. and the »original meaning« of Scripture, in: Religious Studies XVIII (1982), 433-437; — J. Barr, J. and the reading of the Bible »like any other book«, in: Horizons in Bliblical Theology IV (1982), 1-44; — Peter Hinchliff, Ethics, Evolution and Biblical Criticism in the Thought of B. J. and John William Colenso, in: Journal of Ecclesiastical History 37 (1986), 91-110; — George M. Tuttle, So Rich a Soil: John McLeod Campbell on Christian Atonement, Edinburgh 1986; — Edward Norman, The Victorian Christian Socialists, Cambridge 1987; — Boyd Hilton, The Age of Atonement. The Influence of Evangelicalism on Social and Economic Thought 1795-1865, Oxford 1988; — DNB, XXII, 921-928; — RGG, III, 874 f.; — TRE, XVII, 278f.

Helmut Reifeld

JOYCE, James Augustine (Aloysius), irischer Schriftsteller, * 2.2. 1882 in Rathgar (Dublin) als zweites von elf Kindern des John Stanislaus Joyce und der Mary (May) Murray, † 13.1. 1941 in Zürich. — Schul- und Studienzeit des jungen

J. waren u. a. geprägt von den Lehren und Ideen seiner jesuitischen Lehrer. 1888 wurde er Schüler des Jesuiten-Colleges Clongowes Wood in Salins, Co.Kildare, das auch als »Eton Irlands« bekannt war, 1893 Zögling des jesuitischen Belvedere College in Dublin, nachdem er im Jahr zuvor kurz die Ordensschule der Christian Brothers in Dublin besucht hatte. Schon während seiner Schulzeit galt J. als überdurchschnittlich begabt und war bei Lehrern und Mitschülern gleichermaßen beliebt. 1898 immatrikulierte er sich am Royal University College, einer ursprünglich rein katholischen Institution. 1902 erwarb er dort den Grad eines »Bachelor of Arts«. J.s diverse Berufspläne, u. a. wollte er zunächst in Dublin, dann in Paris Medizin studieren, führten zu keinem Ziel. 1904 verließ er zusammen mit seiner Lebensgefährtin Nora Barnacle Dublin, um dem beschränkten geistigen Klima seiner Heimat zu entfliehen, das ihn bei der Erfüllung seiner künstlerischen Sendung zu stark beengte. Von 1904 bis zu seinem Tod 1941 in Zürich lebte die Familie (Sohn Giorgio * 1905, Tochter Lucia * 1907) abwechselnd in Triest, Paris und Zürich. — J.s geistige Entwicklung war beeinflußt von zwei ganz unterschiedlichen Seiten. Zum einen wuchs er in der von Nationalismus und Antiklerikalismus geprägten Tradition der väterlichen Familie auf. Sein Vater war ein großer Verehrer des Führers der Home Rule Bewegung, Parnell, der 1891 gestürzt wurde. Der junge J. machte die katholische Kirche für den Sturz seines Idols verantwortlich, was er als Neunjähriger eindrucksvoll in dem Gedicht »Et Tu, Healy« beschreibt. Seine desolate familiäre Situation verarbeitet J. in vielen Szenen seiner stark autobiographisch gefärbten Werke, stellt sie als typisch irisch dar: ein in allen Belangen stets versagender Vater, eine fromme und treu ergebene Mutter, die vergeblich gegen den sozialen Abstieg der Familie ankämpft, gleichzeitig aber Opfer und Komplizin dieses Mannes ist. — Die Ideen und Lehren der jesuitischen Lehrer und Erzieher wurden zum zweiten bestimmenden Faktor in J.s Entwicklung. Die zunächst ungeteilte Bewunderung für seine Lehrmeister und ihre Gelehrsamkeit weicht der Desillusionierung und der Suche nach neuen Identifikationsmöglichkeiten — ausgelöst durch die Wahrnehmung einer den Bewunderten innewohnenden doppelten Moral: Religion mit Demut und Gehorsam versus beobachtbare Praxis jesuitischen Lebens, die diplomatisch-pragmatischen Verhaltensweisen standen conträr zu ihrer idealistischen Lehre. Enttäuscht von Priestern und den praktischen Auswirkungen der Religion macht J. sich auf die Suche nach dem Kern der Wahrheit und Schönheit. Religion sieht er nur noch als Ersatz für die Kunst an, die Priester als Usurpatoren des Platzes der Künstler. — J.s Werk zeichnet sich aus durch den experimentellen Gebrauch der Sprache und durch die Begründung neuer literarischer Methoden. Inhaltlich bewegt er sich von autobiographisch gefärbten Beschreibungen der irischen Lebensart bis zur Verarbeitung klassischer Stoffe (z. B. Odysseus). Insgesamt stellen seine Werke eine bleibende literarische Herausforderung dar.

Werke: James Joyce, Werke. Frankfurter Ausgabe in 7 Bd.n, hrsg. v. Reichert, Klaus unter Mitarb. v. Fritz Senn, 1969-1076; Ders., Werkausgabe, 6 Bde., 1986; Ders., Finnegans Wake. Übertragungen, hrsg. v. Klaus Reichert/Fritz Senn, 1989.

Lit.: Armin Arnold, J. o. J.; — Hermann Broch, J. und die Ggw. Rede zum 50. Geb. in: »Gesammelte Werke«, Bd. 6, 1955; — Ezra Pound, Zeitgenossen, 1959; — ders., James Joyce, Die Geschichte ihrer Beziehung in Briefen und Dok., 1972; — Richard Ellmann, J., 1959. Biographie mit ausführl. Bibliographie; — Jean Paris, J. in Selbstzeugnissen und Bilddokumenten, 1960; — Jean Jaques Mayoux, J., 1967; — Harry Levin, J. Eine krit. Einführung, 1975; — Jane Lidderdale/Mary Nicholson, Liebe Miss Weaver. Ein Leben für J., 1976; — Arthur Power, Gespräche mit J., 1978; — Thomas Jackson Rice, J.: a Guide to Research, 1982, Umfassende Bibliographie bis ca. 1980; — Fritz Senn, Nichts gegen J. Gesammelte Aufsätze 1958-1983; — Gisèle Freund, Drei Tage mit J., 1983; — Das Dubliner Tagebuch des Stanislaus Joyce, hrsg. v. George H. Healey, 1984; — Studenten lesen J. Interpretationen zum Frühwerk, 1984; — Arno Schmidt, Arbeitsexemplar von Finnegans Wake by J., 1984; — Protokolle für Lit. und Kunst, hrsg. v. Otto Breicha, 1979 ff., hier: 1985/1: James Joyce betreffend. Materialien zur Vermessung seines Universums; — Davies Stan Gebler, J., 1987; — Walter Kappacher, Aus dem Nachlaß von J. Ein Interview, 1987; — Friedhelm Rathjen, »... schlechte Augen«: J. bei Arno Schmidt vor »Zettels Traum«, 1988; — Ders./James Joyce, Die Gesch. ihrer Beziehung in Briefen und Dokumenten, 1972; — Ders., Dublin-Bargfeld. Von J. zu Arno Schmidt, 1987; — Dunja Barnes, Paris, J., Paris, 1988; — Thomas Faerber/Markus Luchsinger, J. in Zürich, 1988; — Frank Budgen, J. und die Entstehung des Ulysses, o. J.

Ursula Hoffacker

JOYEUSE, François de, Kardinal (* 24.6. 1562, † 1615). Kardinal François von Joyeuse stammt aus einer aus Vivarais kommenden Familie (Joyeuse ist heute Kreisstadt vom Département Ardèche), die seit dem Anfang des XVI. Jahrhunderts infolge einer reichen Eheschließung, die ihre Lehenherrschaften von Couiza, Puivert, Arques (im jetzigen Département Aude) mitbrachten, in Languedoc niedergelassen ist. 1560 heiratet Wilhelm Vizegraf von Joyeuse Marie von Batarnay, die Tochter von René de Batarnay, Lehensherr von Bouchage, und von Isabelle von Savoyen, die Schwester der Herzogin von Montmorency. Der Herzog Anne von Montmorency war damals Kronfeldherr von Frankreich und Gouverneur von Languedoc. Ihm verdankt Wilhelm wahrscheinlich, am 4. Mai 1561 zum Generalstatthalter bei der Regierung dieser Provinz ernannt worden zu sein. Aus der Ehe von Wilhelm von Joyeuse und Marie von Batarnay stammen sieben Söhne: Anne 1. Herzog von Joyeuse (1561-1587), François (Franz) Kardinal und 4. Herzog v. Joyeuse (1562-1615), Heinrich Kapuziner, 3. Herzog v. Joyeuse (1563-1608), Antoine-Scipion, Malteserritter und Großprior von Toulouse und 2. Herzog v. Joyeuse (1565-1592), Georges, Baron von Saint-Didier (1567-1584); Claude, Lehensherr von Saint-Sauveur (1569-1587) und Honorat (jung gestorben). Der älteste, Anne, wurde ab 1577 der Günstling des Königs (= einer seiner Mignons) von Frankreich, Heinrich des III., der ihm zum Herzog, Pair (1581) und Admiral von Frankreich (1582) machte und ihn seine Schwägerin Marguerite von Lothringen (1581) heiraten ließ. Die königliche Gunst erstreckte sich über die anderen Söhne von Wilhelm v. Joyeuse, angefangen mit Franz, dem 2. Sohn, der nach dem Brauch für die geistliche Laufbahn bestimmt war. Franz v. Joyeuse wurde am 24. Juni 1562 in Carcassonne geboren und studierte in Toulouse, dann in Paris, im Collège de Navarre und an der Universität von Orléans, wo er zum Doctor in utroque jure promovierte. Am 20. Oktober 1581 wurde er zum Erzbischof von Narbonne ernannt. Er wurde von Gregor XIII. zum Kardinal im Kardinalskollegium des 12. Dezember 1583 ernannt, kurz nachdem er einen Aufenthalt am päpstlichen Hof mit seinem älteren Bruder, dem Herzog, gemacht hatte. Nach dem Tod des Papstes (10. April 1585) ging er wieder nach Rom, kam aber zu spät an, um bei der Wahl von Sixtus V. mitzustimmen. Der letztere verlieh ihm im Mai 1585 die letzten Attribute der Kardinalswürde und wies ihm den Titel von Saint-Sylvestre in capite zu (später entschied sich J. jeweils für die Titel von la Trinité-des-Monts, am 11. Dezember 1587 und Saint-Pierre-aux-Liens, am 27. April 1594, bevor er in den Orden der Kardinalsbischöfe hineinging, indem er am 24. März 1604 Bischof von Sabine wurde). Nach Frankreich zurückgekehrt, wurde er am 23. August 1585 zum Ehrenrat beim Pariser Parlament; er wurde am 16. Februar 1587 von Heinrich III. zum Schutzherrn für französische Angelegenheiten am Hof von Rom ernannt. Dieses Amt wurde frei nach dem Tod von Louis d'Este. Er ging wieder nach Italien, wo er sich in der »ewigen« Stadt niederließ. — Dort erfuhr er von den tragischen Ereignissen der Jahre 1587-1588, vom Tod seiner Brüder Anne und Claude bei der Schlacht von Coutras (20. Oktober 1587), von den revolutionären Tagen im Mai 1588 und von der Flucht Heinrich III. und schließlich vom Mord in Blois an dem Herzog und Kardinal von Guise (23./24. Dezember 1588). In dieser schwierigen Lage blieb J., der gerade zum Erzbischof von Toulouse (4. November 1588) ernannt worden war, dem König treu und übernahm seine Verteidigung beim Papst. Nach seinem Rat bat Heinrich III. im März 1589 um die Absolution von Sixtus V., da er ein Mitglied des Kardinalskollegiums umbringen lassen hat. Aber nach der Versöhnung des Königs mit Heinrich von Navarra in Plessis-lès-Tours (30. April 1589) veröffentlichte der Papst, trotz der Bemühungen des Kardinals, ein Monitorium (24. Mai 1589), das Heinrich III. mit einer Exkommunizierung drohte, wenn er nicht innerhalb von 10 Tagen den Kardinal von Bourbon und den Erzbischof von Lyon, beide gefangen, wieder freiließ, und wenn er selbst oder in procura nicht innerhalb von 60 Tagen in Rom vor Gericht erscheine. Der Kardinal von J. verließ sofort Rom (30. Mai 1589) und zog sich nach Venedig zu den Hieronymiten im Kloster von Sainte-Marie des Grâces zurück. — Nach der Ermordung von Heinrich III. durch Jacques Clément (1. August 1589) und der Thronbesteigung des Protestanten Heinrich von Navarra-Heinrich

IV. schloß er sich der katholischen Liga an und ging nach Languedoc zu seinem Bruder Antoine-Scipion, der nach dem Tod des älteren Bruders Anne Herzog von Joyeuse geworden war. Diese Provinz war politisch geteilt und unterstand 2 Obrigkeiten: das Nieder-Languedoc (Bas-Languedoc) - Gegend von Montpellier - war der Autorität des Herzogs von Montmorency-Damville unterstellt, dieser war Gouverneur der Provinz und dem König treu. Das Ober-Languedoc (Haut-Languedoc) - die Gegend von Toulouse - lag in den Händen des alten Marschalls Wilhelm von Joyeuse (zu dieser Würde 1582 erhoben) und dessen Sohn Antoine-Scipion, die jeweils von der Liga zum Gouverneur bzw. Generalstatthalter der Provinz ernannt worden waren. Mit seiner Ankunft in Narbonne im November 1589 brachte der Kardinal v. Joyeuse seinem Bruder seine Unterstützung durch seine Autorität und seine Geltung, die sein Titel des Erzbischofs von Toulouse ihm verschaffte. Er präsidierte im März 1590 in Lavaur und dann in Toulouse die Provinzialstände der Liga, die dem Marschall von Joyeuse und seinem Sohn das Rekrutieren erlaubten, und beschlossen dafür gedachte erhebliche Zuschüsse und entschieden sich dafür, den König aus Spanien um personelle und finanzielle Unterstützung zu bitten. Im Januar 1591 präsidierte er den Provinzialständen in Castelnaudary. Im gleichen Jahr begab er sich via das katalanische Sanktuarium von Notre-Dame de Montserrat nach Rom und nahm an den Konklaven teil, die den Papst Innocenz IX. am 29. Oktober 1591 und dann den Papst Clemenz VIII. am 30. Januar 1592 wählten und kehrte danach nach Languedoc zurück. Da sein Vater, der Marschall von Joyeuse, Anfang 1592 verstorben war, ernannte der Herzog von Mayenne, der Generalstatthalter des königlichen Staates und der französischen Krone und Ligachef, am 17. März Antoine-Scipion von Joyeuse zum Gouverneur des Languedocs und Marschall von Frankreich. Aber dieser wurde von den königlichen Kräften bei der Belagerung von Villemur geschlagen und ertrank am 20. Oktober 1592 im Tarn beim Fluchtversuch. Das Parlament von Toulouse ernannte darauf den Kardinal von Joyeuse zum Stadt- und Landgouverneur. Aber da der Kardinal erklärt hatte, er akzeptiere dieses Amt aufgrund seiner Unerfah-

renheit auf dem Gebiet des Militärischen nur vorläufig, riefen die Provinzialautoritäten seinen jüngeren Bruder Heinrich Pater Ange, Kapuziner. Franz und Heinrich wurden zu Gouverneur bzw. Generalstatthalter von Languedoc ernannt. Diese Nominierungen wurden von den in Carcassonne versammelten Ständen am 14. November 1592 ratifiziert und vom Herzog von Mayenne am 26. November 1592 bestätigt. — Ende 1593 ging der J. nach Rom. Aber die allgemeine politische Lage hatte sich geändert: Heinrich IV. hatte in Saint-Denis am 25. Juli 1593 seinem Glauben abgeschworen, er wurde in Chartres am 27. Februar 1594 gekrönt und marschierte am 22. März 1594 in Paris ein. Ende 1594 verkehrte J. schriftlich mit dem König. 1595 bemühte er sich gemeinsam mit Arnaud d'Ossat, seinem ehemaligem Sekretär, und mit Jacques Davy du Perron, dem Bischof von Evreux, um bei Clemenz VIII. die Absolution des Königs von Frankreich zu erhalten, der immer noch unter den 1585 gegen ihn von Sixtus V. gerichteten Zensuren stand. Durch die am 17. September 1595 feierlich ausgesprochene päpstliche Absolution gewann der König zahlreiche Ligisten, u.a. die aus Languedoc, die mit ihm am 24. Januar 1596 den Frieden von Folembray unterzeichneten. — Anfang 1596 kam der Kardinal von J., um Heinrich IV. seine Treue zu versichern und sah sich sofort in seinem Amt als Schutzherr der französischen Angelegenheiten in Rom bestätigt. Er verbrachte anschließend einen langen Aufenthalt im Reich. April 1598 segnete er in Angers die Verlobung von Caesar Herzog von Vendôme, dem unehelichen Kind von Heinrich IV. und von Gabrielle d'Estrées, mit Françoise von Lothringen. Im September 1598 schickte Heinrich IV. ihn in den päpstlichen Hof zurück, wo er ihn beauftragte, die Annulierung seiner 1572 geschlossenen Ehe mit Marguerite von Valois zu verhandeln. Am 13. Februar 1599 kam er in Rom an und wurde vom Papst Clemenz VIII. zusammen mit dem Erzbischof von Arles Orazio del Monte und dem Nuntius in Frankreich Gasparo Silingardi, dem Bischof von Modène, beauftragt, den vom König gestellten Annulierungsantrag zu bearbeiten und das Urteil zu fällen. Der Kardinal kam im Sommer 1599 nach Frankreich, und am 17. Dezember erklärten die 3 päpstlichen Bevollmächtigten die königliche Ehe für nichtig. Am 9. November 1600 empfing der Kardinal die neue Königin

Marie von Medicis bei ihrer Ankunft in Marseille. — Im August 1603 ging J. wieder nach Rom, und dies auf Befehl von Heinrich IV., der sich wünschte, daß die französischen Kardinäle sich so lange wie möglich am päpstlichen Hof aufhielten, damit der Einfluß Frankreichs wiederhergestellt wurde. Er kam am 13. Oktober 1603 in Rom an und bleibt 6 Monate. Zurück in Frankreich im Juli 1604, wurde er zum Erzbischof von Rouen ernannt. Er ging schon Anfang November wieder weg und nahm im Frühling 1605 an den 2 Konklaven teil, die den Kardinal von Florenz (Alexander von Medicis) am 1. April unter dem Namen Leo XI. zum Papst wählten - er war unverholen den Franzosen geneigt - starb aber nach 27 Tagen Pontifikat. Dann wählten sie am 16. Mai Kardinal Camillo Borghese, der den Namen Paul V. annahm. Die 2 Wahlen, bei denen J. einer der Hauptfiguren war, bestätigen den französischen Einfluß in Rom. — Im Juni 1605 erlaubte der König J., nach Frankreich zurückzukehren. Anfang 1606 ernannte ihn Paul V. zum Schutzherrn des Kapuzinerordens. Am 17. Juli 1606 wurde er zum Legat a latere, um den Papst bei der Taufe des Thronfolgers zu vertreten; die Zeremonie fand am 14. September 1606 in Fontainebleau statt. Aber schon ab November des gleichen Jahres mußte er nach Italien zurückkehren, um einen Streit zwischen dem Papst und Venedig zu schlichten und um zu vermitteln. — Paul V. hatte schon zu Anfang seines Pontifikats die Republik Venedig darum gebeten, mehrere Gesetze, die die Güter der Kirche und die Immunitätsverletzung der Kirche betrafen, aufzuheben und auch zwei wegen Straftaten festgenommene Kleriker den kirchlichen Richtern zu übergeben. Da die Regierung von Venedig ablehnte, exkommunizierte er am 17. April 1606 den Senat, falls er widerstände, was passierte. Ebenso bannte Paul V. das ganze Territorium der Republik. Heinrich IV., traditioneller Verbündeter der Venezianer, vermittelte und schlug J. als Schlichter vor, was der Papst annahm. Im November 1606 reiste J. von Frankreich ab, kam am 14. Februar 1607 in Chiozza an und zog am 16. Februar in Venedig ein. Nach geschickten Verhandlungen erhielt er von Paul V. die Aufhebung des Banns, und nachdem ihm die gefangenen Kleriker von den Venezianern übergeben wurden, veröffentlichte er am 21. April die Aufhebung der päpstlichen Zensuren. Nach der Wiederherstellung der diplomatischen

Beziehungen zwischen Venedig und dem Heiligen Stuhl kehrte J. im Frühling 1607 nach Frankreich heim. — Seine Autorität war zu dieser Zeit beträchtlich. Er bekam offizielle Ämter und die ehrenhaftesten Aufgaben anvertraut. Am 13. Mai 1610 krönte J. die Königin Marie de Medicis in Saint-Denis, aber am Tag darauf wurde Heinrich IV. von Ravaillac ermordet. Am folgenden 17. Oktober war J. auch derjenige, der den jungen König Ludwig XIII in Reims krönt, statt des Erzbischofs von Reims, der seine bischöfliche Ordination noch nicht bekommen hatte. 1611 beauftragt ihn M. de Medicis, die Politik des französischen Hofs in Rom zu verteidigen. J. wurde am 17. August 1611 Bischof von Ostie und zum Dekan des Kardinalskollegiums ernannt. Währenddessen verschlechterte sich seine Gesundheit. 1613 erlitt er einen Schlag, von dem er sich nur schlecht erholte. J. konnte trotzdem bei den in Paris im Oktober 1614 im Kloster des Grands Augustins versammelten »Generalständen« erscheinen, wo er in den ersten Sitzungen der Kleruskammer präsidierte. 1615 verließ er erneut Paris, mit der Absicht, über Languedoc nach Rom zurückzukehren. Von Narbonne aus ging er nach N. D. de Montserrat, wo er das Osterfest verbrachte, dann zog er sich im Collège der Jesuiten von Billom in Auvergne zurück und machte eine Badekur in Vic-le-Comte. Er begab sich anschließend nach Joyeuse, wo er sich am 8. August aufhielt, und erreichte Avignon. Dort starb er am 23. August 1615. — J. ist eine der hervorragenden Figuren des französischen Episkopats um die Wende des XVI.-XVII. Jahrhunderts. Erzbischof mit 19 und Kardinal mit 21, hatte er eine glänzende und schnelle Karriere, die ihn zum Gipfel der geistlichen Hierarchie führte. Er war mit dem König von Frankreich und dem Heiligen Stuhl durch eine doppelte Treue verbunden, er hatte es geschafft und gewußt, wie man eine mäßigende Rolle spielt, was wesentlich war in dieser Epoche der Religionskriege des XVI. Jahrhunderts; und nachdem der bürgerliche Frieden wiederhergestellt wurde, spielte er weiter eine diplomatische Hauptrolle und erwarb ein großes Prestige auf der internationalen Szene. Die Unterschiedlichkeit seiner Ämter und Aufgaben, die ihm anvertraut wurden, zwangen ihn zu vielen Reisen. Gleichzeitig Kardinal der Kurie und Amtskardinal hatte er seine Existenz zwischen seinem römischen Palast in Monte Giordano und seinen erzbischöflichen Residenzen (u.a. nach 1604, im wunderschönen Palast von Gaillon, der Residenz der Erzbischöfe von Rouen) und am Hof von Frankreich. J. war zu bestimmten Zeiten ständig auf Reisen. — Er war ein diplomatischer und ein politischer Prälat und auch einer der reichsten Geistlichen seiner Zeit. Außer seinen drei Erzbischofstümern hatte er verschiedene Geld einbringende Pfründe als Kommende, u.a. die Abteien von Marmoutier und Saint-Florent-lès-Saumur (die er 1604 gegen das Erzbischofstum von Rouen mit Charles de Bourbon tauschte), von le Mont-Saint-Michel, von Saint-Sernin in Toulouse, von Chambons, von Grandselve und von Saint-Michel in Pontoise. Er wirkte intensiv mit bei Reformen der katholischen Kirche, und er war ein Bischof, der sich um seine Aufgaben als Seelenhirt kümmerte. Er rief 1590 ein Provinzialkonzil in Toulouse zusammen, veröffentlichte verschiedene Synodalbeschlüsse u. Synodalerlässe (Toulouse 1596 und 1597, Rouen 1606) sowie »Einleitungen« für den Klerus der Diözese von Rouen = für die Erzdiakone und die Visitatoren, die Geistlichen, die Priester und andere Kleriker in der Ausübung ihres Amtes (1607-1613). Er stattete persönlich mehrere priesterliche Besuche in seinen Diözesen von Toulouse (1590, 1592, 1595, 1596, 1597, 1602) und von Rouen (1609) ab. Er war der Gründer mehrerer Stiftungen: eines Klosters in Narbonne, eines Priesterseminars in Pontoise, den Jesuiten anvertraut, nachher nach Rouen verlegt; einer Erziehungsanstalt für Mädchen auch in Pontoise; einer Anstalt für die Oratorianer in Dieppe. Schließlich hatte er zahlreiche Bischöfe in Rom sowie in Frankreich, u. a. Jérôme Hennequin - Bischof von Soissons (in Rom August 1587), Pierre de Donnaud - Bischof von Mirepoix (in Rom 27. September 1587); Pierre Saulnier - Bischof von Autun (in Rom 17. Juli 1588); Cyr de Thyard - Bischof von Chalon (in Rom 20. Februar 1594); Honoré de Lascaris - Bischof von Aoste (in Rom 2. April 1594); Jacques Davy du Perron - Bischof von Evreux (in Rom 27. Dez. 1595); François de Donadieu - Bischof von Auxerre (in Rom 1. August 1599); Léger de Plas - Bischof v. Lectoure (in Paris 19. Dez. 1599); François d'Escoubleau de Sourdis - Erzbischof v. Bordeaux (in Paris, 21. Dez. 1599); Gaspard Dinet - Bischof v. Mâcon (in Paris, 6. Jan. 1600); Louis de Vervins - Erzbischof v. Narbonne (in Lyon 8.

Dez. 1600); Jean Raymond - Bischof v. Saint-Papoul (in Toulouse 13. Okt. 1602); Gabriel de L'Aubespine Bischof v. Orléans und Antoine de Cous Koadjutor v. Condom (in Rom 28. März 1604); Guillaume Le Gouverneur - Bischof v. Saint-Malo (in Paris 20. Februar 1611); François de Harlay de Champvallon Koadjutor v. Rouen (in Paris 2. März 1604). Als Ältester der französischen Kardinäle (nach dem Tod von Kardinal von Pellevé, 24. März 1594) hatte er während mehr als 20 Jahren die Rolle des Chefs der französischen Kirche inne.

Werke: Statuts synodaux, ordonnances, instructions. Voir les listes publiées dans A. Artonne, L. Guizard et O. Pontal, Répertoire des statuts synodaux des diocèses de l'ancienne France du XIII° à la fin du XVIII° siècle (Paris 1963), p. 381 (pour le diocèse de Rouen) et 443-444 (pour le diocèse de Toulouse). — Briefe: Coppie d'une lettre escrite par feu Mgr l'Illustrissime cardinal de Joyeuse, vivant archevesque de Rouen... à M. Maistre Guillaume Maran ... sur la résolution donnée par ledit sieur Maran à la consultation qui luy fut faite par messieurs du chapitre de Tholose en l'an 1613 contre les prétentions des pères jésuites, avec les responses d'iceluy sieur Maran aux lettres de mondit seigneur le cardinal, s.l. 1621; L. Cimber et F. Danjou, Archives curieuses de l'histoire de France, première série, t. XII (Paris 1836), p. 157-187 [Lettre du cardinal de Joyeuse au roi Henri III, 9 janvier 1589]; A. Dragonetti de Torres, Lettere inedite dei cardinali de Richelieu, de Joyeuse, Bentivoglio, Baronio, Bellarmino, Maurizio di Savoia ed altri ... dirette ai cardinali Ludovico e Cosimo de Torres, Aquila 1929. — Testament: Testament et dernier propos de M. le cardinal de Joyeuse à M. et Mme de Guyse, du 23 aoust 1615, Paris (Melchior Mondière) 1615; — L'adieu et derniers propos de Mgr l'illustrissime et révérendissime cardinal de Joyeuse en voyez à M. et à Mme de Guise, Paris (Jean Millot) 1615.

Lit.: Antoine Aubery, L'histoire du cardinal duc de Joyeuse, Paris (Robert Denain) 1654; — Gallia christiana, Paris 1716-1865, 16 vol; — Antoine Duranthon, Collection des procès-verbaux des assemblées générales du Clergé de France depuis l'année 1560 jusqu'à présent, t. I, Paris 1767; — Dom Claude Devic et dom Jean Vaissète, Histoire générale de Languedoc, t. XI et XII, Toulouse 1889; — Victor Martin, Les négociations du nonce Silingardi, évêque de Modène, relatives à la publication du concile de Trente de France (1599-1601), Paris 1919; — Pierre de Vaissière, Messieurs de Joyeuse, 1560-1615, Paris 1926; — Hierarchia catholica medii et recentioris aevi, t. III et IV, Monasterii 1923-1935; — J. Wodka, Zur Geschichte der nationalen Protektorate der Kardinäle an der römischen Kurie, dans Publikationen des ehemaligen Oesterreichischen historischen Instituts in Rom, t. IV, Innsbruck-Leipzig 1938, p. 1-130; — André Artonne, Louis Guizard et Odette Pontal, Répertoire des statuts synodaux des diocèses de l'ancienne France du XIII° à la fin du XVIII° siècle, Paris 1963; — Bernard Barbiche, Correspondance du nonce en France Innocenzo del Bufalo, évêque de Camerino (1601-1604), Rome-Paris 1964 (Acta nuntiaturae gallicae, 4); — Bernard Barbiche, L'influence française à la cour pontificale sous le règne de Henri IV, dans Ecole française de Rome. Mélanges d'archéologie et d'histoire, t. 77, 1965, p. 277-299; — Fernand Combaluzier, Sacres épiscopaux à Rome de 1565 à 1662, dans Sacris eruditi, t. 18, 1967-1968, p. 120-305; — Fernand Combaluzier, Sacres épiscopaux à Rome de 1566 à 1602, dans Sacris eruditi, t. 19, 1969-1970, p. 437-477; — André Chapeau et Fernand Combaluzier, Episcopologe français des temps modernes, 1592-1973, Paris 1977 (extr. du Dictionnaire d'histoire et de géographie ecclésiastiques, t. XVIII); — Klaus Jaitner, Die Hauptinstruktionen Clemens' VIII. für die Nuntien und Legaten an den europäischen Fürstenhöfen, 1592-1605, Tübingen 1984, 2 vol. (Instructiones pontificum Romanorum); — Répertoire des visites pastorales de la France. Première série: Anciens diocèses, t. IV, Paris 1985; — Bernard Barbiche et Ségolène de Dainville-Barbiche, Les légats »a latere« en France et leurs facultés aux XVIe et XVIIe siècles, dans Archivum historiae pontificiae, t. 23, 1985, p. 93-165; — Magali Lacousse, Le cardinal François de Joyeuse (1562-1615), dans Ecole nationale des chartes. Positions des thèses ... de 1991, Paris, 1991, S. 139-144.

Bernard Barbiche

JUAN RUIZ (spr. chuán ruíth), gen. Arcipreste de Hita (Erzpriester von Hita), spanischer Dichter geistlichen Standes, * um 1283 in Alcalá de Henares, † um 1350. — Über sein Leben ist uns weiter nichts bekannt; die Nachricht, daß der Erzbischof von Toledo über ihn wegen des kirchlich bedenklichen Inhalts seines Lehrgedichts Kerkerhaft verhängt habe, in der er gestorben sei, beruht wohl auf Erfindung. — J. R. verfaßte ein Lehrgedicht, das unter dem (nicht von ihm selbst stammenden, sondern erst 1898 von dem spanischen Philologen Ramón Menéndez Pidal erfundenen) Titel »Libro de buen amor« (Buch von der guten Liebe) bekannt ist. Es ist in »cuaderna vía«, einer mittelalterlichen spanischen Strophenform, abgefaßt. Eine erste Fassung erschien 1330, eine erweiterte zweite Fassung 1343; letztere umfaßt 1.728 Strophen mit 7.173 Versen. Im Prolog erklärt der Verfasser, er wolle mit seiner Lehrdichtung vor der sündhaften Liebe warnen und den Weg zur rechten Liebe zeigen. In seinem Werk geht er aber über diese Absicht hinaus und bietet ein umfassendes satirisches Bild von den Sitten der verschiedenen Stände seines Landes zu seiner Zeit, weshalb das Lehrgedicht eine wertvolle Quelle für die Kultur- und Religionsgeschichte Spaniens im Mittelalter darstellt. Der Autor berichtet von verschiedenen, meist ergebnislosen erotischen Abenteuern, die er selbst erlebt habe; doch ist die Ichform nur eine literarische Fiktion, aus der keine Schlüsse auf sein wirkliches Leben gezogen werden können. Eine bedeutende Rolle spielt dabei die »Trotaconventos« (Klosterbotin), die der Gestalt der »vetula« der lateinischen Komödie nachgebildet ist. Ein Spottgedicht auf die Kleriker von Talavera geht auf die »Consultatio sacerdotum« des Engländers Walter Map († nach 1208) zurück. Die burleske Allegorie von der Schlacht zwischen den Heeren des Don Carnal (»Herr Fleischlich«) und der Doña Cuaresma (»Frau Fasten«) parodiert die Rittergeschichten. Die Exempla und Fabeln, die in das Werk eingefügt sind, entstammen dem mittelalterlichen Bildungsgut. Hirtenlieder ahmen die Volkspoesie, Studentenlieder die Vagantenlyrik nach; daneben finden sich in dem Lehrgedicht aber auch fromme Gebete und innige Marienlieder. — J. R. hat in einer auch sonst in der mittelalterlichen Literatur anzutreffenden Form ernsthafte Frömmigkeit und weltlichen Humor miteinander verbunden.

Werke: Ausgg. des Libro de buen amor v. J. Ducamin, Toulouse 1901; J. Cejador y Frauca, Madrid 1913 (Clásicos castellanos 14 u. 17); M. Criado de Val - E. W. Naylor, Madrid 1965; — Übers. v. W. Goldbaum, Aus dem Buch der guten Liebe, München 1960 (Ausw.).

Lit.: Paul Wiegler, Gesch. d. Weltlit., Berlin 1920³, S. 237. 243; — F. Lecoy, Recherches sur le »Libro de buen amor« de J. R., Paris 1938; — W. Kellermann, Zur Charakteristik des »Libro« des Arcipreste de Hita, in: Zschr. f. roman. Philologie 67, 1951, S. 225-254; — U. Leo, Zur dichterischen Originalität des Arcipreste de Hita, Frankfurt a.M. 1958; — LThK V, 1148; — KLL VI, 5672 f. (m. weiteren Lit.).

Adolf Lumpe

JUDA, Ahnherr des Stammes Juda. Seine individuellen Konturen sind durch die mit seinem Namen (wahrscheinlich abgeleitet vom hebräischen $j^a d^a h$ = preisen, danken) verbundenen Stammes- und Familientraditionen kaum noch zu erkennen. J. wird ohnehin ursprünglich ein Stammes- und kein Individualname sein. Als historische Person entzieht er sich dem Blick nahezu ganz. Nach Gen 29,31 ff.u. 35,23 ff. gehört er zu den Söhnen des Jakob und der Lea. Unter den insgesamt zwölf Söhnen Jakobs gewinnt J. im Rahmen der Josephsnovelle (Gen 37-50) ein gewisses Profil. So ist nach der jahwistischen Erzähltradition J. derjenige, der den Mordplan der Brüder dahingehend entschärft, daß er den Verkauf Josephs an die Ismaeliter vorschlägt. Im weiteren Verlauf tritt er als edelmütiger Sprecher der Brüder (neben Ruben, der nach dem priesterschriftlichen Bericht die exponierte Rolle spielt) vor Jakob und vor allem Joseph auf, um sich als Bürge für den jüngsten Bruder Benjamin anzubieten (Gen 43,1 f., 44,14 ff.). — Ein Zwielicht fällt auf J. in der ätiologischen Sage zur Begründung der Leviratsehe in Gen 38, die mit der stammesgeschichtlich bedeutsamen Feststellung beginnt, daß sich J. von seinen Brüdern getrennt hat. Denn einerseits zeugt J. mit seiner Schwiegertochter inkognito Tamar die Zwillingssöhne Perez und Serah, andererseits bekennt sich J. zu ihrem Recht, als sie sich zu erkennen gibt. Außer den Zwillingen sind Er, Onan und Sela seine Söhne (Gen 38,3 ff., 46, 12). — Im Segensspruch Jakobs wird J. durchweg positiv dargestellt (Gen 49,8-12) und mit messianischer Verheißung auf König David versehen. In Mt 1,3 u. Lk 3,33 wird J. sogar in den Stammbaum Jesu eingereiht.

Lit.: C. v. Orelli, Art. »Juda«, in: Realencyclopäd. f. protestant. Theol. u. Kirche IX, 1896-1913 (Nachdr. 1970), 553 ff.; dort ältere Lit.: — Gerhard v. Rad, Das Erste Buch Mose, 1949 (1976[10], 237, 292, 317, 331, 349; — R. Bach, Art. »Juda«, in: RGG III, 1959, 963 f.; — Friedrich Hauss, Bibl. Gestalten. Eine Personenkonkordanz, 1959, 49 f.; — Josef Scharbert, Art. »Juda« I, in: LThK V, 1960, 1150; — Antonius H. J. Gunneweg, Gesch. Israels bis Bar Kochba, 1972 (1976², 34; — Claus Wesermann, Genesis III (37-50), 1982, 33, 39 f., 43, 49; dort spezielle Lit. zur Leviratsehe; — Manfred Clauss, Gesch. Israels. Von der Frühzeit bis zur Zerstörung Jerusalemsn (587 v. Chr.), 1986, 55 f.; — Josef Scharbert, Genesis 12-50, 1986, 204 f.

Hartmut Rosenau

JUDA BEN DAVID HALEWI (als Jude), HERMANN VON SCHEDA (als Christ), Prämonstratenser, Propst von Scheda, Verfasser einer Autobiographie, * 1107/08 in Köln, † bald nach 1181 in Köln oder Scheda. — Der Sohn jüdischer Eltern (David und Sephora) levitischer Abstammung traf 1127/28 in Mainz mit Bischof Ekbert von Münster (1127-1132) zusammen, dem er aus einer Geldverlegenheit half. Um das Geld einzutreiben, reiste er nach Münster, wo er während eines 20 Wochen langen Aufenthaltes das Christentum kennenlernte. Besonderen Eindruck machte auf ihn der Besuch des neugegründeten Prämonstratenserklosters Cappenberg (heute Stadt Selm) im südlichen Münsterland. Nach qualvollem innerem Ringen entschloß er sich trotz Heirat und angedrohter jüdischer Sanktionen zu konvertieren. Bald nach der 1128 (oder 1129) erfolgten Taufe wohl im Kölner Dom trat H. in Cappenberg als Novize ein, wo er 1137/38 auch zum Priester geweiht wurde. 1149-1153 treffen wir ihn als Kanoniker im Stift St. Cassius in Bonn, 1170 als Propst in Scheda (heute Gemeinde Wickede/Ruhr). Um 1172 Resignation (?) vielleicht im Zusammenhang mit Streitigkeiten zwischen Cappenberg und Scheda. Später ist er im Mariengradenkloster in Köln bis 1181 bezeugt. Vielleicht kehrte er vor dem Tod nach Scheda zurück, oder wurde, nach dem Ableben, dorthin überführt, dann wohl nach 1215. 1625 wurde er von den Prämonstratensern unter die Seligen eingereiht. Bei der Öffnung des Grabes 1628 wurden von den Gebeinen Reliquien der Margarethenkapelle im Kölner Dom geschenkt. H. sollte unter die Heiligen aufgenommen werden. Dies wurde verschoben, da ihm keine kirchliche Verehrung zuteil wurde. Nach Abriß der Kirche und Einebnung des Grabes 1817 war eine Kanonisierung endgültig nicht mehr möglich. — Neben seiner im engeren Sinne kirchlichen Bedeutung ist H. wichtig als Verfasser des »Opusculum de conversione sua«, der ersten lateinisch geschriebenen autobiographischen Bekehrungsgeschichte seit den »Confessiones« Augustins. Neuerdings vorgebrachte Zweifel an der Verfasserschaft H.s (Saltman) dürften sich kaum als stichhaltig erweisen. Obwohl die neue christliche Identität überwiegt, vereinigt der Konvertit eine jüdische Sicht des Christentums mit einer christlichen Sicht des Judentums und hat uns so ein in seiner Art einzigartiges Werk hinterlassen (Schreckenberg). H. ist gleichzeitig der erste Jude, von dem wir wissen, daß er in Westfalen gelebt hat und dort auch für das Christentum gewonnen wurde.

Werke: Hermannus quondam Judaeus. Opusculum de conversione sua. Hrsg. v. Gerlinde Niemeyer, 1963; Die mehrf. geäußerte Vermutung, J. sei auch der Verfasser der »Vita

Godefridi, comitis Capenbergensis«, in: MGH SS 12, 1856, 513 ff., edid. Ph. Jaffé, wo sich in Kap. 3 (S. 516) ein Kurzabriß des Opusculum findet, hat sich nicht bestätigt. Übersetzungen: Bekehrungsgeschichte H.s, eines geborenen Juden, nachher ersten Propstes zu Scheda, in: Westphalia. Zs. f. Gesch. und Altertumskunde Westphalens und Rheinlands, hrsg. v. Ludwig Troß, 3, Hamm 1826, 98-101, 105-108, 121-124, 137-139, 145-146, 161-162, 211-213, 284-286 (Übersetzung nur der Kapp. 1-13); Augustin Hüsing, Der hl. Gottfried, Graf von Cappenberg, Prämonstratenser-Mönch, und das Kloster Cappenberg, 1882, 104-164; Johann Nepomuk Brischar, Gesch. der Bekehrung des nachmaligen Prämonstratensers Hermannus vom Judenthum zum Christenthum, von ihm selbst erzählt, in: Der Katholik. Zs. f. kath. Wiss. u. kirchl. Leben 68 (N.F. 60), 1888, 2, 257-278, 354-378; A. de Gourlet, Judas de Cologne. Récit de ma Conversion. Introduction et notes: Science et Religion Nr. 635, Paris 1912; Miriam Shapira, Bar Ilan Universität, Israel, bereitet eine komment. Übersetzung ins Hebräische vor.

Lit.: J.C. Van der Sterre, Natales sanctorum ... ordinis praemonstratensis, Anvers, 1625, 114-115; — Johann Diederich von Steinen, Kurze Beschreibung der hochadelichen Gotteshäuser Cappenberg und Scheda, Dortmund 1741; — J. M. Schröckh, Christl. Kirchengesch. 35, 1797, 384-389; — August Neander, Allg. Gesch. der christl. Religion und Kirche, 5, 1, Hamburg 1841, 91, 101-104; — H. v. Kappenberg, Ein Lebensbild aus der Gesch. der Judenbekehrungen im MA, in: Evang. Kirchenztg., hrsg. v. E. E. Hengstenberg, Berlin 1857, 774-784 (= Nr. 67 u. 68); — Friedrich Wilhelm Weber, H. der Prämonstratenser oder die Juden und die Kirche des MA.s. Mit einem Vorwort v. Wilhelm Löhe, Nördlingen 1861; — Hermann Reuter, Gesch. der relig. Aufklärung im MA vom Ende des 8. Jh.s bis zum Anfange des 14. Jh.s, I., Berlin 1875, 158-164, 309-310; — Julius Aronius, H. der Prämonstratenser, in: Zs f. d. Gesch. d. Juden in Deutschland 2, 1888, 217-231; — Ders., Regesten zur Gesch. der Juden im fränk. und dt. Reich bis zum Jahre 1273, 1902, 103-104; — Reinhold Seeberg, H. v. S., Ein jüd. Proselyt des 12. Jh.s, in: Schriften des Institutum Judaicum in Leipzig, Nr. 30, 1891; — Friedrich Wilhelm August Pott, Hermann, der erste Abt von Scheda, eine Bekehrungsgeschichte aus dem 12. Jahrhundert nach seinen eigenen Aufzeichnungen, in: Veröffentlichungen des Vereins für Orts- und Heimatkunde aus der Grafschaft Mark 10, 1895/96, 23-43; — Léon Goovaerts, Ecrivains, Artistes et Savants de »Ordre de Prémontré«, Dictionnaire Bio-Bibliographique, I, Bruxelles 1899, 378-380; — Otto Zöckler, Gesch. der Apologie des Christentums, 1907, 208-209; — Georg Caro, Sozial- und Wirtschaftsgesch. der Juden im MA und der Neuzeit I, 1908, 197-198, 227-228; — Wilhelm Neuhaus, Geschichtl. Nachrr. über das frühere Prämonstratenserkloster Scheda, in: Westfäl. Zs. 76, 1918, 59-119; — Alfons Zak, Zur Biographie des Propstes H. v. S., in: Westf. Zs. 78, 1920, 69-76; — Joseph Greven, Die Schrift des Herimannus quondam Judaeus »De conversione sua opusculum«, in: Annalen des hist. Vereins für den Niederrhein 115, 1929-30, 111-131; — Johannes Bauermann, Die Anfänge der Prämonstratenserklöster Scheda und St. Wiperti-Quedlinburg, in: Sachsen und Anhalt 7, 1931, 185-251; — Alois Schröer, Unterss. zur Gesch. der münsterischen Bischöfe des MA.s (Diss. Münster ungedr.), 1933, 248-249; — Salo W. Baron, A Social

and Religious History of the Jews, 5, 1957, 112-113; — Georg Misch, Gesch. der Autobiographie III, 2, 1. Hälfte, 1959, 505-522; — Bernhard Blumenkranz, Juifs et Chrétiens dans le monde occidental 430-1096, 1960, 21 n. 118; — Ders., Juden und Judentum in der mittelalterl. Kunst, 1965, 7-8; — Ders., Jüd. und christl. Konvertiten im jüd.-christl. Religionsgespräch des MA.s, in: Judentum im MA, hrsg. v. P. Wilpert, 1966, 275-278; — Gerlinde Niemeyer, Das Prämonstratenserstift Scheda im 12. Jh., in: Westf. Zs. 12, 1962, 309-333; — Dies., Einleitung, in: Hermannus (vgl. oben Werk), 1-67; — Dies., Die Vitae Godefridi Cappenbergensis, in: Deutsches Archiv für Erforschung des MA.s 23, 1967, 405-467; — Willehad Paul Eckert, H. v. S., in: Monumenta Judaica. Handbuch, 1963, 150-151, 167; — Hubert Silvestre, Hermannus quondam Judaeus, in: Revue d'Histoire Ecclésiastique 59, 1964, 558-562; — Jean-Baptiste Valvekens, Hermannus, quondam Judaeus, praepositus in Scheda, in: Analecta Praemonstratensia 41, 1965, 158-165; — Julia Gauss, Anselm von Canterbury zur Begegnung und Auseinandersetzung der Religionen, in: Saeculum. Zs. f. Universalgesch. 17, 1966, 284, 312-313; — Westfalia Judaica, hrsg. v. Bernhard Brilling/Helmut Richtering, 1967, 30-32; — Norbert Backmund, Die mittelalterl. Geschichtsschreiber des Prämonstratenserordens (Diss. München), Averbode 1972, 55-64; — Arno Borst, Pfandleihe, in: Lebensformen im MA, 1973, 600-604; — H. H. Ben Sasson, »Ha Hitbollelut be- Toledot Yisrael«, Molad 68, 1976, 301-310; — Wilhelm Wattenbach/Franz Josef Schmale, Hermannus Judaeus, in: Deutschlands Geschichtsschreiber im MA. Vom Tode Kaiser Heinrichs V. bis zum Ende des Interregnums, I, 1976, 379-381; — Gillian R. Evans, »A change of mind in some scolars of the eleventh and early twelfth centuries«, in: Studies in Church History 15, Oxford 1978, 37-38; — Maria Lodovica Arduini, Ruperto di Deutz e la contraversia tra Cristiani ed Ebrei nel secolo XII, Roma 1979, 50-57; — Anna M. Drabek, H. v. S., »Opusculum de conversione sua«, in: Kairos 21, 1979, 221-235; — Arnoldo Momigliano, A Medieval Jewish Autobiography, in: History and Imagination, Essays in Honour of H. R. Trevor-Roper, London 1981, 30-36; — Werner Goez, Bruder Hermannus Judaeus, in: Gestalten des Hochmittelalters, 1983, 238-253; — Diethard Aschoff, H. v. S., der erste jüd. Konvertit Westfalens, in: Der Märker. Landeskundliche Zs. f. d. Bereich der ehem. Grafschaft Mark und den Märkischen Kreis 33, 1984, 204-209; — Avrom Saltman, Hermanns »Opusculum de conversione sua«: Truth or Fiction?, in: Revue des études juives 147, 1988, 31-56; — Heinz Schreckenberg, H. v. S., in: Die christl. Adversus-Judaeos-Texte (11.-13. Jh.), 1988, 256-267; — Realencyclopädie für prot. Theologie und Kirche 7, 1899, 710-711; — Catholicisme V, 1958, 657; — LThK V, 1960, 252-253; — Dictionnaire de Spiritualité, VII, 1969, 300-302; — Encyclopedia Judaica VIII, 1971, 365-366; — Lexikon des Mittelalters IV, 1989, 2166-2167.

Diethard Aschoff

JUDAS, gen. Barsabbas. Als Judas, gen. Barsabbas oder Barsabas, wird heute allgemein der in Apg. 15, 22-34 genannte Judas angesehen. Er wurde zusammen mit Silas von der Versammlung in Jerusalem bestimmt, das Schreiben der Apostel und Ältesten, das sogen. Aposteldekret, nach Antiochien zu überbringen. Nach langer Zeit kehrte er wieder nach Jerusalem zurück, während Silas dort blieb. Apg. 15,22 erwähnt ausdrücklich »seine führende Stellung unter den Brüdern«. In Vers 32 wird er sogar als Prophet bezeichnet. Der Name selbst kann Sohn des Sabbats bedeuten oder Sohn des Alten oder Sohn des Sabbas. In letzterem Fall wäre die Bezeichnung als Familienname anzunehmen und dann wäre er ein Bruder des Joseph Barsabas, der den Beinamen Justus (der Gerechte) trägt und neben Matthias von den Aposteln als Kandidat für die von Judas dem Verräter (Iskariot) preisgegebene Stellung im Apostelkreis aufgestellt wurde. Die Verlaufsschilderung berichtet, daß Joseph nicht gewählt wurde. Das Fest des Judas gen. Barsabbas wird am 10. April gefeiert.

Lit.: Jackson-Lake IV 14 178; — Vollst. Heiligen-Lexikon, Augsburg 1869, Bd. III, 491 f (Nachdruck Hildesheim-New York 1975); — LThK (1960) Bd. V, 1152; — Bibel-Lexikon, Hrsg. H. Haag (Einsiedeln-Zürich-Köln ²1968, 169).

Karl Mühlek

JUDAS (Bruder Jesu). In Mk 6,3 par. Mt 13,55 wird neben Jakobus (s.d.), Joses (s.d.) und Simon (s.d.) sowie einer unbestimmten Anzahl von Schwestern auch ein Bruder Jesu namens J. erwähnt, von dessen Leben wir darüber hinaus über keinerlei Nachrichten verfügen. Es handelt sich hier um einen echten Bruder Jesu und nicht um einen Vetter oder Halbbruder. Von J. will der um 100 nach Christus entstandene pseudonyme Judasbrief geschrieben sein.

Lit.: K. Endemann, Zur Frage über die Brüder des Herrn, in: NKZ 11, 1900, 833-865; — J. Chapman, The Brothers of the Lord, in: JThS 7, 1906, 412-433; — A. Durand, Les Frères du Seigneur, in: RevBib 5, 1908, 9-35; — G. M. de la Garenne, Le problème des »Frères du Seigneur«, 1928; — J. J. Collins, The Brethren of the Lord and two Recently Published Papyri, in: Theol. Studies 5, 1944, 484-494; — Alexis van der Mensbrugghe, The Relatives of Our Lord, in: Sobornost 3/11, 1952, 483-494; — S. Shearer, The Brethren of the Lord, in: A Catholic Commentary on Holy Scripture 1953, 844-846; — Henri Cazelles, Frères du Seigneur, in: Catholicisme 4, 1956, 1630-1633; — Josef Blinzler, Die Brüder und Schwestern Jesu, 1967²; — Dictionary of the Bible² I, 320-

326; — Cath. Encyclop. II, 767 f.; — Dict. de la Bible II, 2403-2405; — LThK¹ II, 580- 582; — Enciclopedia Cattolica V, 1713-1715; — Bibellexikon¹ 261-264; — Bibeltheol. WB. I, 144-147; — RGG³ III, 965; — LThK² V, 1152; — BHH I, 275; — Exeget. Wb. zum NT II, 484, 485.

Michael Wolter

JUDAS CYRIACUS (Quiriacus), legendarischer Märtyrerbischof von Jerusalem, zentrale Figur der von antijüdischen Elementen durchzogenen Kreuzauffindungslegende C (= Cyriacuslegende). Nach dieser wurde er, ein später Verwandter des Stephanus der Apg, gezwungen, bei der Auffindung des wahren Kreuzes und der Nägel mitzuwirken und kam durch die damit verbundenen Wunder zum Glauben. Auf Geheiß Kaiserin Helenas weihte ihn völlig anachronistisch der römische Bischof Eusebius (†310) vor Ort zum Bischof von Jerusalem. Das Martyrium erlitt er angeblich unter Julian Apostata (361-63). — Sämtliche Nachrichten der Legende und Passio sind unhistorisch. Lediglich Eusebius erwähnt zur Zeit Bar Kokbas (132-135) als letzten judenchristlichen Bischof Jerusalems einen Judas (H.E. IV 5,3), der nach Schlatter möglicherweise Aufzeichnungen über Grab und Hinrichtungsstätte Jesu hinterließ. Daß er den Beinamen Kyriakos trug, hält Schlatter gleichfalls für historisch, ist aber nicht strikt zu beweisen. Die Funktion des J. C. in der Legende ist typologisch die eines neuen Judas, der den Verrat des Judas (Mt 26,47-50 par) ausgleicht. — Die Legende ist nach Straubinger syrischen Ursprungs (anders Pigoulewski) und in der 1. Hälfte des 5. Jh. entstanden. Nach 500 verbreitete sie sich im Westen und wurde die im Mittelalter populärste Fassung der Kreuzauffindungslegenden. Die Translatio weiß von einer Übertragung der Gebeine nach Ancona unter Galla Placidia (421-450). Dort nachweislich ein Kult seit dem 14. Jh. Eine früh kritisierte Lokaltradition nimmt J. C. als ersten Bischof für Ancona in Anspruch.

Quellen: BHO 54f (233-236); BHG 142 (465), App. I, 82 (399 † 405); BHL 619f (4169) u. Suppl. 454f, 1021f (7022-25) u. Suppl. 739f; Jacobus a Voragine, Legenda aurea 64 (Ed. Graesse 303 - 311).

Lit.: Johannes Straubinger, Die Kreuzauffindungslegende: FChLDG 11,3, 1912; — Francesco Lanzoni, Le diocesi d'Italia dalle origini al principio del secolo VII (an. 604) [1]: StT 35, Faenza 1927, 384; — N. Pigoulewski, Le martyre de Saint Cyriaque de Jérusalem, in: ROC 26, 1927/28, 305-356; — Mario Natalucci, Antichità cristiane di Ancona, 1934, 20-28; — Baudouin de Gaiffier, »Sub Iuliano Apostata« dans le Martyrologe Romain, in: AnBoll 74, 1956, 39; — Adolf Schlatter, Synagoge und Kirche bis zum Barkochba-Aufstand, 1966, 144-153; — A. Linder, Ecclesia and Synagoga in the Medieval Myth of Constantine the Great: Revue belge de Philologie et d'Histoire 54, 1976, 1019 - 60; — Francois Halkin in: AnBoll 103, 1985, 205f; Jan Willem Drijvers, Helena Augusta: waarheid en legende (Diss. Groningen) 1989, 153- 186; 198-200; — Stefan Heid, Der Ursprung der Helenalegende im Pilgerbetrieb Jerusalems: JAC 32, 1989, 41-71; — LThK¹ 5, 670; — LThK² 5, 1152; Bibliotheca Sanctorum 3, 1962, 1296f; — Wolfgang Braunfels (Hrsg.), Lexikon der christlichen Ikonographie 6, Rom - Freiburg u.a. 1974, 15.

Hans Reinhard Seeliger

JUDAS DER GALILÄER, jüdischer Freiheitskämpfer zu Beginn des 1. Jahrhunderts nach Christus, Gründer der zelotischen Bewegung. Geburts- und Sterbedatum sind unbekannt. — J. stammte aus Gamala (Hirbet ehdeb) in der Gaulanitis. Außer einigen Mitteilungen bei dem jüdischen Historiker Josephus Flavius (s.d.) finden wir auch in Apg 5,37 einen kurzen Hinweis auf ihn. — Sollte er mit dem gleichnamigen Sohn des von Herodes dem Großen hingerichteten Hiskia identisch sein, wäre er bereits in den nach dem Tod des Königs (4 vor Christus) ausbrechenden Unruhen maßgeblich beteiligt gewesen: Er brachte in Galiläa eine Truppe von Aufständischen zusammen und eroberte den Königspalast in Sepphoris (Saffuriya). Sein Ziel soll die Erlangung der Königsherrschaft gewesen sein. Durch die römische Armee wurde der Aufstand jedoch niedergeschlagen. — Als dann der römische Statthalter in Syrien, Quirinius, im Jahre 6 nach Christus in Judäa, das gerade in eine römische Provinz umgewandelt worden war, einen Census (Volkszählung mit Erfassung des Vermögens zum Zwecke der Steuererhebung) durchführen ließ, erklärte J. die Steuerzahlung an die Römer für einen Frevel gegen Gott und versuchte zusammen mit einem Pharisäer namens Zaddok die Bevölkerung in den Widerstand gegen dieses Vorhaben zu führen. Er begründete den Widerstand damit, daß die Juden neben Gott keinen anderen, und schon gar nicht einen fremden Machthaber als ihren Herr-

scher anerkennen dürfen, wenn anders sie nicht ihre Freiheit verlieren und in Knechtschaft geraten wollten. Darüber hinaus brachte er vor, daß Gott den Juden zur Erringung ihrer Freiheit nur dann beistehen werde, wenn diese selbst aktiv, und zwar im konkreten militärischen Aufstand gegen die Fremdherrschaft, für die Erlangung ihrer Freiheit kämpften. Obwohl die von J. gegen den Census initiierte Aufstandsbewegung von den Römern zerschlagen wurde, wobei wohl auch J. selbst den Tod fand (vgl. Apg 5,37), überlebte ihn die von ihm gegründete national-religiöse Bewegung, die sich den Namen »Zeloten« (Eiferer) gab, und kämpfte (zum Teil unter Anführung seiner Söhne und Enkel) bis zur Zerstörung Jerusalems im Jahre 70 nach Christus für »die politische Verwirklichung der uneingeschränkten Theokratie« in Israel (Hengel, S. 383). — Seine historische Bedeutung besteht darin, daß er bereits existierende, eher sozialbanditenartige Gruppen unter einem heilseschatologischen Programm zusammenführte und damit den ihn überlebenden Zelotismus entscheidend prägte.

Lit.: Flavius Josephus, Bellum Judaicum II, 56, 117 f., 433; VII, 253; Antiquitates XVII, 271 ff., XVIII, 4 ff., 23 ff.; — Solomon Zeitlin, Judas of Galilee and Jesus of Nazareth, in: Jewish Forum 1/9, 1918, 514-521; — W. Lodder, Judas aus Galiläa, in: Bibl. Zeugnisse (Barmen) 23, 1925, 188-192, 207-218; — Ders., Judas de Galileër, in: Nieuwe Theologische Studiën 9, 1926, 3-15; — J. Spencer Kennard, Judas of Galilee and His Clan, in: JQR 36, 1945, 281-286; — Lucien Campeau, Theudas le faux prophète et Judas le Galiléen, in: ScEccl 5, 1953, 235-245; — William R. Farmer, Maccabees, Zealots and Josephus, 1956; — Ders., Judas, Simon and Athronges, in: NTSt 4, 1957/58, 147-155; — Martin Hengel, Die Zeloten, 1961 (1976²), 79-150; — Günther Baumbach, Zeloten und Sikarier, in: ThLZ 90, 1965, 727- 740; — Ders., Einheit und Vielfalt der jüdischen Befreiungsbewegung im 1. Jahrhundert n. Chr., in: EvTh 45, 1985, 93-107; — Oscar Cullmann, Jesus und die Revolutionären seiner Zeit, 1970; — Matthew Black, Judas of Galilee and Josephus's 'Fourth Philosophy', in: Josephus- Studien. FS Otto Michel, 1974, 45-54; — D. M. Rhoads, Israel and Revolution 6-74 C.E., 1976; — RE³ IX, 585; — RGG³ III, 965; — LThK² V, 1152; — EncJud X, 354 f.; — Exeget. Wb. zum NT II, 483 f.

Michael Wolter

JUDAS ISKARIOTH, der »Mann aus Karioth«, wie der Beiname des J. sich erklärt, war weder Theologe noch Kirchenmann. Jedoch hat er durch seine Tat des Verrats die Geschichte von Christentum und Kirche mehr beeinflußt als mancher »Große« aus dieser Geschichte selbst. Er gehört zu den bedingenden Voraussetzungen. Es ist kaum möglich, eine Biographie des Judas aus dem Zeugnis der Evangelien zu entnehmen, genauso wenig, wie man eine Biographie Jesu entnehmen kann. Mit Sicherheit gehörte er zum Kreis der Zwölf um Jesus. An den Berichten der Evangelien zeigen sich Züge, die in die Historie verweisen könnten - etwa dies, daß er sich dem Weg und Wollen Jesu gegenüber skeptisch verhielt. Die Synoptiker stimmen darein überein, daß J. die Verhaftung Jesu herbeigeführt hat. Sein Leben endet durch Selbstmord. Bereits die biblischen Erzählungen stellen den J. in heilsgeschichtliche Zusammenhänge. J. hat den Herrn verraten und ist somit Prototyp des Bösen. Trotzdem behält Jesus sein Schicksal in den Händen: Er geht freiwillig in den Tod. Die Aussagen des Johannesevangelium steigern noch die Negativaussagen über J. In der Folgezeit wird J. I. zum Prototyp des Verräters in der christlichen Gemeinde. Statt aber bei der paränetischen Funktion zu verbleiben, wird J. in verhängnisvoller Weise mit dem »verräterischen« Juden identifiziert. In neuerer Zeit findet sich Verständnis für den Judas: Psychologisierende und tiefenpsychologische Aussagen lassen ein eher positives Judasbild entstehen. Auch die Theologie ist öfters zu positiven Beurteilungen geneigt. Mit W. Jens wird geurteilt: »Ohne Judas kein Kreuz, ohne Kreuz keine Erfüllung des Heilsplans.« Literatur, Kunst und Musik haben sich häufig des Judasthemas angenommen.

Lit.: Eine umfangreiche Literaturaufstellung findet sich in TRE 17, Art. »Judas«, 303 f. und 307. Daher hier nur eine Auswahl: W. Porte, Judas Ischarioth in der bildenden Kunst, Berlin 1883; — D. Haugg, Judas Iskarioth in den neutestamentl. Berichten, Freiburg i. Br. 1930; — W. Vogler, Judas Iskarioth, Untersuchungen zu Tradition und Redaktion, 1983 (ThA 42); — P. Benoît, La mort de Judas, in: Synopt. Studien (FS A. Wikenhauser), München 1953, 1-19; — G. Buchheit, Judas Iskarioth (Legende - Geschichte - Deutung), Gütersloh 1954; — K. Lüthi, Das Problem des Judas Iskarioth - neu unters., in: EvTh 2/3, 1956, 98-114; — H. Levin Goldschmidt, Heilvoller Verrat. Neue Besinnung auf Judas, Zürich 1974; — W. Jens, Der Fall Judas, Stuttgart 1975; — G. Baumbach, Judas - Jünger und Verräter Jesu, in: ZdZ 17, 1983, 91-98; — H. Wagner (Hrsg.), Judas Iskarioth. Menschliches oder heilsgeschichtl. Drama, Frankfurt/M. 1985.

Harald Wagner

JUDAS JAKOBI. Judas [,der Sohn] des Jakobus wird in den lukanischen Apostellisten an elfter Position aufgeführt (Lk 6,16; Acta 1,13); die synoptischen Parallelen Mt 10,3; Mk 3,18 »Thaddäus« mögen einen Beinamen bewahren. Er dürfte auch Joh 14,22 mit »Judas, nicht der Iskariote« gemeint sein. Erklärt man ihn nicht zu einem durch Namenskonfusion entstandenen Phantom (Cullmann), sind zwei seriöse Möglichkeiten zu erwägen: J. J. ist entweder der Sohn eines unbekannten Jakobus (Standardmeinung) oder der des Herrenbruders dieses Namens. Zur letzteren Vermutung fügt sich gut die Angabe aus den Constitutiones Apostolorum VII,46, 2 (Funk 452), wonach J. J. dem Herrenbruder Jakobus und dessen Vetter Symeon im Jerusalemer »Bischofs«-amt folgte.

Lit.: Oscar Cullmann, Der zwölfte Apostel, in: ders., Vorträge und Aufsätze 1925-1962, Tübingen/Zürich 1966, 214-222; — Kommentare zu Lk 6,16; — Acta 1,13 parr.; — DB(H) IV, 741f.; — IDB II, 1008; — BHH II, 903; — Bauer, 750 f. BL^2, 894; — EWNT II, 484; — RGG^3 III, 965; — LThK V, 1154f.

Karl Friedrich Ulrichs

JUDAS MAKKABÄUS, jüdischer Freiheitskämpfer Mitte des 2. Jahrhunderts vor Christus; Herkunft aus Modein (el-midje), ca. 28 km nordwestlich von Jerusalem; gefallen 160 vor Christus in der Schlacht bei Eleasa (Lage unbekannt), begraben in Modein. — J. war der 3. Sohn des Priesters Mattathias aus dem Geschlecht der Hasmonäer. Sein Beiname Makkabäus ist wohl aus dem Hebräischen abzuleiten und bedeutet »der Hämmerer« bzw. »der Hammerartige«; er wurde ihm als Anspielung auf seine militärischen Erfolge beigegeben. — J. übernahm nach dem Tod seines Vaters im Jahre 167/166 vor Christus als charismatischer Führer den Befehl über die gesetzestreuen jüdischen Freischärler, die sich im Kampf gegen die Religionsverfolgung des seleukidischen Herrschers Antiochus IV. Epiphanes und gegen die innerjüdische hellenistische Reformpartei in die Berge zurückgezogen hatten. Weil sie den seleukidischen Streitkräften zahlenmäßig weit unterlegen waren, vermied J. zunächst die Konfrontation mit der gegnerischen Streitmacht in einer regulären Schlacht und führte eine Art Guerillakrieg, in dem es ihm gelang, kleinere Heereskontingente der fremden Machthaber aufzureiben. — J. veranlaßte eine Neuorganisation seiner Streitkräfte, was deren Schlagkraft erheblich stärkte, und zieht nach zwei gewonnenen Schlachten in Jerusalem ein. Dort ließ er das entweihte Heiligtum reinigen und neu weihen, restituierte im Dezember 165/164 den Opferdienst und setzte ein 8-tägiges Fest ein, das als Chanukkafest (von hebr. H^{a}nukkā = Einweihung) noch heute gefeiert wird. Mit Ausnahme der Festung Akra in Jerusalem, die weiterhin von einer seleukidischen Garnison gehalten wurde, konnte er sich zum Herrn über ganz Judäa machen. In der Folgezeit gelingt es ihm, bedrohte jüdische Minderheiten aus Galiläa und dem Ostjordanland nach Judäa überzusiedeln, vor allem aber die Aufhebung des Verbots der Praktizierung der jüdischen Religion und damit die offizielle Wiedereinsetzung des Jahwekults zu erreichen. — Über diese Freiheit der Religionsausübung hinaus erstrebten J. und die anderen Makkabäer auch die politische Unabhängigkeit von der seleukidischen Fremdherrschaft. Diese Ausweitung der ursprünglichen Zielsetzung des Kampfes führte zu einer Spaltung innerhalb der jüdischen Befreiungsbewegung: Nicht alle Gruppen wollten das makkabäische Streben auch nach der politischen Macht mittragen und wandten sich von J. ab. Nach wechselvollen, auch innerjüdischen Auseinandersetzungen und Kämpfen, in deren Verlauf J. auch einen Bündnisvertrag mit Rom schloß, kam es im April 160 vor Christus zur Entscheidungsschlacht bei Eleasa gegen den seleukidischen Feldherrn Bacchides. Die römische Armee greift trotz Bündnisvertrag nicht in das Geschehen ein, und die Schlacht, in der J. sein Leben verliert, geht für die Makkabäer verloren. Judäa bleibt damit zunächst (bis 142 vor Christus) fest in seleukidischer Hand. Des J. jüngster Bruder Jonathan übernahm die Führung der makkabäischen Aufständischen, die in das Gebiet der Nabatäer fliehen mußten, um dort neue Kräfte zu sammeln. — Die Bedeutung des J. M. geht weit über die nur etwa 6 Jahre seines militärischen und politischen Wirkens hinaus: Sein Beiname Makkabäus gab nicht nur der gesamten von ihm geführten religiösen und nationalen jüdischen Befreiungsbewegung ihren Namen, sondern auch 4 apokryphen Schriften der griechischen Bibel (1.-4. Makkabäerbuch). Die ersten beiden Makkabäerbücher, denen wir im wesentlich unsere Kenntnisse über J. verdanken, haben in die erste Gesamtausgabe von Martin Luthers (s.d.) Deutscher Bibel (1534) Eingang gefunden. Erst sein Bruder Simon erreichte im Jahre 142 vor Christus das von J. M. gesteckte Ziel: die Gewinnung auch der staatlichen Unabhängigkeit »Israels« von der seleukidischen Fremdherrschaft; er wurde damit zum Begründer der Dynastie der Hasmonäer, die bis zum Jahre 63 vor Christus Bestand hatte, als die Römer Judäa ihrem Reiche einverleibten. — Für das Judentum sind J. und die Makkabäer bleibendes historisches Vorbild für den kämpferischen Widerstand gegen fremde Unterdrückung.

Lit.: 1. Makk 3,1-9,22; — 2. Makk 8-15; — Flavius Josephus, Antiquitates 12, 265 ff.; — Hugo Weiß, Judas Makkabaeus. Ein Lebensbild aus den letzten großen Tagen des israelitischen Volkes, 1897; — Emil Schürer, Geschichte des jüd. Volkes im Zeitalter Jesu Christus, I, 1901³, 165-222; — Gustav Hölscher, Bemerkungen zur Topographie Palästinas. I. Die Feldzüge des Makkabäers Judas (1. Makk 5), in: ZDPV 29, 1906, 133-151; — F.-M. Abel, Topographie des campagnes Machabéenes, in: RevBibl. 32, 1923, 495-521; 33, 1924, 201-217, 371-387; 34, 1925, 194-216; 35, 1926, 206-222, 510-533; — Elias J. Bickermann, Die Makkabäer, 1935; — engl.: Ders., From Ezra to the last of the Maccabees, 1962, 93-186; — Ders., Der Gott der Makkabäer, 1937; — Kurt Galling, Judäa, Galiläa und der Osten im Jahre 164/163 v. Chr., in: Palästina-Jb. 36, 1940, 43-77; — Otto Plöger, Die Feldzüge der Seleukiden gegen den Makkabäer Judas, in: ZDPV 74, 1958, 158-188; — Ders., Aus der Spätzeit des AT.s, 1971, 134-164; — Viktor Tcherikover, Hellenistic Civilization and the Jews, 1959 (Nachdr. 1970); — Siegfried Wibbing, Zur Topographie einzelner Schlachten des Judas Makkabäus, in: ZDPV 78, 1962, 159-170; — Menahem Stern, The Hasmonean Revolt and Its Place in the History of Jewish Society and Religion. in: Journ. of World History 11, 1968, 92-106; — Ders., Die Zeit des Zweiten Tempels, in: Geschichte des jüd. Volkes, hg. v. H. H. Ben-Sasson, I, 1978, 231-373; — Martin Hengel, Judentum und Hellenismus, 1969 (1973²); — Wolf Wirgin, Judah Maccabee's Embassy to Rome and the Jewish-Roman Treaty, in: PEQ 101, 1969, 15-20; — Abraham Schalit (Hg.) World History of the Jewish People. I/6. The Hellenistic Age, 1972; — Johann Maier, Grundzüge der Geschichte des Judentums im Altertum, 1981; — PRE IX, 2461-2464; — BHH II, 902; — EncJud X, 379-383; — KP II, 1497 f.

Michael Wolter

JUDAS THADDÄUS, in manchen Handschriften auch Lebbäus genannt, Apostel Jesu Christi,

Fest am 28. Oktober, zusammen mit dem Apostel Simon dem Eiferer (auch Kananäus genannt), wird in der Hl. Schrift nur sehr selten erwähnt. In den Apostellisten des Lukas (Lk 6,16 und Apg 1,13) wird er als »Judas (Sohn) des Jakobus« angeführt und in denen des Matthäus und Markus nur als Thaddäus (Mt 10,3 und Mk 3,18). Schon in den Schriften des Origenes († um 254) sind beide Namen zu »Judas Thaddäus« verbunden. Der Name Judas kann auf nationale Familientradition hinweisen; der Beiname Thaddäus (der Mutige) kann an den jüdischen Aufrührer Theudas erinnern, der um das Jahr 39 n. Christus den Römern unterlag und in Apg 5,36-39 erwähnt wird. Im Neuen Testament ist von ihm nur ein einziges Wort überliefert. Dieses richtete er an Jesus im Abendmahlssaal: »Herr, warum willst du dich nur uns offenbaren und nicht der Welt?« (Joh 14,22). Der ihm immer wieder zugeschriebene »Brief des Judas«, der letzte der sogen. katholischen Briefe, kann ihn sicher nicht zum Autor haben, weil sich dieser als »Judas, Bruder des Jakobus« vorstellt. Im übrigen finden sich viele Verwechslungen und Verschmelzungen mit anderen Personen, so mit Judas Iskariot dem Verräter, mit Simon dem Zeloten, mit dem zusammen er, nach Berichten, in Persien von aufgebrachten Mithraspriestern gemartert wurde, mit Thomas und mit einem anderen Thaddäus (Addai) aus der Schar der 72 Jünger Jesu. Recht verworren ist die Tradition über sein Wirken. Er soll in Syrien bes. in Edessa, dem heutigen Urfu (südöstl. Türkei), in Mesopotamien, Phönizien, Armenien und Persien gepredigt haben. Ausführlich berichtet vor allem eine alte Edessa-Legende (Abgar-Legende). König Abgar V. Ukkama (= Schwarze) von Osroëne regierte von 4 v. Chr. bis 7. n. Chr. und von 13-50 n. Chr. Er habe mit Jesus im Briefwechsel gestanden. Der Apostel Thomas habe nach der Himmelfahrt Jesu den Jünger Addai (Thaddäus) nach Edessa zur Verkündigung des Evangeliums gesandt. Angebliche, mündlich vom Apostel Thaddäus überbrachte Jesu-Worte gebrauchte man in Syrien und Ägypten noch lange als Unheil abwehrendes Schutzmittel. Judas Thaddäus, ein lange vergessener Apostel, kehrte erst seit dem 18. Jhrh. wieder in die Erinnerung des gläubigen Volkes zurück, das ihn in steigendem Maße als Helfer in verzweifelten Situationen verehrt. Deshalb ist er auch der Patron in schweren Anliegen und aussichtslosen Lagen, der mit Buch (Apostelsymbol) und Keule oder mit Hellebarde und Steinen dargestellt wird. Reliquien werden vor allem in St. Peter zu Rom verehrt.

Lit.: Kommentare zu Mk 3,18 par.; — R. A. Lipsius, Die apokryphen Apostelgeschichten u. Apostellegenden II/2 (Braunschweig 1887) 154-158 u.ö.; — F. Haase, Apostel und Evangelisten in den orientalischen Überlieferungen (Münster 1922) 273ff u.ö.; — P. Douny, Simon et Jude apotres (Paris-Brüssel 1947); — F. Jantsch (Graz 1951); — P. Appel (Leutesdorf a. Rh. 1952); — Vollst. Heiligen-Lexikon, Augsburg 1869, Bd. III, 497-499 (Nachdruck Hildesheim-New York 1975); — LThK (1960) Bd. V, 1152 f; — Handbuch d. Bibelkunde, Hrsg. H. Haag (Düsseldorf 1984); — Lexikon d. Namen u. Heiligen (Innsbruck 1982, 464 und Innsbruck-Wien [6]1988, 464 f).

Karl Mühlek

JUDEX, Matthäus (M. Richter), * 21.9. 1528 Dippoldiswalde bei Meißen, † 15.5. 1564 Rostock. — Luth. Theologe (Flazianer). Nach dem Studium der Rechtswissenschaft und Theologie an der Universität Wittenberg (1549 Magister-Examen) wurde J., aus ärmlichen Verhältnissen stammend, Konrektor am Magdeburger Ratsgymnasium und 1553 zu dem Diakon an St. Ulrich. Wie auch Johann Wigand, der hier Pfarrer war, wurde J. im Frühjahr 1560 als Professor der Theologie an die Universität Jena berufen, aber bereits nach einem Jahr wegen Verstoßes gegen das Zensurgesetz von seinen Verpflichtungen entbunden. J. ging nach Magdeburg zurück und zog 1562, nachdem ihm der Rat der Stadt die Auswanderung nahegelegt hatte, nach Wismar, wo er vergeblich auf eine Pfarrstelle wartete. — J. gilt als produktiver und auch streitbarer Theologe. Er entwarf die Magdeburger Kirchenordnung vom 3.4. 1554, und neben Wigand war er der Hauptbearbeiter der »Magdeburger Zenturien«, einem bedeutenden Kirchengeschichtswerk, dessen erster Band (von 9 Bänden) 1559 in Basel erschien. Sein »Kleines Corpus Doctrina«, in mehreren europäischen Sprachen übersetzt und in über 60 Ausgaben nachgewiesen, zählt neben Luthers »Kleinem Katechismus« zu den meistverbreiteten katechetischen Handbüchern der frühen Neuzeit.

Werke: Quod arguere peccata seu concionari poenitentiam sit proprium Legis et non Evangelii proprie dicti. 1559; Das Kleine Corpus Doctrinae. Rostock 1565 (Hrsg. von C. M. Wiechmann. Schwerin 1865); De klene Catechismus vor de gemenen Parheren vnde Hußveder. D. Mart. Luth. Sampt dem klenen Corpora Doctrinae Matthaei Judicis. Oldenburg 1599. Faks.-Ausg. mit e. Nachwort von Armin Dietzel. Oldenburg 1970.

Lit.: Karl Heussi, Geschichte der theol. Fakultät zu Jena. Weimar 1954; — Heinz Scheible, Die Entfaltung der Magdeburger Zenturien. Ein Beitrag zur Gesch. der historiogr. Methode. Gütherloh 1966; — ADB XIV, 655; — RGG ³III, 1000; — NDB X, 639.

Reinhard Tenberg

JUDITH *von Flandern*, * 1027/28, Tochter Richards III. von der Normandie und Adelheids von Frankreich, Stieftochter Balduins V. von Flandern, Cousine von Wilhelm dem Eroberer, Prinzessin des englischen Königshauses. In erster Ehe mit Earl Tostig von Northumberland verheiratet, nach dessen Tod zweite Frau Welfs IV. (1070). Beide stifteten die oberschwäbische Abtei Weingarten; J. vermachte ihr neben Handschriften und der Reliquie des heiligen Oswald auch die Heiligblut-Reliquie. Diese gilt als Teil der Reliquie des heiligen Blutes Jesu, die 804 in Mantua auftauchte, wegen der Einfälle in Ungarn und Normannen verborgen und 1048 wiederentdeckt wurde. Damals wurde sie in drei Teile geteilt, einer fiel an Heinrich III., danach an Graf Balduin V. von Flandern bzw. dessen Stieftochter J.; der zweite Teil soll in Mantua geblieben, der dritte nach Rom gekommen sein.

Lit.: Weingarten 1056-1956 (Festschr. zur 900-Jahr-Feier), Weingarten 1956.

Jürgen Lott

JUDITH, Heldin gegen Holophernes. Nach dem gleichnamigen apokryphen Buch des Alten Testaments eine reiche israelitische Witwe, die durch ihre Schönheit den feindlichen Feldherrn Holophernes, vom Assyrerkönig Nebukadnezar zur Belagerung Betulias entsandt, betörte und ihn daraufhin töten und so die Gefahr von Israel abwenden konnte. Als historische Gestalt ist J. durch die sagenhafte und legendäre Erzählung hindurch nicht mehr greifbar.

Lit.: E. Schürer, Art. »Apokryphen des AT.s«, in: Realencyclopäd. f. prot. theol. u. Kirche I, 1896-1913 (Nachdruck 1969), 644-646, dort ältere Lit.; — Emil Kautzsch, Die Apokryphen und Peudepigraphen des AT.s I, 1900 (Nachdr. 1962), 147-164; — Friedrich Stummer, Das Buch Judith, 1950, -- Josef Dreissen, Ruth, Esther, Judith, 1953, 77-94; — A. Miller, Art. »Judith«, in: LThK Vm 1960, 1178 f.; — Jürgen Ebach, Art. »Judith«, in: Klaus Koch u. a. (Hrsg.), Reclams Bibellexikon, 1978, 258.

Hartmut Rosenau

JUDITH (Jutta, Judda) *von Niederaltaich*, Selige. — Nach der Legende englische Prinzessin, die nach dem frühen Tod ihres Mannes und ihrer Kinder eine Wallfahrt ins Heilige Land unternahm. Bei ihrer Rückkehr fand sie ihre Jugendgefährtin Salome, die, ebenfalls auf einer Pilgerfahrt, an Aussatz erkrankte und erblindete, als Klausnerin im Kloster Altaich. Auch J. wurde von Abt Walker von Niederaltaich (1069-1098) als Rekluse aufgenommen und pflegte ihre Freundin bis zu deren Tod. Ihr gemeinsames örtliches Fest wird am 29. Juni gefeiert.

Lit.: G. Stadtmüller/B. Pfister, Gesch. der Abtei Niederaltaich 741-1971, Augsburg 1971; — R. Bauerreiss, Kirchengesch. Bayerns, Bd. II, St. Ottilien 1973; — L. Bühler, in: ZBKG 5, 1930, 19 f.

Jürgen Lott

JÜLICHER, Adolf, bedeutender protestantischer Exeget und Kirchenhistoriker, * 26.1. 1857 in Falkenberg bei Berlin als Sohn eines strenggläubigen Lutheraners mit pietistischen Neigungen, † 2.8. 1938 in Marburg. — J. besuchte 1867-1875 in Berlin das Gymnasium (Knabenkonvikt »Paulinum«) und studierte anschließend dort evangelische Theologie, u. a. bei August Dillmann, Otto Pfleiderer und Bernhard Weiß. 1880 promovierte er mit einer alttestamentlichen Arbeit in Halle zum Dr. phil., verfaßte neben seiner Tätigkeit als Prediger an der Waisenhauskirche zu Rummelsberg bei Berlin eine umfangreiche neutestamentliche Studie über die Gleichnisse Jesu, mit der er 1886 an der Berliner Theologischen Fakultät den Grad eines Lic. theol. erwarb, und habilitierte sich ein Jahr später für Kirchengeschichte. 1888 Extraordinarius in Marburg, seit 1889 dort Ordinarius für

Neues Testament und Kirchengeschichte. J. blieb an der Marburger Universität bis zu seiner Emeritierung 1923. Trotz völliger Erblindung 1925 arbeitete er bis ins hohe Alter an einer kritischen Ausgabe des Evangelientextes der Itala. — J., der sich selbst zur liberalen Theologie bekannte, war ein hervorragender Vertreter der strengen historisch-kritischen Arbeitsweise in Bibelwissenschaft und Kirchengeschichte um die Jahrhundertwende, er hat - nicht zuletzt durch eine umfangreiche Rezensionstätigkeit - die Entwicklung seines Faches nachhaltig beeinflußt. Seine Einleitung ins Neue Testament war das Lehrbuch mehrerer Studentengenerationen. Sein bleibender Ruhm in der Exegese knüpft sich vor allem an sein zweibändiges Standardwerk über »Die Gleichnisreden Jesu«.

Werke: Die Quellen von Exodus I-VII,7 (Diss. phil.), Halle 1880; Die Quellen von Exodus VII,8 - XXIV,11, in: JPTh 8, 1882, 79-127, 272-315; Die Gleichnisreden Jesu I, Freiburg 1886 (Neuauflagen 1888, 1899; Reprints 1910, 1963, 1969, 1976); Die Gleichnisreden Jesu II, Freiburg 1899 (Reprints wie Bd. I); Einleitung in das NT, Freiburg 1894 (Neuauflagen 1901, 1906, 1913, 1919, 1921, 1931; engl. Übers. 1904); Neue Linien in der Kritik der evang. Überlieferung, Gießen 1906; Paulus und Jesus, Tübingen 1907 (schwed. Übers. 1908); Itala I-IV (teils posthum), Berlin 1938, 1940, 1954, 1963; II. J. Klauck, Bibliogr. A. J., in: G. Schwaiger (Hrsg.), Hist. Kritik in der Theologie. Beiträge zur ihrer Gesch. (SThGG 32), Göttingen 1980, 125-150.

Lit.: Festgabe für A. J. zum 70. Geburtstag, 1927; — A. J., Selbstdarst., in: RWGS 4, 1928, 159-200; — Martin Rade, Am Sarge A. J.s, in: ChW 52, 1938, 625-628; — Hans von Soden, Akad. Gedächtnisvorlesung für A. J., in: ThBl 18, 1939, 1-12; — Martin Tetz, A. J.s Briefwechsel mit Franz Overbeck, in: ZKG 76, 1965, 307-322; — Werner Georg Kümmel, A. J. (1857-1938), Theologe, Neutestamentler und Kirchenhistoriker, in: Heilsgeschehen und Gesch. II (Marburger theol. Stud. 16), 1978, 232-244; — Hans-Josef Klauck, A. J. - Leben, Werk und Wirkung, in: Georg Schwaiger (Hrsg.), Hist. Kritik in der Theologie. Beiträge zu ihrer Gesch. (SThGG 32), 1980, 99-124; — Hans Rollmann, Zwei Briefe Hermann Gunkels an A. J. zur religionsgeschichtl. und formgeschichtl. Methode, in: ZThK 78, 1981, 276-288; — RGG ¹III, 846; — RGG ²III, 504; — RGG ³III, 1008; — DBS IV, 1414-1417; — LThK ²V, 1202 f.; — NDB X, 643.

Hans-Josef Klauck

JÜNGER, Ernst, deutscher Schriftsteller, * 29.3. 1895 in Heidelberg als ältestes von sechs Kindern des Chemikers Dr. Ernst Jünger (1868-1943) und dessen Frau Karoline geb. Lampl (1873-1950). — J. ist von 1925 bis zu ihrem Tod 1960 verheiratet mit Gretha von Jeinsen und hat mit ihr zwei Söhne, Ernst * 1926, gefallen 1944, Alexander * 1934, lebt als Arzt in Berlin. Seit 1962 ist J. in zweiter Ehe verheiratet mit Dr. Lieselotte Lohrer, geb. Bäuerle, und lebt mit ihr in Wilflingen (Württemberg). — Schulmüdigkeit, Fernweh und der Drang nach Selbstverwirklichung weit ab von jeder Konvention veranlaßten den 17jährigen J. 1913 zur Flucht in die Fremdenlegion, aus der er allerdings schon sechs Wochen später auf Intervention seines Vaters wieder entlassen wurde. Nach dem Notabitur meldete er sich 1914 als Kriegsfreiwilliger und erhielt als erfolgreicher Stoßtruppführer den höchsten preußischen Militärorden »Pour le mérite«. Er studierte nach seiner Entlassung aus der Reichswehr (1923) bis zum Abbruch des Studiums 1926 Naturwissenschaften und Philosophie in Leipzig und Neapel und arbeitete nebenher als Schriftsteller und Autor. Seit 1926 ist er ganz als freier Schriftsteller und Publizist tätig, in den 20er Jahren u. a. auch als Mitherausgeber und Autor verschiedener nationalrevolutionärer Zeitschriften (Standarte; Arminius; Widerstand). Seit Ende der 20er Jahre bis heute (1989) unternahm J. viele ausgedehnte Reisen, die er in Reisetagebüchern aufarbeitete. Beim Ausbruch des Zweiten Weltkrieges wurde er als Hauptmann eingezogen und ab 1941 in den Stab des Militärbefehlshabers nach Paris versetzt, wo er u. a. auch Einblick hatte in die Vorbereitungen des Stülpnagelkreises für den Staatsstreich des 20. Juli 1944. 1945 wird er aus der Wehrmacht unehrenhaft entlassen. — Trotz der ständig wiederkehrenden polemischen Auseinandersetzungen um seinen politischen Standort erfährt J. ab Mitte der 50er Jahre auch in der Bundesrepublik zunehmend Anerkennung. — 1955 Kulturpreis Stadt Goslar, Literaturpreis Stadt Bremen; 1959 Verleihung des großen Verdienstordens der Bundesrepublik Deutschland durch Theodor Heuss; 1982 Goethepreis der Stadt Frankfurt; 1985 großes Verdienstkreuz mit Stern und Schulterband des Verdienstordens der Bundesrepublik; viele Ehrungen und Auszeichnungen privater und öffentlicher Institutionen. — Weit größere Beachtung findet J. außerhalb der Bundesrepublik vor allem in Frankreich, Spanien und Italien, dokumentiert durch diverse Ehrungen, Preise, wissenschaftliche Symposien, Übersetzungen. — Jüngers Werk - in zwei Gesamtausgaben vorgelegt - ist weder ideologisch noch literarisch auf einen Nenner zu bringen. Es ist vielmehr eine Analyse des 20. Jahrhunderts in einer »beispiellosen Synthese von Tradition (als einer quasi wertkonservativen Haltung) und radikaler Modernität, die immer ins Utopische übergeht.« (Klaus Modick). Publikationen in den 20er und 30er Jahren (u. a. »Das abenteuerliche Herz«, »Der Arbeiter«, »Die totale Mobilmachung«) zeigen deutlich die konsequente Entwicklung eines eigenen Stils, den J. selbst als »seismographisch« — Betrachtung der Umwelt im Spiegel der eigenen Reaktionen, davon ausgehend Entwicklung von Denkmodellen für die Zukunft — beschrieben hat. Sowohl Nationalsozialisten als auch Kommunisten bemühten sich deshalb um J., der sich jedoch zunehmend von politischen Dingen auf eine mehr metaphysische Ebene zurückzog und besonders den Nationalsozialisten eine klare Absage erteilte. Er lehnte den Beitritt zur neugegründeten Preußischen Dichterakademie ab und verbat sich auch die Publikation seiner Kriegstagebücher im »Völkischen Beobachter«. »Auf den Marmorklippen« (1939) gilt als Ausdruck seiner inneren Emigration gegen das NS-Regime. — J.s umfassende Analyse des 20. Jahrhunderts, dargeboten in den unterschiedlichsten literarischen Formen — autobiographischer Roman, Tagebuch, Reisebericht, utopischer Roman — nähert sich vielfach christlichen und kirchlichen Vorstellungen, wobei allerdings der Glaube an den Sinn aller Erscheinungen zum Kern einer säkularen Theologie wird (Heimo Schwilk). Um einem internationalen Kreis von Autoren und Wissenschaftlern ein Forum für mythologische, religions- und kulturgeschichtliche Themen zu bieten, gründete J. 1959 zusammen mit dem aus Rumänien stammenden Religionswissenschaftler Mircea Eliade die Zeitschrift »Antaios«.

Werke: a. Gesamtausgaben: Werke in zehn Bänden, Bd. 1-10, 1960,-1965; Werke in achtzehn Bänden, Bd. 1-18, 1978-1983.— b. Erstausgaben: In Stahlgewittern. Aus dem Tagebuch eines Stoßtruppführers, 1920; Der Kampf als inneres Erlebnis, 1922; Das Wäldchen, 1925; Eine Chronik aus den Grabenkämpfen 1918, 1925; Feuer und Blut, 1925; Das abenteuerliche Herz, 1. Fassung, 1929; Die totale Mobilmachung, 1931; Der Arbeiter. Herrschaft und Gestalt,

1932; Blätter und Steine, 1934; Afrikanische Spiele, 1936; Das abenteuerliche Herz, 2. Fassung, 1938; Auf den Marmorklippen, 1939; Gärten und Straßen. Aus den Tagebüchern 1939 und 1940, 1942; Myrdun. Briefe aus Norwegen, 1943; Der Friede. Ein Wort an die Jugend Europas und an die Jugend der Welt, 1945; Atlantische Fahrt, 1947; Sprache und Körperbau, 1947; Ein Inselfrühling, 1948; Strahlungen, 1949; Heliopolis. Rückblick auf eine Stadt, 1949; Über die Linie, 1950; Das Haus der Briefe, 1951; Der Waldgang, 1951; Am Kieselstrand, 1951; Besuch auf Godenholm, 1952; Die Eberjagd, 1952; Drei Kiesel, 1952; Der gordische Knoten, 1953; Das Sanduhrbuch, 1954; Sonnentau, 1955; Am Sarazenenturm, 1955; Geburtstagsbrief, 1955; Rivarol, 1956; Serpentara, 1957; San Pietro, 1957; Gläserne Bienen, 1957; Jahre der Okkupation, 1958; Mantrana. Einladung zu einem Spiel, 1958; An der Zeitmauer, 1959; Ein Vormittag in Antibes. (E. J. zum 65. Geb. 29.3. 1960), 1960; Sgraffiti, 1960; Der Weltstaat. Organismus und Organisation, 1960; Das spanische Mondhorn, 1962; Der Baum, 1962; Fassungen, 1963; Sturm, 1963; Typus, Name, Gestalt, 1963; Grenzgänge, 1966; Im Granit, 1967; Subtile Jagden, 1976; Zwei Inseln, 1968; Federbälle. Martin Heidegger zum 80. Geburtstag, 1969; Lettern und Ideogramme, 1969; Ad hoc, 1970; Annäherungen. Drogen und Rausch, 1970; Sinn und Bedeutung, 1971; Die Zwille, 1973; Post nach Princeton, 1973; Zahlen und Götter. Philemon und Baucis, 1974; Ausgewählte Erzählungen, 1975; Eumeswil, 1977; Über Sprache und Stil, 1979; Capriccio, in: Schnittlinien. Für HAP Grieshaber zum 70. Geb. am 15.2. 1979, 1979; Siebzig verweht, I, 1980; Federbälle. Teil I und II, 1980; Siebzig verweht, II, 1981; Aladins Problem, 1983; Autor und Autorenschaft, 1984; Eine gefährliche Begegnung, 1985; Zwei Mal Halley, 1987. — c. Hrsg. und eingel. Bücher und Zeitschriften: Die Unvergessenen, 1928; Der Kampf um das Reich, 1929; Das Antlitz des Weltkrieges, 1930-1931; Krieg und Krieger, 1930; Luftfahrt ist Not!, 1930; Der gefährliche Augenblick. Hrsg. von Ferdinand Buchholtz. Mit einer Einleitung von Ernst Jünger, 1931; Die veränderte Welt. Eine Bilderfibel unserer Zeit. Hrsg. von Edmund Schultz. Mit einer Einleitung von Ernst Jünger, 1933; Adolf Horion, Käferkunde für Naturfreunde. (Mit einem Geleit von Ernst Jünger.), 1949; Hans Speidel, Invasion 1944. Ein Beitrag zu Rommels und des Reiches Schicksal. (Geleitwort von Ernst Jünger.), 1949; Standarte. Wochenschr. des neuen Nationalismus, Magdeburg 1926. Vom 1. April bis 19. August 1926 Mitherausgeber: Arminius. Kampfschrift für dt. Nationalisten, München 1926-1927. Vom 21. November 1926 bis 1. Mai 1927 Mitherausgeber: Der Vormarsch. Blätter der nationalistischen Jugend, 1927 ff. Vom Oktober 1927 bis März 1928 Mitherausgeber: Die Kommenden. Überbündische Wochenschr. der dt. Jugend, 1930-1931. Mitherausgeber vom 3. Januar 1930 bis Mitte 1931: Antaios. Zeitschr. für eine freie Welt. Hrsg. von Mircea Eliade und Ernst Jünger. Jg. 1 ff., 1959 ff.

Lit.: 1. Bibliographien: Hans Peter des Courdres, Bibliogr. der Werke J.s, in: Philobilon 4 (1960), 231-266; — Karl O. Paetel, J. Eine Bibliogr., 1953; — Armin Mohler, J. Bibliogr. raisonnée, in: Armin Mohler, Die Schleife, 1955, 139-153. Komment. Auswahlbibliogr.; Ders., Die Konservat. Revolution in Dtld. 1918-1937, 1989. — Gesamtdarstellungen: Wolf Dieter Müller, J. Ein Leben im Umbruch der Zeit,

1934; — Marcel Decombis, J. L.'homme et l'Œuvre jusqu'en 1936, 1943; — Erich Brock, Das Weltbild J.s. Darst. und Deutung, 1945; — Karl O. Paetel, J. Die Wandlung eines dt. Dichters und Patrioten, 1946; — Alfred von Martin, Der heroische Nihilismus und seine Überwindung. J.s Weg durch die Krise, 1948; — Karl O. Paetel, J. Weg und Wirkung. Eine Einführung, 1949; — Hubert Becher, J. Mensch und Werk, 1949; — Gerhard Nebel, J. Abenteuer des Geistes, 1949; — Hans Rudolf Müller-Schwefe, J. (Dichtung und Deutung 4), 1951; — J. P. Stern, J. Gestalt und Werk, 1957; — Karl O. Paetel, J. in Selbstzeugnissen und Bilddokumenten, 1962; — Armin Mohler, Die Schleife. Dokumente zum Weg J.s, 1955; — Gisbert Kranz, J.s symbol. Weltschau, 1968; — Thomas Kielinger, Die Thematisierung des Essays. Zur Genese von J.s Frühwerk, 1970; — Veronica M. Wood, The Paradox of J., 1971; — Banine, Portrait d'J., 1971; — Helmut Konrad, Kosmos. Polit. Philosophie im Werk J.s, 1972; — Ulrich Böhme. Fassungen bei J., 1972; — Gerhard Loose, J., 1974; — Marjatta Hietala, Der neue Nationalismus in der Publizistik J.s, 1975; — Volker Katzmann, J.s Magischer Realismus, 1975; — La Table Ronde, Cahier J., 1976; — Hans Peter des Coudres, Bibliogr. der Werke J.s, 1970, 75; — Christiane van de Putte, De Magisch-Realistische Romanpoetica in de Nederlandse en Duitse Literatur, 1976; — Karl Heinz Bohrer, Die Ästhetik des Schreckens, 1978; — Joelle-Anne Becheler, Vergleich zw. J. und Julien Gracq, 1973; — Heimo Schwilk, J. Leben und Werk in Bildern und Texten, 1988.

Ursula Hoffacker

JUGIE, Martin, AA, * 3.5. 1878 in Kadi-Köj/Istambul, † 29.11. 1954 in Lorgues (Dep. Var.), war ein hervorragender Byzantinist. Er war Mitarbeiter von Mgr Louis Petit und J. Pargoire bei der Gründung der Zeitschrift »Échos d'Orient« und am Institut von Kadi-Köj. Von 1917-1953 war J. Professor der Theologie am Pontificio Ateneo Lateranense. — Als Meister der katholischen Wissenschaft war er die Seele des Instituts Français d'Études Byzantines (Paris), veröffentlichte mehr als 100 Artikel in der institutseigenen »Revue des Études Byzantines«. Er setzte das wissenschaftliche Werk L. Petits fort und hat - anders als dieser - seine großen wissenschaftlichen Vorhaben vor seinem Tod zu Ende führen können. Aus zahlreichen Schriften stechen drei große Werke hervor: Er gab sämtliche Werke des Gennade Scholarios in 8 Bänden heraus und begründete mit der 5-bändigen »Theologia dogmatica Christanorum Orientalium« diese besondere wissenschaftliche Disziplin. Sein mariologisches Werk in zwei Bänden über die unbefleckte Empfängnis und die Himmelfahrt wurde wichtige Grundlage zur Vorbereitung des Dogmas vom 1. November 1950.

Werke: Nestorius et la controverse nestorienne, 1912; Theologia dogmatica christanorum orientalium, 5 Bde., 1926-1935; Le schisme byz., aperçu historique et doctrinal, 1941; — Homélies mariales byz., texte grec et traduction lat.: POr XVI, 427-589; La mort et l'assomption de la S. Vierge, étude historico-doctrinale, 1944; L'immaculée conception dans l'Ecriture sainte et la tradition orientale, 1952; œuvre complétes des Georges Scholarios (Mitarbeit mit L. Petit u. H. Sidéridés), 7 Bde., 1928-1936.

Lit.: LThK V, 1960; — RÉB XI/1953, XII/1954.

Ursula Hoffacker

JULIA *von Korsika*, Jungfrau und Martyrin. Genaues über ihr Leben ist nicht bekannt. In einem Brief Cyprians (ep. 22,2) wird eine Julia erwähnt, die in Carthago im Kerker gestorben ist, also zur Zeit des Kaisers Decius (249-251). Seit dem 6./7. Jh. wird sie in allen Martyrologien erwähnt und zwar als Martyrin in Korsika. Wie sie dort hingelangt ist, läßt sich nicht mehr feststellen. Ob sie dorthin ausgewandert ist und dann wegen ihres Glaubens hingerichtet wurde oder ob ihre Reliquien dorthin transferiert wurden, etwa z.Zt. der Vandalen, ist nicht mehr zu entscheiden. Nach der Legende soll sie gekreuzigt worden sein. So wird sie auf einem Bilde dargestellt, das im Museum in Brescia erhalten ist. Ihre Seele entstieg dem Körper in Gestalt einer Taube; dieser Vogel wurde ihr bleibendes Attribut. Ihr Kult entfaltete sich auf der Insel Gorgona bei Korsika. Dort entstand eine lebhafte Wallfahrt zur Stelle ihrer »Kreuzigung«. Dort sprudelte heilendes Wasser, das die Pilger mitnahmen. 763 fand eine Übertragung ihrer »Reliquien« nach Brixen statt; dort entstanden Hymnen zu ihrer Ehre. Ein großes Gemälde, das wohl in Brescia entstand, zeigt J. mit Petrus und Paulus; es befindet sich heute in Berlin. Festtag 22.5.

Lit.: AASS Mai V, 168-172; — BHL 4510 f.; — Delehaye, OC 313; 380; — L. Réau, Iconographie de l'art chrétien III,2 (1958) 766; LThK 5, 1105.

Bernhard Kötting

JULIA (JULE, JULIE) *von Troyes*, hl. (Fest 21. Juli); angeblich Märtyrerin in Troyes. — Die historisch gesicherten Quellen geben keine Auskunft über Person, Leben und Schicksal der Heiligen. Nach einer der legendarischen Passio der römischen Märtyrerin Luceia (BHL 4980) nachempfundenen Vita (BHL 4518, Suppl. 4518b, 4518d), von Tillemont als erbärmliches Machwerk beurteilt, soll Julia zur Zeit des Kaisers Aurelianus (270-275) wegen ihres Glaubens in Troyes gestorben sein. Die Erwähnung (Trecas, sanctae Iulia virginis et martyris) in Usuards Martyrologium (863/369) gilt als das älteste Kultzeugnis der Heiligen. Von dort kam sie in das Martyrologium Romanum (229). — Die vorrangige Verehrung der hl. Julia in den Kirchen von Troyes, der Benediktinerabtei von Jouarre (Diözese Meaux), den Diözesen Troyes und Meaux belegen seit dem XII. Jahrhundert die vor Ort gebräuchlichen liturgischen Bücher (Missale, Brevier, Litaneien, Sanctorale). Um 1111 wurden ihre Reliquien von Troyes in die Abtei von Jouarre übertragen, später in einem kostbaren Reliquienschrein (1208/1220) aufbewahrt und bis auf den Tag an Hochfesten, vor allem am Fest der »translationis Juliae« (29. Januar) zu Ehren der Heiligen, in feierlicher Prozession mitgetragen. Heute hütet dieses Reliquiar die Pfarrkirche Saint-Pierre von Jouarre.

Lit.: Nicoias Camuzat, Promptuarium sacrarum antiquitatum tricassinae dioecesis, Troyes 1610; — Le Nain de Tillemont, Mémoires pour servir à l'histoire ecclésiastique des six premiers siècles IV, Paris 1701[2], 348; — Jean-Baptiste Du Sollier (Hrsg.), Martyrologium Usuardi, Antwerpen 1714, 415; — ActaSS V, Antwerpen 1727, 133f.; — Probationes cultus sanctorum ecclesiae Trecensis, Troyes 1869, 22f.; — Georges Verdin, Légendes hagiographiques troyennes. Les pseudo-martyrs de la persécution d'Aurélien, in: RHR 90 (1924) 175-192; — Louis Morin, Les monuments du culte de Sainte Jule à Saint-Martin-ès-Vignes, près Troyes, Troyes 1935; — Maurice Cœns, Jule de Troyes (Rez. zu Morin), in: AnBoll 55 (1937) 135f.; — Pierre Héliot, Le Trésor et les Reliques de l'Ancienne Abbaye de Jouarre d'après les inventaires, in: RMab 42 (1957) 258-271; — Joseph van der Straeten, Actes de Martyrs d'Aurélien en Gaule, in: AnBoll 80 (1962) 124f.; — Ders., La Passion de sainte Jule, martyre troyenne, in: AnBoll 80 (1962) 361-381; — Cath. VI (1963) 1224.

Irmingard Böhm

JULIANUS APOSTATA (332-363, röm. Kaiser 361-363). Flavius Claudius Julianus, wie sein Name auf römischen Münzen erscheint, wurde 332 als Sohn des Iulius Constantius, eines Stiefbruders Kaiser Konstantins des Großen, und dessen zweiter Frau Basilina in Konstantinopel geboren. Seine Mutter starb wenige Monate nach der Geburt. Sein Vater fiel 337 einem Aufstand von Soldaten zum Opfer, die allein die direkten Nachkommen Kaiser Konstantins als Herrscher anerkennen wollten und alle Nachkommen des Constantius Chlorus töteten. Allein J. und sein elfjähriger Stiefbruder Gallus wurden verschont, der eine seiner Jugend wegen, der andere wegen einer schweren Erkrankung. Der Erziehung des Waisen nahm sich der arianische Bischof Eusebius von Nikomedien, ein Verwandter seiner Mutter, an. Als Eusebius 339 zum Bischof von Konstantinopel ernannt wurde, kehrte auch J. mit ihm dorthin zurück. Seine Ausbildung lag hier in den Händen des Eunuchen Mardonios, den er später als den Lehrer lobt, der ihn in die griechische Dichtung und Philosophie eingeführt hatte. Zugleich wurde J. von dem Lakonier Nikokles in der Grammatik und von dem christlichen Philosophen Hekebolios in der Rhetorik unterwiesen. Hekebolios nahm ihm, wahrscheinlich auf Veranlassung des Kaisers Constantius hin, das Versprechen ab, keine Vorlesungen bei heidnischen Gelehrten zu hören. Constantius war es auch, der 344 oder 345 J.s Rückkehr nach Nikomedien aus nicht näher zu ermittelnden Gründen veranlasste. Hier lernte J. auch den heidnischen Philosophen Libanios kennen, dessen Vorlesungen er zwar, seinem Versprechen getreu, nicht besuchte, dessen Schriften er sich aber zu besorgen wußte. Noch im Jahre 345 aber wurde J. und seinem Bruder Gallus die kaiserliche Domäne Fundus Macelli in Kappadokien als Aufenthaltsort zugewiesen, die J. später zu einem Verbannungsort stilisiert hat, was der Realität allerdings nicht entspricht. Die Erzieher der Prinzen waren hier christliche Kleriker und es ist wahrscheinlich, daß J. hier auch die Taufe empfangen hat. Nach dem Tod des Constans im Jahre 350 berief Constantius, der nicht mehr auf eigene Nachkommenschaft hoffen konnte, J.s Bruder Gallus nach Konstantinopel und ernannte ihn 351 zum Caesar. J. erfreute sich zu dieser Zeit völliger Bewegungsfreiheit, besuchte seinen Bruder in Konstantinopel, begleitete ihn auf einer Reise und begab sich schließlich nach Pergamon, wo er Kontakt zu den Kreisen der Neuplatoniker um Aidesios von Kappadokien, Eusebios von Myndos und Chrysanthios von Sardes fand. Seine Begeisterung für die griechische Klassik erreichte ihren Höhepunkt in der Begegnung mit Maximos von Ephesus, unter dessen Einfluß er sich innerlich vom Christentum ab- und den heidnischen Mysterien zuwandte, obwohl er seinem kaiserlichen Bruder zuliebe in der Öffentlichkeit weiterhin ein christliches Leben führte. Während der folgenden Jahre stiller Zurückgezogenheit in Nikomedien widmete sich J. dem Studium neuplatonischer philosophischer und mantischer Schriften, während seine Freunde in ihm die Idee einer Reform des Hellenismus und einer Rückkehr zum klassischen Griechentum erweckten. Diese Zeit der Studien erlitt eine rohe Unterbrechung, als sein Bruder Gallus 354 von Constantius hingerichtet und J. gcfangcn gesetzt und nach Mailand gebracht wurde. Die Welt des christlichen Kaisers, der die Anhänger des antiken Götterkultes mit der Todesstrafe bedrohte, mußte dem jungen Prinzen als eine Gegenwelt erscheinen, die seinen romantischen Träumen feindlich gegenübertrat. Als er nach einem halben Jahr mit der Erlaubnis, nach Bithynien zurückzukehren, aus der Haft entlassen wurde, wandte er sich nur umso heftiger der antiken Religion und den Mysterienkulten zu, obwohl er nach außen hin weiter die christlichen Gebräuche beibehielt. Während eines Aufenthaltes in Athen 355 ließ er sich in die eleusinischen Mysterien einführen. Auch dem Mithraskult war er in besonderer Weise zugetan. Im Zentrum seines persönlichen Glaubens stand eine Form von Sonnenverehrung: die Sonne, der Gott Helios, erschien ihm als Quell und Urheber aller zeugenden Kraft und Intelligenz. Neben ihm steht die Göttin Kybele als Göttermutter im Bereich des Nous, die Quelle und Vollenderin allen Werdens. Neuplatonische Allegorie verschlingt sich in der Spekulation um Logos und Nous mit mystischem Geheimwissen. Bereits im Oktober 355 befand sich J. aber wieder in Oberitalien, wo er im November die Cäsarenwürde erhielt, um als Befehlshaber des römischen Heeres in Gallien die Einfälle der Alamannen und Franken abzuwehren. J., der

seinem kaiserlichen Vetter Constantius daraufhin eine Reihe von Lobreden widmete, bewährte sich in den folgenden Jahren bis zum Winter 359/60 als bei den Soldaten beliebter militärischer Führer in ungünstigen äußeren Umständen. In Paris, wo er den Winter 359/60 zubrachte, erhielt er den Befehl, seine besten Truppen zu Constantius zurückzuschicken. Die Soldaten quittierten diesen Akt des Mißtrauens, indem sie J., nach dessen eigener Darstellung gegen seinen Willen, zum Augustus ausriefen. Nachdem Constantius ihm gedroht hatte, mit Waffengewalt gegen ihn vorgehen zu wollen, rüstete J. zum Krieg gegen den Kaiser. Das Epiphaniasfest 361 hatte er noch in der Kirche gefeiert - nun legte er die christliche Maske ab und stellte den Kriegszug unter den Schutz der antiken Götter. Während er dem kaiserlichen Heer in Eilmärschen entgegenzog, ließ er bereits alle Tempel wieder eröffnen. Aber es kam nicht zu der kriegerischen Auseinandersetzung mit Constantius. Der Kaiser starb am 3.11. 361 in Cilicien. J. zog am 11.12. 361 als Alleinherrscher in Konstantinopel ein und begann sofort, die Grundlagen für weitgehende Reichsreformen zu legen. Sein Toleranzgesetz stellte die Religionsfreiheit wieder her und nahm den Christen ihre privilegierte Stellung. Sodann verfügte er die Entfernung aller Christen aus dem Hof- und Staatsdienst, besonders in der kaiserlichen Garde sollten keine Christen mehr dienen. Heereszeichen und Münzen trugen wieder die heidnischen Symbole. Neuplatonische Philosophen und Mystagogen eilten an den Hof des neuen Kaisers. Heidnische Kulte wurden erneuert, heidnische Priester eingestellt, zerstörte und halbzerstörte Tempel wurden wieder aufgebaut. Die Sonderrechte des christlichen Klerus wurden dagegen ausgemerzt. J. tat ein Übriges, indem er orthodoxe Bischöfe wie Athanasius von Alexandrien aus der Verbannung zurückrufen ließ, um mit ihnen die innerkirchlichen Streitigkeiten weiter zu schüren. Um zur klassischen Bildungstradition zurückzukehren, verbot J. mit dem Schulgesetz vom 17.6.362 christlichen Lehrern den öffentlichen Unterricht. Er intendierte dabei zwar keine Christenverfolgung, verursachte durch seine Politik aber blutige christenfeindliche Unruhen, besonders in Syrien und Ägypten. J.s Ziel war dabei eine heidnische Kirche nach dem Vorbild der christlichen. In diese Richtung weist auch J.s Befehl, sogar den jüdischen Tempel in Jerusalem wieder aufbauen zu lassen, was allerdings nicht mehr verwirklicht werden konnte. Da J. sich durch die Persergefahr im Osten seines Reiches gezwungen sah, vom Beginn seiner Herrschaft an zu einem neuen Krieg zu rüsten, konnten seine Reformen nicht mit der ihm ansonsten eigenen Schnelligkeit durchgeführt werden. Im Sommer 362 begab sich der Kaiser nach Antiochien, um dort seine Rüstungen fortzusetzen. Hier begegnete er größter Ablehnung durch die zum teil christliche Bevölkerung. Man verspottete den Kaiser, der sich dazu herabließ, auf dem Markt philosophische Dispute führen zu wollen. J. verließ am 4.3.362 Antiochien und zog gegen die Perser. Nach einigen Gefechten, die er siegreich geführt hatte, traf ihn in einer Schlacht am 26.6.362 ein Speer. Der Kaiser starb nur eine Stunde nach seiner Verwundung. Einen Tag später schmähten die Perser die Römer, ihren eigenen Kaiser getötet zu haben. Bis heute bleibt es ungeklärt, ob J. durch einen feindlichen Speer starb oder ob ein Christ im römischen Heer den Kaiser tötete. Auch die Christen unter den Berichterstattern sind sich darüber nicht einig. Als legendarisch ist Theodorets Bericht anzusehen, nach dem der Kaiser sterbend die letzten Worte ausgesprochen haben soll: »Tandem vicisti, Galilaee - Nun hast du doch noch gesiegt, Galiläer [=Jesus]«. Mit J.s Tod starb auch seine Wiedererweckung des Heidentums. Seine Nachfolger, Jovian (363-364) und die Brüder Valentinianus I. (Herrscher im Westen 364-375) und Valens (Herrscher im Osten 364-378), führten die christliche Kirche wieder in ihre Privilegien ein. Die christlichen Schriftsteller schmähten J. daraufhin als »Apostata« [=Abtrünniger] - Augustin hat diese Bezeichnung bereits von anderen übernommen (De civ. Dei 5,21).

Quellen: Juliani imperatoris quae supersunt praeter reliquias apud Cyrillum omnia, ed. F.C.Hertlein, 2 Bde, Leipzig 1875-1876; Juliani imperatoris librorum contra Christianos quae supersunt, ed. C.J.Neumann, Löwen 1880, dt. Leipzig 1880; Klimek, Coniectanea in Julianum et Cyrilli Alexandrini contra illum libros, Breslau 1883; Juliani imperatoris epistulae, leges, poematia fragmenta varia, ed. J.Bidez / F.Cumont, Paris 1922—J.Bidez I/1: Discours (Paris 1932), I/2: Lettres, Paris 1924.

Lit.: G.J.M. Bartelink, L'empereur Julien et le vocabulaire chrètien, in: VigChr 11 (1957), S.37-48; — J. Bidez, La vie de l'empereur Julien, Paris 1930, dt. München [5]1947, Hamburg 1956; — M.F.A. Brok, De perzische expeditie van Keizer Julian, Groningen 1959; — G. Downey, Julian and the Schools, in: Classical Journal 53 (1957), S.97-103; — A.J. Festugière, Julien à Macellum, in: Journal of Roman Studies 47 (1957), S.53-58; — Gollwitzer, Observationes criticae in Juliani Imperatoris contra Christianos libros, Erlangen 1886; — Holzwarth, Julian der Abtrünnige, Freiburg iBr. 1874; — H. Janssen, Kaiser Julians Herrscherideal, (Diss. masch.schr.) Kiel 1953; — Kellerbauer, Kaiser Julians Regierung, Kempten 1876; — A. Mücke, Flavius Claudius Julianus. Nach den Quellen, 2 Bde, Gotha 1867. 1869; — A.Neander, Kaiser Julian und sein Zeitalter, Berlin 1812; — A.D. Nock, Deification and Julian, in: Journal of Roman Studies 47 (1957), S. 115-123; — Rendall, The emperor Julian: Paganism and Christianity, London 1879; — B. Ricciotti, L'imperatore Giuliano secondo i documenti, Mailand 1956; — Rode, Geschichte der Reaktion Kaiser Julians gegen die Kirche, Jena 1877; — E. Stein/J.-R. Palanque, Histoire du Bas-Empire I, Brügge 1959, S. 142-175; — D.F.Strauß, Der Romantiker auf dem Thron der Caesaren oder Julian der Abtrünnige, 1847; — Torquati, Studii storico-critici sulla vita e sulle gesta di Fl.Cl. Giuliano soprannominato l'Apostata, Rom 1878; — J. Vogt, Kaiser Julian und das Judentum, Löwen 1939.

Heiko Wulfert

JULIAN, Bischof von Aeclanum (ca. 385- ca. 450). Die Quellenlage zu Leben und Werk Julians von Aeclanum ist denkbar kompliziert. Seine Werke sind nur aus den Zitaten der Schriften seiner Gegner zu erheben, die Darstellung seiner Vita bei Gennadius ist zum Teil legendarisch verformt (näheres s.u.). So ist auch sein genaues Geburtsdatum unbekannt. Er wurde gegen Ende des 4. Jahrhunderts als Sohn des süditalienischen Bischofs Memorius und dessen Frau Juliana geboren und heiratete um 403 Titia, eine Tochter des Bischofs Aemilius von Benevent. Paulinus von Nola verfasste ein Lied zum Preis von Julian und Titia (Carm. 25). Der Vater sorgte für eine gründliche Ausbildung J.s in der Rhetorik und bat selbst Augustin, etwas zur Unterweisung J.s beizutragen. Dieser schickte ihm daraufhin die Abschrift eines Teiles seines Traktates über die Musik und erbat einen Besuch J.s. Zur Begegnung mit Augustin ist es für J. allerdings nicht gekommen, der bereits zum Diakon geweihte junge Mann traf lediglich Augustins Freund Honoratus in Karthago. Schon 416/17 wurde J. zum Bischof von Aeclanum, südwestlich von Benevent, geweiht. Zusammen mit einer Gruppe von 18 italienischen und sizilianischen Bischöfen verweigerte er 418 die Unterschrift unter die Epistola tractoria des Papstes Zosimus, die den Pelagianismus verdammte. Die ganze Gruppe wurde abgesetzt und verbannt. Mit einem Gesuch an Comes Valerius in Ravenna, den Heiligen Stuhl und Rufus von Thessalonich versuchten sie, die Einberufung eines allgemeinen Konzils zu erreichen, das sie wieder in ihre Ämter einsetzen sollte. Ihre Bemühungen blieben erfolglos. Auch seine Auseinandersetzung mit seinem einstigen Gönner Augustin, die J. nach seiner Berufung an Valerius (418) mit seinem Traktat »Ad Turbantium« (419) und seiner Schrift »Ad Florum« führte, brachte keine Wendung für die pealgianische Partei. J. fand mit einigen anderen 421 Aufnahme bei Bischof Theodor von Mopsuestia, der bereits als Kritiker der Gegner des Pelagius bekannt war. In seiner biblischen Exegese verdankt J. Theodor und anderen Antiochenern sehr viel, was sich an den wenigen Fragmenten seiner exegetischen Werke ablesen läßt. Nach Theodor setzte sich besonders der neue Patriarch Nestorius von Konstantinopel für J. bei Papst Coelestin ein. Der Papst war allerdings schon durch Marius Mercator vom Irrtum der Pelagianern überzeugt und erreichte sogar ihre Ausweisung aus Konstantinopel. Die Verurteilung des Pelagianismus auf dem Konzil von Ephesus (431) schob allen weiteren Vermittlungsversuchen einen Riegel vor und auch J.s Bemühungen bei den Päpsten Sixtus III. und Leo I. scheiterten. Aus den erhaltenen Quellen (Fulgentius: PL 48,296ff) läßt sich die Vermutung ableiten, wenn auch nciht bestätigen, daß J. einige Zeit bei den Semipelagianer in Südgallien verbrachte und dabei Faustus von Reji in Lérins besuchte, bevor er als Lehrer in Sizilien vor 455 starb. — J.s Schriften sind vor allem durch die zahlreichen Zitate anderer Autoren wie Augustin, Marius Mercator und Beda Venerabilis bekannt geblieben. Dabei dürften seine Werke in der Auseinandersetzung mit Augustin als seine ältesten Schriften angesehen werden. Zu ihnen gehören der Brief an Valerius, der Traktat »Ad Turbantium«, ein Brief an Papst Zosimus, dem wahrscheinlich noch ein zweiter, von Marius Mercator als »libellus fidei« bezeichneter, folgte, und die Schrift »Ad Florum«. Von einiger Bedeutung dürften auch J.s exegetische Werke gewesen sein. Zu ihnen gehören eine lateinische Übersetzung von Theodors von Mopsuestia »Expositio in psalmos«, Kommentare zu Hiob und zu den Propheten Hosea, Joel und Amos, sowie die von Beda mit wenigen Zitaten genannten Schriften »In canticum« und »De bono constantiae«. Zu der schwierigen Quellenlage s. Yves-Marie Duval, Iulianus Aeclanensis restitutus. La première édition - incomplete - de l'Œuvre de Julien d'Éclane, in: REAug 25 (1979), S. 162-170. J.s große Bedeutung liegt darin, daß er durch seine Schriften zu dem großen Theologen, dem »Systematiker« des Pelagianismus wurde. Seine Gegner, unter ihnen besonders Augustin, griff er wegen ihres »Manichäismus« an, der für J. darin bestand, daß er in seiner Erbsündenlehre das Böse in der menschlichen Concupiscentia und damit in seiner Natur sah, was für J. unter anderem eine Verdammung der Ehe nach sich ziehen mußte. Für ihn ist die Sünde eine Sache des menschlichen Willens. Der Wille besitzt für J. die Freiheit, die Sünde geschehen zu lassen oder aber sich von ihr zu enthalten (admittendi peccati et abstinendi a peccato possibilitate). Diese Freiheit des Willens, durch die der Mensch erst Gottes Ebenbild ist, bleibt ein unverlierbares Gut und kann auch durch die Sünde nicht entstellt werden. Die Sünde verändert nicht die natürliche Beschaffenheit des Menschen (naturae status), sondern lediglich die Beschaffenheit seines Verdienstes vor Gott (meriti qualitas). Wenn aber die Sünde ein Werk des Willens ist, ist Augustins Erbsündenlehre für J. ein Widerspruch in sich, da sie in der Natur des Menschen, nicht aber in seinem Willen verwurzelt sein soll. Augustin ist für J. noch schlimmer als die Manichäer, macht er doch mit seiner Lehre Gott zum Urheber des Bösen. Gott aber ist der Schöpfer einer guten Natur. Wäre der Mensch nämlich von Natur aus böse, so wäre er nicht der Erlösung fähig. Wer die Natur verdammt, leugnet für J. auch die Gnade. Er verteidigt zuerst die Gerechtigkeit Gottes, der die Erbsündenlehre seiner Meinung nach widerstreitet. Das Werk der Gnade Gottes ist nicht in der Erwählung und Vorherbestimmung, sondern in der körperlichen und geistigen Begabung des Menschen zu erblicken. Im Fortgang des Heilswerkes Gottes stehen nacheinander die Gabe des Gesetzes und die vollkommene Offenbarung des Gotteswillens in Christus. In der Taufe wird dem Menschen der Anreiz zum Guten geschenkt. Mit der Hilfe des göttlichen Heilswillens kann er alle Gerechtigkeit erfüllen. Jeder, auch der Heide, kann so durch den Gebrauch seines freien Willens das Gute erlangen. In seiner Darstellung ist J. um die Verknüpfung seiner Gedanken mit der Schrift und der Tradition der Kirche bemüht, betont aber auch die hohe Bedeutung der menschlichen Vernunft. Augustin selbst bestätigt, daß der Pelagianismus erst durch J. ein zusammenhängendes dogmatisches System erhalten hat.

Quellen: Aurelii Augustini contra Iulianum opus imperfectum I-III, ed. M. Zelzer 1974 (CSEL 85,1), IV-VI in PL 45, S. 1337-1608; Bedae In cantica canticorum allegorica expositio, in PL 91, S. 1065-1236; Iuliani Aeclanensis expositio libri Iob. Tractatus prophetarum Osee Ioel et Amos. Operum deperditorum fragmenta, ed. M.J. d'Hont / L. de Coninck 1977 (CCh.SL 88); Libellus fidei seu expositio fidei catholicae, in PL 48, S.509-526; Marii Mercatoris commonitorium lectori adversum haeresim Pelagii et Caelestini vel etiam scripta Iuliani, ACO 1,5 S. 11-19; Theodori Mopsuesteni expositionis in psalmos Iuliano Aeclanensi interprete in latinum versae quae supersunt, CCh.CL 88A.

Lit.: A.d'Alès, Julien d'Eclane, exégète, in: RechScRel 6 (1916), S. 311-324: — A.d'Amato, S.Agostino e il vescovo pelagiano Giuliano, in: Annuario del R. Linceo-Gimnasio »Pietro Coletta« di Avelino 1928-1929, Avellino 1930, S. 54-75; — J.H.Baxter, Notes on the Latin of Julian of Eclanum, in: ALMA 21 (1951), S. 5-54; — G.N.Bonwetsch, Art. »Julian von Aeclanum«, in: RE IX, S. 603-606; — Gisbert Bouwman, Des Julian von Aeclanum Kommentar zu den Propheten Osee, Joel und Amos, Rom 1958 (=AnBib 9); — ders., Zum Wortschatz des Julian von Aeclanum, in: ALMA 27 (1957), S. 141-164; — J.M.Bover, La »Teoría« antioquena definida por Julián de Eclano, in: EstE 12 (1933), S. 405-415; — Peter Brown, Sexuality and society in the fifth century AD. Augustine and Julian of Eclanum, in: Scritti in onore di Arnaldo Momigliano (E. Gabba hg.), Como 1983, S.49-70 (=Biblioteca di Athenaeum 1); — Albert Bruckner, Julian von Eclanum. Sein Leben und seine Lehre, Leipzig 1897 (=TU 15,3a); — ders., Die vier Bücher Julians von Aeclanum an Turbantius, NSGTK 8, 1910; — T.W.Davidis, Art. »Julianus«, in: DChB III, S. 469-472; — Yves-Marie Duval, Julien d'Éclane et Rufin d'Aquilée. Du Concile de Rimini à la répression pélagienne, in: REAug 24 (1978), S.243-271; — ders., Iulianus Aeclanensis restitutus. La première édition: — incomplete de l'Œuvre de Julien d'Éclane, in: REAug 25 (1979), S. 162-170; — Wenzeslas Eborowicz, Quelques remarques sur le Contra Iulianum de saint Augustin, in: Augustinus 12 (1967), S. 161-164; — J.Forget, Art. »Julien d'Éclane«, in: DTC VIII², Sp. 1926-1931; — Alister McGrath, Divine justice and divine equity in the controversy between Augustinus and Julian of Eclanum, in: DR 101 (1983), S.312-319; — A.Jülicher, Art. »Julianus«, in: Pauly-Wissowa X, S. 19-22; — H.Kihn, Theodor von Mopsuestia

und Julianus Africanus als Exegeten, Freiburg iBr. 1880; — A.Lepka, L'Originalité des répliques de Marius Mercator à Julien d'Éclane, in: RHE 27 (1931), S.572-579; — G.Mercati, Il nome dell'Autore del Libellus fidei attribuito a Giuliano d'Eclano, in: Opere minori II (=StT 77), Città del Vaticano 1937, S. 244f; — Yves de Montcheuil, La polémique de saint Augustine contre Julien d'Éclane d'après l'Opus imperfectum, in: RSR 44 (1956), S. 193-218; — G.Morin, Un ouvrage restitué à Julien d'Eclanum, in: RBén 30 (1913), S. 1-24; — Fernando Perago, Il valore della tradizione nella polemica tra S. Agostino et Giuliano d'Eclano, in: Annali della Facoltà di Lettere e Filosofia dell'Università di Napoli 10 (1962f), S. 143-160; — — Georges de Plinval, Julien d'Éclane devant la Bible, in: RSR 47 (1959), S.345-366; — Francois Refoulé, Julien d'Éclane, Théologien et Philosophe, in: RSR 52 (1964), S.42-84.233-247; — Francois-Joseph Thonnard, L'aristotélisme de Julien d'Éclane et de Saint Augustin, in:REAug 11 (1965), S. 196-304; — A.Vaccari, Un commento a Giobbe di Giuliano Eclana, Rom 1915; — ders., Nuova opera di Giuliano Eclanese, in: CivCat 67 (1916,I), S. 578-593; — ders., Il Salterio Ascoliano e Giuliano Eclanese, in: Bib 4 (1923), S. 337-355 C.Weyman, Analecta XVI. Marius Mercator und Julianus von Äclanum, in: Hist. Jahrb. 37 (1916), S.77f; — ders., Der Hiobkommentar des Julianus von Aeclanum, in: TR 15 (1916), S. 241-248.

Heiko Wulfert

JULIAN *von Toledo*, 680-690 Erzbischof von Toledo, Kirchenpolitiker, Theologe und Schriftsteller, * etwa um 652, vielleicht in Toledo, † 6.3. 690 ebd. — J. stammt aus einer judenchristlichen Familie. Seine schulische Bildung erhielt er in der bischöflichen Domschule unter der Leitung Erzbischof Eugenius' II. von Toledo, das damals als Hauptstadt der Westgoten ein geistiges und religiöses Zentrum mit großer Ausstrahlung war. Am 29.1. 680 wurde J. Erzbischof von Toledo. Er präsidierte der 12., 13., 14.. und 15. Synode in Toledo (in den Jahren 681, 683, 684, 688), von denen die Konzilien der Jahre 681, 683 und 688 als Generalkonzilien Glaubensfragen und Angelegenheiten des ganzen westgotischen Reiches behandelten. Im Jahre 680 wirkte J. beim Sturz König Wambas (672-680) mit, erhob durch Salbung Ervig (680-687) auf den Thron und bestätigte ihn als König auf der Synode des Jahres 681. Solche Aktivitäten dokumentieren den auch politisch großen Einfluß der Kirche im westgotischen Reich, an deren Machtzuwachs J.s Wirken erheblichen Anteil hatte. Unter seiner Leitung wurde Toledo vollends zum führenden Bischofssitz mit der Primatie über alle westgotischen Bistümer in

Spanien und Südgallien. Auf der Synode von 684 akzeptierte J. die gegen die Monotheleten gerichteten Beschlüsse des 6. ökumenischen Konzils von Konstantinopel (680-681), allerdings nicht ohne sie zuvor einer theologischen Prüfung unterzogen zu haben. Offenbar im Namen seiner Mitbischöfe schickte er im Zusammenhang damit eine ausführliche schriftliche Stellungnahme (vermutlich identisch mit seinem nicht erhaltenen »Apologeticum fidei«) nach Rom, in der er die einschlägigen dogmatischen Positionen kritisch untersuchte. Papst Benedikt II. äußerte sein Mißfallen, insbesondere mit J.s Auffassung, in Gott habe der Wille den Willen gezeugt (»Voluntas genuit voluntatem«; es geht um das Verhältnis von Gott Vater und Gott Sohn und J.s Aussage von den »drei Substanzen in Christus«). Besorgt um den guten Ruf seiner Rechtgläubigkeit, verfaßte der Erzbischof eine zweite Schrift, das »Apologeticum de tribus capitulis«. Es ist großenteils erhalten in den Akten des 15. Konzils von Toledo von 688 (der Text ediert in: CChr, Ser. lat. 115). Über J.s Leben berichtet das »Encomium s. vita Juliani« des Felix von Toledo (MPL 96, 445-452). — Theologische und geistesgeschichtliche Bedeutung hat J. besonders durch sein exegetisches Hauptwerk »Antikeimena« (oder »Anticemenon«), in dem er bei der Auslegung des Alten und Neuen Testaments scholastische Methodik antizipiert; daneben durch sein apologetisches Werk «De comprobatione sextae aetatis«, in welchem er im Zusammenhang von Augustinus' Lehre von den sechs Weltaltern gegen die jüdische Auffassung Front machte, die Welt befinde sich erst im fünften Zeitalter, und der (erst im sechsten zu erwartende) Messias sei also noch nicht gekommen. Die größte Wirkung hatte J. indes mit dem »Prognosticon futuri saeculi«, später oft »Liber prognosticorum« genannt. Es handelt über die Themen Tod, Leben der Seele nach dem Tod, Gericht, Hölle und Himmel, und es ist dies der erste aus der christlichen Literatur überhaupt bekannte Versuch einer umfassenden systematisch angelegten Eschatologie. Hier schöpft J. stark aus der Kirchenvätertradition, vermag aber die zahlreichen Einzelelemente der Überlieferung in durchaus eindrucksvoller Weise zusammenzufassen und darzustellen. Erhalten ist von seinen Werken ferner

die »Historia Wambae«, eine Geschichte des Regierungsjahres 673 des Westgotenkönigs Wamba, die kurze »Vita Ildefonsi« (MPL 96, 43-48; J. Madoz, San Ildefonso de Toledo etc., Madrid 1943, S. 13) sowie ein Gedicht »Versus ad Modoenum« aus dem verlorenen »Liber carminum diversorum«. Anscheinend Ps.-Julian (genauer: eine um 685 von einem Schüler angelegte Sammlung von Notizen nach Lehrvorträgen des Erzbischofs) ist die »Ars grammatica«. J. kennt in seinen Werken zahlreiche Quellen, darunter vor allem Augustinus, Hieronymus, Isidor von Sevilla, Gregor der Große; griechische Quellen wie Athanasius, Kyrill von Alexandrien, Epiphanius, Eusebius, Johannes Chrysostomus und Origenes benutzt er in Gestalt lateinischer Übersetzungen. Durch gelegentliche Reminiszenzen an Vergil, Sallust und Livius zeigt er eine gewisse Kenntnis der vorchristlichen römischen Literatur.

Werke: Ars Juliani Toletani episcopi. Una gramática latina de la España visigoda, ed. M. A. H. Maestre Yenes, Toledo 1973; MPL 96; Sancti Juliani Toletanae sedis episcopi opera. Pars I., ed. J. N. Hillgarth, Turnhout 1976 (= CChr CXV). — Bibliographie in: CChr CXV, p. LXXIII-LXXIV: »Select Bibliography. - 1. General and Biographical. - 2. Writings. - 3. Influence in the Middle Ages«.

Lit.: J. P. Bouhot, Une homélie de Jean Chrysostome citée par Julien de Tolède, RevÉAug 23, 1977, 122-123; — I. Munzi, Note testuali all' Ars grammatica di Giuliano de Toledo, Annali dell' Istituto universitario orientale di Napoli. Sezione filologico - letteraria 1, 1979, 171-173; — Ders., Cipriano in Giuliano Toletano Ars gramm. 197, 52-54 M. Y., Rivista di Filología e d' Istruzione Classica 108, 1980, 320-321; — Ders., Ancora sul testo dell' Ars grammatica di Giuliano di Toledo, Annali dell' Istituto universitario orientale di Napoli. Sezione filologico - letteraria 2-3, 1980-1981, 229-231; — Ders., Il De partibus orationis di Giuliano di Toledo, ebd., 153-228; — J. Campos, San Agustín y la escatología de san Julián de Toledo, Augustinus 25, 1980, 107-115; — H. Schreckenberg, Die christl. Adversus-Judaeos-Texte und ihr literarisches und historisches Umfeld (1.-11. Jh.), Frankfurt a. M. 1982, 459-460, 639; — R. Strati, Venanzio Fortunato (e altre fonti) nell' Ars grammatica di Giuliano di Toledo, Rivista di Filología e d' Istruzione Classica 110, 1982, 442-445; — Ders., Ancora sulle citatione di Giuliano di Toledo (Ars grammatica e De partibus orationis), ebd. 112, 1984, 196-200; — Manitius I, 129-133; — DThC VIII, 1940-1942; — LThK V, 1200; — Fr. Brunhölzl, Geschichte der lat. Literatur des MA.s, I, München 1975, 103-110, 523; — T. F. Ruiz, in: Dictionary of the Middle Ages, VII, New York 1986, 181.

Heinz Schreckenberg

JULIANUS *von Brioude*. Genaue Daten über sein Leben fehlen. Nach späteren Berichten war er in Vienne geboren; er soll in der Verfolgung durch Diokletian (303/5), die besonders die christlichen Soldaten betraf, nach Brioude geflohen sein, wo er durch Enthauptung hingerichtet wurde. Ob die Jahreszahl stimmt, sei dahingestellt, denn 304 regierte in Gallien Constantinus Chlorus, der Vater Constantins, der eigentlich niemand wegen des christlichen Glaubens hinrichten ließ. An der Tatsächlichkeit seines Martyriums sind jedoch keine Zweifel angebracht; denn er wird schon von Sidonius Apollinaris, Venantius Fortunatus und Gregor von Tours erwähnt, der schon in seiner Jugend sein Grab besuchte. Er berichtet auch von einer Begebenheit, die für die Ausdehnung der Wallfahrt von Bedeutung wurde: Eine Frau kam zu dem noch nicht überdeckten Grab des Märtyrers mit der Bitte, sie möchte ihren in Trier gefangen gehaltenen Mann gesund wiedersehen. Nach der Erfüllung ihrer Bitte ließ sie das Grab überdecken und erbaute daneben eine Zelle. So ist der Beginn der Wallfahrt im 4. Jh. anzusetzen. So wurde das Grab J.s in Brioude neben dem Grab des hl. Martin in Tours zum meist besuchten Pilgerziel in Gallien. Die über seinem Grab errichtete Kirche wurde durch die Einfälle der Westgoten, der Burgunder und Sarazenen zerstört, aber im 13. Jh. neu errichtet; der Besuch des Grabes wurde von Papst Alexander IV. (1259) mit einem Ablaß ausgezeichnet. Viele Kirchen in Frankreich wurden unter sein Patronat gestellt. Das Haupt J.s wurde in Vienne verehrt; es wurde ebenfalls wichtigstes Pilgerziel. Wein und Staub vom Grabe und Wasser aus der Quelle neben der Stätte seiner Enthauptung galten als kostbare Pilgerandenken und Heilmittel, denn J. galt als besonderer Helfer für Taube, Blinde, Stumme, Gelähmte und Besessene; ebenso rief man ihn als Wiederbringer verlorener Dinge und als Rächer des Meineides an. Festtag; 28. August.

Lit.: AASS, Aug. VI, 169-88; — MGSS rer. Merov. I, 563-84; 879 ff; — Delehaye, OC 87; — E. CH. Babut: RALR, NS 5 (1914) 97-116; — J. Lespinasse, St. Julien (Brioude 1941); — Baudot-Chaussin IV, 556-63; — L Réau, Iconographie de l'art chrétien III,2 (1958) 771 f; DACL VIII, 399-412; — LThK 5, 1196 f.; B. Kötting, Peregrinatio religiosa[2] (1980) 275-279.

Bernhard Kötting

JULIANUS *von Halikarnassus*. Über seine Vita ist wenig bekannt; er dürfte in der zweiten Hälfte des 5. Jahrhunderts geboren sein und starb kurz nach 527. Im Jahre 511 war er (zusammen mit Severos) am Sturz des Patriarchen Makedonios von Konstantinopel beteiligt. J. war Bischof von Halikarnaß in Karien. Theologisch ist er zunächst als Monophysit einzuordnen. Im Jahre 518 zu Beginn der Regierung Justins I. (und der Mitregierung Justinians I.) wurde er seines Bischofsamtes enthoben und floh nach Ägypten, dem Hort des Monophysitismus, wo er sich in dem (vor den Toren Alexandriens gelegenen) Kloster Enaton niederließ. Durch seine Lehre von der ἀφθαρσία des Leibes Christi geriet er aber mit Severos (dem wegen seiner monophysitischen Christologie ebenfalls 518 abgesetzten und ebenfalls nach Ägypten geflohenen Patriarchen von Antiochien, zu dem er zunächst in einem guten Verhältnis stand) in Streit und wurde von diesem in mehreren Schriften heftig bekämpft. Kern seiner Lehre war die mißverständliche Aussage, Christus sei in jeder Beziehung ἄφθαρτος (mit keiner Schwäche des postlapsarischen Menschen behaftet), er sei leidlos im Leiden und unsterblich im Tode, auch nach dem Fleisch. Diese stark doketisch klingende Aussage bildete den Hauptpunkt des Streites, in dessen Verlauf er zum Haupt einer monophysitischen Partei wurde (die Julianisten, Aphthartodoketen oder auch Phantasiasten geheißen wurde). In Alexandrien hatte seine Lehre großen Erfolg. Auch Justinian I. hat gegen Ende seines Lebens dem Aphthartodoketismus zugeneigt (vgl. Euagrius, Hist. eccl. 4,39). Starke Verbreitung fand die Lehre in Armenien. Vom Schrifttum J. sind unversehrt nur 3 Briefe (in der syrischen Übersetzung, die der Bischof Paulus von Callinicus 528 von ihnen anfertigte) erhalten. Seine dogmatischen Streitschriften dagegen kennen wir nur durch die Auszüge, die Severos daraus in seine Entgegnungen aufgenommen hat. Aus den bei Draguet gesammelten Fragmenten ergeben sich die Titel folgender Werke: a) Epistula I, II,

III ad Severum, b) Tomus ad Severum (eine Beilage zu Brief I, in der J. seine Meinung über die ἀφθαρσία erstmals vortrug und Severos um Prüfung bat), dazu später noch Additiones, c) Apologia, d) Adversus blasphemias Severi orationes decem, e) Disputatio adversus Achillem et Victorem Nestorianos. Der Hiob-Kommentar, der ihm von Usener und anderen zugeschrieben wurde, kann nicht von ihm stammen, er gehört einem Arianer gleichen Namens aus dem Anfang der zweiten Hälfte des 4. Jahrhunderts (Hagedorn).

Ausgaben: R. Draguet, Julien d'Halicarnasse et sa controverse avec Sévère d' Antioche sur l'incorruptilbilité du Corps du Christ, 1924 (154 frr.; syr. Text mit griechischer Rückübersetzung); R. Draguet, Pièce de polémique antijulianiste. 3: L'ordination frauduleuse du Julianiste, Muséon 54, 1941, p. 59-89; Robert Hespel, Sévère d' Antioche, La polémique antijulianiste, CSCO 244 (Text), 1964, p. 6-7.10-11. 206-209; CSCO 245 (Übers.), 1964, p. 5-6.8-9.158-162 (3 Briefe); A. Šanda, Severi antijulianistica I, 1931 (3 Briefe); Ewing Walter Brooks, Historia ecclesiastica Zachariae rhetori vulgo adscripta II, CSCO 87, 1953, p. 102f., 103 f. (Text); CSCO 88, ²1953, p. 71 f.; p. 72 f. (Übersetzung). (2 Briefe); J. B. Chabot, Chronique de Michel le Syrien II, ²1963, p. 225.228 (Übersetzung von 2 Briefen).

Lit.: Hermann Usener, J. v. II., in: Hans Lietzmann, Catenen, 1897, 28-34; — Ders., J. v. H., in: RheinMus 55, 1900 ff., 321-340 (wiederholt in: Kleine Schriften IV, 1912/13, Neudruck 1965, 315-333); — P. Ferhat, Der Jobprolog des Julianos von Halikarnassos in einer armenischen Bearbeitung OrChr, N. S. 1, 1911, 26-31; — L. Dieu, Fragments dogmatiques de Julien d'Halicarnasse, in: Mélanges d'histoire offerts à Charles Moeller, Tom I, 1914, 192-196; — R. Draguet, Un commentaire grec arien sur Job, in: RHE 20, 1924, 38-65; — Ders., Une pastorale antijulianiste des environs de l'année 530, in.: Muséon 40, 1927, 75-92; — Ders., Pièces de polémique antijulianiste, in: Muséon 44, 1931, 255-317; — M. Jugie, Julien d'Halicarnasse et Sévère d'Antioche, in: Echos d'Orient 24, 1925, 129-162, 256-285 (als Sonderdruck: Julien d'Halicarnasse et Sévère d'Antioche, Paris, Bonne Presse, 1925); — Ders., Theologia dogmatica christianorum orientalium ab Ecclesia catholica dissidentium, Tomus V:De theologia dogmatica Nestorianorum et Monophysitarum, 1935, 433-437 (ablehnend rezensiert von R. Draguet, RHE 33, 1937, 89-96); — Robert P. Casey, Julian of Halicarnassus, in: HThR 19, 1926, 206-213; — Franz Diekamp, Zum Aphthartodoketenstreit, in: ThRv 25, 1927, 89-93; — Nerses Akinian - Robert P. Casey, Two Armenian Creeds, HThR 24, 1931, 143-151 (ein direkter Bezug auf Julian ist zunächst nicht erkennbar, doch hat W(ilhelm) H(engstenberg) in seiner Besprechung in: BZ 32, 1932, 183 f. darauf hingewiesen, daß das erste Glaubensbekenntnis julianisch sein dürfte); — H. Grondijs, L'iconographie byzantine du crucifié mort sur la croix, 1941; — Dieter Hagedorn, Der Hiobkommentar des Arianers Julian, Patristische Texte und Studien 14, 1973, 34 ff.; — Arthur Vööbus, Entdeckung neuer Handschriften des antijulianischen Pasto-

ralschreibens, in: OrChr 66, 1982, 114-118; — DCB III, 475 f.; — RE IX, 606-609; — Pauly-Wissowa X, 22 (Nr. 13); — Harnack, DG ³II, 386 ff.; — Bardenhewer II, 285; V, 5 f.; — DThC VIII, 1931-1940; Ernest Stein, Histoire du Bas-Empire II (ed. J. R. Palanque), 1949, 233-235; — Ernest Honigmannn, Evêques et évêchés monophysites d'Asie antérieure au VIe siècle, CSCO 127 (Subsidia 2), 1951, 125-131; — Chalkedon III, 111; — LThK V, 1198; — RGG III, 1061; — Kl. Pauly II, 1520; — ⁸Altaner 507; — Mauritius Geerard, Clavis Patrum Graecorum III, 1979, Nr. 7125-7127; — TRE XVI, 739, 29-41.

Hans-Udo Rosenbaum

JULIANUS HOSPITATOR. Wir wissen nichts über den Ort oder die Zeit, in der er lebte (möglicherweise im 7. Jahrhundert). Nach der Legenda aurea, deren Schilderung Elemente der Ödipussage, der Vita S. Eustachii und S. Christophori enthält, soll J. unabsichtlich und unwissentlich seine eigenen Eltern getötet haben. Zur Sühne und Buße dieses Verbrechens machte er eine Pilgerfahrt zu den heiligen Stätten Roms. Anschließend soll er sich an einem Fluß niedergelassen haben. Sowohl Gard (Provence) als auch Potenza bei Macerata nehmen J. in Anspruch. An seinem Wirkungsort pflegte J. arme Pilger in einem von ihm gegründeten Hospital, was ihm den Namen »Hospitator« eintrug, auch setzte er mit einer Fähre Reisende an das andere Ufer. In Rom ist J. die flämische »Nationalkirche« geweiht. Nach dem Meßbuch von Aquileja aus dem Jahre 1519 ist das Gedächtnis des Heiligen am 29. Januar; in der Kathedrale von Macerata begeht man sein Fest am 31. August. J. wird verehrt als Schutzpatron der Reisenden, der Pilger, aber auch der Gastwirte und Spielleute.

Lit.: Acta SS. Januarii, Antwerpen 1643, II, 974; — B. Gaiffier, La légende de st Julien l'Hospitalier: AnBoll 63 (1945), 145-219; — A. Tobler, Zur Legende v. hl. J.: Archiv für das Studium der neueren Sprachen u. Literaturen 91 (1898), 339-364; 102 (1899), 109-178; — A. Mercati/A. Pelzer (Hrsg.), Dizionario ecclesiastico, Turin 1953 ff., II, 190; — Réau III/2, 766 ff.; — ECatt VI, 746 f.; — LThK ²V, 746 f.

Johannes Madey

JULIAN *von Kos*, geboren in Italien, groß geworden in Rom, wurde Bischof von Kos. Von den Zeitgenossen so genannt, war er sehr wahr-

92,8); — Renèe N. Watkins, Two Women Visionaries and Death: Catherine of Siena and Julian of Norwich, Numen 30,2 (1983), S. 174-98; — Catherine Jones, The English Mystic: Julian of Norwich, Katharina M. Wilson, Medieval Women Writers, 1984, S. 269-96; — Judith Lang, »The godly wylle« in Julian of Norwich, Downside Review 102 (1984), S. 163-73; — James T. McIlwain, The »bodelye syeknes« of Julian of Norwich, Journal of Medieval History 10 (1984), S. 167-80; — Robert Llewelyn (Hg.), Julian. Woman of our day, 1985: Arthur M. Allchin, Julian of Norwich and the Continnity of Tradition, S. 27-40; Ritamary Bradley, Julian on Prayer, S. 61-74; Richard Harries, On the Brink of Universalism. On Jniian of Norwich, S. 41-60; Anna-Maria Reynolds, Woman of Hope, S. 11-26; — Franz Wöhrer, Aspekte der englischen Frauenmystik im späten 14. und beginnenden 15. Jahrhundert, Peter Dinzelbacher, Dieter R. Bauer, Frauenmystik im Mittelalter, 1985, S. 314-40; — J. P. H. Clark, Die Vorstellung der Mutterschaft Gottes. Trinitätsglauben der Juliana von Norwich, Margot Schmidt, Dieter R. Bauer (Hg.), Eine Höhe, über die nichts geht. Spezielle Glaubenserfahrung in der Frauenmystik?, 1986, S. 217-43; — Margaret Collier-Bendelow, Gott ist wirklich unsere Mutter. Die Botschaft der Juliana von Norwich, 1988; — Roland Maisoaneure, Juliana von Norwich, Johannes Thiele (Hg.), Mein Herz schmilzt wie Eis am Feuer.Die religiöse Frauenbewegung des Mittelalters in Porträts, 1988, S. 237-51; — Margaret Collier-Bendelow, »... so wahr ist Gott unsere Mutter.« Juliana von Norwich, Katechetische Blätter 114 (1989), S. 902ff; — S. Upjohn, In Search of Julian of Norwich, 1989; — Franz Wöhurer, Art. »Juliana von Norwich«, Wörterbuch der Mystik, 1990, S. 285-88.

Marie-Luise Ehrenschwendtner

JULITTA und KYRIAKOS (Qeriqos; Cyricos), Märtyrer in der 2. Hälfte des 3. Jahrhunderts. Nach der Legende stammte J. aus Ikonium. Als unter Kaiser Diokletian die Verfolgung der Christen ausbrach, floh sie mit ihrem dreijährigen Sohn Kyriakos zunächst nach Seleukia-Ktessiphon, aber auch dort blieb sie nicht unbelästigt. Daraufhin floh sie nach Tarsos in Kilikien. Hier ereilte sie die Verfolgung; sie wurde festgenommen und enthauptet (296). K. dagegen wurde auf den Stufen des Gerichtsgebäudes zerschmettert. Das Decretum Gelasianum verwirft diese Passio. Im Martyrologium Hieronymianum wird Antiochien als Ort des Martyriums angegeben. Die Verehrung der beiden Märtyrer breitete sich rasch im Orient und im Westen aus. Inschriften im Kaukasus und Phrygien bezeugen dies. Ebenso gibt es frühe Spuren der Verehrung in Gallien und Spanien. Während die abendländische katholische Kirche das Fest der heiligen J. und K. am 16. Juni begeht, feiern die Ostkirchen, orthodoxe wie katholische, die heiligen Märtyrer am 15. Juli (nach den Kalendarien der byzantinischen, der syro-antiochenischen und der ostsyrischen-chaldäischen oder »nestorianischen« Kirche).

Lit.: Acta SS. Junii, Antwerpen 1743, 15-37; — AnBoll 1 (1882), 192-208; — BHL 1801-1814; — Synaxarium Ecclesiae Constantinopolitanae, Brüssel 1902, 821; — BHO 193 f.; — H. Delahaye, Les origines du culte des martyrs, Brüssel 1933², 167 f.; — MartRom 293; — Baudot-Chaussin, Vie des Saints et Bienheureux VI, 260 f.; — BHG³ 313y-318c; — Réau III/1, 360-363; — Réau III/2, 774 f.; — N. Edelby, Liturgikon-»Meßbuch« der byz. Kirche, Recklinghausen 1967, 947 f.; — LThK ²V, 1203.

Johannes Madey

JULIUS I., Papst vom 6.2. 337 - 12.4. 352, spielte eine bedeutende Rolle in den Auseinandersetzungen um Athanasius, in deren Verlauf es ihm durch kluges Taktieren gelang, Rom eine gewisse Vormachtstellung zu erringen. Das ist insofern überraschend, als seine Vorgänger Silvester und Marcus (dessen Pontifikat allerdings nur 10 Monate währte) für den Fortgang der trinitarischen Streitigkeiten keinerlei Bedeutung gehabt hatten. Erstaunlich ist auch, daß die Gegner des Nizänums ihn in die Auseinandersetzung hineinzogen; entweder überschätzten sie ihre Stellung oder sie rechneten auf Roms Unterstützung. Darin sahen sie sich alsbald getäuscht, denn anstatt ihrem Verlangen nachzugeben und Pistus anstelle des von der (nur von Arianern besuchten) Synode von Tyrus 335 abgesetzten Athanasius als Bischof von Alexandrien anzuerkennen, setzte J. Athanasius von diesem Vorgang in Kenntnis. Athanasius konnte sich daraufhin durch eine Synode in Alexandrien (338) eindrucksvoll im Amt bestätigen lassen. Als er dann durch Kaiser Konstantius II. trotzdem verbannt wurde, wandte er sich seinerseits an J. Dieser versuchte, in Rom eine Synode zustande zu bringen, doch lehnten die Gegner des Athanasius (unter der Führung des Euseb von Nikomedien) ein Erscheinen schroff ab und machten J. den Vorwurf, mit einem rechtmäßig abgesetzten Bischof Kirchengemeinschaft zu halten und somit gegen das kirchliche Recht (die sog. Kanones) zu verstoßen. Dennoch berief J. die Synode (im Herbst 340, in Rom) mit wenig mehr als 50 Bischöfen ein. Athanasius wurde freigesprochen und blieb als rechtmäßiger Bischof anerkannt. Diese Entscheidung teilte J. den Bischöfen des Ostens (im Auftrage der Synode) mit (= Brief I); sein Selbstverständnis wird dabei in der Aussage deutlich: »Wenn Anklagen gegen den Bischof von Alexandrien oder andere Bischöfe vorliegen sollten, so hätte der Sitte gemäß zuerst uns geschrieben werden müssen, damit dann von hier der Gerechtigkeit gemäß entschieden werde«. Trotzdem blieb Athanasius verbannt, denn die Kirchweih-Synode von Antiochien, die (341) unter Vorsitz des Kaisers des östlichen Reichsteils, Konstantius II., stattfand, hatte seine Absetzung bestätigt. J. wandte sich nun an Konstans, der inzwischen nach dem Tode Konstantins II. den Westen allein regierte, er möge mit Konstantius zusammen auf einer Gesamtsynode für die Beendigung der Wirren Sorge tragen. Damit war aus der theologischen Auseinandersetzung endgültig eine politische Auseinandersetzung zwischen den beiden Reichshälften geworden. Eine solche Synode wurde (folgerichtig an der Nahtstelle beider Reiche) 342 nach Serdika anberaumt. Aber obwohl beide Seiten zahlreich erschienen waren (J. ließ sich allerdings durch 2 Legaten vertreten), kam es nicht einmal zu einer gemeinsamen Beratung, und zwar hauptsächlich deswegen, weil der Westen dadurch, daß er mit Athanasius (und anderen) die Kirchengemeinschaft aufrecht erhielt, praktisch die Entscheidung der Synode vorwegzunehmen versuchte. In einer Separatsitzung haben die östlichen Bischöfe daraufhin die Absetzung des Athanasius bestätigt und zugleich die Kirchengemeinschaft mit J. aufgehoben. So hatte der politische Kurs, den J. eingeschlagen hatte, zwar seine Position gestärkt, er hatte aber auch ins Schisma geführt. Allerdings hat sich die antinizänische Haltung des Konstantius unter dem Druck der politischen Verhältnisse in der Folge etwas ermäßigt, und so konnte Athanasius (346) nach dem Tode seines Konkurrenten auf den alexandrinischen Stuhl zurückkehren. Auf seiner Rückreise berührte er Rom und erhielt von J. ein Schreiben an die alexandrinische Gemeinde mit auf den Weg (= Brief II). Welches Ansehen J. zumindest im Westreich gewonnen hatte, wird daran sichtbar, daß vor allem die Apollinaristen versucht haben, ihre Anschauungen unter seinem Namen zu verbreiten. Außerdem ist er sehr bald nach seinem Tode als Heiliger verehrt worden; im aktuellen Calendarium Romanum Generale ist sein Name allerdings nicht mehr enthalten.

Werke und Ausgaben: 2 Briefe, erhalten bei Athanasius, Apologia contra Arianos 21-35. 52-53, in griechischer Sprache (ed. Hans-Georg Opitz, Athanasius' Werke II, I, 1938, 102-113. 132-133; Vgl. auch Regesta Pontificum Romanorum, ed. Ph. Jaffé, 2. Aufl. von Wattenbach-Löwenfeld-Kaltenbrunner-Ewald, 1885-1888, Nrs. 186. 188 und die Textverbesserungen von F. E. Brightman, in: JThS 29, 1928, 159); Brief 2 liegt in einer etwas erweiterten Fassung vor bei Sokrates, Historia ecclesiastica II,23 (ed. R. Hussey, [3]1893, 234 f.); eine lateinische Fassung in der sog. Historia ecclesiastica tripartita IV, 28 = CSEL 71, 197-200. Was sonst unter seinem Namen geht, ist unecht (und zumeist apollinaristischen Ursprungs, vgl. Hans Lietzmann - Johannes Flemming, Apollinaristische Schriften syrisch mit griechischen Texten AAG, NF. VII, 4, 1904, 16 f. sowie Eduard Schwartz, AAM XXXII, 6, 1927 und Collectio Novariensis Nr. 1771, 35). Vgl. auch MPL 8, 879-912. Übersetzung: BKV 2, 1876 (S. Wenzlowsky): Briefe der Päpste.

Lit.: Pierre Batiffol, Le Siège apostolique 395-451, 1924; — J. di Capua, Il ritmo prosaico nelle lettere dei papi e nei documenti della cancellaria romana dal IV al XIV seculo, 1937; — J. Gaudemet, L'Empire Romain, IVe-Ve siècles, 1958; — V. Monachino, Il primato nella controversia arriana: Saggi storici intorno al Papato, 1959 (bes. 17-90); — Eduard Schwartz, Zur Geschichte des Athanasius, Gesammelte Schriften III (ed. Walter Eltester und Hans-Dietrich Altendorf), 1959, 284 f., 292-306; — A. Raddatz, Weströmisches Kaisertum und römisches Bischofsamt. Ein Beitrag zur Frage nach der Entstehung des vormittelalterlichen Papsttums, Berlin 1963 (handschriftl.); — Leslie William Barnard, Pope Julius, Marcellus of Ancyra and the Council of Sardica, A reconsideration, in: Recherches de Théologie ancienne et médiévale 38, 1971, 69-79; — P. P. Joannou, Die Ostkirchen und die Cathedra Petri im 4. Jahrhundert, 1972, 7. 57-59; — Wilhelm Schneemelcher, Athanasius von Alexandrien als Theologe und Kirchenpolitiker, Gesammelte Aufsätze zum NT und zur Patristik (ed. Wolfgang Bienert und Knut Schäferdiek), Analecta Vlatadon 22, 1974, 274-289; — Ders., Serdica 342, Ein Problem Ost und West in der Alten Kirche, ebd. 338-364; — Klaus M. Girardet, Kaisergericht und Bischofsgericht, Studie zu den Anfängen des Donatistenstreits (313-315) und zum Prozeß des Athanasius von Alexandrien (328-346), Antiquitas Reihe 1, Bd. 21, 1975, 80 f., 87-105. 157-162 u. ö.; — Manlio Simonetti, La crisi ariana nel IV seculo, Studia Ephemeridis »Augustinianum« 11, 1975; — Wilhelm Gessel, Das primatiale Bewußtsein Julius' I. im Lichte der Interaktion zwischen der Cathedra Petri und den zeitgenössischen Synoden, in: Konzil und Papsttum, Festschr. H. Tüchle (ed. G. Schwaiger), 1975, 63-74; — F. Dinsen, Homousios. Die Geschichte des Begriffs bis zum Konzil von Konstantinopel (381), Diss. Kiel 1976; — C. Pietri, Roma Christiana, 1976, 193 ff.; — Richard Klein, Constantius II. und die christliche Kirche, Impulse der Forschung 216, 1977; — M. Wojtowytsch,

Papsttum und Konzile von den Anfängen bis zu Leo I. (440-461), Päpste und Papsttum 17, 1981; — Hans-Christof Brennecke, Hilarius von Poitiers und die Bischofsopposition gegen Konstantius II., Untersuchungen zur dritten Phase des arianischen Streits (337- 361), Patristische Texte und Studien 26, 1984, 1-64; — Martin Tetz, Ante omnia de sancta fide et de integritate veritatis, in: ZNW 76, 1985, 243-269; — AS, April II, 82-86; — Jaffé[2] I, 30 ff; — LibPont I, 265 f.; — Hefele-Leclercq I, 737-823; — RE IX, 619 ff.; — Bardenhewer II, 602 (untergeschobene Schriften); — DThC VII, 1914-1917; — Caspar I, 131-170; — Fliche-Martin III, 116-140. 228-230; — Lietzmann III, 181 ff. 197 f.; — EC VI, 749 f.; — Johannes Haller, Das Papsttum, Idee und Wirklichkeit I, RoRoRo 221, 55-58. 363; — Chalkedon III, 962 (zu Ps.-Julius); — DACL 8, 2942-2982; — Eligius Dekkers, Clavis Patrum Latinorum, [2]1961, Nr. 1627, 354; — Seppelt I[2], 86-95; — LThK V, 1203 f.; — Kl. Pauly II, 1553 (Nr. 21); — Rudolf Lorenz, Das vierte bis sechste Jahrhundert, in: Die Kirche in ihrer Geschichte, ein Handbuch, 1970, C20 f.; — Andresen, Die Kirchen der alten Christenheit, 1971, 379 ff. 592; — Handbuch der Kirchengeschichte (ed. Jedin) II, 1, 256 f.; — Altaner[8] 353. 314, 2 c (Unechtes); — TRE IV, 337 f., s. v. Athanasius.

Hans-Udo Rosenbaum

JULIUS II., Papst (1503-1513). Papst Alexander VI. war am 18. August 1503 plötzlich gestorben. An sich ein begabter Regent und Politiker, hatte er seine weltliche Macht bedenkenlos ausgeweitet, selbstherrlich materielle Vorteile mit geistlichen Mitteln zugunsten seiner zahlreichen Nachkommenschaft erzwungen und so das moralische Ansehen des Papsttums auch im Verständnis seiner Zeitgenossen schwer geschädigt. Der einst mächtige Kirchenstaat war fast gänzlich dem Familienegoismus des Borgia-Papstes erlegen. Ganz besonders drastisch war deshalb unmittelbar nach seinem Tode auch die Abrechnung seiner Untertanen ausgefallen: die Borgias wurden gestürzt, der Verstorbene ohne Zeremonie begraben. Zum Nachfolger wählte das Konklave den Erzbischof von Siena Francesco Todeschini-Piccolomini, einen Neffen Papst Pius II. Dieser nannte sich Pius III. - in dankbarer Erinnerung an seinen berühmten Onkel, dem er seine Berufung ins Kardinalskollegium verdankte. Der Neugewählte hatte sich als Feind der Borgias, namentlich auch seines unrühmlichen Vorgängers, ausgewiesen. Er galt als fromm und gutwillig, als Gegner des kurialen Ämterkaufs, als Hoffnungsträger für die überfällige Reform der Kirche. Pius III. aber war schon zum Zeitpunkt seiner Wahl schwer er-

krankt und starb nach nur 26tägigem Pontifikat am 18. Oktober 1503, - mit ihm die Hoffnung auf eine durchgreifende Kirchenreform. Symptomatisch für die Folgezeit war die selbstverständliche Rückkehr zu Ämterkauf und Bestechung bei der Wahl des fast sechzigjährigen Kardinals Giuliano della Rovere (* 5.12. 1443) zum Nachfolger Pius III. am 1. November 1503 nach nur eintägigem Konklave. Daß der neue Papst Julius II. wenig später ein Verbot der Simonie erließ, jede simonistisch beeinflußte Papstwahl für ungültig erklärte und bestechliche Wähler mit strengen Kirchenstrafen bedrohte, hat weder für ihn selbst noch für seine Umgebung Konsequenzen gezeigt. Immerhin hatten sich seine Wähler aber wohl auch durch die Furcht vor einer neuerlichen Einflußnahme der Borgias leiten lassen. Denn der Neugewählte war lange Zeit Anführer der Opposition innerhalb des Kardinalskollegiums gegen Alexander VI. gewesen, hatte deswegen sogar unter den Schutz König Karl VIII. nach Frankreich fliehen müssen. Aus ärmlichen Verhältnissen in Albissola bei Savona stammend war Giuliano della Rovere bei Franziskaner-Konventualen erzogen worden, hatte aber keine Profeß abgelegt. Seine geistliche Laufbahn wurde gefördert durch seinen Onkel, Papst Sixtus IV., der ihm nacheinander mehrere Bistümer verschaffte, bevor er ihn 1471 zum Kardinal erhob. In kurialen Diensten hatte Giuliano della Rovere namentlich unter Papst Innozenz VIII. (1484-1492) seine politisch und militärisch gleichermaßen hohe Begabung geschult. Auch in fortgeschrittenem Alter war er ein vitaler Tatmensch geblieben. Seine Zeitgenossen schildern ihn gar als »geistige und körperliche Kraftnatur ungewöhnlichen Ausmaßes«, und als »Il Terribile«. Eindrucksvoll wird diese Beschreibung bestätigt durch sein Porträt, das der Augsburger Maler Hans Burgkmair d.Ä. 1511 geschaffen hat (Herzog-Anton-Ulrich-Museum Braunschweig). — Zwei herausragende und bleibende Verdienste zeichnen den zehnjährigen Pontifikat Julius II. aus: die Wiederherstellung und Konsolidierung des Kirchenstaates und die mäzenatische Förderung der Kunst in der Stadt Rom und im Vatikan. Dagegen sind die Leistungen des geistlichen Oberhaupts der Kirche für eine »Reform an Haupt und Gliedern« minimal zu nennen. Ansätze dazu wurden ihm von außen aufgezwungen. Im einzelnen: Nahezu ungeteilten Beifall erntete der neue Papst durch die Entmachtung des skrupellosen, noch immer übermütigen Cesare Borgia. Nachdem dieser zahlreiche ober- und mittelitalienische Feudal- und Stadtherrschaften zerschlagen hatte, erzwang der neue Papst nunmehr (z.T. in Verbindung mit dem spanischen König Ferdinand) die Rückgabe der Eroberungen und Eingliederung in den Kirchenstaat. Perugia und Bologna wurden zurückgewonnen. In Verbindung mit Maximilian I. und Ludwig XII. von Frankreich gelang dann die Rückgewinnung der Romagna aus der Republik Venedig. Danach verbündete sich der Papst mit Venedig gegen Frankreich, was ihn seinem Hauptziel, die eigene Macht im Kirchenstaat zu festigen und alle Fremden aus Italien zu vertreiben, ein gutes Stück näher brachte. Als der »Heiligen Liga« nach Venedig im Jahre 1511 auch Spanien und England, schließlich sogar die schweizerische Eidgenossenschaft beitraten, gelang es Julius II., Parma, Piacenza und die Reggio Emilia aus französischer Vorherrschaft zu befreien und dem Kirchenstaat einzuverleiben. Man kann es kaum Übertreibung nennen, wenn die Geschichtsschreibung die Gründung des Kirchenstaates mit Julius II. in Verbindung bringt. Herausragend auch war die Bedeutung Julius II. als Förderer der bildenden Künste. Indem er die bedeutendsten Künstler seiner Zeit an den päpstlichen Hof zog, wirkte er richtungweisend für die Renaissancekunst im ganzen Abendland. So leitete Bramante den Umbau des Vatikanpalastes und fertigte den Plan für einen Neubau der Peterskirche; Michelangelo schuf u.a. die Deckenfresken in der Sixtinischen Kapelle; sein Riesenauftrag eines Grabmals Papst Julius II. beschäftigte ihn vier Jahrzehnte, blieb aber unvollendet; Raffael begann die Arbeit an den Stanzen im Vatikan. Zur Finanzierung der aufwendigen Erneuerung der römischen Peterskirche schrieb Julius II. in üblicher Weise einen vollkommenen Ablaß aus, der erstmals nicht nur in einzelnen Ländern, sondern in der ganzen Christenheit verkündet werden sollte, damit auf diese Weise der weltweiten Bedeutung gerade dieses Gotteshauses Rechnung getragen werde. Dem Plan widersetzten sich aber nach Portugal und Spanien auch Frankreich und Burgund. Im Heiligen Römischen Reich Deutscher Nation begann die Verkündigung des Petersablasses erst zehn Jahre später, und dann aufgrund jenes berüchtigten Großhandelsgeschäftes zwischen dem Mainzer Erzbischof Albrecht von Brandenburg, dem Augsburger Bankhaus der Fugger und der römischen Kurie, das den äußeren Anstoß für die reformatorische Bewegung Martin Luthers liefern sollte. Den Anstoß zu innerkirchlichen Reformen Julius II. gab Ludwig XII. von Frankreich, der in antipäpstlicher Abwehr zunächst die pragmatische Sanktion von Bourges aus dem Jahr 1438 erneuerte und schließlich die französischen Kardinäle gewinnen konnte, ein Konzil nach Pisa einzuberufen, in eben jene Stadt, wo hundert Jahre zuvor französische Kardinäle ihren festen Willen, das Große Abendländische Schisma zu beenden, mit der Absetzung zweier Päpste bekundet hatten. Als auch Kaiser Maximilian den Pisaner Konzilsplan unterstützte, als somit ein neuerliches Schisma drohte, berief Julius II. seinerseits ein allgemeines Konzil nach Rom ein, das V. Laterankonzil, das von 1512 bis 1517 tagte, eine Reihe von unbedeutenden Reformdekreten verabschiedete, die nie verwirklicht wurden. Die wirklichen Gebrechen der Kirche - die dogmatische Unsicherheit besonders in der Gnaden- und Sakramentenlehre, die Ordnung des Ordenswesens und der Liturgie, der Pfründen- und Ämterkauf, die Pfründenkumulation und Vernachlässigung der Residenzpflicht, das Finanz- und Dispensgebaren der römischen Kurie u.a. - wurden nicht angetastet. Damit scheiterte der letzte päpstliche Reformversuch vor der Reformation. — Julius II. hat das Ende des Konzils nicht erlebt. Er war bereits am 20. Februar 1513 gestorben.

Lit.: M. Brosch, Papst Julius II. und die Gründung des Kirchenstaates, Gotha 1878; — Ludwig von Pastor, Geschichte der Päpste seit dem Ausgang des Mittelalters, 22 Bde, Freiburg [10-12]1928, bes.Bd 3/2; — Franz Xaver Seppelt, Das Papsttum im Spätmittelalter und in der Renaissance. Von Bonifaz VIII. bis zu Klemens VII., neu bearbeitet von Georg Schwaiger (= Geschichte der Päpste von den Anfängen bis zur Mitte des 20. Jahrhunderts 4) München [2]1957; — Winfried Stelzer, Konstantin Arianiti als Diplomat zwischen König Maximilian I. und Papst Julius II. in den Jahren 1503 bis 1508, in: Römische Quartalschrift 63 (1968) 29-48; — Walter Ullmann, Julius II and the schismatic cardinals, in: Studies in church history 9 (London 1972) 177-193; — Christa Friess, Die Beziehungen Kaiser Maximilians I. zur römischen Kurie und zur deutschen Kirche unter dem Ponitifikat Julius II. (1508-1513), phil. Diss. masch. Graz 1974; — Hubert Jedin, Geschichte des Konzils von Trient. Bd I: Der Kampf um das Konzil, Freiburg ³1977; — Olivier de la Brosse, Joseph Lecler und Charles Lefebvre, Lateran V und Trient, 2 Bde, Mainz 1978; — John F. D'Amico, Papal history and curial reform in the renaissance. Raffaele Maffeis's »Breuis historia« of Julius II and Leo X, in: Archivum Historiae Pontificiae 18 (1980) 157-210; — Nelson H. Minnich, The healing of the Pisan schism (1511-1513), in: Annuarium Historiae Conciliorum 16 (1984) 59-192; — Klaus Ganzer, Julius II., Papst (1503-1513), in: TRE 17 (1988) 444f; — Nelson H. Minnich, The proposals for an episcopal college at Lateran V, in: Ecclesia militans. Studien zur Konzilien- und Reformationsgeschichte, Fschr.f. Remigius Bäumer, hg. v. Walter Brandmüller u.a., Bd 1, Paderborn 1988, 213-232.

Herbert Immenkötter

JULIUS III., Papst (1550-1555). Kardinal Giovanni Maria del Monte wurde am 7. Februar 1550 nach einem über zwei Monate dauernden Konklave zum Papst gewählt und nannte sich Julius III. - in dankbarer Erinnerung an Julius II., in dessen Pontifikat er selbst einst seine Karriere als päpstlicher Kammerherr begonnen und sein Onkel und großer Förderer Antonio del Monte die Kardinalswürde erhalten hatte. Der neue Papst war Römer, geboren am 10. Sept. 1487. Seine steile geistliche Karriere verdankte er seinem Onkel, der ihn zunächst kirchliche und weltliche Rechtswissenschaften in Perugia und Siena studieren ließ, ihn dann in der römischen Kurie einführte und ihn schließlich zu seinem Nachfolger als Erzbischof von Siponto machte. Da war Giovanni Maria del Monte eben 26 Jahre alt. In den folgenden Jahren bekleidete er einflußreiche Stellungen an der Kurie und im Kirchenstaat, bevor Papst Paul III. den Kurialjuristen und Verwaltungsfachmann am 22.12. 1536 ins Kardinalskollegium berief. Es waren seine juristischen und organisatorischen Fähigkeiten, die ihn auch für den Posten eines von drei päpstlichen Konzilslegaten für die erste Tagungsperiode des am 13.12. 1545 endlich in Trient zusammentretenden allgemeinen Konzils empfahlen. Als rangältester Kardinal leitete er das Konzilspräsidium zusammen mit dem hochgelehrten Marcello Cervini (der als Papst Marcellus II. sein Nachfolger werden sollte, dies allerdings nur für 21 Tage bis zu dessen frühem Tod am 1.5. 1555) und Reginald Pole, der als

Gegner Heinrich VIII. aus England geflohen war. Im Auftrage des Papstes und in erster Linie diesem persönlich verpflichtet war der Konzilspräsident del Monte heimlicher Gegner des Kaisers und dessen Konzilsplänen. Karl V. hoffte noch immer, die deutschen Protestanten zur Teilnahme am allgemeinen Konzil bewegen zu können und hätte lieber gesehen, wenn bis zu deren Erscheinen ausschließlich Disziplin- und Reformfragen Gegenstand der Verhandlungen geblieben wären. Die gleichzeitige Diskussion von Glaubenslehre und Kirchenreform erschwerte nach seiner Überzeugung die Aussichten, die Kirchenspaltung im Reich rückgängig zu machen. Im übrigen war die Verhandlungsführung auf dem Konzil der kaiserlichen Partei nicht gewogen. Am wenigsten aber konnte sich der Kaiserhof mit der voreiligen Verlegung des Konzils aus Trient, damals Stadt des Reiches, in die zweitgrößte Stadt des Kirchenstaates, nach Bologna abfinden. Die dem Kaiser verbundene Konzilsminderheit widersetzte sich denn auch dem Beschluß und verblieb in Trient. Schließlich widerriet del Monte einer Rückkehr der Synode nach Trient. Es sei die Verlegung rechtmäßig erfolgt. Die Minderheit müsse dem mehrheitlich beschlossenen Auszug aus Trient zuerst Folge leisten, bevor man über eine Rückverlegung überhaupt verhandeln könne. In dieser Sache hatte sich nichts verändert, als die Kardinäle nach dem Tode Papst Paul III. am 29.11. 1549 zur Neuwahl zusammentraten. Das überlange Konklave war durch die Gegnerschaft von Habsburg und Frankreich bedingt, die nicht zuletzt auch über die Frage um eine Fortsetzung des Konzils uneins waren. Entgegen der zuvor unterzeichneten Wahlkapitulation, die eine Fortsetzung des in Rom seit langem üblichen Nepotismus unterbinden wollte, förderte der neugewählte Papst seine Verwandten recht großzügig (vgl. im einzelnen Pastor 6, 51-58 u.ö.). Ein noch größeres Ärgernis aber bot er seinen Zeitgenossen durch die bedenkenlose Bevorzugung und Förderung eines jungen Knaben, den er als Kardinallegat buchstäblich von der Straße aufgelesen und zu seinem Affenwärter gemacht hatte. Zum Papst gewählt holte Julius den inzwischen Siebzehnjährigen gegen alle Warnungen wohlmeinender Freunde an den päpstlichen Hof, machte den völlig Ungebildeten zum Kardinal, überhäufte ihn mit einträglichen Pfründen und übertrug ihm schließlich sogar das Staatssekretariat. Bald nach seinem Regierungsantritt verfügte Julius III. die Rückkehr des Konzils nach Trient. Diese zweite Tagungsperiode 1551/52 wurde von Frankreich boykottiert. Auch wiederholte Vermittlungsbemühungen des Papstes konnten die fortdauernden Spannungen zwischen Karl V. und König Heinrich II. von Frankreich nicht überbrücken. So waren die Teilnehmer des Konzils in der Mehrheit Italiener und Spanier, erstmals aber auch deutsche Bischöfe, unter ihnen die Erzbischöfe und Kurfürsten von Mainz, Trier und Köln. Im Oktober und November 1551 trafen sogar Vertreter der deutschen Protestanten in Trient ein: aus Württemberg und Straßburg, aus den Kurstaaten Sachsen und Brandenburg. Ihre Bedingung aber, die in der ersten Tagungsperiode verabschiedeten Kanones und Dekrete unter Zugrundelegung des protestantischen Schriftprinzips erneut zu verhandeln, alle Bischöfe vom Treueid gegen den Papst zu entbinden und den Papst grundsätzlich dem Konzil zu unterstellen, war nach dem Selbstverständnis der Konzilsväter unannehmbar. Als wenig später die Nachricht über die deutsche Fürstenverschwörung, angeführt von Moritz von Sachsen und unterstützt von Frankreich, die Heimkehr der Deutschen erzwang, beschloß das Konzil am 28. April 1552 die Suspension. Der Papst, der die Wiedereröffnung des Konzils ohnehin nur halbherzig betrieben hatte, war zufrieden. Immerhin hat sich Julius III. aber in der Folgezeit der innerkirchlichen Reform nicht verschlossen. Einige zukunftsträchtige Entscheidungen rechtfertigen das Urteil: mit dem Pontifikat Julius III. ging das leidige Renaissancepapsttum zu Ende, und der Weg für ein Reformpapsttum wurde eingeleitet. So beauftragte er gleich nach Suspension des Tridentinum eine Kardinalsdeputation, die auf dem Konzil erarbeiteten Reformvorschläge, die ja noch keine Gesetzeskraft erlangt hatten, für eine Reformbulle zusammenzustellen, welche freilich nicht mehr publiziert wurde. Auf diese Vorarbeiten konnte man aber zurückgreifen. — Für die deutschsprachigen Länder waren bedeutsam die Erhebung des Dillinger »Collegium ecclesiasticum Sancti Hieronymi« zur Universität 1551 und die Gründung des Collegium Germanicum in Rom im darauffolgenden Jahr. Beide Anstalten sollten durch die Heranbildung fähiger Kleriker hohe Bedeutung für die innerkirchliche Reform im Reich erlangen. Entscheidenden Anteil an dieser Entwicklung hatte der neugegründete Jesuitenorden, dem Julius III. stets seine besondere Gunst zugewandt hat. Nicht unmittelbar beteiligt war Julius III. am größten Erfolg seiner Regierungszeit, an der katholischen Restauration in England, wo 1553 Maria die Katholische, Tochter Heinrichs VIII. aus seiner ersten Ehe mit Katharina von Aragón, an die Macht kam. Als diese im darauffolgenden Jahr Philipp II. von Spanien heiratete, verzichtete Rom förmlich auf eine Rückgabe des unter Heinrich VIII. und Eduard VI. entfremdeten Kirchengutes und schuf so die Voraussetzung für den Wiederanschluß Englands an die katholische Kirche. Die Entwicklung sollte freilich nach dem Tode Marias und dem Regierungsantritt Elisabeth I. 1558 rückgängig gemacht werden. Julius III. hat dies nicht mehr erlebt. Er starb am 23.3. 1555.

Lit.: Ludwig von Pastor, Geschichte der Päpste seit dem Ausgang des Mittelalters, 22 Bde, Freiburg [10-12]1928, bes. Bd 6; — Karl Erdmann, Die Wiedereröffnung des Trienter Konzils durch Julius III., in: Quellen und Forschungen aus italienischen Archiven und Bibliotheken 20 (1928/29) 238-317; — Hubert Jedin, Kirchenreform und Konzilsgedanke 1550-1559, in: Historisches Jahrbuch der Görresgesellschaft 54 (1934) 401-434; — ders., Kirche des Glaubens - Kirche der Geschichte, Bd 2, Freiburg 1966, 237-263; — ders., Analekten zur Reformtätigkeit der Päpste Julius' III. und Pauls IV. 3. Vorschläge und Entwürfe zur Kardinalsreform, in: Römische Quartalschrift 42 (1934) 305-332 und 43 (1935) 87-128; — Franz Xaver Seppelt, Das Papsttum im Kampf mit Staatsabsolutismus und Aufklärung. Von Paul III. bis zur Französischen Revolution, neu bearbeitet von Georg Schwaiger (= Geschichte der Päpste von den Anfängen bis zur Mitte des 20. Jahrhunderts 5) München [2]1959; — Gerhard Müller, Die Kandidatur Giovanni Salviatis im Konklave 1549-50, in: Quellen und Forschungen aus italienischen Archiven und Bibliotheken 42/43 (1963) 435-452; — Heinrich Lutz, Christianitas afflicta. Europa, das Reich und die päpstliche Politik im Niedergang der Hegemonie Kaiser Karls V. (1552-1556), Göttingen 1964; — Hubert Jedin, Geschichte des Konzils von Trient, Bd III: Bologneser Tagung (1547/48) - Zweite Trienter Tagungsperiode (1551/52), Freiburg 1970; — Olivier de la Brosse, Joseph Lecler und Charles Lefebvre, Lateran V und Trient, 2 Bde, Mainz 1978; — F.J. Baumgartner, Henry II and the papal conclave of 1549, in: 16th century journal 16 (1985) 301-314; — Klaus Ganzer, Julius III., Papst (1550-1555), in: TRE 17 (1988) 445-447

Herbert Immenkötter

JULIUS AFRICANUS, laut Suda mit dem Beinamen Σεκτος versehen [was vielleicht durch
Metathese aus Κεστος entstanden ist und ihn als
Verfasser der Κεστοί kennzeichnen soll oder
ihn (unter Beibehaltung der Buchstabenfolge)
als Verschnittenen oder als Beschnittenen, d. h.
als Juden, charakterisieren will; die Deutung als
Vorname (= Sextus) ist dagegen aus Kontext-
gründen abzulehnen]. * wohl vor 170 (er redet
den ca. 185 geborenen Origenes in seinem
238/240 geschriebenen Brief als »Sohn« an),
wahrscheinlich, d. h. unter der Voraussetzung,
daß die Angabe in P. Oxy. 412, lin. 59 f. auf den
Verfasser selbst zu beziehen ist, in »Aelia Capitolina in Palaestina« (= Jerusalem); die Behauptung der Suda, er stamme aus Nordafrika (φιλό–
σοφος Λίβυς) ist wohl aus dem Namen Africanus herausgesponnen und daher unzutreffend.
Zu König Abgar IX. von Edessa (179-216) hat
er in engen Beziehungen gestanden: Als Zuschauer hat er an einer der königlichen Jagden
teilgenommen (Kestoi I, 20); er gehörte also
zum Hofe und hat hier vielleicht sogar als Prinzenerzieher gewirkt; in Edessa hat er auch den
Bardesanes kennengelernt. Daß er dagegen 195
als Offizier im Gefolge des Septimius Severus
an der Strafexpedition gegen die Osrhoene teilgenommen haben soll, ist nicht mehr als eine
schwach begründete Hypothese. Im Jahre 222
hat er sich nach Eusebs Bericht in der Chronik,
für Nikopolis (= Emmaus) bei Kaiser Alexander
Severus verwendet (vielleicht sogar eine offizielle Gesandtschaft geführt, wenn man das
πρεσβεύοντος, ed. Helm, p. 214, so weit auslegen will); aber daß er in diesem Flecken seinen
ständigen Aufenthalt gehabt hätte, läßt sich daraus nicht mit hinreichender Sicherheit ableiten.
Allerdings scheinen auch andere Anzeichen, vor
allem in den Kestoi (s. Vieillefond p. 41), auf
den syrisch-palästinensischen Raum als Aufenthalt zu weisen. Sicher ist dagegen, daß er mehrere Reisen unternommen hat; den Berg Ararat
und die Stadt Kelainai in Phrygien, beides Ört-
lichkeiten, wo nach der Legende die Arche
Noah gelandet sein soll, hat er ebenso besucht
(vgl. Chronographie) wie das Tote Meer und die
Katechetenschule in Alexandrien, wo er den Unterricht des Heraklas besuchen wollte. Heraklas,
ein Schüler des Origenes, war seit ca. 215 für die
Grundstudien zuständig; 231, nach der Vertreibung des Origenes, hatte er die Schule als Schul-
haupt übernommen. 232-248 war er Bischof von
Alexandrien. Daß J. um des Heraklas willen
nach Alexandrien ging und nicht wegen Origenes, erklärt sich vielleicht am einfachsten daraus, daß er Origenes bereits kannte [ansonsten
müßte man annehmen, daß die Reise erst zu
einem Zeitpunkt erfolgte, als Heraklas die Schule ganz übernommen hatte, also nach 231; das ist
aber deswegen schwierig, weil die Chronographie, in der diese Nachricht steht, mit dem dritten Regierungsjahr des Elagabal (221) endet,
weshalb man annimmt, daß sie auch vor dem
Tode Elagabals (222) erschienen ist. Zwingend
ist diese Annahme indessen nicht, denn 221 ist
auch das Jahr, in dem Severus Alexander adop-
tiert und zum Caesar erhoben wurde. Wenn J.
also nicht über den noch lebenden Kaiser schreiben wollte, bildete das Jahr 221 eine sehr natürliche Caesur, die Rückschlüsse auf den Abschluß des Werkes nicht zuließe]. Daß er Origenes gut gekannt hat, steht durch den (allerdings
erst aus den Jahren 238-240 stammenden) Briefwechsel hinreichend fest. Aus der Antwort des
Origenes, der Grüße von Ambrosius, dessen
Gattin Markella und den Kindern ausrichtet, ergibt sich darüber hinaus, daß er auch mit dem
reichen Gönner und Förderer des Origenes auf
vertrautem Fuße stand. Gute Beziehungen haben offenbar auch zum Kaiserhaus bestanden,
denn die Kestoi sind dem Kaiser Alexander Severus gewidmet, und für den Kaiser hat er die
Bibliothek bei den (227 erbauten) Alexander-
Thermen (in der Nähe des Pantheons) errichtet
(ἠρχιτεκτόνησα), nicht nur eingerichtet (wie
Harnack das Wort auffaßte). Das setzt voraus,
daß er sich für längere Zeit in Rom aufgehalten
hat und ist mit einem Aufenthaltsort Nikopolis
nur schwer vereinbar. Ein kirchliches Amt hat er
dagegen nie innegehabt. Was späte Quellen darüber berichten, beruht auf Mißverständnissen.
Daß er Christ war, leidet allerdings keinen Zweifel, auch wenn seine Schriften (vor allem die
Kestoi) und die sich darin spiegelnden Interessen das nicht immer klar erkennen lassen. J.
entspricht als Christ jüdischer Herkunft (die er
nicht verleugnet), der beschlagen ist in aller Art
von heidnischer Wissenschaft und frei von Be-
rührungsängsten gegenüber heidnischer Kultur,
offenbar weitgehend dem synkretistischen Ideal

seiner Zeit. Das Datum seines Todes muß nach 240 liegen (der Brief an Origenes ist das letzte Lebenszeichen, das wir von ihm haben). Ob er die Decische Verfolgung noch erlebt hat, wie eine späte und offensichtlich schlecht informierte Quelle meint, ist zweifelhaft.

Werke und Ausgaben: 1) Chronographie (auf christlicher Seite der erste Versuch, die in den Schriften der Apologeten ansatzweise gebotenen Synchronismen zwischen jüdisch/ christlicher Geschichte einerseits und heidnisch/griechischer Geschichte andererseits, die den Erweis des höheren Alters der ersteren liefern sollten, auf eine breite Basis zu stellen; das Werk diente allen späteren als Vorbild und Fundgrube und ist selbst wohl gerade deshalb nur noch in Fragmenten erhalten); sie gliederte sich in 5 Abteilungen, vgl. Euseb hist. eccl. 6,31; der erste Abschnitt reichte von der Schöpfung bis zur Teilung der Welt (Jahr 1-2661), der zweite bis zu Mose (3707), der dritte von Mose bis zur 1. Olympiade (4727), der vierte bis zur Zerstörung des Perserreichs durch Alexander (5172), der letzte bis zum 3. Jahre des Kaisers Elagabal (5723 = 221 p. Chr.). Die Gesamtdauer der Welt beträgt nach J. 6000 Jahre. Die Geburt Jesu setzt er ins Jahr 5500; das tausendjährige Reich (J. ist Chiliast) setzt er mit dem 7. Jahrtausend gleich. Sammlung der Fragmente: MPG X, 65-93; M. J. Routh, Reliquiae Sacrae II, ²1846ff., 239-309; Βιβλιοθήκη Ἑλλήνων πατέρων καὶ ἐκκλησιαστικῶν συγγράφεων 17, 1958, p. 173-184. Die von Gelzer angekündigte Sammlung der Fragmente ist nicht erschienen; die vorgenannten Sammlungen sind unvollständig. 2) Kestoi (= Stickerei; Vieillefond: »Amulettes ou Talismans«), eine lose Aneinanderreihung der verschiedenartigsten Gegenstände und Thematiken (die meist ein Interesse an Kuriositäten beim Leser befriedigen), ganz im Geschmack der Zeit; mittelalterliche Quellen bezeichnen das Werk deshalb auch als Paradoxa (doch ist diese Bezeichnung weder als Neben- noch als Untertitel zu verstehen). Das Werk hatte ursprünglich 24 Bücher (vgl. Suda, bestätigt durch P. Oxy. 412), doch gab es im Mittelalter anscheinend auch Kurzfassungen (Georgios Synkellos: 9 Bücher; Photios: 14 Bücher); erhalten sind nur noch (z. T. längere) Fragmente mit Exzerpten aus dem Bereich der Naturwissenschaften, der Medizin (auch aus dem sexuellen Bereich) und der Tiermedizin, der Landwirtschaft und der Pferdezucht, der Literaturwissenschaften (hier ist mit dem P. Oxy. 412 ein Papyrusfragment vom Ende des 18. Buches der Kestoi erhalten, das keine 50 Jahre nach Veröffentlichung dieses Werkes abgeschrieben ist; es beschäftigt sich mit einem Zusatz zur Odyssee und liefert dabei interessante Informationen zur Biographie des J.), des Kriegswesens und der Magie. Es wurde ca. 230 veröffentlicht und ist dem Kaiser Alexander Severus gewidmet. Spezifisch Christliches ist in den sicher zuweisbaren Fragmenten dieser Enzyklopädie nicht zu entdecken. An der Verfasserschaft des J. zu zweifeln, besteht dennoch kein Grund. Ausgabe: Jean-René Vieillefond, Les »Cestes« de Julius Africanus, Publications de l'Institut Français de Florence, Iᵉʳᵉ serie, Collection d'études d'histoire, de critique et de philologie Nr. 20, 1970 (frühere Versuche einer Fragmenten-Sammlung, die über Teilsammlungen nicht hinausgekommen sind, sind damit überholt; das gilt natürlich auch für Vieillefonds erste Ausgabe von 1932, die sich auf die Frag-

mente aus den griechischen Taktikern beschränkte; auch die zur Chronographie genannten Ausgaben von MPG und Βιβλιοθήκη bieten Fragmente aus dem Kestoi; zur Geschichte der Ausgaben vgl. Vieillefond, p. 5-9 und Stählin 1347, Anm. 7. 3) Briefe a) an Origenes (über die Zugehörigkeit der Susannageschichte zum Danielbuch, die J. leugnet, weil der Text nicht hebräisch überliefert ist, ein vorkommendes Wortspiel nur im Griechischen möglich ist und die Art der Prophetie sich von der im übrigen Danielbuch unterscheidet); geschrieben 238/240. b) an (einen sonst völlig unbekannten) Aristides über die Divergenzen im Stammbaum Jesu bei Lukas und Matthäus (erklären sich daraus, daß einmal im Falle einer Leviratsehe der natürliche Vater und zum anderen der gesetzliche Vater genannt wird). Nicht datierbar. Ausgabe (beider Briefe): Walter Reichardt, Die Briefe des Sextus J. an Aristides und Origenes, TU 34,3, 1909, [der eigentliche Text auf p. 53-62 (= b) und 78-80 (= a)]. Der Versuch einer vollständigen Rekonstruktion des (nur fragmentarisch erhaltenen) Briefes durch Friedrich Spitta, Der Brief des Julius Afrikanus an Aristides, kritisch untersucht und hergestellt, 1877, ist damit erledigt, ebenso die früheren Versuche von J. R. Wetstein, Basel, 1674, und Johannes Dräseke, JpTh 7, 1881, 102 ff. Weitere (allerdings unzureichende) Editionen in den unter (1) genannten Ausgaben von MPG und Βιβλιοθήκη sowie bei Routh, Reliquiae sacrae II, 228 sq. Eine neue Edition des Briefes an Origenes bei: Marguerite Harl-Nicholas de Lange (eds.), Origène, Philocalie 1-20 et sa lettre à Africanus sur l'histoire de Suzanne, SC 302, 1983, 473-478 (Einleitung), 514-521 (Text). 4) Die Zuweisung weiterer Schriften (zumeist Bibelkommentare) beruht auf Mißverständnissen der Alten oder bloßer Hypothese der Modernen (etwa die Zuweisung der griech. Übersetzung von Tertullians Apologeticum durch Adolf Harnack, Die griechischen Übersetzungen des Apologeticus Tertullians, TU 8,4 a, 1892, p. 32-36); vgl. Vieillefond, Les »Cestes«, p. 28, Anm. 31. (Englische) Übersetzung: The Ante-Nicene Fathers, Translations down to A. D. 325, ed. Alexander Roberts and James Donaldson, Bd. 6: Gregory Thaumaturgos, Dionysios the Great, Julius Africanus, Anatolius and minor writers, Methodius, Arnobius ND 1978, p. 125-139; eine französische Übersetzung der Kestoi-Fragmente bei Vieillefond.

Lit.: Grynaeus, Veterinariae medicinae libri II, a Joanne Ruellio Suessioniensi olim quidem latinitate donati, nunc vero iisdem sua, hoc est graeca lingua primum in lucem aediti, Basel 1537; — Melchisedek Thevenot, Veterum mathematicorum opera, 1693, 275-316; 339-360 (die Anmerkungen von Boivin); — A. J. H. Vincent, Extraits des manuscrits relatifs à la géométrie pratique des Grecs, 1858, 251-259; — Joseph Klein, Zu den Κεστοί des J. A., in: RheinMus 25, 1870, 447 f.; — Paul de Lagarde, Symmicta I, 1877, 167-173; — Karl Triebner, Die Chronologie des J. A., in: NGG Phil. hist. Klasse, 1880, 49-76; — Ders., Krit. Beiträge zu Africanus, in: Hist. und philol. Aufsätze Ernst Curtius gewidmet, 1884, 67-77; — K. K. Müller, Zu J. A., in: JpTh 7, 1881, 759 f. ; — Walter Gemoll, Unters. über die Quellen, den Verfasser und die Abfassungszeit der Geoponica, in: Berliner Studien für klassische Philologie und Archäologie 1, 1883/84, 1-280, bes. 78-92; — Adolf Harnack, Medicinisches aus der ältesten Kirchengeschichte, Nr. 5: J. A. medicinischer Schriftsteller, TU 8,4(b), 1892, 43 f.; —

Ders., J. A., der Bibliothekar des Kaisers Alexander Severus, in: Aufsätze Fr. Milkau gewidmet, 1921, 142-146; — Ders., Die Sammlung der Briefe des Origenes und sein Briefwechsel mit J. A., SAB 1925, (25.6. 1925); — Eduard Schwartz, Die Königslisten des Eratosthenes und Kastor mit Exkursen über die Interpolationen bei Africanus und Eusebios, AGG 40,2, 1895; — Ders. (ed.), Eusebius Kirchengeschichte, GCS 9,3, 1909, p. CCXXII, Anm. 1; — Fr. Rühl, Zu den Κεστοί des J. A., in: Neue Jahrbücher für Philologie und Pädagogik 151, 1895, 560; ebd. 155, 1897, 288; — Bernard Grenfell/Arthur S. Hunt (eds.), Oxyrhynchus Papyri Bd. III, Nr. 412, J. A., Κεστοί, 1903, 36-41; — Arthur Ludwich, J. A. und die Peisistratos-Legende über Homer, in: Berliner Philologische Wochenschrift 23, 1903, 1467-1470, 1502-1504; — Hendrik van Herwerden, Observatiunculae, Nr. 14-17, in: RheinMus 59, 1904, 143 f.(zu P. Oxy. 412); — Ulrich von Wilamowitz-Möllendorf, in: Göttingische gelehrte Anzeigen 1904, 659, Nr. 2 (zu P. Oxy. 412); — Friedrich Blaß, in: Archiv für Papyruskunde 3, 1906, 297 f. (P. Oxy. 412); — Colin Henderson Roberts, Greek Literary Hands, 1956, 23 (Photo von P. Oxy. 412); — Peter Vogt, Der Stammbaum Christi, in: Bibl. Studien 12,3, 1907, bes. 1-34 (»Der Brief des J. A. über den Stammbaum Christi«); — Richard Wünsch, Deisidaimoniaka I: Der Zaubersang in der Nekuia Homers, in: ARW 12, 1909, 1-19 (zu P. Oxy. 412); — Ernst Schmidt, Zu dem Zaubergesang in der Nekuia, in: ARW 13, 1910, 624 f. (zu P. Oxy. 412); — Otto Lagercrantz, Papyrus graecus Holmiensis, Recepte für Silber, Steine und Purpur, in: Arbeten utgitna med understöd af Vilhelm Ekmans Universitetsfond Bd. 13, 1913 (Rezeptbuch auf Papyrus aus 3./4. Jh. mit Stücken aus den Kestoi); — Karl Bihlmeyer, Die syr. Kaiser zu Rom, 1916, 152-157; — William Abbott Oldfather and Arthur Stanley Pease, On the Κεστοί of J. A., in: AJP 39, 1918, 405 f.; — Theodor Hopfner, Griechisch-ägyptischer Offenbarungszauber, Bd. II, 1924, § 334sq. (zu P. Oxy. 412); — K. Hoppe, Abhandlungen aus der Gesch. der Veterinärmedizin, Veterinärhist. Jahrbuch 2, 1926, pp. 29-64; — Erich Caspar, Die älteste römische Bischofsliste, 1926, 231 ff.; — E. Oder/K. Hoppe, Corpus Hippiatricorum Graecorum, 1927; — Karl Preisendanz, Papyri Graecae Magicae II, 1931, p. 150 (zu P. Oxy. 412); — F. Granger, J. A. and the Library of the Pantheon, in: JThS 34, 1933, 157-161; — Ders., J.A. and the Western Text, in: JThS 35, 1934, 361-368; — Walter Bauer, Rechtgläubigkeit und Ketzerei, 1934 (²1964 ed. Georg Strecker), 11, 162-168; — Jean-René Vieillefond, Un fragment inédit de J. A., in: RÉG 46, 1933, 197-203; — Gustave Bardy, Chronique d'histoire des origines chrétiennes, in: Revue pratique d'apologétique 1933, 257-271; — R. McKenzie, A Note on J. A., in: The Classical Review 47, 1933, 9; — E. Blakeney, J.A., A Letter to Origen, in: Theology 29, 1934, 164-169; — C. Wendel, Versuch einer Deutung der Hippolyt-Statue, in: ThStKr 108, 1937/38, 362-369; — J. J. Kotsonès, Ἰούλιος ὁ Ἀφρικανός, ὁ πρῶτος χριστιανὸς χρονόγραφος, in: Θεολογία 15, 1937, 227-228; — Medea Norsa, La scrittura letteraria greca del secolo V a. C. all' VIII d. C., 1931, tav. 14a (Photo von P. Oxy. 412); — Franz Josef Dölger, Mein Herr und Sohn, in: AuC 6, 1941, 66 f.; — Eleonore Korzenszky, Rezension von Vieillefond (1932), in: BZ 35, 1935, 145-149 (mit Textberichtigungen); — Gudmund Björck, Apsyrtus, J. A. et Hippiatrique Grecque, Universitets Arsskrift, 1944; — Robert Macqueen Grant, Patristica (3), in:

VigChr 3, 1949, 227 (Sektos = Kestos); — Berthold Altaner, Augustinus und J. A., in: VigChr 4, 1950, 37-45; — F. Lammert, J. A. und die byzantinische Taktik, in: BZ 44, 1951, 362-369; — V. Grumel, Les premières ères mondiales, in: RÉByz 10, 1952, 93-108; — P. Frasinetti, Porfirio esegeta del profeta Daniele, in: Rendiconti dell' Istituto Lombardo, Classe di Lettere, Scienze morali e storiche 86, 1953, 194-210; — H. Chantraine, Der metrologische Traktat des Sextus J. A., seine Zugehörigkeit zu den Κεστοί und seine Authentizität, in: Hermes 105, 1977, 422-441; — Pierre Nautin, Origène, 1977, 176-182; — A. Moshammer, The Chronicle of Eusebius and Greek Chronographic Tradition, 1979, 36, 148-157; — Brian Croke, The Originality of Eusebius' Chronicle, in: AJP 103, 1982, 195-200; — T. Rampoldi, Guilio Africano e Allessandro Severo, in: Rendiconti dell'Istituto Lombardo, Classe di Lettere, Scienze morali e storiche 115, 1981 [ersch. 1984], 73-84; — F.C.R. Thee, Julius Africanus and the Early Christian View of Magic, in: Hermeneutische Untersuchungen zur Theologie 19, 1984; — Johannes Albertus Fabricius, Bibliotheca Graeca, editio quarta curante Gottlieb Christophoro Harles, IV, 1795, 241-246 (hier auch ältere Literatur); — Harnack, Lit I,2, 507-513; II, 1, 123-128; II, 2, 89-91; — Albert Ehrhard, Die altchristl. Literatur und ihre Erforschung von 1884-1900, Straßburger Theol. Stud., Supplementbd. 1, 1900, 368-370; — RE IX, 627 f.; — Bardenhewer II, 263-271; — Pauly-Wissowa X, 116-125 (Nr. 47); VI, 1377 (s. v. Eusebios); — Duchesne, Histoire ancienne de l'Église, ³I, 1923, 460; — Stählin, 1346 f.; — Aimé Puech, Histoire de la littérature grecque chrétienne II, 1928, 465 ff.; — DThC VIII, 1921; — Lietzmann III, 155 f.; — LThK I, 117 f.; — Quasten II, 137 ff.; — RGG III, 1063; — Handbuch der Kirchengeschichte (ed. Hubert Jedin) I, 1962 (Sonderausgabe 1985), 253, 275; — Altaner⁸, 209 f., 590; — Kl. Pauly II, 1547 f. (Nr. 3); — Carl Andresen, Die Kirchen der alten Christenheit, 1971, 122, 133, 213; — Joseph van Haelst, Catalogue des papyrus littéraires juifs et chrétiens, 1976, Nr. 674, 241 f.; — Mauritius Geerard, Clavis Patrum Graecorum I, 1983, Nr. 1690-1695, 213 f.

Hans-Udo Rosenbaum

JULIUS, Herzog von Braunschweig, * 29.6. 1528 in Wolfenbüttel als dritter und jüngster Sohn Herzog Heinrichs des Jüngeren von Braunschweig-Lüneburg und seiner Gemahlin Marie von Württemberg, † 3.5. 1589 ebenda, beigesetzt in der Hauptkirche Beatae Mariae Virginis. — Seine Stellung als nachgeborener Sohn, eine schwächliche Körperkonstitution verbunden mit einer durch einen Unfall verursachten Gehbehinderung, veranlaßten Herzog Heinrich, seinen jüngsten Sohn für den geistlichen Stand zu bestimmen. J. wuchs abseits des konventionellen Wolfenbütteler Hofbetriebes auf, er wurde u. a. in Gandersheim und Köln erzogen. Hier erhielt er 1542 eine Domherrenstelle. Zur Vervollkommnung seiner Ausbildung trat er 1549 eine längere bis 1552 dauernde Reise an, die ihn zu Studien an die Universitäten von Bourges (Frankreich) und Löwen (Span. Niederlande) führte. Ob J. erst in Löwen oder schon früher mit reformatorischem Gedankengut in Verbindung kam, ist wissenschaftlich noch nicht eindeutig geklärt. Als er 1553 nach dem Tod seiner beiden älteren Brüder in der Schlacht von Sievershausen nach Wolfenbüttel zurückkehrte, war seine Hinwendung zur neuen evangelischen Lehre bereits vollzogen. 1554 resignierte er das Bistum Minden, für das er 1553 zum Bischof postuliert worden war. Der Konfessionswechsel des nunmehrigen Erbprinzen J. löste schwere Kontroversen mit dem streng katholisch gesinnten Vater aus, der jeden Ausgleich ablehnte und den Sohn sogar zeitweilig gefangenhielt. Das sich ständig gespannter gestaltende Vater-Sohn-Verhältnis erreichte 1558 einen derartig kritischen Punkt, daß J., um sein Leben fürchtend, zu seinem Schwager Markgraf Johann v. Brandenburg nach Küstrin flüchtete. Der knapp einjährige Aufenthalt am Küstriner Hof vermittelte J. wichtige Erkenntnisse und Erfahrungen in Organisation, Verwaltung und Bewirtschaftung von Ländereien, die ihm dann bei späterer eigenverantwortlicher Wirtschaftsführung zugute kamen. Durch die von J. 1560 mit Hedwig, Tochter des Kurfürsten Joachim II. v. Brandenburg, geschlossene Ehe wurde die Aussöhnung mit dem Vater eingeleitet, der seinem Sohn aus diesem Anlaß Schloß und Amt Hessen zur selbständigen Verwaltung zuwies. 1568 zur Regierung gelangt, führte J. als eine der ersten Maßnahmen die Reformation in dem bis dahin weitgehend - mit Ausnahme der Stadt Braunschweig - katholisch gebliebenen Fürstentum Wolfenbüttel durch. Zu diesem Zweck setzte er Visitationskommissionen ein und ließ von den lutherischen Theologen Martin Chemnitz (s.d.) und Jakob Andreä (s.d.) eine Landeskirchenordnung erarbeiten (1569), die sich im kirchenrechtlichen Teil an der württembergischen Kirchenordnung orientierte, im liturgischen Teil Bezug nahm auf das Lüneburger Vorbild. Mit der gleichzeitigen Gründung eines fürstlichen Konsistoriums schuf J. eine Zentralbehörde für kirchliche Verwaltungsaufgaben, geistliche Gerichtsbarkeit und Bildungswesen. 1576 wurde das Corpus doctrinae Julii veröffentlicht, in dem die vom Herzog für sein Territorium geltend gemachten Bekenntnisschriften noch einmal zusammengefaßt wurden. Ihnen vor allem verdankte die braunschweigische Landeskirche ihre Sonderstellung und Eigenentwicklung innerhalb des lutherischen Lagers. Zum Schutz seiner Untertanen gegenüber landesherrlichem Konfessionswechsel nahm J. 1579 eine Religionsassekuration (Zusicherung der freien Konfessionsausübung auch bei anderer Glaubensentscheidung des Landesherrn) vor, die von da ab jeder Regent des Hauses bis zum Ende des 18. Jahrhunderts erneuerte. Mit der Kirchenreform war auch eine Neuorganisation des öffentlichen Schulwesens verbunden, deren weitreichendste Maßnahme die 1576 erfolgte Gründung einer landeseigenen Universität in Helmstedt war, die der Ausbildung von Geistlichen für die Landeskirche und einer effizienten Beamtenschaft für den Staatsdienst dienen sollte. Weitere Punkte im Regierungsprogramm des Herzogs waren die Modernisierung und Differenzierung des noch vielfach ungegliederten Verwaltungsapparates sowie die Förderung der wirtschaftlichen Kräfte des Landes. Dabei galt sein besonderes Augenmerk dem Bergbau- und Hüttenwesen und deren Produktionsverfahren, der Infrastruktur des Landes durch Bau von Land- und Wasserstraßen und der Erschließung neuer Absatzmärkte. Mit der durch die große Kanzleiordnung von 1575 nun modernisierten, straff geführten, leistungsstarken Verwaltung wirkte J. in den 21 Jahren seiner Regierung so erfolgreich, daß er bei seinem Tod 1589 das von seinem Vater finanziell zerrüttet übernommene Land schuldenfrei hinterließ sowie für seinen Sohn und Nachfolger Heinrich Julius ein stattliches Vermögen. — Außenpolitisch übte er starke Zurückhaltung und vermied kriegerische Verwicklungen. Mit Kaiser Maximilian II. war er gut befreundet. Durch den 1582 erworbenen Teil der Grafschaft Hoya und das 1584 ererbte Fürstentum Calenberg-Göttingen konnte er sein Territorium beträchtlich vergrößern. — Wie es seiner nüchternen realistischen Natur entsprach, lagen seine Fähig- und Fertigkeiten vor allem auf naturwissenschaftlichem Gebiet. Technischen Neuerungen und Erfindungen gegenüber war er stets besonders aufgeschlossen und experimentierte selbst. Darüber hinaus war er der Begründer der ersten Büchersammlung in Wolfenbüttel, deren Tradition dann später mit der berühmten Bibliotheca Augusta fortgesetzt wurde.

Lit.: Hans-Joachim Kraschewski, J., Herzog von Braunschweig, 1528-1589, in: Niedersächs. Lebensbilder 9, 1976, 23-35 (Veröffentl. d. Hist. Komm. f. Nds. u. Bremen, 22); — Ders., Wirtschaftspolitik im dt. Territorialstaat des 16. Jh.s Herzog J. von Braunschweig-Wolfenbüttel (1528-89), Köln/Wien 1978 (Neue Wirtschaftsgesch. 15); — Sammler Fürst Gelehrter. Herzog August zu Braunschweig und Lüneburg 1579-1666. Ausstellung der Herzog August Bibliothek in Wolfenbüttel 1979, s. d. Braunschweig-Lüneburg, J., Herzog von; — Sabine Schumann, Wirtschaftspolit. Gutachten für den Erbprinzen J. v. Braunschweig-Lüneburg (Wolfenbüttel) aus dem Jahre 1567, in: Jahrb. des Braunschweig. Geschichtsvereins 65, 1984, 99-13; — Hans-Walter Krumwiede, Zur Entstehung des landesherrl. Kirchenregiments in Kursachsen und Braunschweig-Wolfenbüttel, Stud. zur Kirchengesch. Niedersachsens 16, 1967, 146 ff.; — Späthumanismus und Landeserneuerung, Die Gründungsepoche der Univ. Helmstedt 1576-1613, Veröffentl. des Braunschweig. Landesmuseums 9, 1976; — ADB XIV, 662-670; — NDB X, 654 f.; — Biogr. Wb.z. dt. Gesch. II, 1360.

Ingrid Münch

JULIUS und JULIANUS. — Nach der späten Vita sollen es Griechen gewesen sein. Es soll sich um einen Priester und um einen Diakon handeln, die Kaiser Theodosios I. beauftragt hat, im Gebiet des Lago Maggiore und des Orta-Sees die Bevölkerung zum christlichen Glauben zu führen. Julianus - sein Todestag wird am 7. Januar begangen - soll in der Kirche von Gozzano beigesetzt worden sein, Julius dagegen in der Kirche einer kleinen Insel im Orta-See, von der man sagt, es sei die hundertste Kirche gewesen, die er erbaut habe. Die Geschichte der beiden Heiligen trägt deutlich legendäre Züge. Nicht geklärt ist bis heute die Frage, ob es sich wirklich um zwei Personen handelt, über die gesprochen wird, oder um nur einen einzigen Heiligen, der in der frommen Überlieferung eine Verdoppelung erfahren hat. Die Insel im Orta-See, die das Grab Julius' bergen soll, wird nämlich in der aus dem 7. Jahrhundert stammenden Origo gentis Langobardorum und auch bei Paulus Diaconus »Insula S. Juliani« bezeichnet. Dagegen wird im eucharistischen Hochgebet des ambrosianischen Meßritus ein mit der oben erwähnten Vita identischer Julius im Heiligengedächtnis

erwähnt, der im Metropolitanerzbistum Mailand besonders verehrt wird: ihm sind hier 13 Kirchen und ein Altar geweiht. Das liturgische Gedächtnis ist am 31. Januar.

Lit.: MG SS rer. Lang. 5, 10, 117; — F. Savio, Gli antichi Vescovi d'Italia dalle origini al 1300 descritti per le regioni. La Lombardia, Mailand-Florenz 1913, I, 922, 932 f.; — F. Lanzoni, Le Diocesi d'Italia dalle origini al principio del secolo VII (= SteT 35), Faenza 1927[2], 1032; — P. F. Kehr (Hrsg.), Regesta Pontificum Romanorum. Italia Pontificia, Berlin 1906-1935, VI, 2, 73; — MartRom 43; — F. Cognasso-C. Baroni, Novara e il suo territorio, Novara 1952, 40, 52, 554 f., passim; — LThK [2]V, 1206.

Johannes Madey

JUNG, Carl Gustav, Psychologe, * am 26.7. 1875 in Kesswil (Kanton Thurgau, Schweiz), † am 6.6. 1961 in Küsnacht bei Zürich. — J. entstammte einer alten, durch mehrere Generationen angesehene und ausgezeichnete Familie. Die Vorfahren väterlicherseits kamen aus Mainz. Im 17. Jahrhundert war ein Carl J. dort Arzt und Rektor der Universität. J.s Urgroßvater, ebenfalls Arzt, betreute während der napoleonischen Kriege ein Lazarett und übersiedelte später mit seiner Familie nach Mannheim. Der Großvater Carl Gustav schließlich, auch er war Arzt, kam auf Empfehlung Alexander von Humboldts als Professor an die medizinische Fakultät der Universität Basel, deren Rektor er auch für einige Zeit war. Eine alte Familientradition berichtet, daß er ein natürlicher Sohn Goethes gewesen sei. Der Vater Johann Paul Achilles war evangelisch-reformierter Pfarrer, allerdings weniger aus Neigung als aus Notwendigkeit. Seine Liebe galt eigentlich der Philologie. Mütterlicherseits stammte J. aus einer alteingesessenen und angesehenen Basler Familie. Der Großvater Samuel Preiswerk war Vorstand der reformierten Gemeinden Basels. — Der Beruf des Vaters brachte es mit sich, daß die Familie mehrfach umziehen mußte, so 1876 nach Laufen bei Schaffhausen und 1879 nach Kleinhüningen bei Basel. Im Jahre 1884 wurde seine Schwester Gertrud geboren. Von 1886-1895 besuchte er das Gymnasium in Basel, wo er anschließend von 1895-1900 Medizin studierte. Seit 1895 hielt J. auch spiritistische Sitzungen mit seiner medial begabten Kusine Helene

Preiswerk ab. Nach seinem medizinischen Staatsexamen beschloß J., sich auf die Psychiatrie zu spezialisieren und wurde im Dezember 1900 Assistent bei Professor Eugen Bleuler an der psychiatrischen Klinik »Burghölzli« in Zürich. Zur gleichen Zeit erlangte er die Approbation als Arzt für alle Schweizer Kantone. Im Jahre 1902 legte er seine Dissertation »Zur Psychologie und Pathologie sogenannter okkulter Phänomene« vor. Ein etwa halbjähriger Aufenthalt bei Pierre Janet an der Salpetrière in Paris schloß sich an. Zu Anfang des Jahres 1903 heiratete J. Emma Rauschenbach, mit der er fünf Kinder hatte. Von 1903-1905 war er Volontärarzt, von 1905-1909 Oberarzt am »Burghölzli«, von 1905-1913 zudem auch Privatdozent an der medizinische Fakultät der Universität Zürich. Seit 1906 trat J. öffentlich für die Psychoanalyse Sigmund Freuds ein. Dies führte schon bald zu einem ausgedehnten Briefwechsel. Im Februar 1907 kam es dann zu einer ersten Begegnung. In den folgenden Jahren erfuhr diese Beziehnng noch manche Bereicherung. Im Jahre 1909 verließ J. die Zürcher Klinik wegen persönlicher Spannungen mit Bleuler und errichtete eine private Praxis in seinem neuerbauten Haus in Küsnacht bei Zürich. Im September des gleichen Jahres hielt er sich zusammen mit Freud und Ferenczi zu Gastvorlesungen an der Clark University in Worcester/Massachusetts in Amerika auf. Im März 1910 wurde J. zum ersten Präsidenten der in Nürnberg gegründeten »Internationalen Psychoanalytischen Vereinigung« gewählt. Dieses Amt hatte er bis zum Jahre 1914 inne. Im September 1912 weilte er wieder in Amerika, diesmal zu Vorlesungen an der Fordham University in New York, wobei er erstmals von Freud abweichende Anschauungen öffentlich vortrug. Bei Vorträgen vor der »Psycho-Medical-Society« in London im August 1913 verwendete J. für seine Forschungsrichtung zum ersten Mal den Begriff »Analytische Psychologie«. Durch das 1911/1912 in erster Auflage erschienene Buch »Wandlungen und Symbole der Libido« wurde der zu Anfang des Jahres 1913 vollzogene Bruch mit Freud entscheidend vorbereitet. Ein Jahr später trat J. auch als Präsident der »Internationalen Psychoanalytischen Vereinigung zurück. Die folgenden Jahre führten ihn zur Auseinandersetzung mit dem Unbe-

wußten. Es ist zu vermuten, daß er auf diese Weise den Ablösungsprozeß von Freud vollzog. Etwa gegen Ende des ersten Weltkriegs begann er, gnostische Schriften zu studieren. Mit dieser Auseinandersetzung wandte sich J. den Strukturen des Religiösen zu. Die religiöse Thematik hat ihn dann bis zu seinem Tode nicht mehr verlassen. Drei große Reisen stehen in unmittelbarer Verbindung zu dieser Thematik. Im Jahre 1920 bot sich ihm die Gelegenheit zu einer Reise nach Nordafrika, die ihm das Erlebnis fremder Kulturen eröffnete. Zwei Studienreisen zu den Puebloindianern nach Nordamerika (1924/1925) und zu den Elgonyis nach Ostafrika (1925/1926) folgten. Das auf diesen Reisen gesammelte Material von Beobachtungen wurde später für die Interpretation der Religion durch J. wichtig. Neben diesen mythologischen Studien begann er seit dem Jahre 1923, dem Jahr des Todes seiner Mutter, an seiner eigenen Mythologie zu arbeiten. Auf einem Grundstück in Bollingen, am oberen Ende des Zürcher Sees gelegen, baute er sich einen Turm, der bis zum Jahre 1955 immer wieder verändert wurde. An dic gnostischcn Studien schlossen sich seit 1928 alchemistische Forschungen an, anfangs in Zusammenarbeit mit Richard Wilhelm. Seit 1933 wurden in Ascona am Lago Maggiore auf Initiative der Holländerin Olga Fröbe-Kapteyn in deren Villa Gabriella alljährlich die sogenannten Eranos-Tagungen abgehalten, Symposien, die bis zum Tode J.s weitgehend von seiner Persönlichkeit lebten. Diese Tagungen waren zugleich ein Forum für ihn, Gedanken einem exklusiven Kreis von Zuhörern erstmals mitzuteilen und einer fachmännischen Kritik zu stellen, bevor er sie veröffentlichte. In den folgenden Jahren wurde J. mit Ehrungen geradezu überhäuft, außerdem zu zahlreichen Vorträgen an vielen Orten eingeladen. Hinzu kamen nun mannigfache Veröffentlichungen, die den Ertrag einer lebenslangen Beschäftigung mit den verschiedensten Fragen und Problemen der Psychologie bildeten. Hervorzuheben für die religiöse Thematik sind die 1937 gehaltenen Vorträge über »Psychologie und Religion«, 1940 in Buchform erschienen, der im August 1940 bei einer Eranos-Tagung gehaltene Vortrag »Versuch einer psychologischen Deutung des Trinitätsdogmas« und die 1952 entstandene »Antwort auf Hiob«. Das große Spät- und Alterswerk »Mysterium Coniunctionis« (1955/1956) faßt religiöse, alchemistische nnd psychologische Themen in einer großartigen Gesamtschau zusammen. Die letzten Lebensjahre J.s waren gezeichnet von Krankheit, dem Tod der lebenslangen Frau und Begleiterin Emma (1955), aber auch vom Beginn des Erscheinens der Gesamtausgabe (1958) und von wachsender Anerkennung in der Öffentlichkeit. Seit 1957 entstand als letzte größere Arbeit, in Zusammenarbeit mit Aniela Jaffé als einfühlsamer Fragestellerin und Zuhörerin, seine »Autobiographie«, »Erinnerungen, Träume, Gedanken«, die auf seinen Wunsch erst 1962 posthum veröffentlicht wurde. — Die Persönlichkeit J.s zu erfassen ist nicht einfach. Zu sehr ist deren Bild von disparaten Zügen bestimmt. Da finden sich auf der einen Seite Interessen für alles Geheimnisvolle, wie Spiritismus, fliegende Untertassen, Gnosis, und ähnliches, auf der anderen Seite aber auch Versuche, diese Phänomene in einen wissenschaftlich erklärbaren Zusammenhang zu bringen. Gleichwohl läßt sich ein bestimmender Grundzug nicht übersehen, die durchgängige Beschäftigung mit dem Religiösen. Diese Tatsache ist bei einem Psychologen äußerst ungewöhnlich und bemerkenswert, insbesondere, da die Psychoanalyse, vor allem in der Nachfolge Freuds, bestrebt ist, die Religion weitgehend aus der Betrachtung auszuschließen. Besonders bei Freud fällt auf, daß er die Psychoanalyse geradezu an die Stelle der Religion setzen möchte. Der Bezug zur Religion ist bei J. ein anderer. Er schöpft aus ihr jene Beobachtungen, die ihn zu einem tieferen Verständnis des Menschen führen können. Die Lehre von den Archetypen ist ohne ein Verständnis des Religiösen sogar undenkbar. So kommt J. schließlich zu einem Kulturbegriff, der wesentlich aus der Kenntnis des Symbolgehalts des Religiösen wie des Psychischen geformt ist. Im Sich-Bewußtmachen der inneren Vorgänge kommt der Mensch zu einem Verständnis von sich selbst. Damit hat J. den Sinn von Religion wie von Psychologie aufgedeckt. In diesem Zusammenhang ist es bemerkenswert, daß er den Vorstellungen der katholischen Kirche näher steht als denjenigen der reformierten Kirche. Er entdeckt in den Glaubensvorstellungen des Katholizismus psychisch verstehbare und deutbare

Vorgänge, deren Symbolgehalt ihn nachhaltig fasziniert. Dies läßt sich besonders in seiner Schrift über die Bedeutung des Trinitätsdogmuas erkennen. Trotzdem anerkennt J. nicht vorbehaltlos die Existenz der Kirchen. Für ihn ist und bleibt ausschlaggebend, daß sie den Menschen zur moralischen Autonomie führen müssen.

Werke: Gesammelte Werke, 19 Bde., 1958-1983 (I: Psychiatrische Studien, 1966; II: Experimentelle Untersuchungen, 1979; III: Psychogenese der Geisteskrankheiten, 1968; IV: Freud und die Psychoanalyse, 1969; V: Symbole der Wandlung, 1973; VI: Psychologische Typen, 1960; VII: Zwei Schriften über Analytische Psychologie, 1964; VIII: Die Dynamik des Unbewußten, 1967; IX/1: Die Archetypen und das kollektive Unbewußte, 1976; IX/2: Aion. Beiträge zur Symbolik des Selbst, 1976; X: Zivilisation im Übergang, 1974; XI: Zur Psychologie westlicher und östlicher Religion, 1963; XII: Psychologie und Alchemie, 1972; XIII: Studien über alchemistische Vorstellungen, 1978; XIV: Mysterium Coniunctionis, 1968; XV: Über das Phänomen des Geistes in Kunst und Wissenschaft, 1971; XVI: Praxis der Psychotherapie, 1958; XVII: Über die Entwicklung der Persönlichkeit, 1972; XVIII: Das symbolische Leben, 1981; XIX: Bibliographie).

Lit.: J. Corrie, J.s Psychologie im Abriß, 1929; — J.L. Bruneton, J.: L'homme, sa vie, son caractère, in: Revue d'Allemagne VII, 1933, 673-689; — C.L. Tuinstra, Het symbol in de psychoanalyse, 1933; — Toni Wolff, Exposé d'ensemble de la doctrine, in: Revue d'Allemagne VII, 1933, 709-743; — Die kulturelle Bedeutung der Komplexen Psychologie. Festschr. z. 60. Geb. C.G.J.s, 1935; — H. Schultz-Hencke, Über die Archetypen, in: Zentralbl. für Psychotherapie IX, 1936, 335-343; — J. Goldbrunner, Die Tiefenpsychologie von J. und christliche Lebensgestaltung, 1940; — Studien zum Problem des Archetypischen. Festg. für C.G.J. z. 70. Geb., ErJb XII, 1945; — M. Frischknecht, Die Religion in der Psychologie J.s, 1945; — Jolande Jacobi, Komplex, Archetypus und Symbol, in: Schweizerische Zeitschr. f. Psychologie und ihre Anwendungen IV, 1945, 276-313; — Ders., Die Psychologie von J., 1946; — Ders., J., in: Hamburgische akademische Rundschau II, 1947/1948, 20-23; — Ders., Versuch einer Abgrenzung der wichtigsten Konzeptionen J.s von denen Sigmund Freuds, in: Psyche IX, 1955, 261-278; — Hans Schaer, Religion und Seele in der Psychologie J.s, 1946; — Ders., Erlösungsvorstellungen und ihre psychologischen Aspekte, 1950; — Ders., J. und die Deutung der Gesch., in: SThR XXII, 1952, 91-96; — Ders., Die Religion in der Psychologie J.s, in: Psychologia-Jb., 1955, 96-110; — A.v. Muralt, J.s Stellung zum Nationalsozialismus, in: Schweizer Ann. III, 1946/1947, 692-702 (auch in: Hamburgische akademische Rundschau III, 1948/1949, 547-557); — V.E.v. Gebsattel, Christentum und Humanismus, 1947; — Ders., Freud or J., 1950; — Gebhard Frei, Die Methode und die Lehre J.s, in: Ann. d. Philosophischen Ges. Innerschweiz und Ostschweiz, 1948; — Ders., Zur Darst. Wingenfelds über J., in: Arzt und Seelsorger VII, 1956, Nr. 3, 5-7; — P. Mullahy, Oedipus. Myth and Complex, 1948; — A. Sborowitz, Beziehung und Bestimmung, in: Psyche II, 1948, 9-56; — Ders., Eine rel. Konzeption in der Nachfolge

J.s. Zu Erich Neumanns »Kulturentwicklung und Religion«, in: Psyche VIII, 1954, H. 12, 22-31; — E. Glover, Individuation, 1949; — Ders., Personale Seelsorge, 1954; — J. Goldbrunner, Individuation. Die Tiefenpsychologie von J., 1949; — Arthur Hübscher, J., in: Ders., Philosophen der Gegenwart, 1949, 90-92. 159f; — Ders., J. über das Mariendogma, in: GuE III, 1953, Nr. 1, 13; — Aus der Welt der Urbilder. Festg. f. J. z. 75. Geb., ErJb XVIII, 1950; — Ch. Baudouin, De l'instinct à l'esprit, 1950; — Fritz Kraus, Aus der Welt der Urbilder, in: Dt. Btrr. IV, 1950, 467-473; — H. C. Rümke, Aantekeningen over het instinct, de archetypus, de existentiaal, in: Pro Regno, Pro Sanctuario. Feestbundel voor Prof. G. van der Leeuw, 1950, 451-467; — F. Sierksma, Phaenomenologie der religie en complexe psychologie, 1950; — Victor White, The Scandal of the Assumption, in: Life of the Spirit V, 1950, 199-212; — Ders., God and the Unconscious, 1953 (dt., 1957); — Ders., Answer to Hiob, in: Blackfriars, 1955, 52-60; — Robert Hindel, Der archetypische Gott. J. und die Religion, in: WuW VI, 1951, 565-571; — W. Leibbrand, J.s Versuch einer psychologischen Deutung des Trinitätsdogmas, in: ZRGG III, 1951, 122-134; — Ders., Das tiefenpsychologische Werk J. s, in: Hochland XLVII, 1955, 444-451; — A. Léonard, La psychologie religieuse de J., in: Supplément de la Vie Spirituelle V, 1951, 325-334; — H. Trüb, Heilung aus der Begegnung, 1951; — Religion und Psychologie. Prof. Dr. C.G.J., in: Merkur VI, 1952, 467-473; — K.W. Bash, Die Übertragung in der Praxis der J.schen analytischen Psychologie, in: Psyche VI, 1952, 276-292; — Ders., Begriff und Bedeutung d. Archetypus in der Psychologie J.s, in: Psychologia-Jb., 1955, 84-95; — Ders., J. z. 80. Geb., in: Schweizerische Zeitschr. f. Psychologie und ihre Anwendungen XIV, 1955, 169f; — Ders., J. † (1875-1961), in: Dt. Medizinische Wochenschr. LXXXVI, 1961, 1525f; — Ders., Der unwahrscheinliche J., in: Schweizer Zeitschr. f. Psychologie und ihre Anwendungen XXXV, 1976, 1-15; — Ph. Dessauer, Bemerkungen zum Verhältnis von Psychotherapie und Seelsorge, in: Anima VII, 1952, 112-130; — Wolfgang Hochheimer, Abriß der J.schen Lehre als Btr. z. Synthesen- und Amalgamdiskussion in der Psychotherapie, in: Psyche VI, 1952, 508-535; — Ders., Die Psychotherapie J.s, in: Psyche XI, 1957, 561-639; — V. Orelli, Der anthropologische Ort der Psychologie J.s, in: Zeitschr. f. Psychotherapie und medizinische Psychologie II, 1952, 20f; — C. Thompson, Psychoanalysis, Evolution and Development, 1952; — M. Boss, Über Herkunft und Wesen des tiefenpsychologischen Archetypus-Begriffes, in: Psyche VI, 1953, 584-597; — Ders., Der Traum und seine Auslegung, 1953; — A. Brunner, Theologie oder Tiefenpsychologie?, in: StZ LXXVIII, 1953, 401-415; — I. Caruso, Das Symbol in der Psychotherapie, in: StudGen VI, 1953, 296-302; — H. Corbin, La Sophia éternelle, in: Revue de Culture Européenne III, 1953, 11-44; — Wilfried Daim, Der Grundfehler J.s. Zu einer gnostischen Entgleisung, in: WuWelt XI, 1953, 58-66; — Rudolf Dannwitz, J.s Wissenschaft von der Seele, in: Merkur VII, 1953, 418-438; — F. Fordham, An Introduction to J.s Psychology, 1953; — Herbert Haberlandt, Diskussion um Hiob, in: WuWelt VI, 1953, 52-58; — Ders., Archetypus und Psyche. Gedanken über ein neues Buch von J., in: Wiener Arch. für Psychologie, Psychiatrie und Neurologie IV, 1954, 161-166; — Otto Haendler, Komplexe Psychologie und theol. Realismus. Ein Lit.ber. über J. und seinen Kreis, in: ThLZ LXXVIII, 1953, 199-216; — Ders., J.

Lit.ber. als Situationsprofil, in: ThLZ LXXXIV, 1959, 561-588; — Ders., J. zum Gedächtnis, in: Wege zum Menschen XIV, 1962, 1f; — Ders., J. in seinem Gesamtwerk, in: ebd., 8-13; — Georg Koepgen, Hiob, das große Lehrgedicht des AT. Zu den Deutungen J.s und Martin Bubers, in: Gloria Dei VII, 1953, 228-237; — E. Michaelis, Le livre de Job interprété par J., in: RThPh III, 1953, 183-195; — I. Progroff, J.s Psychology and its social Meaning, 1953; — Josef Rudin, Antwort auf Hiob. Zum gleichnamigen Buch von J., in: Orientierung XVII, 1953, 41-44; — Ders., Die Tiefenpsychologie und die Freiheit des Menschen, in: Orientierung XVIII, 1954, 169-173; — Ders., Gott und das Böse bei J., in: Arzt und Seelsorger XII, 1961, H. 4, 4-8; — Ders., J. und die Religion, in: Orientierung XXVIII, 1964, 238-242 (auch in: Wilhelm Bitter/Hrsg., Psychotherapie und religiöse Erfahrung, 1965, 73-86); — Ders., Das Schuldproblem in der Tiefenpsychologie von J., in: Schuld und religiöse Erfahrung, 1968, 61-71; — Paulus Zacharias, Die Bedeutung der Psychologie J.s für die christliche Theologie, in: ZRGG V, 1953, 257-269; — Ders., Psyche und Mysterium, 1954; — Wilhelm Bitter, Zur Psychologie der Angst und Schuld bei Freud, Adler und J., in: Psychotherapie und Seelsorge. Eine Einführung in die Tiefenpsychologie. Ges. Vorträge, 1954², 190-203; — Ders., Über die Verdrängung bei S. Freud und den Schatten bei J., in: Zeitschr. f. psychosomatische Medizin I, 1955, 201-206; — L. Beirnaert, J. et Freud au regard de la foi chrétienne, in: Dieu vivant, Nr. 26, 1954, 95-100; — Erich Brock, Der Codex J. Eine bedeutende Quelle zur Frühzeit des Christentums, in: Atlantis XXVI, 1954, H. 1, 28f; — Ernst Walter Schmidt, Hiob, J. und Bultmann, in: Neue dt. Hh., 1954, 699-705; — Friedrich Seifert, Die J.sche Lehre vom Unbewußten und den Archetypen, in: Universitas IX, 1954, 867-877; — Alois Wurm, Zu dem Thema: J.s Stellung zum Christentum, in: Die Seele XXX, 1954, 148-150; — Studien zur analytischen Psychologie J.s. Festschr. z. 80. Geb., 2 Bde., 1955; — W. Bernet, Inhalt und Grenze religiöser Erfahrung, 1955; — Ders., J., in: Hans Jürgen Schultz (Hrsg.), Tendenzen der Theologie im 20. Jh., 1966, 150-155; — Herbert Gottschalk, Der Mensch und die Mächte der Seele. Zu J.s 80. Geb., in: Unsere Schule X, 1955, 513-529; — T. Hartwig, Antwort auf Hiob, in: Befreiung III, 1955, 103-111; — Dorothee Hoch, Von der »prophetischen Sendung« J.s für Kirche und Theologie, in: KBlRef CXI, 1955, 197-201; — Dies., Zum »Credo« von J., in: KBlRef CXIX, 1963, 66-68; — Raymond Hostie, Analytische Psychologie en Godsdienst, 1955 (dt. Übersetzung von Johannes Tenzler u.d.T. »C.G.J. und die Religion«, 1957); — Wilhelm Scharpff, Der Tiefenpsychologe J. und die Religion, in: WuT IX, 1955, H. 3, 76; — Berard Wingenfeld, Die Archetypen der Selbstwerdung bei J., 1955; — Ders., Das Menschenbild J.s, in: Oberrheinisches Pastoralblatt LVI, 1955, 341f; — Ders., Komplex, Archetypus, Symbol in der Psychologie J.s, in: ThGl XLIX, 1959, 49; — Kurt Binswanger, Der Heilweg der analytischen Psychologie J.s, in: L. Szondi (Hrsg.), Heilwege der Tiefenpsychologie, 1956, 35-48; — Josef Bleuel, Der trinitarische Unglaube. Bemerkungen zu einer Veröffentlichung J.s, in: Natur und Kultur XLVIII, 1956, 37-42; — K. Stern, Die dritte Revolution. Psychiatrie und Religion, 1956; — R. Affemann, Psychologie und Bibel, 1957; — Malte Dahrendorf, Hermann Hesse's »Demian« und J., in: Germanisch-romanische Monatsschr. VIII, 1958, 81-97; — Marie-Louise von Franz, Die aktive Imagination in der Psychologie J.s, in: Wilhelm Bitter (Hrsg.), Meditation in Religion und Psychotherapie. Ein Tagungsbericht, 1958, 136-148; — Dies., Die alchemistische Makrokosmos-Mikrokosmos-Idee im Lichte der J.schen Psychologie, in: Symbolon I, 1960, 27-38; — Dies., Die Bibliothek J.s in Küsnacht, in: Librarium VI, 1963, 95-109; — Dies., J. Sein Mythos in unserer Zeit, 1972; — Dies., Selbstverwirklichung in der Einzeltherapie von J., in: Praxis der Psychotherapie XXII, 1977, 193-200; — Dies., Zur Typologie J.s. Das inferiore und die Fühlfunktion, 1984²; — Ernst-Rüdiger Kiesow, Der Protestantismus in der Sicht J.s, in: MPTh XLVII, 1958, 445-450; — Ders., Bemerkungen zu J.s Selbstdarstellung, in: Wege zum Menschen XVII, 1965, 146-150; — Günter Schulz, Die Gnosis im Urteil von Martin Buber, J. und Rudolf Pannwitz, in: Der Marianne Weber-Kreis. Festg. f. Georg Poensgen zu seinem 60. Geb., 1958, 37-39; — Emil Grütter, Psychoanalytische Bemerkungen zur J.schen Heilmethode, in: Psyche XIII, 1959, 536-553; — Josef Schwermer, Religiöse Termini bei J., in: ThGl XLIX, 1959, 368-374; — Aniela Jaffé, J. und die Parapsychologie, in: Zeitschr. f. Parapsychologie und Grenzgebiete der Psychologie IV, 1960, 8-23; — Dies., C.G.J. Erinnerungen, Träume, Gedanken, 1962; — Dies., J. und die Parapsychologie, in: Hans Bender (Hrsg.), Parapsychologie. Entwicklung, Ergebnisse, Probleme, 1966, 416-432; — Dies., Die schöpferischen Phasen im Leben von J., in: ErJb XL, 1973, 85-122; — Dies., J.s Auffassung einer Individuation der Menschheit, in: ErJb XLIII, 1977, 329-365; — Dies., J. und die Eranos-Tagungen, in: ErJb XLIV, 1977, 1-14; — Herbert Read, J. und die Psychologie des 20. Jh.s, in: Universitas XV, 1960, 1043-1057; — Ders., J. und eine Psychologie, in: Universitas XXII, 1967, 133-141; — Ernst Wilhelm Eschmann, Die innere Unendlichkeit. Zum Tode von J., in: Christ und Welt XIV, 1961, Nr. 24, 16; — Otto Jäger, Ein Gespräch über J., in: DtPfrBl LXI, 1961, 83-85; — Werner Meyer, In memoriam J., in: Reformatio X, 1961, 331-336; — Rudolf Stickelberger, Seelsorge als Arznei. Nach dem Tode J.s, in: ebd., 295-299; — Walter Uhsadel, Zum Problem der Transzendenz in der Psychologie J.s, in: Forschung und Erfahrung im Dienst der Seelsorge. Festg. f. Otto Haendler, 1961, 66-70; (wiederabgedruckt in: Arzt und Seelsorger XIII, 1962, H. 1, 3-8); — Gerhard Bartning, Hebräische wider griechische Psychologie? Zum Gespräch mit J., in: Quatember XXVI, 1962, 117-120; — Joachim Scharfenberg, Zum theologischen Gespräch mit J., in: ebd., 21-27 (auch in: Wege zum Menschen XIV, 1962, 3-8); — J. Alm, J.s Erfahrungen in theologischer Sicht, in: ThZ XIX, 1963, 352-359; — Max Frischknecht, Neue Begegnung mit J., in: Reformatio XII, 1963, 307-315; — Winfried Rorarius, J.s Einsicht in die Seele und die Anrede des Evangeliums, in: Zeitwende. Die neue Furche XXXIV, 1963, 225-239; — Ders., Der archetypische Gott. Über das Verhältnis von Glauben und Psychotherapie bei Freud und J., in: Zeitwende. Die neue Furche XXXVII, 1966, 368-381; — Paul Friedman/Jacob Goldstein, Some comments on the psychology of J., in: Psychoanalytic quarterly XXXIII, 1964, 194-225; — Franz Rüsche, Über ein bedeutsames Buch zum Thema »J. und die Religion« (Raymond Hostie), in: ThGl LIV, 1964, 81-90; — A. Inge Allenby, Religionspsychologie mit besonderer Berücksichtigung von J., in: Wilhelm Bitter (Hrsg.), Psychotherapie und religiöse Erfahrung, 1965, 212-225; — Emil Walter, Das System der Psychologie J.s im Lichte seiner »Autobio-

graphie«, in: Schweizerische Zeitschr. f. Psychologie und ihre Anwendungen XXIV, 1965, 123-133; — Ernst Benz, Psychologie et religion chez J., in: Schweizerische Zeitschr. f. Psychologie und ihre Anwendungen XXV, 1966, 230-235; — Leonhard Gilen, Das Unbewußte und die Religion nach J. Zugleich ein Btr. z. Religionspsychologie des Modernismus, in: ThPh XLII, 1967, 481-506; — U. Hedinger, Reflexionen über J.s Hiobinterpretation, in: ThZ, 1967, 340-352; — G. Jahoda, J.s »meaningful coincidences«, in: Phronesis IV, 1967, 35-42; — Antonio Moreno, J.s ideas on religion, in: Thomist XXXI, 1967, 282-320; — Ders., Ideas de J. sobre las neurosis, in: Arbor LXXII, 1969, 5-36; — Ders., J.s archetype of the self and nonreligious people, in: New Scholasticism LIX, 1985, 398-417; — Johannes Tenzler, Lebenswende und Individuationsprozeß. Das Problem der Lebensmitte nach J., in: Jb. f. Psychologie, Psychotherapie und medizinische Anthropologie XV, 1967, 313-337; — Ders., J.s Phantasieauffassung in strukturpsychologischer Sicht, in: Wirklichkeit der Mitte. Festg. f. August Vetter z. 80. Geb., 1968, 252-291; — Neville Braybrooke, J. and Teilhard de Chardin. A dialogue, in: Month CCXXV, 1968, 96-104 (auch in spanischer Fassung u.d.T.: J. y Teilhard de Chardin. Un diálogo, in: Arbor LXXII, 1969, 89-96); — Alfons Marcoen, J. en Sigmund Freud. Ontmoeting, onenigheid en brenk, in: TTh XXX, 1968, 439-493; — Ders., Die Bedeutung der Vaterfigur für Kind und Jugendlichen nach J., in: Zeitschr. f. klinische Psychologie und Psychotherapie XXIII, 1975, 168-184; — A.U. Vasavada, J.s analytische Psychologie und indische Weisheit, in: Abendländische Therapie und östliche Weisheit. Ein Tagungsbericht, 1968, 236-244; — Otto Wolff, J.s »Antwort auf Hiob«, in: Dialog über den Menschen. Eine Festschr. f. Wilhelm Bitter z. 75. Geb., 1968, 153-168; — Irene Beck, Franz von Sales und J. Aktuelle psychologische Aspekte der salesianischen Theologie, in: Jb. f. salesianische Studien, 1969, 5-16; — L. Frey-Rohn, Von Freud zu J., 1969; — Wilhelm A. Schulze, Die Himmelfahrt Mariens bei J., in: ThZ XXV, 1969, 215-218; — Francisco Vásquez, Ideas antropologicas de J., in: Arbor LXXIV, 1969, 305-321; — Gerhard Wehr, C.G. J. in Selbstzeugnissen und Bilddokumenten, 1969; — Ders., Rudolf Steiner und J. Versuch einer Gegenüberstellung des Geistesforschers und des Seelenarztes, in: Die Kommenden XXVI, 1972, H. 12, 19-21; — Ders., C.G.J. Leben, Werk, Wirkung, 1988; — Gilles Quispel, J. und die Gnosis, in: ErJb XXXVII, 1970, 277-298; — William Grønbek, J. og religionspsykologien, in: DTT XXXIV, 1971, 40-57; — Hermógenes Harada, Cristologia e psicologia de J., in: Revista eclesiástica brasileira XXXI, 1971, 119-144; — Hans A. Wyss, Die Revolution des Bewußtseins. Freud, J. und die Gegenwart, in: Symbolon VII, 1971, 167-189; — Gerhard Hennemann, Zur Religionstheorie J.s, in: Zeitschr. f. praktische Psychologie XIII, 1973, 107-113; — Günter Blöcker, Schule der Weisheit. J. in seinen Briefen, in: Merkur XXVIII, 1974, 79-88; — Ders., Mein lieber Freund und Erbe. Der Briefwechsel zwischen Freud und J., in: ebd., 577-587; — J.P. Dourley, Trinitarian models and human interpretation. J. and Tillich compared, in: Journal of Analytical Psychology XIX, 1974, 131-150; — William P. Fitzpatrick, The myth of creation. Joyce, J. and Ulysses, in: James Joyce quarterly XI, 1974, 123-144; — A. Plaut, Part-object relations and J.s »luminosities«, in: Journal of Analytical Psychology XIX, 1974, 165-181; — Ders., J. and rebirth, in: Journal of Analytical

Psychology XXII, 1977, 142-157; — J. Veith, Freud, J. and Paracelsus. Historical reflexions, in: Perspectives in Biology and Medicine XVIII, 1974, 513-521; — G. Adler, Aspekte von J.s Persönlichkeit und Werk, in: Analytische Psychologie VI, 1975, 205-217; — R. Cohen, Rencontre de J. L'homme et l'œuvre, in: ebd., 240-259; — D. Kadinsky, Der Symbolbegriff bei J., in: ebd., 1-11; — Hans-Rudolf Schwyzer, The intellect in Plotinus and the archetypes of J., in: Jaap Mansfeld/Lambertus Marie de Rijk (Hrsgg.), Kephalaion. Studies in Greek philosophy and its continuation offered to Johanna de Vogel, 1975, 214-222; — Vincenza Tiberia, A J.ian interpretation of Goethe's alchemical allegory »The Märchen«, in: International Journal of Symbology VI, 1975, 24-36; — Wallace B. Clift, Symbols of wholeness in Tillich and J., in: International Journal of Symbology VII, 1976, 45-52; — C.T. Frey-Wehrlin, Überlegungen zu J.s Begriff der Synchronizität, in: Analytische Psychologie VII, 1976, 97-109; — James W. Heisig, J. and the Imago Dei. The future of an idea, in: JR LVI, 1976, 88-104; — Ders., J. und die Theologie. Eine bibliogr. Abh., in: Analytische Psychologie VII, 1976, 177-220; — Clarence J. Karier, The ethics of therapeutic man: J., in: Psychoanalytic review LXIII, 1976, 115-146; — Bernard Masson, Relire les »Nuits«. Musset sous la lumière de J., in: Revue d'histoire littéraire de la France LXXVI. 1976, 192-210; — G. Christian Amstutz, J. in Heidelberg, in: Heidelberger Jbb. XXI, 1977, 29-34; — Ders., Naturwissenschaftliche Aspekte aus dem Werk von J., in: ebd., 41-45; — Emma Brunner-Traut, Die Psychologie des Unbewußten - die Selbstfindungslehre von J., in: Universitas XXXII, 1977, 1129-1140; — R. Gordon, Death and creativity. A J.ian approach, in: Journal of Analytical Psychology XXII, 1977, 106-124; — V. von der Heydt, J. and religion, in: ebd., 175-183; — James Hillman, Pandaemonium der Bilder. J.s Btr. z. »Erkenne dich selbst«, in: ErJb XLIV, 1977, 415-450; — P.J. van der Leeuw, Über die wissenschaftsgesch. Bedeutung des Briefwechsels zwischen Freud und J., in: Psyche XXXI, 1977, 1021-1044; — Hans W. Loewald, Transference and countertransference. The roots of psychoanalysis. Essay on the Freud/J. letters, in: Psychoanalytic quarterly XLVI, 1977, 514-527; — H. Prokop, Mitarbeiter und Nachfolger von J., in: Psychotherapie. Medizinische Psychologie XXVII, 1977, 205-215; — Ders., Die analytische Psychologie von J., in: Wiener klinische Wochenschr. XC, 1978, 757-765; — Marcel Scheidhauer, Rencontre de Freud et de J.?, in: RHPhR LVII, 1977, 71-80; — Heinrich Schipperges, J. im Lichte der Wissenschaftsgesch., in: Heidelberger Jbb. XXI, 1977, 35-40; — Louis Zinkin, »Death in Venice« - a J.ian view, in: Journal of Analytical Psychology XXII, 1977, 354-366 (dt. Fassung u.d.T.: »Der Tod in Venedig« ein J.scher Aspekt, in: Analytische Psychologie XIII, 1982, 165ff; — Georges Baierlé, Le mythe dans la psychologie de J., in: Cahiers internationaux de symbolisme XXXV/XXXVI, 1978, 151-162; — G. Bittner, Fische- und Wassermann-Zeitalter. Gedanken zu J.s »Aion« anläßlich seines Neuerscheinens, in: Analytische Psychologie IX, 1978, 54-61; — R. Black, Implications of J.s prefiguration of priestness, in: Journal of Analytical Psychology XXIII, 1978, 149-160; — Anselm Grün, Probleme der Lebensmitte nach J., in: Erbe und Auftrag. Benediktinische Monatsschr. Neue Folge LIV, 1978, 101-111; — Joseph Mileck, Freud and J. Psychoanalysis and Literature, Art and Disease, in: Semina. A journal of Germanic studies XIV,

1978, 105-116; — Barbara Wittels, J., art therapy and the psychotic patient, in: Art Psychotherapy. An international journal V, 1978, 115-121; — R.G. Woodman, Freud and J. The parting of the ways, in: Queen's quarterly. A Canadian review LXXXV, 1978, 93-108; — Eugene C. Bianchi, J.ian psychology and religious experience, in: AThR LXI, 1979, 182-199; — A. Henne, Psychodramatherapie im Rahmen der analytischen Psychologie von J., in: Integrative Therapie V, 1979, 79-98; — Richard Hubert Jones, J. and eastern religious traditions, in: Religion. A journal of Religion and Religions IX/2, 1979, 141-156; — Harald Knudsen, Christologie und Analytische Psychologie. Eine vergleichende Betrachtung zu Schleiermacher und J., in: ThViat XV, 1979/1980, 35-60; — Helmut Barz, Psychologische Probleme des Unbewußten. J. und sein Lebenswerk für die moderne Psychologie, in: Universitas XXXV, 1980, 275-282; — Franco Giunchedi, J. Aspetti psicologici dell'uomo religioso, in: CivCatt CXXXII, 1981, 250ff; — Claude Maillard, Die Psychologie J.s. Dichtung oder Wahrheit? Versuch einer erkenntnistheoretischen Reflexion, in: Recherches Germaniques XI, 1981, 123-147; — Stephan Marks, Politische Mythologie. Sozialwissenschaftliche Rezeption der analytischen Psychologie J.s, Diss. Giessen, 1981; — Jacqueline Miller, Freud et J. Ou la sexualité renait de ses cendres, in: Revue française de Psychoanalyse XLV, 1981, 87ff; — Arnold Mindell, Widerstand und Körper - Überlegungen aus J.ianischer Sicht, in: Integrative Therapie VII, 1981, 197-203; — Georges Roche, J. ou Freud?, in: Recherches Germaniques XI, 1981, 148-168; — Madeleine Vermoral, Rêve et théorie de la libido à travers la correspondance Freud-J., in: Revue française de Psychoanalyse XLV, 1981, 101ff; — Wolfgang Bassler, Zur Wissenschaftsmethodik der Psychologie: Dilthey, Nietzsche, J., in: Analytische Psychologie XIII, 1982, 281ff; — Harald Braun, »Gerufen und nicht gerufen wird Gott da sein.« Ausblick auf J., in: KatBl CVII, 1982, 907-912; — Susan Fischer, The invisible partner: A J.ian approach to Calderon's La dama duende, in: Revista Canadiense de estudios Hispanicos VII, 1982, 231-247; — James A. Hall, Polanyi and J.ian psychology. Dream-ego and Waking-ego, in: Journal of Analytical Psychology XXVII, 1982, 239-254; — Ders., Toward a J.ian theory of hypnosis, in: The American journal of clinical hypnosis XXIX, 1986, 109ff; — Johanna Neuer, J.ian archetypes in Hermann Hesse's Demian, in: Germanic review LVII, 1982, 9-15; — F.L. Radford/R.R. Wilson, Some phases of the J.ian moon. J.s influence on modern literature, in: English studies in Canada VIII, 1982, 311-332; — Alfred Ribi, Gilluj elijahu - die Elias-Offenbarung. Eine amplifizierende Anmerkung zu J.s »Erinnerungen, Träume, Gedanken«, in: Analytische Psychologie XIII, 1982, 20ff; — Ders., Zum schöpferischen Prozeß bei J. Aus den Excerptbänden zur Alchemie, in: ebd., 201ff; — Gloria L. Young, Quest and discovery. Joseph Conrad's and J.s African journeys, in: Modern Fiction Studies XXVIII, 1982, 583-589; — Denise Braunschweig, Traces de J. dans l'evolution theorique de Freud, in: Revue française de Psychoanalyse XLVII, 1983, 1027ff; — Carlo Cantone, La religione in un recente epistolario di J., in: Salesianum XLV, 883-889; — H.G. Coward, J. and »Karma«, in: Journal of Analytical Psychology XXVIII, 1983, 367-376; — M. Goldwert, Toynbee and J. The historian and analytical psychology - a brief comment, in: ebd., 363-366; — Martin Kalff, The negation of Ego in Tibetian Buddhism and J. ian psychology, in: The journal of transpersonal psychology XV, 1983, 103-124; — Nazareno di Marco, Simboli e archetipi nella psicologia della religione di J., in: Aquinas XXVI, 1-34; — Ders., Dio come padre nella »Risposta a Giobbe« di J., in: Aquinas XXVII, 1984, 33-74; — A. Samuels, The emergence of schools of post-J.ian analytical psychology, in: Journal of Analytical Psychology XXVIII, 1983, 345-362; — W.B. Goodeheart, J.s »patient«. On the seminal emergence of J.s thought, in: Journal of Analytical Psychology XXIX, 1984, 1-34; — James Kirsch, J.s transference on Freud. Its Jewish element, in: American Imago XLI, 1984, 63-84; — Raimund M. Luschin, Das Böse als Schuld im Individuationsprozeß der Analytischen Psychologie J.s und im Aufweis der Grundbedingungen des Menschseins in der personalen Psychotherapie Johanna Herzog-Durcks, in: Salesianum XLVI, 1984, 713-758; — Paul Schwarzenau, Archetyp und Gottesbild. Zum Verhältnis von Theologie und J.scher Tiefenpsychologie, in: Zeitschr. f. Religionspädagogik, 1984, H. 2, 70-72; — P.R. Turner, Components of a J.ian theoretical orientation. An exploratory study, in: Journal of Analytical Psychology XXIX, 1984, 67-78; — Mario Jacoby, Individuation und Narzissmus. Psychologie des Selbst bei J. und H. Kohut, 1985; — Charles H. Klaif, Developments in the psychoanalytic concept of the Self. A J.ian view, in: Journal of Analytical Psychology XXX, 1985, 251-260; — Wendt von Schlippenbach, Replik auf Kritik un der Analytischen Psychologie J.s, Diss. Berlin, 1985; — J. Array, J.s forgotten bridge, in: Journal of Analytical Psychology XXXI, 1986, 173-180; — Micha Brumlik, Die Renaissance der Gottmenschen, in: Psychologie heute XIII, 1986, 50-55; — Aldo Carotenuto, Tagebuch einer heimlichen Symmetrie. Sabina Spielrein zwischen J. und Freud, 1986; — R.S. Charlton, Free association and J.ian analytic technique, in: Journal of Analytical Psychology XXXI, 1986, 153-172; — Edward F. Edinger, Schöpferisches Bewusstwerden. J.s Mythos für den modernen Menschen, 1986; — G.A. Elmar Griffin, Analytical Psychology and the dynamics of human evil. A problematic case in the integration of psychology and theology (C.G.J.), in: Journal of Psychology and Theology XIV, 1986, 269ff; — Ders., Neither/Nor. A response to Haule and Kelsey, in: ebd., 285ff; — John R. Haule, Integrating psychology and theology with bricolage, in: ebd., 278ff; — Robert Hinshaw/Lela Fischli (Hrsgg.), J. im Gespräch. Interviews, Reden, Begegnungen, 1986; — Verena Kast, Selbstentfaltung in der analytischen Psychotherapie nach J., in: Zeitschr. f. personenzentrierte Psychologie und Psychotherapie V, 1986, 113-122; — Morton Kelsey, Reply to analytical psychology and humun evil, in: Journal of Psychology and Theology XIV, 1986, 282ff; — Christoph Kolbe, Heilung oder Hindernis. Religion bei Freud, Adler, Fromm, J. und Frankl, 1986; — Martin Kurthen, Synchronizität und Ereignis. Über das Selbe im Denken J.s und Martin Heideggers, 1986; — Lara Newton-Ruddy u.a., J.ian feminine psychology and adolescent prostitutes, in: Adolescence XXI, 1986, 815ff; — Peter Erlenwein, Individuation und Bewegung. Überlegungen zum Verhältnis von Tiefenpsychologie und Religion anhand der Werke J.s und Martin Bubers, in: ZRGG XXXIX, 1987, 69ff; — Holgrid Gabriel, Die Behandlung früher Störungen mit kunsttherapeutischen Mitteln aus der Sicht von J., in: Integrative Therapie XIII, 1987, 182ff; — René Pahud de Mortanges, Die Archetypik der Gotteslästerung als Beispiel

für das Wirken archetypischer Vorstellungen im Rechtsdenken, Diss. Fribourg/Schweiz, 1987; — Robin Robertson, J. and the archetypes of the collective unconscious, 1987; — Yorick Spiegel, J. in der Theologie, in: Evangelische Kommentare XX, 1987, 22-25; — Colin Wilson, Herr der Unterwelt. J. und das 20. Jh., 1987; — Peter O'Connor, Innere Welten. J. verstehen - sich selbst verstehen, 1988; — Murray Stein, Leiden an Gott Vater. J. s Therapiekonzept für das Christentum, 1988; — Magdalene Trillhaas, Das Symbol in der Analytischen Psychologie J.s, in: Symbolon N.F. IX, 1988, 63ff; — Hermann Kügler SJ, Exerzitien als Individuationsprozeß. Die Deutung der geistlichen Übungen des Hl. Ignatius durch J., in: ThPh LXIV, 1989, 334ff; — Ders., J.s Exerzitiendeutung. Ein psychologischer Beitrag in der Wirkungsgeschichte der geistlichen Übungen, in: StZ CXIV, 1989, 630ff; — Michael Lieb, Ezekiel's inaugural Vision as J.ian Archetype, in: Trought LXIV, 1989, 116ff; — NDB X, 676-678; — RGG³ III, 1064; — LThk² V, 1207f.

Hans-Josef Olszewsky

JUNG (Junge, Jungius), Hermann, evangelisch-lutherischer Pastor, Didaktiker (Freund von Comenius), frühpietistischer Chiliast, * 1608 (oder 1609), vermutlich in Brokreihe-Nord (Klostervogtei Hodorf des Klosters Itzehoe; heute Brokreihe Gemeinde Hodorf) als Sohn des Landwirts Johann Junge und der Margareta geb. Martens, begr. 7.6. 1678 in Monnickendam bei Amsterdam in der (ref.) Groote Kerk. — J. immatrikulierte sich am 9.7. 1628 an der Universität Rostock als »Hermannus Jungius Itzehoensis Holsatus«, am 10.8. 1629 unter dem Rektorat von Joachim Jungius (1587-1657), dem Freund von Johann Amos Comenius, am Akademischen Gymnasium in Hamburg. Ein wichtiger gemeinsamer Freund von J. und Comenius ist der Hamburger Vincenz Fabricius (1612-1666), nachmals Stadtsyndikus in Danzig; er ruft J. 1633 in einem Gedicht emphatisch an: »Iungi, summe meorum amiculorum!« Um 1638 studiert J. wieder an der Universität Rostock. Bei Samuel Bohl (1611-1639), einem berühmten Hebraisten, konnte J. sich ausgedehnte hebraistische Sprachkenntnisse erwerben. J. besaß neben seiner Gelehrsamkeit eine charismatische Lehrbegabung. Der Bibliograph Johann Moller (1661-1725) berichtet, J. sei ein ausgezeichneter und sogar seinem Freund Comenius überlegener Didaktiker gewesen. Seit September 1641 bis zu seinem Tode war J. lutherischer Pastor in Monnickendam. Neben den Predigtgottesdiensten hielt er, darin ein wichtiger Vertreter des Frühpietismus, private Bibelbesprechstunden (Collegia biblica) und katechetische Übungen über die ganze Bibel ab; er führte auch einfache Leute zu eigenständiger Lektüre des hebräischen Alten Testamentes. Trotz der Anfeindungen von seiten des Lutherischen Konsistoriums in Amsterdam wegen dieser »Neuerungen« und J.s Eintreten für den Separatisten Friedrich Breckling (1629-1711) harrte J. an seinem Posten aus und lehnte die Rufe auf eine Superintendentenstelle nach Gotha und Sulzbach/Oberpfalz ab. Als J. von Philipp Jakob Speners seit 1670 in Frankfurt am Main abgehaltenen »collegia pietatis« erfuhr, nahm er Anfang 1678 mit ihm über seinen Freund Breckling Verbindung auf. Spener würdigte in einem Brief vom 22.6. 1678 an Breckling und vom 23.6. 1678 an J. das von diesem übersandte Manuskript »von dem wahren heilsglauben«, erkannte aber, daß J.s knapper, holländisch beeinflußter Stil die Wirkung begrenzen mußte. Doch J.s Erstlingswerk »Optima Politica« (1660), ein Fürstenspiegel für König Friedrich III. von Dänemark, hatte eine beträchtliche Nachwirkung. Es entstand unter dem Einfluß des befreundeten, von Breckling hochgeschätzten mystischen Spiritualisten und Pazifisten Ludwig Friedrich Giffteil (1618-1661). Gegen die absolutistische Ausweitung der Königsmacht im Zeichen der Staatsräson setzt J. die Besinnung auf biblische Maximen (»Friede auf Erden«). Er sieht den König nicht 'absolut', sondern als Glied des Leibes Christi und macht sich zum Anwalt der Armen und Unterdrückten. Von diesem sozialkritischen Impetus ist die radikale Obrigkeitskritik Brecklings auf stärkste beeinflußt. J.s »Schrift-Troost« (1661) verteidigt den Vorrang des Bibelworts vor dem 'inneren Licht' gegen den Quäker William Ames. Chiliastische Zukunftshoffnung auf bessere Zeiten vertritt J. in der kurzen Schrift »Hoffnung und Sinn von diesen letzten Zeiten« (1663).

Werke: Regia redemtorum nutricatio, Regentibus cum Regendis aequè salutífera divinis in literis lucide diffusa, diam Salutis ad Regulam hanc brevi simplicitate concepta. Amsterdam 1660 mit der anonymen Titelausg.: Optima Politica. Divinis in Literis lucidè diffusa, hîc breviter adumbrata, [Amsterdam 1660]; Einfältig Gewissens Bedencken über das Flenßburgische Vrtheil wieder M. Fridericum Brecklingium, in: Friedrich Breckling, Veritatis triumphus, 1660, Bl. K 7b - K 9b; [Verb. Aufl.] o. J., 188-190; Schrift-Troost Tot Jegelix Heyl. [...] tegen William Ames Verwerring en

Verdoeming, Amsterdam 1661; Hoffnung und Sinn von diesen letzten Zeiten, 1663[1], 1666[2] bzw. (1697)[3], angedruckt an: Friedrich Breckling, Christus Judex, 1663[1], 1666[2] bzw. o. J. (1697)[3] (= T. III in: F. B., Sechs geistreiche unterschiedliche Schrr., 1697); Dänsche Gemeent-Stichting in Amsterdam, 1664; Jungii Onschuld, op Gotfried Artus siin Boeckschen tegen Frid. Brecling, genoomt de Eere van het Consistorium van Amsterdam gereddet, &c., dat, onder andern, Jungium mede beschuldiget, Amsterdam 1669; Dobbelde Verantwording tegen dat Consistorium to Amsterdam, en dessen Eeren-Redder, Amsterdam 1669; Den doot getroost ontmoet ick! [Leichengedicht auf Paulus Cordes, Luth. Pr. in Amsterdam], in: Reimerus Ligarius, Exequiae Cordesianae, Den Haag/Amsterdam [1675], 31.

Lit.: Vincenz Fabricius, Poematum juvenilium libri III, Leiden 1633, 70: »Ad Hermannum Jungium«; — Philipp Jakob Spener, Brief an Friedrich Breckling, Frankfurt a. M., 22.6. 1678. Gekürzter Abdr. in: Spener, Theol. Bedencken I, 1700[1], 1707[2], 1712[3], jeweils 582-589, bes. 582 f., 586; — Ausführl. Abdr. in: Fortges. Smlg. Von Alten und Neuen Theol. Sachen, [hrsg. von M. H. Reinhardt d. Ä.], 9, 1728, 364-380, bes. 364 f., 373; — Spener, [Brief an J.], Frankfurt a. M., 13. [23.] 6. 1678, in: Spener, Letzte Theol. Bedencken, 1711[1] (Reprint, eingel. von D. Blaufuß, P. Schicketanz, 1987 = Spener, Schrr., hrsg. von Erich Beyreuther, XV/1), 261-264; — Gottfried Arnold, Unpartheyische Kirchen- und Ketzer-Historie, 1729 (Reprint 1967), Bd. I, T. 2 [erstmals 1699], 1162; Bd. II [erstmals 1700], T. 3, 152, dazu ebd., T. 4, 1089-1108: Friedrich Breckling, Catalogus testium veritatis, bes. 1089-1092, 1103; — Die Matrikel des Akad. Gymnasiums in Hamburg 1613-1883. Eingel. und erl. von C[arl] [Hieronymus] Wilh[elm] Sillem, 1891 (Reprint Nendeln 1980), XVI, 18; — Die Matrikel der Univ. Rostock III, hrsg. von Adolph Hofmeister, 1895 (Reprint Nendeln 1976), 73, Nr. 21; — G. Wegemann, Das Brandes-, Boje-Francke- und Albert Franckesche Familienlegat, in: Zschr. der Ges. f. Schleswig-Holsteinische Gesch. 34, 1904, 1-130 + Beil., bes. 92 und Beil., Taf. 5; — J. Loosjes, Naamlijst van Predikanten, Hoogleeraren en Proponenten der Luthersche Kerk in Nederland, Den Haag 1925, 136; — Theodor Wotschke, Friedrich Brecklings niederrhein. Freundeskr., in: Mhh. f. Rhein. KG 21, 1927, 3-21, bes. 8, 10, 18-20. (Vgl. Ders., ebd., 117-119, 355, 369 f.); — Ders., Der märk. Freundeskr. Brecklings, in: Jb. f. Brandenburgische KG 23, 1928, 134-203, bes. 146 f., 161, 176 f.; — Johannes Gravert, Die Bauernhöfe zw. Elbe, Stör und Krückau, 1929 (unv. Nachdr. 1977), 374; — William I. Hull, The Rise of Quakerism in Amsterdam 1655-1665. Swarthmore, Pennsylvania 1938 (Swarthmore College Monographs on Quaker History 4), 260 f.; — (Karl Scholta), Deutsche Prediger im ndrl. Raum seit der Reformation, Soest/Holland 1943 (Veröff. der Forschungsstelle 'Volk und Raum'. hrsg. Wolfgang Ispert, 6), 39, —; J. Bruckner, A Bibliographical Catalogue of Seventeenth-Century German Books Published in Holland, Den Haag/Paris 1971 (Anglia Germanica 13), 272 f., 545; — Martin Schmidt, Pietismus, 1972[1] (ebenso 1978[2], 1983[3]), 126; — Caspar C. G. Visser, Die mystisch-pietistische Strömung in der Ndrl.-Luth. Kirche in der zweiten Hälfte des 17ten Jh.s, in: Pietismus und Réveil. Hrsg. von J. van der Berg und J. P. van Dooren, Leiden 1978 (Kerkhist. Bijdragen VII), 169-181, bes. 171-176, 181; — Reinhard Breymayer, Politik aus dem Geist der Bibel: Die wiederentdeckte »Optima Politica« [Amsterdam 1660] von H. J., einem Freund von Friedrich Breckling und von Johann Amos Comenius. Ed. und Bibliogr., in: Pietismus-Forsch. Z. Philipp Jacob Spener und z. spiritualist.-radikalpietist. Umfeld. Hrsg. von Dietrich Blaufuß, 1986 (Europ. Hochschulschrr., R. 23, Bd. 290), 385-513 (448-513 Bibliogr.); — Ders., Ein vergessener Freund von Comenius: H. J. (um 1608-1678) aus Brokreihe b. Hodorf (Holstein), P. in Monnickendam (Niederlande), in: Comeniusforschungsstelle im Inst. f. Päd. der Ruhr-Univ. Bochum. Mitt.bl. 19, 1986, 18-30; — Wiederabdr.: Ders., Ein vergessener Freund von Comenius: H. J., in: Zwanzig Jahre Comeniusforsch. in Bochum. Hrsg. von Klaus Schaller, 1990 (Schrr.z. Comeniusforsch. 18, 179-184); — J. L. Klaufus, D[ominu]s. H. J., in: Documentatieblad Lutherse Kerkgeschiedenis (Haarlem) 1, 1987, 38-41; — Karl Hermann Junge, Pastor H. Junge (1608-1678). Ein fast vergessener Pietist, in: Norddt. Familienkunde 38, 1990, S. 40-42; — Paul Estié: Die Auseinandersetzung von Charitas, Breckling, Jungius und Gichtel in der luth. Gemeinde zu Kampen 1661-1668, in: PuN 16, 1990, 31-52, bes. 38f., 44f., 49f.; — Johann Moller, Cimbria Literata, Kopenhagen 1744, I, 288 f.; III, 75 f., 83, 85; — BWGN IV, 1931, 598; — NNBW IX, 1933, 479; — Biograph. Lex. für Schleswig-Holstein und Lübeck VII, 1985, 33-38 (Art. Breckling, Friedrich), bes. 33; IX, 1991, 170-172 (Art. Jung [Jungius], Hermann).

Reinhard Breymayer

JUNG, Johann Heinrich wurde am 12. September 1740 in Grund bei Hilchenbach im Siegerland geboren und starb am 2. April 1817. J.s Mutter starb, als der Knabe noch nicht zwei Jahre alt war. Sein Vater, Johann Helmann Jung (1716-1802), ein selbständig arbeitender Schneider, der gelegentlich auch als Dorfschullehrer tätig war und zeitweise seinem Bruder Johann Heinrich Jung (1711-1786) (Über ihn vgl. G. Merk: Oberbergmeister Johann Heinrich Jung. Ein Lebensbild. Kreuztal 1989.) bei Landvermessungsarbeiten half, verfiel nach dem frühen Tode seiner Frau in Schwermut, so daß die Erziehung des Sohnes von den Großeltern übernommen werden mußte, dem Landwirt und Köhler Eberhard Jung (1680-1751) und seiner Frau Margarethe geb. Helmes (1686-1765). Im Hause Jung leben zu diesem Zeitpunkt neben den genannten Personen noch vier unverheiratete Töchter. Alle kümmern sich rührend um den mutterlosen kleinen Knaben. Bleibenden Eindruck aber hinterläßt vor allem der Großvater, ein tief gläubiger reformierter Christ, der auch das Amt eines auf Lebenszeit gewählten Kirchenältesten versieht. Seine Frömmigkeit ist von zupackender Geradheit. Dem gelegentlich herrisch auftretenden Dorfpfarrer steht er kritisch gegenüber, aber das bedeutet keine grundsätzlich kirchenkritische Einstellung. Der Besuch des sonntäglichen Gottesdienstes ist in der Familie Jung eine Selbstverständlichkeit. Der Großvater weiß die Aufmerksamkeit des Kleinen mit allerhand Erzählungen und Belustigungen zu fesseln. Später nimmt er ihn mit in den Wald zu den Kohlenmeilern, in denen er Holzkohle für die Siegerländer Eisenindustrie herstellt. Durch dies alles »gewann der Knabe eine Liebe zu seinem Grosvater, die über alles gieng; und daher hatten denn die Begriffe, die er ihm beibringen wollte, Eingang bei ihm. Was ihm sein Grosvater sagte, das glaubte er ohne weiteres Nachdenken.« (Johann Heinrich Jung-Stilling: Lebensgeschichte. Vollständige Ausgabe mit Anmerkungen hg.v. G.A.Benrath. Darmstadt 1976,S.40. Im Folgenden zitiert LG = Lebensgeschichte.) Nachdem der Vater die tiefe Trauer über den Verlust seiner Frau überwunden hatte und sich seiner Umwelt wieder zu öffnen begann, besuchte ihn ein separatistischer Prediger, der die Stoffe verkaufte, die die Mitglieder seiner Gemeinschaft in einem wenige Stunden Fußweg von Grund entfernt liegenden ehemals gräflichen Anwesen herstellten. Die Lebensgeschichte nennt diesen Separatisten Niclas, mit dem der amtsentsetzte Theologe Victor Christoph Tuchtfeld gemeint sein dürfte. (Zu Tuchtfeld vgl. R. Vinke: Jung-Stilling und die Aufklärung. Die polemischen Schriften J.H. Jung-Stillings gegen Friedrich Nicolai (1775/76). VIEG Bd. 129, Stuttgart 1987, 32-39.) Tuchtfeld verweist den Vater von Jung-Stilling auf den Weg der Abtötung aller Begierden, die der natürliche Mensch auszuleben versucht und empfiehlt die Lehre Jesu Christi, den er »dieser göttliche Gesetzgeber« (LG., 43) nennt, als Mittel, dieses Ziel zu erreichen. Die Rückfrage, wie sich dieses Verständnis zu der Erlösung der Menschen durch den Kreuzestod Jesu Christi verhält, bringt Tuchtfeld in nicht geringe Schwierigkeiten. Letztlich kann er die Spannung, die zwischen beidem entsteht, nicht auflösen. Aber trotzdem hat er bei Johann Helmann einen Eindruck hinterlassen, der lange nachwirken und auf die Erziehung seines Sohnes Einfluß haben wird. Zu seiner reformierten Kirche wird er möglicherweise innerlich in eine gewisse Distanz getreten sein, aber getrennt von ihr hat er sich nicht. — Nach dem Gespräch mit Tuchtfeld übernimmt er die Erziehung seines Sohnes selbst. Das erklärte Ziel ist, den sündigen Eigenwillen des Knaben zu brechen und ihn ganz auf den Weg Jesu Christi zu verweisen. Schon früh lehrt er ihn Lesen und Schreiben, bringt ihm nach und nach den Heidelberger Katechismus bei, verweist ihn auf Bücher erbaulichen Inhalts, erlaubt ihm aber auch die Lektüre profaner Sagen und Märchen. Der streng geregelte und peinlich genau eingehaltene Tagesablauf sieht am Nachmittag gar eine Stunde Spiel in dem abgegrenzten Bezirk des häuslichen Hofes vor. Mit anderen Kindern Umgang zu haben oder gar mit ihnen zu spielen, ist ihm aber absolut verboten. So wächst der Kleine ziemlich isoliert auf. Sein Geist wird durch die Lektüre ungemein angeregt, er wird etwas vorwitzig und altklug, aber hinterläßt bei allen, die ihn kennenlernen, einen nachhaltigen Eindruck. Selbst Johann Seelbach (1687-1768), der orthodox-reformierte und gelegentlich wegen seines überzogenen Amtsbewußtseins herrisch auftretende Ortspfarrer ist beeindruckt. Er fordert den Vater auf: »fahret fort, ihn wohl unter der Ruthe zu halten; der Junge wird ein großer Mann in der Welt.« (LG., 51) — Die strenge Erziehung hat aber auch negative Folgen. Um körperlicher Züchtigung zu entgehen, beginnt der Kleine zu lügen und allerhand Kunstgriffe zu erfinden, um die Lügen wahrscheinlicher zu machen. Er dankt Gott, wenn er damit Erfolg gehabt hat, aber ist umso enttäuschter, wenn es mißlingt. Der Vater verdoppelt die Strenge, wenn er seinen Sohn bei einer Lüge ertappt hat. Erst eine Intervention des klugen Großvaters mindert die Härte der Erziehung. Aber die Folgen bleiben bis in J.-S.s Alter. Gegen den inneren Zwang zum Lügen, um irgendwelchen Unannehmlichkeiten aus dem Weg zu gehen, muß er ständig kämpfen. — Nach dem Besuch der Dorfschulen in Grund und Allenbach absolviert J.-S. von September 1750 bis März 1755 die Lateinschule in Hilchenbach. Ostern 1755 wird er von Pfr. Seelbach in Hilchenbach konfirmiert und anschließend im Nachbarort Lützel zum Schullehrer ernannt. Hier jedoch arbeitet der junge und unerfahrene Fünfzehnjährige unglücklich. Bis zum Weggang aus seiner Heimat im Jahre 1762 sind es vier Dorfschullehrer- und zwei Hauslehrerstellen, die er innehat und in denen er scheitert. Auch wenn andere Gründe gelegentlich vorgeschoben werden, um ihn zu entlassen, der eigentliche Grund ist jedesmal, daß er sich während des Unterrichts zu viel mit eigener Lektüre beschäftigt und sich zu wenig um die ihm anvertrauten Kinder kümmert. Die einzige Anstellung, die er freiwillig verläßt, ist die in Kredenbach (1756-1757), weil er dort nach Schulschluß auf dem bäuerlichen Anwesen seiner Stiefmutter arbeiten muß, die sein Vater am 1. März 1756 geheiratet hatte. Nach jedem Scheitern hat er seinem Vater beim Schneiderhandwerk zu helfen, was ihm genauso wenig behagt wie die Feldarbeit. Mit dem Lohn von 25 Reichstalern jährlich kommt er niemals aus, da er sich oftmals Bücher oder andere Dinge kauft, um seinen Wissensdurst zu befriedigen. So hat er keine Mittel, um sich anständig zu kleiden. Sein Vater ist unglücklich über den vermeintlich ungeratenen Sohn. Nachdem es im Herbst 1761 zu einer handgreiflichen Auseinandersetzung zwischen ihnen gekommen ist, beschließt J.-S., in die Fremde zu gehen. Ein halbes Jahr später (12. April 1762) verwirklicht er seine Absicht. — Eine Menge Wissensstoff hat er sich angelesen: Homer, Paracelsus (1403-1541), Jacob Böhme (1576-1624) und andere naturphilosophische Schriftsteller ebenso wie die erbaulich frommen Traktate und Schriften aus dem väterlichen Bücherschrank. Bibel und Katechismus dürften ihm durch den orthodox-reformierten Konfirmandenunterricht vertraut gewesen sein. Das Christentum wie sein Vater es nach dem Gespräch mit Tuchtfeld pflegte, wird eine mystisch-spiritualistische Prägung gehabt haben. Der so autodidaktisch gebildete junge Mann sucht nun in der Fremde eine angemessene Beschäftigung. — Drei Tage nach seinem Weggang aus der siegerländer Heimat findet er eine Anstellung als Schneidergeselle in Solingen. In diese Zeit fällt ein Erweckungserlebnis. Er fühlte »eine unüberwindliche Neigung, ganz für die Ehre Gottes und das Wohl seiner Mitmenschen zu leben und zu sterben... Auf der Stelle machte er einen vesten und unwiderruflichen Bund mit Gott, sich hinführo lediglich Seiner Führung zu überlassen, und keine eitle Wünsche mehr zu hegen, sondern wenn es Gott gefallen würde, daß er Lebenslang ein Handwerksmann bleiben sollte, willig und mit Freuden damit zufrieden zu seyn.« (LG., 198) Es gilt zu beachten, daß dies nicht den Bekehrungserlebnissen entspricht, wie sie aus der Zeit des älteren Pietismus überliefert sind. Von Sündenerkenntnis und Gnadendurchbruch ist bei J.-S. nicht die Rede. Aber »die Rührung und Erweckung«, die er hier erfährt, hinterließ, wie er noch als 60jähriger Professor bemerkt, einen bleibenden Eindruck, die vorherigen Rührungen, die er von Jugend auf gelegentlich empfand, »hatten nur kurze Zeit gedauert« (LG., 685) — Der im Gefolge dieses Erlebnisses geschlossene Bund mit Gott ist allerdings nicht stark genug, um der erneuten Versuchung, als Schulmeister zu arbeiten, nicht zu erliegen. Als er wieder einmal kläglich gescheitert ist (1762/63), muß er den Bund folglich auch erneuern. Nach einer weiteren mehrwöchigen Tätigkeit als Schneider in Radevormwald (1763), wo er mit Anhängern des im benachbarten Mülheim beheimateten G. Tersteegen (1697-1769) zusammenkommt, übernimmt er nach langem Zögern und unter intensivem Zureden seiner pietistischen Freunde erneut eine Stelle als Hauslehrer und diesmal auch als Handlungsgehilfe bei Johann Peter Flender, einem Eisenwarenproduzenten und Landgutbesitzer aus Krähwinklerbrücke (heute Teil der Stadt Remscheid). Hier sind ihm sieben Jahre kontinuierlichen Arbeitens in guter familiärer Atmosphäre vergönnt. Neben der Unterrichtung der sieben Kinder (LG., 219. Als J.-S. seinen Dienst antrat, war die älteste Tochter 16 und die jüngste ein Jahr alt. Insgesamt waren es drei Söhne und vier Töchter. Wegen des großen Altersunterschiedes dürfte J.-S. wohl nicht alle sieben Kinder zur selben Zeit unterrichtet haben.) und der Mithilfe bei der Verwaltung von Gütern und Fabriken bleibt J.-S. genügend Zeit, um Griechisch und Hebräisch zu lernen, sich mit erbaulicher Lektüre zu beschäftigen sowie philosophische Werke der Aufklärung zu lesen. (LG., 231) Von deren formal-logischer Seite ist er fasziniert, inhaltlich aber empfindet er »doch eine Leere bey sich und ein Mistrauen gegen diese Systeme«, denn sie ersticken »alle kindliche Erfindung gegen Gott« (LG., 232) — J.-S. hat sich mit diesen autodidaktischen Studien, ohne es zielbewußt angestrebt zu haben, auf ein akademisches Studium vorbereitet. Der

Wunsch, Pastor zu werden, den er als Kind einmal gehegt hatte, besteht nicht mehr. J.-S., der seit seiner Jugend fest glaubt, daß Gottes Vorsehung einen ganz bestimmten Plan mit seinem Leben verfolgt, meint, hier nicht seinem möglicherweise sündigen Eigenwillen folgen zu dürfen, sondern abwarten zu müssen, bis sich ein Wink der Vorsehung zeigt. Diesen erkennt er in dem Vorschlag seines Dienstherrn Flender, Medizin zu studieren und den Doktorgrad zu erwerben. Mit vollem Eifer stürzt er sich in die Vorbereitungen auf das neue Ziel. Als Bestätigung empfindet er das Anerbieten des katholischen Pfarrers und Augenheilkundigen J.B. Molitor († 1768), ihm ein Manuskript mit Heilungsanweisungen für Augenkranke zur Abschrift zu überlassen, allerdings müsse er versprechen, arme Patienten umsonst zu behandeln. Mit Freuden willigt er ein, fest entschlossen, Arzt zu werden, weil dies augenscheinlich dem Willen Gottes entspricht. Deswegen gefällt ihm der Vorschlag Flenders, lediglich autodidaktisch zu studieren, um dann an einer nahegelegenen Universität nur dem Namen nach Doktor der Medizin zu werden, gar nicht. Höchstwahrscheinlich verfolgte Flender das Ziel, den freundlichen und begabten Siegerländer Hauslehrer damit zu einem standesgemäßen Schwiegersohn zu machen. (Diesen Nachweis versuche ich zu führen in: J.-S. bei Flender (1763-1770). ThZ 41 (1985) 359-390) Offensichtlich hat sich Flender gegenüber J.-S. nicht deutlich genug geäußert. Jedenfalls ist der davon überzeugt, daß dieser Weg nicht dem Willen Gottes entspricht. — Februar 1770 verlobt er sich mit der kranken Christine Heyder, der Tochter eines Fabrikanten aus Ronsdorf, heute ein Stadtteil von Wuppertal. Herbst 1770 kündigt er seine Stellung bei Flender, weil er meint, es entspräche Gottes Willen, wenn er in Straßburg, der damals berühmtesten medizinischen Fakultät, studiere. Er selbst ist völlig mittellos. Sein künftiger Schwiegervater und ein hilfreicher Freund (In der Lebensgeschichte nennt er ihn Liebmann, LG., 261. Die Identifizierung ist bisher noch nicht gelungen.) leihen ihm die erste finanzielle Starthilfe, die jedoch bald aufgebraucht ist. Später bürgt Heyder für einen hinreichenden Kredit, der allerdings erst im Jahre 1801 durch das großzügige Geldgeschenk einer Schweizer Patientin zurückgezahlt werden konnte. (LG., 692, Eintrag zum 15.4. 1801) In nur ein und einem halben Jahr gelingt es J.-S., das Studium der Medizin zu absolvieren. Unterbrochen wurde diese Zeit durch einen sechswöchigen Aufenthalt in Ronsdorf, (14.5.-1.7. 1770), um seine kranke Verlobte Christine Heyder zu heiraten (17.6. 1770). Während seiner Straßburger Zeit (vgl. dazu meine oben genannte Arbeit 87-101) hatte er so bedeutende Leute wie Goethe, Herder und Lenz kennengelernt, ein Gerät zur Landvermessung erfunden, Kontakte zur pfälzischen Akademie der Wissenschaften in Mannheim geknüpft, sich mit Chemie und Metallurgie beschäftigt und eine private philosophische Vorlesung gehalten. Ebenfalls hatte er in dieser Zeit von keinem Geringeren als Goethe die Anregung erhalten, seine Lebensgeschichte zu schreiben. Er verwirklicht sein Versprechen und schickt nach und nach die Geschichte seiner Jugend handschriftlich unter dem Titel »Heinrich Stillings Lebensgeschichte in Vorlesungen« nach Straßburg, vor allem in der Absicht, damit den schwankenden »Glaubensgrund« seiner ehemaligen Kommilitonen zu befestigen. (LG., 655) Einige von ihnen hatten J.-S. mit philosophischen Einwänden gegen seine Art des Christentums schwer zugesetzt, so daß er keine andere Möglichkeit der Vergewisserung mehr zu erkennen meinte als die »Glaubensproben, deren er in seiner Führung so viel erfahren« (LG., 268) Er erhebt damit seine Erfahrungen zum Gottesbeweis und wird diese Art der Vergewisserung beibehalten auch als er später glaubte, mit Hilfe der Philosophie Kants einen Ausweg aus seinen denkerischen Schwierigkeiten gefunden zu haben. Am 1. Mai 1772 gründet er eine Arztpraxis und einen eigenen Hausstand in Elberfeld, heute ein Stadtteil von Wuppertal. J.-S. glaubt, an dem ihm von Gott gesetzten Ziel angekommen zu sein und damit eine feste Garantie für den beruflichen Erfolg zu besitzen. Anfangs scheint seine Praxis sich ordentlich angelassen zu haben, nach und nach aber beginnt er eine solche Fülle anderer Aktivitäten, daß die Zahl seiner Patienten zurückgeht. Hinzukommt, daß sowohl er selbst als auch seine Frau Christine nicht zu wirtschaften verstehen. Statt die Studienschulden abzahlen zu können, ist J.-S. gezwungen, neue Schulden zu machen. Geradezu erlösend muß es daher für ihn

gewesen sein, daß er im Jahre 1778 einen Ruf als Professor an die Kameral-Hohe-Schule nach Kaiserslautern bekommt. Durch zwei Aufsätze über die Nassau-Siegensche Eisengewinnung, die er 1777 und 1778 in den »Bemerkungen der kurpfälzischen physikalisch-ökonomischen Gesellschaft« veröffentlicht hatte, war man am Mannheimer Hof erneut auf den begabten Elberfelder Arzt aufmerksam geworden, der bereits 1772 seine lateinisch geschriebene Dissertation dem Kurfürsten Karl Theodor gewidmet hatte. — Die Elberfeld Zeit (vgl. dazu meine oben genannte Arbeit 101-135) war für J.-S. höchst unglücklich verlaufen. Obwohl er noch in vielen Punkten mit seinen alten pietistischen Freunden übereinstimmte, glaubte er doch, sich intellektuell über sie hinaus entwickelt zu haben und mied den Umgang mit ihnen. Folglich suchten sie auch seine Hilfe als Arzt nicht. Die reiche Kaufmannschaft versagte ihm, dem Emporkömmling, ihre Anerkennung. Der bedauerliche Fall einer Totgeburt, bei der es J.-S. immerhin gelang, das Leben der Mutter zu retten, wurde zum Anlaß genommen, ihn bei der Medizinalbehörde zu verklagen, die ihn zu einem peinlichen Verhör nach Düsseldorf beorderte. Lediglich mit seinen Staroperationen hat er Erfolg. Die erste führt er im Frühjahr 1773 durch. Zeit seines Lebens wird er annähernd 2000 Blinden das Augenlicht zurückgeben, und zwar, wie er gegenüber Molitor versprochen hatte, ohne Honorar, wenn der Betroffene arm war. 1775 reist er nach Frankfurt, um den blinden Patrizier von Lersner zu operieren, der ihm das fürstliche Gehalt von 1.000 Gulden versprochen hatte. Die Operation gelingt, aber der Wundheilungsprozeß verläuft unglücklich und von Lersner erblindet endgültig. Als er wenige Monate später auf Bitten von Lersners Hausarzt noch einmal nach Frankfurt reist, um seinen unglücklichen Patienten zu sehen, kommt ihm im Hause seines Freundes Goethe der zweite Band von Friedrich Nicolais Roman: »Das Leben und die Meinungen des Herrn Magisters Sebaldus Nothanker« unter die Augen. Er ist über die aufklärerische Art entsetzt, wie hier Kirche und Predigtamt, pietistische Theologie und Frömmigkeit lächerlich gemacht werden und an deren Stelle ein flaches Christentum im Sinne der aufklärerischen Trias von Gott, Tugend und Unsterblichkeit empfohlen wird. Unter dem Titel: »Die Schleuder eines Hirtenknaben« (J.H. Jung, genannt Stilling: Sämmtliche Schriften (im Folgenden SS), Ergänzungs Band, 705-780. Stuttgart 1838. Neudruck Hildesheim, New York 1979.) schrieb er eine höchst polemische Gegenschrift, die er »ohne die Handschrift nur einmal wieder kaltblütig durchzugehen,...siedewarm in die Eichenbergische Buchhandlung« zum Druck gab, »eine Unvorsichtigkeit, die ihn oft gereuet und ihm viel Verdruß gemacht hat«, wie er selbst in der Lebensgeschichte zugibt. (LG., 340) Nicolai selbst reagiert öffentlich nicht. Aus seiner Korrespondenz ist aber deutlich zu entnehmen, daß er sich getroffen fühlte und verärgert (Zu der Kontroverse vgl. meine oben genannte Arbeit) war. — Zwei Gegenschriften des Krefelder Kaufmanns Engelbert vom Bruck (1739-1813), ein eifriger Verteidiger Nicolais, bekämpfte J.-S. mit seinen Abhandlungen »Die große Panacee wider die Krankheit des Religionszweifels« (SS, Erg. Bd., 633-706) und »Die Theodicee des Hirtenknaben als Berichtigung und Vertheidigung der Schleuder desselben.« (SS, Erg.Bd., 783-788) Vom Bruck war so erbost auf J.-S., daß er mehrfach versuchte, ihn öffentlich bloßzustellen. J.-S. aber trug ihm dies nicht lange nach. Als vom Bruck ihn mehr als 30 Jahre später bat, bei der Wiederherstellung seines Augenlichtes zu helfen, (Vgl. meine oben genannte Arbeit 296f. Leider ist nicht gesichert, daß J.-S. die Operation vom Brucks selbst durchgeführt hat.) entsprach er dieser Bitte in selbstverständlicher Christenpflicht. Einer der wenigen frohen Stunden der Elberfelder Zeit waren J.-S. am 28.4. 1774 vergönnt, als sich im Haus des frommen Kaufmanns Anton Philipp Caspari (1732-?) eine illustre Runde von so bedeutenden Männern traf wie J.C. Lavater (1741-1801), dessen Zeichner F.G. Schmoll († 1785), J.G. Hasenkamp (1734-1777), S. Collenbusch (1724-1803), F.H. Jacobi (1743-1819) und G. Jacobi (1740-1814) sowie einigen weiteren Elberfelder Bürgern. J.-S. beschreibt dieses Treffen in seiner Lebensgeschichte ausführlich. (LG., 318-323) Goethe nutzt die Gelegenheit, nimmt das Manuskript des ersten Teils von J.-S.s Lebensgeschichte mit und wird es ohne dessen Wissen kürzen und zum Druck befördern. Da der Titel »Henrich Stillings Jugend« lautete,

wird sich fortan das Pseudonym Stilling untrennbar mit dem Namen J.H. Jungs verbinden und ihn zu dem J.-S. machen, als der er dann in die Geschichte eingeht. Das Erscheinen des ersten Teils im Jahre 1777 war ein so großer Erfolg, daß er 1778 bereits Teil II und III veröffentlichte. Zu Beginn von J.-S.s Marburger Wirksamkeit 1789 erschien dann Teil IV und 1803, im Anschluß an seine Übersiedlung nach Heidelberg, Teil V. Noch im Jahr seines Todes 1817 versuchte er den Teil VI zu schreiben, der allerdings Fragment geblieben ist. Zwar hatte der Druck der »Jugend« J.-S. immerhin 115 »Reichsthaler in Golde« (LG., 344) eingebracht und auch Lersner hatte ihm das fürstliche Honorar trotz der mißglückten Augenkur ausgezahlt, und dennoch belief sich der Stand von J.-S.s Schulden Januar 1778 auf 3.000 Reichstaler. (So brieflich an Lavater vom 29.4.1780, abgedruckt LG., 659-666, bes.663.) Die Studienschulden waren damit auf das doppelte angewachsen. Als er den Ruf auf die Kaiserslauterner Professur im September 1778 erhält, muß er mindestens 500 Reichstaler der dringendsten Schulden bezahlen, (So an Lavater vom 29.4.1780, LG., 665) was mit Hilfe zahlreicher Freunde »auf Stillings Weise« (LG., 364) auch gelingt, so daß er im Oktober 1778 Elberfeld verlassen kann, ohne die Befürchtung in den Schuldturm geworfen zu werden. — Zusammen mit seiner kranken Frau Christine, die gelegentlich unter epileptischen Anfällen leidet, und seinen zwei Kindern Johanna (geb. 1773) und Jacob (geb. 1774) kommt J.-S. in Kaiserslautern an, um hier einen Lehrstuhl für Landwirtschaft, Kunstwissenschaft (das heißt: Technologie, Produktionswissenschaft), Handlungswissenschaft und Vieharzneikunst zu übernehmen. (Zur Kaiserslauterner Zeit vgl. den instruktiven Abschnitt bei G.Merk: J.-S.. Ein Umriß seines Lebens. Kreuztal 1989, 86-107.) Die Hohe Schule war erst 1774 gegründet worden. Entscheidenden Einfluß hatte F.C. Medicus (1736-1808) dabei ausgeübt. Er war es auch, der J.-S. berief. Neben ihm wirkten L.B. Schmidt (1737-1792) und G.A. Succow (1751-1813). Die Verhältnisse sind bescheiden, die Stadt hat nur 2.000 Einwohner, die Hohe Schule nur 25 Studenten. J.-S. stürzt sich mit Eifer in seine Lehrtätigkeit, die einen Umfang von immerhin stattlichen 25 Wochenstunden aufweist.

Daneben beginnt er, Lehrbücher zu schreiben. 1779 erscheint sein »Versuch einer Grundlehre sämmtlicher Kameralwissenschaften«, 1781 und 1782 kommt in zwei Bänden sein Lehrbuch der Forstwissenschaft heraus, 1783 publiziert er ein Lehrbuch der Landwirtschaft. Von 1781 bis 1785 schreibt er vier Jahrgänge einer monatlich erscheinenden Zeitschrift mit dem Titel »Der Volkslehrer«, in der er neben wirtschaftlich wichtigen Ratschlägen auch unterhaltsame und allgemein belehrende Beiträge für einen weiteren Leserkreis bietet. Aber auch hier tritt J.-S.s religiöse Position deutlich zutage, gelegentlich kommt sie lediglich indirekt zum Ausdruck, gelegentlich aber äußert er sich auch, vor allem in einigen Erzählungen, ganz offen über religiöse Dinge. — Daneben bringt er vier Romane heraus: 1779 erscheint die zum Teil noch in Elberfeld geschriebene »Geschichte des Herrn von Morgenthau«, 1781 »Die Geschichte Florentins von Fahlendorn«, 1783 »Leben der Theodore von der Linden« und 1784/85 »Theobald oder die Schwärmer«. Hier setzt er sich in der verschlüsselten Form dichterischer Gestaltung mit seiner eigenen Vergangenheit auseinander. J.-S.s Leistung in der Kaiserslauterner Zeit ist außerordentlich umfangreich. Seine schnell dahin geschriebenen Arbeiten sind zwar gelegentlich nicht mit der allergrößten Sorgfalt ausgefeilt, auch mangelt es zumeist an gedanklicher Tiefe, trotzdem ist der Umfang seiner literarischen Produktion erstaunlich. — Die Erhebung von J.-S.s religiöser Position, wie er sie in dieser Zeit vertritt, wird berücksichtigen müssen, daß Regierungsrat Medicus ihm geraten hatte, »nicht zu viel von der Religion zu reden, sondern nur durch Rechtschaffenheit und gute Handlungen sein Licht leuchten zu lassen.« (LG., 370) Seine Lebensgeschichte hatte ihm bei allem Wohlwollen, mit dem man sie auch in der Pfalz aufgenommen hatte, den Ruf eingebracht, »ein feiner Schwärmer zu sein.« (Ebd.) Pietismus galt zu dieser Zeit noch als Schimpfwort und wurde inhaltlich mit Schwärmerei identifiziert. Wegen der Nachhutgefechte in Sachen der Kontroverse mit Nicolai, bzw. vom Bruck war J.-S. außerdem noch in ein schiefes Licht geraten und mußte sich öffentlich verteidigen. Aufgrund seiner großen Schuldenlast war er unbedingt auf eine Erhaltung seiner Anstellung und damit auf eine gedeihliche Zusammenarbeit mit der Regierung angewiesen. Er konnte daher gar nicht anders, als der Empfehlung von Medicus, in religiösen Dingen zurückhaltend zu sein, zu entsprechen. — J.-S. vertritt daher einen weltzugewandten Pietismus, der die Dinge so zu gestalten versucht, daß jedem einzelnen das Streben nach persönlicher Vervollkommnung ermöglicht wird. Auch das Motiv für seine wirtschaftswissenschaftliche Arbeit ist hier zu finden. 1775 hatte er noch individuell formuliert: »Ich muß also die Menschen um Gotteswillen lieben. Diese Liebe erfordert aber auch, daß ich für seine Bedürfnisse sorge, so viel ich kann, denn wer schwache Erkenntnisse von Gott hat und ihm fehlen seine Bedürfnisse zum Leben und Bestehen, so kann er Gott nicht lieben. Wenn ich sie ihm aber im Namen Gottes reiche, so befördere ich die Verherrlichung Gottes«. (SS, Erg.Bd, 811 f.) Mit seiner Lehrtätigkeit und seiner schriftstellerischen Arbeit weitet er diesen Ansatz nun aus. Durch die Ausbildung seiner Studenten und die Informationen, die er in Lehrbüchern, Volksschriften aber auch in Romanen einem breiten Publikum bietet, möchte er das allgemeine Lebensniveau so heben, daß niemandem die Voraussetzungen für persönliche Vervollkommnung und Gottesliebe fehlen. — Daß J.-S. der Einladung seines geschätzten Kollegen L.B. Schmid (1737-1793), Mitglied der pietistisch orientierten Basler Christentumsgesellschaft zu werden, nicht nachkommt, spricht nicht dafür, daß er zu dieser Zeit eine unpietistische Art des Christentums vertritt. Auch nachdem er seine Kameralwissenschaftliche Professur aufgegeben hatte und eine offensive pietistische Position vertrat, wurde er hier ebensowenig Mitglied wie in der Herrnhuter Brüdergemeine, die er anfangs mit Skepsis betrachtete, zu der er später aber intensive freundschaftliche Kontakte pflegte. Mochten diese Gemeinschaften durchaus ihre Aufgaben verfolgen, J.-S. war überzeugt, seine eigene und eigenständige Berufung zu besitzen und ihr nachfolgen zu müssen. Aus dem Roman »Theobald oder die Schwärmer« geht klar hervor, daß er sich zu dieser Zeit als Pietist versteht, der eben nur vernünftig denken gelernt hat. (SS, Bd.VI, 219) Immerhin gehören zu den Pietisten seiner Meinung nach »die edelsten, die besten Menschen.« (Ebd., 229) — Die

Zugehörigkeit zu den Freimaurern darf zu dieser Zeit ebenso nicht als Indiz gegen seine pietistische Grundposition angeführt werden. Später äußert er, er sei gewöhnlicher Freimaurer gewesen, »welches zu der Zeit so viel hieße, als nicht Illuminat seyn«. (Zitat nach G.Stecher: J.-S. als Schriftsteller. Palaestra CXX, Berlin 1913.) Den Freimaurern war J.-S. höchstwahrscheinlich beigetreten, um gesellschaftlich nicht erneut so isoliert zu sein wie in Elberfeld. Viele und gerade die angesehenen Bürger jeder deutschen Stadt waren zu dieser Zeit Freimaurer. J.-S., als frisch bestallter Professor sehr auf seinen Ruf bedacht, kam der Orden gerade recht, um nützliche und für sein weiteres Fortkommen wichtige Kontakte zu knüpfen. Als das Freimaurertum sich mehr und mehr zum aufklärerischen Religionsersatz entwickelte, scheint er dann die Beziehungen abgebrochen zu haben. Trotz des großen Engagements verlief auch die Kaiserslauterner Zeit nicht glücklich. J.-S. scheitert als Verwalter des Mustergutes Siegelbach (LG., 374-375 und 385-387) und gerät, da er persönliche Bürgschaften geleistet hatte, auch selbst in neue Schulden hinein. Seine literarische Produktion kann hier wenig helfen. Gelegentlich ist die Lage so brenzlich, daß dem Schwiegervater der Konkurs und ihm selbst der Schuldturm droht. (Vgl. dazu meine oben genannte Arbeit S. 309) Immer aber findet sich in letzter Minute ein Ausweg, in dem J.-S. stets das helfende Eingreifen des Gottes sieht, der ihn mit seiner Führung bis an die jetzige Stelle seines Weges gebracht hat. — Am 18.Oktober 1781 stirbt seine Frau Christine. J.-S. kann seine Kinder nicht allein versorgen und muß sie nach Zweibrücken in ein Heim geben. Auf Vermittlung der Schriftstellerin Sophie von Laroche (1731-1807) gelingt es ihm im Sommer 1782, in Maria Salome (kurz: Selma) von St. George (1760-1790) eine zweite Frau zu finden, die er noch im August desselben Jahres heiratet. Sofort werden die Kinder aus dem Heim zurückgeholt, und trotz mancher Schwierigkeiten, die noch zu überwinden sind, beginnt eine glücklichere Zeit. Selma erweist sich als gute Haushälterin, stellt einen Schuldentilgungsplan auf und beginnt mit der Rückzahlung, was auch die Gläubiger, die ihr Geld zunächst noch nicht erhalten, beruhigt. Selbst sein erster Schwiegervater Heyder, der 1785 stirbt,

ist überzeugt, daß J.-S. jetzt seine Schulden bezahlen wird. Selma versteht es auch, das Haus J.-S. zu einem gesellschaftlichen Kristallisationspunkt besonders für die studierende Jugend zu machen und trotzdem die finanziellen Verbindlichkeiten weiterhin abzutragen.— 1784 wird die Hohe Schule von Lautern nach Heidelberg verlegt. (Über die Gründe vgl. G. Merk, J.-S., 108f) J.-S., der bereits 1783 zum Mitglied der »Deutschen Gesellschaft« in Mannheim ernannt worden war, hält am 10. November 1784 seine Antrittsvorlesung und bekommt noch im selben Jahr den Titel eines kurpfälzischen Hofrates verliehen. Letzteres geschieht nicht ganz so überraschend, wie J.-S. selbst in der Lebensgeschichte schreibt. (LG., 427) Immerhin scheint er, auf gesellschaftliche Anerkennung durchaus bedacht, um diesen Titel inoffiziell gebeten zu haben. (Siehe O.W.Hahn: J.-S. zwischen Pietismus und Aufklärung. Sein Leben und sein literarisches Werk 1778-1787. Europäische Hochschulschriften, Reihe XXIII, Bd.344. Frankfurt a.M. - Bern - New York - Paris 1988, S.53, Anm.172.) 1786, anläßlich des 400.Jubiläums der Universität, hält J.-S. am 7.11. »die feyerliche Jubelrede im Namen und von Seiten der staatswirthschaftlichen hohen Schule,« (LG., 428f) mit der er einen vielbeachteten Erfolg erringt. Am Tage danach verleiht ihm die Philosophische Fakultät den philosophischen Doktorgrad. (G. Merk, J.-S., 114) Auch in seiner Heidelberger Zeit (1784-1787) arbeitete J.-S. weiter an der Vermehrung der wirtschaftswissenschaftlichen Literatur. Neben einigen Abhandlungen in Zeitschriften sind hier insbesondere folgende Lehrbücher zu nennen: Lehrbuch der Fabrikwissenschaft (1785), Gemeinnütziges Lehrbuch der Handlungswissenschaft (1785), Versuch eines Lehrbuchs der Vieharzneikunde (Teil I 1785, Teil II 1786), Anleitung zur Kameral-Rechnungswissenschaft. — Als besondere Leistung darf J.-S.s Übersetzung von »Virgils Georgion« in deutsche Hexameter gelten. Sie erschien 1787 in Mannheim. Aber J.-S. fühlte sich zunehmend unwohl in Heidelberg und besonders durch die Lehrtätigkeit der Kollegen eingeengt. Er möchte »ungehindert sein ganzes System ausarbeiten und lehren.« (LG., 430) — Da erreicht ihn im Februar 1787 der Ruf auf den Marburger Lehrstuhl »der Oekonomie-

Finanz- und Cameral-Wissenschaften.« (Ebd.) Als Gehalt erhält er fast dreimal so viel wie in Heidelberg. In der Osterzeit des Jahres 1784 zieht die Familie Jung nach Marburg. Aus der Ehe mit Selma waren bis zu diesem Zeitpunkt drei Kinder hervorgegangen, von denen allerdings nur noch das dritte, ein Mädchen namens Lisette (1786-1802) lebt. Hinzu kommen Hanna und Jakob aus der ersten Ehe mit Christine Heyder. November 1787 wird Karoline in Marburg geboren, die 1821 unverheiratet stirbt, einer Totgeburt im Mai 1789 folgt im Mai 1790 der Sohn Franz, der bereits im März des nächsten Jahres stirbt. Als Folge dieses Kindbettes stirbt auch J.-S.s erst knapp dreißigjährige Frau Selma im Mai 1790. Aus dieser Ehe erreichen von sechs geborenen Kindern nur zwei das Konfirmationsalter: Lisette und Karoline. Selma hatte J.-S. nicht nur geholfen, die Schulden zu verringern, sondern auch in seiner ganzen Lebensart, Kleidung und Benehmen ein Niveau zu erreichen, was seiner beruflichen Stellung entsprach. (LG., 462) — Schon vor der letzten Geburt von Todesahnungen erfüllt, hatte Selma ihre Freundin Elise Coing direkt gefragt: »Nicht wahr, liebes Lieschen! sic heiraten meinen Mann, wenn ich todt bin.?« (LG., 460) Damals hatte sie keine Antwort erhalten, sondern war sowohl bei der Betroffenen als auch bei ihrem Mann lediglich auf verständliche Verlegenheit gestoßen. Jedoch heiratet J.-S. Elise Coing (1756-1817) wunschgemäß am 19. November 1790. Der Ehe entstammen vier Kinder: Die 1791 geborene Lubecka stirbt bereits 1793. Der 1795 auf die Welt gekommene Friedrich, lange Zeit das Sorgenkind der Familie, stirbt 1853 in Diensten des russischen Zaren. Die Tochter Amalie (1796-1860) macht sich als Leiterin einer Mannheimer Heimschule um die Frauenbildung verdient, und die jüngste Tochter Christine (1799-1869) veröffentlichte 1860 unter dem Titel »Aus den Papieren einer Tochter J.-S.s« interessante Einzelheiten aus dem Leben der Familie. — In den ersten Jahren seiner Marburger Tätigkeit schreibt J.-S. noch vier wirtschaftswissenschaftliche Lehrbücher: Lehrbuch der Staats-Polizey-Wissenschaft (1788), Lehrbuch der Finanzwissenschaft (1789), Lehrbuch der Kameralwissenschaft oder Kameralpraxis (1790) und System der Staatswirthschaft (1792). Seine Erfahrungen

als Augenoperateur faßt er 1791 in der Schrift »Methode den grauen Staar auszuziehen und zu heilen«zusammen. — Große Bedeutung mißt J.-S. seiner Lektüre von Kants Kritik der reinen Vernunft bei, die er auf Anraten des Heidelberger Kirchenrats J.F. Mieg (1744-1819) im Herbst des Jahres 1788 las. Durch die Philosophie von Leibniz und Wolff sei er in die »schwere Gefangenschaft des Determinismus gerathen«, Kant aber habe nun bewiesen, »daß die menschliche Vernunft außer den Gränzen der Sinnenwelt ganz und gar nichts weiß.« (LG., 448ff) J.-S. schließt daraus, daß deshalb der Vernunft im Bereich der Theologie allenfalls eine formal-ordnende Funktion, aber niemals eine inhaltlich normierende Bedeutung zukommen darf. Begeistert teilt er diese seine Schlußfolgerung unter dem Datum des 1.3. 1789 Kant mit und erhält von ihm, obwohl der selbst diese Schlußfolgerung nicht zieht, eine gewisse Bestätigung: »Sie tun auch daran sehr wohl, daß Sie die letzte Befriedigung Ihres nach einem sichern Grund der Lehre und der Hoffnung strebenden Gemüts im Evangelium suchen...« (Vgl. mein oben genanntes Buch 318) J.-S. ist überglücklich, mehr als 20 Jahre will er mit Gebet und Flehen gegen den Riesen des Determinismus vergeblich gekämpft haben und nun auf einmal scheint ihm sein Kampf zu Ende. In beiden Punkten aber übertreibt er, der starke Kampf läßt sich für die fragliche Zeit nicht nachweisen. Im Gegenteil die Argumentation, die er in seinen frühen Schriften gegen Nicolai ins Feld führt, ist genau dieselbe, die er später erst bei Kant kennengelernt haben will: Der Vernunft kommt in religiösen Dingen niemals eine normierende, sondern allenfalls eine formal-ordnende Bedeutung zu. Es mag möglich sein, daß ihm diese Position, die er anfangs gerade an Leibniz und Wolff entwickelt hatte, nicht gut genug begründet war, und er sie mit einer gewissen Unsicherheit vertreten hat. Daß ihn die Leibniz-Wolffsche Philosophie aber gerade in die Determinismuszweifel getrieben habe, ist unzutreffend, es sei denn alle seine frühen Schriften geben seine damalige Meinung nicht richtig wieder. Ebenso unzutreffend ist die Aussage, die Probleme seien mit einem Schlag überwunden gewesen. Noch 1801, also 13 Jahre später, schreibt er an Bergische Freunde: »Ich studierte in Straßburg, hatte aber das Unglück, daß mir der Geist dieser Zeit Pfeile der Versuchung und des Unglaubens in mein Herz schoß, welche Wunden hinterließen, die mich noch immer schmerzen und mir sehr viele Kämpfe verursachen.« (LG., 686) Festzuhalten ist, daß sich dieser Wundschmerz allenfalls in der Heftigkeit zeigt, mit der sich J.-S. besonders in den Frühschriften aber auch in den frühen Romanen seine aufklärerischen Feinde vor die Feder zitiert, um sie allesamt »unwiderleglich« zu besiegen. Auf keinen Fall aber zeigt sich dieser Wundschmerz in der Substanz von J.-S.s Äußerungen. — Ebenso übertreibt J.-S., wenn er dem aus der hallischen Pietismustradition stammenden Pfarrer G.L. Sartorius († 1793) die Überwindung seiner Schwierigkeiten mit der Versöhnungslehre zuschreibt. (LG., 455) Zwar zeigen sich in den frühen Schriften oftmals synergistische Aussagen, denen zufolge der sündige Mensch erst einmal den Besserungsprozeß einleiten muß, bevor Gott ihm Gnade und Vergebung schenkt, aber auch nach der Begegnung mit Sartorius argumentiert J.-S. gelegentlich synergistisch (Dies weist Th.Baumann für den 1794-96 geschriebenen Roman »Das Heimweh« nach. In: Zwischen Veränderung und Weltflucht. Zum Wandel der pietistischen Utopie im 17. und 18.Jahrhundert. Lahr-Dillingen 1991, S.55, Anm.177.) Es ist G. Merk zuzustimmen, der diesen Tatbestand auf Einflüsse des damaligen Siegerländer Volks-Calvinismus zurückführt, der damit dem von ihm vertretenen Christentum »einen etwas niedergedrückten, mißvergnügten und daher auch freudlosen Drall« gegeben habe. (Oberbergmeister J.H.Jung. Ein Lebensbild. Kreuztal 1989, S.30) — In der Marburger Zeit nimmt der Ansturm von Augenkranken, die J.-S. konsultieren, ständig zu. Mehrmals wöchentlich, gelegentlich auch am Sonntag, operiert er entweder im lutherischen oder im reformierten Waisenhaus starblinde Patienten. 1790 gründet er eine Unterstützungskasse, in die das Geld fließt, das reiche Patienten für die Operation bezahlen können und aus der der Aufenthalt für diejenigen bezahlt wird, die zu arm sind, um selbst etwas beizusteuern. Zwischen 1788 und 1813 unternimmt J.-S. fünfundzwanzig Reisen, um Augenkranke zu behandeln. (G. Merk J.S., 133) Sie führen ihn von Norddeutschland bis in die Schweiz und vom Elsaß bis in die Lausitz nach Herrnhut. Insgesamt dürfte er zwischen 1.500 und 2.000 Operationen bei einer Erfolgsquote von ca. 85 Prozent durchgeführt haben. — Täglich erreichen ihn mehrere Briefe, die zum Teil seelsorgerlich beantwortet werden müssen. Bis zu 800 Schreiben im Jahr reicht die Zahl. Insgesamt werden es mehr als 20.000 gewesen sein. Das Briefeschreiben bildet folglich einen festen Bestandteil in J.-S.s Tagesablauf.Die Belastung wird so groß, daß die Lebensgeschichte ständig von Magenkrämpfen und Magenschmerzen berichtet. Hinzukommt, daß die im Gefolge der Französischen Revolution entstandene revolutionäre Stimmung auch auf die Universität Marburg übergreift. Hier sieht er die aufklärerischen Kräfte am Werk, die der autonomen menschlichen Vernunft folgen und deswegen den großen Abfall vom wahren Christentum bewirken. Er sieht einen »letzten Kampf zwischen Licht und Finsterniß« (LG., 483) heraufkommen, an dem er selbst sich mit der Waffe seiner Feder beteiligen möchte. In zunehmend umfangreicherem Maße verfaßt er religiöse Schriften, um zu warnen und die wahren Christen zu sammeln. 1793 schreibt er gegen den »Revolutionsgeist unserer Zeit zur Belehrung der bürgerlichen Stände«. Zwischen 1794 und 1796 bringt er seinen umfangreichen Roman »Das Heimweh« heraus, in dem er in allegorischer Verschlüsselung die Reise der heimwehkranken Seele in ihre himmlische Heimat beschreibt. »Szenen aus dem Geisterreich« folgen 1795 und 1801. 1799 veröffentlicht er unter dem Titel »Siegsgeschichte der christlichen Religion« eine Erklärung der Offenbarung des Johannes. 1795 beginnt er unter dem Titel »Der graue Mann« mit einer »Volksschrift«, die er noch bis 1816, kurz bevor er stirbt, weiterführt. — In der Herrnhuter Brüdergemeine, die er im Herbst 1789 anläßlich einer Reise nach Neuwied mit einer ihrer wichtigsten Niederlassungen persönlich kennenlernte und deren Gründungsort er 1803 selbst besuchte, erkennt er »eine wichtige Anstalt zur vorbereitenden Gründung des Reiches Gottes; sie schien ihm ein Seminarium desselben zu sein«. (LG., 515) — 1801 stirbt J.C. Lavater, mit dem er freundschaftlich verbunden war, an einer Schußverletzung, die ihm ein revolutionär gesonnener Gegner beigebracht hatte. J.-S. sieht in ihm einen 'Blutzeugen der Wahrheit'. »Lavaters Tod war gleichsam das Signal zur großen und herrlichen Entwicklung der Schicksale Stillings...« (LG., 532) formuliert er 1803 unter Anspielung auf seinen Wechsel nach Heidelberg, wo er ausschließlich als religiöser Volksschriftsteller und Berater des Kurfürsten tätig sein durfte. Seine Situation als Professor der Kameralwissenschaften wird immer unerfreulicher. Er hat kaum noch Studenten und weil er in seinem »Grauen Mann« stets kritisch über das revolutionäre und auch das napoleonische Frankreich berichtete, wird die gesamte Marburger Professorenschaft einer Zensurbestimmung unterworfen. Kurfürst Wilhelm IX. wünschte gute Beziehungen zu Frankreich, und da paßte eine so kritische Einstellung wie die J.-S.s nicht ins Konzept. Anläßlich der ersten Reise in die Schweiz (27.3-15.5. 1801) erhält J.-S. die notwendigen finanziellen Mittel, um seine Studienschulden zu bezahlen. Er ist somit nicht unbedingt mehr auf die hohen Einkünfte seiner Marburger Professur angewiesen. Anläßlich seiner zweiten Reise (13.9.-16.11. 1802) führt er am 18. Sept. 1802 mit Karl Friedrich von Baden, den er bereits im Jahr zuvor kennengelernt hatte, ein persönliches Gespräch, um zu erkunden, ob sein ältester Sohn Jacob, der Jurist geworden war, in Baden eine Anstellung finden könnte. J.-S.s Wunsch wird erfüllt und mehr als das. Nicht nur sein Sohn, auch er selbst wird am 31. Mai 1803 in badische Dienste berufen, und zwar als Berater des Kurfürsten und religiöser Volksschriftsteller. — J.-S. erkennt darin einen Wink Gottes und zieht im September 1803, als er die Geschäfte des Sommersemesters erledigt hat, nach Heidelberg. Um seine Tätigkeit als Berater Karl Friedrichs besser ausüben zu können, übersiedelt er im Winter 1806 ins großherzögliche Schloß nach Karlsruhe. Frühjahr 1807 mietet er eine Wohnung in der Stadt und holt seine Familie zu sich. Anfangs bezog er nur ein halb so hohes Gehalt wie in Marburg. Daneben erhielt er aber auch Einkünfte in Form von Naturalien. Zwar werden seine Bezüge 1807 erhöht, als J.-S. den Titel eines Geheimen Hofrats in Geistlichen Sachen bekommen hatte, die Geldsorgen, die er 1801 überwunden glaubte, nehmen aber erneut bedrohliche Ausmaße an. 1811 muß er deswegen sogar in eine kleinere, preiswertere Woh-

nung umziehen. Täglich führt er Unterredungen mit Karl-Friedrich (1728-1811), der besonders seinen Heimweh-Roman sehr schätzt. Ab 1809 leidet der Großherzog zunehmend unter einer cerebralen Sklerose und der Umgang mit ihm wird schwierig. Nach seinem Tod 1811 werden J.-S.s Dienste nicht mehr benötigt. Trotzdem bricht der Kontakt zum badischen Herrscherhaus nicht gänzlich ab. Als Zar Alexander I., der mit einer Enkelin Karl Friedrichs verheiratet ist, im Sommer 1814 den badischen Hof besucht, kommt es auch zu einer persönlichen Begegnung mit J.-S.. Aus Verehrung für ihn zahlt ihm der Zar eine jährliche Pension von 200 Reichstalern und macht ihm ein einmaliges Geschenk von 3648 Reichstalern. (G. Merk J.S., 172) — Während seiner zweiten Heidelberger (1803-1806) und seiner Karlsruher Zeit (1807-1817) verfaßt J.-S. mit dem christlichen Menschenfreund (1803-1807), dem Taschenbuch für die Freunde des Christenthums (1805-1816) und mit dem Werk »Des christlichen Menschenfreunds Biblische Erzählungen« (1808-1816) mehrere Periodica. Darüber hinaus verfaßt er 1808 eine«Theorie der Geisterkunde», in der er die Frage beantworten möchte,«was von Ahnungen, Geschichten und Geistererscheinungen geglaubt und nicht geglaubt werden müsse». Die Beschäftigung mit den Dingen des Jenseits nimmt zunehmend breiteren Raum ein. Verstärkt bricht im Alter auch ein prophetisches Sendungsbewußtsein durch, das seine Aussagen apodiktisch und gegenüber Andersdenkenden intollerant-verdammend werden läßt. So scheidet sich seine nicht kleine Leserschar zunehmend deutlich in unbedingte Anhänger und kategorische Ablehner. Hatte J.-S. den ersten Teil seiner Lebensgeschichte geschrieben, um den schwankenden Glaubensgrund seiner Freunde zu befestigen, sich also an die Gebildeten unter den Verächtern der Religion gewandt, so schrieb er zum Schluß nur noch für seine Anhänger, und das waren in immer stärkerem Maße die Ungebildeten unter den Verfechtern des Christentums. — Am 2. April 1817 stirbt J.-S. an Brustwassersucht, nachdem seine Frau Elise wenige Tage zuvor heimgegangen war. Auf dem Karlsruher Friedhof wird er noch in der Karwoche des Jahres 1817 zu Grabe getragen. — J.-S. war sich bewußt, daß sein persönlicher Glaube an die

Führung seines Lebens durch die Vorsehung Gottes, die er nach dem Maßstab des syllogismus practicus zu erkennen versuchte, nicht für jeden Christen gelten konnte. Für ihn selbst aber bildete gerade diese Art des Glaubens den sichersten Halt. Niemals wurde sie ihm zur Notkonstruktion, deren sichernde Hilfe dann in Anspruch genommen werden mußte, wenn die Vernunft nicht mehr in der Lage war, dem Glauben eine rational suffiziente Begründung zu geben. — Angegriffen durch die Aufklärung ging es J.-S. darum, die Rolle der Vernunft im christlichen Glauben zu bestimmen. Von Beginn seiner schriftstellerischen Tätigkeit an lautete seine Lösung, ihr dürfe allenfalls logisch-ordnende, niemals aber inhaltlich normierende Bedeutung zukommen. Um seinen pietistischen Glauben denkerisch wirksam gegen aufklärerische Angriffe abzusichern, benutzt J.-S. aber auch die Waffen eben dieser Aufklärungsphilosophie. Aber er benutzt sie, um seine pietistische Position zu verteidigen. Es mag sein, daß er dabei Blessuren bekommen hat, oder gelegentlich, weil er ja kein ausgebildeter Theologe war, auch auf Abwege geraten ist. Jedoch kann ihm das Verdienst nicht abgesprochen werden, eine pietistische Grundposition durch die Zeit der Aufklärung hindurchgerettet zu haben. Damit darf er als einer der Gründungsväter des neuen Pietismus, das heißt der Erweckung gelten.

Werke: Eine Zusammenstellung der von Jung-Stilling verfaßten Schriften, Aufsätze und Artikel mit den bibliographischen Angaben der Erstveröffentlichungen findet sich bei Max Geiger: Aufklärung und Erweckung. Beiträge zur Erforschung Johann Heinrich Jung-Stillings und der Erweckungstheologie. Basler Studien zur Historischen und Systematischen Theologie Bd. 1. Zürich 1963, 19-31. Ergänzungen, vor allem für das wirtschaftswissenschaftliche Werk, bei Anneliese und Waldemar Wittmann: Jung-Stilling, der »cameralische« Okkultist. In: Medizingeschichte in unserer Zeit. Festgabe für Edith Heischkel-Artelt und Walter Artelt. Stuttgart 1971, 334-340. Eine Gesamtausgabe seiner Werke, die allerdings die wirtschaftswissenschaftlichen Arbeiten nicht berücksichtigt, erschien unter dem Titel: Johann Heinrich Jung's genannt Stilling...sämmtliche Schriften. Zum erstenmale vollständig gesammelt und herausgegeben von Verwandten, Freunden und Verehrern des Verewigten. Stuttgart 1835-1838. Neudruck: Hildesheim, New York 1979. Werkausgaben, die nach der Zusammenstellung Geigers (1963) erschienen sind: — a) Lebensgeschichte J.H. Jung-Stilling: Heinrich Stillings Jugend, Jünglingsjahre und Wanderschaft und häusliches Leben. Reclams Universalbibliothek Nr.662-666. Stuttgart 1968; Ders., Lebensgeschichte. Vollständiger Text nach den Erstdrucken (1777-1817).

Mit einem Nachwort von Wolfgang Pfeifer-Belli. Winkler - Die Fundgrube Bd.37, München 1968; Ders., Lebensgeschichte. Hg. v. Karl Otto Conradi. 1969. Rowolt Nr.516/517; Ders., Lebensgeschichte. Vollständige Ausgabe, mit Anmerkungen hg. v. Gustav Adolf Benrath. Darmstadt 1976; Ders., Henrich Stillings Jugend, Jünglingsjahre und Wanderschaft. Herausgegeben, erläutert und mit einem Nachwort versehen von Gabriele Drews. München 1982. — b) Weitere nach 1963 separat erschiene Ausgaben oder Teilausgaben: J.H. Jung-Stilling: Briefe an die St. Gallerin Helene Schlatter-Bernet. (Privatdruck). Hermann Müller (Hg.):...Wenn die Seele geadelt ist. Aus dem Briefwechsel Jung-Stillings. Gießen und Basel 1967; J.H. Jung-Stilling: Briefe an Verwandte, Freunde und Fremde aus den Jahren 1787-1816. Hg. v. Hans W. Panthel. Hildesheim 1978; Ernst Stähelin: Die Christentumsgesellschaft in der Zeit von der Erweckung bis zur Gegenwart. Bd. I, Basel 1970; Bd. II Basel 1974 (= ThZ S II und IV) - Gerhard Merk, Hg.: Jung-Stilling-Lexikon Wirtschaft. Berlin 1987; Ders., Hg.: Jung-Stilling-Lexikon Religion. Kreuztal 1988; Ders., Hg.: J.H.Jung-Stilling, Wirtschaftslehre und Landeswohlstand. Sechs akademische Festreden. Berlin 1988; Ders., Hg.: J.H. Jung-Stilling, Sachgerechtes Wirtschaften. Schriften der J.G. Herder-Bibliothek Siegerland e.V. Bd. 20, Berlin 1988; Ders., Hg.: J.H.Jung-Stilling, Gesellschaft, Leben und Beruf. Geschichten aus dem »Volkslehrer«. Berlin 1990; Ders., Hg.: J.H. Jung-Stilling, Gesellschaftliche Mißstände. Eine Blütenlese aus dem »Volkslehrer«. Berlin 1990; Gustav Adolf Benrath,Hg.: J.H. Jung-Stilling, Tägliche Bibelübungen. Gießen-Basel 1989; Ulrich Ummen, Hg.: J.H.Jung-Stilling, Unter den Sternen des Morgenlandes. Orientalische Erzählungen. Marburg 1990. Gerhard Schwinge, Hg.: J.H. Jung-Stilling, Herr, zeig mir stets die rechte Spur. Geistliche Erzählungen und Gedichte. Lahr-Dillingen 1990.

Lit.: Die bis 1963 erschienene Sekundärliteratur ist verzeichnet bei Geiger a.a.O., 38-46. Danach erschien folgende Literatur: — 1. Monographien über Jung-Stilling: Max Geiger: J.H. Jung-Stilling. Christlicher Glaube zwischen Orthodoxie und moderne. Historisch-theologische Meditation anläßlich des 150. Todestages. Th St (B) 97, 1968; — Albrecht Willert: Religiöse Existenz und literarische Produktion. Jung-Stillings Autobiographie und seine frühen Romane. Europäische Hochschulschriften, R 1, Bd. 471. Frankfurt (Main), Bern 1982; — Friedrich Mehlhose: Der gottesfürchtige Jung-Stilling. Ein Pionier der Star-Extraktion. Düsseldorfer Arbeiten zur Geschichte der Medizin, Beihefte VII. Düsseldorf 1983; — Tatjana Högy, geb. Lanko: Jung-Stilling und Rußland. Untersuchungen über Jung-Stillings Verhältnis zu Rußland und zum Osten in der Regierungszeit Kaiser Alexander I. Schriften der J.G. Herder-Bibliothek Siegerland e.V. Bd. 12. Siegen 1984; — Anne Marie Stenner-Pagenstecher: Das Wunderbare bei Jung-Stilling. Ein Beitrag zur Vorgeschichte der Romantik. Germanistische Studien und Texte Bd. 24. Hildesheim, Zürich, New York 1985; — Rainer Vinke: Jung-Stilling und die Aufklärung. Die polemischen Schriften J.H.Jung-Stillings gegen Friedrich Nicolai (1775/76). VIEG Bd. 129. Stuttgart 1987; — Otto Wilhelm Hahn: Jung-Stilling zwischen Pietismus und Aufklärung. Sein Leben und sein literarisches Werk 1778-1787. Europäische Hochschulschriften R XXIII, Bd. 344. Frankfurt (Main), Bern, New York, Paris 1988; — Gerhard Merk:

Jung-Stilling. Ein Umriß seines Lebens. Kreuztal 1989; — Wolfgang Lück: J.H. Jung-Stilling 12. Sept.1740 - 2. April 1817. Wirtschaftswissenschaftler, Arzt und Schriftsteller. Lebensbilder und Werk des Siegerländer Gelehrten und Marburger Universitätsprofessors. Marburg 1990; — Reinhard Arhelger: Jung-Stilling - Genese seines Selbstbildes. Europäische Hochschulschriften, R 1, Bd. 1187. Frankfurt (Main), Bern, New York, Paris 1990; — Otto Wilhelm Hahn: Johann Heinrich Jung-Stilling. Wuppertal - Zürich 1990. — 2. Monographien und Überblickswerke, die Jung-Stilling behandeln: Peter Meinhold: Geschichte der kirchlichen Historiographie. Orbis Academicus,5, Bd. II. Freiburg, München 1967; — Ingo Bertolini: Studien zur Autobiographie des deutschen Pietismus. Diss. Wien 1968; — Georg Misch: Geschichte der Autobiographie. Vierter Bd., zweite Hälfte. Von der Renaissance bis zu den autobiographischen Hauptwerken des 18. und 19. Jahrhunderts. Bearbeiter Bernd Neumann, Frankfurt 1969. Bernd Neumann: Identität und Rollenzwang. Zur Theorie der Autobiographie. Athenäum Paperback Germanistik 3. Frankfurt 1970; — Ralph-Rainer Wuthenow: Das erinnerte Ich. Europäische Autobiographie und Selbstdarstellung im 18. Jahrhundert. München 1974; — Günter Niggl: Geschichte der deutschen Autobiographie im 18. Jahrhundert. Theoretische Grundlegung und literarische Entfaltung. Stuttgart 1977; — Ulrich Stadler: Die theuren Dinge. Studien zu Bunyan, Jung-Stilling und Novalis. Bern 1980; — Thomas Baumann: Zwischen Veränderung und Weltflucht. Zum Wandel der pietistischen Utopie im 17. und 18. Jahrhundert. Lahr-Dillingen 1991. — 3. Aufsätze und Artikel: Winfried Willer: Die Bibliothek der Churpfälzischen Physikalisch-Ökonomischen Gesellschaft 1770-1804. In: Bibliothek und Wissenschaft 1967, 240-301; — Lothar Przybylski: Jung-Stilling in Elberfeld von 1772-1778. Monatshefte für Evangelische Kirchengeschichte des Rheinlandes 19 (1970) 162-171; — Klaus Pfeifer: Jung-Stilling und Christoph Wilhelm Hufeland. In: Siegerland 47 (1970) 69-72; — Wolfgang Leiser: Jung-Stilling und Karl Friedrich von Baden. In: Alemannisches Jahrbuch 1970, 273-279; — Erich Hüttenhein: Zur Geheimschrift Jung-Stillings. In: Siegerland 48 (1971) 37-42; — Annneliese und Waldemar Wittmann: Jung-Stilling, der »cameralische« Okkultist. In: Medizingeschichte in unserer Zeit. Festgabe für Edith Heischkel-Artelt und Walter Artelt. Stuttgart 1971, 300-340; — Gustav Adolf Benrath: Karl Friedrich von Baden und Johann Heinrich Jung-Stilling. In: Ekkart, Jahrbuch für das Badener Land 1972, 73-82; — Ders.: Die Freundschaft zwischen Jung-Stilling und Lavater. In: Bleibendes im Wandel der Kirchengeschichte. Kirchenhistorische Studien. Hg.v. Bernd Moeller und Gerhard Ruhbach. Tübingen 1973, 251-305; — Ders.: Jung-Stillings Tagebuch von 1803. In: Der Pietismus in Gestalten und Wirkungen. Martin Schmidt zum 65. Geburtstag. Hg. v. Heinrich Bornkamm, Friedrich Heyer, Alfred Schindler. AGP 14, 1975, 50-83; — Ders.: J.H. Jung-Stilling. In: Karl Corino, Hg., Genie und Geld. Vom Auskommen deutscher Schriftsteller. Nördlingen 1987, 129-139; — Ders.: Art., J.H. Jung-Stilling. In: TRE, Bd. 17, 1988, 467-470; — Ders.: Jung-Stillings Notizbuch aus den Jahren 1778-1813. In: Monatshefte für Evangelische Kirchengeschichte des Rheinlandes 39 (1990) 85-113; — Ders.: Jung-Stilling in Kaiserslautern 1778-1784. In: Pfälzische Heimat, 42 (1991) 63-73; — Hans W. Panthel: Jung-Stillings Weltendzeit und Zar Alexander I. von Rußland. In

Germano-Slavia 1973, 61-65; — Ders.: Zu Jung-Stillings Darstellung des Siegerländers. Ein brieflicher Nachtrag. In: Siegerland 51 (1974) H. 1-2; — Alfred Lück: Jung-Stilling als Arzt. In: Siegerland 50 (1973) 23-27; — Karl Koch: Jung-Stilling und Goethe in Straßburg. In: Siegerland 51 (1974) 164-169; — Hans-Gerhard Winkler und Markwart Michler: Art., Jung, J.H. genannt Stilling. In: NDB 10, 1974, 665-667; — Dieter Gutzen: J.H. Jung-Stilling. In: Deutsche Dichter des 18. Jahrhunderts. Hg. v. Benno von Wiese. Berlin 1977, 446-461; — Alfred Lück: Jung-Stilling in Amerika. In: Siegerland 54 (1977) 192; — Claus Palm: Jung-Stilling in Bingen. In: Siegerland 54 (1977) 192-194; — Victor G. Doerksen: From Jung-Stilling to Rudy Wiebe: »Christian Fiction« and the Mennonite Imagination. In: Mennonite Images. Historical, Cultural, and Literary Essays Dealing with Mennonite Issues, Edited by Harry Loewen. Winnipeg 1980, 197-208; — Arden Ernst Jung: Die »russischen« Nachfahren Jung-Stillings. Der letzte Namensträger. In: Siegerland 58 (1981) 167-175; — Ders., Geheimschrift beseitigte letzte Zweifel. Jung-Stilling Relief von Johann Heinrich von Dannecker. In: Siegerland 69 (1983) 91; — Wingolf Scherer: Heinrich Jung-Stillings »Berufung« zum Studium der Medizin. Begegnung mit Johann Baptist Molitor. In: Siegerland 58 (1981) 163-166; — Rainer Vinke: Jung-Stilling-Forschung seit 1963. ThR 48 (1983) 156-186 und 254-272; — Ders., Jung-Stilling bei Flender (1763- 1770). Ein Abschnitt auf dem Weg zu seiner »Bestimmung«. In ThZ 41 (1985) 359 390; — Ders., J.H. Jung-Stillings Reaktion auf die Französische Revolution. In: Deutschland und Europa in der Neuzeit. Festschrift für Karl Otmar Frhr. von Aretin zum 65. Geburtstag. Hg. v. Ralf Melville u.a. Stuttgart 1988, 469-487; — Ders., Das Verhältnis Jung-Stillings und der Erweckung zur Revolution. In: Monatshefte für Evangelische Kirchengeschichte des Rheinlandes 39 (1990) 59-83; — Arden Peter Jung: Die »russischen« Nachfahren Jung-Stillings 2. Teil. In: Siegerland 61 (1984) 80-88; — Franz Della Casa: Burgdorf und seine »Stars«. In: Klin. Monatsbl. für Augenheilkunde. 186 (1985) 239-244; — Ders., Burgdorf und seine »Stars«. In: Burgdorfer Jahrbuch 53 (1987) 115-129; — Johannes Harder: Jung-Stilling, Rußland und die endzeitlichen Erwartungen bei rußlanddeutschen Kolonisten im 19. Jahrhundert. In: Jung-Stilling Studien. Schriften der J.G. Herder-Bibliothek Siegerland e.V. Bd. 15, 9-25. Siegen 1987[2]; — Erich Mertens: Max von Schenkendorf und J.H. Jung-Stilling. In: Jung-Stilling Studien. Schriften der J.G. Herder-Bibliothek Siegerland e.V. Bd. 15, 27-114. Siegen 1987; — Gerhard Schwinge: Jung-Stilling am Hofe Karl Friedrichs in Karlsruhe: Zu seinem 170. Todestag. In: ZGO 135 (1987) 183-205; — Ders., Heimweh nach dem Reich des Herrn. In: Aufbruch. Evangelische Kirchenzeitung für Baden 23 (1987) Nr. 14, 14-15; — Ders., Jung-Stilling und seine Beziehung zur Basler Christentumsgesellschaft. In: ThZ 44 (1988) 32-53; — Ders., Jung-Stilling - zwar keine Badener von Geburt, doch zum Karlsruher geworden. Zu einer Ausstellung der Badischen Landesbibliothek Karlsruhe aus Anlaß seines 250. Geburtstages. In Badische Heimat (1990) 627-638; — Thomas Baumann: Jung-Stilling und die Französische Revolution. In: PuN 16 (1990) 132-154; — Gerhard Berneaud-Kötz: In memoriam: J.H.Jung-Stilling - Seine Bedeutung für die zeitgenössische Augenheilkunde-. In: Sitzungsbericht, 152. Versammlung des Vereins Rheinisch-Westfälischer Augenärzte am 5. u. 6.Mai 1990 in

Lüdenscheid. Balve 1990, 27-32; — Peter Jung: Jung-Stillings zweite Gattin: Selma von Saint George und ihre Familie. In: Siegerland 67 (1990) 71-76; — Gerhard Merk: J.H. Jung-Stilling als Landwirt. In: Land, Agrarwirtschaft und Gesellschaft. Zeitschrift für Land- und Agrarsoziologie 7 (1990) 239-259; — Heinrich Nolting: Dr. med. J.H. Jung-Stilling. Ein Professor für »Viearzneykunde« des 18. Jahrhunderts. Vortrag gehalten am 8. September 1990 auf dem 24. Kongreß für Veterinärmedizin in Karlruhe; — Klaus Pfeifer: Beiträge zu einer Jung-Stilling-Bibliographie. In: Das 18. Jahrhundert. Mitteilungen der Deutschen Gesellschaft für die Erforschung des 18. Jahrhunderts. 14 (1990) 122-130; — Michael Titzmann: Art., Jung-Stilling. In: Literatur Lexikon. Autoren und Werke deutscher Sprache, Bd. 6, hg. v. Walter Killy. Gütersloh-München 1990, 160-162; — Jung-Stilling: Arzt - Kameralist - Schriftsteller zwischen Aufklärung und Erweckung; eine Ausstellung der Badischen Landesbibliothek Karlsruhe in Zusammenarbeit mit der Stadt Siegen, Siegerlandmuseum und in Verbindung mit dem Generallandesarchiv Karlsruhe; Ausstellungskatalog, hg. v. der Badischen Landesbibliothek Karlsruhe 1990. Darin: Gerhard Berneaud-Kötz, Jung-Stilling als Augenoperateur, 24-39; — Reinhard Siegert, »Der Rettungsengel: Hofrath Dr.Jung.« Eine Staroperation Jung-Stillings, beschrieben aus der Sicht des Patienten, 40-47; — Rainer Vinke, Jung-Stillings Auseinandersetzung mit der Aufklärung, 48-70; — Wolfgang Lück, Jung-Stilling als Wirtschaftswissenschaftler, 71-80; — Walter Lauterwasser, Jung-Stilling als Erzähler, 81-111; — Gerhard Schwinge, Prophet und Weltkind - Jung-Stilling und Goethe, 112-142; — Hans Schwarzmeier, Jung-Stilling und der Karlsruher Hof, 143-165; — Otto Wilhelm Hahn, Jung-Stillings Weg zur Erweckung, 165-182; — Michael Frost, Hg.: Blicke auf Jung-Stilling. Festschrift zum 60. Geburtstag von Gerhard Merk. Kreuztal 1990. Darin: Gustav Adolf Benrath, Jung-Stillings Leben, Denken, Wirken. Ein Überblick, 9-18; — Gerhard Bernaud-Kötz, Jung-Stilling als Arztpersönlichkeit. Laienmediziner, Arzt, Augenarzt und Staroperateur, 19-39; — Michael Frost, Jung-Stilling und sein Patenonkel J.H. Jung, 41-49; — Klaus Pfeifer, J.H.Jung-Stilling und sein Verleger George Jacob Decker, 50-61; — Gerhard Schwinge, ...wie aus einer anderen Welt...« Jung-Stilling und Johann Peter Hebel, 63-78; — Rainer Vinke, J.H. Jung-Stilling und Immanuel Kant, 79-94; — Gustav Adolf Benrath, Jung-Stillings Frömmigkeit 95-113; — Otto Wilhelm Hahn, Jung-Stillings »Heimweh«, 115-134; — Erich Mertens Jung-Stilling in der Dichtung Max von Schenkendorfs, 135-159; — Demnächst, Rainer Vinke: Jung-Stilling-Forschung von 1983-1990. In: PuN 17 (1991)

Rainer Vinke

JUNG, Peter Jakob, * 30.12. 1912 in Koblenz, † 3. 12. 1987 in Koblenz, Eltern: Schuhmachermeister Peter Jung und Margarethe geb. Klak. — Besuch des Realgymnasiums Koblenz, Abitur, Studium der Theologie in Trier, Priesterweihe 8.8. 1938, Kaplan in Schiffweiler-Heiligenwald, Militärdienst (Sanitäter) 1940 bis 1945, zuletzt Seelsorger im Kriegsgefangenenlager Livorno, Kaplan in Neunkirchen, Studium an der Universität Bonn, hier am 30.9. 1949 Promotion zum Dr. theol., Weiterstudium am Päpstlichen Bibelinstitut in Rom, dort am 15.6. 1950 Licentiat S.Scripturae und am 15.6. 1951 Cand. ad Lauream bibl. — J. wurde am 20. Mai 1952 zum Studentenseelsorger an der Universität des Saarlandes ernannt, 1955 zusätzlich Seelsorger an der Musikhochschule, Ingenieurschule, Werkkunstschule und Polizeischule in Saarbrücken. Daneben ausgedehnte Tätigkeit beim Rundfunk im Saarland: 1954 beauftragt mit kirchlichen Sendungen des Fernsehens, 1958 Vorsitzender des Programmbeirates und 1960 (bis 1963) Vorsitzender des Rundfunkrates des Saarländischen Rundfunks. Er war der einzige Priester in Deutschland, der einem Rundfunkrat vorsaß und dem Führungsgremium der Arbeitsgemeinschaft der Rundfunkanstalten Deutschlands angehörte. Seit 1953 gestaltete er auch selbst religiöse Sendungen im Saarländischen Rundfunk, später Südwestfunk, Sender Freies Berlin und Schweizerischer Rundfunk. — Haltung, Wort und Tat waren bei J. geprägt von tiefer Frömmigkeit und hoher wissenschaftlicher Begabung. Ein wissenschaftliches Amt, für das er sich durch eine Habilitationsschrift bei seinem ersten Romaufenthalt vorbereitet hatte, blieb ihm versagt. Er war einer jener Priester, die schon Jahre vor dem Zweiten Vatikanischen Konzil die Notwendigkeit der Öffnung der Kirche zur Welt sahen und bereits seelsorgerlich danach handelten. Dies wurde besonders deutlich in seiner Tätigkeit als Studentenseelsorger; er empfand mit den ihm anvertrauten jungen Menschen, wobei ihm kein Einsatz zu viel war. Er war bei ihnen außerordentlich beliebt. Er begleitete über Jahre die durchaus anstrengenden Studentenwallfahrten nach Chartres mit seinen Meditationen. Entscheidungen des Konzils, etwa in der Liturgiereform, nahm er mutig vorweg. Man kann J. einen Wegbereiter des Konzils nennen. — Seine Weltoffenheit wird dazu geführt haben, daß er im Medienbereich rasch heimisch wurde, dort aber sicher auch Anregungen fand. Diese Offenheit schlug sich z.B. während der Vorbereitung der Volksbefragung zum Saarstatut im Jahre 1955 nieder in einer (vom Rundfunk übertragenen und anschließend in der

Rundfunk übertragenen und anschließend in der Presse abgedruckten) Predigt »Jedes Volk ist eine Idee Gottes«, in der J. mittelbar für die Ablehnung des Statuts eintrat. Das führte zu Auseinandersetzungen vor allem mit der Saarregierung unter Johannes Hoffmann, wobei J. vorübergehend von seiner Tätigkeit für und beim Saarländischen Rundfunk entbunden wurde. — Im Jahre 1963 wurde der auerordentlich beliebte Studentenpfarrer nach einem erneuten Studienaufenthalt am Päpstlichen Bibelinstitut in Rom Pfarrer in Kapellen-Stolzenfels und gleichzeitig Seelsorger an der Ingenieur- und an der Polizeischule in Koblenz. Am 1. August 1972 trat er in den Ruhestand.

Werke: Die Trinitätslehre des Gilbertus Porretanus in ihrem Verhältnis zu den Opuscula Sacra des Boethius, 1938; Die Berichte des Markusevangeliums über Johannes den Täufer in der neueren wissenschaftlichen Erörterung, Diss. Bonn 1949; Die Dodekapropheten-Texte in den Briefen des Apostel Paulus, 1951; HAB 2,5 κατοινωμένος oder κατοιόμενος? In: Biblica 1951 S. 564-566; Gesetz und Evangelium in der Theologie von Karl Barth, Rom 1952; Der Kult bei Amos und Hosea, 1953 (Rom); Wort Gottes am Mikrophon. Sechzig Morgenansprachen über Radio Saarbrücken, 1955; »Jedes Volk ist eine Idee Gottes« In: Neueste Nachrichten (Saarbrücken) Nr.53 vom 26.9. 1955, S. 1 f.; Zehn Etappen - eine Weltreise. In: Saarbrücker Zeitung Nr. 17 vom 20. Januar 1962; Variationen über den Glauben. Meditationen und Reflexionen, 1967; Der Mensch: Betrachtungen über Aussagen in den Psalmen. 1978; Menschen der Endzeit. Betrachtungen über Aussagen in der Apokalypse, 1982; Mut zum Glauben. Betrachtungen über Aussagen im Hebräerbrief, 1984. Dazu sehr zahlreiche geistliche Betrachtungen in der Presse.

Lit.: Andreas Baltes, Dr. Jung 50 Jahre alt, in: Saarbrücker Zeitung vom 29.12. 1962; — Alwin Brück, Ein Wegbereiter: Lic. Dr. Peter Jung, in: Saarbrücker Zeitung vom 1. November 1966; — Robert H. Schmidt: Saarpolitik 1945-1959, Band I 1959 und Band III 1962.

Heinz Monz

JUNGIUS, Joachim, Arzt, Naturforscher und Didaktiker, * 22.10. 1587 in Lübeck als Sohn von Nicolaus Jungius, Lehrer am Katharineum, † 3.10. 1657 in Hamburg. — Sein Vater wurde 1589 ermordet. J. erhielt seinen ersten Unterricht am Katharineum. Dort hielt er seine ersten Vorträge für die Mitschüler, unter denen Johann Tarnovius und Johann Adolf Tassius waren, über die Dialektik des Petrus Ramus, schrieb eine lateinische Tragödie 'Lucretia' und verfaß-

te 1605 die Abschlußansprache seiner Klasse 'Oratio adversus artem oratoriam pro vera et sana eloquentia'. Seit 1606 studierte er in Rostock unter dem Theologen Johann Slekerus scholastische Theologie nach dem Lehrbuch des spanischen Jesuiten Francisco Suárez und disputierte unter Slekerus' Vorsitz 'de Dei naturali cognitione' und 'de potentia activa'. Bald wandte er sich der Mathematik zu und ging 1608 an die gerade neu gegründete Universität Gießen. J.studierte dort zusammen mit Christoph Schreiber und Daniel Stahl bei dem Philosophen Kaspar Fink und dem Hebraisten und Gräcisten und späteren Theologen Christoph Helvich. Am 1.1. 1609 wurde er unter dem Vorsitz des Moralphilosophen Konrad Dietrich zum Magister der Philosophie promoviert und hielt seinen Inauguralvortrag über die Frage: 'An brutis quisdam rationis humanae usus tribuendas?' Als 22-jähriger nahm er 1609 in Gießen die Professur für Mathematik an und lehrte dort bis 1614 die reine Mathematik (mathematica pura), ihre »physikalische« Anwendungen (mathematicae mediae, wie Optik, Harmonielehre, Astronomie, Geographie) und ihre »mechanischen« Anwendungen (mathematicae mechanicae, wie Schwerpunktslehre, Brechungslehre, Hydrostatik und Baukunst). Seine Antrittsvorlesung war 'de mathescos dignitate, praestantia et usu', eine Darstellung der propädeutischen Bedeutung der mathematischen Disziplinen für das Studium der Naturwissenschaften. Auf Veranlaßung des Landesherrn Landgraf Ludwig V. von Hessen-Darmstadt beschäftigte sich J. zusammen mit Christoph Helvich seit 1612 mit der Didaktik des Holsteiners Wolfgang Ratke (Ratichius). Er verfaßte zusammen mit Helvich zwei Schriften zu Ratkes Didaktik. J. und Helvich folgten 1614 Ratke nach Augsburg, kehrten sich aber 1615 enttäuscht von dessen Lehre ab. J. ging zunächst nach Lübeck und 1616 wieder nach Rostock, um dort Medizin zu studieren. Seine einjährige Reise durch italienische und deutsche Städte führte ihn 1618 zuerst nach Padua, wo er die modernste Richtung innerhalb der aristotelischen Naturphilosophie kennenlernte und den medizinischen Doktorgrad unter Cesare Cremonino erwarb. Als er 1619 nach Rostock zurückkehrte blieb er zunächst ohne Anstellung. In dieser Zeit näherte er sich den Anschauungen von Johann Valentin

Andreae. Wahrscheinlich noch vor 1623 entwickelte er die lehr- und wissenschaftsmethodische 'Protonoetica Philosophia' und gründete um 1622 mit seinen alten Freunden Paul Tarnovius und Johann Adolf Tassius nach dem Vorbild der ihm bekannten 'Accademia dei Lincei' eine 'Societas Ereunetica sive Zetetica' (Forschungsgesellschaft), deren Ziele denen der später gegründeten wissenschaftlichen Gesellschaften glichen, indem sie die Befreiung der Forschung von Autoritäten, Ausrichtung an der Erfahrung, die Verbreitung der Ergebnisse und deren praktische Umsetzung forderten. J. hat selbst chemische Experimente durchgeführt, die auf den Erfahrungen des Chymicus Angelo Sala gründeten. Die Gesellschaft bestand bis etwa 1624, wobei unklar ist, wer zu dieser Vereinigung gehörte und ob wirklich Zusammenkünfte stattgefunden haben. Obgleich J. die mathematische Professur von Rostock schon 1623 übertragen bekam, trat er sein Amt erst im nächsten Jahr an mit einer Rede 'de mathematicarum scientiarum praestantia'. Er heiratete 1624 Katharina Havemann aus Rostock. Ebenfalls 1624 wurde J. auf den medizinischen Lehrstuhl der Universität Helmstedt berufen, obgleich er erst 1625 seine Vorlesungen mit einer Antrittsrede über die Entwicklung der Medizin bei den Griechen, Arabern und Lateinern begann. Schon wenige Wochen später erlaubte der Krieg keinen geordneten Unterrichtsbetrieb, und J. ging als Arzt nach Braunschweig und für kurze Zeit nach Wolfenbüttel, um dann 1626 in seine Heimatstadt Lübeck zurückzukehren. Noch im selben Jahr übernahm er wieder die Professur für Mathematik in Rostock, womit die Verpflichtung zum Festungsbau verbunden war, der er jedoch nicht nachkommen mußte. 1629 folgte er einem Ruf nach Hamburg als Rektor des Johanneums und des Akademischen Gymnasiums. Eine 1634 neu eingeführte Schulordnung hatte er zu weiten Teilen verfaßt. Für die philosophische Ausbildung der Primaner am Johanneum schrieb er die 1638 erschienene 'Logica Hamburgensis'. Zu heftigen Auseinandersetzungen mit der Hamburger Geistlichkeit führte die Einführung von griechischen Profanschriftstellern als Lektüre für den Griechischunterricht, in dem sonst nur das griechische NT gelesen wurde. Eine von ihm genehmigte Disputation am Akademischen Gymnasium über die Frage: 'An novum Testamentum barbarismis scateat?', gab wohl seine Einschätzung des neutestamentlichen Griechisch wieder und provozierte Gutachten der philosophischen und theologischen Fakultät in Wittenberg. J.'s anonym herausgegebene Erwiderung 'Sententiae doctorum virorum de stilo N.T.' löste einen über viele Jahre literarisch geführten Streit aus, an dem J. sich nicht mehr beteiligte. Diese Auseinandersetzungen führten jedoch dazu, daß er 1640 sein Rektorat am Johanneum niederlegte und sich nun ganz dem Unterricht am Akademischen Gymnasium widmete. Er unternahm mit den Schülern Exkursionen zur Naturkunde und regte seine Schüler zu über 40 Disputationen zur Kritik an Lehrmeinungen auf vielen Gebieten an. Als er 1657 kinderlos starb, war seine Frau schon 19 Jahre tot. - J. wurde von vielen berühmten Zeitgenossen verehrt, unter ihnen waren Amos Comenius, der Mathematiker Charles Cavendish aus Newcastle upon Tyne und der Mediziner Samuel Hartlib. Sein berühmtester Schüler war wohl Bernhard Varenius, der Begründer der allgemeinen Geographie. Andere Schüler gaben seine Schriften 'Doxoscopiae physicae minores' (1662), 'Harmonica theoretica' (1678) und 'Isagoge phytoscopica' (1679) heraus und noch später erschienen 'Germania Superior' (1685), 'Mineralia' (1689) und 'Historia vermium' (1691). Aus zahlreichen Hinweisen und Bemerkungen in den Schriften und Briefen von Gottfried Wilhelm Leibniz geht hervor, daß er J. sehr schätzte und an dessen Nachlaß sehr interessiert war. Auf seine große Bedeutung für die Entstehung der modernen Naturwissenschaften hat Johann Wolfgang Goethe wieder aufmerksam gemacht. J. trug nicht nur zu einer Erneuerung der Logik bei, sondern auch ganz wesentlich zum Vordringen der Atomistik im Sinne der Korpuskularhypothese der Ärzteschule (Daniel Sennert) und zur Begründung der Chemie als Wissenschaft. Er bemühte sich, durch Beobachtungen und Experimente gewonnene chemische, botanische, zoologische und astronomische Erkenntnisse zu systematisieren und mit Hilfe mathematischer Methodik zu begründen. So ging seine Verbesserung der botanischen Morphologie des Andrea Cesalpino in John Ray's 'Catalogus plantarum circa Cantabrigiam nascentium' von 1660

Werke: Lucretia, vor 1605; Oratio adversus artem oratoriam pro vera et sana eloquentia, 1605; De Dei naturali cognitione, 1607; De potentia activa, 1607; An brutis quisdam rationis humanae usus tribuendas?, 1609; De matheseos dignitate, praestantia et usu, 1609; Kurtzer Bericht von der Didactica, oder LehrKunst Wolfgangi Ratichii ..., 1613 (mit Christoph Helvich); Luther's Vermahnung an die deutsche Städte, mit einer »Zugabe von Sprüchen und anderen Schriften Dr.Luther's gleichen Inhalts« und einem »Nachbericht von der neuen Lehrkunst W.Ratichii«, hrsg.v.J./Christoph Helvich,1614; Protonoeticae Philosophiae Sciagraphia, vor 1623 (Fragment), in: Hans Kangro, J.'s Experimente und Gedanken zur Begründung der Chemie als Wissenschaft, 1968, 256-271 (mit Übersetzung); De mathematicarum scientiarum praestantia, 1624; Geometria empirica, 1627, dt. zusammen mit J.Reißkunst, ohne Jahr; Über den propädeutischen Nutzen der Mathematik für das Studium der Philosophie, 1629, in: Beiträge zur J.-Forschung, hrsg. v. Adolf Meyer, 1929, 95-120 (lat. und dt.); Über die Originalsprache des NT's, 1637, hrsg. v. Johannes Geffcken, in: Zschr. des Vereins für Hamburgische Gesch. 5 (N.F. 2), 1866, 157-183; Disputationes noematicae habitae anno MDCXXXV in collegio privato, 1635; Logica Hamburgensis, Buch 1-3: 1635, Buch 1-6: 1638, lat. und dt. mit Einleitung und Kommentar hrsg.v.R.W.Meyer, 1957; Sententiae doctorum virorum de stilo N.T. (anonym), 1639; Doxoscopiae physicae minores, hrsg. v.Martin Fogel (gelgentlich Vogel), 1662; Harmonica theoretica, hrsg.v.Johann Vagetius, 1679; Isagoge phytoscopica, hrsg.v.Johann Vagetius, 1679; Germania Superior, 1685; Mineralia, hrsg.v.Johann Vagetius, 1689; Historia vermium, hrsg.v.Johann Vagetius, 1691; Opuscula botanicophysica, hrsg. v.Martin Fogel/Johann Vagetius, neu hrsg.v.Johann Sebastian Albrecht, 1747; Disputationes de principiis corporum naturaliam, übers.v.Emil Wohlwill, hrsg.v.Adolf Meyer, 1928; Praelectiones physicae, hrsg.v.Christoph Meinel, 1982; Logicae Hamburgensis Additamenta, hrsg. v. Wilhelm Risse, 1977; Disputationes Hamburgenses, hrsg. v.Clemens Müller-Glauser, 1988 (34 Disputationen und 7 Schülernachschriften); Des Dr.J. aus Lübeck Briefwechsel ..., hrsg.v.Robert Christian Benedict Avé-Lallemant, 1863; Erich von Lehe, J.-Archivalien aus dem Staatsarchiv, in: Beiträge zur J.-Forschung. Festschrift der Hamburgischen Universität, hrsg. v.Adolf Meyer, 1929, 62-87; Verzeichnis von J.'s Bibliothek. Nach einer handschriftlichen Vorlage aus dem Nachlaß von J. in der Staats- und Universitätsbibliothek Hamburg, abgeschrieben v.Heinrich Lüdtke, o.J.; Christoph Meinel, Der handschriftliche Nachlaß von J. in der Staats- und Universitätsbibliothek Hamburg, 1984.

Lit.: Bibliographien: Johannes Lemcke, Versuch einer J.-Bibliogr., in: Beiträge zur J.-Forschung. Festschrift der Hamburgischen Universität,hrsg.v.Adolf Meyer, 1929, 88-93; — Verzeichnis der Drucke von J., in: Hans Kangro, J.'s Experimente und Gedanken zur Begründung der Chemie als Wissenschaft, 1968, 350-394; — Bibliographie, in: Disputationes Hamburgenses, hrsg. v.Clemens Müller-Glauser, 1988; — Martin Fogel (Vogelius), Memoriae J., 1657; — ders., Historia vitae et mortis J., 1658; — Nicolaus Wilckens, Hamburgischer Ehren-Tempel ..., 1770, 480-487; — Johann Wolfgang Goethe, Leben und Verdienste des Doctor J., Rektors zu Hamburg (Fragmente), zwischen 1828 und 1831 in Goethes Werke, Weimarer Ausgabe II Bd. 7, 1892, 105-129; — Ernst Philipp Ludwig Calmberg, Geschichte des Johanneums zu Hamburg, 1829, 101-149; — Gottschalk Eduard Guhrauer, De J. commentatio historicoliteraria, ohne Jahr (1846); — ders., J. und sein Zeitalter. Nebst Goethes's Fragmenten über J., 1850; — Robert Christian Benedict Avé-Lallemant, Des Dr. J.'s Briefwechsel, 1863; — ders., Das Leben des Dr. med. J. aus Lübeck 1587-1657, 1882; — Das Testament des Dr. J., seine Verwaltung ..., hrsg.v.Konrad Friedlaender, 1887; — Emil Wohlwill, J. und die Erneuerung atomistischer Lehren im 17.Jh., in: Festschr.zur Feier des 50-jährigen Bestehens des Naturwissenschaftlichen Vereins in Hamburg, 1887, 3-66; — ders., J., Festrede zur Feier seines 300. Geburtstages ..., 1888; — Hans Schimank, Zur Geschichte der exakten Naturwissenschaften in Hamburg, 1928, 34-50; — Edmund Kelter, Hamburg und sein Johanneum im Wandel der Jhh. 1529-1929, 1928, 36-47; — Julius Schuster, J.'s Stellung in der Gesch. der biologischen Theorien, in: FF 4/32, 1928, 333-335; — Beiträge zur J.-Forschung. Festschrift der Hamburgischen Universität, hrsg.v.Adolf Meyer, 1929; — Neue Beiträge zur J.-Forschung, in: Archiv für Geschichte der Medizin 29, Heft 6, 1937; — Adolf Meyer-Abich, J. und sein Werk, in: G.W. Leibniz, Vorträge der ... in Hamburg abgehaltenen wissenschaftlichen Tagung, 1946, 79-96; — J.H.S. Green, J. (1587-1659), in: Nature 180, 1957, 570-571; — Die Entfaltung der Wissenschaft. Zum Gedenken an J. (1587-1657), 1958; — E.J. Ashworth, J. (1587-1657) and the Logic of Relations, in AGPh 49, 1967, 72-85; — Hans Kangro, J.'s Experimente und Gedanken zur Begründung der Chemie als Wissenschaft, 1968; — ders., Heuretica (Erfindungskunst) und Begriffskalkül ..., in: Sudhoffs Archiv 52, 1968, 48-66; — ders., J. und G.W.Leibniz, in: Studia Leibnitiana 1, 1969, 175-207; — ders., Die Unabhängigkeit eines Beweises: John Pells Beziehung zu J. und J.A.Tassius ..., in: Janus 56, 1969; — ders., Organon J. ad demonstrationem Copernici hypotheseos Keppleri conclusionibus suppositae, in: Organon 9, 1972; — Heinrich Barnstorf, J., Helmstedter Professor und Wegbereiter einer neuen Zeit, in: Braunschweigisches Jahrbuch 50, 1969, 33-71; — J. und Moritz Schlick. Beiträge von der Tagung des Arbeitskreises 'Philosophie und Naturwissenschaft' der Universität Rostock am 3.und 4.Juli 1969, hrsg.v.Heinrich Vogel, 2 Teile 1970; — Hans Burkhardt, J. Arzt und Polyhistor in Hamburg, in: Materia Medica Nordmark, 1972, 344-349; — Karl Meyer, Optische Lehre und Forschung im frühen 17. Jh., dargestellt vornehmlich an den Arbeiten des J. (Diss. Hamburg), 1974; — Francesco Trevisani, Geometria e Logica nel Metodo di J., in: Rivista Critica di Storia della Filosofia 2, 1978, 171-208; — Franz Schupp, Theoria-Praxis-Poiesis. Zur systematischen Ortsbestimmung der Logik bei J. und Leibniz, in: Zum Verhältnis von Theorie und Praxis im 17. und 18. Jh. Akten des III. Int. Leibnizkongresses Hannover 1977, 1980, 1-11; — Christoph Meinel, Der Begriff des chemischen Elementes bei Joachim Jungius, in: Sudhoffs Archiv 66/4, 1982, 313-338; — ders., In physicis futurum saeculum respicio. J. und die naturwissenschaftliche Revolution des 17.Jh.'s, 1984; — Adolf Lumpe, Die Elementenlehre in der Naturphilosophie des J., 1984; — Bernd Elsner, »Apollonius Saxonius«. Die Restitution eines verlorenen Werkes des Apollonius von Perga durch J., Woldeck Weland und Johannes Müller, 1988; — Praktische Logik. Traditionen und Tendenzen. 350

Jahre J.'s 'Logica Hamburgensis', hrsg.v.Peter Klein, 1990; — Arnold Christian Beuthner, Hamburgisches Staats- und Gelehrtenlexicon, 1739, 173-175; — Johann Moller, Cimbria literata I 289, III 342-353, 1744; — Jöcher II, 2020-2021; — Johann Otto Thiess, Versuch einer Gelehrtengeschichte von Hamburg I, 1780, 339; — Hans Schröder u.a., Lexikon der hamburgischen Schriftsteller bis zur Ggw. 3, 1857, 518-524; — ADB 14, 721-726; — NDB 10, 686-689; — RGG³ III, 1069-1070.

Udo Krolzik

JUNG-STILLING, Johann Heinrich siehe JUNG, Johann Heinrich

JUNGMANN, Bernhard, katholischer Dogmatiker, Kirchenhistoriker, * 1.3. 1833 in Münster, Bruder des Katechetikers und Homiletikers Joseph J. SJ., † 12.1. 1895 in Löwen. — J. studierte an der Gregoriana in Rom, dozierte 1861-1865 am kleinen Seminar in Roulers, wurde 1865 Professor der dogmatischen Theologie am Priesterseminar in Brügge, 1871 für Kirchengeschichte, 1879 auch für Patrologie an der Katholischen Universität Löwen. Seiner Initiative verdankt sich die Errichtung des Lehrstuhls für Patrologie und das Kirchenhistorische Seminar in Löwen. Seine weitverbreiteten dogmatischen Traktate folgen dem durch die römischen Lehrer beeinflußten Stil, die gelehrten historischen Dissertationen sind apologetisch ausgerichtet.

Werke: Theses ex philosophia religionis, quas in Romano Collegio Societatis Jesu propugnabit, 1854; Demonstratio christiana I. Demonstrationis christianae praeambula philosophica, 1864, 1867²; Tractatus de gratia, 1868, 1896⁶; Tractatus de Deo uno et trino, 1870, 1899⁵; Tractatus de novissimis, 1871, 1898⁴; Tractatus de Deo creatore, 1871, 1900⁵; Tractatus de Verbo incarnato, 1872, 1897⁵; Brevis analysis tractatus de Deo uno et trino, 1873; Tractatus de vera religione, 1874, 1895⁵; Dissertationes selectae in historiam ecclesiasticam, 7 Bde., 1880-1887; Josephi Fessler, Institutiones patrologiae, quas denuo recensuit, auxit, edidit, 1890-1896. — B.-J.-Bibliogr.: Bibliogr. académique de l'Univ. de Louvain, 1834-1900, 1900, 63-65.

Lit.: J. B. Abbeloos, Discours funèbre, in: Annuaire de l'Univ. de Louvain, 1896, III-XX; — A. Dupont, Éloge académique, in: ebd. XXI-XLI; — A. De Meyer, L'histoire ecclésiastique, in: EThLov 9, 1932, 677-687; — ADB L, 722 f.; — CathEnc VIII, 566; — LThK ¹V, 722; — Kosch, KD 1949; — EC VII, 574; — Catholicisme VI, 1260; — New Catholic Encyclopedia VIII, 58.

Erich Naab

JUNGMANN, Josef Andreas, katholischer Liturgiewissenschaftler und Katechiker, * 16.11. 1889 in Taufers (Südtirol), † 26.1. 1975 in Innsbruck. — J. studierte in Brixen, in Innsbruck, München und Wien; 1913 Priesterweihe; 1917 Eintritt in die Gesellschaft Jesu. J. dozierte seit 1925 in Innsbruck Pädagogik, Katechetik und Liturgik (1930 a. o.; 1934 o. Professor; 1956 Versetzung in den Ruhestand, danach nur noch liturgiewissenschaftliche Vorlesungen); 1926-1963 (mit Unterbrechungen) Schriftleiter der ZKTh; seit 1940 in der Deutschen, seit 1945 in der Österreichischen Liturgischen Kommission; Mitglied der Vorbereitungskommission und Peritus der Liturgischen Kommission des Vaticanum II. Seine christozentrisch orientierten Arbeiten förderten, wenngleich sein »Die Frohbotschaft und unsere Glaubensverkündigung« 1936 vom Buchmarkt zurückgezogen werden mußte, die Theorie der Katechetik, insbesondere die material-kerygmatische Reformbewegung. Sich immer stärker liturgischen Fragen zuwendend, faßte er mit seiner genetischen Erklärung der Meßfeier »Missarum Sollemnia« die vorhandenen Forschungen zusammen und rechtfertigte glänzend die Sicht der Kirche als Gemeinschaft der Gläubigen in Christus und entsprechend auch die aktive Teilnahme des Volkes. Zusammen mit anderen die Liturgik aus rubrizistischer Verengung herausführend, ist J. einer der großen unmittelbaren Wegbereiter der Liturgiekonstitution des Vaticanum II.

Werke: Die Stellung Christi im liturg. Gebet, 1925, 1962²; Die lat. Bußriten in ihrer geschichtl. Entwicklung, 1932; Die Frohbotschaft und unsere Glaubensverkündigung, 1936; Christus als Mittelpunkt religiöser Erziehung, 1939; Die liturg. Feier. Grundsätzliches und Geschichtliches über Formgesetze der Liturgie, 1939, 1961³; Gewordene Liturgie. Studien und Durchblicke, 1941; Die Eucharistie, 1947; Missarum Sollemnia. Eine genetische Erklärung der röm. Messe, 2 Bde., 1948, 1962⁵; Katechetik. Aufgabe und Methode der religiösen Unterweisung, 1953, 1965³; Das Eucharistische Hochgebet. Grundgedanken des Canon Missae, 1954; Vom Sinn der Messe als Opfer der Gemeinschaft, 1954; Der Gottesdienst der Kirche auf dem Hintergrund seiner Geschichte kurz erl., 1955, 1962³; The Early Liturgy to the Time of Gregory the Great, 1959, dt.: Liturgie der christl. Frühzeit bis auf Gregor den Großen, 1967; Sonntag und Sonntagsmesse. Sinn der Sonntagsfeier, 1959, 1966³; Symbolik der kath. Kirche (mit Anhang v. Ekkart Sauser), 1960; Liturg. Erbe und pastorale Ggw. Studien und Vorträge, 1960; Liturg. Erneuerung. Rückblick und Ausblick, 1962; Glaubensverkündigung im Lichte der Frohbotschaft, 1963;

Wortgottesdienst im Lichte von Theol. und Gesch., 1965; Einleitung und Kommentar zur Konstitution über die heilige Liturgie, in: LThKVat I, 10-109; Christl. Beten im Wandel und Bestand, 1969; Erneuerte Meßliturgie. Gedanken und Hinweise zum Verständnis der Liturgiereform, 1969; Messe im Gottesvolk. Ein nachkonziliarer Durchblick durch Missarum Sollemnia, 1970. — J. A. J.-Bibliogr., in: Balthasar Fischer - Hans Bernhard Meyer (Hrsg.), J. A. J. Ein Leben für Liturgie und Kerygma, 1975, 156-207.

Lit.: Franz Xaver Arnold/Balthasar Fischer (Hrsg.), Die Messe in der Glaubensverkündigung. Kerygmat. Fragen, 1950, 1953²; — Josef Hemlein, Gedanken zu der neuen »Katechetik« von J. A. J. SJ, in: Anz. für die kath. Geistlichkeit 62, 1953, 169 f., 172; — Johannes Hofinger, Katechet. und liturg. Bewegung, in: KatBl 80, 1955, 309-314, 405-411; — Balthasar Fischer/Johannes Wagner (Hrsg.), Paschatis Sollemnia. Studien zur Osterfeier und Osterfrömmigkeit, 1959; — Walter Croce, J. A. J. SJ, in: LJ 10, 1960, 1-3; — Virgil Fiala, Missarum Sollemnia und Paschatis Sollemnia, in: Erbe und Auftrag 36, 1960, 270-274; — Johannes Hofinger/Paul Brunner/Domenico Grasso/Gerard Sloyan, in: J. A. J., The Good News yesterday and today, 1962; — ZKTh 91, 1969, H. 3, 249-515, — Balthasar Fischer/Hans Bernhard Meyer (Hrsg.), J. A. J. Ein Leben für Liturgie und Kerygma, 1975; — Balthasar Fischer, J.A. J. †, in: Gottesdienst 9, 1975, 25 f.; — Norbert Höslinger, Wegbereiter der neuen Liturgie, in: Bibel und Liturgie 48, 1975, 32-36; — Hans Bernhard Meyer, Ein Leben für die Kirche, in: LJ 25, 1975, 68-71; — Ders., P. J. A. J. SJ †, in: ZKTh 97, 1975, 220-222; — Ders., Das theol. Profil von J.A.J., in: LJ 39, 1989, 195-205; — E. Moeller, In Memoriam, in: Questiones liturgiques 56, 1975, 138 f.; — Romuald Rak, J. A. J. SJ, in: Collectanea theologica, Warszawa 46, 1976, 89-91; — Theodor Maas-Ewerd, Die Krise der liturg. Bewegung in Deutschland und Österreich. Zu den Auseinandersetzungen um die »liturg. Frage« in den Jahren 1939-1944, 1981, 331-335, 338-351, 609-616; — M. Pranjić, Christus als Mittelpunkt der Glaubensverkündigung nach J.A.J., Zagreb 1983; — Herlinde Pissarek-Hudelist, J. A. J. (1889-1975), in: KatBl 112, 1987, 345-351; — ZKTh 111, 1989, H. 3, 257-359; — Catholicisme VI, 1261; — RGG III, 1070; — TRE 17, 465ff..

Erich Naab

JUNGNITZ, Joseph, schlesischer Kirchenhistoriker, Direktor von Diözesanarchiv, Diözesanmuseum und Dombibliothek Breslau, * 17.5. 1844 in Niedermois/Kr. Neumarkt in Schlesien, † 21.1. 1918 in Breslau. — J., Sohn eines Sattlers, empfahl sich als begabter Schüler für das St. Matthias-Gymnasium in Breslau. 1863 nahm er das Studium an der Kath.-Theol. Fakultät der Universität Breslau auf. Am 27.6. 1867 wurde er von Fürstbischof Heinrich Förster zum Priester geweiht. Während seiner durch den Kulturkampf mitgeprägten siebzehnjährigen Kaplans-

zeit in Guhrau verfaßte er erste theologische und historische Schriften. 1883-1886 wirkte er als Regens im Waisenhaus zur Mater dolorosa, 1886-1895 als Subregens des Fürstbischöflichen Priesterseminars in Breslau. Gleichzeitig nahm er weitere seelsorgerische Aufgaben wahr. 1891 promovierte ihn die Kath.-Theol. Fakultät der Universität Breslau in Anerkennung seiner bisherigen Veröffentlichungen zum Doktor. Darauf folgten die wissenschaftlich fruchtbarsten Jahre von J., der nicht nur über historisch-theologische Fachkenntnisse, sondern auch über Kunstverständnis verfügte. Schwerpunktmäßig befaßte er sich mit der schlesischen Kirchengeschichte, zu deren Erhellung er durch zahlreiche auf gründlichen Quellenstudien beruhende Untersuchungen beitrug. Überdies gelang es ihm, das persönliche Wohlwollen und Vertrauen des Breslauer Oberhirten, Georg Kardinal Kopp (s.d.), zu gewinnen, welcher ihm am 1.10. 1895 die Leitung des neu errichteten Diözesanarchivs und Diözesanmuseums sowie der Dombibliothek übertrug. Am Auf- und Ausbau dieser Institutionen hatte J. maßgeblichen Anteil. Seine Sachkompetenz wurde nicht nur von den Kollegen des Breslauer Stadt- und Staatsarchivs geschätzt, sondern auch vom Verein für Geschichte Schlesiens, dessen Vorstand er angehörte, sowie von der Görres-Gesellschaft und dem Gesamtverband deutscher Geschichts- und Altertumsvereine. Dieser Vereinsarbeit widmete sich J. mit großem Engagement. Seine Verdienste um die schlesische Kirchengeschichte würdigten die Kath.-Theol. Fakultät durch die Ernennung zum ordentlichen Honorarprofessor (1908) und die Philos. Fakultät der Universität Breslau durch die Verleihung des Doktorgrades honoris causa (1911); der Verein für Geschichte der bildenden Künste nahm J. als Ehrenmitglied auf (1917). Auch J.s unermüdliche seelsorgerische Tätigkeit fand Anerkennung; im Jahre 1911 ernannte Kardinal Kopp den Geistlichen Rat zum Ehrendomherrn des Breslauer Domkapitels. Zeitgenossen charakterisieren J. als bescheiden, äußerst hilfsbereit und versöhnlich, weshalb er sich allgemeiner Beliebtheit erfreute. — Das bleibende Verdienst J.s besteht in der Organisation des Breslauer Diözesanarchivs und in seinen grundlegenden Forschungen zur schlesischen Kirchengeschichte.

Werke (in Auswahl): St. Hedwigsbüchlein, 1874 (u.d. T. Wallfahrtsbüchlein für fromme Verehrer der hl. Hedwig, 1912[4]); St. Johann v. Nepomuk, bitte für uns! Andachtsübungen zu Ehren des hl. Johannes v. Nepomuk. Nebst einer kurzen Lebensgeschichte des Heiligen, 1874; Das Loos der Kinder im Heidenthume und im Christenthume, und der Verein der hl. Kindheit Jesu, in: Kath. Familienbll. 2, 1879, 147-150, 164-166, 180-183, 198 f.; Über die Ortsnamen Uyazd, in: Zschr. d. Ver. f. Gesch. u. Alterthum Schlesiens 14/2, 1879, 570 f.; Kleine Kirchengeschichte für katholische Schulen, 1880 (1916[10]); Legende der Heiligen für Schule u. Haus, 1881 (1910[12]); Kloster Leubus im ersten schlesischen Kriege. Nach den Aufzeichnungen des P. Stephanus Volckmann mitgeteilt, in: Zschr. d. Ver. f. Gesch. u. Alterthum Schlesiens 15/2, 1881, 445-479; Rudolf v. Rüdesheim, Fürstbisch. v. Breslau, in: Schles. Kirchenbl. 47, 1881, 177f., 185 f., 194 f., 201 f., 211 f.; Geschichte der Dörfer Ober- und Nieder-Mois in Neumarkter Kreise, 1885; Die hl. Hedwig. Ein Heiligenbild für das christliche Volk, 1886; Die Urkunden im Thurmknopf der Kreuzkirche zu Breslau, in: Zschr. d. Ver. f. Gesch. u. Alterthum Schlesiens 21, 1887, 369-378; Johannes Heyne. Ein Beitrag zur Historiographie des Bisthums Breslau, 1890 (= Sonderdr. aus Schles. Pastoralbl. 11, 1890); Sebastian v. Rostock, Bisch. v. Breslau, 1891; Die Prälaten des Breslauer Domstifts seit der Mitte des 17. Jh.s, in: Zschr. d. Ver. f. Gesch. u. Alterthum Schlesiens 25, 1891, 282-286; Archidiakonus Petrus Gebauer. Ein Zeit- und Lebensbild aus der schles. Kirchengesch. des 17. Jh.s, 1892; Die Breslauer Ritualien, 1892 (= Sonderdr. aus Schles. Pastoralbl. 13, 1892); Die Kongregation der grauen Schwestern von der hl. Elisabeth. Festschr. z. fünfzigjährigen Bestehen der Kongreg., 1892; Das Breslauer Brevier u. Proprium, 1893; Die Grabstätten der Breslauer Bischöfe, 1895; Die Festlegung der kath. Pfarrsprengel Breslaus, 1895 (= Sonderdr. aus Zschr. d. Ver. f. Gesch. u. Alterthum Schlesiens 30, 1896); Martin v. Gerstmann, Bisch. v. Breslau. Ein Zeit- u. Lebensbild aus der schles. Kirchengesch. des 16. Jh.s, 1898; August Meer. Ein Lebensbild, 1898; Geschichte der Dombibliothek in Breslau, in: Silesiaca. Festschr. d. Ver. f. Gesch. u. Alterthum Schlesiens z. siebzigsten Geburtstage seines Präses Colmar Grünhagen, 1898, 187-206; Beiträge zur mittelalterlichen Statistik des Bistums Breslau, in: Zschr. d. Ver. f. Gesch. u. Alterthum Schlesiens 33, 1899, 385-402; Die Sanctio pragmatica des Bischofs Franz Ludwig, 1900 (=Sonderdr. aus Schles. Pastoralbl. 20, 1899); Visitationsberichte der Diözese Breslau, 4 Bde., 1902-1908; Beziehungen des Kardinals Melchior v. Diepenbrock zu König Friedrich Wilhelm IV., 1903; Karl Otto. Ein Lebensbild, 1904 (=Sonderdr. aus Schles. Pastoralbl. 24, 1903); Das Breslauer Diözesanarchiv, 1904 (=Sonderdr. aus Zschr. d. Ver. f. Gesch. u. Alterthum Schlesiens 39, 1905); Die Breslauer Germaniker, 1906; Das St. Joseph-Stift in Breslau. Festschr. z. Feier seines 50jährigen Bestehens, 1907; Prälat Ferdinand Speil. Eine Lebensskizze, 1907 (=Sonderdr. aus Schles. Volksztg. 1907, Nr. 26-28 d. Sonntags-Unterhaltungsbeil.); Die Grenzen des Breslauer Bistums, in: Studien z. schles. Kirchengesch. Sr. Eminenz d. hochw. Fürstbisch. v. Breslau Herrn Georg Kard. Kopp ehrbietigst gewidmet v. Ver. f. Gesch. Schlesiens, 1907, 1-18; erg. in: Zschr. d. Ver. f. Gesch. u. Alterthum Schlesiens 42, 1908, 284-288; Die Breslauer Domkirche. Ihre Geschichte u. Beschreibung, 1908; Anton Lothar Graf v. Hatzfeldt-Gleichen, Kanonikus, Offizial u.

Generalvikar v. Breslau, 1908; Professor Anton Lorenz Jungnitz, in: Zschr. d. Ver. f. Gesch. u. Alterthum Schlesiens 45, 1911, 159-200; Oberschlesische Bischöfe, in: Oberschles. Heimat 7, 1911, 90-92, 129-132, 168-173; Joseph Sauer. Ein Lebensbild aus der Breslauer Diözesangesch. d. 19. Jh.s, 1913; Die Breslauer Weihbischöfe, 1914; Kardinal Georg Kopp, Fürstbisch. v. Breslau, als Förderer der Wissenschaft, in: Zschr. d. Ver. f. Gesch. Schlesiens 50, 1916, 309-326; Prälat Adolf Franz. Ein Lebensbild, 1917 (= Sonderdr. aus Schles. Pastoralbl. 38, 1917); Der Breslauer Kanonikus Johann Cochlaeus u. seine Grabstätte, in: Schles. Volksztg. v. 30.9. 1917, Sonntagsbeil.; Autobiographisches, in: Heiliges Wissen. Heimatgrüße d. Kath.-Theol. Fakultät d. Schles. Friedrich-Wilhelms-Univ. an ihre Studenten im Felde, 1918, 41-46; vollst. Verz. d. Schrr. v. J. in: Zschr. d. Ver. f. Gesch. Schlesiens 52, 1918, 198-208 (bearb. v. Paul Bretschneider).

Lit.: J. J. †. Ein Nachruf. Mit Beiträgen v. Arthur König (Sein Lebensbild), Paul Bretschneider (J. J. als Lehrer; Verz. d. Schrr.), Heinrich Wendt/Ernst Maetschke (J. J. als Vereins- und Vorstandsmitglied), in: Zschr. d. Ver. f. Gesch. Schlesiens 52, 1918, 171-208; — Franz Xaver Seppelt, J. J.†, in: HJ 39, 1918/19, 421 f.; — Kosch, KD II, 1950; — LThK V, 1219.

Barbara Wolf-Dahm

JUNKER, Paul Gustav * 29.5. 1854 in Rheinböllen, † 17.11. 1919 in Frankfurt/Main, methodistischer Theologe. Bevor P.G.J. 1873 in Bad Kreuznach das Abitur machte, war seine Mutter mit der Methodistenkirche in Beziehung getreten. Er selbst wurde nach seiner theologischen Ausbildung im Predigerseminar der Methodistenkirche (Frankfurt/M) zunächst Gemeindeprediger in La Chaux-de-Fonds, Lenzburg und Winterthur in der Schweiz, danach in Bremen, Flensburg und Karlsruhe. 1884 berief ihn die Kirche zum Redakteur für die kirchlichen Zeitschriften ins Verlagshaus nach Bremen. Ab 1895 war er Direktor des Predigerseminars in Frankfurt/M. Im Zuge der Ausweitung war er für den Neubau 1913/14 (Ginnheim) verantwortlich. — P.G.J. wußte sich dem theologischen Erbe des Methodismus als Prediger, Lehrer und Redakteur verpflichtet. Darüberhinaus engagierte er sich für die Mutterhaus-Diakonie und die Blau-Kreuz Arbeit (Anti-Alkoholbewegung). Für die Einheit der Glaubenden trat er in der Evangelischen Allianz ein.

Werke: Aus dem Lande der Berge, o.J.(1889?); Der Glaube im Leben der Väter, o.J.; Handbuch für die Internationale Lehrer-Bibel, hrg. von der Britischen und Ausländischen

Bibelgesellschaft, bearbeitet von P.G.J., 1893/94; Paulus, der Apostel Jesu Christi, 1902; Wer war Dr. Martin Luther?, o.J.; Der Klaßführer als Seelsorger, 1903; Die Aufgabe des Methodismus in Deutschland, Vortrag zum 25. Regierungsjubiläums Kaiser Wilhelms II, 1913; Martins-Missions-Anstalt, Predigerseminar der Bischöflichen Methodistenkirche, Festgabe zur Einweihung des neuen Seminargebäudes, 1914; Deutschlands Freiheitskampf,Der Weltkrieg von 1914/1915, 1915; Kraft und Friede, ein Kriegspredigt (Ps.29,11),o.J.;- Was mir am Methodismus besonders wertvoll erscheint, o.J., 1948[2]. — Aufs.: Staatskirche oder Freikirche, in: Der Evangelist 1913, S.351f, 363f; — Herausgeber: J. Wesley, Der Charakter eines Methodisten o.J.; Der Evangelist, Sonntagsblatt der Methodistenkirche, 1885-1894; Der Kinderfreund, 1885-1895; Der Bannerträger (für Jünglingsvereine) 1884-1897; Der Missionssammler 1885-1981).

Lit.: Johann Paul Grünewald, Gustav Paul Junker o.J.; — W.Klaiber/M.Weyer, 125 Jahre Theologisches Seminar, 1983.

Karl Heinz Voigt

JUNKHEIM, Johann Zacharias Leonhard, Generalsuperintendent und Liederdichter, * 8.9. 1729 als Sohn des Mundschenken und Kammerdieners Johannes J. in Ansbach, † 17.8. 1790 ebd. — Nach dem Schulbesuch in seiner Vaterstadt studierte J. in Göttingen anfänglich Jura dann Theologie, besonders bei dem Kirchenhistoriker J. L. von Mosheim und dem Philologen J. M. Gesner. Nach kurzer Tätigkeit als Hofmeister wurde er 1755 Vikar an der Stadtkirche in Ansbach, 1757 Konrektor des dortigen Gymnasiums, 1760 Rektor ebd., 1764 Pastor zu Unterschwaningen (Witwensitz des Ansbacher Fürstenhauses), 1775 Oberhofprediger und Konsistorialrat in Ansbach, 1775 Generalsuperintendent für die Markgrafschaft Brandenburg-Ansbach. — 1751 Mag. theol. (Göttingen), 1775 D.theol. (Erlangen). — J. ist Repräsentant einer milden Aufklärung, die ein »vernünftiges Christentum« propagierte. Unter Betonung neuhumanistischer Ideale reformierte er die Gymnasialverfassung in Ansbach und unterstützte Reformen an der Universität Erlangen. Auf seine Initiative hin wurde dort ein philologisches Seminar errichtet, um das Studium der antiken Autoren zu intensivieren, als Mitglied der Universitätsdeputation förderte er die Reform des Theologiestudiums in Erlangen, die durch stärkere Hinwendung zur Exegese und den Hilfswissen-

schaften gekennzeichnet war. An der ökonomisch und landwirtschaftlich ausgerichteten Volksaufklärung uninteressiert, intensivierte er durch Lesegesellschaften und Pfarrsynoden die Fortbildung der Pastoren und suchte durch Planung eines Schullehrerseminars die allgemeine Schulbildung zu verbessern (nach seinem Tod verwirklicht). Als »sehr gemeinnützige und segensvolle Arbeit« (Vorrede) gab er 1781 zusammen mit J. P. Uz ein aufklärerisches Gesangbuch heraus, dessen Editionsprinzipien für viele andere Gesangbücher der Zeit vorbildlich waren. Als Dichter stand er unter dem Einfluß der durch seinen Freund J. P. Uz vermittelten Anakreontik, die Gesangbuchsammlungen des 19. Jahrhunderts enthielten noch einige seiner Kirchenlieder.

Werke: Dissertatio inauguralis de vi argumenti pro veritate religionis Christianae a constantia martyrum, Göttingen 1751; Hg. von: Der Freund. Eine Wochenschrift, 3 Bde., Ansbach-Göttingen 1754-1756; Programma de fiducia futuris praeceptoribus necessaria, Ansbach 1761; Programma de incommodis, quae Lexica Germanico-Latina linguae Latinae cultoribus affere possunt, Ansbach 1762; Sammlung einiger Predigten, Ansbach 1762; De vita et scriptis Laurentii Laelii (vier Schulprogramme), Ansbach 1762-1764; Sollte es so gewis seyn, daß die Worte 1. Buch Mosis 2, 24 nicht Adams Worte, sondern eine Anmerkung Mosis sind, als es Herr D. Michaelis und Herr D. Ernesti neulich behauptet haben?, Erlangen 1792; Von dem Übernatürlichen in den Gnadenwürkungen, Erlangen 1775; Zwo Antrittspredigten, Ansbach 1776; Decas quaestionum synodalium ad articulum IX-XVIII Augustanae confessionis, Onolzbach 1776-1790 (jährliches Programm für die Pfarrsynoden); Gedächtnispredigt auf die ehemalige Hofdame Fräulein F. W. L. von Pöllnitz, Ansbach 1780; Leichenrede auf den seeligen Herrn Geheimen Rat und Konsistorialpräsidenten J. K. Schegk, Ansbach 1782; Die Werke des Horaz (zusammen mit G. L. Hirsch und J. P. Uz), 3 Bde. , Ansbach 1773-1775; 2. Aufl. 1785; Neues Anspachisches Gesangbuch, auf landesfürstlichen Befehl hrsg. (zusammen mit J. P. Uz); 2. Aufl. 1782.

Lit.: Georg Friedrich Seiler, J.s Charakter und Verdienste, Erlangen, o. J. (1790); — Friedrich Schlichtegroll, Nekrolog auf das Jahr 1790, Bd. 1, T. 2, Gotha 1791, 175-198; — Johann August Vocke, Geburts- und Todten-Almanach Ansbachischer Gelehrten, Schriftsteller und Künstler, T. 2, 1797, 161-163; — Johann Georg Meusel, Lexikon der vom Jahr 1750-1800 verstorbenen teutschen Schriftsteller, Bd. 6, Leipzig 1806, 350-352; — Clemens Alois Baader, Lexikon verstorbener baierischer Schriftsteller, T. 1, 1824, 262-264; — Erich Petzet, Johann Peter Uz. Zum hundertsten Todestage des Dichters, Ansbach 1896, 22 f.; — Hermann Schreibmüller, Das Ansbacher Gymnasium 1528-1928, Ansbach 1928, 49 f.;— D. Wölfel, Nürnberger Gesangbuchgeschichte. Die ev.-luth. Gesangbücher der freien Reichsstadt Nürnberg von 1524-1791. Mit einer Materialsammlung zur Gerer in Mer. 1674-1681 Professor der hebräischen Sprache in Sedan und Prediger daselbst; Freundschaft mit Bayle. In diese Zeit fallen die Streitschriften gegen Arnauld, Bossuet, Nicole u. a. 1681-1713 Professor und Pfarrer in Rotterdam. Nach der Aufhebung des Edikts von Nantes (Oktober 1685) setzte er sich karitativ und politisch für die hugenottischen Flüchtlinge beim Prinzen von Oranien u. a. gerade vor dem Ryswyker Frieden (1697) ein (vgl. Reflexions sur la cruelle persécution que souffre l'Église réformée en France (1685); Lettres pastorales adressés aux fidèles de France (1686-1689); anonym: Soupirs de la France esclave (1689)). Als reformierter Theologe suchte er die Gemeinsamkeiten mit dem Luthertum; andererseits stritt er nicht nur gegen den römischen Katholizismus, sondern auch gegen die Sozinianer, Arminianer und Pajonisten, und gegen die rigoristischen Vertreter der Prädestination. Auch apokalyptische Vorstellungen bewegten ihn. Sein theologisches Denken war vom Rationalismus mitgeprägt. Politisch vertrat er die Idee der Gewissensfreiheit, der Volkssouveränität und des Rechts auf Revolution gegen ein rechtsbrüchiges Königtum (Du Plessis-Mornays). Als J.s Hauptwerk hat die »Histoire critique des dogmes et des cultes« (1704) zu gelten.

Werke: RE ³IX, 639 f. (Lit.); Apologie pour la morale des Réformés, 1675; La politique du clergé de France, 1680; Réflexions sur la cruelle persécution que souffre l'Eglise réformée en France, 1685; Histoire du Calvinisme et du Papisme mises en parallèle, 1683; Lettres pastorales adressées en France, 1686-1689; Examen du livre de la réunion du Christianisme, 1671; Traité de la nature et de la grâce, 1688; Traité de la dévotion, 1674; L'accomplissement des prophéties ou la délivrance prochaine de l'Eglise, 1686; De pace inter Protestantes in eunda consultatio, 1688; Histoire critique des dogmes et des cultes, 1704.

Lit.: L. Crouslé, Bossuet et le protestantisme, Parigi 1901; — H. Damm, P. J. und seine Auseinandersetzung, Marburg 1937; — J. Dediau, Le rôle politique des protestants français, Parigi 1921; — C. H. Dodge, The Political Theory of the Huguenots of the Dispersion, New York 1947; — C. Kappler-Vielzeuf, Bibl.chronolog. des œuvres de J.: Bull de la Soc de l'hist du protestantisme français, 1935, 391-440; — R. Lureau, Les idées politiques de J., Bordeaux 1904; — C. E. Mégnin, Pierre Jurieu, Straßburg 1854; — P. J. Mirandolle. De twisten in de waalsche Kerk, Nederlandsch Archief vor Kerkgeschiedenis NF 7, 1910, 303 ff.; — C. van Oordt, P. Jurieu, historien et apologète de la Reformation, Genf 1879; — A. Rébelliau, Bossuet historien du protestantisme, Parigi 1891; — R. Struman, La perpétuité de la foi dans la controverse Bossuet - Jurieu (1686-1691); — Rev. d'hist. ecclés.

37, 1941, 145-189; — H. E. Weber, Reformation, Orthodoxie und Rationalismus II, 1951, 153 ff.; — Chr. Weiß, Histoire des réfugies protestantes de France, 2 Bde., Paris 1853; — EncCat VII, 625 f.; — DThC VIII, 1996 ff.; — NCathEnc VIII, 60; — RE ³IX, 637 ff. (Lit.); — RGG ²III, 572 f.; — RGG ³III, 1171 f.

Michael Plathow

JUSTINA (gestorben wahrscheinlich 388), Tochter eines hohen Reichsbeamten aus dem Senatorenstand; sehr jung in erster Ehe mit dem Usurpartor Magnentius, in zweiter (seit 370) mit Kaiser Valentinian I. verheiratet, Stiefmutter Kaiser Gratians, Mutter Kaiser Valentinians II. (375-392) und der Galla, die Kaiser Theodosius I. heiratete (387). — J. galt als Schönheit (Valentinian I. habe sich ihretwegen scheiden lassen). Sie lebte längere Zeit in Sirmium, hielt sich aber bis zum Tode Gratians (383) politisch zurück. Danach hat sie in Mailand ihren Einfluß vor allem kirchenpolitisch geltend gemacht, indem sie die Arianer (eine im Sinne der katholischen Kirche haeretische Gruppierung) massiv unterstützte und gegen den heftigen Widerstand des Bischofs Ambrosius die Gleichberechtigung der verschiedenen christlichen Bekenntnisse durchzusetzten versuchte, obwohl im Westen des Römischen Reiches das Nicaenum allgemein anerkannt war. Sie blieb erfolglos (Mailänder Kirchenstreit 385/6). 387 floh sie mit ihrem Sohn vor dem Usurpator Maximus nach Thessaloniki, wo sie Theodosius bewog, Maximus den Krieg zu erklären und Valentinian II. in seine Herrschaft zurückzuführen.

Lit.: A. H. M. Jones u.a.: The Prosopographie of the Later Roman Empire I., Cambridge 1971; — Hans v. Camphausen: Ambrosius von Mailand als Kirchenpolitiker, Berlin/Leipzig 1929; — Homes Dudden: The Life and Times of St. Ambrose, Oxford 1935; — Michael Meslin: Les ariens d'occident (335-430), Paris 1967; — Gunther Gottlieb: Der Mailänder Kirchenstreit von 385/6 (Mus. Helv. 42 [1985], 37-55); — RE X 2, Sp. 1337 f.; — Der kleine Pauly III, Sp 19.

Gunther Gottlieb

JUSTINUS, der Märtyrer, christlicher Philosoph, Apologet und Lehrer, * in Flavia Neapolis in Palästina, sein Vater hieß Priskus, Sohn des Bacchius, † zwischen 163 und 167 in Rom als

Märtyrer. — J. hatte sich bereits in jungen Jahren umfassend philosophisch gebildet. Seinen eigenen Angaben zufolge war er nacheinander Schüler von Lehrern der stoischen, der peripatetischen und der pythagoreischen Philosophie geworden. Da sie ihn alle mehr oder weniger unbefriedigt ließen, kam er durch eine Art Bekehrungserlebnis zum Christentum. Dieses erwies sich ihm als die einzig wahre Philosophie, als der Zugang zu Gott. Aber auch als Christ teilte er größtenteils weiter die Auffassungen der platonischen Philosophie. Nach seiner Bekehrung wurde J. als Missionar tätig. Er trat als Wanderprediger im Pallium (Philosophenmantel) auf. Es steht zu vermuten, daß es dabei zu zahlreichen Disputationen kam, die die Grundlage für den »Dialog mit dem Juden Tryphon« bildeten. Die Tradition J. habe den »Dialog« tatsächlich in Ephesus geführt und dort habe auch seine Bekehrung stattgefunden, läßt sich historisch nicht verifizieren. J. fand aller Wahrscheinlichkeit nach in seiner Heimatstadt zum Christentum und er verließ sie vermutlich erst, als es zu Ausschreitungen Bar Kochbas und seiner Anhänger gegen die Christen kam, also um 135. Aus den Märtyrerakten Justins geht hervor, daß J. unter dem Stadtpräfekten Quintus Junius Rusticus, der unter Marc Aurel von 163-168 im Amt war, das Martyrium erlitt, zusammen mit sechs seiner Schüler. J. war demnach in Rom als Lehrer und/oder Leiter einer Schule tätig. Da derartige Schulen unabhängig von der römischen Kirchenleitung und Gemeinde existierten, berichtet er nichts über die römische Kirche und ihre Mitglieder. Ein Schüler J.s, Tatian, nennt den kynischen Philosophen Crescens, der versucht habe J. und ihn zu Tode zu bringen. Ein direkter Zusammenhang zu J.s Verurteilung und Hinrichtung läßt sich aber nicht herstellen. Neben dem Dialog ist von J. noch eine Apologie an den Kaiser Antoninus Pius (138-1761), seine Söhne und den römischen Senat erhalten und eine zweite kürzere Apologie, vermutlich ein aktueller Anhang zur ersten, ebenfalls an Pius (?) gerichtet. J. schrieb zu einer Zeit in der die christlichen Gemeinden in verschiedene Gruppen zu zerfallen drohten und in der ihnen Verfolgungen durch den römischen Staat drohten. — J. wollte einerseits Mißverständnisse - die er als Hauptursache der Verfolgungen ansah - bezüglich der Lehre und des Wesens des Christentums bei den Gebildeten seiner Zeit ausräumen. Andererseits war er ein Wegbereiter des Platonmismus im Christentum, indem er eine Logoslehre in Absetzung von judenchristlichem Adoptianismus und gnostischer Hypostasenlehre entwarf. Damit legte er einen Grundstein für die spätere großkirchliche Theologie. Eine Reich christlicher Schriftsteller nach ihm kannten und benutzten ihn vermutlich auch, so Tatian, Irenäus, Tertullian und Hippolyt. Dann geriet er zunehmend in den Hintergrund. Manche Schriften wurden ihm fälscherlicherweise zugeschrieben. In heutiger theologischer Forschung steht hauptsächlich die Frage nach J.s Kenntnis der christlichen Schriften und Traditionen im Vordergrund.

Werke: Corpus apologetarum saeculi II, hrsg. v. J. C. Th. Otto, Bd. 1, Tl. 1 u. 2, 1876-1879[3]; Die Apologien J.s des Märtyrers, hrsg. v. G. Krüger, SQST. 1 (1915[4]), Nachdr. 1968; E. J. Goodspeed, Die ältesten Apologeten (Texte mit kurzen Einl.), (1915) Nachdr. 1984; Dialogue with Trypho, Chapters 1-9, Introduction, Text, Commentary by J. M. C. van Winden (Philosophia Patrum I), 1971; Übers.: P. Häuser, Des hl. Philosophen u. Märtyrers J.s Dialog mit dem Juden Tryphon, 1917 (BKV 33); G. Rauschen, Frühchristl. Apologeten z. Märtyrerakten, Bd. 1, 1913 (BKV 12).

Lit.: M. v. Engelhardt, Das Christentum J.s des Märtyrers, 1878; — Th. Zahn, Stud. zu J.s Martyr, in: ZKG 8, 1985/86, 1-84; — Edgar Johnsohn Goodspeed, Index apologeticus sive Clavis Iustini martyris operum aliorumque apologetarum pristinorum, (1912) Nachdr. 1969; — K. Hubig, Die Apologien des Hl. J. des Philosophen u. Märtyrers, 1912; — Adolf v. Harnack, Juden u. Judenchristentum in J.s Dialog mit Trypho, in: TU 39, 1, 1913, 47-98; — E. R. Goodenough, The Theology of J.s Martyr, (1923) 1968; — B. Seeberg, Die Geschichtstheolog. J.s des Märtyrers, in: ZKG 58, 1939, 1-81; — W. Schmid, Die Textüberl. der Apologie des J., in: ZNW 40, 1941, 87 ff.; — Ders., Frühe Apologie u. Platonismus, in: FS f. Otto Regenbogen, 1952, 163 ff.; — P. R. Weis, Some Samaritanismus of J. Martyr, in: JThS 45, 1944, 199-205; — Carl Andresen, J. u. der mittlere Platonismus, in: ZNW 44, 1952/53, 157-195; — Ders., Logos u. Nomos, in: AKG 50, 1955, 239-307; — Ders., Die Kirchen der alten Christenheit, 1971, 75-79; — Hans v. Campenhausen, J., in: Die griech. Kirchenväter, (1955) 1982[5], 14-23; — Ragnar Holte, Logos Spermatikos. Christianity and Ancient Philosophy according to St. J.'s Apologies, in: StTh 12, 1958, 106-168; — T. G. Jalland, J. Martyr and the President of the Eucharist, in: Studia Patristica V, 1959, 83-85; — Walter Eltester, Ber. über eine neue Justin-Hs. auf dem Athos, in: Stud. z. NT u. z. Patristik, FS f. Erich Klostermann z. 90. Geb., 1961, 161-176; — Otto A. Piper, The nature of the Gospel according to J. Martyr, in: JR 41, 1961, 155-168; — N. Pycke, Connaissance rationelle et connaissance de grâce chez S. J., in: EThLov 37, 1961, 52-85; — Luigi Alfonsi,

William Horbury, The Benefiction of the Minim and Early Jewish-Christian Controversy, in: ebd., 19-61; — David F. Wright, Christian Faith in the Greek World. J. Martyr's Testimony, in: Evangelical Quarterly 54, 1982, 77-87; — Theofried Baumeister, »Analytos u. Meletos können mich zwar töten, schaden seine mir jedoch nicht.«, Platon, Apologie des Sokrates 30 c/d bei Plutarch, Ephiktet, J. Martyr u. Clemens Alxandrinus, in: Platonismus u.Christentum, FS f. Heinrich Dörrie, hrsg. v. Horst-Dieter Blume u. Friedhelm Mann, 1983, 58-63, — Gary A. Bisbee, The Acts of J. Martyr. A Formcritical Study, in: The Second Century 3, 1983, 129-158; — Derryl W. Palmer, Atheism, Apologetic and Negative Theology in the Greek Apologists of the Second Century, in: VigChr 37, 1983, 234-259; — C. P. Bammel, J. der Märtyrer, in: Gestalten der KG, Alte Kirche Bd. I, hrsg. v. M. Greschat, 1984; — José Morales, La investitatión sobre San J.o y sus ecritos, in: Scripta Theologica 16, 1984, 869-898; — Ders., Fe y demostració en el método teologico de San J.o, in: Scripta Theologica 17, 1985, 213-226, — E. Morgan-Wynne, The Holy Spirit and Christian Experience in J. Martyr, in: VigChr 38, 1984, 172-177; — Michael Root, Images of Liberation, J. Jesus and the Jews, in: The Thomist 48, 1984, 512-534; — Craig M. Watts, The Humanity of Jesus in J. Martyr's Soteriology, in: Evangelical Quarterly 56, 1984, 21-34, — Gary T. Burke, Celsus and J. Carl Andresen Revisted, in: ZNW 76, 1985, 107-116; — M. de Jonge, The Pre-Mosaic Servants of God in the Testaments of the Twelve Patriarchs and in the Writings of J. and Irenaeus, in: VigChr 39, 1985, 157-170; — Charles Munier, La stucture littéraire de l'Apologie de J., in: RevSR 60, 1986, 34-54; — RGG III, 1076; — LThK V, 1225 f.; — Catholicisme VI, 1325-1330; — DThC VIII, 2228-227; — DSp VIII, 1640-1647; — EBrit V, 663.

Bernd Wildermuth

JUSTINIANUS I., byzantinischer Kaiser, * 482 in Tauresium, † am 11.11.565 in Konstantinopel. — Während seiner Regierungszeit 527-565 versuchte er, das oströmische Reich politisch und ökonomisch zu stabilisieren und gleichzeitig das römische Weltreich in seinen früheren Grenzen wiederherzustellen. Er führte zahlreiche Kriege, u. a. vernichteten seine Feldherren Belisar und Narses das Vandalenreich in Nordafrika (533/534) und eroberten Italien von den Ostgoten (535-554). Seine wechselvollen Kämpfe mit den Persern führten erst 562 zu einem stabilen Friedensvertrag. Die Finanzierung der Kriege mittels Steuererhöhungen führte zu inneren Unruhen, der ganz Konstantinopel erfassende Nika-Aufstand (532) wurde auf J.s Befehl brutal niedergeschlagen. Andererseits war J. ein großer Förderer von Kunst und Kultur, unter seiner Herrschaft wurde die Hagia Sophia erbaut. Bis heute bedeutend ist die auf seine

Anordnung hin durchgeführte Sammlung und Kodifikation des römischen Rechtes (Corpus iuris civilis, 529 ff.). Als Förderer der orthodoxen christlichen Kirche schloß er die Athener Philosophenschule (Neuplatonismus) und bekämpfte die Monophysiten, obwohl seine Frau Theodora mit ihnen sympathisierte.

Werke: Corpus iuris civilis, hg. von Rudolf Düll, 1939; Drei dogmatische Schriften J.s, hg. von Eduard Schwarz, 1939 (1973[2]); Digesta Iustiniani I Augusti, hg. von Paul Krüger/Th. Mommsen, 1963; Imperatoris Iustiniani institutionem libri quattour, by J. B. Moyle, 1969; Theol. Schriften, in: Migne, Patrologiae graeca 86, I, 945 ff.

Lit.: Amilkas Alibizatos, Die kirchl. Gesetzgebung des Kaisers J. I., 1913 (Neue Studien zur Gesch. der Theol. und der Kirche, 17); — E. Grupe, Kaiser J., 1923 (mit Lit.verz.); — Wilhelm Schubart, J. und Theodora, 1943; — Charles Diehl, Justinien et la civilisation byzantine au 6e siècle, 2 Bde., 1959; — B. Rubin, Das Zeitalter J.s, 1960; — Milton Anastos, Iustinian's despotic control over the Church as illustrated by his edicts on the Theopaschite Formule and his letter to Pope John II, 1964; — Gian Gualberto Archi (Hg.), L'Imperatore Giustiniano, Storia e mito, 1978; — Robert Browning, J. und Theodora. Glanz und Größe des byzant. Kaiserpaares, 1981; — Wetzer und Welte's Kirchenlex. VI, 2051 ff.; — Realencykl. f. protestant. Theol. und Kirche IX, 650 ff.; — Dictionnaire de théologie catholique VIII, 2, 2277 ff.; — EncCath VI, 834 f.; — RGG III, 1076 ff.; — LThK V, 1227 ff.; — Catholicisme VI, 1335 ff.; — Der kleine Pauly III, 19 ff.; — Brockhaus-Enzykl. IX, 576 f.; — Meyers neues Lex. VII, 211; — Meyers enzykl. Lex. XIII, 275; — Larousse grand encyclopedie XI, 6788; — Lex d. Antike, 1986, 262.

Roland Böhm

JUSTINIAN II., byzantinischer Kaiser, * 668 als Sohn Konstantins IV., † 4.11. 711. — Zur Stärkung der Wehrkraft gegen die Reichsfeinde (Araber, Slawen, Bulgaren) ergriff Justinian in seiner ersten Regierungszeit (685-695) kühne Maßnahmen, wie z.B. großangelegte Bevölkerungsumsiedlungen. Als erster Kaiser ließ er auf Münzen das Bild des segnenden Christus prägen und sich selbst SERV(us) CHRISTI nennen. 691 berief er im Trullos-Saal des Palastes ein Konzil ein, welches die ausschließlich dogmatischen Beschlüsse des V. und VI. ökumen. Konzils (553 bzw. 680/1, beide Konstantinopel) durch weitgehend im Sinne der Ostkirche gefaßte disziplinäre Kanones ergänzte (Priesterehe, Fastenregelungen, Aufwertung des Patriarchen von Konstantinopel u.a.m.). Nur die ersten 150 der

185 dieser Penthekte (Quinisextum) genannten Synode wurden durch Rom anerkannt und zwar erst 710. 695 wurde der wegen seiner harten bevölkerungspolitischen und fiskalischen Maßnahmen unpopuläre J. gestürzt, durch Abschneiden der Nase verstümmelt und verbannt. 705 gewann er seinen Thron zurück, betrachtete aber von nun an den Staat nur als Mittel, sich grausam zu rächen. 711 wurde er zum zweiten Mal gestürzt und zusammen mit seinem Sohn Tiberios hingerichtet. — Während der despotische J. in seiner ersten Regierungszeit große organisatorische Begabung zeigte und bei seinen ehrgeizigen Plänen auch Erfolge verzeichnete, stellte er später seine Vitalität ausschließlich in den Dienst seiner neurotischen Rachsucht. Mit ihm ging die ruhmreiche Dynastie des Herakleios in Blut und Schrecken unter.

Lit: Franz Görres, Justinian II. und das römische Papstum, in: ByZ 17, 1908, 432-454; — Georg Ostrogorsky, Gesch. des byz. Staates, 1963³, 108 ff.; — Vitalien Laurent, L' œuvre canonique du concile in Trullo (691-692), in: RÉByz 23 (1965) 7-41; — James D. Breckenridge, The Numismatic Iconography of Justinian II, 1959; — Constance Head, Justinian II of Byzantium, 1972; — Kig, Bd. I/ Lfg. D1, 1980, 61 ff.; — Andreas N. Stratos, Byzantium in the Seventh Century, Bd. V, 1980.

Georgios Makris

JUSTIN I., Kaiser von Byzanz (9. Juli 518 - 1. August 527), * um 450 (oder 452) in Dardanien (Procop, De Aedificiis, 1, 17, 19) stammte aus einer armen, bäuerlichen Familie. † 1.8. 527 im Alter von 75 oder 77 Jahren. — Die Namen seiner Eltern sind unbekannt. Nach den Invasionen der Hunnen (447), durch die er verarmte, kam J. um 470 nach Konstantinopel. Er durchlief eine militärische Laufbahn und wurde unter Kaiser Zenons Nachfolger Anastasios I. (491-518) dux (hypostrategos) und nahm am isaurischen Krieg teil. Nach dem Tod Kaiser Anastasios' I. (8.-9. Juli 518) wurde J. im Alter von 66 oder 68 Jahren zum Kaiser ausgerufen. Im Jahre 527 wurde sein hochgebildeter Neffe Justinian, der aber im Grunde schon seit dem Jahre 518 als Berater des Kaisers sehr einflußreich war, Mitkaiser. J.s Außenpolitik ist durch den Frieden mit den Persern und die guten Beziehungen zu den Lazen, Äthiopiern und Iberern gekennzeichnet. Schon in den ersten Jahren seiner Regierung beginnt J. nach der Beseitigung seines Gegners Vitalianos eine erfolgreiche Korrespondenz mit Papst Horsmidas (514-523). Dadurch konnte er den Papst für sich gewinnen, die zuvor, nach dem Akakianischen Schisma, gestörten Beziehungen Konstantinopels zu Rom wieder verbessern und trotz der Kritik der skythischen Mönche den Frieden mit den monophysitischen Gebieten des Reiches wiederherstellen. J. bekämpfte durch die Aufhebung des Henotikon und durch die Anerkennung der Synode von Chalkedon (451) im Jahre 519 die monophysitische Politik Zenons und Anastasios I. mit Entschiedenheit. So beendete J. das 35jährige Akakianische Schisma. Papst Johannes I. besuchte im Auftrag Theoderichs im Jahre 525 J. in Konstantinopel. Durch dieses Zusammentreffen wurde eine mildere Behandlung der arianischen Ostgoten erreicht.

Lit.: A. Vasiliev, Justin I. and Abyssinia, in: Byzant. Zeitschr. 33, 1933, 67-77; — Ders., Justin the First, Cambridge/Mass. 1950 (Dum. Oaks Stud. II); — W. Enßlin, Papst Johannes I. als Gesandter Theoderichs d. Gr. bei Kaiser Justin I., in: Byzant. Zeitschr. 44, 1951, 127-134; — F. Dölger, Justinos I. byzant. Kaiser, in: LThK V, 1224; — G. Wirth, Zur Datierung einiger Ereignisse in der Regierungszeit Justins, in: Historia 13, 1964, 376-383; — G. Bassanelli, La legislatione processuale di Giustino I. (9 Juglio 518 - 1 Agosto 527), in: Stud. et Doc. Hist. et Jur. 37, 1971, 119-216; — D. M. Metcalf, Folles and Fractional Copper Minted at Thessaloniki under Justin I., in: Jahrb. für Numismatik und Geldgesch. 30, 1980, 19-27, Taf. 3-8; — M. V. Anastos, The Emperor Justin I.'s Role in the Restoration of Chalcedonian Doctrine, 518-519, in: Byzantina 13, 1, 1985, 126-139.

Georgios Tsigaras

JUSTIN II., Kaiser von Byzanz (14.11. 565-5.10. 578). — Seine Eltern waren Dulcidius und Vigilantia, die Schwester Kaiser Justinians I. Zuerst war J. Kuropalates. nach dem Tod Justinians I. und mit der Hilfe seiner Ehefrau Sophia wurde er Kaiser. Zur Zeit seiner Herrschaft erobern die Longobarden Italien. Er kämpfte gegen die Avaren und Perser. Ab dem Jahr 571 verfolgte er die Monophysiten, J. setzte das Weihnachtsfest auf den 25. Dezember fest und entwickelte eine reiche Kirchenbautätigkeit, vor allem in Konstantinopel. Das Nizänische Glaubensbekenntnis wurde unter J. in der Liturgie durch das Nizäno-Konstantinopolitanische ersetzt; weiters verfügte J. die Absingung des Cherubim-Hymnus beim »Großen Eingang«. Ab 573 litt er unter Wahnsinn. Nicht zuletzt aus diesem Grund wurde am 7.12. 574 Tiberios zu seinem Mitkaiser erhoben. Dieser war ab 578 sein Nachfolger.

Lit.: Kurt Groh, Die Kämpfe mit den Avaren und Langobarden unter der Regierung Justins II. nach den Quellen bearb. (Diss. Halle/Saale), 1889; — Ders., Gesch. des oström. Kaisers Justin II. nebst den Quellen, Leipzig 1899; — Sja Naj, Zolotaja vizantijnskaja moneta, najdennaja v mogile perioda dinastii Suj, in: Vizantijskij Vremennik 21, 1962, 178-182; — J. Irmscher, Zur Anthologia Graeca 16, 72, in: Mélanges d'archéologie et d'histoire off. á A. Piganiol, (Paris 1966), 1749-1756; — Averil Cameron, Corippus' Poem on Justin II. A Terminus of Antique Art?, in: Annali Scuola Norm. Sup. Pisa, Ser. III. 5, 1975, 129-165; — Ders., The empress Sophia, in: Byzantion 45, 1975, 5-21; — Ders., An emperor's abdication, in: Byzantinoslavica 37, 1976, 161-167; — Ders., The early religious policies of Justin II., in: The Orthodox Churches and the West (Oxford, Blackweel) 1976, 51-67; — Ulrich-Justus Stache, Flavius Cresconius Corippus. In Laudem Justini Augusti minoris (Diss. Berlin) 1976; — Harry-Norman Turtledove, The Immediate successors of Justinian: A Study of the Persia problem and of Continuity and Change in Internal Secular Affairs in the Late Roman Empire during the Reigns of Justin II. and Tiberius II. 1978; — R. A. Markus, Additional Note on Justin II.'s Privilleges for the Ecclesiastical Province of Byzacena, in: Byzantion, 49, 1979, 303-306; — A. Cameron, The artistic patronage of Justin II., in: Byzantion 50, 1980, 62-84; — Ders., Continuity and Change in Sixth Century Byzantium (Collected Studies 143) 1981; — Maria Assunta Vinchesi, Problemi della Laus Justini in due editioni recenti, in: Atena e Roma 16, 1981, 172-183; — H. Turtledove, Justin II.'s observance of Justinian' Persian treaty of 562, in: Byzant. Zeitschrift 76, 1983, 292-301; — S. Puliatti, Ricerche sullo Novelle di Giustino II. 1. Problemi di diritto pubblico. (Sem. Giuridico della Univ. d. Bologna, 107), Milano 1984; — A. Ramirez de Verger, Flavio Cresconio Coripo, El Panegirico de Justino II. Introducción, edición critica e Traducción. (Public. de la Univ. d. Sevilla. Serie: Filosofia y Letras 81), Sevilla 1985; — LThK V, 1224; — H. G. Beck, Kirche und theol. Lit. im Byzant. Reich, 242.

Georgios Tsigaras

JUSTUS *von Tiberias*, jüdischer Historiker aus dem letzten Drittel des 1. Jahrhunderts nach Christus. — J. entstammte als Sohn eines Pistus einer angesehenen Familie aus Tiberias in Galiläa. Mit hellenistischer Bildung und Kultur war er wohlvertraut. Geburts- und Sterbedatum sind unbekannt. — J. schrieb ein Werk »Über die Könige der Juden in Stammbäumen«, das von Mose bis zu Agrippa II. (gest. 92/93 nach Christus) reichte. Darüber hinaus ist er Autor einer Geschichte des Jüdischen Krieges (66-70), die wahrscheinlich erst in der zweiten Hälfte der 90er Jahre des 1. Jahrhunderts erschien. Außer einigen wenigen Fragmenten ist von beiden Werken nichts erhalten; Aufschlüsse über eine bestimmte politische oder historiographische Tendenz des J. lassen die Fragmente nicht zu. Wir wissen lediglich, daß J. sich in seinem Werk über den Jüdischen Krieg kritisch mit der Rolle des Josephus Flavius (s.d.) in diesem Krieg auseinandersetzt und dessen eigene Geschichte des Aufstandes gegen Rom angreift. Gegen des J. Vorwürfe verteidigte Josephus sich in seiner Autobiographie, welchem Werk wir die einzigen ausführlicheren Kenntnisse über J. verdanken. Was wir jedoch hier über ihn erfahren, ist der Intention des Werkes entsprechend überaus polemisch gefärbt und darum historisch über weite Strecken nicht zutreffend. Es läßt sich aber soviel sagen, daß die Nähe zu König Agrippa II. die Konstante in J.s Leben bildete: Mit ihm teilt er zu Beginn des Aufstandes die zwar nicht ausgesprochen römerfreundliche, aber doch nüchterne und realistische Haltung in bezug auf die Einschätzung der Erfolgsaussichten eines Krieges gegen Rom. Aus diesem Grunde gerät J. in einen Konflikt mit Josephus, der vom Synhedrion den Auftrag erhalten hatte, Galiläa kriegsbereit zu machen. Von diesem wird J. zusammen mit seinem Vater und anderen Notabeln der Stadt ins Gefängnis geworfen, aus dem er aber entkommen und zu Agrippa II. nach Berytos (Beirut) fliehen kann (Ende 66/Anfang 67). Agrippa macht J. zu seinem Privatsekretär, was es diesem ermöglicht, über den Verlauf des Krieges ständig informiert, in ihn aber nicht direkt verwickelt zu sein. Die hierbei gewonnene Kenntnis der Ereignisse versetzte ihn dann in die Lage, seine Geschichte des Jüdischen Krieges zu verfassen. — J. v. T. spielte im Verlauf des Jüdischen Krieges bei weitem nicht die aktive Rolle, die Josephus ihm zuschreibt. Schon gar nicht war er ein Feind der Römer oder gar ein Zelot - eher das Gegenteil. Wäre seine Geschichte des Jüdischen Krieges erhalten, könnten wir mit Sicherheit manche Einseitigkeit und Verzeichnung in der Darstellung des Josephus zurechtrücken.

Werke: Die Fragmente der griechischen Historiker, hg. v. Felix Jacoby, III, C, 2, 1958, Nr. 734, S. 695-699.

Lit.: Flavius Josephus, Vita 34, 36 ff., 40 f., 65, 88, 165 ff., 186, 279, 336, 338, 340, 355 ff., 390 ff., 410; — Emil Schürer, Gesch. des jüdischen Volkes im Zeitalter Jesu Christi, I, 1901³, 58-63, III, 1909⁴, 496 f., — H. Luther, Josephus und Justus von Tiberias, Diss. Halle 1910; — Franz Rühl, Justus von Tiberias, in: RhMusPh 71, 1916, 289-308; — Hans Drexler, Untersuchungen zu Josephus und zur Gesch. des jüd. Aufstandes 66-70, in: Klio 19, 1925, 277-312, 293-299: »Die Vita und Justus von Tiberias«; — Abraham Schalit, Josephus und Justus. Studien zur vita des Josephus, in: Klio 26, 1933, 66-95; — Th. Frankfort, La date de l'autobiographie de Flavius Josèphe et des œuvres de Justus de Tibériade, in: Rev.Belge de Philologie et d'Histoire 39, 1961, 52-58; — Solomon Zeitlin, A Survey of Jewish Historiography, in: JQR 60, 1969, 65-68; — T. Rajak, Justus of Tiberias, in: CQ 23, 1973, 345-368; — PRE X, 1341-1346; — RGG³ III, 1077; — EncJud X, 479 f.; — KP III, 24 f.

Michael Wolter

JUVENAL, Bischof von Jerusalem 422-458. Er arbeitete mit allen Mitteln darauf hin, die Anerkennung Jerusalems als Patriarchat zu erreichen. Erste Versuche (Weihe des Πέτρος zum ἐπίσκοπος παρεμβολῶν, d. h. des Lagers eines Nomadenstammes) reichen bis ins Jahr 425 zurück. Auf dem Konzil von Ephesus (431) hat er seine Ansprüche dann erstmalig mit Nachdruck vertreten. Daß er sich dabei sogar gefälschter Briefe (angeblich von Papst Coelestin) bediente, zeigt ihn in keinem günstigen Licht, wurde aber nach seinem Übertritt in Chalcedon nicht mehr gegen ihn verwendet. Auf dem Konzil von Chalcedon (451) hat er sein Ziel dann im Rahmen des damals Möglichen erreicht: Die drei Palestinae wurden als seine Diözese, Jerusalem als 4. Patriarchat anerkannt (allerdings ist der Titel erst im 6. Jahrhundert quellenmäßig belegt). Um das zu erreichen, hatte J. auch vor einem Wechsel der Fronten in den christologischen Auseinandersetzungen nicht zurückgescheut: Als die Zusammenarbeit mit Kyrill von Alexandrien scheiterte (Ephesus 431), ging er zu den Antiochenern über. Auf der sog. Räubersynode (Ephesus, 449) hatte er dann auf Seiten des Dioskur gestanden (und die Gunst der Stunde, die für ihn darin bestand, daß die Inhaber der Patriarchatsthronoi nicht handlungsfähig waren, genutzt, um seine Position zu stärken). Auf dem Konzil von Chalcedon aber wurde ihm der Prinzipat über Palästi-

na nur deswegen zugestanden, weil er bedenkenlos genug war, vom Monophysitismus zur Orthodoxie, d. h. zum Dyophysitismus überzugehen. Dieser Schritt sicherte ihm nicht nur die Diktion über den Großraum Palästina (d. h. die drei Palaestinae, ohne Phoenicia und Arabia, die weiterhin Antiochia unterstanden), sondern machten ihn sogar zum Mitglied der Kommission, die den dogmatischen Tomus des Konzils redigierte. Andererseits trug er ihm die erbitterte Gegnerschaft der monophysitisch gesinnten Mönche Palästinas ein, die ihm mit Theodosius sogar einen Gegenbischof entgegenstellten. Erst 453 gelang es ihm mit Hilfe des kaiserlichen Militärs, sich seines Amtssitzes wieder zu bemächtigen. — Seine Ansprüche, für die Kanon 7 des Konzils von Nicäa die (wenn auch unzureichende) kirchenrechtliche Basis bilden konnte, waren sicher in J.s Machtstreben begründet. Daß er sie für realisierbar hielt, erklärt sich zum Teil auch aus seinem guten Verhältnis zum Hofe, da er sich Theodosius II. und dessen Gemahlin Eudokia nicht nur durch sein Verhalten auf der Räubersynode von Ephesus (449), sondern auch durch Überlassung wertvoller Reliquien verpflichtet hatte. Es ist daher sicherlich kein Zufall, daß J. in seinen Ansprüchen moderater wurde als durch den Wechsel auf dem Thron (Marcian/Pulcheria) ihm dieser Rückhalt (zumindest zeitweilig) entzogen war. Ein geschichtliches Andenken hat J., der der Nachwelt (abgesehen von einer in äthiopischer Sprache überlieferten Predigt, die er 431 in Ephesus gehalten hat, und einigen Briefen, die er mitunterschrieben hat) nichts Geschriebenes hinterlassen hat, aber nicht nur sein Kampf um die Errichtung eines Patriarchats Jerusalem gesichert, sondern auch der (letztlich gescheiterte) Versuch, das römische Weihnachtsfest, d. h. das Geburtsfest Jesu am 25. Dezember, auch für Jerusalem zu übernehmen.

Werke und Ausgaben: Die Ephesus-Predigt bei A. Dillmann, Chrestomathia Aethiopiaca, 1866 (ed. altera mit Korrekturen und Nachträgen von Enno Littmann, 1950, ND 1968), 100-102; in franz. Übers. bei S. Grébaut, in: ROC 15, 1920, 440 f.; Epistula ad Caelestinum episcopum Romae, ACO I, 1, 7, p. 124 f.; Epistula ad presbyteros et archimandritas Palaestinenses, ACO II, 5, p. 9. Quellen: Leo I., Epistula 80, 3. 109. 113. 123. 124. 119, 4. 139. 148-153. 159; Kyrill von Skythopolis, Vita sancti Euthymii 10. 15. 27; Sozomenos, H. e. 5, 15, 15; Hieronymus, Vita Hilarionis 25; ACO I, 1, 3. 18 f.;

Lit.: Simon Vailhé, l'érection du patriarcat Jérusalem 451, in: ROC 4, 1899, 44-57; — Ders., Formation du patriarcat Jérusalem, in: EO 13, 1910, 325-336; — Chr. Papadopulus, Ἱστορία τῆς ἐκκλησίας Ἱεροσολύμων, 1910; — (Archim.) Hipppolytos, Ἡ ἐκκλησία Ἱεροσολύμων ἐν ταῖς οἰκουμενικαῖς συπόδοις γ΄ καὶ δ΄, in: Νέα Σιών 17, 1922, 515-521; — Timotheus von Jerusalem, Ἡ βυζαντινὴ Ἱερουσαλὴμ ἱστορικῶσ, in: Ἐπετηρίς 11, 1935, 52-72; — ders., Ὁ Ἱεροσολύμων Ἰουβενάλιος καὶ τὰ ψευδῆ ἔγγραφα, in: Νέα Σιών 32, 1937, 698-706; — Robert Devreesse, Les anciens évêchés de Pal.stine, in: Memorial Lagrange, 1940, 217-227; — F. M. Abel, Kyrilliana, 1947, 214-220; — Ernest Honigmann, Juvenal of Jerusalem, in: Dumbarton Oaks Papers 5, 1950, 209-279; — Ders., Patristic Studies 1953, 59 ff., 68 ff; — Tillemont XV, 196-207; — Le Quien, Oriens Christianus III, 1740, 110-116; — RE VIII, 699 (s.v. Jerusalem). IX 659-662 (s.v. J.); — Bardenhewer IV, 308; — DThC VIII, 1, 998 f. (s.v. Jérusalem); — Chalkedon III, 937. 946 ff.; — RGG III, 1077; — Beck 29. 31. 97; — LThK V, 1231 f.; — Handbuch der Kirchengeschichte (ed. Jedin) II, 1, 247 f. u.ö.; — Mauritius Geerard, Clavis Patrum Graecorum III, 1979, Nr. 6710-6712, p. 288.

Hans-Udo Rosenbaum

JUVENAL, Bischof von Narni (Juvenalis episcopus Narniensis), Hl., 4. Jh., nach der Überl. erster Bischof von Narni in Umbrien; seine Amtszeit wird von 369 bis 376 angesetzt, als Todestag gilt der 7. Aug. 376, doch wird sein Fest am 3. Mai (viell. Tag seiner Konsekration) begangen. Nach seiner etwa im 8. Jh. verfaßten legendarischen Vita stammte er aus Nordafrika, war Arzt und wurde von Papst Damasus I. konsekriert. An seinem Grab wurde im 5./6. Jh. ein Oratorium errichtet, das jetzt von der Kathedrale umschlossen ist. Im 9. od. 10. Jh. wurden seine Reliquien von Markgraf Adalbert I. od. II. von Tuscien gewaltsam nach Lucca verbracht, aber bald wieder nach Narni zurückgesandt, da man Unwetter und Seuchen unter Menschen und Vieh als Strafe für den Raub ansah.

Lit: MartRom 3. Mai; — MartHier ib.; — AS Maji I, 391-98; — MG SS XXX/2, 976-83; — Enrico Wuescher-Becchi, Das Oratorium des hl. Cassius u. das Grab des hl. Juvenalis in Narni, in: RQ 25, 1911, 61-71; — Adolf Hofmeister, Die Translatio Juvenalis et Cassii episcoporum Narniensium Lucam. Eine Qu. z. Gesch. Mittelitaliens um die Wende des 9. u. 10. Jh., in: NA 41, 1919, 525-55; — BHL 4614; — LThK V, 1232; — EC VI, 638.

Adolf Lumpe

JUVENCUS (Gaius Vetius Aquilinus Juvencus), nach Hieronymus de vir. ill. 84, »ein spanischer Presbyter von sehr vornehmer Abkunft«, der »zur Zeit Konstantins« (vermutlich ca. 330) ein Werk mit dem Titel »Evangeliorum libri quattuor« schrieb. Dabei handelt es sich um eine Evangelienharmonie in (Vergil nachahmenden) Hexametern, die im wesentlichen dem Matthäusevangelium folgt (ca. 80 %, der Rest verteilt sich auf Lukas und Johannes, während Markus beinah unberücksichtigt bleibt). Das Werk verteilt sich auf 4 Bücher, und folgt dem Itala-Text seiner Vorlage ziemlich getreu; gelegentlich macht der griechische Text seinen Einfluß geltend. Daß darüber hinaus andere Evangelienharmonien benutzt sind, läßt sich nicht erweisen. J. ist neben Commodian der erste christliche Dichter, den wir mit Namen kennen. Sein Dichten gilt ihm als Gottes-Dienst, der ihn dereinst im Endgericht retten wird, denn er berichtet Wahres, nicht Lügen wie die Dichter des Heidentums. Hieronymus (1. c.) behauptet ferner, J. habe noch einige liturgische Gesänge (nonnulla ... ad sacramentorum ordinem pertinentia) verfaßt, von denen aber sonst nichts bekannt ist.

Werke: Ausgaben: Editio princeps erschien in Deventer ca. 1490, die besten Ausgaben der Folgezeit sind die von F. Arevalo, 1792 (nachgedruckt in MPL 19, 53-346) und Karl Marold, 1886; maßgebend (wenn auch ungenügend) jetzt: Johannes Huemer (ed.), Evangeliorum libri 4, CSEL 24, 1891. (Text und) Übersetzung: Antonius Knappitsch, Gai Vetti Aquilini Juvenci evangeliorum libri 4 in sermonem Germanicum transtulit et enarravit, Jahresbericht des Fürstbischöflichen Gymnasiums am Seckauer Diözesan-Knabenseminar Carolinum-Augustineum in Graz, 1909-1913; Franz. (Teil-)Übers.: F. Clément, Les poètes chrétiens, 1857, 1-11. Index Verborum: Nils Hansson, Textkritisches zu J., 1950, 107 ff.

Lit.: O. Korn, Beiträge zur Kritik der historia evangelica des J., Programm Danzig 1870; — Johannes Huemer, Kritische Beiträge zur historia evangelica des J., in: Wiener Studien 2, 1880, 81-112; — Karl Marold, Ottfrids Beziehungen zu den biblischen Dichtungen des J., Sedulius, Arator, in: Germania 32, 1887, 385-411; — Ders., Althochdeutsche Glossen aus J.-Handschriften, ebd., 351-355; — Ders., Über das Evangelienbuch des J. in seinem Verhältnis zum Bibeltext, in: ZWTh 33, 1890, 329-341; — Michael Petschenig, Zur Latinität des J., in: Archiv für lateinische Lexikographie und Grammatik 6, 1889,. 267 f.; — James Taft Hatfield, A Study of J., Diss. Baltimore (Bonn) 1890; — Max Manitius, Zu J. und Prudentius, in: RheinMus 45, 1890, 485-491; — Hermann Widmann, De Gaio Vettio Aquilino Juvenco carminis evangelici poeta et Vergili imitatore, Diss. Breslau 1905; —

J. Cornu, Beiträge zur lateinischen Metrik, in: SAW, phil.-hist. Klasse Bd. 159, 1908, 1-33; — Hermann Nestler, Studien über die Messiade des J., Diss. München (Passau) 1910; — Grace Frank, Vossianus Q 86 and Reginensis 333, in: AJP 44, 1923, 67-71; — E. K. Rand, Note on the Vossianus Q 86 and the Reginensis 333 and 1616, in: AJP 44, 1923, 171 f.; — C. Weymann, Beiträge zur Geschichte der christl.-lat. Poesie, 1926; — Herman Hendrik Kievits, Ad Juvenci Evangeliorum librum I commentarius exegeticus, Diss. Groningen 1947; — G. Mercati, Il palinsesto bobbiense de Juvenco, in: Studi e Testi 79, 506-512, 1937 (vor 1934 geschrieben); A. C. Vega, Capítulos un libro. Juvenco y Prudencio, in: La Ciudad de Dios 157, 1945, 209-247; — Jan de Wit, Ad Juvenci Evangeliorum librum II commentarius exegeticus, Diss. Groningen 1947; — Ders., De textu Iuvenci Poetae observationes criticae (zu Nils Hansson), in: VigChr 8, 1954, 145-148; — Flora Laganà, Giovenco, in: Raccolta di studi di letteratura Cristiana VI, 1947; — Ladilaus Strzelecki, Studia prosodica et metrica, in: Rozprawy wydziat filologicznego T. 68, 3, 1949, 1-40; — Nils Hansson, Textkritisches zu J., 1950; — M. A. Norton, Prosopography of J., in: Folia 4, 1950, 36-42; — Herbert Thoma, The Oldest MS. of J., in: The Classical Review 64, 1950, 95 f.; — Ludwig Bieler, Hibernian Latin and Patristics, in: Studia Patristica I, TU 63, 1957, 183; — G. Zannoni, Quid poetica popularis ratio, quid optimorum scriptorum imitatio ad Latinam Christianorum poesim contulerint, in: Latinitas 6, 1958, 93-106; — A. Hudson-Williams, Virgil and the Christian Latin Poets, Paper of the Virgil Society 6, 1966/67, 11-21; — J. Jiménez Delgado, Juvenco en el Codice Matritense 10.029, in: Helmántica, 19, 1968, 277-332; — P. Flury, Zur Dichtersprache des J., in: Lemmata W. Ehlers, München 1968, 38-47; — Pieter Gysbert van der Nat, Die Praefatio der Evangelienparaphrase des J.-, in: Romanitas et Christianitas (Festschrift J. H. Waszink), 1973, 249-257; — Ilona Oppelt, Die Szenerie bei J., in: VigChr 29, 1975, 191-207; — D. Kartschoke, Bibeldichtung. Studien zur Gesch. der epischen Bibelparaphrase von J. bis Otfried von Weissenburg, 1975; — Jean Michel Poinsotte, J. et Israel, La représentation des Juifs dans le premier poème latin chrétien, 1979; — Furio Murru, Analisi semiologica e strutturale della praefatio agli Evangeliorum libri di Giovenco, in: Wiener Studien 14, 1980, 133-151; — V. Rodríguez Hevia, Las fórmulas de transición en Juvenco, in: Studia philologica Salmanticensia 5, 1980, 255-271; — E. Borell, Virgilio en Juvenco, in: Societat espanyola d'estudis clàssics, Actes del VIè simposi (Barcelona 11-13 de febrer del 1981), 1983, 137-145; — Jacques Fontaine, Dominus lucis, Un titre Singulier du Christ dans le dernier vers du J., in: Mémorial André-Jean Festugière. Antiquité païenne et chrétienne (ed. E. Lucchesi et H.D. Saffrey), in: Cahiers d'Orientalisme 10, 1984, 131-141; — Salvatore Costanza, Da Giovenco a Sedulio. I proemi degli Evangeliorum libri e del Carmen Paschale, in: Civiltà classica e cristiana 6, 1985, 253-286; — Abbolito G. Simonetti, Osservazioni su alcuni procedimenti compositivi della tecnica parafrastica di Giovenco, in: Orpheus 6, 1985, 304-324; — RE IX, 662-664; — Pierre de Labriolle, Histoire de la littérature chrétienne 1920, 420-422; — Schanz-Hosius 4, 1, 209-212; — Bardenhewer III, 429-432; — DThC VIII, 2, 2290-2292; — LThK V, 1232; — RGG III, 1078; — DSp VIII, 1651 f.; — Fr. Stegmüller, Repertorium Biblicum Medii aevi, 5334; — H. Walther, Alphabet. Verzeichnis der Versanfänge mittellat. Dichtungen, 10787; — Dekkers, Clavis Patrum Latinorum, 1385; — Kl. Pauly III, 28; — Altaner⁸, 405. 634.

Hans-Udo Rosenbaum

K

KAAS, Ludwig, Kanonist und führender Zentrumspolitiker der Weimarer Zeit, * 23.5. 1881 in Trier, † 15.4. 1952 in Rom. — K. stammte aus einer angesehenen Kaufmannsfamilie in Trier und studierte nach der Reifeprüfung 1900 zwei Semester katholische Theologie am Bischöflichen Priesterseminar in Trier. Anschließend schickte Bischof Michael Felix Korum den begabten, schon damals als glänzenden Redner gerühmten Studenten nach Rom, wo er als Zögling des Collegium Germanicum et Hungaricum an der Päpstlichen Universität Gregoriana seinen Studien oblag. Mitstudenten berichten, daß er, von der Natur mit reichen Gaben ausgestattet, auch für Gesang, Musik und Poesie begabt und ebenfalls als Theaterregisseur berühmt war wegen »der wunderbaren Gelenkigkeit, mit der er die Spieler führte und die Klapphornverse aus dem Ärmel schüttelte« (H. Schönhöffer). Höhepunkte seines von 1901-1909 dauernden Rom-Aufenthaltes (nur kurz unterbrochen durch eine von Juli bis Oktober 1908 während Kaplanstätigkeit in Adenau in der Eifel) waren die Promotion zum Dr. phil. am 7.4. 1904, der Empfang der Priesterweihe am 28.10. 1906, die Promotion zum Dr. theol. am 22.6. 1907 und, seit November 1908 als Kaplan an der deutschen Nationalstiftung »Collegio Teutonico di S. Maria dell'Anima« tätig, die Promotion zum Dr. iur. can. am 8.6. 1909. Ins trierische Heimatbistum zurückgekehrt, wurde K. nach kurzer Kaplanstätigkeit in Kärlich am 3.4. 1910 zum Präfekten und Rektor des Waisenhauses, dann zum Religionslehrer und Subdirektor der Höheren Schule Kemperhof bei Koblenz ernannt. Diese Position erlaubte ihm weitere fünfsemestrige Studien bei dem hochangesehenen schweizerischen evangelischen Kanonisten Ulrich Stutz in Bonn sowie die Publikation kirchenrechtlicher Abhandlungen, von denen einige als »Spitzenleistungen« (Georg May) charakterisiert werden können. Bischof Korum ernannte den außerordentlich vielseitig begabten, aber charakterlich und stimmungsmäßig nicht ausgeglichenen K. am 22.4. 1918 zum ersten Inhaber der neu errichteten Lehrkanzel für kanonisches Recht am Trierer Priesterseminar, nachdem dieser sich vergeblich um Lehrstühle in Münster, Straßburg und Freiburg beworben und auch eine Stelle als Assistent des inzwischen nach Berlin berufenen Stutz ausgeschlagen hatte. Als K. im Folgejahr den an ihn ergangenen Ruf auf den Lehrstuhl für Kirchenrecht an der Katholisch-Theologischen Fakultät der Universität Bonn zur allgemeinen Überraschung der Fachwelt ablehnte, hatte sich sein Lebensweg bereits anders ausgerichtet: nicht mehr so sehr die innerkirchliche Karriere (die Vermutung, er habe Bischof von Trier werden wollen, dürfte ins Reich der Spekulationen verwiesen werden; dagegen haben sich die als fast krankhaft ehrgeizig zu bezeichnenden Bemühungen um ein schließlich 1924 erreichtes Kanonikat in Trier und um die Dompropstei des Kölner Metropolitankapitels dokumentarisch erhalten und werden zu Recht von Joseph Listl als »Gipfel der Stellenjägerei« charakterisiert), vielmehr das aktive politische Gestalten und die Teilnahme am politischen Geschehen im Deutschen Reich standen nun im Vordergrund seiner Bestrebungen. — Im Jahre 1919 trat K. der Deutschen Zentrumspartei bei und wurde als deren Kandidat für den Wahlkreis Trier mit 57,9 % der Stimmen in die Deutsche Nationalversammlung gewählt, wo er vor allem im Verfassungsausschuß bedeutsame Arbeit an der Verfassung der von ihm vorbehaltlos gebilligten Weimarer Republik leistete, von der Fraktion der Partei aber auch bei außenpolitischen Fragen (zweitägiger Aufenthalt in Versailles im Mai 1919) herangezogen wurde. Von 1920 bis 1933 gehörte K. dem Deutschen Reichstag und hier dem Auswärtigen Ausschuß an; 1926-1930 war er Delegierter beim Völkerbund. Seit 1921 gehörte er zu den Mitgliedern des Preußischen Staatsrates, in dem er ein vertrauensvolles Verhältnis zu Konrad Adenauer pflegte, und bekleidete das Amt eines Leiters der Zweigstelle des Kaiser-Wilhelm-Instituts für ausländisches öffentliches Recht und Völkerrecht in Trier. Seit 1917 war er kanonistischer Berater des ab 1920 auch in Berlin akkreditierten Münchener Apostolischen Nuntius Eugenio Pacelli, des späteren (1939-1958) Papstes Pius XII., und diente diesem vor allem als Konkordatsfachmann. In späteren Jahren war die Haltung beider Männer von echter Freundschaft geprägt. Im Jahre 1928 wurde der dem gemäßigten rechten Flügel der Zentrumspartei zugehörige K. zu deren Vorsitzendem gewählt: bereits im ersten Wahlgang erreichte der als Kompromißkandidat Apostrophierte mit 184 von 318 Stimmen gegenüber 92 Stimmkarten für Joseph Joos und lediglich 42 für Adam Stegerwald die absolute Mehrheit. — Schon zu Beginn der politischen Karriere machte sich bei K. ein später immer deutlicher hervortretendes Manko im politischen Agieren bemerkbar: die fehlende menschliche und politische Härte und ein möglicherweise daraus resultierender häufiger Mangel an Präsenz bei den Sitzungen der politischen Entscheidungsgremien. Hier mögen die milde priesterliche Haltung, eine gewisse Gelehrtenempfindlichkeit sowie ein labiler Gesundheitsstatus ausschlaggebend gewesen sein für das, was der ehemalige Reichskanzler und Vorgänger von K. im Amt des Parteivorsitzenden, Wilhelm Marx, im Jahre 1930 so monieren sollte: »Was Kaas will, weiß niemand. Es ist doch sonderbar, daß er sich gar nicht sehen läßt.« Erschwerend kam hinzu, daß K. seit 1930 seinen Hauptwohnsitz in Sterzing (Südtirol) genommen hatte, wodurch sich die ohnehin öfter getrübten Beziehungen und die Zusammenarbeit mit dem eher antikurial eingestellten Reichskanzler Heinrich Brüning und die Arbeit in den vielfältigen Gremien zusätzlich schwieriger gestalteten. Besondere Begabung zeigte K. für die Außenpolitik; er war entschiedener Gegner jeder Form des Separatismus, aber ebenso entschiedener Verfechter des Föderalismus (Rheinland). In der Kirchenpolitik verfolgte der den Protestanten unbefangen und vorurteilslos begegnende K. ein Zusammengehen aller christlichen Kräfte. Konkordate waren für ihn ein zentrales Anliegen seiner kirchenpolitischen Bemühungen. Er wurde beim Bayerischen Konkordat (29.3. 1924) zwar nicht herangezogen, war jedoch beim Preußischen Konkordat (14.6. 1929) eine der Schlüsselfiguren und spielte beim Badischen Konkordat (12.10. 1932) eine bedeutende Rolle. — Im Schatten der anwachsenden NSDAP vernachlässigte K. mehr und mehr seine politische Führungsaufgabe und zeigte sich den Aufgaben des Parteiamtes immer weniger gewachsen. Den von den radikalen Parteien inszenierten Störungen und Tumulten im

Reichstag sah sich der empfindsame Prälat (9.9. 1921 Päpstlicher Hausprälat, 25.12. 1929 Protonotar) hilflos ausgeliefert. Er bekannte sich gegenüber diesem Einbruch radikaler Tendenzen zum Ausgleich aller demokratischen Kräfte und unterstützte anfangs die Politik Brünings vorbehaltlos. Im Gegensatz zu diesem hat K. aber offenbar Hitler nicht durchschaut und sich über dessen Verfassungstreue Illusionen gemacht (»Wer hätte gedacht, daß es Leute gibt, die sich so leichthin über alles Recht und Gesetz hinwegsetzen können.«). Eine Zeitlang plädierte er für eine politische Kooperation von Zentrumspartei und NSDAP und stellte sich damit in offenen Gegensatz zum amtierenden Reichskanzler seiner Partei. Auch unterschätzte er die Gefahr der nationalsozialistischen Machtübernahme und glaubte wie viele, daß die seit dem 30.1. 1933 mitregierenden Deutschnationalen die Nationalsozialisten unter Kontrolle halten würden und die Hitler-Regierung nur ein Übergang sei. Da er Hitlers Amoralität nicht erkannte, vertraute er dessen Zusicherungen im Vorfeld des Ermächtigungsgesetzes und sprach sich vor der Fraktion und dem Plenum des Reichstages für die Annahme des Gesetzes aus, das am 23.3. 1933 angenommen wurde. Anschließend ließ der Parteiführer K. seine Zentrumspartei buchstäblich im Stich: er reiste nach Rom und betrat ab dem 8.4. 1933 nie mehr deutschen Boden. Am 6.5. des gleichen Jahres wurde Brüning zum Parteivorsitzenden gewählt; kaum einen Monat später löste sich die Zentrumspartei selbst auf. Außerordentlich großen Anteil hat K. am Verlauf der Verhandlungen über den Abschluß des von der Reichsregierung nachhaltig erstrebten Reichskonkordates gehabt, dessen überraschend schneller Abschluß am 20.7. 1933 als sein Werk gilt. Es ist ihm gelungen, »ein Optimum an Sicherheit für die Stellung der katholischen Kirche im Konkordat zu erlangen« (K. O. von Aretin). — In den verbleibenden 19 Jahren der Emigration in Rom erwies sich die Freundschaft Pacellis zu K. als zuverlässig. Am 6.4. 1935 wurde er zum Kanonikus und am 20.8. 1936 zum Ökonom an St. Peter ernannt, wodurch ihm auch die Vermögensverwaltung der Papstkirche oblag. Als Leiter der Bauhütte von St. Peter war er außerordentlich erfolgreich, wie er auch einen bedeutsamen Anteil an den Grabungen unter der

Peterskirche gehabt hat, als deren Krönung Pius XII. am 14.12. 1950 verkünden konnte, das Grab des Apostels Petrus sei gefunden worden. An der gegen den Nationalsozialismus gerichteten päpstlichen Enzyklika »Mit brennender Sorge« vom Jahre 1937 hat er ebenfalls mitgearbeitet. 1950 war er maßgeblich an der Errichtung der Theologischen Fakultät Trier beteiligt, indem er sich an höchster Stelle um die römische Anerkennung bemühte. Seine letzte und würdige Ruhestätte fand er erst nach zwei Umbettungen 1965 in den Grotten von St. Peter. — K. gilt als eine der umstrittensten Persönlichkeiten im deutschen Katholizismus. Erschwerend für eine Wertung ist vor allem, daß er selbst keine Erinnerungen publiziert, keine Erklärungen oder Stellungnahmen abgegeben und sich auch gegen Vorwürfe nicht gewehrt hat. Zudem mußte er laut der ihm durch ihre Familie freundschaftlich verbundenen Karin Schauff auf ausdrückliche Weisung Pius' XII. während des 2. Weltkrieges seine gesamten politischen Papiere und Materialien eigenhändig vernichten, damit sie im Fall einer Besetzung des Vatikans den Deutschen nicht in die Hände fielen. Insgesamt dürfte der Eindruck einer mit höchsten Talenten gesegneten Persönlichkeit, deren Schattenseite in einem ausgeprägten Karrieredenken lag, das K. auf den Weg der Politik wies anstatt auf den der Wissenschaft, wo er Hervorragendes hätte leisten können, zutreffend sein. Mit Georg May möchte man den vielleicht größten Fehler des weithin geschätzten, aber nirgendwo geliebten K. somit in der Ablehnung des Bonner kirchenrechtlichen Lehrstuhls 1919 sehen. In der politischen Tätigkeit während der Zeit der Weimarer Republik erscheint vieles an seiner Arbeit durch Zufälligkeiten, im Fall der Einschätzung der nationalsozialistischen Bewegung gar von einer absoluten Verkennung der Situation, ohne indes die Grenze zur Kollaboration zu überschreiten, geprägt gewesen zu sein. K. war ein überaus intelligenter Mensch, ein bedeutsamer Kanonist und glänzender Redner; seine Arbeitskraft und seine politische Präsenz (im weitesten Sinne) scheinen aber durch ein chronisches Magenleiden zumindest in einigen Bereichen zeitweise eingeschränkt gewesen zu sein.

Werke: Rez. B. Ojetti, In ius Pianum et antepianum ex decreto »Netemere« commentarii, Romae 1908, in: Pastor bonus (Pb) 21, 1908/09, 138 f.; Rez. K. Vollert, Sind in Preußen Kirchendiener Staatsbeamte?, in: Pb 21, 1908/09, 352 f.; Rez. L. Wouters, Commentarius in Decretum »Netemere«, Amsteldolami 1909, in: Pb 21, 1908/09, 353; Rez. J. B. Sägmüller, Lehrbuch des kath. Kirchenrechts, Freiburg ²1909, in: Pb 22, 1909/10, 87-89; Rez. Th. v. d. Acker, Decreti »Ne temere« de sponsalibus et matrimonio interpretatio, Buscoduci 1909, in: Pb 22, 1909/10, 393 f.; Rez. Nova decreta de sponsalibus et matrimonio cum declarationibus authenticis, ed. C. Kiefer, Eystadii 1910, in: Pb 22, 1909/10, 394; Rez. Christl. Erziehungslehre in Zitaten, Freiburg 1909, in: Pb 22, 1909/10, 394; Rez. L. Wouters, De systemate morali dissertatio ad usum scholarum composita, Gulpen 1909, in: Pb 22, 1909/10, 394; Rez. B. Ojetti, De Romana Curia, Romae 1910, in: Pb 23, 1910/11, 309 f.; Rez. H. Adams, Der irrende Brandstifter, Meckenheim-Oberkassel 1910, in: Pb 23, 1910/11, 444; Rez. D. M. Valensise, Super Systema Theologiae Moralis, Neapoli 1908, in: Pb 23, 1910/11, 499; Rez. F. Heiner, Der kirchl. Zivilprozeß, Köln 1910, in: Pb 23, 1910/11, 500; Rez. M. Leitner, Die Verlobungs- und Eheschließungsform nach dem Dekrete Ne temere und der Konstitution Provida, Regensburg 1910, in: Pb 23, 1910/11, 568; Rez. F. Schaub, Die neuesten Bestimmungen auf dem Gebiet des kath. Eherechts, Regensburg 1911, in: Pb 23, 1910/11, 753; Rez. A. Backofen, Summa Iuris Ecclesiastici Publici, Romae 1910, in: Pb 23, 1910/11, 753 f.; Rez. A. De Smet, De Sponsalibus et Matrimonio, Brugis ²1911, in: Pb 24, 1911/12, 110 f.; Die geistl. Gerichtsbarkeit der kath. Kirche in Preußen in Vergangenheit und Gegenwart mit bes. Berücksichtigung des Wesens der Monarchie, 2 Bde., Stuttgart 1915-16, ND Amsterdam 1965; Rez. J. Freisen, Verfassungsgeschichte der kath. Kirche Deutschlands in der Neuzeit, Leipzig/Berlin 1916 in: ZSavRG Kan. Abt. 6, 1916, 451- 465; Das Trierer Apostol. Vikariat Ehrenbreitstein (1816-1824). Ein Beitrag zur Geschichte und zum Recht der Sedes vacans: ZSavRG Kan. Abt. 7, 1917, 135-283; Rez. W. v. Hörmann zu Hörbach, Zur Würdigung des vatikan. Kirchenrechts, Innsbruck 1917: Deutsche Literaturzeitung 38, 1917, 1179-1183, 1211-1215; Literatur zum neuen kirchl. Gesetzbuch, in: Pb 30, 1917/18, 369-372; Rez. M. Laros, Der Intuitionsbegriff bei Pascal und seine Funktion in der Glaubensbegründung, Düsseldorf 1917, in: Pb 30, 1917/18, 381 f.; Literatur zum neuen kirchl. Gesetzbuch, in: Pb 30, 1917/18, 555-560; Rez. A. Göpfert, Ergänzungen zur Moraltheologie, Paderborn ⁷1918, in: Pb 31, 1918/19, 328; Rez. I. Fahrner, Das Eherecht im neuen kirchl. Gesetzbuch, Straßburg 1918, in: Pb 31, 1918/19, 328; Rez. A. Knecht, Grundriß des Eherechts, Freiburg 1918, in: Pb 31, 1918/19, 329; Rez. A. Arndt, Die Zensuren latae sententiae nach neuestem Recht, Innsbruck 1918, in: Pb 31, 1918/19, 329; Rez. J. Mausbach, Naturrecht und Völkerrecht, Freiburg 1918, in: Pb 31, 1918/19, 329 f.; Kriegsverschollenheit und Wiederverheiratung nach staatl. und kirchl. Recht, Paderborn 1919; Staat und Kirche im neuen Deutschland. Rede, gehalten auf dem Trierer Katholikentag am 12. Okt. 1919, Trier 1919; Das Zentrum im neuen Deutschland. Rede in der Zentrums-Versammlung zu Trier am 1. Mai 1919, Trier 1919; Die rechtl. Lage der kath. Kirche im nachrevolutionären Deutschland, in: Diözesansynode des Bistums Trier 28.-30.9. 1920, Trier 1920, 27-33; Schlußwort, in: ebd., 101-104; Außenpolitik des Reiches, in: Georg Schreiber (Hrsg.), Polit. Jahrbuch 1925, Mönchengladbach 1925, 11-34, ebd.

1926, 11-46, ebd. 1927/28, 11-62; Die Kirche im heutigen Deutschland, ihre Lage und Aufgabe: Abendland 2, 1926, 355-358; Der Völkerbundsgedanke als ethisches Problem, in: Deutschland und der Völkerbund, hrsg. von der Deutschen Liga für Völkerbund, Berlin 1926, 50-56; Die Kirche im heutigen Deutschland, ihre Lage und ihre Aufgabe, in: 66. Generalversammlung der Katholiken Deutschlands zu Dortmund 3.-6. Sept. 1927, hrsg. vom Generalsekretariat des Zentral-Komitees, Dortmund 1927, 82-91; Der Dienst am europäischen Gedanken, in: Nord und Süd 50, 1927, 202-206; Konkordatsrede, in: Germania Nr. 597/598 vom 24./25. Dez. 1928; Commission de Constatation et de Conciliation, in: Zeitschrift für ausländ. öffentl. Recht und Völkerrecht I/1, 1929, 132-154; Art. Michael Felix Korum, in: StL [5]III, 1929, 580-583; Von der kulturellen Sendung der Katholiken im Volksganzen, in: Die 68. Generalversammlung der Deutschen Katholiken zu Freiburg i. Br. vom 28. Aug. bis 1. Sept. 1929. Hrsg. vom Sekretariat des Lokalkomitees, Freiburg o. J., 246-259; Zur völkerrechtl. Sonderstellung der Rheinlande nach der Räumung, in: Europ. Gespräche. Hamburger Monatshefte für auswärtige Politik 7, 1929, 222-231; Eugenio Pacelli. Erster Apostol. Nuntius beim Deutschen Reich, in: Eugenio Pacelli. Gesammelte Reden. Ausgew. und eingel. von Ludwig Kaas, Berlin 1930, 7-24; Der Völkerbund als deutsche Aufgabe, in: Karl Anton Schulte (Hrsg.), Nationale Arbeit. Das Zentrum und sein Wirken in der deutschen Republik, Berlin 1930, 119-140; Görres-Gesellschaft und kath. Wissenschaft, in: Pb 42, 1931, 81-82; Zur Einführung, in: Walter Hagemann, Deutschland am Scheideweg. Gedanken zur Außenpolitik, Freiburg 1931, V-VII; Nicht rückwärts - vorwärts! Rede, Berlin 1931; Deutsche Außenpolitik, in: Oscar Müller (Hrsg.), Krisis. Ein polit. Manifest, Weimar 1932, 51-61; Ein Brief des Zentrumsführers Kaas, in: Saarbrücker Landes- Zeitung 14 (1933) Ausg. Nr. 28 vom 29.1. 1933; Der Konkordatstyp des faschistischen Italiens, in: Zeitschrift für ausländ. öffentl. Recht und Völkerrecht III/1, 1933, 488-522; Nuntius Eugenio Pacelli (1917-1929), in: Die Ostschweiz Nr. 158 vom 4.4. 1949, S. 1 u. Nr. 160 vom 5.4. 1949, S. 1 f.; Porta Santa. Mit einem Geleitwort von S. Exz. Prälat Ludwig Kaas, Ökonom der Erzbasilika St. Peter und erklärenden Texten von H. Riedlinger, Luzern 1951; Prefazione, in: Esplorazioni sotto la Confessione di San Pietro in Vaticano, eseguite negli anni 1940-1949. Relazione a cura di B. M. Apollony Ghetti, A. Ferrua S. J., E. Josi, E. Kirschbaum S. J. Prefazione di Mons. L. Kaas, Bd. I, Città del Vaticano 1951, VII-XI. - Posthum: Tagebuch 7.-20. April 1930. Ludwig Kaas †. Aus dem Nachlaß von Prälat Ludwig Kaas hrsg. von Rudolf Morsey, in: Stimmen der Zeit 166, 1960, 422-430; Briefe zum Reichskonkordat. Ludwig Kaas/Franz v. Papen. Hrsg. von Rudolf Morsey, in: Stimmen der Zeit 167, 1961, 11-30; «Der Weg des Zentrums» vom 5. April 1933, in: Josef Becker, Zentrum und Ermächtigungsgesetz 1933: Vierteljahreshefte für Zeitgeschichte 9, 1961, 195-210; Erste Jahreswende unter Hitler. Ein unbekannter Briefwechsel zwischen Ludwig Kaas und dem Abt von Grüssau. Zum 100. Geburtstag des Zentrumspolitikers am 23. Mai 1981, von Ludwig Volk, in: Stimmen der Zeit 199, 1981, 314-326.

Lit.: August Köhler, Deutsches Zentrum - Deutscher Rhein. Eine Untersuchung an Hand von Dokumenten und feststehenden Tatsachen, Trier 1932; — Georg Schreiber, Zwi-

schen Demokratie und Diktatur. Persönl. Erinnerungen an die Politik und Kultur des Reiches (1919-1944), 1949, passim; — Ders., L.K., in: Theol. Revue 47, 1951, 137 f.; — Prälat L.K. 70 Jahre alt, in: Paulinus. Trierer Bistumsblatt 77, 1951, Ausg. Nr. 20 vom 20.5. 1951, 9 f.; — Johann Lenz, Exzellenz Prälat Dr. L.K. †, in: Paulinus. Trierer Bistumsblatt 78, 1952, Ausg. Nr. 18 vom 4.5. 1952, 3; — Hans Erich Feine, Nachruf auf L.K., in: ZSavRG Kan. Abt. 38, 1952, 569 f.; — H. Schönhöffer, Prälat L.K., in: Korrespondenzblatt für die Alumnen des Collegium Germanicum et Hungaricum 60, 1953, 50-53; — Arthur Wynen, L.K. Aus seinem Leben und Wirken, 1953; — Joseph Nestor Moody (Hrsg.), Church and Society, 1953, 325-583; — Linus Hofmann, Prälat L.K. zum Gedächtnis, in: AfmrhKG 5, 1953, 393-394; — Alan Bullock, Hitler. Eine Studie über Tyrannei. Übertr. von Wilhelm und Modeste Pferdekamp, [2]1953, passim; — Emil Zenz, Politiker und Domherr: L.K., in: Ders., Gestalten des Trierer Landes, 1954, 95-98; — Ders., Geschichte der Stadt Trier in der ersten Hälfte des 20. Jh.s, 3 Bde., 1967-1973, passim; — Erich Eyck, Geschichte der Weimarer Republik, Bd. II, 1956 (transl. by Harlou P. Hanson and Robert G. L. Waite, Cambridge, Mass. 1963), passim; — Peter Weins, Ein großer Trierer fand seine letzte Ruhestätte. Prälat L.K. in einer eigenen Gruft im Campo Santo in Rom beigesetzt, in: Paulinus. Trierer Bistumsblatt 83, 1957, Ausg. Nr. 47 vom 24. 11. 1957, 3 f.; — Robert Leiber, Reichskonkordat und Ende der Zentrumspartei, in: Stimmen der Zeit 167, 1960/61, 213-223; — Rudolf Morsey, Prälat L.K. Zu seinem 10. Todestag, in: Trierische Landeszeitung 88, 1962, Ausg. Nr. 97 vom 26.4. 1962, 9; — Ders. (Bearb.), Die Protokolle der Reichstagsfraktion und des Fraktionsvorstandes der Deutschen Zentrumspartei 1926-1933, 1969; — Ders., L.K. (1881-1952), in: Ders. (Hrsg.), Zeitgesch. in Lebensbildern I. Aus dem deutschen Katholizismus des 20. Jh.s, 1973, 263-273, 311-312; — Ders., Der Untergang des polit. Katholizismus. Die Zentrumspartei zwischen christl. Selbstverständnis und «Nationaler Erhebung« 1932/33, 1977; — Ders./Karsten Ruppert (Bearb.), Die Protokolle der Reichstagsfraktion der Deutschen Zentrumspartei 1920-1926, 1981; — Ders., Leben und Überleben im Exil. Am Beispiel von J. Wirth, L.K. und H. Brüning, in: Um der Freiheit willen. Eine Festgabe für und von Johannes und Karin Schauff zum 80. Geburtstag, hrsg. von P. Gordan, 1983, 86-117 u. 98-102; — Josef Becker, Zentrum und Ermächtigungsgesetz 1933, in: Vierteljahreshefte für Zeitgeschichte 9, 1961, 195-210; — Ders., Brüning, Prälat L.K. und das Problem einer Regierungsbeteiligung der NSDAP, in: Hist. Zeitschrift 196, 1963, 74-111; — Bruno Wuestenberg, L.K. Ein Gedenkblatt, in: Rhein. Merkur 17, 1962, Ausg. Nr. 45 vom 9.11. 1962, 19; — Dieter Albrecht, Der Notenwechsel zwischen dem Hl. Stuhl und der dt. Reichsregierung, Bd. I, 1965, passim; — Karin Schauff, Entdeckerfreuden »im Untergrund«. Der Gräbersucher L.K. hat seine letzte Ruhestätte gefunden, in: Rhein. Merkur 18, 1965, Ausg. Nr. 9 vom 26.2. 1965, 13; — Dies., Erinnerung an L.K. Zum 20. Todestag am 25. April 1972, 1972; — Karl Otmar Freiherr v. Aretin, Prälat L.K., Franz v. Papen und das Reichskonkordat von 1933, in: Vierteljahreshefte für Zeitgeschichte 14, 1966, 252-279; — Alfons Kupper (Bearb.), Staatl. Akten über die Reichskonkordatsverhandlungen 1933, 1969; — Günter Mick, Polit. Wahlen und Volksentscheide in der Stadt Trier zur Zeit der Weimarer Republik, Diss. Bonn 1969; — Ludwig Volk (Bearb.), Kirchl. Akten

Diss. Bonn 1969; — Ludwig Volk (Bearb.), Kirchl. Akten über die Reichskonkordatsverhandlungen 1933, 1969; — Ders., Das Reichskonkordat vom 20. Juli 1933. Von den Ansätzen in der Weimarer Republik bis zur Ratifizierung am 10. Sept. 1933, 1972; — Ders., Katholische Kirche und Nationalsozialismus, 1987, passim; — Heinrich Brüning, Memoiren 1918-1934, 1970; — Konrad Repgen, Das Ende der Zentrumspartei und die Entstehung des Reichskonkordats, in: Militärseelsorge 12, 1970, 83-122; — Ders., Zur vatikan. Strategie beim Reichskonkordat, in: Vierteljahreshefte für Zeitgesch. 31, 1983, 506-535; — Martin Vogt (Bearb.), Das Kabinett Müller II. 28. Juni 1928 - 27. März 1930, 2 Bde., 1970; — Bernhard Kratz, Die Rolle des Prälaten L.K. beim Ermächtigungsgesetz und Reichskonkordat 1933, ungedr. wissenschaftl. Arbeit, Trier 1973; — Klaus Scholder, Die Kirchen und das Dritte Reich. Bd. I: Vorgesch. und Zeit der Illusionen 1918-1934, 1977; — Konrad Bohr, L.K. (1881-1952). Der Trierer Prälat in den Schicksalsjahren der Weimarer Republik (1932/33). Ein Literaturbericht, in: Kurtrierisches Jahrbuch 21, 1981, 285-290; — Georg May, L.K. Der Priester, der Politiker und der Gelehrte aus der Schule von Ulrich Stutz, 3 Bde. (= Kanonistische Studien und Texte, Bde. 33-35), 1981/82 (vgl. dazu Joseph Listl, in: Theol. Revue 81, 1985, 177-190 und Heribert Smolinsky, in: Archiv für kath. Kirchenrecht 155, 1986, 596-599); — Ders., L.K. (1881-1952), in: Rhein. Lebensbilder 10, 1985, 223-235; — W. Schidelko, Fahnenträger der Kirche oder Wegbereiter Hitlers? Prälat L.K., der »Vater des Konkordats«, starb vor dreißig Jahren, in: Paulinus. Trierer Bistumsblatt 108, 1982, Ausg. Nr. 17 vom 25.4. 1982, 15; — Tilman Koops (Bearb.), Die Kabinette Brüning I und II. 30. März 1930 - 10. Okt. 1931, 10. Okt. 1931 - 1. Juni 1932, 2 Bde., 1982; — Heidrun Werner, Zum Wirken des Zentrumspolitikers L.K. in der Endphase der Weimarer Republik, in: Wissenschaftl. Zeitschrift der Wilhelm-Pieck-Univ. Rostock 32, 1983, Heft 9, 39-43; — Hubert Jedin, Lebensbericht. Hrsg. von Konrad Repgen, 1984, passim; — Golo Mann, Erinnerungen und Gedanken, 1986, passim; — Ulrich von Hehl, Wilhelm Marx. 1863-1946. Ein polit. Biographie, 1987, passim; — Reichshandbuch der dt. Gesellschaft. Das Handbuch der Persönlichkeiten in Wort und Bild, 1930, 867; — Der Große Herder ⁴VI, 1933, 851; — Der Weltklerus der Diözese Trier seit 1800, 1941, 171 u. 405; — Meyers Großes Personenlexikon, 1968, 709; — Kosch, KD 1975; — NDB X, 713 f.; — Biogr. Wörterbuch zur dt. Geschichte II, 1369; — LThK ²V, 1233; — StL ⁶IV, 747-750; ⁷III, 273 f.; — RGG ²III, 577; ³III, 1079; — New Catholic Encyclopedia VIII, 109; — Kosch, Biogr. Staatshandbuch, 620; — Albrecht Weiland, Der Campo Santo Teutonico in Rom und seine Grabdenkmäler (= Der Campo Santo Teutonico in Rom, hrsg. von Erwin Gatz, Bd. I), Rom - Freiburg - Wien 1988, 196-199 (=Römische Quartalschrift für christliche Altertumskunde und Kirchengeschichte, 43. Supplementheft); — Walter F. Peterson, Art. Kaas, in: Biographisches Lexikon zur Weimarer Republik. Hrsg. von Wolfgang Benz und Hermann Graml, München 1988, 168.

Martin Persch

KABASILAS, Neilos, Erzbischof von Thessalonike und Polemiker gegen das Papsttum und die scholastische Theologie, geboren um 1300 in Thessalonike, gestorben 1363. — Über das Leben des N. K. ist kaum etwas bekannt. Er verbrachte den Großteil seines Lebens in Thessalonike, wo er u. a. Demetrios Kydones' Lehrer war. In den vierziger Jahren trat Neilos wie sein Neffe Nikolaos, der berühmte Mystiker, in die Dienste des Johannes Kantakuzenos. 1361 wurde er zum Metropoliten von Thessalonike gewählt, doch ist nicht sicher, daß er dieses Amt praktisch ausgeübt hat. N. Ks.' Hauptwerk Περὶ τῆς τοῦ ἁγίου πνεύματος ἐκπορεύσεως κατὰ Λατίνων richtete sich gegen die rationale Beweisführung der abendländischen Scholastik und besonders gegen die Ausführungen des Thomas von Aquin zur Frage des Ausganges des Heiligen Geistes vom Vater in den beiden großen Summen und in der Schrift »Ad Cantorem Antiochenum«, die Demetrios Kydones ins Griechische übersetzt hatte. K. N. griff dazu ohne Angabe der Quelle auf Argumente des 1341 verurteilten Barlaam zurück.

Werke: Teile von Neilos' Hauptwerk »über den Ausgang des Heiligen Geistes gegen die Lateiner« edierte Emmanuel Candal: Nilus Cabasilas et Theologia S. Thomae de Processione Spiritus Sancti (1945 mit ausführlicher Einleitung S. 1-181 und latein. Übersetzung), bzw.: Opus ineditum N. C. de Spiritu Sancti processione contra Latinos, in: OCP 9, 245-306; Candal gab außerdem noch eine kleine Schrift des N. K. zu einer vieldiskutierten Stelle Gregors von Nyssa heraus: La »Regla teologica« di Neilo Cabasila, in: OCP 23, 1957, 237-266: die beiden Logoi über die Ursachen des Schismas zwischen der abendländischen und der byzantinischen Kirche und gegen den Primat des Papstes in: MPG 149, 683-730; die ebenfalls antilatein. Schrift über die Synode von 879/880, die den Patriarchen Photios offiziell rehabilitierte, edierte zunächst G. Beveridge: Synodicon II, 1672, 273-294, dann später noch einmal Athanasios Papadopulos-Kerameus im Palestinskij Pravoslavnij Sbornik 9, 1882, 141-177; ein Brief an seinen Neffen Nikolaos über die Verehrung der Heiligen von Thessalonike ist noch ungedruckt; eine kanonistische Ἀντιλογία gegen Theodoros Balsanons' Erklärung des Kanons 12 der Antiochenischen Synode des Jahres 341 edierte A. Failler in: REByz 32, 1974, 211-223.

Lit: Hildebrand Beck, Der Kampf um den thomistischen Theologiebegriff in Byzanz, in: DTh 13, 1935, 1-22; — Michael Rackl, Demetrius Kydones als Verteidiger und Übersetzer des hl. Thomas von Aquin, in: Katholik 95/1, 1915, 21-40; — Ders., Der hl. Thomas von Aquin und das trinitarische Grundgesetz in byzant. Beleuchtung, in: Xenia Thomistica III, 1925, 363-389; — Guiseppe Schirò, Il paradosso di Nilo Cabasila, in: Studi Bizantini e Neoellenici 9 (Silloge Bizantina in onore di Silvio Giuseppe Mercati),

1957, 362-388; — Gerhard Podskalsky, Theologie und Philosophie in Byzanz, 1977, 164, 180-195; — Jugie I, 242/243; — Beck, 727/728; — DThC II, 1295-1297; — LThK VII, 872; — Θρησκευτική καὶ Ἠθικὴ Ἐγκυκλοπαιδεία IX, 337-340; — Prosopograph. Lexikon der Palaiologenzeit Fasz. V, 11/12 Nr. 10102.

Klaus-Peter Todt

KABASILAS CHAMAËTOS, Nikolaos, umfassend, vor allem theologisch gebildeter Byzantiner, * wahrscheinlich um 1322/3 in Thessalonike, † wahrscheinlich bald nach 1391 in Konstantinopel. — K. stammte über seine Mutter, deren Zunamen K. er gegenüber dem väterlichen Ch. bevorzugte, aus angesehener Familie; Neilos K. war der Bruder seiner Mutter. Nach Studien in Konstantinopel (ca. 1337-1343) kehrte er in seine Heimatstadt zurück. In der Zeit des Bürgerkrieges zwischen dem Aristokraten Johannes Kantakuzenos und den Anhängern des Palaiologenhauses nahm er Partei für den ersteren und stieß bald, nachdem dieser in Konstantinopel den Kaiserthron erlangt hatte (1347), zum engeren Kreis seiner Vertrauten, ohne daß ein Amt, das er am Hof bekleidet hätte, bekannt ist. Im Gefolge des Gregorios Palamas reiste er vorübergehend nach Thessalonike und zum Athos. Ohne in seinem Denken die Energienlehre des Palamas zu teilen, gehörte er, als der Palamismus auf Betreiben des Kantakuzenos zur offiziellen orthodoxen Lehre erhoben wurde (1351), nicht zur Opposition. Auf den im Februar 1354 zum Mitkaiser gekrönten Sohn des Kantakuzenos Matthaios schrieb er zu diesem Anlaß ein Enkomion. Vermutlich zog er sich, als der Palaiologe Johannes V. im Spätherbst 1354 den Kaiserthron erlangte, ganz ins Privatleben zurück. Die mehrfach diskutierte Frage, ob er jemals Mönch wurde, ist wohl doch negativ zu beantworten. Als sein Vater tödlich erkrankte (ca. 1363), reiste er nach Thessalonike, um sein Erbe zu sichern; es scheint aber, daß er bald nach Konstantinopel zurückkehrte. Weitere Ereignisse seines Lebens sind nicht bekannt. Zwei Dokumente aus der Feder Kaiser Manuels II., ein Traktat in Briefform aus dem Jahr 1387 und ein Brief von Herbst 1391, die schwerlich an einen anderen K. adressiert sind, dürften beweisen, daß er nicht, wie mehrfach angenommen, bereits im Jahr 1371 gestorben ist. Aus den frühen 90er Jahren stammt außerdem ein Brief des Joseph Bryennios an K., der ihm als Lebendem hohes Lob für die Verteidigung der Orthodoxie ausspricht. — In seinem Werk erweist sich K. als sozial aufgeschlossener und von Zeitströmungen unabhängiger Denker, der sich allein der patristischen Tradition verpflichtet fühlt. Sein in der Schrift »Über das Leben in Christus« entwickeltes mystisches Konzept ist streng christozentrisch und von der Sakramentstheologie bestimmt, aber unabhängig von dem in der Kirche seiner Zeit so einflußreichen Palamismus.

Werke: 1. Religiöse Schriften: Erklärung der Göttlichen Liturgie, MPG 150, 368-492; die Ausgabe von Pierre Périchon, SC 4 bis, 1967, bietet einen emendierten Text, keine kritische Edition; Kurze Erklärung der Paramente und der Riten der Göttlichen Liturgie, ed. René Bornert, SC 4 bis, 355-367, 369-381; Über das Leben in Christus, MPG 150, 493-725; Neued. Marie-Hélène Congourdeau, SC 355, 1989, SC 361, 1990; dt. Übers.: Gerhard Hoch, mit Einl. v. Endre von Ivánka, Sakramentalmystik der Ostkirche, [1]1958, [2]1966 (neuer Titel: Das Buch vom Leben in Christus), [3]1981; Predigten über Geburt, Verkündigung und Heimgang Mariens, ed. Martin Jugie, PO 19, 1925, 456-510; Predigten über Passion und Himmelfahrt Christi, 3 Erkl. der Visionen Ezechiels, 2 Enkomien auf den hl. Demetrios, ed. Basileios Pseutonkas, 1976; Enkomion auf die hl. Theodora, MPG 150, 753-772; Kleinere relig. Schriften, s. Congourdeau, 26f. 2. Werke zu Fragen der Sozialethik: Gegen die Enteignung der Kirchengüter, ed. Ihor Ševčenko (mit Komm.), Dumb.Oaks Papers 11, 1957, 81-171; dazu auch ders., ebd. 14, 1960, 179-201 (Datierung nach 1371); An Anna Palaiologina über den Zins, ed. Robert Guilland, Εἰς μνήμην Σπ. Λάμπρου, 1933, 269-277; Predigt gegen die Zinsnehmer, MPG 150, 727-750. 3. Kleinere philosophische Schriften, s. Congourdeau, SC 355, 27; ferner: Gegen die Torheiten des Nikephoros Gregoras, ed. Antonio Garzya, Byz (B) 24, 1954, 521-532. 4. Kurze Gelegenheitsschriften, s. Tsirpanlis, Byz (B) 49, 423f. 5. Kommentar (nach Theon von Alexandrien) zu Ptolemaios, Almagest, Buch 3 u. 4, Teiled. 1538. 6. Briefe, ed. Polychrones Enepekides, ByZ 46, 1953, 18-46; dazu Ihor Ševčenko, ByZ 47, 1954, 49-59 und Loenertz 1955 (s.u.), 226-231 bzw. 323-328.

Lit: Martin Jugie, La doctrine mariale de N.C., EO 18, 1916/9, 375-388; — Joseph Kramp, Die Opferanschauungen der röm. Meßliturgie, [2]1924; — Jean Rivière, Le dogme de la rédemption, 1931, 281-303; — Sévérien Salaville, Le christocentrisme de N.C., EO 35, 1936, 129-167; — Ders., Vues sotériologiques chez N.C., RÉByz 1, 1943, 5-57; — Myrrha Lot-Borodine, La grâce déifiante des sacrements d'aprés N.C., RSPhTh 25, 1936, 299-330; 26, 1937, 693-712; — Dies., Le cœur théandrique et son symbolisme dans l'œuvre de N.C., Irénikon 13, 1936, 652-673; — Dies., La doctrine de l'amour divin dans l'œuvre de N.C., Irénikon 26, 1953, 376-389; — Raymond-Joseph Loenertz, Chronologie de N.C. 1345-1354, OrChrP 21, 1955, 205-231 = Ders.,

Byzantina et Franco-Graeca I, 1970, 303-328 (mit Erg.); — R.N.S.Craig, N.C.: An Exposition of the Divine Liturgy, Studia Patristica II, Berlin 1957, 21-28; — G. Gharib, N.C. et l'explication symbolique de la liturgie, PrO 10, 1960, 114-133; — Costantino Vona, I discorsi di N.C., Miscellanea A. Piolanti II, 1964, 115-189; — Athanasios A. Angelopulos, N.K. Χαμαετός, 1970; Panagiotes Nellas, 'Η περὶ δικαιώσεως διδασκαλία N. τοῦ K. (Die Rechtfertigungslehre des N.K.), 1975; — Ders., Αἱ θεολογικαὶ πηγαὶ N. τοῦ K. (Die theologischen Quellen des N.K.), Κληρονομία 7, 1975, 327-344; — Margerita Poljakovskaja, Vzgljady N.K. na rostovščičestvo (Ansichten des N.K. über den Wucher), Antičnaja drevnost' i srednie veka 13, Sverdlovsk 1976, 83-96; — Walther Völker, Die Sakramentsmystik des N.K., 1977; — Horst Müller-Asshoff, Beobachtungen zu den Hauptschriften des Gregorios Palamas und N.K., ByZ 70, 1977, 22-41; — George T. Dennis, The Letters of Manuel II Palaeologus, 1977, insbes. XXX-XXXV; — Ders., N.C.Ch. and his Discourse on Abuses Committed by Authorities Against Sacred Things, Byz.Studies 5, 1978, 80-87; — Constantine Tsirpanlis, The Career and Writings of N.C., Byz (B) 49, 1979, 414-427; — Ders., The Liturgical and Mystical Theology of N.C. ²1979; — Ders., The Mariology of N.C., Κληρονομία 11, 1979, 273-288; — Demetrios Kydones, Briefe, übers. u. erl. v. Franz Tinnefeld, I/1, 1981, I/2, 1982, II, 1991 (Briefe an N.K.); — Hermenegild M. Biedermann, Christengemeinschaft in der Eucharistie bei N.K., Praesentia Christi, Festschr. J. Betz, ed. L. Lies, 1984, 162-171; — Beck 780ff.; — BHG, s. Beck 782; — Catholicisme II, 339f.; — DHGE XI, 14ff.; — Dictionary of Middle Ages IX, 135; — DSp II, 1ff.; — DThC II, 1292ff.; — LThK VII, 988; — Παγκ. Βιογρ. Λεξικ. IV, 190; — Θρησκ. Ἠθικ. Ἐγκυκλοπ. XII, 830ff.; — Tusculum-Lexikon griech. und lat. Autoren des Altertums u. des Mittelalters, ³1982, 427f.

Franz Tinnefeld

KABIR ist der Begründer einer indischen Reformbewegung. Er lebte im 15. Jahrhundert und strebte eine Synthese der beiden Hauptreligionen Indiens, des Hinduismus und des Islams, an. K. wurde 1440 in Benares in einer muslimischen Familie geboren. Er starb 1518. — Zu seiner Idee gelangte K. durch den Einfluß der hinduistischen Sekte der Rāmāvants (d.h. der Anhänger des Rāmānanda). Er verkündete, daß Islam und Hinduismus nur einen Gott verehrten, Allāh-Rāmā. Sie unterschieden sich nur in den äußeren Kultformen. Daher lehnte K. sowohl islamische Riten als auch hinduistische Bilderverehrung ab, ebenso sprach er Wallfahrten, Selbstkasteiungen usw. keinen Wert zu. Er bejahte allein die Lehren von Samsāra und Karman und ließ allein die Bhakti als Heilsweg gelten. Er gründete eine Art Mönchsgemeinschaft, die Ka-

birpanthis, die noch heute im nördlichen Mittelindien besteht. Ihre Heilige Schrift »Bijak« (= Rechnung) enthält Aussprüche K.s, die von seinen Jüngern gesammelt worden sind.

Lit.: G. H. Westcott, K. and Kabirpanthis, Cawnpore 1907; — R. Tagore, One Hundred Poems of K., London 1915; — F. König (Hrsg.), Christus und die Religionen der Erde, Wien 1956², III, 199 f.; — S. Lemaître, Der Hinduismus oder Sanātana Dharma (= Der Christ in der Welt XVII/5), Aschaffenburg 1958, 23; — J. A. Hardon, Gott in den Religionen der Welt, Luzern-München 1967, 250, 254.

Johannes Madey

KABISCH, Richard, evangelischer Theologe und Pädagoge, * 21.5. 1868 in Kemnitz bei Greifswald, Sohn des Pfarrers Albert K. (1835-1901) und der Anna Vogt (1842-n. 1915). Er heiratete 1898 Katharina Moehr (* 1878), † 30.10. 1914 bei Bixschrote/Westflandern. — Nach dem Studium der deutschen Philologie, Geschichte und evangelischer Theologie in Greifswald und Bonn widmete sich K. der Lehrerbildung in Berlin, Dramburg, Ütersen und Brenzlau. Seit 1910 wirkte er als Regierungs- und Schulrat in Düsseldorf; 1914 wurde er nach Bromberg versetzt. In der neutestamentlichen Wissenschaft vertrat K. eine konsequente religionsgeschichtliche Betrachtung des Paulus und seiner Eschatologie. Seine anthropologischen Leitbegriffe des Willens und des Gefühls (gegen Herbarts Intellektualismus) entstammen dem Deutschen Idealismus und der Bewußtseinspsychologie Wilhelm Wundts. »Erlösung vom Ich zu Gott durch Willen zur Tat und Willen zum Leiden« war für K. das höchste Erziehungsziel. Den Geschichtsunterricht stellte er in den Dienst der ethisch-staatsbürgerlichen Erziehung. Als bedeutender Vertreter der vom Kulturprotestantismus geprägten evangelischen Religionspädagogik war für K. die »religiöse Selbständigkeit des christlichen Individuums im Zusammenhang der geistigen Kultur der Gegenwart« Ziel des Religionsunterrichts. K. erklärte Religion für lehrbar im Sinne der geistigen Übertragung der religiösen Bewegtheit des Lehrers auf den Schüler.

Werke: Die Eschatologie des Paulus in ihren Zusammenhängen mit dem Gesamtbegriff des Paulinismus, 1893; Religionsbuch für ev. Lehrer- und Lehrerinnenseminare und

Präparandenanstalten, 2 Bde., 1900/01, 1904[3]; Gottes Heimkehr. Die Geschichte eines Glaubens, 1907, 1920[3]; Wie lehren wir Religion?, 1910, 1917-31[4-7], bearb. von H. Tögel; Erziehender Geschichtsunterricht, 1912, 1928[4]; Das neue Geschlecht. Ein Erziehungsbuch, 1913, 1928[4].

Lit.: Gerd Bockwoldt, R. K., Religionspädagoge zw. Revolution und Restauration. Habil.schr. Kiel 1974; — RGG [3]III, 1081; — NDB XII, 715 f.

Karl Dienst

KACHIK, Johannes (Yovhannes Orotneci), * 7.1. 1313 und + 7.1. 1385, war ostarmenischer Theologe und Philosoph. Er dozierte Theologie und Philosophie in Aprakouniq und Mecop'. — J.K. gilt als Gründer der Schule von Tat'ew. Unter seinem Namen existieren Kommentare zu verschiedenen biblischen Büchern und zu den Scholien des Kyrillos von Alexandrien. J.'s Schriften wurden größtenteils von seinem Schüler Gregorios von Tat'ew überarbeitet.

Werke: Kommentare zu den Psalmen, Hiob, Jesaja, Matthäus, Johannes und den Scholien des Kyrillos von Alexandrien; Kommentar zu den Kategorien des Aristoteles und zur Εισαγωγη des Porphyrios mit russischer Übersetzung, hg. von A.A. Adamyan/W.K.Galoyan, Eriwan 1956.

Lit.: LThK V, 1045.

Ernst Pulsfort

KADŁUBEK, Vincenz (poln.: Wincenty), * ca. 1150 in der Nähe von Opatów bei Sandomierz, † Kloster Jędrzejów am 8.3. 1223. Er entstammte einem poln. Adelsgeschlecht und studierte in Bologna (Kętrzyński) oder in Paris (Balzer; Kiełtyka). Ungefähr um das Jahr 1183 erwarb er den Magistergrad. Nach seiner Rückkehr in die Heimat war er wahrscheinlich Notar im Dienste des Fürsten Kasimir des Gerechten (Kazimierz Sprawiedliwy). Nach dem Tode des Fürsten im Jahre 1194 übernahm K. als Priester der Diözese Krakau das Amt des Propstes an der kurze Zeit zuvor konsekrierten Kollegiatskirche in Sandomierz. Nach dem Tode des Bischofs Pełka im Jahre 1207 wurde er Bischof von Krakau, doch schon 10 Jahre später verzichtete er auf sein Amt und trat (1218) als Mönch in das Kloster Jędrzejów der Zisterzienser ein. Hier vollendete er sein Hauptwerk, eine umfangreiche Chronik Polens,

die bis zum Jahr 1206 reicht. K. verband Frömmigkeit, Hirtensorge und persönliche Askese. Mit Erzbischof Kietlicz von Gnesen setzte er sich für die Unabhängigkeit der Kirche von politischer Macht ein. König Jan Sobieski und der polnische Episkopat beantragten 1631 die Heiligsprechung; doch wurde K. erst 1764 seliggesprochen. Reliquien des Seligen befinden sich im Kloster Jędrzejów, in der Kathedrale von Sandomierz (der früheren Kollegiatskirche, wo K. Propst war) und - seit 1911 - in der Andreaskapelle des Doms von Krakau. Sein Festgedächtnis wird in der Erzdiözese Krakau sowie in den Diözesen Sandomierz und Kielce am 9. Oktober begangen. Bis zur Liturgiereform nach dem II. Vatikanischen Konzil wurde das Fest des sel. V.K. entsprechend dem polnischen Eigenkalender am 8. März gefeiert.

Werke: Chronica de gestis (illustrium) principum ac regum Poloniae (= Monumenta Poloniae Historica, Lemberg 1872, II, 193-448).

Lit.: S. Starowolski, Życie i cuda sługi Bożego Wincentego Kadłubka, 1643; — M. Zeißberg, Die poln. Gesch.schreibung des MA.s, Leipzig 1873, 45-78; — Potthast B II, 1096 f.; — Hurter II, 236 f.; — B. Grodziecki, Rocznik Krakowski 19 (1924), 30-36; — O. Balzer, Pisma pośmiertne I/2, Lemberg 1934; — O. G. Lefebvre, Mszał Rzymski, Lophem lez Bruges 1932, 1*; — Wattenbach-Holzmann II, 358; — E. Jarra, Twórczośćsc prawna duchowieństwa polskiego: Sacrum Poloniae Millenśium, Rom 1954, I, 264 ff.; — Kl. Slav. Biographie, Wien 1958; — S. Kętrzyński, Polska X-XI wieku, Warschau 1961; — O. S. Kiełtyka, Bł. Wincenty Kadłubek (ca. 1150-1223): Nasza Preszesłość 16 (1962), 153-212; — W. Schenk, Aus der Gesch. der Liturgie in Polen: Le Millénaire du Catholicisme en Pologne/Poland's Millenium of Catholicism, Lublin 1969, 206; — LThK [2]V, 1238 f.

Johannes Madey

KÄHLER, Ludwig August (Ps. Filibert), Pfarrer u. Prof. d. Theologie, * 6.3. 1775 in Sommerfeld (Brandenburg), † 4.11. 1855 in Wogenab bei Elbing. — K. besuchte die Fürstenschule in Meißen, studierte von 1793 bis 1796 in Erlangen Theologie, war 1796-1798 als Hauslehrer angestellt und wurde 1798 Adjunkt des Pfarramtes in Kanig. Während dieser Zeit veröffentlichte er Romane und zahlreiche Erzählungen. Seit 1809 wirkte er als Diakon, von 1811 an als Archidiakonus an der Oberkirche zu Kottbus. Dort erschien seine Schrift über »Supranaturalismus

Fragen von Identität und Schuld, Einsamkeit und Gemeinschaft, familiärer Nähe und sozialem Totalitarismus, künstlerischer Existenz und Selbstverwirklichung Ausdruck erlangen. Im August 1917 verstärken sich die tuberkulösen Symptome, die K. selbst als Sinnbild seiner Lebenskrise und existentiellen Selbstzerstörung deutet, und sie zwingen ihn zu Landaufenthalten in Zürau (September 1917) und Schelesen (November 1918), auf denen er sich eingehend mit Kierkegaard und dessen Lebensproblematik (unglückliche und schließlich gelöste Verlobung, soziale Vereinsamung) beschäftigt. Im Januar 1919 lernt K. Julie Wohryzek kennen, mit der er sich im Sommer desselben Jahres verlobt. Die Ablehnung seiner Heiratsabsichten durch seinen Vater veranlaßt K. zur Abfassung seines freilich nicht abgesandten »Briefes an den Vater« im November 1919, in dem er für das Scheitern seiner Beziehung zu Julie (Entlobung am 4. Juli 1920) Angst, Schwäche und Selbstmißachtung anführt. 1920 bietet sich Milena Jesenská an, K.s Werke ins Tschechische zu übersetzen - ihr übergibt K. die Manuskripte des »Verschollenen«, den »Brief an den Vater« und seine Tagebücher. Ab Mitte 1920 beginnt eine sich bis zum Ende des Jahres hinziehende produktive Phase, in der u. a. die Erzählungen »Zur Frage der Gesetze«, »Poseidon«, »Der Geier« und die »Kleine Fabel« entstehen. Von Dezember 1920 bis August 1921 muß K. ein Lungensanatorium in Matliary in der Hohen Tatra aufsuchen, in dem er im Februar 1921 den jüdischen Medizinstudenten Robert Klopstock kennenlernt, der ihm bis zu einem Tod Freund bleibt. K. schreibt in dieser Zeit (Mitte 1921) sein von Brod erhaltenes Testament, das in der ersten Fassung den Freund dazu bestimmt, den Nachlaß an Tagebüchern, Manuskripten und Briefen zu verbrennen, und das er ein Jahr später (Herbst 1922) dahingehend abändert, daß die Bücher »Das Urteil«, »Der Heizer«, »Die Verwandlung«, »In der Strafkolonie«, »Ein Landarzt«, die Erzählung »Ein Hungerkünstler« und die »Betrachtung» der Nachwelt überlassen werden dürfen, alles andere aber verbrannt werden solle. Während eines - durch einen im Januar 1922 erlittenen Nervenzusammenbruch notwendig gewordenen - Erholungsurlaubes im Riesengebirge beginnt K. mit der Niederschrift seines Romans

»Das Schloß« (Frühjahr 1922); im Juni desselben Jahres beantragt K. seine vorzeitige Pensionierung. Während eines erneuten Erholungsurlaubes an der Ostsee macht K. im Juli 1923 die Bekanntschaft mit der aus Polen stammenden Ostjüdin Dora Diamant, mit er er ab September 1923 in Berlin zusammenlebt. Ab dem März 1924 verschlechtert sich der Gesundheitszustand K.s rapide; in die Universitätsklinik nach Wien gebracht, wird K. auf Kehlkopftuberkulose hin behandelt und auf Drängen von Dora Diamant und Robert Klopstock in ein Sanatorium in Kierling bei Klosterneuburg verlegt, wo er am 3. Juni 1924 unter den an seinen Freund gerichteten Worten "Töten Sie mich, sonst sind Sie ein Mörder" verstirbt - am 11. Juni wird er auf dem jüdischen Friedhof in Prag-Strachnitz begraben. — Maßgeblich beeinflußt wurde die Rezeptionsgeschichte K.s durch seinen Freund und Nachlaßverwalter Max Brod: Er trug eine Deutung K.s als eines religiösen Dichters und eines jüdischen Erneuerers vor, die von Martin Buber unter Hinweis auf die Motive des Gerichtes, der Schuld, der Sühne und Strafe weiterverfolgt wurde; diese Interpretation und die Zuweisung K.s zum Typus des "homo religiosus" verfiel im Hinblick auf K.s "Nihilismus" jedoch der Kritik seitens katholischer Interpreten (z. B. Robert Rochefort). Gerade in dieser vom Absoluten unbesetzten Welt erblickte die vom Existentialismus geprägte philosophische Deutung (Camus, Sartre) die Bedeutung K.s: Angst, Sorge, Ekel, das Nichts und die Absurdität einer Welt, die nicht zu verstehen, sondern lediglich zu akzeptieren sei, werden als die zentralen inhaltlichen Motive geltend gemacht. Die marxistisch orientierte Interpretation nimmt Bezug auf die von K. literarisch gestalteten Entfremdungssymptome, vermißt aber in ihrer orthodoxen Variante (Georg Lukács) eine sozialökonomische Analyse der Ursachen von Entfremdung und die gesellschaftliche Perspektive. Als Verdacht wird auch erhoben (G. Anders), daß das Werk K.s eine vergleichgültigende, inaktivierende Wirkung habe, deren befremdender Charakter auf K.s eigenes biographisches Fremdsein verweise. Das Werk erscheint dann im Rahmen eines psychologischen Deutungsansatzes als die lebensgeschichtlich fundierte, expressionistische Chiffrierung eines Vater-Sohn-Konfliktes

(Walter H. Sokel) oder der psychischen Problematik des Junggesellendaseins ("Sisyphus war ein Junggeselle") (H. Politzer), die sich in K.s Werken reflektiert (z. B. »Hochzeitsvorbereitungen auf dem Lande«, »Die Verwandlung«, »Das Urteil«, »Blumfeld, ein älterer Junggeselle«, »Das Unglück des Junggesellen«), so daß die Wahrheit der Dichtung K.s in der Spiegelung seiner Lebenswirklichkeit liegt. Im Gegensatz hierzu versucht die werkimmanente Interpretation (F. Beißner, M. Walser), den Text als autonomes, ästhetisches Gebilde zu verstehen, das nicht der historischen Persönlichkeit entwachsen, sondern dem dichterischen Formwillen unterstellt sei, so daß als Konsequenz nicht das Werk aus dem Leben, sondern das Leben aus dem Werk erklärt werden muß. Die Irrealisierung der erzählten Vorgänge bewirkt eine Affinität mit dem Traum (z. B. die Überwindung von Raum und Zeit, das Ineinanderfließen aller Ereignisse, das Ersetzen kausaler Verknüpfung durch eine Sequenz verschiedener Bilder, überraschende Assoziationen und die Aufspaltung der Hauptfigur in verschiedene Personen). Aus dieser traumkomischen Präsentation von "Wirklichkeit" zog Thomas Mann die Forderung, K.s Verzweiflung in einem "metaphysischen Humor" aufzuheben. Trotz der von der werkimmanenten Deutung betonten Perspektivierung und Ironisierung ist in der Wirkungsgeschichte K.s häufig der Versuch gemacht worden, seine Texte zu dramatisieren und zu dialogisieren (z. B. Theateraufführungen: »Le Procès« in der Bearbeitung von André Gide, »Der Prozeß« in der Inszenierung von Gustav Gründgens und Ulrich Erfurt oder in der Bearbeitung von Peter Weiss; Filme: u. a. »Der Prozeß« in der Bearbeitung von Orson Welles, »Die Verwandlung«, »Klassenverhältnisse« nach dem Roman »Der Verschollene« u. a. m.), wie auch Vertonungen geschaffen worden sind (Hans Werner Henzes Funkoper »Ein Landarzt«, G. von Einems Oper »Der Prozeß«). Sowohl die Übersetzungen K.s ins Englische, Französische, Spanische, Italienische, Japanische und die skandinavischen Sprachen und seine - wenn auch zögerliche - Verbreitung im sozialistischen Ostblock als auch die mannigfaltigen Einflüsse auf Dichterkollegen und -epigonen (u. a. W. H. Auden, S. Bekkett, J. L. Borges, A. Camus, A. Döblin, F. Dürrenmatt, G. Greene, P. Handke, C. Isherwood, I. Murdoch, H. Pinter, R. M. Rilke, J. P. Sartre, A. Seghers, M. Walser, P. Weiss, Franz Werfel u. a. m.) bezeugen K.'s internationale Bedeutung, gleichwohl aber auch seine Resistenz gegenüber Eindeutigkeit; sein Werk zerstört ein rein kontemplatives Verhältnis des Lesers zum Text: das Rätsel fasziniert und verurteilt den Leser, der bis zum nochmaligen Lesen schuldig bleibt. Eingedenk der Regel, alles wörtlich zu nehmen, wird der Leser von der Ungeheuerlichkeit des Selbstverständlichen (z. B. »Eine alltägliche Verwirrung«) schockiert und der Ohnmacht seines selbstherrlichen Verfügungswillens überführt. Die hermetische Verschlossenheit des Werkes ist Schutzmaßnahme gegen die allgemeine Tendenz zur Vereinnahmung des Ichs, das - um zu leben - sich selbst auslöschen muß (z. B. »Ein Bericht für eine Akademie«) oder erst im Tod die Versöhnung findet (»Das Urteil«), seine "success story" nur durch Mimesis der Macht erreichen kann oder - um sich zu bewahren - in einen Käfer regredieren muß (»Hochzeitsvorbereitungen auf dem Lande«, »Die Verwandlung«); die Reaktion auf die grenzenlose Macht ist Verkümmerung oder im Falle der versuchten Selbstbefreiung Schuld (»Der Prozeß«, »In der Strafkolonie«). Die beklemmende Lückenlosigkeit und Geschlossenheit der Welt K.s suggeriert die Invarianz eines Weltzustandes, in dem Geschichtliches in Nicht-Geschichtlichem aufgeht, Bewegung in Erstarrung übergeht, und in dem der Handelnde versteinert oder vergessen wird oder der Ermüdung erliegt (z. B. »Prometheus«). Alt und lebenssatt zu sterben, ist in dieser Welt unmöglich geworden (z. B. »Der Jäger Gracchus«),in der das Ungeheuerliche selbstverständlich und das Leben in einem Alptraum zu einem anstrengenden Kampf mit bescheidenen Resultaten geworden ist (»Amerika«). "Die Fesseln der gequälten Menschheit sind aus Kanzleipapier." (Kafka in den Gesprächen mit Gustav Janouch.) Durch die schonungslose Entzauberung des Übergewichts der Dingwelt vermag sich in den Werken ein Leser zu erkennen, der "sein eigener Robinson wurde und auf einem mit zusammengerafften Zeug beladenen Floß ohne Steuer umhertreibt" (Adorno). "Die Leute sind so selbstbewußt, selbstsicher und gut aufgelegt. Sie beherrschen die Straße und meinen darum, daß sie die Welt beherrschen. In Wirklichkeit irren sie doch. Hinter ihnen sind schon die Sekretäre, Beamten, Berufspolitiker, alle die modernen Sultane, denen sie die Wege zur Macht bereiten." (Kafka in den Gesprächen mit G. Janouch.)

Werke: »Betrachtung«, (»Der Kaufmann«, »Zerstreutes Hinausschaun«, »Der Nachhauseweg«, »Die Vorüberlaufenden«, »Kleider«, »Der Fahrgast«, »Die Abweisung«, »Die Bäume«), 1908; »Die Aeroplane in Brescia«, 1909; »Gespräch mit dem Beter«, »Gespräch mit dem Betrunkenen«, 1909; »Betrachtungen« (»Kleider«, »Der Fahrgast«, »Zum Nachdenken für Herrenreiter«, »Zerstreutes Hinausschaun«, »Die Vorüberlaufenden«, »In der Nacht«, 1910; »Die erste lange Eisenbahnfahrt«, 1912; »Betrachtung« (»Kinder auf der Landstraße«, »Entlarvung eines Bauernfängers«, »Der plötzliche Spaziergang«, »Entschlüsse«, »Der Ausflug ins Gebirge«, »Das Unglück des Junggesellen«, »Der Kaufmann«, »Zerstreutes Hinausschaun«, »Der Nachhauseweg«, »Die Vorüberlaufenden«, »Der Fahrgast«, »Kleider«, »Die Abweisung«, »Zum Nachdenken für Herrenreiter«, »Das Gassenfenster«, »Wunsch, Indianer zu werden«, »Die Bäume«, »Unglücklichsein«), 1913; »Das Urteil«, 1913; »Der Heizer. Ein Fragment«, 1913; »Die Verwandlung«, 1915; »Vor dem Gesetz«, 1915; »Ein Traum«, 1916; »Ein altes Blatt«, »Der neue Advokat«, »Ein Brudermord«, 1917; »Zwei Tiergeschichten: 1. Schakale und Araber. 2. Ein Bericht für eine Akademie«, 1917; »Ein Landarzt«, »Der Mord«, 1918; »In der Strafkolonie«, 1919; »Eine kaiserliche Botschaft«, 1919; »Die Sorge des Hausvaters«, 1919; »Ein Landarzt« (»Der neue Advokat«, »Ein Landarzt«, »Auf der Galerie«, »Ein altes Blatt«, »Vor dem Gesetz«, »Schakale und Araber«, »Ein Besuch im Bergwerk«, »Das nächste Dorf«, »Eine kaiserliche Botschaft«, »Die Sorge des Hausvaters«, »Elf Söhne«, »Ein Brudermord«, »Ein Traum«, »Ein Bericht für eine Akademie«), 1919; »Der Kübelreiter«, 1921; »Erstes Leid«, 1921; »Ein Hungerkünstler«, 1922; »Josefine, die Sängerin«, 1924; »Ein Hungerkünstler. Vier Geschichten (»Erstes Leid«, »Eine kleine Frau«, »Ein Hungerkünstler«, »Josefine, die Sängerin oder das Volk der Mäuse«), »Der Prozeß«, 1925; »Das Schloß«, 1926; »Amerika«, 1927; »Beim Bau der chinesischen Mauer« (»Beim Bau der chinesischen Mauer«, »Zur Frage der Gesetze«, »Das Stadtwappen«, »Von den Gleichnissen«, »Die Wahrheit über Sancho Pansa«, »Das Schweigen der Sirenen«, »Prometheus«, »Der Jäger Gracchus«, »Der Schlag ans Hoftor«, »Eine Kreuzung«, »Die Brücke«, »Kleine Fabel«, »Eine alltägliche Verwirrung«, »Der Kübelreiter«, »Das Ehepaar«, »Der Nachbar«, »Der Bau«, »Der Riesenmaulwurf«, »Der Dorfschullehrer«, »Foschungen eines Hundes«, »Er. Betrachtungen über Sünde, Leid, Hoffnung und den wahren Weg«), 1931; »Erzählungen und Skizzen«, 1959; »Brief an den Vater«, 1960; »Das Kafka-Buch. Eine innere Biographie in Selbstzeugnissen«, 1965; »Briefe an Felice und andere Korrespondenz aus der Verlobungszeit«, 1967; »Tagebücher«, 1973. — Gesamtausgaben: Gesammelte Schriften. Hg. von Max Brod in Gemeinschaft mit Heinz Politzer, 6 Bde., 1935-1937; Gesammelte Werke, in Einzelbänden, hg. von Max Brod, 11 Bde., 1950-1974; »Briefe an Ottla und die Familie«, hg. von Hartmut Binder und Klaus Wagenbach, 1974; »Briefe an Milena«, erw. und neugeordnete Ausgabe, hg. von Jürgen Born und Michael Müller, 1983; Gesammelte Werke, hg. von Max Bord, Taschenbuchausgabe, 7 Bde., 1976. — Bibliographien: Hemmerle, Rudolf: K. Eine Bibliographie, 1958; Harry Järv, Die K.-Literatur. Eine Bibliographie (Malmö 1961); Angel Flores, A K.-Bibliography, 1908-1976 (New York 1976); Maria Luise Caputo-Mayr/Julius M. Herz, K.s Werke. Eine Bibliographie der Primärlit. 1908-1980 (1982); Ludwig Dietz, K. Die Veröffentlichungen zu seinen Lebzeiten 1908-1924 (1982); Joachim Unseld, K. Ein Schriftstellerleben. Die Gesch. seiner Veröffentlichungen (1982).

Lit.: Günther Anders, K. Pro und contra (1951); — Max Bense, Die Theorie K.s (1952); — Robert Rochefort, K. oder die unzerstörbare Hoffnung (1955); — Klaus Wagenbach, K. (1958); — Wilhelm Emrich, K. (1958); — Martin Walser, Beschreibung einer Form. Versuch über K. (1961); — Kurt Weinberg, K.s Dichtungen. Die Travestien des Mythos (1963); — Walter H. Sokel, K. (1964); — Josef Rattner, K. und das Vater-Problem (1964); — Gustav Janouch, K. und seine Welt (1965); — Klaus Wagenbach, K. 1883-1924 (1966); — Hartmut Binder, Motiv und Gestaltung bei K. (1966); — Werner Kraft, K. (1968); — Gustav Janouch, Gespräche mit K. Erinnerungen und Aufzeichnungen. Erw. Ausgabe (1968); — Dietrich Krusche, K. und K.-Deutung (1974); — Erich Heller, K.(1976); — Hartmut Binder, K. in neuer Sicht (1976); — Th. W. Adorno, Kulturkritik und Gesellschaft (1977), GS X, 254 ff.; — Heinz Politzer, K. Der Künstler (1978); — Hartmut Binder (Hg.), K.-Handbuch, Bd. 1: Der Mensch und seine Zeit, Bd. 2: Das Werk und seine Wirkung (1979); — Ders., K. Der Schaffensprozeß (1983); — Herbert Kraft, Mondheimat. K. (1983); — Klaus Wagenbach, K. mit Selbstzeugnissen und Bilddokumenten (1986); — Max Brod, Über Franz Kafka. Eine Biographie. K.s Glauben und Lehre. Verzweiflung und Erlösung im Werke K.s (Neuausgabe 1986).

Martin Arndt

KAGAWA, Toyohiko, der »Samurai Jesu Christi«, Theologe, Evangelist, Sozialreformer, Verfasser von mehr als 130 volkswirtschaftlichen, soziologischen und theologischen Büchern sowie Gedichten und Romanen wurde am 10.7 1888 in der Hafen- und Handelsstadt Kobe (Japan) als Sohn eines japanischen Ritters (Samurai) und einer Geisha geboren und starb am 23.4. 1960 in Tokio. — K. lebte in seiner Jugend »inmitten von Reichtum, aber in Tränen« und suchte Trost in der Einsamkeit der Natur, die ihm zeitlebens zur Trösterin und Lehrerin wurde. Durch einen japanischen Lehrer kam K. in der Mittelschule mit dem christlichen Glauben in Berührung und ließ sich taufen, worauf er enterbt und aus der Familie ausgestoßen wurde.

1905 begann K. mit dem Studium der Theologie und lebte lungenkrank, Jahre hindurch fiebernd, zuckerkrank, wassersüchtig, herzleidend, von der ägyptischen Augenkrankheit heimgesucht als Student und Pfarrer von 1909 bis 1923 im Elendsviertel Shinkawa in Kobe, um »Jesu Geist unter den Armen auszubreiten«. Mit den Einnahmen seiner in der ganzen Welt verbreiteten Bücher finanzierte er seine Evangelisationen und sozialen Hilfswerke. Am 27.5. 1913 heiratete K. die aus einer verarmten Kaufmannsfamilie stammende Shiba Haruko, die bis zum Ende seines Lebens seine treueste Mitarbeiterin und »Finanzminister« wurde, »immer bereit zu sterben, falls es nötig wäre«. Shinkawa wurde zu einem »Laboratorium des Lebens und der menschlichen Gesellschaft« zu seiner »sozialen meterologischen Station«, in der K. versuchte, die Erreger der sozialen Seuche festzustellen, um so die Gesellschaft heilen zu können. Deswegen studierte K. von 1914-16 in Princeton (USA) Soziologie und Wirtschaftswissenschaft und gründete 1921 die »Arbeiter-Union«, und die »Japanische Bauern-Union«. Die japanische Regierung berief ihn 1923 nach dem schrecklichen Erdbeben, das drei Viertel aller Menschen in Tokio heimatlos machte und mehr als hunderttausend Menschenleben forderte, in die »Kaiserliche Wirtschaftskommission«. Auf K.s Initiative wurde die Sozialgesetzgebung Japans wesentlich reformiert, vor allem durch die Einbeziehung genossenschaftlicher Elemente in die Sozialgesetzgebung. Auf Drängen der Stadtverwaltung übernahm K. 1930 die Leitung des Wohlfahrtsamtes unter der Bedingung, kein Gehalt annehmen zu müssen, dafür aber freie Hand für die Verwirklichung seiner Reformpläne zu erhalten; außerdem setzte er die Arbeitslosenversicherung für Arbeiter durch. K. ist einer der bedeutendsten Vertreter des religiösen Sozialismus. Dem Völkerfrieden dienten seine Reisen in den 30er und 40er Jahren nach Australien, Neuseeland, Indonesien, USA und Europa. K. gründete 1928 die »Liga gegen den Krieg«. 1930 begann er seine Evangelisation als »Reich-Gottes-Bewegung«, in der Laien gleichzeitig für die Evangelisation und Organisation von Arbeiter- und Bauerngenossenschaften ausgebildet wur-

den, denn »Liebe als Lebensgesetz«, bedeutet, daß »echte Religion... in die Schlafzimmer, in die Studierzimmer, auf die Straßen, in die Fabriken, in alle Erfindungen dringt... ja selbst in unseren Schlaf«. Während des japanisch-chinesischen Krieges rief K. seine Landsleute immer wieder zur Buße auf und schrieb 1938: »Wie Christus unsre Sünden trug ans Kreuz, muß ich nun meines Volkes Sünden tragen«. Noch im April 1941 warb K. in den USA um die Völkerverständigung und bat im Auftrag des japanischen Außenministers Präsident Roosevelt um Frieden. Während des Zweiten Weltkrieges wurde K. vom japanischen Geheimdienst streng überwacht und öfters eingesperrt. Er lehnte 1945 alle ihm von der USA angebotenen Regierungsposten ab und widmete sich dem Wiederaufbau des zerstörten Landes sowie der Evangelisation. — Durch das von ihm angeregte neue Bodengesetz konnten 45 Prozent aller japanischen Landwirte zum ersten Mal ein eigenes Stück Land besitzen. Die letzten Jahre seines Lebens waren angefüllt mit Reisen und Arbeit für die Armen. K. wollte durch sein Leben die Wahrheit bekennen, Jesus im Dienst der Liebe nachfolgen, durch sein Leben Zeugnis des Wortes Gottes ablegen und durch Sozialreformen das Elend von den Wurzeln her (radikal) lösen nach dem Gebot der Liebe und Gerechtigkeit. K. erwartete vom Kreuz her eine »Wiedergeburt« der Christen mit einer Auswirkung auf die ganze Welt und sah die Gründung der Vereinten Nationen als ein Stück Reich Gottes auf Erden. Lange vor den lateinamerikanischen Befreiungstheologen optierte er für »die Geringsten der Menschen«, weil er Christus dort »im Staub unter den Strafgefangen... unter den Kranken... in der Reihe der Arbeitslosen vor dem Büro des Arbeitsamtes« sah und mahnte: »wer die Arbeitslosen vergißt, vergißt Gott«. Das Gebet war für K. Kraftquelle und die Kreuzestheologie Zentrum seines theologischen Denkens, das aber immer zu Tat drängt. So kämpfte K. bereits in der ersten Hälfte dieses Jahrhunderts gegen die Zerstörung der Natur. Obwohl K. weder in der japanischen Kirche noch in der Ökumene ein Amt übernahm, hatte er großen Einfluß. K. ist einer der bedeutendsten ökumenischen Sozialreformer, der Spiritualität und soziales Engagement in sich vereinigte.

Werke: Werke in deutscher Übersetzung: Auflehnung und Opfer, 1929; Ein Stück Granatapfel, 1933; Weg im Zwielicht (Zeitwende 14, 1937/1938, 661-672 und 15, 1938-1939); Ein Weizenkorn, 1954.

Lit.: Devaranne, Th.: Kagawa, der christliche Arheiterführer Japans, 1925; — Barth, C.: Taten in Gottes Kraft, 1936), 1953 4. Aufl.; — Axling, W.: Kagawa (1939) 1948 3. Aufl.; — Marbach, O,: Toyohiko Kagawa, 1939; — Rosenkranz, G,: Flammendes Herz in Gottes Hand (1948) 1954 2. Aufl.; — Kurz, C. H.: Toyohiko Kagawa, der Samurai Jesu Christi, (1951) 1955, 2. Aufl.; Hennig, L: Zur Theologie Kagawas (EMZ 10, 1953, 129-137. 167-175); — Reininghaus, W.: Kagawa, ein moderner Japaner in der Nachfolge Jesu, 1954; — Simon. Ch. M.: Kagawa, 1959; — Drey van, Carl: Toyohiko Kagawa - ein Samurai Jesu Christi, 1988 (abc team -B 405).

Karl Rennstich

KAHLE, Paul Ernst, Orientalist und Alttestamentler, * 21.1. 1875 in Hohenstein (Ostpreußen) als Sohn des Gymnasialdirektors und späteren Provinzialschulrates Ernst K., † 24.9. 1964 in Düsseldorf. — Nach seiner Gymnasialzeit in Allenstein, Tilsit und Danzig studierte K. seit 1894 in Marburg und Halle Theologie und Orientalistik. 1898 promovierte er bei dem Orientalisten Franz Praetorius über das samaritanische Pentateuchtargum zum Doktor der Philosophie und legte das erste theologische Examen in Danzig ab. 1899 beschäftigte sich K. in Berlin, London, Oxford und Cambridge mit hebräischen, samaritanischen, arabischen und syrischen Handschriften. In Cambridge lernte K. dabei die Manuskripte aus der Geniza der Alt-Kairoer Esra-Synagoge kennen. 1899-1901 war K. Stipendiat im Wittenberger Predigerseminar, 1902 promovierte er an der Theologischen Fakultät Halle über die Besonderheiten des masoretischen Textes des Alten Testaments nach der babylonisch-jüdischen gegenüber der palästinischen Überlieferung. Nach 8 Monaten als stellvertretender Pfarrer in Braila (Rumänien) wirkte er von 1903-1908 in Kairo als Pfarrer und Leiter der deutschen Schule. In dieser Zeit untersuchte er die Geschichte der neuarabischen Volksdichtung in Ägypten. Mit diesem Thema habilitierte er sich 1909 bei Prätorius in Halle für semitische Sprachen. 1909/10 beschäftigte sich K. in Jerusalem am Deutschen Evangelischen Institut für Altertumswissenschaften mit arabischen und islamkundlichen Studien. Zwischen 1910 und 1914 war er Privatdozent in Halle. 1914 wurde er als Ordinarius nach Gießen, 1923 nach Bonn berufen, wo er das Orientalische Seminar ausbaute und um eine chinesische sowie eine japanische Abteilung erweiterte. Bei der Mitarbeit an Rudolf Kittels »Biblia Hebraica« griff er auf den Text des Aaron ben Mosche ben Ascher, eines Masoreten der tiberischen Schulen des 9./10. Jahrhunderts zurück. Damit wurde der Codex Leningradensis von ca. 1008 statt des textus receptus von 1524/25 zur Grundlage des masoretischen Textes in Kittels Bibelausgabe. K. mußte sein Vorhaben der Herausgabe auch der großen Masora des Codex Leningradensis abbrechen, als er im Herbst 1938 mit seiner Familie nach England emigrierte. Seine Frau und sein Sohn hatten einer jüdischen Bekannten Hilfe geleistet, deren Laden am 10.11. 1938 demoliert worden war. 1941 hielt K. in Oxford Vorlesungen über seine Forschungsarbeit. Trotz seiner Rückkehr nach Bonn blieb er englischer Bürger, wirkte aber u.a. als emeritierter Professor in Bonn und als Honorarprofessor für alttestamentliche Textgeschichte in Münster. — K. war Geschäftsführer der Deutschen Morgenländischen Gesellschaft und trug dazu bei, die volkstümliche arabische Literatur aus Ägypten und Palästina wissenschaftlich zu bearbeiten und die mittelalterliche Geschichte Ägyptens zu erhellen. Auf dem Gebiet der Hebraistik erforschte er die Textgeschichte der hebräischen Bibel und ihrer alten Übersetzungen und wertete zahlreiche zutage gekommene Bibelhandschriften aus. K. erforschte die Entwicklung der altpalästinischen, babylonischen und tiberiensischen masoretischen Punktationen des Bibeltextes. Er konnte nachweisen, daß die Einheitlichkeit des masoretischen Textes aus einem langen Prozeß resultiert, in dem bewußt alle Unterschiede verschiedener Überlieferungsgruppen beseitigt wurden.

Werke: Textkrit. und lexikal. Bemerkungen zum samaritan. Pentateuchtargum (Diss. phil., Halle), 1898; Der masoret. Text des AT nach der Überlieferung der babylon. Juden (Diss. theol., Halle), 1902; Die arab. Bibelübersetzungen, 1904; Neuarab. Volksdichtung aus Egypten. Unterss. zur Gesch. des arab. Schattentheaters in Egypten (Hab.-Schr., Halle), 1909; Masoreten des Ostens. Die ältesten punktierten Hss. des AT.s und der Targume, hrsg. u. unters., 1913 (BWAT 15); Beitrag zu: Hans Bauer/Pontus Leander, Hist. Grammatik der hebr. Sprache des AT.s I, 1922, 71-162, reprografische Nachdruk- ke, zuletzt 1981; Volkserzählungen aus Palästina (hrsg. mit Hans Schmidt), I, 1918, II, 1930; Masoreten des Westens I, 1927 (BWAT NF 8), II, 1930 (BWANT 3, 14), = Texte und Unterss. zur vormasoret. Grammatik des Hebräischen, hrsg. v. P. K., Bd. I u. IV; The Cairo Geniza, Schweich Lectures 1941 of the British Academy, 1947 (1959[2], erw., dt.: Die Kairoer Genisa, Unterss. zur Gesch. des hebr. Bibeltextes und seiner Übersetzungen, 1962); Bonn University in Pre-Nazi and Nazi Times (1923-1939), London, 1945; Die hebr. Hss. aus der Höhle, 1951; Der hebr. Bibeltext seit Franz Delitzsch, 1961; Opera Minora, Festgabe zum 21.1. 1956, Leiden 1956; Hrsg.: ZDMG, 88-92 (NF 13- 17), 1934-1938; Mit-Hrsg.: Biblia Hebraica, hrsg. v. Rudolf Kittel, 1929-1937[3], 1966[14] (Bearb. des Masoretentextes), Prolegomena, VI-XV; Bibliogr.: Studien zur Gesch. und Kultur des Nahen und Fernen Ostens, Festschr. P. K., hrsg. v. W. Heffening und W. Kirfel, 225-229; Opera Minora, Festgabe zum 21.1. 1956, XI-XVIII; Die Kairoer Genisa, 1962, 396-398.

Lit.: Katharina Korn, P. K.s Schriften, in: Festschr., Leiden 1935; — Marie Kahle, What would you have done? The Story of the Escape of the Kahle Family from Nazi Germany, 1941; — Rudolf Meyer, P. K. zum 80. Geburtstage, in: FF 29, 1955, 61-63; Ders., Jbb. der sächs. Akademie der Wiss. zu Leipzig, 1963-1965, 330-334; — Opera Minora, Leiden 1956; — Prof. P. E. K., in: Chronik. Rhein. Friedrich-Wilhelms-Univ. Bonn, 79, 1963-64, 30 f.; — Richard Hartmann, Nachruf auf P. E. K., in: Jb. der Dt. Akademie der Wiss. zu Berlin, 1964, 254-257, s.a. 65 f.; — Matthew Black, P. E. K., 1875-1965 (sic!), in: Proceedings of the British Academy 51, 1965, 485-495; — Alejandro Diez Macho, Magister - Minister, Prof. P. E. K. through twelve years of correspondence, in: Recent Progress in Biblical Scholarship, Oxford 1965, 13-61; — Martin Seddon Molyneux, Ricordo di P. K., in: Rivista di storia e letteratura religiosa, Firenze, 1965, 546-548; — Otto Eissfeldt, P. K., in: AfO 21, 1966, 256 f. (auch in: ders., kleine Schrr. IV, 1968, 215-218); — Johann Fück, P. E. K., in: ZDMG 116, 1966, 1-7; — In Memoriam P. K., hrsg. v. Matthew Black u. Georg Fohrer, 1968 = BZAW 103; — Hendrik Samuel Nyberg, P. K., in: In Memoriam P. K., 1968, 1-2; — Otto Spies, P. E. K., in: Bonner Gelehrte, Beiträge zur Gesch. der Wissenschaften in Bonn 1818-1968. Veröffentlichungen zur 150-Jahr-Feier, Bd. 7, Sprachwiss., 1970, 350-353; — NDB XI, 24 f.; — RGG III, 583 f.; TRE XVII, 524 f.

Frank Reiniger

KAHNIS, Karl Friedrich August, evangelischer Theologe, * 22.12. 1814 in Greiz (Vogtland), † 20.6. 1888 in Leipzig. — K., Nachkomme einer alteingesessenen vogtländisch-sorbischen Familie (Vater: Friedrich Kanes [† 1844], Schneider), verlebte nicht nur wegen des frühen Todes seiner Mutter (Christiane Karoline geb. Ludwig, † 1882) eine triste Jugend. Die Schulbildung 1835 an der Lateinschule der Franckeschen Stif-

tungen in Halle/S. beendet, bezieht K. zum Wintersemester 1835/36 die dortige Universität, wo er zunächst Philosophie, 1838 Theologie studiert (s. u.). 1840 nach Berlin gewechselt, habilitiert er sich zwei Jahre später für Historische Theologie. 1844 wird K. ao. Professor in Breslau, heiratet dort 1845 die Landratstochter Elisabeth v. Schwenkendorf (1821-1899). 1850 wird K. auf den Lehrstuhl für Dogmatik (Nachfolge A. Harleß (s.d.) nach Leipzig berufen, wo er interimistisch auch die Kirchengeschichte vertritt. 1851 mit der theologischen Ehrendoktorwürde der Universität Erlangen ausgezeichnet, schlägt K. jedoch 1856 einen Ruf an die dortige Fakultät aus. Zu seinen zahlreichen Aktivitäten neben den akademischen Verpflichtugnen (s. u.) tritt 1864/65 das Leipziger Rektorat hinzu. 1883 erhält K. den philosophischen Ehrendoktortitel. Ein sich verschlimmerndes Hirnleiden zwingt K. 1885 zur Aufgabe seiner Lehrtätigkeit; drei Jahre später erlöst ihn der Tod von seinen Leiden. — K. bildet mit E. Luthardt (s.d.) und F. Delitzsch (s.d.), seit 1856 bzw. 1867 an der Fakultät, das Leipziger Dreigestirn, das wesentlichen Anteil am Aufschwung jener Universität in konfessionell lutherischen Kreisen hatte. Allerdings gehörte K. ursprünglich der Union an, wenngleich aus Jugendjahren her mit dem Kirchenglauben zerfallen. Ein persönliches Erlebnis leitet im Frühjahr 1838 seine Abkehr von der Philosophie, namentlich dem Hegelianismus, ein. In Berlin von (s.d.) A. Neander, Ph. K. Marheineke und F. W. Hengstenberg beeinflußt, kritisiert er D. F. Strauß (s.d.). K.'s Dozentur in Breslau war als Gegengewicht zum dort vorherrschenden Rationalismus gedacht; konfessionelle Flügelkämpfe schränkten so auch K.'s akademischen Wirkungskreis ein, zumal er mit seiner Gattin im November 1848 aus Kritik an der unierten Bekenntnisschwäche zu den Altlutheranern übertrat. Dasselbe Thema, nunmehr um die Rechtfertigungslehre erweitert, führt 1853/54 zum Streit mit (u.a.) C. I. Nitzsch (s. d.). Dennoch ist K.'s Ansatz nicht durchgehend konservativ: manch ökumenischer Zug seiner "Dogmatik" (zumal des 1. Bandes - währenddem der 3. enttäuschte) veranlaßt K.'s Berliner Mentor Hengstenberg zu Polemiken. Dabei hatte K. einen wertvollen Impuls gegeben: Unter Beharrung auf der CA als einziger Grundlage prote-

Lit.: Georg Wolfg. Aug. Fikenscher, Gelehrtes Fürstenthum Baireut V, 6-8; — Meusel IV, 20 u. VI, 398f; — Jöcher III, 40f; — Heinr. Döring, Die gelehrten Theologen Deutschlands im 18. u. 19. Jh. Bd. II.

Susanne Siebert

KAISER, Paul, deutscher ev.-luth. Kirchenmann und Schriftsteller, * 1852 in Züllichau, † 1917 in Leipzig. — K. wurde 1877 Diakonus in Neusalz a.d. Oder, 1880 Pastor in Sagan, 1884 Pastor in Stockholm, 1890 Pfarrer an der Matthäuskirche in Leipzig. Er betätigte sich als Prediger, religiöser Dichter und Verfasser von kleineren Biographien; Erinnerungen an seine Dienstjahre in Schweden veröffentlichte er 1912 in seinem Buch »Von nordischen Wanderwegen« (s.u.). — K.s Wirken war stark gekennzeichnet einerseits durch den Kampf gegen Unglauben und Sittenverfall, andererseits durch den scharfen Gegensatz, der damals das wechselseitige Verhältnis der christlichen Kirchen beherrschte. Besondere Beachtung widmete er dem Kindergottesdienst und der Jugendpredigt.

Werke: Predigten, 1. H., Sagan 1881, 2.-4. H., ebd. 1883, 2. Aufl. u. d. T. Für Zeit u. Ewigkeit. Predigten auf alle Sonn- u. Festtage des Kirchenjahres, Gotha 1886, ³1891, ⁴Halle 1902, ⁵1911; Eben-Ezer. Bis hierher hat der Herr geholfen. 4 Gelegenheitspredigten, Gotha 1888; Gustav Adolf. Ein dramatisches Festspiel f. die Volksbühne, ¹⁻²Gotha 1889, ³⁻⁸1894; Komm hernieder u. hilf uns! Festpredigt, b. der Versammlung des Leipziger Hauptvereins der Gustav-Adolf-Stiftung z. Döbeln am 1. Juli 1890 gehalten, Döbeln 1891; Predigt, gehalten am 2. Weihnachtstage 1890, Leipzig 1890; Von Kind auf! Christliche Reden an die liebe Jugend, den Kindern u. ihren Freunden nach der Ordnung des Kirchenjahres gehalten, Gotha 1891, ²Halle 1897, ³1901, ⁴1906; Ich aber u. mein Haus, wir wollen dem Herrn dienen! 6 Betrachtungen f. das christliche Haus, Gotha 1891; Die Wächter auf den Mauern Jerusalems. Predigt, gehalten auf der Meißener Kirchen- u. Pastorenkonferenz, Gotha 1892; Zur Heiligung des Sonn- u. Feiertages. Ein Jahrgang Predigten, 2 Bde. (I: Advent bis Pfingsten, Gotha 1893, ²Halle 1903; II: Trinitatis bis Totenfest, Gotha 1894, ²Halle 1903); Eine Hochzeit. Fragende Blicke in den Braut- u. Ehestand. Predigt am 2. Sonntage nach Epiphanias 1893, Leipzig 1893; Ein ernstes Zeit- u. Zukunftsbild. Predigt am 1. sächsischen Bußtage, Freitag, den 3. März 1893, Leipzig 1893; Gustav Adolf. Ein christliches Heldenleben. Zur Jubelfeier des 300j. Geb. Gustav Adolfs am 9. Dez. 1894, Bielefeld 1894; Philipp Melanchthon, Deutschlands Lehrer. Zur Jubelfeier seines 400j. Geb., Bielefeld 1896; Ein neuer Advent. Visitationspredigt, gehalten am 1. Advent, Halle 1897; Grüß Gott! Gedichte u. Lieder, Leipzig 1898, ²Halle 1906, ⁴1915; Die Bergpredigt des Herrn, ausgelegt in Predigten, 4 Bde., Leipzig (I: Die Seligpreisungen, 1900, ²1904; II: Gebote, 1900,

²1907; III: Das Vaterunser, 1901, ²1907; IV: Letzte Mahnungen u. Warnungen, 1901, ³1912); Gustav-Adolf- Festpredigt, gehalten im Jugendgottesdienst des Leipziger Hauptver. z. Plauen 1901, Halle 1901; Festpredigt, gehalten am 7.X. 1902 b. Festgottesdienst in der Johanniskirche z. Hagen anläßlich der XV. Generalversammlung des ev. Bundes, Leipzig 1902; Für die Fest- u. Feiertage des Kirchenjahres. Predigten, 2 Hh., Leipzig 1903; Den Kindern das Himmelreich. Christliche Reden an kleine u. auch an größere Leute, nach dem Kirchenjahr geordnet, Halle 1903, ²1908; Du sollst nicht! Reden an die liebe Jugend über die Gebote Gottes, Halle 1903; Dürfen wir nun in guter Zuversicht sein? Konfirmationspredigt über Phil 1, 6, Palmsonntag (5.IV. 1903) in der Matthäikirche z. Leipzig, Leipzig 1903; Ein Sang vom Rhein, Leipzig 1904, 2. Aufl. u. d. T. Der Aßmannshäuser. Ein Sang vom Rhein, Leipzig 1908; Für Gustav-Adolf-Vereinsversammlungen. Den Vereinen hin u. her, Dresden 1904; Konfirmationspredigt über Off. Joh. 3, 11 am Palmsonntag, den 16.IV. 1905 in der Matthäikirche z. Leipzig, Leipzig 1905; Paul Gerhardt. Ein Bild seines Lebens, Leipzig 1906, ²⁻⁴Gotha 1907 (= Volksabende, H. 8); In den Kämpfen u. Zweifeln der Zeit. Apologetische Predigten, Leipzig 1908; Ein neues Lied. Psalterstimmen f. Kirche u. Haus, Gütersloh 1909, ²Basel um 1915; Protestationsrede auf die päpstliche Borromäus-Enzyklika, in der Schloßkirche z. Wittenberg am Sonntag, den 26.VI. 1910 gehalten, Leipzig 1910; Für Freiheit u. Vaterland. Ein dramatisches Festspiel, bes. f. die Volksbühne, Leipzig 1912; Von nordischen Wanderwegen. Skizzen u. Bilder, Geschichten u. Erinnerungen, Leipzig 1912 (Tl. I: Hin u. her, manche Wegfahrt; Tl. II: Eines Lappmanns Geschichte); Kirchliches Neujahr. Ein Adventswort, Leipzig 1913; Der Stand des Kindergottesdienstes, bes. in der sächsischen Landeskirche, Leipzig 1913; Ist Gott f. uns, wer mag wider uns sein? Ein Weihnachtsgruß in der Kriegszeit daheim u. draußen, ¹⁻²Leipzig 1914; Lasset die Kindlein z. mir kommen! Dresden 1914; Vom christlichen Heldengeist. Eine Kriegspredigt f. die in der Heimat u. die im Felde, ²Leipzig 1915; Kriegsgebet. Eine Vaterunserbetrachtung f. daheim u. im Felde ¹⁻²Leizig 1915; Kinderpsalter, z. Gebrauch in Kirche, Schule u. Haus, ²Gütersloh 1916; Ein Ostergruß, bes. den Kämpfenden u. Trauernden draußen u. drinnen, Leipzig 1916; Unser Reformator Dr. Martin Luther. Zur 400jahrfeier der Ref., Bielefeld 1917. — Mitverf.: Berthold Göckel-Paul Kaiser-Hugo Schmidt, Stoffpläne z. Lebenskunde u. Rel.- Gesch., Leipzig 1920; Dieselben, Bausteine. Lesebuch z. ethischen Unterweisung, Leipzig, Tl. I: Unterstufe. 1.-4. Schulj., 1921; Tl. II: Oberstufe. 5.-8.Schulj., 1922. — Hrsg.: Kinder-Kal., hrsg. im Auftrage des sächsischen Landesverbandes f. Kindergottesdienst, Leipzig, Jg. 1, 1915-2, 1916 hrsg. v. Paul Kaiser. — Werke mit Beiträgen v. Paul Kaiser: Zum Gedächtnis des frühvollendeten Richard Fürchtegott Kühn, I. Diakonus z. St. Matthäi in Leipzig, * 8. Juli 1857, † 8. Aug. 1891, Leipzig 1891 (Tl.II: Reden u. Ansprachen b. seinem Begräbnisse am 11. Aug., gehalten v. Suppe, Kaiser u.a.); Ev. Bundespredigten, gehalten b. der Generalversammlung des Ev. Bundes v. J. Hans..., Paul Kaiser u. a., Leipzig 1904; Alfred Liebing, Heilige Grüße f. das dt. Haus, mit Versen v. Paul Kaiser, ³Basel 1922.

Lit.: RGG ¹III, 884; — ²III, 586.

Adolf Lumpe

KALAU, Abraham siehe Calov, Abraham

KALCKBRENNER, Gerhard * 1494 Hamont (Belgien), † 2.8. 1566 Köln. — K. war Kapitelschreiber (»notarius«) am Marienstift, ehe er 1518 der Kartause St. Barbara (Köln) beitrat; 1520 legte er den Profeß ab, seit 1523 übte er das Amt des Prokurators aus und am 11.10. 1536 übernahm er von Petrus Blomevenna das Prioriat, das er bis zu seinem Tode ausübte. In dieser Zeit edierte K. mehrere Schriften mittelalterlicher und zeitgenössischer Theologen (Ruusbroec, Tauler) und er veranlaßte die Veröffentlichung weiterer mystischer, hagiographischer und theologischer Werke. K. stand dem Mystikerkreis um die Begine Maria von Oisterwijk († 1547) nahe. Er gab ihre Schrift »Der rechte wech zo der evangelischen volkomenheit« in Köln 1531 heraus. Ferner förderte K. geistliche Bruderschaften in Köln, vor allem aber den Jesuitenorden. K. setzte sich für die Niederlassung der Societas Jesu in Köln ein, und er gilt als besonderer Gönner von Peter Faber und Petrus Canisius. Mit dem hl. Ignatius von Loyala stand K. seit 1546 in enger Verbindung, dessen Werke er - auch finanziell - unterstützte.

Werke: weitere Werke: Exercitia quaedam valde pia et salutifera, de psalterio gloriosae virginis Mariae. Köln 1540; Hortulus devotionis. Köln 1541.

Lit.: Joseph Greven, Die Kölner Kartause und die Anfänge der kath. Reform in Deutschland. Münster 1935. S. 86-112; — J. B. Kettenmeyer, Aufzeichnungen des Kölner Kartäuserpriors K. über den sel. Peter Faber. In: AHSI 8, 1939. S. 86-102; — Die Kartäuser. Der Orden der schweigenden Mönche. Hrsg. von Marijan Zadnikar. Köln 1983 (s. Reg.); — DSp VIII, 1653-1657; — NDB XI, 62-63; — LThK ²V, 1256.

Reinhard Tenberg

KALDENBACH (Celadon, Lycon, Lykabas), Christoph, Rhetoriker, Lyriker u. Komponist. * 11.8. 1613 Schwiebus/Schlesien als Sohn des Tuchmachers, Zunftmeisters, Richters und Bürgermeisters Matthäus Kaldenbach, † 16.7. 1698 Tübingen. — Nach erstem Unterricht im Elternhaus besuchte K. ab 1622 das Gymnasium und ab 1629 die Universität in Frankfurt a. d. Oder. Beim Einfall der Schweden im Frühjahr 1631 floh er und immatrikulierte sich an der Universität Königsberg. Um seinen Lebensunterhalt bestreiten zu können, nahm er eine Stelle als Hauslehrer bei dem Landedelmann Georg Reimer an. In dieser Zeit erlernte er die polnische Sprache. 1633 nahm K. sein Studium in Königsberg wieder auf. Hier erfolgte 1639 seine Ernennnng zum Konrektor und 1645 zum Prorektor der Altstädtischen Lateinschule. Den philosophischen Magistergrad erwarb er 1647. Zum Professor Linguae Graecae an der Königsberger Universität wurde K. 1651 berufen. Die literarische und auch musikalische Produktivität jener Jahre wurde entscheidend durch die »Kürbishütte«, den Königsberger Dichter- und Komponistenkreis um Robert Roberthin, Heinrich Albert und vor allem Simon Dach angeregt. 1656 wurde K. auf den Lehrstuhl für »Eloquentia Historiarum et Poeseos« an der Universität Tübingen berufen. Poetik und Rhetorik bildeten die Schwerpunkte seiner akademischen Lehrtätigkeit. Neben Lehrbüchern aus diesen Gebieten verfaßte er 2 Dramen, zahlreiche Gedichte, Lieder und Reden; ferner Kompositionen (Vokalwerke), oratorische Übungstexte, sowie Kommentare zu lateinischen Autoren. K. war zu seinen Lebzeiten ein sowohl in Königsberg, wie später in Tübingen gesuchter Gelegenheitsdichter. Eine dauerhafte Wirkung war ihm und seinem Werk nicht beschieden. Allein sein Rhetorik-Lehrbuch für württembergische Schulen »Compendium Rhetorices«, das 1682 erschien, erlebte bis 1774 mehrere Auflagen.

Werke: Hercules am Wege der Tugend u. Wollust (Drama), 1635; Holdwodna Klio (polnisch), 1641; Babylonischer Ofen (Drama), 1646; Deutsche Eclogen, 1648; Deutsche Grab-Gettichte, 1648; Deutsche Sappho, oder musicalische Getichte, 1651; Lyricorum libri III, Rhythmorum libri I., 1651; Oratio inauguralis De Regno Eloquentiae, 1657; Dissertatio Musica, 1664; Sylvae Tubingenses, 1667; Gottselige Andachten, 1668; Parodiae in locos communes, 1671; Orationes, et Actus Oratorii, 3 Bde, 1671-1679; Problemata Oratoria, 1672; Poetica Germanica, 1674; Deutsche Lieder u. Gedichte, 1683; Dispositiones Oratoriae, 1687; Collegiorum, studia maxime eloquentiae adjuvantium, et in Ac Tubingensi institutorium.... sylloge, 1687; In satyricos tres Latinorum, 1688; Der Glorwürdigste Daphnis, 1689; Verz. d. Kompositionen s. in MGG VII, 438 ff.

Lit.: NDB XI, 53 f; — MGG VII, 436-440; — Walther Killy (Hrsg.) Literatur-Lexikon VI, 197 ff.

Erika Bosl

KALEB. — Der Name K. bedeutet Hund, was hier wahrscheinlich nicht abschätzig gemeint ist, sondern eher Anhänglichkeit und Treue bezeichnet. K., der Sohn Jefunnes, kommt im Altes Testament erstmals in der Kundschaftergeschichte vor (Num 13 f.). Er ist einer der zwölf Spione, die Mose von Süden aus nach Kanaan schickt. Bei deren Rückkehr sind es nur Josua, der Diener des Mose, und K., die darauf vertrauen, daß das verheißene Land trotz der Größe und Macht der Kanaanäer und ihrer Städte mit Gottes Hilfe eingenommen werden kann. Als Strafe für das fehlende Vertrauen auf Jahwe, den Gott Israel, wird die 40jährige Wüstenwanderung verhängt, so daß erst die nächste Generation ins Land kommen wird. Nur (Josua und) K. ist es gegönnt, selber ins verheißene Land zu kommen, »weil ein anderer Geist in ihm ist und er mir (Jahwe) treu nachgefolgt ist« (Num 14,24 vgl. Dtn 1,36; Jos 14,9). Entsprechend begegnet K. wieder in den Erzählungen von der Eroberung und Verteilung des Landes. K. erhält das Gebiet von Hebron im judäischen Bergland, durch das er einst gezogen war, und er vertreibt (mit seiner Sippe) die Anakiter (Jos 14,6-15; 15,13-19). Die Einzelheiten in diesen Erzählungen und die Genealogien (Jos 15; 1. Chr 2.4) zeigen, daß die Erzählungen von K. Stammesgeschichten der K.-Sippe(n) sind und daß diese in Hebron und seiner Umgebung beheimatet waren. Daß das Gebiet der Kalebiter sich in den Süden erstreckte, bzw. daß sie aus dem Süden kamen, zeigt auch die geographische Bezeichnung »Negev der Kalebiter« (1. Sam 30,14). Die K.-Sippe, die ihre Zusammengehörigkeit durch den Ahnherrn K. definierte, war somit wohl ursprünglich eine (halb-) nomadische Gruppe im Negev, die von Süden ins Kulturland kam und um und in Hebron seßhaft wurde. In weiterer Folge wurde sie in das sich im Lauf des 11. Jahrhunderts vor Christi herausbildende Groß-Juda integriert. Das zeigt sich an den genealogischen Verknüpfungen mit Juda, deren Uneinheitlichkeit wahrscheinlich verschiedene Stadien der Integration widerspiegelt (Jos 15; 1. Chr 2), während die Angaben über die Nachkommen K.s innerkalebitische Verhältnisse widerspiegeln (Jos 15,17-19; 1. Chr 2,18 ff.). Schließlich verweist die Bezeichnung von K.s Vater Jefunne als Kenasiter (Jos 14,6) und der Name von K.s Bruder Kenas (Jos 15,17) auf eine ursprüngliche Nähe der Kalebiter zu den Edomitern (vgl. Gen 36,11). Vielleicht kannten die Kalebiter, so wie es für die Edomiter wahrscheinlich ist, die Jahweverehrung. Dies könnte der historische Hintergrund für die Betonung von K.s Treue zu Jahwe sein und hätte sehr wohl auch die Aufnahme der Kalebiter in Juda bzw. Israel erleichtert. Jedenfalls legitimiert die Kundschaftergeschichte ausdrücklich K.s Landbesitz und Zugehörigkeit zu Israel (Jos 14,6-14; vgl. Sir 46,9-12).

Werke: Num 13; 14; 26,65; 32,12; 34,19; Dtn 1,36; Jos 14,15; 21,12; Ri 1; 3,9; 1 Sam 30,14; 1. Chr 2; 4,15; 6,41; Sir 46,9-12;

Lit.: Carl Steuernagel, Deuteronomium und Josua, HK.AT I/3, 1900; — Heinrich Holzinger, Das Buch Josua, KHC VI, 1901; Ders., Numeri, KHC IV, 1903; — Martin Noth, Überlieferungsgesch. des Pentateuch, 1948; — Ders., Josua, HAT I/7, 1971³; — Ders., Das 4. Buch Mose. Numeri, ATD 7, 1977³; Kurt Galling, Die Bücher Chronik, Esra, Nehemia, ATD 12, 1954; D. Winton Thomas, KELEBH 'dog': its origin and some usages of it in the Old Testament, VT 10, 1960, 410-427; — George W. Coats, Rebellion in the Wilderness. The Murmering Motif in the Wilderness Traditions of the Old Testament, 1968; — Ders., Conquest Traditions in the Wilderness Theme, JBL 95, 1976, 177-190; Volkmar Fritz, Israel in der Wüste, Marb. Theol. Stud. 7, 1970; — Roland de Vaux, Histoire ancienne d'Israel I, 1971; — J. Alberto Soggin, Joshua, OTL, 1972; — Walter Beltz, Die K.-traditionen im AT, BWANT 78, 1974; — J. H. Pace, The Caleb Traditions and the Role of the Calebites in the History of Israel, Diss. Emory, 1976; — Antonius H. J. Gunneweg, Gesch. Israels bis Bar Kochba, 1979³; — Siegfried Herrmann, Gesch. Israels in at. Zeit, 1980²; — Herbert Donner, Gesch. Israels und seiner Nachbarn in Grundzügen I, 1984; — Joachim Becker, 1 Chronik, NEB 18, 1986; — Lars Eric Axelsson, The Lord rose up from Seir. Studies in the History and Traditions of the Negev and Southern Juda, CB.OT 25, 1987; — Manfred Oeming, Das wahre Israel. Die »genealogische Vorhalle« 1 Chronik 1-9, BWANT, 1989.

Siegfried Kreuzer

KÁLDI, György, Jesuit, Bibelübersetzer und Prediger, * 1572 zu Nagyszombat (Tyrnau, heute Trnava in der Slowakei) als Sohn einer alten adeligen Familie, † 30. Oktober 1634 zu Pozsony (Preßburg). — Die schulischen und theologischen Ausbildungen erhielt er in seiner Geburtsstadt, in der Umgebung des reformeifrigen Dompropstes János Kutasy († 1601), des späteren Primas von Ungarn. Schon zum Priester geweiht, bat er im Frühjahr 1598 in Wien um die Aufnahme in die Gesellschaft Jesu. In Anbetracht seiner nicht geringen Fähigkeiten schickte ihn der Provinzial, P. Ferdinand Alber nicht in das Noviziat nach Brünn, sondern nach Rom, wo er mit einem Empfehlungsschreiben des Jesuitenpaters Péter Pázmány, damals Theologieprofessor in Graz, später Kardinalprimas von Ungarn, am 7. Mai 1598 eintraf. Hier absolvierte er das zweijährige Noviziat und begann 1600 mit dem Studium der Theologie am Kolleg des Ordens. Dies war ihm möglich, da er in Tyrnau bereits die rhetorischen und philosophischen Kurse absolvierte und sich am 9. Januar 1597 sogar an der Universität Wien einschrieb. Nach Abschluß der Studien schickte ihn Ordensgeneral Claudio Aquaviva 1598 zurück in die Heimat nach Siebenbürgen. Nach kurzen Aufenthalten in Nagybánya (1598) und Kolozsvár/Klausenburg (1603) wurde er 1605 nach Gyulafehérvár (Karlsburg, Alba Julia) versetzt, wo er mit der Übertragung der Bibel ins Ungarische begann. Als die Jesuiten im Herbst 1607 aus Siebenbürgen ausgewiesen wurden, ging er über Kassa/Kaschau nach Olmütz. Hier wirkte er bis 1607 als Lehrer der Pastoraltheologie und Beichtvater und vollendete am 25. März 1607 seine Bibelübersetzung. Nachher - in den Jahren von 1607 bis 1613 - wirkte er als Novizenmeister abwechselnd in Brünn, Leoben (Steiermark), Graz und Wien. Sein letztes, viertes Ordensgelübde legte er am 27. Mai 1612 in Wien ab. 1615 wurde er Ober des Kollegs zu Tyrnau, später dort auch Direktor des von Kardinalprimas Pázmány gegründeten Studentenkollegs Bursa s. Adalberti (1624) und des Adelskonviktes (1628). Während der Feldzüge des aufständischen Fürsten von Siebenbürgen, Gábor Bethlen, 1619 und 1624, mußte er mit den Ordensbrüdern nach Wien bzw. Graz fliehen; doch verwendete ihn der Fürst mehrere Male für diplomatische Missionen. Der Orden vertraute ihm am 22. Juni 1629 die Leitung des Hauses und der Schule zu Preßburg an, wo er fünf Jahre später starb. K. war ein vorzüglicher Organisator, ausgezeichneter Lehrer, fruchtbarer Schriftsteller und begnadeter Prediger. Er predigte in fünf Sprachen und die Literaturkritik bescheinigt

ihm, daß er aufgrund seiner Sprachgewalt, seiner Vortragsweise und seines geistigen Reichtums an den zweifelsohne bis heute bedeutendsten ungarischen Prediger, Kardinal Pázmány heranreichte. Obwohl viele seiner Werke nicht veröffentlicht wurden bzw. verschollen sind - von 25 Manuskripten weiß die Forschung ausführlich - blieben gerade seine Predigten der Nachwelt sogar im Nachdruck (1891) erhalten. Seine Bibelübersetzung, sprachlich wie exegetisch eine Meisterleistung, blieb bis 1976 im Wesentlichen der einzige vom Episkopat autorisierte und geförderte katholische Bibeltext in Ungarn. Da K. seine ganze Arbeit - die ganze Bibel - unglaublich schnell, innerhalb von 18 Monaten, erstellte, wurde vermutet, er habe ganz oder teilweise eine fragmentarische Übersetzung seines Ordensbruders, István Szántó (Arator, † 1612) übernommen. Die jüngste Forschung wies jedoch einwandfrei nach, daß K. seine Übersetzung alleine bewältigte (Holovics). Bis zur Drucklegung vergingen jedoch 19 Jahre, da der Orden die Veröffentlichung wegen sachlicher Korrekturen und verschiedener Querelen immer wieder hinausschob.

Werke: Szent Biblia. Wien 1626 (2. Auflage Tyrnau 1632; 3. Auflage Buda 1782, seitdem zahlreiche überarbeitete Neuauflagen) Halotti beszédek. Wien 1629; Az vasárnapokra-való Prédikátzioknak Elsö Része.Pozsony 1631; Az Innepekre való Prédikátzióknak Elsö Része. Pozsony 1631; Istennek Szent akarattya.Tyrnau 1681 (postum vom Kardinalprimas Leopold Kollonich herausgegeben); Káldi Válogatott egyházi beszédei (hrsg.v.Aladár Bellagh). Budapest 1891.

Lit.: Bibliographie: Stoll, Béla-Varga,Imre-V.Kovács, Sándor, A magyar irodalomtörténet biliográfiája 1772-ig. Budapest 1972. S. 427; — Szinnyei, József, Magyar Irók élete és munkái. Bd. 5. Budapest 1897. Sp. 823; Rácz, Kálmán, Károlyi Gáspár és Káldi György bibliaforditásai és a Károlyi-biblia védelme. Budapest 1891; — Kudora, János, Magyar egyházi szónokok: Káldi György, in: Hittudományi Folyóirat 1899. S. 671-696; — Novák, Béla, Káldi György élete és munkái. A szombathelyi kir. kat. gimnázium értesitöje 1900-1901. S. 1-23; — Révai, Sándor, Káldi György életrajza, bibliaforditása és oktató intése. Pécs 1900; — Ders., Káldi György bibliaforditása. A pécsi föreáliskola értesitöje 1902-1903. S. 9-23; — Ders., Káldi Születésének éve és egyebek, in: Egyetemes Philologiai Közlöny, 1903, S. 265-267; — Székely, István, A magyar bibliaforditás. Budapest 1920; — Holl, Béla, Ki forditotta a Káldi-Bibliát? in: Vigilia 1955; — Ders., Adalékok a Káldi-Biblia történetéhez, in: Magyar Könyvszemle 1956. S. 52-58; — Lukács, László, Káldi György a bibliafordító, in: Katolikus Szemle,

1955. S. 129-133; — Ders., Ujabb adatok Káldi bibliafordi-
tásának történetéhez, in: Káldi György Társaság Civitas Dei
évkönyve, 1956. I. S. 7-24; — Holovics, Flórián, Ki forditotta a Káldi-féle bibliát, in: Irodalomtörténeti közlemények 66,
1962. S. 223-231.

Gabriel Adriányi

KALINOWSKI, Joseph (poln.: Józef), polnischer Karmelitenpater, * 1.9. 1835 in Wilna (Litauen), † 15.11. 1907 in Wadowice bei Krakau.
— Aus dem von Rußland besetzten polnisch-litauischen Gebiet stammend, trat K. in die zari-
stische Armee ein, wo er als Offizier den Bau
der Bahnstrecke von Kursk nach Odessa über
Kiev leitete. Trotz seiner Stellung im zaristi-
schen Heer bleib K. polnischer Patriot. Im Jahre
1863 beteiligte er sich an der Erhebung gegen
Rußland. Er wurde verhaftet, vor Gericht gestellt und zur Zwangsarbeit nach Sibirien verbannt. Von dort kehrte er erst 1874 zurück, verließ jedoch die Heimat und begab sich nach
Paris. Dort wurde K. Erzieher des Fürsten August Czartoryski, der später Salesianer Don Bos-
cos wurde. K. selbst folgte seiner Ordensberu-
fung und trat 1877 in den Orden der Unbeschuhten Karmeliten ein, wo er den Ordensnamen
Raphael v. hl. Joseph erhielt. Nach seiner Priesterweihe organisierte Pater Raphael OCD die
polnische Provinz der Unbeschuhten Karmeliten mit Klöstern im österreichischen Gebiet Polens in Czerna, Krakau und Wadowice. Anläßlich seines zweiten Pastoralbesuchs in Polen
vollzog der aus Wadowice stammende Papst
Johannes Paul II. am 22.6. 1983 die Seligsprechung von Joseph Raphael K. in Krakau.

Lit.: AAS 44 (1952), 750; — A. Mercati-A. Pelzer (Hrsg.),
Dizionario ecclesiastico, Turin 1953 ff., III, 423 (mit weiteren Lit.hinweisen); — J. Galofaro, Al Carmelo attraverso la
Siberia, Rom 1960; — AAS 75 (1983), 984-992; — LThK
²V, 1261.

Johannes Madey

KALIR, Eleazar (Eleazar bi-rabbi Qilir), syn-
agogaler Dichter, Ende der Hauptschaffensperi-
ode vor 635, Palästina. — E.K., seit dem Mittelalter oft auch einfach Ha-Kaliri genannt, ist der
bedeutendste und einflußreichste Autor synago-

galer Dichtung der spätbyzantinischen Epoche
in Palästina. Aus seiner Namenszeichnung in
einigen seiner Dichtungen erfahren wir außer
dem Patronym Kyrill, daß er aus einem - nicht
sicher identifizierten Ort - Kiryat Sefer, vielleicht Sepphoris, stammt. Darüber hinaus haben
wir keinerlei biographischen Nachrichten. Da
sich in seinen Werken neben den deutlichen
Hinweisen auf die byzantinische Herrschaft
noch keine Bezüge auf die Eroberung Palästinas
durch die Araber finden, wird das Ende seines
Wirkens heute im allgemeinen auf vor 635 angesetzt. — Das umfangreiche Œuvre K.s ist der
Höhepunkt der klassischen Epoche der hebräischen liturgischen Dichtung, des Piyyuts, in Palästina. K. schrieb umfassende Kompositionen
und einzelne Dichtungen zu allen besonderen
Anlässen des jüdischen Kultkalenders, oft auch
mehrere Werke parallel für die gleiche Gelegenheit. — In Weiterentwicklung der poetischen
Tradition seiner Vorgänger prägt er einen ihm
eigentümlichen Stil. Seine Kunst besteht in der
Verschlüsselung einer klaren Aussage mit Hilfe
von Anspielungen an die rabbinische Schriftauslegung im Midrasch und unter virtuoser Verwendung des rabbinischen Hebräisch und der
diesem eigenen Möglichkeiten zur Wortbil-
dung, die er mit komplexen formalen Gestal-
tungsmöglichkeiten des Piyyut verbindet. Dieser kalirische Stil hat in vielen Punkten Maßstäbe für die Ästhetik der synagogalen Poesie gesetzt und Nachahmer unter fast allen späteren
Piyyut-Dichtern im Orient und in Europa gefunden. Eine Ausnahme bilden die Paytanim Spaniens, die sich auf Grund ihrer rigorosen Ausrichtung am biblischen Hebräisch und einer anderen Poetik vom kalirischen Stil distanzierten
(s. Abraham ibn Ezra in seinem Kommentar zu
Koh 5,1).

Werke: Eine kritische Werkausgabe ist ein Desideratum. Die
Piyyutim, die in den europäischen Siddur bzw. Machzor
aufgenommen wurden, sind in kritischer Edition oder zuver-
lässiger Form zu finden bei: Sefer qerovot ha mahzor, Wolf
Heidenheim u. Israel Berlin (Hrsg.), I-IX, Hannover 1838-
1839; Seder avodat yisrael, Seligman I. Baer (Hrsg.), Rödelheim 1868, 648ff. 662ff. 688ff. 695ff.; Mahzor la-yamim
ha-nora'im, E. Daniel Goldschmidt (Hrsg.), 1970, I, 46*f.
65ff. 157ff. 216ff. 233ff., II, 307ff. 332ff. 397ff. 624. 728ff.;
Seder ha-kinot le-tish'a be-av, E. Daniel Goldschmidt
(Hrsg.), 1972², 35ff. 90ff. 98ff. 146ff.; Mahzor sukkot, she-
mini 'aseret ve-simhat tora, E. Daniel Goldschmidt u. Jonah
Fraenkel (Hrsg.), 1981, 98ff. 126ff. 174f. 179ff. 192ff. 202ff.

376ff. 403ff. 431f; Menachem Zulay, in: Mivhar ha-shi-vi'im, 1948, 26ff.; Abraham M. Habermann, Atheret Rena-nim, 1967, 73f.; Jefim Schirmann, The Battle between Behe-moth and Leviathan, Proceedings of the Israel Academy of Sciences and Humanities, 4, 1970, 327ff.; Ezra Fleischer, Hebrew Liturgical Poetry in the Middle Ages (hebr.), 1975, 154ff. 233ff. 252ff.; Ders.: A List of Yearly Holydays in a Piyyut by Qaliri (hebr.), Tarbiz 52, 1982/83, 223ff.; Ders., The Yozer (hebr.), 1984, 91ff.; Ders., Solving the Qiliri Riddle (hebr.), Tarbiz 54, 1984/85, 383ff.; Shulamit Elizur, Otot shelosha. A Qilirian Qedushta for Shabbat-Hanuka and Rosh-Hodesh (hebr.), Jerusalem Studies in Hebrew Literatu-re 8, 1985, 71ff.; Dies., A'adra aromema. Qedushta hida safeq-qalirit (hebr.), Studies in Memory of the Rishon le-Zion R. Yitzhak Nissim, 5, 1985, 35ff., Binjamin Löffler, Ess'a De'i Lemerahoq. A Complementary Elegy Appended to the Qerova A'avikh of Eleazr Biribi Qillir (the Qilliri) (hebr.), Tarbiz 56, 1987, 501 ff.; Qedusha we-shir, Shulamit Elizur (Hrsg.), 1988. — Übers.: Michael Sachs, Festgebete der Israeliten, I-IX, Prag, Breslau 1855; Seeligmann I. Baer, Die Trauergesänge für Tischah beAb, Rödelheim 1875; The penguin book of Hebrew verses, ed. and transl. by T. Carmi, 1981, 221ff. — Bibliogr.: Werkindex auf Grund der traditio-nellen Drucke und Bibliographie der zahlreichen Textveröf-fentlichungen aus Handschriften: (bis 1931) EJud IX, 819f.; (bis 1933) Israel Davidson, Thesaurus of Mediaeval Hebrew Poetry, IV, 1933, 367; (Nachtrag bis 1937) Ders., A New Supplement to the 'Thesaurus of Mediaeval Hebrew Poetry', HUCA 12-13, 1937-38, 817f.; (1948-1970) J. Schirmann's Bibliography of Studies in Hebrew Mediaeval Poetry 1948-1970, E. Adler u.a. (Hrsg.), 1989, 47f.; (bis 1971) EJ X, 715; (bis 1984) Ezra Fleischer, The Yozer (hebr.), 1984, 29f.

Lit.: Leopold Zunz, Die gottesdienstlichen Vorträge der Ju-den historisch entwickelt, 1832, 381ff.; — Michael Sachs, Die religiöse Poesie der Juden in Spanien, 1801[2], 205ff.; — Samuel D. Luzzatto, Mavo le-mahzor benei Roma (hebr.), E. Daniel Goldschmidt (Hrsg.), 1966, 27ff.; — Eliezer Lands-huth, Ammude ha-avoda (Onomasticon Auctorum Hymno-rum hebreorum) (hebr.), 1965[2], 27ff.; — Leopold Zunz, Die Ritus des synagogalen Gottesdienstes, 1859, passim; — Ders., Die synagogale Poesie des Mittelalters, 1920[2], pas-sim; — Ders., Literaturgeschichte der synagogalen Poesie, 1865, 29-64; — Ismar Elbogen, Der jüdische Gottesdienst in seiner geschichtlichen Entwicklung, 1931[3], 310-320 u. pas-sim; — Saadia Gaon, Ha-'agron, hrsg. v. N. Allony, 1969, s. Index 526; — Abraham M. Habermann, A History of He-brew Liturgical and Secular Poetry (hebr.), 1970-72, s. Index II, 328; — Ezra Fleischer, Hebrew Liturgical Poetry in the Middle Ages (hebr.), 1975, 204 u. passim s. Index 511; — Jakob J. Petuchowski, Theology and Poetry, 1978, passim; — Jefim Schirmann, Studies in the History of Hebrew Poe-try and Drama (hebr.) 1979, s. Index 363; E. Daniel Gold-schmidt, On Jewish Liturgy (hebr.), 1980[2], s. Index 468; — Joseph Yahalom, Poetic Language in the Early Piyyut (hebr.), 1985, 183ff.; — Shulamit Elizur, The Piyyutim of Rabbi Ela'azar Birabbi Qillar (hebr.), 1988, 121-139; Aha-ron Mirsky, Ha'Piyut (hebr.), 1990, s. Index 726; — JewEnc VII, 423f.; — EJud IX, 819f.; — JüdLex III, 563; — EJ X, 715.

Peter Lehnardt

KALKAR, Christian Andreas Herman, däni-scher ev. Theologe, * 27. Nov. 1802 in Stock-holm als Sohn des Rabbiners Simon Isac K., getauft 7. Febr. 1823 in Kopenhagen von Pastor J. P. Mynster, † 2. Febr. 1886 in Kopenhagen. — K. wurde 1827 Lehrer des Lateinischen, Hebräi-schen und der ev. Religion an der Gelehrten-schule in Odense, erwarb 1833 den philosophi-schen Doktorgrad in Kiel, 1836 den theologi-schen in Kopenhagen; 1843 wurde er Ortsgeist-licher in Gladsakse auf Seeland und lebte seit 1868 im Ruhestand in Kopenhagen. Er befaßte sich zunächst mit biblischer Theologie, dann mit Kirchengeschichte, wo er schließlich sein be-sonderes Interessengebiet in der Missionsge-schichte fand. Er trug viel Material zusammen, verfuhr aber in der Verwertung desselben etwas unkritisch und oberflächlich. In kirchlichen Fra-gen neigte er zu einem vermittelnden Stand-punkt. Dies führte ihn dazu, daß er sich seit 1855 in der Evangelischen Allianz betätigte; noch i.J. 1884 brachte er als 81jähriger eine Versamm-lung derselben in Kopenhagen zustande, für welche er zum Präsidenten gewählt wurde.

Werke: Exegetisches Hdb. z. AT, dän. 1836-1838; Vorlesun-gen über die bibl. Gesch., dän. I 1837, II 1839, dt. Kiel 1839; Vorlesungen über die apostolische Gesch., dän. 1840; Ak-tenstücke z. Gesch. Dänemarks in der Ref.-Zeit, dän. 1845; Gesch. der ev. Mission, dän. 1857; Gesch. der röm.-kath. Mission, dän. 1862, dt. 1867; Gesch. der christlichen Mis-sion unter den Heiden, 2 Bde., dän. 1879, dt. Gütersloh 1879 u. 1880; Israel u. die Kirche, dän. 1881. — Hrsg.: Theologisk Tidsskrift 1871-1880.

Lit.: AELKZ 1886, S. 161; — RE IX, 727 f.; — RGG III[1], 891; — III[2], 592; — DBL XII, 306-310.

Adolf Lumpe

KALKOFF, Paul, evangelisch-lutherischer Re-formationshistoriker, * am 17.8. 1858 in Kölle-da (Provinz Sachsen), † 11.5. 1928 in Breslau. — K.s Vater August K. war Arzt, seine Mutter Louise Schwarz stammte aus einer Ärztefamilie. Nach dem Besuch der Landesschule Schulpforta studierte K. in Straßburg und Berlin Geschichte. Besonders wichtige Einflüsse kamen von den Professoren Scheffer-Boichorst, der ihn zu sei-ner Dissertation über Wolfger von Passau anreg-te, und Hermann Baumgarten, der ihn für sein späteres Forschungsgebiet, die Anfangsjahre der Reformation, gewann. Im Jahre 1882 promovierte K. und ging dann als Lehrer nach Breslau. Am dortigen Magdalenengymnasium wirkte er als Studienrat von 1884-1924. Anschließend war er Honorarprofessor für Geschichte an der Universität Breslau. Wegen seiner Verdienste um die Erforschung der Geschichte der Reformation verlieh ihm die Evangelisch-Theologische Fakultät der Universität Breslau im Jahr des Reformationsjubiläums 1917 die Ehrendoktorwürde. — Die Forschungen K.s beschränkten sich auf die Zeit des Beginns der Reformation (1517-1523) und die Geschichte des deutschen Humanismus in diesen Jahren. Mit philologischer Akribie betrieb er ein intensives Quellenstudium dieser Periode. Die wichtigsten und von der Forschung allgemein anerkannten Ergebnisse waren die Darstellung des römischen Prozesses gegen Luther (1518) und die Neubestimmung der Rolle des sächsischen Junkers Karl von Miltitz, der, entgegen der bisherigen Meinung, nur eine Randfigur in dem damaligen Geschehen gewesen war. Auch zur Pirckheimerforschung lieferte er einen kleinen, aber bedeutenden Beitrag. Anders stand es mit der Interpretation der Quellen durch K. in Bezug auf Ulrich von Hutten, Erasmus von Rotterdam und den Kurfürsten Friedrich den Weisen. Das Huttenbild, das K. entwarf, war zwar nicht mehr romantisch verklärt wie das von Daniel Friedrich Strauß, wurde aber in einer anderen Richtung ebenso kraß überzeichnet, da K. den Maßstab evangelisch-lutherischer Sittlichkeit seinen Ausführungen zugrundelegte. Bei der Darstellung der Persönlichkeit des Erasmus hat er sich z. T. auf bloße Gerüchte um die Person des Philosophen gestützt. Auch die Rolle des Kurfürsten Friedrichs des Weisen bei der Kaiserwahl wurde von K. in wesentlichen Zügen verzerrt, wobei vor allem seine These, der Kurfürst sei vor Karl V. zum Kaiser gewählt worden, habe die Wahl aber nicht angenommen, auf heftigen Widerspruch anderer Historiker stieß. Dies bildet überhaupt einen erheblichen Mangel der Arbeiten K.s, daß er den Wert mancher Quellen falsch eingeschätzt hat und dort, wo die Quellenlage zu dürftig war, bestehende Lücken mit Hilfe bloßer Vermutungen ausgefüllt hat. Gleichwohl kann man K. als den detailreichsten Kenner der frühen Reformationsgeschichte seiner Zeit bezeichnen und würdigen.

Werke: Wolfger von Passau 1192-1204. Eine Unters. über den hist. Werth seiner »Reiserechnungen«, nebst einem Btr. zur Walterchronologie, SVRG XVII, 1882; Die Depeschen des Nuntius Aleander vom Wormser Reichstag 1521, übers. und erl. v. P. K., 1886, 1897²; Pirkheimers und Spenglers Lösung vom Banne 1521. Ein Btr. zur Reformationsgesch. Nürnbergs, in: Programm des Städt. Ev. Gymnasiums zu St. Magdalena in Breslau, 1896, 3-16 (auch als Separatdruck ersch.); Jakob Wimpfeling und die Erhaltung der kath. Kirche in Schlettstadt, in: ZGORh N. F. XII, 1897, 577-619; XIII, 1898, 84-123. 264-301; Briefe, Depeschen und Berichte über Luther vom Wormser Reichstag, 1897; Zur Lebensgesch. Albrecht Dürers, in: Repertorium zur Kunstwissenschaft XX, 1897, 443-463; XXVII, 1904, 346-362; XXVIII, 1905, 474-485; Wie wurde Cochläus Dechant in Frankfurt?, in: ThStKr LXXI, 1898, 686 ff.; Zur Gründungsgesch. des Neuen Stifts in Halle, in: ZKG XXIII, 1902, 107-109; Die Anfänge der Gegenreformation in den Niederlanden, 1903; Die Vermittlungspolitik des Erasmus u. s. Anteil an den Flugschriften der ersten Reformationszeit, in: ARG I/1, 1903; Der Inquisitionsprozeß des Antwerpener Humanisten Nikolaus von Herzogenbusch im Jahre 1522, in: ZKG XXIV, 1903, 416-429; Über Johann Landsberger, in: HZ XC, 1903, 544 f.; Das »erste Plakat« Karls V. gegen die Evangelischen in den Niederlanden, in: ARG I/3, 1904, 279-283; Zu den röm. Verhandlungen über die Bestätigung Erzbischof Albrechts von Mainz im Jahre 1514, in: ARG I/4, 1904, 381-395; Der Magister sacri palatii und die röm. Dominikaner, in: HV VII, 1904, 299 ff.; Zu Luthers röm. Prozeß, in: ZKG XXV, 1904, 90-147. 273-290. 399-459. 503-603; Forschungen zu Luthers röm. Prozeß, 1905; Röm. Urteile über Luther und Erasmus im Jahre 1521, in: ARG III, 1905/06, 65-83; Ludwig von Pastors »Leo X.« vom Standpunkte der Reformationsgesch., in: ARG III, 1905/06, 199-204; Das Wormser Edikt in den Niederlanden, in: HV VIII, 1905, 69-80; Über Andreas Karlstadt, in: LZ LVI, 1905, 1182 f.; Die Beziehungen der Hohenzollern zur Kurie unter dem Einflusse der luth. Frage, in: QFIAB IX, 1906, 88-139; Wimpfelings kirchl. Unterwerfung, in: ZGORh N.F. XXI, 1906, 262-270; W. Capito im Dienste Erzbischof Albrechts von Mainz, 1907; Ablaß und Reliquienverehrung an der Schloßkirche zu Wittenberg unter Friedrich dem Weisen, 1907; Cardinal Cajetan auf dem Augsburger Reichstage von 1518, in: QFIAB X, 1907, 226 ff.; Nachtrag zur Korrespondenz Aleanders während seiner ersten Nuntiatur in Deutschland (1520-1522), in: ZKG XXVIII, 1907, 201-234; Über Johann Freiher zu Schwarzenberg, in: Monatsschr. für höheres Schulwesen VI, 1907, 566 ff.; Aleander gegen Luther, 1908; Erasmus und seine Schüler W. Nesen und Nikolaus von Herzogenbusch im Kampfe mit den Löwener Theologen, in: CR VII, 1910, 402-420; Zu Luthers röm. Prozeß. Das Verfahren des Erzbischofs von Mainz gegen Luther, in: ZKG XXXI, 1910, 48-65; Zu Luthers röm. Prozeß. Der Anteil der Dominikaner an der Bekämpfung Luthers während des Ablaßstreites, in: ZKG XXXI, 1910, 368-414; ZKG XXXII, 1911, 1-67; Der Humanist Hermann von dem Busche und die lutherfreundl. Kundgebung auf dem Wormser Reichstage vom 20. April 1521, in: ARG VIII, 1910/11,

341-379; Die Miltitziade. Eine krit. Nachlese zur Gesch. des Ablaßstreites, 1911; Die Romzugverhandlungen auf dem Wormser Reichstage 1521. Mit ungedr. Denkschriften des Nuntius Caracciolo und des kurmainz. Rates Capito, in: Festschr. zur Jahrhundertfeier der Univ. Breslau am 2.8. 1911, 1911; Die von Kajetan verfaßte Ablaßdekretale und seine Verhandlungen mit dem Kurfürsten von Sachsen in Weimar, den 28. und 29. Mai 1519, in: ARG IX, 1911/12, 141-171; Zu Luthers röm. Prozeß. Der Prozeß des Jahres 1518, 1912 (Separatdruck aus: ZKG XXXII, 1911, 199-258. 408-456. 572-595. ZKG XXXIII, 1912, 1-72); G. B. Flavio als Biograph Kajetans und sein Ber. über Luthers Verhör in Augsburg, in: ZKG XXXIII, 1912, 240-267; Die Entstehung des Wormser Edikts. Eine Gesch. des Wormser Reichstages vom Standpunkt der luth. Frage, 1913; Die Vorgesch. der allg. Wehrpflicht in Preußen, 1913; Perilla oder Die Erstürmung Roms. Schauspiel in 4 Akten, 1913; Luthers Antwort auf Kajetans Ablassdekretale (30. Mai 1519), in: ARG XI, 1914, 161-175; Martin Luther, Ausgewählte Werke II, 1914 (hrsgg. v. H. Borchert und PK); Kurzer Bericht über die Luther-Werkausgabe v. 1914, in: ZKG XXXVI, 1916, 587-589; Luther und die Entscheidungsjahre der Reformation. Von den Ablaßthesen bis zum Wormser Edikt, 1917; Das Wormser Edikt und die Erlasse des Reichsregiments und einzelner Reichsfürsten, 1917; Die Anfangsperiode der Reformation in Sleidans Kommentarien, in: ZGORh XXXII, 1917, 297-329. 414-467; Die Bulle »Exsurge«. Ihre Vollziehung durch die Bischöfe von Eichstätt, Augsburg, Regensburg und Wien, in: ZKG XXXVII, 1917, 89-174; Luthers Verhältnis zur Reichsverfassung und die Rezeption des Wormser Edikts, in: HV XVIII, 1917, 265-289; Luthers Heldenzeit, in: Wegweiser für das werktätige Volk, hrsg. v. PK, IV/10, 1917, 165-188; Hedio und Geldenhauer (Noviomagus) als Chronisten, in: ZGORh XXXIII, 1918, 348-362; Livin von Veltheim ein Vorkämpfer der kath. Kirche in Norddtld., in: ARG XV, 1918, 30-64; Kleine Beitr. zur Gesch. Hadrians VI., in: ARG XV, 1918, 30-64; Restliche Wünsche für die Anfangsperiode der Reformationsgesch., in: ARG XVI, 1919, 129-143; Erasmus, Luther und Friedrich der Weise. Eine reformationsgesch. Studie, SVRG XXXVII/1 (Nr. 132), 1919; Eine neugefundene Reliquie aus dem Reformationsjahr 1520, 1920; Erasmus und Hutten in ihrem Verhältnis zu Luther, in: HZ CXXII, 1920, 260-267; Ulrich von Hutten und die Reformation. Eine krit. Gesch. seiner wichtigsten Lebenszeit und der Entscheidungsjahre der Reformation 1517-1523, QFRG IV, 1920; Wimpfelings letzte lutherfreundliche Kundgebung, in: ZGORh XXXV, 1920, 1-35; Der große Wormser Reichstag von 1521, 1921; Die Vollziehung der Bulle »Exsurge«, insonderheit im Bistum Würzburg, in: ZKG XXXIX, 1921, 1-44; Ein neugefundenes Orginal der Bulle »Exsurge Domine«, in ebd., 134-139; Kardinal Schiner, ein Mitarbeiter Aleanders auf dem Wormser Reichstage, in: ARG XVIII, 1921, 81-120; Der Wormser Reichstag vom 1521. Biograph. und quellenkrit. Studien zur Reformationsgesch., 1922; Nachtrag betreffend Vollziehung der Bulle »Exsurge« in Würzburg, in: ZKG XL, 1922, 150 f; Dürers Verhältnis zu Luther und seiner Lehre, in: LML V, 1923, 33-42; Friedrich der Weise, dennoch der Beschützer Luthers und des Reformationswerkes, in: ZKG XLIII, 1924, 179-208; Zur Charakteristik Aleanders, in: ebd., 209-219; Die Kaiserwahl Friedrichs IV. und Karls V. (am 27. und 28.6. 1519), 1925; Huttens Vagantenzeit und

Untergang. Der gesch. Ulrich von Hutten und seine Umwelt, 1925; Kleine Nachlese zu Luthers röm. Prozeß, in: ZKG XLIV, 1925, 213-225; Friedrich der Weise und Luther, in: HZ CXXXII, 1925, 23-42; Zustände in der Reichsabtei Fulda zur Zeit der Reformation, in: ARG XXII, 1925, 210-267; Die Reformation in der Reichsstadt Nürnberg nach den Flugschriften ihres Ratsschreibers Lazarus Spengler, 1926; Humanismus und Reformation in Erfurt (1500-1530), 1926; Die Grotuslegende und die dt. Triaden, in: ARG XXIII, 1926, 113-150; Huttens Bücherraub, in: ARG XXIII, 1926, 300-306; Die Übersetzung der Bulle Exsurge, in: ZKG XLV, 1926, 382-399; Zur Kaiserwahl Friedrichs IV. und Karls V., in: ZGORh N.F. XL, 1926, 405-460; Die Stellung Friedrichs des Weisen zur Kaiserwahl von 1519 und die Hildesheimer Stiftsfehde, in: ARG XXIV, 1927, 270-294; Die Stellung der dt. Humanisten zur Reformation, in: ZKG XLVI, 1927, 161-231; Die Erfurter theol. Fakultät gegenüber der Bulle »Exsurge«, in: HJ XLVII, 1927, 353-358; Die Prädikanten Rot-Locher, Eberlin und Kettenbach, in: ARG XXV, 1928-150; Hutten als Humanist. Ein Nachtrag zur Huttenlegende, in: ZGORh N. F. XLIII, 1928, 3-67.

Lit.: Paul Joachimsen, Rezension zu: P. K., Ulrich von Hutten..., 1920, in: HZ CXXV, 1922, 487-495; — K. Brandi, Rezension zu: P. K., Die Kaiserwahl..., 1925, in: HZ CXXXIV, 1926, 574 f.; — Arnold Oscar Meyer, Nekrolog, in: HZ CXXXVIII, 1928, 449 f.; — NDB XII, 63 f.

Hans-Josef Olszewsky

KALLER, Maximilian Josef Johannes, Bischof von Ermland, Päpstlicher Sondcrbcauftragter für die heimatvertriebenen Deutschen, * 10.10. 1880 in Beuthen, † 7.7. 1947 in Frankfurt/Main. — K., der einer in der Gründerzeit aufgestiegenen Kaufmanns- und Fabrikantenfamilie entstammte - er war das zweite von acht Kindern Josef K.s und seiner Ehefrau Berta geb. Salzburg -, legte 1899 am staatlichen Gymnasium seiner Heimatstadt die Abiturprüfung ab und begann in Breslau seine theologische Ausbildung, welche er bereits am 20.6. 1903 dank einer Altersdispens des Heiligen Stuhles mit der Priesterweihe abschließen konnte. Nach einer nur zweijährigen Kaplanszeit in Groß Strehlitz wurde er zum Administrator der Missionsstation Bergen auf Rügen berufen. In dieser Stellung konnte K., der einmal geäußert haben soll: »die Hauptentscheidungsschlachten werden heute in der Diaspora geschlagen« (zit. nach Miller, 66), seine besonderen Fähigkeiten im Bereich der Diasporaseelsorge entfalten. So schuf er den Katholiken, in der Mehrzahl Kurgästen und polnischen Saisonarbeitern, religiöse Zentren in Bergen sowie in Sellin und Garz, wo er neue Kirchen baute. 1910 erreichte er die Umwandlung der Missionsstation in eine Pfarrei. Im Jahre 1917 erhielt K. die Pfarrei St. Michael in Berlin übertragen. Er bewies nun, daß er auch in der Großstadtseelsorge erfolgreich zu wirken vermochte, sowohl durch Belebung der Religiosität als auch durch soziales Engagement. 1920 galt K. als aussichtsreicher Kandidat für die Leitung des Delegaturbezirks, was jedoch vereitelt wurde. Am 6.7. 1926 bestellte ihn der Heilige Stuhl, vermutlich auf Empfehlung des Nuntius Pacelli in Berlin, zum Apostolischen Administrator der Apostolischen Administratur Tütz für die nach dem Ersten Weltkrieg beim Deutschen Reich verbliebenen Teile der Bistümer Gnesen-Posen und Kulm in der Grenzmark Posen-Westpreußen. Wiederum hatte es K. mit einer Diasporasituation, überdies mit einer national-kirchenpolitisch schwierigen Aufgabe zu tun, die er nach seinem Konzept pastoral zu meistern suchte, indem er u. a. die katholische Tageszeitung »Grenzwart« unterstützte, ein Kirchenblatt herausgab, das katholische Vereinswesen förderte, sich um Hauswirtschaftsschulen, eine Landvolkshochschule, Caritasheime und Krankenhäuser bemühte. 1927 erreichte er die Verlegung des Sitzes der Administratur nach Schneidemühl. Auch als die Administratur im Gefolge des Preußenkonkordats 1929 in eine Freie Prälatur umgewandelt wurde, blieb K. zunächst an ihrer Spitze, ehe ihn die Wahl zum Bischof von Ermland (23.7. 1930) nach Frauenburg rief. Der Nichtermländer, der wohl vom Heiligen Stuhl für dieses Amt favorisiert worden war, mußte in seiner Diözese zunächst Widerstände bei Klerus und Volk abbauen. Angetrieben von pastoralem Eifer, mangelte es K. an Geduld ebenso wie an Einsicht in das Realisierbare, so daß es zu zahlreichen Mißverständnissen und personalpolitischen Fehlentscheidungen kam. Kern seines Seelsorgekonzepts war die sogenannte »Katholische Aktion«, deren programmatische Ziele K. auf dem Christkönigskongreß in Mainz im Oktober 1933 formulierte: »Teilnahme der Laien am hierarchischen Apostolat, Mitarbeit und Mithilfe der Laien an der Sendung der Kirche. Die Katholiken stehen nicht mehr in Verteidigungsstellung wie früher, sondern leisten positive katholische Aufbauarbeit, und so in frohem Bekenntnis und fruchtbringendem Schaffen ar-

beiten sie zugleich mit für Volk und Vaterland.« (Zit. nach Miller, 78). Aus diesem Geiste versuchte K., durch eine Vielzahl von Aktivitäten die Seelsorge in seinem Sprengel zu beleben. Er selbst besuchte alle Pfarrgemeinden, warb für den häufigen Kommunionempfang, führte das Ewige Gebet ein, förderte die Exerzitien wie die Volksmissionen und den Kirchenbau in der ostpreußischen Diaspora. Das Jahr 1932 bildete einen gewissen Höhepunkt in K.s oberhirtlicher Tätigkeit, als er das »Ermländische Kirchenblatt« ins Leben rufen, das neue Priesterseminar in Braunsberg einweihen sowie auf einer von ihm anberaumten Diözesansynode (11. -13.10. 1932) sein Programm der »Katholischen Aktion« erläutern konnte. Überregional prägte K. den Begriff der »Wandernden Kirche«, d. h. der Erfassung von Zu- und Abwanderungen seitens der Pfarrgemeinden in Zeiten zunehmender Bevölkerungsmobilität, was sich insbesondere in der Landhelferseelsorge während des Dritten Reiches bewährte. Dem Nationalsozialismus begegnete K. lange Zeit mit gutgläubiger Naivität und verhaltener Loyalität. So unterhielt er bis 1937 freundschaftliche Beziehungen zu Erich Koch, dem Gauleiter von Ostpreußen. Auch erkannte er nicht die Gefahr, die von einigen nationalsozialistisch gesinnten Professoren an der Staatlichen Akademie in Braunsberg - wie Karl Eschweiler und Hans Barion - ausging. Trotz zunehmender Repressalien gelang es K., 1938 ein neues Gebet- und Gesangbuch sowie 1939 ein neues Rituale im Geiste der liturgischen Bewegung herauszugeben und sich, wo möglich, für den polnischsprachigen Bevölkerungsteil seines Sprengels einzusetzen. 1939 wurde K. zusätzlich zum Apostolischen Administrator der Freien Prälatur Memel ernannt. Daß er den persönlichen aufopfernden Einsatz nicht scheute, bewies K., als er sich in einem Schreiben an Nuntius Orsenigo in Berlin vom 27.2. 1942 bereit erklärte, die Seelsorge im Konzentrationslager Theresienstadt zu übernehmen, welches Anerbieten der Nuntius allerdings ablehnte. Beim Einmarsch der Roten Armee in Ostpreußen zwang die SS K. am 7.2. 1945, Frauenburg zu verlassen. Über Danzig gelangte er nach Halle, von wo aus er sich noch im Sommer 1945 auf den Weg zurück ins Ermland machte. Nachdem ihn jedoch der polnische Kardinal Hlond zur

Resignation auf sein Bischofsamt gezwungen hatte, verließ K. seinen ehemaligen Wirkungskreis. Er lebte kurze Zeit in Wiedenbrück/Westfalen und konnte dann in äußerst beschränkten räumlichen Verhältnissen in Frankfurt/Main eine Zentralstelle einrichten, von wo aus er daran ging, seine verstreuten Diözesanen zu sammeln. In seinen ersten Nachkriegshirtenbriefen stellte K. die Flüchtlingsseelsorge unter das Leitmotiv, Vertriebene seien nicht »Gottverlassene«, sondern von Gott »Auserwählte« (so z. B. Hirtenbrief vom 29.9. 1946, zit. nach Miller, 82). Am 29.6. 1946 berief ihn Papst Pius XII. zum Päpstlichen Sonderbeauftragten für die heimatvertriebenen Deutschen. Als »Vertriebenenbischof« rastlos im Einsatz, wuchs der Oberhirte gerade in jener Zeit eng mit seiner ihm anvertrauten Herde zusammen. Allerdings war auch jene Tätigkeit K.s nicht frei von übereifrigen, illusionären Aktionen wie beispielsweise seinen Plänen, die vertriebenen Ermländer in Südamerika anzusiedeln oder die bischöfliche Jurisdiktion im russisch besetzten Teil Ostpreußens zu erlangen. K.s aufreibender persönlicher Einsatz führte zu seinem plötzlichen Tode durch Herzschlag am 7.7. 1947 in Frankfurt/Main. Seine letzte Ruhestätte fand er in Königstein/Taunus. — Das Motto seines Bischofswappens »Die Liebe Christi treibt mich« charakterisiert K.s Wesen und Wirken treffend, dessen Beurteilung insgesamt ambivalent bleibt. Persönlich zutiefst fromm - er war seit seiner priesterlichen Tätigkeit Mitglied des Dritten Ordens vom heiligen Franziskus und hatte sich den heiligen Pfarrer von Ars zum Leitbild gewählt -, stieß K. in seinem seelsorglichen Elan häufig an die Grenzen der praktischen Durchführbarkeit. Sein pastoraler Eifer machte ihn nicht zuletzt blind für politische Realitäten, wie sein Verhalten im Dritten Reich und nach 1945 zeigt. Dennoch gewann er, »trotz aller Unruhe, mancher Fehlentscheidungen und Überforderungen« (Fittkau, in: Gatz, 358), immer wieder, vor allem in den Nachkriegsjahren, aufgrund seines mitreißenden selbstlosen Einsatzes das Vertrauen und die Verehrung vieler Gläubiger, so daß sein jäher Tod als Verlust empfunden wurde und K. im Andenken einiger Ermländer sogar die Züge eines Heiligen trägt.

Werke: Aus einer Großstadtpfarrei. Erkenntnisse und Folge-

rungen aus einer Pfarrkartei, 1923; Unser Laienapostolat in St. Michael, Berlin, 1926 (u. d. T. Unser Laienapostolat. Wie es ist und wie es sein soll, 1927[2]); Kreuzbund und Katholische Aktion, 1936[2]; Siedlung und Katholizismus, 1933; Singen und Seelsorge, 1936; Zur Wandernden Kirche, in: Priesterjahrheft d. Bonifatiusvereins 14, 1940, 5-14; Bischof K. spricht. Hirtenbriefe des Flüchtlingsbischofs M. K., hrsg. v. Paul Kewitsch, 1951.

Lit.: Das Bildnis. M. K., in: Herder Korrespondenz 2, 1947/48, H. 10, 461-464; — Gerhard Fittkau, M. K., in: Klerusbl. Salzburg 87, 1954, 161-163; — Ders., Bischof M. K. zum Zehnjahresgedächtnis, in: Christ Unterwegs 11, 1957, Nr. 7/8, 24-27; — Johannes Smaczny, Unser Bischof M. K., 1949; — Joseph Lettau, M. K. - Der Bischof unterwegs, in: Sanctificatio nostra 15, 1950, 179-184, 209-214; — Erich Reisch, Bischof M. K. zum Gedächtnis, in: Jb. für Volksgesundung 1, 1950/51, 49-55; — Hermann Klens, Bischof K.s Erbe - der »Oktoberkreis«, in: ebd. 56-63; — Ernst Laws, Kleine Bilder, in: Ermländ. Hauskalender 83, 1950, 72-75; — Ders., Wanderer zwischen drei Zonen. Bischof M. K.s Leben vom 7. Febr. 1945 bis zum 12. Aug. 1946 im Spiegel seiner Briefe, in: Ermländ. Hauskalender 90, 1957, 6-33; — Ders., Der Bischof, den wir nicht wollten, in: Ermlandbriefe 30, 1976, Nr. 118, 4; — Gotthard Kuppe, M. K., der Bischof der Vertriebenen, in: Der Schlesier 6, 1954, Nr. 33, 6; — Josef Mosler, »Gott will, daß der Mensch Heimat habe!« Bischof M. K. am 7. Juli 10 Jahre tot, in: Schles. Rundschau 9, 1957, Nr. 19, 5; — Ders., Bischof K., der Schlesier, sein Leben und sein Werk, in: Der Schlesier 9, 1957, Nr. 27, 6; — Ders., M. K., der Bischof der Vertriebenen, in: Der Schlesier 12, 1960, Nr. 40, 5; — Georg Schmitt, Der erste »Flüchtlingsbischof«. Zum 10. Todestage von Bischof M. K. am 7. Juli 1957, in: Hedwigskalender 4, 1957, 31 f.; — Ein schriftl. Ehrenmal für Bischof M. Nachgelassene biograph. Fragmente von Otto Miller, hrsg. v. Ernst Laws, in: Ermländ. Hauskalender 92, 1959, 64-96; — Anneliese Triller, In den Schuhen sterben. Bischof M. K., in: Große Ost- und Westpreußen, 1959, 231-234; — Geo Grimme, Zum 20. Todestag von Bischof M. K., in: Ostpreußenbl. 18, 1967, F. 27, 15; — Gerhard Matern, Einheit von Wort und Leben. Zum Gedenken an den Heimgang unseres Bischofs M. vor zwanzig Jahren (7. Juli 1947), in: Unser Ermlandbuch 1967, 43-50; — Ernst Manfred Wermter (Hrsg.), Zehn Jahre katholische Aktion im Bistum Ermland. 1929-1939. Ein Bericht aus dem Jahre 1939 von Gerhard Fittkau, in: Zschr. f. d. Gesch. u. Altertumskunde Ermlands 33, 1969, 219-306; — Alfons Gross, Bischof K. als Seelsorger, in: Unser Ermlandbuch 1974, 188-192; — Gerhard Reifferscheid, Das Bistum Ermland und das Dritte Reich, 1975; — Hans Preuschoff, Bischof K., die Braunsberger Akademie und der Nationalsozialismus. Zu den Aufzeichnungen von Walter Adolph, in: Zschr. f. d. Gesch. u. Altertumskunde Ermlands 40, 1980, 105-133; — Ders., Die Flüchtlingsbischöfe, in: Unsere Ermländ. Heimat 33, 1987, Nr. 2, V-VIII; — Kosch KD II, 1979 f.; — LThK V, 1261 f.; — LThK X, 953 f.; — Altpreuß. Biogr. II, 971; — Erwin Gatz (Hrsg.), Die Bischöfe der deutschsprachigen Länder 1785/1803 bis 1945. Ein biogr. Lex., 1983, 357-361 (ausführl. krit. Biogr. K.s von Gerhard Fittkau).

Barbara Wolf-Dahm

KALLINIKOS, Märtyrer in Gangra (Paphlagonien). Über sein Leben ist nichts Genaues bekannt. Wahrscheinlich wurde er während der Verfolgung unter Kaiser Diokletian zu Beginn des 4. Jahrhunderts verhaftet, gefoltert und verbrannt. Über seinem Grab wurde eine Basilika errichtet, in der Patriarch Makedonios II. (495-511) seine letzte Ruhestätte gefunden hat.

Lit.: Migne, PG 115, 447-488; — Acta SS. Julii, Antwerpen 1731, VII, 39-42; — Synaxarium ecclesiae Constantinopolitanae, 853 f.; — H. Delahaye, Les origines du culte des martyrs, Brüssel 1933², 186 f.; — Socii Bollandiani (Hrsg.), Bibliotheca hagiographica graeca, Brüssel 1909², 286y-287e; — DHGE XI, 414; — N. Edelby, Liturgikon-»Meßbuch« der byz. Kirche, Recklinghausen 1967, 961.

Johannes Madey

KALLINIKOS, Mönch zu Ruphinianai in Bithynien (mindestens seit 426), Hagiograph, 5. Jahrhundert. — K. schrieb zwischen 447 und 450 eine Vita seines Lehrers, des Heiligen Hypatios, Neubegründers und Abtes von Ruphinianai († vielleicht am 30.6.446). Zu R. cf. R. Janin, Les églises et les monastères des grands centres byzantins (Bithynie - Thessalonique), Paris 1975, S. 38-40. Unter dem 3. Abt nach Hypatios gab ein Unbekannter die Vita mit einer Widmung an einen nicht näher bekannten Diakon Eutychos heraus, wobei er Korrekturen orthographischer »Syrismen« vornahm. Demnach war Kallinikos Syrer. Für die Vita, die reichlich Wunderberichte und Paraenesen des Heiligen Hypatios bringt, war Vorbild die Vita Antonii des Athanasios. Auch die Pseudo-Macariana waren K. bekannt. Der Wert der Schrift ist in kirchen-, profan- (Erwähnung u. a. von Hunneneinfällen 386, 447) und kulturgeschichtlicher Hinsicht sehr hoch anzusetzen. Die Sprache ist schlicht, familiär, anschaulich, sie richtet sich eben an Mönche. Es sind keinerlei profane Autoren erwähnt. Typisch ist die einfache Reihung der Umgangssprache.

Werke: Ausgaben und Übersetzungen: D. Papebroch in den AASS, Iun. III, Antverpiae 1791, 308-349 (mit lat. Übers.), wiederholt in den AASS, Iun. IV, Parisiis-Romae 1867³, 247-282; Callinici De vita Hypatii liber, ed. Seminarii philologorum Bonnensis sodales, Lipsiae 1895; A. Festugière, Les moines d'Orient, t. 2, Paris 1961 (franz. Übers.); Callinicos, Vie d'Hypatios, introd., texte crit., trad. et notes par

G. J. M. Bartelink, Paris 1971; Vita di Ipazio, trad. C. Capizzi, Roma 1982.

Lit.: H. Usener, Übersehenes, in: Rhein. Museum NF 50 (1895), 144-147; — H. van Herwerden, Ad Callinici de vita s. Hypatii librum, in: Revue de philologie 20 (1896), 57-59; — J. Pargoire, Autour de Chalcédoine, in: Byzant. Zeitschr. 11 (1902), 333-357; — H. Mertel, Die biograph. Form der griech. Heiligenlegenden, Diss. München 1909, 29-40; — H. Usener, Kleine Schrr., Bd. 4, Berlin 1913, 194-198; — W. v. Christ/W. Schmid/O. Stählin, Gesch. der griech. Litteratur, T. 2, 2, München 1924, 1397; — O. Bardenhewer, Gesch. der altkirchl. Literatur, Bd. 4, Freiburg 1924, 160 f.; — P. Peters, Jérémie, évêque de l'Ibérie perse (431), in: Analecta Bollandiana 51 (1933), 5-33; — L. Meyer, Perfection chrétienne, in: Revue d'ascetique et de mystique 14 (1933), 232-266 (verfehlt); — A. Ehrhard, Überlieferung u. Bestand der hagiograph. und homilet. Literatur von den Anfängen bis zum Ende des 16. Jh.s, T. 1, Leipzig 1937, 645-652; — G. J. M. Bartelink, Quelques observations sur le texte de la Vita Hypatii de Callinicus, in: Vigiliae christianae 10 (1956), 124-126 (insbes. über Bibelzitate); — F. Halkin, Bibliotheca hagiographica Graeca, t. 1, Bruxelles 1957, 251, Nr. 760; — Gy. Moravcsik, Byzantinoturcica, Berlin 1958², 565, — I. auf der Maur, Paradosis, Fribourg 1959, 119 f.; — G. J. M. Bartelink, Text parallels between the Vita Hypatii of Callinicus and the Pseudo-Macariana, in: Vigiliae christianae 22 (1968), 128-136; — Ders., Die Latinismen in der Vita Hypatii des Callinicus, in: Glotta 46 (1968), 184-194; — G. Dragon, Les moines et la ville, in: Travaux et mémoires, t. 4, Paris 1970, 229-276; — I. E. Karagiannopulos, Pegai tes byzantines historias, Thessalonike 1971², 116; — H.-G. Beck, Kirche u. theol. Lit. im byz. Reich, München 1977², 404 (die Verlegung der Redaktion der Vita ins 6. Jh. möchte ich nicht mitmachen); — G. J. M. Bartelink, Τὰς πέντε αἴρειν, in: Vigiliae christianae 26 (1972), 288-290; — B. Altaner/A. Stuiber, Patrologie, Freiburg, Basel, Wien 1978⁸, 240; — J. A. Munitiz, Theognosti Thesaurus, Turnhout 1979.

Hans Thurn

KALLIOPIOS, Märtyrer in Pompeiopolis (Kilikien), stammte aus Perge in Pamphylien. Er lebte während der Regierungszeit des Maximianus Herculius, der Mitkaiser Diokletians war (v 310). Während der Christenverfolgung stellte er sich freiwillig; er wurde gefoltert und - nach der legendären Passio am Karfreitag zur dritten Stunde - mit dem Kopf nach unten gekreuzigt. Seine Mutter Theokleia brach während der Hinrichtung ihres Sohnes zusammen und starb kurz darauf. Sie wurde gemeinsam mit ihrem Märtyrersohn beigesetzt. Die byzantinische Kirche gedenkt des Märtyrers am 7. April (anderswo ist sein Gedächtnis am 22. März und am 9. April).

Lit.: Acta SS. Aprilis, Antwerpen 1675, I, 659-662; — Baudot-Chaussin (Hrsg.), Vie des Saints et des Bienhereux..., Paris 1935 ff., IV, 162 ff.; — Socii Bollandiani (Hrsg.), Bibliotheca hagiographica graeca, Brüssel 1909², 290, 290e; — N. Edelby, Liturgikon-»Meßbuch« der byz. Kirche, Recklinghausen 1967, 863 f.

Johannes Madey

KALLISTOS, Papst siehe Calixt I.

KALLISTOS I., Patriarch von Konstantinopel 1350-1353, 1355-1563 oder 1564, Verbreiter des Hesychasmus, Prediger und Verfasser hagiographischer Schriften. — K. I. war erst Mönch, später auch Hegoumenos des Athosklosters Eberon und Begleiter des Gregorios Palamas, dessen Lehre er auf der Synode von 1351 amtlich verkündete. Mitte August 1353 wurde er, wegen seiner Treue zu Johannes V. Palaiologos, von Johannes VI. Kantakuzenos, weil er seinem ältesten Sohn, Matthaios, die Krönung zum Mitkaiser verweigerte, auf einer Bischofssynode abgesetzt. K. begab sich auf die Insel Tenedos, aber nach der Restauration der Palaiologen wurde er wieder Anfang 1355 in sein Amt eingestellt, obwohl er sich später den Unionsbestrebungen des Kaisers widersetzte. Bedacht auf die Wahrung der Vorrechte seines Patriarchats, versuchte K. seine kirchliche Suprematie über Bulgarien wiederherzustellen; nach einer in den griechischen Quellen nicht belegten Tradition sollte er 1352 unter dem Einfluß des Kantakuzenos die serbische Kirche wegen ihrer Unabhängigkeitstendenzen, anathematisieren. — Die Hauptquelle zur Kenntnis seiner Ansichten sind seine Homilien, die sich durch ihren historischen, soziologischen und laographischen Quellencharakter abzeichnen, besonders Sonn- und Festtagspredigten, antirhetischen und dogmatischen Reden, Didaskalien, Homilien gegen die Antipalamiten, speziell gegen Gregoras, antilateinische, ethische, asketische und praktische Homilien, wie auch Hirtenpredigten; sie geben uns einen Begriff von der Spiritualität des Patriarchen, der oft die Sündhaftigkeit des Menschen betonte und zu Buße und Umkehr aufrief. Seine zwei »Heiligenviten« ermöglichen einen Einblick in die nachbyzantinische orthodoxe Kirchengeschichte, in die Kontroverse zwischen den Palamiten und Hesychastengegner — der Hesychasmus des Gregorios des Sinaites ist jedoch nicht einfach mit dem Palamismus zu identifizieren — und in den noch damals lebendigen heidnischen Kult der Slaven — Vita des Theodosios von Trnovo —; in ihnen suchte K. hauptsächlich die Botschaft des Hesychasmus zu verbreiten und die Mauern des Nationalismus niederzureißen.

Werke: (größtenteils noch unveröffentlicht:) Homilien, insgesamt 50 in der Chilandar-Hs. 8, 15. Jh. (3 Homilien aus dieser Hs. ed. S. Eustratiades, Ekkl. Pharos 8, 1911, 112-137); weitere 13 Homilien und ein Enkomion auf Johannes den Faster, ed. H. Gelzer, ZWissTheol 29, 1886, 64-89, sind in 5 versch., darunter 3 westl. Hss., 14.-16. Jh. erhalten; eine Homilie auf Kreuzerhöhung, cod. Vindob. Theol. Gr. 279 aus dem 15. Jh., ed. J. Gretser, Opera omnia II, Regensburg 1734, 187-197; (die Homilien, die in slav. Tradition unter K.'s Namen auftreten, waren ihm fälschl. zugewiesen, sie gehen auf das Konstantinopolitaner Homiliar zurück, das ursprüngl. das des Patriarchen Johannes IX. Agapetos gewesen ist). Zwei Hll.-Viten: Vita des Gregorios Sinaites, griech. ed. P. Pomjalovskij, Petersburg 1894; altbulg. Übers. ed. P. A. Syrku, Petersburg 1908; die uned. slav. Übers. von Paisij Veličkovskij beruht auf altbulg. und griech. Tradition, die rumän. des Hieromonachos Meletios auf griech. Vorlage; neugr. Übers. des Nikodemos Hagioreites diente allen weiteren Übersetzungen und Bearbeitungen in neugriech. und neuserb. Sprache; Vita des Theodosios von Trnovo nur in altserb. Sprache überl. und von V. N. Zlatarski 1904 krit. ed., neubulg. Übers. besorgte 1926 V. Kisselkov; 13 Gebete aus 16 ihm zugeschriebenen sind im Euchologion ed.

Lit.: Georg Ostrogorsky, Gesch. des Byzant. Staates, 1963³, 426-429; — Jean Meyendorff, Introduction à l'étude de Grégoire Palamas, Paris 1959 passim; — A. Faller, La déposition du patriarche Calliste Iᵉʳ, 1353, REB 31, 1973, 5-163; — J. Darrouzès, Les regestes des actes du Patriarcat du Constantinople, vol. I: Les Actes des Patriarches, fasc. V: Les regestes dès 1310 à 1376, Paris 1977, 253-284, 309-384; — A. Lägreid/R. Glockner/ H. Walter, Die kirchenslav. Vita des Gregorios Sinaites und ihre griech. Vorlage, in: Festschr. für R. Rohr zum 60. Geb., Heidelberg 1979, 293-310; — Demetrios B. Gones, Tò syggraphikòn érgon tou oikoumenikou patriárchou Kallistou A', Diss. Athen 1980; — I. Ivan, Un episod mai puţ in cunoscut din istoria scaunului de Constantinopol: caterisirea patriarhului Callist I, 1353, Glasul Biser. 39, 1980, H. 3-5, 259-280; — A. Lögreid, Einige Grundsätze hesychastischer Hagiographie nach den Proömien zweiter Viten des Patriarchen K., in: Festschr. für Linda Sadnik zum 70. Geb., Freiburg 1981, 231-248; — Anthony-Emil N. Tachiaos, Gregory Sinaites' Legacy to the Slavs: Preliminary Remarks, Cyrillomethodianum 7, 1983, 113-165; — Čelica Milanović, Učitel'no Jevangel'e patrijarcha Kalista u slovenskoj i vizantijskoj kn' iževnosti, in: Zbornik Radova Vizantološkog Instituta 22, 1983, 149-163; — Fiodor B. Poljakov, Die Absetzung des Patriarchen K. I. in der Darstellung der altruss. Chronistik, JÖB 38, 1988, 341-352; — Jugie I, 448 f.; — DThC XI, 1790-1792; —

Catholicisme II, 391 f.; — Beck, 774 f.; — LThK V, 1263; — Threskeutikè kai Ethikè Enkyklopaideia VII 264 f.

Waclaw Hryniewicz

KALLISTOS II. XANTHOPOULOS, Patriarch von Konstantinopel, Mai bis Juli oder September 1397. — K. war Mönch des Klosters von Xanthopoúlon; zusammen mit dem Mönch Ignatios Xanthopoulos verfaßte er ein Handbuch von 100 Kapiteln, d. h. eine Zenturie »Méthodos kai kanón« zur Einführung in die hesychastische Gebets- und Lebensweise, welche Aufnahme in die Philokalía des Nikodemos Hagioreites gefunden hat und auch in den slavischen Ländern sehr verbreitet war. K. beschränkt sich auf die hesychastische Praxis und hält sich bewußt davon fern, die Lösung der theologisch-spekulativen Doktrin des Palamismus darzustellen. — Die Bedeutung des Werkes von K. und Ignatios liegt darin, daß sie die praktische, vorwiegend monastische Theologie des griechischen Mittelalters zum Ausdruck gebracht haben, die vor allem den einzelnen Menschen und seine Beziehungen zu Gott betrachtet. — K. wird in der griechischen Kirche als Heiliger verehrt; sein Fest wird am 22. November gefeiert.

Werke: Méthodos kai kanón, in: Philokalia, Venedig 1789, 1017-1199 und PG 147, 636-812, dt.: A. M. Ammann, Die Gottesschau im palamit. Hesychasmus, Würzburg 1938, 1986³, 51-192 und G. Frei, Das Herzensgebet, München-Planegg 1955; Képos charíton, Venedig 1819, 221 f.; Kephálaia perí proseuchès, in: Philokalia 1100 ff. und PG 147, 813-817, die zahlreichen anderen Kephalaia in der 2. Aufl. der Philokalia, Athen 1893 sind von Kallistos Angelikoudes; das Glaubensbekenntnis, vor seiner Weihe, in: F. Miklosich/J. Müller, Acta Patriarchatus Constantinopolitani 1315-1402 ..., Bd. II., Wien 1862, 293 ff.

Lit.: Ammann, a.a.O., 8-50, Darstellung; — J. Gouillard, La Centurie de Calliste et d'Ignace, Echos d'Orient 37, 1938, 456-460; — Venance Grumel, Notes sur Calliste II Xanthopoulos, RevEtByz 18, 1960, 199-204; — J. Darrouzès, Les regestes des actes du Patriarcat de Constantinople vol. I: Le actes des Patriarches, fasc. VI: Les regestes de 1377 à 1410, Paris 1979, 315-319; — Beck, 784 f.; — LThK V, 1263; — ThEE VII, 265.

Waclaw Hryniewicz

KÁLMÁNCSEHI, Sánta Márton, ungarischer Reformator, calvinischer Bischof, geb. um 1500 in Kálmáncsa (Komitat Somogy, Westungarn), gest. im Dezember 1557 in Debrecen. — Seit dem Herbst 1523 studierte K an der Jagiellonischen Universität zu Krakau Theologie, im Jahre 1525 war er Senior der dortigen ungarischen Burse. Als Magister kehrte er heim und wurde bald zum Priester geweiht. Schon 1538 war er Domkapitular und Rektor der Domschule zu Gyulafehérvár (Karlsburg, Alba Julia, Sitz des Bischofs von Siebenbürgen) und in dieser seiner Eigenschaft fungierte er bei der Disputation zu Segesvár (Schäßburg in Siebenbürgen) im Auftrag des Königs Johann Zápolya im November desselben Jahres als Schiedsrichter. Schon damals zeigte er offen Sympathien zur Reformation. Bald machte er sich diese reformatorische Lehre zu eigen und wirkte fortan als evangelischer Seelsorger an mehreren Orten Ostungarns. Im Jahre 1551 erhielt er die evangelische Pfarrei zu Debrecen. Da er dort in den Fußstapfen Zwinglis radikale liturgische Reformen, wie Entfernung von Altären und Bildern forderte und dies auf Widerstand der noch lutherisch-konservativen Gemeinde stieß, wurde er zur Synode zu Ladány (wahrscheinlich Körösladány) im Januar 1552 vorgeladen, wo die lutherischen Seelsorger ihn exkommunizierten. Dies tat K. seinerseits gegenüber den Gegenern auch, doch mußte er seine Pfarre in Debrecen um jene von Munkács umtauschen. Im Laufe des Jahres 1552 nahm er noch an zwei weiteren Synoden teil (Frühjahr 1552 und am 1. Dezember 1552 in Beregszász), deren Beschlüsse eindeutig den Einfluß K.s und der helvetischen Reformation zeigen. Da er seine radikalen Reformen überall, so auch in Siebenbürgen propagierte, geriet er auch in den Blickfeld der politischen Verfolgung. Doch nahm ihn der mächtigste Feudalherr Nord-Ostungarns, Peter Petrovics - seit 1556 sogar Statthalter von Siebenbürgen - in Schutz, bekam K. Anfang 1556 seine Pfarre in Debrecen zurück und entfaltete eine außerordentlich rege seelsorgerische, organisatorische und theologische Tätigkeit zugunsten der helvetischen Reformation. K erhielt 1556 die Superintendenz von Großwardein, zu der sich auch die ev. Gemeinden von Szatmár (Teile der Diözese Siebenbürgen) anschlossen, so daß er als erster Bischof der späteren Theiß-Distriktes (»tiszántuli egyházkerület«) der calvinischen Kirche bezeichnet werden kann. Er starb nach kurzer Krankheit in Debrecen und wurde dort am 21. Dezember 1557 zu Grabe getragen. Seine literarischen Werke - so ein Graduale, ein Gesangbuch, mehrere Disputationsschriften - sind verschollen, bzw. nur aus Erwiderungen bekannt, »Responsio ministrorum ecclesiae Colosvariensis ad scriptà M. Martini a Calmancha«, 1556.

Lit.: A Pallas Nagy Lexikona, Bd. 10. Budapest 1895. S. 63; — Szinnyei, József, Magyar irók élete és munkái. Bd. 5. Budapest 1897, Sp. 854; — Zoványi, Jenö, A reformáció Magyarországon 1565-ig. ohne Ort 1921; — Schullerus, Adolf, Kálmáncsehi als erster Vorkämpfer des Calvinismus in Siebenbürgen, Beiträge Teutsch. Hermannstadt 1923; — Nagy, Géza, Kálvánista jellemképek (darin K. S. M.). Kolozsvár 1930; — Papp, Gusztáv, Kálmáncsehi Sánta Márton. Budapest 1936; — Révész, Imre, Magyar református egyháztörténet. Budapest 1938, S. 104-108; —Magyar Irodalmi Lexikon Bd. 1. Budapest 1963, S. 575-576; — Magyarországi Protestáns Egyháztörténeti Lexikon. Budapest ³1977, S. 289-290; — Bucsay, Mihály, Der Protestantismus in Ungarn 1521-1978. Wien-Köln-Graz 1977, S. 104-105.

Gabriel Adriányi

KALT, Edmund, katholischer Exeget, Prälat, * 12.10. 1879 in Lorsch, † 4.1. 1943 in Mainz. — K. wurde 1904 zum Priester geweiht und übernahm 1914 die alttestamentliche Professur am Mainzer Predigerseminar. 1933 wurde ihm zusätzlich der homiletische Lehrstuhl übertragen, wozu von 1933-1936 interimistisch die neutestamentliche Dozentur kam. K. entwickelte eine fruchtbare publizistische Tätigkeit und bemühte sich in Veröffentlichungen und Lehramt um eine praxisorientierte Vermittlung biblischen Realwissens.

Werke: Samson, Freiburg 1912; Nebo, Phasgar und Phogor, Mainz 1913; Bibl. Archäologie, Freiburg 1924, 1934², poln. 1937, ital. 1942; Bibl. Reallex., 2 Bde., Paderborn 1931, 1938/39²; Baruch, Bonn 1932; Das Heilige, Paderborn 1933; Das Buch der Psalmen, HBK 6, Freiburg 1935, 1937²; Der Römerbrief, HBK 14, Freiburg 1937; Das Buch der Weisheit. Das Buch Jesajas, HBK 8, Freiburg 1938; Werkbuch der Bibel, 2 Bde., Freiburg 1941-1943; Genesis, Exodus und Leviticus, Freiburg 1948.

Lit.: N. Adler, Ein Mainzer Exeget und Erklärer der Heiligen Schrift für das Leben: JBMz 2 (1947), 17-23; — Ders., Bibel und Kirche, Stuttgart 1948, 40-46; — DBS V, 1; — LThK V, 1265.

Klaus-Gunther Wesseling

KALTEISEN, Heinrich OP, * um 1390 Ehrenbreitstein/Koblenz, † 2.10. 1465 im Dominikanerkloster bei Koblenz. — Inquisitor, (Kreuzzugs-)Prediger, EB von Trondheim und Titular-EB von Caesarea. — Im Anschluß an die Weihe zum Subdiakon (London 1441) nahm K., Mönch des Dominikanerklosters bei Koblenz, in Wien das Hochschulstudium auf, das er in Köln fortsetzte. Vermutlich vor 1430 erwarb er hier den Magister- und Doktorgrad sowie den Professorentitel. Bereits 1424 ernannte ihn Papst Martin V. zum »Inquisitor haereticae pravitatis« für die Diözesen Cambrai und Lüttich, und Bartholomäus Texery, General des Dominikanerordens, bestimmte ihn 1435 zusätzlich zum Inquisitor in den Diözesen Mainz, Köln und Trier; die letzte Ketzerverbrennung in Mainz (1458) ist auf K.s unermüdlichen Kampf gegen Häretiker zurückzuführen. Als Gesandter des Mainzer Erzbischofs nahm K. aktiv und erfolgreich - so etwa mit seiner Rede gegen den 3. Artikel der Hussiten - am Basler Konzil teil, und nachdem K. engagiert Papst Eugen IV. verteidigt hatte, gewährte dieser ihm eine Reihe von Vergünstigungen: er nahm K. zum »capellanus pape et sedis apostolice« auf und er übertrug ihm Gesandtschaften nach Nürnberg und Mainz (Reichstage), nach Frankreich (1442/43 u. 1447) und 1448 in die Rheinlande. K. war der einzige deutsche Inhaber des Amtes »magister sacri palatii« (etwa: päpstlicher Hofprediger), das er nach eigener Angabe 13 Jahre lang auch tatsächlich an der Kurie ausübte. Unter Nikolaus V., dem Nachfolger Eugens IV., wurde K. Erzbischof von Trondheim (Norwegen). Nach längeren Kontroversen mit König Christian I., der seinen eigenen Kandidaten einzusetzen beabsichtigte, verzichtete K. 1454 - gegen Pension - auf den bischöflichen Stuhl; vier Jahre später ernannte ihn Papst Calixt III. zum Titular-Erzschof von Caesarea in Kappadokien. Seit etwa 1455 wirkte und predigte K. als päpstlicher Legat in Deutschland gegen die Türken; vor allem in Süddeutschland und Österreich rief er zum Kreuzzug gegen die 'Ungläubigen' auf, ehe er sich 1463 in das Dominikanerkloster bei Koblenz zurückzog. — K. hat ein umfangreiches, schon von Zeitgenossen vielfach beachtetes Schrifttum hinterlassen, das in zahlreichen Kodizes überliefert ist. Den rund 50 lateinischen

logy: AJSL 48 (1941) 285 -301; — H. Petschow, Das Unter-königtum von Cambyses als »König von Babylonien: RA 82 (1988) 78-82; — W. Pötscher, Art. Herodotos: KP 2, 1099-1103; — N. W. Porteous, Das Buch Daniel, übersetzt und erklärt, ATD 23, Göttingen 1978³; — G. Posener, La pre-mière domination perse en Égypte, Recueil d'inscriptions hiéroglyphiques, Cairo 1936; — J. D. Prášek, Kambyses, AO XIV/2 (1913); — ders., Kambyses und die Überlieferun-gen des Altertums, Forschungen zur Geschichte des Alter-tums I, Leipzig 1897; — W. Pressel, Art. Cyrus: RE¹ 3, 228-232: — ders., Art. Cyrus: RE² 3, 424-429; — U. Rappa-port, Art. Cyrus: EJ 5, 1184 -1186; — H. Schäfer, Bruch-stück eines koptischen Romans über die Eroberung Ägyp-tens durch Kambyses, Sitzungs-Bericht, Berlin, Ak. 38 (1899); — W. Schulze, Der Tod des Kambyses: SPAW 37 (1912) 685-703; — M. Soloweitschik, Art. Cyrus: JL I, 1454 -1455: — ders., Art. Cyrus: EJ(D) 5, 721-723; — A. Spalin-ger, Art. Udjahorresnet: LÄ VI, 822-824; — W. Spiegelberg, Die sogenannte Demotische Chronik des Pap. 215 der Bi-bliothéque Nationale zu Paris, Leipzig 1914, 32f; — E. Stern, Material Culture of the Bible in the Persian Period 538-332 B.C., Warminster 1982; — J. N. Strassmaier, Baby-lonische Texte, Heft IX: Inschriften von Cambyses, König von Babylon (529-521 v. Chr.), von den Tontafeln des Briti-schen Museums, copirt und autographirt, Leipzig 1890; — E. Unger, Art. Bisutun: RLA 2, 33; — F. H. Weißbach, Art. Kyros: PRE.Supp. IV, 1128-1177; — ders., Die Keilin-schriften der Achämeniden, VAB 3, Leipzig 1911; — ders., Zur Chronologie des Kambyses: ZDMG 51 (1897) 661-665; — G. Widengren, Die Religionen Irans, RM 14, Stuttgart 1965; — J. Wiesehöfer, Der Aufstand Gaumātas und die Anfänge Dareios' I., Habelts Dissertationsdrucke, Reihe Al-te Geschichte, H. 13, Bonn 1978.

Karen Engelken

KAMINSKI, Heinrich, Komponist, * 4.7. 1886 in Tiengen bei Waldshut (Schwarzwald), † 21.6. 1946 in Ried bei Benediktbeuern (Obb.). — Sein Vater Paul K., polnischer Herkunft und ursprünglich katholischer Priester, gehörte zu den Mitbegründern der Altkatholischen Kirche, seine Mutter, Mathilde Barro, war Sängerin. Er besuchte Schulen in Waldshut, Konstanz und Bonn (Altkatholisches Internat). Nach dem Ab-itur arbeitete K. kurze Zeit in einer Bank in Offenbach und wandte sich dann zum Studium der Staatswissenschaft nach Heidelberg. Dort begegnete er Martha Warburg, die sein musika-lisches Talent erkannte und auf jede nur mögli-che Weise förderte. K. erhielt Klavierunterricht bei Johanna Elspermann und erwarb sich erste musiktheoretische Kenntnisse bei Philipp Wolf-rum. Als er sich endgültig für ein Musikstudium entschieden hatte, übersiedelte er im Jahre 1909 nach Berlin, wo ihm Frau Warburg ein Zimmer unentgeltlich zur Verfügung stellte, und besuch-te das Sternsche Konservatorium. Seine Lehrer dort waren Wilhelm Klatte, Hugo Kaun und Paul Juon (Komposition) und Severin Eisenber-ger (Klavier). Im Jahre 1914 zog K. in den klei-nen Ort Ried bei Benediktbeuern. Maria Marc, die Frau des Malers Franz Marc, war dort seine erste Klavierschülerin. Mit diesen beiden ver-band ihn bald eine enge Freundschaft, die auch über den Tod des Malers hinaus Bestand hatte. Auf Bitte der Witwe zog die Familie K. im Mai 1921 in deren Haus. Auch mit dem Maler Emil Nolde war K. eng befreundet und besaß mehrere Bilder von ihm, die sein Arbeitszimmer schmückten. Während des 1. Weltkrieges wirkte K. als Chorleiter. Dabei lernte er die Sängerin Friederike Jopp (von K. Elfriede genannt) ken-nen, die er 1916 heiratete. Am 1.1. 1918 wurde die älteste Tochter, Gabriele, geboren. Weitere Kinder K.s waren Benita (geb. am 7.5. 1921), die Zwillinge Renate und Donatus (geb. am 19.9. 1922) und Vitalis (geb. am 14.10. 1923). K. wirkte damals auch als Kompositionslehrer. Zu seinen Schülern gehörten u. a. Erich Doflein, Carl Orff und später dann Reinhard Schwarz-Schilling. Seit 1922 hatte er in dem Schweizer Werner Reinhart einen zuverlässigen Freund und großzügigen Mäzen. Durch Aufführungen seiner Werke allmählich bekannt geworden, er-hielt K. eine Berufung als Professor und Leiter einer Meisterklasse für Komposition an die Preußische Akademie der Künste, wo neben an-deren damals auch Arnold Schönberg unterrich-tete. Vom 1.1. 1930 an wurde er für zunächst drei Jahre angestellt. Sein Vertrag wurde aber am 1.1. 1933 nicht mehr verlängert, da er gesin-nungsmäßig nicht in die sich abzuzeichnende Veränderung der politischen Landschaft paßte. Daher kehrte er nach Ried zurück, das er von da an nicht mehr auf längere Zeit verlassen hat. Zur gleichen Zeit, als er die Professur in Berlin er-halten hatte, wurde K. auch als Chordirigent nach Bielefeld berufen, eine Aufgabe, die ihm sehr viel Freude bereitete. Auch diese Stelle mußte er, ebenfalls aus politischen Gründen, 1934 wieder aufgeben. Im Jahre 1938 gab es einen weiteren Versuch, K. eine Professur in Berlin zu vermitteln. Bei dieser Gelegenheit wurde anläßlich einer Überprüfung der Liste seiner Vorfahren, wie es damals üblich war, ein

Mitglied jüdischer Abstammung vermutet, er selbst sogar als Halbjude eingestuft, ein Verdacht, der erst nach langen Auseinandersetzungen beseitigt werden konnte. Diese amtliche Ahnenforschung brachte ihm zudem ein von 1938-1941 geltendes Aufführungsverbot ein. Lediglich in der Schweiz wurden, auf Betreiben Werner Reinharts, während dieser Zeit Werke von ihm aufgeführt. Zu diesen politischen Verwicklungen trat in den folgenden Jahren schweres familiäres Leid. Am 14.9. 1939 starb seine älteste Tochter Gabriele. Nach einer Blinddarmoperation war sie nicht mehr aufgewacht. Die Komposition »In Memoriam Gabrielae« entstammt der Zeit der Trauer um diese Tochter. K.s Sohn Donatus kam im Juni 1943 ums Leben, als ein U-Boot, in dem er sich befand, nach einem Tauchmanöver nicht mehr hochkam. Im September 1945 schließlich mußte er den Tod einer weiteren Tochter, Benita, beklagen. Die letzten Lebensjahre K.s waren v. a. mit der Komposition an der Oper »Spiel vom König Aphelius«, zu der er auch den Text verfaßte, ausgefüllt. Kurz nach Vollendung dieses Werkes ist er gestorben. — Das Schaffen K.s umfaßt, trotz seines bescheidenen Umfangs, viele verschiedene Gattungen. Seine Musiksprache ist bestimmt durch Polyphonie und, v. a. im Spätwerk, durch Verwendung freier rhythmischer Formen und ausgeprägter Synkopik. Besonders in den Chorwerken erreicht er damit eine tiefe Wirkung. Durch alle Werke hindurch zieht sich latent eine religiöse Grundtendenz. Allerdings war K.s Religiosität nicht konfessionell gebunden, sondern eher von der Theosophie, zu der er sich in der Zeit nach dem 1. Weltkrieg zunehmend hingezogen fühlte, beeinflußt. Im Zeichen einer ihm eigenen Form von Humanität verwendete er gern Texte der Heiligen Schriften verschiedener Religionen, um das alles verbindende Element der Mitmenschlichkeit deutlich hervortreten zu lassen, z. B. im Triptychon, das Texte aus der Lehre des Zarathustra, des Buddhismus und des Christentums (Wessobrunner Gebet) zueinander in Beziehung gesetzt hat. Darin sah K. überhaupt das Entscheidendste seines Schaffens, der Menschheit von ihrer Verbundenheit miteinander Zeugnis zu geben, die Brüderlichkeit als das höchte Menschheitsideal zu feiern. Daher sah er das Komponieren als eine Art »Gottesdienst«, zu dem er sich in die Abgeschiedenheit eines »Komponierhäuschens«, wie beispielsweise auch Gustav Mahler, zurückzog. Die Musik K.s erscheint weitgehend unberührt vom zeitgenössischen Schaffen. Diese Eigenständigkeit macht es dem Werk K.s schwer, sich ins Konzertleben zu integrieren. Trotzdem hat dieses Werk seine Bedeutung wegen der darin enthaltenen Aussagen, die zeitlos gültig sind.

Werke: 1. Kompositionen: Da das kompositorische Werk auf viele Gattungen verteilt ist und die Besetzungen von Werk zu Werk häufig wechseln, ist es sinnvoll, die Kompositionen nicht, wie sonst üblich, nach Gattungen, sondern nach ihrer Entstehungszeit zu ordnen. In das Werkverzeichnis sind unveröffentlichte Kompositionen mit aufgenommen und mit dem Siegel Ms bezeichnet. - Klav.sonate F-Dur, 1909 (Ms); Lied f. e. Singst. u. Klav., 1910 (Ms); Symphonische Ballade f. Orch., 1911; Doppelfuge f. Str.orch., 1911 (Ms); Brautlied: Wo Du hingehst, f. Sopran u. Org., 1911; Quartett a-moll f. Klav., Klar., Vla. u. Vlc., 1912; Der 130. Psalm, f. 4-st. Chor u. Sopransolo, 1912; Vier Lieder: Elisabeth (Storm) - Volkslied (Hesse) - Waldseligkeit (Dehmel) - Ständchen (Eichendorff), f. e. Singst. u. Klav., 1910-1912 (Ms); Str.quartett F-Dur, 1913; Der 69. Psalm f. 9-st. Chor, 4-st. Knabenchor, Tenorsolo u. Orch., 1914; Sechs Choräle: O Jesulein süß - Es ist vollbracht - Vergiß mein nicht - Ihr Gestirn,ihr hohen Lüfte - Die liebe Sonne - Der Tag ist hin, f. 4-st. Chor, 1915; Str.quintett fis-moll, 1916 (Neufassung als: Werk f. Str.orch. durch Reinhard Schwarz-Schilling, 1927); Canzona f. Vl. u. Org., 1917; O Herre Gott, Motette f. 8-st. Chor u. Org. ad lib., 1918 (Neufassung 1936, Ms); Passion, Mysterienspiel f. Sopran- u. Tenorsolo, Chor u. Orch., 1920; Introitus und Hymnus f. Sopran-, Alt- u. Baritonsolo, Vl.- Vla.- u. Vlc.-Solo,kl. Chor u. Orch., nach Texten von Friedrich Nietzsche (Nachtlied), Paulus (1 Kor 13,4) und K., 1920; Concerto grosso f. Doppelorch., 1923; Toccata über »Wie schön leucht' uns der Morgenstern« f. Org., 1923; Silvesterchoral: Nun laßt uns gehn und treten, f. 4-st. Chor, 1923; Cantiques bretons f. Singst. u. Klav., 1923; Drei geistl. Lieder: O Menschenherz - Wiegenlied - Geistlich' Taglied, nach Texten von K., f. Sopran, Vl. u. Klar., 1923; Quintett f. Klar., Horn, Vl., Vla. u. Vlc., 1924; Drei Gedichte von Eichendorff: Morgenständchen (mit 2 madolinen und 3 Lauten) - Abend - Der Soldat (mit 3 Trompeten, 3 Hörnern, Triangel, kl. u. gr. Trommel, Becken) f. 6-st. Männerchor, 1924; Choralsonate f. Org., 1925; Magnificat f. Sopransolo, Solo-Vla., kl. Fernchor und Orch., 1925; Der Mensch f. Chor, Sprechst. u. Orch.), 1926; Der Mensch, Motette f. Altsolo und 6-st. Chor nach Texten von Matthias Claudius, 1926; Volksliedbearbeitungen: Weiß ich ein schönes Röselein (f. Sopran, Fl., Vl. u. Vla.) - mein Herz hat sich gesellet (f. Tenor I/II, Baß, Fl., Vl. I/II) - Laßt uns singen und fröhlich sein (f. Tenor I/II, Baß I/II, 2 Mandolinen, Laute) - O Jesulein zart (f. Sopran, Alt, Tenor, Baß, Fl.,Vl., Vla., Vlc.) - d. folg. alle f. Chor a cappella: Ach Gott, wie weh tut scheiden - ich habe die Nacht geträumet - Ich wöllt, daß ich doheime wär - Da Jesus in den Garten ging - Die beste Zeit im Jahr ist mein - Joseph, lieber Joseph mein - Laßt uns das Kindlein wiegen - Maria durch ein' Dornwald ging - Dort oben vor der himmlischen Tür, in: Volksliederbuch für die Jugend (Peters), 1928; Präludium und Fuge f. Vl. u. Org. a-moll, 1929; Jürg Jenatsch, Ein Drama nach der gleichnamigen Erzählung von C. F. Meyer, 1927-1929; Drei Choralvorspiele: Wir glauben all an einen Gott- Vater unser im Himmelreich - Morgenglanz der Ewigkeit, f. Org., 1929; Triptychon, drei Gesänge: Alle Wege, wenn sie nur gut sind (Yasna 43, aus den Gathas des Zarathustras) - Gesagt wurde dies von dem Erhabenen (Ittivutakam 27, aus dem buddhist. Pali-Kanon) - Das Wessobrunner Gebet, f. Alt (oder Bariton) u. Org., 1926-1930; Präludium un Fuge über den Namen ABEGG f. Str.quartett, 1931; Drei Kanons nach Texten von Angelus Silesius: Halt an! Wo laufst du hin - Mensch werde wesentlich (beide f. 4-st. Chor) - Blüh auf, gefromer Christ (f. 5-st. Chor), in: Kleine geistl. Chöre (Universal Edition), 1929-1931; Musik f. 2 Vl. u. Cembalo, 1932; Dorische Musik f. Orch., 1934; Kanon f. Vl. i. Org., 1934; Präludium und Fuge für die Bratsche allein, 1934; Die Messe deutsch (Fragment), f. 5-st. Chor, 1934; Klavierbuch I-III, 1934-1935; Zehn kl. Übungen für das polyphone Klavierspiel (Klavierbüchlein), 1935; Auf, Brüder, auf, Wanderkanon f. 2 gleiche Stimmen, 1935 (Ms); O Seele, denke deiner Heimat, Kanon f. Sopran, Alt u. Tenor (2 Fassungen), 1935 (Ms); Mei Dirndl, sag, magst mi?, Tanzchor f. Sopran, Alt, Tenor, 1935 (Ms); Orchesterkonzert mit Klavier, 1936; O je, o je, jetzt hamma wieder Schnee, Kanon f. Singstimmen u. Klav., 1938 (Ms); Musik f. Vlc. u. Klav., 1938; Weihnachtsspruch f. Singst. u. Klav., 1938 (Ms); Toccata und Fuge in C, f. Org., 1939; Andante es-moll, f. org., 1939; Meine Seel' ist stille, d-moll, Choralvorspiel f. Org., 1940; In memoriam Gabrielae, f. Altsolo, Solo-Vl. u. Orch., 1940; Hochzeitsspruch, f. 2 Altstimmen u. Org., 1940; Hauskonzert f. Vl. u. Klav., 1941; Dem Gedächtnis eines verwundeten Soldaten, Zwiegesang für 2 Soprane u. Klav., 1941; Lied eines Gefangenen, f. e. Singst. u. Klav., 1941; Tanzdrama, f. Orch., 1942; Ballade f. Waldhorn u. Klav., 1943; Festl. Morgenmusik, f. Orch. (Werner Reinhart zum 60. Geb.), 1944; Das Spiel vom König Aphelius, Oper in 5 Bildern, einem Vor- und einem Nachspiel, Text von K., 1943-1946 - 2. Schriften: Prolegomena zum Concerto grosso, in: PuT I, 1924, 11 f.; Das Saitenspiel des gelben Kaiers, in: Die Singgemeinde II, 1925/26, 81 ff.; Evolution oder Revolution?, in: Jb. 25 Jahre Neue Musik, 1926; Einiges oder polyphone Musik, Anbr VIII, 1926, 7 ff.; Einiges über »alte und neue Musik«. Über Sinn und Wesen des Kunstwerks, in: Progr.-H. d. Musikkollegiums Winterthur, 24.11. 1926; Musikpflege oder Musikbetrieb?, in: Die Musikpflege I, 1930, 16 ff.; Ein Schubert-Nachruf, in: NMZ II, 1947, 8 ff.; - Ges. Aufsätze von HK, 1930. - Bibliogr.: Werkverzeichnis, hrsg. v. Reinhard Schwarz-Schilling u. Karl Schleicher, 1947; Werkverzeichnis und Bibliogr., zusammengest. von Birgitta Hartog, in: H. K. Komponisten in Bayern, Bd. XI, 1986 u. Hans Hartog, H. K. Leben und Werk, 1987 (s. Lit.).

Lit.: Hans Ferdinand Redlich, H. K.s Orgeltoccata über »Wie schön leucht' uns der Morgenstern«, in: Anbr VI, 1924, 44 f.; — Ders., H. K., in: Anbr X, 1928, 413 ff.; — Ders., In memoriam H. K., in: MMR LXXVII, 1947, Nr. 889, 185 ff.; — Friedrich Hoegner, H. K., in: Progr.-H. f. einen K.-Abend in Regensburg, März 1926; — Hermann Keller, Die dt. Orgelmusik nach Reger, in: Bericht über die Freiburger Tagung für dt. Orgelkunst vom 27.-30.7. 1926

(hrsg. v. Willibald Gurlitt), 1926; — Fritz Stein, Magnificat, in: PuT III, 1926, 59 f.; — Ders., H. K.s Chorwerke, in: Die Musikpflege VII, 1936, 144 ff.; — Ders., Fall K., in: Mbl X, 1956, Nr. 178/179, 158 f.; — Walter Tappolet, H. K., in: Annalen I, 1927, 893-898; — Ders., Die Orgel- und Chorwerke von H. K., in: ZfKm XI, 1929, 73 f.; — Ders., H. K. 1886 bis 1946. Erinnerungen und Erfahrungen, in: Singt und spielt, Schweizer Blätter für Musik und Kunst XXXIX, 1972, 3-7; — Ders., H. K. Erinnerung und Würdigung, in: MuG XXXIII, 1979, 165-174; — Joseph Maria Müller-Blattau, H. K., in: Die Singgemeinde IV, 1927/28, 7 ff.; — Hans Joachim Moser, H. K., in: ZfM XCVI, 1929, 601-607; — Ders., H. K., in: Musikgesch. in hundert Lebensbildern, 1952, 953-957; — Hermann Scherchen, Lehrbuch des Dirigierens, 1929, 58, 91, 93, 99, 102, 109, 110, 182, 192; — Siegfried Günther, H. K., in: Mk XXII, 1930, 489-494; — Hans Mersmann, H. K., in: Die Kammermusik IV, 1930, 138 ff.; — Heinrich Strobel, Chormusik von H. K., in: Anbr XIII, 1931, 312 f.; — Wilhelm Altmann, Präludium und Fuge über den Namen Abegg, in: Mk XXV, 1933, 544; — Erhard Krieger, H. K., in: Dt. Musiker der Zeit, 1933, 35 ff.; — Ders., H. K.s Drama Jürg Jenatsch, in: ZfM C, 1933, 992-995; — F. Ballo, H. K. Klavierbuch, in: RaM IX, 1936, H. 14, 146 f.; — Karl Schleifer, H. K. und sein Werk, in: MuK XII, 1942, 8-13; — Ders., H. K, in: Musica I, 1947, 71-81; — Ders., H. K. Leben und Werk, in: NMZ I, 1947, 70 ff., 118 ff.; — Ders., Das Spiel vom König Aphelius, in: NMZ IV, 1950, 92 ff.; — Bernhard Schwarz, Straube und die Thomasschule (zu einer Aufführung der Motette »Der Mensch« von H. K.), in: Festschr. zum 70. Geb. v. Karl Straube, 1943; — Hans Hoffmann, H. K., in: Melos XIV, 1946, 18 f.; — Ders., In memoriam H. K., 1948; — Wilhelmine Krauss, Die Tonsprache H. K.s, in: Süddeutsche Zeitung Nr. 52 v. 28. Juni 1946; — Dies., Choral und mod. Konzertmusik, in: Hochland XLII, 1950, 479-482; — Edwin Nievergelt, H. K. (†), in: SMZ LXXXVI, 1946, 372; — Wilhelm Betzinger, Ein religiöser Tondichter unserer Zeit, in: Aufbau III, 1947, 272 f.; — Erich Doflein, Erinnerungen an K., in: Musica I, 1947, 83-86; — Peter Schmidt, K.s Bielefelder Jahre, in: Musica I, 1947, 372 f.; — Michael Schneider, H. K., in: Zeitwende XIX, 1947, 372 f.; — Oskar Söhngen, H. K.-Gedenkworte, in: MuK XVII, 1947, 8 f.; — Ders., H. K. in Leben und Werk, in: Württemberg. Blätter für Kirchenmusik XXXVIII, 1971, 132-134; — Hermann Erpf, Vom Wesen der neuen Musik, 1949, 93 f.; — Karl H. Wörner, Musik der Gegenwart, 1949, 156; — Reinhard Schwarz-Schilling, Das Spiel vom König Aphelius, in: Musica III, 1949, 429 ff.; — Hans Heinrich Stuckenschmidt/Jürg Jenatsch, in: Die Sendung IX, 1951; — Ders., Neue Musik, 1951, 168, 193 f.; — Friedrich Seebass, Neues von und über H. K., in: Dt. Rundschau LXXXI, 1955, 1273-1276; — Albert von Reck, Mystik und Form im »Magnificat« von H. K., in: SMZ XCVI, 1956, 153-160; — Ingrid Hermann (geb. Samson), Das Vokalschaffen von H. K. mit Ausnahme der Opern, Diss. Frankfurt a. M., 1956; — Dies., Und Menschsein hieß ihm Brudersein, in: Musica X, 1956, 356 f.; — Dies., Grundlinien einer K.-Biographie, in: Musica XII, 1958, 727-738; — Dies., Das Problem der Form bei H. K., in: Mua XII, 1959, 6-8; — Dies., Formprobleme im Chorschaffen von H. K., in: Musik im Unterricht, Ausg. A, LIX, 1968, 402-404; — Oskar Weitzmann, Erinnerungen an H. K., in: Musica XVII, 1963, 60-62; — Heinrich Becker,

Der Bielefelder Musikverein von Lamping bis Stephani, 1966, 11-17; — Margarete Häussermann, H. K., in: Die Christengemeinschaft XXXVIII, 1966, 372 f.; — Anton Würz, Musik aus reinsten Quellen. Erinnerung an den Komponisten H. K. (1886-1946), in: Bayer. Staatszeitung vom 22.7. 1966, 53 f.; — Hermann Harrassowitz, Gesch. der Kirchenmusik an St. Lorenz in Nürnberg, in: MVGN LX, 1973 (auch als Sonderdruck); — Hans Hartog, Franc Marc und H. K., in: Neue Deutsche Hefte CXLV, 1975, 69-93; — Ders., H. K. Leben und Werk, 1987; — Walter Abegg, Persönl. Erinnerungen an H. K., in: SMZ CXVII, 1977, 273-275; — Ute Jung, Walter Braunfels (1882-1954), 1980, 512 ff.; — Matthias Blumer, Die Orgelwerke von H. K., Diss. Zürich, 1981; — Otto-Jürgen Burba, Auf der Suche nach einer neuen Polyphonie, in: NZM, 1986, H. 6/7; — H. K. Komponisten in Bayern. Dokumente musikalischen Schaffens im 20. Jh., Bd. XI, 1986; — Grove, 697; — MGG VII, 470-475.

Hans-Josef Olszewsky

KAMPHAUSEN, Adolf Hermann Heinrich, evangelischer Theologe (Alttestamentler), * 10.9. 1829 in Solingen, † 13.9. 1909 in Bonn. — Nach Studium (1849-53), Promotion und Habilitation (beides 1855) in Bonn war K. von 1855-59 Privatdozent, vor allem aber Privatsekretär von Christian v. Bunsen in Heidelberg. 1859 kehrte er nach Bonn zurück, wo er 1863 Extraordinarius und 1868 Ordinarius für AT wurde. — Als Schüler Friedrich Bleeks (1793-1859) vertrat er die liberale Theologie seiner Zeit und suchte die Ergebnisse der at. Wissenschaft, die er selbst mit höchster Gründlichkeit und Zurückhaltung im Hinblick auf eigene Thesen betrieb, möglichst intensiv in eine neue deutsche Bibel einzubringen. So hat K. weite Teile Christian v. Bunsens »Vollständigen Bibelwerks für die Gemeinde« bestritten, ferner von 1871-1900 unermüdlich in der theologischen Revisionskommission der Lutherbibel gewirkt. — K. war 1868 Gründungsmitglied, zuletzt Ehrenmitglied des Vorstandes des »Rheinischen wissenschaftlichen Predigervereins«, der die Verbindung verschiedener theologischer Richtungen und die Förderung wissenschaftlicher Arbeit der rheinischen Pfarrerschaft zum Ziel hatte. — Auch wenn K. »kein blendender Lehrer« war (Budde), so überzeugte er doch die am Stoff Interessierten durch Wahrhaftigkeit und Gewissenhaftigkeit. Dies fand z.B. darin seinen Ausdruck, daß er den Thesen Julius Wellhausens (1844-1918), die auf die damalige at. Wissenschaft starken Einfluß ausübten, unvoreingenommener gegenüberstand als manch anderer; in Einzelfragen jedoch äußerte er dazu wohlüberlegte, aber auch unüberhörbare Kritik. Schüler K.s waren Karl Budde, Wilhelm Rothstein, Carl Cornill, Rudolf Smend. — K. stellte nie sich selbst, immer aber die exegetische Arbeit (gelegentlich auch an neutestamentlichen Texten) in den Vordergrund. Seine Bescheidenheit, dazu sein Blick über die Grenzen des akademischen Betriebes hinaus (Bibelrevision, Predigerverein), machen K. zum Vorbild auch heutiger akademischer Theologen.

Werke: De compositione librorum Esdrae et Nehemiae, Bonn 1855; Einige Bemerkungen über die Stiftshütte, in: ThStKr 31 (1858), 97-121; Nachträgliche Bemerkungen über die Stiftshütte, in: ThStKr 32 (1859), 110-120; Bemerkungen über einige Stellen des vierten Capitels der Genesis, in: ThStKr 34 (1861), 113-122; Das Lied Moses. Deut. 32, 1-43, Leipzig 1862; Art. Gräber, F., in: RE XIX (1865), 576 f.; Das Gebet des Herrn, Elberfeld 1866; Commentatio de Chronographi Veteris Testamenti nonnullis locis, Bonn 1868; 17 Rezensionen in der ThLZ von 1876 bis 1901; Mithrsg. der Theol. Arbeiten aus dem Rhein. Wiss. Pr. Ver. 1880-1909; Die Chronologie der hebräischen Könige. Eine geschichtliche Untersuchung, Bonn 1883; Neuer Versuch einer Chronologie der hebräischen Könige, in: ZAW 3 (1883), 193-202; 112 Art. in: Eduard Riehm (Hrsg.), Hdwb. des Bibl. Altertums für gebildete Bibelleser, Bielefeld 1884; Philister und Hebräer zur Zeit Davids, in: ZAW 6 (1886), 43-97; Das Buch Daniel und die neuere Geschichtsforschung. Ein Vortrag mit Anmerkungen, Leipzig 1893; Die berichtigte Lutherbibel, Berlin 1894; Das Verhältnis des Menschenopfers zur israelitischen Religion, Bonn 1896; The Sacred Books of the Old Testament. A Critical Edition of the Hebrew Text Printed in Colors, with Notes etc., Part. 18: The Book of Daniel, Leipzig/Baltimore/London 1896; Art. Bleek, F., in: RE³ III (1897), 254-257; Art. Bunsen, Ch. v., in: RE³ III (1897), 556-562; Rezensionen in der ThR von 1900 bis 1905; Das zweite Buch der Makkabäer, in: Emil Kautzsch (Hrsg.), Die Apokryphen und Pseudepigraphen des Alten Testaments, Bd. 1: Die Apokryphen des Alten Testaments, Tübingen 1900, 81-119; Art. Hitzig, F., in: RE³ VIII (1900), 157-162; Art. Hupfeld, H., in: RE³ VIII (1900), 462-467; Art. Kuenen, A., in: RE³ XI (1902), 162-170; Art. Mangold, W., in: RE³ XII (1903), 190-193; Art. Olshausen, J., in: RE³ XIV (1904), 368-371; Art. Sebna, der Majordomus des Königs Hiskia, in: RE³ XVIII (1906), 107-110; Jer 35,2 und I. Kg 3,21, in: ThStKr 81 (1908), 303-306; Art. Umbreit, F., in: RE³ XX (1908), 225-228. — Mitarbeit an: Christian v. Bunsen, Vollständiges Bibelwerk für die Gemeinde, 9 Bde., Leipzig 1858-1870; Friedrich Bleek, Einleitung in das Alte Testament, Berlin 1860, 1866², 1870³, 1878⁴, 1886⁵, 1893⁶; Emil Kautzsch (Hrsg.), Die Heilige Schrift des Alten Testaments, 2 Bde., Tübingen 1894, 1896², 1909/10³, 1922/23⁴.

Lit.: Julius Smend/E. Sachsse, Zur Erinnerung an A. K., 1909; — Karl Budde, Art. K., A., in: RE³, XXIII (1913), 726-731 (mit autobiographischer Skizze K.s von 1909); — Albert Rosenkranz, Das Evangelische Rheinland. Ein rheinisches Gemeinde- und Pfarrerbuch, Bd. 2: Die Pfarrer (Schriftenreihe des Ver. f. Rhein. KG 7), Düsseldorf 1958, 721 f. 732. 739 f.; — Rudolf Smend, A. K. 1829-1909, in: Bonner Gelehrte Beiträge zur Gesch. der Wiss. in Bonn. Ev. Theol., Bonn 1968; —RGG III, 895 f.; —RGG² III, 597; — NDB XI, 92 f.

Jürgen Kerner

KAMPMANN, Theoderich, Theologe und Literaturwissenschaftler, * 11.8. 1899 Hattingen/Ruhr, † 6.4. 1983 München. — K., Sohn einer Beamtenfamilie, studierte nach dem Militärdienst im I. Weltkrieg und der Reifeprüfung in Gent (Belgien) ab 1919 Katholische Theologie in Paderborn, Bonn und Freiburg/Br. Nach der Priesterweihe am 13.1. 1924 war K. im Anschluß an eine kurze seelsorgerliche Tätigkeit Religionslehrer in Bochum (1924-1933). Zugleich absolvierte er ein germanistisches und philosophisches Zweitstudium und wurde 1931 zum Dr. phil. promoviert (»Dostojewski in Deutschland«). 1932 folgte das Staatsexamen in Theologie, Germanistik, Geschichte und Philosophie. Ab April 1933 war K. als Studienrat in Hagen tätig (Religion, Deutsch, Geschichte). 1935 wurde er Dozent, 1946 a. o. Professor für Katechetik und Pädagogik an der Philosophisch- Theologischen Akademie in Paderborn, die ab 1946 zeitweilig nach Bad Driburg verlegt werden mußte. Neben der Erarbeitung des Lehrplans für den Religionsunterricht im Bistum Paderborn (1942) gründete K. 1945 das christliche Bildungswerk "Die Hegge" in Willebadessen, das ursprünglich im Bereich der Lehrerbildung, später als katholische Akademie bzw. als Säkularinstitut bischöflichen Rechts tätig war und als Meilenstein christlicher Frauenbildung galt. 1949 übernahm K. das Rektorat der Philosophisch-Theologischen Akademie in Paderborn. K. war auch an der Redaktion des Katholischen Katechismus der Bistümer Deutschlands (1955) beteiligt. 1956 erhielt er den Ruf als ordentlicher Universitäts-Professor für Pädagogik und Katechetik, später auch Homiletik, dann Religionspädagogik und Kerygmatik an der Katholisch-Theologischen Fakultät der Universität in München, wo er bis 1968 lehrte und auch nach seiner Emeritierung blieb. — K. praktizierte eine einzigartige Zusammenschau von Theologie und zeitgenössischer Kultur, besonders Dichtung. Als Kerygmatiker und Katechetiker bekannte er sich zum "Weg indirekter Glaubensbezeugung", der sich oft als gangbarer denn die direkte Verkündigung erweist. In seinen literarischen Interpretationen zu Dostojewski, Kierkegaard, aber auch Shakespeare, Goethe, Bergengruen, G. von Le Fort, R. Schneider u. a. vertrat K. die Auffassung, daß "eine unvoreingenommene und sinnadäquate Hermeneutik zwangsläufig auch an die Dimension des Religiösen gerät". K.s tiefe Verwurzelung in und seine Achtung vor dem Geist abendländischer Kultur bewahrten ihn andererseits vor einer vorschnellen religiösen Vereinnahmung literarischer Werke und Autoren. — Zu K.s Konzept von Verkündigung als Wegbereitung und personale Begegnung gehörte auch die Berücksichtigung jugendkundlicher und anthropologischer Grundlagen religiöser Erziehung. Seine »Anthropologischen Grundlagen ganzheitlicher Frauenbildung« (1946) und seine »Jugendkunde und Jugendführung« (Bd. 1-2, 1966/70) sind frühe Beispiele für die religionspädagogische Beachtung medizinisch-physiologischer, aber auch entwicklungspsychologischer und pädagogisch-anthropologischer Gegebenheiten. — Trotz einer gewissen Distanz zur akademischen Theologie beschäftigte sich K. auch mit der homiletischen und katechetischen Erschließung von sowie kerygmatisch-mystagogischen Hinführung zu biblischen und liturgischen Themen (Mysterium und Gestalt des Kirchenjahres, 1952; Das Geheimnis des AT, 1962; Licht in der Nacht, 1963; Eschatologische Herrlichkeit, 1978; u. a.). Darüber hinaus äußerte sich K., der über ein Dutzend Dissertationen betreute, zu systematischen pädagogisch-theologischen Grundfragen des Verhältnisses von Glaube und Erziehung (Erziehung und Glaube, 1960).

Werke: Dostojewski in Deutschland, 1931; Licht aus dem Osten - Dostojewskis Grunderkenntnisse über die menschliche Gemeinschaft, 1931; Gertrud von Le Fort, 1935; Paderborner Lehrplan, 1942; Anthropologische Grundlagen ganzheitl. Frauenbildung, Bd. 1-2, 1946, ²1947; Kierkegaard als religiöser Erzieher, 1949; Die Gegenwartsgestalt der Kirche und die christl. Erziehung,1951; Die Welt Werner Bergengruens, 1952; Mysterium und Gestalt des Kirchenjahres,

1952, [3]1964, engl. 1966; Gelebter Glaube, 1957; Dichtung als Zeugnis, 1958; Erziehung und Glaube, 1960, span. 1963; Passion und Herrlichkeit, 1962; Das Geheimnis des AT.s, 1962; Licht in der Nacht, 1963; Jugendkunde und Jugendführung, Bd. 1-2, 1966/70; Shakespeare-Dramatiker und Komödiant, 1971; Shakespeares Hamlet, 1971; Shakespeares Julius Caesar und King Lear, 1972; Das verhüllte Dreigestirn, Werner Bergengruen/ Gertrud von Le Fort/Reinhold Schneider, 1973; Ich will mich aufmachen, 1973; Ich verlasse dich nicht, 1974; Der Fall Josef Wittig fünfzig Jahre danach (mit R. Padberg), 1975; Die Wahrheit tun in Liebe, 1976; Eschatologische Herrlichkeit, 1978; Ein exemplarischer Priester: Johann Michael Sailer, 1984; ferner Mitverfasser der Katholischen Glaubensfibel, 1961 und Herausgeber oder Mitherausgeber der Schriften zur christl. Bildung "Die Hegge" (ab 1947, mit L. Glanz), der Schriften zur Pädagogik und Katechetik (ab 1948, mit R. Padberg), des katechetischen Kommentars zum Glaubensbuch (ab 1964), der Schriften zur Religionspädagogik und Kerygmatik (ab 1965); Verfasser von über 100 Aufsätzen zu religionspädagogischen, homiletischen, liturgischen, zeitkritischen und literaturpädagogischen Themen in Sammelwerken, Festschriften, Lexika (u. a. LThK), Zeitungen (u.a. Süddeutsche Zeitung) und Zeitschriften (u. a. Hochland, Theologie und Glaube, Lebendiges Zeugnis, Katechetische Blätter, Münchener Theologische Zeitschrift, Pädagogische Rundschau, Vierteljahresschrift für wissenschaftl. Pädagogik u. a.).

Lit.: Kaufet die Zeit aus, Beiträge zur christl. Eschatologie, Festschr. für K., hrsg. von H. Kirchhoff, 1959; — Via indirecta, Beiträge zur Vielstimmigkeit der christl. Mitteilung, hrsg. von G. Lange und W. Langer, 1969; — G. Schüepp, Zum Gedenken an K., in: Katechetische Blätter 108, 1983, 530-531; — O. Betz, K. (1899-1983), in: Katechetische Blätter 112, 1987, 355-358.

Ulrich Hemel

KAMPSCHULTE, Franz Wilhelm, Historiker * 12.11. 1831 in Wickede, † 3. 12. 1872 in Bonn. — K. entstammte einem betont katholischen Elternhaus, denn obwohl sein älterer Bruder bereits Priester war, sollte auch er Theologie studieren. Nach dem Besuch des Progymnasiums in Brilon sowie der höheren Schule in Paderborn und Münster begann er 1851 das vorgesehene Theologiestudium in Münster, das er im Sommersemester 1854 in Paderborn fortsetzte. Dort wechselte er aus nicht bekannten Gründen, wohl aber nicht aus Glaubenszweifeln zum Geschichtsstudium über. Zum Wintersemester 1854/55 ging er für ein Jahr nach Berlin, hörte dort Ranke und kam zum Wintersemester 1855/56 nach Bonn. Hier promovierte er am 13.3. 1856, betreut von Karl A. Cornelius. Es folgte gegen den Widerstand aller Universitäts-

gremien eine steile Karriere: Anfang 1857 wurde er gegen das Votum der Historiker vorzeitig habilitiert, ebenfalls vorzeitig und gegen das Votum der Philosophischen Fakultät im Juni 1858 zum Extraordinarius und im Juli 1861 - wiederum ohne Zustimmung der Fakultät - zum Ordinarius ernannt. Als 2 Jahre später der Mitdirektor des Historischen Seminars starb, wurde K. - gegen den Willen des mächtigen Sybel - im Dezember 1863 vom Minister zum Mitdirektor ernannt. Erklärbar ist diese erstaunliche Laufbahn nur durch die damalige Personalpolitik des preußischen Kultusministeriums, welches sich um Änderung der konfessionell unausgewogenen Zusammensetzung der Bonner Universität bemühte. K.s weiterer Lebensweg ist geprägt durch eine 1867 ausbrechende Tuberkulose, die ihn schwer behindert und an der er 5 Jahre später stirbt. — K. gilt als tüchtiger, keineswegs überragender Humanismus- und Reformationshistoriker. Seine Arbeiten sind gekennzeichnet durch die sichere Beherrschung der damaligen historischen Methode und durch eine konservative Grundeinstellung, von der aus die »revolutionäre« Reformation kritisiert wird. Religionsgeschichtliche Bedeutung gewann K. durch das I. Vatikanische Konzil. Für den gläubigen Katholiken waren die Beschlüsse über die Infallibilität des Papstes unannehmbar. Er wurde - nach Cornelius - der eigentliche Mittelpunkt der »antivatikanischen Bewegung am Niederrhein«, die später zum Altkatholizismus führte.

Werke: De Gregorio Wicelio ejusque studiis ac scriptis irenicis, Diss. Bonn, 1856; Die Universität Erfurt in ihrem Verhältnisse zu dem Humanismus und der Reformation. Aus den Quellen dargestellt, 2 Bde., 1858/60; De Joanne Croto Rubeano Commentatio, 1862; Zur Geschichte des MA.s 3 Vorträge, 1864; Joh. Calvin, seine Kirche und sein Staat in Genf, 2 Bde., II hrsg. von W. Goetz, 1869/99.

Lit.: Anonym, F. W. K. Nekrolog, in: Bonner Zeitung Nr. 338, 2. Blatt vom 5.12. 1872, 1 f.; — Friedrich v. Bezold, Gesch. der Rhein. Friedrich-Wilhelm-Univ., 1920; — K. Bachem, Vorgesch., Gesch. und Politik der dt. Zentrumspartei, Bd. III, 1927, 136; — F. Schnabel, Deutschlands geschichtl. Quellen u. Darstellungen in der Neuzeit, 1. Teil: Das Zeitalter der Reformation, 1931, 310-314; — M. Gritz, Die Stellungnahme der kath. Kirchenhistoriker Dtschld.s im 19. Jh. zu Renaissance und Humanismus, 1955; — F. X. Kraus, Tagebücher, hrsg. v. H. Schiel, 1957; — P. E. Hübinger, Das Hist. Seminar der Rhein. Friedrich-Wilhelm-Univ. zu Bonn, 1963; — Ders., Heinrich von Sybel und der Bonner Philologenkrieg, in: HJ 83, 1964, 162-216; — Konrad Repgen, F. W. K. 1831-1872, in: Bonner Gelehrte. Beiträge zur

Gesch. der Wissenschaften in Bonn, Bd. 1: Geisteswissenschaften, 1968, 129-154; — ADB XV, 64; — NDB XI, 94 f.; — Wolfgang Weber, Biograph. Lexikon zur Geschichtswissenschaft in Dtschld., Österr. und der Schweiz, 1984, 288 f.

Roland Böhm

KAMPSCHULTE, Heinrich, * 28.3. 1823 in Wickede/Ruhr, † 30.4. 1878 in Höxter. Er war Priester des Bistums Paderborn, wo er im Jahre 1846 zum Priester geweiht wurde. Nach einigen Jahren als Vikar übernahm er 1855 die Pfarrei Alme bei Brilon, doch schon fünf Jahre später, 1860, ging er als Dechant nach Höxter. K. war ein vielseitig interessierter Mann. Neben seiner seelsorglichen Tätigkeit in einem landwirtschaftlich geprägten Raum machte er sich als Kirchenhistoriker einen Namen; ihn beschäftigte vor allem die Kirchengeschichte seiner westfälischen Heimat. Daneben engagierte er sich auch politisch. Als unter Bismarck die deutschen Katholiken sich in der Zentrumspartei zu sammeln begannen, gehörte der Dechant von Höxter zu den Unterzeichnern des ersten Aufrufs des Zentrums von 1871.

Werke: Gesch. der Einführung des Protestantismus im Bereiche der jetzigen Provinz Westfalen, Paderborn 1866; Die westf. Kirchen-Patrocinien, Paderborn 1867.

Lit.: L. Kosch, Das kath. Dtld. Biogr.-bibliogr. Lex., Augsburg 1933 ff., II, 1989 f.; — W. Liese, Necrologium Paderbornense, Paderborn 1934, 298 f.; — LThK ²V, 1272.

Johannes Madey

KANDINSKY, Wassily, Maler, Graphiker und Kunsttheoretiker, * 4.12. 1866 in Moskau, † 13.12. 1944 in Neuilly-sur-Seine. — K. stammte aus einer begüterten russischen Familie von vornehmer Herkunft. Sein Vater war Direktor eines Teehandelsunternehmens. Nach dem Abitur studierte er zunächst Rechtswissenschaft und Nationalökonomie. Erst auf einer Forschungsreise in das Gouvernement Wologda, als er Zeugnissen echter Volkskunst begegnete, erwachte in ihm das Interesse für die Malerei. Hinzu kamen zwei ihn tief beeindruckende Erlebnisse. Auf einer Ausstellung in Moskau faszinierte ihn das Bild "Heuhaufen" von Claude Monet und in der Oper hörte er "Lohengrin" von Richard Wagner. In beiden Fällen spürte er Impulse, die ihn zu einer künstlerischen Laufbahn führen sollten. Trotzdem schloß er zuerst sein Studium ab und erhielt sogar einen Ruf an die Universität Dorpat im Jahre 1896. Er aber lehnte ab und reiste mit seiner ersten Frau Anja Tschimiakin, einer Cousine, nach München. Dort versuchte er, Schüler des Malers Franz Stuck zu werden, zunächst ohne Erfolg. Erst im Jahre 1900 konnte er ein Jahr lang bei dem von ihm verehrten Künstler arbeiten. Im Jahre 1901 gründete er die Künstlergruppe Phalanx, der auch eine kleine Kunstschule angeschlossen war. Eine seiner ersten Schülerinnen wurde Gabriele Münter, mit der er sich bereits 1902, trotz noch bestehender Ehe, verband. Die folgenden Jahre waren gekennzeichnet durch zahlreiche Reisen und den Versuch, eine eigene Linie zu finden. Er war Mitglied der Berliner Sezession, seit 1903 auch des deutschen Künstlerbundes. In den Jahren 1904 und 1905 hielt er sich, meist mit Gabriele Münter, in Holland und Tunis, in Frankreich und Italien auf. Die Jahre 1906 und 1907 verbrachte er in Frankreich, vorwiegend in Paris, und in der Schweiz. Die ersten Monate des Jahres 1908 war er in Berlin. Dann wurde München für einige Zeit sein Zuhause. Vor allem die Sommermonate verbrachte er zusammen mit seiner Lebensgefährtin in Murnau. Im Jahre 1911 gründeten K., Jawlensky, Franz Marc und Paul Klee die Künstlergruppe "Der blaue Reiter". Im gleichen Jahr entstand auch eine Freundschaft zwischen diesem Kreis und Arnold Schönberg, der damals neben seiner Kompositionstätigkeit gerade begonnen hatte, Bilder zu malen. Einige dieser Bilder wurden von K. für eine Ausstellung in München übernommen. Im Jahre 1912 kam es zur ersten Ausstellung dieser Künstlervereinigung in Berlin, die auf Initiative Herwarth Waldens zustandegekommen war. In all den Jahren hat K. nie seine Verbindung zu Rußland aufgegeben. Er reiste immer wieder in seine Heimat und hatte dort auch einige Ausstellungen. Als im Jahre 1917 die russische Revolution ausbrach, stellte er sich engagiert auf die Seite der Revolutionäre. Im gleichen Jahr heiratete er Nina von Andreewsky. Nach einer Phase der Euphorie wurde seit 1921 das Klima in Rußland für künstlerische Experimente deutlich kühler. Als sich

K. eine Gelegenheit bot, nach Deutschland zu reisen, verließ er seine Heimat für immer. Im Jahre 1922 wurde er von Walter Gropius an das Bauhaus nach Weimar berufen. In der Auseinandersetzung mit Paul Klee, der ebenfalls dem Bauhaus angehörte, formulierte K. in jener Zeit seine theoretischen Ideen. Nach 1930, als seine Kunst in Deutschland bereits herber Kritik ausgesetzt war, begab er sich auf eine längere Reise nach Ägypten, Palästina, Syrien, Türkei, Griechenland und Italien. Im Jahre 1933 mußte er Deutschland verlassen und ging ins Exil nach Frankreich. Künstlerisch konnte er dort allerdings nicht mehr richtig Fuß fassen. Erst nach seinem Tode begann das öffentliche Interesse sich dem Werk K.s wieder zuzuwenden. — K. gilt heute als einer der Wegbereiter der modernen Kunst. Dabei ist es wichtig, neben seiner Biographie den künstlerischen Werdegang zu verfolgen. Unter den großen Künstlerpersönlichkeiten ist er einer der wenigen, die erst spät zu ihrer eigenen Bestimmung gefunden haben. Sein Werkschaffen läßt sich etwa folgendermaßen gliedern. Am Anfang stehen Motive, die der russischen Volkskunst, insbesondere der Ikonenmalerei entlehnt sind. Interessant ist dabei, daß diese zum Teil grell bunten Bilder eine auffällige Verwandtschaft zum frühen Kokoschka oder auch zum Worpsweder Kreis zeigen. Die nächste Phase seines Schaffens steht in Beziehung zur Sezession. In Verbindung damit wird eine Abkehr von der gegenständlichen Malerei vollzogen. Nach einem Intermezzo im Rußland der Revolution, in dieser Zeit sind kaum Bilder entstanden, wendet sich K. dann im Bauhaus einer streng abstrakten Malerei zu. Das Spätwerk schließlich zeichnet sich durch eine fast impressionistisch zu nennende Farb- und Formenvielfalt aus. K. hat, wie auch andere Künstler seiner Generation, den Versuch gemacht, den schöpferischen Prozeß für den Betrachter mitvollziehbar zu machen, ihn geradezu als Interpreten in sein Schaffen einzubeziehen. Seine Bilder sind daher nicht einfach Wiedergabe sichtbarer Dinge sondern innere Schau. Kunstbetrachtung wird dadurch zu einer quasi kultischen Handlung, da im Zuschauer die Auseinandersetzung mit sich selbst gefordert wird. In diesem Punkt etwa sind auch Parallelen zum Musikschaffen Arnold Schönbergs festzustellen. Kunst ist also nicht mehr einfach nur ein ästhetisches Vergnügen sondern wesentlich Aufforderung zum geistigen Nachvollzug.

Werke: 1. Schriften: Über das Geistige in der Kunst, 1912; Der Blaue Reiter, 1912; Rückblicke, in: K. 1901-1913, Der Sturm, 1913; Punkt und Linie zu Fläche, 1926 (= Bauhausbücher IX); Essays über Kunst und Künstler, hrsg. v. Max Bill, 1955; Die Gesammelten Schrr., hrsg. v. Hans Konrad Roethel und Jelena Hahl-Koch, Bd. I, 1980; Arnold Schönberg — W. K. Briefe, Bilder und Dokumente einer außergewöhnl. Begegnung, hrsg. von Jelena Hahl-Koch, 1980; W. K. — Franz Marc. Briefwechsel, hrsg. v. Klaus Lankheit, 1983. — 2. Bilder: Th. M. Messer, K. 1866-1944. Kt. der Werke K.s im Guggenheim-Museum New York, 1972; Hans Konrad Roethel, K. Werkverzeichnis der Ölgemälde, Bd. I (1900-1915), 1982, Bd. II (1916-1944), 1984; — Zahlr. weitere Ausstellungskataloge. — 3. Bibliogr.: Will Grohmann, K., 1958.

Lit.: Arthur Eddy, Cubists and Post-Impressionism, 1914; — Hugo Zehder, W. K., 1920; — Will Grohmann, W. K., 1924; — Ders., K., 1930; — Ders., W. K. Leben und Werk, 1958 (1981²); — Ders., W. K. und seine Kunst, in: Universitas XXII, 1967, 921-929; — Stanley W. Hayter, The Language of K., in: Magazine of Art XXXVIII, 1945, 176 f.; — Marcel Arland, K., 1947; — Charles Estienne, K., 1950; — Carola Giedion-Welcker, K.s Malerei als Ausdrucks eines geist. Universalismus, in: Das Werk XXXVII, 1950, 117 f.; — Dies., W. K. und die Synthese der Künste, in: Universitas XXII, 1967, 1253-1258; — Dies., W. K. und seine universelle Kunst, in: Universitas XXVIII, 1973, 355-362; — Max Bill, W. K., 1951; — Klaus Lankheit, Die Frühromantik und die Grundlagen der "gegenstandslosen" Malerei, in: Neue Heidelberger Jbb., 1951, 55 f.; — Ders., Der Blaue Reiter. Dokument. Neuausgabe und Kommentar, 1965 (1979³); — Kenneth C. Lindsay, An Examination of the Fundamental Theories of W. K., Diss. University of Wisconsin, 1951; — Ders., The Genesis and Meaning of the Cover Design for the First Blaue Reiter Exhibition Catalogue, in: The Art Bulletin XXXV, 1953, 47 f.; — Klaus Brisch, W. K. Untersuchungen zur Entstehung der gegenstandslosen Malerei an seinem Werk von 1900-1921, Diss. Bonn, 1955; — Johannes Eichner, K. und Gabriele Münter. Von Ursprüngen mod. Kunst, 1957; — Hans Konrad Roethel, Gabriele Münter, 1957; — Ders., K.: Improvisation Klamm. Vorstufen einer Deutung, in: Festschr. für Eberhard Handstaengl, 1961, 186 f.; — Ders., Der Blaue Reiter. Städt. Galerie im Lenbachhaus München, 1963 (= Sammlungskatalog I); — Ders., K. Painting on Glass. Ausstellungskat. d. Solomon R. Guggenheim Museum New York, 1966; — Ders., K. Das graph. Werk, 1970; — H. K. Roethel/Jean K. Benjamin, A New Light on K.s First Abstract Painting, in: The Burlington Magazine CXIX, 1977, 772 f.; — Diess., K., 1977 (frz.; engl., 1979; dt., 1982); — Peter Selz, The Aesthetic Theories of W. K. and their Relationship to the Origin of Non-objective Painting, in: The Art Bulletin XXXIX, 1957, 127 f.; — Ders., The Influence of Cubism and Orphism on the "Blue Rider", in: Festschr. für Ulrich Middeldorf, 1968, 582 f.; — Herbert Read, W. K., 1959; — Günter Aust, K., 1960; — Jean Cassou, W. K. Der Mensch und das Werk, in: Gegenklänge, Aquarelle und Zeichnungen, 1960; — Ders., Interférences:

Aquarelles et dessins de W. K., 1960 (frz. Ausg.); — Marcel Brion, K., 1961; — L. D. Ettlinger, K.s "At Rest", 1961; — Peter Anselm Riedl, K.: Kleine Welten, 1962; — Ders., W. K. I Maestri del Colore, 1963; — Ders., Abstrakte Kunst und der Traum von der rezeptiven Gesellschaft, in: Festschr. für Klaus Lankheit, 1973, 67 ff.; — Ders., K. und die Tradition, in: Neue Heidelberger Jbb. XXII, 1978, 3 ff.; — Ders., W. K. Mit Selbstzeugnissen und Bilddokumenten, 1983; — Hans Maria Wingler, Das Bauhaus, 1962; — Adri Laan, K. en wij, in: De nieuwe stem XVIII, 1963, 214-222; — Daniel Robbins, Abstraction and image, in: College art journal XXII, 1963, 145-147; — Eberhard Roters, W. K. und die Gestalt des Blauen Reiters, in: Jb. der Berliner Museen V, 1963, 201 ff.; — Pierre Volboudt, K. 1896-1921. K. 1922-1944, 1963; — Ders., Die Zeichnungen W. K.s, 1974; — Ders., K., 1985; — Cornelius Doelman, K., 1964; — Jacques Lassaigne, K., 1964; — Otto Stelzer, Die Vorgesch. der abstrakten Kunst. Denkmodelle und Vorbilder, 1964; — Hans Heinz Stuckenschmidt, K. und Schönberg, in: Melos XXXI, 1964, 209-211; — Ders., K. dilo a hudba, in: Hudebni rozhledi, 1967, Nr. 11, 346-348; — Ders., W. K. und Arnold Schönberg. Malerei und musik. Denken in mod. Kunst, in: Universitas XXXII, 1977, 235-238; — Hans Hofstätter, Symbolismus und die Kunst der Jh.wende, 1965; — Jean Revol, W. K., in: Nouvelle revue française XIV, 1966, Nr. 163, 118-125; — Sixten Ringbom, Art in the "Epoch of the Great Spiritual": Occult Elements in the Early Theory of Abstract Painting, in: Journal of the Warburg and Courtauld Institutes XXIX, 1966, 386 ff.; — Ders., The Sounding Cosmos. A Study in the Spiritualism of K. and the Genesis of Abstract Painting, 1970; — G. di San Lazzaro (Hrsg.), Centenaire de K., Sonderheft von XXe Siècle, 27, 1966 (erweitert. Neuausgabe, 1974); — Sabine Helms, Gabriele Münter. Das druckgraph. Werk. Städt. Galerie im Lenbachhaus München, 1967 (= Sammlungskat. 2); — Laxmi P. Silhare, Oriental Influences on W. K. and Piet Mondrian 1909-1917, Diss. New York University, 1967; — Marisa Volpi, K. e il Blaue Reiter, 1967; — Dies., K., 1968; — Frank Whitford, K., 1967; — Ders., Some notes on K.s development towards non-figurative art, in: Journal of modern art CLXXIII, 1967, Nr. 885, 12-17; — Wolf-Dieter Dube, Zur "Träumerischen Improvisation" von K., in: Pantheon XXVII, 1969, H. 6, 486-488; — Stephen A. Kurtz, In the beginning was K., in: Art news LXVIII, 1969, 38-41, 62-64; — Vincent Thomas, K.s theory of painting, in: British journal of aesthetics IX, 1969, 19-38; — Arturo Bovi, K., 1970; — K. Farner, Der Aufstand des Abstrakt-Konkreten oder die "Heilung durch den Geist". Zur Ideologie der spätbürgerlichen Zeit, 1970; — Paul Overy. Die Sprache des Auges, 1970; — James West, Russian Symbolism. A Study of Vyacheslav Ivanov and the Russian Symbolist Aesthetic, 1970; — Klaus Gallwitz, K. a Baden-Baden, in: XXe Siècle, 1971, Nr. 36, 21-30; — Robert C. Williams, Concerning the German spiritual in Russian art: W. K., in: Journal of European studies I, 1971, 325-336; — Rose-Carol Washton Long, K. and Abstraction. The Role of the Hidden Image, in: Artforum X 1972, 42 ff.; — Dies., K.s abstract style: The veiling of Apocalyptic folk imagery, in: Art journal XXXIV, 1975, 217 ff.; — Rosel Gollek, Der Blaue Reiter im Lenbachhaus München, 1974; — Donald E. Gordon, Modern Art Exhibitions 1900-1916, 2 Bde., 1974; — Camilla Gray, Das große Experiment. Die russ. Kunst 1863-1922, 1974; —

Jelena Hahl-Koch, K. und Kardovskij zum Porträt der Maria Krustschoff, in: Pantheon XXXII, 1974, 382-390; — Dies., Abstraction et musique atonale. K. et Schoenberg, in: L'oeil, 1976, Nr. 250, 24-27; — Erika Hanfstaengl, W. K. Zeichnungen und Aquarelle im Lenbachhaus München, 1974; — Wolfgang Dömling, Eine Glsose zum Thema "Schönberg und K.", in: Melos I, 1975, 31 f.; — Jonathan Fineberg, K. in Paris 1906-1907, Diss. Harvard University, 1975; — Hans Platschek, Die sprachlosen Propheten — K., Mondriaan, Malewitsch, in. Frankfurter Hefte XXX, 1975, 57-66; — Richard Sheppard, K.s early aesthetic theory: Some examples of its influence and some implications for the theory and practice of abstract poetry, in: Journal of European studies IV, 1975, 5 ff.; — Ders., K.s abstract drama "Der gelbe Klang", an interpretation, in: Forum for modern language studies XI, 1975, H.2; — Ders., K.s Klänge, an interpretation, in: German life and letters XXXII, 1980, 135-146; — Peg Weiss, K. and the "Jugendstil" arts and crafts movement, in: The Burlington Magazine CXVII, 270 ff.; — Dies., K., symbolist poetics and theater in Munich, in: Pantheon XXXV, 1977, 209 ff.; — Dies., K. in Munich. The Formative Jugendstil Years, 1979; — Gérard Benoit, Peinture et céramique au mai de Bordeaux. K. et René Buthand, in: Esprit N. S. XLIV, 1976, 1200 f.; — John E. Bowlt, Russian art of the avant-garde. Theory and criticism 1902-1934, 1976; — Nina Kandinsky, K. und ich, 1976; — Angelica Zander Rudenstine, The Guggenheim Museum Collection. Paintings 1880-1945, 2 Bde., 1976; — J. Ashmore, Sound in K.s painting, in: Journal of aesthetics and art criticism XXXV, 1977, 329-336; — Ders., K. and his idea of ultimate reality, in: Ultimate reality and meaning. Interdisciplinary studies in the philosophy of understanding II, 1979, 228-256; — Ders., A reply ot F. David Martin's K. and Ashmore: a comment, in: ebd. III, 1980, 238-240; — Friedhelm W. Fischer, Geheimlehren und mod. Kunst, in: Fin de siècle. Zu Lit. und Kunst der Jh.wende, 1977, 344 ff.; — Johannes Langner, "Improvisation 13". Zur Funktion des Gegenstandes in K.s Abstraktion, in: Jb. der Staatlichen Kunstsammlungen in Baden-Württemberg XIV, 1977, 115-146; — Ders., "Impression 5". Observations sur un thème chez K., in: Revue de l'art XLV, 1979, 53-65; — Andeheinz Mösser, Hugo Balls Vortrag über W. K. in der Galerie Dada in Zürich am 7.4. 1917, in: Dt. Vierteljahresschr. für Lit.wissenschaft und Geistesgesch. LI, 1977, 676-704; — Herbert Schade, W. K. Der "universale Karfreitag" und das "Zeitalter des heiligen Geistes", in: StZ CII, 1977, 311-325; — Dora Vallier, K. et l'aquarelle, in: L'oeil, 1977, nr. 263, 26-29; — Peter Vergo, The Blue Rider, 1977; — Ders., A sense of place. "K. und München". Begegnungen und Wandlungen 1896-1914, in: Kunstchronik XXXV, 1982, 461-464; — Klaus Kropfinger, Schönberg und K., in: Ber. über den ersten Kongreß der Intern. Schönberg-Ges., Wien 1974, 1978, 110 ff.; — Christian Derouet, Face à K., in: Connaissance des arts, 1979, Nr. 325, 38-45; — Hubertus Gassner/Eckhart Gillen, Zw. Revolutionskunst und Sozialistischem Realismus, 1979; — Michel Lacoste, K., 1979; — Ders., W. K. und sein Lebenswerk für die mod. Kunst, in: Universitas XXXVII, 1982, 343-348; — Wolfgang Sauré, W. K. 30 Ölbilder aus sowjetruss. Museen, in: Die Weltkunst XLIX, 1979, 646 f.; — Virginia Spate, Orphism. The evolution of non-figurative painting in Paris, 1910-1914, 1979; — Alberto Wirth, K. and the science of art, in: British journal of aesthetics XIX, 1979, 361-365;

— Wolfgang Brandl, Oberpfälzer Skizzen im Münchner Lenbachhaus, in: Die Oberpfalz LXIX, 1981, 349; — Heribert Brinkmann, K. und Schönberg. Eine Geistesverwandtschaft zw. Maler und Musiker, in: Neuland-Jb. Ansätze zur Musik der Ggw. II, 1981/1982, 45-50; — Herbert Henck, Anmerkung zum "Gelben Klang", in: ebd., 50; — Ernst Dausch, W. K. Die Nabburger Skizzen des vielgenannten russ. Malers, in: Die Oberpfalz LXX, 1982, 278 f.; — Clark V. Poling, K.-Unterricht am Bauhaus. Farbenseminar und analyt. Zeichnen, dargest. am Beispiel der Smlg. des Bauhaus-Archivs Berlin, 1982; — Armin Zweite (Hrsg.), K. und München. Begegnungen und Wandlungen 1896-1914, 1982 (Kat. der Ausstellung v. 18.8.-17.10. 1982 im Lenbachhaus in München und selbständige Buchausg.); — Alfred Welti, Prophet einer neuen Freiheit. Mit W. K. beginnt die Gesch. der Abstraktion, in: Art, 1984, Nr. 7, 20-41; — Richard von Weizsäcker, K. — ein Künstler, der die Menschen fordert. Ansprache, in: Das Kunstwerk XXXVII, 1984, Nr. 5, 3 f.; — Thierry Widemann, Au dela des formes. K., in: Esprit, 1984, Nr. 96, 162 ff.; — Robert Baldwin, An archaic Greek source for K.s capricious (exekias: Dionysius in a boat), in: Apollo CXXIV, 1986, Nr. 293, 44 f.; — Evelin Priebe, Angst und Abstraktion. Die Funktion der Kunst in der Kunsttheorie K.s, 1986 (= Diss. Tübingen, 1984); — Felix Thürlemann, K. über K. Der Künstler als Interpret eigener Werke, 1986; — Carsten Brockmann, "Der gelbe Klang". Ein Licht- und Klangdrama von W. K., in: Die Drei LVII, 1987, 272; — H. Janse van Rensburg, K.s exposure to the Nietzsche cult 1896-1914, in: South African journal of cultural and art history I, 1987, 245-257; — Valeri Scherstjanoi, K. und die russischen Futuristen, in: Bildende Kunst, 1988, 502ff; — Margaret Olin, Validation by Touch in K.s early Abstract Art, in: Critical Inquiry XVI, 1989, 144ff; — C.L. Coetzee, A Cosmic Context K.s Goethean Biomorphism of the 1930s, in: South African Journal of Art and Architectural History I, 1990, 63ff; — Regina Mahlke, K.: »Kleine Welten«, in: Aus dem Antiquariat, Beilage zu: Börsenblatt f. d. dt. Buchhandel XLVI, 1990, 164-167; — Thieme-Becker XIX, 515-517; — NDB XI, 97-101.

Hans-Josef Olszewsky

KANNE, Johann Arnold (Pseudonyme: Johannes Author, Walther Bergius, Anton von Preußen), Schriftsteller, Mythologe, Sprachforscher; getauft 31.5. 1773 Detmold, † 17.12. 1824 Erlangen; Sohn des Schuhmachermeisters Johann Christoph Kanne und der Anna Elisabeth, geb. Köhne. — 1790 Studium der evangelischen Theologie in Göttingen, das K. nach wenigen Wochen zugunsten der klassischen Philologie aufgab. Auf der Suche nach einer Anstellung unstetes Wanderleben von 1796 bis 1802; in dieser Zeit kurzfristige Lehrerstellen und erste philologische und satirische Schriften. In den napoleonischen Kriegen trat K. mehrfach in österreichische und preußische Dienste; auf

Vermittlung Jean Pauls losgekauft. 1809 Anstellung als Professor für Archäologie und Geschichte an dem neugegründeten Realinstitut in Nürnberg, 1817 Professor der Philosophie am dortigen Gymnasium, 1818 Professor für orientalische Sprachen an der Universität in Erlangen. Entscheidend für K. waren 1814 religiöse Erlebnisse, die er als Erweckung verstand. — K.'s schriftstellerisches Werk wird durch diese Erweckung in zwei Teile gespalten: Vor 1814 satirische und humoristische Schriften, die in der Nachfolge Jean Pauls und der Jenaer Romantik zu sehen sind, Werke der vergleichenden Sprachwissenschaften und Beschäftigung mit Mythologie, danach hauptsächlich Erbauungsschrifttum und christliche Biographien. K. selbst gab unter dem Eindruck seiner Erweckung die Arbeit am »Panglossium«, das die Urverwandtschaft aller Sprachen beweisen sollte, auf und verbrannte das Manuskript. In seinen sprachwissenschaftlichen Werken versuchte K. seit 1804, die Verwandtschaft zwischen der deutschen Sprache und anderen germanischen Sprachen sowie des Griechischen anhand von Gesetzmäßigkeiten des Lautwandels nachzuweisen; auf seine Forschungen griff Jakob Grimm zurück. Mit seinen mythologischen Schriften steht K. in der Tradition der romantischen Mythologie und beeinflußte besonders durch seine Ableitung einer allgemeinen Theorie des Mythos aus der ethymologischen Methode Creutzer, Görres und die Brüder Grimm.

Werke: Cononis narrationes, 1798; Anthologia minor sive florilegium epigrammatum Graecorum ex Anthologia Planudea et Brunckii Analectis selectorum, Halle 1799; (Walther Bergius,) Blätter von Aleph bis Kuph, Leipzig 1801; Analecta philologica, Leipzig 1802; Blepsidemus oder Nikolaus' literarischer Liebesbrief, Leipzig 1803; (Walther Bergius,) Kleine Handreise, Penig 1803; Ueber die Verwandtschaft der griechischen und teutschen Sprache, Leipzig 1804; Mythologie der Griechen, 1. Teil, Leipzig 1805; Erste Urkunden der Geschichte oder allgemeine Mythologie. Mit einer Vorrede Jean Pauls, 2 Teile in 1 Bd., Bayreuth 1808 (2. Aufl. 1815); Gianetta oder das Wundermädchen Roms, Bayreuth 1809; Menschliches Elend. Aus dem Englischen des Jacob Beresford übersetzt von Adolph Wagner, mit humoristischen Gegenbeweisen aus den Kupfern, von Johann Arnold Kanne, Bayreuth 1810; Comoedia humana oder Blepsidemus Hochzeit und Kindtaufe, Bayreuth 1810; (Johannes Author,) Geschichte des Zwillings a pede, Nürnberg 1811; Pantheum der aeltesten Naturphilosophie, die Religion aller Völker, Tübingen 1811; System der indischen Mythe, oder Chronus und die Geschichte des Gottmenschen in der Periode des Vorruckens der Nachtgleichen, mit einer Uebersicht des mythischen Systems von Adolph Wagner, Leipzig 1813; (Anton von Preußen,) Zwanzig kritische Paragraphen und historische Noten zum Text der Zeit, Leipzig 1814; Lappalien und gekrönte Preisschriften, Leipzig 1814; Sammlung wahrer und erwecklicher Geschichten aus dem Reiche Christi und für dasselbe, Nürnberg 1815-1822; Leben und aus dem Leben merkwürdiger und erweckter Christen aus der protestantischen Kirche, mit einem Anhang »Aus meinem Leben«, 2 Bde., Bamberg 1816-1817; Sämundis Führungen, ein Roman aus der Geschichte der freien Maurer im ersten Jahrhundert, Nürnberg 1816; Matthes Weyers geistreiche mündliche Sprüche, das inwendige Christenthum betreffend, Nürnberg 1817; Worte der Warnung nebst gelegentlichen Schriftauslegungen veranlaßt durch die irrlehrenden Anmerkungen des Herrn Compastors und Ritters Nicolaus Funck zur privilegirten neuen Altonaer Bibel (2. veränderte Ausgabe), (o.O.) 1817; Romane aus der Christenwelt aller Zeiten, 1. Teil, Bamberg 1817; Christus im alten Testament. Untersuchungen über die Vorbilder und Messianischen Stellen, 2 Bde., Nürnberg 1818; Auserlesene christliche Lieder von verschiedenen Verfassern der ältern und neuern Zeit. Nebst einem Anhang enthaltend Lieder von Doctor Martin Luther, gesammelt von einer Freundin. Herausgegeben von Johann Arnold Kanne, Erlangen 1818 (2. Aufl. unter leicht verändertem Titel: Erlangen 1838); Die Weissagungen und Verheissungen der Kirche Jesu Christi auf die letzten Zeiten der Heyden gegeben. Nach dem Werk des P. Lambert auszugsweise für Christen aller Confessionen bearbeitet und mit Zusätzen und Anmerkungen begleitet von Jaschem. Herausgegeben von Johann Arnold Kanne, Nürnberg 1818; Prolusio academica de vocabulorum enantiosemia sive observationum de confusione in linguis Babylonica specimen primum, Nürnberg 1819; Biblische Untersuchungen und Auslegungen mit und ohne Polemik, 2 Bde., Erlangen 1819-20; Ein Recensent und noch einer, Nürnberg 1820; Die goldene Aerse der Philister. Eine antiquarische Untersuchung, Nürnberg 1820; Zwei Beiträge zur Geschichte der Finsterniß in der Reformationszeit oder Ph. Camerarius Schicksale in Italien und Adolph Clarenbachs Marthyrthum nach einer sehr selten gewordenen Druckschrift, Frankfurt a. Main 1822; Das Reich des Scherzes von Adolph Wagner, mit einem Anhang Kannes, Leipzig 1823; Fortsetzung der zwei Schriften: Leben und aus dem Leben merkwürdiger und erweckter Christen und: Sammlung wahrer und erwecklicher Geschichten aus dem Reich Christi, Frankfurt a. Main 1824; Aus meinem Leben. Aufzeichnungen des deutschen Pietisten Johann Arnold Kanne. Herausgegeben von Carl Schmitt-Dorotic, Berlin 1919.

Lit: Rudolf von Raumer, Geschichte der germanischen Philologie, München 1870, 362ff.; — Fritz Strich, Die Mythologie in der deutschen Literatur von Klopstock bis Wagner, Bd. 1., Halle 1910, S. 321ff.; — Erich Neumann, Johann Arnold Kanne. Ein vergessener Romantiker. Ein Beitrag zur Geschichte der mystischen Sprachphilosophie, Berlin 1928; — Dieter Schrey, Mythos und Geschichte bei Johann Arnold Kanne und in der romantischen Mythologie, Tübingen 1969; — ADB 15, 77 f.; — NDB 11, 105ff.

Wilhelm Füßl

KANNEMANN, Johannes siehe Johannes KANNEMANN

KANT, Immanuel, bedeutendster Philosoph der Aufklärung, * 22.4. 1724 in Königsberg, † 12.2. 1804 in Königsberg. — Sein Vater war Sattlermeister. Das Elternhaus brachte ihn mit dem Pietismus in Berührung. K. hatte ein an äußeren Ereignissen relativ armes Leben. Sieben Jahre besuchte er das Fridericianum seiner Heimatstadt. Ab 1740 studierte er, anfangs Theologie, die er bald wieder aufgab, um sich der Philosophie und den Naturwissenschaften zu widmen. Anschließend betätigte er sich 9 Jahre lang als Hauslehrer auf Adelsgütern der Umgebung Königsbergs. Mit dem Abschluß seiner Promotion 1755 kam er wieder auf die Universität. Zunächst war er Privatdozent; erst 15 Jahre später bekam er eine Professur für Logik und Metaphysik, die er dann zeitlebens innehatte. Seine Vorlesungen beschränkten sich aber nicht auf diese beiden Fächer, sondern er las auch über mathematische Physik, Geographie, anthroplogische Fragen, natürliche Theologie, Moralphilosophie und Naturrecht. Zu seinen Lebzeiten stand er oft in heftigen Auseinandersetzungen und wurde andererseits sehr geschätzt. 1794 geriet er wegen seiner Religionsphilosophie in Konflikt mit dem preußischen Staat. K. war klein von Gestalt, etwas verwachsen und gesundheitlich nicht sehr stabil. Offenbar deshalb erlegte er seinem Leben eine äußerst strenge Disziplin auf. Sein Tag war exakt eingeteilt, und er hielt sich mit der Zuverlässigkeit eines Uhrwerks an die selbstgewählte Ordnung. Das ermöglichte es ihm, bis ins hohe Alter bei guter Gesundheit zu arbeiten und seine immense Lebensarbeit im wesentlichen zu vollenden. - Ausgangspunkt und Grundlage seiner Anschauungen war die Physik Newtons. Sie regte ihn auch für Bereiche an, die nicht der Natur zugehören. Die Suche nach strenger Allgemeingültigkeit und Notwendigkeit prägt seine Philosophie. Doch erhielt er neben der newtonschen Physik nicht weniger Impulse durch eine Abwehr naiver Entwicklungen der Aufklärung. Etwa bis zu seinem 36. Lebensjahr hing K. der Leibniz-Wolffschen Philosophie an, die er später als »Dogmatismus« bezeichnet. Sein Lehrer Knutzen war ein Wolffianer. Unter dem Einfluß von John Locke und David Hume entfernte er sich von seinen philosophischen Vätern. Schon in dieser Zeit wird die Generalfrage nach der Möglichkeit metaphysischer Erkenntnis überhaupt zum treibenden Moment seiner Philosophie. Man unterscheidet bei ihm eine vorkritische und eine nachkritische Periode. Der Einschnitt wird 1769 durch seine Unterscheidung zwischen apriorischen Prinzipien von sinnlicher Erkenntnis markiert. Voll ausgebildet ist der kritische Ansatz aber erst 1781 mit dem Abschluß der »Kritik der reinen Vernunft«, seinem Hauptwerk. Von Kritikern wurde als Hauptargument gegen seine Philosophie vorgebracht, daß für K. die Vernunft dennoch die letzte Instanz zur Beurteilung der Fähigkeiten und Grenzen der Vernunft sei, da seine Vernunftkritik eben von der Vernunft getragen werde. Aus dieser Paradoxie führe kein Weg heraus. Doch selbst wer gegenüber seiner Philosophie in höchstem Maße kritisch eingestellt ist, muß K. zugestehen, daß er jeden gegen sich selbst unkritischen Rationalismus prinzipiell überwunden hat. Andererseits hat er es keineswegs vermocht, das Ende von Systemansätzen jenseits der Ratio zu bewirken. In der Philosophie kann man nicht von einer endgültigen Wende seit K. sprechen, so wie man im Bereich der Weltbilder von der kopernikan. Wende spricht. Allerdings hat K. eine neue Epoche der Philosophie eröffnet. Wer nach ihm Philosophie trieb und treibt, hat sich in jedem Fall mit ihm auseinanderzusetzen. Für die christliche Theologie hat sich durch K. die Situation ergeben, daß sie einer stark dominierenden Philosophie gegenübersteht - vergleichbar mit dem Einfluß der aristotelischen Philosophie im MA -, die auch sie grundlegend umgestaltet und bestimmt hat und deren Grundlagen nicht originär aus dem Christentum erwachsen sind, auch wenn sie dem christlichen Kulturbereich zugehören. Insbesondere ist vom christlichen Standpunkt her gesehen der k.sche Systemansatz für Religion im moralischen Bereich für das Christentum völlig verfehlt. Man muß geradezu von einer k.schen Sperre gegenüber der Offenbarungsreligion ausgehen. Auch die Dialektische Theologie konnte dieses Defizit nicht grundsätzlich überwinden, kamen doch ihre Hauptvertreter als Herrmann-Schüler von einer durch K. bestimmten Theologie her. Die christl. Theologie wird sich zwar davor hüten müssen, K. zu ignorieren, aber noch viel mehr davor, ihn als letzten Maßstab zu nehmen. Eine grundlegende Auseinandersetzung mit K. ist für die christl. Theologie ein dringendes Desiderat.

Werke: Gedanken von der wahren Schätzung der lebendigen Kräfte und Beurtheilung der Beweise derer sich Herr von Leibnitz und andere Mechaniker in dieser Streitsache bedient haben, nebst einigen vorhergehenden Betrachtungen welche die Kraft der Körper überhaupt betreffen, 1746; Allgemeine Naturgeschichte und Theorie des Himmels oder Versuch von der Verfassung und dem mechanischen Ursprung des ganzen Weltgebäudes, Nach Newtonschen Grundsätzen abgehandelt, 1755; Principiorum primorum cognitionis metaphysicae nova dilucidatio (Neue Erhellung der ersten Grundsätze metaphysischer Erkenntnis), 1755; Physische Monadologie, 1756; Der einzig mögliche Beweisgrund zu einer Demonstration des Daseins Gottes, 1763[1], 1770[2], 1783[3], unveränd. Abdr. 1794; Untersuchung über die Deutlichkeit der Grundsätze der natürlichen Theologie und der Moral. Zur Beantwortung der Frage welche die Königl. Academie der Wissenschaften zu Berlin auf das Jahr 1763 aufgegeben hat, 1764; Träume eines Geistersehers, erläutert durch Träume der Metaphysik, 1766; Dissertation über die Form und die Prinzipien der sinnlichen und der intelligiblen Welt, 1770; Von den verschiedenen Rassen der Menschen, 1775; - Kritik der reinen Vernunft, 1781[1], 1787[2]; Prolegomena zu einer jeden künftigen Metaphysik, die als Wissenschaft wird auftreten können, 1783; Idee zu einer allgemeinen Geschichte in weltbürgerlicher Absicht, 1784; Metaphysische Anfangsgründe der Naturwissenschaft, 1786; Grundlegung zur Metaphysik der Sitten, 1785[1], 1786[2]; Kritik der praktischen Vernunft, 1788; Kritik der Urteilskraft, 1790[1], 1793[2], 1799[3]; Die Religion innerhalb der Grenzen der bloßen Vernunft, 1793[1], 1794[2]; Zum ewigen Frieden. Ein philosophischer Entwurf, 1795[1], 1796[2]; Die Metaphysik der Sitten in zwei Teilen, 1797[1], 1798[2] (Die Metaphysik der Sitten... Zweite mit einem Anhange erläuternder Bemerkungen und Zusätze vermehrte Auflage); Der Streit der Fakultäten, 1798; Anthropologie in pragmatischer Hinsicht, 1798[1], 1800[2]; Über die von der Königl. Akademie der Wissenschaften zu Berlin für das Jahr 1791 ausgesetzte Preisfrage: Welches sind die wirklichen Fortschritte, die die Metaphysik seit Leibnitzens und Wolff's Zeiten in Deutschland gemacht hat?, 1804. —Einzelausgg. Werke: Anthropologie in pragm. Hinsicht, Lpz 1943; Hrsg. von Karl Vorländer. 7., im Text unveränd. Aufl., erw. um e. Einl. von Joachim Kopper u.e. Anh. zur Entstehung u. Wirkungsgeschichte des Werkes, mit e. Bibliogr. u.e. Variantenverz. von Rudolf Malter (PhB 44), 1980; Hrsg. u. eingel. von Wolfgang Becker. Mit e. Nachw. von Hans Ebeling, 1983; Ausgewählte Schriften zur Pädagogik und ihrer Begründung. Ausgew. pädag. Schriften. Besorgt von Hans-Hermann Groothoff unt. Mitw. von Edgar Reimers, 1982; Deines Lebens Sinn. Eine Ausw. aus d. Gesamtw. Hrsg. von Wolfgang Kraus. Vom Hrsg. überarb., Zürich 1987; Der einzig mögl. Beweisgrund zu einer Demonstration des Daseins Gottes. Auf Grund des Textes der Berl. Akad.-Ausg. mit einer Einl. und Reg. neu hrsg. von K. Reich, 1963; Der Streit der Fakultäten, Hbg 1975; Die Religion innerhalb der Grenzen der blossen Vernunft, Hrsg. von Rudolf Malter, Nachdr. Stuttgart 1987; Grundlegung zur

Metaphysik der Sitten. Hrsg. u. eingel. von Theodor Valentiner, 1982; Immanuel K.s Kritik d. r. Vernunft, I-II. Mit e. Einl. u. Anm. Hrsg. von Erich Adickes, Microf., Author. facs. of the ed. Bln 1889. Ann Arbor (Mich.) 1980; K.s Latin writings. Transl., commentaries and notes by Lewis White Beck. In collab. with Mary J. Gregor a.o. (AUS, Ser. 5, Philos. 9), 1986; Kritik der prakt. Vernunft, (Hrsg.) J. Kopper, Stgt 1978; (Hrsg.) Karl Vorländer, Erg. Nachdr. d. 9. Aufl. von 1929 (PhB 38), 1985; Kritik der praktischen Vernunft Hrsg. von Raymund Schmidt. Unveränd. Nachdr. d. 1928 überarb. ehemal. Kehrbachschen Ausg. Wiesbaden 1982; Kritik der reinen Vernunft. Nach der 1. u. 2. Orig. Ausg. neu hrsg. von R. Schmidt. Nachdr., Hdb 1971; Kritik der reinen Vernunft. Kritik der praktischen Vernunft. Kritik der Urteilskraft. Hrsg. von Gottfried Martin, Ingeborg Heidemann u.a., 1982; Kritik der Urteilskraft, Ffm 1974; Kritik der Urteilskraft, Hrsg. von Gerhard Lehmann, 1981; Kritische Briefe an Herrn I.K., Professor in Königsberg, über seine Kritik der reinen Vernunft, Microf., Author. facs. of the ed. Göttingen 1790. Ann Arbor (Mich.) 1980; Metaphysik der Sitten, K. Vorländer (Hrsg.), Hbg 1954; Prolegomena zu einer jeden künftigen Metaphysik, die als Wissenschaft wird auftreten können, K. Vorländer (Hrsg.), Hbg 1976; Rechtslehre. Schriften zur Rechtsphilosophie. Hrsg. u. mit e. Anh. vers. von Hermann Klenner, Bln 1988; Schriften zur Geschichtsphilosophie. Mit e. Einl. hrsg. von Manfred Riedel, Bibliogr. erg. Ausg. Nachdr., Stuttgart 1985; Schriften zur Religion. Hrsg. u. eingel. von Martina Thom, 1981; Träume eines Geistersehers, erläutert durch Träume der Metaphysik. Textkrit. Hrsg. u. mit Beil. vers. von Rudolf Malter (RUB 1320), Nachdr. Stuttgart 1987; Über den Gemeinspruch: Das mag in der Theorie richtig sein, taugt aber nicht für die Praxis: 1793. Hrsg. von Julius Ebbinghaus, 1982[4]; Über die Form und die Prinzipien der Sinnen- und Geisteswelt, Hbg 1958; Von den Träumen der Vernunft. Kleine Schriften zur Kunst, Philosophie, Geschichte u. Politik. Hrsg. von Steffen u. Birgit Dietzsch, Leipzig 1979; Von der Macht des Gemüths, durch den blossen Vorsatz seiner krankhaften Gefühle Meister zu sein. Hrsg. u. mit Anm. vers. von C.W. Hufeland. Nachdr. d. Ausg. Leipzig 1824, Bremen 1982; Vorlesungen über die Metaphysik. Reprograf. Nachdr. d. Orig.-Ausg. Erfurt, Keyser 1821, Darmstadt 1988; Vorlesungen über die philosophische Religionslehre. Hrsg. von Karl Heinrich Ludwig Pölitz. Unveränd. reprograf. Nachdr. d. 2. Aufl. Leipzig. Taubert 1830, Darmstadt 1982; Vorlesungen über Metaphysik, M. Heinze (Hrsg.), AGL 14, 1894; Philosoph. Hauptvorlesungen, A. Kowalewski (Hrsg.), 1924; Ethik, P. Menzer, 1924; Metaphysik der Sitten, Teil I: Metaphysische Anfangsgründe der Rechtslehre. Neu hrsg. von Bernd Ludwig (PhB 360), 1986; Zum ewigen Frieden und andere Texte von K., Hobbes, und Locke (Der Streit der Facultäten in drey Abschnitten, von I.K...), Ffm 1979; Zum ewigen Frieden: e. philos. Entwurf. Hrsg. von Theodor Valentiner, 1983; Zum ewigen Frieden. Ein philos. Entwurf, Stgt 1971, Reprint der Ausg. Königsberg, Nicolovius, 1795, Bln 1985; Zum ewigen Frieden: e. philos. Entwurf. Nachdr. d. Ausgabe Königsberg 1795, Stuttgart 1987; 17. Febr. 1784 (Enth. Brief K.s an Johann Schultz vom 17. Februar 1784 in seiner Handschr. u.i. Druckschr.), Hamburg 1981. Gesamtausgg: Gesammelte Schriften, Akademie-Ausgabe (Königl. Preuss. Akad. d. Wissenschaften. Ab Bd. 23: Akad. d. Wissensch. zu Göttingen, bzw. Akad. d. Wissensch. zu Berlin.

Bln 1902ff. 1. Abt.: Werke. 2. Abt.: Briefwechsel. 3. Abt.: Handschriftl. Nachlaß. 4. Abt.: Vorlesungen. 1. Abt. Bd. 1. Vorkrit. Schrr., I. 1747-1756. 1902[1], 1910[2], Nachdr. 1968; 1. Abt. Bd. 2. Vorkrit. Schriften, II. 1757-1777. 1905[1], 1912[2], Nachdr. 1972; 1. Abt. Bd. 3. Kritik der reinen Vernunft (n. 2. Aufl. 1787). 1904[1], 1911[2], Nachdr. 1968; 1. Abt. Bd. 4. Kritik der reinen Vernunft (n. 1. Aufl.). Prolegomena. Grundlegung zur Metaphysik der Sitten. Metaphysische Anfangsgründe der Naturwissenschaft. 1903[1], 1911[2], Nachdr. 1968; 1. Abt. Bd. 5. Kritik der praktischen Vernunft. Kritik der Urteilskraft. 1908[1], 1913[2], Nachdr. 1968; 1. Abt. Bd.6. Die Religion innerhalb der Grenzen der bloßen Vernunft. Die Metaphysik der Sitten. 1907[1], 1914[2], Nachdr. 1969; 1. Abt. Bd. 7. Der Streit der Fakultäten. Anthropologie in pragmatischer Hinsicht. 1907[1], Nachdr. 1972; 1. Abt. Bd. 8. Abhandlungen nach 1781. 1912[1], 1923[2], Nachdr. 1969; 1. Abt. Bd. 9. Logik. Physische Geographie. Pädagogik. 1923[1], Nachdr. 1968; 2. Abt. Bd. 1. Briefwechsel 1747-1788. 1900[1], 1922[2], Nachdr. 1969; 2. Abt. Bd. 2. Briefwechsel 1789-1794. 1900[1], 1922[2], Nachdr. 1969; 2. Abt. Bd. 3. Briefwechsel 1795-1803. Nachträge und Anhang. 1902[1], 1922[2], Nachdr. 1969; 2. Abt. Bd. 4. Anmerkungen und Register. 1922[1]; 3. Abt. Bd. 1. Mathematik, Physik und Chemie. Physische Geographie. 1911[1]; 3. Abt. Bd. 2. Anthropologie. 2 Hälften. 1913[1], 1923[2], Nachdr. 1969; 3. Abt. Bd. 3. Logik. 1914[1], 1924[2], Nachdr. 1969; 3. Abt. Bd. 4. Metaphysik. T. 1. 1926[1]; 3. Abt. Bd. 5. Metaphysik. T. 2. 1928[1]; 3. Abt. Bd. 6. Moralphilosophie, Rechtsphilosophie und Religionsphilosophie. 1934[1], Nachdr. 1971; 3. Abt. Bd. 7. 1942[1], Nachdr. 1971; 3. Abt. Bd. 8. Opus postumum. 1. Hälfte. (Convolut 1-6) 1936[1]; 3. Abt. Bd. 9. Opus postumum. 2. Hälfte. (Convolut 7-13) 1938[1], Nachdr. 1971; 3. Abt. Bd. 10. Vorarbeiten und Nachträge. 1955[1], Nachdr. 1969; 4. Abt. Bd. 1. Vorlesungen über Logik. 1. und 2. Hälfte. 1966[1]; 4. Abt. Bd. 4. Vorlesungen über Moralphilosophie. 1. Hälfte 1974, 2. Hälfte T.1. 1975, 2. Hälfte T.2. 1979; 4. Abt. Bd. 5. Vorlesungen über Metaphysik und Rationaltheologie. 1. Hälfte 1970, 2. Hälfte 1972; 4. Abt. Bd. 6. Kleinere Vorlesungen und Ergänzungen I. Hälfte 1, Teil 1. 1980; 4. Abt. Bd. 6, Ergänzungen II, 1983; - I.K.s Werke. (Hrsg.) Ernst Cassirer, 11 Bde., Bln 1912-1922. Nachdr. Hildesheim 1973; - Werke. Akademie - Textausgabe. Unveränd. Abdr. d. Textes der von d. preuß. Akad. d. Wiss. begonnenen Ausg. von K.s gesammelten Schriften. 9 Bde, Bln 1968; - Werkausgabe, (Hrsg.) Wilhelm Weischedel, 12 Bde., Ffm 1977; - Werke in zehn Bänden Hrsg. von Wilhelm Weischedel. Bd 1-II: Vorkrit. Schrr. bis 1768, T 1. mit Übers. von Monika Bock u. Norbert Hinske u. T. 2. Bd III-IV: Kritik der reinen Vernunft. T. 1 u 2. Bd V: Schriften zur Metaphysik und Logik. Mit e. Übers. von Norbert Hinske. Bd VI-VII: Schriften zur Ethik und Religionsphilosophie. T. 1 u 2. Bd VIII: Kritik der Urteilskraft und Schriften zur Naturphilosophie. Bd IX-X: Schriften zur Anthropologie, Geschichtsphilos., Politik und Pädagogik. T. 1 u 2. Dieser Sonderausg. liegt d. 4, erneut überprüfte reprograf. Nachdr. (1975) d. Ausg. Darmstadt 1960 [Bd 1-II], 1956 [Bd III-IV]. 1959 [Bd V]. 1956 [Bd VI]. 1968 [Bd VII], 1957 [Bd VIII]. 1964 [Bd IX-X] zugrunde, Darmstadt 1981; - Briefwechsel. Ausw. u. Anm. von Otto Schöndörffer. Mit e. Einl. von Rudolf Malter u. Joachim Kopper (PhB 52 a/b), erw. Aufl., bearb. von Rudolf Malter, 1986[3]. — Bibliogr.: E. Adickes, German k.ian Bibliography. Neudr. d. Ausg. 1865/96, 1970; B. Andrzejewski,

K.-Literatur in Polen, in: KantSt, 68, 1977, 505-508; Lewis White Beck, Doctoral dissertations on K. accepted by Universities in the United States and Canada, 1879-1980, in: KantSt 73, 1982, 96-113; W. Brugger, Scholastische (u. an der christl. Philosophie orientierte) Literatur zu K. seit 1920, in: K. u. die Scholastik heute, Hrsg. J. B. Lotz, 1955; W. Bruhn, K.-Literatur des Jubiläumsjahres u. ihr religions-philosoph. Ertrag, in: ZThK N.F. 6, 1925, 137-157; B. u. S. Dietzsch, Bibliogr. der K.-Literatur, in: WZUL Ges. u. Sprachwiss. R., 23, 1974, 207-216; dies., 25 Jahre K.-Literatur in der DDR. 1949-1974. Eine Bibliogr., in: DZPh, 22, 1974, 1485-1495; B. Dietzsch, K.-Literatur in der DDR 1975, in: DZPh, 24, 1976, 206-210; G. Epure, Rumän. K.bibliographie 1970-1975, in: KantSt, 70, 1979, 377-381; Maximiliano Fartos Martínez, Una bibliografia sobre la Critica, in: EsFil 30, 1981, 149-159; Gernot U. Gabel, I.K.: e. Bibliogr. d. Diss. aus d. dt.sprachigen Ländern 1900-1975 (BzPh 3), 1980; ders., Niederländische Diss.en zu K., 1925-1980, in: KantSt 77, 1986, 133f; ders., I.K.. Ein Verz. d. Diss. aus d. dt.-sprachigen Ländern 1900-1980 (BzPh 3), 1987²; ders., Ein Verzeichnis der Diss.en aus den dt.sprachigen Ländern 1900-1980, Köln 1987; ders., South African theses on K., 1933-1985, in: KantSt 79, 1988, 386; M. Hayashi, Bibliogr. der japanischspr. K.-Literatur 1945-1975, in: KantSt 69, 1978, 225-239; R. Heinz, Bibliogr. der franz. K.-Literatur von 1920-1959, in: Heinz, Französ. K.-Interpreten im 20. Jhd., 1966, 174-179; G. Heismann, Bibliogr.: Diss.en zur K.ischen Philosophie, 1954-1976, in: KantSt, 70, 1979, 356-376; M. Honecker, K.s Philosophie in den romanischen Ländern, in: PhJ 37, 1924, 108-143; Appunti per una bibliografia k.iana, in: NCM 1, n.1, 1983, 59-79; R. Malter, Bibliogr. der dt.spr. K.-Literatur 1957-1967, in: KantSt, 60, 1969, 234-264, 540-541; ders., K.-Bibliogr. ab 1968, in: KantSt 61, 1970ff; ders., K.-Bibliogr. 1970, in: KantSt 63, 1972, 515-27; ders., Ergänzungen zur Bibliogr. der dt.spr. K.-Literatur 1957-1967 (II), in: KantSt 63, 1972, 528; ders., Ergänzungen zur K.-Bibliogr. 1968 (II), 1969, in: KantSt 63, 1972, 529-530, 531-534; ders., K.-Bibliogr. 1976-1978, in: KantSt 72, 1981, 207-255; ders. K.-Bibliogr. 1981, in: KantSt 76, 1985, 480-514; ders., K.-Bibliogr. 1985, in: KantSt 78, 1987, 498-514; ders., K.-Bibliogr. 1982, in: KantSt 78, 1987, 231-258; ders., K.-Bibliogr. 1983-1984, in: KantSt 78, 1987, 340-381; R.C.S. Walker, A Selective Bibliography on K, 1975; O.I. Polikanowa, Bibliogr. sowjet. Untersuchungen z. Philosophie K.s (1917-1971), in: KantSt 67, 1976, 253-266; T. M. Seebohm, Sowjetruss. Veröffentl. z. K.-Jahr 1974, in: KantSt 70, 1979, 491-507; H.J. De Vleeschauwer, Entwurf e. K.-Bibliogr. Vortrag vor dem int. Kongr. d. K.-Gesellschaft am 30.7.1965, Pretoria 1965, zugl. in: KantSt 57, 1966, 457-483; Günther Zöller, Jüngste englischspr. Lit. zur »Kritik d.r. Vernunft«, in: PhLA 39, 1986, 299-310; V.A. Zuckov, Bibliogr. sowjetischer Untersuchungen zur Philosophie K.s (1972-1976). Übers. u. bearb. von E. Staffa, in: KantSt 73, 1982, 489-498.

Lit.: Christian Wilhelm Flügge, Versuch einer historisch-kritischen Darstellung des bisherigen Einflusses der K.ischen Philos. auf alle Zweige der wissenschaftlichen und praktischen Theologie, Hannover 1796, Nachdr. Hildesheim 1982; — Auguste Ott, Hegel et la philos. allemande, ou Exposé et examen critique des principaux Systèmes de la philos. allemande depuis K., et spécialement de celui de Hegel. Réimpression de l'éd. de Paris 1844, 1984; — Friedrich Albert Lange, Gesch. des Materialismus, 2 Bde, 1866, 1926[10]; — Hermann Cohen, Werke. Hrsg. vom Hermann-Cohen-Archiv am Philos. Seminar d. Univ. Zürich u.d. Leitung von Helmut Holzhey. Bd. I: K.s Theorie der Erfahrung. Teil 1: 1871[1], Text d. Aufl. 1918[3] u. Einl. von Geert Edel., 1987[5]; — Ders., K.s Begründung der Ästhetik, 1889; — Ders., Komm. zu I.K.s Kritik d. reinen Vernunft, 1907, 1978[5]; — Ders., K.s Begründung der Ethik, 1910²; — Ders., Logik der reinen Erkenntnis, 1922³; — Ders., Ethik des reinen Willens, 1923⁴; — Ders., Ästhetik des reinen Gefühls, 1923²; — Ders., Die systemat. Begriffe in K.s vorkrit. Schriften nach ihrem Verhältnis zum krit. Idealismus. Microf., Ann Arbor (Mich.), 1980; — Ders., La fondazione k.iana dell'etica. A cora di Gianni Gigliotti (Pubblicazioni del Dipartimento die Filosofia dell'Università degli Studi di Lecce. Serie Testi 1), 1984; — John Watson, The Philosophy of K., 1908, Repr. 1976; — Karl Vorländer, I.K.s Leben, 1911, Neu hrsg. von Rudolf Malter (PhB 126), verb. Aufl. Hamburg 1986⁴; — Ders., K.s Leben u. Lehre, 1918; — Ders., I.K.. Der Mann u. das Werk, 1924, 1977²; — Ders., K.-Schiller-Goethe. Ges. Aufsätze. Leipzig 1923², Neudruck Aalen 1984; — Julius Beßmer, Philos. u. Theologie des Modernismus, 1912; — Bruno Bauch, I.K., 1917, 1923³; — Ders., Wahrheit, Wert u. Wirklichkeit, 1923; — Ders., Das Naturgesetz, 1924; — Ders., Die Idee, 1926; — Ders., Selbstdarstellung, 1929; — Ders., Grundzüge der Ethik, 1936; — Otto Liebmann, K. u. die Epigonen, 1912²; — Paul Natorp, Allg. Psychologie nach krit. Methode, 1912; — Ders., K. u. die Marburger Schule, in: KantSt 17, 1912, 193ff; — Hans Vaihinger, Comm. zu K.s Kritik d. reinen Vernunft, 2 Bde., 1881-1892, 1922²; — Ders., Die Philos. des Als-ob. System der theoret., prakt. u. religiösen Fiktionen d. Menschheit auf Grund e. idealist. Positivismus. M. e. Anh. über K. u. Nietzsche. (Neudr. d. 9./10. Aufl., Leipzig 1927), Aalen 1986; — John Henry Wilbrandt Stuckenberg, The life of I.K.. With a new preface by Rolf George (Reprint. Orig. pub.: London 1882), 1986; — Norman Kemp Smith, A Commentary to K.'s Critique of Pure Reason, 1918, 1923², Nachdr. 1962; — Ernst Cassirer, K.s Leben u. Lehre, 1921, Nachdr. 1972; — Ders., Substanzbegriff und Funktionsbegriff, 1923²; — Ders., Philos. der symbolischen Formen/Die Sprache, 1923; — Ders., Philos. der symbolischen Formen/Das mythische Denken, 1925; — Ders., Zur Theorie des Begriffs, KantSt 33, 1928, 129-136; — Ders., Philos. der symbolischen Formen/Phänomenologie der Erkenntnis, 1929; — Ders., K. u. das Problem der Metaphysik, in: KantSt 36, 1931, 1-26; — Ders., Wesen u. Wirkung des Symbolbegriffs, 1965; — Ders., K.'s life and thougth. Transl. by James Haden. Introd. by Stephan Körner, 1981; — A. Messer, Komm. zu i.K.s Kritik d. reinen Vernunft, 1922; — E. Husserl, Erste Philosophie I, 1923/24, 1956²; — Karl-Heinz Clasen, K.-Bildnisse, Königsberg 1924; — Hans Reininger, K., Wien 1924, Nachdr. 1973; — Heinrich Rikkert, K. als Philosoph der modernen Kultur, 1924; — Ders., Kulturwiss. u. Naturwiss., 1926⁷; — Ders., Der Gegenstand der Erkenntnis, 1928⁶; — Ders., Die Grenzen d. naturwiss. Begriffsbildung, 1929⁵; — Ders., Allg. Grundlegung der Philos., 1921; — Alois Riehl, Der philos. Kritizismus, 3 Bde, 1924ff; — Max Wundt, K. als Metaphysiker: e. Beitr. z. Geschichte d. dt. Philos. im 18. Jh. Stuttg. 1924, Nachdr. 1984; — Richard Hönigswald, Die Grundlagen der Denkpsychologie, 1925[2]; — Karl Eschweiler, Die zwei Wege der neueren Theologie, 1926; — Martin Heidegger, K. u. das Problem der Metaphysik, 1929, 1965[3]; — Ders., K. y el problema de la metafisica. Trad. de Gred Ibscher Roth. (Sección de Obras de Filosofia), México 1981[2]; — Ders., K. e il problema della metafisica. Trad. di M. Elena Reina. Introd. di V. Verra, 1981; — Ders., K. et le problème de la métaphysique. Introduction et traduction de l'allemand par Alphonse De Waelens et Walter Biemel, Paris 1981; — Ders., œuvres II,1: Interprétation phénoménologique de la »Critique de la raison pure« de K. Texte établi par Ingtraud Görland. Traduit de l'allemand par E. Martineau, Paris 1982; — Ders., Interprétation phénoménologique de la »Critique de la raison pure« de K.. Texte établi par Ingtraud Görland, trad. de l'allemand par Emmanuel Martineau (œvres de Martin Heidegger. Section II: Cours 1923-1944), Paris 1982; — Ders., K.'s thesis about being. Transl. by Ted E. Klein Jr. and William E. Pohl, in: Thinking about beeing. Aspects of Heidegger's thought. Ed. and with introduction by Robert W. Shahan and J. N. Mohanty, Norman 1984, 7-33; — Ders., Gesamtausgabe. Abt. 2: Vorlesungen 1923-1944. Bd. XLI: Die Frage nach dem Ding. Zu K.s Lehre von den transzendentalen Grundsätzen. Hrsg. von Petra Jaeger, Frankf./M. 1984; — Ders., Die Frage nach dem Ding. Zu K.s Lehre von d. transzendentalen Grundsätzen, 1987[3]; — Heinrich Ratke, Syst. Handlexikon zu K.s Kritik d. r. Vernunft, 1929, Nachdr. 1965; — Hermann Schmalenbach, K.s Religion, 1929; — Heinz Graupe, Die Stellung der Religion im syst. Denken der Marburger Schule, 1930; — Gerhard Lehmann, Geschichte d. nachk.ischen Philos. Kritizismus u. krit. Motiv in den philos. Systemen des 19. u. 20. Jh., 1931; — Ders., K. im Spätidealismus u. die Anfänge der dt. Philos. mit bes. Berücksichtigung d. Neuk.ianismus, 1927; — H.J. De Vleeschauwer, La Déduction transcendentale dans l'œuvre de K., 3 Bde, 1934-1937; — Rudolf Kayser, K., Wien 1935; — H.J. Paton, K.s Metaphysik of Experience, 2 Bde, 1936; — J. Bohatec, Die Religionsphilosophie K.s in der »Religion innerh. d. Grenzen d. bloßen Vernunft«. Mit bes. Berücksichtigung ihrer theol.-dogmat. Quellen, 1938, Nachdr. 1966; — Peter Stubbs, A note on K.'s Ethics, in: DR 67, 1949, 43-48; — Donald M. Baillie, Philosopohers and theologians on the freedom of the will, in: SJTh 4, 1951, 113-122; — R. Daval, La Metaphysique de K., 1951; — Gottfried Martin, I.K.. Ontologie u. Wissenschaftstheorie, 1951, 1969[4]; — Ders. (Hrsg.), Allgemeiner K.-Index, Bd. 16, 17, 18, 1967ff; — Ders., Arithmetic and combinatorics. K. and his contemporaries. With an appendix: Examination of K.'s Critque of pure reason, part I, section 4, by Johann Schultz. Transl. and edited by Judy Wubnig, Foreword by George Kimball Plochmann, Carbondale (Ill.) 1985; — G.F. Klenk, Heidegger und K, in: Gregorianum 34, 1953, 56-71; — Heinrich Knittermeyer, Von der klassischen zur krit. Transzendentalphilos., in: KantSt 45, 1953-54, 113-131; — Ernst Fuchs, Gesetz, Vernunft und Geschichte: Antwort an Erwin Reisner, in: ZThK 51, 1954, 251-270; — P. Chenchian, The Vedanta philosophy and the message of Christ, in: IJTH 4, 1955, 18-23; — Johannes B. Lotz (Hrsg.), K. u. die Scholastik heute, 1955; — Ders., Die apriorischen Erkenntnisbedingungen bei K. im Lichte der Offenbarkeit des Seins von Heidegger, in: L'héritage de K.. Mélanges philosophiques offerts au P. Marcel Régnier (BAPhNS 34), 1982, 221-237; — Peter Meinhold, Schillers spiritualist. Religionsphilosophie u. Ge-

schichtskritik, in: ZRGg 8, 1956, 97-128. 218-241; — Ernst Benz, Die Reinkarnationslehre in Dichtung und Philosophie der dt. Klassik u. Romantik, ZRGg 9, 1957, 150-175; — Wilhelm A. Schulze, K. u. das Gebet, in: ThZ 13, 1957, 61-63; — Heinrich Barth, Autonomie, Thonomie und Existenz, in: ZEEth 2, 1958, 321-334; — Nels F.S. Ferré, Natural theology and the Christian faith, in: SJTh 11, 1958, 362-374; — Friedrich Wilhelm Kantzenbach, K.s Philosophie und ihre vierfache Wirkung auf die Christen seiner Zeit, in: ZRGg 11, 1959, 327-342; — Rudolf Zocher, K.s Grundlehre, 1959; — Josef Schmucker, Die Ursprünge der Ethik K.s in seinen vorkrit. Schrr., 1961; — Ders., Die Ontotheologie des vorkrit. K. (KantSt, Erg.-H. 112), 1980; — Ders., K.s vorkritische Kritik der Gottesbeweise: e. Schlüssel zur Interpretation d. theol. Hauptstücks d. transzendentalen Dialektik d. Kritik d. r. Vernunft, 1983; — J. E. Skinner, Rational faith in K.'s philosophie, in: AThR 43, 1961, 178-185; — E. Büchsel, Aufklärung u. christl. Freiheit; J.G. Hamann contra I.K., in: NZSTh 4, 1962, 133-157; — Horst-Günter Redmann, Gott u. Welt. Die Schöpfungstheologie der vorkrit. Periode K.s, 1962; — G. Rohrmoser, Die theolog. Bedeutung von Hegels Auseinandersetzung mit der Philosophie K.s u. dem Prinzip der Subjektivität, in: NZSTh 4, 1962, 89-111; — Lewis White Beck, A Comm. on K.'s Critique of Pract. Reason, 1963, dt. 1974; — Early German Philosophy, K. and His Predecessors, 1969; — Ders., Towards a metacritique of pure reason, in: Proc. Ottawa Congress in K. in the Anglo-American and continental traditions, held Oct. 10-14, 1974. Ed. by Pierre Laberge and others, Ottawa 1976, 182-196; — Ders., Über die Regelmässigkeit der Natur bei K., in: Dial 35, 1981, 43-56; — Ders., K. on the uniformity of nature, in: Syn 47, 1981, 449-464; — Ders., Was haben wir von K. gelernt? in: KantSt 72, 1981, 1-10; — Ders., Nicolai Hartmann's criticism of K.'s theory of knowledge, in: N. Hartmann 1882-1982, Hrsg. von Alois Joh. Buch, 1982, 46-58; — Ders., K.s »Kritik der prakt. Vernunft«. Ein Kommentar. Ins Dt. übers. von Karl-Heinz Ilting, 1985; — Ders., K.s Latin writings, transl., commentaries and notes, 1986; — Alfred Cyril Ewing, K.'s view of immortality, in: SJTh 17, 1964, 385-395; — Ders., A short commentary on K.'s Critique of pure reason. (1938[1]), Chicago (Ill.) 1987; — W. Pannenberg, Theolog. Motive im Denken I.K.s, in: ThLZ 89, 1964, 897-906; — L. Hodgson, Life after death; the philosophers: Plato and K., in: ExpT 76, 1965, 107-109; — M. Stockhammer, Responsibility and freedom; the K.ian solution, in: Jud 14, 1965, 72-80; — W.H. Walsh, K.'s Moral Theology, 1965; — Ders., K.'s Critique of pure reason. Commentators in English, 1875-1945, in: JHI 42, 1981, 723-737; — Ders., Self-knowledge (Repr.: W.H. Walsh, Reason and experience, Oxford 1947, 191-220), in: Ralph C.S. Walker, Ed., K. on pure reason (ORPh), 1982, 150-175; — Ders., K. as seen by Hegel, in: Idealism. Past and present. Ed. Godfrey Vesey, 1982, 93-109; — Jonathan Bennett, K.'s Analytic, 1966; — Ders., K.'s Dialectic, 1974; — Ders., Analytic transcendental arguments, in: Transcendental arguments and science. Essays in epistemology. Ed. by Peter Bieri, Rolf-P. Horstmann et al., 1979, 45-64; — Ders., La crítica pura de K., II: La dialéctica. Trad. Julio César Armero, 1981; — Ders., The age and size of the world (Repr.: Syn 23, 1971, 127-146), in: Ralph C.S. Walker, Ed., K. on pure reason (ORPh), 1982, 176-194; — Heinz Heimsoeth, Transzendentale Dialektik. E. Komm. zu K.s Kritik d. r. Vernunft, 4 T., 1966-1969; — G. Stephenson, Geschichte u. Religionswiss. im aufgehenden 18. Jh., in: Numen 13, 1966, 43-79; — Peter F. Strawson, The Bounds of Sense, 1966; — Ders., Die Grenzen des Sinns: e. Kommentar zu K.s »Kritik d. r. Vernunft«. Aus d. Engl. von Ernst Michael Lange, 1981; — Ders., Imagination and perception (Repr.: L. Foster etc., Ed., Experience and theory) in: Ralph C.S. Walker, Ed., K. on pure reason (ORPh), 1982, 82-99; — Ders., Saggio sulla Critica della ragion pura. Trad. it. di Margherita Palumbo (BCM 913), 1985; — B.A. Wilson, Possibility of theology after K.; an examination of Karl Rahner's Geist in Welt, in: CJTh 12, 1966, 245-258; — Matio Casula, L'illuminismo critico. Contributo allo studio dell'influsso del criticismo k.iano sul pensiero morale e religioso in Germania tra 1783 e il 1810, Mailand 1967; — G. Freudenberg, K.s Schrift Zum ewigen Frieden, in: ZEEth 11, 1967, 65-79; — Nathan Rotenstreich, Experience and Its Systematization, 1967; — Ders., Practice and realization. Studies in K.'s moral philosophy, 1979; — Ders., Public culture of a democratic society. Comments on Professor Rawls' Dewey lectures [K.ian constructivism and moral theory-rational and full autonomy], in: JVI 17, 1983, 143-150; — Ders., Variations of transcendentalism (K. and Husserl), in: Philosophy and science in phenomenological perspective. Ed. by Kah Kyung Cho (Phaenomenologica 75), Dordrecht 1984, 171-181; — Ders., Legislation and exposition. Critical analysis of differences between the philosophy of K. and Hegel, HegSt, Beiheft 24, 1984; — Ders., Will and reason. A critical analysis of K.'s concepts, in: PPR 46, 1985-1986, 37-58; — W. Schultz, Die Korrektur des Weltbildes der Theodizee bei Leibniz durch K. u. Goethe u. das mod. Denken, in: NZSTh 9, 1967, 173-200; — Jean-Louis Bruch, La philosophie religieuse de K., 1968; — Emanuel Hirsch, Geschichte der neuern ev. Theologie, 1968[4]; — Wolfgang Ritzel, Studien zum Wandel der K.-Auffassung, 1968[2]; — Ders., Von den Schwierigkeiten einer K.-Biographie, in: PerspP 5, 1979, 93-115; — Ders., »Verhältnis und Zusammenhang« von Naturphilos. und Naturwiss. in K.s Spätwerk, in: PN 18, 1980-1981, 286-300; — Ders., I. K.; e. Biographie, Berlin 1985; — O. Kaiser, K.s Anweisungen zur Auslegung der Bibel; e. Beitr. zur Geschichte d. Hermeneutik, in: NZSTh 11, 1969, 125-138; — Ada Lamacchia, La Filosofia della religione in K, 1969; — Umberto Margiotta, Fondazione e modalità in K.: Lobica d fenomenologia nella interpretazione del Criticismo, in: AFLFB 14, 1969, 255-278; — Alexis Philonenko, L'œvre de K., 2 Bde, 1969/1972. Vol. II: Morale et politique, Paris 1981[2]; — Ders., K. et la philos. biologique, in: L'héritage de K.. Mélanges philosophiques offerts au P. Marcel Régnier (BAPhNS 34), 1982, 63-79; — Ders., Études k.iennes (BHPh), Paris 1982; — Ders., La théorie k.ienne de l'histoire (BHPh), 1986; — Ders., Schopenhauer critique de K., in: RIPh 42, 1988, 37-70; — Raffaello Franchini, La origini k.iane del giudizio prospettivo, in: AFLFUN 13, 1970-1971, 267-282; — Giuseppe Giannetto, Figura e schema in K., in: AFLFUN 13, 1970-1971, 283-312; — Ders., Il problema k.iano dell'orientamento, in: AFLFUN 17; 1974-1975, 269-305; — Ders., K. e la storia emitica, in: Scritti in onore di N. Petruzzellis, 1981, 161-185; — Ders., La »maschera di gesso« e il comprendere come sviluppo, in: Criterio 2, n.2, 1984, 64-71; — Norbert Hinske, K.s Weg zur Transzendentalphilos., 1970; — Ders., K. als Herausforderung an die Gegenwart, Freiburg 1980; — Ders.,

Reimarus zwischen Wolff u. K.. Zur Quellen- und Wirkungsgeschichte der Vernunftlehre von Hermann Samuel Reimarus, in: Logik im Zeitalter der Aufklärung. Studien zur »Vernunftlehre« von Hermann Samuel Reimarus. Hrsg. von Wolfgang Walter u. Ludwig Borinski (VJJGW 38), 1980, 9-32; — Ders., K.-Index. Erstellt in Zus.arb. mit Heinr. P. Delfosse u. Heinz Schay. Bd. I: Stellenindex u. Konkordanz zu George Friedr. Meier »Auszug aus der Vernunftlehre«. Unter Mitw. von Fred Feibert u.a., 1985; — Ders., La libertà di scegliersi la felicità. Il contributo di K. alla fondazione dei diritti individuali di libertà [Trad. di Bruno Bianco], in: RFN 78, 1986, 198-210; — Ders., La via k.iana alla filosofia trascendentale. K. trentenne. Trad. di R. Ciafardone, 1987; — H. Obayashi, Implicit K.ianism in Bonhoeffer's conception of religionless Christianity, in: NAJTh 5/6, 1970/71, 107-126; — Allen W. Wood, K.'s Moral Religion, 1970; — Ders., K.'s Rational Theology, 1978; — Ders. (Ed.), Self and nature in K.'s philosophy, Ithaca (N.Y.) 1984; — J. Harms, Das k.ische »pro me« und das theol. »pro nobis«, in: NZSTh 13, 1971, 351-362; — Ders., I.K.: »hos me« und »als ob«, in: NZSTh 20, 1978, 39-90; — Wulf Metz, Christologie bei I.K.?, in: ThZ 27, 1971, 325-346; — Hans Rochol, Der Allgemeinbegriff als das Ganze des Gleichartigen bei Platon, K. u. Aristoteles, in: ClM 32, 1971-80, 49-74; — F. Schmidt, Goethes K.ianismus u. Pragmatismus, in: ZRGg 23, 1971, 50-59; — Manfred Buhr, Zur Geschichte der klassischen bürgerl. Philos.: Bacon, K., Fichte, Schelling, Hegel, Leipzig 1972; — Ders., Von K. zu Hegel. E. philosophiehist. Klischee, in: Erneuerung der Transzendentalphilos. im Anschluss an K. und Fichte. Reinh. Lauth z. 60. Geb.. Hrsg. von Klaus Hammacher u. Albert Mues, 1979, 76-83; — Ders., Identitätsnachweise zwischen K. u. Hegel. Hegel-Jahrb. 1979, 145-53; — Ders., I. K.. Einf. in Leben u. Werk (RUB 437: Philos., Geschichte), 1981[3]; — Ders., Die Frage der Identität ist die Frage nach der Geschichte, in: L'héritage de K.. Mélanges philosophiques offerts au P. Marcel Régnier (BAPhNS 34), 1982, 183-193; — Ders., The greatness and the limitations of the philosophy of I.K. (transl. from Voprossy filosofii n.12, 1981), in: SSPh 21, n.1, 1982-1983, 46-59; — D. Cupitt, God and the world in post-K.ian thought, in: Th 75, 1972, 343-356; — Erich Heintel, Gottes Transzendenz, in: NZSTh 14, 1972, 277-293; — Ders., Zum Begriff des Menschen als »daseiende Transzendentalität«, in: L'heritage de K.. Mélanges philosophiques offerts au P. Marcel Régnier (BAPhNS 34), 1982, 311-328; — Oswald Bayer, Zum Ansatz theolog. Ethik als Freiheitsethik, in: ZEEth 17, 1973, 129-144; — Ders., Die Gegenwart der Güte Gottes: Zum Problem des Verhältnisses von Gottesfrage u. Ethik, in: NZSTh 21, 1979, 253-271; — N.L. Geisler, Missing premise in the ontological argument, in: RSt 9, 1973, 289-296; — Pierre Laberge, La théologie k.ienne précritique, 1973; — Ders.,»L'espèce de cercle dont, à ce qu'il semble, il n'y a pas moyen de sortir«, in: Dialogue 21, 1982, 745-753; — Quentin Lauer, Hegel's critique of K.'s theology, in: God knowable and unknowable, Ed. by Robert J. Roth. 1973, 85-105; — Fernando L. Marcolungo, G. Zamboni e la critica di K. alle prove dell'esistenza di Dio, in: StPatav 20, 1973, 34-53; — G. Norburn, K.'s philosophy of religion; a preface to Christology?, in: SJTh 26, 1973, 431-448; — Giacoma Maria Pagano, La legittimità dei giudizi di gusto secondo K., in: AFLFUN 16, 1973-1974, 157-198; — Dies., Il soprasensibile nella considerazione del meccanicismo e del finalismo in K., in: FSoc, 4, n.17-18, 1976, 35-48; — Dies., A proposito dell'ermeneutica k.iana, in: RSC 17, 1980, 207-209; — Dies., Filosofia e vita morale in E.K., in: RSC 18, 1981, 294-299; — S.D.B. Picken, K. and man's coming of age, in: SJTh 26, 1973, 63-70; — Luciano Anceschi, Premessa k.iana (il secondo fasc. di Studi Est.), in: StE n.2, 1974-1975, 5-11; — Ders., Breve nota a un dialogo su K., in: StE n.5, 1978-1980, 65-67; — R.A. Ariel, Theistic proofs and I.K.; a conflict revisited, in: JAAR 42, 1974, 298-306; — John D. Caputo, K.'s Refutation of the Cosmological Argument, in: JAAR 42, 1974, 686-691; — Ders., Metaphysics, finitude and K.'s illusion of pure practical reason, in: PACPA 56, 1982, 87-94; — Ders., K.'s ethics in phenomenological perspective, in: K. and phenomenology, Ed. Th.M. Seebohm, (CCR 4), 1984, 129-146; — Gerhard Funke, Von der Aktualität K.'s: Naturerfahrung u. Freiheitsbewußtsein, in: ZRGg 26, 1974, 318-333; — Ders., La théorie des antinomies dans la critique de K. par Hegel. Traduction de Marie-Odile Blum, in: ÉPh n.4, 1981, 413-428; — Ders., K.s Satz. Die praktische Freiheit kann durch Erfahrung bewiesen werden, in: RIPh 35, 1981, 207-221; — Ders., Discusión de la pregunta: es posible la historia natural en tanto ciencia? Traducido del alemán por Alberto Rosales, in: RVF n.14-15, 1981, 39-61; — Ders., K.s Satz über die praktische Freiheit, in: Zum 200. Jahrestag des Erscheinens der Kritik der reinen Vernunft, PN 19, n.1-2, 1982, 40-52; — Ders., Logik, Systematik, Architektonik in der Transzendentalphilos. K.s, in: Überlieferung und Aufgabe. Festschrift für Erich Heintel zum 70. Geb., I, Hrsg. H. Nagl.-Docekal, Wien 1982, 23-34; — Ders., K. und Husserl. Vom Primat der prakt. Vernunft I-II, in: PerspP 8, 1982, 305-321; 9, 1983, 199-215; — Ders., The primacy of practical reason in K. and Husserl. Transl. By John Burkey and Thomas M. Seebohm, in: K. and phenomenology, Ed. Th.M. Seebohm, (CCR 4), 1984, 1-29; — Ders., Gottfried Martins K.. Der Mensch als Schöpfer der Erscheinungen, in: KantSt 78, 1987, 261-278; — Emilio Garroni, Estetica ed epistemologia. Rifflessioni sulla Critica del giudizio, in: StE n.2, 1974-1975, 39-147; — Ders., Silvestro Marcucci, Lettere k.iane, in: StE n.5, 1978-1980, 15-64; — Fritz Gause, K. u. Königsberg, 1974; — G. Keil, K.'s Kritik der reinen Vernunft u. der Gott der theoret. Metaphysik, in: NZSTh 16, 1974, 1-16; — Paolo Manganaro, Estetica e antropologia nelle lezioni k.iane. I. Preliminari, in: StE n.2, 1974-1975, 148-194; — Ders., L'antropologia di K. (Esperienze), Napoli 1983; — Ders., Platone in K., in: MPSP1 1984, 109-44; — Francis O'Farrell, K.'s concept of freedom, in: Gregorianum 55, 1974, 425-469; — Ders., K.'s treatment of the Teleological Principle, in: Gregorianum 56, 1975, 639-680; — Ders., Problems of K.'s Aesthetics, in: Gregorianum 57, 1976, 409-458; — Ders., K.'s Concern in Philosophy of Religion, in: Gregorianum 58, 1977, 471-521; — Ders., K.'s Philosophy of Law, in: Gregorianum 59, 1978, 233-289; — Ders., Intuition in K.'s theory of knowledge, in: Gregorianum 60, 1979, 481-511. 725-746; — Ders., System and reason for K., in: Gregorianum 62, 1981, 5-49; — Ders., K.'s system of pure understanding's principles, in: Gregorianum 64, 1983, 53-92; — Ders., K.'s transcendental ideal, I-II, in: Gregorianum 65, 1984, 127-149, 635-656; — Ders., Problematic of K.'s determinants of practical reason, I: From practical reason to its determining ground, in: Gregorianum 66, 1985, 269-293 [Résumé 293], II: Practical reason's determinant to object and its incentive, in: Gregorianum 66,

1985, 517-536 [Résumé 537]; — Ders., Aristole's, K.'s and Hegel's logic, in: Gregorianum 54, 1973, 477-516. 655-677; — Albert Schweitzer, Die Religionsphilosophie K.s, 1899, Nachdr. 1974; — M.G. Bernard, K. As Theologian, in: DR 93, 1975, 252-268; — Franco Chiereghin, Analogie di struttura tra la metodologia della storiografia filosofica di Platone e di K., in: Scritti in onore di C. Diano, Bologna 1975, 63-75; — Ders., Heidegger e la filosofia practica k.iana. Note a Vom Wesen der menschlichen Freiheit (1930), in: Ver 14, 1985, 37-61; — Ders., La metafisica come scienza e esperienza del limite. Relazione simbolica e autodeterminazione pratica secondo K., in: Ver 17, 1988, 81-106; — Peter Henrici, Saint Thomas Après K.?, in: Gregorianum 56, 1975, 163-168; — Herbert Herring (Ed.), I.K.. Proceedings of the Seminars at Calcutta and Madras in Sept. and Dec. 1974, Madras 1975; — Albert Hofstadter, K.'s Aesthetic Revolution, in: JRE 3, 1975, 171-191; — Ann L. Loades, K.'s concern with Theodicy, in: JThS 26, 1975, 361-376; — Dies., Coleridge as Theologian: Some Comments on his Reading on K., in: JThS 29, 1978, 410-426; — Dies., Moral sentiment and belief in God, (in the work of K.), in: StTh 35, 1981, 72-83; — Dies., K. and Job's comforters, 1985; — Rudolf Malter, Ein Philosoph wird geehrt: Philosophiegeschichtl.-kulturhistor. Bemerkungen zu K.ehrungen u. K.jubiläen, in: ZRGg 27, 1975, 289-304; — Ders., K. im Keyserlingschen Haus. Erläuterungen zu einer Miniatur aus dem Jahre 1781 (82), in: KantSt 72, 1981, 88-95; — Ders., Main currents in the German interpretation of the Critique of pure reason since the beginnings of neo-K.ianism. Transl. by Hamilton H.H. Beck, in: JHI 42, 1981, 531-551; — Ders., Philosophieunterricht nach zetetischer Methode. Gedanken zur Didaktik der Philos. im Ausgang von K., in: ZDPh 3, 1981, 63-78; — Ders., Der Ursprung der Metaphysik in der reinen Vernunft. Systematische Überlegungen zu K.s Ideenlehre, in: 200 Jahre Kritik der reinen Vernunft, Hrsg. von Joachim Kopper u. Wolfgang Marx, Hildesheim 1981, 169-210; — Ders., Logische und transzendentale Reflexion. Zu K.s Bestimmung des philos.geschichtl. Ortes der Kritik d. r. Vernunft, in: RIPh 35, 1981, 284-301; — Ders., Zu Lowes K.miniatur aus dem Jahre 1784, in: KantSt 73, 1982, 261-270; — Ders., Reflexionsbegriffe. Gedanken zu einer schwierigen Begriffsgattung und zu einem unausgeführten Lehrstück der Kritik der reinen Vernunft, in: Zum 200. Jahrestag des Erscheinens der Kritik der reinen Vernunft, PN 19, n.1-2, 1982, 125-150; — Ders., Das reformatorische Denken u. die Philosophie. Luthers Entwurf einer transzendental-praktischen Metaphysik, 1983; — Ders. - Ernst Staffa, K. in Königsberg seit 1945: e. Dokumentation. Bearb. unt. Mitarb. von Peter Wörster (SMPhFG 7), 1983; — Ders., »Gott ist doch kein Wahn« (K.). Bemerkungen zur transzendentalen Freiheitslehre von H. Krings, PhJ 90, 1983, 345-63; — Ders., K.iana in Dorpat (Tartu), in: KantSt, 74, 1983, 479-486; — Ders., K. und Hamann oder Das eine geistige Antlitz Königsbergs, in: NOA 73, 1984, 33-52; — Ders., Philos. aus dem skeptischen Stillstand der Vernunft. Joachim Koppers denkgeschichtliche Deutung der Kritik der reinen Vernunft, in: KantSt 76, 1985, 239-256; — Ders., Königsberg und K. im »Reisetagebuch« des Theologen Johann Friedr. Abegg (1798), in: Jb. der Albertus-Univ. zu Königsberg (Berlin) 26-27, 1986, 5-25; — Ders., Kritik d.r. Vernunft 1981. E. Dokumentation, in: KantSt 77, 1986, 458-497; — Philip L. Quinn, Religious Obedience and Moral Autonomy, in: RSt 11, 1975, 265-281; — Ders., Original sin, radical evil and moral identity (I.K.), in: FPh 1, 1984, 188-202; — Joachim Ritter, Moralität u. Sittlichk.. Zu Hegels Auseinders. m. d. K.ischen Ethik, in: Materialien zu Hegels Rechtsphilos., Hrsg. von Manfred Riedel. Bd. II, 1975, 217-244; — R.L. Sturch, Ethico-Theology of I.K. in: JTS 26, 1975, 342-360; — Hans Wagner, Moralität ul Religion bei K, in: ZPhF 29, 1975, 507-520; — Ders., Der Argumentationsgang in K.s Deduktion der Kategorien, in: KantSt 71, 1980, 352-366; — Ders., Morality and religion in K.. Transl. by Dennis Schmidt, in: CGPh 3, 1983, 75-88; — Ders., K.s Urteilstafel u. Urteilsbegriff (Kr.d.r.V., Ak.-ausg. II, 86ff), in: WJPh 19, 1987, 83-94; — Winfried Heizmann, K.s Kritik spekulativer Theologie u. Begriff moral. Vernunftglaubens im kathol. Denken der späten Aufklärung, 1976; — Hans Köchler, Der Begriff d. Gewissens b. K. Die Stellung des Gewissens im System der K.ischen Ehtik, in: ZKTh 98, 1976, 171-179; — Frieder Lötzsch, Vernunft und Religion im Denken K.s, 1976; — G.E. Michalson, Impossibility of Progress in K., in: AARPhRTh 1976, 17-29; — Ders., Role of History in K.'s Religious Thought, in: AThR 59, 1977, 413-423; — Wolfram Nierth, Die Differenz zwischen Theologie und Anthropologie als Kriterium für die Adäquatheit einer Lehre von Menschen, in: KuD 22, 1976, 317-334; — Luigi Scaravelli, Giudizio e lillogismo in K. e in Hegel, in: FSoc 4, n.17-18, 1976, 1-33; — Ders., Opere di L.S. A cura di Mario Corsi. III: L'analitica transcendentala. Scritti inediti su K., Firenze 1980; — Ders., K. e l'universo in espansione. Premessa introduttiva di Mario Corsi, in: Cann n.1-2, 1986, 29-43; — Martin Brecht, die Angänge der idealist. Philosoph. u. die Rezeption K.s in Tübingen (1788-1795), in: Beitr. z. Gesch. der Univ. Tübingen 1477 — 1977, 381-428; — Sepp Domandl, Jugendbewegung aus d. Geist K.s u. Goethes. Geleitw. von Alfred Toepfer, 1977; — Ders., Die K.rezeption in Österreich, in: WJPh 19, 1987, 7-45; — Kurt Leider, Transzendentalphilos. Briefe. Kritik an den drei Kritiken K.s, 1977; — Silvestro Marcucci, Epistemologia ed estetica in K. (E. Garroni, Estetica ed epistemologia, 1976), in: Physis 19, n.1-4, 1977, 29-50; — Ders., Subjectivité transcendantal et catégories de l'entendement dans l'épistemologie et l'esthétique de K., in: Physis 24 n.4, 1982, 471-488; — Ders., La funzione dell'intelletto nel giudizio estetico k.iano, in: StE n.2, 1974-1975, 195-287; — Ders., Su K. e la fisica moderna nel pensiero di Luigi Scaravelli (1893-1957), in: RCSF 38, 1983, 465-469; — Ders., Il significato »teorico« dell'elogio di K. a Platone nel 62 della »Kritik der Urteilskraft«, in: SapA 1985, 364-71; — Ders., K. e i primi principi »metafisici« della scienza della natura: dai Metaphysische Anfangsgründe del 1786 all' Opus postumum, in: Ver 15, 1986, 203-229; — Ders., K. in Europa (La ruota 13), 1986; — Ders., Naturbeschreibung und Naturgeschichte bei K.. Einige Überlegungen zum Verhältnis von Popper und K., in: AGPh 68, 1986, 174-188; — Ders. (Dir.), Studi k.iani. Vol. I: K. e la conoscenza scientifica. Vol. II: K. e l'estetica. Vol. III: Aspetti teoretici e pratici de »k.ismo«, oggi (La ruota 14, 15, 16), 1988; — Fritz Marti, Theological epistemology in Augustine, K. and Schelling, in: ModS 55, 1977/78, 21-35; — Marilene Rodrigues de Mello Brunelli, A. FundamentaçMo da ciência do belo em K. e Hegel, in: Kri 23, n.70, 1977, 101-106; — Friedrich Niewöhner, Isaak Breuer und K.: E. Beitr. z. Thema »K. u. das Judentum«, in: NZSTh 17, 1975, 142-150; II. NZSTh 19, 1977, 172-185; —

Mariangela Nobis, K. e la dialettica, in: IC 10, 1977, 183-205; — H.G. Norman, Is Providence credible today, in: SJTh 30, 1977, 215-231; — B.E. Oguah, Trancendentalism. K.'s first analogy and time, in: SecOrd 6, n.1, 1977, 3-20; — T.N. Pelegrinis, K.: »How are imperatives possible?« (Greek text), in: PAth 7, 1977, 468-491; — Ders., K.'s conceptions of the categorical imperative and the will, London 1980; — Antonio Rufino, O probleme da existêcia de Deus em K., in: Filosofia e desenvolvimento II, 1977, 65-83; — Gladys Swain, De K. à Hegel. Deux époques de la folie, in: LPAP n.1, 1977, 174-201; — Arthur Versiani Velloso, Doutrina éthico-jurídica de K., II (conclusMo), in: Kri 23, n.70, 1977, 51-100; — Martin Barker, K. as a problem for Marxism, in: RadPh n.19, 1978, 24-29; — Ders., K. as a problem for Weber, in: BJS 31, n.2, 1980, 224-245; — Francesco Bellino, K. e alcune istanze dell'epistemologia contemporanca, in: Contr 2, n.3-4, 1978, 18-29; — Henryk Borowsky, Practical and theoretical reason in K.ian philosophy (Polish text), in: AUMCS 3-4, 1978-1979, 65-75; — H.W. Burris (Jr.), The K.ian dilemma. Duty conflict, in: DJPST 21, n.2-3, 1978-1979, 65-67; — Paolo Casini, Filosofia e fisca da Newton a K., Torino 1978; — Italo Cubeddu, L'io penso di Cartesio e di K., in: QIGV 1, n.1, 1978, 7-53; — Ders., Introduzione alla prima Critica k.iana, in: QIGV n.2, 1979, 89-139; — Ders., La metafisica k.iana contro la scienza [testo del discorso su Carmelo Lacorte interprete di K.], in: StU 55, n.2, 1981/1982, 15-30; — Ders., Una K.-Tagung a Marburgo [Probleme der »Kritik d. Kritik d. reinen Vern.« Hrsg. von B. Tuschling, 1984], in: StU 57, n.2, 1984, 195-210; — Graciela Fernández de Maliandi, Las antinomías y el problema del infinito, in: CuadF 18, 1978, 71-80; — Athanasios P. Fotinis, The logical and ontological status of K.'s concept of the noumenon and the Hegelian interpretation, in: PAth 8-9, 1978-1979, 384-397; — Eduardo García Belsunce, Hay conocimiento de la realidad en K.? in: Manuscr, 2, n.2, 1978-1979, 7-20; — Ders., La idea de filosofía en K., in: RLF 13, 1987, 143-160; — Maria Rosaria Garofalo, K. tra pietismo e leologia riformata, in: AFLFB 21, 1978, 219-245; — C.B. Gutiérrez, La fundamentación de la ética de K. y la peligrosidad de la terminología de los valores, in: IVB, n. 53-54, 1978, 187-195; — G. Hernández de Alba, La historia en la filosofia de K., in: IVB n.51-52, 1978, 75-92; — Thomas E. Hill (Jr.), K.'s antimoralistic strain, in: Theoria 44, 1978, 131-151; — Ders., K.'s argument for the rationality of moral conduct, in: PPhQ 66, 1985, 3-23; — G. Hoyos Yásquez, El problema de la libertad humana en K., in: IVB n.51-52, 1978, 57-74; — Michael Kraft, Nature as Art: K.'s Version of the Argument from Design, in: PRSt 5, 1978, 116-123; — Ders., Thinking the physico-teleological proof (K.), in: IJPR 12, 1981, 65-74; — Ders., K.'s theory of teleology, in: IPhQ 22, n.1, 1982, 41-49; — Ders., The moral interest in aesthetics (K.), in: ZPhF 37, 1983, 588-598; — K. Kuypers, K. und die Idee eines vereinigten Europas, in: LeB 4, 1978-1980, 147-159; — Hans-Olof Kvist, Zum Verhältnis von Wissen und Glauben in d. krit. Philos. I. K.s. Struktur u. Aufbauprobleme dieses Verhältnisses in d. »Kritik d.r. Vernunft«, »bo 1978; — Martin Laclau, En los orígenes de la ética k.iana, in: CuadF 18, 1978, 65-70; — Ders., La problemática de los derechos humanos en la filosofía de K., in: ACFS n.26-27, 1986-1987, 203-215; — Gérard Lebrun, Une eschatologie pour la morale (K.), in: Manuscr 2, n.2, 1978-1979, 43-64; — Ders., A razao prática na crítica do juízo. Traducao de

Maria Regina Avelar Coelho da Rocha, Bol. SEAF-MG n.1, 1982, 5-18; — Ders., A aporética da coisa em si. TraduçMo de José Oscar de Almeida Marques, in: CHFC n.5, 1983, 5-18; — Benjamin S. Llamzon, Reason, experience and the moral life. Ethical absolutism and relativism in K. and Dewey, 1978; — Bernhard Lypp, Über die Wurzeln dialiktischer Begriffsbildung in Hegels Kritik an K.s Ethik, in: Seminar, Dialektik in d. Philos. Hegels. Hrsg. u. eingel. vom Rolf-Peter Horstmann, 1978, 295-315; — A. Giacomo Manno, Scoto e K. sul problema di Dio, in: Regnum hominis et Regnum Dei. Acta quarti Congressus Scotisti Internationalis. Ed. Camille Bérubé, I, in: StuSS 6, 1978, 447-62; — E. Michael, Peirce's adaptation of K.'s definition of logic. The early manuscripts, in: Transactions of the Charles S. Peirce Society 14, n.3, 1978, 176-183; — Reinhold Mokrosch - Lorenz Wilkens, Die Vernunft- und Gewissensautonomie bei K. als Quelle des bürgerlichen Selbstverständnisses, in: EvTh 38, 1978, 386-402; — Georg Picht, Zum philosophischen Begriff der Ethik, in: ZEEth 22, 1978, 243-261; — Ders., K.s Religionsphilos., 1985; — Dina V. Picotti, K. y el método trascendental, in: CuadF 18; 1978, 49-63; — W.B. Piper, K.'s contact with British empiricism, in: ECSt 12, n.2, 1978-1979, 174-189; — Miguel Reale, A doutrina de k. no Brasil, in: As idéas filosóficas no Brasil I, 1978, 225-238; — Ders., No segundo centenário da »Critica da razao pura«, de K., in: RBF 31, 1981, 177-183; — E.E. Reed, »Savages« in the Ideen? The Herder-K. quarrel, in: RevLV 44, n.6, 1978, 498-507; — Helmut Reinalter, K. als Geschichtsdenker u. s. Verhältnis z. franz. Revolution, in: Conc 12, n.31, 1978, 26-35; — C. Seerveld, Early K. and a rococo spirit: Setting for the Critique of judgement, in: PRef 43, 1978, 145-167, selbst. 1982; — Ram Lal Singh, Inquiry concerning reason in K. and «amkara, Allahabad 1978; — Ders., Some reflections on K.'s category theory, in: IndPQ 13, 1986, 309-318; — Manfred Sommer, K. u.d. Frage nach d. Glück, in: Die Frage nach dem Glück, Hrsg.: Günther Bien (Problemata 74) 1978, 131-145; — Ders., Mit dem Zufall leben. Überlegungen zu K.s Moralphilos., in: NHPh n.22, 1983, 95-112; — Jere P. Surber, Ricoer and the Dialectics of Interpretation, in: IIRev 35, 1978, 13-26; — Michael Weinreich, Die Freiheit ist konkret: Skizzen zu einem theol. Beitrag in einem interdiszipl. Gespräch, in: NZSTh 20, 1978, 253-277; — Ian White, K. on forms of intuition, in: PAS 79, 1978-1979, 123-135; — Bruce Aune, K.'s theory of morals, 1979; — Karol Bal, Aufklärung und Religion bei Mendelssohn, K. und dem jungen Hegel, in: DZPh 27, 1979, 1248-1257; — Ders., From K.'s ethics. How is freedom possible? Translated by Maria Paczynska, in: DialH 13, n.2-3, 1986, 237-242; — Thomas Baldwin, The original choice in Sartre and K., in: PAS 80, 1979-1980, 31-44; — Manfred Baum, Transcendental proofs in the Critique of pure reason, in: Transcendental arguments and science. Essays in epistemology. Ed. by Peter Bieri, Rolf-P. Horstmann et al., 1979, 3-26; — Ders., Erkennen und Machen in der »Kritik der reinen Vernunft«, in: Probleme der »Kritik der reinen Vernunft«. Klaus Reich zum 75. Geb. am 1. Dez. 1981. K.-Tagung, Marburg 1981. Hrsg. von Burkhard Tuschling, Berlin 1984, 161-177; — Ders., Deduktion und Beweis in K.s Transzendentalphilos.. Unters. zur Kritik der r. Vernunft, 1986; — Ders., The B-Deduction and the refutation of idealism, in: The B-Deduction. Spindel conference 1986. Ed. by Hoke Robinson, SouthJP 25, 1987, Suppl., 89-107; — Manfred Baum - Rolf P. Horstmann, Metaphysikkritik und Erfahrungstheorie in K.s theoret. Philos., in: PhR 26, 1979, 62-91; — Peter Baumanns, Transzendentale Deduktion der Kategorien bei K. und Fichte, in: Erneuerung der Transzendentalphilos. im Anschluss an K. und Fichte. Reinh. Lauth zum 60. Geb.. Hrsg. von Klaus Hammacher u. Albert Mues, Stuttgart-Bad Cannstatt 1979, 42-83; — Ders., K.s mathematische Antinomien, in: AZPh 12, n.3, 1987, 23-40; — Ders., K.s vierte Antinomie und das Ideal der reinen Vernunft, in: KantSt 79, 1988, 183-200; — John Andrew Bernstein, Ethics, theology and the original state of man: an historical sketch, in: AThR 61, 1979, 162-181; — Ders., Shaftesbury, Rousseau, and K. An introduction to the conflict between aesthetic an moral values in modern thought, 1980; — Georg Bidermann, Zur Erkenntnistheorie K.s, in: Georgica, 1979, 36-46; — Rüdiger Bittner, Transcendental arguments, synthetic and analytic, Comment on Baum, in: Transcendental arguments and science. Essays in epistemology. Ed. by Peter Bieri, Rolf-P. Horstmann et al., 1979, 27-35; — Horst-Heino von Borzeszkowski - Renate Wahsner, Erkenntnistheor. Apriorismus u. Einsteins Theorie. Einstein in s. Beziehung zu Newton u. K., DZPh 27, 1979, 213-22; — James Boswell, Mr. Boswell dines with Professor K.. Being a part of James Boswell's Journal, until now unknown, found in the Castle of Balmeanach on the Isle of Muck in the Inner Hebrides; prepared for the Press by a Gentleman; and made public by permission of the owner of the manuscript, the late Master of Muck, Edinburgh 1979; — Eva T.H. Brann, What is a body in K.'s system? in: IJPh 3, 1979, 91-100; — Bruno Brülisauer, K.s kategorischer Imperativ aus utilitarist. Sicht betrachtet, in: FZPhTh 26, 1979, 426-455; — Ders., Die Goldene Regel. Analyse einer dem Kategorischen Imperativ verwandten Grundnorm, in: KantSt 71, 1980, 325-345; — Robert E. Butts, Rescher and K.. Some common themes in philosophy of science, in: The philosophy of N. Rescher. Discussion and replies. Ed. by Ernest Sosa (PhSSPh 15), 1979, 189-203; — Ders., K.'s »Critique of pure reason«, I-II, in: Syn 47, n.2,3, 1981, 201-354, 355-496; — Ders., Rules, examples and constructions. K.'s theory of mathematics, in: Syn 47, 1981, 257-288; — Ders., K. and the double government methodology. Supersensibility and method in K.'s philosophy of science (WOPhSc 24), 1984; — Ders., The grammar of reason. Hamann's challenge to K., in: Syn 75, 1988, 251-263; — Peter Byrne, K.'s moral proof of the existence of God, in: SJTh 32, 1979, 333-343; — Ronald Calinger, K. and Newtonian science. The pre-critical period, in: Isis 70, 1979, 349-362; — Wolfgang Carl, Comment on Rorty, in: Transcendental arguments and science. Essays in epistemology. Ed. by Peter Bieri, Rolf-P. Horstmann et al., 1979, 105-112; — O. Castro López, K. Una posibilidad de innovación filosófica, in: PyH n.31, 1979, 16-19; — Domenico Corradini, K. e Hegel. Dialettica e constanti storiche, in: PrT 5, n.2, 1979, 7-23; — Ders., Metafisica e diritto. In margine a un libro su K., in: Riv. int. Filos. Dir. 62, 1985, 537-550; — Ronald Cramer, A note on transcendental propositions in K.'s Critique of pure reason. Comment on Baum, in: Transcendental arguments and science. Essays in epistemology. Ed. by Peter Bieri, Rolf-P. Horstmann et al., 1979, 37-43; — Donald Crawford, Comparative aesthetic judgements and K.'s aesthetic theory, in: JAAC 38, 1979-1980, 289-298; — Josef de Vries, Lo inevitable de la percepción del ser a la luz de la Crítica de la razón pura de K.. Traducido por Héctor

González Uribe, in: RFM 12, 1979, 7-20; — Gilles Deleuze, La filosofia critica di K.. Dottrina delle facoltà. Trad. it., con saggio introduttivo di E.M. Forni, 1979; — Ders., K.'s critical philosophy. The doctrine of the faculties. Transl. by Hugh Tomlinson and Barbara Habberjam, Minneapolis (Minn.) 1984; — Ders., Sur quatre formules poétiques qui pourraient résumer la philos. k.ienne, in: PhilosP n.9, 1986, 29-34; — Paola Dessi, Hintikka: un ritorno a K.? in: RFT 70, 1979, 470-482; — Thomas F. Digby, K.'s theory of consciousness in the transcendental deduction, in: Kin 10, 1979-1980, 41-49; — Robert J. Dostal, K.ian aesthetics and the litarary criticism of E.D. Hirsch, in: JAAC 38, 1979-1980, 299-305; — Ders., K. and rhetoric, in: PhRh 13, 1980, 223-244; — Ralf Dreier, Zur Einheit der praktischen Philos. K.s.. K.s Rechtsphilos. im Kontext seiner Moralphilos., in: PerspP 5, 1979, 5-37; — Ders., Rechtsbegriff und Rechtsidee. K.s Rechtsbegriff u. seine Bedeutung für d. Gegenwärtige Diskussion, 1986; — Costantino Esposito, Heidegger e K.: 1912-1929. Un'ipotesi di lettura, in: AFLFB 22, 1979, 221-248; — Maximiliano Fartos Martínez, La teoria k.iana de la ciencia a la luz de los resultados metateóricos, in: CSF 6, 1979, 61-91; — Ders., Conceptión k.iana del hombre, in: NG 16, 1979, 355-370; — Maurizio Ferriani, K. in Gran Bretagna: la Critica della ragion pura e gli argomenti trascendentali, in: RFT 70, 1979, 447-469; — Jean-Claude Fraisse, Perception et expérience ou du lieu de la contigence dans la philos. de K., in: RPFE. 104, 1979, 145-160; — Ders., Imagination schématisante et esthétique musicale (K.), in: RMM 93, 1988, 365-379; — Susanne Fromm, Ist K.s Erkenntnistheorie mit Wittgensteins Spätphilos. kritisierbar? in: Wittgenstein, der Wiener Kreis u.d. krit. Rationalismus (SWG 5) 1979, 133-139; — J.L. Gardies, La chose et le droit sur la chose dans la doctrine du droit de K., in: APD 24, 1979, 139-149; — Rino Genovese, Sulla teoria delle facoltà in K. e Schiller, in: GCFI 58, 1979, 250-278; — J.A. Giannotti, K. e o espaço da historia universal, in: Disc n.10, 1979, 7-48; — G. Gigliotti, Libertà e forma. Ernst Cassirer interprete di K., in: CuS 18, n.72, 1979, 88-109; — Hans Graubner, K. (1724-1804), in: Klassiker der Lit.theorie. Von Boileau bis Barthes, Hrsg. H. Turk, München 1979, 35-61; — Ronald M. Green, Religious ritual: a K.ian perspective (with analysis of Christian baptism; bibliogr.), in: JRE 7, 1979, 229-238; — D. Gutterer, Über das Wahrnehmungsurteil in K.s Prolegomena, in: Code 1, n.3, 1979, 281-291; — Klaus Hammacher, Über Erlaubnisgesetze und die Idee sozialer Gerechtigkeit im Anschluß an K., Fichte, Jakobi und einige Zeitgenossen, in: Erneuerung der Transzendentalphilos. im Anschluss an K. und Fichte. Reinh. Lauth zum 60. Geb.. Hrsg. von Klaus Hammacher u. Albert Mues, Stuttgart-Bad Cannstatt 1979, 121-141; — Ders., La dialectique en transition de K. à Fichte, in: L'héritage de K.. Mélanges philosophiques offerts au P. Marcel Régnier (BAPhNS 34), 1982, 97-117; — Eduard von Hartmann, K.s Erkenntnistheorie und Metaphysik in den vier Perioden ihrer Entwicklung. Neudr. d. Ausg. Leipzig 1894, Aalen 1979; — Dieter Henrich, Challenger or competitor? On Rorty's account of transcendental strategies, in: Transcendental arguments and science. Essays in epistemology. Ed. by Peter Bieri, Rolf-P. Horstmann et al., 1979, 113-120; — Ders. (Hrsg.), K. oder Hegel? Über Formen d. Begründung in d. Philos.. Stuttg. Hegel- Kongress 1981, 1983; — Ders., The proof-structure of K.'s transcendental deduction (Repr.: RM 22, 1968-69, 640-659), in: Ralph C.S.

Walker, Ed., K. on pure reason (ORPh), 1982, 66-81; — Ders., eine Diskussion mit, Die Beweisstruktur der transzendentalen Deduktion der reinen Verstandesbegriffe (Vorbemerkung. Hans Wagner, Eine Meinungsdifferenz bezüglich K.'s transzendentaler Kategorien-Deduktion. Diskussion, in: Probleme der »Kritik der reinen Vernunft«. Klaus Reich zum 75. Geb. am 1. Dez. 1981. K.-Tagung, Marburg 1981. Hrsg. von Burkhard Tuschling, Berlin 1984, 34-35, 35-41, 41-96; — Norbert Herold, Ein K. für die Historiker, in: PerspP 5, 1979, 75-91; — Wolfram Hogrebe, Per una semantica trascendentale [K. und das Problem einer transzendentalen Semantik], Trad. it. di G. Banti. Prefacione die E. Garroni. Appendice di G. Deriu, Roma 1979; — Karl Hoheisel, I.K. und die Konzeption der Geographie am Ende des 18. Jhdts, in: Wandlungen im geographischen Denken von Aristoteles bis K., Hrsg. von M. Büttner, 1979, 263-276; — Michèle Jalley-Crampe, La raison et ses rêves. K. juge de Swedenborg, RSH n.176, 1979, 9-21; — Mark L. Johnson, K.'s unified theory of beauty, in: JAAC 38, 1979-1980, 167-178; — James N. Jordan, On justifying the categorical imperative, in: ModS 57, 1979-1980, 243-258; — Joachim Kopper, Zur Bedeutung des menschlichen Leibes bei K., in: PerspP 5, 1979, 53-73; — Ders., Quelques remarques sur le problème des jugements synthétiques »a priori« et sur le »canon de la raison pure«, in: ÉPh n.4, 1981, 445-455; — Ders., La signification de K. pour la philos. française, in: AdPh 44, 1981, 63-83; — Ders. u. Wolfgang Marx (Hrsg.), 200 Jahre Kritik der reinen Vernunft. Mit e. Beitr. von Jean Brun u.a., 1981; — Ders., Einige Bemerkungen zu 12 der Kritik der reinen Vernunft, in: RIPh 35, 1981, 255-268; — Ders., Die Stellung der »Kritik der reinen Vernunft« in der neueren Philos., 1984; — Ders., La guerre dans la philos. de K., in: CPPJ n.10, 1986, 201-208; — Stephan Körner, On Bennett's »Analytic transcendental arguments«, in: Transcendental arguments and science. Essays in epistemology. Ed. by Peter Bieri, Rolf-P. Horstmann et al., 1979, 65-69; — Ders., K.. Mit Genehmigung d. Verf. aus d. Engl. übers. von Elisabeth Serelman-Küchler u. Maria Nocken, 1980[2]; — Ders., K. (Copyright 1955), New Haven (Conn.) 1982, dt. Göttingen 1967; — Ders., On Brentano's objections to K.'s theory of knowledge, in: Topoi 6, 1987, 11-17; — Douglas Langston, The supposed incompatibility between K.'s two refutations of idealism, in: SouthJP 17, 1979, 359-369; — Li Tse-Hou, On K.'s »thing-in-itself« theory, in: ChStPh 10, n.3, 1979, 57-75; — Bernard Lightman, John Stuart Mill and I. K. on nature. Idealism in Mill's Examination of Sir William Hamilton's philosophy, in: MillN 14, n.2, 1979, 2-12; — Rudolf Lüthe, Rekonstruktionen der »Kritik d. r. Vernunft«. Neuere Arbeiten zu K.s theoret. Philos., in: PhLA 32, 1979, 387-399; — Ders., The development of the concept of concret subjectivity from K. to neo-K.ianism, in: JBSP 13, 1982, 154-167; — Ders., K.s Lehre von den ästhetischen Ideen, in: KantSt 75, 1984, 65-74; — Massimo Mori, Studi sulla filosofia k.iana della storia, in: RFT 70, 1979, 115-146; — Ders., Due libri sul K. »pratico« [Paolo Manganaro, L'antropologia di K., 1983; D. Losurdo, Autocensura e compromesso nel pensiero politico di K., 1983], in: RFT 76, 1985, 153-161, und in KantSt 77, 1986, 241-251; — Ders., K. im Original. Harald Fischer Verlag, Erlangen, in: F 37, 1986, 173-174; — Giuseppe Nicolaci, Aporetica della conoscenza morale, Palermo 1979; — Juan Carlos Ossandon Valdes, Sentido del objeto en K., in: PhilosValp 2-3, 1979-1980, 225-234; —

Georges Pascal, La pensée de K., Paris 1979; — Ders., O pensamento de K.. IntroduçMo e traduçMo de Raimundo Vier, 1983; — Ders., K. (Pour Connaître), Paris 1986²; — Günther Patzig, Comment on Bennett, in: Transcendental arguments and science. Essays in epistemology. Ed. by Peter Bieri, Rolf-P. Horstmann et al., 1979, 71-75; — Ders., 200 Jahre K.s »Kritik der reinen Vernunft«, in: AZPh 7, 1982, n.1, 1-16; — Robert B. Pippin, K. on empirical concepts, in: SHPS 10, 1979, 1-19; — Ders., K.'s theory of form. An essay on the Critique of pure reason, 1982; — Ders., K. on the spontaneitiy of mind, in: CJPh 17, 1987, 449-475; — Ders., The idealism of trancendental arguments (K.), in: IS 18, 1988, 97-106; — Florian Pitschl, Das Verhältnis vom Ding an sich u. den Ideen des Übersinnlichen in K.s kritischer Philos.. E. Auseinandersetzung mit T.I. Oiserman, München 1979; — Stefano Poggi, Motivi leibniziani e newtoniani nella prima ricezione del k.ismo (1785-1795), in: RFT 70, 1979, 45-76; — Nicholas Rescher, Reply to Butts, in: The Philosophy of N. Rescher. Discussion and replies. Ed. by Ernest Sosa, (PhSSPH 15) 1979, 204-205; — Ders., On the status of »things in themselves« in K., in: Syn 47, 1981, 189-299; — Ders., K.'s theory of knowledge and reality. A group of essays, Washington D.C. 1983; — Patrick Riley, K. on persons as »ends in themselves«, in: ModS 57, 1979-1980, 45-56; — Ders., Will and political legitimacy. A critical exposition of social contract theory in Hobbes, Lokke, Rousseau, K., a. Hegel, 1982; — Ders., K.'s political philosophy (PhSo), 1983; — Ders., The »elements« of K.'s practical philosophy. The Groundwork after 200 years (1785-1985), in: PolT 14, 1986, 552-583; — Valerio Rohden, O interesse pratico da filosofia de K., in: La filosofia en América II, 1979, 117-119; — Richard Rorty, Transcendental arguments, self-reference, and pragmatism, in: Transcendental arguments and science. Essays in epistemology. Ed. by Peter Bieri, Rolf-P. Horstmann et al., 1979, 77-103; — Philip J. Rossi, Moral interest and moral imagination in K., in: ModS 57, 1979-1980, 149-158; — Ders., K. as a Christian philosopher. Hope and the symbols of christian faith, in: PhT 25, 1981, 24-33; — Ders., Moral autonomy, divine transcendence and human destiny. K.'s doctrine of hope as a philosophical foundation for Christian ethics, in: Thomist 46, 1982, 441-458; — Ders., K.'s doctrine of hope. Reason's interest and the things of faith, in: NS 56, 1982, 228-238; — Ders., Autonomy and community. The social character of K.'s »moral faith«, in: ModS 61, 1983-1984, 169-186; — Viggo Rossvaer, K.'s moral philosophy. An interpretation of the categorical imperative, Oslo 1979; — Ders., Wittgenstein, K. and perspicuous representation, in: Grundlagen, Probleme u. Anwendungen (SWG 7) 1981, 414-417; — Ders., K.'s practical philosophy, in: Contemporary philosophy III, A new survey. La philos. contemporaine. Chroniques nouvelles. Ed. by, par les soins de Guttorm FlQistad. Vol. III: Philosophy of action, The Hague 1982, 187-217; — Eva Schaper, Studies in K.'s aesthetics, 1979; — Dieter Scheffel, K.s Theorie der Substantialität. Untersuchung ihrer Entwicklungsgeschichte (Philosophica 4), 1979; — Antonio Schiavo, Scienza, esperienza e ontologie in K. Vol. I, 1979; — Walter Schindler, Die reflexive Struktur objektiver Erkenntnis: e. Unters. z. Zeitbegriff d. »Kritik d. r. Vernunft«, München 1979; — Günter Schulte, Vernunft und Natur. Transzendentalphilos. als Symptom, in: Erneuerung der Transzendentalphilos. im Anschluss an K. und Fichte.

Reinh. Lauth zum 60. Geb.. Hrsg. von Klaus Hammacher u. Albert Mues, Stuttgart-Bad Cannstatt 1979, 345-358; — Ders., 200 Jahre Vernunftskritik. Zur Wandlung d. Rationalitätsproblems seit K., 1981; — Thomas Seebohm, Schelling's »K.ian« critique of the Hegelian deduction of categories, in: Clio 8, n.2, 1979, 239-255; — Ders., K.'s theory of revolution, in: SRes 48, 1981, 557-587; — Ders. and Joseph J. Kockelmans (Ed.), K. and phenomenology, (CCR 4), 1984; — Ders., Fichte's and Husserl's critique of K.'s transcendental deduction, in: HusserlS 2, 1985, 53-74; — Marc Shell, The cancelled bond. Dialectic and monetary form in K. and Hegel, in: PhSC 6, 1979, 165-186; — Jürgen Strutz, Der Mythos vom Paradies. Anmerkungen zu seiner Rezeption bei K. u. Hegel, in: Aufmerksamkeit. K. Heinrich zum 50. Geb., 1979, 575-588; — Agneta Sutton, The K.ian and the consequentialist elements in Rawls's theory of justice, in: Theoria 45, 1979, 135-140; — Martina Thom, Der Einfluss des moralphilos. Vernunftbegriffs auf die Stellung und Lösung des Erkenntnisproblems in d. Philos. K.s, in: DZPh 27, 1979, 684-698; — Dies., Ideologie und Erkenntnistheorie. Unters. am Beisp. d. Entstehung d. Kritizismus u. Transzendentalismus I.K.s, 1980; — Dies., I.K.. Trad. e adattamento die Marco Marroni (Libri di base 43), Roma 1982; — Enrique M. Urena, La crítica k.iana de la sociedad y de la religión. K. predecesor de Marx y Freud, 1979; — Henry B. Veatch, Is K. the gray emincence of contemporary ethical theory? in: Ethics 90, 1979-1980, 218-238; — W.E. Verdonk, Valt over smaak echt niet te twisten? Een enkele opmerkung over K.'s Kritik d. Urteilskraft, in: NedThT 33, 1979, 111-122; — William Henry Werkmeister, K.'s silent decade. A decade of philosophical development, 1979; — Ders., From K. to Nietzsche. The ontology of M. Heideggger, in: Pers 60, 1979, 397-401; — Ders., K. the architectonic and development of his philosophy, 1980; — Ders., The complementarity of phenomenea and things in themselves, in: Syn 47, 1981, 301-311; — Ders., K., Nicolai Hartmann, and the great chain of being, in: AnHuss 11, 1981, 69-97; — Ders., What did K. say and what has he been made to say?, in: KantSt 73, 1982, 119-129; — David A. White, On bridging the gulf between nature and morality in the Critique of judgement, in: JAAC 38, 1979-1980, 179-188; — Günther Wohlfahrt, Zum Problem der Unterscheidung analytischer und synthetischer Urteile bei K., in: Code 1, n.3, 1979, 249-257; — Ders., Ist der Raum eine Idee? Bemerkungen zur transzendentalen Ästhetik K.s, in: KantSt 71, 1980, 137-154; — Ders., Metakritische Überlegungen zum Problem der transzendentalen Deduktion bei K., in: SJPh 26-27, 1981-1982, 117-134; — Ders., Der Augenblick. Zeit u. ästhet. Erfahrung bei K., Hegel, Nietzsche u. Heidegger. Mit e. Exkurs zu Proust, 1982; — Ders., Transzendentale Ästhetik und ästhet. Reflexion. Bemerkungen zum Verhältnis von vorkrit. u. krit. Ästhetik K.s, in: ZPhF 36, 1982, 64-76; — Ders., K. und das Problem der Sprache bei Heidegger. Zur Kritik an Heideggers früher K.-Krit und an Heideggers später Humboldt-Kritik, in: PerspP 9, 1983, 69-92; — Ders., Hamanns K.-Kritik, in: KantSt 75, 1984, 398-419; — Peter Wörster, K. und Judtschen, in: 25 Jahre Patenschaft Bielefeld-Gumbinnen 1954-1979. Beiträge zu kultureller Entwicklung des östlichen Ostpreussens, Bielefeld 1979, 54-60; — Manfred Zahn, Fichtes K.-Bild, in: Erneuerung der Transzendentalphilosphie im Anschluss an K. und Fichte. Reinh. Lauth zum 60. Geb.. Hrsg. von Klaus Hammacher u. Albert

Mues, 1979, 479-505; — Erich Adickes, Untersuchungen zu K.s physischer Geographie. Author. facs. of the ed. Tübingen 1911. Microf., Ann Arbor (Mich.), 1980; — Ders., K.s Ansicht über Geschichte und Bau der Erde. Nachdr. d. Ausg. Tübingen 1911. Microf., Ann Arbor (Mich.), 1980; — Ders., Ein neu aufgefundenes Kollegheft nach K.s Vorlesung über physische Geographie. Author. facs. of the ed. Tübingen, 1913. Microf., Ann Arbor (Mich.), 1980; — Ders., K.s Lehre von der doppelten Affektion unseres Ich als Schlüssel zu seiner Erkenntnistheorie. Nachdr. d. Ausg. Tübingen 1929. Microf., Ann Arbor (Mich.) 1980; — Leone Agnello, L'idea educativa come impegno di mediazione culturale. Da K. a Hegel. Lezioni per l'anno accademico 1978-79, Messina, Univ., Istit. di Pedag. [1980]; — James C. Anderson, K.'s paralogism of personhood, in: GPS 10, 1980, 73-86; — José Arranz de Vega, Celebración del bicentenario de la publicación de la Critica de la razón pura, de K., en la Universidad Complutense, in: Apor 3, n.11, 1980-1981, 109-115; — Johannes Artz, Newman in contact with K.'s thougth, in: JThS 31, 1980, 517-535; — Thomas Auxter, K.'s conception of the private sphere, in: PhF 12, 1980-1981, 295-310; — Ders., K.'s moral teleology, 1982; — Lewis Baldacchino, K.'s theory of self-consciousness, in: KantSt 71, 1980, 393-405; — Ders., Strawson on the antinomy [P.F. Strawson, The bounds of sense. An essay on K.'s Critique of pure reason, London 1975], in: Mind 93, 1984, 91-97; — Karl Gottfried Bauer — Ernst Adolf Eschke, Über den Unterricht der Taubstummen. Anmerkungen zu K.'s Anthropologie. Nebst e. Schreiben d. J.G.E. Kiesewetter. Author. facs. of the orig. book Berlin, Braun, 1801, Microf., Ann Arbor (Mich.), 1980; — Robert J. Benton, K.'s categories of practical reason as such, in: KantSt 71, 1980, 181-201; — Ders., Political expediency an lying. K. vs. Benjamin Constant, in: JHI 43, 1982, 135-144; — Maria Aparecida Viggiani Bicudo, K. e a educacao moral, in: Refl 5, n.17, 1980, 60-70; — Adolf Bolliger, Anti-K. oder Element der Logik, der Physik u. d. Ethik, Nachdr. Ausg. 1882, London 1980; — Reinhard Brandt, K. - Herder — Kuhn, in: AZPh 5, n.2, 1980, 27-36; — Ders., Le Feuillet de Leningrad et la réfutation k.ienne de l'idéalimse, in: RThPh 119, 1987, 453-472; — Ders., Note historique. Traduit de l'allemand par Alain Perrinjacquet, in: RThPh 119, 1987, 422-423; — Karl Brehmer, Rawls' »Original position« oder K.s »Ursprünglicher Kontrakt«: d. Bedingungen d. Möglichkeit e. wohlgeordneten Zusammenlebens (MonPhF 190), 1980; — Richard S.G. Brown, Nietzsche and K. on permanence, in: MW 13, 1980, 39-52; — Manuel Cabada Castro, Feuerbach y K.. Dos actitudes antropológicas, Madrid 1980; — Michel Canivet, Enseigner les »Fondements de la métaphysique des moeurs«, in: RPhL 78, 1980, 365-384; — Ders., Justice et bonheur chez Rawls et chez K.. Séminaire de philos. des sciences, 1981, und in: Fondements d'une théorie de la justice, EssPh 10, 1984, 153-182; — Ders., K. et le sens commun, in: Études d'anthropologie philosophique II, Suivies de: Colloque Alphonse De Waelhens. Phénoménologie et psychanalyse, 24. avril 1982, Éditées par G. Florival (BPhL 30), 1984, 100-115; — Ders., Autonomie k.ienne et welfare chez Rawls, in: Justifications de l'éthique. XIXᵉ Congrès de l'Association des Sociétes de Philos. de langue francaise (Bruxelles-Louvain-la-Neuve: 6-9 septembre 1982), Bruxelles 1984, 119-122; — Gaetano Cascavilla, Verso K.: ragione, metodo, linguaggio, in: BSF 8, 1980-1985, 201-273; — Carlos Castillo Peraza,

K. La libertad inverosímil, LogMex 8, n.24, 1980, 25-37; — Beatrice Centi, I diversi significati del concetto di metafisica nella Critica de ragion pura: il problema delle lore relazioni, in: ASNSP 10, 1980, 431-450; — Ders., Il tema della dignità della ragione nel rapporto che K. instaura tra morale critica e antropologia filosofica, in: ASNSP 12, 1982, 707-747; — Daniel Christoff, Pour une »poétique« de la philos.. »Philos. et invention textuelle« de Jean-Louis Galay (Paris 1977), in: RThPh 112, 1980, 163-169; — Maurice Clavel, »Critique« de K., 1980; — Ders., Da K. a. Nietzsche: Il senso religioso della filosofia contemporanea, 1982; — Pierre Colin, Le k.isme dans la crise moderniste, in: Le modernisme, Paris 1980, 9-81; — Pio Colonnello, Heidegger interprete di K. La tesi k.iana sull'essere, in: FO 3, 1980, 424-436; — Ders., Heidegger interprete di K.. Il problema della cosa, in: FO 4, 1981, 389-419; — Ders., K. nelle lezioni heideggeriane di Marburgo (1925-1928), in: Sapienza 39, 1986, 345-348; — Ders., Tempo e necessità. Ricerche su K., Husserl e Heidegger, 1987; — Louis Couturat, Les principes des mathématiques. Avec un appendice sur la philos. des mathématiques de K.. Repr. en facs. de l'éd. de Paris, F. Alan, 1905, Paris 1980; — Carl F. Cranor, K.'s respect-for-persons principle, in: ISP 12, n.2, 1980, 19-39; — Beatriz Cunali, O lugar do progresso na pedagogia k.iana e a Aufklärung, in: TexSEAF 1, n.1, 1980, 7-19; — Stephen L. Darwall, Is there a K.ian foundation for Rawlsian Justice? in: J. Rawls'theory of social justice. An introduction. Ed. by H. Gene Blocker and Elizabeth H. Smith, 1980, 311-345; — Ders., K.ian practical reason defended, in: Ethics 96, 1985/1986, 89-99; — Ders., Reply to Terzis (Darwalls K.ian argument), in: CJPh 18, 1988, 115-124; — Alain David, Autrement que le concept (K.), in: ExP n.1, 1980, 113-119; — Ders., K. avec Joyce, in: RSH n.185, 1982, 161-174; — F. De Smaele, Met K. op verkenning in het ethische denken, Leuven, Acco 1980; — J.M.ᵃ de Alejandro, La cogitativa y la imaginación trascendental. Dos teorias del conocimiento humano, in: MC 38, 1980, 1-83. 209-266; — Claude Debru, L'introduction du concept d'organisme dans la philos. k.ienne: 1790-1803, in: AdPh 43, 1980, 487-514; — S.M. Delue, Aristotle, K. and Rawls on moral motivation in a just society, in: APSR 74, n.2, 1980, 385-93; — Ders., K.'s politics as an expression of the need for his aesthetics, in: PolT 13, 1985, 409-429; — William P. DeVeaux, I.K., social justice, and Martin Luther King, Jr., in: JRTh 37, 1980-81, 5-15; — C. Di Mari - G. Di Mari, Criticismo k.iano e filosofia tomista, Roma 1980; — George di Giovanni, Paragraphs 20 and 26 of the transcendental deduction (second ed. of the critique), in: IS 10, 1980, 131-145; — Richard W. Eggerman, K. and rational imperatives of happiness, in: SWJPh 11, n.1, 1980, 43-50; — Crawfold L. Elder, K. and the unity of experience, in: KantSt 71, 1980, 299-307; — H.-J. Engfer, Die Urteilstheorie von H.S. Reimarus und die Stellung seiner »Vernunftlehre« zwischen Wolff und K., in: Logik im Zeitalter der Aufklärung. Studien zur »Vernunftlehre« von Hermann Samuel Reimarus. Hrsg. von Wolfgang Walter u. Ludwig Borinski (VJJGW 38), 1980, 33-58; — Ders., Handeln, Erkennen u. Selbstbewußtsein bei K. u. Fichte, Histor. Anmerkungen zur Handlungstheorie in systemat. Absicht, in: Philosophische Probleme der Handlungstheorie, 1982, 101-125; — J.L. Ewald, Über die K.ische Philos. mit Hinsicht auf die Bedürfnisse der Menschheit. Briefe an Emma. Author. facs. of the ed. Berlin 1790. Microf., Ann Arbor (Mich.), 1980; — T. Falikowski,

Piaget's epistemological psychology and its relationship to K.ian epistemology, in: GnoM 2, n.1, 1980, 13-24; — Jean Ferrari, Les sources francaises de la philos. de K., 1980; — Ders., L'œvre de K. en France dans les dernières années du XVIII° siècle, in: ÉPh n.4, 1981, 399-411; — Ders., K., Trad. Francisco López Castro, Madrid 1981²; — Ders., Rousseau, K. et la tyrranie, in: CPPJ 6, 1984, 175-89; — Ders., Les études k.iennes, in: Doctrines et concepts 1937-1987, Actes du Colloque pour le Cinquantenaire de l'Association des Sociétés de Philos. de Langue Française. Publié par Andre Robinet, Paris 1988, 139-152; — Kuno Fischer, Philosophische Schriften, II: Kritik der K.ischen Philos.. Author. facs. of the ed., Heidelberg, Winter, 1892², Microf., Ann Arbor (Mich.), 1980; — Ders., Die hundertj. Gedächtnisfeier d. K.ischen Kritik d.r. Vernunft. J.G. Fichtes Leben u. Lehre. Spinozas Leben u. Charakter, Faks.-ausg. der Aufl. Heidelb. 1892, London 1980; — Wolfgang Fischer, K. und die »Kritikfähigkeit« als pädag. Prinzip. Zur Kontroverse um die 4. These des Bonner Forums »Mut zur Erziehung«. Hrsg. von W. Fischer und R. Löwisch, 1980, 9-21; — Eugène Fleischmann, Le concept de science »speculative«. Son origine et son développement de K. à Hegel, in: Science et dialectique chez Hegel et Marx, 1980, 5-14; — James Wm. Forrester, »If, in thought, all composition be removed.. «, in: KantSt 71, 1980, 406-417; — Maurice Gagnon, La critique piagétienne de l'apriorisme attaque-t-elle le criticisme k.ien? in: Phlsph 7, 1980, 41-54; — Roberto Gamberucci, Il problema del male radicale nella filosofia k.iana, in: FO 3, 1980, 96-104; — Moltke S. Gram, Things in themselves. The historical lessons (K.), in: JHPh 18, 1980, 407-431; — Ders., The crisis of syntheticity. The K.-Eberhard controversy, in: KantSt 71, 1980, 155-180; — Ders., K.'s duplication problem, in: Dial 34, 1980, 17-59; — Ders., What K. really did to idealism, in: PTop 12, n.2, 1981, 127-156; — Ders. (Ed.), Interpreting K., with introduction by M.S.G., 1982; — Ders., The skeptical attack on substance. K.ian answers, in: MSPh 8, 1983, 359-371; — Ders., The transcendental turn. The foundation of K.s idealism, 1985; — Felix Groß (Hrsg.), I.K.. Sein Leben in Darst. von Zeitgenossen. Die Biogr. von L.E. Borowski, R.B. Jachmann u. A.Ch. Wasianski. Repr. Nachdr. d. von Felix Gross hrsg. Ausg. Berlin 1912, Darmstadt 1980; — Augusto Guerra, Introduzione a K., 1980; — Friedhelm Guttandin, Genese u. Kritik des Subjektbegriffs. Zur Selbstthematisierung d. Menschen als Subjekte, 1980; — Paul Guyer, K. on apperception and a priori synthesis, in: APQ 17, 1980, 205-212; — Ders., K.'s tactics in the transcendental deduction, in: PTop 12, n.2, 1981, 157-199; — Ders., K.'s distinction between the beautiful and the sublime, in: RM 35, 1981-1982, 753-783; — Ders., K.'s intention in the refutation of idealism, in: PR 92, 1983, 329-383; — Ders., Autonomy and integrity in K.'s aesthetics, in: Mon 66, 1983, 167-188; — Ders., K. and the claims of knowledge, 1987; — Ders., The failure of the B-Deduction, in: The B-Deduction. Spindel conference 1986. Ed. by Hoke Robinson, SouthJP 25, 1987, Suppl., 67-84; — Ders., On Kitcher on K. and the claims of knowledge, in: PPhQ 68, 1987, 317-331; — Alexander Haardt, Neuere K.literatur in der Sowjetunion, in: PhR 27, 1980, 129-147; — Ders., Die Stellung des Personalitätsprinzips in der »Grundlegung zur Metaphysik der Sitten« und in der »Kritik der prakt. Vernunft«, in: KantSt 73, 1982, 157-168; — Jean G. Harrell, K.'s a priori in Critique of judgement, in: JAAC 39, 1980-

1981, 198-200; — C. Edwin Harris, Comment on Richard Eggerman on »K. and happiness« (SWJPh 11, n.1, 1980, 43-50), in: SWJPh 11, n.1, 1980, 159; — Paul Hauck, I.K. und die Geographie. in: ZEU 32, 1980, 1-9; — José N. Heck, Liberdade e a Questão da objetividade. Considerações sobre o eixo científico entre K.-Popper, in: RBF 30, 1980, 180-200; — Willem Heubült, Gewissen bei K., in: KantSt 71, 1980, 445-454; — Ders., Die Gewissenslehre K.s in ihrer Endform von 1791: e. Anthroponomie, 1980; — D. Heyd, Beyond the call of duty in K.'s ethics, in: KantSt 71, 1980, 308-324; — John H. Hick, Towards a philosophy of religious pluralism, in: NZSTh 22, 1980, 131-149; — Brigitte Högemann, Die Idee der Freiheit u.d. Subjekt: E. Unters. von K.s »Grundlegung zur Metaphysik der Sitten« (MonPhF 196), Königstein 1980; — Dick Howard, K.'s political theory. The virtue of his vices, in: RM 34, 1980-1981, 325-350; — Ders., The politics of modernism. From Marx to K., in: PhSC 8, 1981, 359-386; — Ders., De Marx à K., Le républicque moderne, in: TMP 40, n. 448, 1983, 865-889; — Ders., From Marx to K.: the return of the political, in: ThEl n.8, 1984, 77-90; — Ders., From Marx to K., 1985; — Ders., K.'s system and (its) politics, in: MW 18, 1985, 79-98; — Ders., In the wake of K.. A conference report (April 24-26, 1986 Univ. of Minnesota), in: Tel n.67, 1986-1987, 218-220; — Herbert Huber, Die Gottesidee bei I.K., I-II, in: ThPh 55, 1980, 1-43, 230-249; — Ders., K.s Idealismus und dessen grundsätzliche Überwindung durch Hegel, in: ThPh 59, 1984, 39-65; — Richard Hughen, K.'s theory of time and biological clocks, in: PTop Suppl. 1980, 93-100; — Nicolas Athanase Kaloyeropoulos, La théorie de l'espace chez K. et chez Platon, Genève 1980; — Walter Arnold Kaufmann, Discovering the mind. Vol. I: Goethe, K., and Hegel, 1980; — James Kellenberger, The death of God and the death of persons, in: RSt 16, 1980, 263-282; — Alexander Varga von Kibéd, Die Philos. der Neuzeit: d. großen Denker Europas von Giordano Bruno bis K., München 1980; — Georg Kohler, Geschmacksurteil und ästhet. Erfahrung. Beitr. z. Auslegung von K.s »Kritik d. ästhet. Urteilskraft« (KantSt: Erg.-Hh. 111), 1980; — Alfred Philipp König, Denkformen in der Erkenntnis: d. Urteilstaf. I.K.s in d. Kritik der r. Vern. u. Karl Leonhard Reinholds Versuch einer neuen Theorie des menschl. Vorstellungsvermögens (MaphFo 22), 1980; — Ders., Reinholds Modifikation des K.ischen analyt. Urteils, in: KantSt 73, 1982, 63-69; — Johann-Heinrich Königshausen, Zu K.s Diss. von 1770, in: PerspP 6, 1980, 359-376; — Ders., Apriorität des Denkens bei K.. Vom Ursprung der Aporetik jedweder Kritik der Vernunft, in: PerspP 10, 1984, 271-297; — Albrecht Krause, K. und Helmholtz. Über d. Ursprung u.d. Bedeutung d. Raumanschauung u.d. geometr. Axiome. Author. facs. of the ed. Lahr 1878, Microf., Ann Arbor (Mich.), 1980; — Richard Kroner, K.'s Weltanschauung. Engl. transl. by John E. Smith. Author. facs. of the ed. Chicago, London, 1956. Microf., Ann Arbor (Mich.), 1980; — Ernst Laas, K.s Stellung in der Geschichte des Conflicts zwischen Glauben und Wissen: e. Studie. Reprint d. Ausg. Berlin 1882. Microf., Ann Arbor (Mich.) 1980; — Odette Laffoucrière, être autrement (K.), in: Heidegger et la question de Dieu, Paris 1980, 296-303; — Dietz Lange, Subjektivität u. Kritik, in: ZThK 77, 1980, 287-324; — Oscar G. Lapalma, K. y la filosofia de la historia, in: Sap 35, 1980, 111-148; — Edward G. Lawry, Did K. refute idealism? in: IS 10, 1980, 67-75; — Allan Lazaroff, The K.ian sublime.

Aesthetic judgment and religious feeling, in: KantSt 71, 1980, 202-220; — Pierre Leberge, Du Passage de la philos. morale populaire à la métaphysique des moers, in: KantSt 71, 1980, 418-444; — Lee Kwang-Sae, K. and Wittgenstein on empirical concepts, in: Sprache, Logik und Philos. (SWG 6) 1980, 269-271; — Ders., K. on empirical concepts, empirical laws and scientific theories, in: KantSt 72, 1981, 398-414; — Ders., Methodology and ontology of K.'s conception of scientific progress, in: Sprache und Ontologie, Akten des 6. Internat. Wittgenstein Symposiums 1981, Hrsg.: Werner Leinfellner u.a. (SWG 8), 1982, 358-360; — Ders., The role of the dynamical theory of matter in K.. A plus or a minus for the history and philosophy of science? in: Erkenntnis- und Wissenschaftstheorie (SWG 9), 1983, 97-100; — Ders., Two images of man. Confucian and K.ian, in: JCPh 13, 1986, 211-238; — Jean Lefranc, Le paradoxe k.ien de la véracité, in: REPh 31 n.4, 1980-1981, 24-41; — Gerhard Lehmann, K.s Tugenden. Neue Beitr. z. Geschichte u. Interpretation d. Philos. K.s, 1980; — Ders., K.s Bemerkungen im Handexemplar der Kritik d. prakt. Vernunft, in: KantSt 72, 1981, 132-139; — Ders., Zum Streit um die Akademieausgabe K.s. Eine Erwiderung, in: ZPhF 39, 1985, 420-6; — Werner Leinfellner, The development of transcendentalism. K., Schopenhauer and Wittgenstein, in: Wittgenstein, Ästhetik u. transzendentale Philos.. Akten eines Symp. in Bergen, 1980, 54-70; — Ders., Is Wittgenstein a transcendental philosopher? (Wittgenstein and K.), in: RPF 38, 1982, 13-27; — Timothy Lenoir, K., Blumenbach, and vital materialism in German biology, in: Isis 71, 1980, 77-108; — Jeffrey Liss, K.'s transcendental object and the two senses of the noumenon. A problem of imagination, in: MW 13, 1980, 133-153; — David A. Lloyd Thomas, K.ian and utilitarian democracy, in: CJPh 10, 1980, 395-413; — Lo Ping-cheung, A critical reevaluation of the alleged »empty formalism« of K.ian ethics, in: Ethics 91, 1980-81, 181-201; — Ders., Treating persons as ends. An essay on K.'s moral philosophy, 1987; — Reinhard Löw, Philos. des Lebendigen: d. Begriff d. Organ. bei K., sein Grund u. seine Aktualität, 1980; — J.J. MacIntosh, The impossibility of K.ian immortality, in: Dialogue 19, 1980, 219-234; — John L. Mackie, K. on personal identity, in: GPS 10, 1980, 73-86; — Rudolf A. Makkreel, Vico and some K.ian reflections on hist. judgment, in: MW 13, 1980, 99-120; — Ders., Imagination an temporality in K.'s theory of the sublime, in: JAAC 42, 1983-1984, 303-315; - Ernesto Schaffler, Nota acerata de lo impuro en la Critica de la razón pura, in: RevHId n.4, 1983, 11-14; — Ders., The feeling of life. Some K.ian sources of life-philosophy, in: Dilthey-Jb. 3, 1985, 83-104; — Ders., The overcoming of linear time in K., Dilthey and Heidegger, in: Dilthey and phenomenology, Ed. by R.A. Makkreel and John Scanlon, 1987, 141-158; — Ders., Orientierung und Tradition in der Hermeneutik, K. versus Gadamer, in: ZPhF 41, 1987, 408-420; — Michel Malherbe, K. ou Hume ou la raison et le sensible, Paris 1980; — José A. Marín Morales, K.-Fichte-Schelling-Hegel, sus afinidades y rechazos, in: Arbor 106, 1980, 369-378; — Conor Martin, Emotion in K.'s moral philosophy, in: PhSD 27, 1980, 16-28; — EstevMo de Rêzende Martins, O caminho para a autonomia. Baumgarten e a concepcMo da lieberdade pelo K. pre-crítico, RLF 6, 1980, 99-116; — Ders., O moralismo escoces do séc. XVIII e a concepcao de loberdade no K. pré-crítico, I-II, in: RPF 39, 1983, 294-311; 40, 1984, 225-247; — François

Marty, La naissance de la métaphysique chez K. Une étude sur la notion k.ienne d'analogie (BAPhNS 31), 1980; — Ders., Loi universelle et action dans le monde sensible. L'universel et le particulier dans la morale de K., in: RSR 70, 1982, 39-58; — Ders., Le surgissement de la question dusens chez K., selon Éric Weil, in: Actualité d'Éric Weil. Actes du Colloque international, Chantilly, 21-22 mai 1982, BAPhNS 43, 1984, 341-347; — Ders., Droit et liberté. La doctrine k.ienne du droit, in: Le droit. Par. J-F Catalan etc. Présentation de Jean Greisch (Inst. Cathol. de Paris, Philosophie 9), Paris 1984, 35-60; — Ders., Bulletin k.iene. Science, liberté dans l'histoire, in: AdPh 49, 1986, 275-307; — Ders., L'Opus postumum k.ien, une quatrième critique? Séance du 23. avril 1988. in: BSFPh 82, n.4, 1988; — Eduard von Mayer, Schopenhauers Ästhetik u. ihr Verhältnis zu den ästhetischen Lehren K.s u. Schellings. Unveränd. reprograph. Nachdr. d. 1. Aufl. Halle a.d. Saale 1897 (AbhPhG 9), 1980; — Arthur Melnick, K.'s theory of space as a form of intuition, in: NoEs 14, 1980, 79-80; — Ders., K. on intuition, in: MSPh 8, 1983, 339-358; — Oscar Meo, Il problema della malattia mentale nelle, Beobachtungen über das Gefühl des Schönen und Erhabenen di I.K., in: GM 2, 1980, 457-476; — Ders., La malattia mentale nel pensiero di K. (Studi sul pensiero filosofico e religioso dei secoli XIX e XX, 40), Genova 1982; — Eduard Meyer, Vom bekannten und unbekannten K. u. andere Beiträge z. K.forschung, 1980; — David S. Miall, K.'s Critique of judgement. A biased aesthetics, in: BJA 20, 1980, 135-145; — Giuseppe Micheli, K., storica della filosofia, 1980; — Ders., K. e la storia della filosofia, in: Studies on Voltaire and the Eighteenth Century (Norwich) n.191, 1980, 587-595; — Ders., K. e la matematica, in: Vetera novis augere, 1982, 341-383; — Ders., Filosofia e storiografia. La svolta k.iana, in: Il secondo Illuminismo, 1988, 879-957; — Larry W. Miller, Time and apprehension. Making sense of K., in: TSPh 29, 1980, 95-107; — Joseph Moreau, Le temps de la représentation ou K. héritier d'Aristote, in: ÉPh n.3, 1980, 273-284; — Ders., Intuition et appréhension, in: KantSt 71, 1980, 282-298; — Ders., La critique k.ienne et le renouveau de la métaphysique, in: L'héritage de K.. Mélanges philosophiques offerts au P. Marcel Régnier (BAPhNS 34), 1982, 43-46; — Ders., La problématique k.ienne (Vrin-reprise) (Recueil de Textes extraits de diverses revues et publications 1972-1982), Paris 1984; — Jean-Luc Nancy, »Notre probité« (Sur la vérité au sens moral chez Nietzsche), in: RThPh 112, 1980, 391-407; — Armando Di Nardo, K. e la fondazione della storia, 1747-1784. Lezioni di un corso di filosofia della storia tenuto alla Facoltà di lettere e filosofia nell'anno accademico 1979-1980, Chieti 1980; — Arnolf Niethammer, K.s Vorlesung über Pädagogik. Freiheit u. Notwendigkeit in Erziehung u. Entwicklung (EurHSchr, Reihe 11, Pädagogik 85), 1980; — T.I. Oizerman, I.K.'s doctrine of the »things in themselves« and noumena. Transl. by Philip Morgan, in: PPR 41, 1980-1981, 333-350; — M. Olivieri, Il criticismo k.iano è una »teologia negativa«?, in: AFLFUP 18, 1980-1981, 95-128; — Robert Orr, K. and Gallie on politics (W.B. Gallie, K.'s view of reason in politics, in: PhilosL 54, 1979, 19-33), in: PhilosL 55, 1980, 113-116; — Elena Panova, K.'s influence on the Tractatus logico-philosophicus, in: Sprache, Logik und Philos. (SWG 6) 1980, 272-274; — Frank Peddle, Thought and being. Hegel's criticism of K.'s system of cosmological ideas, Washington 1980; — M.E. Pellegrini,

La dialettica della dopia affezione nella deduzione trascendentale di K., in: AFLFUP 18, 1980/81, 71-93; — Guy Petitdemange, Les traversées de la fin. Spinoza. K. Derrida, in: RSR 68, 1980, 359-90; — Michal Pielak, The position of Hume in K.'s criticism of metaphysics, AUMCS 5, 1980, 137-49; — Terry Paul Pinkard, The foundations of transcendental idealism: K., Hegel, Husserl. (Diss. N.Y. 1975), Microf., Ann Arbor (Mich.) 1980; — Philipp Pirler, Friedrich von Gentzens Auseinandersetzung mit I.K., 1980; — Jan Plat, Fysische teleologie bij I.K., in: WPMW 21, 1980-1981, 17-24; — Ders., Beschouwingen over de ethiek von I.K.. Verz. en ingel. door C.E.M. Struyker Boudier, 1983; — Jürgen-Eckardt Pleines, Die logische Funktion des Takts im Anschluss and das K.ische System der Philos. betrachtet, in: KantSt 71, 1980, 469-487; — Ders., Eudaimonia zwischen K. und Aristoteles. Glückseligkeit als höchstes Gut. menschl. Handelns, 1984; — Ders. (Hrsg.), K. und die Pädagogik. Pädagogik u. prakt. Philos., 1985; — Bernhard Poppe, Alexander Gottlieb Baumgarten. Seine Bedeutung u. Stellung in d. Leibnitz-Wolffischen Philos. u. seine Bedeutung zu K., nebst Veröff. e. bisher unbekannten Handschr. d. Ästhetik Baumgartens. Author. facs. of the ed. Borna-Leipzig, Noske, 1907. Microf., Ann Arbor (Mich.), 1980; — Faustino Antonio Prezioso, Analisi del trattato k.iano, I progressi della metafisica, in: Sapienza 33, 1980, 129-154; — Kosmas Psychopedis, Untersuchungen zur politischen Theorie von I.K. (GWSS 19), 1980; — Ders., Geschichte und Methode. Begründungstypen u. Interpretationskriterien d. Gesellschaftstheorie: K., Hegel, Marx u. Weber, (CampF 401), 1984; — A. Reed, The debt of disinterest. K.'s critique of music, in: MLN, 95 n.3, 1980, 563-584; — D.A. Rohatyn, What are K.'s »presuppositions«? in: JBSP 11, 1980, 83-89; — Alberto Rosales, El problema de la unidad de la subjetividad en la »Crítica de la razón pura « de K., in: RVF n.13, 1980, 81-93; — Ders., El sistima K.iano de las categorías, in: RVF 17, 1983, 85-126; — Stuart E. Rosenbaum, Reason an desire in motivation (Hume and K.), in: PTop, Supl., 1980, 87-92; — Winfried Rösler, Argumentation u. moral. Handeln. Zur K.rekonstruktion in d. konstruktiven Ethik (EurHSchr: Reihe 20, Philos. 59), 1980; — Alain Ruiz, A l'aube du k.isme en France. Sieyès. Karl Friedrich Reinhard et le traité Vers la paix perpétuelle (Hiver 1795-1796), in: CahEG 4, 1980, 147-193; II, in: CahEG 5, 1981, 119-153; — Josè Roche Ruiz, Filósofos: Aristóteles, Descartes, Hume, K., Hegel, Marx, Nietzsche, 1980; — Kumetaro Sasao, Prolegomena zur Bestimmung des Gottesbegriffes bei K.. Unveränd. reprograph. Nachdr. d. 1. Aufl. Halle a.d. Saale 1900 (AbhPhG 13), 1980; — Denis Sauvé, K. et le »problème de Hume«, Dialogue 19, 1980, 590-611; — Ders., K., le matérialisme et la psychologie rationnelle, in: Phlsph 14, 1987, 227-261; — Ders., Le paralogisme de la simplicité (K.), in: Dialogue 27, 1988, 59-88; — Otto Schlapp, K.s Lehre vom Genie u. d. Entstehung der »Kritik d. Urteilskraft«. Author. facs. of the ed. Göttingen 1901, Microf., Ann Arbor (Mich.), 1980; — Carl Christian Erh. Schmid, Wörterbuch zu leichtern Gebrauch der K.ischen Schriften. Neu hrsg., eingeleitet u. mit e. Personenreg. vers. von Norbert Hinske, Darmstadt 1980; — Jean-Pierre Schobinger, A propos du passage sur K. dans l'aphorisme 335 de Die fröhliche Wissenschaft. Élément de discussion de »Notre probité!« de Jean-Luc Nancy. Traduit par Gilbert Boss, in: RThPh 112, 1980, 409-411; — Gangolf Schrimpf, Die Leistungsfähigkeit des

kategor. Imperativs als obersten Prinzips d. Ethik, in: PhJ 87, 1980, 281-293; — H. Schwarz, Darwinism. between K. and Haeckel, in: JAAR 48, n.4, 1980, 581-602; — Oswald Schwemmer, Philos. der Praxis. Versuch zur Grundlegung e. Lehre vom moral. Argumentieren in Verbindung mit e. Interpretation d. prakt. Philos. K.s. Mit e. Nachw. zur Neuausg., Frankf. a.M. 1980; — Ders., Die praktische Ohnmacht der reinen Vernunft. Bemerkungen zum kategorischen Imperativ K.s, in: NHPh 22, 1983, 1-4; — Peter Caspar Seel, Erkenntniskritik als Ökonomiekritik. Versuch zu e. materialist. Erkenntnistheorie als Auseinandersetzung mit K. u. Marx, 1980; — Götz von Selle, I.K., in: Wir Ostpreussen, Hrsg. Günther Ipsen, Frankf. 1980, 145-149; — William Lad Sessions, K. and religious belief, in: KantSt 71, 1980, 455-468; — Susan Meld Shell, The rights of reason. A study of K.'s philosophy and politics, 1980; — Gideon Spicker, K., Hume und Berkeley: e. Kritik d. Erkenntnistheorie, Faks. d. Ausg. Berlin 1875, London 1980; — August Stadler, K.s Teleologie u. ihre erkenntnistheor. Bedeutung. E. Unters. Author. facs. of the ed. Berlin 1874. Microf., Ann Arbor (Mich.) 1980; — Werner Stegmaier, K.s Theorie der Naturwissenschaft, in: PhJ 87, 1980, 363-377; — Ders., Thomas Sören Hoffmann, Metaphysik nach K? Zum Hegel-Kongress 1987 der Intern. Hegel-Vereinig., in: AZPh 13, n.1, 1988, 45-55; — Leslie Stevenson, Wittgensteins transzendentale Deduktion u. K.s Privatsprachenargument, in: Sprache, Logik und Philos. (SWG 6), 1980, 268; — Ders., Wittgenstein's transcendental deduction and K.'s private language argument, in: KantSt 73, 1982, 321-337; — W. Stoker, De christelijke godsdienst in de filosofie van de Verlichting. Een vergelijkende studie over de geloofsverantwoording in her denken von Locke, de deisten, Lessing en K., 1980; — Ders., K.s visie op de betekenis von de godsgedachte voor kennis en wetenschap, in: NedThT 35, 1981, 210-224; — Ingeborg Strohmeyer, Transzendentalphilosoph. u. physikal. Raum-Zeit-Lehre: e. Unters. zu K.s Begründung d. Erfahrungswissens mit Berücks. d. speziellen Relativitätstheorie, 1980; — Robert Theis, Le Même et l'Autre. Apories de la subjectivité chez K. et Hegel, in: FO 3, 1980, 194-08; — Ders., Science et Métaphysique. Une relecture de K. (continua), in: FO 5, 1982, 343-352, II, in: FO 6, 1983, 331-356; — Ders., Le silence de K.. Étude sur l'évolution de la pensée k.ienne entre 1770 et 1781, in: RMM 87, 1982, 209-239; — Ders., L'argument k.ien dans la déduction transcendantale, in: RPhL 81, 1983, 204-223; — Ders., De l'illusion transcendantale, in: KantSt 76, 1985, 119-137; — Ders., Le sens de la Métaphysique dans la Critique de la Raison Pure, in: RPhL 83, 1985, 175-96; — Ders., Le fondement du discours scientific. Des analogies de l'expérience dans la Critique de la raison pure, in: RMM 91, 1986, 203-235; — Roberto Torretti, Manuel K.. Estudio sobre los fundamentos de la filosofia crítica, Buenos Aires 1980[2]; — Ders., La determinación omnimoda de las cosas y el fenomenismo de K., in: RLF 13, 1987, 131-140; — Adolf Trendelenburg, Kuno Fischer und sein K., Author. facs. of the ed. Leipzig, Hirzel 1869. Anti-Trendelenburg: e. Gegenschr. von Kuno Fischer. Author. facs. of the ed. Jena, Dabis, 1870. Microf., Ann Arbor (Mich.), 1980; — Georges Van Riet, Liberté et espérance chez K., in: RPhL 78, 1980, 185-3; — J. Vélez Sáenz, Lo a priori en la concepción k.tiana del derecho, in: IVB n. 59-60, 1980, 61-75; — Richard L. Velkley, Gadamer and K.. The critique of modern aesthetic consciousness in Truth and method, in: Int 9, 1980-1981, 353-364; — Ders., K. on the primacy and the limits of logic, in: GFPJ 11, n.2, 1986, 147-162; — Miklos Vetö, Synthèse a priori théorique et syntheèse a priori pratique, in: REPh 31 n.4, 1980-1981, 42-44; — Ders., La science du particulier. De K. à Schelling, in: ÉPh n.2, 1981, 163-188; — Ders., Les pièges du réductionisme, in: REPh 33, n.2, 1982-1983, 74-80; — José Luis Villacañas Berlanga, Las tesis de K. sobre la noción de existencia, in: Teorema 10, 1980, 55-84; — Ders., La formación de la Crítica de la razón pura. Prologo de Fernando Montero Moliner, 1980; — Ders., La filosofía teóretica de K.. Realismo empírico e idealismo trascendental en el criticismo, los niveles de su uso y su justificación (Filosofía 3), 1985; — Ders., Criticismo e idealismo: Continuidad o ruptura? (K. y Fichte), in: AnFil 4, 1986, 113-134; — Ders., Racionalidad crítica. Introducción a la filosofía de K., 1987; — C.W. Webb, Some logical difficulties in K.'s transcendental idealism, in: IS 10, 1980, 242-255; — Eric Weil, Problemi k.iani. Presentazione di Pasquale Salvucci. Traduzione e bibliografia a cura di Pasquale Venditti, 1980; — Gershon Weiler, K.'s question »what is man?«, in: PhSS 10, 1980, 1-3; — Ronald Harri Wettstein, Eine Gegenstandstheorie der Wahrheit. Argumentativ-rekonstruierender Aktualisierungs- u. Erweiterungsversuch von K.s krit. Theorie (MonPhF 189), 1980, Krit. Gegenstandstheorie d. Wahrheit. Argumentative Rekonstruktion von K.s krit. Theorie (Epistemata: Reihe Philos. 17), 1983[2]; — Ders., K. et le paradigme newtonien, RIPh 34, 1980, 575-98; — Ders., K.s Prinzip der Urteilskraft (MonPhF 202), 1981; — Donald Wiebe, The ambiguous revolution: K. on the nature of faith, in: SJTh 33, 1980, 515-532; — Terence Wilkerson, K. on self-consciousness, in: PhQ 30, 1980, 47-60; — E. Wüst, Wittgenstein, K. u.d. synthet. Charakter mathematischer Sätze, in: Sprache, Logik und Philos. (SWG 6), 1980, 198-200; — Ders., Wittgenstein, K. und Probleme der Ethik, in: Grundlagen, Probleme u. Anwendungen (SWG 7) 1981, 426-428; — Yirmiahu Yovel, K. and the philosophy of history, 1980; — Ders., K. et l'histoire de la philos., in: AdPh 44, 1981, 19-41; — Mary-Barbara Zeldin, Freedom and the critical undertaking. Essays on K.'s later critiques, Microf., Ann Arbor (Mich.), 1980; — Dies., Formal purposiveness and the continuity of K.s argument in the Critique of judgement, in: KantSt 74, 1983, 45-55; — Siebe Carel Adriaan, Drieman, Schiller en de crisis in de hedendaagse cultuur. De relatie van Schillers esthetisch idealisme tot K. en Freud in het licht van de hedendaagse cultuur-problematiek, 1981; — Akten d. 5. Internat. K.-Kongresses. Mainz, 4.-8. April 1981. T. I,1: Sektionen I-VII. T. I,2: Sektionen VIII-XIV. Teil II: Vorträge. Bonn 1981, 1982; — Edwin Alexander, Hermeneutical violence. Heidegger's K.-Interpretation, in: PhT 25, 1981, 286-306; — Henry E. Allison, Transcendental schematism and the problem of the synthetic a priori, in: Dial 35, 1981, 57-83; — Ders., Practical and transcendental freedom in the Critique of pure reason, in: KantSt 73, 1982, 271-290; — Ders., Incongruence and ideality. Reflexions on Jill Buroker's Space and incongruence. The origin of K.'s idealism. in: Topoi 3, 1984, 169-175; — Ders., K.'s transcendental idealism. An interpretation and defense, New Haven (Conn.), 1984; — Ders., Morality and freedom. K.'s reciprocity thesis, in: PR 95, 1986, 393-425; — Ders., K.'s transcendental idealism. An interpretation and defense. New Haven (Conn.) 1986; — Ders., The concept of freedom in K.'s

»semi-critical« ethics, in: AGPh 68, 1986, 96-115; — Ders., Reflections on the B-Deduction, in: The B-Deduction. Spindel conference 1986. Ed. by Hoke Robinson, SouthJP 25, 1987, Suppl., 1-15; — Karl Alphéus, K. und Scheler. Hrsg. von Barbara Wolandt (AAPh 2), 1981; — Thomas J.J. Altizer, The apocalyptic identity of the modern imagination, in: JAAR Thematic St 48, 1981, 19-29; — Alexander Altmann, Prinzipien politischer Theorie bei Mendelssohn und K., 1981; — Ders., Eine bisher unbekannte frühe Kritik Eberhardts an K.s Raum- u. Zeitlehre, in: KantSt 79, 1988, 329-341; — Gabriel Amengual, En el segundo centenario de la »Crítica de la razón pura« (1781-1981). Razón y libertad, in: Arbor 109, 1981, 27-39; — Ders., De la moral k.iana al concepto de espíritu. Hegel en su período de Frankf., in: EsFil 31, 1982, 7-43; — Karl Ameriks, K.'s deduction of freedom and morality, in: JHPh 19, 1981, 53-79; — Ders., How to save K.'s deduction of taste, in: JVI 16, 1982, 295-302; — Ders., K.'s theory of mind. An analysis of the paralogisms of pure reason, 1982; — Ders., Recent work on K.'s theoretical philosophy, in: APQ 19, 1982, 1-4; — Ders., K. and the objectivity of taste, in: BJA 23, 1983, 3-17; — Ders., K. and Guyer on apperception, in: AGPh 65, 1983, 176-186; — Ders., Hegel's critque of K.'s theoretical philosophy, in: PPR 46, 1985-1986, 1-35; — Ders., Remarks on Robinson and the representation of a whole, in: The B-Deduction. Spindel conference 1986. Ed. by Hoke Robinson, SouthJP 25, 1987, Suppl., 63-66; — Ulrich Anacker, Hoffnung - K.s Versuch, die Idee der Gerechtigkeit zu denken, in: PhJ 88, 1981, 257-263; — Richard E. Aquila, Intentional objects and K.ian appearances, in: PTop 12, n.2, 1981, 9-37; — Ders., Representational mind. A study of K.'s theory of knowledge, Studies in phenomenology and existencial philosophy, Bloomington (Ind.) 1983; — Ders., Necessity and irreversibility in the second analogy [K.], in: HPhQ 2, 1985, 203-215; — Ders., Comments on Manfred Baum's »The B-Deduction and the refutation of idealism«, in: The B-Deduction. Spindel conference 1986. Ed. by Hoke Robinson, SouthJP 25, 1987, Suppl., 109-114; — José Maria Artola, Limitación y trascendencia del conocimiento en la filosofia de K., in: EsFil 30, 1981, 123-147; — Sidney Axinn, Rousseau versus K. on the concept o man, in: PhF 12, 1981-81, 348-55; — Ders., Ambivalence. K.'s view of human nature, in: KantSt 72, 1981, 169-174; — K. Bagchi, K. and the idea of epistemology, in: IndPQ 9, 1981/82, 377-89; — S.S. Bakirdjian de Hahn, K. y Levonas. La imposibilidad teórica de la metafisica, in: Strom 37, 1981, 165-171; — Massimo Barale, K. heute in Italien, in: KantSt 72, 1981, 96-109; — Ders., Éric Weil interprète de K. et de Hegel, in: Actualité d'Éric Weil. Actes du Colloque international, Chantilly, 21-22 mai 1982, BAPhNS 43, 1984, 349-360; — Wolfgang Georg Bayerer, Bemerkungen zu einem neuerdings näher bekannt gewordenen losen Blatt aus K.s Opus Postumum, in: KantSt 72, 1981, 127-131; — Ders., Hinweis auf eine Lücke im text der Akademie-Ausgabe von K.s Bemerkungen zur Bouterwek-Rezension, KantSt 77, 1986, 338-346; — Ders., Das Königsberger Schlussblatt des Entwurfs »zum ewigen Frieden«. E. verschollenes Reinschriftfragment K.s, aus einem Faksimile mitgeteilt u. im Zusammenhange mit der Friedensschrift u. den bekannten Reinschriftfragmenten erläutert, in: KantSt 79, 1988, 293-317; — Dieter Bergner, I.K.s »Kritik d.r. Vernunft«. Zum 200. Jahrestag des Erscheinens des K.schen Hauptwerkes, in: DZPh 29, 1981, 1468-

1478; — Charles P. Bigger, K.'s constructivism, in: SouthJP 19, 1981, 279-291; — Remo Bodei, »Tenerezza per le cose del mondo«. Sublime, sproporzione e contraddizione in K e in Hegel, in: Hegel interprete di K.. A cura di Valerio Verra, 1981, 179-218; — Gernot Böhme, Towards a reconstruction of K.'s epistemology and theory of science, in: K.'s Critique of pure reason. A bicentennial symposium, in: PhF 13, 1981-1982, 75-102; — Ders., K.s Theorie der Gegenstandskonstitutionen, in: KantSt 73, 1982, 130-156; — María Rosa Borrás, K., Barcelona 1981; — Daniel Breazeale, Between K. and Fichte. Karl Leonhard Reinhold's »Elementary philosophy«, in: RM 35, 1981-1982, 785-821; — Alexander Broadie - Elizabeth M. Pybus, K. and direct duties, in: Dialogue 20, 1981, 60-67; — Ders., K. and weakness of will, in: KantSt 73, 1982, 406-412; — Simon Brysz, Das Ding an sich und die empirische Anschauung in K.s Philos.. Unveränd. reprograph. Nachdr. d. 1. Aufl. Halle an d. Saale 1913 (AbhPhG 41), Hildesheim 1981; — Rüdiger Bubner, L'autoréférence comme structure des arguments transcendantaux. Traduit par Jo-lle Masson et Olivier Masson, in: ÉPh n.4, 1981, 385-397; — Ders., Moralité et »Sittlichkeit« - sur l'origine d'une opposition, in: K.. La critique de la raison pratique. Présentation de Manfred Frank, RIPh 42, 1988, 341-360; — Gerd Buchdahl, Reduction-realization. A key to the structure of K.'s thougth, in: PTop 12, n.2, 1981, 39-98; — Ders., Zum Verhältnis von allgemeiner Metaphysik der Natur und besonderer metaphysischer Naturwissenschaft bei K., in: Probleme der »Kritik der reinen Vernunft«. Klaus Reich zum 75. Geb. am 1. Dez. 1981. K.-Tagung, Marburg 1981. Hrsg. von Burkhard Tuschling, Berlin 1984, 97-142; — Ders., Metaphysical and internal realism. The relations between ontology and methodology in K.'s philosophy of science, in: Logic methodology and philosophy of science. Ed. by Ruth Barcan Marcus, 1986, 623-641; — Peter Burg, die Verwirklichung von Grund- und Freiheitsrechten in den Preussischen Reformen und K.s Rechtslehre, in: Grund und Freiheitsrechte im Wandel von Gesellschaft und Geschichte. Beiträge zur Geschichte der Grund- und Freiheitsrechte vom Ausgang des Mittelalters bis zur Revolution 1948, Göttingen 1981, 287-309; — Armin Burkhardt, K. und das Verhältnis der relat. Ethik zur absoluten. Zur Begründung einer ökolog. Ethik, in: Grundlagen, Probleme u. Anwendungen (SWG 7) 1981, 321-324; — Jill Vance Buroker, Space and incongruence. The origin of K.'s idealism, 1981; — Ders., Incongruence and the unity of transcendental idealism. Reply to Allison, in: Topoi 3, 1984, 177-180; — A. Canilli, Per una filosofia del linguaggio. Conversazione con W. Hogrebe (W. Hogrebe, K. u.d. Problem einer transzendentalen Semantik, Freib./Br. 1974), in: SILTA 10, n.1-3, 1981, 307-325; — V. Cappelletti, L'antropologia di K., in: CuS 22 n.78, 1981, 118-123; — Gianni Carchia, Le rovine della rappresentazione. Lettura della Critica del Giudizio, in: RivE 21, n.8, 1981, 57-84; — L. Cataldi Madonna, Osservazioni sul concetto di tempo in Crusius, Lambert e il K. precritico, in: Cann n.1-3, 1981, 51-79; — Mario A. Cattaneo, Dignità umana e pena nella filosofia di K., 1981; — Ders., Metafisica del diritto e ragione pura. Studio sul »platonismo giuridico« di K., 1984; — Giuliana Cavallo, Il Congresso k.iano di Mainz (4-8 aprile 1981), in: F 32, 1981, 403-406; — Ders., K., Hegel e il sorgere dell'idealismo, in: F 33, 1982, 73-83; — Claudio Cesa, Tra Moralität e Sittlichkeit. Sul confronto di Hegel con la filosofia pratica di K., in: Hegel interprete di K.. A cura di Valerio Verra, 1981, 147-178; — Ders., Le origini dell'idealismo tra K. e Hegel (Filosofia 24), 1981; — Ders., Morale e religione tra K. e Fichte, in: TeoriaP 2, n.1, 1982, 3-20; — Ders., Schleiermacher critico dell'etica di K. e di Fichte. Spunti dalle »Grundlinien«, in: AF 52, 1984, 19-34; — Ders., K. e il federalismo, in: RME n.16, 1985, 43-45; — Eladio Chávarri, incursiones de la Lógica en la Crítica, in: EsFil 30, 1981, 33-62; — Ders., Formas de vida, razón práctica y razón tecnologica, in: En el II centenario de la Crítica de la razón práctica, EsFil 37, 1988, 133-163; — Cheng Hsueh-Li, N]g]rjuna, K. and Wittgenstein. The Sanlun M]dhyamika exposition of emptiness, in: RSt 17, 1981, 67-85; — J. Alberto Coffa, Russell and K., in: Synth. 46, 1981, 247-263; — Ders., K., Bolzano, and the emergence of logicism (Symposium: The logical tradition), in: JP 79, 1982, 679-689; — Lucio Colletti, Tre punti di vista su K., NAR 545, n.2138, 1981, 56-65; — Ders., Alcuni aspetti della teoria della conoscenza in K., in: NCM 1, n.1, 1983, 48-55; — K. oggi nel bicentenario della »Critica della ragion pura«. Atti del convegno di Saint Vincent, 25-27 marzo 1981, Saint Vincent 1981; — Adela Cortina Orts, El lugar de Dios en el sistema trascendental k.iano, in: Pen 37, 1981, 401-416; — Dies., Dios en la filosofia transcendental de K., Salamanca 1981; — Dies., Die Auflösung des religiösen Gottesbegriffs im Opus postumum K.s, in: KantSt 75, 1984, 280-293; — Ders., La reconstrucción de la razón práctica. Más allá del procedimentalismo y el sustancialismo, in: En el II centenario de la Crítica de la razón práctica, EsFil 37, 1988, 165-193; — Javier de Lorenzo, Matemática y Crítica, in: EsFil 30, 1981, 63-95; — A. Drengson, Community (K.), in: JSPh 12, n.2, 1981, 1-5; — Alan R. Drengson, Compassion and transcendence of duty and inclination, in: PhT 25, 1981, 34-45; — D.P. Dryer, The transcendental deduction rescrutinized, in: K.'s Critique of pure reason. A bicentennial symposium, in: PhF 13, 1981-1982, 15-6 (Robert Paul Wolff, Comment, 27-31); — M.B. Dy, On sources of moral obligation: K.ian, Schelerian, and Confucian, in: PSM 16, n.47, 1981, 262-273; — Uta Eichler - Peter Wermes, K.s »Kritik d.r.Vernunft« im philosoph. Meinungsstreit d. Gegenw., in: DZPh 29, 1981, 1498-1503; — Ferdinand Fellmann, La teleologia storica in Vico e in K., Boll C. St. Vichiani 11, 1981, 96-111; — John N. Findlay, K. and the transcendental object. A hermeneutic study, 1981; — Ders., The central role of the thing-in-itself in K., in: K.'s Critique of pure reason. A bicentennial symposium, in: PhF 13, 1981-1982, 51-67 (John Lavely, Comment, 66-74); — K. and the Transcendental Object, 1981; — Monika Firla, Untersuchungen zum Verh. von Anthropol. und Moralphilos. bei K. (EurHSchr: Reihe 20. Philos. 80), 1981; — Enrico M. Forni, I.K., Circa l'uso dei princìpi teologici in filosofia, in: AIDFUB 3, 1981/82, 5-32; — G.N. Forst, Into silent seas. Ideas and imagees of intellect in K. and the English Romantics, in: Mosaic 14, n.4, 1981, 31-44; — R. Franchini, Conoscere e pensare nella Critica della ragion pura, in: ReMe 21, n.6, 1981, 499-515; — R.Z. Friedman, Virtue and happiness. K. and tree critics, in: CJPh 11, 1981, 95-110; — Ders., K. and Kierkegaard. the limits of reason and the cunning of faith, in: IJPR 19, 1986, 3-22; — Octavi Fullat, Le mental, représentation du somatique? in: Enr n.1, 1981, 49-59; — Paolo Gambazzi, Sensibilità, immaginazione e bellezza. Introduzione alla dimensione estetica nelle tre critiche di K., 1981; — Newton Garver, Schemata and criteria, in: Grundlagen,

Probleme u. Anwendungen (SWG 7) 1981, 410-413; — Manfred Geier, Lingustisches Apriori und angeborene Ideen. Kommentar zu den K.ischen Grundlagen einer generativ-transformationellen Sprachtheorie, in: KantSt 72, 1981, 68-87; — A.C. Genova, K.'s notion of transcendental presupposition in the first Critique, in: PTop 12, n.2, 1981, 99-126; — M. Gentile, Nel secondo centenario della Critica della ragion pura, in: AIVS 140, 1981/82, 105-113; — Rolf George, K.'s sensationism, in: Syn 47, 1981, 229-255; — Jürgen Gidion, Philos. in der Schule - K. als Begleiter, in: ZDPh 3, 1981, 137-142; — M. Glouberman, Berkeley and K.: archetypes vs. ectypes, RCSF 36, 1981, 139-55; — Ders., Reason and substance. The K.ian metaphysics of conceptual positivism, in: KantSt 73, 1982, 1-16; — Franz Gniffke, Über Geschmack kann man streiten. Ästhet. Urteil und Genie bie K., in: Die Kunst gibt zu denken, SAKD 7, 1981, 32-53; — Ders., Die Gegenwärtigkeit des Mythos in K.s Mutmassungen über den Anfang der Menschheitsgeschichte, in: ZPhF 38, 1984, 593-608; — Angel Luis González, La noción de posibilidad en el K. precrítico I, in: AnuF 14 n.2, 1981, 87-115; — Simone Goyard-Fabre, K. et l'idée pure du droit, in: AdPh Droit 26, 1981, 133-54; — T. Greenwood, A non sequitur of numbing grossness, in: KantSt 72, 1981, 11-30; — Giovanni Guanti, Romanticismo e musica. L'estetica musicale da K. a Nietzsche, 1981; — Louis Guillermit, La possibilité de l'apparence, in: ÉPh n.4, 1981, 429-443; — Ders., »Critique de la faculté de juger esthétique« de K. Commentaire. Avant-propos de Jean-Yves Château, 1981; — Ders., Une question difficile. L'erreur, in: RIPh 35, 1981, 222-235; — Ders., L'élucidation critique du jugement de goEt selon K.. Suivie d'une trad. nouvelle de la première partie de la Critique du jugement. Texte établi et présenté par Elisabeth Schwartz et Jules Vuillemin, Paris 1986; — Ders. (Hrsg.), Pour les deux cents ans de la »Critique«. Séance du 25 avril 1981. Les trois espèces de l'apparence. Francis Courtès, Mort et survie de la réflexion. Discussion: MM. Jean-Loup Delamarre, Emmanuel Doucy, Jacques Havet, Mlle Odette Laffoucrière, MM. Jacques Merleau-Ponty, Edgar Wolff, BSFPh 75, n.4, 1981; — Arsenij Vladimirovich Gulyga, I.K.. Mit e. Vorw. von Arsenij Gulyga. Aus d. Russ. übertr. u. mit e. Nachw. vers. von Sigrun Bielfeldt, Frankf. a.M., 1981, 1985²; — Ders., I.K., His life and thought. Transl. by Marijan Despalatovic, Cambridge (Mass.) 1987; — B. Hannemann, Vernunft u. Irrfahrt. Zu Thomas Bernhards Komödie »I.K.«, MKW 27, n.4, 1981, 346-359; — William Harper, K.'s empirical realism and the second analogy of experience, in: Syn 47, 1981, 465-480; — Ders., K. on space, empirical realism and the foundations of geometry, in: Topoi 3, 1984, 143-61; — Toshimitsu Hasumi, Étude comparative de la théorie de la connaissance chez saint Thomas d'Aquin, K., et de la pensée philosophique du Zen, in: Sprache und Erkenntnis im MA II. Akten des VI. Intern. Kongresses f. ma.liche Philos. der Société int. pour l'étude de la philos. médiévale 1977 in Bonn, Halbb. I-II (Miscellanea mediev. 13, 1-2), Berlin 1981, 1094-982 — Ingeborg Heidemann u. W. Ritzel (Hrsg.), Beiträge zur Kritik der reinen Vernunft: 1782-1981. D. Hrsg. d. Opus postumum u. d. weiteren seit 1936 erschienenen Bände d. Akad.-Ausg. von K.s Gesammelten Schriften Gerhard Lehmann zum 80. Geb., Berlin 1981; — Nathaniel S. Heiner, The a priori in the synthetic a priori, in: Manuscr 5, n.1, 1981-1982, 91-102; — Peter Heintel u. Ludwig Nagl (Hrsg.), Zur K.forschung der

Gegenwart (WdF 281), 1981; — George S. Hendry, K. anniversary (Kritique of pure reason; K. Rahner's transcendental method), in: ThToday 38, 1981, 365-368; — Horst Hermann, Gedanken ohne Inhalt sind leer, Anschauungen ohne Begriffe sind blind. Die »Kritik der reinen Vernunft« im Unterricht, in: ZDPh 3, 1981, 88-94; — Daniel Herrera-R., Para leer a K., in: Franciscanum 23, 1981, 245-250; — Jaakko Hintikka, Russell, K., and Coffa (J.A. Coffa, Russell and K., in: Synth. 46, 1981, 247-263), in: Synth. 46, 1981, 265-270; — Ders., K.'s theory of mathematics revisited, in: PTop 12, n.2, 1981, 201-215; — Ders., K. on existence, predication, and the ontological argument, in: Dial 35, 1981, 127-146, und in: The logic of being. Historical studies. Ed. by Simo Knuuttila and Jaakko Hintikka, Dordrecht 1986, 249-267; — Ders., K.'s transcendental method and his theory of mathematics, in: Topoi 3, 1984, 99-108; — Ders. - Heikki Kannisto, K. on »the great chain of being« or the eventual realization of all possibilities. A comparative study, in: Reforging the great chain of being, ed. by Simo Knuuttila, 1981, 287-308; — Otfried Höffe (Hrsg.), Klassiker der Philos. II: Von I.K. bis Jean-Paul Sartre, München 1981, 1985²; — Ders., Transzendentale oder vernunftkritische Ethik (K.)? Zur Methodenkomplexität e. sachger. Moralphilos., in: Dial 35, 1981, 195-221; — Ders., El imperativo categórico de K. como criterio de lo moral. Trad.: Gustavo D. Corbi, Ethos n. 10-11, 1982-1983, 183-213; — Ders., I.K., Beck'sche schwarze Reihe 506: Grosse Denker, München 1983; — Ders., Introduction à la philos. pratique de K.. La morale, le droit et la religion. Trad. de François Rüegg et Stéphane Gillioz, 1985; — Ders., La justice politique comme égalité dans la liberté. Une perspective k.ienne, in: CPPJ n.8, 1985, 165-180; — Ders., I.K. (Trad. esp.), 1986; — Ders., I.K.. Intr. di Valerio Verra. Trad. di Sonia Carboncini, 1986; — Heimo Hofmeister, Das Gewissen als Ort sittlicher Urteilsfindung, in: ZEEth 25, 1981, 30-44; — Friedbert Holz, K. et l'Académie de Berlin (EurHSchr, Reihe 20. Philos. 48), 1981; — Harald Holz, Vermittelte Unmittelbarkeit. Die Einheit von Prinzip und Anwendung in K.s praktischer Philos., in: KantSt 72, 1981, 149-168; — Ders., I.K. und Joh. Duns Scotus. E. Beitrag zu einer systemat. Hermeneutik, in: KantSt 79, 1988, 257-285; — Ders., Souveränitätsbegriff und Widerstandsrecht in der Barockscholastik u. b. K.. Eine moralische Grenzsituation u. ihre rechtstheoretischen Folgen, in: SJPh 33, 1988, 83-99; — Max Horkheimer, K.: la Critica del giudizio. A cura e con una introduzione di Nestore Pirillo, 1981; — Rolf P. Horstmann, The metaphysical deduction on K.'s Critique of pure reason, in: K.'s Critique of pure reason. A bicentennial symposium, in: PhF 13, 1981-198;, 32-47 (Stephan Körner, Comment, 48-50); — Ders., Die metaphysische Deduktion in K.s Kritik der reinen Vernunft, in: Probleme der »Kritik der reinen Vernunft«. Klaus Reich zum 75. Geb. am 1. Dez. 1981. K.-Tagung, Marburg 1981. Hrsg. von Burkhard Tuschling, Berlin 1984, 15-33; — Ders., Der geheime K.ianismus in Hegels Geschichtsphilos., in: Hegels Philos. des Rechts, d. Theorie d. Rechtsformen u. ihre Logik. Hrsg. von Dieter Henrich u. Rolf-Peter Horstmann, Veröffentl. der internat. Hegel-Vereinigung 11, Stuttgart 1982, 56-71; — Robert Hovell, Apperception and the 1787 transcendental deduction, in: Syn 47, 1981, 385-448; — Robert Howell, K.'s first-Critique theory of the transcendental object, in: Dial 35, 1981, 85-125; — P. Luigi Iammarrone, La critica alle obienzioni k.iane circa l'argomento »a contingentia mundi« nel peniero di N. Petruzzellis, in: Scritti in onore di N. Petruzzelis, 1981, 205-218; — Karl-Heinz Ilting, Gibt es eine kritische Ethik und Rechtsphilos. K.s? in: AGP 63, 1981, 325-345; — Claude Imbert, La philosophie critique et l'énigme du jugement de goEt (K., Husserl et Heidegger), in: Les fins de l'homme, 1981, 619-635; — Hans Ineichen, Wege der K.auslegung. Ber. üb. d. 4. Internat. Kolloquium K. in Biel (Schweiz), in: ZPhF 35, 1981, 129-132; — Ders., Diltheys K.-Kritik, in: DiltheyJPGG 2, 1984, 51-64; — Julia V. Iribarne, La libertad en K. Alcances éticos y connotaciones metafisicas, 1981; — Karl Jaspers, Die großen Philosophen I: Die maßgebenden Menschen: Sokrates, Buddha, Konfuzius, Jesus. Die fortzeugenden Gründer des Philosophierens: Plato, Augustin, K. .., 1981[3]; — Francisco Vieira JordMo, Criticismo k.iano e pressupostos racionais da fé religiosa, in: RPF 37, 1981, 249-286; — Denis Kambouchner, L'homme en retrait de la pensée (K. et Derrida), in: Les fins de l'homme, 1981, 572-587; — Charlotte Katzoff, Salomon Maimon's critique of K.'s theory of consciousness, in: ZPhF 35, 1981, 185-195; — Friedrich Kaulbach, I.K., Berlin 1969; — Ders., K.s Idee der transzendentalen Dialektik, in: Konzepte der Dialektik, Hrsg. von Werner Becker u. Wilh. K. Essler, Frankf./M. 1981, 5-25; — Ders., Philos. als Wissenschaft: e. Anleitung zum Studium von K.s Kritik der r. Vernunft in Vorlesungen, 1981; — Ders., Die transzendentale Konstellation und der Weltbezug des Ich bei K., in: RIPh 35, 1981, 236-254; — Ders., Studien zur späten Rechtsphilos. K.s und ihrer transzendentalen Methode, 1982; — Ders., El primado de la categoría de la sustancia en el programa de la »lógica trascendental« de K., in: AnuF 15, n.1, 1982, 163-176; — Ders., I.K., Berlin 1982; — Ders., Vernunft und Konfliktlösung, die Rechtmäßigkeit »parteilicher« Ansprüche bei K., in: U 38, 1983, 277-286; — Ders., Ästhetische Welterkenntnis bei K.. 1984; — Ders., Aspectos vigentes de la estética k.iana. Traducción de Juan Arana Cañedo-Argüelles, in: Thémata n.2, 1985, 56-62; — Ders., K.s Auffassung von der Wissenschaftlichkeit der Philos.: die Sinnwahrheit, in: KantSt 76, 1985, 1-13; — Ders., Perspektivismus und Rechtsprinzip in K.s Kritik der reinen Vernunft, in: AZPh 10, n.2, 1985, 21-35; — Ders., Objektwahrheit und Sinnwahrheit in K.s Perspektivismus. Die transzendentale Deduktion der Ideen, in: WJPh 19, 1987, 117-134; — Ders., K. und Nietzsche im Zeichen der kopernikanischen Wendung. Ein Beitr. z. Problem der Modernität, in: ZPhF 41, 1987, 349-372; — Ders., I.K.s »Grundlegung zur Metaphysik der Sitten«. Interpretation u. Kommentar, 1988; — Wolfgang Kersting, Transzendentalphilosoph. u. naturrechtl. Eigentumsbegründung, in: ARSP 67, 1981, 157-175; — Ders., Freiheit und intelligibler Besitz. K.s Lehre vom synthetischen Rechtssatz a priori, in: AZPh 6, n.1, 1981, 31-51; — Ders., Rechtsgehorsam u. Gerechtigkeit bei K., in: Redliches Denken, Festschr. f. Gerd-Günther Grau z. 60. Geb., Hrsg. v. F.W. Korff, 1981, 31-42; — Ders., Das starke Gesetz der Schuldigkeit und das schwächere der Gütigkeit. K. u. die Pflichtenlehre d. 18. Jhds., SL 14, 1982, 184-220; — Ders., Kann die Kritik d. prakt. Vernunft populär sein? Über K.s Moralphilos. und pragmatische Anthropologie, in: SL 15, 1983, 82-93; — Ders., K. und der staatsphilos. Kontraktualismus, in: AZPh 8, n.1, 1983, 1-27; — Ders., Der kategorische Imperativ, die vollkommenen und die unvollkommenen Pflichten, in: ZPhF 37, 1983, 404-421; — Ders., Neuere Interpretationen der k.ischen Rechtsphilos., in: ZPhF

37, 1983, 282-298; — Ders., Wohlgeordnete Freiheit. I.K.s Rechts- u. Staatsphilos. (QStPh 20), 1984; — Ders., Ist K.s Rechtsphilos. aporetisch? Zu Hans-Georg Deggaus Darstellung der Rechtslehre K.s [H.-G. Detzung mit d. K. Modaltheorie (STrPh 7), 1986; — Philip Kitcher, How K. almost wrote »two dogmas of empiricism«, in: PTop 12, n.2, 1981, 217-249; — Ders., K.'s philosophy of science, in: MSPh 8, 1983, 387-407; — R. Klein, K.'s sunshine, in: Diacr 11, n.2, 1981, 26-41; — Hermann Klenner, Kelsens K., in: RIPh 35, 1981, 539-546; — Helmut König, Geist und Revolution. Studien zu K., Hegel u. Marx, 1981; — Joachim Krause, Anschaulichkeit und Motivation mit Unterrichtsbeispielen zu K. und Hegel, in: ZDPh 3, 1981, 37-45; — Peter Krausser, K.s Theorie der Erfahrung und Erfahrungswissenschaft: e. rationale Rekonstruktion, 1981; — Ders., The first antinomy of rational cosmology and K.'s three kinds of infinities, in: Zum 200. Jahrestag des Erscheinens der Kritik der reinen Vernunft, PN 19, n.1-2; 1982, 83-93; — Ders., Über den hypothetischen Vernunftgebrauch in der Kritik der reinen Vernunft, in: AGP 69, 1987, 164-196; — David Farrell Krell, Der Maulwurf. Die philosoph. Wühlarbeit bei K., Hegel und Nietzsche, in: BJPL 9, 1981, 155-167, 169-185; — Frederick W. Kroon, K. and Kripke on the identifiability of modal and epistemic notions, in: SouthJP 19, 1981, 49-60; — Arend Kulenkampff, Über einige begriffliche Vorauss. der Moralphilos. K.s u. Schopenhauers, in: ARSP 67, 1981, 510-530; — Jean Lacroix, K. et le k.isme (Que sais-je? 1213), 1981[6]; — François Laruelle, Réflexions sur le sens de la finitude dans la »Critique de la raison pure«, in: RIPh 35, 1981, 269-283; — Mario Lasema Pinzón, La teoría de la verdad de K., in: CFLB 4, 1981, 131-140; — Ders., Knowlegde, experience and experiment in K.'s Critique of pure reason, in: Zum 200. Jahrestag des Erscheinens der Kritik der reinen Vernunft, PN 19, n.1-2, 1982, 94-103; — Ders., K.ian epistemology. A Copernican or a Thalesian revolution?, in: PN 24, 1987, 157-184; — Henry Lauener (Hrsg.), Akten des IV. Internationalen Kolloquiums in Biel, 1781-1981. Die vorl. Samml. von Aufsätzen ist als Beitrag zur Gedenkf. des 200. Erscheinungsjahres der Kritik der reinen Vernunft gedacht, Dial 35, n.1-2, 1981; — Ders., Der syst. Stellenwert des Gefühls der Achtung in K.s Ethik, in: Dial 35, 1981, 243-264; — Ders., The systematic significance of the feeling of respect in K.'s ethics. Transl. by J. Kahane, in: APhF 32, 1981, 126-148; — Hans Lenk, K.s soziomorphe Begründung des Gottespostulats. Zur Kritik an K.s moralischen Gottes-»Beweisen« u. zur Rekonstruktion eines dritten »Beweis«-Versuchs, in: Redliches Denken, Festschr. f. Gerd-Günther Grau z. 60. Geb., Hrsg. v. F.W. Korff, 1981, 51-63; — Ders., Sociomorphic arguments for a moral God. K.'s second and third moral arguments for the postulate of God's existence, in: MW 22, 1989, 97-11; — Danielle Lories, K. et la liberté esthétique, in: RPhL 79, 1981, 484-512; — Dies., Nous avons l'art pour vivre dans la vérité. Hannah Arendt, lectrice de K., indications pour une méditation de l'art, in: MW 21, 1988, 433-452, und (Republished, incomplete in preceding issue) in: MW 22, 1989, 113-132; — Dies., Autour d'une lecture »politique« de la troisième Critique (K., H. Arendt), in: RPhL 86, 1988, 150-159; — Leo Lugarini, La »confutazione« hegeliana della filosofia critica, in: Hegel interprete di K.. A cura di Valerio Verra, Napoli 1981, 13-66; — Cesare Luporini, Filosofi vecchi e nuovi. Scheler, Hegel, K. Fichte (NBC 217), 1981;

— Wilhelm Lütterfelds, Wittgensteins »Visuelles Zimmer« als K.ischer Begriff der Anschauung, in: Grundlagen, Probleme u. Anwendungen (SWG 7) 1981, 422-425; — Ders., Zur sprachanalytischen Rehabilitierung des K.ischen Idealismus bei Wittgenstein, in: ZDPh 3, 1981, 78-87; — Ders., K.s Kausalkategorie. Ein stammesgeschichtliches Aposteriori?, in: Zum 200. Jahrestag des Erscheinens der Kritik der reinen Vernunft, PN 19, n.1-2; 1982, 104-124; — Ders., Privatheit und intersubjektive Geltung. Eine Aporie idealistischer Theorienpraxis, in: KantSt 74, 1983, 206-216; — Ders., Ist K.s Idealismus-Argument sprachanalytisch zu rechtfertigen? in: WJPh 16, 1984, 139-145; — Ders., Die monologische Struktur des Kategorischen Imperativs und Fichtes Korrektur der Diskursethik, in: ZPhF 40, 1986, 90-103; — Christopher E. Macann, K. and the foundations of metaphysics. An interpretative transformation of K.'s crit. philosophy, Heidelberg 1981; — Edward H. Madden, Asa Mahan's analysis of synthetic apriori judgements, in: TCPS 17, n.4, 1981, 297-317; — Ders., Did Reid's metaphilosophy survive K., Hamilton, and Mill? in: Metaph 18, 1987, 31-48; — Luigi Cataldi Madonna, Osservazioni sul concetto di tempo in Crusius, Lambert e il K. precritico, in: Cann n.1-3, 1981, 51-79; — Ernst Marcus, Ausgew. Schriften. Hrsg. von G. Martin u. G.H. Lübben. II: Logik. Die Elementarlehre zur allg. u. d. Grundzüge der transzendentalen Logik. E. Einführung in K.s Kategorienlehre. D. kateg. Imperativ. E. allgemeinverst. Einf. in K.s Sittenlehre. D. Zeit- u. Raumlehre K.s, 1981; — György Márkus, »Ideology« and its ideologies. Lukács and Goldmann on K., in: PhSC 8, 1981, 125-147; — Martha S. Mateo, Razón y sensibilidad en la ética de K., 1981; — Vittorio Mathieu, Filosofia della natura e dialettica, in: Hegel interprete di K.. A cura di Valerio Verra, 1981, 91-122; — Ders., K. e l'oggetto della fisica, in: NCM 1, n.1, 1983, 21-27; — Ders., Regola implicita e giudicio riflettente k.iano, in: NCM 3, n.3-4, 1985, 60-64; — Thomas Mautner, K.'s Metaphysics of morals. A note on the text, in: KantSt 72, 1981, 356-359; — Ralf Meerbote, K. on intuitivity, in: Syn 47, 1981, 203-228; — Ders., K.'s transcendental idealism [Abstract], in: NoEs 20, 1986, 67-69; — Michel Meyer, Why did K. write two versions of the transcendental deduction of the categories?, in: Syn 47, 1981, 357-383; — Ders., The transcendental deduction of the categories. Its impact on German idealism and neo-positivism, in: Dial 35, 1981, 7-20; — Ders., Science et métaphysique chez K. (Philos. d'aujourd'hui), 1988; — Jeff Mitscherling, K.'s notion of intuition. In response to Hintikka (J. Hintikka, On K.'s notion of intuition, in: The first critique. Reflexions on K.'s Critique of pure reason. Ed. by Terence Penelhum and J.J. MacIntosh, 1969), in: KantSt 72, 1981, 186-194; — Alexander Fadrique Moruajao, Fenómeno, nCmeno, coisa em si. Notas sobre tres conceitos k.ianos, in: RPF 37, 1981, 225-248; — Alberto Moscato, K. L'esperienza della ragione, in: GM 3, 1981, 435-461; — Herbert M. Mühlpfordt, Königsberger Leben im Rokoko. Bedeutende Zeitgenossen K.s, 1981; — Ludwig Nagl, Transzendentale Argumente und die Universalisierung von Handlungsmaximen. Ein Lit.bericht zur K.rezeption in der Gegenwartsphilos., in: ZDPh 3, 1981, 112-118; — E. Napoli, All K.'s sons [Wittgenstein and Quine], in: SGIF 10, 1981, 419-438; — Antimo Negri, Pensiero calcolante e conoscenza. Nietzsche e lo schematismo k.iano, in: GM 3, 1981, 33-67; — Michael D. Newnan, The unity of time and space, and its role in K.'s doctrine of

apriori synthesis, in: IS 11, 1981, 109-124; — Salvatore Nicolosi, Il problema della priorità tra logica e ontologia. Le tappe della rivoluzione copernicana di K., in: GM 3, 1981, 215-241; — Ders., Logica e ontologia in K.. Forme del ragionamento e problemi della metafisica, in: Aq 30, 1987, 307-330; — Viktor Nowotny, Die Struktur der Deduktion bei K., in: KantSt 72, 1981, 270-279; — Karl-Heinz Nusser, Das Kriterium der Moralität und die sittliche Allgemeinheit. Zur Bestimmung der Moralität und Rechtsbegründung bei K. und Hegel, in: ZPhF 35, 1981, 552-563; — Stephan Otto, Imagination u. Geometrie. Die Idee kreativer Synthesis. Giambattista Vico zwischen Leibniz u. K., in: AGP 63, 1981, 305-24; — G.H.R. Parkinson, K. as a critic of Leibniz. The amphiboly of concepts of reflection, in: RIPh 35, 1981, 302-4; — Jean Paumen, K. et le procès de la psychologie rationelle, in: RIPh 35, 1981, 315-345; — Alexander von Pechmann, Zum Problem der »schlechten Unendlichkeit« bei K. und Hegel, in: Die Logik des Wissens und das Problem der Erziehung. Nürnberger Hegel-Tage 1981. Hrsg. von Wilhelm Raimund Beyer, Hamburg 1981, 118-25; — Alfonso Pérez de Laborda, La ciencia de Newton en la crítica de K., in: EsFil 30, 1981, 97-121; — Michael Philips, Is K.'s practical reason practical? in: JVI 15, 1981, 95-108; — Michel Piclin, La théorie k.ienne de la conscience, in: ÉPh n.4, 1981, 457-468; — Thomas W. Pogge, The K.ian interpretation of justice as fairness, in: ZPhF 35, 1981, 47-65; — Carl J. Posy, The language of appearances and things in themselves, in: Syn 47, 1981, 313-352; — Ders., Dencing to the antinomy. A proposal for transcendental idealism, in: APQ 20, 1983, 81-94; — Ders., K.'s mathematical realism, in: Mon 67, 1984, 115-134; — Ders. (Hrsg.), Topos. K.'s philosophy of mathematics, Topoi 3, n.2, 1984, 97-197; — Ders., Where have all the objects gone?, in: The B-Deduction. Spindel conference 1986. Ed. by Hoke Robinson, SouthJP 25, 1987, Suppl., 17-36; — Elizabeth Potter, Scepticism, conventionalism and trancendental arguments, in: SouthJP 19, 1981, 451-463; — Lorenzo Pozzi, Da Ramus a K. Il dibattito sulla sillogistica, Milano 1981; — Gerold Prauss, K.s Problem der Einheit theoret. und prakt. Vernunft, in: KantSt 72, 1981, 286-303; — Ders., K.s Theorie der ästhetischen Einstellung, in: Dial 35, 1981, 265-281; — Ders., Time, space, and schematism, in: K.'s Critique of pure reason. A bicentennial symposium, in: PhF 13, 1981-1982, 1-11 (Judson Webb, Comment, 12-14); — Ders., The problem of truth in K. Transl. by David Partch, in: CGPh 1, 1982, 91-109; — Ders., K. über Freiheit als Autonomie (PhAbh 51), 1983; — Ders., K.'s theory of reference [Abstract], in: NoEs 20, 1986, 65f; — Ders., Teoría como praxis en K., in: AnuF 19, n.2, 1986, 73-88; — Ders. (Hrsg.), Handlungstheorie und Transzendentalphilos., 1986; — Stephen Priest, Descartes, K., and self-consciousness, in: PhQ 31, 1981, 348-51; — Ders., Hegel's critique of K., Oxford 1987; — Martin Puder, I. K.: rigore ed espressione. Trad. di Gianni Garchia, 1981; — Sergio Rábade Romeo, K.. Perfiles de una actitud critica, in: EsFil 30, 1981, 9-31; — Ders. - Antonio M. López Molina - Encarnación Pesquero Franco, K.: Conocimiento y racionalidad. Vol. I: El uso teórico de la razón. Vol. II: El uso práctico de la razón. Prólogo de Sergio Rábade, Madrid 1987; — Carl A. Raschke, Imagination, infinity, and intimacy: notes toward an ontology of incarnation, in: JAAR Thematic St 48, 1981, 125-142; — Nicholas Rexher, On the status of »things-in-themselves« in K., in:

RIPh 35, 1981, 346-357; — Günter Richter - Rudolf Malter, Das Stammbuch C.H.B. 1802 (-12) mit einem Eintrag I.K.s, in: KantSt 72, 1981, 261-269; — Manfred Riedel, Historizismus und Kritizismus. K.s Streit mit G. Forster und J.G. Herder, in: KantSt 72, 1981, Joachim Kopper, Jenseits des analytischen und des synthetischen Urteils. Reflexionen zu Hermann Cohens Logik der reinen Erkenntnis, in: KantSt 72, 1981, 58-67; — Ders., Transcendental politics? Political legitimacy and the concept of civil society in K., in: SRes 48, 1981, 588-613; — Ders., Kritik der reinen Vernunft und Sprache. Zum Kategorienproblem bei K., in: AZPh 7, n.2, 1982, 1-15; — Ders., Critica della ragion pura e linguaggio. Il problema delle categorie in K., in: RFT 73, 1982, 297-312; — Ders., Critique of pure reason an language. Concerning the problem of categories in K. Trans. by U. Bernis, in: GFPJ 9, n.2, 1982/83, 33-46; — Fred Rieman, Synthetic a priori postulates, in: KantSt 72, 1981, 280-285; — Georges Van Riet, Religion et espérance chez K., in: PrF 7, n.2-3, 1981, 35-38; — Hoke Robinson, Anschauung und Mannigfaltiges in der transzendentalen Deduktion, in: KantSt 72, 1981, 140-148; — Ders., Incongruent counterparts and the refutation of idealism, in: KantSt 72, 1981, 391-397; — Ders., The transcendental deduction from A to B. Combination in the treefold synthesis and the representation of a whole, in: The B-Deduction. Spindel conference 1986. Ed. by Hoke Robinson, SouthJP 25, 1987, Suppl., 45-61; — Ders., The priority of inner sense, in: KantSt 79, 1988, 165-182; — Tom Rockmore, Human nature and Hegel's critique of K.ian ethics, in: PhSC 8, 1981, 267-282; — Ders., Le K. de Heidegger. Remarques sur l'anthropologie philosophique, in: L'héritage de K.. Mélanges philosophiques offerts au P. Marcel Régnier (BAPhNS 34), 1982, 239-253; — Wolfgang Röd, K.s Annahme einer Kausalität aus Freiheit und die Idee einer transzendentalen Ethik, in: Dial 35, 1981, 223-241; — Angel Rodríguez Luno, Dioos y la moral k.iana, in: Evangelizzatione e ateismo, 1981, 671-684; — Ramón Rodríguez, La libertad práctica. Un problema de la »Crítica de la razón pura«, in: Apor 3, n.12, 1981, 55-71; — Kenneth F. Rogerson, The meaning of universal validity in K's aestetics, in: JAAC 40, 1981-82, 301-308; — Ders., K.'s aesthetics, 1986; — Ders., K. on the ideality of space, in: CJPh 18, 1988, 271-286; — Johannes Rohbeck, K.ischer als K.. 5. Internationaler K.-Kongress in Mainz - 4.-8. April 1981, in: Dialektik 3, 1981, 227-229; — Heinz Röttges, Dialektik als Grund der Kritik. Grundlegung e. Neuinterpretation d. Kritik d. r. Vernunft durch d. Nachweis d. Dialektik von Bedeutung u. Gebrauch als Voraussetzung d. Analytik, 1981; — Ders., Zur Entstehung und Wirkung des K.ischen Begriffs der Dialektik, in: Konzepte der Dialektik, Hrsg. von Werner Becker u. Wilh. K. Essler, Frankf./M. 1981, 25-29; — Giovanni B. Sala, Il bicentenario della »Critica della ragion pura« di K.. I: Contesto culturale e influsso dell'opera. II: Il nucleo della Critica: una versione sensista dell'intuizionismo, in: CivCatt 132 IV, 1981, 118-134, 343-360; — Ders., K. und die Theologie der Hoffnung. Eine Auseinandersetzung mit R. Schaefflers Interpretation der k.ischen Religionsphilos., in: ThPh 56, 1981, 92-110; — Ders., I. K.s Kritik der reinen Vernunft: 1781-1981, in: StZ 199, 1981, 609-22; — Ders., K.s Lehre von der menschlichen Erkenntnis. Eine sensualist. Version des Intuitionismus. Hist. Untersuchung und systemat. Überlegungen zum zweihundertjähr. Jubiläum der Veröffentl. der Kritik der reinen Vernunft, I-II, in: ThPh 57, 1982, 202-224,

321-347; — Ders., Die Veröffentlichung der Vorlesungsnachschriften K.s in der Akademie-Ausgabe, in: ThPh 57, 1982, 72-80; — Ders., K.s antithetisches Problem u. Lonergans rationale Auffassung von d. Wirklichkeit, in: Gregorianum 67, 1986, 471-515; — Ders., Bausteine z. Entstehungsgeschichte d. Krit. d.r. Vernunft K.s, in: KantSt 78, 1987, 153-169; — Ders., Die transcendentale Logik K.s und die Ontologie der dt.en Schulphilos., in: PhJ 95, 1988, 18-53; — Robert C. Salomon, Introducing the German Idealists. Mock interviews with K., Hegel, Schelling, Reinhold, Jacobi, Schlegel, and a letter from Schopenhauer, 1981; — Gloria Di Salvo, Cristianesimo e fede razionale in K., 1981; — Hans-Jörg Sandkühler, Vor der Aufgabe des Friedens - Die Philos. Von K. zum Marxismus-Leninismus, in: DZPh 29, 1981, 1017-29; — Ciriaco Scanzillo - Pasquale Giustiniani, Intorno alla nascità spirito moderno. Contr di G. Sanseverino negli studi su Spinoza e K., in: Atti del' VIII Congresso tomistico internazionale. Vol. II (Studi tomistici 11), 1981, 313-31; — Geoffrey Scarre, K. on free and dependent beauty, in: BJA 21, 1981, 351-362; — Richard Schaeffler, K. als Philosoph der Hoffnung. Zu G.B. Salas Kritik an meiner Interpretation der k.ischen Religionsphilos. (G.B. Sala, K. und die Theologie der Hoffnung, in: ThPh 56, 1981, 92-110), in: ThPh 56, 1981, 244-258; — Kathryn Ann Schain, Descriptive ontology and transcendental philosophy: Heidegger and K., (Diss. Vanderbilt 1978), Author. facs., Microf., Ann Arbor (Mich.), 1981; — Werner Schneiders, Philosophenkönige und königl. Völker, Modelle philosoph. Politik bei Platon u. K., in: FO 4, 1981, 165-75; — Gerhard Schörich, Kategorien und transzendentale Argumentation. K. u.d. Idee e. transzendentalen Semiotik, 1981; — George Schrader, The »I« and the »we«. Reflexions on the K.ian cogito, in: RIPh 35, 1981, 358-382; — Niels O. Schroll-Fleischer, K.'s moralteologi (comparison with Christian Wolff and Rousseau), DTT 44, 1981, 53-66; — Ders., Der Gottesgedanke in der Philos. K.s, 1981; — Peter Schultess, Relation und Funktion: e. systemat. u. entwicklungsgeschichtl. Unters. z. theoret. Philos. K.s (KantSt: Erg.-Hh. 113), 1981; — Uwe Schultz, I.K. in Selbstzeugnissen u. Bilddokumenten, 1981, 1985[2]; — Ingeborg Schüssler, Causalité et temporalité dans la »Critique de la raison pure« de K., in: AdPh 44, 1981, 43-61; — Dies., Wissenschaftliche und ästhetische Wahrnehmung: K.s Lehre von der Wahrnehmung, in: RMM 86, 1981, 180-192; — Dies., Éthique et théologie dans la Critique de la faculté de juger de K., in: RThPh 118, 1986, 337-372; — Johann Christoff Schwab, Acht Briefe über einige Widersprüche und Inconsequenzen in Herrn Professor K.s neuesten Schriften. nebst e. Postscripte betr. 2 Beispielen von Herrn K.s u. Herrn Fichtens mathemat. Kenntnissen. Neudr. d. Ausg. Berlin u. Stettin 1799, Hildesheim 1981; — Johannes Schwartländer, Sittl. Autonomie als Idee der endl. Freiheit. Bemerkungen zum Prinzip der Autonomie im krit. Idealismus in: ThQ 161, 1981, 20-33; — Philibert Secretan, Méditations k.iennes. en deçà de Dieu, au delà du tout (Dialectica), Lausanne 1981; — Michelantonio Sena, K. con Sade?, in: Risc 3, n.1, 1981, 21-35; — Dennis M. Senchuk, K.'s Wittgensteinian critique of subjective time, in: Grundlagen, Probleme u. Anwendungen (SWG 7) 1981, 406-409; — Mario Sesti, La duplicazione del tempo. Appunti su K. e il primo Heidegger, in: Cann n.1-3, 1981, 80-100; — Charles M. Sherover, Two Kinds of transcendental objectivity. Their differentiation, in: PTop 12, n.2, 1981, 251-278; — Elisabeth

Sicard, K. und das Problem der Evidenz, 1981; — Livio Sichirollo, Fede e sapere. Giobbe e gli amici. Riflessioni in tema di filosofia, religione e filosofia della religione in K. e in Hegel, in: Hegel interprete di K.. A cura di Valerio Verra, 1981, 219-266; — Ders., Réflexions sur Éric Weil. K. après Hegel (et Weber), in: L'héritage de K.. Mélanges philosophiques offerts au P. Marcel Régnier (BAPhNS 34), 1982, 385-394; — Ders., Morale et politique. Actualité de Weil (et de K.) in: Actualité d'Éric Weil. Actes du Colloque international, Chantilly, 21-22 mai 1982, in: BAPhNS 43, 1984, 259-270; — John R. Silber, K. and the mythic roots of morality, in: Dial 35, 1981, 167-193; — Ders., The moral good and the natural good in K.'s ethics, in: RM 36, 1982-1983, 397-437; — Eberhard Simons, Hoffnung als elementare Kategorie praktischer Vernunft . K.s Postulatenlehre und die krit. Verwandlung konkreten Handlungs- und Gestaltungsverständnisses durch Hegel und Bloch, in: PhJ 88, 1981, 264-281; — Erling Skorpen, Making sense of K.'s third example, in: KantSt 72, 1981, 415-429; — Walter Soffer, K. on the tutelage of God and nature, in: Thomist 45, 1981, 26-40; — Gary Stahl, Locating the noumenal self, in: KantSt 72, 1981, 31-40; — Werner Steinhardt, Textkurs. Einführung in K.s theoretische Philos., in: ZDPh 3, 1981, 95-104; — Ulrich Steinvorth, Stationen der polit. Theorie. Hobbes, Locke, Rousseau, K., Hegel, Marx, Weber, 1981; — Erik Stenius, K. and the apriority of mathematics, in: Dial 35, 1981, 147-166; — Rex Patrick Stevens, K. on moral practice. A study of moral success and failure, Macon (Ga) 1981; — Ders., The impact of theodicy on K.'s conception of moral practice, in: Theoria 47, 1981, 93-108; — Stephan Strasser, Het probleem van de ethik naar aanleiding van K., in: TF 43, 1981, 465-485; — Walter Strauss, Allgem. Pädagogik als transzendentale Logik der Erziehungswissenschaft. Studien zum Verh. von Philos. u. Pädagogik im Anschluß an K. (EurHSchr: Reihe 11, Pädagogik 121), 1981; — Emilio Tornero, Religión y filosofia en al-Kindi, Averroes y K., in: Qa 2, 1981, 89-128; — Burkhard Tuschling, Sind die Urteile der Logik vielleicht »insgesamt synthetisch«?, in: KantSt 72, 1981, 304-335; — Ders., Probleme der »Kritik der reinen Vernunft«. Klaus Reich zum 75. Geb., K.-Tagung, Marburg 1981, Berlin 1984; — Ders., Widersprüche im transzendentalen Idealismus, in: Probleme der »Kritik der reinen Vernunft«. Klaus Reich zum 75. Geb. am 1. Dez. 1981. K.-Tagung, Marburg 1981. Hrsg. von Burkhard Tuschling, Berlin 1984, 227-310 [Diskussion 311-341]; — James Van Cleve, Reflections on K.'s second antinomy, in: Syn 47, 1981, 481-494; — Francis Wodie Vangoch, La théorie du droit selon K., in: Memoria del X Congr. mundial ordinario de filosofia del derecho y filosofia social VI, 1981, 71-79; — Domenico Venturelli, L'idea k.iana dell'uomo, in: GM 3, 1981, 69-115; — Ders., Critica delle prove di Dio e teologia autentica in K., in: SynG 1984, 84-133; — Valerio Verra, Immaginazione trascendentale e intelletto intuitivo, in: Hegel interprete di K.. A cura di Valerio Verra, 1981, 67-89; — H. Visser, Wittgenstein as an non-K.ian philosopher, in: Grundlagen, Probleme u. Anwendungen (SWG 7) 1981, 399-405; — Franco Volpi, La funzione del tempo nella formulazione k.iana del principio di non contraddizione, in: Ver 10, n.1-3, 1981, 245-255; — Karl Vorländer, K. y Marx, in: Franciscanum 23, 1981, 251-273; — Jules Vuillemin, Trois philosophes intuitionnistes. Épicure, Descartes et K., in: Dial 35, 1981, 21-41; — Ders., On lying. K. and

Benjamin Constant, in: KantSt 73, 1982, 413-424; — Ders., Physique et métaphysique k.iennes, Paris 1987²; — Renate Wahsner, Das Aktive und das Passive. Zur erkenntnistheor. Begründung d. Physik durch d. Atomismus - dargest. an Newton u. K., Berlin 1981; — Ralph C.S. Walker, Transzendental idealism. K.'s reply to Wittgenstein, in: Grundlagen, Probleme u. Anwendungen (SWG 7) 1981, 391-398; — Ders., Ed., K. on pure reason (ORPh), 1982; — Ders., Synthesis and transcendental idealism, in: KantSt 76, 1985, 14-27; — Friedrich Wallner, Transzendentale Argumente — Widerlegung der Transzendentalphilos.. Hat das von K. inaugurierte Philosophem abzudanken, oder ist es zukunftsweisend?, PhLA 34, 1981, 72-80; — Friedel Weinert, Wittgenstein on K., in: Grundlagen, Probleme u. Anwendungen (SWG 7) 1981, 418-421; — Ders., Ways of criticizing metaphysics. K. and Wittgenstein. in: KantSt, 74, 1983, 412-436; — R.T.P. Wiche, De prioriteit van een kennistheoretische boven een formele interpretatie in de oordeelstheorie van K., in: ANTW 73, 1981, 107-116; — Wilhelm Windelband, Immanuel K.. En el centenario de su filosofia. Trad. por Wenceslao Roces, in: Franciscanum 23, 1981, 223-244; — A.T. Winterbourne, Construction and the role of schematism in K.'s philosophy of methematics, in: SHPS 12, 1981, 33-46; — Ders., Algebra and pure time. Hamilton's affinity with K., in: HM 9, n.2, 1982, 195-200; — Michael Wolff, Der Begriff des Widerspruchs: E. Studie zur Dialektik K.s u. Hegels, Königstein 1981; — Ders., Der Begriff des Widerspruchs in der »Kritik der reinen Vernunft«. Zum Verhältnis von formaler und transzendentaler Logik, in: Probleme der »Kritik der reinen Vernunft«. Klaus Reich zum 75. Geb. am 1. Dez. 1981. K.-Tagung, Marburg 1981. Hrsg. von Burkhard Tuschling, Berlin 1984, 178-202 [Diskussion 203-226]; — Michael Woods, Sellars on K.ian intuitions [W. Sellars, Science and metaphysics. Variations on K.ian themes. New York 1968], in: DJPST 24, n.2-3, 1981-1982, 56-60, und in: PPR 44, 1983-1984, 413-418, und in: PIsr 14, 1984, 137-143; — Ders., K.'s transcendental schematism, Dial 37, 1983, 201-219, und in: JBSP 15, 1984, 271-285; — Andrzej L. Zachariasz, Leon Petrazycki's criticism of K.'s transcendental philosophy, in: AUMCS 6, 1981, 73-89; — Clark Zumbach, K.'s argument for the autonomy of biology, in: NSyst 3, 1981, 67-79; — Ders., A note on the thesis argument of the third antinomy, in: R 23, 1981, 114-123; — Ders., The transcendent science. K.'s conception of biologikal methodology (NIPhS 15), 1984; — Michael Albrecht, K.s Kritik der historischen Erkenntnis - ein Bekenntnis zu Wolff?, in: SL 14, 1982, 1-24; — Juan I. Alfaro, De la cuestión del hombre a la cuestión de Dios: K., Feuerbach, Heidegger, in: Gregorianum 63, 1982, 211-271; — Amandus Altmann, Freiheit im Spiegel des rationalen Gesetzes bei K., 1982; — Sharon Anderson-Gold, Cultural pluralism and ethical community in K.'s philosophy of history, in: GFPJ 9, 1982, 67-78; — Dies., K.'s rejecton of devilishness. The limits of human volition, in: IS 14, 1984, 35-48; — Dies., K.'s ethical commonwealth. The highest good as a social goal, in: IPhQ 26, 1986, 23-32; — Boleslaw Andrzejewski, (Rezension des im Polnischen ersch. Buches:) Marek J. Siemek, Idea transcendentalizmu u Fichtego i K.a (Warszawa 1977), in: KantSt 73, 1982, 483-485; — Gabriel Anengual, K. o Hegel? El congreso sobre Hegel 1981, in: Pen 38, 1982, 120-123; — Juan Arana Cañedo-Argüelles, Ciencia y metafisica en el K. precritico (1746-1764). Una contribución a la historia de las relaciones entra ciencia y filosofia en el siglo XVIII, 1982; — Hannah Arendt, Lectures on K.'s political philosophy. Ed. and with an interpretive essay by Ronald Beiner, 1982; — Ders., Das Urteilen. Texte zu K.s polit. Philos.. Hrsg. u. mit e. Essay von Ronald Beiner. Aus d. Amerikan. von Ursula Ludz, 1985; — Kogaku Arifuku, (Rez. des im Japan. ersch. Buches:) Yoshifumi Hamada, Entstehungsgeschichte der K.ischen Ethik. Unter besonderer Berücksichtigung ihres Verhältnisses zur engl. Moralphilos. und zu Rousseau, in: KantSt 73, 1982, 364-367; — John E. Atwell, K.'s notion of respect for persons, in: TSPh 31, 1982, 17-30; — Ders., Ends and principles in K.'s moral thought (NIPhS 22), 1986; — M.R. Ayers, Berkeley's immaterialism and K.'s transcendental idealism, in: Idealism. Past and present. Ed. Godfrey Vesey, 1982, 51-69; — D.J. Baigrie, K.'s original categorcal imperative as at 1785, in: SAJP 1, 1982, 98-107; — P. Barrotta, Le »palafitte« di Popper e la »fondazione« di K., in: Physis 24, n.1, 1982, 109-124; — Hermann Baum, Philos. und philosoph. Fakultät in der Perspektive des K.ischen Kritizismus, in: Vérité et éthos. Recueil commémoratif dédié à Alphonse-Marie Parent sous la direction de Jaromir Danek. Québec 1982, 9-25; — Yvon Belaval, La synthèse k.ienne du XVIIIe siècle, in: SL 14, 1982, 110-118; — Dies., Libres remarques sur le schématisme transcendantal, in: L'héritage de K.. Mélanges philosophiques offerts au P. Marcel Régnier (BAPhNS 34), 1982, 27-41; — Michael Benedikt, Drei kritische Naturbegriffe und der Übergang von der Gesinnungs- in die Verantwortungsethik, in: Zum 200. Jahrestag des Erscheinens der Kritik der reinen Vernunft, PN 19, n.1-2, 1982, 1-22; — Ders., Bestimmende und reflektierende Urteilskraft, Wien 1981; — Ders., Critical reflections on recent K. literature in English. Transl. by F.P. Van de Pitte, in: CGPh 2, 1983, 257-287; — Ders., Leibniz' Repräsentationsform eines adäquaten Begriffes von »Geist« im Verhältnis zu Descartes und K., in: Philos. des Geistes. Philos. der Psychologie., Hrsg. Roderick M. Chisholm et al. (SWG 11), 1985, 225-30; — Ders., Wurzeln und Missverständnisse der transzendentalen Phänomenologie von Lambert u. K. bis heute, in: Die Krise der Phänomenologie u. die Pragmatik des Wissenschaftsfortschritts, Hrsg. M. Benedikt, Rudolf Burger, 1986, 20-38; — Graham Bird, K.'s transcendental idealism, in: Idealism. Past and present. Ed. Godfrey Vesey, 1982, 71-92; — Lawrence A. Blum, K.'s and Hegel's moral rationalism. A feminist. perspective, in: CJPh 12, 1982, 287-302; — Heinrich Böckerstette, Aporien der Freiheit und ihre Aufklärung durch K. (Problemata 89), 1982; — Daniel Bonevac, K. on existence and modality, in: AGPh 64, 1982, 289-300; — Wolfgang Bonsiepen, Salomon Maimons K.-Rezeption — Ausgangspunkt für Hegels K.-Kritik?, in: AZPh 7 n.3, 1982, 37-44; — Ders., Die Ausbildung einer dynamischen Atomistik bei Leibniz, K. u. Schelling u. ihre aktuelle Bedeutung, in: AZPh 13, n.1, 1988, 1-20; — Paolo Bora, La ripresa di K. in Francia tra »moderno« e »postmoderno«, in: TeoriaP 2, n.1, 1982, 131-142; — Hartmut Brands, »Cogito ergo sum«. Interpretationen von K. bis Nietzsche, 1982; — Giusepe Cacciatore, Vico e K. nella filosofia di Ottavio Colecchi, in: BCSV 12/13, 1982/83, 63-99; — Mario P.M. Caimi, K.s Lehre von der Empfindung in der Kritik der reinen Vernunft. Versuch zur Rekonstruktion e. Hyletik d. reinen Erkenntnis (MaphFo 25), 1982; — Ders., La sensación en la crítica de la razón pura, in: CuadF 19 n. 30-31, 1983, 109-119; —

Giuseppe Cantillo, Ottavio Colecchi e l'estetica di K., in: AFLFUN 25, 1982-1983, 371-400; — Sonia Carboncini - Reinhard Finster, Das Begriffspaar Kanon-Organon. Seine Bedeutung für die Entstehung der kritischen Philosophie K.s, in: ABg 26, 1982, 25-59; — Jaume Casals Pons, K.: Assaig per introduir en filosofia el concepte de magnitud negativa i Somnis d'un visionari explicats per somnis de la metafisica (comentari), in: Enr n.4, 1982, 37-45; — Olivier Chédin, Sur l'esthétique de K.: et la théorie critique de la représentation, Paris 1982; — Laughlan Chipman, K.'s categories and their schematism (Repr.: KantSt 63, 1972, 36-50), in: Ralph C.S. Walker, Ed., K. on pure reason (ORPh), 1982, 100-116; — Curt Christian, Auswahlaxiomatische Quantorenvertauschung, in: Zum 200. Jahrestag des Erscheinens der Kritik der reinen Vernunft, PN 19, n.1-2, 1982, 23-39; — Raffaele Ciafardone, Über das Primat der prakt. Vernunft vor der theoret. bei Thomasius u. Crusius mit Beziehung auf K., in: SL 14, 1982, 127-35; — Ders., La Critica della ragion pura nell'aetas K.iana. Antologia, 1987; — Ted Cohen and Paul Guyer (Ed.), Essays in K.'s aesthetics, 1982; — Atti del Convegno per il secondo centenario della »Critica della ragion pura«, svoltosi a Messina dal 7 al 9 maggio 1981 a cura degli Istituti di Filosofia della Facoltà di Lettere e di Magistero dell'Università degli Studi di Messina e della sezione messinese della Società Filosofica Italiana, Ed. G.B.M., Messina 1982; — I. Cornea, Sur le jugement de K., in: Phi Zéro 10, n.2-3, 1982, 125-41; — Konrad Cramer, K. o Hegel. Esbozo de una alternativa relativa a la teoría de la verdad dentro de la filosofía idealistica clásica, in: AnuF 15, n.2, 1982, 19-32; — Ders., Kontingenz in K.s »Kritik der reinen Vernunft«, in: Probleme der »Kritik der reinen Vernunft«. Klaus Reich zum 75. Geb. am 1. Dez. 1981. K.-Tagung, Marburg 1981. Hrsg. von Burkhard Tuschling, Berlin 1984, 143-160; — Ders., Nicht-reine synthetische Urteile a priori. Ein Problem d. Transzendentalphilos. I.K.s (Diss. Heidelberg, HF25) 1985; — Henri Declève, K. et le plaisir de penser, in: Qu'est-ce que l'homme?, 1982, 71-85; — B.Y. Deshpande, A priori, in: IndPQ 10, 1982-1983, 203-206; — Ders., Can Conscience be hypocritical: The Contrasting Analyses of K. and Hegel, in: HThR 68, 1975, 357-370; — Gottfried Dietze, K. und der Rechtsstaat, 1982; — Jeffery R. Dodge, Uniformity of empirical cause-effect relations in the second analogy, in: KantSt 73, 1982, 47-54; — Jean-Louis Dumas, Claudius et K., in: RMM 87, 1982, 190-206; — Michael Dummett, Frege and K. on geometry, in: Inq 25, 1982, 233-254; — Hans Ebeling, Die ideale Sinndimension. K.s Faktum d. Vernunft u. d. Basis-Fiktionen d. Handelns, 1982; — Theodor Ebert, K.'s categorial imperative and the criteria of obligatory, prohibited, and optional actions. Transl. by Cathleen Muehleck Weber, in: CGPh 1, 1982, 55-68; — Johann Eduard Erdmann, Versuch einer wissensch. Darstellung der Geschichte der neuem Philos. in 7 Bänden. Bd VII: Die Entwicklung der dt.en Spekulation seit K. Faks.-Neudr. d. Ausg. Leipzig 1834-53. Teil 3, 1982²; — Karl Dietrich Erdmann, I.K. Über den Weg der Geschichte. K.s Friedensidee, in: U 37, 1982, 819-826; — François Evain, Impératif catégorique et problématique de l'être. Rosmini entre K. et Heidegger, in: L'héritage de K.. Mélanges philosophiques offerts au P. Marcel Régnier (BAPhNS 34), 1982, 211-220; — Michael Ewert, Die problematische Kritik der Ideologie: spekulativer Schein (K., Fichte, Hegel, Marx) u. seine polit. Auflösung (d. sozialdemokrat. Erbengemeinschaft) (CampF 264), 1982; — Cornelio Fabro, La negazione assurda: nel secondo centenario della 1a ed. della Kritik der reinen Vernunft (Riga 1781), Genova 1982; — Ignacio Falgueras Salinas, Del saber absoluto a la perplejidad. La génesis filosófica del planteamiento crítico (K.), in: AnuF 15, n.2, 1982, 33-73; — Ders., K. en la filosofía espanola de los anos sesenta 1960-1970, in: Thémata n.2, 1985, 23-40; — Wolfgang Farr (Hrsg.), Hume und K. Interpretation u. Diskussion. Texte von Lewis White Beck u.a., 1982; — Ernst Feil, Autonomie und Heteronomie nach K. Zur Klärung einer signifikanten Fehlinterpretation, in: FZPhTh 29, 1982, 389-441; — Reinhard Finster, Spontaneität, Freiheit u. unbed. Kausalität bei Leibniz, Crusius u. K., SL 14, 1982, 266-77; — Ders., Leibniz' Entwurf der phänomenalen Welt im Hinblick auf K.s »Kritik d.r. Vernunft«, in: SL Suppl 26, 1986, 188-197; — Werner Flach, Zu K.s. Lehre von der symbol. Darstellung, in: KantSt 73, 1982, 452-462; — Cirilo Flórez Miguel y Mariano Alvarez Gómez (Ed.), Estudios sobre K. y Hegel, (Documentos Didácticos 5), 1982; — Amos Funkenstein, On the K.ian and Neok.ian theories of science (Englisch abstract of Hebrew text), in: Iy 31, 1982, 312; — Ders., The persecution of absolutes. On K.ian and neo-K.ian theories of science, in: The kaleidoskope of science. The Israel Colloquium. Studies in history, philosophy and sociology of science I. Ed. by Edna Ullmann-Margalit, BStPhSc 94, 1986, 39-63; — Umberto Galeazzi, K. nella dialettica dell'illuminismo. Per una critica dello scientismo moderno, in: Modernità. Storia e volore di un'idea. Contributi al XXXVI Convegno del Centro di studi filosofici di Gallarate, 23-24-25 Aprile 1981, Brescia 1982, 66-89; — Ders., K. e Husserl nei primi lavori filosofici di Adorno (1924-1930), in: RFN 75, 1983, 263-287; — Ders., Cartesio e K. nella Terminologia filosofica di Adorno, RFN 76, 1984, 292-316; — Raffaele Folino Gallo, K. e la filosofia tedesca postk.iana, 1982; — T.N Ganapathy, The K.ian approach to reality, in: KantSt 73, 1982, 471-475; — Manuel García Morente, La filosofia de K., Madrid 1982[2]; — Giuseppe Gembillo, Scaravelli e le prime riflessioni k.iane sullo spazio, in: Contr 6, n.1, 1982, 34-43; — Amihud Gilead, The relationship between formal and transcendental-metaphysical logic according to K., in: Mon 65, 1982, 437-443; — Ders., Teleological time. An extension of K.'s theory of time (english abstract of Hebrew text), in: Iy 32, 1983, 209; — Agustin González Gallego, La función de la Crítica del del juicio, in: Enr n.4, 1982, 61-63; — Simone Goyard-Fabre, K. et l'idée de »Société des Nations«, in: Dialogue 21, 1982, 693-712; — Dies., Les sources du droit et la »révolution copernicienne«. Quelques réflexions sur K. et Rousseau, in: APD 27, 1982, 67-83; — Richard F. Grabau, K.s protophenomenology, in: Phenomenology inrom duty but not in accord with duty [K.], in: Ethics 93, 1982/1983, 283-290; — R.K. Gupta, Analytic and synthetic propositions, in: AGP 64, 1982, 56-63; — Rainald Hahn, Die Theorie der Erfahrung bei Popper und K.. Zur Kritik d. krit. Rationalismus am transzendentalen Apriori (Symposion 66), 1982; — Ross Harrison, Transcendental arguments and idealism, in: Idealism. Past and present. Ed. Godfrey Vesey, 1982, 211-224; — Hans-Eduard Hengstenberg, Die Kategorie der Setzung in K.s Vernunftkritiken, in der Phänomenologie und der Wissenschaftstheorie, in: Zum 200. Jahrestag des Erscheinens der Kritik der reinen Vernunft, PN 19, n.1-2, 1982, 53-82; — Gary M. Hochberg, K. Moral legislation and two senses of »will«, 1982; — Norbert Hoerster (Hrsg.), Klassiker des philosophischen Denkens II: Hume, K., Hegel, Schopenhauer, Marx, Nietzsche, Heidegger, Wittgenstein, 1982; — Piotr Hoffmann, The anatomy of idealism. Passivity an activity in K., Hegel, and Marx (NIPhS 11), 1982; — James Hopkins, Visual geometry (Repr.: PhR 82, 1973, 3-34), in: Ralph C.S. Walker, Ed., K. on pure reason (ORPh), 1982, 41-65; — Terry Hopton, K.'s two theories of law, in: HPT 3, 1982, 51-76; — Detlef Horster, Der K.ische »methodische Solipsismus« und die Theorien von Apel und Habermas, in: KantSt 73, 1982, 463-470; — Ders., K. zur Einführung (SOAKEinf 11), 1982, 1985[2]; — William B. Hund, K. and A. Lazaroff on the sublime (A. Lazaroff, The K.ian sublime, in: KantSt 71, 1980, 202-220), in: KantSt 73, 1982, 351-355; — Ders., The sublime and God in K.'s Critique of judgement, in: NS 57, 1983, 42-70; — Gordon Hunnings, Physics and geometry in K.'s Critique of pure reason, in: SAJP 1, 1982, 58-64; — Humberto Giannini Iníguez, Tiempo y espacio en Aristóteles y K., 1982; — Zum 200. Jahrestag des Erscheinens der Kritik der reinen Vernunft (PN 19 n.1-2), Meisenheim/Glan 1982; — Hans Jonas, Is faith still possible: memories of Rudolf Bultmann and reflections on the philosophical aspects of his work, in: HThR 75, 1982, 1-23; — Klaus Erich Kaehler, K. und Hegel zur Bestimmung einer philosophischen Geschichte der Philos., in: SL 14, 1982, 25-47; — Ders., K.s frühe Kritik an der Lehre von der »prästabilierten Harmonie« und ihr Verhältnis zu Leibniz, in: KantSt 76, 1985, 405-419; — Gerd Kimmerle, Kritik der identitätslog. Vernunft. Unters. z. Dialektik d. Wahrheit bei Descartes u. K. (MonPhF 213), 1982; — Dieter Kimpel, Begriff und Metapher. Die Stellung des philos. Gedankens z. Metapher bei Aristoteles u.K.; in: ZDPh 4, 1982, 82-9; — J. FM. Kirsten, Die Kritik der reinen Vernunft en die probleem van die geskiedenis, in: SAJP 1, 1982, 11-22; — Patricia Kitcher, K. on self-identity, in: PR 91, 1982, 41-72; — Dies., K.'s paralogisms, in: PR 91, 1982, 515-547; — Dies., K.'s patchy epistemology (P. Guyer, K. and the claims of knowledge, 1987), in: PPhQ 68, 1987, 306-316; — Dies., Connecting intuitions and concepts at B 160n, in: The B-Deduction. Spindel conference 1986. Ed. by Hoke Robinson, SouthJP 25, 1987, Suppl., 137-149; — Sarah Kofman, Le respect des femmes. K. et Rousseau (Débats). Paris, éditions Galilée, 1982; — Ders., The economy of respect. K. and respect for women. Transl. by Nicola Fisher, in: Soc. Res. 49, 1982, 383-404; — John Ladd, K. as a teacher, in: TeachPh 5, 1982, 1-9; — Reinhard Lauth, K.s Lehre von den »Grundsätzen des Verstandes« und Fichtes grundsätzliche Kritik derselben, in: L'héritage de K.. Mélanges philosophiques offerts au P. Marcel Régnier (BAPhNS 34), 1982, 119-136; — Drew Leder, Merleau-Ponty and the critique of K., in: GFPJ 9, n.2, 1982/83, 61-75; — Karl Leidlmair, Il concetto di movimento nella filosofia di K. e Hegel. Trad. di Carla Festi, in: Ver 11, 1982, 289-305; — Winfried Lenders, Der allgemeine K.index. Vom Stellenindex zum Informationssystem, in: KantSt 73, 1982, 440-451; — David A. Long, K.'s pragmatic horizon, in: APQ 19, 1982, 299-313; — Ders., 1981 Hegel and K. anniversaries in the U.S.S.R., in: BHSGB n.5, 1982, 1-3; — M. Longeart-Roth, K. philosophe de l'histoire: critique ou visionnaire?, in: La philos. de l'histoire et la pratique historienne d'aujourd'hui. Philosophy of history and contemporary historiography, Éd. par D. Carr et al., 1982, 337-246; — Jeffrey Maitland, An ontology of appreciation. K.'s aesthetics and the problem of meta-physics, in: JBSP 13, 1982, 45-68; — Martin Malcher, Der Logos und die Zeit. Das Grundproblem der transzendentalen Reflexion, in: KantSt 73, 1982, 208-237; — Ricardo Mali-andi, Quinto congreso internacional K., in: RFLP n.24, 1982, 99-105; — Italo Mancini, Guida alla Critica delle ragion pura. Vol. I (Grandi ipotesi 4), 1982; — John Marshall, Hypothetical imperatives, in: APQ 19, 1982, 105-114; — Pere Marti - Joaquím Maristany, Estabilidad e inestabilidad de la »Revolucion copernicana«. Primado del a priori y la forma en la Critica de la razón pura. Corolarios y reflexiones sobre tal primacia, in: Enr n.4, 1982, 49-54; — H. E. Matt-hews, Strawson on transcendental idealism (Repr.: PhQ 19, 1969, 204-220), in: Ralph C.S. Walker, Ed., K. on pure reason (ORPh), 1982, 132-149; — Umbaldo L. Mazzalomo, La filosofia de las matemáticas en K., in: Ph n.43, 1982, 23-50; — Michael H. McCarthy, K.'s rejection of the argu-ment of Groundwork III, in: KantSt 73, 1982, 169-190; — Ders., K.'s Groundwork justification of freedom, in: Dialo-gue 23, 1984, 457-73; — Ders., The objection of circularity in groundwork III, Claude McMillan, K.'s deduction of pure aesthetic judgements, in: KantSt 76, 1985, 43-54; — Vincent A. McCarthy, Christus as Chrestus in Rousseau and K., in: KantSt 73, 1982, 191-207; — Ders., Quest for a philosophi-cal Jesus. Christianity and philosophy in Rousseau, K., He-gel, and Schelling, 1986; — David McKenzie, K. and Prote-stant theology, in: Encounter 43, 1982, 157-167; — Ders., A K.ian Theodicy, in: FPh 1, 1984, 236-247; — Albert Menne, Das unendliche Urteil K.s, in: Zum 200. Jahrestag des Er-scheinens der Kritik der reinen Vernunft, PN 19, n.1-2, 1982, 151-162; — Janusz Mizera, Some remarks about Heideg-ger's interpretation of K., in: RepPh 6, 1982, 35-47; — J.N. Mohanty and Robert W. Shahan, Ed., Essays on K.'s Criti-que of pure reason, 1982; — E. Morscher, Ist Exitenz immer noch kein Prädikat?, in: Zum 200. Jahrestag des Erscheinens der Kritik der reinen Vernunft, PN 19, n.1-2, 1982, 163-199; — JesCs Mosterín, K. como filósofo de la ciencia, in: Enr n.4, 1982, 5-10; — Sergio Nelli, Determinismo e libero arbitrio da Cartesio a K., 1982; — Thomas Nemeth, The patchwork theory and 13, in: KantSt 73, 1982, 70-81; — Daniel O'Connor, K.'s conception of happiness, in: JVI 16, 1982, 189-205; — Ders., Good and evil disposition, in: KantSt 76, 1985, 288-302; — E. Oeser, K.s Beitrag zur progressiven Begründung der komparativen Wissenschafts-theorie, in: Zum 200. Jahrestag des Erscheinens der Kritik der reinen Vernunft, PN 19, n.1-2, 1982, 201-250; — S.B. Oluwole, The synthetic-apriori thesis of K., in: NJPh 2, n.1, 1982, 1-10; — Alessandra Organte, Il concetto k.iano di »nihil negativum«: un'apparente sopravvivenza razionalisti-ca nella Critica della ragion pura, in: Ver 11, 1982, 25-48; — Yusuf Örnek, (Rezension des im Türkischen ersch. Buches:) I.K., Pratik Aklin Elestirisi. Übers. von Ioanna Kucuradi, Ülker Gökberk, Füsun Akatli. Herausgeg. von Ioanna Kucu-radi (Philos. series 2, Ankara 1980), in: KantSt 73, 1982, 485; — Ernst Wolfgang Orth, der Terminus Phänomenolo-gie bei K. und Lambert und seine Verbindbarkeit mit Hus-serls Phänomenologiebegriff, in: ABg 26, 1982, 231-249; — Ders., Can »phenomenology« in K. and Lambert be connec-ted with Husserlian phenomenology? Transl. by Timothy Casey, in: K. and phenomenology, Ed. Th.M. Seebohm, (CCR 4), 1984, 61-79; — Adela Cortina Orts, El concepto de »critica« en la filosofia trascendental de K., in: CSF 9,

1982, 5-22; — Dies., Razón pura y mundo de la vida. La teleología moral k.iana, in: Pen 42, 1986, 181-192; — Stav-ros Panou, Leibniz, K., Hegel. Sechs hermeneutische Stu-dien, 1982; — Luciano Parinetto — Livio Sichirollo, Marx e Shylock. K., Hegel, Marx e il mondo ebracio. Con una nuova traduzione di Marx, La questione ebraica (TeS 12), 1982; — Charles Parsons, K.'s philosophy of arithmetic (Repr. from S. Morgenbesser etc., Ed., Philosophy, science and method), in: Ralph C.S. Walker, Ed., K. on pure reason (ORPh), 1982, 13-40; — Ders., Arithmetic and the catego-ries, in: Topoi 3, 1984, 109-21; — Francisco L. Peccorini, On to the world of freedom. A K.ian meditation on finite selfhood, 1982; — Ders., Sciacca and K. on »interiority«: Variations on the same theme? in: SSG n.1, 1985, 23-40; — Ders., Rosminism versus K.ism?, in: RRFC 81, 1987, 1-31; — Marcello Pera, Hume, K. e l'induzione, 1982; — Ders., K. e la sfida di Hume, in: NCM 1, n.1, 1983, 42-7; — Armando Plebe - Pietro Emanuele, Leggere K. (Scaffale aperto), Roma 1982; — Gianni M. Pozzo, Il primato dell'eti-cità nella storia in K., in: Ver 11, 1982, 265-288; — Ders., Il finalismo storico di K. e di Gentile, in: FO 10, 1987, 227-241; — Mario A. Presas, El puesto de K. en la historia de la filosofia segun Husserl, in: RFLP n.24, 1982, 81-88; — B. Rensch, K.s Vorstellungen über den menschlichen Geist, in: Zum 200. Jahrestag des Erscheinens der Kritik der reinen Vernunft, PN 19, n.1-2, 1982, 251-274; — Marie Rischmül-ler, Probleme der »Kritik der reinen Vernunft«. Eine Ar-beitstagung an der Univ. Marburg, in: KantSt 73, 1982, 356-359; — Federico Riu, El mundo del espejo. Crítica y metafísica en K., in: EpisteNS 2 n. 1-3, 1982, 85-117; — Robert van Roden Allen, Emancipation and subjectivity. A projected K.-Habermas confrontation, in: PhSC 9, 1982, 281-303; — Sandra B. Rosenthal, Lewis's pragmatic K.ia-nism. Toward dialogue with phenomenology, in: Phenome-nology. Dialogues and Bridges. Ed. by Ronald Bruzina and Bruce Wilshire (SSPEP 8), 1982, 123-134; — Jaume Roura Roca, Influència de K. a Catalunya. Notes, in: Enr n.4, 1982, 59f; — J. Roy, Système et liberté chez K. et Schelling, Phi Zéro 10, n. 2-3, 1982, 143-168; — Mario Sáenz, The stoic tension. A study of K., Hegel and Marx, Kin 12, 1982-1983, 55-80; — Jordi R. Sales Coderch, Una casa sòlida (El criti-cisme com a racionalisme còsmic), in: Enr n.4, 1982, 55-58; — Monika Sänger, die kategoriale Systematik in den »Me-taphysischen Anfangsgründen der Rechtslehre«. Ein Beitr. z. Methodenlehre K.s (KantSt: Erg.-Hh. 114), 1982; — Wer-ner Sauer, Österr. Philos. zwischen Aufklärung u. Restaura-tion, 1982; — Frank Hickey Schalow, The problem of reli-gious discourse for critical philosophy, in: DJPST 25, n.1, 1982-1983, 1-6; — Ders., Imagination and existence. Hei-degger's retrieval of the K.ian ethic, Lanham (Md.) 1986; — Ders., Re-opening the issue of world. Heidegger and K., in: MW 20, 1987, 189-203; — Don E. Scheid, K.'s retributi-vism, in: Ethics 93, 1982/83, 262-282; — Joachim Schickel, Zum ewigen Unfrieden. Oder wat Schmidt mit K. tau daun hett, in: Dialectik 4, 1982, 171-176; — Adolf Schurr, »Von der Unmöglichkeit des ontologischen Beweises vom Dasein Gottes«. Zur »Widerlegung« des ontologischen Gottesbe-weises bei K., in: L'héritage de K.. Mélanges philosophiques offerts au P. Marcel Régnier (BAPhNS 34), 1982, 81-94; — Roger Scruton, K. (Past masters), 1982; — Michel Serres, L'etern retorn, in: Enr n.4, 1982, 5-10; — Josef Simon, Zum Verhältnis von Denken und Zeit bei K. u. Heidegger, in:

L'héritage de K.. Mélanges philosophiques offerts au P. Marcel Régnier (BAPhNS 34), Paris 1982, 255-267; — Ders., K.s pragmatische Ethikbegründung, in: AF 55, 1987, 183-204; — Marcus G. Singer, Reconstructing the Groundwork, in: Ethics 93, 1982/1983, 566-578; — J. Slawov, (Rez. des im Bulgar. ersch. Buches:) Immanuel K., Kritika na spossobnosta sa sojdenie. Übers. von Zeko Torbov, in: KantSt 73, 1982, 255-257; — E. Staffa, (Rezension des im Russ. ersch. Buches:) I.S. Narskij, K. (Moskva 1976), in: KantSt 73, 1982, 363-364; — André Stanguennec, La représentation du corps humain dans les esthétiques de K. et de Hegel, in: TLN n.7, 1982, 105-127; — Ders., Hegel critique de K. (Philos. d'aujourd'hui), Paris 1985; — Ders., Genèse et structure d'une remarque critique de Hegel sur la construction k.ienne de la matière dans la science de la logique, in: AdPh 48, 1985, 401-19; — Ders., L'anthropologie contemporaine et la critique k.ienne de la métaphysique, in: EnsPh 38, n.3, 1987-1988, 24-29; — Burkhard Steglich, Die Vielzahl moralischer Ordnungen. Gedanken zu Kelsens Kritik an k.s kategor. Imperativ, in: ARSP 68, 1982, 400-405; — Harald Steinhagen, Der junge Schiller zwischen Marquis de Sade und K.. Aufklärung und Idealismus, in: DVfLG 56, 1982, 134-157; — Annegret Stopczyk, Wittgenstein. Die dt.sprachige Tradition der Sprachkritik in Gegensatz zu I.K., in: Sprache und Ontologie, Akten des 6. Internat. Wittgenstein Symposiums. Hrsg.: Werner Leinfellner u.a. (SWG 8), 1982, 524-529; — D.F.M. Strauss, The place and meaning of K.'s Critique of pure reason (1781) in the legacy of Western philosophy, in: SAJP 1, 1982, 131-146; — Berry Stroud, Transcendental arguments (Repr.: JP 65, 1968, 241-256), in: Ralph C.S. Walker, Ed., K. on pure reason (ORPh), 1982, 117-131; — Ders., K. and skeptizism, in: The skeptical tradition. Ed. Myles Burnyeat (Major thinkers series 3), 1983, 435-50; — Werner Strube, Burkes und K.s Theorie des Schönen, in: KantSt 73, 1982, 55-62; — Rainer Stuhlmann-Laeisz, Kategorien. theoret. Begriffe und empir. Bedeutung. Überlegungen zu K.s Definition des Wissenschaftsbegriffs, in: Erk 17, 1982, 361-376; — Ders., K.s Thesen über sein Kategoriensystem und ihre Beweise, in: KantSt 78, 1987, 5-24; — Jacques Taminiaux, Entre l'attitude esthétique et la mort de l'art (K. et Hegel), in: Qu'est-ce que l'homme?, 1982, 401-420; — Gabriele Tomasi, Fede, soggettività e metafisica in K. alla luce della Critica della ragion pura, in: Ver 11, 1982, 307-327; — Dies., Libertà, ragione e moralità: a proposito del concetto k.iano di azione, in: Ver 15, 1986, 243-279; — Dies., Moralità e libertà. Appunti su un problema della prima recezione dell'etica k.iana, in: Ver 17, 1988, 301-326; — John L. Treloar, The discipline of pure reason, in: IS 12, 1982, 35-55; — Eugenio Trías, De Nietsche a K., in: Enr n.4, 1982, 23-36; — Ders., El litigio entre dos concepciones de la crítica: Hegel y K., in: Er (Sevilla) 1, n.2, 1985, 125-131; — Sebastià Trias Mercant, Apunt per a una lectura k.iana de la »Critica de la raó pura«, in: Enr n.4, 1982, 65-67; — Josep Manuel Udina, Fe i raó. Un problema no tan antic, in: Enr n.4, 1982, 71-80; — L. Vaiana, The problem of causality in K. and Whitehead, in: Semiosis 7, n.25-26, 1982, 130-139; — Solange Vergnières, Sur la pluralité des sens du mot »matière« Chez K., in: REPh 33, n.3, 1982-1983, 1-13; — Roger Verneaux, I.K. Las tres críticas (Crítica filosófica), 1982; — Jean-René Vernes, Critique de la raison aléatoire ou Descartes contre K., 1982; — G. Vincent, Ontothéologie et théologie morale selon K., in: RHPhR 62, 1982,

239-250; — Georges Vlachos, Le problème des frontières du droit dans la philos. de K. et Fichte (Texte grec.), in: PAth 12, 1982, 277-302; — Wilhelm Vossenkuhl, Transzendentale Argumentation und transzendentale Argumente. Überlegungen zur Möglichkeit eines transzendentalen Kriteriums, in: PhJ 89, 1982, 10-24; — Sandra A. Warytko, Confucius and K. The ethics of respect, in: PhEW 32, 1982, 237-257; — Viktoria S. Wike, K.'s antinomies of reason. Their origin and their resolution, 1982; — Dies., Metaphysical foundations of morality in K., in: JVI 17, 1983, 225-233; — Dies., K.'s practical antinomy, in: SouthJP 22, 1984, 425-433; — Dies., The role of happiness in K.'s Groundwork, in: JVI 21, 1987, 73-78; — Dies., The role of judgment in K.'s third Critique, in: IS 17, 1987, 231-243; — Reiner Wimmer, Die Doppelfunktion des Kategorischen Imperativs in K.s Ethik, in: KantSt 73, 1982, 291-320; — J. Michael Young, K. on the construction of arithmetical concepts, in: KantSt 73, 1982, 17-46; — Ders., Construction, schematism, and imagination, in: Topoi 3, 1984, 123-31; — Ders., K.'s view of imagination, in: KantSt 79, 1988, 140-164; — John Brittain Abbink, K., Husserl and the structure of philosophic theories, Authorized facsimile of the dissertation Ph.D. 1981, Ann Arbor (Mich.), Univ. Microfilms Intern., 1983; — Bruno Accarino, Simultaneità e contraddizione. K. nel marxismo italiano, in: Cent n.9, 1983, 128-148; — H. J. Adriaanse, Het morele godsbewijs, in het bijzonder bij K., WPMW 24, 1983-1984, 173-80; — George J. Agich, L.W. Beck's proposal of meta-critique and the Critique of judgement [Lewis White Beck, Towards a meta-critique of pure reason, in: Roc. Ottawa Congress..., Ed. by Pierre Laberge and others, Ottawa 1976, 182-196], in: KantSt 74, 1983, 261 270; — Stefano Agnoli - Azio Sezzi, Cooperazione e conflitto. Note su K. visto da Rawls, in: Pensiero 24-25, 1983-84, 225-235; — Edgardo Albizu, El problema de la temporalidad de la conciendia en la deducción trascendental de las categorías, in: Diálogos 18, n.41, 1983, 7-39; — Carmelo Amato, »Il sofista di Koenigsberga«, in: RRFC 57, 1983, 289-292; — Sven Andersen, Ideal und Singularität. Über d. Funktion d. Gottesbegriffes in K.s theoret. Philos. (KantSt, Erg. H. 116), 1983; — G. Antonopoulos, La conception de l'homme dans la 2me partie de la Kr.d.r.V. de K., in: PAth 13-14, 1983-1984, 468-473 [Résumé 473f]; — Karl Aschenbrenner, A companion to K.'s Critique of pure reason. Transcendental aesthetic and analytic, 1983; — Joachim Aul, Aspekte des Universalisierungspostulats in K.s Ethik, in: NHPh n.22, 1983, 62-94; — Ders., Over het begrip »causaliteit« bij K., in: ANTW 78, 1986, 34-54; — Italo Francesco Baldo, Studi italiani sull'antropologia di I.K., in: StPatav 30, 1983, 87-99; — Stephen Barker, K. on experiencing beauty, in: Essays on aesthetics, ed. by John Fisher, 1983, 69-85; — Frederick M. Barnard, Self-direction. Thomasius, K., and Herder, in: PolT 11, 1983, 343-68; — Ders., »Aufklärung« and »Mündigkeit«. Thomasius, K., and Herder. in: DVfLG 57, 1983, 278-97; — Francesco Barone, K. e la. logica, in: NCM 1, n.1, 1983, 12-20; — Jean-Marie Barrande, D'Aristote à K.. Réflexions sur la »sismologie« des philosophes, in: Philos 9, 1983, 9-28; — Ders., Remarques sur la géologie k.ienne, in: Philos n.11, 1985, 127-142; — Karl Bärtlein (Hrsg.), Zur Geschichte der Philos.. Einf., Darst., Kritik, Lit. I: Von der Antike bis zur Aufkl., 1984^2, II: Von K. bis zur Gegenwart, 1983; — Hamilton Beck, K. and the novel. A study of the axamination scene, in: Hippel's Lebensläufe nach aufsteigender Linie, in: KantSt 74, 1983, 271-301; — J. M. Bernstein, Essex K. Conference, in: BHSGB n.7, 1983, 1-4; — August-Wilhelm Beutel, Die Beugung der reinen Vernunft zur Religion: d. Spiel d. Spiele oder wo sich d. Parallelen treffen oder nicht, 1983; — Rainer Bischof, Einige Gedanken zum K.ischen Geniebegriff, in: WJPh 15, 1983, 69-82; — Alexandru Boboc, K. versus Newton. Über die histor. Bedeutung der K.schen Theorie der Grundlagen der Wissenschaft, in: RRSSPL 27, 1983, 257-60; — Ders., K.s Kritizismus und die neue Bedeutung der Metaphysik, in: KantSt 74, 1983, 314-326; — Hartmut Böhme - Gernot Böhme, Das Andere der Vernunft. Zur Entwicklung von Rationalitätsstrukturen am Beispiel K.s, 1983; — William James Booth, Reason and history. K.'s other Copernican revolution, in: KantSt 74, 1983, 56-71; — Ders., Interpreting the world. K.'s philosophy of history and politics. Toronto 1986; — Anselmo Borges, K. e a questão de Deus, in: HuT 4, 1983, 281-319; — Bernard Bourgeois, L'histoire de la raison selon K., in: RThPh 115, 1983, 165-174; — Patrick L. Bourgeois - Sandra B. Rosenthal, Merleau-Ponty, Lewis and K.. Beyond »rationalism and empiricism«, in: ISP 15, n.3, 1983, 13-23; — Yulo Brandão, A coisa em si em K. e suas atuais ressonancias, in: RBF 33, 1983, 37-50; — Carl Braun, Kritische Theorie versus Kritizismus. Zur K.-Kritik Theodor W. Adornos (K.studien: Erg.H. 115), 1983; — Nathan Brett, Hume's debt to K., in: HumeS 9, 1983, 59-73; — Alberto Burgio, Il Rousseau di K. In margine all'interpretazione weiliana, in: Pensiero 24/25, 1983/84, 41-59; — Ders., Soggetto della critica e soggetto della conoscenza nella »Kritik der reinen Vernunft«, in: Acme 37, 1984, 41-62; — José Gómez Caffarena, El teísmo moral de K., 1983; — Monique Castillo, Peuple et souverain dans la philos. juridique de K., in: CPPJ n.4, 1983, 153-167; — Francis Courtès, Deux lecteurs du jeune K.: Ploucquet et Mendelssohn, in: AdPh 46, 1983, 291-321; — J. Gray Cox, The single power thesis in K.'s theory of the faculties, in: MW 16, 1983, 315-333; — Ders., The will at the crossroads. A reconstruction of K.'s moral philosophy. Washington 1984; — Ders., Morality at the crossroads. The case for an empirical, a posteriori subject reading of K.'s morality, in: IS 14, 1984, 24-34; — Ingrid Craemer-Ruegenberg, Logische und andere Eigenschaften des kategorischen Imperativs, in: NHPh n.22, 1983, 45-61; — Paul Crowther, K. and Greenberg's varieties of aesthetic formalism, in: JAAC. 42, 1983/84, 442-5; — Ders., Fundamental ontology and transcendent beauty: an approach to K.'s aesthetics, in: KantSt 76, 1985, 55-78; — Ders., Greenberg's K. and the problem of modernist painting, in: BJA 25, 1985, 317-325; — Ders., The claims of perfection. A revisionary defence of K.'s theory of dependent beauty, in: IPhQ 26, 1986, 61-74; — Pier Luigi D'Eredità, Formalismo k.iano e formalità tommasiana nella implicazione dei termini dell'actio, in: GM 5, 1983, 75-109; — Peter C. Dalton, K.ian freedom and the possibility of the critical philosophy, in: IS 13, 1983, 85-109; — Michael Davis, K.'s fourth defense of freedom of expression, in: SouthJP 21, 1983, 13-29; — Hans-Georg Deggau, Die Aporien der Rechtslehre K.s, 1983; — Ders., Die Architektonik der praktischen Philos. K.s. Moral-Religion-Recht-Geschichte, in: ARSP 71, 1985, 319-341; — Hellmut Dempe, Gedanken zum Weg der dt.en Philos. seit der Neubesinnung auf K., in: ZRGg 35, 1983, 1-11; — Federico Di Trocchio, K. critico della psicologia, in: NCM 1, n.1, 1983, 37-41; — Margeritta Dobrileit-Hel-

mich, Ästhetik bei K. und Schopenhauer. Ein krit. Vergleich, in: SJ 64, 1983, 125-137; — Michael W. Doyle, K., liberal legacies, and foreign affairs, I-II, in: PPA 12, 1983, 205-235. 323-353; — Klaus Düsing, Constitution and structure of self-identity. K.'s theory of apperception and Hegel's criticism, in: MSPh 8, 1983, 409-431; — Ders., K. und die beschreibenden Naturwissenschaften. Zur epistemologischen und wissenschaftsgeschichtl. K.-Interpretation von S. Marcucci, in: KantSt 75, 1984, 340-344; — Ders., Die Teleologie in K.s Weltbegriff (KantSt: Erg.-Hh. 96), 1986; — Ders., Ästhetische Einbildungskraft und intuitiver Verstand. K.s Lehre und Hegels spekulativ-idealistische Umdeutung, in: HegSt 21, 1986, 87-128; — Ders., Cogito ergo sum? Untersuchungen zu Descartes u. K., in: WJPh 19, 1987, 95-106; — Joseph Claude Evans (Jr.), Das Problem der prädikativen Kompossibilität [K. und A. Gurwitsch], in: Sozialität und Intersubjektivität. Phänomenolog. Perspektiven der Sozialwissenschaften im Umkreis von Aron Gurwitsch und Alfred Schütz. Hrsg. von Richard Grathoff und Bernhard Waldenfels, Übergänge (TSHSL 1), 1983, 51-67; — Ders., The metaphysics of transcendental subjectivity. Descartes, K. and W. Sellars (BSPh 5), 1984; — M. Jamie Ferreira, K.'s postulate. The possibility or the existence of God? in: KantSt 74, 1983, 75-80; — Norbert Fischer, Tugend und Glückseligkeit. Zu ihrem Verhältnis bei Aristoteles u. K., KantSt 74, 1983, 1-21; — Ders., Vom Nutzen der Metaphysikkritik. K.s Stellungnahme zu den »Einwürfen wider Sittlichkeit und Religion«, in: TThZ 95, n.1, 1986, 13-27; — Ders., Der formale Grund der bösen Tat. Das Problem der moralischen Zurechnung in der prakt. Philos. K.s, in: ZPhF 42, 1988, 18-44; — Maximilian Forschner, Reine Morallehre und Anthropologie. Kritische Überlegungen zum Begriff eines a priori gültigen praktischen Gesetzes bei K., in: NHPh n.22, 1983, 25-44; — Ders., Moralität und Glückseligkeit in K.s Reflexionen: in: ZPhF 42, 1988, 351-370; — Dietrich-E. FranzRosario Assunto, K., l'estetica della natura e la difesa dell'ambiente, in: Cann n.1-2, 1987, 73-89; — Gernot U. Gabel, Canadian theses on K., 1950-1975, in: KantSt 74, 1983, 373-377; — Ders., Theses on K. accepted for higher degrees by the universities of Great Britain and Ireland, 1905-1980, in: KantSt 75, 1984, 375-378; — Ders., Thèses de doctorat sur K. soutenues devant les universités françaises, 1886-1976, in: KantSt 76, 1985, 235-238; — Hans-Georg Gadamer, Di qua e oggi comincia una nuova epoca nella storia del mondo (Critica della ragion pura), Trad. di Manuela Paschi, in: NCM 1, n.1, 1983, 5-11; — Arturo García Astrada, Raíz de la finitud en la filosofia de K., in: RRFC 57, 1983, 32-37; — Georg Geismann, K.s Rechtslehre vom Weltfrieden, in: ZPhF 37, 1983, 363- 388; — Vanna Gessa, Sulla disciplina politica in Germania: Ch. Wolff, I. K., J.B. Erhard, 1983; — Carl-Friedrich Geyer, Marginalien zum Thema: »Transzendentalphilos. und Theologie«, FS 65, 1983, 334-350; — Giulio Giorello, K. e l'infinitamente piccolo, in: NCM 1, n.1, 1983, 28-36; — Karen Gloy, Die paradoxale Verfassung des Nichts, in: KantSt 74, 1983, 133-160; — Ders., Die K.ische Differenz von Begriff und Anschauung und ihre Begründung, in: KantSt 75, 1984, 1-37; dies., Erratum ibid., 380; — Ders., Das Verhältnis der Kritik d.r. Vern. zu den Metaphys. Anfangsgründen d. Naturwiss, demonstriert am Substanzansatz, in: PN 21, 1984, 32-63; — Ders., K.s Theorie des Selbstbewußtseins. Ihre Struktur und ihre Schwierigkeiten, in: WJPh 17, 1985, 29-58; — Ders., K.s Theorie der Zeit, in: WJPh 19, 1987, 47-82; — James A. Gould, K.'s critique of the Golden Rule, in: NS 57, 1983, 115-122; — Joseph M. Grcic, K. and Rawls. Contrasting conceptions of moral theory, in: JVI 17, 1983, 235-240; — Ders., K. on revolution and economic inequality (J. Rawls, A theory of justice), in: KantSt 77, 1986, 447-457; — Michael K. Green, K., crimes again nature, and contraception, in: NS 57, 1983, 501-516; — Paolo Grillenzoni, Profilo della fortuna di K. dal 1784 al 1870, 1983; — Francis Gubal, K. et le questionnement de la métaphysique, in: REPh 34, n.5, 1983/84, 9-41; — Klaus Hartmann, Recent Anglo-American literature on K.. Transl. by Terry Pinkard, in: CGPh 2, 1983, 288-315; — Linus Hauser, Religion als Prinzip und Faktum: d. Verhältnis von konkreter Subjektivität u. Prinzipientheorie in K.s Religions- u. Geschichtsphilos. (EurHSchr, Reihe 23: Theologie 193), 1983; — Ders., Praktische Anschauung als Grundlage der Theorie vom höchsten Gut bei K.. Eine Anwendung der von Peter Rohs bereitgestellten Methoden auf ein K.isches Hauptlehrstück [P. Rohs, Transzendentale Ästhetik, MonPhF 115, Meisenheim a. Glan 1975], in: KantSt 75, 1984, 228-236; — Jochem Hennigfeld, Der Friede als philosophisches Problem, K.s Schrift »Zum ewigen Frieden«, in: AZPh 8, n.2, 1983, 23-37; — Lawrence M. Himman, On the purity of our moral motives. A critique of K.'s account of the emotions and acting for the sake of duty, in: Mon 66, 1983, 251-267; — Philip Ho Hwang, An examination of Mencius' theory of human nature. With reference to K., in: KantSt 74, 1983, 343-354; — Christina Hoff, K.'s invidious humanism, in: EnvE 5, 1983, 63-70; — Helmut Holzhey, Genese und Geltung. Das vernunftkritische Resultat einer Kontroverse zwischen biologischer und k.ianischer Erkenntnistheorie, in: StPh 42, 1983, 104-123; — Hansgeorg Hoppe, Synthesis by K.: d. Problem d. Verbindung von Vorstellungen u. ihrer Gegenstandsbeziehung in d. »Krit. d.r. Vernunft« (QStPh 19), 1983; — Ders., neue Monographien zu Problemen des empirischen Denkens bei K. (Th. Nenon, Objektivität und endl. Erkenntnis, 1986; B. Grünewald, Modalität und empir. Denken, 1986), in: AZPh 12, n.3, 1987, 61-68; — J. C. Horn, K. und der Bildungsverfall der Moderne, in: WJPh 15, 1983, 191- 211; — Frank Höselbarth, Raum und Körper in der zweiten Antimoie der Kritik der reinen Vernunft K.s (EurHSchr, Reihe 20: Philos. 115), 1983; — R.I.G. Hughes, K.'s third paralogism, in: KantSt, 74, 1983, 405-411; — Hans-Gerd Janssen, Das Theodizee-Problem in K.s kritischer Philos., FS 65, 1983, 351-368; — Friedrich Jodl, Geschichte der Ethik als philosoph. Wissensch., II: Von K. bis zur Gegenwart 1983[3]; — Henri Joly, La philos. entre le clair et l'obscur ou K. et Hegel devant l'»Aufklärung«, in: Recherches sur la philos. et le langage. Conférences de Daniel Bougnoux, Jacques Derrida etc., Cahier du Groupe de recherches sur la philos. et le langage 3, Grenoble 1983, 79-105; — Salim Kemal, Aesthetic necessity, culture and epistemology, in: KantSt 74, 1983, 176-205; — Ders., K. and fine art. An essay on K. and the philosophy of fine art and culture, Oxford 1986; — Jong Doo Kom, Wissen und Glauben bei I. K. und H. Dooyeweerd. Der K.ische Dualismus und Dooyewerds Versuch zu seiner Überwindung, in: PRef 48, n. 2, Maarssen 1983; — Flávio R. Kothe, O caso K., in: Refl 8, n.27, 1983, 5-22; — Martin Kriele, Menschenrechte und Friedenspolitik [K.], in: Hegel-Jahrb. 1983, 392-417; — Gabriele Kübler, Kunstrezeption als ästhetische Er-

fahrung. K.s »Kritik der ästhetischen Urteilskraft« als method. Grundlage e. Erörterung gegenständl. u. gegenstandsloser Malerei, 1983; — Manfred Kuehn, Dating K.'s Vorlesungen über Philosophische Enzyklopädie, in: KantSt 74, 1983, 302-313; — Ders., K.'s transcendental deduction of God's existence as a postulate of pure practical reason, in: KantSt 76, 1985, 152-169; — Gerd-Walter Küsters, Recht und Vernunft. Bedeutung und Problem von Recht und Rechtsphilos. bei K.. Zur jüngeren Interpretationsgeschichte der Rechtsphilos. K.s, in: PhR 30, 1983, 209-239; — Allegra De Laurentiis, Marx' und Engels' Rezeption der Hegelschen K.-kritik: e. Widerspr. im Materialismus (EurHSchr Reihe 20: Philos. 108), 1983; — Franklin Leopoldo e Silva, Bergson e K. (sobre o problema da unidade do saber), in: CHFC n.5, 1983, 29-37; — Giuseppe Lissa, Cousin e Colecchi interpreti di K., in: GCFI 62, 1983, 278-305; — Zeljko Loparic, Heuristica k.iana, in: CHFC n.5, 1983, 73-89; — Ders., K.'s dialectic, in: NoEs 21, 1987, 573-593; — Ders., System-problems in K., in: Syn 74, 1988, 107-140; — Domenico Losurdo, Autocensura e compromesso nel pensiero politico di K. (IISF 4), 1983; — J.C. Luik, The ambiguity of K.ian faith, in: SJTh 36, n.3, 1983, 339-346; — Jean-François Lyotard, L'archipel et le signe (Sur la pensée k.ienne de l'historico-politique), in: Recherches sur la philos. et le language. Conférences de Daniel Bougnoux, Jacques Derrida etc., Cahier du Groupe de recherches sur la philos. et le langage 3, Grenoble 1983, 107-128; — Ders., L'enthousiasme. La critique k.ienne de l'histoire (La philos. en effet), Paris 1986; — Marizio Mamiani, Antecedenti e temi dell'ipotesi cosmogonica di I.K., in: NCM 1, n.4, 1983, 49-55; — A.J. Mandt, The inconceivability of K.'s transcendental subject. An impasse in K.'s metaphysics, in: IPhQ 23, 1983, 13-33; — Ders., The nature of philosophy, K., Fichte, and Rorty in the modern conversation (R. Rorty, Philosophy and the mirror of nature, 1979), in: PhF 19, 1987-1988, 197-223; — Maximiliano Fartos Martínez, Analogia entre K. y Ortega y sentido de la filosofía, in: Arbor 114, 1983, 69-75; — Stephen J. Massey, K. on self-respect, in: JHPh 21, 1983, 57-73; — G. J. Mattey, K.'s conception of Berkeley's idealism, in: KantSt 74, 1983, 161-175; — Ders., K.'s theory of propositional attitudes, in: KantSt 77, 1986, 423-440; — Paolo Miccoli, La filosofia della storia nel pensiero di K., in: RFN 75, 1983, 385-432; — Roberta de Monticelli - Michele di Francesco, Il problema dell'individuazione. Leibniz, K. e la logica modale, Milano 1983; — Évanghélos Moutsopoulos, Forme et finalité dans l'esthétique k.ienne, in: PAth 13-14, 1983-1984, 365-351; — Gerals Müller, Philosophische Ästhetik versus ästhetisches Manifest. Rekonstruktion u. systemat. Vergleich d. ästhet. Theorien K.s u. Oscar Wildes (Diss. Konstanz), 1983; — Marcos L. Müller, Hegel e as duas primeiras antinomias de K., in: CHFC n.5, 1983, 59-72; — Peter Müller, Transzendentale Kritik und moralische Teleologie: e. Auseinandersetzung mit d. zeitgenöss. Transformationen d. Transzendentalphilos. im Hinblick auf K. (Epistemata: Reihe Philos. 16), 1983; — Alfred Mundhenk, »Die Gunst der Natur«. K.s Begriff u. Deutung des Naturschönen, in: DVfLG 57, 1983, 366-398; — Gordon Nagel, The structure of experience. K.'s system of principles, 1983; — Ders., Transcendental unity, in: The B-Deduction. Spindel conference 1986. Ed. by Hoke Robinson, SouthJP 25, 1987, Suppl., 131-136; — Paul-Heinz Neumann, Betrachtungen zu K.s Kategorientafel, in: PN 20, 1983, 418-433; —

Gabriel Nuchelmans, Judgment and proposition. From Descartes to K., 1983; — Onora O'Neill, K. after virtue [Alasdair C. MacIntyre, After virtue. A study in moral theory. Notre Dame (Ind.) 1981], in: Inq 26, 1983, 387-405; — Dies., Transcendental synthesis and developmental psychology, in: KantSt 75, 1984, 149-167; — Dies., Consistency in action [K.], in: Morality and universality. Ed. by Nelson T. Potter and Mark Timmons, TDL 45, 1985, 159-186; — Dies., The public use of reason (K.), in: PolT 14, 1986, 523-551; — Hariolf Oberer, Ist K.s Rechtslehre kritische Philos.? Zu Werner Buschs Untersuchung der K.ischen Rechtsphilos. [Werner Busch, Die Entstehung der kritischen Rechtsphilos. K.s: 1762-1780, KantSt: Erg.-Hh. 110, Berlin 1979] KantSt 74, 1983, 217-224; — Ders. u. Gerhard Seel (Hrsg.), K. Analysen-Probleme-Kritik, 1988; — Michel Onfray, Les références de K. à Hobbes, CPPJ n.3, 1983, 132-5; — Birger Ortwein, K.s problematische Freiheitslehre (MaphFo 26), 1983; — Mark Packer, The highest good in K.'s psychology of motivation, in: IS 13, 1983, 110-119; — Heinz Paetzold, Ästhetik des dt. Idealismus. Zur Idee ästhet. Rationalität bei Baumgarten, K., Schelling, Hegel u. Schopenhauer, 1983; — Humphrey Palmer, The transcendental fallacy, in: KantSt, 74, 1983, 387-404; — Alfredo Parente, Vico, K. e l'estetica ovvero un rapport inesistente, in: RSC 20, 1983, 381-384; — Jens-Peter Peters, Cassirer, K. und Sprache. Ernst Cassirers »Philos. der symbolischen Formen« (EurHSchr, Reihe 20: Philos. 121), 1983; — Nicola Petruzzelis, Equivoci teologici di K., in: Sapienza 36, 1983, 129-136; — Michael J. Petry, Hegel's criticism of ethics of K. and Fichte, in: Hegel's philosophy of action. Ed. by Lewrence S. Stepelevich and David Lamb, Papers delivered at the joint meeting of the Hegel Soc. of America and the Hegel Soc. of Great Britain held at Merton College, Oxford, Sept. 1-4, 1981, to mark the 150th anniversary of Hegel's death, Atlantic Highlands (N.J.) 1983, 125-136; — Lindsay Porter, Does the transcendental deduction contain a refutation of idealism? in: KantSt 74, 1983, 487-499; — Ders., The quirks and turns in the eighth paragraph of K.'s chapter on the ontological argument, in: IndPQ 11, 1984, 309-332; — Hans Poser, Mögliche Erkenntnis und Erkenntnis der Möglichkeit. Die Transformation der Modalkategorien der Wolffschen in K.s krit. Philos., in: GPS 20, 1983, 129-47; — Jaques Poulain, Le filtre de vérité. La jouissance des interlocuteurs et la croix des philosophes [Arnold Gehlen, Der Mensch. Seine Natur u. seine Stellung in d. Welt, Wiesb. 1978¹²; M. Benedikt, Bestimmende und reflektierende Urteilskraft, Wien 1981], in: Cri 39, 1983, 215-231; — M.B. Rai, The a priori and the analytic, in: KantSt 74, 1983, 72-74; — Pedro Ramet, K.ian and Hegelian perspectives on duty, in: SouthJP 21, 1983, 281-299; — Hans Reiner, Duty and inclination. The fundamentals of morality. Discussed and redefined with special regard to K. and Schiller. Transl. of: Die Grundlagen der Sittlichkeit. Transl. by Mark Santos (Phaenomenologica 93), 1983; — O. Reinhardt - D.R. Oldroy, K.'s theory of earthquakes and volcanic action, in: AScL 40, n.3, 1983, 247-272; — A. Rigobello, K. Che cosa posso sperare, (Interpretazioni 5) Roma 1983; — Jacques Rivelaygue, De quelques difficultés concernant la IIIe antinomie: finitude et causalité, in: La passion de la raison. Hommage à Ferdinand Alquié. Publié sous la direction de Jean-Luc Marion, avec la collaboration de Jean Deprun (Épiméthée), Paris 1983, 323-340; — R. Rollinger, Two criticisms of K. (Nietzsche), in:

DJPST 26, n.1, 1983-1984, 27-31; — C. Rosso, K. et Montesquieu, in: CPPJ n.4, 1983, 169-185; — Ernst R. Sandvoss, I. K. Leben, Werk, Wirkung, 1983; — Arthur Schopenhauer, Die Welt als Wille und Vorstellung. Vier Bücher, nebst einem Anhange, der die Kritik der K.ischen Philos. enthält, in: Werke in 10 Bänden, Züricher Ausgabe, I-IV, 1983/84; — Hubert Schwyzer, How ar concepts of objects possible? in: KantSt 74, 1983, 22-44; — Michael J. Seidler, K. and the Stoics on suicide, in: JHI 44, 1983, 429-53; — Hans Seigfried, K.'s experiment of pure reason and hermeneutical phenomenologie, in: NoEs 17, 1983, 75; — Pierre Somville, L'originalité de K.. in: PHB 27 n.7, 1983-1984, 201-203; — Jan T.J. Srzednicki, The place of space and other themes. Variations on K.'s first Critique (NPhL 11), 1983; — Ders., On Strawson's criticism of K's »Transcendental idealism«, in: KantSt 75, 1984, 94-103; — Ders., The concept of object in general (K.), in: RepPh n.11, 1987, 39-47; — Martin Steinhoff, Zeitbewußtsein u. Selbsterfahrung. Studien z. Verh. von Subjektivität u. Zeitlichkeit im vork. Empirismus u. in d. Transzendentalphilos.n K.s u. Husserls, I-II (Epistemata: Reihe Philos. 14), 1983; — Roger J. Sullivan, The K.ian model of moral-practical reason, in: Mon 66, 1983, 83-105; — Chris Swoyer, K.ian derivations, in: CJPh 13, 1983, 409-431; — Julio Terán Dutari, La Fisica de Juan Bautista Aguirre, ante el segundo centenario de la Critica de K., in: RevHId n.4, 1983, 15-47; — Ricardo Ribeiro Terra, O idealismo político k.iano, in: CHFC n.5, 1983, 39-57; — Andreas Teuber, K.'s respect for persons, in: PolT 11, 1983, 369-392; — Guido Traversa, Nota critica ad un progetto di »semantica trascendentale« [W. Hogrebe, per una semantica trascencentale], in: Cann.3, 1983, 135-142; — Ders., Riflessioni sul rapporto pensio-linguaggio in K., in: Cann.3, 1984, 73-91; — Ders., Alcune considerazioni su »discorsivo-costruttivo« e »discorsivo-intuitivo« in K., in: Cann.1-2, 1986, 113-126; — Eric Turgeon, Le concept de temps dans la déduction transcendantale de la Critique de la raison pure de K., in: Consi 6, n.2, 1983, 41-58; — William F. Vallicella, K., Heidegger, and the problem of the thing in itself, in: IPhQ 23, 1983, 35-43; — Karel van der Leeuw - Pieter Mostert, Theorie-Aneignung in der Philos., dargestellt am Beispiel einer K.-Sitzung. Praxisbericht zum Thema Lernerfolg, in: ZDPh 5, 1983, 212-219; — Salvatore Veca, Giustizia locale e giustizia globale in K., in: Pensiero 24-25, 1983-1984, 119-129; — Antoinette Virieux-Reymond, Les grandes étapes de l'épistémologie jusqu'à K., 1983; — Gerhard Vollmer, K. and evolutionary epistemology, in: Erkenntnis- und Wissenschaftstheorie (SWG 9), Wien 1983; 185-197; — Ders., K. und die evolutionäre Erkenntnistheorie, in: AZPh 9, n.2, 1984, 19-71; — Gary Watson, K. on happyness in the moral life, in: PhRA 9, 1983, 79-108; — Roy C. Weatherford, Defining the least advantaged [J. Rawls, A K.ian conception of eqality. CRev 96, n.2225, 1975, 94-99], in: PhQ 33, 1983, 63-69; — T.E. Wilkerson, K. on objectivity, in: MSPh 8, 1983, 373-386; — Howard L. Williams, K.'s political philosophy, 1983, 1986²; — Robert Zaslavsky, K. on detective fiction, in: JVI 17, 1983, 53-64; — Kurt Walter Zeidler, Urteil und Schluß, Anmerkungen z. Kritik d.r. Vernunft, in: WJPh 15, 1983, 213-224; — Ders., Die transzendentale Geschichte des Ichs. Deduktion und Schematismus der reinen Verstandesbegriffe, in: WJPh 18, 1986, 95-125; — Jindrich Zeleny, From K.'s transcendental logic to Marx's materialistic dialectics, in: Aj 39, 1983,

29-39; — Magdalena Aebi, K.s Begründung der »Dt.en Philos.«: K.s transzendentale Logik, Kritik ihre Begründung. Nachdr. d. Ausg. Basel 1947, Hildesheim 1984; — Peter Alexander, Incongruent counterparts and absolute space (K.), in: PAS 85, 1984-1985, 1-21; — Maria Teresa Amado - Joao Luis Lisboa, Moral y politica en »Pata la paz perpetua« de K., in: Pen 40, 1984, 431-457; — Leonardo Amoroso, I.K., Logica (BiblUL 111), 1984; — Ders., Senso e consenso. Uno studio k.iano, 1984; — Ders., K. e il probleme di una regola delle regole, in: NCM 3, n.3-4, 1985, 5-8; — Julia Annas, Personal love and K.ian ethics in Effie Briest, in: PhL 8, 1984, 15-31; — Stephen F. Barker, How wrong was K. about geometry?, in: Topoi 3, 1984, 133-42; — Wolfgang Becker, Selbstbewußtsein u. Erfahrung. Zu K.s transzendentaler Deduktion u. ihrer argumentat. Rekonstruktion, 1984; — Ders., Kritik und Begründung in transzendentaler Argumentation, in: KantSt 76, 1985, 170-195; — Ders., Zum Handlungsbegriff in K.s theoret. Philos., in: AZPh 12, n.3, 1987, 41-59; — Ermanno Bencivenga, Identity, appearance, and things in themselves (K.), in: Dialogue 23, 1984, 421-437; — Ders., Knowledge as a relation and knowledge as an experience in the Critique of pure reason, in: CJPh 15, 1985, 593-616; — Ders., Understanding and reason in the first Critique, in: HPhQ 3, 1986, 195-205; — Ders., K.'s Copernican revolution, Oxford 1987; — Pierre Billouet, Pourquoi K. fait-il problème? in: Actualité d'Éric Weil. Actes du Colloque international, Chantilly, 21-22 mai 1982, BAPhNS 43, 1984, 237-239; — Herwig Blankertz, K.s Idee des ewigen Friedens und andere Vorträge. Hrsg. von Stefan Blankertz. Eingel. von Jörg Ruhloff, 1984; — Franco Bosio, Dialettica e metafisica in K., in: TeoriaP, 4 n.1, 1984, 17-36; — D. Bourel, Une erreur de l'Akademie-Ausgabe, in: KantSt 75, 1984, 237-238; — Joseph M. Boyle (Jr.), Aquinas, K., and Donagan on moral principles (A. Donagan, The theory of morality, 1977), in: NS 58, 1984, 391-408; — Robert F. Brown, The transcendental fall in K. and Schelling, in: IS 14, 1984, 49-66; — Ramón E. Carrillo, K. y la ciencia moderna, in: Franciscanum 26, 1984, 16-22; — David E. Cartwright, K., Schopenhauer, and Nietzsche on the morality of pity, in: JHI 45, 1984, 83-98; — Ders., K.'s view of the moral significance of kindhearted emotions and the moral insignificance of K.'s view, in: JVI 21, 1987, 291-304; — N. Chronis, K.'s Hinweise auf Demokrit (gr. Text), in: Proc. 1st int. Congress on Democritus, Vol. II, 1984, 13-18, 333-342; — Ulrich Claesges, Heidegger und das Problem der Kopernikan. Wende, in: NHPh n.23, 1984, 75-112; — William W. Clohesy, On rereading the categorical imperative, GFPJ 10, 1984-1985, 57-74; — Michèle Crampe-Casnabet, La question d'une double genèse dans la philos. k.ienne, in: AdPh 47, 1984, 247-262; — Ders., K. et Spinoza: le sens d'une philos. »chimérique«, in: Spinoza entre Lumières et Romantisme. Avant-propos de Jacquelin Bonnamour. Post-face de Paul Vernière, 1985, 57-63; — Ders., K.. Le voyageur de Königsberg, in: PhilosP n. 5., 1985, 3-9; — Daniel O. Dahlstrom, Transzendentale Schemata, Kategorien und Erkenntnisarten, in: KantSt 75, 1984, 38-54; — Ders., The natural right of equal opportunity in K.'s civil union, in: SouthJP 23, 1985, 295-303; — Claus Daniel, K. verstehen. Einf in seine theoret. Philos., Campus: Studium 553, Frankf. 1984; — Thomas DaQuincey, Die letzten Tage des Immanuel K.. Aus d. Engl. übers. u. hersg. von Cornelia Langendorf. Mit Beitr. von Fleur Jaeggy u.a.

sowie e. Anh., Debatte 6, München 1984; — Michael R. De Paul, The thesis of the second antinomy, in: HPhQ 1, 1984, 445-452; — Paul de Man, Phenomenality and materiality in K., in: Hermeneutics. Questions and prospects. Ed. and with introduction by Gary Shapiro and Alan Sica, Amherst 1984, 121-144; — Steven J. Dick, Plurality of worlds. The origins of the extraterrestical life debate from Democritus to K., 1984; — R.S. Downie, The hypothetical imperative, in: Mind 93, 1984, 481-490; — Marco Duitchin, K. segreto?, in: Contr 8, n.3, 1984, 17-29; — Howard Duncan, Inertia, the communication of motion, and K.'s third law of mechanics, in: PhS 51, 1984, 93-119; — Ders., The Euclidean tradition and K.'s thoughts on geometry, in: CJPh 17, 1987, 23-48; — Félix Duque Pajuelo, Teleologie und Leiblichkeit beim späten K., in: KantSt 75, 1984, 381-397; — Ders., L'illusione e la strategia della ragione, in: Cann n.1-2, 1986, 97-112; — Colin Falck, The process of meaning-creation. A transcendental argument (K.), in: RM 38, 1984-1985, 503-528; — Rafael Ferber, Der Grundgedanke des Tractatus als Metamorphose des obersten Grundsatzes der Kritik der reinen Vernunft, in: KantSt 75, 1984, 480-468, und in: FZPhTh 33, 1986, 129-139; — José M.a Rubio Ferreres, Idea, esquema e imaginación en K., in: Pen 40, 1984, 297-316; — Giuseppe de Flaviis, L'immagine dello spinozismo nell'Opus postumum di K., in: AIFF 6, 1984, 129-61; — Ders., K. e Spinoza, 1986; — RaCl Fornet, Anmerkungen zur Rezeptionsgeschichte K.s in Südamerika, in: KantSt 75, 1984, 317-327; — Michel Foucault, Che cos'è l'illuminismo? Che cos'è la rivoluzione? (Trad. italiana a cura di Giacomo Marramao), in: Cent n.11-12, 1984, 229-236; — Horst Frankenberger, K. u. die Frage nach der göttl. Allgenügsamkeit. Zur transzendentalen Wende in der philos. Gotteslehre (EurHSchr, Reihe 20: Philos. 153), 1984; — Manfred S. Frings, Max Scheler and K.. Two paths toward the same: the moral good, in: K. and phenomenology, Ed. Th.M. Seebohm, (CCR 4), 1984, 101-114; — Eugene T. Gendling, Time's dependence on space. K.'s statements and their misconstrual by Heidegger, in: K. and phenomenology, Ed. Th.M. Seebohm, (CCR 4), 1984, 147-160; — Fernando Gil, Studio di un caso di innovazione concettuale: la formazione della teoria k.iana dello spazio (1746-1768), Trad. di Lorenzo Magnani, in: MatF n. 12, 1984, 11-32; — Jerry H. Gill, K., analogy, and natural theology, in: IJPR 16, 1984, 19-28; — Jürgen Habermas, Una freccia scagliata al cuore del presente: a proposito della lezione di Michel Foucault su »Was ist Aufklärung?« di K. (Trad. italiana a cura di Giacomo Marramao, in: Cent n.11-12, 1984, 237-242; — Ders., Moralität und Sittlichkeit. Treffen Hegels Einwände gegen K. auch auf die Diskursethik zu?, in: Moralität und Sittlichkeit. Das Problem Hegels und die Diskursethik. Hrsg. von Wolfgang Kuhlmann, Frankf./M. 1986, 16-37, ebenso in: RIPh 42, 1988, 320-340; —; — William L. Harper and Ralph Meerbote (Ed.), K. on causality, freedom, and objectivity, Minneapolis (Minn.) 1984; — JesCs Herrero, Ortega frente a K. y a Unamuno, in: Arbor 117, 1984, 497-511; — Holger Jergius, Subjektive Allgemeinheit. Unters. im Anschluß an K., 1984; — Willem R. de Jong, K.-tekeningen inzake analyticiteit en aprioriciteit, in: ANTW 76, 1984, 83-103; — Carol Van Kirk, K.'s reply to Putnam, in: IS 14, 1984, 12-23; — Frank M. Kirkland, Husserl and K.. The problem of pre-scientific nature and transcendental aesthetics, in: K. and phenomenology, Ed. Th.M. Seebohm, (CCR 4), 1984, 31-59; — Ders., K.'s objectivity argument in the 1787 transcendental deduction, in: IS 17, 1987, 245-257; — T. Klein, Being as ontological predicate. Heidegger's interpretation of »K.'s thesis about being«, in: Thinking about beeing. Aspects of Heidegger's thought. Ed. and with introduction by Robert W. Shahan and J. N. Mohanty, Norman 1984, 35-51; — William Kluback, Eric Weil's interpretation of K., in: IS 14, 1984, 1-12; — Ders., Hermann Cohen and K.. A philosophy of history from Jewish sources, in: IS 17, 1987, 161-176; — Joseph J. Kokkelmans, Heidegger's fundamental ontology and K.'s transcendental doctrine of method, in: K. and phenomenology, Ed. Th.M. Seebohm, (CCR 4), 1984, 161-183; — Norbert Körsgen, Formale und transzendentale Synthesis. Unters. zum Kernproblem d. Kritik d. r. Vernunft (MonPhF 223), 1984; — Kristian Kühl, Eigentumsordnung als Freiheitsordnung. Zur Altualität d. K.ischen Rechts- u. Eigentumslehre (Reihe Prakt. Philos., 20), 1984; — Bruce Kuklick, Seven thinkers and how they grew: Descartes, Spinoza, Leibniz; Locke, Berkeley, Hume; K., in: Philosophy in history, Essays on the historiography of philosophy, Ed. by Richard Rorty et. al., London 1984, 125-139; — Sergio Landucci, Sulla »finalità interna« della natura in K., in: RFT 75, 1984, 185-208; — Amihud Lilead, Teleological time. A variation on a K.ian theme. in: RM 38, 1984-1985, 529-562; — Bernd M. Lindenberg, Vorüberlegungen zu einer Theorie der modernen Industriegesellschaft: K., Weber u. Parsons in systemtheoret. Perspektive (Epistemata: Reihe Gesellschaftswiss. 1), 1984; — F. Longato, Trendelenburg tra Aristotele, K. e Hegel. in: BSFI 123, 1984, 27-35; — Antonio Miguel López Molina, Razón pura y juicio reflexionante en K. (ESM 2), 1984; — Don Macniven, Bradley's critiques of utilitarian and K.ian ethics, in: IS 14, 1984, 67-83; — Paulo R. Margutti, As categorias de K. e a lógica das pressuposicoes, in: Kri 25, n.73, 1984, 91-102; — Arthur Melnick, The geometry of a form of intuition, in: Topoi 3, 1984, 163-168; — Susan Mendus, K.s doctrine of the self, in: KantSt 75, 1984, 55-64; — Dies., The practical and the pathological [I.K.], in: JVI 19, 1985, 235-243; — Giuseppe Michele e Giovanni Santinello, A cura di, K. a due secoli dalla »Critica«, Brescia 1984; — Ermanno Migliorini, Il paragrafo 51 della Critica del giudizio: Batteux e K., RivSF 39, 1984, 283-91; — Ben Mijuskovic, K. on reality, in: Cog 2, n.3, 1984, 61-67; — Hjördis Nerheim, Der Begriff »Erfahrung« in K.s Kritik der ästhetischen Urteilskraft, in: Ästhetik. Akten des 8. Internat. Wittgenstein Symposiums, Teil I, 1983, Hrsg. Rudolf Haller (SWG 10/1), 1984, 95-97; — Ders., Internationalität bei K., in: Philos. des Geistes. Philos. der Psychologie. Hrsg.: Roderick M. Chisholm, Hoh. Chr. Marel, John T. Blackmore, Adolf Hübner (SWG 11), 1985, 98-101; — Paul Olivier, Métaphysique et religion, K., Hegel, Heidegger, Études, in: RSR 72, 1984, 219-242; — Thomas Paine, The age of reason, Buffalo (N.Y.), 1984; — H. Palmer, K.'s Critique of pure reason, Cardiff 1984; — Stephen Palmquist, Faith as K.'s key to the justification of transcendental reflection, in: HeythrJ 25, 1984, 442-455; — Ders., The radical unknowability of K.'s thing in itself, in: Cog 3 n.2, 1985, 101-115; — Ders., The radical unknowability of K.'s thing in itself, in: Cog 3 n.2, 1985, 101-115; — Ders., The architectonic form of K.'s Copernican logic, in: Metaph 17, 1986, 266-288; — Ders., Is duty K.'s »motive« for moral action?, in: R 28, 1986, 168-174; — Ders., Knowledge and experience. An examination of the four reflexive »perspectives« in K.'s

critical philosophy, in: KantSt 78, 1987, 170-200; — Margherita Palumbo, Immaginazione e matematica in K. (BCM 911), 1984; — Giuseppe Panella, Tempo della morte del tempo in K. e Robespierre (A proposito di Martin Puder, I.K.: rigore ed espressione), in: Cent n. 10, 1984, 185-91; — Luigi Pareyson, L'estetica di K.. Lettura della »Critica del giudizio« (Saggi di estetica e di poetica 7). Nuova edizione aumentata. Milano 1984; — Juan Pegueroles, Moral de la ley y moral del bien. K. y Santo Tomás, in: Espíritu 33, 1984, 17-26; — John Peterson, K.'s dilemma of knowledge an truth, in: Thomist 48, 1984, 241-248; — Claude Piché, Das Ideal. Ein Problem der K.ischen Ideenlehre (Conscientia 12), Bonn 1984; — Ders., Les fictions de la raison pure, in: Phlsph 13, 1986, 291-303; — Ders., Le Schématisme de la raison pure. Contribution au dossier Heidegger-K., in: ÉPh n.1, 1986, 79-99; — Ramón Queraltó Moreno, El plantamiento del problema de la finalidad en la naturaleza en la »Crítica de la razón pura«, in: Thémata n. 1, 1984, 121-38; — François Rabaud, L'object transcendantal. Réponse à F. Guibal (F. Guibal, K. et le questionnement de la métaphysique), in: REPh 35, n.4, 1984-1985, 9-25; — Jan Rachold, Zwischen K. und Hegel. Schleiermachers Philos. zu Beginn d. 19. Jhds, in: AF 52, 1984, 35-47; — Carmen G. Revilla Guzmán, Intuición y metafísica. Anotaciones a la crítica de Bergson a K., in: ASMet 19, 1984, 195-213; — H. Peter Rickman, What need for blood in the cognitive subject. K.'s criticism of Dilthey, in: DiltheyJPGG 2, 1984, 159-170; — Claus Ritterhoff (Hrsg.), Was ist Aufklärung? Von K., Lessing, Mendelssohn, (Sudelblätter), Göttingen 1984; — André Robinet, El pensamiento europeo de Descartes a K.. Traducción de Marcos Lara, 1984; — [Bert Röling], In de eeuwige vrede [I.K.]. Jean-Pierre Rondas in gesprek met Bert Röling, in: UilMin 1, 1984-1985, 135- 149; — Hans Rollmann, Von Hügel, K., and Vaihinger, in: DR 102, 1984, 32-47; — Denis L. Rosenfield, La chose en soi et le »reste« posé par le philosopher (A propos de K. et de Hegel), in: Manuscr 7, n.1-2, 1984, 7-16, und in: RMM 91, 1986, 236-245; — Kurt Röttgers, J.G.H. Feder, Beitrag zu einer Verhinderungsgeschichte eines dt.en Empirismus, in: KantSt 75, 1984, 420-421; — Anne-Marie Roviello, K. et le christianisme, in: AIPh 1984, 101-107; — Dies., L'institution k.ienne de la liberté, 1984; — Dies., L'horizon k.ien, in: Esp n. 7-8, 1988, 152-162; — Jaques Rozenberg, Space and life [K.], in: NSyst 6, 1984, 87-102; — Ders., La théorie optique de l'hallucination dans les »Reves d'un visionnaire« de K., in: RPFE 110, 1985, 15-26; — Vittorio Sainatti, La lingua impura di K., in: TeoriaP 4, n.1, 1984, 163-6; — Pasquale Salvucci, Grandi interpreti di K.: Fichte e Schelling, (Publicazioni dell'Università di Urbino. Serie di filosofia, pedagogia, psicologia 4) 1984; — Eric D. Sandberg, Causa noumenon and homo phaenomenon, in: KantSt 75, 1984, 267-279; — Hans-Martin Sass, K., Scheler, and Wojtyla. On a priori, values, and acting persons, in: K. and phenomenology, Ed. Th.M. Seebohm, (CCR 4), 1984, 115-127; — Richard Schacht, Classical modern philosophers, Descartes to K., 1984; — Charles M. Scherover, Heidegger's use of K. in Being and time, in: K. and phenomenology, Ed. Th.M. Seebohm, (CCR 4), 1984, 185-201; — Heinz Schuffenhauer et al. (Hrsg.), Pädagogisches Gedankengut bei K., Fichte, Schelling, Hegel, Feuerbach, 1984; — Michael Schweitz, Emil Lasks Kategorienlehre vor dem Hintergund der Kopernikanischen Wende K.s, in: KantSt 75, 1984,

213-227; — D. S. Shwayder, Hume was right, almost; and where he wasn't, K. was. in: MSPh 9, 1984, 135-49; — Marek J. Siemek, Die Idee des Transzendentalismus bei Fichte und K.. Aus d. Poln. übers. von Marek J. Siemek unter Mitw. von Jan Garewicz (STrPh 4), Hamburg 1984; — Ludwig Siep, Person and law in K. and Hegel, in: GFPJ 10, n.1, 1984, 63-88; — David Simpson, German aesthetic and literary criticism. K., Fichte, Schelling, Schopenhauer, Hegel, 1984; — Debabrata Sinha, Subjectivity and freedom. A metacritique in the K.ian-phenomenological perspective, in: K. and phenomenology, Ed. Th.M. Seebohm, (CCR 4), 1984, 81-100; — Steven G. Smith, Worthiness to be happy and K's concept of the highest good, in: KantSt 75, 1984, 168-190; — Werner Stark, Kritische Fragen u. Anmerkungen zu einem neuen Band der Akad.-Ausg. von K.s Vorlesungen, in: ZPhF 38, 1984, 292-310; — Ders., K.iana in Thorn, in: KantSt 76, 1985, 328-335; — Ders., Antwort auf die Erwiderung »Zum Streit um die Akademie-Ausgabe K.s« von G. Lehmann, in: ZPhF 39, 1985, 630-633; — John Taber, Fichte's emendation of K., in: KantSt 75, 1984, 442-459; — Mark Timmons, Contradictions and the categorical imperative, in: AGPh 66, 1984, 294-312; — Ders., K. and the possibility of moral motivation, in: SouthJP 23, 1985, 377-98; — Márta Ujvári, Personal identity reconsidered. A comment on Aquila's conception [R.E. Aquila, Personal identity and K.'s »Refutation of idealism«, in: KantSt 70, 1979, 259-278], in: KantSt 75, 1984, 328-339; — Agustín Uña Juárez, La »Nova dilucidatio« de K. y su »Cognitio metaphysica«, in: CD 197, 1984, 65-126; — Felipe Gonzáles Vicen, De K. a Marx, 1984; — Arnaud Villani, K. et le problème de la limite, in: REPh 35, n.2, 1984-1985, 3-18; — Luis Villoro, Definiciones y conocimiento a priori an K., in: RLF 10, 1984, 99-110; — Vincenzo Vitiello, Ethos ed Eros in Hegel e K., I-II, in: Cann n. 1-2, 1983, 57-80; n.3, 1983, 3-25; und: Poiesis 7, Napoli 1984; — René Wellek, Between K. and Fichte: Karl Leonhard Reinhold, in: JHI 45, 1984, 323-327; — M.R. Wielema, J.F.L. Schröder - aanhanger en tegenstander van K., in: TF 46, 1984, 466-483; — Theo Winkels, K.s Forderung nach Konstitution einer Erziehungswissenschaft, (RW), 1984; — Julian Young, Wittgenstein, K., Schopenhauer, and critical philosophy, in: Theoria 50, 1984, 73-105; — Ders., Schopenhauer's critique of K.ian ethics, in: KantSt 75, 1984, 191-212; — Stefano Zecchi, La fondazione utopica dell'arte. K., Schiller, Schelling (con una presentazione di Dino Formaggio), Milano 1984; — Günter Zöllner, Theoretische Gegenstandsbeziehung bei K. Zur systemat. Bedeutung d. Termini »objektive Realität« und »objektive Gültigkeit« in d. »Kritik der reinen Vernunft« (KantSt. Erg.-H. 117), 1984; — Ders., Comments on Professor Kitcher's »connecting intuitions and conceptions at B 160n, in: The B-Deduction. Spindel conference 1986. Ed. by Hoke Robinson, SouthJP 25, 1987, Suppl., 151-155; — P. Sven Arvidson, Hegel on the nature and status of the concept in K.'s critical philosophy, in: Kin 15, 1985/1986, 88-106; — Manuel Barrios Casares, Notas sobre la génesis de la episteme idealista en la Aufklärung: Lessing y K., in: Er 1, n.2, 1985, 105-124; — Karl Barth, Die protest. Theol. im 19. Jh., 1985[5]; — Hans Michael Baumgartner, K.s »Kritik der reinen Vernunft«. Anleitung zur Lektüre, (Kolleg Philos.), 1985; — Ders., K.s Kritik d.r. Vernunft, in: MW 21, 1988, 241-259; — Richard A. Blanke, The motivation to be moral in the Groundwork to the metaphysic of morals, in: PhRA

11, 1985, 335-345; — Jörg Bockow, Erziehung zur Sittlichkeit. Zum Verhältnis von prakt. Philos. u. Pädagogik bei Jean-Jacques Rousseau u. Immanuel K., 1985; — Hartmut Böhme - Gernot Böhme, Das Andere der Vernunft. Zur Entwicklung von Rationalitätsstrukturen am Beispiel K.s, 1985; — L.E. Borowski - R.B. Jachmann - E.A. Wasianski, K. intime. Textes trad. de l'allemand réunis et présentés par Jean Mistler, 1985; — Heinz Brakemeier, Die sittliche Aufhebung des Staates in K.s Philos., Frankf. 1985; — Paolo Bucci, »Architettonica« e »Dottrina della scienza«: filosofia e costruzione sistematica del sapere in K. e in Fichte, in: GCFI 64, 1985, 414-428; — Lucy Carillo Castillo, Acerca de la posibilidad de una otra noción de experiencia en K. como experiencia estética, in: Memorias. VI Foro nacional de filosofía. Mayo 26, 27,28 de 1983. Medellin (Colombia) 1985, 105-120; — Julián Carvajal Cordón, K. y la fundamentación del discurso de la metafísica, in: ASMet 20, 1985, 47-79; — Renata Viti Cavaliere, Un convegno su La tradizione k.iana in Ialia, in: BollF 19, 1985, 85-104; — A.J. Clark, Why K. couldn't be an anti-realist, in: Anal 45, 1985, 61-63; — Viorel Coltescu, Sinn u. Bedeutung bei K., in: RRSSPL 29, 1985, 301-307; — Vincent de Coorebyter, La doctrine k.ienne du concept en 1781, in: RPhL 83, 1985, 24-52; — Christine M. Corsgaard, K.'s formula of universal law, in: PPhQ 66, 1985, 24-47; — Arnold I. Davidson, Is Rawls a K.ian?, in: PPhQ 66, 1985, 48-77; — José Luis del Barco Collazos, Finalidad regulativa en la historia segCn K., in: St 25, 1985, 325-339; — Ders., La fundamentación k.iana de las proposiciones sintético-prácticas a priori (Consideraciones metaéticas sobre la moral de K.), in: Pen 42, 1986, 193-224; — Ders., La metafísica postulativa k.iana. Antinomia y postulados prácticos, in: En el II centenario de la Crítica de la razón práctica, EsFil 37, 1988, 53-100; — Jacques Derrida, Mochlos o il Conflitto delle facoltà [K.]. Traduzione di Maurizio Ferraris, in: Aut Aut n.208, 1985, 13-40; — Dobrilo Arantovic Dobrilo, K. in Jugoslawien 1975-1981, in: KantSt 76, 1985, 227-234; — Ralf-Erik Dode, Ästhetik als Vernunftkritik: e. Unters. z. Begriff d. Spiels u.d. ästhet. Bildung bei K.-Schiller-Schopenhauer u. Hebbel, EurHSchr, Reihe 11; Pädagogik 241, Frankf. 1985; — Alan Donagan, The structure of K.'s metaphysics of morals, in: Topoi 4, 1985, 61-72; — Manuel B. Dy Jr., On sources of moral obligation: K.ian, Schelerian, and Confucian, in: Cog 3, n.3, 1985, 83-94; — Hans-Jürgen Eberle, K.s Straftheorie in ihrer Bedeutung für die Entwicklung einer Theorie der Straffälligenpädagogik, in: KantSt 76, 1985, 90-106; — Alfred Elsigan, Der Wert eines guten Willens - legitimer Grund und Zweck moralischer Verpflichtung? Zum Begriff des moralischen Guten bei K., in: WJPh 17, 1985, 123-140; — Wolfgang Enderlein, Die Begründung der Strafe bei K., in: KantSt 76, 1985, 303-327; — Miguel Espinoza, La réalité en soi et connaissable est-elle possible? in: AdPh 48, 1985, 143-57; — Stafano Fabbri Bertoletti, L'edizione delle lezioni k.iane, in: GCFI 64, 1985, 164-166; — Sérgio L. de C. Fernandes, Foundations of objective knowledge to that of K., (BStPhSc 86), 1985; — Harald-Paul Fischer, Eine Antwort auf K.s Briefe vom 23. August 1749, in: KantSt 76, 1985, 79-89; — Ders., K. an Euler, in: KantSt 76, 1985, 214-18; — Bernard Charles Flynn, From finitude to the absolute. K.'s doctrine of subjectivity, in: PhT 29, 1985, 284-301; — Ders., Arendt's appropriation of K.'s theory of judgement, in: JBSP 19, 1988, 128-140; — Horst Folkers, Einheit in geschichtlichen Rechtsbegriffen? Zum Begriff des Rechts bei K., Hegel und Benjamin, in: ARSP 71, 1985, 246-261; — Michel Foucault, Il problema del presente . Una lezione su »Che cos' è l'Illuminismo?« di K.. Traduzione die Fabio Polidori, in: Aut Aut n. 205, 1985, 11-19; — Michael Friedman, K.'s theory of geometry, in: PR 94, 1985, 455-506; — David Gauthier, The unity of reason. A subversive reinterpretation of K., in: Ethics 96, 1985/1986, 74-88; — Harry J. Gensler, Logic and the first Critique, in: KantSt 76, 1985, 276-287; — Ders., A k.ian argument against abortion, in: PhSt 49, 1986, 83-98; — Paul Gilbert, La christologie sotériologique de K., in: Gregorianum 66, 1985, 491-515; — Amihud Gilead, Restless and impelling reason. On the architectonic of human reason according to K., in: IS 15, 1985, 137-150; — Arsenii Goulyga, E. K., une vie. Trad. [et postf.] de Jean-Marie Vaysse, Paris 1985; — Osvaldo N. Guariglia, La renovación k.iana del derecho natural y la crítica de Hegel. Una crítica a la crítica, in: Diálogos 20 n.45, 1985, 7-49; — R. Hall, K.ian translations and translations in general, LexPh 1, 1985, 65f; — Reto Halme, Die Geburt der historischen Dialektik, 1985; — Ders., Über die Geburt der histor. Dialektik. Die Herausbildung der Geschichtsauffassung des jungen Hegel im Ergebnis seiner K.-Kritik, in: AIGDPh 4, 1988, 97-106; — Jonathan Harrison, Utilitarianism, universalization, heteronomy and necessity or unk.ian ethics, in: Morality and universality. Essays on ethical universalizability. Ed. by Nelson T. Potter and Mark Timmons, TDL 45, 1985, 237-265; — J. P. Hatting, Die probleem van kuns en moraliteit teen die achtergrond van die estetika van K., in: SAJP 4, 1985, 8-15; — Heinz-Dieter Heckmann, K. und die Ich-Metaphysik. Metakritische Überlegungen zum Paralogismen-Kapitel der Kritik der reinen Vernunft, in: KantSt 76, 1985, 385-404; — J. R. van Heemst, »... wie man die Freiheit retten kann«. Het k.iaanse vrijheidsbegrip als een dogamtische steen des aanstoots, in: NedThT 39, 1985, 128-136; — Jörg Heininger, Ein Kunstwerk ist »allemal ... ein Werk der Menschen«. Zum Paragraphen 43 der »Kritik der Urteilskraft«, in: WZUJ 34, 1985, 429-432; — Istvan Hermann, Über den Naturbegriff von K.scher Ästhetik u.d. unausgesprochene Programm von Goethe, in: WZUJ 34, 1985, 319-321; — Bernal Herrera Montero, La realidad en K. y Berkeley, in: RFCR 23, 1985, 49-69; — Wilfried Hinsch, Die Unendlichkeit der Welt in der kritischen Philos. K.s, in: ZPhF 39, 1985, 383-409; — Ders., Erfahrung und Selbstbewußtsein. Zur Kategoriendeduktion bei K., 1986; — Walter Hirsch, Die Idee bei Platon und K. und ihr Staatsideal, in: PerspP 11, 1985, 349-74; — Godofredo Iommi Amunátegui - Mauricio Schiavetti Rosas, Las contrapartes incongruentes. El descubrimiento del espacio en K., in: RFC 25/26, 1985, 69-82; — Angela Maria Jacobelli Isoldi, Perché K., Roma 1985; — Dies., La rivoluzione copericana di K., in: Cann n.1-2, 1986, 77-96; — Paul Janssen, Zeit und Zeitlichkeit. Zeit als Realisierungsbedingung der Erkenntnis und die Zeitlichkeit des Erkennens [K. und Heidegger], in: PerspP 11, 1985, 73-90; — Ders., Begriff, Wahrnehmung und Daseinsthesis. K. und Frege, in: ZPhF 41, 1987, 229-244; — Jesse Kalin, The intent of romanticism: K., Wordsworth, and two films, in: PhL 9, 1985, 121-138; — Young Ahn Kang, Schema and symbol. A study in K.'s doctrine of schematism, 1985; — Richard Kennington (Ed.), the philosophy of I.K. (SPhHPh 12), 1985; — Norbert Klatt, K.s Kniefall vor der verschleierten Isis, in: ZRGg 37, 1985, 97-117; — Tadeusz

Klimski, La définition de la personne. Trois étapes dans l'histoire: Boéce, Thomas d'Aquin, K., in: JPh 1, 1985, 170-80; — Helmut Korch, K. und die einheitl. Naturerkenntnis, in: WZUJ 34, 1985, 301-308; — Christine M. Korsgaard, Aristotle and K. on the source of value, in: Ethics 96, 1985-1986, 486-505; — Dies., The right to lie. K. on dealing with evil, in: PPA 15, 1986, 325-349; — Dies., K.'s formula fo humanity, KantSt 77, 1986, 183-202; — Peter Koslowski, Staat und Gesellschaft bei K. (Vortr. u. Aufs./ W.-Eucken-Inst. 103), Tübingen 1985; — Petr Kotátko, Zu K.s Auffassung der Einheit der Natur u. d. Notwendigkeit der Naturgesetze, in: WZUJ 34, 1985, 309-314; — Roman Kozlowski, Zur Dialektik in K.s »vorkrit. Periode«, in: WZUJ 34, 1985, 315-318; — Gerhard Krämling, Die systembildende Rolle von Ästhetik und Kulturphilos. bei K. (Diss. Erl.-Nbg), 1985; — Ders., Das höchste Gut als mögliche Welt. Zum Zusammenhang von Kulturphilos. und systematischer Architektonik bei I.K., KantSt 77, 1986, 273-288; — R. Laermans - S. Parmentier, Oorlog en vrede bij K. en Clausewitz (CahCV 8), 1985; — Jean-Paul Larthomas, De Shaftesbury à K., I-II, 1985; — Robert Legros, La »beauté libre« et le phénomène en tant que tel. Commentaire du 166 de la Troisième Critique, in: AdPh 48, 1985, 605-611 [Résumé 605]; — Joan Leita (Trad.), Emmanuel K., Fonamentaci'o de la metafísica dels costums, extos filosofics, Barcelona 1985; — José López Hernández, Reflexiones sobre la metafísica de K., in: AnFil 3, 1985, 81-96; — Ders., La fundamentación k.iana de la moral, in: AnFil 4, 1986, 35-55; — Pascal Marignac, L'être logique de la liberté. Remarques sur la solution du Troisième conflit des idées transcendantales, in: ÉPh n.4, 1985, 471-490; — Edwin McCann, Skeptizism and K.'s B deduction, in: HPhQ 2, 1985, 71-89; — George McCarthy, Development of the concept and method of critique in K., Hegel, and Marx, in: SST 30, 1985, 15-38; — P.M. McGoldrick, The metaphysical exposition: an analysis of the concept of space, in: KantSt 76, 1985, 257-275; — Nancy F. McKenzie, The primacy of practical reason in K.'s system, in: IS 15, 1985, 199-217; — Uwe Meixner, Kritische Bemerkungen zu Peter Rohs' Beitrag [In welchem Sinn ist das Kausalprinzip eine »Bedingung der Möglichkeit von Erfahrung«?, in: KantSt 76, 1985, 436-450], in: KantSt 76, 1985, 451-453; — Carlos Mínguez, Euler y K.. El espacio absoluto, in: TSS 1, 1985, 411-438; — Jürgen Mittelstrass, Leibniz and K. on mathematical and philosophical knowledge, in: The natural philosophy of Leibniz. Ed. by Kathleen Okruhlik and James R. Brown, Dordrecht 1985, 227-61; — Georg Mohr, Objektivität und Selbstbewußtsein, I: Zur neueren Kritik und Rekonstruktion von K.s metaphysischer und transzendentaler Deduktion der Kategorien, in: PhLA 38, 1985, 271-287; — Ders., Transzendentale Argumente u. K.s Theorie des Selbstbewußtseins (Objektivität und Selbstbewußtsein II), in: PhLA 39, 1986, 382-402; — Ders. - Gerhard Seel, Commentair (du fragment intitulé Du sens interne), in: RThPh 119, 1987, 435-452; — Ders., Personne, personnalité et liberté dans la Critique de la raison pratique, in: K.. La critique de la raison pratique. Présentation de Manfred Frank, RIPh 42, 1988, 289-319; — Ludwika Mostowicz, Le problème de la traduction interculturelle (K. et Descartes). Pour un dépassement de l'eurocentrisme, in: NRA 1, 1985-1986, 509-519; — P.P. Müller-Schmid, K.s Autonomie der Ethik und Rechtslehre und das thomasische Naturrechtsdenken, in: JCS 26, 1985,

35-60; — Hans J. Münk, Ansätze zu einer neuen Sicht der prakt. Philos. K.s bei kathol. Autoren der Gegenwart. Zugleich ein Beitr. z. Vergleich d. Naturrechtslehre bei Thomas von Aquin u. K., in: JCS 26, 1985, 97-122; — Ders., Der Freiburger Moraltheologe Ferdinand Geminian Wanker (1758-1824) und Immanuel K.: histor.-vergleichende Studie unter Berücks. weiteren philos.-theol. Gedankenguts d. Spätaufklärung (MorTSH 10), 1985; — George Nakhnikian, K.ian universalizability and the objectivity of moral judgements, in: Morality and universality. Ed. by Nelson T. Potter and Mark Timmons, TDL 45, 1985, 187-233; — Frank Obergfell, Begriff und Gegenstand bei K.. Eine phänomenologische Unters. zum Schematismus d. empir. u. meth. Begriffe u.d. reinen Verstandesbegriffe in d. »Kritik der reinen Vernunft« (Diss. Freibg./Br.), (Epistemata: Reihe Philos. 25), 1985; — Chong-Hyon Paek, Phänomenolog. Unters. zum Gegenstandsbegriff in K.s »Kritik der reinen Vernunft«, (Diss. Freibg./Br., EurHSchr, Reihe 20: Philos. 183), 1985; — Michael Perrick, Attributen, propria, en het synthetisch a priori, in: ANTW 77, 1985, 264-269; — Ders., K. and Kripke on necessary empirical truths, in: Mind 94, 1985, 596-600; — Ders., K. and Kripke on necessary empirical truths, in: Mind 94, 1985, 596-600; — Encarnación Pesquero Franco, K. y la reforma del saber metafísico, in: ASMet 20, 1985, 81-111; — Günther Petry, K.s Weltidee. Die transzendentalen Bedingungen der Erfahrungswelt, 1985; — Frederick P. van de Pitte, Descartes et K. Empirisme et innéité. Traduit de l'anglais par Vincent Carraud, in: ÉPh 1985, 175-90; — Nelson Potter, K. on ends that are at the same time duties, in: PPhQ 66, 1985, 78-92; — Charles Thomas Powell, K., elanguescence, and degrees of reality, PPR 46, 1985-1986, 199-217; — Igor Primoratz, On »partial retributivism« in: ARSP 71, 1985, 373-377; — Françoise Proust, Une histoire de Stimmung (K.), in: ExP n.6, 1985, 39-52; — R. Sundara Rajan, Reflection and constitution. K., Hegel and Husserl, in: JICPhR 3, n.1, 1985-1986, 81-102; — Ders., Critique and imagination (K.), in: IndPQ 13, 1986, 105-130; — Roberto Rodríguez Aramayo, La filosofía k.iana de la historia. Otra versión de la teología moral?, in: RevF 8, 1985, 21-40; — Ders., La filosofía k.iana del derecho a la luz de sus relaciones con el formalismo ético y la filosofía crítica de la historia, in: RevF 9, 1986, 15-36; — Peter Rohs, Zu Uwe Meixners Bemerkungen [Kritische Bemerkungen zu Peter Rohs' Beitrag, in: KantSt 76, 1985, 454-456], in: KantSt 76, 1985, 454-456; — Ders., In welchem Sinn ist das Kausalprinzip eine »Bedingung der Möglichkeit von Erfahrung«?, in: KantSt 76, 1985, 436-450; — Ders., Über Sinn und Sinnlosigkeit von K.s Theorie der Subjektivität, in: NHPh n.27/28, 1988, 56-80; — Alicia Juarrero Roqué, Self-organization. K.'s concept of teleology and modern chemistry, in: RM 39, 1985-1986, 107-135; — Rogelio Rovira, Sobre el lugar de la fe racional en el idealismo trascendental (K.), in: ASMet 20, 1985, 113-140; — Ders., El catecismo moral de K.. Una versión popular de la teología ética, in: Pen 42, 1986, 225-233; — Ders., Teología ética. Sobre la fundamentación y construcción de una teología racional segCn los principios del idealismo trascendental de K., 1986; — Ders., La noción de postulado en la filosofía de K., in: RVF n.21, 1986, 77-88; — Juan José Sanguineti, La filosofía del progreso en K. y Tomás de Aquino, in: AnuF 18, n.2, 1985, 199-210; — Hans-Ernst Schiller, K. in der Philos. Ernst Blochs, in: BlAl 5, 1985, 45-92; — Hajo Schmidt, Durch

Reform zu Republik und Frieden? Zur politischen Philos. I.K.s, in: ARSP 71, 1985, 297-317; — M. Schmidt-Klügmann, Überlegungen zum modernen Sozialrecht auf der Grundlage der praktischen Philos. K.s, in: ARSP 71, 1985, 378-401; — Harald Schöndorf, »Denken-Können« und »Wollen-Können« in K.s Beispielen für den kategorischen Imperativ, in: ZPhF 39, 1985, 549-573; — Ders., Der Leib beim vorkrit. K., in: ThPh 61, 1986, 204-235; — Robin Schott, Morality and fetishism [K.], in: Cog 3, n.4, 1985, 61-74; — Steven S. Schwarzschild, K.ianism on the death penalty (and related social problems), in: ARSP 71, 1985, 343-371; — Josef Seifert, K. u. Brentano gegen Anselm u. Descartes. Reflexionen über das ontolog. Argument, in: ThA 56, n.4, 1985, 878-905; — Ders., K. y Brentano contra Anselmo y Descartes. Reflexiones sobre el argumento ontológico. Traducción de Rogelio Rovira. in: Thémata 2, 1985, 129-47; — P. Ricci Sindoni, Pareyson legge K., in: BSFI 124, 1985, 40-51; — Stefan Smid, Freiheit und Rationalität. Bemerkungen zur Auseinandersetzung mit der Philos. K.s in Stellungnahmen der neueren Lit., in: ARSP 71, 1985, 404-416; — Quentin Smith, K. and the beginning of the world, in: NS 59, 1985, 339-346; — Valeria Sorge, K., un'ipotesi personalistica, in: Sapienza 38, 1985, 455-466; — Paul Stern, The problem of history and temporality in K.ian ethics, in: RM 39, 1985/1986, 505-545; — Jaroslav Strítek-ky, Dejiny a dejinnost. Studie k problému jednoty a jednotlivého u Dilteye a K.a, Brno 1985; — Dieter Sturma, K. über Selbstbewußtsein. Zum Zusammenhang von Erkenntniskritik u. Theorie d. Selbstbewußtseins (Diss. Hannover, PhTSt 12), 1985; — Henri de Ternay, Autonomia e esquematismo. Dois indícios conjuntos da modernidade da ética k.iana, in: Leop 12, n.33, 1985, 41-53; — Manuel Ramos Valera, La revisión fichteana de la filosofía de K., in: AV 11, 1985, 241-295; — Wolfgang Viertel, K.s Lehre vom Urteil, in: ZPhF 39, 1985, 60-70; — Piero Viotto, Guida didattica ad Agostino, K. e Rosmini, in: PLF 2, n.3, 1985, 55-61; — Dieter Waidhas, K.s System der Natur. Zur Geltung u. Fundierung d. metaphys. Anfangsgründe der Naturwiss. (EurHSchr Reihe 20, Philos. 162), 1985; — St. Watson, K. and Foucault. On the ends of man, in: TF 47, 1985, 71-102; — C.J.F. Williams, K. and Aristotle on the existence of space, in: GPS 25/26, 1985/86, 559-72; — Sylvain Zac, Maimon, Spinoza et K., in: Spinoza entre Lumières et Romantisme. Avant-propos de Jacquelin Bonnamour. Post-face de Paul Vernière, 1985, 65-75; — Ders., F.H. Jacobi et le problème de l'imagination chez K., in: AdPh 49, 1986, 453-482; — Ders., Salomon Maimon critique de K. (La nuit surveilée), 1988; — Jürgen Zehbe, I.K., Geogr. u. andere naturw. Schriften, 1985; — Ders. (Hrsg.), Was ist Aufklärung? Aufsätze zur Geschichte u. Philos., 1985; — Roberto Rodríguez Aramayo, Postulado/hipótesis. Las dos facetas del Dios k.iano, in: Pen 42, 1986, 235-244; — Pierre Aubenque, La prudence chez Aristote. La prudence chez K., 1986³; — Ehrhard Bahr (Hrsg.), Was ist Aufklärung? Thesen und Definitionen. Mitverf.: K. u.a., 1986; — Renato Barilli, Burke, K., Leopardi, in: AesthP n.13, 1986, 87-97; — Teresa Bartolomei V. de Vasconcelos, Etiche a dialogo. Una »rilettura« k.iana dell'etica del discorso? (Su A. Wellmer, Ethik und Dialog, Frankf./M. 1986), in: Cann n.1-2, 1986, 197-209; — Günther Baum - Wolfgang G. Bayerer - Rudolf Malter, Ein neu aufgefundenes Reinschriftfragment K.s mit den Anfangstexten seines Entwurfs »Zum ewigen Frieden«,

KantSt 77, 1986, 316-337; — M.G.J. Beets, The shape of reality. An approach to K.'s analogies, 1986; — Ernst Behler, Henry Crabb Robinson und K.. Ein Beitrag zur K.rezeption innerhalb der europäischen Romantik, KantSt 77, 1986, 289-315; — Paul Benson, Moral worth [K.][B. Hermann, On the value of acting from the motive of duty, in: PR 90, 1981, 359-382], in: PhSt, 1986; — Ives Benzi-Z., El propósito k.iano en la fundamentación de la ética, in: RFC, 27/28, 1986, 65-76; — Martin A. Bertman, Augustine on time, with reference to K., in: JVI 20, 1986, 223-234; — María Julia Bertomeu, Crítica de Hegel al imperativo k.iano, in: RLF 12, 1986, 81-86; — Franco Biasutti, »Metaphysik nach K.?«: lo Hegel-Kongress die Stoccarda, in: Ver 16, 1986, 313-318; — Philip Blosser, K. and phenomenology, in: PhT 30, 1986, 168-173; — Gernot Böhme, Philosophieren mit K.. Zur Rekonstruktion d. K.schen Erkenntnis- u. Wissenschaftstheorie, 1986; — Hotimir Burger, K. und das Problem der Anthropologie, in: SynPh 1, n.1-2, 1986, 125-135; — Paulette Carrive, Le sublime dans l'esthétique de K., in: RHLF 86, 1986, 71-85; — Ubirajara Calmon Carvalho, O argumento ontológico em K. e a 1ª. via da demonstracao de Deus em S. Tomás, in: RBF 35, 1986, 22-42; — Darrel E. Christensen, K. and Hegel [Critical Study], in: RM 40, 1986/1987, 339-363; — James Van Cleve, K.'s first and second paralogisms, in: Mon 69, 1986, 483-488; — Ders., Comments on Paul Guyer's »The failure of the B-Deduction«, in: The B-Deduction. Spindel conference 1986. Ed. by Hoke Robinson, SouthJP 25, 1987, Suppl., 85-87; — Eusebi Colomer, El pensamiento alemán de K. a Heidegger. Vol. I: La filosofia transcendental: K.. Vol. II: El idealismo: Fichte, Schelling y Hegel (BHTF 174, 175), Barcelona 1986; — P.J. Crittenden, K. as educationist, in: PhSD 31, 1986-1987, 11-32; — Giuseppe D'Acunto, Su ragione, linguaggio, interpretazione in K. (M. Riedel, »Critica della ragion pura« e linguaggio, in: RFT 73, 1982, 297-312), in: Cann n.1-2, 1986, 210-214; — Henry d'Aviau de Ternay, Traces bibliques dans la loi morale Chez K.. Préface de François Marty (BAPhNS 46), Paris 1986; — Norman O. Dahl, Obligation and moral worth. Reflections on Prichard and K., in: PhSt 50, 1986, 369-399; — B.J. De Clercq, Denken over oorlog. H., Hegel, Clausewitz, in: TF 48, 1986, 21-47 [Résumé 47-48]; — J. De Munck, L'éthique de l'impossible. K. avec Lacan, 1986; — Willem R. de Jong, Opnieuw: attributen, propria en het synthetisch apriori [M. Perrick, Attributen, propria en het synthetisch a priori 1985], ANTW 78, 1986, 199-209; — Adriano Dell'Asta, La pubblicazione di tre inediti k.iani [custoditi negli archivi della bibliotekca Saltykov Scedrin di Leningrado, Voprosy Filosofii 1986], RFN 78, 1986, 281-283; — Eliot Deutsch, A metaphysical grounding for natural reverence. East-West, in: EnvE 8, 1986, 293-299; — Marco Duichin, Il »giacobino« di Königsberg. K., Croce e le origini di un paragone, in: Cann n.1-2, 1986, 127-154; — Ders., Influence K.iane nella prima formazione intellettuale di Marx, in: Attualità di Marx. Atti del Convegno. Urbino, 22-25 nov. 1983. A cura di G. Baratta et al. (TeS 49), 1986, 405-421; — Anton Dyk, K. und die Biologie der Erkenntnis, in: Conc 20, n.50, 1986, 47-57; — Pedro J. Egio Rodríguez, K. y los románticos. Discusión sobre un texto de Octavio Paz, in: AnFil 4, 1986, 137-145; — Rainer Enskat, Logische Funktionen und logische Fähigkeiten in der K.ischen Theorie der Urteilsfunktionen und in der Junktorenlogik, KantSt 77, 1986, 224-240; — Pietro Faggioto, »Limit« e »confini«

della conoscenza umana secondo K.. Commento al pargrafo 57 dei Prolegomeni, in: Ver 15, 1986, 231-242; — Ders., Il sostrato noumenico della natura in K., in: GM 9, 1987, 405-427; — Ders., Notes pour une recherche sur la métaphysique k.ienne de l'analogie, in: RThom 87, 1987, 85-92; — Brigitte Falkenburg, Die Form der Materie. Zur Metaphysik bei K. u. Hegel (MonPhF 238), 1986; — L. Falkenstein, Spaces and times. A K.ian response, in: IS 16, 1986, 1-11; — J. Fang, K. als »Mathematiker«, in: PhM 1, 1986, 63-119; — Peter Fenves, Marx's doctoral thesis on two Greec atomists and the post-K.ian interpretations, in: JHI 47, 1986, 433-452; — James R. Flynn, The logic of K.'s derivation of freedom from reason. An alternative reading to Paton (H.J. Paton, The categorical imperative, 1970), in: KantSt 77, 1986, 441-446; — Gerhard Gamm, Wahrheit als Differenz. Studien zu einer anderen Theorie der Moderne. Descartes, K., Hegel, Schelling, Schopenhauer, Marx, Nietzsche, 1986; — Georg Geismann u. Hariolf Oberer, Hrsg. u. eingel. von, K. und das Recht der Lüge, 1986; — Arsenio Ginzo, La filosofía de la educación en K., in: RevF 9, 1986, 201-232; — Ricardo J. Gómez, Beltrami's K.ian view of Non-Euklidean geometry, KantSt 77, 1986, 102-107; — Ders., Resonancias k.ianas en el pensamiento de Bohr, in: RLF 13, 1987, 3-22; — Theodore A. Gracyk, Sublimity, ugliness, and formlessness in K.'s aesthetic theory, in: JAAC 45, 1986-1987, 49-56; — Ders., K.'s shifting debt to British aesthetics, in: BJA 26, 1986, 204-217; — Dulce María Granja, Las condiciones de posibilidad del error en el planteamiento k.iano sobre el conocimiento humano, in: RevF Méx 19, 1986, 31-47; — Charo Grego - Ger Groot, Schoonheid van kunst en natuur in K.s »Kritiek van het esthetisch oordeelsvermogen«, in: WPMW 27, 1986-1987, 2-9; — Bernward Grünewald, Modalität und empirisches Denken: e. krit. Auseinandersetzung mit d. K. Modaltheorie (STrPh 7), 1986; — Peter Haggenmacher, Mutations du concept de guerre juste de Grotius à K., in: CPPJ n.10, 1986, 105-125; — Michael J. Healy, The two-fold foundation of the »analytic of the beautiful«. K.'s architectonic and human experience, in: JVI 20, 1986, 95-107; — Georg Wilh. F. Hegel, Jenaer kritische Schriften. Neu hrsg. von Hans Brockard u. Hartmut Buchner. Bd. III: Glauben und Wissen oder die Reflexionsphilos. der Subjektivität in der Vollständigkeit ihrer Formen als K.ische, Jacobische und Fichtesche Philos., PhB 319c, 1986; — Richard Heinrich, K.s Erfahrungsraum. Metaphys. Ursprung u. krit. Entwicklung (Symposion 77), 1986; — Johannes Heinrichs, Die Logik der Vernunftkritik. K.s Kategorienlehre in ihrer aktuellen Bedeutung: E. Einf., 1986; — Guillermo Hoyos Vásquez, Los intereses de la vida cotidiana y las ciancias (K., Husserl, Habermas), 1986; — Joachim Hruschka, Das deontologische Sechseck bei Gottfried Achenwall im Jahre 1767. Z. Geschichte d. deont. Grundbegriffe in d. Universaljurisprudenz zwischen Suárez u. K., 1986; — Enza Iannacone, Il volo di Vanessa. Note su K. e Heidegger, in: Cann n.1-2, 1986, 235- 237; — Wilhelm G. Jacobs, Leib und Seele. K.s transzendentalphilosophische Kritik an der Position der frühen Neuzeit, in: PhJ 93, 1986, 260-271; — Ders. - Peter Müller, Editionen philosoph. Werke der Epoche K.s, in: Buchstabe u. Geist. Zur Überlieferung u. Edition philos. Texte. Hrsg. Walter Jaeschke et al., Hamburg 1987, 191-196; — Dale Jacquette, The uniqueness problem in K.'s transcendental doctrine of method, in: MW 19, 1986, 425-438; — David A. Jopling, K. and Sartre on self-knowledge, in: MW 19, 1986, 73-93; — Philip J. Kain, The young Marx and K.ian ethics, in: SST 31, 1986, 277-301; — Yoshimichi Kakajima, K.s Theorie der Zeit-Konstruktion (Diss. Wien), 1986; — Jane Kneller, K.'s concept of beauty, in: HPhQ 3, 1986, 311-324; — Daniel C. Kolb, Thought and intuition in K.'s critical system, in: JHPh 24, 1986, 223-241; — Ders., Matter and mechanism in K.'s critical system, in: IS 18, 1988, 123-144; — Rita Koppers, Zum Begriff des Bösen bei K., 1986; — Stanislaw Kowalczyk, The idea of God in K.'s works (Polish text), in: SPhC 22, n.2, 1986, 41-68; — M.ª Antonia Labrada, La anticipación k.iana de la postmodernidad, in: AnuF 19 n.1, 1986, 85-104; — Claudia Langer, Reform nach Prinzipen. Unters. z. polit. Theorie I. K.s, 1986; — Jean-Marie Lardic, Sublime et éternité. K. et Hegel, lecteurs d'un poème de Haller, in: REPh 37, n.3, 1986-1987, 1-18; — John Christian Laursen, The subversive K.. The vocabulary of »public« and »publicity«, in: PolT 14, 1986, 584-603; — Joachim Leilich, Wittgensteins linguistische Wende u. K.s Diallelenargument, in: Die Aufgaben der Philos. in der Gegenwart, Hrsg. W. Leinfellner et al. (SWG 12), 1986, 554-556; — Hans Lindahl, Retórica, política y razón práctica, in: UPh 4, n.7, 1986, 77-101; — Gisela Helene Lorenz, Das Problem der Erklärung der Kategorien. Eine Untersuchung der formalen Strukturelemente in der »Kritik der reinen Vernunft«, KantSt Ergänzungshefte 118, 1986; — Robert B. Louden, K.'s virtue ethics, in: PhilosL 61, 1986, 473-489; — António Marques, Organismo e sistema na 3.ª Crítica de K., in: FL n.3, 1986, 19-33; — Vincenzo Milanesi, Juvalta e K., in: RivSF 41, 1986, 571-596; — Alberto Moreiras, Heidegger, K., and the problem of transcendence, in: SouthJP 24, 1986, 81-93; — Antonio Moretto, »Limite« e »analogia« in alcuni aspetti della filosofia critica di K., in: Ver 15, 1986, 341-364; — Ulrich Müller, Objectivität und Fiktionalität. Einige Überlegungen zu K.s Kritik der ästhetischen Urteilskraft, KantSt 77, 1986, 203-223; — M. Muqim, Schematism in perspective (K.), in: IndPQ 13, 1986, 131-150; — Yoshimichi Nakajima, K.s Theorie der Zeit-Konstruktion (Diss. Wien), 1986; — Bhikkhu Ñanajivako, The ethos of knowledge in k.ian and in Buddhist philosophy. Remarks on some theses from standpoint of European philosophy, KantSt 77, 1986, 59-83; — Thomas Nenon, Objektivität und endliche Erkenntnis. K.s transzendentalphilos. Korrespondenztheorie d. Wahrheit (Symposion 76), 1986; — Wolfgang Nikolaus, Moralität-Sittlichkeit-Liebe. Zum Konkretisierungsproblem des »kategorischen Imperativs«, in: WJPh 18, 1986, 135-148; — Maria Antónia Pacheco, Acerca da »Crítica« em K. e Marx, I, in: FL n.1, 1986, 34-51; — S.R. Palmquist, Six perspectives on the object in K.'s theory of knowledge, Dial 40, 1986, 121-151; — Willem Perreijn, Tijd en subjectiviteit in K.s eerste Kritiek, in: Stoi 1, 1986, 49-70; — Enrico Petris, Note preliminari allo studio della interpretazione nietzscheana di k., in: Ver 15, 1986, 281-302; — Ders., Nietzsche interprete di K.: dai primi scritti alle Considerazioni inattuali, in: Ver 17, 1988, 209-255; — Tillmann Pinder, K.s Begriff der transzendentalen Erkenntnis. Zur Interpretation der Definition des Begriffs »transzendental« in der Einleitung zur Kritik d. r. Vernunft, KantSt 77, 1986, 1-40; — Riccardo Pozzo, K. sulla questione della chiusura di Cina e Giappone. Discrepanze tra gli scritti a stampa e le »Vorlesungen über die physische Geographie«, in: RivSF 41, 1986, 725-745; — Pietro Prini, Esperienza e

ragione in K. (parte del saggio in prep. Introduzione all'ontologia semantica), in: Cann n.1-2, 1986, 45-52; — Joelle Proust, Questions de forme. Logique et propositon analytique de K. à Carnap, 1986; — Mario Quaranta, Il dibattito sulla razionalità oggi: un riturno a K.? Interviste a Karl Otto Apel e Jean Petitot, in: Prota 26, 1986, 121-125; — Philip L. Quinn, Christian atonement and K.ian justification, in: FPh 3, 1986, 440-462; — G.A. Rauche, Theory and practice in K.'s transcendental method, in: SAJP 5, 1986, 15-19; — Margit Rauchfuss, Beiträge zu den Sektionen des 5. Internat. K.-Kongresses, in: KantSt 77, 1986, 507-518; — Klaus Reich, Die Vollständigkeit der k.ischen Urteilstafel (Nachdr. Aufl. Bln 1948[2]), Hamburg 1986[3]; — M. Alain Renaut (Exposé), De la philos. du droit (K. ou Fichte?). Séance du 22 février 1986. Discussion: MM. Jacques Brunschwig, Guy Galiba et al., in: BSFPh 80, n.3, 1986; — Marc Richir, Métaphysique et phénoménologie. Sur le sens du reversement critique k.ien, in: LibEsp n.14, 1986/87, 99-155; — Paul Ricoer, Retourner à K. ou passer par K., in: Esp n.8-9, 1986, 155-156; — Ders., The teleological and deontological structures of action: Aristotle and/or K.?, in: AF 55, 1987, 205-217, and in: PhilosL 1987, Suppl. 99-111; — Jay F. Rosenberg, »I think«. Some reflections on K.'s paralogisms, in: MSPh 10, 1986, 503-530; — Mauro Rosi, Critica del giudizio e ontologia del Kunstwerk (Su P. Crowther, Fundamental ontology and transcendental beauty: an approach to K.'s aesthetics, in: KantSt 76, 1985, 55-78), in: Cann n.1-2, 1986, 238-242; — Angelo G. Sabatini, Il K. precritico in alcuni interpreti italiani (testo ripr. l'intervento al Conv. su La tradizione k.iana in Italia, Messina 1984), in: Cann n.1-2, 1986, 155-164; — J. Sánches de Murillo, Franz von Baaders Interpretation der K.ischen Naturphilos.. E. Beitr. z. Wissenschaftsgeschichte, in: PN 23, 1986, 293-319; — James Scheuermann, K.'s criteria of moral relevance, in: PIsr 16, 1986, 255-273; — Ders., Universal laws of nature in K.'s moral philosophy, in: AGPh 69, 1987, 269-302; — T.W. Schick Jr., K., analyticity, and the paradox of analysis, in: IS 16, 1986, 125-131; — Victor Jeleniewski Seidler, K., respect and injustice. The limits of liberal moral theory, 1986; — Fred Siegel, Is Archie Bunker fit to rule? Or: how I.K. became one of the Founding Fathers, in: Tel n.69, 1986-1987, 9-29; — Georg Simmel, K.. Sedici lezioni berlinesi. A cora di Alfredo Marini et Amedeo Vigorelli (TeS 61), 1986; — Peter Simpson, Autonomous morality and the idea of the noble (I.K.), in: Int 14, 1986, 353-370; — Frank Tasche, Von der Monade zum Ding an sich. Bemerkungen zur Leibniz-Rezeption K.s, in: SL Suppl. 26, 1986, 198-212; — Katia Tenenbaum, K.-Index a Treviri (Su N. Hinske), in: Cann n.1-2, 1986, 193-196; — Salvio Turró Tomás, Antecedentes k.ianos de la filosofía del espíritu. Surgimiento de la razón histórica, Barcelona 1986; — Carol A. Van Kirk, Synthesis, sensibility, and K.'s philosophy of mathematics, in: PSA 1986, Proceedings of the 1986 biennial meeting of the Philosophy of Science Association, I, Ed. by Arthur Fine and Peter Machamer, 1986, 135-144; — Dies., K. and the problem of other minds, KantSt 77, 1986, 41-58; — Gemma Vicente, El terremoto de Lisboa y el problema del mal en K., in: Thémata n.3, 1986, 141-152; — Jorge Luis Villate Díaz, Consideraciones sobre la valoración e interpretación de la filosofía k.iana »desde la derecha«, in: RCCS n.11, 1986, 126-138; — Karl Vogel, K. und die Paradoxien der Vielheit. Die Monadenlehre in K.s philosophischer Entwicklung bis zum Antinomienkapitel der »Kritik der reinen Vernunft«, MonPhF 119, 1986[2]; — Andrew Ward, On K.'s second analogy and his reply to Hume, in: KantSt 77, 1986, 409-422; — Albrecht Wellmer, Ethik und Dialog. Elemente des moralischen Urteils bei K. und in der Diskursethik, 1986; — Hans Jürgen Wendel, Erkenntnis durch Definition?, in: Cann n.1-2, 1986, 53-75; — Dieter Witschen, Die streng deontologisch verstandene Idee der Gerechtigkeit, erläutert am Beisp. von K.s absoluter Straftheorie, in: ThPh 61, 1986, 60-85; — E. Zalten, K.s Lehre vom ewigen Frieden und die normativen Erwartungen in Friedensforschung und Völkerrecht, in: Law and peace IV R 12th World Congress, Ed. by Stavros Panou, 1986, 38-49; — Li Zehou, The philosophy of K. and a theory of subjectivity, in: AnHuss 21, 1986, 135-149; — Enrique Alarcón, Sujeto y tiempo en la »Crítica de la razón pura«, in: AnuF 20, n.1, 1987, 199-206; — José Aleu Benítez, Filosofia y libertad en K. (Diss. Barcelona), 1987; — Keith J. Ansell-Pearson, Nietzsche's overcoming of K. and metaphysics. From tragedy to nihilism, in: NSt 16, 1987, 310-339; — David Appelbaum, The fact of reason. K.'s prajna-perception of freedom, in: JIP 15, 1987, 87-98; — Marcia Baron, K.ian ethics and supererogation, in: JP 84, 1987, 237-262; — Wolfgang Bartuschat, Prakt. Philos. u. Rechtsphilos. bei K., in: PhJ 94, 1987, 24-41; — Frederick C. Beiser, The fate of reason. German philosphy from K. to Fichte, 1987; — Klaus Blesenkemper, »Publice age« - Studien zum Öffentlichkeitsbegiff bei K., 1987; — Philip Eugene Blosser, Scheler's alternative to K.'s ethics (Diss. Duquesne 1985), Microf., Ann Arbor (Mich.), 1987; — Jorge Luis Borges - Jorge Eugenio Dotti - Hans Radermacher, Realismo fantastico: gioco di specchi su Swedenborg, K., Borges. A cura di Vittorio Mathieu, 1987; — Gordon G. Brittan Jr., The reality of reference. Comments on Carl Posy's »Where have all the objects gone?«, in: The B-Deduction. Spindel conference 1986. Ed. by Hoke Robinson, SouthJP 25, 1987, Suppl. 37-44; — Manfred Brocker, K.s Besitzlehre. Zur Problematik e. transzendentalphilos. Eigentumslehre (Epistemata: Reihe Philos. 30), 1987; — Walter Bröcker, K.s Beweis des Kausalgesetzes, in: KantSt 78, 1987, 314-317; — Gregor Büchel, Geometrie und Philos.. Zum Verhältnis beider Vernunftwiss. im Fortgang von d. Kritik d.r. Vernunft zum Opus postumum (KantSt: Erg.-Hh. 121), 1987; — Mirella Capozzi, K. on logic, language and thought, in: Speculative grammar, universal grammer and philosophical analysis of language, Ed. by Dino Buzzetti and Maurizio Ferriani, 1987, 97-147; — Bernard Carnois, The coherence of K.'s doctrine of freedom. Transl. by David Booth (Orig. pub.: Éditions du Seuil 1973), Chicago (Ill.) 1987; — Domenico Coccopalmerio, Il platonismo giuridico di K., in: Ver 16, 1987, 163-175; — Virgilio Colón León, Trabajo, historia y derecho. Una lectura crítica de la filosofía social k.iana, in: Diálogos 22, n.49, 1987, 41-64; — Cincent M. Cooke, K. and substance, in: PACPA 61, 1987, 143-150; — Vincent M. Cooke, K.ian reflections on freedom, in: RM 41, 1987-1988, 739-756; — Monique David-Ménard, L'évidence d'un délire expliquée par l'évidence de la moralité. K. et Swedenborg. in: CahCIPh n.3, 1987, 89-108; — Ders., K. ou la patience des limites, in: RPFE 112, 1987, 169-193; — José A. del Río, La pregunta por la posibilidad de la libertad en la filosofía práctica k.iana, in: UPh n.8, 1987, 75-85; — Bernard Delfgaauw, Filosofie van de vervreemding als vervreemding van de filosofie. Deel 1: Van Descartes naar K.,

1987; — M.C. Dillon, Apriority in K. and Merleau-Ponty, in: KantSt 78, 1987, 403-423; — Gerhard Dulckeit, Naturrecht und positives Recht bei K.. 2. Neudr. d. Ausg. Leipzig 1932, Aalen 1987; — Adriano Fabris, Soggetto ed essere nell'interpretazione heideggeriana di K., in TeoriaP 7, n.1, 1987, 105-129; — Ders., K. e il problema dell'esperienza, in: TeoriaP 8, n.1. 1988, 91-124; — Gabriel Ferrer, K.: fijación de un juicio histórico, in: Analogía 1, n.1, 1987, 15-28; — Luc Ferry — Alain Ranaut, Van een terugkeer op K.. Lectuur von de transcendentale dialectiek in het Collège de Philos., Vertaling: P. Willemarck, in: Kritiek n.14, 1987, 55-79; — Josef Früchtl, Unparteiische Vernunft und interesseloses Wohlgefallen. Zu Adornos Transformierung des K.ischen Modells, in: ZPhF 41, 1987, 88-99; — Hans Friedrich Fulda, Hegels Dialektik u.d. transzendentale Dialektik K.s, in: GM 9, 1987, 265-293; — Bernhard Gajek (Hrsg.), Hamann - K. - Herder. Acta d. 4. Internat. Hamann-Kolloquiums im Herder-Inst. zu Marburg/Lahn 1985 (RBdtSLW Reihe B: Unterss. 34), 1987; — Volker Gerhardt, K.s kopernikan. Wende. Friedr. Kaulbach zum 75. Geb., in: KantSt 78, 1987, 133-152; — Terry F. Godlove (Jr.), Moral actions, moral lives. K. on intending the highest good, in: SouthJP 25, 1987, 49-64; — Gérard Granel, Remarques sur le »nihil privativum« dans sons sens k.ien, in: PhilosP n.14, 1987, 71-88; — Mary Gregor, K.'s theory of property, in: RM 41, 1987-1988, 757-787; — James S. Hans, Reflections on the remains of our K.ian héritage, in: PhT 31, 1987, 199-210; — Reinhard Hiltscher, K. u.d. Problem der Einheit der endlichen Vernunft (Epistemata: Reihe Philos. 42), 1987; — Michael James, Reflections and elaborations upon K.ian aesthetics, Stockholm 1987; — Takuji Kadowaki, K.s Philos. in Japan. Begegnung zwischen zwei verschied. Denk-Kulturen, in: PhJ 94, 1987, 155-161; — Meena A. Kelkar, Formulations of the categorical imperative (K.), in: IndPQ 14, 1987, 267-278; — Ellen Kennedy and Susan Mendus (Eds.), Women in Western political philosophy. K. to Nietzsche, 1987; — Hans-Dieter Klein, Die numerische Identität des Selbstbewußtseins in temporaler u. nichttemporaler Hinsicht, in: WJPh 19, 1987, 107-116; — Sherwin Klein, K.'s methodology in Grundlegung, section one, in: ModS 65, 1987-1988, 227-244; — Wolfgang R. Köhler, K.-Tagung des »Forum für Philos.« in Bad Homburg, in: KantSt 78, 1987, 477-479; — Fred Kroon - Robert Nola, K., Kripke and gold, in: KantSt 78, 1987, 442-58; — Jens Kulenkampff, Musik bei K. und Hegel, in: HegSt 22, 1987, 143-163; — Morris Lipson, Independence and transcendental idealism, in: Mind 96, 1987, 498-513; — Felipe Martínez Marzoa, Desconocida faíz comCn. Estudio sobre la teoría k.iana de lo bello, 1987; — José A. Martínez Martínez, Libertad, alma y dios en la Crítica de la razón pura, in: Pen 43, 1987, 425-445; — Wolfgang Marx (Hrsg.), Zur Selbstbegründung der Philos. seit K., 1987; — Mary A. McCloskey, K.'s aesthetic, 1987; — N. Meder, I.K. von Hans Radermacher (in: Klassiker des philosophischen Denkens, hrsg. von Norbert Hoerster, 1982), in: WJPh 19, 1987, 220-224; — Diana T. Meyers, K.'s liberal alliance. A permanent peace?, in: Political realism and international morality. Ethics in the nuclear age. Ed. by Kenneth Kipnis a. Diana T. Meyers, 1987, 212-219; — Gordon E. Michalson, The inscrutability of moral evil in K., in: Thomist 51, 1987, 246-269; — Karl-Heinz Michel, I.K. und die Frage d. Erkennbarkeit Gottes. E. krit. Unters. d. »Transzendentalen Ästhetik« in d. »Kritik d.r. Vernunft«

u. ihrer theol. Konsequenz, 1987; — Anselm Model, Metaphysik u. reflektierende Urteilskraft bei K. Untersuchungen zur Transformierung des leibnizschen Monadenbegriffs in d. »Kritik der Urteilskraft« (MonPhF 247), 1987; — A.W. Moore, Beauty in the transcendental idealism of K. and Wittgenstein, in: BJA 27, 1987, 129-137; — Ders., Aspects of the infinite in K., in: Mind 97, 1988, 205-223; — Vilem Mudroch, K.s Theorie der physikal. Gesetze (KantSt. Erg.-H. 119), 1987; — Jean-Michel Muglioni, K. et les Lumières, (Annexe. Extrait de l'Avertissement de Jean Nabert à: K., La philos. de l'histoire, Paris 1947), in: EnsPh 38, n.1, 1987-1988, 107-118; — Leslie A. Mulholland, K. on war and international justice, in: KantSt 78, 1987, 25-41; — Jeffrie G. Murphy, K.ian autonomy and divine commands, in: FPh 4, 1987, 276-281; — Bernard den Ouden and Marcia Moen (Ed.), New essays on K. (AUS, Ser. 5: Philos. 20), 1987; — Walter Patt, Transzendentaler Idealismus. K.s Lehre von d. Subjektivität d. Anschauung in d. Diss. von 1770 u. in d. »Kritik d.r. Vernunft« (KantSt: Erg.-Hh. 120), 1987; — André Pérès, Le siècle des Lumières vu par K. et Hegel, in: EnsPh 38, n.2, 1987-1988, 27-38; — Graciela De Pierris, K. and innatism., in: PPhQ 68, 1987, 285-305; — Pietro Pimpinella - Antonio Lamarra, Indici e concordanze degli scritti latini di I.K., I: De mundi sensibilis atque intelligibilis forma et principiis (Lessico intellettuale europeo 42. Lessico filosofico dei secoli XVII e XVIII. Strumenti critici 1), 1987; Nestore Pirillo, LComo di mondo fra morale e ceto. K. e le trasformazioni del moderno, 1987; — Avron Polakow, The convergent views of Kripke and K. of the concept of necessity, in: LA 30, 1987, 257-277; — C. Thomas Powell, K.'s fourth paralogism, in: PPR 48, 1987-1988, 389-414; — Michael Radner - Daisie Radner, K.ian space and the ontological alternatives, in: KantSt 78, 1987, 385-402; — Giuseppe Riconda, Invito al pensiero di I.K., 1987; — Karl Rosenkranz, Geschichte der K.'schen Philos.. Hrsg. von Steffen Dietzsch, Berlin 1987; — John F. Rundell, Origins of modernity. The origins of modern social theory. From K. to Hegel to Marx, 1987; — John Sallis, Spacings of reason and imagination in texts of K., Fichte, Hegel., Chicago (Ill.), London 1987; — John Samples, K., Toennies and the liberal idea of community in early German sociology, in: HPT 8, 1987, 245-262; — Giovanni Santinello, La problematica k.iana (J. Moreau, La problématique k.ienne, Paris 1984), in: FO 10, 1987, 91-94; — Anthony Savile, Aesthetic reconstructions. The seminal writings of Lessing, K. and Schiller, Oxford 1987; — Walter E. Schaller, K.'s architectonic of duties, in: PPR 48, 1987-1988, 299-314; — Ders., K. on virtue and moral worth, in: SouthJP 25, 1987, 559-573; — Frank Hickey Schalow, Temporality and practical reason. A re-examination of Heidegger's phenomenological critique of K. (Autor. facs. of the diss. Tulane Univ., Ph.D. 1984), Ann Arbor, 1987; — Wolfgang Schwarz, K.'s categories of reality and existence, in: PPR 48, 1987-1988, 343-346; — Jordan Howard Sobel, K.'s moral idealism, in: PhSt 52, 1987, 277-287; — Tom Sorell, K.'s good will and our good nature. Second thoughts about Henson and Herman (R.G. Henson, What K. might have said, in: PR 88, 1979, 39-54; B. Hermann, On the value of acting from motive of duty, in: PR 90, 1981, 359-382), in: KantSt 78, 1987, 87-101; — George J. Stack, K. and Nietzsche's analysis of knowledge, in: Diálogos 22, n.49; 1987, 7-40; — Josef Stallmach, Alte Fragen und neue Wege der Metaphysik, in: KantSt 78, 1987,

279-289; — Mark Steiner, K.'s misrepresentations of Hume's philosophy of mathematics in the Prolegomena, in: HumeS 13, 1987, 400-410; — Peter Struck, Ist K.s Rechtspostulat der prakt. Vernunft aporetisch? Ein Beitrag zur neuerlich ausgebrochenen Kontroverse um K.s Rechtsphilos., in: KantSt 78, 1987, 471-476; — Étienne Tassin, Sens commun et communauté. La lecure arendtienne de K., in: CahPh n.4, 1987, 81-113; — Dabney Townsend, From Shaftesbury to K.. The development of the concept of aesthetic experience, in: JHI 48, 1987, 287-305; — Paola Vasconi, La teoria della doppia affezione e l'interpretazione realistica di K., in: RFT 78, 1987, 201-220; — Hansjürgen Verweyen, K.s Gottespostulat und das Problem sinnlosen Leidens, in: ThPh 62, 1987, 580-587; — Joseph P. Vincenzo, The nature and legitimacy of Hegel's critique of the K.ian moral philosophy, in: HegSt 22, 1987, 73-87; — Hans-Joachim Waschkies, Physik und Physikotheologie des jungen K.. Die Vorgeschichte seiner allg. Naturgeschichte u. Theorie d. Himmels (BSPh 8), 1987; — Horst Weeland, Autonomie und Sinnprinzip. Zum Vorgang k.ischen Philosophierens, 1987; — Manfred Wetzel, Tugendhat und Apel im Verhältnis zu K.. Zu: Otfried Höffe, Ist die transzendentale Vernunftkritik in der Sprachphilos. aufgehoben? (in: PhJ 91, 1984, 250-272), in: PhJ 94, 1987, 387-394; — Friedrich von Wieser (Hrsg.), K.-Festschr. Zu K.s 200. Geb. am 22. April 1924. Unter Mitw. von Adolf Dryoff u.a. Im Auftr. d. Internat. Vereinigung für Rechts- u. Wirtschaftsphilos. (Nachdr. d. Ausg. Berlin-Grunewald 1924), Frankf./M. 1987; — Jo-l Wilfert, K., l'Aufklärung et l'ironie de la raison, in: EnsPh 38, n.1, 1987-1988, 119-132; — Richard Wisser, Anthropologie. Disziplin der Philos. oder Kriterium für Philos., in: KantSt 78, 1987, 290-313; — Cándido Aniz Iriarte, Proceso evolutivo hacia la »Crítica de la razón práctica«, in: En el II centenario de la Crítica de la razón práctica, EsFil 37, 1988, 9-51; — Wolfgang Bernard, Rezeptivität u. Spontaneität der Wahrnehmung bei Aristoteles. Versuch e. Bestimmung d. spontanen Erkenntnisleistung d. Wahrnehmung bei Aristoteles in Abgrenzung gegen d. rezeptive Auslegung d. Sinnlichkeit bei Descartes u. K., 1988; — Charles Bonnet, Bonnet critico di K.. Due Cahiers ginevrini del 1788. A cura di Gerhard H. Müller e Riccardo Pozzo, in: RivSF 43, 1988, 131-164; — Reinhard Brandt — Werner Stark, Das Marburger K.-Archiv, in: KantSt 79, 1988, 80-88; — Dies., Neue Autographen und Dokumente zu K.s Leben, Schriften und Vorlesungen, 1987; — Orlando Carpi, L'etica della ragione in I.K., in: Sapienza 41, 1988, 275-295; — François-Xavier Chenet, Réceptivité de la sensibilité et subjectivité de la réceptivité. La question du fondement de la phénomène chez K., in: RMM 93, 1988, 469-487; — Neil Cooper, The formula of the end in itself (K.), in: PhilosL 63, 1988, 401-402; — Gerald Doppelt, Rawls' K.ian ideal and the viability of modern liberalism, in: Inq 31, 1988, 413-449; — Jorge Eugenio Dotti, La distinción k.iana entre juicios de percepción y de experiencia. Problemas y sugestiones, in: Diálogos 23, n.51, 1988, 51-67; — O. Duintjer, Hints voor een diagnose. Naar aanleiding von K. Ober aard, grenzen en alternatieven van het rationeel-empirisch bewustzijn, 1988;- Klaus Düsing, Soggetto e autocoscienza in K. e in Hegel, in: TeoriaP 8, n.1, 1988, 49-65; — H. van Erp, Verlichting en vooruitgang in de geschiedenisfilosofie von I.K., in: ANTW 80, 1988, 1-17; — Eckart Förstner, Kästner u.d. Philos.. Zu K.s Kästnerkritik im Opus postumum, in: KantSt 79, 1988,

342-347; — José María García Prada, Sabiduría práctica. K., Gracián y Schopenhauer, in: EsFil 37, 1988, 101-131; — Robert Hahn, K.'s Newtonian revolution in philosophy, 1988; — N.G.E., Harris, Imperfect duties and conflicts of will, in: KantSt 79, 1988, 33-42; — Erwin Hufnagel, K.s pädagogische Theorie, in: KantSt 79, 1988, 43-56; — David Ingram, The postmodern K.ianism of Arendt and Lyotard, in: RM 42, 1988-1989, 51-77; — Klaus Konhardt, Die Unbegreiflichkeit der Freiheit. Überlegungen zu K.s Lehre vom Bösen, in: ZPhF 42, 1988, 397-416; — Lothar Kreimendahl, K.s Kolleg über Rationaltheologie. Fragmente einer bislang unbekannten Vorlesungsnachschrift, in: KantSt 79, 1988, 318-328; — Lambert/K., Correspondência. Introdução, tradução e notas de Manuel J. Carmo Ferreira, Lisboa 1988; — Pentti Määttänen, Mind, reality, and the concept of schema (K.), in: AIGDPh 4, 1988, 29-32; — Antonio Mastantuoni, Rassegna di studi k.iani in Italia (1975-1984), in: F 39, 1988, 167-192; — James McDall, A response to Burkhard Tuschling's critique of K.'s physics, in: KantSt 79, 1988, 59-79; — Francesca Menegoni, Finalità e scopo finale nelle introduzioni alla k.iana Critica del giudizio, in: Ver 17, 1988, 327-351; — Bernhard Milz, Dialektik der Vernunft im prakt. Gebrauch u. Religionsphilos. bei K., in: ThPh 63, 1988, 481-518; — Martin Moors, K.s transcendentaal idealisme von fenomenen. Status quaestionis voor een transcendentale theologie, in: TF 50, 1988, 82-129; — Paul Moreau, L'éducation morale chez K. (Thèses), Paris 1988; — José Miguel Odero, Cristo y la historia según K., in: CTom 115, 1988, 149-152; — Forum für Philos., Bad Homburg (Hrsg.), K.s transzendentale Deduktion u.d. Möglichkeit von Transzendentalphilos., Frankf./M. 1988; — Ives Radrizzani, K. répond-il à la question: »que dois-je faire?«, in: K.. La critique de la raison pratique. Présentation de Manfred Frank, RIPh 42, 1988, 271-288; — Georg Römpp, Der unfreie Tod. K. und die ethische Dimension des Suizids, in: FZPhTh 35, 1988, 415-431; — Alex Sutter, Göttliche Maschinen. Die Automaten für Lebendiges bei Descartes, Leibniz, La Mettrie u. K., 1988; — George Terzis, Darwall's K.ian argument (S.L. Darwall, Impartial reason, 1983), in: CJPh 18, 1988, 99-114; — Dieter Wandschneider, K.s Problem der Realisierungsbedingungen organischer Zweckmässigkeit und seine systemtheoretische Auflösung, in: ZAWT 19, 1988, 86-102; — Bryan Wilson, On a K.ian argument against abortion, in: PhSt 53, 1988, 119-130; — A. Winterbourne, The ideal and the real, An outline of K.'s theory of space, time and mathematical construction (NIPhS 37), 1988; — Jean-Jacques Wunenburger, Antagonisme et polarités de K. à F. von Baader, in: KantSt 79, 1988, 201-217; — Jean Grondin, K. et le problème de la philos.. L'a priori (BHPh), Paris 1989; — G.S.A. Mellin, Enzyklopädisches Wörterb. d. krit. Philos., 6 Bdd, 1797-1803; — R. Eisler, K.-Lexikon, 1930; — Ü III, 488ff. 709ff; — K. Vorländer, Gesch. d. Philos. II, 1955⁹; — RGG³, III, 1123-1127; — TRE, XVII, 570-581.

Karl Knauß

Kapff, Sixt Karl v., Theologe, Pietist, * 22.10. 1805 in Güglingen (b. Brackenheim), † 1. Sept. 1879 in Stuttgart. — Er entstammt einer alten Adelsfamilie, deren (zerstörtes) Stammhaus bei Alfdorf (b. Gaildorf) liegt. Aus einer großen Familie mit vielen Geistlichen kommend, und durch seine tiefe geistliche Prägung in der eigenen Familie - der Vater Karl Friedrich K. war Dekan - ging er seinen Weg zur Theologie wie selbstverständlich über das Seminar in Maulbronn und das Stift in Tübingen. Er war einer der einflußreichsten ev. Geistlichen seiner Zeit. Theologisch stand er auf seiten der Tübinger Storrschen Schule und war ein Vertreter des württembergischen Pietismus und entschiedener Gegner von F.Chr. Baur und D.F. Strauß. Seit der Tübinger Studentenzeit war er mit Wilh. u. Ludw. Hofacker befreundet. K. war 1830-33 Repetent in Tübingen, 1833 Pfarrer der Brüdergemeinde in Korntal, 1843 Dekan in Münsingen, 1847 Dekan in Herrenberg. 1848 wurde er zum Kandidaten für die Frankfurter Nationalversammlung vorgeschlagen, unterlag aber. 1849 kam er in die konstituierende württemberg. Landesversammlung. 1850 wurde er Prälat u. Generalsuperintendent von Reutlingen, gleichzeitig Mitglied des Konsistoriums, 1852 Stiftsprediger in Stuttgart bis zu seinem Tod. Jahrelang zogen seine Predigten Tausende von Menschen an. Daneben war er in zahlreichen Vereinen und Kongressen tätig, ein Förderer der inneren und äußeren Mission und der ev. Allianz. K. war ein fruchtbarer Schriftsteller erbaulicher Literatur, insbesondere seine Gebet- und Predigtbücher waren sehr geschätzt und verbreitet. Das Gebet war ihm schon seit dem Studium zum Lebenselement geworden. — K. hat die Evang. Kirche in Württemberg über seine Zeit hinaus mit gestaltet, indem er bestrebt war, den Pietismus für die Kirche fruchtbar zu machen. Er hatte es auch vermocht, von einem klaren geistlichen Anliegen her aktuelle soziale Probleme anzusprechen.

Werke: Anweisung zum Beten, Abdruck aus der 14. Aufl. des größeren Gebetbuchs, 1861; Die württemberg. Brüdergemeinden Kornthal u. Wilhelmsdorf, ihre Geschichte, Einrichtung und Erziehungs-Anstalten, 1839; Buß-, Dank- u. Gebet-Gottesdienst wegen Mordanfalls auf den deutschen Kaiser. In der Stiftskirche geh. am 4. Juni 1878 m. Gebeten u. Reden, 1878; 100 Denksprüche für Konfirmanden, 1879; Erziehung und Ehe, behandelt in 4 Predigten, 1855; Der glückliche Fabrikarbeiter, seine Würde und Bürde, Rechte und Pflichten, Sonntag und Werktag, Glaube, Hoffnung und Gebet, 1856¹, 1874²; Die erste Frage mit ihrer Antwort als kurzem Inbegriff der christl. Lehre. Confirmanden und Aeltern ans Herz gelegt, 1843[2], 1871[5]; Gebetbuch, 1834-35, 1838[2], 1860[14], 1905[21]; Kürzeres Gebetbuch für die häusliche Andacht; Gebetbuch für 11 (12, 2.-7. Aufl., mit leicht veränd. Titel) Wochen Morgen- u. Abendandachten, Feste, Abendmahl, Geburts-, Krankheits-, Todes-, Wetter-Fälle, Reisen u. andere Gebetbedürfnisse, aus den verbreitetsten Gebet- u. Lieder-Büchern zusammengetragen), 1847[1], 1848[2], 1887[7]; Gewünschtes und Geschmähtes in 15 Predigten, 1859; Das Hazardspiel und die Nothwendigkeit seiner Aufhebung. Vortrag, geh. auf dem Kongreß f. innere Mission in Frankfurt am 24. Sept. 1854, Stgt. 1854; Casualreden, 1880; Communionbuch, 1840[1], 1862[13], 1901[24]; Das kleine Communionbuch. Ein Auszug aus dess. größerem Communionbuch, 1841[1], 1910[38]; Vier Kriegs- und Siegs-, Buß und Trauer-, Trost- und Mahnungs-Predigten, 1870; Passions-, Oster- und Bußtags-Predigten, 1842[1], 1866[5]; Predigt zur Eröffnung des dt. evang. Kirchentages in Stuttgart, den 22. Sept. 1857. Mit e. Anhang, 1857; Predigt über Joh. 13,34, am letzten Abend des 7. dt. evang. Kirchentages in Frankfurt a.M., den 26. Sept. 1854 gehalten, 1854; Letzte Predigt, geh. am 10. Sonntag nach Trinitatis den 17. Aug. 1879 in der Stiftskirche zu Stuttgart, 1879; 80 Predigten über die alten Episteln aller Sonn-, Fest- und Feiertage. Mit e. syst. überblick üb. die in den Predigten dargestellte Glaubens- u. Sittenlehre, 1844[1], 1879[6]; Drei und achtzig Predigten über die alten Evangelien der Sonn-, Fest- und Feiertage des Kirchenjahres, 1857[1], 1875[3]; Zwei Predigten mit Beziehung auf Schiller. Zur Berichtigung falscher Auffassungen, 1859; Rede bei der Einführung des Ephorus Dr. Oehler in's theolog. Seminar zu Tübingen, gehalten am 19. Okt. 1852, Stgt. 1853; Die Revolution, ihre Ursachen, Fogen und Heilmittel, dargestellt für Hohe und Niedere. Als gekrönte Preisschrift hrsg. vom Central-Ausschuß für die innere Mission der dt. evang. Kirche, 1851[1+2]; Eine Schweizer-Reise. Ausgg. A+B, Stgt. 1943; über das Steigen der Rente in der Preußischen Rentenversicherungsanstalt u. in der Stuttgarter allgem. Rentenanstalt, Stgt. 1839; Synodal-Predigt u. Vortrag über unser kirchl. Leben, 1969; Das Vaterunser, ausgelegt in einer Predigt am 5. Trinitatissonntag, 1855; Vortrag über die Sonntagsfeier, in der Sprengelversammlung zu Herrenberg am 15. Juli 1850, Tübingen 1950; Warnung eines Jugendfreundes vor d. gefährlichsten Jugendfeind, od. Belehrung üb. geheime Sünden, ihre Folgen, Heilung u. Verhütung, durch Beispiele aus dem Leben erläutert u. d. Jugend u. ihren Erziehern an's Herz gelegt, 1841[1], 1849[4], 1906[21]; Weg zum Himmel in 81 Predigten über die Evangelien des zweiten württembergischen Jahrgangs auf alle Son-, Fest- u. Feiertage, 1864; Die Zukunft des Herrn. Belehrung aus Matthäi 24 u. 25, verglichen mit den Zeichen d. Zeit, 1836; Der religiöse Zustand des ev.en Dtld.s nach Licht u. Schatten für die Pariser Versammlung der ev. Allianz dargestellt. Mit e. Anhang über d. ev. Allianz, 1856.

Lit.: Karl Kapff, Lebensbild von Sixt C.v.K., 2. Bde., 1881; — ADB 15, 1882, 99-102; — Württ. KG, Hrsg. Calwer Verlagsverein, 1893; — RE 10, 30ff; — Württ. Väter III, 1905[1], 1924[2], 122-164; — K. Müller, Die relig. Erweckung in Württ., 1925; — CKL I, 1023; — H. Hermelink, Gesch. d. ev. Kirche in Württ., 1949, 373ff; — Hermelink 3, 433ff u.ö.; — RGG[3], 3, 1134.

Karl Knauß

KAPTEREV, Nikolaj Fedorovič, russ. Kirchenhistoriker, * 1847 im Gouvernement Moskau, gest. Sergiev Posad 1917. Nach dem Studium der Geschichte 1873 Privatdozent, 1898 ord. Professor an der Moskauer Geistl. Akademie. Sein bestimmender Lehrer, der Byzantinist A.P. Lebedev, wies ihm die Richtung, der er sein Leben lang folgen sollte: die Beziehungen zwischen Russland und dem byzantinisch-griechischen Osten. Die erste grössere Arbeit legte er 1874 vor, eine Untersuchung zur kirchlichen Verwaltungsgeschichte in vorpetrinischer Zeit. Mit seinem nächsten Buch, »Patriarch Nikon und seine Widersacher bei der Korrektur der kirchlichen Bräuche«, wandte er sich erstmalig einer der historischen Gestalten der russ. Geschichte zu, die in der Folge seine ganze Aufmerksamkeit behielten: dem politisch ambitionierten kirchlichen Oberhaupt Nikon (1652-1666). Die andere Gestalt war dessen herrscherliches Gegenüber, der Zar Aleksej Michajlovič (1629-1676). Zar und Patriarch waren sich einig in ihren byzantinisch-griechischen Interessen. Es sind die griechischen Patriarchen Paisios I. (1652-1655) und Athenasios III. Patellaros (1634 u. 1652) gewesen, die Moskaus Aufmerksamkeit auf Konstantinopel als Ziel der weltlichen und kirchlichen Politik gelenkt hatten. Moskau, das »Dritte Rom«, und sein Herrscher, der »neue Konstantin«, sollten die Stadt am Bosporus für Russland gewinnen - ein Gedanke, der im Zarenreich lebendig blieb bis 1917. K. ist der Historiker gewesen, der sich dieses Forchungsfeldes am eindringlichsten angenommen hat. Gleichsam Vorstufen zu diesem Werk über Aleksej Michajlovič und Nikon, seinem bedeutendsten, sind zwei umfangreiche Studien zu den Beziehungen Moskaus zum (Nahen u. Mittleren) orthodoxen Osten. K. starb in den Revolutionswirren des Jahres 1917 im Dreifaltigkeitskloster (Troice Sergieva Lavra) unweit Moskaus.

Werke: Svetskie archierejskie činovniki v drevnej Rossii (Weltliche Beamte der Erzpriester im alten Russland); Moskau 1874; Charakter otnošenij Rossii k pravoslavnomu vostoku v 16 i 17 stoletijach (Der Charakter der Beziehungen Moskaus zum orthodoxeon Osten i. 16. und 17. Jh.); Moskau 1885, Sergiev Posad [2]1914; Patriarch Nikon i ego protivniki v dele ispravlenija cerkovnych obrjadov. Vremja patriaršestva Iosifa (Patriarch Nikon u. seine Widersacher bei d. Korrektur der kirchlichen Bräuche. Die Zeit des Patriarchen

Iosif); Moskau 1887, Sergiev Posad 1913 (zuerst in: Pravoslavnoe obozrenie 1887); Snošenija ierusalimskago patriarcha Dosifeja s russkim pravitel'stvom (1669-1707) (Die Beziehungen des Jerusalemer Patriarchen Dositheos zur russischen Regierung, 1669-1707). In: Čtenija v Obščestv. ljubitelej duchovnoj prosveščenija 1891. - Erweitert: Snošenija ierusalimskich patriarchov s Russkim pravitel'stvom. T. 1. S poloviny XVI do konca XVIII stoletija, T. 2. V pervoj polovine tekuščago stoletija (Die Beziehungen der Jerusalemer Patriarchen zur russischen Regierung. Bd 1. Von der Mitte des 16. Jhs. an, bis zum Ende des 18. Jh.s, Bd.2. In der Mitte des derzeitigen Jh.s); Sankt Petersburg 1895-98 (zuerst in: Pravoslavnyj Palestinskij sbornik); Patriarch Nikon i Car' Aleksej Michajlovič. T. 1.2 (Patriarch Nikon u. Zar Aleksej Michajlovič. Bd 1.2) Sergiev Posad 1909-12 (zuerst in: Bogoslovnyj vestnik 1908-11).

Lit.: Kein K. eigens gewidmete Arbeit bekannt. K. ist mehrfach in Darstellungen der russischen Kirchengeschichte erwähnt, zuerst bei Golubinskij in seiner monumentalen Geschichte der Kirche Russlands, Bd 4. (1916).

Klaus Appel

KARG, Georg, Reformator von Brandenburg-Ansbach/Kulmbach, * 1512 in Heroldingen, † 22.11. 1576 in Ansbach. — Nach dem Studium in Wittenberg (1531/32-1536) kam K. wegen unbefugten und schwärmerischen Predigens in Haft (1537/38), fand dann aber das Vertrauen Luthers und wurde 1539 Pfarrer, Superintendent und Hofprediger in Oettingen. Von dort durch den Schmalkaldischen Krieg vertrieben, wurde K. 1547 Pfarrer in Schwabach und ab 1552 in Ansbach. 1551 nahm er an den Beratungen der Wittenberger Theologen über eine Beschickung des Konzils von Trient teil, 1557 am Frankfurter Konvent und am Wormser Gespräch. Als Generalsuperintendent (ab 1557 auch für Bayreuth) legte er ein Sofortprogramm zur Neuordnung des Brandenburgischen Kirchenwesens vor und trat entschieden gegen interimistische Regelungen ein. Blieb der Streit um philippistische Tendenzen in der Abendmahlslehre seines Katechismus von 1564 noch ohne Konsequenzen, so führten seine 1567 geäußerten Thesen zur Rechtfertigung, nach denen der aktive Gehorsam Christi keine stellvertretende Wirkung hat, zur Suspension (1569). Nach dem Widderruf seiner Thesen (1570) wurde K. wieder in seine Ämter eingesetzt, doch konnte er den früheren Einfluß in der Markgrafschaft nicht wiederge-

winnen. Sein Katechismus blieb noch über zweihundert Jahre in Gebrauch.

Werke: Catechismus. Das ist: Ein kutze summa Christlicher Lehre ... ,1564 u.ö.; Theses de justificatione hominis peccatoris coram Deo, contra Kerzmannum, 1567; Die Revokation vom 10. August 1570, in: Unschuldige Nachrichten, 1719, 767ff.

Lit.: Johann Georg Walch, Einleitung in die Rel.streitigkeiten der luther. Kirche 1733, I, 170; IV, 362; — Ignaz Döllinger, Die Reformation III, 1848, 564ff u. Anhang S. 15ff; — S. Karrer, T. F., Gesch. der lutherischen Kirche des Fürstentums Oettingen, in: Zschr. f. d. gesamte luther. Theol. u. Kirche 14, 1853, 661ff; — G. Frank, Gesch. der protest. Theol. I, 158ff; — Georg Wilke, G.K., sein Katechismus und sein doppelter Lehrstreit (Diss. Erlangen), 1904; Johann Michael Reu, Qu. zur Gesch. des Katechismusunterrichtes I, 1904, 428ff; 578ff; — Karl Schornbaum, Aus dem Briefwechsel G.K.s, in: BBKG 16, 1910, 79-84; — Ders., Aus dem Briefwechsel G.K.s und anderer, in: Blätter f. württemb. KG, N.F. 14, 1910, 63-71; 153-168; — Ders., Aus dem Briefwechsel G.K.s, in: Jber. d. Hist. Vereins f. Mittelfranken 58, 1911, 130-136; — Ders., Aus dem Briefwechsel G.K.s, in: ARG 16, 1919, 78-83; — Ders., Zum Briefwechsel des G.K., in: ThStKr 95, 1923/24, 299-302; 102 ,1930, 438-453; — Ders., Aus dem Briefwechsel G.K.s, in: BBKG 31, 1925, 88-90; — Ders., Zur Gesch. des Kargschen Katechismus, in: BBKG 31, 1925, 111-113; Matthias Simon, Ansbachisches Pfarrerbuch, 1957, Nr. 1402 (Lit.); — Gerhard Müller, Die Ref. im Fürstentum Brandenburg-Ansbach/Kulmbach, in: ZBKG 48 ,1979), 1-18,17; — Ernst Dettweiler, G. K., der Reformator des Rieses, in: ZBKG 52, 1983, 1-7; Jöcher II, 4049f; Joh. August Vocke, Geburts- u. Todten-Almanach Ansbachischer Gelehrten, Schriftsteller und Künstler II, 1797, 332; Jöcher-Adelung, Erg.bd. III, 101f; — ADB XV, 119f; — NDB XI, 151f; — RE X, 70-72; — RGG III, 1147; — Stupperich, Reformatorenlexikon, 114f.

Irmgard Wilhelm-Schaffer

KARL I., engl. König (1600-1649). Karl I. wurde am 16.11. 1600 im Schloß Dunfermline als Sohn König Jakobs VI. von Schottland und Annas von Dänemark, und so als Enkel der Maria Stuart, geboren. Als kränkliches Kind verbrachte er auch noch lange Aufenthalte in seiner schottischen Heimat, nachdem sein Vater als Jakob I. König von England geworden war (1603). K. wuchs im Geist des Absolutismus auf, den sein Vater vertrat. Auch sein Verhältnis zum Presbyterianismus wurde von der Haltung Jakobs I. geprägt. Mit dem Tod seines älteren Bruders Henry im Jahre 1613 fiel die Thronfolge an K.. König Jakob I., der K.s Schwester Elisabeth 1613 an Kurfürst Friedrich V. von der

Pfalz, den böhmischen »Winterkönig«, verheiratet hatte, versuchte in den Wirren des Dreißigjährigen Krieges eine Politik des Ausgleichs zugunsten Friedrichs, indem er für K. eine spanische Infantin zu gewinnen suchte. Der Versuch scheiterte nicht nur an der mangelhaften Vermittlung des verhandelnden Lord Buckingham, sondern vor allem an der spanischen Forderung, K. müsse zum Katholizismus konvertieren. Als K. 1625 dennoch eine Katholikin, Henriette Maria, die Schwester König Ludwigs XIII. von Frankreich, heiratete, legte man dies von presbyterianischer Seite als einen weiteren Affrond König Jakobs I. aus. Die Heirat fand wenig nach K.s Thronbesteigung statt. Vom Anfang seiner Regierung an setzte K. sich mit seinen absolutistischen Anschauungen und seiner Bevorzugung der anglikanischen Hochkirche in einen ständig wachsenden Gegensatz zu der mehrheitlich puritanischen Bevölkerung. Nach den Auflösungen dreier aufeinander folgender Parlamente, deren letztes gegen die königliche Politik die »Petition of rights« erlassen hatte (Steuerauflagen ohne Parlamentsbewilligung und willkürliche Verhaftungen sind gegen das Gesetz), regierte er elf Jahre, ohne ein weiteres Parlament einzuberufen (1629-1640). In dieser Zeit wurde der von ihm 1633 berufene neue Erzbischof von Canterbury William Laud (1573-1645) zu einem der bedeutendsten Ratgeber des Königs. Mit ihm erhielt die Politik des Königs eine Verstärkung in ihrer hochkirchlichen Ausrichtung, die sich in der Hochschätzung der episkopalen Kirchenverfassung, der Wiedereinführung zahlreicher Zeremonien und der verstärkten Anlehnung an die katholische Kirche abzeichnet. Als K. I. im Zuge dieser Politik versuchte, die Kirche Schottlands unter anderem durch eine Reform der Liturgie der anglikanischen Kirche völlig gleichzustellen, kam es 1637 zu Unruhen in Schottland und schließlich zum Aufstand des Covenant, eines 1581 entstandenen Religionsbündnisses der Reformierten, das bisher den Anschluß an England gesucht hatte. Um das schließlich zu einer Kriegführung nötige Geld zu erhalten, sah sich K. I. gezwungen, wieder ein Parlament einzuberufen. Das »kurze Parlament« (April-Mai 1640) stellte sich allerdings in Opposition gegen den König, der es schon bald wieder auflösen mußte. Doch auch das nach diesem

berufene »lange Parlament« (1640-1653) wandte sich gegen den König und erreichte schließlich den Sturz der beiden vornehmsten Ratgeber des Königs, des Grafen Stafford und des Erzbischofs Laud, die des Hochverrats angeklagt 1641 und 1645 hingerichtet wurden. Der König, der sich zu schwerwiegenden Zugeständnissen an das Parlament gezwungen sah (u.a. Ausschluß der Bischöfe aus dem Oberhaus), versuchte während eines Besuchs in Schottland mit einer Begünstigung des Presbyterianismus Kräfte gegen das Parlament zu sammeln, was ihm aber nicht gelang. Da K. einen Anschlag gegen seine katholische Frau befürchten mußte, schickte er sie nach Holland, wo sie versuchte, die Kronjuwelen zu versetzen, um Geld zur Unterstützung ihres Mannes zu sammeln. Die angestaute Spannung entlud sich im August 1642 in einem Bürgerkrieg. Das Parlament, das den König nun nicht mehr länger anerkennen wollte, ergriff selbst die nötigen Schritte zu einer Reform der englischen Kirche und berief zu diesem Zweck aus seiner Mitte einen Ausschuß, die sogenannte Westminstersynode (1643-1647). Hier entwarfen die Presbyterianer, die die Mehrheit der Synode innehatten, die streng calvinische Westminster-Confession. Der König sah sich bald einer mit dem Parlament verbündeten schottischen Armee gegenüber, die im Januar 1644 in England einmarschiert war. Die Schotten, das presbyterianische Heer des Parlamentes und das seit 1642 aufgebaute Heer der Independenten unter Oliver Cromwell schlugen das königliche Heer 1644 bei Marston Moor und 1645 bei Naseby. K. I. versuchte sich durch eine Flucht nach Schottland der Gefangennahme zu entziehen, wurde aber von den Schotten an das englische Parlament ausgeliefert. Dieses versuchte zwar die monarchische Verfassung und die Person des Königs zu bewahren, sah sich darin aber der Opposition des Heeres gegenüber. Cromwell, dessen Verhandlungen mit dem gefangenen König gescheitert waren, besetzte London und entfernte im Dezember 1648 die royalistischen Mitglieder aus dem Parlament, von dem nun nur noch das »Rumpfparlament« verblieb. Von dieser Ausgangsposition drängte Cromwell, der sich als Werkzeug Gottes verstand, weiter. Das Parlament mußte am 1.1. 1649 gegen den König Anklage wegen Hochverrats erheben. K. I. wurde als »Tyrann, Verräter, Mörder und Feind des Gemeinwesens« verurteilt und am 30.Januar 1649 hingerichtet. England wurde nur acht Tage später zur Republik erklärt.

Lit.: Albion, Charles I and the Court of Rome, Liverpool/London 1935; — S.R.Gardiner, History of England from the Accession of James I to the Outbreak of the Civil War, 10 Bde, London 1883-1884; — ders., History of the Civil War, 3 Bde, London 1886-1891; — C.Hibbert, Charles I, 1968; — J.D.Jones, The Royal Prisoner, 1965; — F.F.Madan, A New Bibliography of the Eikon Basilike of King Charles the First, London 1950; — A.O.Meyer, Charles I and Rome, in: AHR 19 (1913), S. 13-26; — P.E.More/F.L.Cross, Anglicanism. The Thought and Practice of the Church of England. Illustrated from the Religious Literature of the 17th Century, London 1951; — Ch.Petrie, Letters, Speeches and Proclamations of King Charles I, London 1935; — C.Phillips, The Picture Gallery of Charles I, 1896; — V.Staley, The Commemoration of King Charles the Martyr, in: Liturgical Studies, London 1907, S. 66-83; — D.V.Wedgwood, The King's Peace, 1637-1641, 1955; — dies., The King's War, 1641-1647, 1958; — dies., The Trial of Charles I, 1965..

Heiko Wulfert

KARL II., engl. König (1630-1685). Karl II. wurde am 29. Mai 1630 als Sohn König Karls I. und seiner Frau Henrietta Maria von Frankreich im St. James Palast in London geboren. Als Jugendlicher erlebte er die Niederlage seines Vaters im englischen Bürgerkrieg, zu dessen Rettung er noch 1648 einige Anstrengungen machte. Nach der Hinrichtung König K.s I. (1649) erklärten die Schotten K. II. zwar zum König, aber die Niederlage des schottischen Heeres gegen Oliver Cromwell bei Dunbar im September 1650 und ihre Folgen zwangen ihn, im Oktober 1651 aus England nach Frankreich und von dort im April 1656 weiter nach Spanien zu fliehen. Nach Cromwells Tod (3.9. 1658) und nachdem Cromwells Sohn Richard das Protektorat niedergelegt hatte (Mai 1659), schaffte George Monck, einer der Generäle Cromwells, die Voraussetzungen für eine Rückkehr K.s II.. In der Erklärung von Breda versprach K. für den Fall seiner Wiedereinsetzung als König u.a. eine Generalamnestie und Gewissensfreiheit. Am 25. Mai 1660, seinem 30. Geburtstag zog K. II. unter dem Jubel der Bevölkerung in London ein. Im Unterschied zu seinem Vater versuchte er, im

Einklang mit dem Parlament zu regieren. Dieses, das nun wieder mehrheitlich episkopalistisch gesinnt war, wies bald die Zugeständnisse zurück, die K. II. bei seinem Regierungsantritt den Presbyterianern mit dem Versprechen der Religionsfreiheit gemacht hatte. Außerhalb der restaurierten Staatskirche stehende Gruppen mußten sich gesetzlichen Beschränkungen fügen, die besonders auch den Nonkonformisten und Katholiken galten. So schloß sie die Korporationsakte von 1661 von allen Staatsämtern aus, während die Erneuerung der Uniformitätsakte 1662 die Alleinherrschaft der Episkopalkirche wiederherstellte. Die Konventikelakte von 1664 untersagte alle religiösen Vereinigungen außerhalb der Staatskirche und stieß die Dissenterbewegung ganz in den Untergrund. Hunderte von nonkonformistischen Geistlichen wurden inhaftiert, unter ihnen der durch sein Erbauungsbuch »The Pilgrim's Progress« (1678) berühmte John Bunyan. Als der König mit seiner Indulgenzerklärung von 1672 wieder eine allgemeine Duldung aussprach, sah das Parlament darin eine Begünstigung des Katholizismus und erließ 1673 die Testakte, die den Zugang zu Staatsämtern nur denen offenstellte, die zuvor einen Treueeid geleistet, das Supremat anerkannt und die Transsubstantiationslehre eidlich verworfen hatten. Der König aber hatte bereits 1670 andere Wege offengehalten. In dem Geheimvertrag von Dover mit Ludwig XIV. von Frankreich (1670) hatte K. II. nicht nur eine Allianz mit Frankreich gegen Holland geschlossen, das im Kampf um die amerikanischen Kolonien und im Überseehandel zum Rivalen Englands geworden war, sondern auch seine Konversion zum Katholizismus versprochen. Als nach mehreren Fehlgeburten von K.s portugiesischer Frau Katharina von Braganza (Eheschließung 1661) die Hoffnung auf einen Thronerben in direkter Linie gesunken war, befürchtete man, daß durch eine Thronfolge durch einen Sohn von K.s zum Katholizismus konvertierten Bruder Jakob und dessen Frau Maria von Modena doch wieder ein Katholik auf den englischen Thron käme. Versuche des Parlaments, Jakob von der Thronfolge auszuschließen und K. dazu zu bewegen, den protestantischen Herzog Herzog Jakob von Monmouth, seinen unehelichen Sohn, als seinen Thronfolger anzuerkennen, führten zu Konflikten, in denen der König die Kontrolle über das Parlament fast ganz verlor, und grenzten an einen Bürgerkrieg. Im März 1681 konnte K. unter der großen Zustimmung der Bevölkerung das Parlament auflösen und regierte bis zu seinem Tode ohne das Parlament. Noch auf dem Sterbebett konvertierte er zum katholischen Glauben († 6.2. 1685). Sein Bruder, der ihm als Jakob II. auf den Thron folgte, versuchte eine Rekatholisierung Englands, die 1688 in der »glorreichen Revolution« mit dem zweiten Sturz der Suarts endete.

Lit.: M.P.Ashley, Charles II: The Man and Statesman, 1971; — R.Bagwell, Ireland under the Stuarts and during the Interregnum, 1916; — A.Bryant,King Charles II, ²1955; — ders., The Letters, Speeches and Declarations of King Charles II, London 1935; — G.Clark, The Later Stuarts 1660-1714, Oxford ²1955; — J.P.Kenyon, The Stuarts: A Study in English Kingship, ²1967; — P.E.More/F.L.Cross, Anglicanism. The Thought and Practice of the Church of England. Illustrated from the Religious Literature of the 17th Century, London 1951; — F.G.Nuttall/O.Chadwick (hg), From Uniformity to Unity, London 1962; — D.Ogg, England in the Reign of Charles II, 2 Bde, London 1934; — G.Savile, A Character of King Charles the Second, (1750), in: J.P.Kenyon (hg), Halifax. Complete Works, 1969.

Heiko Wulfert

Karl II. von Anjou. Der Sohn König Ludwigs VIII. von Frankreich (reg. 1223-1226) wurde 1220 geboren. Seit 1246 Graf der Provence, schenkte ihm 1253 Margarete von Flandern die Grafschaft Hennegau, auf die er gegen eine hohe Entschädigung durch seinen königlichen Bruder Ludwig IX. (reg. 1226-1270) verzichtete. Er richtete sein Interesse auf Sizilien, mit dem er 1265 durch Papst Urban IV. (1261-1264) belehnt wurde bei gleichzeitigem Versprechen, nie die deutsche Krone und das Kaisertum anzustreben. Am 28.6. 1265 erfolgte seine Belehnung durch Papst Clemens IV. (1265-1268) sowie seine Ernennung zum Reichsvikar für Toskana, die seit 1139 fast ununterbrochen unter staufischer Reichsverwaltung gestanden hatte. Karl wandte sich zunächst mit einem französischen Heer, das aus Kirchenzehnten besoldet wurde, gegen Manfred, den Sohn Kaiser Friedrichs II. (reg. 1215-1250), der sich 1258 von den einheimischen Großen zum König von Sizilien hatte wählen lassen und am 10.8. 1258 in Palermo gekrönt worden war. Karl, der am 6.1. 1266 aus der Hand Klemens IV. in Rom die sizilianische Königskrone empfing, traf am 26.2. 1266 bei Benevent auf Manfred. Dieser verfügte zwar über ein großes, jedoch wenig diszipliniertes Heer, das sich vorwiegend aus Sarazenen rekrutierte. Von ihnen im Stich gelassen, unterlag Manfred mit seinen deutschen Rittern, von denen nach einem päpstlichen Bericht 3.000 den Tod fanden. Manfred verlor ebenfalls sein Leben. Auf den Ruf der italienischen Ghibellinen hin zog der am 25.3. 1252 geborene letzte legitime männliche Staufererbe Konradin, der Sohn König Konrads IV. (* 1228 † 1254), im Herbst 1267 nach Italien. Mit Hilfe der ghibellinischen mittelitalienischen Städte gelangte er im Juli 1268 nach Rom. Am 11.8. 1268 wandte sich der durch Klemens IV. gebannte Konradin mit einer 4.500-5.500 starken Reiterei nach Lucera in Apulien, um sich dort mit den gegen Karl rebellierenden Sarazenen zu vereinen. Karl stellte mit 3.500-4.000 Reitern Konradin am 23.8. 1268 bei Tagliacozzo. Der im Kampf noch unerfahrene jugendliche Konradin unterlag Karl, obwohl dessen Heer dem Konradins an Zahl unterlegen war. Auf der Flucht wurde Konradin mit seiner Begleitung von Giovanni Frangipani in Astura aufgegriffen und an Karl ausgeliefert. Nach einem Scheinprozeß ließ Karl Konradin am 29.10. 1268 mit 12 Begleitern auf dem Maktplatz von Neapel öffentlich enthaupten. Das Haus der Staufer erlosch mit Konradins Tod im Mannesstamm. Zur gleichen Zeit holte Karl zu einem Schlag gegen Kaiser Michael VIII. Paläologus (reg. 1258/59-1282) aus, nachdem es diesem in Verfolgung seiner Idee, dem byzantinischen Reich wieder Weltgeltung zu verschaffen, am 25.7. 1261 gelungen war, Konstantinopel wiederzuerobern und dem 1204 von den Kreuzfahrern in Konstantinopel gegründeten »lateinischen Kaisertum« ein Ende zu bereiten. K.v.A. verfolgte mit seinem Schlag gegen Michael VIII. die Absicht, das Erbe des »lateinischen Kaisertums« anzutreten. Durch sein Bündnis mit König Stephan V. von Ungarn im Jahre 1269 sowie der zweifachen Eheschließung ihrer Kinder wollte er zudem die Herrschaft der Anjous in Ungarn vorbereiten. 1272 versuchte er vergeblich, seinen Neffen Philipp III. den Kühnen, König von Frankreich (reg. 1270-1285), auf den deutschen Königsthron zu bringen. Eine schwere Erschütterung erfuhr die Herrschaft K.v.A. infolge eines blutigen Volksaufstands der Einwohner Palermos gegen seine Beamtenschaft während der Ostermontagsvesper am 30.3. 1282, der bald auf die übrigen sizilianischen Städte übergriff. Der als »Sizilianische Vesper« in die Geschichte eingegangene Aufstand führte Ende April 1282 zur Befreiung Siziliens. Die Insel kam nun unter die Herrschaft Peters III., König von Aragon (reg. 1276-1285). Durch seine Eheschließung mit der Tochter König Manfreds, Konstanze, sowie sein Bündnis mit Michael VIII. verstrickte er sich in die Machtkämpfe um Süditalien. Die Pläne des am 7.1. 1285 verstorbenen K.v.A., den Anjous und damit einem Zweig der Kapetinger von Sizilien aus die Vorherrschaft in Europa zu sichern, waren spätestens seit der Sizilianischen Vesper zum Scheitern verurteilt.

Lit:. C.Minieri-Riccio, in: Archivio storico italiano, Ser. 3, 24-26, S. 4, 1-7 (1875-81); — R. Sternfeld, Karl v. Anjou als Graf der Provence (1888); — E. Jordan, Les origines de la domination angevine en Italie (1909);— G.M. Monti, La dominazione angioina in Piemonte (Turin 1930); — ders., Da Carlo I a Roberto di Angiò (1936); E. Dade, Versuche zur Wiedererrichtung der lat. Herrschaft in Konstantinopel im Rahmen der abendländ. Politik 1261-1310, Diss. Jena 1937; — M. Amari, La Guerra des Vespro Siciliano, 3 Bde. 1886⁹; — F. Kern, in: MIÖG 30 (1909), S. 352ff. u. S. 4l2ff.; — K. Hampe, Urban IV. und Manfred (1905); — ders., Geschichte Konradins v. Hohenstaufen (1893; 1940²); — H. Hirsch, Konradin, sein 'Prozeß' und sein Ende, in: Gesamtdt. Vergangenheit, Festgabe f. Heinrich v. Srbik, 1938); — K. Pfister, Konradin, der Untergang der Hohenstaufen (1941); — E. Momigliano, Manfred (Mailand 1963).

Konrad Fuchs

KARL I. (DER GUTE), Graf v. Flandern, * vor 1086 in Dänemark, † 2.3.1127 in Brügge. — Als Sohn von Kg. Knut IV. v. Dänemark und von Adela, Tochter des Gf. Robert I. (des Friesen) v. Flandern, zu einem unbekannten Zeitpunkt in Dänemark geboren, floh Adela nach dem gewaltsamen Tode Knuts in Odense 1086 mit ihrem kleinen Sohn an den väterlichen Hof nach Flandern, wo K. die Fürsorge und Erziehung der flämischen Grafen von Robert I. bis Balduin VII. erhielt. Aufgrund des Vertrauensverhältnisses, das K. zu Gf. Balduin aufbauen konnte, wurde er rasch zum wichtigsten Berater des kin-

derlosen Gf., der ihn zu seinem Nachfolger bestimmte. Erfolgreich in den Nachfolgekämpfen im Anschluß an den Tod Balduins († 17.6. 1119), knüpfte K. an die pazifizierenden Maßnahmen seines Vorgängers an und bemühte sich vor allem um eine Förderung der Gottesfriedensbewegung, die Eindämmung der adligen Fehden zugunsten gerichtlicher Konfliktlösungen sowie die Unterstützung bürgerlicher Wirtschaftsaktivitäten. Hinzu kamen Hilfsmaßnahmen für sozial Schwache und Arme, etwa im Zusammenhang mit Hungersnöten 1124-25, sowie großzügige Stiftungen für geistliche Institutionen. Sein hohes Ansehen bei den Zeitgenossen manifestierte sich einmal nach der Gefangennahme von Balduin II. durch die Sarazenen 1123 in dem Angebot von Balduins Gefolgsleuten, die Herrschaft im Kgr. Jerusalem zu übernehmen. Zum anderen verhandelte EB Friedrich v. Köln mit ihm 1125 über die Wahl zum deutschen Kg. - sicherlich eine Einzelaktion des Kölner Kirchenfürsten aus territorialpolitischen Gründen, die nicht auf die Unterstützung der übrigen Fürsten des Deutschen Reiches stieß. Beide Angebote lehnte K. zugunsten einer Konzentration seines politischen Handelns auf Flandern ab. In freundlichen Beziehungen stand K. auch zu den Herrschern von England und Frankreich. So unterstützte er König Ludwig VI. 1124 militärisch bei der versuchten Invasion Kaiser Heinrichs V. nach Frankreich. K.s Bemühungen um eine Stabilisierung des Herrschaftssystems in Flandern gegenüber aufstrebenden politischen Kräften aus dem nichtadligen Bereich führten zu einem schweren Konflikt mit der mächtigen Familie der Erembalde, die unfreier Herkunft waren und von K. aus ihren zwischenzeitlich erlangten Herrschaftspositionen verdrängt werden sollten. Zur Sicherung ihrer gesellschaftlichen Stellung scheuten Mitglieder der Familie der Erembalde nicht davor zurück, den Gf. am Morgen des 2.3. 1127 in der Kirche St. Donatian in Brügge zu ermorden. Diese Bluttat verhinderte nicht den raschen Niedergang der Erembalde; vielmehr wurde die Gfsch. in schwere Auseinandersetzungen um die Nachfolge des kinderlosen K. gestürzt. Hierbei fanden die zahlreichen Thronaspiranten vor allem beim englischen und französischen Kg. Unterstützung. Nach zahlreichen Auseinandersetzungen unter den Prätendenten - u.a. Arnold v. Dänemark, Balduin IV. v. Hennegau, Dietrich II. v. Elsaß, Dietrich VI. v. Holland, Wilhelm v. Ypern und Wilhelm Clito - setzte sich Clito dank der Förderung durch den französischen Kg. als Gf. in Flandern durch. Der wachsende Widerstand von seiten des flämischen Bürgertums, das hierin von Heinrich I. v. England auch materiell gestärkt wurde, zwang Clito zu ständiger militärischer Repression in Flandern, bei der er schließlich im Juli 1128 den Tod fand. — Der ermordete Gf. K. wurde schon bald nach seinem Tode als Märtyrer und später als Seliger verehrt; 1882 erfolgte die Bestätigung des Kultes (Fest: 2. März).

Quellen: Walter von Thérouanne, Vita Caroli Boni comitis Flandriae, ed. R. Köpke, in: MG SS 12, 537-561; Passio Caroli, ebd. 619-623; De nece K., in: NA 15, 1890, 448-452; Galbert de Bruges, Histoire du meurtre de Charles le Bon, comte de Flandre, ed. Henri Pirenne, 1891; The murder of Charles the Good, count of Flanders, by Galbert of Bruges, transl. James Bruce Ross, 1967 2.Aufl.; Galbert de Bruges, Le meurtre de Charles le Bon, trad. J. Gengoux, iconographie A. Derolez, L. Devliegher, introduction R.C. van Caenegem, 1978; Actes des comtes de Flandre, 1071-1128, ed. Fernand Vercauteren, 1938, Nr.93ff.

Lit.: Wilhelm Bernhardi, Lothar von Supplinburg, 1879, 20ff.; — Achille Luchaire, Louis VI le Gros. Annales de sa vie et de son règne, 1890, 175ff.; — Oskar Rößler, Kaiserin Mathilde, Mutter Heinrichs von Anjou und das Zeitalter der Anarchie in England, 1897, 97ff.; — Hubert van Houtte, Essai sur la civilisation flamande au commencement du XIIe siècle d'après Galbert de Bruges, 1898; — François Louis Ganshof, Note sur les évènements de 1127 en Flandre, in: Annales de la Société d'Émulation de Bruges 67, 1924, 97-107; — Ders., La Flandre sous les premiers comtes, 1949; — Ders., Le roi de France en Flandre en 1127 et 1128, in: Revue historique de droit français et étranger 27, 1949, 204-228; — Ders., Trois mandements perdus du roi de France Louis VI intéressant la Flandre, in: Annales de la Société d'Émulation de Bruges 87, 1950, 117-133; — Ders., Les origines du concept de souveraineté nationale en Flandre, in: Tijdschrift voor Rechtsgeschiedenis 18, 1950, 135-158; — Ders., Le droit urbain en Flandre au début de la première phase de son histoire (1127), ebd. 19, 1951, 387-416; — Ders., Einwohnerschaft und Graf in den flämischen Städten während des 12. Jh.s, in: ZSavRGgerm 74, 1957, 98-118; — Geschiedenis van Vlaanderen, ed. R. van Roosbroeck, II, 1937; — Frans Blockmans, De oudste privilegies der groote Vlaamsche steden, in: Nederlandsche Historiebladen 1, 1938, 421-446; — Heinrich Sproemberg, Das Erwachen des Staatsgefühls in den Niederlanden. Galbert von Brügge, in: L'organisation corporative du Moyen Age à la fin de l'Ancien Régime, 1939, 31-88; — Ders., Eine rheinische Königskandidatur im Jahre 1125, in: Festschr. Franz Steinbach, 1960, 50-70; — Ders., Clementia. Gräfin von Flandern, in: Mittelalter und demokratische Geschichtsschreibung, ed. Manfred Unger, 1971, 192-220; — Ders., Galbert von Brüg-

ge - Die Geschichtsschreibung des flandrischen Bürgertums, ebd., 221-374; — A. Boutemy, Une copie retrouvée de la Lamentatio de morte Caroli comitis Flandriae, in: Revue belge de philologie et d'histoire 18, 1939, 91-96; — E.J. Strubbe, Karl der Gute, ebd. 18, 1939, 1017-1023; — Alexander Cartellieri, Der Vorrang des Papsttums zur Zeit der ersten Kreuzzüge, 1095-1150, 1941, 180ff.; — D.A. Stracke, Over de Lamentatio de morte Karoli comitis, in: Ons geestelyk erf 16, 1942, 276-288; — E. de Moreau, Histoire de l'église en Belgique, III, 1945 2.Aufl., 39ff.; — Georges Espinas, Le privilège de Saint-Omer de 1127, in: Revue du Nord 29, 1947, 43-49; — Jan Dhondt, Vlaanderen van Arnulf de Grote tot Willem Clito, 918-1128, in: Algemene geschiedenis der Nederlanden, ed. J.F. Niermeyer u.a., II, 1950, 66-93; — Ders., Une mentalité du XIIe siècle: Galbert de Bruges, in: Revue du Nord 39, 1957, 101-109; — Ders., Les »solidarités« médiévales. Une société en transition: la Flandre en 1127-1128, in: Annales 12, 1957, 529-560; — J.B. Ross, Rise and fall of a twelfth-century clan. The Erembalds and the murder of count Charles of Flanders, 1127-1128, in: Speculum 34, 1959, 367-390; — J. Notredaeme, Galbert en de ridders van Straten, in: Het Brugs Ommeland 2, 1962, 12-21; — Ders., De vroegste geschiedenis van Brugge, III, in: Handelingen van het Genootschap voor Geschiedenis 112, 1975, 171-204; — E. Warlop, De Vlaamse Adel voor 1300, II/2, 1968, 681 (Reg.); — C. Warren Hollister, Thomas K. Keefe, The making of the Angevin Empire, in: The Journal of British Studies 12, 1973, 1-25; — Heinz Stoob, Zur Königswahl Lothars von Sachsen im Jahre 1125, in: Festschr. Walter Schlesinger, ed. Helmut Beumann, 1974, 444ff.; — Ferdinand Geldner, Kaiserin Mathilde, die deutsche Königswahl von 1125 und das Gegenkönigtum Konrads III., in: ZBLG 40, 1977, 13ff.; — Walter Mohr, Die Entwicklung des flämischen Eigenständigkeitsgefühls bis zum Beginn des 13. Jh.s, 1977; — Nesta Pain, Empress Matilda. Uncrowned queen of England, 1978, 24ff.; — R.C. van Caenegem, Galbert van Brugge en het recht, 1978, 13ff.; — Sandy B. Hicks, The impact of William Clito upon the continental policies of Henry I of England, in: Viator 10, 1979, 16ff.; — Ulrich Reuling, Die Kur in Deutschland und Frankreich, 1979, 143ff.; — W. von Groote, Die Angaben Galberts über Personen und Gremien des »öffentlichen Rechts« in Flandern 1127, in: Handelingen der Maatschapij voor Geschiedenis en Oudheidkunde te Gent NS 34, 1980, 109-123; — Algemene geschiedenis der Nederlanden, ed. P. Blok u.a., II, 565 (Reg.); — Marie-Luise Crone, Untersuchungen zur Reichskirchenpolitik Lothars III. (1125-1137), 1982, 23ff; — L. Speer, Kaiser Lothar III. und Erzbischof Adalbert I. von Mainz, 1983, 49ff; — Jean Dunbabin, France in the making, 843-1180, 1985, 434 (Reg.); — C. Warren Hollister, Monarchy, magnates and institutions in the anglo-norman world, 1986; — Dieter Berg, England und der Kontinent. Studien zur auswärtigen Politik der anglonormannischen Könige im 11. und 12. Jh., 1987, 636 (Reg.); — Joachim Ehlers, Geschichte Frankreichs im Mittelalter, 1987, 102ff.; — Jean Favier, Frankreich im Zeitalter der Lehnsherrschaft, 1000-1515, 1989, 112; — BHL I, 237f.; — BnatBelg III, 500-505; VIII, 392-394; — BS III, 794-797; — DHGE XII, 483-486; — Grand Dictionnaire Encyclopédique Larousse II, 2046; — LexMA IV, 1081f.; V, 991f.; — LThK V², 1352; — NDB XI, 227.

Dieter Berg

KARL IV. DER SCHÖNE, der letzte direkte Kapetinger, * 1293 o. 1294 in Clermont (Oise) als dritter und jüngster Sohn Kg. Philipps IV. des Schönen v. Frankreich und seiner Gemahlin Johanna I. Kg.in v. Navarra; Kg. v. Frankreich und v. Navarra (dort als Karl I.) 1322, † 1.2. 1328 in Vincennes, beigesetzt in Saint Denis bei Paris. Wie seine beiden Brüder Ludwig X. und Philipp V. vor ihm führte er die Politik seines erfolgreichen Vaters Philipp IV. fort. Der kgl. Rat, das Parlament und die Rechnungskammer wurden straffer organisiert, die Kroneinkünfte teils auf Kosten des Adels, teils durch Steuererhöhungen und Einsparungen gesteigert und die Krondomänen erweitert. Auch wurden die Pfarreien und Herdfeuer als Steuergrundlage gezählt. Im seit langem schwelenden Streit um den geistlichen Gerichtsstand (privilegium fori) war seine Politik ebenso von Entgegenkommen geprägt wie bei der päpstlichen Sondersteuer gegen die »ketzerischen« Visconti und ihre Parteigänger, allen voran König Ludwig IV. den Bayern. Schon bei Regierungsantritt führte er die Idee seiner Vorgänger fort, den Christen in Armenien und Zypern mit einem Kreuzzug zu helfen. Aber wie das Projekt der Herrschaftsnachfolge in Mallorca und die Annahme der Kaiserkrone aus der Hand Herzog Leopolds von Habsburg 1324 kam auch der Zug ins Hl. Land nicht zur Verwirklichung. Am nachhaltigsten prägten seine Unternehmungen in der Guyenne und Flandern die französische Geschichte. In beiden Fällen wurden englische Interessen berührt. Zwar gelang es ihm, den englischen Kg.en Eduard II. und III. Ländereien in Südwestfrankreich zu entreißen, doch wurden dadurch nur die Spannungen zwischen beiden Ländern geschürt, die letztlich in den Hundertjährigen Krieg münden sollten. In Flandern erhoben sich Bauern und Stadtbewohner 1323. Eine fatale Politik des Grafen von Flandern, Steuererhöhungen, Mißernten und Absatzschwierigkeiten sowie die Beschneidung von althergebrachten Bauernrechten durch die Grundherren führten zum ersten großen Volksaufstand des Spätmittelalters. Durch seinen frühen Tod gelang es K. IV. nicht, dort die Lage zu sichern, und erst sein Nachfolger Philipp VI. konnte in der Schlacht bei Cassel 1328 die flandrischen Kommunalmilizen vernichtend schlagen und damit auch englische Einmischungsversuche zunächst abwenden. Mit dem Tode K.s IV. starb die direkte Linie der Kapetinger aus, und eine Nebenlinie, das Haus Valois, konnte sich gegen die ebenfalls berechtigten Herrschaftsansprüche der englischen Plantagenets unter Edward III. in Frankreich durchsetzen.

Quellen: Ordonnances des roys de France 1, 1723, 759-813; Recueil des historiens des Gaules et de la France 20-23, 1850-1894; Jean XXII (1316-1334), Lettres communes 4-7, hrsg. v. Guillaume Mollat, 1910-1919; Lettres secrètes et curiales du pape Jean XXII (1316-1334) relatives à la France 2-3, hrsg. v. Auguste Coulon u. Suzanne Clemencet, 1961.

Lit: Marc Bloch, La France sous les derniers Capétiens 1223-1328, 1971²; — Ch.-V. Langlois, Histoire de France, hg. v. Ernest Lavisse, Bd. III/2, 1911, 119-123, 281, 295, 301f., 310 f., 318, u. ö.; — Norman J. Housley, The Franco-papal crusade negotiations of 1322-3, in: Papers of the British School at Rome 48, 1980, 166-185; — Robert-Henri Bautier, La royauté, in: La France médiévale, hrsg. v. Jean Favier, 1983, 172; — Jean Favier, Histoire de France 2: Le temps des principautés de l'an mil à 1515, 1984, 260-263; dt.: Geschichte Frankreichs 2: Frankreich im Zeitalter der Lehnsherrschaft 1000-1515, 1989, 282-286; — Hubert Collin, Les préparations du sacre du roi Charles le Bel à la cour comtale de Bar-le-Duc en 1322, in: Le Sacre des Rois. Actes du colloque international d'histoire sur les sacres et couronnements royaux (Reims 1975), 1985, 141-144; — Joachim Ehlers, Geschichte Frankreichs im Mittelalter, 1987, 198 f., 201-203; — DHGE XII, 448 f.; — LThK V, 1352; — LMa V, 974 f.

Christian Lohmer

KARL V., frz. König 1364-1380, * 21.1. 1338 auf Schloß Vincennes, † 16.9. 1380. — Er war der Sohn Kg. Johanns II. des Guten (Jean le Bon) und von Guda (Bonne) von Luxemburg. Als erster frz. Thronfolger trug K. den Titel eines Dauphin. Nachdem sein Vater sich nach einer militärischen Niederlage bei Maupertuis/Poitiers (19.9. 1356) gegen Eduard III. von England hatte gefangen nehmen lassen, stand K. ohne jede Verwaltungs- und Regierungserfahrung an der Spitze der Regierung. Der Opposition der Generalstände, der geschickten Agitation Karls von Navarra und dem Pariser Aufstand unter Etienne Marcel war er nicht gewachsen. — Als zwei Marschälle K. ermordet worden waren, verließ er Paris (März 1358) und kehrte erst nach dem Ende der Jacquerie (Mai-Juni 1358), eines Aufstands von Bauern gegen den Adel, und nach der Ermordung Etienne Marcels (31.7. 1358) nach Paris zurück. Anschließend an einen Waffenstillstand mit England wurde K. nicht zu den Friedensverhandlungen beigezogen. Einen von seinem Vater angenommenen Friedensvertrag ließ er von den Generalständen ablehnen (Mai 1359). Die folgenden militärischen Auseinandersetzungen brachten für Eduard III. von England nicht den gewünschten Erfolg, so daß er sich zum Frieden von Calais (26.10. 1360) bereitfand. Nur kurzfristig wurde K. von seinem Vater Johann II. verdrängt, der am 13.12. 1360 aus englischer Gefangenschaft zurückgekehrt war. Als Johann II. nach einem Wortbruch seines Sohnes Ludwig von Anjou freiwillig nach London zurückgekehrt war (Januar 1364), wurde K. zunächst Regent und durch den Tod seines Vaters (9.4. 1364) dessen Nachfolger. — Zeitlebens von schwacher körperlicher Konstitution, betraute er mit dem Kommando im Feld Spezialisten. Bertrand Du Guesclin, seit 1370 Connétable von Frankreich, setzte sich ab 1361 mit Karl von Navarra und ab 1364 mit dem im Bunde mit England stehenden Johann von Montfort auseinander. Nach Friedensschlüssen mit den beiden Kontrahenten (1365, 1366) mußte der militärisch siegreiche Montfort als Herzog der Bretagne anerkannt werden. Die beschäftigungslosen Söldnerkompanien ließ K. wiederum unter dem Befehl Bertrands Du Guesclin in Spanien auf der Seite von Heinrich von Trastámara gegen den kastilischen König Peter I. kämpfen. In den anschließenden militärischen Auseinandersetzungen mit den englischen Truppen (1369-1375) veranlaßte K. seine Heerführer (neben Bertrand Du Guesclin die Marschälle Ludwig von Sancerre und Mouton de Blanville), eine offene Feldschlacht zu vermeiden und statt dessen einen zermürbenden Kleinkrieg zu führen. Mit dieser Strategie, unterstützt von kastilischen Galeeren, die den englischen Nachschub störten, gelang es K. fast alle englischen Besitzungen auf französischem Boden mit Ausnahme einer Reihe von Stützpunkten am Meer zurückzuerobern. Zu einem dauerhaften Frieden mit England konnte der anschließende Waffenstillstand von Brügge (Juli 1375) nicht überleiten. Die verbliebenen Brückenköpfe der englischen Krone (Calais, Brest, Bordeaux, Bayonne, Cher-

bourg) bedeuteten eine dauerude Bedrohung. Von Calais aus unternahm der Herzog von Buckingham im Jahre 1380 einen Feldzug, der diesen bis ins Loiretal führte und von dort aus die Bretagne erreichen ließ. — Mit den Luxemburgern, der Familie seiner Mutter, unterhielt K. stets gute Beziehungen. Sein Onkel, Kaiser Karl IV., übertrug dem Dauphin, dem späteren Karl VI., das Reichsvikariat des Arelat. Als mit der Wahl des Kardinals Robert von Genf zum Papst (Clemens VII.) das Große Abendländische Schisma seinen Anfang nahm (20.9. 1378) entschied sich K. für diesen Papst, während sein Onkel an Urban VI. (gewählt am 8.4. 1378) festhielt. Auf dem Sterbebett soll K. diese Entscheidung bereut haben. — Umgeben von einem iuristisch versierten Beraterstab ließ K. indirekte und direkte Steuern permanent erheben. Die Unveräußerlichkeit der Krondomäne wurde in den Krönungseid eingefügt. Indem er die großen Hofämter einrichtete und Fachleute an Stelle von Adeligen in der Reichsverwaltung bevorzugte, schuf er manche Voraussetzung für die Entwicklung Frankreichs zum zentral gelenkten Flächenstaat. Mit der großzügigen Apanagierung seiner Brüder, d.h. der Ausstattung mit im Mannesstamm erblichen Lehensfürstentümern, wie sie in Frankreich freilich schon ab 1225 üblich war, hemmte er allerdings diese gegen Ende des 14. Jahrhunderts sich abzeichnende Tendenz. — K., der sich mit einem Kreis von Gelehrten umgab (u.a. Nicole Oresme, Raoul de Presle, Philippe de Mézières) und selbst Denkschriften verfaßte, ließ Aristoteles, Augustinus und Johannes von Salisbury ins Französische übersetzen, wurde Begründer der Bibliothek des Louvre und erbaute Louvre, Bastille, Hotel St. Pol und St. Chapelle in Vincennes. Seine politischen Ideen pries der »Songe du vergier«. Ein Loblied auf K. schuf Christine de Pisan mit ihrem »Livre des fais et bonnes meurs du sage roy Charles V« (1404).

Quellen: Chronique des règnes de Jean II et de Charles V, ed. Roland Delachenal, Bd. 1-4, 1910-1920; Christine de Pisan, Le livre des fais et bonnes meurs du sage roy Charles V, ed. Suzanne Solente, 1936-1941.

Lit.: Noël Valois, La France e la grand schisme I, 1896 (passim); — Roland Delachenal, Histoire de Charles V, I-V, 1909-1931; — Joseph Calmette, Charles V, 1945; — Raymond Cazelles, Société politique, noblesse et couronne sous

Jean le Bon et Charles V, 1982; — Heinz Thomes, Frankreich, Karl IV. und das Große Schisma, in: »Bündnissysteme« und »Außenpolitik« im späteren Mittelalter, hrsg.v. Peter Moraw (ZHF, Beiheft 5) 1988, 69-104; — A.D. Hedeman, Copies in Context: The Coronation of Charles V in His »Grandes Chroniques de France«, in: Coronations. Medieval and Early Modern Monarchic Ritual, ed. János M. Bak, 1990, S. 72-87; — DBF VIII, 518-522; — DHGE XII, 449-452; — EC III, 838 f; — LMA V, 975-977; — LThK V, 1352.

Georg Kreuzer

Karl VII., König von Frankreich * 22.2. 1403 in Paris, † 22.7. 1461 in Mehun-sur-Yèvre. K., elftes Kind des geisteskranken Karl VI. und der Isabella von Bayern und seit dem Tode seines älteren Bruders Jean (5.4. 1417) Dauphin, erbte beim Tode seines Vaters (22.10. 1422) ein geteiltes Frankreich. Der Norden wurde aufgrund des Vertrages von Troyes (21.5. 1420) von einer anglo-burgundischen Koalition im Namen des noch unmündigen Heinrich VI. von England regiert, während K. als »König von Bourges« über die Provinzen südlich der Loire, mit Ausnahme der Guyenne herrschte. K.s Zug nach Reims, der nach der Befreiung von Orléans (1429) durch Jeanne d'Arc und den sich daran anschließenden militärischen Erfolgen möglich geworden war, sowie seine Salbung und Krönung in der dortigen Kathedrale machten ihn zum rechtmäßigen König Frankreichs. Eine Phase der Inaktivität nach der Gefangennahme und Hinrichtung Jeanne d'Arcs wurde beendet durch den Vertrag von Arras 1435 (Sonderfriede mit Burgund), durch den sich Paris für K. öffnete. Ein Waffenstillstand mit England (1444-1449) gab K. die Möglichkeit einer Reorganisation der Armee, mit der er bis 1453, mit der Ausnahme des Gebiets um Calais, die Engländer aus Frankreich vertreiben konnte. — Obwohl als Person eher schwächlich, gelang es K., sich mit einer bemerkenswerten Mannschaft von zivilen und militärischen Ratgebern zu umgeben, durch die er mit der Einführung einer zentralistischen Verwaltung, eines stehenden Heeres und einem für das ganze Land verbindlichen Steuersystem eine von den Schranken des Feudalsystems befreite Monarchie schaffen konnte. Kirchenpolitisch erließ K. 1438 die mittelbar auf eine französi-

sche Nationalkirche zielende Pragmatische Sanktion von Bourges.

Lit.: Aston, Stanley C.: A manuscript of the chronicle of Mathieu d'Escouchy and Simon Gréban's epitaph for Charles VII of France. In: Studies in medieval literature 1961. S. 299-344; — Auvergne, Martial d': Les Vigiles de la mort du feu roi Charles le septième. In: Ders.: Oeuvres, hg. von Courtier, sl. 1724 (2 Bde.); — Basin, Thomas: Histoire des règnes de Charles VII et de Louis XI. Hg. von J. Quicherat. Paris 1855-1859 (4 Bde.); — Ders.: Histoire de Charles VII. Hg. und übers. von Charles Samaran und Henry de Surirey de Saint Rémy. Paris 1933 (2 Bde.); — Beaucourt, Gaston du Fresne de: Charles VII et Louis XI d'après Thomas Basin. Paris 1860; — Ders.: Charles VII et Agnès Sorel. L'influence politique d'Agnès Sorel. Paris 1866; — Ders.: Histoire de Charles VII. Paris 1881-1891. (6 Bde.); — Ders.: Extrait du catalogue des Actes de Charles VII du siège d'Orléans au sacre de Reims (1428-1429). Besançon 1896; — Beaune, Colette: Prophétie et propagande: le sacre de Charles VII. In: Idéologie et propagande en France. Koll. Haifa 1984. Haifa 1987. S. 63-73; — Dies.: L'historiographie de Charles VII: un thème de l'opposition à Louis XI. In: La France de la fin du XVᵉ Siècle. Int. Koll. Tours 1983. S. 265-281; — Berry, Gilles Le Bouvier, gen.Héraut: Les Chroniques du feu roi Charles Septième du nom. (les Chroniques du roi Charles VII, Paris 1653-1661). Hg. von H. Courteault, L. Celier und M.-H. Jullien de Pommerol. Paris 1979; — Bordonove, Georges: Charles VII Le Victorieux. Paris 1985. (Les Rois qui ont fait la France; Les Valois: Bd.2); — Bronac, Jean de: 17 juillet 1429. (Le sacre de Charles VII). In: Cahiers de Chiré. 2 (1987). S. 75-79; — Caffin de Mérouville, Michel: Le retour de Charles VII à Paris. In: Vert et rouge 103 (1956). S. 14-19; — Chartier, Jean: Chronique de Charles VII, roi de France. Hg. von Vallet de Viriville. Paris 1858. (3 Bde.); — Ders.: Chronique latine de Charles VII. Paris 1928; — Clément, Pierre: Jacques Coeur et Charles VII. L'administration, les finances, l'industrie, le commerce, les lettres et les arts au XVe siècle. Paris 1866; — Coville, Alfred: Les Premiers Valois et la Guerre de Cent Ans (1328-1422). Paris 1901; — Dalas-Garrigues, Martine: Ambition et administration de Charles VII avant son avènement à travers des sceaux (1417- 1422). In: Archives et Bibliothèques de Belgique. Brüssel 1987. S. 67-89; — Dansin, Hippolyte: Histoire du gouvernement de la France pendant le règne de Charles VII. Paris 1858; — Delort, Joseph: Essai critique sur l'histoire de Charles VII, d'Agnès Sorel et de Jeanne d'Arc. Paris 1824; — Desama, Claude: Jeanne d'Arc et Charles VII. In: Revue de l'histoire des religions 85 (1966). S. 29-46; — Ders.: La première entrevue de Jeanne d'Arc et de Charles VII à Chinon (mars 1429). In: Analecta bollandiana 84(1966) S. 113-126; — Dictionnaire de Biographie Française 8(1959). Spalte 526-530; — Douais, C.: Charles VII et le Languedoc. 1897; — Erlanger, Philippe: Charles VII et son mystère. Paris 1973; — Ders.: Charles VII et son mystère. Überarbeitete und ergänzte Auflage, Paris 1981; — Gascar, Pierre: Charles VII: les Bal des Ardents. Paris 1977; — Gaussin, Pierre-Roger: Les conseillers de Charles VII (1418-1461). Essai de politologie historique. Francia 1982. S. 67-130; — Gorsse, Pierre de: Une rencontre qui a fixé un destin: Charles VII et Agnès Sorel à Toulouse. In: L'Auta 360 (1969). S. 31-35; — Guth, Paul: Charles VII et le démon de midi. In:

Nouvelle revue de deux mondes. Paris 9 (1982). S. 559-569; — Herubel, Michel: Charles VII. Paris 1981; — Ilardi, Vincent: The Italian League, Francesco Sforza and Charles VII (1454-1461). In: Studies in the Renaissance 61 (1958). S. 129-166; — LThK 5 (1960). Spalte 1353; — Mandrot, Bernard de: Relations de Charles VII et de Louis XI avec les cantons suisses. Paris 1936; — Marchadier, A.: Les etats généraux sous Charles VII. 1904; — Marot, Pierre: L'expédition de Charles VII à Metz (1444-1445). Documents inédits. In: Bib. Ec. Chartres 102 (1941) S. 109-155; — Mémoires concernant La Pucelle d'Orléans dans lesquels se trouvent plusieurs particularités du règne de Charles VII depuis l'an 1422 jusqu'à l'an 1429. Paris 1819; — Meunier, R.-A.: Les rapports entre Charles VII et Jeanne d'Arc. 1946; — Mirot, Léon: L'enlèvement du dauphin et le premier conflit entre Jean sans Peur et Louis d'Orléans (1405). Paris 1914; — New Catholic Encyclopedia 3 (1967). S. 501; — Petit-Dutaillis, Charles: Charles VII, Louis XI et les premières années de Charles VIII. Paris 1902.(= Lavisse, Ernest: Histoire de France, Tome IV.); — Peyronnet, Georges: Un problème de légitimité: Charles VII et le toucher des écrouelles. In: Jeanne d'Arc. Koll. Orléans 1979. Orléans 1982. S. 197-202; — Ders.: Rumeurs autour du sacre de Charles VII. In: Annales de l'est 33 (1981), Heft 2. S. 151-165; — Richard, Jean: Les débats entre le roi de France et le duc de Bourgogne sur la frontière du royaume de l'ouest de la Saone: l'enquete de 1452. In: Actes 89e Congrès de la Société savantes. Lyon 1967. S. 113-132; — Schnerb, Bertrand: Charles VII ou le retournement. In: Ders.: Mémoire 3 (1985). S. 19-35; — Vale, M.G.A.: Charles VII. London u.a. 1974; — Valsan, Michel: Remarques occasionelles sur Jeanne d'Arc et Charles VII. In: Etudes traditionelles 70 (1969) S, 113-137; — Viriville, Vallet de: Charles VII, roi de France, et ses Conseillers (1403-1461). Paris 1859; — Ders.: Histoire de Charles VII et de son époque. 1862-1865; — Wismes, Armel de: La Cour de France, de Charles VII au dernier Valois. Nantes 1966.

Bernd Blisch

Karl VIII., König von Frankreich * 30.6. 1470 in Amboise, † 7.4. 1498 daselbst. — Da K. beim Tode seines Vaters Ludwig XI. (30.8. 1483) erst 13 Jahre alt war, stand er acht Jahre lang unter der Regentschaft seiner Schweser Anne und deren Gatten Pierre de Beaujeu. 1491 heiratete K. Anne, die Erbin der Bretagne. 1494 zog K., der von einem Kreuzzug der Christenheit unter seiner Führung gegen die Türken träumte, ermuntert durch Ludovico Sforza von Mailand, die neapolitianischen Adligen und zunächst Papst Alexander VI. Borgia nach Italien, um als Erbe des Hauses Anjou dessen Rechte auf Neapel gegenüber dem herrschenden Haus Aragon geltend zu machen. Nach anfänglichen Erfolgen - Einzug K.s in Neapel am 22.2. 1495 - konnte er sich jedoch gegen die antifranzösische Hl. Liga (Papst Alexander VI., Venedig, Spanien, England und Maximilian I.) nicht durchsetzen und mußte Italien wieder räumen. Die in Neapel zurückgelassene Garnison kapitulierte im Februar 1496. — Die Bilanz der Herrschaft K.s, dessen Zug nach Italien man mit dem Beginn der Renaissance in Frankreich gleichsetzt, war für Frankreich ruinös. Der jugendliche König richtete alle seine Interessen auf den Italien- bzw. Kreuzzug. An Kaiser Maximilian I. verlor er das Artois, die Franche Comté und das Charolais, an Ferdinand von Aragon das Roussillon und die Cerdagne. Den Rückzug des englischen Königs Heinrich VII. erkaufte sich K. für enorme Geldsummen. K. starb, bevor eine zweite Expedition gegen Italien und der von ihm geplante Kreuzzug realisiert werden konnten.

Lit.: Arnaud d'Agnel, Abbé G.: Politique des rois de France en Provence. Louis XI et Charles VIII. Paris 1914. 2 Bde; — Benedetti, Alessandro: Diaria de bello Carolino. Hg. und ins Engl. übersetzt von Dorothy M. Schullian. New York 1967; — Berl, Emmanuel: Charles VIII, roi méconnu. In: La Revue des deux mondes 2 (1959) S. 283-294; — Bridge, J.S.C.: A History of France from the Death of Louis XI. Bd. 1: Reign of Charles VIII. Regency of Anne de Beaujeu. Oxford 1921; — Caillet, L.: La mort de Charles VIII. In: Revue histoire de Lyon 8(1909) S. 468-474; — Cherrier, C.G. de: Histoire de Charles VIII, roi de France. d'après des documents diplomatiques inédits ou nouvellement publiés. Paris 1868. 2 Bde; — Cloulas, Ivan: Charles VIII et le mirage italien. Paris 1987; — De Frede, Carlo: L'impresa di Napoli di Carlo VIII. Neapel 1982; — Ders.: »Piu simile a mostro che a uomo«. La bruttezza e l'incultura di Carlo VIII nella rappresentazione degli Italiani del Rinascimento. In: Bibliothèque d'humanisme et Renaissance 44 (1982) S. 545-585; — Delaborde, H. Fr.: L'expédition de Charles VIII en Italie. Histoire diplomatique et militaire. Paris 1888; — Denis, Anne: Charles VIII et les Italiens. Histoire et mythe. Genf 1979; — Dictionnaire de Biographie française 8 (1959). Spalte 530-533; — Dies.: Charles VIII en Italie: catalyseur et/ou symbole de la crise. In: Académie de Lyon. Annales de l'Université Jean Moulin 2(1975). S. 57-66; — Desrey, Pierre: De l'entreprise du voyage du roi Charles VIII pour aller recouvrer son royaume de Naples. In: Archives curieuses de l'histoire de France. 1(1834); — Dodu, G.: Les Valois. Histoire d'une maison royale. Paris 1934; — Dupont, Jacques: Remarques sur l'iconographie de Charles VIII. In: Bull. Soc. de l'histoire de l'art français. 1936. S. 186-189; — Fanucci, V.: Le relazioni tra Pisa e Carlo VIII. Pisa 1894; — Filangieri di Candida, Riccardo: Una congiura di baroni nel castello d'Isola in vista di una spedizione di Carlo VIII (1496). In: Arch. nap. 28 (1941/45). S. 109-134; — Foncemange, de: Eclaircissement historique sur quelques circonstances du voyage de Charles VIII en Italie. In: Mémoire de l'Academie des Inscriptions et belles-lettres 17 (1751) S. 539-578; —

François, Michel: Les rois de France et les traditions de l'abbaye de Saint-Denis à la fin du XVe siècle. In: Mélanges F. Grat. Paris 1946. S. 367-382; — Godefroy, Théodore (Hg.): Histoire de Charles VIII...par Guillaume de Jaligny...André de La Vigne...et autres. Paris 1684; — Günter, Hans: Die Sprache des Königs Karl VIII. von Frankreich. Borna-Leipzig 1933; — Harsgor, Mikhael: Recherches sur le personnel du conseil du roi sous Charles VIII et Louis XII. 4 Bde. Lille 1981; — Higounet, Charles: Charles VIII, Jean de Foix-Narbonne et le comté de Comminges. In: Rev. hist. 197 (1947) S. 216-220; — Konigson, Elie: La cité et le prince: premières entrées de Charles VIII (1484-1486). In: Les Fetes de la Renaissance. 15e Colloque int. des etudes humanistes. Tours 1975. Bd. 3, S. 55-69; — Krauss, S.: Le roi de France Charles VIII et les espérances messianiques. In: Rev. des études juives 51(1906) S. 87-96; — Labande-Mailfert, Yvonne: Charles VIII et son milieu (1470-1498). La jeunesse au pouvoir. Paris 1975; — Dies.: Charles VIII. Paris 1986; — Dies.: Entrée de Charles VIII à Florence (17 novembre 1494); In: Etudes italiennes 5 (1935) S. 31-43; — Dies., L'épée, dite »flamboyante«, de Charles VIII. In: Bull. monum. 108 (1950) S. 91-101; — Dies.: Ferdinand le Catholique, Charles VIII et l'Afrique du Nord. In: Mercure de France 1039 (1950) S. 446-457; — Dies.: Le mariage d'Anne de Bretagne avec Charles VIII vu par Erasme Brasca. In: Mémoires de la Société d'histoire et d'archéologie de Bretagne 55(1978). S. 17-42; — LThK 5 (1960). Spalte 1353f; — Linder, Amnon: L'expédition italienne de Charles VIII et les espérances messianiques des Juifs: témoignage du manuscrit B.N. Lat. 5971 A.R. In: Etudes Juives 137 (1978). S. 179-186; — Lupo Gentile, Michele: Pisa, Firenze e Carlo VIII. Pisa 1934; — Marongiu, Antonio: Carlo VIII e la sua crociata (come problema storiografico). In: Byzantine, Norman, Swabian and later Institutions in Southern Italy. London 1972. S. 239-258; — Néret, J.-A.: Charles VIII. 1948; — New Catholic Encyclopedia 3 (1967). S. 501; — Pélissier, L.G.: Sur quelques épisodes de l'expédition de Charles VIII en Italie. In: Rev. Hist. 72 (1900) S. 291-293; — Pelletier, Monique: Le Grand Conseil, de Charles VIII à Francois Ier (1483-1547). In: Pos. thèses Ec. Chartres 1960. S. 85-90; — Petit, E.: Séjours des rois de France. Séjours de Charles VIII, 1483-1498. In: Bull. Hist. et philol. du Comité des trav. hist. 1896. S. 629-690; — Picot, Georges: Le Parlement de Paris sous Charles VIII. Paris 1877; — Pilot de Thorey, J.J.A.: Entrée et séjour de Charles VIII à Vienne en 1490, avec les histoires jouées en cette ville à l'occasion de l'arrivée de ce prince. Grenoble 1851; — Pocquet du Haut-Jussé, B.-A.: Les débuts du gouvernement de Charles VIII en Bretagne. In: B.E.C. 115 (1957). S. 138-155; — Pontieri, Ernesto: Napoletani alla corte di Carlo VIII, Giovanni de Candida e due suoi compendi di storia del regno di Napoli. In: Arch. nap. 63 (1938) S. 127-182; — Rossignol, A.: Histoire de Bourgogne. Charles VIII. In: Mém. de l'Acad. de Dijon 9 (1861) S. 87ff; — Segre, A.: I prodromi della ritirata di Carlo VIII, re di Francia, da Napoli etc. In: Archivo Storico Italiano. Serie 5. 33/34 (1904/05); — Seguin, Jean-Pierre: La découverte de l'Italie par les soldats de Charles VIII, 1494-1495, d'après les journaux occasionnels du temps. In: Gazette des Beaux-Arts 50 (1961). S. 127-134; — Spont, A.: La marine royale sous le règne de Charles VIII. In: Rev. des questions historiques 55 (1894) S. 387-453; — Zeller, Bertrand: Charles VIII; la Guerre Folle; le mariage breton (1485-1491). Extraits du Mem. de Guillaume de Jaligny. Paris 1888.

Bernd Blisch

KARL IX. (1550-1574). Der zweitletzte König Frankreichs aus dem Hause Valois wurde am 27. Juni 1550 als zweiter Sohn Heinrichs II. und Katharinas von Medici geboren. Seine Erziehung leitete wie bei seinen Brüdern Franz (Franz II., König 1559-1570), Heinrich (Heinrich III., König 1574-1589) und Franz [d.J.] (Herzog von Alencon, 1554-1584) die Mutter, die sein ganzes Leben lang die dominante Bezugsperson blieb. Wohl auch deshalb soll er charakterlich schwierig gewesen sein. Seiner Labilität. Sprunghaftigkeit und überspannten Nervosität entsprach eine schlanke, fast zierliche Gestalt. Körperlichen Anstrengungen war er lange Zeit kaum gewachsen; das lebhafte Interesse an Sport, Jagd und Krieg schlug sich daher zunächst in entsprechender Lektüre nieder. Dennoch weckte seine prunkvolle Thronübernahme im Dezember 1560, nach dem plötzlichen Tod seines älteren Bruders, in noch kindlichem Alter, große Erwartungen. Unter Franz II. hatte der kämpferisch-gegenreformatorische Flügel der katholischen Partei unter den Guisen einen erheblichen Teil der königlichen Autorität an sich gerissen. Gewalttätige Rekatholisierungsversuche und ebenso entschlossene hugenottische Bestrebungen zerrissen das Land. Von dem symphatisch-schön anzusehenden Thronfolger und z.Tl. dessen Mutter erhoffte sich die weniger konfessionell als staatspolitisch orientierte königliche Partei eine Beruhigung und Stabilisierung der Lage. Tatsächlich gelang es Katharina, nachdem sie für sich selbst die Regentschaft erworben hatte und der Hugenotte Anton von Bourbon (König von Navarra, 1518-1562) zum militärischen Oberbefehlshaber Frankreichs (Generalleutnant) ernannt worden war, wichtige Reformen durchzusetzen. Die Edikte von 1559 und 1560, welche die Verfolgung der Protestanten vorschrieben, wurden Anfang 1561 im Namen der Regentin aufgehoben. Die hugenottischen Führer kehrten an den Hof zurück. Das Kolloquium von Poissy, welches als Nationalkonzil von September bis November 1561 die

wichtigsten Kleriker des Landes zusammenführte, brachte zwar keine Versöhnung der Kon-
fessionsparteien zustande. Es trug aber durch
entsprechende Zahlungsbewilligungen zur Sanierung der königlichen Finanzen bei. Im Januar
1562 garantierte ein königliches Edikt, welches
von dem Kanzler Michel de L'Hospital vorbereitet wurde, dem hugenottischen Adel begrenzte religiöse Freiheitsrechte. Mit dieser Lösung,
die gleichzeitig die Unabhängigkeit der Krone
unterstrich, waren jedoch weder die katholischen noch die hugenottischen Eiferer zufrieden. Kurze Zeit später steigerten sich die Zu-
sammenstöße dieser beiden Kontrahenten dementsprechend zum ersten Bürgerkrieg, welchen
erst das Edikt von Amboise (März 1563), eine
entschärfte Version des Januaredikts, beendete.
Im August dieses Jahres erklärte die Regentin
ihren Sohn im Parlament von Rouen, welches
als Vertretung des französischen Volkes fungierte, für volljährig. Zwischen dem folgenden
Januar und Mai 1566 führte sie ihn auf einer
kostspieligen, kunstgeschichtlich heute höchst
bedeutsamen großen Rundreise (La Grand Ronde) durch das Land. Ihre Absicht war, die Untertanen auf den jungen König einzuschwören, das
Edikt von Amboise durchzusetzen sowie (mittels Gesprächen unter anderem mit dem Herzog
von Alba in Bayonne 1565) die Beziehungen der
französischen zur spanischen Krone bzw. zu
Habsburg zu verbessern (Projekt der Verheiratung K.s mit Erzherzogin Elisabeth von Österreich, Tochter Maximilians II., verwirklicht am
26. November 1570). Mutter und Sohn ver-
mochten jedoch den Ausbruch weder des zweiten (September 1567 - März 1568) noch des
dritten (August 1568 - August 1570), in beiden
Fällen wieder höchst grausamen Bürgerkriegs
zu verhindern. Die katholische Partei, besonders
der Kardinal von Lothringen aus dem Hause
Guise, konnte sich nicht mit dem Edikt von
Amboise abfinden. Die Protestanten sahen in
den Kontakten ihres Königs mit Spanien den
Beginn einer planmäßigen Zusammenarbeit der
katholischen Monarchen mit dem Ziel, die Ketzer auszulöschen. Spanien stellte sich auch deshalb zunehmend auf die Seite der katholischen
Eiferer, um durch Schürung der inneren Unruhe
die unvermeidliche Intervention eines gestärk-
ten Frankreich in den Niederlanden, wo der

Kampf gegen die rebellischen Generalstaaten
tobte, möglichst lange hinauszuzögern. 1568-
1570 kehrten selbst Katharina und der König an
die Seite der zu dieser Zeit siegreich erscheinenden katholischen Partei zurück. Binnen kurzem
war jedoch die königliche Kasse wieder leer,
deren chronische Schwäche schon zuvor eine
dauerhafte Durchsetzung der Autorität der Zen-
tralgewalt verhinderte. Deshalb konnte in einer
Phase allseitiger Erschöpfung der tragfähigere
Frieden von Saint-Germain ausgehandelt werden (August 1570), der die Wiedereinsetzung
der Protestanten in ihre Rechte vorsah. Der
nächste Schritt für Katharina bestand darin, diesen Erfolg nach bewährtem Modell durch entsprechende Eheschließungen abzusichern. Eine
jüngere Schwester des Königs, Margarite, wurde dem neuen Führer der Hugenotten Heinrich
von Navarra (später Heinrich IV., siehe dort)
anvertraut. Heinrich oder im Notfall Franz [d.J.],
also einer der beiden Brüder, sollte Gemahl
Queen Elisabeths werden. Unter dem Einfluß
des hugenottischen Admirals von Frankreich
Kaspar (Gaspard) von Coligny begann der König jetzt aber, sich mit dem Projekt eines Krieges gegen Spanien in den Niederlanden anzu-
freunden. Dieser Krieg, der auch dazu gedacht
war, die inneren Widersprüche Frankreichs nach
außen abzulenken, stand im Gegensatz zur friedlichen Stabilisierungspolitik der Königsmutter.
Katharina versuchte daher, nachdem Bitten und
Mahnungen nichts halfen, sondern im Gegenteil
erste bewaffnete Geplänkel ausbrachen, den eigentlichen Kriegstreiber Coligny beseitigen zu
lassen. Die Verantwortung für den Anschlag
sollte den Guise zugeschoben worden, um auf
diese Weise die beiden fanatischen Faktionen
aufeinanderzuhetzen, was nach dieser Vorstellung unvermeidlich eine Stärkung der königlichen Partei bedeutet hätte. Als das Attentat mißlang und gefährliche Gerüchte über seine Hintergründe aufkamen, sahen sich seine Urheber
zur Flucht nach vorne veranlaßt. Unter Hinweis
auf einen angeblich zu erwartenden umfassenden Gegenschlag der Hugenotten, welcher das
Land in einen neuen Bürgerkrieg gestürzt hätte,
überzeugte Katharina ihren Sohn von der Notwendigkeit der Beseitigung fast der gesamten
hugenottischen Führungsspitze (23. August
1572). Diese Führung hatte sich mittlerweile zur

Feier der Hochzeit Heinrichs von Navarra mit der Tochter Katharinas in Paris eingefunden. K. ordnete die notwendigen Maßnahmen zur Durchführung der Tötungen und zur Isolierung derjenigen Hugenotten an, die verschont bleiben sollten. Das waren neben dem Bräutigam und weiteren einzelnen Personen die gesamten übrigen, zum Gefolge der Hugenottenführer zählenden Hochzeitsgäste. Die zur Absperrung der Quartiere dieser Gäste mobilisierte Pariser Miliz schloß sich jedoch, teilweise ermuntert durch ihre Führer, gewalttätigen antihugenottischen Demonstranten an. So mündete die geplante begrenzte Aktion in das Massaker der Bartholomäusnacht ein (24. August), welchem damit drei Motive zugrundelagen: Erstens politisches Kalkül, zweitens konfessioneller Eifer und drittens die Angst vieler durch die Beschlagnahme hugenottischen Besitzes aus der Armut emporgestiegener oder reich gewordener katholischer Pariser, das erst unlängst Gewonnene im Zuge der hugenottischen Rekonstituierung wieder zu verlieren, obwohl die naturgemäß in ihren prächtigsten Gewändern angereisten Gäste diesen Besitz augenscheinlich garnicht mehr nötig hatten. Die unvermeidliche Folge des blutigen Ereignisses war der Ausbruch des vierten Religionskrieges, in dessen Verlauf sich jedoch neue Entwicklungen ergaben. In ihrer Existenz bedroht, organisierten sich die Hugenotten besser und begannen nun wirklich einen Staat im Staate zu bilden, der trotz einiger Niederlagen (Ende 1572 Verlust von La Rochelle) einen bedeutenden politischen Faktor darstellte. Diesen Sachverhalt versuchten Mitglieder des Hochadels innerhalb und außerhalb der hugenottischen Gemeinschaft zunehmend für ihre eigenen Zwecke auszunutzen. Der konfessionelle Zusammenhang begann an Bedeutung zu verlieren, neue politisch-soziale Konflikte brachen auf, schließlich nahm der Krieg anarchische Züge an. Im Laufe des Jahres 1573, in welchem auch die ersten systematisch königsfeindlichen (monarchomachischen) polemisch-politischen Pamphlete Europas entstanden, bildete sich ein neues Konfliktmuster aus. Sowohl katholische als auch hugenottische Führer stellten sich auf die Seite des jüngsten Bruders des Königs, welcher selbst nach der Krone strebte und seinen Parteigängern (den »Unzufriedenen«) für den Fall der Thronübernahme

wesentlich erweiterte Privilegien in Aussicht stellte. Zunächst hatten sich diese Bestrebungen auf die Ausschaltung des präsumptiven Thronfolgers Heinrich gerichtet. Als dieser König von Polen wurde und damit als Erbe K.s IX. in den Hintergrund trat, wandte sich Franz von Alencon direkt seinem ältesten Bruder, dem König, zu. K. wurde zum Objekt verschiedener mehr oder weniger gefährlicher politischer Verschwörungen und Anschläge. Selbst der unerwartete Ausbruch lebensbedrohlicher Krankheit (Tuberkulose und Nervenfieber) bei ihm ließ diese Versuche nicht abklingen. Der von Franz in Absprache mit Hewinrich von Navarra geplante Staatsstreich von Saint-Germain, der durch einen landesweiten Aufstand ergänzt werden sollte, scheiterte indessen. Die Mutter des Königs konnte ihren bereits todkranken Sohn in die Festung von Vincennes schaffen und einige Aufrührer verhaften bzw. hinrichten lassen. Schon wenige Wochen später, am 30. Mai 1574, verstarb K. IX. jedoch. Er hinterließ eine legitime Tochter und einen illegitimen Sohn.

Lit.: L. Romier: Le Royaume de Catherine de Médicis, Paris 1922²; — P. Champion: Charles IX, la France et le controle de l'Espagne, 2 Bde., Paris 1939; — ders., Paris sous les derniers Valois, Paris 1942⁷; — N.M. Sutherland: The Massacre of St. Bartholomew and the European Conflict 1559-1577, London 1973; — A. Soman (Hg.): The Massacre of St. Bartholomew. Reappraisals and Documents, Den Haag 1974; — W. Reinhard: Glaube, Geld, Diplomatie. Die Rahmenbedigungen des Religionsgesprächs von Poissy im Herbst 1561, in: G. Müller (Hg.): Die Religionsgespräche der Reformationszeit, Gütersloh 1980, 89-116; — N. M. Sutherland: Princes, Politics, and Religion 1547-1589, London 1984; — J. Bouthier et al.: Un Tour de France Royal Le Voyage de Charles IX. (1564-1566), Paris 1984 (mit weiteren Literaturverweisen).

Wolfgang Weber

KARL X., König von Frankreich, * 9.10. 1757 als Graf von Artois in Versailles, † 6.11. 1836, emigrierte bereits am 17.7. 1789 und versuchte, die französische Revolution vom Ausland aus zu bekämpfen. Ab 1795 überließ er die Emigrantenbewegung seinem Bruder Ludwig XVIII., dessen Thronbesteigung er 1814 in Paris vorbereitete. Am 16.9. 1824 trat K. die Nachfolge Ludwigs XVIII. an, wurde aber erst am 29.5. 1825 zum König gesalbt. — K.s Herrschaft zeichnete sich durch klerikale Tendenzen und eine ultraroyalistische Politik gegenüber der liberalen Opposition aus, die 1830 zur Juli-Revolution führte, in deren Verlauf K. abdanken mußte.

Lit.: P. de la Gorce, La Restauration, Paris 1928; — J. Vincent, Charles X., Paris 1958; — Vincent W. Beach, Charles X. of France. His life and times, Boulder/Colo. 1971; — David Henry Pinkney, The French Revolution of 1830, New Jersey 1972; — DHGE; — LThK V, 1354.

Ernst Pulsfort

KARL I. DER GROSSE, der bedeutendste Frankenherrscher, * 2.4. 747 (nicht wie früher oft angenommen bereits 742) als ältester Sohn des damaligen Hausmeiers und späteren Königs der Franken, Pippins des Jüngeren, und seiner Ehefrau Bertrada; Kg. der Franken 768, Kg. der Langobarden 774, römischer Kaiser 800, † 28.1. 814 in Aachen; in der Aachener Pfalzkapelle, dem heutigen Marienmünster, beigesetzt und am 29.12. 1165 auf Veranlassung Kaiser Friedrich I. Barbarossas von (Gegen-) Papst Paschalis III. heiliggesprochen. — Auch wenn man nichts von seiner Erziehung weiß, außer daß er im Alter (erfolglos) Lesen und Schreiben lernen wollte, schließt man aus seinem späteren Wirken, daß seine Ausbildung nicht nur zu kriegerischer Tüchtigkeit, sondern auch zu einem großen Interesse an geistigen Werten, theologischen Fragen und sozialem Engagement führte. Bereits am 28.7. 754 zusammen mit seinem Vater und seinem jüngeren Bruder Karlmann von Papst Stephan III. in St. Denis bei Paris zum König gesalbt, wurden K. d. Gr. und sein Bruder Karlmann nach dem Tode Pippins des Jüngeren (24.9. 768) am 9.10. 768 gleichzeitig zu fränkischen Königen erhoben, K. d. Gr. in Noyon, Karlmann in Soissons. Durch den frühen Tod des Bruders (4.12. 771) und durch die Ausschaltung seiner erbberechtigten Neffen konnte der Bruderkrieg um die Herrschaft im Frankenreich vermieden werden. Seitdem widmete sich K. d. Gr. höchst erfolgreich der Errichtung eines Großreichs, in dem das ursprüngliche Frankenreich nur noch einen geringen Teil ausmachte. 774 eroberte K. d. Gr. auf einen Hilferuf Papst Hadrians I. das Langobardenreich und führte seitdem den Titel »rex Francorum et Langobar-

dorum atque patricius Romanorum«; zugleich verstieß er seine langobardische Frau. Wahrscheinlich entstand auch in jenen Jahren die Konstantinische Schenkung, eine berühmte Fälschung, die die rechtliche Unabhängigkeit des Papstes und seine weltliche Herrschaft begründen sollte. Erst 787 fügte K. d. Gr. das eigenständige langobardische Herzogtum Benevent seinem Reiche hinzu. Mit der Absetzung des Bayernherzogs Tassilo III. 788 integrierte er endgültig den Stamm der Bayern in das Frankenreich und bereitete damit die Unterwerfung der Awaren 796 im Donaubecken vor. Größeren Widerstand leisteten die bis dahin heidnischen Sachsen, die erst nach einem dreißigjährigen zermürbenden Krieg (772-804) unter die Botmäßigkeit des Frankenherrschers fielen. Weitere unterschiedlich erfolgreiche Feldzüge führten zur Zwangschristianisierung der heidnischen Nachbarn, zur Sicherung der Grenzen und zur Errichtung von Marken gegenüber den Arabern und Basken in Spanien sowie gegenüber den Bretonen, Dänen, Sorben und den verbliebenen Awaren. K. d. Gr. hatte damit ein Großreich errichtet, das von der Eider bis zum Ebro in Spanien und in Italien über Rom hinaus reichte, von seinen Nachfolgern aber nicht in diesem Umfang gehalten werden konnte. Höhepunkt seiner Karriere war zweifellos die Kaisererhebung in Rom am Weihnachtstage des Jahres 800, womit nach fränkischer Auffassung das Kaisertum der Römer auf die Franken übergegangen und der Herrscher der christlichen Einheit Europas verpflichtet war. Dies wurde dadurch begünstigt, daß bei den Griechen mit der Herrschaft einer Frau, der Kaiserin Eirene, das Kaisertum nach westlicher Auffassung gerade vakant war. Da das neue Reichsvolk die Franken und nicht mehr die Römer bzw. Griechen waren, wählte K. d. Gr. bewußt den Titel »serenissimus augustus a Deo coronatus magnus pacificus imperator, Romanum gubernans imperium, qui et per misericordiam Dei rex Francorum et Langobardorum«. Wohl als Reaktion auf die starke Einlußnahme des Papstes bei der Kaiserkrönung übergab K. d. Gr. seinem allein überlebenden Sohn Ludwig dem Frommen am 11.9. 813 in der Aachener Pfalzkapelle die Kaiserkrone. K. d. Gr. sah nie die päpstliche Krönung, sondern die Akklamation durch das Volk als konstitutiv an.

Dennoch wurde seine Krönung durch Leo III. der Ausgangspunkt für die mittelalterliche Lehre von einer päpstlichen Übertragung der Kaiserwürde (translatio imperii) mit daraus ableitbaren päpstlichen Ansprüchen wie z.B. einer Prüfung des Kandidaten. — Ergänzend zur Expansionspolitik konsolidierte K. d. Gr. die daraus resultierenden Verwaltungs- und Verfassungsprobleme. Er ließ die Stammesrechte schriftlich fixieren und durch Königsboten die Erfüllung seiner Verordnungen (Kapitularien), die kirchliche Angelegenheiten gleichermaßen wie weltliche Probleme ansprachen, kontrollieren. Durch seine zahllosen Kriegszüge und den Ausbau von Reiterheeren hatte er allerdings die Schicht der Freien übermäßig belastet, so daß sich viele in unverschuldete Armut und Abhängigkeit getrieben sahen. Zwar wurde dadurch der Prozeß der Feudalisierung vorangetrieben, doch konnte K. d. Gr. durch seine Sozialgesetzgebung wie z.B. Verbote von Zinswucher den Abstieg großer Bevölkerungsgruppen nicht aufhalten. Auch in die kirchlichen Belange griff K. d. Gr. nicht unerheblich ein. Wie die römischen Kaiser der christlichen Spätantike seit Konstantin führte er den Vorsitz bei Konzilien, und im byzantinischen Bilderstreit ließ er mit den Libri Carolini von 791 und auf der Synode von Frankfurt von 794 die Ergebnisse des VII. Ökumenischen Konzils von Nikäa (787) verwerfen. Er nahm in dogmatischen Fragen wie dem spanischen Adoptianismus und im filioque-Streit Einfluß und ließ neben der Kirchenrechtssammlung des Dionysius Exiguus auch ein römisches Sakramentar und den authentischen Text der Benediktregel aus Italien ins Frankenreich holen sowie die Bibelübersetzung des Hieronymus (Vulgata) durch Benedikt von Aniane überarbeiten. Außerdem wurden die Diözesangrenzen genauer beschrieben und die Metropolitanverfassung langsam ausgebaut sowie auch das kirchliche Leben fester geregelt. Die Bischöfe und Äbte als Herren über Land und Leute wurden zum administrativen Reichsdienst in der Hofkapelle herangezogen, und sie mußten im Kriegsfall wie weltliche Magnaten auch Krieger stellen. Als Berater in geistlichen wie allgemein kulturellen Fragen standen ihm die gebildetsten Theologen und Gelehrten seiner Zeit zur Seite: der Angelsachse Alkuin, der Westgote Theodulf von Or-

leans sowie Petrus von Pisa, Paulinus von Aquiliäa und Paulus Diaconus von Montecassino, die der italienischen Bildungtradition verhaftet waren. Sie gelten zusammen mit dem Mainfranken Einhard, einem Laien, der sich nicht nur als bedeutender Baumeister, sondern auch als Biograph K.s d. Gr. hervortat, als Urheber der von K. d. Gr. iniziierten sog. »Karolingischen Renaissance«. Bildungsinhalte, Schrift und lateinische Sprache wurden ebenso wie die Bau- und Buchkunst dauerhaft reformiert. Bereits in seinen letzten Regierungsjahren läßt sich ein gewisser Einbruch bei den ungeheuerlichen Leistungen dieses Herrschers erahnen, und schon unter seinem Nachfolger Ludwig dem Frommen wurde eine erneute Herrschaftsteilung im Frankenreich vollzogen. Und dennoch überdauerte der Gedanke einer christlichen, geistigen Einheit Europas sogar den politischen Verfallsprozeß der karolingischen Teilreiche.

Quellen: Capitularia regum Francorum 1, hg. v. Alfred Boretius (MGH Cap.), 1883; Epistolae Karolini aevi III-V, hrsg. v. Ernst Dümmler u. a. (MGH Epp.), 1898 ff.; Concilia aevi Karolini 1, hg. v. Albert Werminghoff (MGH Conc. 2), 1906; Engelbert Mühlbacher, Die Urkunden Pippins, Karlmanns u. K.s d. Gr. (MGH DD), 1906; Einhardi Vita Karoli Magni, hrsg. v. Oswald Holger-Egger (MGH SS rer. Germ. 25), 1911; Libri Carolini, hg. v. Hubert Bastgen (MGH Conc. Suppl.), 1924; Horst Fuhrmann, Quellen zur Entstehung des Kirchenstaates (Historische Texte. Mittelalter 7), 1968; Kurt Reindel, Die Kaiserkrönung K.s d. Gr. (Historische Texte. Mittelalter 4), 1970[2].

Lit.: Sigurd Abel / Bernhard Simson, Jahrbücher des Fränkischen Reiches, 2 Bde., 1883-1888[2]; — Erna Patzelt, Die karolingische Renaissance, 1924; — Karl Heldmann, Das Kaisertum K.s d. Gr., Theorien u. Wirklichkeit, 1928; — Henri Pirenne, Mahomet et Charlemagne, 1937; dt. Mahomet u. K. d. Gr. Untergang der Antike am Mittelmeer u. Aufstieg des germanischen MAs., 1963; — A. Kleinclausz, Charlemagne, 1934; — François Louis Ganshof, La fin du règne de Charlemagne. Une décomposition, Zschr. f. schweizer. Gesch. 28, 1948, 433-452; — Heinrich Fichtenau, K. d. Gr. u. das Kaisertum, in: MIÖG 61, 1953, 257-334; — Josef Fleckenstein, Die Bildungsreform K.s d. Gr. als Verwirklichung der norma rectitudinis, 1953; — Heinrich Löwe, K. d. Gr., in: Die großen Deutschen 1, 1956, 19-34; — Ders., K. d. Gr. (768-814), in: Kaisergestalten des MAs., hrsg. v. Helmut Beumann, 1985[2], 9-27; — Ders., K. d. Gr., Persönlichkeit und Geschichte 28, 1990[2]; — Helmut Beumann, Nomen imperatoris. Studien zur Kaiseridee K.s d. Gr., in: HZ 185, 1958, 515-549; — Ders., Die Hagiographie <bewältigt>: Unterwerfung u. Christianisierung der Sachsen durch K. d. Gr., in: Cristianizzazione ed organizzazione ecclesiastica delle campagne nell'alto medioevo: espansione e resistenze, Settimane di studio del Centro Italiano di studi sull'alto Medioevo, Spoleto, 28, 1, 1982, 129-163; — Werner Ohnsorge, Abendland u. Byzanz. Gesammelte Aufsätze zur Geschichte der byzantinisch-abendländischen Beziehungen u. des Kaisertums, 1958; — Ders., Das Kaisertum der Eirene u. die Kaiserkrönung K.s d. Großen, in: Saeculum 14, 1963, 221-247; — Luitpold Wallach, Alcuin and Charlemagne, 1959; — Walter Mohr, Die karolingische Reichsidee, 1962; — Eckhard Müller-Mertens, K. d. Gr., Ludwig der Fromme u. die Freien, 1963; — Robert Folz, Le couronnement impérial de Charlemagne, 25 décembre 800 (Trente journées qui ont fait la France 3), 1964; — K. d. Gr., Lebenswerk u. Nachleben, 5 Bde., hrsg. v. Wolfgang Braunfels, 1965-1968; — K. d. Gr., Werk u. Wirkung. Zehnte Ausstellung unter den Auspizien des Europarates, hrsg. v. Wolfgang Braunfels, 1965; — Donald A. Bullough, K. d. Gr. u. seine Zeit, 1966; — Horst Fuhrmann, Konstantinische Schenkung u. abendländisches Kaisertum, in: DA 22, 1966, 63-178; — Ders., Das Papsttum u. das kirchliche Leben im Frankenreich, in: Settimane di studio del Centro Italiano di studi sull'alto Medioevo, Spoleto, 27, 1, 1981, 419-456; — Jacques Boussard, Charlemagne et son temps, 1968; — Ders., Die Entstehung des Abendlandes. Kulturgesch. der Karolingerzeit, 1968; — Louis Halphen, Charlemagne et l'empire carolingien, 1968[2]; — Gunther Wolf (Hrsg.), Zum Kaisertum K.s d. Gr. (Wege der Forschung 318), 1972; — Wolfgang Braunfels, K. d. Gr. in Selbstzeugnissen u. Bilddokumenten, 1972; — Karl Ferdinand Werner, Das Geburtsjahr K.s d. Gr., in: Francia 1, 1973, 115-157; — Karl Josef Benz, »Cum ab oratione surgeret«. Überlegungen zur Kaiserkrönung K.s d. Gr., in: DA 31, 1975, 337-369; — Friedrich Heer, K. d. Gr. u. seine Welt, 1975; — Jacques Delperrié de Bayac, K. d. Gr., Leben und Zeit, 1976; — Siegfried Epperlein, K. d. Gr., 1978[7]; — Reinhard Schneider, K. d. Gr. - politisches Sendungsbewußtsein u. Mission, in: Kirchengesch. als Missionsgesch. II/1, 1978, S. 227-248; — Ders., Das Frankenreich, 1982; — Gerd Tellenbach, Die geistigen u. politischen Grundlagen der karolingischen Thronfolge, in: Frühma. Studd. 13, 1979, 184-302; — Lothar Kolmer, Zur Kommendation und Absetzung Tassilos III., in: Zschr. für Bayer. Landesgesch. 43, 1980, 291-327; — Kurt Reindel, Grundlegung: Das Zeitalter der Agilolfinger, in: Hb. der Bayer. Gesch. 1, hg. v. Max Spindler, 1981[2], 166-176; — Gabriel Silagi, Karolus - cara lux, in: DA 37, 1981, 786-791; — Richard Hodges/David Whitehouse, Mohammed, Charlemagne and the origins of Europe: archeology and the Pirenne thesis, 1983; — Othmar Hageneder, Das crimen maiestatis, der Prozeß gegen die Attentäter Papst Leos III. u. die Kaiserkrönung K.s d. Gr., in: Aus Kirche u. Reich. Studien zu Theologie, Politik und Recht im MA. Festschr. für Friedrich Kempf, hrsg. v. Hubert Mordek, 1983, 55-79; — Renée Mussot-Goulard, Charlemagne, 1984; — Peter Classen, K. d. Gr., das Papsttum u. Byzanz. Die Begründung des karolingischen Königtums, hrsg. v. Horst Fuhrmann u. Claudia Märtl (Beiträge zur Gesch. u. Quellenkunde des MAs. 9), 1985; — Herwig Wolfram, Tassilo III. u. K. d. Gr. - Das Ende der Agilolfinger, in: Die Bajuwaren von Severin bis Tassilo 488-788, Ausstellungskatalog 1988, hrsg. v. Hermann Dannheimer und Heinz Dopsch, 1988, 160-166; — Wilfried Hartmann, Herrscher der Karolingerzeit, in: Mittelalterliche Herrscher in Lebensbildern. Von den Karolingern zu den Staufern, hrsg. v. Karl Rudolf Schnith, 1990, 21-43; — ADB XV, 127-152; — NDB XI, 157-174; — DACL III/1, 656-825; — Catholicisme II, 985-990; — EC III, 866-886; — DHGE XII, 424-441; — RGG III, 1148-1151; — LThK V, 1354-1357; — NCE III, 497-500; — TRE XVII, 644-649; — LMA V, 956-966.

Christian Lohmer

KARL II, d. Kahle, westfränkischer König, Kaiser, * 13.6. 823 Frankfurt a. M. Sohn Ludwigs d. Frommen u. der Judith, † 6.10. 877 Avrieux b. Modane Dép. Savoie. — Der nachgeborene Sohn aus Ludwigs d. Frommen zweiter Ehe bekommt auf Verlangen der Mutter, in Anwendung alten fränkischen Teilungsrechts in der Königsfamilie zunächst Alamannien, Rätien, das Elsaß und einen Teil Burgunds als Herrschaftsgebiet zugewiesen (829). Die einseitig, ohne Befragung der Großen erfolgte Erbzuteilung wird von den drei älteren Stiefbrüdern K. Lothar, Pippin v. Aquitanien u. Ludwig d. Deutschen, auch von Vertretern der Reformpartei zugleich Anhängern des Reichseinheitsgedankens als Bruch der geltenden Reichsteilungsakte, der Ordinatio Imperii (817), empfunden, mit dem ebendort niedergelegten Grundsatz weiterer Nichtteilung. Jetzt war Karls Anteil aus dem Lothars herausgeschnitten. Die folgenden jahrzehntelangen inneren Auseinandersetzungen um die Erbteile der Brüder mit wechselnden Parteiungen stürzen das auch von außen, vor allem von den Normannen bedrohte Reich in eine tiefe Krise. Aus den Unruhen, neuen Erbfolgeregelungen und Todesfällen geht Karl als König von Westfranken hervor. Karl erhält ganz Westgallien zwischen Loire und Seine und das Land zwischen Seine und Maas, den besten Teil des alten Frankenreiches, sowie das Eroberungsland Aquitanien (838/39). Die Verträge von Straßburg (Straßburger Eide 842), Verdun (843) und Mersen (870) sichern Karls Herrschaft in Westfranken, im wesentlichen in den Gebieten westlich von Maas, Saône und Rhône. Als 875 mit K. Ludwig II v. Italien die lothar'sche Linie des Mittelreiches erlischt, kommt es zum Wettbewerb der verbleibenden ost- und westfränkischen Vertreter des karolingischen Königshauses um die Nachfolge. Karl gewinnt nicht nur das südliche Drittel des früheren Mittelreiches K. Lothars für sich, sondern auch das an seinen Besitz gebundene Kaisertum. P. Johann VIII krönt am Weihnachtstag 875

Karl zum Kaiser. Dafür verspricht Karl den Fortbestand der Herrschaft des hl. Petrus und seiner Nachfolger im beginnenden Kirchenstaat. Auch sagt Karl Hilfe gegen die Sarazenen zu. Der im späteren Mittelalter im Konflikt von Kaiser und Papst gebrauchte, im Reichsrecht nie zu klarer Durchdringung gelangte Begriff der Approbation taucht bei Karls Beförderung zum Kaisertum erstmals auf. Im Zuge der neuen imperialen, in römische Angelegenheiten sich verwickelnden Politik bringt Karl die westfränkischen Großen vollends gegen sich auf. Bereits im Vertrag von Coulaines (843) hatten sie sich in einer Art Vasallensyndikat gegen ihren Herrn zusammengeschlossen mit dem Ergebnis der Beschränkung der Königsgewalt. Von ihrem Herrn, dem König, in der Abwehr gegen die Normannen im Stich gelassen, berufen sie sich auf ihr Widerstandsrecht und verweigern den Zuzug zu Karls zweitem Romaufenthalt (877). Gegen die Genossenschaft der Fideles seit Coulaines hatte Karl mit Hilfe des Erzbischofs Hinkmar von Reims die sakrale Stellumg des Königtums zu steigern gesucht. Zum Austrag der Machtprobe zwischen Karl und den westfränkischen Großen kommt es jedoch nicht mehr. Auf der Rückkehr aus Italien stirbt Karl in einer Hütte in den Savoyer Bergen, auf der Grenze der Ansprüche von Großen und Papst, denen er nicht genügen konnte. — Die von Karl getroffene Wahl des Begräbnisortes im Kloster Saint-Denis nördllch von Paris knüpft an alte fränkisch-merowingische Tradition an. Sie geschah näherhin aus besonderer Hochschätzung Karls für den dort verehrten Heiligen. Mit seiner Zeit glaubte Karl, der Pariser Martyrer Dionysius sei niemand anderer als Dionysios Areopagites. Sein Werk die »Caelestis hierarchia« kannte Karl. Die lateinische Übersetzung aus dem Griechischen war ihm gewidmet (s. unten). Der Pariser Lokalheilige Dionysius an dem ihm geweihten Ort ist heute einer der Patrone Frankreichs. Karl d. Kahle gilt als erster französischer König. Er hat den Grund gelegt zu einem später Frankreich genannten Staat vom Ärmelkanal bis zum Mittelmeer. Als einziger westfränkischer oder französischer König vermochte Karl sein Königtum zum Kaisertum zu steigern. Imperiale Pläne der französischen Könige im späteren Mittelalter knüpfen an ihn an. — Am Hof in Aachen war der jüngste Kaisersohn von dem aus Alamannien stammenden, dort aus der Reichenauer Klosterschule hervorgegangenen Walahfrid Strabo unterrichtet worden. Bis zur Erreichung des Mündigkeitsalters des Prinzen blieb Walahfrid am Hof (829-838). Der sich bescheidende Lehrer rühmte damals den reichen Geist der Mutter seines Zöglings, der (selbst aus dem Bodenseegebiet kommenden) Kaiserin Judith. Wie keiner der Teilkönige verstand es Karl später, den eigenen Hof zur blühenden Stätte wissenschaftlicher und literarischer Studien zu machen in einer Zeit des Niedergangs und Umbruchs. In seine Umgebung zog Karl den Iren Johannes Scotus (Eriugena), einen Mann von außerordentlicher gelehrter Dignität. Auf Drängen des Königs und diesem zugeeignet übersetzte Johannes Werke aus dem Griechischen, so auch den Pseudo-Dionysios Areopagita. Beispielhaft für die Pflege des Schulunterrichts an Karls Hof sind kostbare mit Miniaturen und Gedichten ausgestattete Codices aus Karls unmittelbarem Besitz und Gebrauch wie Psalter, Gebetbuch, Bibel (Abb. von Miniaturen aus Bibel und aus dem für Karl geschriebenen Codex aureus bei: Willy Andreas, Die Neue Propyläen-Weltgeschichte 2 [1940], S. 157 u. 160/61).

Lit: Ernst Dümmler, Geschichte des ostfränkischen Reiches, 3 Bände 1887/88², Nachdruck 1960 (grundlegend für die Ereignisgeschichte); — Joseph Calmette, La diplomatie carolingienne du traité de Verdun à la mort de Charles le Chauve (843-877), 1901; — Ferdinand Lot und Louis Halphen, Le règne de Charles le Chauve (840-877). Première partie (840-857, 1909 (mehr nicht erschienen); — Max Manitius, Geschichte der lateinischen Literatur des Mittelalters. I: Von Justinian bis zur Mitte des zehnten Jahrhunderts, 1911, Nachdruck 1965 (gute Übersicht zur Bildungsgeschichte); — Alexander Cartellieri, Weltgeschichte als Machtgeschichte. I: 382-911 Die Zeit der Reichsgründungen, 1927 (ergiebige Handbuchdarstellung mit knappen Versuchen der Personenskizzierung); — Ferdinand Lot, Naissance de la France, 1948; — Georges Tessier (Hg. u. a.), Recueil des actes de Charles II le Chauve (Chartes et diplômes relatifs à l'histoire de France) 3 Bände 1943, 1952, 1955; — Percy Ernst Schramm, Der König von Frankreich. Das Wesen der Monarchie vom 9. zum 16. Jahrhundert, 2 Bände 1960²; — Peter Classen, Die Verträge von Verdun und von Coulaines 843 als politische Grundlagen des westfränkischen Reiches, in: HZ 196, 1963, 1-35; — Auguste Dumas, in: Dict. de biograhie fraçaise VIII, 513-515; — G. Böing, in: LThK V, 1356f.; — Karl Bosl, in: Biograph. WB z. dt. Gesch. II, 1395-1397; — Theodor Schieffer, in: NDB XI, 174-181.

Klaus Sprigade

KARL III. (»der Dicke«), seit 876 (Teil)König im Ostfrankenreich; 880 König von Italien, 881 römischer Kaiser, 882 alleiniger König im Ostfrankenreich, 885 König des Westfrankenreiches. * 839 als jüngster Sohn Ludwigs des Deutschen und seit 862 mit Richardis verheiratet. K. erhielt 865 von seinem Vater Alemannien mit Churrätien zugesprochen; andere Teile des ostfränkischen Reiches waren für seine Brüder Karlmann (Bayern und östl. Marken) und Ludwig den Jüngeren (Thüringen, Sachsen) vorgesehen. Bis zum Tode des Vaters blieb jedoch der Einfluß der Söhne beschränkt, am bedeutendsten war wohl die Entsendung K.s nach Oberitalien, als nach dem Tod von Kaiser Ludwig II. Ost- und Westfranken um die Nachfolge konkurrierten. K. konnte sich jedoch gegen den westfränkischen König Karl den Kahlen in Italien nicht durchsetzen. Erst nach dem Tod des Vaters (28.8. 876) trat K. die Nachfolge in dem ihm zugewiesenen Raum des ostfränkischen Reiches an. Die drei Brüder bestätigten die väterlich verfügte Teilung mit einem im Nördlinger Ries abgeschlossenen Eid (November 876). — Zu Beginn seiner Herrschaft hielt sich K. wohl vernehmlich in Schwaben auf; in der Italienpolitik wurde hingegen zunächst sein Bruder Karlmann aktiv, der den Westfranken Karl den Kahlen 877 dazu zwang. Italien wieder zu verlassen. Erst als Karlmann durch schwere Krankheit regierungsunfähig geworden war, appellierte Papst Johannes VIII., mehrfach an K., vor allem, um Hilfe gegen mittelitalische Fürsten und die Sarazenen zu erhalten. Der Papst bot K. sogar die Kaiserkrone an, und Karlmann verzichtete im August 879 zugunsten von K. auf die Herrschaft in Italien. K. zog Ende 879 nach Oberitalien und wurde Anfang des Jahres 880 in Ravenna nach Huldigung der Großen vom Papst zum König von Italien gesalbt. Nachdem er sich anschließend am Kampf gegen die Errichtung eines niederburgundisch-provenzalischen Reiches durch Boso von Vienne beteiligt hatte, kehrte er auf mehrfaches Drängen des Papstes im November 880 erneut nach Italien zurück, und wurde am (12.) 2. 881 in Rom zum Kaiser gekrönt. K. verweilte anschließend noch über ein Jahr in Italien, urkundete für zahlreiche Empfänger und bestritt im Februar 882 mit dem Papst in Ravenna eine Reichsversammlung.

Trotz aller Bemühungen blieb jedoch die Bedrohung Roms durch Widonen und Sarazenen weiterhin bestehen. Auf die Nachricht vom Tod seines Bruders Ludwigs des Jüngeren († 20.1. 882) zog K. nach Norden zurück und konnte nun alleiniger König in Ostfranken werden (Mai 882, Reichsversammlung in Worms). Als Herrscher des gesamten Ostfrankenreiches und des Regnum Italiae hatte K. drei Hauptprobleme zu bewältigen: die Normannengefahr im Nordwesten, die Bedrohung Bayerns und der Ostmark durch Swatopluk von Mähren und das Streben der Spoletiner nach verstärktem Einfluß in Italien. In allen drei Bereichen trug K. zwar zu einer friedlichen Lösung bei (Mitte 882 nach der Schlacht bei Asselt Vertrag und erkaufter Rückzug der Normannen; Herbst 884 Frieden mit Swatopluk und Huldigung des Mährerfürsten; nach Sanktionen mit Papst Marinus I. 883 in Nonantola gegen den Spoletiner Wido Versöhnung mit diesem am 7.1. 885), allerdings stellten die verschiedenen Konzessionen sicher die kaiserliche Autorität auch in Frage, insbesondere wurde der Vertrag mit den Normannen schon in vielen zeitgenössischen Quellen als eine Schmach empfunden. — Der Tod des Westfranken Ludwigs III. († 12.12. 884) führte die westfränkischen Großen dazu, K. auch als ihren König anzuerkennen, da dessen Halbbruder Karl (III., der Einfältige, * 879) als nicht vollbürtig galt. Eine Gesandtschaft erreichte K. in Italien und im Juni 885 nahm er die Huldigung der westfränkischen Großen entgegen. Mit Ausnahme des Herrschaftsbereiches Bosos von Niederburgund war so das gesamte Frankenreich wieder in einer Hand vereinigt und Ansprüche Hugos, eines Sohnes Lothars II., waren noch kurz zuvor durch die Blendung Hugos ausgeschaltet worden. Die Vereinigung des Gesamtreiches war jedoch eher ein dynastischer Zufall; die Datierung in den Urkunden erfolgte zumeist entsprechend dem Regierungsantritt in den einzelnen Teilreichen, ein Zeichen für deren Eigenständigkeit. — Vor diesem Hintergrund erscheinen die Bemühungen K.s um eine Sicherung der Nachfolge im Gesamtbereich fast wie eine Verzweiflungstat. Als mögliche Nachfolger wären der Westfranke Karl (III.) der Einfältige, K.s eigener illegtimer Sohn Bernhard sowie sein Neffe Arnulf, der Sohn Karlmanns, in Frage gekommen. K.s Streben, vor allem eine Nachfolge Arnulfs zu verhindern und seinem Sohn Bernhard den Thronanspruch notfalls mit Hilfe des Papstes Hadrian III. noch 885 zu sichern, scheiterte. Unterdessen nahm die Bedrohung des Reiches durch weitere Normannenstürme zu. Auch ein ostfränkisches Entsatzheer konnte den von Graf Odo und Bischof Gauzlin bei Paris begonnenen Kampf gegen die Normannen nicht zu einer Entscheidung bringen. K. erkaufte den Abzug der Normannen und gab den Durchzug nach Burgund frei. Die Schwierigkeiten und die sich verschlimmernde Krankheit K.s seit dem Winter 886/887 machten die Regelung der Nachfolge dringend, wenn der Kaiser selbst noch einmal Einfluß auf diese Entscheidung nehmen wollte. K., zu einer Ausschaltung der Ansprüche Arnulfs entschlossen, adoptierte nun Bosos erst vierjährigen Sohn Ludwig, einen Enkel Kaiser Ludwigs II., in Kirchen bei Lörrach zum Sohn und König (Mai 887). Aber der Unmut im Reich war schon zu sehr angewachsen, als daß diese Regelung noch weitere Bedeutung hätte erlangen können. Ebenfalls in Kirchen erzwangen die Großen kurz darauf die Absetzung des Erzkanzlers Liutward von Vercelli und die Bestellung Liutberts von Mainz als Erzkanzler. Damit war jedoch ein Anhänger Arnulfs Erzkanzler geworden. Zu einer ostfränkischen, nach Tribur einberufenen Reichsversammlung (November 887) erschien Arnulf mit einem bayerisch-slawischen Heer. Die versammelten Großen sagten sich von K. los und riefen Arnulf zum König aus. Nur mit wenigen Getreuen zog K. nach Alemannien zurück, wo er am 13.1. 888 in Neidingen (Neudingen) (Donau) starb. Bestattet wurde er auf der Reichenau (Mittelzell).

Lit.: J. F. Böhmer/E. Mühlbacher, Regesta Imperii I. Die Regesten des Kaiserreichs unter den Karolingern, 751-918, 2. Aufl., Innsbruck 1908. Nachdr. Hildesheim 1966, S.669-725; — P. Kehr (ed.), Die Urkunden der deutschen Karolinger II: Die Urkunden Karls III. (MG DD, 1937); — Briefe der Päpste Johannes' VIII. und Stephans V.: E. Caspar/G. Laehr (ed.), Epp Karolini aevi Bd. 5 (MG Epp Bd. 7) Berlin 1912-1928, Nachdr. München 1978; — weitere Quellen bei Wattenbach-Levison, 4. Heft (H.Löwe): Italien und das Papsttum, Weimar 1963, S.387ff. und 6. Heft (H.Löwe): Das ostfränkische Reich, (Weimar 1990). E.Dümmler, Geschichte des Ostfränkischen Reiches Bd. II und III, 2. Auflage Leipzig 1887f. (Nachdr. Hildesheim 1960); — W. Vogel, Die Normannen und das Fränkische Reich bis zur Gründung der Normandie (799-911), Heidelberg 1906; — G. Eiten, Das Unterkönigtum im Reiche der Merovinger und Karolinger, Heidelberg 1907; — P. Kehr, Die Kanzlei Karls III., Berlin 1936; — ders., Aus den letzten Tagen Karls III., in: DA 1, 1937, S. 138-146 (Nachdr. in: Königswahl und Thronfolge in fränkisch-karolingischer Zeit, hg. von E. Hlawitschka, Wege der Forschung Bd. 247, Darmstadt 1975, S. 399-412); — M. Lintzel, Zur Stellung der ostfränkischen Aristokratie beim Sturz Karls III. und der Entstehung der Stammesherzogtümer, in: HZ 166, 1942, S.457-472; — E. Ewig, Kaiser Lothars Urenkel, Ludwig von Vienne, der präsumtive Nachfolger Kaiser Karls III., in: Das erste Jahrtausend. Kultur und Kunst im werdenden Abendland an Rhein und Ruhr, Textband 1, Düsseldorf, 2. Aufl. 1963, S. 336-343; — H. Keller, Zum Sturz Karls III., in: DA 22, 1966, S. 333-384 (Nachdr. in: Königswahl und Thronfolge in fränkisch-karolingischer Zeit, hg. von E. Hlawitschka, Wege der Forschung Bd. 247, Darmstadt 1975, S. 432-494); — A. d'Haenens, Les invasions normandes en Belgique au IXᵉ siècle. Le phénomène et sa répercussion dans l'historiographie médiévale (Recueil de travaux d'histoire et de philologie, 4ᵉ série, fascicule 38) Louvain 1967; — E. Hlawitschka, Lotharingien und das Reich an der Schwelle der deutschen Geschichte (Schriften der MG, Bd. 21) Stuttgart 1968, S. 26-64 (Nachdr. in: Königswahl und Thronfolge in fränkisch-karolingischer Zeit, hg. von dems., Wege der Forschung Bd. 247, Darmstadt 1975, S. 495-547); — H. Zettel, Das Bild der Normannen und der Normanneneinfälle in westfränkischen, ostfränkischen und angelsächsischen Quellen des 8.-11. Jahrhunderts, München 1977; — M. Borgolte, Karl III. und die Neudingen. Zum Problem der Nachfolgeregelung Ludwigs des Deutschen, in: Zeitschrift für Geschichte des Oberrheins 125, 1977, S. 21-55; — E. Hlawitschka, Nachfolgeprojekte aus der Spätzeit Kaiser Karls III., in: DA 34, 1978, S. 19-50 (Nachdr. in: ders., Stirps regia. Forschungen zu Königtum und Führungsschichten im früheren Mittelalter, Festgabe zu seinem 60. Geburtstag, hg. von G. Thoma und W. Giese, Frankfurt u.a. 1988, S. 123-154); — H. J. Oesterle, Die sogenannte Kopfoperation Karls III. 887, in: Archiv für Kulturgeschichte 61, 1979, S.445-451; — H. Schwarzmaier, Neudingen und das Ende Kaiser Karls III., in: Forschungen und Berichte der Archäologie des Mittelalters in Baden-Württemberg 6, 1979, S. 21-55; — H.-W. Goetz, Zur Landnahmepolitik der Normannen im Fränkischen Reich, in: Annalen des Historischen Vereins für den Niederrhein 183, 1980, S. 9-17; — E. Hlawitschka, Die Widonen im Dukat von Spoleto, in: QFIAB 63, 1983, S. 20-92, (Nachdr. in: ders., Stirps regia. Forschungen zu Königtum und Führungsschichten im früheren Mittelalter, Festgabe zu seinem 60. Geburtstag, hg. von G. Thoma und W. Giese, Frankfurt u.a. 1988, S. 155-226); — H. Maurer, Sagen um Karl III., in: Institutionen, Kultur und Gesellschaft im Mittelalter. Festschrift für Josef Fleckenstein, hg. von L. Fenske, W. Rösener und Th. Zotz, Sigmaringen 1984, S. 93-100; — ADB XV, S. 157-163 (E. Mühlbacher); — NDB XI, S. 181-184 (Th. Schieffer); — LThK V Sp. 1357 (Th. Schieffer).

Klaus Herbers

KARL IV., Kaiser, * 14.5. 1316 in Prag (Taufname: Wenzel), † 29.11. 1378 ebd. — K. war der Sohn des böhmischen Königs Johann aus dem Hause Luxemburg und von mütterlicher Seite Enkel des Königs Wenzel II. von Böhmen; ein Großonkel war der bedeutende Erzbischof Balduin von Trier. Seine breitgefächerte Erziehung erhielt K. durch Pierre Roger (später Papst Clemens VI.) am Hof in Paris, wo der Siebenjährige anläßlich der Firmung den Namen seines Paten König Karl IV. von Frankreich annahm und unter das Patronat Karls des Großen gestellt wurde. Nach kurzem Aufenthalt bei Balduin von Trier war K. von 1331-1333 Statthalter seines Vaters in den luxemburgischen Besitzungen in Oberitalien; 1334-1346 nahm er als Markgraf von Mähren für den häufig abwesenden Vater die Regentschaft im Königreich Böhmen wahr. Am 11.7. 1346 wurde K. in Rhense von fünf Kurfürsten dank päpstlicher Hilfe gegen Kaiser Ludwig den Bayern zum deutschen König gewählt und am 26.11. in Bonn gekrönt; eine endgültige Anerkennung erreichte K., seit 2.9. 1347 als Nachfolger des verstorbenen Vaters auch böhmischer König, erst nach dem Tod Ludwigs und der Überwindung des Gegenkönigs Günther von Schwarzburg durch einstimmige Wahl am 17.6. 1349 in Frankfurt (erneute Krönung in Aachen am 25.7.). 1354 begann er einen Italienzug, bei dem er am 6.1. 1355 in Mailand zum König von Italien gekrönt wurde und zu Ostern (5.4. 1355) in Rom die Kaiserkrone empfing. 1365 ließ K. sich in Arles zum König von Burgund krönen und demonstrierte damit die Ansprüche des Reiches im Westen. Es gelang ihm 1376, seinen Sohn Wenzel (IV.) zum deutschen König wählen zu lassen und so noch selbst die Nachfolge zu ordnen. Kurz vor seinem Tod erlebte K. noch das große abendländische Schisma, eine Entwicklung, der er nicht entschlossen entgegentrat. — K. erlangte als Herrscher Bedeutung auf politischem, wirtschaftlichem und kulturellem Gebiet. Mit der Goldenen Bulle (1356), dem »Staatsgrundgesetz« (Seibt) des alten Reiches, ordnete er die Königswahl und stabilisierte das förderale Territorialprinzip in der Reichsverfassung. K. wußte sowohl seine kaiserliche Stellung in traditionellen Formen zum Ausdruck zu bringen als auch durch geschickte Politik die luxemburgische Hausmacht auszubauen; seine besondere Sorge galt dem Königreich Böhmen. K. förderte die Städte und betrieb

wirtschaftliche Fürsorge. Der gebildete Herrscher gründete 1348 die Universität Prag und betätigte sich als Mäzen der Künste; vor allem Prag und Nürnberg wurden städtebaulich von ihm geprägt. Zu Kirche und Papst stand K., dem die päpstliche Unterstützung bei seiner Wahl den Namen »Pfaffenkönig« eingetragen hatte, in guter Beziehung, ohne sich in Abhängigkeit zu begeben; sein Versuch, das Papsttum von Avignon nach Rom zurückzuführen, war nicht erfolgreich. K. ist zusammen mit Friedrich II. wohl der bedeutendste Herrscher des späten Mittelalters und steht in seiner frühhumanistischen Prägung bereits an der Schwelle zur Neuzeit.

Werke: Autobiographie: Vita Caroli Quarti. Die Autobiographie K.s IV. Einf., Übers. und Komm. von Eugen Hillenbrand, 1979; »Moralitates«: Moralitates Caroli IV. imperatoris, in: Zschr. für die Gesch. Mährens und Schlesiens 1 (1897), 59-73; Wenzelslegende (Historia nova de sancto Wenceslao martyre duce Bohemorum. Legenda de tranlacione sanctissimi et egregii martyris Wenceslai ducis Bohemorum): A. Blaschka, Die St. Wenzelslegende Kaiser K.s IV., in: Quellen und Forsch. aus dem Gebiete der Gesch. 14 (1934), 64-80; Fürstenspiegel: S. Steinherz, Ein Fürstenspiegel K.s IV., in: Quellen und Forsch. aus dem Gebiete der Gesch. 3 (1925), 43-65.

Lit.: Emil Werunsky, Gesch. Kaiser K.s IV. und seiner Zeit, Bde. I-III, 1880-1892 (Nachdr. 1961); — Gustav Pirchan, Italien und Kaiser K. IV. zur Zeit seiner zweiten Romfahrt, 2 Bde. (Quellen und Forsch. aus dem Gebiete der Gesch. VI/1,2), 1930; — Konrad Ruser, Die Städtepolitik K.s IV. und die Politik der Reichsstädte 1346-1355, Diss. Freiburg 1960; — Hanns Hubert Hofmann, »Böhmisch Lehen von Reich«. K. IV. und die dt. Lehen der Krone Böhmen, in: Bohemia-Jb. 2, 1961, 112-124; — Ders., K. IV. und die polit. Landbrücke von Prag nach Frankfurt am Main, in: Zw. Frankfurt und Prag, hrsg. vom Collegium Carolinum, 1963, 51-74; — Joseph Klapper, Johann v. Neumarkt - Bisch. und Hofkanzler. Rel. Frührenaissance in Böhmen z.Z. Kaiser K.s IV. (Erfurter Theol. Stud. 17), 1964; — Alfred A. Strnad, Kaiser K. IV. und das Erzstift Salzburg, in: RQ 60 (1965), 208-244; — Klaus Bender, Die Verpfändung von Reichseigentum in den ersten drei Regierungsjahren K.s IV. von 1346-1349, Diss. Hamburg 1967; — Ferdinand Seibt, K. IV. 1346-1378, in: Hdb. der Gesch. der böhmischen Länder, Bd. I, 1967, 384-413; — Ders. (Hrsg.), K. IV. und sein Kr. (Lebensbilder zur Gesch. der böhmischen Länder 3), 1978; — Ders. (Hrsg.), Kaiser K. IV. Staatsmann und Mäzen, 1978 (mit ca. 50 Aufss., Bibliogr. zu K. IV., S. 467-489); — Ders., K. IV. Ein Kaiser in Europa 1346-1378, 1978 (Nachdr. 1985); — Ders., K. IV., in: Balduin von Luxemburg (Quellen und Abhh. zur mittelrhein. Kirchengesch. 53), 1985, 89-102; — Joseph Staber, Die Oberpfalz und Niederbayern im Kulturprogramm Kaiser K.s IV., in: Verhh. des Hist. Ver. für Oberpfalz und Regensburg 109 (1969), 51-62; — Herbert Grundmann, Die Zeit Kaiser K.s IV. (1347-1378), in: Gebhardt-Grundmann[9], Bd. I (1970), 554-578; — Heinz Stoob, Kaiser K. IV. und der Ostseeraum, in: Hansische Geschichtsbll. 88 (1970), 163-214; — Ders., Kaiser K. IV. und seine Zeit, 1990 (S. 413-422 Lit.); — Jiří Spěváček, Das Itinerar K.s IV. als Markgrafen von Mähren, in: Historická geografie 5 (1970), 105-140; — Ders., Zur Frage des Beginns der Markgrafenwürde K.s IV., in: Folia diplomatica 1 (1971), 267-276; — Ders., Die letzte Phase des Kampfes Markgraf K.s (IV.) um die röm. Krone, in: HJ 91 (1971), 94-108; — Ders., K. IV. Sein Leben und seine staatsmännische Leistung, 1978; — Ders., Die Anfänge der Kanzlei K.s IV. auf italien. Boden in den Jahren 1332/33, in: MIÖG 76 (1968), 299-326; — Zdeňka Hledíková, Die Prager EB.e als ständige Päpstl. Legaten. Ein Btr. zur Kirchenpolitik K.s IV., in: Btrr. zur Gesch. des Bist.s Regensburg 6 (1972), 221-256, — Dies., Kirche und Kg. zur Zeit der Luxemburger, in: Bohemia Sacra. Das Christentum in Böhmen 973-1973, 1974, 307-314; — Reinhard Schneider, K.s IV. Auffassung vom Herrscheramt, in: Btrr. zur Gesch. des ma. dt. Kg.tums, hrsg. von Theodor Schieder (HZ Beih. 2 NF), 1973, 122-150; — Heinz Thomas, Zwischen Regnum und Imperium. Die Ftm.er Bar und Lothringen zur Zeit Kaiser K.s IV. (Bonner Hist. Forsch. 40), 1973; — Ders., Die Luxemburger und der Westen des Reiches zur Zeit Kaiser K.s IV., in: Jb. für westdt. Landesgesch. 1 (1975), 59-96; — Ders., Frankreich, K. IV. und das Große Schisma, in: Zschr. für hist. Forsch., Beih. 5, 1988, 69-104; — Hans Jürgen Rieckenberg, Zur Herkunft des Johann v. Neumarkt, Kanzler K.s IV., in: DA 31 (1975), 555-569; — Ernst Schubert, Königswahl und Königtum im spätma. Recht, in: Zschr. für hist. Forsch. 3 (1976), 257-338; — Kaiser K. IV., 1316-1378 (Ausstellungsführer Nürnberg), 1978; — Erwin Herrmann, K. IV. und Nordostbayern, in: Verhh. des Hist. Ver. für Oberpfalz und Regensburg 118 (1978), 173-187, — Hans K. Schulze, K. IV. als Landesherr der Mark Brandenburg, in: Jb. für Gesch. Mittel- und Ostdtld.s 27 (1978), 138-168; — Otto Habsburg, K. IV. Ein europ. Friedensfürst, 1978; — Karel Stejskal/Karel Neubert, K. IV. und die Kultur und Kunst seiner Zeit, 1978; — Bll. für dt. Landesgesch. 114 (1978) (35 Aufss. zu K. IV., auch gesondert ersch. u. d. T.: Kaiser K. IV. 1316-1378. Forsch. über Kaiser und Reich, 1978); — Beat Frey, Pater Bohemiae - Vitricus imperii. Böhmens Vater, Stiefvater des Reichs. Kaiser K. IV. in der Gesch.schreibung, 1978; — Friedhelm Burgard, Das Itinerar König K.s IV. von 1346 bis zum Antritt des Italienzuges 1354, in: Kurtrier. Jb. 19 (1979), 68-110; — Werner Goez, K. IV. und das politische System seiner Zeit, in: Jb. für fränkische Landesforsch. 39 (1979), 41-61; — Hermann Kellenbenz, Die europäische Wirtschaft z. Z. Kaiser K.s IV., ebd. 63-85; — Eckhard Müller-Mertens, Kaiser K. IV. Herausforderung zur Wertung einer geschichtl. Persönlichkeit, in: Zschr. für Gesch.wiss. 25 (1979), 340-356; — Peter Moraw, Kaiser K. IV. im dt. Spät-MA, in: HZ 229 (1979), 1-24; — Ders., Z. Mittelpunktsfunktion Prags im Zeitalter K.s IV., in: Europa slavica - Europa orientalis. Festschr. f. Herbert Ludat z. 70. Geb., hrsg. v. Klaus-Detlev Grothusen und Klaus Zernack (Gießener Abhh. z. Agrar- und Wirtschaftsordnung des europäischen Ostens 100), 1980, 445-489; — Ders., K. IV. 1378-1978. Ertrag und Konsequenzen eines Gedenkj.s, in: Politik, Ges., Gesch.schreibung, FS František Graus (Arch. für Kulturgesch., Beih. 18), 1982, 224-318; — František Graus, Kaiser K. IV., Betrachtungen zur Lit. eines Gedenkj.s (1378-1978), in: Jbb. für Gesch. Osteuropas 28 (1980), 71-88; — Hans Patze, K. IV., Kaiser im Spät-MA, in: Bll. für dt. Landesgesch. 116 (1980), 57-75; — Emanuel Vlček, Aussehen, gesundheitl. Zustand und Todesursache Kaiser K.s IV., in: Hémecht 32 (1980), 425-447; — Die Goldene Bulle Kaiser K.s IV. von 1356 (Faks.), eingel. von Kurt Hans Straub und Jörg-Ulrich Fechner, übers. von Konrad Müller, 1982; — Heinrich Pleticha, Ludwig der Baier und K. IV., in: Dt. Gesch., Bd. IV, hrsg. von dems., 1982, 165-238; — K. IV. Politik und Ideologie im 14. Jh. Im Auftrag des Zentralinst.s für Gesch. an der Akad. der Wiss. der DDR hrsg. von Evamaria Engel, 1982 (ca. 20 Aufss. zu K. IV. und seiner Zeit, S. 402-410 Lit.); — Wilhelm Störmer, Stützpunktbildung der Krone Böhmen im unterfränk. Raum 1329-1378, in: Die böhm. Länder zwischen Ost und West, Festschr. Karl Bosl (Veröff. des Collegium Carolinum 55), 1983, 17-30; — Bernd-Ulrich Hergemöller, Fürsten, Herren und Städte zu Nürnberg 1355/1356. Die Entstehung der »Goldenen Bulle« K.s IV., 1983; — Ders., Der Abschluß der »Goldenen Bulle« zu Metz 1356/57, ebd. 123-232; — Karolus Quartus, hrsg. von der Univ. Prag, 1984 (ca. 30 Aufss. in tschech. Sprache); — Friedrich Prinz, Böhmen im ma. Europa, 1984, 139-147 u. ö.; — Gerhard Losher, Königtum und Kirche zur Zeit K.s IV. Ein Btr. zur Kirchenpolitik im Spät-MA., 1985; — Wolfgang Hölscher, Kirchenschutz als Herrschaftsinstrument. Personelle und funktionale Aspekte der Bistumspolitik K.s IV. (Stud. zu den Luxemburgern und ihrer Zeit 1), 1985; — Ellen Widder, Itinerar und Politik. Die Italienzüge K.s IV., Diss. Münster 1986; — Heinrich Koller, Das Reich von den stauf. Kaisern bis zu Friedrich III. 1250-1450, in: Europa im Spät-MA., hrsg. von Ferdinand Seibt (= Hdb. der europ. Gesch., Bd. 2), 1987, 383-467, bes. 413-433; — Dieter Veldtrup, Zwischen Eherecht und Familienpolitik. Stud. zu den dynast. Heiratsprojekten K.s IV. (Stud. zu den Luxemburgern und ihrer Zeit 2), 1988; — Roland Pauler, K. IV. - Matteo Villanis schmachbeladener Kaiser, in: HJ 108 (1988), 195-208; — Jiří Kejř, Die sog. Maiestas Carolina. Forschungsergebnisse und Streitfragen, in: Studia Luxemburgensia. Festschr. Heinz Stoob z. 70. Geb., hrsg. v. Friedrich Bernward Fahlbusch und Peter Johanek (Stud. zu den Luxemburgern und ihrer Zeit 3), 1989, 79-122; — Michael Tönsing, Contra hereticam pravitatem. Z. den Luccheser Ketzererlassen K.s IV. (1369), ebd., 285-311; — František Kavka, Am Hofe K.s IV., 1989; — ADB XV, 164-169; — NDB XI, 188-191; — RGG III, 1151 f.; — LThK V, 1357 f.; — New Catholic Encyclopedia III (1967), 503; — Biograph. Wb. zur dt. Gesch. [2]II (1974), 1398-1402; — VerfLex [2]IV (1983), 994-999; — Biographisches Lexikon z. Gesch. der böhmischen Länder II (1984), 107; — EC III, 843 f.

Stephan Haering

KARL V., Kaiser, * 24.2. 1500 in Gent, † 21.9. 1558 in Yuste. Als erster Sohn des Herzogs von Burgund, Philipp I. des Schönen, seinerseits Sohn des 1519 verstorbenen Kaiser Maximilian I., und Johanna der Wahnsinnigen, dem dritten Kind Ferdinands von Aragon und Isabellas von Kastilien, war K. geradezu prädestiniert die Erbschaft über ein Reich anzutreten, in dem die Sonne nie untergehen sollte. Es umschloß Burgund, die Niederlanden, Österreich, Kastilien mit den dazugehörigen amerikanischen Besitzungen, Aragon mit Neapel und Sizilien, Sardinien sowie die Königreiche Navarra und Granada. — Nach dem Tod seines Vaters, Philipp des Schönen (25.9. 1506), wuchs K. elternlos mit seinen Schwestern Eleonore und Isabella am Hof seiner Tante Margarete, Regentin über die Niederlanden, in Mecheln auf. Den größten Einfluß auf den jungen K. übte dabei sein Lehrer, der spätere Papst Hadrian VI. (1522-23), Adrian v. Utrecht aus. Adrian wußte sich dem praktischen Frömmigkeitsideal der »Brüder vom gemeinsamen Leben« (Devotio moderna) verpflichtet und verabscheute jeglichen sturen, religiösen Dogmatismus. Eine Haltung, die auch bei K. während der sich über zwei Dezennien hinschleppenden Verhandlungen mit den Protestanten deutlich zutage trat. Seine politischen Lehrer waren weiter: Wilhelm v. Croy, der eine profranzösische Linie vertrat, und in den späteren Jahren (ca. seit 1519) der Großkanzler und Humanist Mercurino Gattinara aus Piemont. Letzterer verfocht in ghibellinischer Tradition Dantes Ideal einer Universalmonarchie mit Italien als Zentrum, was mit anderen Worten einem antifranzösischen Kurs entsprach. Am 5.1. 1515, wenige Tage nach dem Tod Ludwigs XII., wurde K. von den frankophilen burgundischen Ständen für großjährig und regierungsfähig erklärt und als Herzog von Burgund anerkannt. Mit dem Tod Ferdinands des Katholischen wurde die Nachfolge K.s in Kastilien und Aragon aktuell. Er reiste deshalb 1517 nach Spanien, um dort vom achtzigjährigen Vizekönig Kardinal Ximenez de Cisneros als König bestätigt zu werden. Cisneros starb jedoch kurz vorher. Nach zähen Verhandlungen huldigten ihm die Stände Kastiliens endlich am 5.2. 1518 in Valladolid und die Stände von Aragon am 16.4. 1519 in Barcelona. Am 12.1. 1519 starb K.s Großvater, Kaiser Maximilian I. Aus dem Wahlkampf um die Kaisernachfolge, der unter Franz I., Heinrich VIII., Kurfürst Friedrich dem Weisen v. Sachsen und K. ausgetragen wurde, ging K. dank der finanziellen Unterstützung der fuggerschen Großbank (543'585 von 851'918 Gulden) als Sieger hervor. K. wurde am 28.6. 1519 zum römischen Kaiser gewählt und am 23.10. 1520 in Aachen gekrönt. Der seit dem Italienfeldzug Karls VIII. (1494) erneut entfachte Konkurrenzkampf um die europäische Hegemonie zwischen den Häusern Valois und Habsburg, erhielt durch die Wahl K.s und die damit verbundene Niederlage Franz I. neuen Auftrieb. Denn für Frankreich hätte die Erringung der Kaiserwürde die rechtliche Sicherung der italienischen Ansprüche, die Bereinigung der burgundischen Frage und schlußendlich die europäische Hegemonie bedeutet. Nach der Wahl zum Kaiser suchte K. sein Reich anhand eines hegemonial-dynastischen Einigungsprogrammes und auf dem Hintergrund einer von Gattinara geprägten sakralen Kaiseridee zu einen. Zu diesem Zweck bediente sich K. einer ausgeklügelten Familien- und Heiratspolitik: Tante Margarete amtete seit 1507 als Statthalterin der Niederlande; Tante Katharina war die erste Frau Heinrichs VIII.; der Bruder Ferdinand heiratete 1521 Anna, die Tochter Ladislaus' von Ungarn und Böhmen; die Schwester Katharina war dem Neffen Friedrichs des Weisen, Kurprinz von Sachsen, versprochen usw. All den aussichtsreichen und zukunftsträchtigen Bemühungen K.s, eine christlich-europäische Universalmonarchie nach mittelalterlichem Vorbild zu errichten, liefen die Forderungen nach mehr Autonomie der Comuneros in Spanien und der Reichsfürsten, die sich anbahnende Spaltung der Kirche wie die Aggressionen Frankreichs und der Türken diametral zuwider. Die Intensität dieser zentrifugal-emanzipatorischen Kräfte verdichtete sich bis Mitte des 16. Jahrhunderts derart, daß K.s mittelalterlich-sakrales, dynastisch abgestütztes Kaisertum daran zerbrechen mußte. K. stellte alle seine Kräfte in den Dienst einer Idee, die nicht mehr die Idee seiner Zeit war. Während K. die spanischen Aufstände, insbesondere seit dem Sieg bei Villalar (23.4. 1521), wieder in den Griff bekam, bahnte sich in Deutschland mit der Luthersache etwas an, dessen Tragweite er völlig unterschätzte. Zwar sprach K. auf dem Reichstag in Worms (Januar - Mai 1521) über den ketzerischen Augustinermönch die Reichsacht aus, doch investierte er seine Kräfte nicht auf eine radikale Durchsetzung des Edikts von Worms, sondern richtete sein Augenmerk als erstes auf den politischen Kardinalgegner Frankreich, der ihn fortwährend provozierte und hänselte. Dadurch, daß K. von 1521-1529 nicht mehr deutschen Boden betrat, entglitt ihm, ja förderte er die Sache der Reformation, und somit die geistige Aufsplitterung seines Reiches, welcher die politische bald folgen sollte. Bereits im Frühjahr 1521 kam es zu kleinen Scharmützeln zwischen französischen und habsburgischen Streitkräften in Burgund und in Oberitalien. Ermutigt durch das Einschwenken Papst Leo X. auf die kaiserliche Seite, unternahm K. einen massiven Gegenschlag gegen die Truppen Franz I. in Oberitalien, der im Sieg bei La Bicocca (24.7. 1522) gipfelte. In den folgenden Jahren drohte Franz I. wieder die Oberhand zu gewinnen, bis er schließlich am 25. Geburtstag des Kaisers (24.2. 1525) vor Pavia durch die Generäle Frundsberg und Pescara vernichtend geschlagen und von K. gefangengesetzt wurde. Doch zum Frieden kam es dennoch nicht: Franz I. widerrief nach seiner Freilassung den Diktatfrieden von Madrid (14.1. 1526), der für K. eine derartige Machtsteigerung in Europa bedeutete, daß auch Papst Clemens VII. und der Herzog von Mailand, Venedig und Florenz für Franz I. Partei ergriffen und sich mit ihm in der Liga von Cognac verbündeten (22.5. 1526). Ebenso ereignisreich und entscheidend wie das Jahr 1521 war das Jahr 1526. In diesem Jahr heiratete K. seine stets geliebte Frau Isabella (gest. 1539), die Infantin von Portugal, welche ihm den Thronfolger Philipp II. (21.5. 1527) gebar. Ebenfalls 1526 rückte die türkische Front, nach dem Sieg bei Mohacs (29.8. 1526) und der tödlichen Verwundung des kaiserlichen Schwagers König Ludwig II., dem Besitz Habsburgs näher. Im selben Jahr war K., um sich den Rücken freizuhalten, auf dem Reichstag zu Speyer zu entscheidenden und folgenreichen religionspolitischen Konzessionen gegenüber den Protestanten bereit und stellte erstmals die Einberufung eines Konzils zur Beilegung der immer brennender werdenden Religionsfrage in Aussicht. Nachdem K., nicht zuletzt im Hinblick auf die noch ausstehende Kaiserkrönung durch den Papst, auf eine politisch-militärische Ausschlachtung des »Sacco di Roma« (6.5. 1527) verzichtet hatte, sich mit Clemens VII. versöhnt hatte und der vife Genueser Admiral Doria ins Lager des Kaisers übergetreten war, schlug K. die restlichen Truppen der Liga bei Landriano

(Juni 1529) und öffnete damit den Weg zu neuen und dauerhaften Friedensgesprächen. Im Frieden von Barcelona (29.6. 1529) garantierte K. dem Papst die Sicherung der mediceischen Dynastie in Florenz, worauf dieser sich bereit erklärte, die habsburgische Hegemonie in Italien und Europa anzuerkennen. Franz I. rang sich seinerseits im Frieden von Cambrai (3.8. 1529) dazu durch, die Niederlanden und Italien K. zu überlassen, der in Mailand die Herrschaft der Sforza wiederhergestellt hatte. Nun stand der Kaiserkrönung nichts mehr im Wege, welche am 24.2. 1530 in Bologna vollzogen worden war. Es war dies die letzte Kaiserkrönung durch einen Papst. Nach der Beilegung des Konflikts mit Frankreich und der Aussöhnung mit dem Papst, konzentrierte K. seine Kräfte auf die Beseitigung der inneren und äußeren Feinde der abendländischen Christenheit in Form der Protestanten und der Türken. K. hoffte, nachdem Papst Clemens VII. aus Angst vor einem Wiederaufleben konziliarer Kräfte die Idee eines Universalkonzils verworfen hatte, auf dem Reichstag in Augsburg (Juni 1530) auf der Grundlage der Artikel des Apostolischen Glaubensbekenntnisses mit den Protestanten einen Ausgleich zu finden, ansonsten er sich gezwungen sah, das Wormser Edikt mit Waffengewalt durchzusetzen. K., der ganz im Geist seines Lehrers Adrian v. Utrecht einer humanistischen »via media« das Wort redete, stieß aber sowohl seitens Melanchthons wie auch seitens Kardinal Campeggios auf Widerstand und war genötigt, die endgültige Lösung der Religionsfrage mit Hoffnung auf ein Universalkonzil abermals zu vertagen. Auf dem Augsburger Reichstag wurde zudem über die Wahl Ferdinands zum römischen König verhandelt, was die Opposition der protestantischen Stände zur Folge hatte, welche sich nach der Krönung Ferdinands (11.1. 1531) im Bund von Schmalkalden zusammenschlossen. Auf dem Hintergrund der nicht gebannten Türkengefahr, der Verstimmung Englands hinsichtlich der Ehescheidungsfrage Heinrichs VIII. und der latenten Widerstände seitens des Papstes gegen ein Konzil, konnte es sich K., entgegen seiner ursprünglichen Absicht, nicht erlauben, gegen die Protestanten militärisch vorzugehen. Er schloß mit ihnen deshalb im Nürnberger Anstand (23.7. 1532) einen bis zum geplanten Konzil befristeten Religionsfrieden. Dies bot dem Protestantismus Gelgenheit zu weiterer Ausbreitung und Konsolidierung. K. wandte sich nun der Türkengefahr zu. Während er die Verteidigung der kontinentalen Türkenfront gegen Suleiman II. seinem Bruder Ferdinand überließ, konzentrierte er sich auf die Situation im Mittelmeer. Sein Interesse galt insbesondere der seit 1534 mit Frankreich verbündeten Korsarenflotte des in Diensten Suleimans II. stehenden Chaireddin Barbarossa, der im gleichen Jahr Tunis erobert hatte. Nach umsichtigem und überlegtem Planen gelang K. im Juni/Juli 1535 die militärische Rückeroberung des Flottenstützpunktes La Goleta wie die Befreiung von Tunis, was dem Kaiser auf dem Kontinent große Ehren als »Türkensieger« einbrachte. Im Laufe des Jahres 1534 gelang dem evangelischen Landgrafen Philipp von Hessen mit französischer Hilfe die Wiedereinsetzung des inzwischen protestantisch gewordenen, ehedem vertriebenen, Herzogs Ulrich von Württemberg in seine Stammlande. Ebenfalls 1534 wurde der reform- und konzilsfeindliche Alessandro Farnese zum neuen Papst Paul III. gewählt (13.10. 1534). Ein knappes Vierteljahr später starb Herzog Francesco Sforza von Mailand (11.1. 1535), wodurch die Mailänder Frage wieder akut wurde. Franz I. nahm im April 1536 Piemont ein und plante einen Schulterschluß mit den Türken, was Papst Paul III. veranlaßte, sich mit K., Ferdinand und Venedig in der Türkenliga zu vereinigen (8.2. 1538). Dadurch in die Enge getrieben, fand sich der eher labile Franz I. dazu bereit, einen zehnjährigen Waffenstillstand zu unterzeichnen, der den status quo in Italien sanktionierte. K. hoffte, den neuen Papst von seiner Konzilspolitik überzeugen zu können, doch die konfessionellen Fronten verhärteten sich immer mehr. Weder auf den Religionsgesprächen in Hagenau und Worms, noch auf dem Regensburger Reichstag (Jan. 1541) gelang eine Annäherung unter den Konfessionen. Der theologisch-politische Widerstand von katholischer Seite sowie Zögern und theologische Überzeugung auf protestantischer Seite ließen K.s Reunionspläne scheitern. Einzig Joachim II. von Brandenburg und den in strafbarer Bigamie lebenden Landgrafen Philipp von Hessen vermochte K. zu neutralisieren. Beiden untersagte er ein Bündnis mit Frankreich und die Aufnahme des aufmüpfigen Herzogs v. Cleve in den Schmalkaldischen Bund. Kurz nach dem Regensburger Reichstagsabschied reiste K. im Juli 1541 nach Italien, um zu einem Schlag gegen die neuerdings mit den Türken liierten Barbaresken in Algier auszuholen. Heftige Herbststürme vereitelten jedoch K.s Strafexpedition und ließen ihn seine Hoffnungen auf Waffenruhm und eine maritime Konsolidierung des spanisch-italienischen Herrschaftsbereiches begraben. Franz I. wußte diese Schlappe K.s nicht sogleich auszunutzen und wartete mit einem Angriff auf die Niederlande bis zum Sommer 1542 ab. Der Herzog von Cleve war an einem Anschluß an den Schmalkaldischen Bund interessiert und mobilisierte ebenfalls gegen K., welcher den Papst gegen Frankreich zu gewinnen versuchte. Paul III. jedoch gab sich neutral und verlangte für eine Bundesgenossenschaft das Herzogtum Mailand für seinen Enkel Ottavio Farnese. Enttäuscht zog K. gegen den inzwischen von Franz I. im Stich gelassenen Herzog v.Cleve, schlug seine Truppen und diktierte ihm im Vertrag von Venlo den Frieden (7.9. 1543). Nach einem Bündnis mit England sicherte sich K. auf dem Reichstag zu Speyer (Febr. 1542) Truppenhilfe gegen die wachsende französisch-türkische Bedrohung, wofür er die reichsrechtliche Gleichstellung der Augsburger Konfession bis zum Konzil garantieren mußte. K. stieß darauf von Osten her entlang der Marne gegen Franz I. vor, wobei Heinrich VIII. von Norden her Boulogne belagerte. Bereits am 20.9. 1544 erklärte sich Franz I. zum Frieden von Crépy bereit, der ihm einerseits Aussichten auf Mailand eröffnete, andererseits, nach geheimer Absprache, Unterstützung gegen die Protestanten abverlangte. Die Weigerung der Protestanten an einem vom Papst präsidierten Konzil teilzunehmen und das Versprechen Papst Pauls III. zu Hilfeleistungen in einem Protestantenkrieg, veranlaßten K. nun militärisch gegen die Häupter des Schmalkaldischen Bundes vorzugehen. K. wußte sich über die Zusage der Kurwürde den protestantischen Herzog Moritz v. Sachsen sowie die Bayern zu verpflichten. Um schwankende Protestanten nicht vor den Kopf zu stoßen, legitimierte K. seinen Angriff auf die Schmalkaldener mit der Ächtung Kursachsens und Hessens wegen ihres um Jahre zurückliegenden Überfalls auf das katholische Braunschweig. Nach neunmonatigen kriegerischen Konfrontationen errang K. mit massiver Unterstützung durch Moritz v. Sachsen den endgültigen Sieg bei Mühlberg an der Elbe (24.4. 1547), welcher die Gefangennahme Kurfürst Johann Friedrichs v. Sachsen und Philipps von Hessen mit sich brachte. Mit dem Sieg über die Schmalkaldener und dem ebenfalls 1547 zustande gekommenen Friedensabkommen mit den Türken war K. auf dem Höhepunkt seiner Machtentfaltung im Reich und in Europa angelangt. Doch bereits der folgende »geharnischte« Reichstag in Augsburg 1547/48 wies K. wieder in seine Schranken. K. versuchte nämlich das Reichsregiment durch einen vom Kaiser geleiteten Reichsbund abzulösen und die Entwicklung des Reiches auf eine absolutistische Monarchie hinzulenken, was auf heftige Opposition der Reichsfürsten stieß. Auch hinsichtlich der immer noch hängigen Religionsfrage kam K. nicht zum Ziel und mußte sich wiederum mit einer Interims-Lösung abfinden, da das am 13.12. 1545 nach Trient einberufene Konzil am 11.3. 1547 vom Papst nach Bologna, also auf kirchenstaatliches Territorium, überführt wurde, weshalb es sich für die Protestanten noch unattraktiver als bisher ausnahm. Das Konzil war zu einer rein katholischen Angelegenheit geworden und blieb es auch. Die Jahre 1547/48 stellen gleichsam die Peripherie im Verlauf von K.s europäischer Hegemonialpolitik dar. Die Jahre 1548-1556 waren von einem wachsenden Widerstand gegen den Kaiser im Reich und in Europa geprägt und leiteten den Niedergang seiner Herrschaft ein. Dabei beschleunigte die eher unglückliche Nachfolgeregelung im Hause Habsburg, welche die Rechte der Reichsfürsten arg zurückstutzte, den Zerfallsprozeß deutlich. Denn dadurch, daß auf Ferdinand zunächst Philipp I. und dann Ferdinands Sohn Maximilian die Kaiserwürde erlangen sollten, begannen die Kurfürsten, insbesondere Moritz v. Sachsen, um die Erhaltung ihrer Stellungen und Rechte zu bangen. Die Tatsache, daß K. die beiden Fürsten Philipp v. Hessen und Johann Friedrich v. Sachsen immer noch gefangen hielt, steigerte ihren Unmut zusätzlich. Es erstaunt deshalb nicht, daß die protestantische Fürstenopposition unter der Leitung von Kurfürst Moritz v. Sachsen Kontak-

te zu Frankreich aufnahm und sich mit Heinrich II. im Vertrag von Chambord (15.1. 1552) gegen K. verbündete. Der erneut mit den Türken im Bund stehende Heinrich II. versprach militärische Hilfe gegen K., verlangte dafür aber die westlich des Rheins gelegenen Städte Metz, Toul und Verdun. Im Frühjahr 1552 stieß Moritz v. Sachsen rasch gegen Süddeutschland vor, schwenkte im Juni gegen den heerlosen K. in Innsbruck ab und erzwang in den Passauer Verhandlungen von Ferdinand einen vorläufigen Religionsfrieden sowie die Stärkung des Reichsregiments und die Freilassung Philipps v. Hessen. Nach einem erfolglosen Rückeroberungsversuch von Metz (Sept. 1552), zog sich K. resigniert nach Brüssel zurück. Abgesehen davon, daß K.s Macht militärisch gebrochen war, sah er sich außerstande, seinem Sohn ein geeintes Erbreich zu hinterlassen. Darüber hinaus war es ihm nicht gelungen, seiner kaiserlichen Aufgabe als Schützer und Erhalter einer geeinten Christenheit gerecht zu werden. Im Gegenteil: Er sah sich dazu gezwungen, das vor drei Jahrzehnten erlassene Edikt von Worms zu widerrufen. Nebst der alten Feindseligkeiten zu Frankreich und den Türken lebten neue zu Rom und dem 1555 neu gewählten spanienfeindlichen Papst Paul IV. wieder auf. Alle diese Faktoren, besonders aber der persönliche Eindruck, im von Gott gestifteten Kaiseramt versagt zu haben, was kausal mit der Unzeitgemäßheit der mittelalterlichen Kaiseridee verknüpft war, veranlaßten K. sukzessive zurückzutreten. So überließ er seinem Bruder Ferdinand den Vorsitz auf dem Augsburger Reichstag von 1555, der in der Religionsfrage eine reichsrechtliche Dauerlösung verabschiedete. Am 25.10. 1555 übergab er die Niederlande und am 16.1. 1556 die spanischen Königreiche seinem Sohn Philipp II. Wenig später, im Herbst 1556, betraute er Ferdinand mit der »Administratio imperii«, worauf am 14.3. 1558 die formale Übertragung des Kaisertitels durch die Kurfürsten in Frankfurt am Main folgte. Seinen Lebensabend beschloß der seit 1528 zunehmend an Gicht leidende K. in seinem Landhaus in Yuste, unweit des Hieronymitenklosters, als politischer Beobachter und Berater. Am 21.9. 1558 schloß er für immer die Augen.

Werke: Nur wenige Neudrucke: Aufzeichnungen des Kaisers K. des Fünften, hrsg. v. Kervyn von Lettenhove, übers.

v. L. A. Warnkönig, Leipzig, 1862; Die Instruktion K.s V. für Philipp II. vom 25.10. 1555, dt. Text hrsg. v. Bruno Stübel, in: Archiv für Kunde österr. Geschichtsquellen, Bd. 39, 2. Hälfte, 1848; Neue dt. Gerichtsordnung, die peinliche, Kaiser K.s V. von 1532 »Carolina«, hrsg. v. Gustav Radbruch, Stuttgart 1962; Akten und Briefe: Papiers d'Etat du Cardinal de Granvelle d'après les manuscrits de la bibliothèque de Besançon, hrsg. v. Ch. Weiss, 9 Bde., Paris 1841-1852; Correspondenz des Kaisers K. V., hrsg. v. Karl Lanz, 3 Bde., Leipzig 1844-1846; Ders. (Hrsg.), Staatspapiere zur Gesch. Kaisers K. V., Stuttgart 1845; Ders. (Hrsg.), Actenstücke und Briefe zur Gesch. Kaisers K. V., 1853; Négociations diplomatiques entre la France et l'Austriche, durant les trente premières années du XVIe siècle, hrsg. v. A. G. Le Glay, 2 Bde., 1845; Cartas al Emperador Carlos V., escritas en los años 1530-1532 por su confesor Garcia de Loaysa, hrsg. v. G. Heine, 1848; Correspondence of the Emperor Charles V. and his ambassadors at the courts of England and France, hrsg. v. W. Bradford, London 1850; Correspondance de Charles - Quint et d'Adrien VI., hrsg. v. M. Gachard, Bruxelles 1859; Dokumente zur Gesch. K.s V., Philipps II. und ihrer Zeit aus span. Archiven, hrsg. v. J. J. von Döllinger, Regensburg 1862; G. de Leva, Storia documentata di Carlo V. in correlazione all' Italia, 5 Bde., 1863-1894; Huit lettres de Charles - Quint à Mendoza, hrsg. v. R. Foulché-Delbose, in: Revue hispanique, 31, 1894; Die Korrespondenz Ferdinands I., hrsg. v. W. Bauer, A. Lacroix, II. Wolfram, Ch. Thomas, 3 Bde., 1912-1977; Die Reichsregisterbücher Kaiser K.s V., hrsg. v. Haus-, Hof- und Staatsarchiv Wien, 2 Bde., Wien und Leipzig, 1913-1930; Historia vite et gestarum per dominum magnum cancellarium (Mercurino Arborio di Gattinara), hrsg. v. C. Bornate, in: Miscellanea di storia italiana, 3, Ser. 17, 1915; Kaiser und Reich unter K. V., Urkunden und Akten im Staatsarchiv Koblenz, hrsg. v. Otto Graf v. Looz-Corswarem, 1964; S. de Madariaga, Charles Quint, 1969; Corpus documental de Carlos V., hrsg. v. M. Férnandez Alvarez, 2 Bde., Salamanca, 1973 ff.; Kaiser K. V. und die Zunftverfassung: ausgewählte Aktenstücke zu den Verfassungsänderungen in den oberdeutschen Reichsstädten, hrsg. v. E. Nanjoks, 1985; Bibliogr. allg.: Schottenloher, nn. 28340-734, 51055-100b, 60795-947; Karl Brandi, Kaiser K. V., Bd. 2, Quellen und Erörterungen, 1941.

Lit.: H. Baumgarten, Gesch. K.s V., 4 Bde., 1885-1892; — W. Robertson, The History of the Reign of the Emperor Charles V., 3 Bde., 1902; — F. Hartung, K. V. und die dt. Reichsstände 1546-1555, 1910; — A. Walther, Die Anfänge K.s V., 1911; — C. Hare, A Great Emperor, Charles V., 1519-1558, 1917; — L. Cardanus, Von Nizza bis Crépy, Europ. Politik in den Jahren 1534-1544, 1923; — R. B. Merriman, The Rise of the Spanish Empire, III: The Emperor, 1925; — G. Zeller, La réunion de Metz a la France 1552-1648, 2 Bde., 1926; — Berichte und Studien zur Gesch. K.s V., hrsg. v. Karl Brandi, in: Nachrr. von der Gesellschaft der Wissenschaften zu Göttingen, phil.-hist. Klasse, 1930-1941; — Ders., Kaiser K. V., Werden und Schicksal einer Persönlichkeit, 2 Bde., 1937-1941; — Ders., Der Weltreichsgedanke K.s V., in: Ibero-Amerikanisches Archiv, 13, 1940; — Ders., Dantes Monarchia und die Italienpolitik Mercurino Gattinaras, in: Deutsches Dante Jahrbuch, 24, 1942; — Peter Rassow, Die Kaiser - Idee K.s V. dargest. an der Politik der Jahre 1528-1540, 1932; — Ders.,

Die polit. Welt K.s V., 1943; — Ders., Kaiser K. V., der letzte Kaiser des MA.s, 1957; — W. Friedensburg, Kaiser K. V. und Paul III., 1932; — F. Chabod, Lo stato di Milano nell' imperio di Carlo V., 1934; — Ders., Per la storia religiosa dello stato Milano durante il dominio di Carlo V., note et documenti, in: Studi di storia moderna e contemporanea, 1, 1962; — R. Menendez Pidal, La idea imperial de Carlos V., in: Revista Cubana, 10, 1937; — E. H. Harbison, Rival Ambassadors at the Court of Queen Mary, 1940; — Ramon Carande, Carlos V. y sus banqueros, I: la vida economica de España en una fase de su hegemonia, 1516 hasta 1556, II: La Hacienda Real de Castilla, 1943-1949; — Ders., Das westindische Gold und die Kreditpolitik K.s V., in: Span. Forschungen der Görresgesellschaft, Bd. 10, 1955; — M. Salomies, Die Pläne Kaiser K.s V. für eine Reichsreform mit Hilfe eines allg. Bundes, 1953; — R. Tyler, The Emperor Charles the fifth, 1956; — H. Keniston, Francisco de los Cobos, Secretary of the Emperor Charles V., 1958; — Carlos V. (1500-1558), Homenaje de la Universidad de Granada, 1958, Miscelanea de Estudios sobre Carlos V. y su epoca el IV. centenario de su muerte; — Charles-Quint et son temps, Actes du Colloque International, Paris 1958, 1959; — F. Walser, Die span. Zentralbehörden und der dt. Staatsrat K.s V., 1959; — Heinrich Lutz, K. v. und Bayern, Umrisse einer Entscheidung, in: ZS f. bayerische Landesgesch., 22, 1959; — Ders., Das Zeitalter K.s V., in: Propyläen Weltgesch., Bd. 7, 25-132; — Ders., Christianitas afflicta, Europa, das Reich und die päpstl. Politik im Niedergang der Hegemonie Kaiser K.s V., 1552-1556, 1964; — Ders., Kaiser K. V., Frankreich und das Reich, in: Frankreich und das Reich im 16. und 17. Jh., 1968; — Ders., Das Reich K.s V. und der Beginn der Reformation, Bemerkungen zu Luther in Worms 1521, in: Beiträge zur neueren Gesch. Österreichs, 1974; C. Bauer, Die wirtschaftl. Machtgrundlagen K.s V., in: Span. Forschungen der Görresgesellschaft, Bd. 10, 1955; — K. V., Der Kaiser und seine Zeit, Kölner Colloquium 1958, hrsg. v. Peter Rassow und F. Schalk, 1960; — Karl E. Born, Moritz v. Sachsen und die Fürstenverschwörung gegen K. V., in: Hist. ZS, 191, 1960; — H. Kellenbenz, Les foires du Lyon dans la politique de Charles-Quint, in: Cahiers d'histoire, 5, 1960, 17-32; — José Antonio Maravall, Carlos V. y el pensiamento politico del Renacimiento, 1960; — Franz Petri, Nordwestdeutschland im Wechselspiel der Politik K.s V. und Philipps des Großmüthigen v. Hessen, in: ZS des Vereins für hess. Gesch., 71, 1960, 37-60; — Robert Ricard, Le règne de Charles-Quint, âge d'or de l'histoire méxicaine, in: Revue du Nord, 42, 1960, 241-248; — F. A. Yates, Charles V. et l'idée d'empire, in: Fêtes et céremonies au temps de Charles V., 1960, 57-97; — Ders., Astraea, the imperial theme in the sixteenth century, 1975; — Giancarlo Sorgia, La politica Nordafricana di Carlo V., in: Pubblicazioni dell' istituto di storia medioevale e moderna dell Universita degli studi di Cagliari, 7, 1963; — Carl Jakob Burckhardt, Gedanken über K. V., 1964; — I. Ludophy, Die Voraussetzungen der Religionspolitik K.s V., 1965; — Alvares M. Férnandez, La España del emperador Carlos V., 1966; — Ders., Politica mundial de Carlos V. y Felipe II., in: Historia de España en el mundo moderno, 1, 1966; — Ders., Charles V., elected emperor and hereditary ruler, 1975; — Stephen Skalweit, Reich und Reformation, 1967; — H. J. König, Monarchia Mundi und Res Publica Christiana, Die Bedeutung des mittelalterl. Imperium Romanum für die polit. Ideenwelt Kaiser

K.s V. und seiner Zeit, Diss. 1969; — J. Engel, Von der spätmittelalterl. respublica christiana zum Mächte-Europa der Neuzeit, in: Hb. der europ. Gesch., III, 1971; — H. G. Königsberger, The Habsburgs and Europe 1516-1600, 1971; — H. Rabe, Reichsbund und Interim, Die Verfassungs- und Religionspolitik K. V. und der Reichstag von Augsburg 1547/48, 1971; — Pierre Chaunu, L'Espagne de Charles Quint, 2 Bde., 1973; — E. Honee, Zur Vorgesch. des 1. Augsburger Reichsabschieds. Kardinal Lorenzo Campeggio und der Ausgang der Glaubensverhandlungen mit den Protestanten im jahre 1530, in: Nederlands Archif vor Kerkgeschiedenis, 54, 1973, 1-63; — H. Lapeyre, Charles Quint, 1973; — B. Anatra, Carlo V., 1: Fonti, 2: Critti di storici, 1974; — H. Immenkötter, Um die Einheit des Glaubens. Die Unionsverhandlungen des Augsburger Reichstages im August und September 1530, 1974; — Ch. Thomas, Moderacion del poder, Zur Entstehung der geheimen Vollmacht für Ferdinand I., in: Mitteilungen des österr. Staatsarchivs, 27, 1974, 102-140; — D. Cantimori, L'influenza del manifesto di Carlo V. contro Clemente VII. (1526) e di alcuni documenti analoghi nella letteratura filoprotestante e anticuriale italiana, in: Ders., Umanesimo e Religione nel Rinascimento, 1975, 182-192; — E. Laubach, K. V., Ferdinand und die Nachfolge im Reich, in: Mitteilungen des österr. Staatsarchivs, 29, 1976, 1-51; — V. Press, Kaiser K. V., König Ferdinand und die Entstehung der Reichsritterschaft, 1976; — H. Rabe, H. Stratenwerth, Ch. Thomas, Stückverzeichnis zum Bestand Belgien, in: Publikationen des Haus-, Hof- und Staatsarchivs Wien, 30, 1977, 436-493; — Charles Terlinden, Carolus Quintus, Kaiser K. V., Vorläufer der europ. Idee, 1978; — Otto v. Habsburg, K. V., 1979; — Wolfgang Reinhard, Die kirchenpolit. Vorstellungen Kaiser K. V., ihre Grundlagen und ihr Wandel, in: Confessio Augustana und Confutatio, hrsg. v. Erwin Iserloh, 1980, 62-100; — Das röm-dt. Reich im polit. System K.s V., hrsg. v. Heinrich Lutz, 1981; — Achim Aurnhammer/Friedrich Däuble, Die Exequien für Kaiser K. V. im Augsburg. Brüssel und Bologna, in. Studien zur Thematik des Todes im 16. Jh., hrsg. v. P. R. Blum, 1983, 141-190; — Remigius Bäumer, Die Religionspolitik K.s V. im Urteil der Lutherkommentare des Johannes Cochlaeus, in: Politik und Konfession, Festschr. für Konrad Repgen, hrsg. v. Dieter Albrecht, 1983, 31-47; — Frank R. Hausmann, Francesco Petrarcas Briefe an Kaiser K. V. als »Kunstprosa«, in: Der Brief im Zeitalter der Renaissance, hrsg. v. Franz J. Worstbrock, 1983, 60-80; — John M. Headley, The emperor and his chancellor, a study of the imperialchancellery under Gattinara, 1983; — Cremades F. Checa, Carlos V. y la imagen del heroe en el Renacimiento, 1987; — LThK V, 1358-1360; — NDB III, 191-211; — New Catholic Encyclopedia III, 503-506; — RGG III, 1152 f.

Urs Leu

KARL VI., Kaiser, * am 1. Oktober 1685 in Wien, † am 20. Oktober 1740 ebd. — K. war der zweite Sohn Kaiser Leopolds I. aus dessen dritter Ehe mit Eleonore Magdalena von Pfalz-Neuburg. Entsprechend einer Tradition des Kaiserhauses war er als der Zweitgeborene für den geistlichen Stand bestimmt und wurde deshalb unter der Aufsicht des Fürsten Anton Florian von Liechtenstein von Jesuiten erzogen. Ungeachtet dieser ursprünglichen Absicht wurde K. aber auch in die dynastischen Pläne seines Vaters Leopold mit einbezogen. So plante dieser, da mit dem Tode Karls II. in Spanien das Hause Habsburg erloschen sein würde, seine Rechte am dort zu erwartenden Erbe wahrzunehmen und seinen Sohn K. als König K. III. von Spanien einzusetzen. Leopold träumte nämlich davon, die Zeit Kaiser Karls V. (s.d.) in Europa wiedererstehen zu lassen. Die dynastische Grundlage bildete ein geheimer Familienvertrag. Gleichzeitig trat Leopold, um diese Pläne abzusichern, in Verhandlungen mit den anderen europäischen Staaten. So entstand ein umfangreiches Vertragssystem zwischen Österreich, England und Frankreich. Doch nach dem Tode König Karls II. von Spanien im Jahre 1700 änderte sich die politische Situation grundlegend. Karl II. hatte in seinem Testament den Enkel König Ludwigs XIV. von Frankreich, Philipp von Anjou, als Erben eingesetzt. Entgegen einer im Jahre 1668 geschlossenen Vereinbarung über die zukünftige Aufteilung des spanischen Erbes zwischen Frankreich und Österreich nahm der französische König für seinen Enkel das Testament an. Philipp wurde als der rechtmäßige Nachfolger Karls II. in Spanien anerkannt. Da nun Leopold seine Rechte nicht so ohne weiteres aufgeben wollte, versuchte er, diese Ansprüche mit militärischer Macht zu verteidigen. So kam es zum Spanischen Erbfolgekrieg. Leopold sandte seinen Sohn K. als designierten König nach Spanien. Der Aufbruch jedoch vollzog sich schleppend. Erst im Jahre 1703 reiste K. mit großem Gefolge über Prag, Deutschland und Holland nach England, von wo aus er mit einem holländisch-englischen Heer nach Spanien aufbrach. Im März 1704 landete er in Lissabon, um von dort aus nach Spanien vorzudringen. Diese Absicht blieb zunächst ohne Erfolg. Nach der Eroberung Gibraltars am 4. August 1704, das die Engländer seitdem in ihrem Besitz hielten, konnte K. schließlich am 23. Oktober 1705 seinen Einzug in Barcelona halten. Bei wechselndem Kriegsglück während der folgenden sechs Jahre hielt er seine Stellung im nordöstlichen Teil Spaniens und konnte sogar, mit Hilfe des

Generals Guido von Starhemberg, im Sommer 1710 Madrid erobern, das aber nur kurze Zeit in seinem Besitz blieb. Schon bald darauf mußte er sich wieder nach Barcelona zurückziehen. Als am 17. April 1711 überraschend K.s Bruder, Kaiser Joseph I., starb, änderte sich die Situation wiederum grundlegend. Da Joseph ohne männliche Nachkommen gestorben war, wurde K. Erbe und Nachfolger seines Bruders auf dem habsburgischen Kaiserthron. Um gleichzeitig seine Rechte an der spanischen Königskrone zu wahren, ließ K. seine Gemahlin, die zum kath. Glauben konvertierte Elisabeth Christine von Braunschweig-Wolfenbüttel, als Statthalterin in Barcelona zurück. Am 12. Oktober 1711 erfolgte in Frankfurt traditionsgemäß die Wahl, am 22. Dezember des gleichen Jahres die Krönung K.s zum Kaiser. Im Januar 1712 war er nach über achtjähriger Abwesenheit wieder in Wien. Die politischen Verhältnisse hatten nun überraschend die Möglichkeit geschaffen, noch einmal die mitteleuropäischen und spanischen Besitzungen der Habsburger in einer Hand zu vereinen. Das zu diesem Zeitpunkt bestehende Bündnissystem stand allerdings einem solchen Vorhaben entscheidend im Wege. Hinzu kam eine gewisse Schwerfälligkeit in Bezug auf Entscheidungen auf seiten K.s, wie sie auch schon für seinen Vater Leopold charakteristisch war. So suchte er Erfolge nicht so sehr auf dem Schlachtfeld als am Verhandlungstisch. Dadurch bekamen seine Gegner Gelegenheit, Situationen abzuwarten oder bewußt herbeizuführen, die ihre eigene Position stärken konnten. Dies galt insbesondere für den König von Frankreich. Daneben bewies K. wenig Glück bei der Planung der einzelnen Schritte, um seine Vorhaben zu verwirklichen. Sein erstes Unternehmen bestand in der Neuregelung der Thronfolge im Hause Habsburg, die er in der Pragmatischen Sanktion vom 19. April 1713 vornahm. Demnach sollte bei Ausbleiben von männlichen Nachkommen auch die weibliche Sukzession möglich sein. Der nächste Schritt bestand darin, sich diese Vereinbarung auch von den anderen europäischen Staaten anerkennen zu lassen. Damit begab sich K. aber bei den zu dieser Zeit stattfindenden Friedensverhandlungen in Utrecht in eine verhängnisvolle Abhängigkeit. Er mußte sich seine privaten Wünsche von den anderen Staaten mit der Abtretung ohnehin strittiger Grenzgebiete teuer erkaufen, ohne gleichzeitig wenigstens seine spanischen Besitzstände wahren zu können. In Frieden von Rastatt vom 7. März 1714 wurde der Verzicht auf das spanische Erbe faktisch besiegelt. Größere Erfolge hatte K. dagegen zunächst bei der Ausdehnung des Reiches im Osten. Der Grundstein dazu wurde durch die Siege des Prinzen Eugen über die Türken bei Peterwardein 1716 und Belgrad 1717 gelegt. Ein weiterer Plan K.s erwies sich als für die Zukunft Österreichs verhängnisvoll, als er, um den Anschluß an den Welthandel zu gewinnen, im Jahre 1722 die Ostendekompanie gründete. Ohne daß diese Gesellschaft wirklich Erfolge gebracht hätte, wirkte sie durch ihre Konkurrenz zu den Seemächten England und Spanien nur störend auf die Beziehungen zu diesen Ländern. Im Zusammenhang mit den Bemühungen um eine Anerkennung der Pragmatischen Sanktion seitens dieser Länder mußte die Kompanie 1731 wieder aufgelöst werden. Weitere Veränderungen in Europa bahnten sich an durch das Entstehen zweier neuer Großmächte, Preußen und Rußland. Auch in der Beziehung zu diesen beiden Staaten bewies K. wenig Geschick. Anläßlich eines Bündnisses mit Rußland ließ er sich in einen neuen Krieg gegen die Türken verwickeln. Dies hatte den Verlust eines Teils der Gebiete im Osten zur Folge. Mit Preußen schließlich gab es Probleme um Schlesien. Auch die Heiratspolitik K.s verlief recht unglücklich. Um die Heirat seiner ältesten Tochter Maria Theresia mit Franz von Lothringen durchzusetzen, mußte er den Nachbarstaaten eine Reihe weiterer Zugeständnisse, v.a. in Form von Gebietsabtretungen, machen. Zusammenfassend muß das politische Wirken K.s als im wesentlichen ungeschickt bezeichnet werden. Es war zu sehr auf die Vergangenheit (Traum von der Wiedervereinigung beider Habsburgerreiche) und die Zukunft (Pragmatische Sanktion: weibliche Sukzession) gegründet, um realistisch sein zu können. K.s Regierungsstil erscheint daher als zu wenig gegenwartsbezogen. — Das unglückliche Wirken als Kaiser zeigt allerdings nur die eine Seite von K.s Wesen. Daneben erweist er sich als ein allen künstlerischen Bereichen aufgeschlossener Mensch. Ja es scheint geradezu, als ob er durch die Flucht in die Kunst, besonders die Musik, die politischen Mißerfolge kompensieren wollte. Schon in seiner Jugend wurde er vom Hofkapellmeister Johann Joseph Fux in der Musik unterrichtet. Er komponierte, spielte Klavier und dirigierte die Hofmusikkapelle bei den Gottesdiensten oft selbst. Unter seinem Einfluß kam es in Wien sogar zu einer eigenständigen Entwicklung im Bereich der Kirchenmusik. Besonders die kompositorische Durchführung und Gliederung des Ordinariums erfuhr zu dieser Zeit wertvolle Änderungen. Die damals entwickelte Form war dann gültig bis hin zu Haydn und Mozart. Auch auf die musikalische Gestaltung der Messe selbst hat K. Einfluß genommen. Von eigenen Kompositionen kam, entsprechend den vorhandenen Aufzeichnungen über die Programme der von K. besuchten Messen, nur ein Miserere zur Aufführung. Neben der Musik galt seine weitere Neigung der Baukunst. Die architektonische Neugestaltung Wiens im Geiste des Barock ist v.a. seiner Initiative zu verdanken. Für ihn wirkten u.a. Johann Bernhard Fischer von Erlach und dessen Sohn Josef Emanuel, sowie Johann Lukas von Hildebrandt und Donato Felice von Allio. Sie verwirklichten viele der von K. in Auftrag gegebenen Arbeiten. Besonders erwähnenswert sind der Bau der Karlskirche, die, von K. anläßlich einer Pestepidemie 1713 feierlich gelobt, von 1716 bis 1737 entstanden ist, Erweiterungsbauten der Hofburg (Michaelertrakt, Nationalbibliothek, Reichskanzlei und Winterreitschule), ausgeführt zwischen 1723 und 1737 und der Plan einer Klosterresidenz in Klosterneuburg, die nach Anlage und Umfang dem Vorbild des Escorial in Spanien folgen sollte, von der aber nur ein geringer Teil tatsächlich fertiggestellt wurde. Das umfassende Eintreten für kulturelle Belange zeigte sich auch in anderen Bereichen. So erwarb er die umfangreiche Bibliothek des Prinzen Eugen und sorgte auf diese Weise für eine bedeutende Erweiterung der Hofbibliothek. Weiters sorgte er für eine Berufung des Philosophen Leibniz an die Akademie der Wissenschaften. Durch verschiedene Umstände kam dessen Einstellung dann doch nicht zustande. Auch in der Kirchenpolitik setzte sich K. ein. Die Erhebung Wiens zum Erzbistum ist ihm zu verdanken. Was K. in der Politik versagt blieb, hatte er bei seinen kulturellen Ambitionen: Erfolg. Durch sein Wirken wurde Wien die führende Kulturhauptstadt Europas.

Lit.: Georg Jakob von Deyerlsperg (Hrsg.), Erbhuldigung, welche dem allerdurchleuchtigst-großmächtigsten und unüberwindlichsten Römischen Kayser, Carolo dem Sechsten, zu Hispanien, Hungarn, und Böheim König, etc. etc. als Hertzogen in Steyer, von denen gesamten steyerischen Land-Ständen den 6. Julii 1728 in allerunterthänigster Submission abgeleget, 1740 (Reprint, 1980, mit Kommentar von Theodor Graff); — A. Geusau, Hist. Tagebuch des durchleutigsten Erzhauses Österreich vom Jahre 994-1780, 1781; — J. Fhr. v. Hormayr, Österreichischer Plutarch oder Leben und Bildnisse aller Regenten, Feldherrn etc. des österreichischen Kaiserstaates, 1807; — A. Arneth, Eigenständige Correspondenzen d. Kg. K. III. von Spanien (nachmals Kaiser K. VI.) mit Johann Wenzel Wratislaw, in: AÖG XVI, 1856; — Ottokar Lorenz, Die österreichische Regentenhalle. Biographien mit 37 Bildnissen, 1857; — Ludwig von Köchel, Die Kaiserliche Hof-Musikkapelle in Wien von 1543 bis 1867, 1869; — Ders., Johann Joseph Fux, Hofcompositor und Hofkapellmeister der Kaiser Leopold I., Josef I. und K. VI. von 1698 bis 1740, 1872; — M. Landau, Gesch. Kaiser K.s VI, als Kg. von Spanien, 1889; — Guido Adler, Die Kaiser Ferdinand III., Leopold I., Joseph I. und K. VI. als Tonsetzer und Förderer der Musik, in: VfM VIII, 1892, 252-274; — M. Huisman, La Belgique commerciale sous l'Empereur C VI., La Compagnie d'Ostende, 1902; — J. Ziekursch, Die Kaiserwahl K.s VI. (1711), 1902; — Carl Leeder, Beethovens Widmungen, in: Mk IV/21, 1905, 179 f (Anekdote über K); — Otto Keller, Zur Gesch. d. Wiener Philharmoniker, in: Mk IX/7, 1910, 18; — Egon Wellesz, Vorwort zu: J. J. Fux, Costanza e Fortezza, DTÖ XVII, 1910; — Oskar Bie, Oper und Gesellschaft, in: Mk XI/18, 1912, 340; — O. Frh. v. Mitis, Jagd und Schützen am Hofe K.s VI., 1912; — H. Benedikt, Das Kgr. Neapel und Kaiser K. VI., 1927; — Ders., Finanzen und Wirtschaft unter K., in: Der Donauraum IX, 1964; — H. Hantsch, Reichsvizekanzler Friedrich Karl von Schönborn (1674-1746), 1929; — Ders., Die drei großen Relationen St. Saphorins über die inneren Verhältnisse am Wiener Hof z. Zt. Kaiser K.s VI., in: MIÖG LVIII, 1950; — P. Gasser, Das spanische Königtum K.s VI., in: MÖStA VI, 1933; — G. Mecenseffy, K.s VI. spanische Bündnispolitik 1725-1729, 1935; — O. Redlich, Das Werden einer Großmacht. Österreich 1700-1740, 1938; — Ders., Die Tagebücher Kaiser K.s VI., in: Gesamtdt. Vergangenheit. Festg. f. v. Srbik, 1938; — Ders., Über Kunst und Kultur des Barocks in Österreich, in: AÖG CXV, 1943; — M. Braubach, Eine Satire auf den Wiener Hof aus den letzten Jahren Kaiser K.s VI., in: MIÖG LIII, 1940 (auch in: Ders., Diplomatie und geistiges Leben im 17. u. 18. Jh., 1969); — Ders., Versailles und Wien von Ludwig XIV. bis Kaunitz, 1952; — Ders., Prinz Eugen von Savoyen, 5 Bde., 1963-1965; — H. L. Mikoletzky, Hofreisen und Kaiser K. VI., in: MIÖG LX, 1952; — Franz Hadamovsky, Barocktheater am Wiener Kaiserhof, mit einem Spielplan (1625-1740), in: Jb der Ges. f. Wiener Theaterforschung 1951/52, 1955, 7-117; — George Kunoth, Die hist. Architektur Fischers von Erlach, 1956; — Adam Wandruszka, Die Habsburger, 1956; — Ders., Das Haus Habsburg. Gesch. einer europ. Dynastie, 1978; — Hans Joachim Moser, Die Musik der dt. Stämme, 1957, 872. 874; — A. Lhotzky, Kaiser K. VI. und sein Hof im Jahre 1712/13, in: MIÖG LXVI, 1958; — Wilhelm Knappich, Die Habsburger Chronik, 1959, 195-209; — A. Benna, Ein römischer Königswahlplan K.s III. von Spanien (1708-1710), in: MÖStA XIV, 1961; — Alfred Frank, Kaiserkrönung K.s VI. schlägt Wellen bis in den Ebrachgrund, in: FBGH XIII, 1961, H. 15, 59 f; — J. W. Stoye; Emperor C VI., the early years of the reign, in: TRHS V, 1962, 12; — Friedrich Wilhelm Riedel, Der »Reichstil« in der dt. MG des 18. Jhs., in: Ber. über den Internat. Musikwissenschaftlichen Kongress Kassel 1962, 1963, 34-36; — Ders., Abt Berthold Dietmayr von Melk und der kaiserliche Hofkapellmeister J. J. Fux, in: Unsere Heimat XXXVI, 1965, 58-64; — Ders., Die Kaiserkrönung K.s VI. als musikgesch. Ereignis, in: MZ LX/LXI, 1966, 34-40; — Ders., Kirchenmusik am Hofe K.s VI., 1977; — H. Lentze, Die Pragmatische Sanktion und das Werden des österreichischen Staates, in: Der Donauraum IX, 1964; — R. Wagner-Rieger, Die Pragmatische Sanktion und die Kunst, in: Der Donauraum IX, 1964; — Günter Christ, Die Würzburger Bischofswahl des Jahres 1724. Verlauf und Folgen, zugleich ein Beitrag zum Selbstverständnis der Reichskirchenpolitik K.s VI., in: ZBLG XXIX, 1966, 454-501. 689-726; — Grete Klingenstein, Vorstufen der theresianischen Studienreformen in der Regierungszeit K.s VI., in: MIÖG LXXVI, 1968, 327-377; — Hans Jochen Pretsch, Graf Manteuffels Beitrag zur österreichischen Geheimdiplomatie von 1728-1736, 1970; — Franz Matsche, Die Kunst im Dienst der Staatsidee Kaiser K.s VI. Ikonographie, Ikonologie und Programmatik des »Kaiserstils«, 1977; — Christina Thon, Huldigungsdekorationen für Kaiser K. VI. in Nürnberg, in: AnzGNM, 1983, 33-48; — Rudolf Walter, Das doppelchörige Requiem des Breslauer Domkapellmeisters Johann Georg Clement. Komponiert zu den Exequien für Kaiser K. VI., wiederaufgeführt zu den Exequien für den Jesuitengeneral F. Retz, in: AfSKG XLII, 1984, 59-88; — Rainer Polley, Buchische Dorftrauer um Kaiser K. VI., in: Fuldaer Gesch.bll. LXVI, 1986, 73-80; — Georg Wacha, Hofjagd in Oberösterreich. Kaiser K. VI. und Neuwartenburg, in: Oberösterreichische Kulturzeitschrift. Natur-Mensch-Umwelt XXXVI/3, 1986, 19-24; — Josef Zachar, Ungarn und die beiden Kriege des Kaisers K. VI. gegen das osmanische Reich 1716-1718 und 1736-1739, in: Ungarn-Jb. XVII, 1989, 53ff; — Wurzbach VI, 364-371; — ADB XV, 206-219; — NDB XII, 211-218.

Hans-Josef Olszewsky

KARL MARTELL, fränkischer Hausmeier aus dem Haus der Karolinger, * wahrscheinlich 688 als Sohn des austrasischen Hausmeiers Pippin des Mittleren und der Chalpeida, † 22.10.741 in Quierzy. — K. M. ging aus einer Nebenehe Pippins hervor und wurde durch Pippin von der Nachfolge als Hausmeier ausgeschlossen. Nach dem Tod Pippins im Jahre 714 setzte seine Witwe Plektrud, deren eigene Söhne schon gestorben waren, K. M. gefangen. K. M. konnte entkommen und wurde zum Herzog der Franken in Austrien gewählt. Nach Siegen über die aufstän-

dischen Neustrier wurde K. M. 717 Hausmeier über Austrien. Neustrien wurde erst 724 endgültig unterworfen; dadurch sicherte K. M. die Einheit des Frankenreiches unter den Merowingern und wurde der eigentliche Herrscher des Reiches. K. M. regierte aber noch lange mit merowingischen Schattenkönigen. 722 bat Papst Gregor II. (s.d.) K. M. um Unterstützung für die Mission des Bonifatius (s.d.) am Niederrhein, worauf K. M. 723 einen Schutzbrief für Bonifatius ausstellte. Zugleich unterstützte K. M. Pirmin bei seiner Mission in Alemannien und Willibrord in Friesland. In zahlreichen Feldzügen gegen Sachsen, Friesen, Aquitanier, Bayern und Alemannier festigte K. M. die fränkische Reichsgewalt. Gegen die Angriffe von Arabern und Avaren stellte er ein Panzerreiterheer auf. Zu dessen Unterhaltung belehnte er seine Vasallen mit Kirchengütern, die von der Kirche zwangsweise eingezogen wurden. Beim Angriff der Araber auf Aquitanien führte K. M.s Hilfe 732 zum Sieg in der Schlacht bei Poitiers und zur Lehensabhängigkeit Aquitaniens von den Franken. Zwischen 733 und 739 wurden Burgund, die Provence und Septimanien unterworfen. Von 737 an, als der Merowinger Theuderich IV. starb, regierte K. M. ohne König. 739 ersuchte Papst Gregor III. K. M. um Hilfe gegen die Langobarden. K. M. leistete keine Folge, zumal er im Kampf gegen die Araber mit den Langobarden verbündet war. Vor seinem Tod teilte er 741 das Frankenreich unter seine Söhne Pippin und Karlmann auf. — K. erhielt seinen Beinamen »Martell«, Hammer, im 9. Jahrhundert aufgrund seiner militärischen Erfolge. Mit dem Sieg bei Poitiers verhinderte er eine Eroberung des Frankenreiches durch den Islam. Durch die straffe Zusammenfassung des Reiches im Inneren begründete er die fränkische Großmacht und gab die Voraussetzung für das karolingische Königtum ab 751. Seine Kirchenpolitik erfuhr in der Geschichtsschreibung harte Kritik, da sie überwiegend von machtpolitischen Interessen geleitet war und eine Reform der fränkischen Kirche im römischen Sinn verhinderte.

Lit.: MG DD I (Diplomatum Karolinorum), 97-102; — MG Epp. III, 269-271, 476-479; (Epp. selectae) MG SS II (rerum merovingicarum II), bes. 172-180, 324-327; — Chronicarum quae dicuntur Fredegarii continuationes (Die Fortss. der Chroniken des sog. Fredegar), in: Ausgewählte Qu. zur dt.

Gesch. des MA.s, Frhr. vom Stein-Gedächtnisausg. IVa, 1982, 280-295; — Ebd., Liber Historiae Francorum (Das Buch v. der Gesch. der Franken), IVa, 1982, 374-379; — Ebd., Bonifatii Epistulae (Briefe des Bonifatius), IVb, 1968, 72 ff.; — Ebd., Willibaldi vita Bonifatii (Willibalds Leben des Bonifatius), IVb, 1968, 476 ff.; — Eduard Cauer, De Carolo Martello, Diss. Berlin, 1846; — Georg Waitz, Über den Beinamen »der Hammer«, in: Forschungen zur dt. Gesch. III, 1863, 147-149; — Ders., Dt. Verfassungsgesch. III, Die Verfassung des fränkischen Reichs, 1883², 1954³, 9-32; — Theodor Breysig, Jbb. des fränkischen Reiches, 714-741. Die Zeit Karl Martells (Jbb. der dt. Gesch. II), 1869, Nachdr. 1975; — Gustav Richter, Ann. des fränkischen Reiches im Zeitalter der Merovinger (Ann. der dt. Gesch. im MA I), 1873, 182-201; — Engelbert Mühlbacher, Dt. Gesch. unter den Karolingern (Bibl. dt. Gesch. II), 1896, 34-45, Nachdr. 1959; — Ders., Die Regg. des Kaiserreichs unter den Karolingern 751-918, nach Johann Friedrich Böhmer, 1880¹, 1908², 12-21, Nachdr. 1966; — La légende des »Enfances« de Charlemagne et l'histoire de Charles Martel, in: Studies in Honour of A. Marshall Elliott I, 1911, 81-107; — Robert Münchgesang, K. der Hammer (K. M.). Eine kulturhist. Erz. aus der Merovingerzeit, 1913², auch 1920; — Léon Levillain/Charles Samaran, Sur le lieu et la date de la bataille dite de Poitiers de 732, in: Bibliothèque de l'Ecole des chartes 99, 1938, 243-267 (s. a. dies., Une longue vie d'érudit II, 1978, 497-521); — Maurice Mercier/André Seguin, Charles Martel et la Bataille de Poitiers, Paris 1944; — Peter Dörfler, Der Urmeier, Roman, 1948, 1949²; — Ferdinand Lot, Etudes sur la bataille de Poitiers de 732, in: Révue belge de philologie et d'histoire 26, 1948, 35-59; — Bruno Rech, Die Sage v. Karls Jugend u. den Haimonskindern. Ein Beitr. zur Gesch. K. M.s, in: Hist. Jb. 67-69, 1949, 136-153; — Hans Leo Mikoletzky, K. M. u. Grifo, in: Festschr. f. Edmund E. Stengel, 1952, 130-156; — Theodor Schieffer, Winfrid-Bonifatius und die christl. Grundlegung Europas, 1954, Neudr. 1972, 1980, 120-185; Shane Miller, The Hammer of Gaul, the story of Charles Martel, 1964; — Reinhold Rau, Ein unechter Brief des Papstes Gregor II., in: ZKG 75, 1964, 337 f.; — Ingrid Heidrich, Titulatur u. Urkk. d. arnulfingischen Hausmeier, in: Arch. f. Diplomatik 11/12, 1965/66, bes. 240-242, 271-274; — Jean-Henri Roy/Jean Deviosse, La bataille de Poitiers. Octobre 733, Paris 1966; — Michel Rouche, Les Aqauitains ont - ils trahi avant la bataille de Poitiers? Un éclairage 'événementiel' sur les mentalités, in: MA 74, 1968, 1, 5-26; — Bernard S. Bachrach, Charles Martel, mounted shock combat, the stirrup, and feudalism, in: Studies in medieval and renaissance history 7, 1970, 47-76; — Irene Haselbach, Aufstieg u. Herrschaft der Karlinger in der Darst. der sog. Annales Mettenses priores. Ein Beitr. zur Gesch. der polit. Ideen im Reiche Karls d. Gr. (Hist. Studd. 412), 1970, 52-97; — Ulrich Nonn, Das Bild K. M.s in den lat. Qu. vornehml. des 8. u. 9. Jh.s, in: Frühma. Stud. 4, 1970, 70-137; — Ders., Vom Maior Domus zum Rex. Die Auffassung von K. M.s Stellung im Spiegel der Titulatur, in: Rhein. Vj.bll. 37, 1973, 107-116; — Eduard Hlawitschka, K. M., das Röm. Konsulat und der Röm. Senat. Zur Interpretation von Fredegarii continuatio cap. 22, in: Die Stadt in der europ. Gesch., Festschr. Edith Ennen, hrsg. v. Werner Besch, 1972, 74-90; — Reinhard Schneider, Königswahl und Königserhebung im Frühma. Unterss. zur Herrschaftsnachfolge bei den Langobarden u. Merowingern,

1972, 176-183; — Josef Semmler, Zur pippinidisch-karolingischen Sukzessionskrise 714-723, in: DA 33, 1977, 1, 1-36; — Jean Deviosse, Charles Martel, Paris 1978; — Peter Llewellyn, »Peculiaris populus« in two papal letters of the early eighth century. Gregory III. to Charles Martel, 739 and 740, in: Bulletin du Cange 42, 1979 f. (1982), 133-137; — Pierre Riché, Les Carolingiens. Une famille qui fit l'Europe, Paris 1983, dt.: Die Karolinger. Eine Familie formt Europa, 1987, 52-73; — Hauck I (1958), 380-481; — Gebhardt-Grundmann I⁹, 153-159, 837; — Biogr. Wb. z. dt. Gesch. II², 1974, 1385-1388; — Wattenbach-Levison I, 114-119, II, 161-168; — ADB XV, 121-127; — NDB XI, 156 f.; — LThK V, 1361.

Frank Reiniger

KARL *von Sezze* OFM; bürgerlich Carlo Melchiori; Heiliger; * 19. Oktober 1613 in Sezze bei Rom, † 6. Januar 1670 in Rom; 1882 Selig-, 1959 Heiligsprechung; Gedenktag 7. Januar. — Der von Bauernsleuten abstammende K. war nach kurzer Grundausbildung vorerst Schafhirt und später Bauer. Mit 17 Jahren entschied er sich für ein zölibatäres Leben, wurde aber, scheinbar gegen den Willen der Eltern, Ordensmann und nicht Priester. Am 18. Mai 1635 trat er ins Kapuzinerkloster San Francesco in Nazzano ein und legte ein Jahr später die Profess ab. Bis 1640 lebte K. in folgenden Konventen: San Maria Seconda in Morlupo, San Maria delle Grazie in Ponticelli, San Francesco in Palestrina, San Pietro in Carpineto Romano, San Pietro in Montorio und San Francesco a Ripa in Rom, wo er nebst zwei Kurzaufenthalten in San Giovanni Battista al Piglio und San Francesco in Castelgandolfo, meistens lebte. Im Oktober 1648, während einer Messe, wurde K. stigmatisiert. Trotz seiner Aufgaben im Dienst des Konvents als Gärtner, Koch, Pförtner, Almosensammler und Sakristan gelang es ihm, ein intensives, beschauliches Leben zu führen und unermüdlich karitativ tätig zu sein. Laien wie auch hohe Geistliche liessen sich von K. leiten, dem eine ausserordentliche Gabe von Gott zugesagt wurde. Diese spricht auch aus seinem umfangreichen, mystischen Werk, das er trotz mangelhaften Lese- und Schreibkenntnissen verfaßt hat. In einem Häretiker- und einem Heiligsprechungsprozess trat K. als Ratgeber auf. Er soll auch die Pontifikate von Alexander VII. sowie diejenigen von Klemens IX., X., XI. vorausgesagt haben. Bei seinem Tode wurde die Stigmatisation entdeckt und von Ärzten als übernatürliche Wunde erkannt. — K. erlangte Bedeutung einerseits dank seiner anerkannten Stigmatisation und andererseits wegen seines asketischen Lebens und den daraus entspringenden mystischen Schriften.

Werke: Eine Gesamtausgabe der Werke C's. ist in Vorbereitung. Titel ohne Ortsangaben sind als Manuskript in San Francesco a Ripa vorhanden. Die Reihenfolge der Werke entspricht derjenigen der Bibliotheca Sanctorum III, 805-806. Delli stati dell'anima per arrivare alla perfettione, Paradiso dei contemplativi di Bartolomeo da Salutiò, Il piccolo giardino di rose (Weihnachtsnovene), La vita e conforto dell'anima (Passionsmeditaion), Inganni che possono causare all'anima alcune occulte tentationi, Il mesto horticello delle meditationi della Passione, Breve compendio dell'oratione, Modo di recitare l'offitio, cioè li Pater noster, Lettera sopra la contemplatione e i suoi effetti. In: Vita christiana VIII (1936) 522-534, Quello che deve fare l'anima devota e desiderosa di ricevere il SS. Sacramento. In: Santa Chiara II (1960) 14-27, Trattato delle tre vie della mediatatione e stati della santa contemplatione. Roma 1654; 1664²; 1742³ (Hauptwerk), Canti spirituali. Roma 1654; 1664²; Torino 1959³, Camino interno dell'anima sposa dell'humanato Verbo Christo Giesù. Roma 1664, Devoti discorsi della Passione di Giesù Christo hg. von Germano Cerafogli S. Carlo da Sezze, La passione di Gesù Cristo. Roma 1960, Settenari sacri, ovvero meditationi pie per sollevare l'anima all'unione con Dio per li sette giorni della settimana. (im Anhang: Novene del Signore e della Vergine) Roma 1666, Le grandezze delle misericordie di Dio in un'anima aiutata dalla Gratia divina, Autobiografia hg. von Severino Gori Roma 1959, Raimondo Sbardella, San Carlo a Sezza. O.F.M. Opere complete. Vol I: Le Grandezze delle Misericordie di Dio. Libri I-V Roma 1963.

Lit.: Antonio M. da Vicenza, Vita del B. Carlo da Sezze, Venezia 1881; — Jacques Heerinckx, Les écrits du B. Charles de Sezze, in: Archivum Franciscanum Historicum XXVIII (1935) 324-334, XXIX (1936) 55-78; — Ders., Ariditas spiritualis secundum B. Carolum a Setia, in: Antonianum XI (1936) 319-350; — Ippolito Rotoli, Itinerario mistico del B. Carlo da Sezze, Roma 1943; — Severino Gori, Scintille serafiche. Florilegio di massime e pensieri del beato carlo da Sezze, O.F.M. raccolti e annotati, Roma 1957; — Vincenzo Venditti, Santo Carlo da Sezze, Torino 1958; — Ders., I Canti spirituali di San Carlo da Sezze, mistico nel seicento. Studi e testo con presentazione del prof. Natalino Sapegno. Torino 1959; — Raimondo Sbardella, La Madonna nella vita di Santo Carlo da Sezze, in: Rivista di vita spirituale XIII (1959) 172-209; — Ders., Santo Carlo da Sezze direttore spirituale, in: Rivista di ascetia e mistica IV (1959) 408-434; — Ders., Influsso della devozione alla Madonna nella vita interio di S. Carlo da Sezze (1613-1670), in: Maria et Ecclesia VI Roma 1959, 475-501; — Carlo da Sezza, in: Vita Minorum XXX (1959) 1-64 (Sondernummer anlässlich der Heiligsprechung von K.); — Severino Ragazzini, Maria vita dell'anima, Roma 1960; — Raphael Brown, The wounded heart. St. Charles of Sezze Franciscan brother, Chigago 1960; — Oktavian von Rieden, Verpflichtendes

Erbe. Zur geistlichen Lehre des Hl. Karl von Sezze, in: Sankt Fidelis XLVII (1960) 281-298; — Severino Gori, Santo Carlos da Sezze, Maestro e modello di vita interio, in: Spirito e vita II 1960; — Ders., La fisionomia spirituale di Santo Carlo da Sezze, in: Studi Francescani LVII (1960) 171-198; — Ders., Santo Carlo da Sezze scrittore mistico, in: Studi Francescani LVIII (1961) 211-263; — Sylvester de Munter, Mij viel alle goed ten deel, Sint-Truiden 1961; — Severino Gori, Per l'edizione critica delle »Opere complete« di Santo Carlo da Sezze, in: Studi Francescani LIX (1962) 3-23; — Raimondo Sbardella, San Carlo da Sezza. O.F.M. Opere complete. Vol I: le Grandezze delle Misericordie di Dio. Libri I-V Roma 1963, Bibliographie 15-37; — Severino Gori; — Carlo da Sezze, in: Bibliotheca Sanctorum III Roma 1963, Sp. 801-810.

Walter Troxler

KARL III. König v. Spanien (1759-1788), * am 20.1. 1716 in Madrid als erstes Kind des Philipp V. und der Elisabeth Farnese, † in Madrid am 14.12. 1788. — An der Seite seiner Mutter war K. bereits von 1732 bis 1734 Herzog von Parma, bis er 1735 nach dem Ende des Polnischen Thronfolgekrieges als Karl IV. König des bis dahin zum Besitz Österreichs gehörenden süditalienischen Königreichs Neapel-Sizilien wurde. Bereits hier trat K. als Reformer in Erscheinung. Nach dem Tod seines Halbbruders Ferdinand VI. (1759) wurde der Bourbone K. König von Spanien. Die Krone von Neapel-Sizilien gab er daraufhin an seinen dritten Sohn Ferdinand I. weiter. K. unterstützte entsprechend dem bourbon. Familienpakt (August 1761) Frankreich erfolglos sowohl politisch als auch militärisch im siebenjährigen Krieg und im nordamerikanischen Unabhängigkeitskrieg. Zu den zahlreichen innenpolitischen Reformen, die K. durchführte in der Absicht, Macht und Ansehen Spaniens zu stärken, gehörten seine vehementen Versuche, die Kirche der Krone unterzuordnen. Dies führte zu Konflikten mit dem Jesuitenorden als Exponent der päpstlichen Macht in Spanien. 1766 wurden die Jesuiten von K. beschuldigt, den sog. »Madrider Hutaufstand« ausgelöst zu haben. Ein Jahr darauf vertrieb er die Gesellschaft Jesu aus Spanien und war schließlich maßgeblich beteiligt an ihrer erzwungenen Auflösung durch Clemens XIV. im Jahre 1773. K. war als Vertreter eines aufgeklärten Absolutismus überzeugt von seiner Aufgabe, Spanien als

Weltmacht zu restaurieren. Er legte großes Augenmerk auf die Erhaltung der Kolonien und seine zahlreichen administrativen Reformen hatten das Ziel, die Voraussetzungen für ein Prosperieren der span. Industrie und des Handels zu schaffen. Hier war K. erfolgreicher als in seinen außenpolitischen Unternehmungen. Unter seinem Königtum kam es tatsächlich zu einem Aufschwung, und als K. starb, hinterließ er ein in kultureller und wirtschaftlicher Hinsicht gesundetes Land.

Lit.: J. Sempere y Guarinos, Ensayo de una biblioteca de los mejores escritores del reinado de Carlos III., Madrid 1785-1789 (repr. 1969); — A. Ferrer del Río, Historia del reinado de C. en España, Madrid 1856; — M. Danvila y Collado, El reinado de C., 6 Bde., Madrid 1891-1896; — C. de Fernán, Vida de C., Madrid 1898; — F. Rousseau, Regné de C. d'Espagne, Paris 1907; — V. Palacio Atard, El tercer Pacto de Familia, Madrid 1945; — V. Rodríguez Casado, Politica marroqui de C., Madrid 1946; — Ders., La Iglesia y la Estada en el reinado de C. (Estudios Americanos I), Sevilla 1947; — Ders., La politica interior de C., Valladolid 1950; — Ders., La politica y los politicos en el reinado de C., Madrid 1962; — C. Eguia, Los Jesuitas y el motin de Esquillache, Madrid 1947; — R. Herr, The Eighteenth-Century Revolution in Spain, Princeton 1958; — J. Lynch, Spanish Colonial Administration 1782-1810, London 1958; — L. Sala Balust, Visitas y reforma de los colegios mayores de Salamanca en el reinado de C., Valladolid 1958; — R.J. Shafer, The Economic Societies in the Spanish World 1763-1821, Syracuse, N.Y. 1958; — J. Marias, La España posible en tiempo de C., Madrid 1963; — P. Valtes, C. y su Tiempo, Barcelona 1964; — Ch. Petrie, C., An Enlighted Despot, London 1971; — F. Bravo Morata, C. y su tiempo, Madrid [4] 1972; — M. Arribas Palau, Honras fúnebras en la misión franciscana de marruescos a la muerte de C., in: Archivo ibero-americano 37 (1977), 259-261; — H. E. Latour, Die span. Bourbonen: K., in: Geschichte 25 (1978), 22-27; — L. Domergue, Censure et lumières dans l'Espagne de C., Paris 1982;.- A.J. Kuethe, The Esquillache Government and the Reforms of C. in Cuba, in: Jahrbuch für Gesch. von Staat, Wirtschaft u. Gesellschaft 19 (1982), 117-136; — R. Escobeda Mansilla, Las reformas de C. y la reestructuracion de la hacienda americana, in: Quinto centenario 8 (1985), 61-81; — E.A. Perez Memen, Las reformas anticlericales de C. y sus efectos en Santo Domingo, in: Academia de ciencias de la Republica Dominicana, Anuario 9 (1985), 257-294; — P. Feijoo, El ayuntamiento de Bilbao y su respuesta a los intentos reformistas de C., in: Letras de deusto 18 (1988), 125; — A.E. Perez Sanchez, C., Collecionista, in: Boletin de la institucion libre de ensenanca 2 (1988), 23-45; — D. Peribanez Caveda, La libertad de comercio con America y el establecimiento de las bases del trafico ultra marino en el puerto de Gijon durante el reinado de C., in: Moneda y credito 186 (1988), 41-56; — I. Pinedo, Los escrupulos de C. en su actuacion politica frente a la santa sede, in: Letras de deuste 18 (1988), 33; — L. Lira Mont, Caballeros chilenos en la orden de C., in:

Hidalguida 37 (1989), 83-118; — E. Zuleta Alvarez, C. y la ilustracion en America, in: Razon Española 11 (1989), 41-62; — Diccionario de Historia de España I, 703-706; — LThK² V, 1361f..

Michael Tilly

KARL *von Villers*, OCist, bürgerlich Karl von Sayn auch Seyn; * in Köln, erstmals erwähnt 1184, † 29. Januar 1215 Abtei St. Agatha in Lanaken (Belgien), Gedenktag 29. Januar/Ocist 15. März. — Der aus vornehmem Haus - möglicherweise von den Grafen von Sayn - stammende K. wurde vom Erzbischof von Köln, Philipp v. Heinsberg, auf dem Hoftag zu Mainz zu seinem Beschützer ernannt. Müde des weltlichen Lebens trat er 1185 ins Zisterzienserkloster Himmerod (Eifel) ein. 1188 wechselte er in das neugegründete Kloster Heisterbach über, wo er Prior wurde. Das Kloster Villers wählte K. um 1197 zu seinem Abt, was er bis 1209 blieb und ihm den Beinamen eintrug. Unter ihm wurden in Villers Dormitorien und Werkstätten gebaut und der Bau einer neuen Kirche begonnen. Er trat als Vermittler auf im Streit zwischen Heinrich von Brabant und Bischof Hugo von Lüttich. Bei Fürsten und auch bei König Heinrich VI. stand der in hohem Ansehen. Neben seinem Auftreten in der Politik, dem wirtschaftlichen Aufschwung in Villers hat sich K. auch tatkräftig für das zisterziensische Ideal eingesetzt. Nach der Niederlegung der Abtwürde wollte er in Himmerod als einfacher Mönche leben, wurde aber nach einem Jahr als Abt in das vom Verfall bedrohte Kloster St. Agatha gerufen, wo er 1215 verstarb.

Lit.: Vita Caroli zwischen 1219 u. 1231, ed. von Georg Waitz in: MGH SS XXV, 220-226; — Acta Sanctorum Januarii II Venezia 1734, 976-980; — Acta Sanctorum (Bollandius) Januarii III Paris 1863, 591-595; — Edouard de Moreau; — L'abbaye de Villers-en-Brabant aux 12e et 13e siècle. Etude d'histoire religieuse et économique, Bruxelles 1909, 40-50, Stephan Steffen, Der selige Karl von Sayn, in: Studien und Mitteilungen aus dem Benedictiner- und Cisterzienserorden XXX (1909) 327-345, 520-541; — Alphons-Maria Zimmermann, Kalendarium benedictinum I Metten 1933, 141 ff.; — Seraphin Lenssen, Hagiologium cisterciense II Tilburg 1950, 65 f.; — Simone Roisin, L'hagiographie cistercienne dans le diocèse de Liège au 13e siècle, Louvain-Bruxelles 1947, 30-32; — Georges Despy, Inventaire des Archives de l'abbaye de Villers (Inventaires analytiques des Archives ecclésiastiques du Brabant, 1ª serie: Abbaye et Chapitres, I) Bruxelles 1959; — Dictionnaire d'histoire et géographie ecclésiastique XII Paris 1953, Sp. 536; — Bibliotheca Sanctorum III Roma 1963, Sp. 810-812; — NDB XI Berlin 1977, 270; — Otto Wimmer, Hartmann Melzer, Lexikon der Namen und Heiligen Innsbruck-Wien-München 1982[4], 479-480.

Walter Troxler

KARLMANN, fränkischer Hausmeier, * vor 714 als ältester Sohn Karl Martells, † 17.8.754 in Vienne. — K. wurde in einem Kloster erzogen. Durch Karl Martells Reichsteilung von 741 fiel ihm das Hausmeieramt über Austrasien, Alemannien und Thüringen zu. Er regierte in politischer Übereinstimmung mit seinem Bruder Pippin, der im Westen des Frankenreiches amtierte. Ihr Halbbruder Grifo erhob Erbansprüche, wurde aber in Laon besiegt und gefangengenommen. Weitere Aufstände wurden durch Karl Martells Tod ausgelöst, aber bald niedergeschlagen. 742 besiegten K. und Pippin Aquitanien und bekräftigten die Reichsteilung. 742 griff K. in Alemannien ein und löste 744 das dortige Herzogtum auf. 743 ließ er den Merowinger Childerich III. (743-751) zum bedeutungslosen König erheben, um dem Widerstand Bayerns unter Herzog Odilo gegen die Karolinger entgegenzuwirken. 743 besiegte K. Odilo, der 744 die fränkische Oberhoheit anerkannte, um sein Herzogtum zu behalten. 743 begann K. mit der politischen Unterwerfung und zwangsweisen Bekehrung der Sachsen. 746 schlug er einen letzten Aufstand der Alemannen bei Cannstatt blutig nieder. 747 dankte er ab und stellte den Nachfolger, seinen Sohn Drogo, unter Pippins Vormundschaft. — Schon von Beginn seiner Regierungszeit an unterstützte K. die Kirchenreform des Bonifatius; Kirchen und Klöster erhielten Schenkungen, Synoden wurden wieder eingeführt. Die erste austrasische Synode, das »Concilium Germanicum«, wurde 742 von K. berufen und geleitet. Es stellte Bonifatius an die Spitze der austrasischen Kirche. Die Kirchenzucht wurde verschärft, und das unter Karl Martell eingezogene Kirchengut sollte an die Kirche zurückgegeben werden. Auf der zweiten austrasischen Synode mußte die Rückerstattung aber eingeschränkt werden, da K. politisch auf die mit dem Kirchengut belehnten Vasallen angewiesen war. 747 ging K. nach Rom, wo ihn Papst Zacharias in den Mönchsstand aufnahm.

K. gründete auf dem Soracte bei Rom das Silvesterkloster. Um 750 siedelte er zum Montecassino über, um fränkischen Rompilgern auszuweichen; dort legte er das Mönchsgelübde ab. K. scheiterte, als er zwischen 749 und 751 einen Aussöhnungsversuch zwischen Pippin und Grifo unternahm. Auf Geheiß seines Abtes, den der Langobardenkönig Aistulf dazu bestimmte, reiste K. 754 ins Frankenreich, um ein Bündnis zwischen Papst Stephan II. (s.d.) und Pippin gegen die Langobarden zu verhindern. Das Unternehmen scheiterte und K. wurde im Kloster Vienne festgehalten. — K.s Bedeutung ist vor allem in der durch ihn ermöglichten Kirchenreform zu sehen, die das Ostfrankenreich eng mit Rom verband und der Unterordnung der ostfränkischen Kirche unter das Papsttum vorarbeitete. Seine vorzeitiges Abdanken als Hausmeier führte dazu, daß seine Linie keine Herrscher mehr hervorbrachte und die Karolingerherrschaft von seinem Bruder Pippin fortgesetzt wurde, dessen Sohn Karl später »der Große« genannt werden sollte.

Lit.: MG DD I(Diplomatum Karolinorum), 102 f.; — MG Epp. III, 309-312, 325-327, 467 f. (Epp. selectae); MG LL II (Capitularia Regum Francorum), I, 24-28; — MG LL II (Concilia), II, 1, 1-4; — MG SS II (rerum merovingicarum II), bes. 179-181; — Chronicarum quae dicuntur Fredegarii continuationes (Die Fortss. der Chroniken des sog. Fredegar), in: Ausgew. Qu. zur dt. Gesch. des MA.s, Frhr. vom Stein-Gedächtnisausg. IVa, 1982,. 292-297; — Ebd., Bonifatii Epestulae (Briefe des Bonifatius), IVb, 1968, 142 ff.; — Ebd., Willibaldi Vita Bonifatii (Willibalds Leben des Bonifatius), IVb, 1968, 502-508; — Ebd., (Zum Concilium Germanicum), IVb, 376-381; — Heinrich Hahn, Jbb. des fränk. Reiches 741-752) Jbb. der dt. Gesch. III), 1863; — Ludwig Oelsner, Jbb. des fränk. Reiches unter König Pippin (Jbb. der dt. Gesch. IV), 1871, bes. 50-66, 106-117; — Gustav Richter, Ann. des fränk. Reiches im Zeitalter der Merovinger (Ann. der dt. Gesch. im MA), 1873, 201-213; — Georg Waitz, Dt. Verfassungsgesch. III, Die Verfassung des fränk. Reichs, 1883[2], 1954[3], 32-48; — Engelbert Mühlbacher, Die Regg. des Kaiserreichs unter den Karolingern 751-918, nach Johann Friedrich Böhmer, 1880[1], 1908[2], 21-27, Nachdr. 1966; — Carl Rodenberg, Pippin, K. und Papst Stephan II (Hist. Studd. 152), 1923, Nachdr. Vaduz 1965; — Rudolf Kapff, Der Cannstatter Gerichtstag v. J. 746, in: Bll. f. Württemberg. Kirchengesch. 45, 1941, 1-8; — Theodor Schieffer, Winfrid-Bonifatius und die christl. Grundlegung Europas, 1954, 186-275, Neudr. 1972, 1980, s. S. 333-335; — Georgine Tangl, Die Sendung des ehemal. Hausmeiers K. in das Frankenreich im Jahre 754 und der Konflikt der Brüder, in: Qu. u. Forschungen aus Italien. Archiven und Bibliotheken 40, 1960, 1-42; — L. Machielsen, De Indiculus superstitionum et paganiarum (742-754). Een capitulare van Karloman of Pepijn de Korte, in: Leuvense Bijdragen 51,

arnulfingischen Hausmeier, in: Arch. f. Diplomatik 11/12, 1965 f., 241-243, 275-277; — Walter Mohr, Fränk. Kirche und Papsttum zwischen K. und Pippin,. 1966; — (Zur Vermittlung zwischen Grifo ud Pippin) Hartmut Hoffmann, Die älteren Abtslisten von Montecassino, in: Qu. und Forschungen aus italien. Archiven und Bibliotheken 47, 1967, bes. 338-346; — Walter Albach, Hausmeier K. und die erste Nennung Michelstadts, in: Odenwald 17, 1970, 43-47; — Irene Haselbach, Aufstieg und Herrschaft der Karlinger in der Darst. der sog. Annales Mettenses priores. Ein Beitr. zur Gesch. der polit. Ideen im Reiche Karls d. Gr. (Hist. Studd. 412), 1970, 97-111; — Dieter Riesenberger, Zur Gesch. des Hausmeiers K., in: Westfälische Zschr. für vaterländ. Gesch. und Altertumskunde, 120, 1970, 271-285; — Karl Heinz Krüger, K.s Eintritt in den geistl. Stand im Jahre 747, in: Ders., Königskonversionen im 8. Jh., in: Frühma. Studd. 7, 1973, 183-202; — Kurt-Ulrich Jäschke, Die Gründungszeit der mitteldt. Bistümer und das Jahr des Concilium Germanicum, in: Festschr. für Walter Schlesinger II, 1974, 71-136 (Mitteldt. Forschungen 74/II); — Heinz Joachim Schüssler, Die fränk. Reichsteilung von Vieux-Poitiers (742) und die Reform der Kirche in den Teilreichen K.s und Pippins. Zu den Grenzen der Wirksamkeit des Bonifatius, in: Francia 13, 1985 (1986), 47-112 = Diss. Mannheim 1974: Die fränk. Reichsteilung von 742 und das Wirken des Bonifatius in den Teilreichen K.s und Pippins; — Pierre Riché, Les Carolingiens. Une famille qui fit l'Europe, Paris 1983, dt.: Die Karolinger. Eine Familie formt Europa, 1987, 74-84; — Alain Dierkens, Note sur un acte perdu du maire du palais Carloman pour l'abbaye Saint-Médard de Soissons, in: Francia 12, 1984, 635-644; — Hauck I (1958), 479-540; — Gebhardt-Grundmann I^9, 159-161, 837; — Biogr. Wörterb. zur dt. Gesch. II^2, 1974, 1449; — ADB XV, 395-397; — NDB XI, 272-274; — DHGE XI, 1058-1060; — LThK V, 1362 f.; — Jakob Torsy, Der große Namenstagskalender, 1976, 1985^{10}, 237; — Wimmer, 1988^6, 480.

Frank Reiniger

KARLSTADT, Andreas *von Bodenstein*, Reformator, * ca. 1480 in Karlstadt am Main, † 24.12. 1541 in Basel. — K. immatrikulierte sich im Wintersemester 1499/1500 an der Universität Erfurt und schloß 1502 mit dem Baccalaureat ab. Es folgten Studien an der neu gegründeten Universität Köln, wo er sich in die streng thomistische »Bursa montana« aufnehmen ließ, wie dies wenige Jahre später (1519) etwa auch der nachmalige Zürcher Reformator Heinrich Bullinger tat. Ab 1504/05 war K. als philosophischer Lehrer an der ebenfalls neu gegründeten Universität Wittenberg tätig. Er suchte dabei wiederholt die Nominalisten, vor allem Ockham, zu widerlegen. 1508 erhielt K. ein niederes Kanonikat und 1510 bereits das Archidiakonat an dem der Universität inkorporierten Allerheili-

genstift. 1512 promovierte er als Dekan der Universität den damals 29jährigen Luther. Er reiste 1515, fünf Jahre nach Luther, nach Rom, erlangte dort den Doktor beider Rechte und kehrte, Luther ähnlich, enttäuscht über die säkularisierten Verhältnisse in der Kapitale der Christenheit nach Wittenberg zurück. In der Folgezeit distanzierte er sich vom Thomismus, gelangte durch die Lektüre einer Schrift des Generalvikars Johann v. Staupitz zu einer »bekehrungsartigen Wendung« (E. Kähler), beschäftigte sich intensiv mit Augustin und stieß unabhängig von Luther zum Schriftprinzip vor. Auf Ecks angriffige »Obelisci« gegen die 95 Thesen Luthers antwortete K. 1518 mit einer umfangreichen Thesensammlung. Im folgenden Jahr kreuzten K. und Luther auf der Disputation zu Leipzig mit Johannes Eck die Klingen. K. und Eck rangen um das Verhältnis von Glaube und Werken, Luther seinerseits stellte die Autorität des Papsttums und der Konzilien in Frage. 1518-21 publizierte K. eine Flut von Traktaten, in denen er immer wieder das Schriftprinzip und das Unwesen des Ablaßhandels thematisierte. Nachdem Luther am 4. Mai 1521 von seinem Landesherrn in Schutzhaft genommen worden war, folgte K. einem Ruf König Christian II. nach Dänemark, um dort im Sinne der Reformation zu wirken. Bereits im Juni aber mußte K. dem Widerstand der Geistlichkeit und des Adels weichen und versuchte zusammen mit Zwilling und Melanchthon die Reformation in Wittenberg voranzutreiben. K. suchte dabei stets im Einvernehmen mit der Oberbehörde der Stadt Wittenberg und im Geiste Luthers tätig zu sein. Man tut ihm deshalb unrecht, ihn wegen seines späteren Schicksals als Schwärmer oder Umstürzler zu bezeichnen. Um den Wirren, den endlosen Diskussionen und Unentschlossenheiten seiner Zeitgenossen entgegenzuwirken, rang sich K. durch, die Reformen konsequent und unter Voranstellung des eigenen Beispiels durchzusetzen. Den Anfang signalisierte er im Weihnachtsgottesdienst von 1521, den er ohne Priestergewand, unter Austeilung des Herrenmahles sub utraque specie und in deutscher Sprache abhielt. Im Januar 1522 heiratete er die Adlige Anna v. Mochau, führte das Vermögen aus Stiftungen, Bruderschaften und Klöstern der Armenpflege zu und nahm die Beseitigung der Bilder in Angriff.

Als Luther im März 1522 nach Wittenberg zurückkehrte, tadelte er K. massiv und erklärte etliche Reformen für ungültig und verfrüht. K. antwortete mit einer bissigen Schrift gegen Luther, worauf der Zwist zwischen den beiden, der ursprünglich kein theologischer sondern ein strategischer war, nicht mehr zur Ruhe kommen sollte. 1523/24 kehrte er Luther und der akademischen Tätigkeit den Rücken zu und widmete sich als Pfarrer ganz seiner Gemeinde im sächsischen Orlamünde. Er legte dabei den Doktortitel ab, verzichtete auf geistliche Kleidung, ließ Bilder und Orgeln entfernen, verwarf die Kindertaufe und bestritt die Realpräsenz Christi im Abendmahl. Auf Kaspar Glotzens, Rektor der Universität Wittenberg, und Luthers Betreiben hin, wurde K. im September 1524 schließlich aus Sachsen vertrieben. Während er sich 1524/25 vornehmlich in Rothenburg aufhielt, ließ sein Schwager, Gerhard Westerburg, sieben Abendmahlstraktate K.s im Druck erscheinen, die den großen Abendmahlsstreit zwischen Luther und Zwingli einleiteten. Nach der Niederringung des Bauernaufstandes abermals auf der Flucht, erwirkte ihm Luther auf Widerruf seiner Abendmahlslehre hin politisches Asyl in Sachsen. Nach abermaligen Meinungsverschiedenheiten mit Luther über Zwingli und Oekolampad flüchtete K. 1529 nach Holstein und Ostfriesland, wo er mit dem Täuferführer Melchior Hofmann zusammentraf. 1530 vor Graf Enno erneut auf der Flucht, gelangte er nach Basel und Zürich. Zwingli verschaffte ihm zunächst die Stelle eines Diakons im Stadtspital und 1531 eine Pfarrstelle in Altstätten, im Kanton St. Gallen. Nach dem Tod Zwinglis in der Schlacht von Kappel 1531, mußte K. die Gemeinde wieder verlassen. 1534 empfahl ihn schließlich der Zürcher Antistes Heinrich Bullinger als Professor und Pfarrer an die Peterskirche nach Basel, wo er am 24. Dezember 1541 der Pest erlag.

Werke: Neudrucke einzelner Schriften in: V. W. Löscher, Vollst. Reformationsacta, 3 Bde., Leipzig, 1720 ff., Bd. 2; K. A. Credener, Zur Gesch. des Canons, 1847, 316-412; E. Labes, Eine ungedr. Rechtfertigungsschrift A. B. v. K.s, in Betreff der Abendmahlslehre gerichtet an den Kanzler Brück in Weimar, aus dem Sächsisch-Ernestinischen Communararchiv in Weimar, in: ZS f. wissenschaftl. Theologie 7, 1864, 99-112; O. Seitz, Der authentische Text der Leipziger Disputation, 1903; Paul Wernle, Ein Traktat K.s unter dem Namen Valentin Weigels (Was gesagt ist, sich gelassen und was das Wort Gelassenheit bedeutet), in: ZS f. KG 24, 1903, 319 f.; Von Abtuhung der Bilder und das keyn Bedtler unther den Christen seyn sollen, hrsg. v. H. Lietzmann, Kleine Texte für theol. und philos. Vorlesungen und Uebungen Nr. 74, 1911; Ernst Kähler, A. B. v. K. und Augustin, Der Kommentar des A. B. v. K. zu Augustins Schrift De spiritu et litera, Einführung und Text, 1952; Ebd., Die 151 Thesen v. 26.4. 1517 und die Schrift Pro divinae defensione; K.s Schriften aus den Jahren 1523-1525, hrsg. v. E. Hertzsch, 2 Bde., 1956 f.; K.s Battle with Luther: Documents in a Radical-Liberal Debate, hrsg. v. Ronald J. Sider, 1977; Briefe bei: Olearius Scrinium antiquarium, Halae 1671; Die Amerbach-Korrespondenz, hrsg. v. A. Hartmann, Bd. 3, 1947, Bd. 5, 1958. Bibliogr.: Johannes Bartholomäus Riederer, Versuch eines vollst. Verzeichnisses von A. B. v. K.s Schriften, in: J. B. Riederer, Nützliche Abhandlungen aus der Kirchen-, Bücher- und Gelehrtengeschichte 1/4, 1768 f., 473-499; E. Freys/H. Barge, Verzeichnis der gedr. Schriften des A. B. v. K., in: Zentralblatt f. das gesamte Bibliothekswesen 21, 1904, 153-179, 209-243, 305-331.

Lit.: M. Goebel, A. B. v. K. nach seinem Charakter und Verhältnis zu Luther, in: Theol. Studien und Kritiken 14, 1841, 88-114; — August Wilhelm Dieckhoff, De Carolostadio Lutheranae de servo arbitrio doctrinae contra Eckium defensore, Diss., 1850; — C. F. Jäger, A. B. v. K., 1856; — E. Hase, K. in Orlamünde, in: Mittheilungen der Geschichts- und Alterthumsforschenden Gesellschaft des Osterlandes, 1858, 42-125; — Th. Kolde, K. und Dänemark, in: ZS f. KG 8, 1886, 283-291; — Dietrich Schäfer, K. in Dänemark, in: ZS f. KG 13, 1892, 311-318; — Emil Egli, Aus K.s Predigten in Zürich, in: Zwa 1, 1897 ff., 94-96; — Ders., K.s Lebensabend in der Schweiz, in: Zwa 2, 1905 ff., 77-82; — Gustav Bauch, K. als Scholastiker, in: ZS f. KG 18, 1898, 37-57; — Herrmann Barge, Über eine vergessene Schrift K.s (De legis litera sive carne et spiritu enarratio), in: Theol. Studien und Kritiken 74, 1901, 522-533; — Ders., K. nicht Melanchthon der Verfasser der unter dem Namen des Bartholomäus Bernhardi von Feldkirch gehenden Schrift Apologia pro Bartholomeo Praeposito, in: ZS f. KG 24, 1903, 310-317; — Ders., Zur Chronologie und Drucklegung der Abendmahlstraktate K.s., in: Zentralblatt für Bibliothekswesen 21, 1904, 323-331; — Ders., A. v. K., 2 Bde., 1905; — Ders., Frühprotestant. Gemeindechristentum in Wittenberg und Orlamünde, 1909; — Ders., Die Übersiedlung K.s von Wittenberg nach Orlamünde, in: ZS f. Thüring. Gesch. und Altertumskunde 29, 1913, 338-350; — K. Müller, Luther und K., 1907; — Johann Trefftz, K. und Glitzsch, in: ARG 7, 1909 f., 348-350; — H. Böhmer, K. im Tirol?, in: ARG 9, 1911 f., 274-276; — Walter Friedensburg, Der Verzicht K.s auf das Wittenberger Archidiakonat und die Pfarre in Orlamünde, in: ARG 11, 1914, 69-72; — Martin Wähler, Die Einführung der Reformation in Orlamünde. Zugl. ein Beitrag zum Verständnis von K.s Verhältnis zu Luther, 1918; — Erich Hertzsch, K. und seine Bedeutung für das Luthertum, 1932; — Ders., Luther und K., in: Luther in Thüringen, Gabe der Thüringer Kirche an das Thüringer Volk, hrsg. v. Reinhold Jauering, 1952, 87-107; — Ernst Wolf, Gesetz und Evangelium in Luthers Auseinandersetzung mit den Schwärmern, in: Evang. Theologie 5, 1938, 96-109; — Ernst Kähler, Ein übersehenes Lutherfragment, Theol. Literaturzeitung 75, 1950, 170 f.; — Ders., K.s Protest gegen die theol. Wissenschaft, in: 450 Jahre Martin Luther Universität Halle - Wittenberg, Bd. 1, 1952, 299-312; — Ders., Beobachtungen zum Problem von Schrift von Tradition in der Leipziger Disputation von 1519, in: Hören und Handeln, Festschr. für Ernst Wolf, hrsg. v. Helmut Gollwitzer, 1962, 214-269; — Ders., Nicht Luther sondern K., in: ZS f. KG 82, 1971, 351-360; — Gerhard Fuchs, K.s radikal-reformatorisches Wirken und seine Stellung zwischen Müntzer und Luther, in: Wissenschaftl. ZS der Martin Luther Universität Halle - Wittenberg, Gesellschafts- und Sprachwissenschaftl. Reihe 3, 1954, 523-551; — Jaroslav Pelikan, A review of Ernst Kähler's K. und Augustin, in: ARG 45, 1954, 268; — Gordon Rupp, A. K. and Reformation Puritanism, in: Journal of Theological Studies 10, 1959, 308-326; — Ders., Patterns of Reformation, 1969; — Friedel Kriechbaum, Grundzüge der Theologie K.s, 1967; — Heiko Obermann, Wittenbergs Zweifrontenkrieg gegen Prierias u. Eck: Hintergrund u. Entscheidung des Jahres 1518, in: ZS f. KG 80, 1969, 331-358; — Ronald J. Sider, K. and Luther's Doctorate, in: Journal of Theological Studies 22, 1971, 168 f.; — Ders., K.s Orlamünde Theology: A Theology of Regeneration, in: Mennonite Quarterly Review 45, 1971, 191-218, 352-376; — Ders., A. B. v. K.: The Development of His Thought, 1517-1525, 1974; — Ulrich Bubenheimer, Consonantia theologiae et iurispridentiae; — Ders., A. B., v. K. als Theologe und Jurist zwischen Scholastik und Reformation, 1977; — Ders., Gelassenheit und Ablösung, eine psychohistorische Studie über A. B. v. K. und seinen Konflikt mit Martin Luther, in: Beiträge zur Gesch. der Stadt Karlstadt und des Umlandes 4, 1981; — Erwin Mühlhaupt, K.s »Fuhrwagen«, eine frühreformatorische »Bildzeitung« von 1519, in: Luther, ZS der Luther-Gesellschaft 50, 1979, 60-76; — Ders., A. B. v. K., 1480-1541, in: Festschr. der Stadt Karlstadt zum Jubiläumsjahr 1980, hrsg. v. Wolfgang Merklein, 1980; — Calvin A. Pater, K. as the father of the Baptist movements: the emergence of lay Protestantism, 1984; — H. P. Rüger, K. als Hebraist an der Universität Wittenberg, in: ARG 75, 1984, 297-308; — Sigrid Looss, Radical Views of the Early K. (1520-25), in: Radical Tendencies in the Reformation, 1988, 43-54; — ADB III, 8 ff.; — LThK V, 1363 f.; — NDB II, 356 f.; — RGG III, 1154 f.; — TRE X, Leipzig 1901, 73 ff.

Urs Leu

KARL THEODOR von Pfalz-Bayern, seit 1742 Kurfürst der Pfalz und seit 1777 auch Kurfürst von Bayern, * 11.12. 1724 auf Schloß Droogenbosch b. Brüssel als ältestes Kind des Pfalzgrafen Johann Christian v. Sulzbach und seiner Gemahlin Maria Anna Henriette de la Tour d'Auvergne, † 16.2. 1799 in Schloß Nymphenburg/München, bestattet in der Theatinerkirche (St. Cajetan) in München. — Ursprünglich nicht zur Thronfolge bestimmt, verbrachte K.Th. die ersten neun Jahre seines Lebens überwiegend in der Obhut seiner Urgroßmutter in Brüssel. Durch den frühen Tod seines Onkels wie auch seines Vaters zum Erben der Kurpfalz aufgerückt, ließ ihn sein Vormund, Kfst Karl Philipp von der Pfalz, 1734 nach Mannheim holen und ihn von Jesuiten sorgfältig für seine zukünftigen herrscherlichen Aufgaben erziehen. Zur Vervollständigung seiner Ausbildung wurde er zu einem 2-jährigen Studium der Rechts-Staats- und Geschichtswissenschaft an die Universitäten von Löwen und Leiden geschickt. Nach seiner Rückkehr 1741 vorzeitig für volljährig erklärt, konnte K. Th. durch die Regierungsübernahme in den ihm von seinen Eltern vererbten Ländern Sulzbach und Bergen-op-Zoom erste praktische Erfahrungen in der Regierungsarbeit sammeln. Dazu trat nun ergänzend der - von ihm zeitlebens nicht geschätzte - Militärdienst. 1742 heiratete er seine Kusine Elisabeth Auguste, älteste Enkelin des Kfst. Karl Philipp v. d. Pfalz. Als dieser Ende 1742 starb, trat K. Th. gut vorbereitet die Regierungsnachfolge an. Außenpolitisch dem von seinem Vorgänger eingeschlagenen frankophilen Kurs folgend, gelang es K. Th. durch vorsichtiges Lavieren zwischen den Mächten, die Pfalz weitgehend aus den Kriegshandlungen im Österreichischen Erbfolgekrieg wie auch im Siebenjährigen Krieg herauszuhalten und dem wirtschaftlich stark geschwächten Land zur dringend benötigten Ruhepause für eine Neuorientierung zu verhelfen. Die innenpolitischen Bemühungen K. Th.'s galten einer gründlichen Reform der Pfalz und der niederrhein. Besitzungen im Sinne des aufgeklärten Absolutismus. Sein Konzept umfaßte nicht nur Maßnahmen zur Hebung der wirtschaftlichen Leistungskraft des Landes, zur Verbesserung von Justiz und Verwaltung, zur Neuordnung des Sozialwesens, zur Abschaffung des Ämterkaufes, sondern ebenso die gezielte Förderung öffentlicher Bildungseinrichtungen, die staatliche Zusicherung des freien Religionsexercitium für die überwiegend protestantische Mehrheit seiner Untertanen und ein engagiertes großzügiges Mäzenatentum gegenüber Wissenschaft und Künsten. Dauernder Erfolg war nur dem kulturpolitischen Teil dieses Reformprogramms beschieden, mit dessen Verwirklichung die bedeutendsten Leistungen K. Th.'s verbunden sind, u.a. Gründung der Mannheimer Akademie der Wissenschaften 1763 mit dem Gelehrten J. D. Schöpflin an der Spitze und Voltaire unter den

Ehrenmitgliedern, die Einrichtung einer öffentlichen wissenschaftlichen Bibliothek und des Collegium Anatomico-Chirurgicum in Düsseldorf, Förderung der 1775 gegründeten »Deutschen Gesellschaft« für deutsche Sprache und Literatur, Neudotierung der Heidelberger Universität sowie erstmalig die Gründung eines deutschen Nationaltheaters in Mannheim. Alle Bereiche der bildenden Kunst profitierten von seinem fürstl. Repräsentationsbedürfnis, das sich in prachtvollen Schloßbauten und Gartenanlagen (Schwetzingen, Mannheim, Benrath und Schloß Jägerhof b. Düsseldorf), einer intensiven eigenen Sammlungstätigkeit (Aufbau einer Hofbibliothek, Begründung eines Kupferstich- und Zeichnungskabinettes, eines Antikensaals, Erweiterung des Gemäldebestandes) und der Schaffung eines weithin berühmten Hoforchesters manifestierte und Mannheim zum Mittelpunkt einer glanzvollen Hofhaltung und, überregional zu einem der bedeutenderen kulturellen Zentren des 18. Jhs. aufsteigen ließ. — 1777 starb Kfst. Max III. Joseph von Bayern ohne direkten Erben, und K. Th. trat - entsprechend der für diesen Erbfall schon früher geschlossenen wittelsbachischen Hausverträge - nun auch die Regierungsnachfolge in Bayern an, mit München als neuer Residenz des gesamten niederrhein.-pfälz.-bayr. Territorienkomplexes. Wie bereits vorher in der Pfalz, versuchte K. Th. in seinen ersten bayr. Regierungsjahren mit weitreichenden und umfassenden Reformen den Bedürfnissen des relativ rückständigen und hoch verschuldeten Landes gerecht zu werden und seine Entwicklung in zukunftsorientierte neue Bahnen zu lenken. Doch scheiterte die Realisierung vieler Maßnahmen am heftigen Widerstand der jeweils davon betroffenen Stände und zwang K. Th. zu Abstrichen und Kompromissen. Was dennoch an Erfolgen erreicht werden konnte, wie z.B. in der Landwirtschafts- und Zollpolitik, der Infrastruktur und Urbanistik, war durchaus beachtenswert und schuf vielfach die Voraussetzungen für die Gestaltung des modernen Bayerns unter K. Th.'s Nachfolger König Max I. Joseph. Große Verdienste erwarb sich K. Th. wiederum durch Förderung und Pflege von Wissenschaften - speziell der Kameralwissenschaft wie auch aller sonstigen praktischen Wissenszweige - und Künsten, die zu einem neuen Aufschwung des geistigen Lebens führten. In der Kirchenpolitik verfolgte er - beraten von K. v. Häffelin und dem Marchese T. Antici - einen eigenständigen Kurs, der die Ausweitung der Hoheitsrechte des Staates gegenüber der Kirche und deren Unterordnung unter den Staat zum Ziel hatte. Trotz vehementer Opposition des pfälzisch-bayrischen Klerus konnte K. Th. mit Unterstützung der römischen Kurie und des ihm persönlich bekannten Papstes Pius VI (s.d.), der ihn 1782 in Anschluß an eine Reise zu Kaiser Joseph II (s.d.) nach Wien sogar in München besuchte, die wichtigsten Vorhaben durchsetzen: 1781 Gründung des Malteserordens bayr. Zunge, 1785 Errichtung einer Nuntiatur in München, 1789 Einrichtung eines eigenen Münchner Hofbistums. Weiterreichende, schon auf eine Teilsäkularisation hinauslaufende und ebenfalls mit päpstlicher Billigung erfolgte Maßnahmen waren die Aufhebung der Klöster Indersdorf und Osterhofen, die zweimalige Dezimation der Geistlichkeit und 1798 die, allerdings nicht konsequent durchgeführte, Einziehung des 7. Teils des gesamten bayr. Kirchenvermögens zur Kostendeckung der Kriegslasten. Eine von ihm auch schon geplante völlige Säkularisation des Klosterbesitzes wurde durch seinen Tod und die Koalitionskriege mit Frankreich verhindert. — Das letzte Jahrzehnt seiner Regierung war außenpolitisch durch die Auseinandersetzungen mit dem revolutionären Frankreich bestimmt. K. Th. versuchte zwar, durch neutrale Haltung seinen Herrschaftsbereich aus dem Kriegsgeschehen herauszuhalten, konnte aber nicht verhindern, daß sich die Kampfhandlungen auch auf Süddeutschland ausdehnten und die linksrheinischen pfälzischen Besitzungen an Frankreich verlorengingen. Den Eintritt Pfalz-Bayerns in den 2. Koalitionskrieg 1799 auf Seiten Österreichs, Rußlands und Englands erlebte der Kfst. nicht mehr. — Die außerordentlich ungünstige Beurteilung, die K. Th. in der Geschichtsschreibung erfahren hat, gründete sich zu einem nicht geringen Teil auf seine charakterlichen wie auch menschlichen Schwächen und Unzulänglichkeiten, die seine offenkundigen Erfolge oftmals als vergleichsweise unbedeutend erscheinen ließen. Zu seinen hervorragendsten Eigenschaften gehörte das überaus generöse Engagement den Wissenschaften und

Künsten gegenüber, in das er nicht nur die entsprechenden finanziellen Mittel mit einbrachte, sondern ebenso eigenes sensibles künstlerisches Empfinden und Verständnis, einen kultivierten Geschmack. Er war umfassend gebildet, hatte größere mathematische und sprachliche Kenntnisse und spielte ausgezeichnet Flöte. Die zunächst gute Ehe mit Elisabeth Auguste blieb kinderlos und führte später zur Entfremdung beider Ehegatten. Nach dem Tod der Kfstin 1794 heiratete K. Th. die 19-jährige österr. Erzherzogin Maria Leopoldine von Modena-Este in der - allerdings vergeblichen - Hoffnung auf legitime Nachkommenschaft. Fest im katholischen Glauben wurzelnd, suchte er diesen bei seinen Untertanen nach Kräften zu fördern, wobei er aber jede religiöse Verfolgung und Gewaltanwendung ablehnte. Seine »Toleranz« gegenüber den Protestanten war von strenger Rechtlichkeit bestimmt, doch blieben sie auch weiterhin benachteiligt durch ihre fast völlige Ausschließung von allen höheren Staatsämtern. K. Th. hatte sein Herrscheramt voll Dynamik, Aufgeschlossenheit und Reformfreude angetreten, ohne sich dabei auf Dauer mit starkem Willen und Durchsetzungsvermögen behaupten zu können. Im Laufe seiner langen Regierungszeit machte sich bei ihm eine zunehmende Resignation und politisches Desinteresse bemerkbar, das ihn in immer stärkere Abhängigkeit zu seinen Beratern brachte. Nach der Aufdeckung des Geheimbundes der Illuminaten 1784 steigerte sich K. Th. in maßlose Furcht vor Verschwörungen, Existenzangst und Mißtrauen hinein und leitete mit der übertriebenen Verfolgung der Mitglieder des Bundes sowie anderer reaktionärer Maßnahmen eine Phase ein, an deren Ende sich ein Klima der Stagnation, Korruption und Ineffizienz in allen Ebenen der Regierungsarbeit ausgebreitet hatte.

Lit.: Hermann Weber, Die Politik des Kurfürsten Karl Theodor von der Pfalz während des Österreichischen Erbfolgekrieges (1742-1748), 1956 (Bonner hist. Forschungen, Bd. 6); — Karl Otmar v. Aretin, Kurfürst Karl Theodor und das bayrische Tauschprojekt, in: ZBLG 25, 1962, 745 ff.; — Meinhard Olbrich, Die Politik des Kurfürsten Karl Theodor zwischen den Kriegen (1748-1756), 1966 (Bonner hist. Forschungen, Bd 27); — Ludwig Hammermayer, Das Ende des Alten Bayern. Die Zeit des Kurfürsten Max III. Joseph (1745-1777) und des Kurfürsten Karl Theodor (1777-1799), in: Handbuch der Bayerischen Geschichte (Hrsg. v. Max Spindler) II, 1969, 985 ff.; — Peter Volk, Peter Anton Verschaffelts Bildnisbüsten des Kurfürsten Karl Theodor von der Pfalz, in: Pantheon 31, 1973, 412 ff.; — Ders., Der Bildhauer Giuseppe Ceracchi und Kurfürst Karl Theodor, in: Pantheon 36, 1980, 68 ff.; — Stephan Pflicht, Kurfürst Carl Theodor von der Pfalz und seine Bedeutung für die Entwicklung des deutschen Theaters. Die Begründung des Mannheimer und des Münchner Nationaltheaters im Zusammenhang wittelsbachischer Kultur- und Bildungspolitik im Zeitalter der Aufklärung, 1976. (Rez. v. Ludwig Hüttl, in: ZBLG 42, 1979, 206 f.; v. Peter Fuchs, in: HZ 230, 1980, 186); — Peter Fuchs, Kurfürst Karl Theodor von Pfalzbayern (1724-1799), in: Pfälzer Lebensbilder (Hrsg. Kurt Baumann) 3, 1977, 65 ff.; — Gerhart Nebinger, Die Nachkommen des Kurfürsten Carl Theodor von der Pfalz und Bayern (Pfalzbayern), in: Blätter des Bayer. Landesvereins für Familienkunde, Jg. 42, 1979, 352 ff.; — Hans Schmidt, Die Politik des Kurfürsten Carl Theodor, in: Carl Theodor und Elisabeth Auguste. Höfische Kunst und Kultur in der Kurpfalz. Ausstellung Heidelberg 1979, 9 ff.; — Henry A. Stavan, Voltaire und Kurfürst Karl Theodor, Freundschaft oder Opportunismus?, in: Voltaire und Deutschland. Quellen und Untersuchungen zur Rezeption der Franz. Aufklärung. Internat. Kolloquium der Uni Mannheim zum 200. Todestag Voltaires. Hrsg. v. Peter Brockmeier, Roland Desne, Jürgen Voss, 1979, 3 ff. (Rez. v. Heribert Raab, in: ZBLG 43, 1980, 270 f.; v. Ulrich Muhlack, in: HZ 235, 1982, 192 f.) — Hermann Bauer, Kunstanschauung und Kunstpflege in Bayern von Karl Theodor bis Ludwig I, in: (Hrsg. v. Hubert Glaser) Wittelsbach und Bayern. Ausstellung München 1980, Katalog Bd. III/1 Krone und Verfassung. König Max I Joseph und der neue Staat, 345 ff., s.a. III/2, besonders 12 f., 27 f.; — Dietmar Stutzer, Das Generalmandat von Kurfürst Karl Theodor zum bäuerlichen Besitzrecht vom 3.5. 1779. Eine Analyse seiner wirtschafts- und agrarpolitischen Ziele und seiner verfassungsrechtlichen Probleme, in: ZBLG 43, 1980, 355 ff.; — Jürgen Voss, Die Mannheimer Akademie als Zentrum kurpfälzischer Wissenschaftspflege im Zeitalter Karl Theodors. Der Antikensaal in der Mannheimer Zeichnungsakademie 1769-1803, Schriften d. Ges. der Freunde Mannheims und der ehem. Kurpfalz/Mannheimer Altertumsverein von 1859, Heft 17, 1984, 32 ff.; — Günter Ebersold, Rokoko, Reform und Revolution. Ein politisches Lebensbild des Kurfürsten Karl Theodor, 1985 (Rez. v. Hans Fenske, in: Pfälzer Heimat 36, 1985, 143.; v. Egon Johannes Greipl, in: ZBLG 49, 1986, 228f.).; — Stefan Mörz, Kurfürst Karl Theodor - ein toleranter Herrscher? Katholischer Fürst in protestantischem Land, in: Pfälzer Heimat 37, 1986, 68 ff.; — Ders., Kurfürst Karl Theodor, Persönlichkeit und Regierungsweise. Die Pfälzer Zeit (1742-77), (Diss. Masch. Mainz) 1988; — Carl Theodor und Elisabeth Auguste. Höfische Kunst und Kultur in der Kurpfalz. Ausstellung Heidelberg 1979.; — Kurfürst Carl Theodor zu Pfalz, der Erbauer von Schloß Benrath. Ausst. Kat. des Stadtgeschichtl. Museums Düsseldorf 1979/80; — Zeichnungen aus der Sammlung des Kurfürsten Carl Theodor. Staatl. Graphische Sammlung München, Ausstellung 1983. — ADB XV, 250 ff.; — NDB XI, 252 ff.; — Biogr. Wb. z. dt. Gesch. II, 1435 f.; — LThK V, 1364 f; — Kosch, KD II, 2013 f.

Ingrid Münch

KARMIRIS, Johannes, führender zeitgenössischer griech. Theologe, Mitgl. der Athener Akademie der Wiss., * 1904 in Brallos (Mittelgriechenland). — Nach Theologieabschluß in Athen (1926) arbeitete K. im Bildungsbereich. 1934-1936 studierte er Theologie und Philosophie in Berlin und Bonn. 1936 Promotion, 1937 Habilitation, seit 1939 Professor für Dogmatik und Symbolik, seit 1959 auch für Moraltheologie in Athen. Neben einer Fülle von Publikationen arbeitete K. in der Priesterausbildung, vertrat die griechische Kirche auf internationalen Treffen und bekleidete Staatsämter in religiösen Angelegenheiten. — K. bestimmt wesentlich die Positionen des Ostens in der ökumen. Bewegung mit. Auf dem Selbstverständnis der orth. Kirche als einziger Hüterin der unversehrten christlichen Lehre aufbauend, lehnt er jeglichen Synkretismus vor der Ausräumung der dogmatischen Divergenzen ab. Das Zusammenwachsen der Kirchen kann nach K. nur auf der Grundlage der ursprünglichen ungeteilten Kirche der ersten acht Jhh. erfolgen.

Werke: Metrophanes Kritopulos und seine unedierte Korrespondenz (Neugriech.), 1937; Orthodoxie und Protestantismus (Neugriech.), 1937; Die Hadesfahrt Christi aus orth. Sicht (Neugriech.), 1939; Ioannis Karmiris, Dogmatica et symbolica monumenta orthodoxae catholicae ecclesiae, 2 Bde, Graz 1960²; — Orthodoxie und Romeokatholizismus (Neugriech.), 1964; — Johannes Karmiris - Endre von Ivánka, Repertorium der Symbole und Bekenntnisschriften der griechisch-orthodoxen Kirche in lateinischen u.s.w. Übersetzungen, Düsseldorf 1969 — K.-Bibliogr. (besonders der zahlr. Zschrr.-Beiträge) in seinem Werk »Orthodoxie und Romeokatholizismus«, a.a.O. 145 ff; — Ethike kai threskeutike Enkyklopaideia, Bd. VII, 356 ff.; — A.a.O., Bd. XII, 731 ff.

Georgios Makris

KARNKOWSKI, Stanisław; EB von Gnesen, Primas von Polen (seit 1581). * 10. Mai 1520 in Karnków, † 8. Juni 1603 in Łowicz. — Zwischen 1539 und 1549 studierte K. an den Universitäten in Kraków, Padua und Wittenberg; als Abschluß erwarb er in Padua den Titel des »Dr. iur. utr.«. Im Jahre 1550 wurde K. Sekretär des Bischofs von Chełm; gegen 1555 folgte die gleiche Position am Königshof Zygmunt II Augusts (1529-1572). Drei Jahre später avancierte K. zum Kron-Referendar. Am 17. Febr. 1558 wurde er jedoch zum Kanonikus in Gniezno/Gnesen ernannt. Der Ruf auf den Bischofsstuhl von Kujawien (Włocławek) erfolgte 1567. Im Jahr darauf berief K. eine Reformsynode ein, deren Aufgabe es war, die Beschlüsse des Konzils von Trient umzusetzen. Auf seine Initiative ging auch die Gründung des ersten Geistlichen Seminars in ganz Polen mit Sitz in Włocławek am 16. Aug. 1569 zurück. 1573 unterstützte K. die Königswahl Henry v. Valois', drei Jahre später die Wahl des siebenbürgischen Wojewoden Stefan Báthory. Als Primas von Polen veranlaßte K. die polnische Bibelübersetzung durch Jakub Wujek SJ (1541-1597). Nachdem Stefan Báthory am 12. Dez. 1586 unerwartet verstarb, leitete er während des Interregnums als Primas die Regierung; er unterstützte die Wahl des streng katholischen Zygmunt III August Wasa zum König über Polen und Großfürsten von Litauen. — K. gründete die Geistlichen Seminarien in Kalisz und Gniezno, präsidierte mehreren Synoden und förderte die umfassende Tätigkeit der SJ in Polen-Litauen. K. trat als Prediger, Schriftsteller und Diplomat dem Protestantismus entgegen und trug neben St. Hozjusz (Hosius; 1504-1579) zur Rekatholisierung des polnisch-litauischen Großreiches bei.

Werke: De modo et origine electionis novi regis. Cracoviae 1573; Ad Henricum Valesium Poloniarum Regem. Cracoviae 1574; Ad serenissimum principem Henricum Dei gratia regem Poloniae. Cracoviae 1574; De iure provinciali terrarum maiorumque civitatum Prussiae. Cracoviae 1574; Epistolae illustrium virorum LXX in tres libros digestae. Cracoviae 1578; Constitutiones Synodorum Metropolitanae Ecclesiae Gnesnensis, Provincialium, tam vetustorum quam recentiorum, usque ad Annum Domini MDLXXVIII. Cracoviae 1579; De primatu senatorio Regni Poloniae. Posnaniae 1593; Exorbitancje i naprawa koła poselskiego. Posnaniae 1596; Eucharistia. Cracoviae 1602; Pisma. Kraków 1859; A. Kakowski (Hrsg.), Biskupa Stanisława Karnkowskiego Zbiór konstytucyi synodalnych. Włocławek 1912.

Lit.: A. Chmielowski, Życiorys księdza S. K. arcybiskupa gnieźnieńskiego. Warszawa 1884; — J. Bidlo, Jednota Bratrska v prvním vyknanství v Polsce. 2 Bde. Praha 1904; — S. Chodyński, Seminarium włocławskie. Włocławek 1913; — Cz. Nanke, Z dziejów polityki kurii rzymskiej wobec Polski. Lwów 1921; — H. Barycz, Geneza i autorstwo »Equitis Poloni in Iesuitas Actio prima«. Kraków 1934; — Ders., Z epoki renesansu, reformacji i baroku. Warszawa 1971; — K. Lepszy, Rzeczpospolita Polska w dobie sejmu inkwizycyjnego (1589-1592). Kraków 1939; — B. Stasiewski, Reformation und Gegenreformation in Polen. Münster 1960; — A. Tomczak, Kancelaria biskupów włocławskich z okresu ksiąg wpisów. Toruń 1964; — G.

que des documents du gnosticisme chrétien aux IIe et IIIe s. 1925, 413-415; — Franz Joseph Dölger, Die Sphragis als religiöse Brandmarkung im Einweihungsakt der gnostischen Karpokratianer, in: Antike und Christentum I, 1929 [ND 1978], 73-78; — Walter Völker, Quellen zur Geschichte der Gnosis, 1932, 32-38; — H. Liboron, Die karpokratianische Gnosis, 1938; — Heinz Kraft, Gab es einen Gnostiker Karpokrates?, in: ThZ 8, 1952, 434-443; — Kurt Rudolph, Die Gnosis, 1978, 317 sq; — Die Literatur über das von K. angeblich zur Grundlage seiner Theologie gemachte sog. geheime Markus-Evangelium ist jetzt am bequemsten zugänglich bei Helmut Merkel, Anhang: Das »geheime Evangelium« nach Markus, in: Wilhelm Schneemelcher, Neutestamentliche Apokryphen in deutscher Übersetzung, 5. Aufl. der von Edgar Hennecke gegründeten Sammlung, I. Band: Evangelien, 1987, 89-92: - Harnack, Lit I,1, 161 sq; — Bardenhewer I, 358; — RE X,97-99 (hier weitere ältere Lit.); — DThC II, 1800-1803 (mit älterer Literatur und einem zusammenfassenden Überblick über die Hauptpunkte der Lehren der Karpokratianer); — Stählin 1268; — DACL II,2176-78 (behauptet Zusammenhang des Papyrus Leydensis W mit karpokratianischen Vorstellungen); — DHGE XI,1118; — Enciclopedia Cattolica III,929sq; — Kl. Pauly III,129; — Quasten I,266sq; — RGG III,1159; — LThK V,1379; — [8]Altaner 101; — Dizionario patristico e di antichità christiane I, 597.

Hans-Udo Rosenbaum

KARPUS (Karpos, Carpus), Märtyrer, † in Pergamon unter Marc Aurel und Lucius Verus (161-180 n. Chr.; Tod unter Decius gilt als unwahrscheinlich). — Die 1881 erstmals von Aubé edierte Märtyrerakte überliefert, daß K. den römischen Kaiserkult verweigerte und daher zum Tod auf dem Scheiterhaufen verurteilt wurde, den er zusammen mit Papylos (s. d.) erlitt. Agathonike (s.d.) soll hierauf freiwillig in den Tod gegangen sein. — Die lateinische und griechische Passio divergieren in Einzelheiten. Die lateinische Überlieferung tituliert K. als Bischof von Gordos (Gordos Iulia in Lydien ?) und nimmt das Martyrium unter Decius an. — Gedenktag 2.I./4. IV.

Werke: Quellen/Ausgaben: R. Aubé, Un texte inédit d'actes de martyrs du IIIe siècle: RAr 42 (1881), 348-360; Otto von Gebhardt, Acta martyrum selecta. Ausgew. Märtyrerakten und andere Urkunden aus der Verfolgungszeit der christl. Kirche, Berlin 1902, 13-17; FP 3, Bonn 1915, 89-93; Hugo Rahner, Die Märtyrerakten des 2. Jh.s., Freiburg/Br. [2]1953, 42-48; Ausgew. Märtyrerakten. Neubearb. der Knopfschen Ausgabe von Gustav Krüger. 4. Aufl. mit einem Nachtrag von Gerhard Ruhbach, SQS NF 3, Tübingen 1965, 8-13; Herbert Musurillo, The Acts of the Christian, Martyrs. Introductions, Texts and Translations, Oxford 1972, 22-37.

Lit.: Adolf Harnack, Die Akten des K., des Papylus und der Agathonike. Eine Urkunde aus der Zeit Mark Aurels. TU 3,3-4, Leipzig 1888, 440-454; — Albert Ehrhard, Die altchristl. Litteratur und ihre Erforschung von 1884-1900, I. Die vornicänische Litteratur. StrThS.Suppl. 1, Freiburg/Br. 1900, 577-579; — Joseph de Guibert, La date du martyre des Saints C., Papylos et Agathonicè: RHQ 88 (1908), 5-23; — L. de Regibus, La chronologia degli atti di C., Papilo e Agatonice: Did. 3 (1914), 305-320; — P. Franchi de' Cavalleri, Note agiografiche 6. StT 33, Rom 1920; — Hippolyte Delehaye, Les Passions des martyres et les genres littéraires, Brüssel 1921, 136-141; — Ders., AnBoll 58 (1940), 150-174; — A. M. Schneider, Das Martyrium des hl. K. und Papylos zu Konstantinopel: JDAI 49 (1934), 416-418; — Manlio Simonetti, Studi agiografici, Rom 1955, 95-107; — G. Lazzati, Gli sviluppi della letteratura sui martiri nei primi quattro secoli, Turin 1956, 131-137; — Hans Lietzmann, Die älteste Gestalt der Passio SS. Carpi Papylae et Agathonices [1922], in: Ders., Kl. Schrr. I. Studien zur spätantiken Religionsgesch. TU 67 (Berlin 1958), 239-250; — François Halkin, Une nouvelle Passion des Martyrs de Pergame, in: Mullus. FS Theodor Klauser. JAC.E 8 (Münster 1964), 150-154; — William Hugh Clifton Frend, Martyrdom and Persecution in the Early Church. A Study of a Conflict from the Maccabees to Donatus, Oxford 1965, 289, 296 u. ö.; — Timothy David Barnes, Pre-Decian Acta Martyrum: JTh.S.NS 19 (1968), 509-531; — BHG[3], 293 ff.; — DACL VIII/1, 680-685; — DHGE XI, 1121; — LThK V, 1379; — RGG[3] III, 1159.

Klaus-Gunther Wesseling

KARRER, Otto, * 30. November 1888 in Ballrechten/Breisgau, † 8. Dezember 1976 in Luzern, bemühte sich als Priester und Schriftsteller um die Weckung des religiösen Gutes der Vergangenheit (vgl. seine zahlreichen Übersetzungen großer Theologen des Abendlandes) wie um die Ökumene. Das Ringen um den ökumenischen Gedanken ging bis auf die Wurzeln der Kindheit zurück. Der Vater bemühte sich als Katholik um das Gespräch mit den Protestanten, was zur damaligen Zeit und im damaligen Markgräfler Land nicht selbstverständlich war. Als O.K. in der sechsten Klasse der Volksschule war, wurde er durch Vermittlung seines Ortsgeistlichen gefragt, ob er studieren wollte. Mit Einwilligung seiner Eltern ging er nach Freiburg auf das staatliche Bertholds-, danach auf das Friedrichs - Gymnasium. Sein Ziel stand fest: Er sollte Priester werden. 1908 begann O.K. in Innsbruck das Studium der kath. Theologie. Seine maßgeblichen Lehrer waren Jesuiten. Im dritten Studienjahr wurde er Novize der Gesellschaft Jesu. Zum Philosophiestudium mit dem anschließenden Rigorosum wurde O.K. nach Valkenburg in Holland geschickt. Während des ersten Weltkrieges war er Lehrer am berühmten Jesuitengegymnasium in Feldkirch. Einer seiner dortigen Schüler war Karl Rahner. Nach dem Aufenthalt in Feldkirch ging es zu weiteren theologischen Studien zurück nach Valkenburg. Am 20. Juni 1920 wurde er zum Priester geweiht. Danach wurde es ihm ermöglicht, noch Vorlesungen über mittelalterliche Geschichte in Bonn und über Kunstgeschichte bei Wölfflin in München zu hören. Während des Feldkircher Magisteriums vertiefte sich O.K. bereits in die Frühgeschichte des Jesuitenorden. Er arbeitete vor allem über den dritten Ordensgeneral Franz von Borja. Das diesbezügliche Buch erschien 1921 und bereitete die Ignatius von Loyola - Ausgabe (1922, s.u.) vor. Studien über Bellarmin und persönliche Erfahrungen veranlaßten O.K., 1923 aus dem Jesuitenorden auszutreten. Er ließ sich als Schriftsteller in Luzern nieder, wo er bis zu seinem Tode blieb. Seine Ausgaben von Werken bzw. Briefen des Meister Eckharts, des Kardinal Newmans, des Franz von Sales, die große Ausgabe der Textgeschichte der Mystik (I-Ill, 1925-1926, s.u.), seine langjährige Mitarbeit an der Zeitschrift »Hochland« machten ihn über Fachkreise hinaus bekannt. Während des zweiten Weltkriegs half er von der Schweiz aus vielen Flüchtlingen aus Hitlerdeutschland und dessen Einflußgebieten. Diese praktischen Konsequenzen aus dem Nachfolgeethos öffneten ihm den Weg zum Christlichen über die konfessionellen Schranken hinweg. Hier waren es vor allem die bedeutsamen Schriften des Konvertiten und Kardinals John Henry Newman, die O.K. Kraft für die Verwirklichung des ökumenischen Gedankens gaben. In dem Buch »Das Religiöse in der Menscheit und das Christentum« (1934) hatte er die ersten Ansätze dazu verarbeitet. Besonders nach dem weiten Weltkrieg, dann ermuntert durch das Zweite Vatikanische Konzil, gründete er ökumenische Gesprächskreise. Die diesbezügliche Vorträge und Gedanken wurden in der »ökumenischen Schriftenreihe« »Einheit in Christus« (vier Bde. ab 1963!) und in anderen Studien veröffentlicht. In dieser Hinsicht wichtig wurde ihm die Zusammenarbeit mit dem schweizer Theologen Oskar Cullmann. Ökumenische Bedeutung errang O.K.s Überset-

zung des Neuen Testaments. Der Index der vollständigen Karrer-Bibliographie im O.K. Archiv weist 716 Nummern auf. Dies zeugt von einer unerschöpflichen, geistigen Kraft, mit der er weite Gebiete der Theologiegeschichte, Religionsphilosophie und der Systematischen Theologie bearbeitete. Nach manchen Anfeindungen seitens der offiziellen Kirche und manchen inneren Anfechtungen wurde O.K. erst 1963, also mit 75 Jahren, durch den Vatikan voll rehabilitiert. Am großen Konzil nahm er als Begleiter seines Bischofs teil. Die größte Freude bereitete dem alternden O.K. die Anfrage des Jesuiten-Generals Pedro Arrupe 1967, ob O.K. bereit wäre, sich ohne juristische Formalitäten, der Sozietas Jesu wieder zugehörig zu fühlen. Diese Anfrage wurde bejaht. Nach einjähriger Krankheit starb er am 8. Dezember 1976.

Werke: Der heilige Franz von Borja. General der Gesellschaft Jesu, 1921 (amerikanische Teilübersetzung: Woodstock Letters 96, 1966/67). Des. hl. Ignatius. von Loyola geistliche Briefe und Unterweisungen, 1922; 1942[2] (überarb. von Hugo Rahner); holländisch 1952; (zus. mit Erich Przywara:) J.H. Kardinal Newman: Christentum. Ein Aufbau. 8 Bde., 1922; Von St. Ignatius' J. Religiosität. Seele 4, 1922, S. 72-78; Vom Leben und Geiste Franz' von Sales. Stdz 48, 1922/23, 171-182; Frans von Sales, Wege zu Gott. Gesammelte Texte. Ars sacra, 1923, 1952[2] Meister Eckehart spricht. Gesammelte Texte, Ars sacra, 1925 (engl. 1957); (zus. mit anderen:) Franz von Sales: Ausgewählte Schriften, 4 Bde., 1925-28; Augustinus: Das religiöse Leben. Gesammelte Texte, 2 Bde. Ars sacra 1925, 1954[2]; Petrus Canisius. Ein Charakterbild. Hochland 22 (1924/25), S. 497-518; Die religiöse Begriffswelt St. Augustins. Schweizer Rundschau 25, 1925/26, S. 65-74, 202-209; Ignatius von Loyola: Geistliche Übungen, 1926; Franz von Sales: Philotea. Anleitung zum religiösen Leben. Ars sacra, 1926, 1961[2]; Juliana von Norwich: Offenbarungen der göttlichen Liebe, 1926: Meister Eckehart. Das System seiner religiösen Lehre und Lebensweisheit. Textbuch. Ars sacra, 1926; Textgeschichte der Mystik. 3 Bde. Ars sacra (Einzeltitel: »Der mystische Strom«, »Die große Glut.«, »Gott in uns«), 1926; Meister Eckehart. Der Mensch und der Wissenschaftler. Hochland 23, 1925/26, S. 535-549; Die Verurteilung Meister Eckeharts. Ebenda, S. 660-667; (zus. mit Herma Piesch:) Meister Eckeharts Rechtfertigungsschrift vom Jahre 1326, 1927; Antonius von Padua: Wie man das selige Leben finde. Aus den Predigten des Heiligen. Ars sacra, 1927; Wie unsere Väter beteten. Gebete des deutschen Mittelalters. Ars sacra, 1927. Nachfolge Christi. Ars sacra, 1927, 1960[2]; Neue Eckehart-Forschungen. Literarische Berichte aus dem Gebiete der Philosophie 1927, H. 13/14, S. 20-36; Über Wesen und Geschichte kath. Mystik. Hochland 24, 1926/27, S. 222-245; Zu Prälat M. Grabmanns Eckehartkritik. DTh. 5, 1927, S. 202-218; Angelus Silesius. Zum 250. Geburtstag des Dichters. Vaterland 18.7., 25.7., 1.8. 1927; Reinhard Johannes Sorge als mystischer Dichter. Monatsrosen 71, 1926/27, S.

305-308; Franz von Assisi: Tedeum (mit Chorsatz von F. Buomberger) 1928; J.H. Kardinal Newman: Gebetbuch. Aus seinen Schriften gesammelt. Ars sacra, 1928; Liturgisches Gebetbuch aus den ersten christlichen Jahrhunderten. Ars sacra 1928; Daniel Considine: Frohes Gehen zu Gott. Ars sacra, 1928; Katholische Schulbibel - Katechetische Hausbibel. Ars sacra, 1928, 1958[2]; Das Göttliche in der Seele bei Meister Eckhart, 1928; Mystik und Dogma. Süddeutsche Monatshefte 26, 1928/29, 3-12; Der Mystiker Niklas von der Flüe. Kalender der Waldstätte 1928, 60-66; Daniel Considine: Vom religiösen Frohsinn. Ars sacra, 1929; Heiliger starker Gott. Altchristliche Gebete. Ars sacra, 1929; Gottesminne. Gebete des Mittelalters. Ars sacra, 1929; »Bleibet in meiner Liebe!« Gebete der Neuzeit. Ars sacra, 1929; Gertrudenbüchlein. Gebete der heiligen Gertrud und der beiden Mechthilden. Ars sacra, 1929; Volksgebetbuch. Ars sacra, 1929; Augustinus. Ein Lebensbild. Ars sacra, 1930; Pieter van der Meer de Walcheren: Das weiße Paradies. Die Kartäuser. Ars sacra, 1930; Der Prophet Savonarola. Hochland 27, 1929/30, 497-517; Marianisches Offizium. Ars sacra, 1931; Daniel Considine: Freuet euch! Ars sacra, 1931; Elisabeth von Thüringen und Konrad von Marburg. Hochland 29, 1931/32, 49-64; Seele der Frau. Ideale und Probleme der Frauenwelt. Ars sacra, 1932; 1951[2]; holl. 1953; Daniel Considine: Einfach und klar. Ars sacra, 1932; Mütter und Töchter, Ars sacra, 1933; Frauen und Männer. Ars sacra 1933; Das Religiöse in der Menschheit und das Christentum, 1934, 1936[3], 1949[4], engl. 1936, franz. 1937, holl. 1939, ung. 1941; Im ewigen Licht. Betrachtungen über die letzten Wirklichkeiten. Ars sacra, 1934; Die Gotteskindschaft. Ars sacra, 1934; Das beschauliche Leben. Ars sacra, 1934; H.J. Steuart: Das innere Leben mit Christus. Ars sacra, 1934; Fascie: Wie Don Bosco seine Buben erzog. Ars sacra 1934; Die deutsche Mystik. Akademische Monatsblätter 46, 1934/35, 236-241; Liturgisches Meßbuch für Kinder. Ars sacra, 1935; Lies die Bibel. Ars sacra, 1935; dän. 1935; Erklärung des Matthäusevangeliums, 7 Bde. Ars sacra, 1935-36; Die Läuterung nach dem Tode. Schweizer Rundschau 35, 1935/36, 112-124; Der Unsterblichkeitsgaube. Das menschliche Suchen und die göttliche Offenbarung über den ewigen Lebenssinn. Ars sacra, 1936; Das Leben als Gebet. Ars sacra, 1936; Urchristliche Zeugen, Das Urchristentum nach den außerbiblischen Dokumenten bis 150 n. Chr., 1937, 1976[2]; Eckhartiana. ThRv 36, 1937, S. 385-389; Die Geheime Offenbarung. Übersetzt und erklärt, 1938, 1948[3]; Der völkische Mythos und die christliche Abwehr. Schweizer Rundschau 38, 1938/39, S. 423-433; Papsttum und Papst. Schweizer Rundschau 39, 1939/40, 1-12; Franz von Assisi. Der Sonnengesang, Zürich 1940, 1964[6]; Schicksal und Würde des Menschen, 1940, 1941[2] ital. 1941; (Mit Linus Birchler zus.) Die Madonna in der Kunst, Zürich 1940, 1949[3]. Der Galaterbrief. Liturgisch-biblische Monatsschrift der Schweiz 8, 1939/40, S. 156-158, 182-185, 206-210, 228-232; 9, 1940/41, S. 10-13, 31-35, 92-95, 115-118, 164-167, 174-178, 199-206; Gebet, Vorsehung, Wunder, 1941; Die Freiheit des Christenmenschen in der kath. Kirche, 1941, slowak. 1942; Über moderne Sekte, 1942; Weltleid, 1944; Erlösungsglaube und Welterfahrung, 1944; Genügt die Schrift allein?, 1944, franz. 1947; Vom katholischen Gottesdienst, 1945; Franz von Assisi: Legenden und Laude, 1945, 1975[6], engl. 1947; Kardinal J.H. Newman: Die Kirche, 2 Bde, 1945 f., franz. 1956, span. 1964; John Henry Newman: Christliches Reifen. Gesammelte Texte, 1946, 1976[3]. Einleitung. Emmerich, A.K. Das bittere Leiden unseres Herrn Jesus Christus, aufgez. von Cl. Brentano, 1946, S. 10-30; Therese von Lisieux: Geschichte einer Seele und weitere Selbstzeugnisse. Ars sacra, 1948, 1952[2]; Neues Testament. Übersetzt und erklärt. Ars sacra, 1950, 1967[4]; Jahrbuch der Seele. Aus der Weisheit der christlichen Jahrhunderte. Ars sacra, 1951, 1963[2]; John Henry Newman: Philipp Neri. Ars sacra, 1952; Willem Karel Grossouw: Das geistliche Leben. Ars sacra, 1952; Um die Einheit der Christen. Die Petrusfrage, 1953. engl. Teilübers. 1963, 1970[3]. Zum ewigen Du. Ars sacra, 1956; Das Reich Gottes heute. Gesammelte Aufsätze, Ars sacra, 1956, span. 1963, engl. 1964; Die Worte Jesu einst und heute. Ars sacra, 1963 (erw. Ausgabe!), franz. 1966, span. 1968; Die christliche Einheit-Gabe und Aufgabe, 1963, franz. 1965, holl. 1965, span. 1967; Das Zweite Vatikanische Konzil, 1966, franz. 1969; (zus. mit Edzard Schaper) Altchristliche Erzählungen. Ars sacra, 1967; Schlußwort. In: Cullmann-Karrer, O.: Einheit in Christus IV, Nr. 351, 1969, S. 119f; Streiflichter. Aus Briefen an mich 1933-1975, 1976; — O.K.-Bibliogr. in: Maximilian Roesle-Oscar Cullmann (Hg.), Begegnung der Christen. O.K. zum 70. Geburtstag, 1958, 1960[2], S. 25-32; Jean-Louis Leuba-Heinrich Stirnimann (Hg.) Freiheit in der Begegnung. Zwischenbilanz des ök. Dialogs. O.K. zum 80. Geburtstag, 1969, S. 495-501; Liselotte Höfer, Viktor Conzemius, O.K., Kämpfen und Leiden für eine weltoffene Kirche, 1985, S. 456-476.

Lit.: F.de Hovre, Dr. O. Karrer. In: Vlaamsche Opv. Tijdschrift 23, 1942, 241-248 — Hans Asmussen, Otto Karrer zum siebzigsten Geburtstag., In: Orientierung 22, 1958, 228 f. — Karl Färber, Otto Karrer 70 Jahre alt. in: CS 10, 1958, 371-372 — Maximilian Roesle-Oscar Cullmann (Hg.): Begegnung der Christen. O. Karrer zum 70. Geburtstag, 1958, 1960[2] (Autobiographisches: S. 13-24) — Klaus Röllin: Die Einheit als Auftrag. Tübinger Ehrendoktor für O. Karrer. In: LNN 9.12. 1967 — Hans Kurmann, So war und so ist Dr. Otto Karrer. In: Luzerner Tageblatt 7.12. 1968 — Jean-Louis Leuba-Heinrich Stirnimann (Hg.), Freiheit in der Begegnung. Zwischenbilanz des ökumenischen Dialogs. O. Karrer zum 80. Geburtstag, 1969 (bes. O.K.: Autobiographisches-Anhang, S. 481-494 — vgl. auch Vorwort, S. 11-17) — Alfred Stoecklin, Zum Tode von Otto Karrer. In: Kath. Pfarrblatt f.d. Region Basel 5, 1976 Nr. 48, 2 — Alfred Stoecklin, Schweizer Katholizismus. Eine Geschichte der Jahre 1925-1975, 1978 — Liselotte Höfer, Viktor Conzemius, Otto Karrer. Kämpfen und Leiden für eine weltoffene Kirche, 1985 — Bernhard Marz, Liselotte Höfer. Otto Karrer... Kainsmal des Abtrünnigen, Deutsches Allg. Sonntagsblatt Nr.4/ 26. Jan. 1986, S. 17.

Wolfdietrich von Kloeden

KARSAVIN, Lev Platonovič = Levas/Leonas Karsavinas; Mediävist und religiöser Philosoph. * 1./13. Dez. 1882 in St. Petersburg als Sohn eines bekannten Ballettänzers und einer Nichte A. S. Chomjakovs (1804-1860), † 12./20. Juli

1952 in Abeź, Komi ASSR (= Lager Vorkuta).
— K. studierte mittelalterliche Geschichte an
der Universität St. Petersburg bis zu seinem Abschluß im Jahre 1906; daran schlossen sich Ar-
chivreisen nach Frankreich und Italien an. In den
Vatikanischen Archiven sammelte er zwischen
1910 und 1912 Quellentexte zum religiösen Leben im hohen Mittelalter. Er erhielt dafür 1912
den Magistergrad (= Dr. phil.), drei Jahre später
den Doktorgrad (höherer Grad als Dr. phil. habil.). Seit 1912 war er am Historisch-Philologi-
schen Institut seiner Geburtsstadt Professor für
Geschichte und Dozent für mittelalterliche Geschichte an der Universität St. Petersburg. Ebenfalls studierte er ab 1912 Theologie an der Geistlichen Akademie St. Petersburg; hier schloß er
mit dem Doktorgrad ab. Ab 1916 war K. an der
Petrograder Universität als Professor für mittelalterliche Geschichte und für Religionsgeschichte tätig. Von 1919 bis 1922 lehrte er Theologie am Theologischen Institut Petrograd und
war ein gesuchter, mitreißender Prediger in den
Kirchen der Stadt. In der Nacht vom 16. auf den
17. Aug. 1922 wurde er seiner kämpferischen
antikommunistischen Haltung wegen von den
Bol'ševiki verhaftet und, wie über 200 weitere
Künstler und Wissenschaftler Rußlands, des
Landes verwiesen. Von diesem kurzsichtigen
kulturellen Aderlaß hat sich Rußland bis heute
nicht erholt. — K. traf Mitte November 1922 in
Stettin ein und reiste nach Berlin, einem Zen-
trum russischer Emigration, weiter; hier traf er
mit anderen Philosophen wie Nikolaj A. Berdjaev (1874-1948) zusammen. K. war Professor am
Russischen Wissenschaftlichen Institut und Mit-
glied der religiös-philosophischen Akademie.
Am 11. Dez. 1922 gründete er den »Obelisk-
Verlag« Berlin (Schwerpunkt des Programms:
Philosophie). Am 28. Dez. des gleichen Jahres
begründete er den »Petropolis-Verlag« Berlin
(Schwerpunkt: Literatur). 1926 siedelte er nach
Paris über, wo er das »Eurasische Seminar«, an
dem er als Vertreter dieser bis heute in der Ge-
schichtsschreibung Rußlands einflußreichen
Bewegung einen Vorlesungszyklus zum Thema
»Das Verhältnis Rußland - Europa« hielt, errich-
tete. Gleichzeitig lehrte er orthodoxe Theologie
am renommierten Theol. Institut St. Serge in

Paris. K. erhielt 1928 einen Ruf an die Universität Kaunas (Litauen); hier übernahm er den
Lehrstuhl für Weltgeschichte und sollte zum
Vater einer eigenständigen litauischen Historiographie werden. 1940 wechselte er an die li-
tauische Universität Vilnius, an der er bis 1945
Vorlesungen hielt. Zwischen 1944 und 1946 waren ihm nur Vorlesungen über Ästhetik am Institut der Bildenden Künste in Vilnius gestattet, bis
ihn die sovetischen Behörden von seinen akademischen Aufgaben entpflichteten. Bis zu seiner
Verhaftung im Jahre 1948 arbeitete er als Direktor des Historischen Museums in Vilnius. Auf
Grund einer Gerichtsverhandlung, die im Herbst
1950 in Leningrad stattfand, wurde er in das
Versehrtenlager Abeź gebracht, in dem er im
Juli 1952 an offener Tuberkulose starb. — K.
verknüpfte in allen seinen Schriften philosophische, historische und religiöse Problemstellungen. Er baute auf der religiösen Philosophie Vladimir S. Solov'ĕvs (1853-1900) auf, besonders
auf dem Konzept der »All-Einheit«. K.s Anliegen wird aus dem »geheimen Epitaph« (1952)
der Mithäftlinge deutlich: »K. sprach und
schrieb vom dreieinigen Gott, der sich uns in
Seiner Unfaßbarkeit öffnet, damit wir durch
Christus im Schöpfer den uns gebärenden Vater
erkennen. Er sprach und schrieb davon, daß
Gott, der Sich selbst mit uns und in uns überwindet, unsere Leiden bemitleidet, damit auch wir
in Ihm sind und damit uns in der Einheit von
Gottes Sohn alle Liebe und Freiheit zuteil wird.
Er sprach und schrieb davon, daß wir unsere
Unvollkommenheit und die Bürde unseres
Schicksals als absolutes Ziel erkennen müssen.
Schon wenn wir das begreifen, haben wir einen
Anteil am Sieg über den Tod durch den Tod.«
Das umfangreiche Werk K.s harrt bis heute sei-
ner Rezeption.

Werke: Očerki religioznoj žizni v Italii XII-XIII vv. SPb
1912; Cerkov i religioznye dviženija XII-XIII vv. Golos
minuvšego 1913/7; Mistika i ee značenie v religioznosti
srednevekov'ja. Vestnik Evropy 1913/8; Religioznost' i eresi v XII-XIII vv. Vestnik Evropy 1913/4; Osnovy sredneve-
kovoj religioznosti v XII-XIII vv., preimuščestvenno v Italii.
Petrograd 1915; Katoličestvo. Obščij očerk. Petrograd 1918;
Kul'tura srednich vekov. Petrograd 1918; 'Saligia' ili
ves'ma kratkoe i dušepoleznoe razmyšlenie o Boge, mire,
čeloveke, zle i semi smertnych grechach. Petrograd 1919
(Repr.: Paris 1978); Vvedenie v istoriju. Petrograd 1920;
Noctes Petropolitanae. Petrograd 1922; Vostok, Zapad i

russkaja ideja. Petrograd 1922; Džiordano Bruno. Žizń i sistema. Berlin 1923; Dialogi. Berlin 1923; Evropa i Evrazija. Sovremennye Zapiski 15/1923, 297-314; Filosofija istorii. Berlin 1923; Sofija. Problemy duchovnoj kul'tury i religioznoj filosofii. Pod red. N. A. Berdjaeva. Berlin 1923; Problemy russkago religioznago soznanija. Sbornik statej. Berlin 1924; Der Geist des russischen Christentums. Östliches Christentum. Bd. II. Hrsg. v. N. v. Bubnoff und H. Ehrenberg. München 1925; Die russische Idee. Der Gral 19/1925, 351-360; O načalach. Opyt christianskoj metafiziki. Berlin 1925; O somnenii, nauke i vere (tri besedy). Berlin 1925; Uroki otrečennoj very. Evrazijskij vremennik 4/1925, 99-149; Das Wesen der russischen Orthodoxie. Osteuropa I/1925-26; Der Christusglaube in der russischen Orthodoxie. Una Sancta 2/1926; Cerkov', ličnost' i gosudarstvo. Paris 1927; Das russische Starzentum. Zeitwende 3/1927; Svjatye otcy i učiteli cerkvi (raskrytie pravoslavija v ich tvorenijach). Paris 1927; Peri archōn. Ideen zur christlichen Metaphysik. Kaunas 1928; Rossija i evrei. Versty 3/1928, 65-86; Istorijos teorija. Kaunas 1929; O ličnosti. Kaunas 1929; Europos kulturos istorija. 6 Bde. Kaunas 1931-1937; Poėma o smerti. Kaunas 1932; Simbolizm myšlenija i ideja miroporjadka v srednie veka. Naučnyj istoričeskij zurnal. Bd. I (o. J.), vyp. 2,2.

Lit.: B. V. Jakovenko, Dějiny ruské filosofie. Praha 1938; — G. A. Wetter, L. P. K.s Ontologie der Dreieinheit. Die Struktur des kreatürlichen Seins als Abbild der göttlichen Dreifaltigkeit, OCP IX/1943, S. 366-405; — Ders., Zum Zeitproblem in der Philosophie des Ostens. Die Theorie der »Allzeitlichkeit« bei L. P. K. Scholastik 1949/3, S. 366-405; — B. Schultze, Russische Denker. Ihre Stellung zu Christus, Kirche und Papsttum. Wien 1950, S. 405-419; — V. V. Zeńkovskij, Istorija russkoj filosofii Bd. II. Paris 1950; — L. Müller, Russischer Geist und evangelisches Christentum. Die Kritik des Protestantismus in der russischen religiösen Philosophie und Dichtung im 19. und 20. Jahrhundert. Witten 1951, S. 134-139; — N. O. Lossky, History of Russian Philosophy. London 1952, S. 299-314; — J. Jakštas, Religinė-filosofinė istorija. Aidai 1956/10; — E. F. Sommer, Vom Leben und Sterben eines russischen Metaphysikers. Ein verspäteter Nachruf auf L. K. († 12. Juli 1952). OCP 24/1958, S. 129-141; — O. Böss, Die Lehre der Eurasier. Ein Beitrag zur russischen Ideengeschichte des 20. Jahrhunderts. Wiesbaden 1961; — N. Zernov, The Russian Religious Renaissance of the Twentieth Century. New York 1963; — I. Tamošjunene, L. K. o nravstvennom progresse. In: Nravstvennyj progress i ličnost'. Vil'njus 1976; — G. Vernadsky, Russian Historiography. A History. Belmont/MA 1978; — H. Dahm, Grundzüge russischen Denkens. München 1979; — B. Genzelis, Paskutinieji L. K. darbai. In: Laikas ir idejos. Vilnius 1980; — Ders., Kulturų Sąveika. Vilnius 1989, S. 74-80; — W. Goerdt, Russische Philosophie. Freiburg 1984; — K. Chr. Felmy, et al. (Hrsg.), Tausend Jahre Christentum in Rußland. Zum Millennium der Taufe der Kiever Ruś. Göttingen 1988, S. 591-600; — I. Fleischhauer, Russisches Christentum. München 1988; — Pitirim v. Volokolamsk und Jurjew (Hrsg.), Die Russische Orthodoxe Kirche. Berlin 1988; — S. S. Choružij, K. i de Mestr. Voprosy filosofii 1989/3; — Ders., Eine vom Schicksal geprägte Persönlichkeit. Sputnik (M) 1990/5, S. 148-151; — T. Raudeliūnas, L. K. ir Lietuva. Kultūros Barai 1990/12, S. 50-53; — BSÉ[3] XI, 459 f.; — EL III; — MERSH XVI, 41 f.; — RGG, III, 1159 f.; — Tarybų Lietuvos enciklopedija II, 226.

Wolfgang Heller

KARTAŠEV, Kartaschow, Anton Vladimirovič, russisch-orthodoxer Kirchenhistoriker und Politiker, * 11./24.7.1875 zu Kischt'm/Ural, † 10.9. 1960 in Paris. — K. besuchte 1888 die kirchliche Schule zu Ekaterinburg, 1894 beschloß er das Seminar von Perm und 1899 die Geistliche Akademie von Sankt-Petersburg; dort lehrte er 1900-1905 die Geschichte der russischen Kirche, arbeitete seit 1905 in der Nationalbibliothek und 1906-1908 leitete er Universitätskurse für Frauen in Religions- und Kirchengeschichte. 1909 wurde er Vorsitzender der Religiösen und Philosophischen Gesellschaft in Petersburg und war auch der letzte Ober-Prokurator der Heiligen Synode der Russischen Kirche. Am Anfang der Revolution als Kultusminister in der vorläufigen Regierung öffnete er 1917 das bedeutungsvolle Lokalkonzil in Moskau und war ihr aktives Mitglied. Festgehalten von den Kommunisten 1918, dann freigelassen, begab er sich zuerst nach Finnland und 1920 ließ er sich in Paris nieder. Seit 1925 bis 1960 war K. Professor für Kirchengeschichte und alttestamentliche Wissenschaft am Institut der Orthodoxen Theologie St. Sergius in Paris, wo er als einer seiner Begründer 1947 den theologischen Doktorgrad h. c. bekam. — K. war ein Verbindungsglied zwischen geistlicher Ausbildung im vorrevolutionären Rußland, seine Meister waren V. V. Bolotov und E. E. Golubinskij, und neuer geistlicher Hochschule der russischen Diaspora. Im christologischen Dogma von Chalkedon sah er den Schlüssel zum Verständnis nicht nur der Kirche und der Inspiration der Heiligen Schrift, sondern auch der schöpferischen Tätigkeit des Menschen im Verklärungsprozeß der Welt, gegen jede Tendenz ihrer monophysitischen Ablehnung und nestorianischen Selbstgenügsamkeit, die er als Sünde gegen die Menschwerdung ansah. Darum neigte K. zum byzantinischen Ideal einer theo- oder christokratischen »Symphonie« zwischen Glaube und Leben, Kirche und Staat, das erklärt auch das Übergewicht dieser Fragen in seiner Darstellung der Kirchenge-

schichte und das auch zu einer Verengung historischer Perspektive führte. Das Hauptanliegen
K.'s war es, den Einfluß der Kirche auf die
gesamte russische Nation und ihre Geschichte
zu zeigen, obwohl er die Dominierung der Kirche über die Welt ablehnte; sein Glaube an die
Möglichkeit des Aufbauens einer christlichen
Zivilisation, trotz allem Tragischen in der Geschichte, gibt seinen Ansichten einen optimisti-
schen Ton. Zusammen mit den Arbeiten von G.
Florovsky und G. P. Fedotov stellen die Werke
von K. einen bedeutenden Beitrag der russischen ausländischen Wissenschaft zur Kirchengeschichte dar. In einzelnen Kontroversfragen
achtete er auf die Ergebnisse und Entdeckungen
der zeitgenössischen historischen Forschung
nicht immer genügend.

Werke: Reformy, reformacija i ispolnienie Cerkvi, Reformen, Reformation und Vollendung der Kirche, Paris 1922;
Cerkov' igusodarstvo, Kirche und Staat, 1932; Na putjach k
Vselenskomu Soboru, Auf den Wegen zum Allg. Konzil,
1932; Sv. velikij kniaz' Vladimir, Hl. Großfürst Vladimir,
1939; Svjataja Rus' v putjach Rossii, »Heilige Rus'« in der
Gesch. von Rußland, 1939; Vetchozavetnaja biblejskaja kri-
tika, Die alttestamentl. bibl. Kritik, 1947; Vossozdanie Svja-
toj Rusi, Restauration der Hl. Rus', 1956; Žiznennyj put'
mitropolita Vladimira, Lebensweg des Metropoliten Vladi-
mir, 1957; Očerki po istorii Russkoj Cerkvi, Grundriß der
Gesch. der Russ. Kirche, 2 Bde., 1959; Vselenskie Sobory,
Die Allgem. Konzilien, 1963; Zahlr. Artikel in versch.
Zeitschrr. und Sammelbd.n. — Leo Zander, List of the
Writings of Professors of the Russian Orthodox Theological
Institute in Paris, vol. I, 1925-1954, 21-28; vol. II, 1955-
1965, 7; Nicolas Zernov, Russian Emigré Authors: A Bio-
graphical Index and Bibliography of Their Works ..., Boston
Mass. 1973, 65.

Lit.: Bischof Kassian, Besobrasov, A. V. K., Pravoslavnaja
Mysl' 11, 1957, 9-16; — Dimitrij Obolenskij, A. V. K.,
Očerki po istorii Russkoj Cerkvi, MEPREO, Messager de
l'Exarchat du Patriarche Russe en Europe Occidentale, 10,
1961, H. 37-39, 247-251; — Nicolas Zernov, The Russian
Religious Renaissance of the Twentieth Century, London
1963, 336 f.; — Paul Evdokimov, Le Christ dans la pensée
russe, Paris 1970, 202 f., 237 f.; — Alexander Schmemann,
Russian Theology 1920-1972: An Introductory Survey, St.
Vladimir's Theological Quarterly 16, 1972, H. 4, 172-194;
— Alexis Kniazeff, L'Institut Saint-Serge. De l'Académie
d'autrefois au rayonnement d'aujourd'hui, Paris 1974, 78 f.;
— John Meyendorff, Byzantium and the Rise of Russia: A
Study of Byzantino-Russian Relations in the Fourteenth
Century, Cambridge Mass. 1981, Crestwood NY 1989[2], 23,
40, 210, 233.

Waclaw Hryniewicz

KARYOPHYLLES, Johannes (Selbstbezeichnung: Byzantios), griechischer Theologe und
Würdenträger des ökumenischen Patriarchats, *
um 1600 in Karyai (Bezirk Derkos) in Thrazien,
† Bukarest 22. 9. 1692. — K., der aus einem
armen Elternhaus stammte, kam früh nach Konstantinopel, um das Kürschner- oder Gold-
schmiedehandwerk zu erlernen. Hier wurde er
an der Patriarchatsschule um 1625 Schüler des
Theophilos Korydalleus, dem er in der Leitung
des Instituts nachfolgte (wahrscheinlich 1641-
1665). Als Schwiegersohn des Großökonomos
des Patriarchats stieg er rasch in der Ämterhier-
archie auf (1641 Logothet, 1653 Großrhetor,
1663 Chartophylax, 1664 Großchartophylax,
1670 Großskeuophylax, 1676-1691 Großlogo-
thet). Im Auftrag der Patriarchen von Konstantinopel und Jerusalem beantwortete er theologische Fragen des Zaren Aleksej zu seinem Streit
mit dem Moskauer Patriarchen Nikon. Mehrmals hielt sich K. seit 1643 in der Walachei auf:
1664 oder 1665-1669 war er Vestiarios des Fürsten Radu Vodă, später Lehrer der Kinder des
Stolnik Konstantinos Kantakuzenos. Durch die
Heirat seines Sohnes Manolakis K. mit Zoe, der
Tochter der Roxane Skarlatu Maurokordatu,
wurden auch familiäre Verbindungen zu den im
Patriarchat und in den Donaufürstentümern dominierenden Phanariotenkreisen geknüpft. Aufsehen erregte er mit seinem »Schediarion« gegen den römischen Transsubstantiationsbegriff,
der in der orthodoxen Tradition umstritten war.
Dabei geriet er in den Verdacht, kalvinische
Lehren zu rezipieren. 1645 veranlaßte ihn Patriarch Parthenios II. zum Widerruf, jedoch erregte
er immer wieder Anstoß. Mißtrauen rief auch
seine Auffassung hervor, im Gläubigen wirke
das Sakrament allein kraft seines Glaubens und
nicht auch dank der Spendung durch den Priester. In einem für Konstantinos Kantakuzenos
verfaßten, handschriftlich weit verbreiteten und
erst nach seinem Tode publizierten Encheiridion
über die Vorherbestimmung durch Gott versuchte er u.a., den Häresievorwurf abzuwehren.
In der Tat distanzierte er sich hier von der kalvi-
nischen Prädestinationslehre. Seine Position
verschlechterte sich dadurch, daß er 1690 für
den Bischof von Sinai, Ananias, in dessen Konflikt mit dem Jerusalemer Patriarchen Dositheos
Partei ergriff. Auf dessen Betreiben wurde 1691

seine Eucharistielehre durch die Konstantinopeler Synode verurteilt. Obwohl K. dieser Entscheidung zustimmte, wurde er während der Messe am ersten Sonntag des Osterfastens anathematisiert und in der Kirche tätlich angegriffen. Deswegen ist dieser »Sonntag der Orthodoxie« als »Sonntag der Gronthodoxie«, d.h. der »Faustlehre«, in die Kirchengeschichte eingegangen. 1692 zog er sich nach Bukarest zurück. Seine Söhne Ralles und Manuel waren später Großrhetoren des Konstantinopeler Patriarchats. Zweifellos hat K. aus einer streng konservativen Position gegen katholische »Neuerungen«, gegen die Theologen Koresios und Syrigos und überhaupt gegen jede Weiterbildung des Dogmas polemisiert. Den Transsubstantiationsbegriff lehnte er ab, weil die Wandlung (metabole) ein übernatürliches, der Sinneswahrnehmung entzogenes und daher jedem Erklärungsversuch verschlossenes Geschehen sei, der Begriff der T. jedoch die Verwandlung einer Substanz in eine andere bezeichne. Der Streit beruhte letztlich z.T. auf unterschiedlichem Gebrauch aristotelischer Begriffe. Da seine nur z.T. erhaltenen Schriften nicht zuverlässig ediert sind, ist ein abschließendes Urteil über kalvinische Einflüsse nicht möglich. In der Forschung wurde auch die Ansicht vertreten, daß die Angriffe gegen K. auf Intrigen zurückgingen und namentlich den Karriereinteressen des Alexandros Maurokordatos gedient hätten. Unbestritten sind seine Verdienste um die Vermittlung griechischer Bildung in der Walachai. K. rechnete offenbar mit dem herannahenden Zerfall der osmanischen Herrschaft zumindest über dieses Fürstentum.

Werke: s. Émile Legrand: Bibliographie hellénique. 3, Paris 1895, 30-37, 45-50; Τάσος ᾿Αθ. Γριτσόπουλος: Πατριαρχικὴ Μεγάλη τοῦ Γένους Σχολὴ 1, 1966, 203 f.; D. Russo: Studii istorice greco-române. Opere posthume. 1, 1939, 187-191; Hinweis auf unpublizierte Schriften: Russo; Gerhard Podskalsky: Griechische Theologie in der Zeit der Türkenherrschaft (1453-1821). München 1988, 240 Anm. 991. — Epigramme auf Korydalleus u.a. Persönlichkeiten; ᾿Εφημερίδες (Berichtszeitraum 1676-1689), Auswahlpubl. hsg. M. Paranikas, ῾Ο ἐν Κων/πόλει ῾Ελληνικὸς Φιλολογικὸς Σύλλογος 11, 1876-1877, sowie Zerlentes ΔΙΕΕΕ 3, 1889, 275-315; zwei Schriften gegen die Transsubstantiationslehre, hg. Chrysostomos Papadopulos, ᾿Εκκλησιαστικὸς Φάρος 17, 1918, 24-33; ᾿Εγχειρίδιον περί τινων ἀποριῶν καὶ λύσεων [...], Snagov 1697; — im selben Band (fortlaufend paginiert) die Schrift: ᾿Ερωταποκρίσεις ἀναγκαῖαι ἑκάστῳ εὐσεβεῖ [...] πρὸς τὸν [...] ἄρχοντα

Κύριον Κωνσταντῖνον τὸν Καντακουζηνόν. I; zahlreiche unveröffentlichte Martyrologien; ῾Ερμηνεία τοῦ δικεφάλου λαγωοῦ ἐν Μοισίᾳ (Traumdeutung), in: Eudoxiu de Hurmuzaki, Documente privitoare la istoria Românilor XIII, Bukarest 1909, 206 f.

Lit.: Δοσίθεος: ᾿Εγχειρίδιον κατὰ τοῦ ᾿Ιωάννου τοῦ Καρυοφύλλου. Ιaşi 1694; — ders., Παραλειπόμενα ἐκ τῆς ἱστορίας τῶν ἐν ῾Ιεροσολύμοις πατριαρχευσάντων, in ᾿Αθανάσιος Παπαδόπουλος–Κεραμεύς: ᾿Ανάλεκτα ῾Ιεροσολυμιτικῆς σταχυολογίας. 1, Petersburg 1891, 300 ff.; — Μανουὴλ Γεδεών: Χρονικὰ τῆς Πατριαρχικῆς ᾿Ακαδημίας, Konstantinopel 1883, 87-92; — ders., ᾿Ανέκδοτοι ἐπιστολαὶ ἀρχαίων διδασκάλων τοῦ Γένους, in ᾿Εκκλησιαστικὴ ᾿Αλήθεια 3, 1882/83, 423-425; — Περικλῆς Γ. Ζερλέντης: ᾿Ιωάννου Καρυοφύλλου πρὸς Μελέτιον Χορτάκιον καὶ τοὺς θεσσαλονικεῖς ἐπιστολαί. ΔΙΕΕΕ 6, 1901, 73-87; — Russo, 181-191: Μανοῦσος Ι. Μανούσακας: ᾿Ανέκδοτα πατριαρχικὰ ἔγγραφα περὶ ᾿Αθανασίου τοῦ Ρήτορος. ᾿Επετηρὶς τοῦ Μεσαιωνικοῦ ᾿Αρχείου 2, 1940, 146-148; — Γριτσόπουλος 1, 196-204; — ders., Wortartikel in ΘΗΕ 7, 379-381; — ders., Πατριαρχικὴ Μεγάλη τοῦ Γένους Σχολὴ I, Athen 1966, 196-204; — Βακαλόπουλος, ᾿Απόστολος: ῾Ιστορία τοῦ Νέου ῾Ελληνισμοῦ III, 468-471; — Cléobule D. Tsourkas: Germanos Locros, archevêque de Nysse et son temps (1645-1700), Thessaloniki 1970, 30-35 (= IMXA, 123); — ᾿Αθανάσιος Ε. Καραθανάσης: Οἱ ῞Ελληνες λόγιοι στὴ Βλαχία (1670-1714). Thessaloniki 1982, 29-39 (= IMXA 194); — Podskalsky, 237-242.

Gunnar Hering

KARYOPHYLLES, Ioannes Matthaios, * Chania (Kreta) um 1566, † Rom 23.5. 1633. — 1584 begann K. mit seinem Studium am Kolleg des Hl. Athanasios in Rom. Seit 1591 griechisch-katholischer Mönch wurde er 1594 zum römisch-katholischen Diakon geweiht, blieb aber weiterhin griechisch-katholisch. 1592-1596 lehrte er Griechisch am Kolleg, an dem er am 14.6. 1595 zum Doktor der Philosophie und Theologie promoviert wurde. Nach der Priesterweihe 1596 diente er 1596-1600 als Generalvikar der Diözese Kisamos (Kreta); dort setzte er sich wegen seiner romfreundlichen Haltung Angriffen von orthodoxer Seite aus und wurde deswegen von venezianischen Behörden zur Rückkehr nach Rom veranlaßt. 1600-1608 lehrte er wieder am Griechischen Kolleg in Rom Altgriechisch. Gleichzeitig widmete er sich gelehrten Studien und verfaßte eine Reihe von Schriften. Vor dem 18.9 1622 wurde er zum Titularbischof von Ikonion geweiht. K. neigte zur Polemik in den damals zwischen Katholiken und Orthodoxen kontrovers erörterten Glaubensfragen; deswegen blieb er eine umstrittene Persönlichkeit. Die Propagandakongregation beriet er in Angelegenheiten der Griechen in Süditalien sowie bei der Übersetzung und Herausgabe theologischer Kontroversliteratur.

Werke: Schriftenverzeichnis bei: Leo Allatius, De Ecclesiae Occidentalis atque Orientalis perpetua consensione libri tres. Köln 1648, 999 f.; Émile Legrand, Bibliographie hellénique (XVII) III, Paris 1895, 199-201; Zacharias Tsirpanlis: I libri greci. Balkan Studies 15, 1974, 208-213, 216-221. Kontroverstheologische Schriften: Ἀντίρρησις πρὸς Νεῖλον τὸν Θεσσαλονίκης περὶ τῆς ἀρχῆς τοῦ Πάπα. Rom 1626 (Legrand I, 216-218 Nr. 1551), Paris 1626 (griech. und lat.) Wiederabdruck in Roccaberti, J. Th. de (Hsg.): Biblioteca maxima pontificia XIV, Rom 1698; 477-518; PG 149, 729 B-877 B. (Widerlegung der Angriffe des Neilos Kabasilas auf die latein. Theologie, insbesondere auf den Primat des Papstes). Zu diesem Thema verfaßte K. eine zweite, nicht edierte Schrift: Confutatio adversus Barlaamum de primatu Papae; ῎Ελεγχος τῆς ψευδοχριστιανικῆς κατηχήσεως Ζαχαρίου τοῦ Γεργανοῦ ἀφ᾽ τὴν ῎Αρτην. Rom 1631 (griech. und lat.) (Widerlegung Katechismus des Zacharias Gerganos, bes. des Schriftprinzips; Verteidigung der Stellung des Papstes; Kapitelgliederung nach 70 unterschiedlichen Blasphemien); Censura Confessionis, seu potius perfidae Calvinianae, quae nomine Cyrilli patriarchae Constantinopolitani edita circumfertur. Rom 1631 (Legrand I, 288 f. Nr. 209), davon neugriech. Fassung: Κατάκρισις τῆς ὁμολογίας τῆς πίστεως μάλιστα τῆς κακοπιστίας τῶν Καλβινιστῶν, ὁποῦ ἐτυπώθηκεν εἰς ὄνομα Κυρίλλου πατριάρχου Κωνσταντινουπόλεως. Rom 1632; altgriech. Fassung: Ἀποδοκιμασία καὶ κατάκρισις τῆς ἐφ᾽ ὀνόματι Κυρίλλου πατριάρχου Κωνσταντινουπόλεως ἐκδοθείσης ὁμολογίας τῆς πίστεως, εἴτουν ἀπιστίας τῶν Καλβινιστῶν ἢ συνῆπται, καὶ ἥ τῶν ἀναθεματισμάτων παρ᾽ αὐτοῦ δὴ τοῦ Κυρίλλου πάλαι ἐκφωνηθέντων ἀπόρριψις. Rom 1632, ²1671 (Legrand I, 304-306 Nr. 216 f., II, 265 Nr. 497), Rom 1671 (Widerlegung des Glaubensbekenntnisses des Kyrillos Lukaris, bes. der Eucharistielehre). Verschiedene philosophische, historische und hagiographische Schriften sind bei zeitgenössischen Autoren erwähnt, die Texte aber nicht gesichert. Für den Gelehrten Onorio Belli aus Vincenza verfaßte er eine unveröffentlichte Abhandlung über die korrekte Aussprache des Griechischen. Außerdem wirkte K. auch als Übersetzer und Herausgeber. Er besorgte die zweite Ausgabe (o.O.oJ.) der griechischen Akten des Unionskonzils von Ferrara/Florenz mit lateinischer Übersetzung: Ἑρμηνεία τῶν πέντε κεφαλαίων, ὅπου περιέχει ἡ ἀρόφασις τῆς ἀγίας καὶ οἰκουμενικῆς Συνόδου τῆς Φλωρεντίας, καμωμένη εὐσεβῶς παλαιόθεν [...] Rom 1628 (Legrand I, 265 f. Nr. 187) und übersetzte den lateinischen Katechismus des Kardinals Bellarmin ins Griechische (Legrand III, 40-42 Nr. 666).

Lit.: Allatius a.a.O., 986, 999 f.; — Legrand III, 196-203, V, 226 f.; — Palmieri in DThC II, 1813-1815; — Γρηγορίου Π.: Σχέσεις καθολικῶν καὶ ὀρθοδόξων. Athen 1958, 311-313 (mit Lit.); — Ζαχαρίας Ν. Τσιρπανλής: Τὸ Ἑλληνικὸ Κολλέγιο τῆς Ρώμης καὶ οἱ μαθητές του (1576-1700). Saloniki 1980, 289-292 Nr. 60 (= Ἀνάλεκτα Βλατάδων); — A. Fyrigos: Il collegio greco di Roma. Rom 1984, 292, 316 f.; — Τωμαδάκης, Νικόλαος Β.: Ἐπισκοπὴ καὶ ἐρίσκοποι Κυδωνίας. Κρητικὰ Χρονικά 11, 1957, 32; — Χρυσόστομος Α. Παπαδόπουλος, Ἱστορικαὶ μελέται. Jerusalem 1906, 228-233; — Gerhard Podskalsky: Griechische Theologie in der Zeit der Türkenherrschaft 1453-1821. München 1988, 181-188.

Gunnar Hering

KASCHNITZ, Marie Luise (eig. Freifrau von Kaschnitz-Weinberg), * 31.1. 1901 in Karlsruhe, † 10.10. 1974 in Rom. — K. schuf in knapper, doch eindringlicher Sprache bedeutende Prosawerke und lyrische Gedichte. Sie wuchs als Tochter eines Offiziers (von Holzing-Berstett) in Potsdam und Berlin auf. Nach dem Lyzeumbesuch wurde sie Buchhändlerin in Weimar, dann in München und schließlich in Rom. Hier lernte sie auch ihren künftigen Mann kennen, der als Archäologe tätig war. Nach der Heirat 1925 lebte sie als Frau des Guido v. Kaschnitz-Weinberg dort, wo er lehrte, nämlich in Königsberg 1932-1937, dann in Marburg 1937-1941, dann in Frankfurt und Rom, 1953-1958. Nach dem Tode ihres Mannes lebte K. in Frankfurt, wo sie 1960 Vorlesungen über Poetik halten konnte. Sie begleitete ihren Mann auf den verschiedenen Studienreisen durch Griechenland, den Orient und durch Nordafrika. Die Begegnung mit der Antike wurde wesentlich für ihr literarisches Schaffen (vgl. »Griechische Mythen«, 1941, »Die Umgebung von Rom«, 1960, u. a.!). — Autobiographisch war der erste Roman »Liebe beginnt«, der 1933 veröffentlicht wurde. Das Schicksal eines Mädchens in der Pubertät wurde 1937 in »Elissa« dargestellt. Diese Werke sind heute ziemlich vergessen. 1945 begann — unter dem Eindruck des Endes des zweiten Weltkrieges — mit der Essaysammlung »Menschen und Dinge« der eigentliche Durchbruch. Diese zwölf Essays erschienen 1946 und erregten wegen ihrer Eindringlichkeit großes Aufsehen. 1947 erschienen mit noch größerer Wirkung zwei Lyrikbände »Gedichte« und »Totentanz und Gedichte«. Gleichnishaft und klar werden tiefe Eindrücke aus dem Krieg wiedergegeben. K. wagte es, die Schrecken, aber auch die Hoffnung in einer Zeit aufklingen zu lassen, wo man nur vergessen wollte. Damit wird auch das religiös gestimmte »Dennoch« geschenkt. Einen Höhepunkt auf dieser Linie war das Requiem »Rückkehr nach Frankfurt« (1947). Wesentlich für die Ausdruckskraft der Dichterin wurde die Prosasprache: Essays und kürzere Geschichten verweisen eindringlich auf hintergründige, menschliche Schicksale. Zu erinnern sei an die Betrachtungen »Engelsbrücke« (1955) und an die Sammlung mit einundzwanzig Erzählungen »Lange Schatten« (1960). Der Tod des Mannes konnte nur bewältigt werden durch die Vergegenwärtigung des Leidens: »Dein Schweigen — meine Stimme« von 1962 ist bis heute ein oft gelesener Lyrikband. Dabei wird das Leiden der gesamten Kreatur mit einbezogen — eine biblische Grundeinsicht (vgl. Röm. 8, 19)! Die Gegenwart wurde aber nie ausgeklammert, sondern hintergründig durchleuchtet, wie es in der äußeren Form eines Tagebuches in »Tage, Tage, Jahre« (1968) besonders klar zum Ausdruck kommt. Hinter persönlichen Notierungen erscheinen weltpolitische Bezüge. Zeitkritisches vermengt sich wohlgezielt mit persönlichen Erinnerungen. Solche Notizen überzeugen (vgl. die Auflagenziffer von 5 in zehn Jahren!). Derartige stilistische Meisterleistungen wurden vorbereitet mit der Durchdringung einer kürzeren Lebensepoche der Dichterin wie in den »Aufzeichnungen«, »Wohin denn ich« (1963). Die Synthese von sparsamen Ausdrucksmitteln in der Prosa mit der Analyse menschlichen Seins und Zusammenlebens zeigt sich besonders eindringlich in der »Beschreibung eines Dorfes« (1966). Von hier wird eine Brücke geschlagen zu den Spätaufzeichnungen (zum Teil Nachlaßpapiere) »Orte und Menschen«, ein Werk, das mit authentischer Anordnung der Aufzeichnungen posthum 1986 herausgegeben wurde. In den späteren Gedichten »Kein Zauberspruch« (Sammlung von 1962-1972) dient verdichtete Sprache zur Anklage gegen die Bedrohung der Menschheit durch Technisierung und Vermassung (vgl. das gegenwärtige Los im »Spital« — im gleichnamigen Gedicht). Hineingewobene christlich-religiöse Elemente spiegeln das Suchen und Hoffen der Dichterin wider, was auch besonders in den Hörspielen zum Ausdruck kommt (vgl. »Der Zöllner Matthäus«, 1956). — K. erhielt zahlreiche Ehrungen. 1955 bekam sie den Georg-Büchner-Preis, 1957 den Immermann-Preis. Mit der Friedensklasse des Ordens Pour le Mérite wurde sie 1967, mit der Ehrendoktorwürde der Philosophischen Fakultät der Universität Frankfurt 1968 ausgezeichnet. 1970 bekam sie den Hebel-Preis. K. war Mitglied des PEN, der Akademie der Wissenschaften und der Literatur in Mainz, der Bayerischen Akademie der Schönen Künste wie der Deutschen Akademie für Sprache und Dichtung. 1960 hatte sie auch die Professur für Poetik an der Universität Frankfurt inne. Sie starb im Oktober 1974.

Werke: Erste Erzählungen, in: Bruno Cassirer (Hg.), Vorstoß, 1928; Liebe beginnt, Roman, 1933, 1984²; Elissa, Roman, 1937, 1984²; Griech. Mythen, 1943, 1946², TB dtv, Nr. 1079; Totentanz, Spiel, 1946, auch enth. in: Totentanz und Gedichte zur Zeit, 1947; Menschen und Dinge, Zwölf Essays, 1946; Theatrum sanitatis, Kunstbetrachtung, 1947; Gedichte, 1947; Totentanz und Gedichte zur Zeit (s. o.), 1947; Rückkehr nach Frankfurt, Requiem, 1947; Gustave Courbet, Roman, 1949 (als: Die Wahrheit nicht der Traum. Das Leben des Malers Courbet, 1967², 1978³, 1989⁴); Vom Wortschatz der Poesie, in: Wandlung, 4, 1949; Zukunftsmusik, Gedichte, 1950; Dämon und Engel. Über Goethes Lieblingsgestalt Mignon, in: Lit. Dtld. 1951, Nr. 19, 8; Ewige Stadt, Gedichte, 1952; Das dicke Kind und andere Erzählungen, 1952, 1976² (mit Zeichnungen von Sascha Juritz); Das Spiel vom Kreuz, Hörspiel, 1953; Was sind denn sieben Jahre, Hörspiel, 1953; Engelsbrücke, Röm. Betrr., 1955, 1975² (TB), 1976³ (TB); Rede zur Verleihung des Georg-Büchner-Preises, in: Veröffentlichungen der Dt. Akad. für Sprache und Dichtung, Jb. 1955, 48-53; Das Haus der Kindheit. Autobiogr. Erzählung, 1956, 1962² (TB), 1986³; Neue Gedichte, 1957; Der Zöllner Matthäus, Laienspiel, 1958; Die Umgebung von Rom, Kunstber., 1960; Lange Schatten, Erzählungen, 1960, (TB) 1964²; Der Georg-Büchner-Preis. Rede auf den Preisträger Paul Celan, in: Veröffentl. der Dt. Akad. für Sprache und Dichtung, Jb. 1960, 65-88 (aufg. in: Zwischen Immer und Nie, 1971, 1980², 304 ff.); Ein Gartenfest, Hörspiel, 1961; Liebeslyrik heute. Essay in: Akad. der Wiss. und der Lit. in Mainz. Abhandlungen der Klasse Lit., Jg. 1962, Nr. 3 (aufg. in: Zwischen Immer und Nie, 1971, 1980², 221 ff.); Dein Schweigen — meine Stimme, Gedichte, 1962 (TB; Heyne-Lyrik Nr. 14), 1970², 1981³; Hörspiele (darin: Jasons letzte Nacht, Caterina Cornaro u. a.), 1962; Ich lebte, Verse mit Lithographien von Henry Gowa, 1963; Wohin denn ich, Aufzeichnungen, 1963, TB dtv 455, 1967², TB Fischer 5814; Ein Wort weiter, Gedichte, 1965; Überall Nie, Ausgewählte Gedichte, 1965; Tagebuch des Schriftstellers. Akad. der Wiss. und der Lit. in Mainz, Abhandlungen der Klasse Lit., 1965, Nr. 1; Das Tagebuch. Gedächtnis, Zuchtrute, Kunstform; in: Das Tagebuch und der mod. Autor, München 1965; auch aufg. in: Zwischen Immer und Nie, 1971, 1980², 246-263; Guido v. Kaschnitz-Weinberg, Ausgewählte Schrf. mit einer Biogr. des Verf.s, hg. von K., 1965; K. liest, Schpl. 1965; K. spricht, Schpl. 1966; E. Grillparzer, Medea, hg. u. erläutert von K., 1966; Beschreibung eines Dorfes, 1966,

1967[2], 1979[3] (mit zwölf farbigen Bildern von Monika Wurmdobler); gr. Ausgabe mit 16 Farbfotos von Michael Grünwald, 1983, 1986[2]; Ferngespräche, 1966; Tage, Tage, Jahre, Aufzeichnungen, 1968, (TB) 1971[2], 1974[3], 1975[4], 1977[5]; Die fremde Stimme, Hörspiel, 1969; Vogel Rock, Unheiml. Gesch.n, 1969; Steht noch dahin (Betrn.), 1970 (TB) 1972[2]; (Hg.), Dt. Erzähler, Bd. II, 1971; Gespräche im All, Hörspiele, 1971; Zwischen Immer und Nie. Gestalten und Themen der Dichtung, 1971, 1980[2]; Nicht nur von hier und heute. Ausgew. Prosa und Lyrik, 1971, 1984[2]; Eisbären, Erzählungen, 1972, 1986[2]; Kein Zauberspruch, Gedichte, 1972, 1986[2]; Gesang vom Menschenleben, Gedichte, 1974; Der alte Garten, Ein mod. Märchen, 1975, 1983[5]; Der Tulpenmann, Erzählung, o. J.; Der Deserteur (Sammelwerk), o. J.; K. — Ein Lesebuch 1964-1974, 1975; Gedichte, Auswahl und Nachwort von Peter Huchel, 1975; Orte (Autobiogr.), Aufzeichnungen, 1976; Seid nicht so sicher, Auswahl, 1979; (Hg.), Dt. Erzähler, 1979; Die drei Wanderer, Erzählungen, 1980; Ges. Werke, 7 Bde., 1981 ff-1987; Eines Mittags, Mitte Juni, Ausgew. Erzählungen, 1983; Jennifers Träume, Unheiml. Gesch., 1984; Notizen der Hoffnung, 1984; Florens, Eichendorffs Jugend, 1984; Orte und Menschen, Aufzeichnungen, 1986; Menschen und Dinge, Aufzeichnungen, 1986; Liebesgeschichten (Hg. E. Borchers), 1986. — K.-Bibliogr.: Sigrid Jauker, K. Monogr. und Versuch einer Deutung, Phil. Diss. Graz, 1966 (Masch.), 264-273; K., Beschreibung eines Dorfes, 1966, Anhang von H. Fritz, 69-74; Elsbet Linpinsel, K.-Bibliogr., 1971 (ausf. mit Sek.-Lit.); (Hg.) H. Bender, Für K. 1970 (ausf. mit 6 Tafeln) — Inselalmanach auf das Jahr 1971; K., Materialien, Suhrkamp (TB) st. 2047.

Lit.: Hannsludwig Geiger, K., in: Neue Lit. Welt, 25.8. 1952; — Theodor Heuss, Dank an K. Ansprache bei der Verleihung des Büchner-Preises in Darmstadt, 1955; Veröffentlichungen der Dt. Akad. für Sprache und Dichtung, Jb. 1955; — Wolfgang Hildesheimer, Ein Haus der Kindheit, in: Merkur, 1957, Nr. 12; — Fritz Usinger, Die Dichterin K., in: Dt. Rundschau 1959, H. 6; — Ders., K., in: Welt ohne Klassik. Essays, 1960; — Bonaventura Tecchi, Scittori tedeschi moderni, (Roma) 1959; — Heinz Enke, K., in: Hessenjournal, 2. Jg., 1960, Nr. 2; — W. E. Zimmermann, Dt. Prosadichtungen der Ggw. W. Z., 1960, III, 281-288; — Adolph Meurer, K. — der geglückte Versuch, in: Hessenjournal, 2. Jg., 1960, Nr. 7; — H. Bieneck, Werkstattgespräche mit Schriftstellern, 1962, 33-46; — Erich Hock, Zeitgenössische Lyrik im Unterricht der Oberstufe. K. und Hans Egon Holthusen, in: Wirkendes Wort. Sammelbd. 4, 1962; — S. Jauker, K. Monographie und Versuch einer Deutung, Diss. Graz 1966; — Marcel Reich-Ranicki,... die uns überleben werden. K.s Erzählungssammlung, in: Die Zeit, 23.9. 1966; — Interpretationen zu K. Verfaßt von einem Arbeitskreis. Erzählungen, 1969 (Interpretationen zum Deutschunterricht 10); — A. Baus, Standortbestimmung als Prozeß. Unterss. zur Prosa der K., 1973; — Peter Wapnewski, Gebuchte Zeit. Zu den Aufzeichnungen der K., Merkur 28, 1974, 381-384, aufgen. in Zumutungen. Essays zur Lit. des 20. Jh.s, 1979, (TB) 1982[2], 255-262; — Walter Schönau, Zum Geschwistermotiv im Werk der K., 1982; — KLL (So) VI, 5493; — (H. Kunisch, Hg.), Kl. Handb. der dt. Ggw.lit., 1969, 356-363; — Kindler Lit.Gesch. der Ggw. in 12 Bd.n: Die BRD, 16, 25, 29, 46, 99, 321, 365 ff.; — (M. Brauneck, Hg.), Weltlit. im 20. Jh. — Autorenlex. 3, 1981 (rororo-Hb. 6267), 674; — (F. Lennartz), Dt. Schriftsteller des 20. Jh.s im Spiegel der Kritik, II, 894 ff.; — (M. Brauneck, Hg.), Autorenlex. dt.sprach. Lit. des 20. Jh.s, 1984, 1988[2] (rororo-Hb. 6302), 346-347; — Lex.Lit.Geg., 1987, 310 ff.

Wolfdietrich v. Kloeden

KASIMIR v. Polen (Kazimierz Jagiellończyk), Heiliger, Schutzpatron Polens u. Litauens, * Krakau 3.10. 1458 als zweiter Sohn König Kasimir IV., † Grodno 4.3. 1484. — K., v. Johannes Długosz erzogen, wurde 1471 gegen Matthias I. Corvinus z. König v. Ungarn gewählt, konnte sich aber nicht durchsetzen u. regierte kurze Zeit in Polen an Stelle seines in Litauen weilenden Vaters. 1483 Statthalter in Wilna. — Auf Betreiben der Jagiellonen wurde er wegen seines vorbildlichen Lebenswandels u. seiner Marienfrömmigkeit 1521 oder 1602 heiliggesprochen, sein Fest wird am 4.3. gefeiert.

Lit.: Akta Stanów Prus Król. I, 213; — Cod. Regni Pol. et M. Duc. Lit. I, 60; — Długosz, Hist. V, 276, 557, 620, 640, 669, 670, 698; — Kleinere Geschichtsqu. Polens im Mittelalter, hrsg. v. K. Zeissberg, In: Arch. f. Österr. Gesch. 55, 1877, Nr. 103a; — Theatrum Casimirianum, Hrsg. v. G. Święcicki, 1604, 237; — M. Miechowita, Chronicon RP, 1519, 327 u. 345; — Monumenta Pol. Hist. III; — Rachunki królewskie, Rachunki wielkorządowe krakowskie z lat 1461-2 i 1471, hrsg. v. S. Krzyżanowski, In: Arch. Kom. Hist. 1909-13, XI; — Rocznik Świętokrzyski, Dopełnienie, In: Monumenta Pol. Hist. III, 87; — Script. Rer. Pruss. IV, 687; — Script. Rer. Sil. XIII; — Zacharias Ferreri, Vita S. Casimiri, 1521 (Estreicher, Bibljografia polska XVI, 201); — Augustyn Lipnicki, Życie, cuda i cześć św. Kazimierza, 1858, [2]1907; — Fryderyk Papée, Św. Kazimierz, 1896, wieder 1909; — Ders., Przełom w stosunkach miejskich za Kazimierza Jagiellończyka, In: Przewodnik nauk. i lit., 1883; — Ders., Zatargi podatkowy Kazimierza Jagiellończyka z miastem Krakowem 1487, In: Kwart. hist. 9, 1895; — Ders., Św. Kazimierz królewicz polski, 1902; — Ders., O najstarszych wizerunkach Św. Kazimierza, In: Kwart. Hist. 19, 1905; — Ders., Św. Kazimierz, Studia i szkice, 1907; — A. Prochaska, Czy autograf Św. Kazimierza? In: Przegl. Powsz. 1912; — Ders., Św. Kazimierz w hist., Litwa i Ruś, 1914; — Ders., Wyprawa Św. Kazimierza na Wdgry (1471-4). In: Ateneum Wil. 1923; — M. Pelczar, Miscellanea archiwalne, In: Rocz. Gdao. 2, 1938; — Z. Ivinskis, K., 1955; — M. Pazkiewicz, K., In: Homo Dei 27, 1958, 488-492; — I. Zardbski, Najwcześniejszy polski traktat pedagogiczny (ok. 1467), In: Dziesięciolecie WSP Kraków, 1957; — AS Mart. I, 334-335; — Catholicisme II, 614; — DHGE XI, 1283; — LThK VI, 12; — CivCatt 110, 1959 I, 467-477; — Polski Słownik Biograf. XII, 286-288.

Waldemar Grosch

KASIMIR (oder Johann Kasimir), Pfalzgraf bei Rhein, * 7.3. 1543 in Simmern, † 6.1. 1592 in Heidelberg. — K.war der vierte Sohn des Kurfürsten Friedrich III. und ein überzeugter Anhänger des Genfer Reformators Johannes Calvin. Er galt als ehrgeizig und entschiedener Gegner der Habsburger; daher suchte er auch Kontakte zu außerdeutschen Mächten, um seine Interessen zu wahren. Sein Bruder, Kurfürst Ludwig IX., dagegen bekannte sich zum Luthertum und vertrieb die Anhänger Calvins aus seinem Herrschaftsgebiet. Die K. unterstehenden Ämter Haardt, Kaiserslautern und Böckelheim nahmen die vertriebenen Calvinisten auf. Mit aus Heidelberg vertriebenen Professoren calvinischen Bekenntnisses gründete K. in Neustadt das Kasimiranum, eine Art Akademie. Im Jahre 1583 wurde er Regent der Pfalz und Mitvormund für seinen Neffen Friedrich IV. Obwohl im Testament seines Bruders ausdrücklich festgelegt worden war, daß Friedrich IV. im evangelisch-lutherischen Bekenntnis erzogen werden sollte, ließ ihn K. calvinisch erziehen. Auch setzte er während seiner Regentschaft durch, daß die Pfalz wieder calvinisch wurde.

Lit.: ADB XIV, 307-314; — F. Lautenschläger, Bibliographie der bad. Gesch., Karlsruhe 1929, I, nn. 5361-5400; — J. B. Götz, Die relig. Wirren in der Oberpfalz v. 1576-1620, Münster 1937, 365 (Reg.); — LThK ²VI, 12.

Johannes Madey

KASPER, (Ordensname: Maria) Katharina, Gründerin der katholischen Schwesterngenossenschaft Arme Dienstmägde Jesu Christi (Dernbacher Schwestern), * 26.5. 1820 in Dernbach, † 2.2. 1898 in Dernbach. — K. wuchs in kleinbäuerlichen und ärmlichen Verhältnissen eines Westerwalddörfchens ohne Kirchen- und Schulgebäude auf, genoß eine nur sehr rudimentäre Schulbildung und arbeitete in der Bauernwirtschaft ihrer Eltern hart mit. Schon als Jugendliche nahm sie sich in ihrer Freizeit der Dorfkinder sowie der ungenügend betreuten Kranken des Dorfes an und zog sich häufig zu Gebet und innerer Sammlung zurück. Ihr war bewußt, »daß Gott etwas besonderes von mir verlangte, und daß ich die Armen und Kranken pflegen sollte.« Ab 1842 sammelte sie in Dern-

bach gleichgesinnte junge Frauen um sich und führte mit ihnen ein gemeinsames Leben im Dienst der Kranken und der Pflege armer, insbesondere verwaister Kinder. Nachdem K.s Ziele und Werke von den zuständigen regionalen kirchlichen Autoritäten zunächst skeptisch und sogar ablehnend beurteilt wurden, erkannte der Limburger Bischof Peter Joseph Blum (1842-1884), in dessen Bistum sich keine Ordensniederlassung befand, daß er es »mit einer Sache von großem spirituellen Format zu tun hatte« (Klaus Schatz) und bestätigte 1850 die ersten Satzungen der neuen Gemeinschaft. Sie erhielt im Folgejahr am Fest Mariä Himmelfahrt (15. August) den Status einer kirchlichen Genossenschaft unter dem Namen Arme Dienstmägde Jesu Christi. 1852 gab Bischof Blum ihr eine modifizierte Vinzentinerinnen-Regel als vorläufige Lebensregel (endgültige Genehmigung der Ordensregel 1890 durch den Heiligen Stuhl). Wie vergleichbare Gründungen des 19. Jahrhunderts breitete sich die Kongregation rasch aus: in den ersten acht Jahren ihres Bestehens konnten in der Diözese Limburg 20, in der Erzdiözese Köln 12, in der Diözese Paderborn 5 und in den Diözesen Trier und Roermond je eine Niederlassung gegründet werden. 1880 war die Gesamtzahl der Schwestern auf 688 in 98 Häusern gestiegen. Den Kulturkampf überstand die Kongregation wohl deshalb relativ unbeschadet und besser als andere Orden, weil die Armen Dienstmägde in den Kriegen von 1866 und 1870/71 tatkräftig im Sanitätsdienst engagiert waren und K. aus der Hand Kaiser Wilhelms I. deshalb das Eiserne Kreuz erhalten hatte. 1898, im Todesjahr der Stifterin, die der Kongregation ununterbrochen als Generaloberin vorgestanden hatte, betrug die Anzahl der Schwestern 1725, wobei vor allem die außereuropäische Verbreitung (USA seit 1868) der zunächst lediglich von lokalen Anliegen her motivierten Gründung beachtenswert war. 1971 zählte die Genossenschaft 2601 Schwestern in 158 Häusern, die sich auf Deutschland, die USA, Holland, England und Indien verteilten. Gegenwärtig (1987) zählt man noch 1470 Schwestern in 123 Niederlassungen. — K. zählt nach Konrad Fuchs durch die von ihr initiierten Verwahr-, Sonntagsschulen und Internate und durch ihr karitatives Engagement zu den Mitgestalterinnen der Sozialpolitik, Pädagogik und Frauenemanzipation des 19. Jahrhunderts. Das Fundament ihres Wirkens war allerdings kein ausschließlich sozial-enga-giertes, sondern ein eminent religiöses in geist-licher und christlicher Lebendigkeit: K. bewirk-te in dem ihr vorgegebenen Rahmen eine »ge-sellschaftliche Revolution durch Nächstenlie-be« (mit Friedrich Wulf). Die Gründerin der Kongregation starb im Ruf der Heiligkeit. Das für eine Seligsprechung erforderliche übernatür-liche Geschehen (Wunder) erfolgte am 20.9. 1945 in Koblenz: eine Sr. Herluka aus der Kon-gregation der Armen Dienstmägde Jesu Christi wurde auf die Fürsprache der K. von einer tuber-kulösen Meningitis, auf natürliche Weise uner-klärbar, vollkommen und dauerhaft geheilt. Am 16. April 1978 wurde K. durch Papst Paul VI. seliggesprochen.

Lit.: Georg Hilpisch, Trauer-Rede auf die hochwürdige Mut-ter M.K., Gründerin und Generaloberin der Kongregation der armen Dienstmägde Jesu Christi, in der Klosterkirche zu Dembach am 5.2. 1898, Limburg 1898; — Ders., Kindheit und Jugend der ehrwürdigen Mutter M., o. O. und Jahr; — Matthias Höhler, Die ehrwürdige Mutter M., erste General-oberin der Armen Dienstmägde Jesu Christi, 1920; — Kon-stantin Kempf, Die Heiligkeit der Kirche im 19. Jh., [8]1927, 598; — Ders., Die fortlebende Kraft der Kirche, o. J. (= 1939), 44; — Albert Köhler/Josef Sauren, Kommende dt. Heilige. Heiligmäßige Deutsche aus jüngerer Zeit, 1936, 107 ff. Erneut abgedr. in: Wilhelm Schamoni, Die seligen dt. Ordensstifterinnen des 19. Jh.s, 1984, 49-62; — Albert Schütte, Handb. der dt. Heiligen, 1941, 243; — M.K.K., Ein Leben dienender Liebe, 1933. Weitere Ausg.: 1951, 1963, 1967 (von Johanna Eiffler); — Wendelin Meyer, Hl. Magdtum vor Gott. Mutter M.K., Stifterin der Genossen-schaft der Armen Dienstmägde Jesu Christi, 1933; — G. T. Meagher, With Attentive Ear an Courageous Heart: A Bio-graphy of Mother Mary Kasper, Milwaukee 1957; — Der Geist weht, wo er will. Erwägungen zum Tugendleben der Mutter M.K., Gründerin der »Armen Dienstmägde Jesu Christi«, Neun-Tage-Andacht, 1965. Weitere Ausg.: 1967 (von Irmgardis Kadenbach); — Robert Quardt, Millionärin ohne Hab und Gut. Aus dem Leben der Ordensstifterin M.K., [2]1967; — Hans Becker, Die Domdekane von Limburg, in: AmrhKG 22, 1970, 211-226, 223; — Acta Apostolicae Sedis 67, 1975, 132-138; — Konrad Fuchs, K.K. (1820-1898), Gründerin der Klostergenossenschaft der Armen Dienst-mägde Jesu Christi. Ein Beitrag zur sozialen Fage im 19. Jh., in: Nassauische Annalen 88, 1977, 149-166; — Ders., K.K., in: Personen und Wirkungen. Biogr. Essays, 1979, 216-221; — Ders., K.K. 1820-1898. Die Gründerin der »Armen Dienstmägde Jesu Christi«, in: Lebendiges Rheinland-Pfalz 23, 1986, 50-52; — Walter Bröckers, Seligsprechung der Mutter M.K.K., 1978; — Friedrich Wulf, Revolution durch Nächstenliebe. Zur Seligsprechung der M.K.K. (1820-1898), in: Geist und Leben 51, 1978, 132-137; — M.K.K. Ihre Zeit und ihr Werk, 1978; — L'Osservatore Romano.

Wochenausgabe in dt. Sprache 8, 1978, Ausg. Nr. 15 vom 14. 4. 1978, 6-7; — Walter Nigg, Die verborgene Heilige. K.K. (1820-1898), [2]1978; — Domenica 4 di Pasqua. Beatifi-cazione della serva di Dio M.K. (1820-1898), fondatrice della Congregazione delle povere ancelle di Gesù Cristo. Basilica Vaticana, 16. apr. 1978, Rom 1978; — Seligspre-chung der Mutter M.K.K. Wallfahrt nach Rom 13.-21. April 1978, 1978; — Albert Heintz, Das Bistum Trier und die Selige M.K.K., in: Paulinus. Trierer Bistumsblatt 104, 1978, Ausgabe Nr. 21 vom 21.5. 1978, 10; — Ferdinand Ebert, M.K.K., in: Rhein-Lahnfreund 25, 1980, 119-120; — M. Aloisia Gingter, Wie soll das weitergehen, Katharina? Leben der M.K.K., 1980; — Klaus Schatz, Gesch. des Bistums Limburg, 1983, 138-142; — Annuario Pontificio per l'anno 1987, Città del Vaticano 1987, 1374; — LThK [1]V, 863; — EC VII, 557; — Jakob Torsy, Lex. der dt. Heiligen, Seligen, Ehrwürdigen und Gottseligen, 1959, 373; — LThK [2]VI, 13; — Bibliotheca Sanctorum VII, 1039; — New Catholic En-cyclopedia VIII, 133 f.; — H. Maier, Art. K.K., in: Kurz-biogr. vom Mittelrhein und Moselland, 1967-1975, 225; — Dizionario degli Istituti di Perfezione V, 338 f.; — Ida Lamp, Die Kongregation der Armen Dienstmägde Jesu Christi (Mutterhaus Dernbach/Westerwald). Ein Abriß ihrer Ge-schichte von der Gründungszeit bis zum Tod ihrer Stifterin Katharina Kaspar (gest. 1898), in: Archiv für mittelrheini-sche Kirchengeschichte 41 (1989) 319-346; — Otto Wim-mer/Hartmann Melzer, Lex. der Namen und Heiligen, [4]1982, 552 f.; — Jakob Torsy, Der große Namenstagskalen-der, [10]1985, 55.

Martin Persch

KASSIEPE, Max Adolf, * 8.4. 1867 in Essen, † 1.11. 1947 in Borken (Westfalen). — Bevor K. zum Studium gelangte, war er 10 Jahre lang Schreiner, engagierte sich im Kolping-Gesellen-verein und nahm aktiven Anteil an den politi-schen und sozialen Auseinandersetzungen der Zeit. 1892 schloß er sich der Genossenschaft der Oblaten der Makellosen Jungfrau Maria an und wurde 1897 in Fulda zum Priester geweiht. Während des ersten Weltkriegs wirkte er als Militärpfarrer; 1920-1926 war er Generalassi-stent des Ordens in Rom. In der Zwischenkriegs-zeit ist K. einer der markantesten Volksmissio-nare deutscher Sprache und wird als Prediger, Schriftsteller und Organisator geschätzt. Schon 1912 hatte er die Missionskonferenz (jetzt Ar-beitsgemeinschaft für missionarische Dienste der Orden) gegründet und blieb deren Vorsit-zender bis zu seinem Tode. Er reorganisierte die Pfarrmissionen und führte die französische Me-thoden ein, welche er den deutschen Verhältnis-sen anpaßte. Als Seelsorger setzte er sich für die Durchführung der Kommuniondekrete Pius' X.

ein und damit für die frühe Kommunion der Kinder und den häufigen Kommunionempfang. Der liturgischen Bewegung im deutschen Sprachgebiet stand K. kritisch gegenüber. Sein »Irrwege und Umwege...« rief heftige Auseinandersetzungen hervor. Von 1922-1942 veröffentlichte er zahlreiche Artikel in der Zeitschrift der Missionskonferenz »Paulus« (jetzt »Signum«).

Werke: Unter den Basutokaffern, Hünfeld 1896; Tabernakelwacht, Dülmen 1897; St.-Barbarabuch, Mönchengladbach 1898, 1902²; Volksmissionen und Exerzitien, Kevelaer 1902; Die Kongregation der PP. Oblaten der Unbefleckten Jungfrau Maria, Hünfeld 1905, 1907²; Die Volksmission, Paderborn 1909; Ernstes und Heiteres aus unseren Volksmissionen, 3 Bde., Hünfeld 1911, 1923⁴; Die Stellung der kath. Kirche zur Rassenmischehe, Münster 1912; Flappes, Lappes und Comp., Kevelaer 1913, 1922³; Licht und Schatten, 4 Bde., ebd. 1913, 1919²; Volksmission nach dem Kriege, Paderborn 1918; Gedächtnis und Bekenntnisfeier, Neuß 1918; Homilet. Handb., 4 Bde., Paderborn 1919 (Bde. I u. II, 1928-1930⁵; III, 1929⁴; IV, 1923³); Der Erzschlappes, Wiesbaden 1921; Volksmission und Unionsbestrebungen, Paderborn 1920, 1922²; Die kath. Volksmission in der neueren Zeit, ebd. 1923, 1934² (fläm. Übers. Antwerpen 1936); Die Krisis des Ehe- und Familienlebens und ihre Überwindung, Wiesbaden 1936; Zwischen Schlot und Bauernkotten, Paderborn 1936; Irrwege und Umwege im Frömmigkeitsleben der Ggw., Kevelaer 1939, 1940²; Priesterseligkeiten, Fulda 1949 (engl. Übers.: Priestly Beatitudes, St. Louis 1952); Erlebtes und Erlauschtes, Würzburg 1949.

Lit.: C. Lialine, in: Irénikon 18 (1945), 106; 19 (1946), 150 f.; — S. Jaki, Les tendances nouvelles de l'ecclésiologie, Rom 1957, 76; — J. Joest, Die mächtige Stimme, Hünfeld 1954; — Theodor Maas-Ewerd, Die Krise der liturgischen Bewegung in Deutschland und Österreich, 1981, 100-130; — LThK ²VI, 13; — Dictionnaire de spiritualité ascétique et mystique, Paris 1974, VIII, 1663 f.

Johannes Madey

KASTAL'SKIJ, Aleksandr Dmitrievič, russ. Komponist und Begründer der »Moskauer Schule« des russ.-orth. Kirchengesangs, * 16.11. 1856 in Moskau, † 17.12. 1926 daselbst. — Als Sohn eines russ.-orthodoxen Erzpriesters studierte K. von 1875 bis 1881 am Moskauer Konservatorium Klavier, Theorie und Komposition. Nach zweieinhalbjährigem Aufenthalt in Kozlov (Mičurinsk), während dessen er erste Erfahrungen in Chor- und Orchesterleitung, musikpädagogischer Arbeit und Komposition sammelte, kehrte er 1883 wieder nach Moskau zu-

rück, wo er sein ganzes weiteres Leben zubrachte. Ab 1887 war er für 30 Jahre in unterschiedlichen Funktionen mit dem aufstrebenden Sinodalchor und der zugehörigen Sinodalschule für Kirchengesang verbunden (als Lehrer für Klavier, Theorie, Gesang, Volksmusik, Leiter des Chores, ab 1910 als Direktor von Schule und Chor). Zu Beginn des 20. Jhds. hatte sich durch das Zusammenwirken von S.V. Smolenskij (1848-1909), der einen wichtigen Beitr. zur wiss. Erforschung des russ. lit. Gesangs leistete, K. als Komponisten und V.S. Orlov als begabten Chorleiter, Sin.schule u. -chor zum bedeutendsten Zentrums für Kirchengesang in Rußland entwickelt. Seit 1896 entstanden zahlreiche Chorsätze für den orthodoxen Gottesdienst. Beeindruckt von den Forschungen S.V. Smolenskijs bearbeitete K. größtenteils liturgische Weisen. Seine Tonsprache ist geprägt von der mehrstimmigen Ausführung russischer Volkslieder, die ihn zeit seines Lebens beschäftigten und in denen er die Kraft der russischen Musik sah. Er setzt sich in seinen Choralsätzen bewußt ab von italienisch beeinflußten Kompositionen, wie sie z.B. D.S. Bortnjanskij zu Beginn des 19. Jhds. schrieb wie auch von Sätzen A.F. L'vovs, die vom protestantischen Choral geprägt sind. — Auch sein beachtliches kompositorisches Schaffen im außerkirchlichen Bereich gilt hauptsächlich der vom Volkslied geprägten Musik für unterschiedl. Besetzungen. Auf dem Gebiet der Volksliedforschung tat er sich durch umfangreiche Untersuchungen zu ihrer Mehrstimmigkeit hervor. Nach der Revolution widmete sich K. in den letzten 9 Jahren seines Lebens vornehmlich der musikalischen Volksbildung, indem er 1918 die Leitung der neu gegründeten Volks-Chorakademie übernahm, die er wesentlich mitplante und aufbaute. Nach der Eingliederung dieser Akademie sowie der Sinodalschule in das Moskauer Konservatorium 1923 wurde K. dort Dekan der Chorabteilung und erster Inhaber des neu geschaffenen Lehrstuhls für Volksmusik. In diesen letzten Jahren entstanden auch Chorkompositionen mit Begl. volkstüml. Instr. o. auch großer Orchesterbegleitung, die den Sozialismus und den Sieg der Oktoberrevolution preisen. — Die Bedeutung K.s für die russ.-orthodoxe Kirche liegt jedoch in seinen zahlreichen Chorsätzen für den orthodoxen Gottesdienst, mit denen er zum Begründer der »Moskauer Schule« des Kirchengesangs wurde, die, durch die Revolution in ihrer Kraft zwar gebrochen, dennoch bis heute Auswirkungen auf die mehrstimmige Behandlung russischer Choralmelodien hat.

Werke: Vorrevolutionäre Werke in Auswahl (ersch. bei Jurgenson, Moskau, wenn nicht anders angegeben): — a. Chorwerke für den orth. Gottesdienst: Eine große Anzahl von Hymnenvertonungen für die großen Feste des Kirchenjahres und wichtige Heiligengedächtnisse (Kreuzerhöhung, Christgeburt, Theophanie, Palmsonntag, Karfreitag, Karsamstag, Ostern, Thomassonntag, Christi Himmelfahrt, Pfingsten, Allerheiligen, Verklärung des Herrn, Entschlafung der Gottesmutter, hl. Nikolaus, hll. Kyrill und Method, hll. Apostel Petrus u. Paulus, hll. Martyrerhierarch Ermogen) sowie zahlreiche Chorsätze für die Göttl. Liturgie und die Nachtwache, sämtl. ersch. von 1897-1918 bei Jurgenson, Moskau. Folgende Bände enthalten Chorsätze K.s.: Notnyj Sbornik pravoslavnogo russkogo cerkovnogo penija (Sammelband mit Gesängen der russ.-orth. Kirche), Bd. 1: Božestvennaja Liturgija (Göttliche Liturgie), London 1962; Bd. 2: Vsenoščnaja (Nachtwache), London 1975, Venčanie (Gesänge zur Ehekrönung für gemischten Chor), 1902; Praktičeskoe rukovodstvo k vyrazitel'nomu peniju stichir pri pomošči različnych garmonizacij (Praktische Handreichung zum ausdrucksvollen Gesang der Stichiren unter Zuhilfenahme verschiedener Harmonisierungen). 1909. — B. Chorwerke unter Verwendung von Choral: Peščnoe dejstvo (Spiel um die Jünglinge im Feuerofen, altes kirchl. Spiel, rekonstr. nach alten Hss. für Chor und Solobaß), 1909; Kantata. Stich o cerkovnom russkom penii (Vers über den russischen Kirchengesang zum 25-jähr. Jubiläum der Mosk. Sinodalschule; T.: A. u. N. Kastal'skij f. gem. Chor u. Orch. o. Klavier), 1912; Čtenie d'jakom ljudu moskovskomu poslanija patriarcha Ermogena k tušinskim izmennikam v 1609 godu (Sendschreiben des Patr. Ermogen an die Verräter von Tušino im Jahre 1609, dem Moskauer Volk vorgelesen durch den D'jak), f. Solobaß u. gem. Chor, 1913; Obrazcy cerkovnogo penija na Rusi v XV-XVII vekach. (Beisp. des Kirchengesang in Rußland vom 15.-17. Jhd., Slg. für hist. geistl. Konzerte). 1915; Bratskoe pominovenie geroev, pavšich v velikuju vojnu (Brüderliches Gedenken der Gefallenen des 1. Weltkrieges in Form eines lat. Requiems, das auf mus. Themen der orth., röm.-kath. u. anglik. Kirche basiert, für Solo, Chor u. Orch. o. Klavier). 1915. — C. Weltliche Chorwerke: Dve russkie pesni: 1. Bylinka. 2. Slava (Zwei russ. Lieder f. gem. Chor), 1902; Pesni o rodine (3 Lieder an die Heimat f. gem. Chor nach Texten v. N. Gogol u. I. Nikitin), 1904. — D. Bühnenwerke: Klara Milič (Oper in 4 Akten nach Turgenev). erst nur teilw. aufgef., Erstauff. 1916, Ausg. f. Klavier hrsg. vom Autor 1908; Seryj volk i Ivan-carevič (Der graue Wolf und Ivan der Carevič, Kinderoper), 1908. — E. Klavierwerke: Po Gruzii (Durch Georgien, 8 Klavierlieder über georg. Volksmelodien), 1901; Iz minuvšich vekov (Aus vergangenen Zeiten. Versuch einer musikalischen Wiederherstellung f. Klavier oder Gesang und Klavier in 4 Heften: Heft 1: China, Indien, Ägypten; Heft 2: Judäa, Hellas, Geburt des Islam; Heft 3: die Christen; Heft 4: die Rus'. Markt im alten Rußland), 1904, 1906, 1914. — Nachrevolutionäre Werke in

Auswahl (erschienen im Staatl. Mus.Verl. Moskau, wenn nicht anders angegeben): Schauspielmus. f. Ges. u. Orch. zu Sten'ka Razin (Kamenskij), teilw. veröffentl., König Lear (Shakespeare), unveröffentl., Hanneles Himmelfahrt (Hauptmann), unveröffentl., 1919;. International (Die Internationale für gem. Chor und Orch.). Part. u. Klavierauszug 1919; Gimn truda (Hymne an die Arbeit; T.: I. Filipčenko; für gem. Chor, Blechbl. u. Schlagzeug), 1923; Sel'skochozjajstvennaja (derevenskaja) simfonija (Landwirtschafts-/Dorfsymphonie für Solo und Orch.), 1923, unveröffentl.; Sten'ka Razin (Volksliedbearb. f. gem. Chor u. Orch. aus russ. Volksinstr.), 1923; Krasnaja Rus' (Schöne Rus; T.: N. Tichomirov; für gem. Chor u. Orch. aus russ. Volksinstr., 1924; Pesnja pro Lenina (Lied f. Lenin), Bearb. für gem. Chor mit Klarinette u. Domra,1924; Poezd (Die Eisenbahn; T.: P. Oresin f. gem. Chor, Blechbl. u. Schlagzeug, 1924; Sel'skie raboty v narodnych pesnjach (ländliche Arbeiten in Volksliedern. Zum Gedenken der allruss. Landwirtschaftsausstellung 1923 in Moskau), Bearb. f. gem. Chor u. russ. Volksinstr., 1924; Starinka (Nach alter Weise) f. gem. Chor u. Orch. aus russ. Volksinstr., 1924; V.I. Leninu. U groba (V.I. Lenin gew.; T.: Vl. Kirillov) Bearb. f. Sprecher, gem. Chor u. Klavier, 1925; Bearb. f. Sprecher, gem. Chor u. Orch., 1926; 1905 god. Kantata (Das Jahr 1905; T.: A. Bezymenskij) f. gem. Chor u. Klavier, Muztorg MONO. 1925. — D. literarische Arbeiten: Sredi regentov (Unter Chorleitern), in: Muzykal'nyj truženik 1906/07, No. 16; Otvet na ankety žurnala »Muzykal'nyj truženik« (Anwort auf die Umfrage der Zeitschrift »Der mus. Zeitgenosse« über die Teilnahme von Frauen in Kirchenchören), in: Muzykal'nyj truženik 1906/1907, No. 16; Obščedostupnyj samoučitel' cerkovnogo penija (Allgemeinverständlicher Leitfaden zum Selbstunterricht im Kirchengesang). Hrsg. A. und V. Fedorovič, Moskau 1909; Jürgenson, Moskau 1910; Po povodu krest'janskich koncertov (Anläßlich der Konzerte von Bauern), in: Muzyka, 1912, No. 62; Narodnye prazdnovanija na Rusi (Volkstümliche Feste in der Rus', Vorwort zu: Kartiny narodnych prazdnovanij na Rusi), in: Muzyka, 1914. No. 196 oder Žitomirskij, A.D. Kastal'skij, Moskau 1960. 171-173; O moej muzykal'noj kar'ere i moj mysli o cerkovnoj muzyke (Meine musikalische Karriere und meine Gedanken über die Kirchenmusik), in: Muzykal'nyj sovremennik 1915, No. 2, 31-45 (engl.: My Musical Career and my Thoughts on Church Music, in: Musical Quarterly 11, 1925. 231-247); Primernaja tablica učebnych predmetov i zanjatij v Narodnoj chorovoj akademii (Mustertafel der Unterrichtsfächer an der Volks-Chorakademie). Moskau-Petrograd 1918; Prostoe iskusstvo i ego neprostye zadači (Einfache Kunst und ihre nicht einfachen Aufgaben), in: Melos, 1918, 122-129; Kratkaja avtobiografija 1925 (Kurze Autobiographie von 1925), in: Žitomirskij, A.D. Kastal'skij, Moskau 1960, 133-134; Osobennosti narodno-russkoj muzykal'noj sistemy (Besonderheiten des volkstüml. russ. mus. Systems). Moskau-Petrograd 1923; Pervye šagi (Erste Schritte; Über den Unterricht im Gesang), in: Muzykal'naja nov'. 1924, No. 11; Posledujuščie šagi (Nachfolgende Schritte), in: Muzykal'naja nov', 1924. No. 12; Osnovy narodnogo mnogogolosija (Grundlagen der volkstümlichen Mehrstimmigkeit), Hrsg. V. M. Beljaev, Moskau-Leningrad 1948; Russkaja narodnaja pesnja (Russische Volkslieder), in: Žitomirskij, A.D. Kastal'skij, Moskau 1960, 136-170.

Lit.: Für die Bibliogr. grundlegend ist das von A. Štejnberg zus.gestellte Verz. russ. Lit., die vom 1896 bis 1959 ersch. ist, in: D. Žitomirskij, A. D. Kastal'skij - stat'i, vospominanija, materialy, Moskau 1960, 272-278; — V. Beljaev, Kastalsky and his Russian Folk Polyphony, in: Music & Letters 10 (1929), 378-390; — J. v. Gardner, Gesang der russ.-orth. Kirche, Bd.II (Mitte 17.Jhd. bis 1918), Wiesbaden 1987, 261-265; — I. Glebov, Kastalsky and Russian Church Music, in: Monthly Musical Record 57 (August 1927), 228-229; — ders., Kastal'kij: vmesto nekrologa (Kastal'skij: anstelle eines Nekrologs), in: Sovremennaja muzyka 1927/19, 233-235; — ders., Puti v buduščee (Wege in die Zukunft), in: Melos 1918, 50-96; — ders.; Vpečatlenija i mysli (Eindrücke und Gedanken), in: Melos 1917, 78-100; VI. Morosan, Choral Performance in Pre-Revolutionary Russia, Michigan 1986, 100 ff., 194-195; — N. Neapolitanskij, A.D. Kastal'skij, in: Žurnal Moskovskoj Patriarchii 1972/1, 75-78; — R. Newmarch, A Requiem for the Allied Heroes, in: Musical Times 58 (Nov. 1917), 496-497; — V. Paschalov, A.D. Kastal'skij kak etnograf i reformator narodnogo stilija v muzyke (A.D. K. als Ethnograph und Reformator des volkstüml. Stils in der Musik), in: Muzykal'noe obrazovanie 1927/3, 57-62; — A. Sergeev, Roždenie novogo (Geburt des Neuen), in: Sovetskaja muzyka, 1949/11, 48-52; — V. Starina (Pr.), Pamjati cerkovnogo kompozitora A.D. Kastal'skogo (Erinnerungen an den kirchl. Komp. A.D. K.), in: Žurnal Moskovskoj Patriarchii 1977/5, 13-16; — A. Swan, Russian music and its sources in chant and folksong, London 1973, 143-146; — ders., Harmonizations of the Old Russian Chants, in: Journal of the American Musicological Society 1948, 83-86; — E. v. Tideböhl, A.D. Kastalsky and the Moscow Synod Choir, in: Monthly Musical Record 46 (Juni 1916), 166; — D. Žitomirskij, A.D. Kastal'skij- stat'i, vospominanija, materialy, (A.D. Kastal'skij-Aufsätze, Erinnerungen, Materialien), Moskau 1960; — ders., Idei A.D. Kastal'skogo, in; Sovetskaja muzyka 1951/1, 36-44.

Katharina Sponsel

KATERKAMP, Johann Theodor, Professor für Kirchengeschichte und Moraltheologie an der Katholisch-Theologischen Fakultät der Universität Münster, * 17.1. 1764 in Ochtrup bei Rheine als Sohn des Landwirts Johann Heinrich Eberhard Katerkamp und seiner Ehefrau Maria, † 9.6. 1834 in Münster. — Seine schulische Ausbildung erhielt er auf dem Progymnasium der Franziskaner in Rheine und ab 1781 auf dem Gymnasium Paulinum in Münster. Von 1783 bis 1787 studierte er Philosophie und Theologie an der Universität Münster. Nach seiner Priesterweihe im Jahre 1787 war er bis 1796 als Hauslehrer beim Reichsfreiherr Droste zu Vischering tätig. Eine zweijährige Bildungsreise mit seinen beiden Zöglingen, den Domkapitularen Klemens August und Hans-Otto Droste zu Vische-

ring, führte ihn durch Deutschland, durch die Schweiz, nach Italien und Sizilien. Auf dieser Reise knüpfte er Kontakte zu bedeutenden Persönlichkeiten seiner Zeit, wie z. B. Johann Michael Sailer und Johann Caspar Lavater. 1797 engagierte ihn die gebildete und streng gläubige Fürstin Amalie von Gallitzin als Hauslehrer. In dem Freundeskreis von Gelehrten, den die Fürstin um sich versammelte, lernte K. Franz Friedrich Wilhelm von Fürstenberg und den Grafen Leopold zu Stolberg kennen. 1809 wurde K. Dozent für Kirchengeschichte an der Theologischen Fakultät der Universität Münster, 1816 außerordentlicher Professor für Kirchengeschichte und Moraltheologie und 1819 ordentlicher Professor für Kirchengeschichte und Kirchenrecht. 1820 wurde ihm von der Universität Landshut die Ehrendoktorwürde verliehen. 1821 wurde K. zum Examinator synodalis, 1823 zum Domkapitular und 1831 zum Domdechanten in Münster ernannt. — K. gilt als einer der führenden katholischen Kirchenhistoriker seiner Zeit.

Werke: Anleitung zur Selbstprüfung für Weltgeistliche. Nach dem franz. »Miroir du Clergé«, 2 Bde., Münster 1806, 1836², 3. Aufl., neu durchges. u. verb. v. Georg Kellermann, 1845; Gesch. der Religion bis zur Stiftung einer allgem. Kirche. Zur Einleitung in die Kirchengesch., Münster 1819; Über den Primat des Apostels Petrus und seiner Nachfolger. Zur Widerlegung der 3. Beilage im 3. Hefte des Sophronizon. [Auch unter dem Titel: Friedrich Leopold Graf zu Stolberg hist. Glaubwürdigkeit im Gegensatze mit des Herrn Dr. Paulus krit. Beurtheilung seiner Gesch.], Münster 1820; Kirchengesch., 5 Bde., Münster 1823-1832; Denkwürdigkeiten aus dem Leben der Fürstin Amalia v. Gallitzin geb. Gräfin v. Schmettau, Münster 1928, 1839², Nachdr. 1971; 3 »Sermones synodales in Ecclesia cathedrali Monasteriensi habiti«, 1829, 1830, 1834.

Lit.: J. H. Brockmann, Trauerrede auf den Tod des verstorbenen Domdechants und Prof. der Theol. D. Katerkamp, in: Zschr. f. Philos. und kath. Theol., 1834, 11. Heft, 113-132; — Ernst Raßmann, Nachrichten von dem Leben und den Schrr. Münsterländischer Schriftsteller des 18. und 19. Jh.s, 1866, 170 f.; — F. Lauchert, Briefe v. K. an den Erbdrosten Adolf und Bischof Kaspar Max von Droste zu Vischering, in: HPBL 130, 1902, 541-564; — Anton Pieper, Die alte Univ. Münster 1773-1818, 1902, 91; — Eugen Schatten, Die Franziskanergymnasien im Bereiche der sächs. Ordensprovinz bis zu ihrer Aufhebung im 19. Jh., in: FS 13, 1926, 366-384; — Pierre Brachin, Le Cercle de Münster 1779-1806 et le pensée religieuse de F. L. Stolberg, 1952; — Leo Scheffczyk, F. L. Stolbergs »Gesch. der Religion Christi«, 1952; — Ewald Reinhard, Die Münsterische »Familia sacra«. Der Kreis um die Fürstin Gallitzin: Fürstenberg, Overberg, Stolberg und ihre Freunde, 1953; — Erich Trunz,

Fürstin Gallitzin und ihr Kreis, Quellen und Forschungen, 1955; — Festschr. des Gymnasiums Dionysianum Rheine, 1959; — Eduard Hegel, Gesch. der kath.-theol. Fakultät Münster 1773-1964, 2 Bde., 1966-1971, bes. I, 125-132; — Siegfried Sudhof (Hg.), Herder und der Kreis von Münster. Ein Beitrag zur Beurteilung von F. L. Stolbergs Konversion, 1964, 133-148; — ADB XV, 452 f.; — KL ²VII, 333-335; — LThK VI, 57 f.; — NDB XI, 325; — RGG III, 1192.

Karl Josef Lesch

KATHARINA *von Alexandria* (Αἰηατερίνη = die allzeit Reine), heilig (Fest am 25. November), war nach einer legendären Passio des 6./7. Jahrhunderts die Tochter des Königs von Zypern. Sie erlitt angeblich in Alexandria um 307 (oder 315) unter Kaiser Maxentius (?) das Martyrium. Eher dürfte es sich um den am 1. Mai 305 mit der Caesarenwürde bedachten Maximinus Daia gehandelt haben. Im 10. Jahrhundert wird das Sinaikloster als Aufbewahrungsort ihrer Gebeine bekannt. Genauere historische Belege sind für das Leben der Heiligen nicht greifbar, die Passio selbst wurde erst im 14. Jahrhundert um die Conversio erweitert, stellt aber den Ausgangspunkt der überaus reichen Katharinenverehrung dar. Eine solche ist für den Osten seit dem 7. Jahrhundert, für den Westen seit dem 8. Jahrhundert (K. neben dem Thron Mariens, Fresko »S. Ecaterina« im Oratorium nördlich der basilika S. Lorenzo al Verano) bezeugt. Verstärkt wurde die Verehrung durch den Tumuluskult am Sinai, der über die Kreuzfahrer und Pilger vor allem im Westen Verbreitung fand. Konzentrierte sich die erste Verehrung auf Italien (Abbildung in der Januarius-Katakombe in Neapel, neue Fassung der Passio um das 9./10. Jahrhundert), so entwickelte sich der Kult rasch im übrigen Westen. Neben den Benediktinerabteien Montecassino (Kalendarium, 10. Jahrhundert; passionarium, 11. Jahrhundert), St. Gallen (Kalendarium, 11. Jahrhundert) und Trinité-au-Mont (bei Rouen, dorthin Reliquien-Translation 1033/54) entstanden in Deutschland und Frankreich neue Verehrungszentren. Erste deutsche Patrozinien sind nachweisbar 1059 in Werden, 1125 in Zwickau, 1128 in Xanten. Gefördert durch die benediktinischen Kalendarien fand die K.verehrung Eingang in beinahe jedes Kalendarium und Missale. Im Missale Romanum findet sich die Oratio bereits in einem französischen Missale des 12./13. Jahrhunderts (Paris). Seit dem 13. Jahrhundert ist K. nach Maria die meistverehrte weibliche Heilige. Der Gruppe der 14 Nothelfer wird sie seit dem 14. Jahrhundert zugerechnet. Im Barock kam es zu einer Neubelebung des Kultes. K. gilt als Patronin der Mädchen und Jungfrauen, der Schüler, Lehrer, Theologen, Philosophen, Anwälte und der Universitäten - begründet ist die Anrufung durch die legendarische Disputation mit den Philosophen). Zugleich ist K. aber auch die Schutzheilige für alle Berufe, die in irgendeiner Weise mit dem Rad bzw. dem Messer zu tun haben (Martyrium!): Wagner, Töpfer, Müller, Bäcker, Spinner, Seiler, Schiffer, Gerber, Schuster und Barbiere. Sie wird angerufen bei Krankheiten aller Art, besonders Kopf-und Zungenleiden, bei Milchlosigkeit stillender Mütter, bei der Suche nach Ertrukenen, sie ist Patronin der Spitäler und der Feldfrüchte. Wegen ihrer Schönheit wurde sie auch zur Patronin der Pariser Schneiderinnen. Reliquien finden sich u. a. in Rouen, Köln, Grevenrode und Nürnberg. In der christlichen Kunst finden sich folgende Typen bzw. Attribute. Als jungfräuliche Königstochter wird K. meist mit Krone auf den offen getragenen Haaren dargestellt, seltener ist die Darstellung mit dem Haar unter einer Wulsthaube oder mit der Krone in der Hand. Im 8./9. Jahrhundert findet man K. als Märtyrerin zuerst mit einem Handkreuz (so vor allem im Osten), später treten neue Attribute auf: im 12. Jahrhundert die Palme, das Buch als Zeichen der Gelehrsamkeit, seit Mitte des 13. Jahrhunderts ein kleines, ganzes Rad statt Buch, seit Ende des 13. Jahrhunderts das Schwert statt der Palme. In späterer Zeit finden sich Kombinationen dieser Formen. Das Rad wird mitunter als zerbrochen dargestellt, als im Triumph erhoben oder mit den Füßen getreten. Bisweilen findet sich auch der für die Grausamkeiten verantwortliche Kaiser zu ihren Füßen. Selten sind Lilie, Blume, Scheibe mit den Wissenschaften, das abgeschlagene Haupt.

Lit.: L. S. Le Nain de Tillemont, Mémoires pour servir à l'histoire ecclésiastique des six premiers siècles, Paris (16 Bde.) 1693-1712, V, 466 f., 761; — Luise von Bornstedt, Die Legende von der gandenreichen Lebensführung und dem glorreichen Martertode der hl. Jungfrau und Märtyrin Sankt K. Aus Legendarien des 15. und 16. Jh.s zusammengetragen, Münster 1838; — Ch. Hardwick, An historical inquiry touching St. C. of A., Cambridge 1849; — J. Lambel, K. Marter, in: Germania 8 (1863), 129-186; — Georg Ebers, Durch Gosen zum Sinai, Leipzig 1872, 268-282, 356-363, 393 f.; — A. Mussafia, Zur K.legende, in: Sitzungsberichte der phil.-hist. Classe der Kaiserl. Akademie der Wissenschaften Wien 75, Wien 1873; — Jean Mielot, Leben der hl. K. v. A., Einsiedeln 1886; — Jacobus de Voragine, Legenda Aurea, vulgo historia lombardica dicta, ed. Th. Graesse, Breslau 1890³, 789-797, 914 f.; — Hermann Knust, Gesch. der Legenden der hl. K. v. A. und der hl. Maria Aegyptiaca nebst uned. Texten, Halle 1890; — Hermann Varnhagen, Zur Gesch. der Legende der K. v. A. nebst lat. Texten nach Handschrr. der Bibliotheken zu München und Erlangen, Erlangen 1891; — Heinrich Detzel, Christl. Ikonographie, II, Freiburg 1896, 235-242; — Joseph Viteau, Passions des saints É. et Pierre d'Alexandrie, Barbara et Anysia. Publiée d'après les manuscrits grecs de Paris et de Rome, Paris 1897; — S. Fraschetti, Dei bassorilievi rappresentanti la leggenda di Santa C. in Santa Chiara di Napoli, in: L'Arte, gia Archivio storico dell'arte 1 (1898), 245-255; — K. Krumbacher, Rezension zu Viteau (1897), in: Byz. Zeitschr. 7 (1898), 480-483; — Joseph Viteau, La légende de Ste. C., in: Annales de St-Louis de Francais (Paris) 3 (1898), 5-23; — Synaxarium Ecclesiae Constantinopolitanae, hg. von Heinrich Delehaye: Propylaeum ad Acta Sanctorum Novembris, Brüssel 1902, 253 f., 968; — Albert Poncelet, Sanctae C. virginis et martyris translatio et miracula Rothomagensia saec. XI, in: AnBoll 22 81903), 423-438; — J. Sauer, Das Sposalizio der hl. K. v. A., in: FS F. Schneider, Freiburg 1906, 337-351; — G. Vielhaber, Die älteste lit. Spur der hl. K. v. A. im Abendlande, in: Der Katholik 35 (1907), 158 f.; — B. Mombritius, Sanctuarium seu Vitae Sanctorum, I, Nachdr. Paris 1910, 283-287; — F. Spina, Die alttschechische K.legende, Prag 1913 (2 Abhdlg.); — A. Calderara Braschi, S. C. d'A. nella storia e nell'arte, in: Arte cristiana 3 (1915), H. 11, 327-338; — W. E. Collinson, Die K.-Legende der Handschrift II, 143 der Kgl. Bibliothek zu Brüssel, 1915; — H. Breuer, Zur gereimten altfrz.-veronesischen Fassung der Legende der hl. K., 1919; — Alfons Hilka, Zur K.-Legende. Die Quelle der Jugendgesch. K.s, insbes. in der mittelniederdt. Dichtung und in der mittelniederländ. Prosa, in: Archiv für das Studium der neueren Sprachen und Literaturen (Herrigs Achiv) 140 (1920), 171-184; — Heinrich Bobbe, Mittelhochdt. K.-Legenden in Reimen. Eine Quellenunters., Berlin 1922; — Robert Fawtier, Les reliques rouennaises des Ste. C. d'A., in: AnBoll 41 (1923), 357-368; — Erich Klostermann/Erich Seeberg, Die Apologie der hl. K., Berlin 1924; — J. Armitage Robinson, The Passion of St. C. and the romance of Barlaam and Joasaph, in: JThS 25 (1924), 246-253; — Henri Brémond, Sainte C. d'A., Paris o. J. (1926); — Karl Künstle, Ikonographie der christl. Kunst, II, Freiburg 1926, 369-374; — Hermann Degering/Max Joseph Husung, Die K.-Passio. Ein Druck von Ulrich Zell, Berlin 1928; — Franz Sales von Doyé, Heilige und Selige der röm.-kath. Kirche, I, Leipzig 1919, 184 f. (Patronate); — Paul Clemen, Die gotischen Monumentmalereien der Rheinlande, Düsseldorf 1930, 72 f.; — R. Offner, A critical and historical corpus of Florentine Painting, New York 1931 ff., III, 5; — Elisa Ricci, Mille santi nell'arte, Mailand 1931, 124-126; — K. M. J. H. J. Smits, De Iconografie van de nederlandsche Primitieven, Amsterdam 1933, 193 ff.; — Wilhelm Stüwer, K.enkult und K.enbrauchtum in Westfalen,

in: Westfalen. Hefte für Gesch. und Volkskunde 20 (1935), 62-100; — Hans Achelis, Katakomben von Neapel, Leipzig 1936, 72 Tafel 47; — M. G. de Schoutheete, La vierge d'Alexandrie, in: Annales di XX° Congrès de la Fédération archéol. et hist. de Belgique, Brüssel 1936, 55-60; — L.-H. Rabino, Le monastère de Ste. C. du Mont Sinaï, Cairo 1938; — Guy de Tervarent, Les énigmes de l'art du moyen âge, I, Paris 1938, 9-12, II, ebd. 1941, 51 ff., 59 ff.; — E. Weigand, Zu den ältesten abendländ. Darstellungen der Jungfrau und Martyrerin K. v. A., in: Pisciculi (FS Franz Josef Dölger) (= Antike und Christentum, Ergzbd. 1), Münster 1939, 279-290; — Tito da Ottone, La leggenda di Santa C. Vergine e Martire di A., Genua 1940; — Hartmut Erbse, Fragmente griech. Theosophien = Hamburger Arbeiten zur Altertumswissenschaft, H. 4, Hamburg 1941, 122 f., 144-149; — H. de Jeraphanion, Une

nouvelle province de l'art byzantine. Les églises rupestres de Cappadoce, II/2, Paris 1942, 500 (Register); — Josef Braun, Tracht und Attribute der Heiligen in der dt. Kunst, Stuttgart 1943 (Nachdr. 1964), 413-418; — P. Toschi, S. C. d'A., in: Ecclesia 5 (1946), 532-534, — D. Mallardo, Il calendario marmoreo di Napoli, Rom 1947, 186 f.; — E. Munding, die Kalendarien von St. Gallen, in: Texte und Arbeiten (Beuron) 36 (1948) 86, 37 (1951) 20, 136, 158; — Gustav Gugitz, Das Jahr und seine Feste im Volksbrauch Österreichs, Wien 1950, 201-207; — Georg Schreiber, Levantinische Wanderungen zum Westen, in: Byz. Zschr. 44 (1951), 517-523; — Siegfried Sudhoff, Die Legende der hl. K. v. A. Untersuchungen und Texte unter Zugrundelegung der Bielefelder Hs. (Cod. A 4 der Bibliothek der Alstädter Kirchengemeinde St. Nikolai zu Bielefeld), Diss. Tübingen o. J. (1951); — G. B. Bronzini, Una redazione versificata umbro-senese della leggenda si S. C. d'A., in: Accademia Nazionale dei Lincei.Estratto dai Rendiconti della classe di scienze morali storiche e filologiche, serie VIII, vol. VII, fsc, 1-2, genn.-febb. 1952, 15-29; — G. Kaftal, Iconography of the Saints in Tuscan Painting, Florenz 1952, 225-234; — Gerhard Eis, Lûpold von Wiltingen. Eine Studie zum Wunderanhang der K.legende, in: FS Wolfgang Stammler, Berlin 1953, 78-91; — Oswald Adolf Erich/Richard Beitl, Wörterbuch der dt. Volkskunde, Stuttgart 1955², 399 f.; — Louis Reau, Iconographie de l'art chrétien, III/1, Paris 1958, 262-272; — W. Drecka, Warszawski obraz »Mustyczne« zaslubiny św. Katarzyny, in: Biuletyn historii sztuki 21 (1959), 57-69; — Georg Schreiber, Die 14 Nothelfer in Volksfrömmigkeit und Sakralkultur, Innsbruck 1959, 126 f. i. ö.; — Siegfried Sudhoff, Die Legende der hl. K. v. A. im Codex des Alstädter Kirchenbibliothek zu Bielefeld, Berlin 1959; — G. B. Bronzini, La leggenda di S. C. d'A. Passioni greche e latine, in: Accademia Nazionale dei Lincei. Memorie. Classe di scienze morali storiche e filologiche, ser. VIII, vol. IX (1960), 257-416; — G. Kaftal, Iconography of the Saints in Central and South Italian schols of painting, Florenz 1965, 254-268; — Anneliese Schröder/Leonhard Küppers, K. Text zu Gesch. und Legende, Recklinghausen 1965; — Martin Joseph Costelloe, C. of A., in: New Catholic Encyclopedia, III, New York u. a. 1967, 253; — Peter Assion, Die Mirakel der hl. K. v. A. Untersuchungen und Texte zur Entstehung und Nachwirkung mittelalterl. Wunderliteratur, Bamberg 1969; — George H. Forsyth/Kurt Weitzmann, The monastery of Saint C. at Mount Sinai. The church and fortress of Justinian,

Ann Arbor 1973; — Peter Assion, K. v. A., in: Lex. der christl. Ikonographie, hg. von Wolfgang Braunfels, VII, Freiburg 1974, 289-297; — B. A. Beatie, Saint C. of A. Traditional themes and the development of a medieval german hagiographic narrative, in: Speculum 52 (1977), 785-800; — Hiltgart L. Keller, Reclams Lex. der heiligen und der bibl. Gestalten, Stuttgart 1979[4], 309 f.; Jennifer R. Bray, An unpublished Life of St. Catherine of Alexandria, in: Bulletin of the John Rylands Library, Manchester 64 (1981) 2-5; — J. Grosdidier de Matons, Un hymne ivédit à sainte Catherine d'Alexandrie, in: Travaux et Mémoires (1981) 187-207; — S. A. B. Jefferis, Ein spätmittelalterl. Katharinenspiel aus dem Cod. Germ. 4 der University of Pennsylvania. Text und Studien zu seiner legendengeschichtl. Einordnung, Diss. Univ. of Pennsylvania 1982; — Dieter Ahrens, Charakterbild einer gelehrten, mutigen und gläubigen Frau. Eine Statue der hl. K. v. A. im Trierer Städt. Museum Simeonstift, in: Paulinus (Trier) 109 (1983) Nr. 47, 19; — Viktor Saxer, C. di A., in: Dizionario Patristico e di Antichità Cristiane, hrsg. vom Institutum Patristicum Augustinianum Roma, I, Casale Monferrato 1983, 632; — Werner Williams-Krapp, Die dt. und niederländ. Legendare des MA.s. Studien zu ihrer Überlieferungs-, Text- und Wirkungsgesch., Tübingen 1986, 342 f., 425 f.; — BHG [3]I, 8 f., Nr. 30-32b; — BHL I, 251-255, nr. 1657-1700, Suppl. 70-72, Novum Suppl. (1986) 192-197; — BHO, 7 f., Nr. 26; — Bibliotheca Sanctorum III, 954-978; — Catholicisme II, 688-690; — David Hugh Farmer, The Oxford dictionary of Saints, Oxford-New York 1987, 77 f.; — DHGE XI, 1503-1506; — EC III, 1137-1142; — Handwörterb. des dt. Aberglaubens IV, 1074-1084; — LThK [1]V, 890 f.; — LThK [2]VI, 60 f.; — MartRom 543 f.; — PG CXVI, 275-302; — RBK (Reallex. zur byz. Kunst) II, 1084-1087; — RE X, 180-182; — RGG [3]III, 1193 f.; — Verfasserlex. IV, 1055-1073; — Vies des Saints XI, 854-872; — Wetzer und Welte VII, 335-340.

Ekkart Sauser

KATHARINA *von Bologna* (C. Bononsiensis / Caterina Vigri, Nigri, Negri/) eine der berühmtesten Heiligen des Clarissinnen-Ordens, Mystikerin; — * 8.9. 1413 in Bologna, Tochter des ferrareser Edelmannes Giovanni (nach anderen Zeugen: Bartholomeo) Vigri und der Benvenuta Mammolini aus dem bologneser Adel; † 9.3. 1463 in Bologna. — Humanistische Ausbildung (u.a. Latein, Kalliographie, Musik) am damals wegen seiner Kultur berühmten Hof der Margherita d'Este, einer Tochter von Nicolaus III.; zwischen 1422 und 1424 Ehrendame der Margherita am Estheschen Hofe; um 1426 verließ K. anläßlich der Heirat ihrer Gönnerin den Hof und schloß sich zusammen mit einigen Frauen einer seit 1406 bestehenden frommen Gemeinschaft in Ferrara an, deren Gründerin und Leiterin Lucia Mascheroni war. Nach deren Tod geriet die-se Frauen-Gemeinschaft in eine innere Krise und löste sich auf. Daraufhin gründete K. 1431 ein Clarissinnen-Kloster namens Corpus Domini zu Ferrara. K. wirkte in ihrem Kloster der Tradition zufolge als bescheidene, demütige Frau, die selbst am Backofen gestanden und die Ausbildung der Novizen geleitet haben soll. 1455/56 erhielt sie den Auftrag, im Rahmen einer monastischen Institution in Norditalien ein Clarissinnen-Kloster in Bologna zu gründen. Bereits 1456 konnte dieses Kloster seine Pforten öffnen. K. bezog zusammen mit einigen (15-20) Frauen diese monastische Stätte, die wiederum den Namen Corpus Domini trug. Hier wirkte K. als Äbtissin bis zu ihrem Tod. Unter K.s Leitung wurde das Kloster zu einem intellektuellem und spirituellem Zentrum in Norditalien. In ihrem letzten Lebensjahr erkrankte K. schwer und führte vermehrt ein weltabgewandtes Leben. — Die vita von K. ist voller Wunderberichte, vor allem im Zusammenhang ihres Leichnams, der auf wundervolle Weise jugendlich frisch, lieblich duftend und unverwest geblieben sein soll. Die angeblich unversehrte Leiche K.s wurde in der Clarissenkirche zu Bologna in vergittertem Tabernakel bis zum Ende des 19. Jahrhunderts zur Schau gestellt. 1592 erfolgte die Aufnahme K.s in das Martyrologium Romanum unter Clemens VIII.; Heiligsprechung 1712 durch die Bulle Benedikt XIII.

Werke: Revelationes sive de septem armis spiritualibus (angeblich von ihr selbst verfaßt), um 1438; gedruckt erstmals in Venedig 1511; Summarium originis creaturae intellectualis, ad prima quinque Rosarii mysteria; Nunez, L. M., Descriptio breviarii manuscripti S. Catharinae Bononiensis..., in: Arch. franc. hist., IV, 1911, pp. 732-747.

Lit.: gloria posthuma (biographische Aufzeichnungen ihrer Freundin Illuminata Bembi (1469), fortgeführt durch Dionys Paleotti, Christof Manseati, Paul Cassanova und Jakob Grasset); — Acta Sanctorum, tom II, Mart. p. 34-88; — Alberigo, G., C. da Bologna dall'agiografia alla storia religiosa, in Atti e mem. della Deput. di storia patria per le prov. della Romagna, n.s., XV-XVI (1963-1964; 1964-1965), pp. 5-23; — Butler, A., Leben der Väter und Märtyrer, III, 517ff.; — Görres, J., Die christliche Mystik, II, (Regensburg 1837), 55-59. 158ff.; — Lombardi, T., I Francescani a Ferrara, I-V, Bologna 1974f.; — RE, 7, 1880, S. 628f.; — DBI, Bd. III, Roma 1979, S. 381ff.

Jürgen Seidel

KATHARINA VON BORA, Ehefrau des Reformators Martin Luther (1483-1546), * 29.1. 1499 in Lippendorf bei Kieritzsch (Leipzig) in Sachsen, aus sächsischem Adelsgeschlecht stammend, † am 20.12. 1552 in Torgau. Nach dem frühen Tod ihrer Mutter kam sie als junges Mädchen 1504 zur Erziehung in das Benediktinerinnenkloster in Brehna und später ins Kloster Nimbschen bei Grimma. Sie wurde sechzehnjährig Nonne in diesem Kloster, floh jedoch Ostern 1523 zusammen mit anderen Nonnen und mit Zustimmung Luthers nach Wittenberg, wo sie auf Fürsprache Luthers in Wittenberger Familien untergebracht wurden. Dort wurde sie, nach Ablehnung einer anderen Ehe, ihrem Lebenswunsch entsprechend am 13.6. 1525 Luthers Frau. Sie gebar Luther drei Töchter und drei Söhne, von denen vier die Eltern überlebten. Aufgrund ihrer Tüchtigkeit entwickelte sich das Augustinerkloster in Wittenberg zum gastfreien »Lutherhaus«, in dem sich Gäste aus allen Teilen Deutschlands und aus allen Ständen der Gesellschaft trafen. Wie sehr K. an den beruflichen Arbeiten und Sorgen ihres Mannes Anteil nahm und als seine Beraterin tätig war, wird aus vielen Briefen und den Tischgesprächen Luthers deutlich, der K. oft »seinen Herrn Katharina« nannte. Nach Luthers Tod 1546 geriet sie zeitweilig in Not und starb 1552 auf der Flucht aus Wittenberg in Torgau an der Pest. Ihr Grab ist in der Stadtkirche zu Wittenberg. Durch verschiedene Cranach-Bilder ist ihr Äußeres bekannt. Sie steht im Mittelpunkt des Romanfragments »Das ewige Haus«, über dem Jochen Klepper gestorben ist; Fiktive »Tischreden der Katharina Luther, geborene von Bora« beschreibt 1983 die hessische Pfarrerstochter Christine Brückner, »Wenn du geredet hättest, Desdemona. Ungehaltene Reden ungehaltener Frauen«.

Lit.: Thom, A: Katharina von Bora, 1900; — Kronker, E.: Katharina von Bora (1906), 1939 4. Aufl.; — Deuder, C. L.: Katherine Luther of the Wittenberg Personage, Philadelphia 1924; — Boehmer, Luthers Ehe (Jahrbuch der Luthergesellschaft 7, 1925, 4076); — Bainton, R.: Here I Stand. A Life of Martin Luther (1950) 1980 2. Aufl.; — Klepper, J.: Das ewige Haus, 1951; — Brückner, Christine, Wenn du geredet hättest, Desdemona (1983) 1987 13. Aufl.

Karl Rennstich

KATHARINA *von Cordona*, * 1519 aus alter adliger katalanischer Familie in Barcelona, † 11.5. 1577 in La Roda. Als junges Mädchen wurde sie bei den Kapuzinerinnen in Neapel erzogen. Nach dem Tode ihres Gatten kehrte sie zunächst zu den Schwestern zurück. Im Jahre 1557 trat sie am Hofe Philipps II. in Valladolid den Dienst als Erzieherin von Don Carlos und Don Juan de Austria an. Doch spürte sie, daß diese Tätigkeit nicht ihre Berufung war. Im Jahre 1562 quittierte sie ihren Dienst am Hofe und zog sich nach La Roda (Júcar, Provinz Cuenca) zurück, wo sie als Einsiedlerin lebte. Mit ihren finanziellen Mitteln gründete sie in der Nähe der Einsiedelei ein Kloster der Unbeschuhten Karmeliten (OCD), deren geistlicher Führung sie sich anvertraute. K. genoß die Verehrung zahlreicher hochgestellter Persönlichkeiten und artverwandter Seelen, u.a. der hl. Theresia von Avila, wie wir aus ihren »Fundaciones« wissen. Rom hat den hohen Tugendgrad K.s anerkannt und ihr den Ehrentitel »Ehrwürdige« verliehen.

Lit.: Theresia v. Avila, Libro de las Fundaciones, Kap. 28; — Angel de S. Gabriel, De la ... Catalina de Cordona (Bibl. Nac., Madrid, Hs 4213); — Francisco de S. María, Reforma de los Descalzos, Madrid 1644, 577-638; — Silverio de S. Teresa, Historia del Carmel Descalzo, Burgos 1936, III, 504-536; — M. Viller (Hrsg.), Dictionnaire de Spiritualité ascétique et mystique, Paris 1932 ff., II, 135 f.; — LThK [2]VI, 62.

Johannes Madey

KATHARINA *von Medici*. Geboren wurde sie am 13.4. 1519 zu Florenz als Tochter Lorenzos II. v. Medici († 1519) und der Madeleine de la Tour d'Auvergne, einer französischen Prinzessin. Im Oktober 1533 heiratete sie den Sohn Franz I. von Frankreich (reg. 1515-1547) Heinrich, Graf v.Orléans, der 1547 seinem Vater als König folgte (reg. 1547-59). Geprägt wurde das Leben in Frankreich zu jener Zeit durch die Gegensätze zwischen der calvinistischen Minderheit, den huguenots, wie man sie in Anlehnung an die Eidgenossen nannte, und der katholischen Mehrheit. Die religiösen Gegensätze spitzten sich während der Regierungszeit Heinrichs (II.) Söhnen - Franz II. (1559-60), Karl IX. (1560-74) und Heinrich III. (1574-89) - dramatisch zu. Gleichzeitig versuchten die großen

Adelsgeschlechter Frankreichs ihre Macht auf Kosten der Krone dadurch zu stärken, daß sie die religiösen Gegensätze mit ihren politischen Ambitionen verbanden. Das Geschlecht der Guise stand dabei der katholischen, das der Bourbonen unter dem Prinzen Condé, den der Admiral Gaspard de Coligny unterstützte, der protestantischen bzw. reformierten Partei vor. Das Haus Bourbon mit seinen beiden Seitenlinien Condé und Vendôme war durch seine Abstammung von Robert v. Clermont, der ein Sohn Ludwigs IX., des Heiligen (reg. 1226-70) war, mit dem Königshaus verwandt; seine Angehörigen galten als Prinzen von Geblüt. Eine noch engere Verbindung bestand infolge der Heirat Antons v. Bourbon-Vendôme, der ein Bruder des Prinzen Ludwig Condé war, mit Jeanne d'Albert. Sie nämlich war die Tochter König Heinrichs v. Navarra (reg. 1589-1610) sowie Margarethes, einer Schwester Franz I. Mithin konnte Antons und Jeannes Sohn Heinrich v. Bourbon-Navarra einen direkten Erbanspruch auf den Thron von Navarra als Prinz von Geblüt und einen direkten auf die Krone Frankreichs erheben, vorausgesetzt allerdings, daß die Dynastie der Valois ausstarb, was aber unwahrscheinlich war. — Zwischen diesen beiden Parteien stand Katharina v. Medici, hochkultiviert, politisch begabt, in der Staatskunst eine Schülerin italienischer Renaissancebildung, moralisch jedoch skrupellos und letztendlich unreligiös. Als Regentin von 1560-63 sowie als Beraterin ihrer Söhne Franz II., Karl IX. und Heinrich III. nahm sie entscheidenden Einfluß auf die französische Politik. Da sie tatsächliche Macht nie besaß, bediente sie sich zur Durchsetzung ihrer Absichten, der Aufrechterhaltung der Rechtsansprüche des Königtums und seiner Unabhängigkeit gegenüber den Parteien, der Intrige. So unterstützte sie die jeweils schwächste Partei, während sie Einmischungen des Auslands - von Spanien zugunsten der Katholiken, von England zugunsten der Protestanten - abwehren konnte. Nach dem Tod Franz' II. am 5.12. 1560 war Katharina bemüht, einen Bürgerkrieg zu verhindern. Daher vermittelte sie das Religionsgespräch von Poissy (1561) unter ihres Sohnes Vorsitz, Karls IX., um eine Vereinigung der Katholiken und Reformierten zu erreichen. Es

brachte jedoch kein Ergebnis. Daraufhin erließ Katharina im Juli 1561 und im Januar 1562 zwei Edikte, durch die den Hugenotten gewisse Zugeständnisse gemacht wurden, die allerdings zeitlich befristet waren. Obwohl das Januaredikt den Rechtsstatus der französischen Reformierten grundsätzlich einschränkte, ist es als das erste Toleranzedikt Europas in die Geschichte eingegangen, da es verschiedene Bekenntnisse in ein- und demselben Staat indirekt anerkannte, was bisher als unvorstellbar galt. — Nachdem es Coligny (1519-72), seit 1552 Admiral von Frankreich und seit 1557 Anhänger des Calvinismus, gelungen war, Einfluß auf Karl IX. zu gewinnen, wurde K. v. M. zu seiner großen Gegenspielerin. Nach einem mißglückten Attentat Katharinas auf Coligny wurde sie zur Anstifterin der Ermordung von schätzungsweise 2000 Hugenotten in Paris und 20 000 in der Provinz in der Nacht vom 23. auf den 24.8. 1572, der sog. Bartholomäusnacht, der auch Coligny zum Opfer fiel. Unmittelbarer Anlaß für die Bartholomäusnacht war die Verheiratung der Schwester Karls IX., Margareta v. Valois, mit dem reformierten Prinzen Heinrich v. Navarra, durch die die religiöse Lage entspannt werden sollte. Durch die Bartholomäusnacht, »das größte Blutbad in der Gechichichte der Religionskriege« (H.-O. Sieburg), wurde der Name Katharinas mit einem unauslöschlichen Makel behaftet. Die Bartholomäusnacht, auch Pariser Bluthochzeit genannt, bedeutete nicht die vollständige Unterdrückung der Hugenotten; sie führte vielmehr zum Wiederaufleben der Hugenottenkriege, die jetzt noch rücksichtsloser als bisher geführt wurden. — Nicht übersehen werden darf K. v. M. Mäzenatentum für Literatur und Kunst, insbesondere für die Architektur. Als Liebhaberin von Pomp und Pracht sorgte sie für den Bau eines neuen Flügels des Louvre. 1564 begann sie durch Ph. Delorme westlich des Louvre den Bau der Tuilerien, der dann durch eine Galerie entlang der Seine mit dem Louvre verbunden wurde. Außerhalb von Paris ließ K. v. M. das Schloß von Monceau bauen. Ihre Privatbibliothek, die zahlreiche seltene Manuskripte umfaßte, galt als eine der bedeutendsten im Frankreich der Renaissanceepoche. K. v. M., eine der umstrittensten Persönlichkeiten der Geschichte, starb am 5.1. 1589 zu Blois.

Werke: La Terriére (Hrsg.), Lettres de Catharine de Medicis, 10 Bde. (1880-1909).

Lit.: P. van Dyke, C. de Medicis, 2 Bde. 5. New York 1922; — Romièr, Le royaume de C. de Medicis (1922); — C.v. Chlodowski, Die letzten Valois (^{2}1934); — F. Watson, Katharina v.Medici und das Zeitalter der Bartholomäusnacht (1936); — A. Corvoisier, La France de 1492 à 1789 (Paris 1972).

Konrad Fuchs

KATHARINA *von Racconigi*. von der katholischen Kirche als Selige verehrt * 1486 in einer Handwerkerfamilie von Racconigi in der Provinz Cuneo, † 4.9. 1547 in Caramagna (ihr Sterbetag ist auch ihr liturgischer Gedächtnistag). — Seit ihrem 28. Lebensjahr war K. Mitglied des Dritten Ordens des hl. Dominikus. Sie führte ein sehr asketisches Leben und wurde mit den Wundmalen Christi und der Sehergabe begnadet. Ihre besonderen Gnadengaben brachten ihr Anerkennung, aber auch Mißgunst, Verleumdung und Verfolgung ein. Ihre Freunde verließen sie; vereinsamt starb sie in Caramagna. Doch schon bald verbreitete sich ihr Ruhm. Ihre erste Biographie verfaßte G. F. Pico de la Mirandola, der K. noch persönlich gekannt hatte; dieses Werk erlebte bis 1858 zahlreiche Auflagen (zuletzt hrsg. von T. Chieri, Turin 1858). Ihre Verehrung als Selige. wurde im Jahre 1908 von Rom offiziell bestätigt.

Lit.: A. M. Balladore, Savigliano 1847; — Année Dominicaine, Lyon 1900, Septembre/I, 135-137; — G. Gallo, Turin 1908; — I. Taurissimo, Catalogus hagiographicus O.P., Rom 1918; — M. C. de Ganay, Les Bienheureuses Domincaines, Paris 1924^2, 475-501; — A. Mercati/A. Pelzer (Hrsg.), Dizionario ecclesiastico, Turin 1953, I, 549; — A. Guarienti, La Beata Caterina da R., 1964; — Ders., Bibliotheca Sanctorum, Rom 1961-1969, III, 992 f.; — Encyclopedic Dictionary of Religion, Philadelphia-Washington, D. C. 1979, 668.

Johannes Madey

KATHARINA DE' RICCI, Dominikanerin, * 23.4. 1522 in Florenz, † 1.2. 1590 in Prato. K. trat im Jahre 1535 in den Orden der Dominikanerinnen ein. Im Kloster von Prato war sie zunächst Novizenmeisterin und anschließend 30

Jahre lang (1560-1590) Priorin. Sie verehrte den Reformprediger Girolamo Savanorola und stand mit bedeutenden Persönlichkeiten ihrer Zeit brieflich in Verbindung, u.a. mit dem Reformer und Begründer des Oratoriums, dem hl. Philipp Neri, und der Mystikerin aus dem Karmelitinnenorden, der hl. Maria Magdalena de' Pazzi. Sie nahm auch an den Ereignissen der Reformation in Deutschland lebhaften Anteil. Persönlich führte sie ein strenges asketisches Leben und wurde mit Ekstasen, den Wundmalen Christi, der Seher- und Wundergabe. begnadet. Ihre Briefe sind Zeugnisse klassischer Schreibkunst. Sie erschienen in italienischer Sprache 1861 in Prato (hrsg. von G. Guasti) und 1890 in Florenz (hrsg. von A. Gherardi). A. v. Reumont veröffentlichte eine Auswahl davon in deutscher Übersetzung in seinem Werk »Briefe heiliger und gottesfürchtiger Italiener«, Breslau 1877, 251-262. K. wurde 1746 heiliggesprochen, und ihr Fest wurde auf den 13. Februar gelegt.

Lit.: S. Razzi, Lucca 1594 (mehrmals nachgedr.); — F. M. Guidi, Florenz 1622 (mehrmals nachgedr.); — H. Bayonne, 2 Bde., Paris 1873; dt. Ausg. Kevelaer 1911; — Année Dominicaine, Lyon 1884, Février/II, 409-438; — Analecta Sacri Ordinis Praedicatorum 7 (1898), 158 f.; — F. M. Capes, London 1905; — G. Scalia, G. Savonarola e S. Catarina de' Ricci, Forenz 1924; — G. Bertini, Florenz 1935; — A. Walz, Compendium historiae Ordinis Praedicatorum, Rom 1948^2, 345, 416, 428, 691; — ECatt III, 1157-1160; — LThK ^{2}VI, 62; — Encyclopedic Dictionary of Religion, Philadelphia-Washington, D. C. 1979, 669.

Johannes Madey

KATHARINA *von Schweden*, auch K. von Vadstena genannt, * 1331 oder 1332, † 24.3. 1381 in Vadstena. K. heiratete 1343 den Edelmann Eggard v. Kyren († 1351), mit dem sie eine enthaltsame Ehe führte. Im Jahre 1350 verließ sie Schweden und reiste zu ihrer in Rom lebenden Mutter Birgitta. 23 Jahre lang lebte sie als Birgittas treueste Schülerin und Gefährtin an ihrer Seite. Nach dem Tode der Mutter überführte sie deren Gebeine nach Vadstena, wo sie ein Kloster gründete. Sie wurde selbst 1375 die erste Priorin dieses Klosters. Von 1375 bis 1380 bemühte sie sich in Rom um die Heiligsprechung ihrer Mutter, die Papst Bonifatius IX. im Jahre 1391 vollzog. Die Regeln des von ihr gegründeten Erlöserordens (Birgittinnen) wurden von

Rom schon 1378 bestätigt. K.s Verehrung als Heilige wurde 1484 bestätigt. Ihr Fest ist am 24. März.

Lit.: Acta SS. Martii, Antwerpen 1668, III, 504 ff.; — BHL 257; — Ebd. Suppl. 73; — H. Lebon, S. Cathérine de Suède, Tours 1893; — T. Höjer, Studier i Vadstenaklosters och Birgittinordens historia, Uppsala 1905; — I. Collijn (Hrsg.), Processus seu negocium canonisacionis b. Katerine de Vadstenis: Svenska fornskriftssällskapets skrifter II/3, Uppsala 1942-1946; — Scriptores rerum Svevicarum medii aevi, Uppsala 1876, III/2, 244-267; — Socii Bollandiani (Hrsg.), Bibliotheca hagiographica latina antiquae et mediae aetatis, Brüssel 1891-1901, 1710-1714; — Dies., ed. altera, ebd. 1911, 1710-1714; — S. Ekwall, Nagra spridda källor rörande heliga Birgittas och Katarina Ulfsdotters vistesle i Italien: Kirkohist. Arsskrift 43 (1943), 1-23; — T. Lundén, Den heliga Katarinas av Vadstena liv och underverk: Credo 31 (1950); — O. Ahlbäck, Katarina av Vadstena: Finsk teologisk tidskrift 149 (Helsinki 1951); — J. Torsy (Hrsg.), Der große Namenstagskalender, Einsiedeln-Zürich-Freiburg-Wien 1975, 86; — ECatt III, 1158 f.; — LThK ²VI, 62.

Johannes Madey

KATHARINA *von Siena*, eigentlich Caterina Benincasa da Siena, Hl., Tertiarin des Dominikanerordens (III OSD), Kirchenlehrerin, * 1347 in Siena, † 29.4. 1380 in Rom (beigesetzt in S. Maria sopra Minerva; ihr Haupt wird in S. Domenico zu Siena aufbewahrt). — K. stammte aus der kinderreichen Familie des Wollfärbers Giacomo di Benincasa und seiner Frau Lapa di Puccio di Piagente. Sie zeigte schon sehr früh Anzeichen einer außergewöhnlichen Religiosität und erlebte im Alter von etwa sechs Jahren die Vision des thronenden Christus, was sie zum Gelübde der Jungfräulichkeit bewegte. Mit 15 Jahren schloß sie sich in Siena den »Mantellaten« an, dem Dritten Orden des heiligen Dominikus, und widmete die folgenden Jahre dem Gebet und asketischen Übungen. Unter der geistlichen Anleitung verschiedener Dominikaner, darunter der mit ihr verwandte Tommaso della Fonte, lernte sie das Brevier und Heiligenviten zu lesen und knüpfte zahlreiche Kontakte zu den Dominikanern wie auch zu Angehörigen anderer Ordensgemeinschaften (Franziskanern, Augustinern und Jesuaten). Die Kraft ihrer Sprache, die sich in zahlreichen Gebeten und Briefen niederschlug, zog immer mehr Menschen in ihren Bann, so daß sich eine »famiglia« um K. scharte, die in ihr ihre »geistliche Mutter« sah.

Von mystischer Inbrunst durchdrungen, verließ sie im 19. Lebensjahr endgültig Siena und zog mit ihrer Anhängerschaft durch ganz Italien, stets mit dem Ruf »Pace!« auf den Lippen. K. fühlte sich dazu berufen, die daniederliegende Kirche aufzurütteln und die Geistlichen an ihre Aufgaben zu erinnern. Dabei scheute sie, wie die folgenden Worte belegen, nicht davor zurück, die Mißstände beim Namen zu nennen: »Der schlimmste Greuel vor Gott ist der Anblick der Blumen, die aus dem mystischen Leib der Kirche sprießen und, anstatt süßen Duft zu verbreiten, nach allen Lastern stinken« (zit. nach Kirchgässner, 415). Der Reformeifer war auch die Wurzel ihrer politischen Tätigkeit, die um 1370 einsetzte; Frieden unter den Christen, Kreuzzug gegen die Ungläubigen und Rückkehr des Papsttums aus Avignon nach Rom - für diese Ziele war sie rastlos tätig und erregte bald die Aufmerksamkeit Papst Gregors XI. (1370-1378), der 1373/74 über verschiedene Legaten mit ihr in Verbindung trat. Zugleich aber hatte ihr Auftreten vielfältige Unruhe und Mißtrauen erweckt, so daß sie sich Pfingsten 1374 auf dem Generalkapitel der Dominikaner in Florenz verantworten mußte. Dort brachte sie jedoch ihre Gegner ebenso zum Schweigen wie in ihrer Heimatstadt Siena, die im gleichen Jahr von der Pest heimgesucht wurde und in der K. durch rastlose Wunder- und Heiltätigkeit weiteren Zulauf erhielt. Am 1.4. 1375 empfing sie nach einem Bericht ihres geistlichen Beraters, Raimund von Capua, zu Pisa die Wundmale Christi, die allerdings bis zu ihrem Tode unsichtbar blieben. Im Juni 1376 zog K. mit einer kleinen Schar nach Avignon und traf während des dreimonatigen Aufenthaltes auch mit Papst Gregor XI. zusammen. Bis heute ist ihr Anteil am Entschluß des Papstes zur Rückkehr nach Rom umstritten: jedenfalls verließ der Papst am 13.9. 1376 Avignon und hielt am 17.1. 1377 in Rom feierlich Einzug. Im gleichen Jahr gründete K. in Belarco bei Siena ein Kloster, verließ jedoch auf Bitten des Papstes den Konvent nach wenigen Monaten, um in Siena und in Florenz als Friedensstifterin aufzutreten (1377/78), eine Tätigkeit, der kein bleibender Erfolg beschieden war. In diese Zeit fällt auch die Entstehung ihres Hauptwerkes, des »Libro della divina dottrina« (oder »Dialogo della divina provvidenza«, von ihr meist kurz als »Dialogo« bezeichnet). Darin beschrieb K. in einer Art Summa für ihre Schüler ihre Gotteserfahrung und legte die in ihren Visionen gewonnenen Erkenntnisse über die Vollkommenheit, den Gehorsam, die göttliche Vorsehung usw. nieder. Ihre letzten Lebensjahre waren vom Ausbruch des großen Schismas überschattet. K. stellte sich mit ihrer gesamten »famiglia« auf die Seite Papst Urbans VI. (1378-1389) und warb für ihn als vermeintlichen Reformpapst. Ende 1378 erschien sie mit zahlreichen Anhängern in Rom, vermochte jedoch nichts auszurichten und mußte stattdessen die Vertiefung der Spaltung erkennen. Gebete und Briefe aus den letzten Lebensmonaten K.s bezeugen ihre Verzweiflung, zugleich aber auch ihre Hoffnung, daß einzig Gottes Barmherzigkeit noch die Kirche reformieren könne. Diese trostlose Situation beschleunigte das Ende K.s. Im Frühjahr 1380 erlitt sie einen Zusammenbruch in St. Peter und starb am 29.4. 1380 in Rom. — Der Lebensweg K.s ist dank der Aufzeichnungen ihrer Begleiter und Zeugnissen von Zeitgenossen in den großen Linien nachvollziehbar. Dennoch muß vieles offen bleiben, da die bereits zu Lebzeiten K.s einsetzende Legendenbildung sich schon in den ältesten Quellen niedergeschlagen hat: in den (verlorengegangenen) Quaterna oder Miracula des Tommaso della Fonte, die dann Raimund von Capua für seine zwischen 1385 und 1389 entstandene Vita s. Catharinae Senensis benutzte (Legenda maior), sowie in der Legenda minor des Tommaso da Siena von 1416/17. Einen direkten Eindruck von der Persönlichkeit K.s vermitteln ihre Werke. Neben dem »Dialogo« haben sich 381 Briefe und 26 Gebete erhalten, die in ihrer Aussagekraft bis heute beeindrucken. Die Erinnerung an die mutige Vorkämpferin für Reform und Einheit der Kirche blieb in Italien ungebrochen. Am 29.6. 1461 wurde sie von Papst Pius II. heilig gesprochen (Festtag: 29.4.). Papst Pius IX. erhob sie am 13.4. 1866 zur Mitpatronin von Rom, Pius XII. am 18.6. 1939 zur Hauptpatronin Italiens (neben Franz von Assisi). Zahlreiche soziale und karitative Gemeinschaften unterstellten sich ebenso wie die Tertiaren des Dominikanerordens ihrem Patronat. Erwähnt sei außerdem die nach K. benannte Ordensgemeinschaft der Sorelle dei poveri di S. C. da Siena, gegründet 1873 mit dem Ziel der Armen- und Krankenpflege. Am 4.10. 1970 erhob Papst Paul VI. K. zur Kirchenlehrerin. — Dargestellt wird K. als Dominikanertertiarin mit Dornenkrone, Wundmalen, Lilie oder Buch, auch mit Ring (mystische Verlobung mit Christus). Sie ist die Patronin der Sterbenden und der Wäscherinnen; angerufen wird sie gegen Pest und Kopfschmerzen. K. gehört zu den bedeutendsten Gestalten des 14. Jahrhunderts. Bis heute beeindruckt sie durch die Art, wie sie machtvolles Wort und heilendes Tun verband.

Werke: Erste Gesamtausg., hrsg. v. G. Gigli, 4 Bde., Siena 1707-1726; Übersicht über die mod. Überss. der Schrr. K.s (u. die biogr. Quellen) bei A. Schenker (s.u.), 169-173; Il Libro della divina Dottrina (Das Buch der göttl. Lehre), auch genannt Dialogo della divina provvidenza (Dialog der göttl. Vorsehung), entstanden 1377/78: ältere Ausgg.: Bologna 1492 (it.); Paris 1580, 1648, 1855, 1913 (frz.); London 1519, 1896 (engl.); Bamberg 1761, Münster 1808 (dt.); Avila 1925 (span.); moderne Ausgg.: Il Libro della Provvidenza, ed. M. Fiorelli/Innocenzo Taurisano, 1928; C. v. S. Gespräch über Gottes Vorsehung, eingel. v. Ellen Sommer-v. Seckendorff/Hans Urs v. Balthasar, 1964; S. C. da S., Il Dialogo, a cura di Giuliana Cavallini, 1969; Il Libro della divina Dottrina, ed. A. Puccetti, 1970²; The Dialogue, transl. by Suzanne Noffke, 1980; Briefe: erste gedr. Smlg. v. Aldo Manuzio, Venedig 1500 (353 Briefe); neuere Ausgg. in Auswahl: Le Lettere di S. C. da S. con note di Niccolò Tommaseo, a cura di Piero Misciatelli, 6 ts., 1970 (= Neuausg. der Erstausg. v. N. Tommaseo, 4 Bde., 1860); Die Briefe der hl. C. v. S., ausgew. v. Annette Kolb, 1906; Epistolario di s. C. da S., ed. Eugenio Dupré Theseider, t. I, 1940 (= bisher zuverlässigste, jedoch unvollst. krit. Ausg., wird fortges. v. Antonio Volpato); K. v. S., politische Briefe, Übertr. u. Einf. v. Ferdinand Strobel, 1944; C. v. S., Gottes Vorsehung, hrsg., eingel. u. übers. v. Louise Gnädinger, 1989 (= repräsentative Ausw. der Briefe u. 3 Abschnitte aus dem »Dialogo«); Gebete: Erstausg. v. Aldo Manuzio im Anh. der Briefe (s.o.); S. C. da S., Le orazioni, a cura di Giuliana Cavallini, 1978; The Prayers of C. of S., ed. Suzanne Noffke, 1983.

Lit.: Vollst. Bibliogr. bis 1950 v. L. Zanini, Bibliografia analitica di s. C. da S. dal 1901 a 1950, in: Miscellanea del Centro Studi Medievali I e II 58, 1956, 325-374 u. 62, 1958, 265-367 (Neuausg. 1971); — Robert Fawtier, S. C. de S. Essai de critique des sources, 2 ts., 1921-1930; — S. C. senensis Legenda minor, a cura di Ezio Franceschini, 1942; — Arrigo Levasti, C. da S., 1947 (dt. Übers. v. Helene Moser, 1952; engl. Übers. v. Dorothy M. White, 1954); — Innocenzo Taurisano, I Fioretti di s. C., 1950; — A. Grian, S. C. da S., Dottrina e fonti, 1953; — A. Capecelatro, Storia di S. C. da S. e del papato del suo tempo, 1956 (Neuausg. 1973 u. d. T. C. da S. e il papato del suo tempo); — Atti del I Symposium Catharinianum nel V centenario della canonizzazione di s. C. da S., 1962; — Das Leben der hl. K. v. S. (Legenda maior des Raimund v. Capua), hrsg., eingel. u. übers. v. Adrian Schenker, 1965; — D. Abbrescia/I. Venchi, Il movimento cateriniano, 1969; — A. Huerga, S. C. en la historia de la espiritualidad española, 1969; — G. Garrone, S. C. e s. Teresa, Dottori della Chiesa, in: AnalOP 78, 1970, 600-610; — Papst Paul VI., Homilia in Basilica Vaticana habita cum S. C., Virgo, Ecclesiae universalis Doctor declarata est, in: AAS 62, 1970, 673-678; — Ders., Litterae Apostolicae. Sanctae C. S. titulus Doctoris Ecclesiae universalis defertur, in: AAS 63, 1971, 674-682; — E. Radius, S. C. da S., 1970; — Alfons Kirchgässner, K. v. S., in: Peter Manns (Hrsg.), Die Heiligen. Alle Biographien zum Regionalkalender für das deutsche Sprachgebiet, 1979⁴, 412-416, 593; — Congresso internazionale di studi cateriniani 24-29 Aprile 1980, Atti, 1981; — Atti del Simposio internazionale cateriniano-bernardiniano, a cura di D. Maffei/P. Nardi, 1982; — Wetzer-Welte VII, 345-348; — EItal IX, 452-454; — Doyé I, 183 f.; — EC III, 1151-1158; — DSp II, 327-348; — Catholicisme II, 696-700; — RGG III, 1194; — LThK VI, 63 f.; — Grande Dizionario Enciclopedico Utet IV, 281 f.; — Dizionario degli Istituti di Perfezione II, 702-716; — Enciclopedia Europea III, 72; — DBI XXII, 361-379 (ausführl. Würdigung von Leben u. Werk K.s mit umfassender Bibliogr.); — HdKG III/2, 406-412; — The Encyclopedia of Religion III, 120 f.; — TRE XVIII/1-2, 30-34.

Christof Dahm

KATHARINA II, Zarin, * 2.5. 1729 in Stettin, † 17.11. 1796 in Zarskoje Selo. — K. wurde als Prinzessin Sophie Auguste Friederike von Anhalt-Zerbst als erstes Kind des Fürsten Christian August u. der Johanna Elisabeth von Holstein-Gottorp in Stettin geboren. Der Vater, infolge der Erbregelung dieses Hauses ohne Fürstentum, diente als Generalmajor in der Armee des Preußenkönigs Friedrich II. Die Kindheit verbrachte K. in Stettin, unterbrochen von Besuchen bei der Verwandtschaft in Braunschweig, Zerbst, Berlin u. Varel. In ihren Memoiren schilderte K. ihr Verhältnis zur Mutter als von großer Distanz bestimmt, vom Vater sprach sie dagegen mit großer Anhänglichkeit. Sich selbst beschrieb sie als mit einem guten Gedächtnis begabt, mutwillig u. lebhaft und schon früh von dem Ehrgeiz nach einer Krone bestimmt. Seit 1739 war - noch ohne feste Absichten - Karl Peter Ulrich von Holstein-Gottorp, Enkel Zar Peters I u. der spätere Zar Peter III, als Heiratskandidat für Sophie im Gespräch. 1742 siedelte die Mutter mit Sophie u. dem jüngeren Bruder Wilhelm Christian Friedrich nach Dornburg um, wo dieser im selben Sommer im Alter von zwölf Jahren starb. Im Winter zog die Familie in das Schloß zu Zerbst ein, da Christian August seit November zusammen mit dem Vetter Johann

Ludwig das Fürstentum regierte. Am 1. Januar 1744 traf ein Brief des Oberhofmarschalls der Zarin Elisabeth, Brümmer, mit der Einladung für Sophie und ihre Mutter nach Moskau ein. Elisabeth hatte, nachdem sie ihren Neffen Karl Peter Ulrich 1742 zum Großfürsten und ihrem offiziellen Nachfolger designiert hatte, auf Anraten Friedrichs II von Preußen Sophie als künftige Großfürstin ins Auge gefaßt. Am 10. Januar reiste die Familie unter Geheimhaltung des eigentlichen Zieles und Zweckes der Reise zunächst nach Berlin ab. Anfang Februar trafen Mutter und Tochter am Hof in Moskau ein. Am 28. Juni 1744 trat Sophie zum orthodoxen Glauben über und erhielt den Namen Katharina Alexejewna; am folgenden Tag wurde sie mit dem Großfürsten Peter Fjodorowitsch verlobt. Die Vermählung mit Peter, der sich bereits seiner Verlobten gegenüber brüskierend verhielt, erfolgte am 21. August 1745. Am 20. September 1754 wurde K.s erster Sohn Paul Petrowitsch geboren und, obwohl vermutlich der Verbindung K.s mit Sergej Saltykow entstammend, als ehelich anerkannt. Elisabeth nahm Paul sofort nach der Entbindung zu sich. — Zarin Elisabeth ergriff im Siebenjährigen Krieg (1756-1763) Partei gegen Friedrich II von Preußen. — K. brachte am 9. Dezember 1757 die Tochter Anna zur Welt, deren Vater vermutlich Stanislaw Poniatowski ist. Anna starb am 8. März 1759. 1758 wurden Vertraute K.s, der Großkanzler Bestuschew-Rjumin und Feldmarschall Stephan Apraxin durch eine Intrige von Neidern aus ihren Machtpositionen verdrängt. K. geriet dadurch selbst für eine Zeit in Schwierigkeiten. Auf ihre Bitte an Elisabeth, sie zu ihrer Mutter zurückzuschicken, kam es endlich zu einer Aussprache zwischen ihr, der Zarin und dem Großfürsten, in der deutlich wurde, daß Elisabeth aus dynastischen Erwägungen gegen Peter zu K. hielt. Die Zarin starb am 25. Dezember 1761 und Peter III trat ihre Nachfolge an. Er rief die siegreiche russ. Armee aus Pommern und Ostpreußen zurück u. schloß Frieden mit Friedrich II. Eine Heeresreform nach preußischem Vorbild machte ihn trotz seines Manifestes über die Freiheit des Adels vom 18. Februar 1762 im aristokratischen Gardekorps vollends unbeliebt. Unter der Führung der Brüder Grigorij u. Alexej Orlow bahnte sich eine Verschwörung zugunsten K.s an. Die Großfürstin wurde am 11. April 1762 von einem Sohn Grigorij Orlows, Alexej entbunden. Nachdem am 27. Juni 1762 einer der Offiziersverschwörer verhaftet wurde, veranlaßte Alexej Orlow K., sich am Morgen des 28. Juni in Petersburg zur Zarin proklamieren u. die Regimenter auf ihren Namen vereidigen zu lassen. Am 29. Juni wurden die holsteinischen Truppen des überraschten Peter III von K.s Husaren entwaffnet u. Peter zur Unterzeichnung einer Verzichtsurkunde gezwungen. Peter III wird in Schlüsselburg in Haft gehalten u. dort am 6. Juli unter ungeklärten Umständen von Alexej Orlow ermordet. Am 22. September 1762 wird K. in Moskau gekrönt. Unter den ersten Regierungsmaßnahmen K.s war die Zurücknahme der extremsten Punkte des Religionsedikts Peters III, z.B. der Einrichtung des »Ökonomiekollegiums« zur Verwaltung des enteigneten Kirchenbesitzes. Im Frühjahr 1764 allerdings enteignete K. wiederum den kirchlichen Grundbesitz, erneuerte das staatliche Ökonomiekolleg, ließ neue Etats für geistliche Stellen, Schulen u. Invalidenhäuser aufstellen u. verminderte die Zahl der Klöster auf die Hälfte. Auch die Tolerierung des Raskol, des Schismas von russ. Staatskirche, deren Oberhaupt K. als Zarin war, und den sog. Altgläubigen, war ein Erbe der kurzen Regierung Peters III. Gegen diese Maßnahmen protestierte der Erzbischof von Rostow, Arsenij Mazewitsch als Vertreter der Altgläubigen u. griff K. persönlich an. Arsenij wurde verhaftet, von einem Synodalgericht am 12. April abgesetzt u. zuerst in ein Kloster verbannt, nach weiterer Kritik an K. in der Festung Reval inhaftiert, wo er 1772 starb. Seit 1763 entstanden auf Initiative K.s die deutschen Wolgakolonien. Seit Anfang 1765 beschäftigte sich K. mit der Abfassung der »Instruktion« einer gesetzgebenden Kommission unter Heranziehung der Ideen Montesquieus im Sinne eines »aufgeklärten Despotismus«. Da K. als Usurpatorin des Thrones auf das Wohlwollen des Adels, der ihr zur Macht verholfen hatte, angewiesen war, mußte sie in dessen Interesse auf einen Teil ihrer Reformpläne verzichten. 1767 berief K. die Kommission, die aus 600 Delegierten aller Stände mit Ausnahme der Leibeigenen bestand u. am 30. Juli desselben Jahres im Kreml zusammentrat. Der Ausbruch des Krieges im Sept. 1768 gegen die Türkei war ein willkommener Anlaß, das von Beginn an zum Scheitern verurteilte Unternehmen endgültig abzubrechen. Am 5. Aug. 1772 wurde in Petersburg der Vertrag zur ersten Teilung Polens zwischen Preußen, Österreich u. Rußland unterzeichnet. Diderot hielt sich fünf Monate bei K. in Petersburg auf u. führte mit ihr Diskussionen über die Rußland angemessene Regierungsform. Im Verlauf ihrer Herrschaft richtete sich K. immer stärker nach den Interessen der adligen Grundbesitzer, so daß sich die soziale Lage der leibeigenen Bauern zunehmend verschärfte. Während des türkischen Krieges kam es 1773 zum Aufstand und Bauernkrieg unter der Anführung des Don-Kosoken Jemeljan Pugatschow, der sich vor dem Volk als Zar Peter III ausgab. Nach der entscheidenden Niederlage der Aufrührer Ende Aug. 1774 wurde Pugatschow von seinen Anhängern am 14. Sept. 1774 ausgeliefert u. am 10. Jan. 1775 in Moskau öffentlich enthauptet. Nach Massenreppressalien erließ K. Ende 1775 eine Amnestie für seine Anhänger. Als Antwort auf die Pugatschowschina reorganisierte K. 1775 die Gouvernementsverwaltung. Mit der Niederschlagung dieses Aufstandes begann die reaktionäre Regierungszeit der Zarin. Im Bayerischen Erbfolgekrieg vermittelte K. 1779 den Friedensschluß von Teschen zwischen Preußen u. Österreich. Im Sinne der Legitimation ihrer Herrschaft stellte sich K. als Fortsetzerin der Politik Peters I dar, u.a. indem sie ihm 1782 in Petersburg ein Denkmal aus der Werkstatt von Etienne-Maurice Falconet setzen ließ.1783 wurden auch die Bauern der Ukraine, die bis dahin im russ. Reich einen Sonderstatus genossen, als Leibeigene adligen Grundbesitzern unterstellt. Im gleichen Jahr annektierte K. die Krim. 1785 bestätigte K. erneut in einer »Gnadenurkunde für den Adel« dessen Privilegien. Die Lage der Bauern spitzte sich weiter zu. Gleichzeitig sorgte K. für den Aufbau des Volksschulwesens. 1788-1790 führte sie einen Krieg gegen Schweden u. von 1787-1792 einen zweiten Krieg gegen das Osmanische Reich. Der Frieden von Jassy (29. Dez.1791) eröffnete Rußland den Zugang zum Schwarzen Meer u. den Zugang zum Mittelmeer. 1794 gründete K. die Hafenstadt Odessa. Unter dem Eindruck der Franz. Revolution von 1789 ging

K., die selbst 1769 die Zeitschrift »Wskaja Wsjatschina« gegründet u. in den achtziger Jahren Gesellschaftskomödien verfaßt hatte, auch scharf gegen kritische russ. Autoren vor. So wurde Alexander Nikolajewitsch Radischtschew, der in seinem 1790 in Petersburg veröffentlichten Buch »Reise von St. Petersburg nach Moskau« an der Leibeigenschaft u. dem Mißbrauch der Leibeigenschaft unmißverständlich Kritik übte, am 24. Juli 1790 als Staatsverbrecher zum Tode verurteilt, aber schließlich von der Zarin zu einer zehnjährigen Verbannung nach Sibirien begnadigt. (Nach K.s Tod wurde er von Zar Paul I amnestiert.) Ähnlich erging es dem Verleger u. Publizisten Nikolaj Nowikov, der unter einem bloßen Verdacht im Apr. 1792 verhaftet u. in Schlüsselburg als Staatsgefangener eingekerkert u. erst nach ihrem Tod freigelassen wurde. 1793 bemächtigte sich K. in der zweiten Teilung Polens mit Preußen der größten Teile von Weißrußland u. der Ukraine. Durch die dritte Teilung Polens zwischen Österreich, Preußen u. Rußland im Okt. 1795 wurde Polen als Staat nach seiner achthundert Jahre langen Geschichte ausgelöscht. Am 17. November 1796 starb K. II in der Residenz Zarskoje Selo.

Werke: dt.: Ihrer kais. Majestät Instruktion für die zur Verfertigung des Entwurfs zu einem neuen Gesetzbuche verordnete Kommission, Petersburg 1768, dt.; Riga 1769, 1771[2]; Verordnung zur Verwaltung des Gouvernements d. Russ. Reichs, 2 Bde., dt., Petersburg 1777-80; Das Mährchen vom Zarewitsch Chlor, Berlin 1782; Aufsätze betreffend die russische Geschichte, übers. v. Christian Gottl. Arndt, Berlin 1783, Riga 1787; Das Mährchen vom Zarewitsch Fewei, Berlin 1784; Bibliothek der Großfürsten Alexander u. Konstantin, 9 Bde., Berlin, Stettin 1784-89; Drey Lustspiele wider Schwärmerey und Aberglauben (Der Betrüger. Ein Lustspiel. Cagliostro gegeißelt, Der Verblendete, Der sibirische Schaman), Petersburg 1786, Berlin 1788 mit e. Vorwort v. Friedr. Nicolai; Der Familienzwist durch falsche Warnung u. Argwohn. Ein Lustspiel, dt., Petersburg 1788, Berlin 1789; Ruriks Leben. Historisches Drama nach Shakespeares Muster ohne Beibehaltung der sonst üblichen Kunstregeln der Schaubühne, Petersburg 1792[2]. — Ausgaben: Memoiren. Von ihr selbst geschrieben. Mit e. Vorrede v. Alexander Herzen, Hannover 1859; Friedr. d. Große u. K. II, Briefe hrsg. v. Kurd v. Schlözer, Berlin 1859; Joseph II u. K. von Rußland. Ihr Briefwechsel, hg. v. Alfred v. Arneth, Wien 1869; Leopold II, Franz II u. K. Ihre Correspondenz, hg.v. Leopold Beer, Leipzig 1874; Deux lettres de l'imperatrice Caterine II a Stanislaus Poniatowski, in: Archiv Kujazja Voroncova, Bd. 25, S. 414-425, 1882; Briefwechsel zwischen Heinrich Prinz v. Preußen u. K. II, hg. v. R. Krauel; Berlin 1903; Der Briefwechsel zwischen der Kaiserin K. II v. Rußland u. Joh. Georg Zimmermann, hrsg. v. Eduard Bodemann, Hannover 1906; Erinnerungen der Kaiserin K. II. Nach Alexander Herzens Ausgabe, hg. v. G. Kuntze, Stuttgart 1908; Briefe der Kaiserin K.II an die Fürstin Daschkoff, in: Daschkova, Ekaterina Romanovna K., Am Zarenhofe (Memoiren dt.), München 1918; Correspondence de Falconet avec C. II 1767-1778, hrsg. v. Louis Réau, Paris 1921; Les lettres de Catherine II au prince de Ligne (1780-1796), hg.v. Prinzessin Charles de Ligne, Paris 1924; Documents of Catherine the Great. The Correspondence with Voltaire and the Instruction of 1767 in the english text of 1768, ed. by W.F. Reddaway, Cambridge 1931; Um eine deutsche Prinzessin. Ein Briefwechsel Friedrichs d. Gr., der Landgräfin von Hessen-Darmstadt u. K. II v. Rußland (1772-1774), Hamburg 1935; Voltaires Briefwechsel mit Friedr. d. Großen u. K. II, hrsg. v. Walter Mönch, Berlin 1944; — K. II in ihren Memoiren, hg.v. Hedwig Fleischhacker nach E. Boehme, Frankfurt a.M. 1972; Voltaire and Catherine the Great. Selected Correspondence, ed. by A. Lentin, Cambridge 1974; Russia under Catherine the Great., ed. by Paul Dukes, Vol. I C. the Gr. Instruction to the Legislative Commission 1767, Vol. II Selected Documents on Government and Society, Newtonville Mass. 1977-78; Ekaterina II. Memoiren, hg. v. A. Graßhoff, 2 Bde., München 1987; Gesamtausgaben: Imperatrica Ekaterina II (D. literar. Werk), hg. v. L. Wedenskij, Petersburg 1893; Sočinenija Imperatricy Ekaterina II, na osnovanii podlinuych rukopisej i c objasnitel'nymi primečanijami A.N. Pypina, izd. imperatorskoj akademii nauk, 12 Bde., ebd. 1901-1907; Zapiski imperatricy Ekateriny Vtoroj (Reprint d. Ausg. Petersburg 1907), Moskau 1989; Bibliographie: Istorija russkoj literarury XVIII veka. Bibliografičeskij ukazatel', hrsg.v. V.P. Stepanov u. Ju. V. Stennik, Leningrad 1968, S. 258-269.

Lit.: Johann Bernoulli, Reisen durch Brandenburg, Pommern, Preussen, Curland, Rußland u. Polen in den Jahren 1777 u. 1778, 6 Bde., Leipzig 1779-1780, V, 146f; — August L. Schloezer, Denkwürdigkeiten der Regierung K.s II, Riga 1780; — Joh. Joachim Bellermann, Bemerkungen über Esthland, Liefland u. Rußland nebst einigen Beiträgen zur Empörungs-Geschichte Pugatschows, Leipzig 1792; — Joh. Erich Biester, Abriß des Lebens u. der Regierung der Kaiserin K. II von Rußland, Berlin 1797; — Friedrich Adelung, Catherinens d. Gr. Verdienste um die Vergleichende Sprachenkunde, Petersburg 1815; — Alexander S. Puschkin, Gesch. d. Pugatschowschen Aufstandes, russ. Petersburg 1831, dt. 1840; — Ekaterina Romanowna Daschkov, Memoiren zur Geschichte der Kaiserin K. II, hg.v. A. Herzen, 2 Bde., Hamburg 1851; — Alexander Brückner, Zur Charakteristik der Kaiserin K. II. Ihre Briefe an Grimm, in: Russische Revue 16 (1880), S. 419; — Ders., K. II, Berlin 1883; — K. Hillebrand, K. II u. Grimm, Berlin 1880; — Wassilij A. Bilbassow, Diderot in Petersburg, russ., Petersburg 1884; — Ders., K. II, Kaiserin von Rußland im Urteil der Weltliteratur, 3 Bde., Petersburg, Berlin 1890-96 (russ.), Berlin, 1897 u. Reprint Leipzig o.J.; — Friedr. Bienemann, Die Statthalterschaftszeit in Liv- u. Estland (1783-1796). Ein Capitel aus der Regierungspraxis K.s II, Leipzig 1886; — Maurice Tourneux, Diderot et Catherine II, Paris 1899; — F. Frensdorff, K. II v. Rußland u. ein Göttingscher Zeitungsschreiber, in: Nachrichten der kgl. Gesellschaft d. Wissenschaften zu Göttingen. Philol.-histor. Klasse 1905, H. 3, S. 305-320; — Karl Stählin, Gesch. Rußlands von den Anfän-

wert die dogmengeschichtliche Entwicklung, nimmt Stellung zu aktuellen philosophischen Fragen und verweist auf das praktische Moment der Lehre. Im Tiroler Landtag vertrat K. den Salzburger Erzbischof. 1880 wurde K. Domkapitular in Salzburg, 1882 Direktor des Priesterhauses, 1891 Weihbischof, 1892 Dompropst, 1900 Kapitelsvikar und Fürsterzbischof. 1903 ernannte ihn Papst Leo XIII. zum Kardinal, 1912 erhielt er das Großkreuz des St. Stephansordens. K. förderte tatkräftig die Idee einer katholischen Universität in Salzburg, mühte sich um eine katholische Presse, sorgte sich für die cäcilianische Reform der Kirchenmusik. Sein Hirtenbrief über die Würde des Priestertums (1905) erregte heftiges öffentliches Aufsehen. Besorgt wegen unkirchlicher Tendenzen in der modernen Gesellschaft, feierte er 1906 ein Provinzialkonzil.

Werke: Zwei Thesen für das allgemeine Concil von Dr. G. C. Mayer, beleuchtet, 2 Abt., 1868-1870; Theologia dogmatica catholica specialis, 5 Bde., 1877-1888 (hieraus erschienen separat: De gratia sanctificante, 1878, 1886[3]; De ss. eucharistia, 1883, 1886[2]); Begriff, Nutzen und Methode der Dogmengeschichte, in: ZKTh 6, 1882, 472-528; Marianische Vorträge, 1885; Kurze Geschichte der Kirchenmusik, 1893; Predigten und kurze Ansprachen, 10 Bde., 1892-1896; Sonntagspredigten, 2 Bde., 1899-1908; Eucharistische Predigten, 1905, 1912[2].

Lit.: Acta et constitutiones Concilii Provinciae Salisburgensis, 1909; — Johann Hasenauer, Joh. Kard. K., Fürsterzbischof von Salzburg, in: Personalstand der Säkular- u. Regular-Geistlichkeit des Erzbistums Salzburg 1915, Anhang, 1-34; — P. Guerrini, Notizie biografiche del card. K. (Vorwort zur it. Übers. v. J. K., Kurze Geschichte der Kirchenmusik), 1926; — Rupert Joh. Klieber, Erzb. Joh. Kard. K. Skizze einer kulturkampflustigen Amtsperiode, in: Mitt. Ges. Salzburger Landeskunde 129, 1989, 295-379; — Kosch, KD 2025; — EC VII, 660 f.; — ÖBL III, 264; — LThK VI, 93; — NCE VIII, 135; — Catholicisme VI, 1380; — Erwin Gatz, Die Bischöfe der deutschsprachigen Länder, 1983, 363-366.

Erich Naab

KATTENBUSCH, Ferdinand * 3. Oktober 1852 in Kettwig/Ruhr, † 28. Dezember 1935 in Halle. K. war neben Johann Gottschick derjenige Theologe, der, aus der Schule Albrecht Ritschls kommend, Luthers theologisches Erbe mit dem Anliegen seines Lehrers Ritschl zu verbinden suchte. Nach dem Studium von 1869 bis 1872 in

Bonn, Berlin und Halle wurde er Repetent in Göttingen und 1876 dort Privatdozent für systematische Theologie. 1878 wurde er im gleichen Fach ordentl. Profesor in Gießen, 1904 in Göttingen, schließlich 1906 in Halle, wo er 1922 emeritiert wurde. — K. verband in seiner Arbeit die systematische Theologie mit der historischen Forschung. Wichtig wurde ihm die Arbeit am »historischen Jesus« und die Verfeinerung der Ethik Luthers. Hier konnte er den Ritschlianer nicht verleugnen. Das theologische Forschungsfeld wurde ständig erweitert: Bedeutsam sind neben zahlreichen Studien zur Theologie Luthers die umfangreichen Abhandlungen zur Geschichte des Apostolikums und zur Konfessionskunde (s.u. Werke!). Bis in die Gegenwart hinein wirkt das Lehrbuch der vergleichenden Konfessionskunde (s. u. Werke!). Maßgeblich für die Geschichte der Symbolik ist der erste Teilband »Die orthodoxe anatolische Kirche«(1892), der den Dialog mit der christlichen Orthodoxie erneuern half. Die 33 geschriebenen Artikel (davon 6 Artikel mit anderen Forschern zusammen!) in der 3. Auflage der »Realenzyklopädie für Theologie und Kirche« (ab 1896, s.u. Werke als Teilaufnahme!) weisen ihn als hervorragenden Kenner der Ökumene aus. Mit der Wertschätzung des Apostolikums, welche vertieft wurde durch glänzende Auslegungen der Theologie Luthers, trug F.K. dazu bei, daß weit über den Apostolikumsstreit (1892) hinaus die Orientierung über das Glaubensbekenntnis wieder in kirchlich-realpolitische Bahnen gelenkt wurde. Beim Weltkongreß für »Freies Christentum und religiösen Fortschritt« vom 6. bis 10. August 1910 in Berlin, wo A.v. Harnack, E. Troeltsch und G. Wobbermin wichtige Vorträge brachten, hielt sich F.K. mit den Altritschlianern wie M. Schian ganz zurück. Seit 1910 gab er die »Theologischen Studien und Kritiken« heraus. Im hohen Alter setzte er sich kritisch mit der Bewegung des Nationalsozialismus auseinander. In einem diesbezüglichen Artikel (s. u. Werke!) warb er um Nächstenliebe, zumindest um Toleranz.

Werke: Luthers Lehre vom unfreien Willen und von der Prädestination, 1875 (1905[2]); Der christliche Unsterblichkeitsglaube, 1881; Luthers Stellung zu den ökumenischen Symbolen, 1883; Über religiösen Glauben im Sinne des Christentums, 1887; Lehrbuch der vergleichenden Konfessionskunde I (Prolegomena. Die orthodoxe anatolische Kirche); Von Schleiermacher zu Ritschl, 1892; in den neueren Ausgaben umgearbeitet mit anderen Titeln: Teil 1: Die deutsche evangelische Theologie seit Schleiermacher. Ihre Leistungen und ihre Schäden (1926[5], 1933[6]); Teil 2: Zeitenwende auch in der Theologie (1934); Das apostolische Symbol, 2 Bde I, 1894, II, 1900 (Reprint 1962); Art. Ägypten, RE, I, 1896, 203-220; Art. Anglikanische Kirche (zus. mit O. Schöll) RE, I, 1896, 525-547; Art. Jerusalem (Patriarchat), RE, VIII, 1899, 697-703; Art. Ignatius Diakonus, RE, IX, 1900, 55; Art. Ignatius, Patriarch, RE IX, 1900, 56; Art. Newman, J.H., RE XIV, 1904, 1-8; Art. Orientalische Kirche, RE XIV, 1904, 436-467; Art. Protestantismus, RE XVI, 1905, 135-182; Art. Puritaner (zus. mit O. Schöll), RE, XVI, 1905, 323-348; Art. Römische Kirche, RE, XVII, 1906, 74-124; Das sittliche Recht des Krieges, 1906; Art. Symbole, Symbolik, RE XIX, 1907, 196-207; Ehre und Ehren, 1909; Die Kirchen und Sekten des Christentums in der Gegenwart (RV IV, 11/12), 1909; Vaterlandsliebe und Weltbürgertum, 1913; Über Feindesliebe im Sinne des Christentums, 1916; Luthers pecca fortiter, 1918; Deus absconditus bei Luther, 1920; Der Quellort der Kirchenidee, 1921; Die Vorzugstellung des Petrus und der Charakter der Urgemeinde, 1922; Gott erleben und an Gott glauben, ZThK, 1923, H. 2; Das Unbedingte und das Unbegreifbare, 1927; Die Doppelschichtigkeit in Luthers Kirchenbegriff, 1928; Selbstbiographie in: Religionswissenschaft der Gegenwart in Selbstdarstellungen, 5, 1929; Die Kirche und das dritte Reich, Fragen und Forderungen deutscher Theologen, hrsg. von Leopold Klotz, Band I, 1934, S. 57-64; Bibliographie: RGG[2], 702 f.

Lit.: Studien und Kritiken zur Theologie. Eine Festgabe F.K. zum 3.10. 1931, dargeboten von der Theol. Fak. der Universität Halle Wittenberg, 1931; — Festgabe für F.K. zu seinem 80. Geburtstag am 3. Oktober 1931, Z. Th. K.N. F. 1931, Heft 4/ 5; — Festheft für F.K., Zs. f. Syst. T. Jg.9, 1931, H 2,5; — O.Ritsch, F.K. als Persönlichkeit, Forscher und Denker. Theologische Studien und Kritiken 107, 1936, 289 ff. — Heinrich Hermelink, Das Christentum in der Menschheitsgeschichte von der französischen Revolution bis zur Gegenwart, III, 1955, bes. 230 ff., 562 ff. — RGG[2] III, 702 f. — RGG[3] III, 1228.

Wolfdietrich von Kloeden

KATTERBACH, Bruno, OFM, Archivar und Paläograph, * 16.9. 1883 in Düsseldorf, † 29.12. 1931 in Rom. — Nach dem Abitur trat K. im Jahre 1901 in den Franziskanerorden ein. Seine Studienzeit verbrachte er unter anderem in Freiburg i. Br., wo er bei Finke zum Dr. phil. promovierte. Im Jahre 1909 wurde er zum Priester geweiht. Bald danach kam er an die Ordenshochschule San Antonio nach Rom. Dort war er von 1913-1916 und dann wieder von 1920-1931 Professor für Paläographie und Urkundenlehre. Die Jahre dazwischen verbrachte er als Feldgeistlicher (1917-1918) und als Lektor für Kirchengeschichte auf dem Frauenberg bei Fulda. Neben seiner Professur wirkte K. auch als Archivar am Vatikanischen Archiv.

Werke: Der zweite lit. Kampf auf dem Konstanzer Konzil im Januar und Februar 1415, 1919; Die Unterschrift der Päpste und Kardinäle in den »Bullae maiores« vom 11. bis 14. Jh., 1924; Specimina supplicationum ex registris Vaticanis, 2 Bde., 1927; Exempla scripturarum, Teil 1: Codices latini saec. XIII, 1929; Exempla scripturarum, Teil 2: Epistolae et instrumenta saec. XIII, 1930; Referendarii utriusque signaturae a Martino V ad Clementem XI et praelati signaturae supplicationum a Martino V ad Leonem XIII, 1931; Inventarium registrorum supplicationum ab anno 1342 ad 1899, 1932.

Lit.: A. Kleinhans, B. K., in: Antonianum VII, 1932, 281 ff.; — B. K., in: Thuringia Franciscana XII, 1932, 42-46; — Kosch, KD II, 2025 f.; — EC VII, 661; — LThK [2]VI, 93.

Hans-Josef Olszewsky

KATTERFELD, Traugott Christian Friedrich Ludwig, luth. Pastor, * 1.7. 1843 als Pastorensohn in Preekuln (Kurland), † 21.11. 1910 in Windau (Kurland). — K. studierte Theologie in Dorpat und Erlangen. 1868/69 war er in Neuendettelsau Assistent des Pfarrers Wilhelm Löhe (1808-1872), der schon auf den Erlanger Studenten nachhaltigen Einfluß ausgeübt hatte. Danach wirkte K. zunächst als Adjünkt in Mitau (Kurland), dann als Pastor in deutschen Kolonien in Rußland. 1880 wurde er Stadt- und Gefängnisprediger sowie Rektor des 1865 gestifteten Diakonissenhauses in Mitau. K. nahm regelmäßig an den in Kaiserswerth tagenden Konferenzen der Diakonissenmutterhäuser teil und knüpfte enge Beziehungen zu Bethel. Die dabei gesammelten Erfahrungen versuchte er auf die Diasporasituation in Kurland zu übertragen und anzupassen. Seit 1881 gab er den monatlich erscheinenden »Boten aus dem Mitauer Diakonissenhaus« heraus, in dem er immer wieder seine Ziele (u.a. Verpflanzung der Diakonie auf das Land, Gründung eines Asyls für Epileptische und Geisteskranke und Fürsorge für Arbeitslose) darlegte. In der Folgezeit gründete er in mehreren Städten Kurlands Diakonissenhäuser. Besondere Verdienste erwarb er sich um die von ihm 1887 bei Mitau errichtete und bis 1909 geleitete Anstalt »Tabor« für Epileptische und Geisteskranke. — K., bereits von Zeitgenossen als »baltischer Bodelschwingh« bezeichnet, wirkte bahnbrechend für die Diakonie und Innere Mission in den baltischen Ländern.

Werke: Zur Feier der Grundsteinlegung des Turmes an der St. Johanniskirche in Mitau, 1881; Eine kurländische Mortarageschichte, 1883; Diakonie und innere Mission, in: Protokoll der kurländischen Jubelsynode 1885, S. 177-201. — Theodor Kallmeyer, Die evangelischen Kirchen und Prediger Kurlands. Bearb. von Gustav Otto, 1910² S. 459f.

Lit.: Gotthilf Hillner, Ein Meister zu helfen. Ein Zeugnis des Dankes für L. Katterfeld, in: Mitteilungen und Nachrichten für die evangelische Kirche in Rußland 64, 1911, S. 584-591; — Paul Wachtsmuth, Ludwig Katterfeld, ebd., S. 548-562; — Karl Stavenhagen, Pastor Ludwig Katterfeld, in: Kalender des deutschen Vereins in Liv-, Est- und Kurland 1912, S. 101-103; — Anna Katterfeld, Ludwig Katterfeld. Der Bahnbrecher der Inneren Mission in den baltischen Provinzen. Ein Lebensbild, 1913; — Wilhelm Lenz (Hrsg.), Deutschbaltisches biographisches Lexikon 1710- 1960, 1970, S. 364; — Margarete Anders, Balten in Bayern und Bayern im Baltikum, 1988, S. 100f; — Ewald Blumfeldt/Nigolas Loone, Bibliotheca Estoniae Historica 1877-1917, 1933-1939, ND 1987, S.489; — RGG I, 854.

Uwe Eckardt

KATZER, Friedrich Xaver, Erzbischof von Milwaukee, * 7.2. 1844 in Ebensee (Oberösterreich), † 20.7. 1903 in Fond du Lac (Milwaukee). K. studierte seit 1857 in Linz; 1864 begleitete er den Indianermissionar F. Fierz nach Amerika und setzte sein Studium am Salesianum St. Francis (Milwaukee) fort. 1866 zum Priester geweiht dozierte er bis 1875 ebd. Philosophie und Dogmatik. 1875 wurde er Sekretär des Bischofs Krautbauer von Green Bay, 1878 Generalvikar, 1886 Bischof von Green Bay, 1891 als Nachfolger von M.Heiß Erzbischof von Milwaukee. — K. spielte eine wichtige Rolle bei Aufbau und Organisation der Diözesen von Wisconsin. Im sog. Schulstreit um das Bennett-Law machte er sich um den Erhalt und Ausbau deutschsprachiger Pfarr- und Privatschulen verdient. Bekannt wurde er durch sein Vorgehen gegen die Secret Societies. Im Streit um den Amerikanismus vertrat er konsequent die römische Position.

Werke: Lateinische Oden, Milwaukee o.J.; Der Tod des Hl. Bonifatius, Milwaukee o. J.; Der Kampf der Gegenwart. Ein dramatischer Versuch in 5 Akten, Milwaukee 1873; Die Vermählung (Festgedichte), Milwaukee 1875; Der Treue Lohn (Ein Festspiel), Milwaukee 1875.

Lit.: Raymond W. Hietpas, Archbishop Frederick Xavier K., St. Francis Seminary (Diss. masch.) 1935; — B. J. Blied, Historial Studies and Notes: Archhishop K., in: Social Justice Review 44, 1951, Nr. 6/7/8; — Ders., Three Archbishops, Milwaukee 1955; — C.J.Barry, The Catholic Church and German Americans, Milwaukee 1953; — Franz Loidl, Erzbischof F.X.K. Ebensee-Milwaukee 1844-1903, Wien 1953; — John J. Delaney, Dictionary of American Catholic Biography, New York 1984, 284; —DAB V (1960/61), 261 f; — OBL III, 266; — Kosch, KD II, 2026; — LThK VI, 93 f.

Tobias Böcker

KAUFFMANN, Angelika, Malerin, * 30.10. 1741 in Chur (Schweiz) als einziges Kind des Malers Joseph Kauffmann und der Cleophea Kauffmann, geb. Lutz, † 5.11. 1807 in Rom, bestattet in der Kirche S. Andrea delle Fratte. — Den größten Teil ihrer Kindheit verbrachte A. K. am bzw. in der Nähe des Comer Sees, wohin Malaufträge J. K. und seine Familie geführt hatten: zunächst - bis 1752 - Morbegno, danach - von 1752 bis 1754 - Como. Bereits in dieser Zeit zeigte sich A.s außerordentliche Begabung für die Malerei, gepaart mit einem ebenso großen Talent für die Musik, was ihr lange die Entscheidung erschwerte, welcher Begabung sie beruflich den Vorzug geben sollte. Das früheste von ihr erhaltene und signierte Gemälde datiert aus ihrem 13. Lebensjahr und ist - wohl Teil eines Familienbildes - als Selbstbildnis in Morbegno entstanden. Nur wenig später porträtierte sie in Como den dortigen Bischof, Monsignore Nevroni, dessen Bild sie ebenso wie die ab 1754 von ihr in Mailand gemalten Adelsporträts in Pastell fertigte und damit an das Werk der venezianischen Pastellmalerin Rosalba Carriera anknüpfte. In Mailand wurde K.s Ausbildung intensiviert: Sie übte sich im Kopieren alter Meister und nahm eifrig Gesang- und Cembalounterricht. Der Tod der Mutter 1757 unterbrach die Studien. Vater und Tochter verließen Mailand und begaben sich nach Schwarzenberg/Bregenzer Wald, dem Heimatort der Familie Kauffmann väterlicherseits, von wo der Auftrag an sie ergangen war, die dortige durch Brand zerstörte Pfarrkirche neu auszumalen. K.s Arbeitsanteil am malerischen Ausstattungsprogramm umfaßte die Darstellung der 12 Apostel über den Kreuzwegstationen der Langhauswände, die sie nach Kupferstichvorlagen des venezianischen Malers G. B. Piazzetta in Freskotechnik ausführte. Dem Aufenthalt in Schwarzenberg folgten weitere Auftragsreisen nach Meersburg und Tettnang, in deren Verlauf sie u. a. den Fürstbischof von Konstanz, Franz Konrad von Rodt sowie Mitglieder der gräflichen Familie von Montfort porträtierte. Für kurze Zeit kehrten die K.s nach Mailand zurück, um dann ab 1762/3 eine längere Italienreise anzutreten, die der Weiterbildung K.s dienen sollte. Der Schwerpunkt ihrer Studien lag dabei auf dem Kopieren berühmter Altmeistergemälde in den Museen von Parma, Bologna, Florenz, Rom und Neapel. Daneben nahm sie aber auch Unterricht an den Akademien von Bologna und Florenz und ließ sich 1763/64 in Neapel von Clérisseau in die Architekturmalerei und das Perspektivezeichnen einführen. Großen Einfluß auf ihren Malstil wie auf ihre Kunstauffassung hatte die Bekanntschaft mit dem deutschen Altertumsforscher Johann Joachim Winckelmann in Rom. Winckelmanns Vorstellungen von einer an den Werken der (antiken) griechischen Klassik orientierten zeitgenössischen Kunst fanden nachhaltigen Eingang in das Œuvre der A. K.: Zu ihren bedeutendsten Bildern überhaupt wird das berühmte Porträt Winckelmanns gezählt, das K. 1764 im Auftrag des Schweizers Joh. Heinrich Füssli bzw. dessen Vater Caspar in Rom malte. Mit K.s Aufnahme als Mitglied in die römische Accademia di San Lucca 1765 erfuhren ihre bis dahin erbrachten künstlerischen Leistungen nun erstmals auch offizielle Anerkennung seitens der »Fachkollegen«. Im gleichen Jahr reisten K. und ihr Vater über Bologna nach Venedig, um auch hier die großen Meister des Cinque- und Seicento im Original zu studieren. Entscheidend für K.s weiteren beruflichen Werdegang wurde aber die Begegnung mit Lady Wentworth, der Gattin des englischen Gesandten, die K. 1766 bewog, mit ihr zusammen London zu besuchen. Der sich anschließende, insgesamt 15 Jahre dauernde Aufenthalt in England gestaltete sich für K. zu einer Periode breitester künstlerischer Produktivität wie auch großer gesellschaftlicher und materieller Erfolge, die sie zu einem nicht geringen Teil der freundschaftlichen Protektion des einflußreichen Malers Joshua Reynolds - den sie 1767

porträtierte - zu verdanken hatte. Neben den damals sehr gefragten mythologischen und historischen Sujets malte sie Allegorien und Themen aus der zeitgenössischen Literatur. Besonders brillierte sie aber in der Gattung der Porträtmalerei, die ihren internationalen Ruhm begründete. Darüber hinaus wurde sie vom Architekten Robert Adam wiederholt mit der malerischen Ausführung von Wand-, Decken- und Kamindekorationen betraut, entwarf Bildvorlagen für Porzellan und bemalte auch Fächer. Zu ihrem Œuvre gehörten ferner Radierungen, von denen die meisten - wie die 1779 als Gegenstücke geschaffenen - L'Allegra und La Pensierosa - während ihres Englandaufenthaltes entstanden sind. Dem geistigen Leben ihrer Zeit gegenüber aufgeschlossen, stand sie mit vielen bedeutenden Persönlichkeiten, vor allem aus den Bereichen der Kunst und der Literatur in schriftlichem oder persönlichem Kontakt und zählte 1768 zu den 22 Gründungsmitgliedern der Royal Academy in London. 1781 heiratete sie nach einer gescheiterten ersten Ehe den venezianischen Maler Antonio Zucchi und verließ bald darauf mit ihm und ihrem Vater endgültig England. Sie ließ sich zunächst in Venedig nieder, übersiedelte aber nach dem 1782 erfolgten Tod des Vaters nach Rom. Ihr Haus auf dem Pincio, das vor ihr der Maler Anton Raphael Mengs bewohnt hatte, wurde zum Treffpunkt gebildeter europäischer Kunstliebhaber, die sich in der Wertschätzung klassischer Ideale mit K. geistig verbunden fühlten. Zahlreiche berühmte Besucher ließen sich von ihr malen, wie z. B. 1783 der Herzog von Chartres, 1787 Goethe, 1805 Kronprinz Ludwig von Bayern, oder gaben andere Bildthemen in Auftrag, so daß sie am Ende ihres Lebens ein umfangreiches Werk von über 600 Gemälden geschaffen hatte und dadurch zu großem Vermögen gelangt war. 1795 starb ihr Mann, sie überlebte ihn um 12 Jahre. Ihr Leichenbegängnis wurde vom Bildhauer Antonio Canova zu einem prunkvollen Trauerzug gestaltet, an dem die bedeutendsten Persönlichkeiten Roms teilnahmen. Später wurde auch ihre Büste im Pantheon aufgestellt. — Allen ihren Bildern ist ein zartes Empfinden, weiche Formenbildung und feine Farbgebung eigen.

Werkliste — Gemälde: Selbstbildnis mit 13 Jahren, 1753/54 (Innsbruck, Tiroler Landesmuseum Ferdinandeum); Der Vater der Künstlerin, Joseph Johann Kauffmann, um 1760 (Innsbruck, Tiroler Landesmus. Ferdinandeum); Bacchus und Ariadne, 1764 (Bregenz, Rathaus); Der dt. Altertumsforscher Johann Joachim Winckelmann, 1764 (Zürich, Kunsthaus); Der englische Maler Joshua Reynolds, 1767 (Plymouth, The National Trust, Saltram Collection); Herzogin Augusta v. Braunschweig mit ihrem ältesten Sohn, 1767 (London, Buckingham Palace); »Die Stickerin«, 1773 (Moskau, Puschkin-Museum); »Hektor erblickt Paris in der Schlacht«, 1775 (Leningrad, Staatl. Eremitage); König Ferdinand IV. v. Neapel und seine Familie, wohl 1783 (Neapel, Museo di Capodimonte); Selbstbildnis, 1784 (München, Neue Pinakothek); Der Ehemann der Künstlerin, Antonio Zucchi, um 1784 (Kilchberg, Slg. Robert Winkler); Karl v. Leberecht, 1785 (Leningrad, Staatl. Eremitage); Graf Pawel Skawronski, 1786 (Moskau, Puschkin-Museum); Baronin Krüdener mit ihrem Sohn, 1786 (Paris, Musée National du Louvre); Kinderbild des William Frederick Prinz von Gloucester und seiner Schwester Sophia Matilda, 1787 (Bath, Slg. des Earl Waldegrave in Chewton Mendip); Johann Wolfgang v. Goethe, 1787 (Weimar, Nationale Forschungs- und Gedenkstätten der klass. dt. Literatur); Selbstbildnis, 1787 (Florenz, Galleria degli Uffizi); Prinz Stanislaus Poniatowski, 1788 (Rom, Slg. Andrea Busiri Vici); Die heilige Familie, 1789 (Bergamo, Cappella Colleoni); Der Architekt Michael Novosielski, 1791 (Edinburgh, National Gallery of Scotland); Fortunata Fantastici, 1792 (Florenz, Galleria degli Uffizi); Cornelia Knight, 1793 (Manchester, City of Manchester Art Galleries); »Junge Dame am Putztisch«, 1795 (Budapest, Magyar Szépmüvészeti Múzeum); Maddalena Riggi, 1795 (Frankfurt, Goethemuseum); »Christus und die Samariterin am Brunnen«, 1796 (München, Neue Pinakothek); Marienkrönung, 1800 (Hauptaltarbild der Pfarrkirche in Schwarzenberg); Kronprinz Ludwig von Bayern, 1807 (München, Neue Pinakothek). — Fresken: 12 Apostelfiguren, 1757 (Pfarrkirche in Schwarzenberg). — Radierungen: Mutter mit Kind, das einen Apfel hält, 1763; Halbfigur des Hofrates Johann Friedrich Reiffenstein, 1763 auf Ischia entstanden; Juno mit dem Pfau, 1770; L'Allegra und La Pensierosa, 1779.

Lit.: Adeline Hartcup, Angelica. The portrait of an eighteenthcentury artist, London 1954; — Dies., El arte de A. K., in: Goya 18, 1957, 407; — Exhibition of Paintings by A. K. at the Iveagh Bequest, Kenwood, May to September 1955, London (1955); — Andrea Busiri Vici, A. K. and the Bariatinskis, in: Apollo 77, 1963, 201-208; — Ders., I Poniatowski e Roma, Firenze 1971, bes. Kap. 4 (I soggiorni a Roma di Stanislao Poniatowski dal 1785 al '95), 144-216; — Michael Liebmann, Gemälde der A. K. im Staatl. Puschkin-Museum der bildenden Künste in Moskau, in: Jahrb. des Vorarlberger Landesmuseumvereins 1963, 55-63; — Ders., Zwei unbekannte Werke von A. K. im Kunsthaus zu Talinn, in: Jb. des Vorarlberger Landesmuseumvereins 1970, 59-64; — Claudia Helbok, Shakespeare-Themen im Œuvre von A. K., in: Jb. des Vorarlberger Landesmuseumvereins 1966, 22-37; — dies., Miss Angel, A. K. Eine Biographie, Wien (1968); — Magdalena Pawlowska, A propos de deux portraits féminins d' A. K., in: Bulletin du Musée national de Varsovie 8, 1967, 72-80; — Dies., O portretach polskich A. K., in: Rocznik Muzeum Narodowego w Warszawie 13.2, 1969, 73-144; — A. K. und ihre Zeitgenossen. Ausst. Kat.

Vorarlberger Landesmuseum Bregenz/Österr. Museum für Angewandte Kunst Wien 1968/69; — Steffi Röttgen, »I ritratti di Onorato Caetani dipinti da Mengs, Batoni e A. K.«, in: Paragone 19, 1968, Nr. 221 Luglio, 52-71; — Stanislaus Szymanski, Die Polonica der A. K., in: Jb. des Vorarlberger Landesmuseumvereins 1968/69, 39-65; — Peter A. Tomory, A. K. —»Sappho«, in: The Burlington Magazine 113, 1971, 275 f.; — Dorothy Moulton Mayer, A. K., R. A. 1741-1807, Gerrards Cross 1972; — Georg Poensgen, Christoph Heinrich Kniep? Ein Künstlerbildnis von A. K., in: Pantheon 31, 1973, 294-305; — Frederick den Broeder, A weeping heroine and a mourning enchantress by A. K., in: Bulletin. - The William Benton Museum of Art. The University of Connecticut. 1. 1974, 3, 19-28; — Linda R. Eddy, An antique model for K.'s »Venus persuading Helen to love Paris«, in: The Art Bulletin 58, 1976, 569-573; — Ulrich Schulte-Wülwer, Gräfin Catherine Skavronska und Fürst Grigori Alexandrowitsch Potemkin. Biograph. Anmerkungen zu einem bislang unbekannten Porträt von A. K., in: Nordelbingen 45, 1976, 54-66; — Peter Walch, An early neoclassical sketchbook by A. K., in: The Burlington Magazine 119, 1977, 98-111; — A. K. und ihre Zeit. Graphik und Zeichnungen von 1760-1810. (1.9.-22.9. 1979) Düsseldorf 1979. Galerie Börner (Neue Lagerliste 70); — Arthur S. Marks, A. K. and some Americans on the grand tour, in: The American Art Journal 12, 1980, 2, 4-24; — Claudia Maué, A. K. Invenit-Bildvorlagen für Wiener Porzellane, in: Keramos 90, 1980, 9-38; — Günther Rehbein, Ruth-Maria Muthmann, Die graph. Arbeiten von A. K., in: Die Kunst und das schöne Heim 93, 1981, 405-412; — Wendy Wassyng Roworth, The gentle art of persuasion, A. K.'s Praxiteles and Phryne, in: The Art Bulletin 65, 1983, 488-492; Dies., A. K.'s »Memorandum of paintings«, in: The Burlington Magazine 126, 1984, 629 f.; — Gisold Lammel, A.K., Dresden 1987; — Sarah Morian Wadstrom, A. K.s »Ariadne Abandoned by Theseus on Naxos«, Ann Arbor 1988; — Bettina Baumgärtel, A.K. (1741-1807). Bedingungen weibl. Kreativität in der Malerei des 18. Jhs., Weinheim 1990 (Ergebnisse d. Frauenforschung, 20); — Walter Hugelshofer, A. K. und Goethe in Rom, in: Pantheon 20, 1962, 109-116; — Eugen Thurnher, A. K. und die dt. Dichtung, Bregenz 1966; — Irmgard Smidt-Dörrenberg, A. K., Goethes Freundin in Rom, Wien 1968; — Siegfried Obermeier, Die Muse von Rom. A. K. und ihre Zeit, Frankfurt 1987; — ADB XV, 466 ff.; — NDB XI, 340 ff.; — Thieme-Becker XV, 1 ff.; — Kindlers Malerei Lexikon III, 546 ff.; — Kosch, KD II, 2027 ff.; — EC VII, 661; — EItal XX, 138 f.; — LThK VI, 94; — Bénézit VI, 172 f.

Ingrid Münch

KAUFMANN, Karl Maria, christlicher Archäologe, * 2.3. 1872 in Frankfurt/Main, † 6.2. 1951 in Ranstadt (Oberhessen). — Nach Studien in Berlin und in Fribourg/Schweiz erhielt K. seine grundlegende wissenschaftliche Ausbildung am Campo Santo Teutonico in Rom in den Jahren von 1894-1902. Dort wurde besonders der Einfluß der Archäologen Anton de Waal und Orazio

Marucchi für seine spätere Forschungsarbeit wichtig. Im Jahre 1899 wurde er zum Priester geweiht. Seine erste größere Forschungsreise nach Lybien im Jahre 1905 führte zur Entdeckung der Menasstadt, einem frühchristlichen Wallfahrtsort. In den Jahren 1905-1908 leitete K. dann Ausgrabungen eines Teils dieser Anlage. Die Ergebnisse der Grabungen veröffentlichte er in zahlreichen Schriften. Eine zweite archäologische Expedition unternahm er in den Jahren 1911 und 1912 nach Kleinasien, Syrien, Ägypten und in den Sudan. Dabei gelangen ihm im Gebiet der Oase von Faijum umfangreiche Terrakotta-Funde und die Entdeckung einer Sammlung von etwa tausend Ostraka in griechischer, demotischer, koptischer und arabischer Schrift. Wegen seiner Verdienste um die christliche Archäologie wurde er 1919 zum Professor ernannt. Einige seiner Schriften veröffentlichte K. unter dem Pseudonym Marchese di San Callisto. — Die Bedeutung Ks. gründet in der Entdeckung und teilweisen Ausgrabung der Menasstadt. Dadurch wurde die Persönlichkeit des populärsten, wenngleich auch nicht historisch faßbaren ägyptischen Heiligen in ein helleres Licht gerückt. In Folge dieser Ausgrabungen hat die koptische Kirche den Versuch unternommen, die Wallfahrt, die durch die islamische Inbesitznahme des Landes zum Stillstand gekommen war, wiederzubeleben.

Werke: Die Jenseitshoffnungen der Griechen und Römer, 1897; Der letzte Flavier (Roman), 1897; Die Legende der Aberkiosstele, 1898; Die Fortschritte der monumentalen Theologie, 1898; Das Dokument der Lady (Roman), 1899; Die sepulkralen Jenseitsdenkmäler der Antike und des Urchristentums, 1899; Katakombenbuch, 1900; Der Ring mit dem Ichthys (Roman), 1900; Das Kaisergrab im vatikan. Grotten, 1901; Sant Elia. Erinnerungen an eine archäolog. Streife in Etrurien, 1901; La Pege du temple d'Hierapolis, 1901; Ein altchristl. Pompeji in der lybischen Wüste, 1902; Handb. der christl. Archäologie, 1905; Die Ausgrabungen der Menasheiligtümer in der Mareotiswüste, 3 Bde., 1906-1908; La découverte des Sanctuaires de Ménas, 1908; Manuale di archeologia cristiana, 1908; Der Menastempel und die Heiligtümer vom Karm Abu Mina in der Mariutwüste, 1909; Führer durch die Ausgrabungen der K.schen Expedition, 1909; Ikonographie der Menasampullen, 1910; Die Menasstadt und das Nationalheiligtum der altchristl. Ägypter, 1910; Graeko-ägypt. Koroplastik, 1913; Die heilige Stadt der Wüste, 1914; Der Frankfurter Kaiserdom, 1914; Ägypt. Terrakotten der griech.-röm. und kopt. Epoche, vorzugsweise aus der Oase El Faijum, 1914; Handb. der altchristl. Epigraphik, 1917; Gebete auf Stein, 1922; Amerika und Urchristentum, 1924; Die verlorene Stadt (Roman),

1927; Ausgraber, Mumienjäger und Tote Städte, 1928.

Lit.: Sebastian Merkle, C. M. K., in: Köln. Volksztg. vom 2. März 1932; — Anton Baumstark, K. M. K., 1937; — Kosch KD II, 2031 f.; — LThK ²VI, 94.

Hans-Josef Olszewsky

KAULEN, Franz Philipp, * 20.3. 1827 in Düsseldorf, † 11.9. 1907 in Bonn. — K. wurde 1850 zum Priester des Erzbistums Köln geweiht und wirkte zuerst in der Seelsorge. Nach weiterführenden Studien und der Promotion wurde er im Jahre 1880 Professor für alttestamentliche Exegese an der katholisch-theologischen Fakultät der Universität Bonn; im Jahre 1903 erhielt er die ehrenvolle Berufung zum Mitglied der Päpstlichen Bibelkommission in Rom. Als Exeget gilt K. als Vertreter einer stark konservativen Richtung. Seine große historische Leistung war die Herausgabe der zweiten Auflage von »Wetzer und Welte's Kirchenlexikon« in 13 Bänden (Freiburg i. Brsg. 1892-1903), des Vorläufers des modernen LThK.

Werke: Die Gesch. der Vulgata, Mainz 1868; Einleitung in die Hl. Schrift des AT.s und NT.s, Freiburg 1876, 1911⁵, hrsg. v. G. Hoberg; Assyrien und Babylonien, Freiburg 1899⁵; Hdb. zur Vulgata, Mainz 1904.

Lit.: J. L. Pirot/A. Robert (Hrsg.), Dictionnaire de la Bible, Supplément, Paris 1928 ff., V, 3 f.; — W. Kosch, Das kath. Dtld. Biogr.-bibliogr. Lex., Augsburg 1933 ff., II, 2036 f.; — A. M. Weiß/E. Krebs, Im Dienst am Buch, Freiburg 1951, 498 (Reg.); — The Catholic Encyclopedia VIII, 611; — ECatt VII, 661 f.; — LThK ²VI, 95.

Johannes Madey

KAUNITZ, Wentzel Anton Graf v., seit 1764 Fürst v.Kaunitz-Rietberg, wurde am 2.2. 1711 in eine alte und bedeutende mährische Familie geboren. An seine Studien in Leipzig schlossen sich, dem damaligen Brauch der höheren Stände entsprechend, ausgedehnte Reisen an, die ihn in die Niederlande, nach Italien und nach Frankreich führten. 1735 trat er in den österreichischen Staatsdienst ein. Zunächst hatte er für diplomatische Missionen zu arbeiten, und zwar in Turin (1742), dann in den österreichischen Niederlanden, wo er in Wirklichkeit als Gouverneur wirkte (1744-46). 1748 handelte er für Österreich den Aachener Frieden aus, dessen wichtigste Punkte der Verzicht Maria Theresias (reg. 1740-1780) und des sardinischen Königs auf die Herzogtümer Parma, Piacenza und Gustalla zugunsten des spanischen Infanten Don Philipp als Enkel des 1731 verstorbenen letzten Herzogs aus dem Hause Farnese, die Rückgabe der von Frankreich besetzten österreichischen Niederlande, die Garantierung der hannoverschen Erbfolge in England, die internationale Anerkennung der Pragmatischen Sanktion sowie die Zugehörigkeit von Schlesien und der Grafschaft Glatz zu Preußen waren. Der Aachener Friede, der vor allem den politischen Interessen Englands entsprach und auf Kosten des verbündeten Österreichs ausgehandelt wurde, ließ die Brüchigkeit der traditionellen Allianz zwischen Österreich und den Seemächten (England/Hannover und Holland) offenbar werden. Für K. ergab sich daraus als Konsequenz eine Allianz mit Frankreich bzw. die Trennung Frankreichs von dem Bündnis mit Preußen. Mithin stellte sich der Aachener Friede als eine Etappe in der großen Auseinandersetzung der europäischen Mächte zwischen 1740 und 1762/63 sowie ein bedeutendes Datum zum renversement des alliances (Umkehrung der Bündnisse) bzw. zum Vertrag von Versailles (1756) dar. In der Folge hat K. konsequent auf ein Bündnis zwischen Österreich und Frankreich hingearbeitet, zumal seitdem er nach seiner Rückkehr von einer Botschaftertätigkeit in Paris 1753 durch Maria Theresia zum Staatskanzler und damit zum Leiter der österreichischen Außenpolitik berufen worden war. Den Erfolg seiner Bemühungen markiert das Neutralitäts- und Verteidigungsbündnis von Versailles, das am 1.5. 1756 abgeschlossen wurde. Es stellt die Antwort auf die Westminsterkonvention vom 16.1. 1756 dar, in der sich England und Preußen zu gemeinsamer Abwehr jeden Angriffs durch eine fremde Macht in Deutschland verpflichteten. — Mit dem Versailler Vertrag war ein entscheidender Schritt auf die von K. angestrebte Koalition gegen Preußen hin getan. Sie sollte die Rückgewinnung Schlesiens ermöglichen. Wenngleich der Siebenjährige Krieg (1756-63) für Österreich keinen Erfolg brachte, vermochte K. sich doch weiterhin zu behaupten, auch nachdem Josef II. seit 1765 zum Mitregenten seiner Mutter Maria Theresia

geworden war. Mit Josef kam es zum Erwerb Galiziens (1772), der Bukowina (1775) sowie des bayerischen Innviertels (1780). Auch als K. Einfluß nach dem Tod Maria Theresias (1780) zurückging, blieb er im Amt, ebenfalls unter Josefs Nachfolger Leopold II. (1790-92). In K' Politik war der Gegensatz zu Preußen stets ein wesentliches Element. — In der Außenpolitik war die Staatsraison für K. ein bestimmender Faktor. Seine Haltung war durch die Aufklärung geprägt. Während des Siebenjährigen Krieges nahm er unmittelbaren Einfluß auf die Kriegführung. 1761 gelang ihm die Umgestaltung der Zentralbehörden. Nunmehr trat der Staatsrat als oberstes Beratungsorgan ohne Exekutivgewalt an die Stelle des Geheimen Rates. Der Josephinismus bzw. das kirchenpolitische System, das in allen nicht rein geistlichen Angelegenheiten die Kirche dem Staat unterordnen wollte, ebenfalls das nur kirchliche Gebiet im Sinne des aufgeklärten Absolutismus zu beeinflussen suchte, wurde von K. unterstützt. Durch sein Interesse für die Literatur und das Geistesleben Frankreichs, die Förderung Christoph Willibald Glucks (1714-1787), als Protektor der Wiener Akademie der bildenden Künste, ferner als Kunstsammler nahm er Einfluß auf das Geistesleben Österreichs. K., der Staatskanzler von einer Kaiserin und drei Kaisern, der die Abneigung, wenn nicht gar den Haß gegen Preußen verinnerlicht hatte, zählt zu den bedeutendsten Staatsmännern Österreichs. Hingewiesen sei auch darauf, daß er von krankhafter Eitelkeit war und besessen von der Furcht vor Infektionskrankheiten, weshalb z.B. Josef II. ihn zu Besprechungen zu Hause aufsuchen mußte, um ihm den Aufenthalt außerhalb seines Hauses zu ersparen. Am 27.6. 1794 starb K. in Wien.

Lit.: G.Küntzel, Kaunitz als Staatsmann (1923); — A.Novotny, Staatskanzler Kaunitz als geistige Persönlichkeit (1947); — F.Walter, Männer um Maria Theresia (1951); — M.Braubach, Versailles und Wien. Von Ludwig XIV. bis Kaunitz (1952); — G.Klingenstein, Der Aufstieg des Hauses Kaunitz (1975).

Konrad Fuchs

KAUTSKY, Karl (Johann), sozialistischer Theoretiker, * 16.10. 1854 in Prag als Sohn des tschechischen Dekorations- und Theatermalers

Johann K. (ursprünglich Kautschky) und seiner deutschstämmigen Ehefrau, der Schauspielerin und Schriftstellerin Wilhelmine, geb. Jaich, † 17.10. 1938 in Amsterdam. — Der katholisch getaufte K. wächst in der deutschen Sprache auf und erhält zunächst Privatunterricht, um dann nach der Übersiedlung der Familie nach Wien (1863), wo der Vater u. a. für das Burgtheater arbeitet, in eine Privatschule in Mariahilf eingeschult zu werden, von wo er 1864 auf das Gymnasium des Benediktinerklosters in Melk überwechselt. Hier entwickelt K. gemäß seinen um 1930 geschriebenen »Erinnerungen« eine Antipathie gegen das »Pfaffentum« (Kautsky) und wird - veranlaßt durch die Pariser Kommune (1871) und begünstigt durch die Lektüre von George Sand und Louis Blanc - zum Anhänger des - wenn auch zunächst moralisch begründeten - Sozialismus (ca. 1873). Nachdem er 1866 auf das »Akademische Gymnasium« in Wien übergewechselt ist und hier 1874 die Matura erhält, beginnt er im gleichen Jahr an der Universität Wien das Gymnasiallehrerstudium und immatrikuliert sich an der philosophischen Fakultät u. a. für Philosophie, Geographie, Geschichte und Politische Ökonomie. Angeregt durch Haeckels »Natürliche Schöpfungsgeschichte« beschäftigt sich K. verstärkt mit dem naturwissenschaftlichen Materialismus (L. Büchner) und dem Darwinismus: Diese Theorien finden ihren Niederschlag in der ersten, erst 1927 veröffentlichten Abhandlung »Entwurf einer Entwicklungsgeschichte der Menschheit« (1876). Am 10.1. 1875 tritt K. der österreichischen Sozialdemokratie bei und widmet sich u. a. nationalökonomischen Theoretikern (Roscher, Smith, Ricardo, Dühring), Philosophen (J. St. Mill, F. A. Lange) und dem Marx'schen »Kapital« (um 1875/1876). Nach dem Studium schwankt K. zunächst in seiner Berufswahl (Maler, Dramatiker, Regisseur), schreibt Artikel für die Wiener Parteipresse, den Leipziger »Volksstaat« (später »Vorwärts«) und kleineren Organen. 1879 erscheint K.s erste Veröffentlichung (»Der Einfluß der Volksmehrung auf den Fortschritt der Gesellschaft«), in der er u. a. - der neomalthusianischen Lehre folgend - für die Geburtenregelung als ein sozialpolitisches Instrument plädiert. Nachdem K. schon 1876 mit führenden Größen der deutschen Sozialdemokratie

(A. Bebel, W. Liebknecht) in persönlichen Kontakt getreten ist, wird ihm von dem philanthropischen Sozialreformer Karl Höchberg das Angebot unterbreitet, an der politischen Wochenzeitschrift »Sozialdemokrat«, die wegen des in Deutschland geltenden Sozialistengesetzes in Zürich erscheint, zusammen mit Eduard Bernstein die Redaktion zu übernehmen. Mit der Übersiedlung nach Zürich am 23.1. 1880 beginnt für K. eine »Wendung« (Kautsky), insofern er - begünstigt durch seine intensive Lektüre der Schriften von Marx und Engels, seine wiederholten Besuche bei ihnen in London und durch seine Freundschaft mit Bernstein - wegen seiner mannigfaltigen publizistischen und journalistischen Tätigkeiten zum Theoretiker der Sozialdemokratie und der II. Internationale aufsteigt. Im Marxismus kann er seinen Eklektizismus überwinden und die Frage nach einem einheitlichen Deutungssystem der Wirklichkeit beantworten. Mit der Gründung (Januar 1883) der von ihm herausgegebenen Monatsschrift (ab 1890 Wochenschrift) »Neue Zeit« schafft K. sich ein Organ, durch das er, obgleich er nie ein Parteiamt innehat, das programmatische und wissenschaftliche Selbstverständnis der sozialdemokratischen Partei bis zu seiner Ablösung als Chefredakteur im Jahre 1917 formulieren kann, die materialistische Geschichtsauffassung als Methode der historischen Analyse anwenden und Marx popularisieren kann (»den Leuten zum Bewußtsein bringen, was Marxismus ist und war er nicht ist.«). Nachdem sein Versuch, bei Haeckel in Jena zu promovieren über »Die Entstehung der Ehe und Familie« (1881/1882), am Widerstand der Philosophischen Fakultät scheitert, konzentriert sich K. auf seine parteibezogene Tätigkeit. — 1883 heiratet K. Louise Strasser, von der er sich 1889 scheiden läßt (L. Strasser wird dann die Sekretärin von Friedrich Engels) und geht 1890 eine zweite Ehe ein mit Luise Ronsperger († 1944 in Auschwitz). — Ergebnisse seiner Londonaufenthalte und seiner Arbeit im britischen Museum sind u. a. das Buch »Thomas More und seine Utopie« (1887) und seine popularisierende Darstellung des Marx'schen »Kapitals« in seiner Schrift »Karl Marx' ökonomische Lehren« (1886), die der Generation um die Jahrhundertwende das Studium von Karl Marx eröffnet. Nach der Aufhebung des Sozialistengesetzes (1890) siedelt K. von London, wo er Dezember 1885 bis Juni 1890 wohnt und Freundschaft mit F. Engels schließen kann, nach Stuttgart über und arbeitet einen Entwurf für ein neues Programm der Sozialdemokratischen Partei aus, das - von Engels und Bebel gebilligt - auf dem Parteitag in Erfurt (14.-20.10. 1891) zum offiziellen Parteiprogramm erhoben wird und die Partei in ihrem ersten, theoretischen Teil auf den von K. interpretierten Marxismus verpflichtet (historischer Determinismus, Sozialismus als historische Notwendigkeit, die Sozialisierung der Produktionsmittel als gesellschaftliche Umwandlung durch die Arbeiterklasse für die Zwecke der gesamten Menschheit, die Partei als Gestalterin des Kampfes der Arbeiterklasse, Internationalismus der Arbeiterklasse, Krisentheorie). Die im Erfurter Programm angelegte Spannung zwischen einer von K. vertretenen revolutionär-marxistischen Theorie und einer von Eduard Bernstein postulierten sozialreformerischen Praxis (u.a. Forderung nach einem allgemeinen und gleichen Wahlrecht, nach freier Meinungsäußerung und Versammlungsfreiheit, der Gleichberechtigung der Frau, Trennung von Staat und Kirche, Erbschaftssteuer) bricht 1894 anläßlich der sog. »Agrarfrage« (soll die SPD für eine staatliche Subventionierung bäuerlicher Kleinbetriebe kämpfen oder die Kleinbauern als potentiell proletarisierte Klasse einbeziehen in den Kampf der Arbeiterklasse) auf dem Frankfurter Parteitag aus und leitet die sog. »Revisionismus«-Debatte ein, in der die bisherigen Freunde K. und Bernstein sich als Kontrahenten gegenüberstehen. Seit dem Herbst 1896 unterzieht Bernstein in verschiedenen Zeitschriftenartikeln und in seinem Buch »Die Voraussetzungen des Sozialismus« (1899) verschiedene marxistische Theoreme (Proletariat als alleiniger Träger des Fortschritts, Revolution als sozialer Kataklysmus, Verelendungstheorie, monistischer Primat des sog. »Unterbaus«, historischer Determinismus) der Kritik und versucht, die Theorie der SPD zu revidieren, damit sie sich so darstellt, wie sie politisch (nämlich »sozialreformerisch«) de facto unter den veränderten Bedingungen nach der Aufhebung des Sozialistengesetzes zu handeln beabsichtigt. K., nunmehr (seit 1897) in Berlin ansässig, überzeugt von der Sachhaltigkeit marxistischer Theorie, setzt auf den Parteitagen (1898 in Stuttgart, 1899 in Hannover, 1903 in Dresden) und in seinem Buch »Bernstein und das sozialdemokratische Programm« (1898) sein Verständnis des Sozialismus durch (u. a. kapitalistische Produktionsweise als Erzeugerin der Kräfte und Mittel ihres eigenen Unterganges, Verelendung als dem kapitalistischen Ausbeutungssystem inhärentes Merkmal, Gleichberechtigung der Arbeiter nur durch »Ueberwindung der kapitalistischen Eigentumsordnung«, SPD als Klassenpartei des »kämpfenden Proletariats«) und stabilisiert die kollektive Identität einer in einer opferreichen Zeit illegalisierten Partei, indem er ihr ein revolutionäres Pathos zuschreibt. Obgleich der Parteitag in Dresden (1903) den Revisionismus und dessen Konzeption einer schrittweisen Demokratisierung und »Sozialisierung« zurückweist, bricht der Streit 1904/1905 erneut aus, als neukantianische Gedanken (K. Eisner, K. Vorländer, F. Staudinger) in die SPD eindringen und den Sozialismus philosophisch als ein ethisches Ideal zu begründen versuchen: Der Konflikt, den K. als den zwischen einer historisch-ökonomischen und einer ästhetisch-ethischen Theorie deutet, führt zum Ausscheiden Eisners aus der Redaktion des »Vorwärts«. K. sieht sich veranlaßt, in dem Buch »Ethik und materialistische Geschichtsauffassung« (1906) sich nochmals gegen den Versuch zu wehren, die Kant'sche Ethik dem Marxismus zu integrieren (in Wirklichkeit ... steht Kant dem Sozialismus viel ferner als der französische Materialismus des achtzehnten Jahrhunderts.«) und die Veränderung der Gesellschaft von einer Philosophie des Idealismus und Individualismus zu erwarten. Gegenüber einer »Sollens-Ethik« mit ihren theologischen Implikationen prognostiziert K. aus »der Erkenntnis der gegebenen materiellen Bedingungen« die unvermeidliche Notwendigkeit des Sozialismus und des Sieges des Proletariats. Liegt K. in der Auseinandersetzung mit dem »Revisionismus« und dem »Kantianismus« an einer Bewahrung marxistischer, geschichtstheoretischer Gedanken, sieht er sich seit 1906 von einem »entgegengesetzten Lager« (Kautsky) herausgefordert: Beeindruckt durch die Erfahrungen mit dem Massenstreik in Rußland versuchen Rosa Luxemburg, die K. aus der Zürcher

Zeit kennt, Karl Liebknecht, Georg Ledebour und Paul Lensch, dem Massenstreik als einem revolutionären Mittel auch für die Verhältnisse in Deutschland innerhalb der SPD zur Anerkennung zu verhelfen, können sich jedoch gegen die von K. repräsentierte »zentristische«, den Massenstreik nur als »äußerste Schutzwehr« zulassende Position nicht durchsetzen, wie K. sie in seinem 1914 veröffentlichten Buch »Der politische Massenstreik« zusammenfaßt. Da es nach seiner geschichtsdeterministischen Theorie nicht in der Macht einer Partei steht, eine Revolution zu stiften, wirft er den Vertretern der »rebellischen Ungeduld« geschichtsfernen und bedingungslosen Aktionismus vor, der das erzwingen will, was durch Organisation, Zentralisation und Schulung lediglich vorbereitet werden kann. (»Die Sozialdemokratie ist eine revolutionäre, nicht aber eine Revolutionen machende Partei ... Es fällt mir daher auch gar nicht ein, eine Revolution anstiften ... zu wollen.« 1893.) Die Autorität K.s wird in dem Jahrzehnt vor dem 1. Weltkrieg gestärkt durch das ihm von Laura Marx unterbreitete Angebot, den Nachlaß ihres Vaters herauszugeben. — Überzeugt von der materialistischen Geschichtstheorie untersucht K. 1908 den »Ursprung des Christentums« und rekonstruiert unter Bezugnahme auf die Evangelienkritik von Bruno Bauer den anfänglichen, proletarischen »kommunistischen Klassenhaß« und den rebellischen Charakter des frühen Christentums, der erst durch den »Revisionisten« Matthäus entschärft und zu einem »kirchlichen Opportunismus« moderiert wurde. Den kritischen Einwand, ob die Macht des institutionalisierten Christentums erkauft wurde um den Preis der Aufgabe seiner ursprünglichen, radikalen Ziele und ob diese Entwicklung (Macht durch Revision) auch für den Sozialismus gelte, weist K. mit dem Hinweis auf die zunehmenden Klassenantagonismen und das konsequente Klassenbewußtsein der Proletarier zurück. Gelang es K. bisher in der Kontroverse mit den Revisionisten und den »Ultra-Revolutionären«, eine Mehrheit auf sich zu verpflichten, so gerät er mit dem Ausbruch des 1. Weltkrieges anläßlich der Frage der Kriegskredite in die Minderheit: Sein Votum, daß eine Bewilligung abhängig zu machen sei von dem Verteidigungscharakter des Krieges, und sein Beitritt zu der Un-

abhängigen Sozialdemokratischen Partei führen im Oktober 1917 zu seiner von den Mehrheitssozialisten betriebenen Ablösung als Chefredakteur der »Neuen Zeit«. Nach der bolschewistischen Revolution veröffentlicht K. die Bücher »Die Diktatur des Proletariats« (1918), »Demokratie oder Diktatur« (1918), »Terrorismus und Kommunismus« (1919) und »Von der Demokratie zur Staatssklaverei« (1921), in denen er auf Grund seiner These von der Gesetzmäßigkeit der historischen und sukzessiven Entwicklung (»naturgemäße Entwicklungsphasen«) die bolschewistischen Führer einer (voluntaristischen) Ignoranz bezichtigt, die zur Kompensation der ökonomischen Rückständigkeit und des Mangels an Selbstdisziplin und moralischer Reife des Proletariats durch diktatorische Maßnahmen (Arbeitspflicht, Bürokratismus, Aufhebung der Pressefreiheit, Monopolisierung der Erkenntnis, Kriminalisierung der Dissidenten u.a.m.) führt. Demgegenüber betrachtet K. die Demokratie als die Form der Einübung in die aufklärende Urteilsbildung und der Entgrenzung zu einem allgemeinen Standpunkt und deswegen als notwendige »Schule des Lebens« für das zum selbstverantwortlichen Subjekt bestimmte Proletariat. So sei z.B. die Pressefreiheit notwendig für die Kritik der Regierung auch dann, wenn das »Proletariat« die Herrschaft ausübt. (»Kein Sozialismus ohne Demokratie.« 1918.) Nur über den Umweg einer historisch vermittelten Fremd- und Selbstaufklärung und nur durch Eroberung, nicht aber durch Abschaffung des Staates entgeht das Proletariat der Gefahr der Barbarisierung. Mit dieser fundamentalen Kritik an der bolschewistischen Revolution wird der sich selbst als Marxisten definierende K. zur Zielscheibe der sowjetischen Revolutionsführer (Lenin, Trotzki) und der Streit zwischen der II. und der III. Internationale um die legitime Deutung des Marxismus eingeleitet. In dieser Auseinandersetzung erscheint K. als Opportunist und Renegat, der wesentliche Elemente des Marxismus (u. a. Diktatur des Proletariats, Gewaltsamkeit der revolutionären Machtergreifung und Zerschlagung des bürgerlich-bürokratischen Staates, Klassencharakter der »bürgerlichen« Demokratie) preisgegeben und »das Recht des Proletariats auf Revolution« für »das Linsengericht der nach den heutigen Polizeigesetzen erlaubten Organisationen« (1916 Lenin) verkauft habe, während die Bolschewisten als »Brudermörder« (Kautsky) des Proletariats bezeichnet werden. Tatsächlich schlägt K. in der »Auseinandersetzung mit Trotzki« vor, auf das »Schlagwort von der Diktatur des Proletariats« zu verzichten, das er in seinem anti-revisionistischen Buch »Der Weg zur Macht« (1909) noch als Merkmal einer sozialistischen Partei erachtete. Ähnlich wie zuvor von den Revisionisten wird K. nunmehr von den Bolschewisten vorgeworfen, lediglich marxistische Worte zu tradieren, die dem faktischen Opportunismus der Partei gegenüber äußerlich bleiben und lediglich eine »Theorie der goldenen Mitte« (Lenin) zu bilden und vermögen. — Nach einer kurzfristigen Tätigkeit im Auswärtigen Amt als beigeordneter Staatssekretär (1918/1919), die K. zur Sammlung und Herausgabe der Akten über den Kriegsausbruch (»Wie der Weltkrieg entstand. Dargestellt nach dem Aktenmaterial des Deutschen Auswärtigen Amtes«. 1919) veranlaßt, und nach seinem Vorsitz innerhalb einer Sozialisierungskommission zieht sich K. zunächst - in die Enge gedrängt von einem von ihm abgelehnten Rechtssozialismus (»Blutregime Noskes«) und einer bolschewistischen Unterwanderung der USPD - aus der Politik zurück und nimmt eine Einladung der menschewistischen Regierung von Georgien (1920/1921) an, wo K. eine der historischen Entwicklungsstufe angemessene revolutionäre Politik zur Anwendung kommen sieht. Das die neuen Verhältnisse der Weimarer Republik mitreflektierende Görlitzer Programm der SPD (1921), das u. a. von Eduard Bernstein und Gustav Radbruch mitverfaßt wird, wird von K. in seinem Buch »Die proletarische Revolution und ihr Programm« als Abweichung von dem von ihm formulierten Erfurter Programm und als Distanzierung vom Marxismus (materialistische Geschichtsauffassung, Proletariat als Subjekt der gesellschaftlichen Umwandlung, Klassenantagonismus als notwendige Folge kapitalistischer Produktion, anarchische Krisenhaftigkeit des Kapitels) interpretiert. Nach einigen auf Einladung von Otto Jespersen ermöglichten Vorträgen an der Universität zu Kopenhagen (1921) siedelt der innerparteilich isolierte K. nach Wien zu seinen drei Söhnen (Karl, Benedikt, Felix) im Jahre 1924

über. Seine letzte für die deutsche Sozialdemokratie wichtige Arbeit wird der Entwurf des Grundsatzteils des Heidelberger Programms (1925), das der SPD und der USPD als Einigungsprogramm dienen soll und in seinem theoretischen Teil wieder stärker an das Erfurter Programm anknüpft. Die Unterschiede zu diesem Programm (z. B. Ersetzung der »Arbeiterklasse« [...], nach dem Erfurter Programm durch das »arbeitende Volk« nach dem Heidelberger Programm) rechtfertigt K. in seinem Kommentar (»Das Heidelberger Programm. Grundsätze und Forderungen der Sozialdemokratie«. 1925) mit dem Hinweis auf die Revolution von 1918 und ihren »ganz neuen Machtverhältnissen« und trägt in seinem gegenüber dem Erfurter Programm gewandelten Staatsverständnis den politischen Bedingungen der Weimarer Republik Rechnung. Im Jahre 1927 vollendet K., der sich in seinen zu Beginn der 30er Jahre geschriebenen »Erinnerungen und Erörterungen« als »Mann des Erkennens« bezeichnet, sein zweibändiges Werk »Die materialistische Geschichtsauffassung«, das er als die »Quintessenz« seiner Lebensarbeit betrachtet. Formuliert K. hier den die Bindung der SPD an den Materialismus auflösenden Gedanken, daß die SPD allen am »Befreiungskampf des Proletariats« Mitkämpfenden unabhängig von ihrer Motivation offen stehe, so wird angesichts des Nahens des 2. Weltkrieges eine Koalition mit dem Bürgertum zum Zwecke der »Erhaltung des Weltfriedens« als das primäre Ziel in seinen Büchern »Krieg und Demokratie« (1932) und »Sozialisten und Krieg« (1937) gefordert. Besonders diese Schriften, aber auch K.s nahezu 60jähriges Wirken veranlaßt eine Gruppe europäischer Politiker und Wissenschaftler, K. 1938 als Kandidaten für den Friedensnobelpreis vorzuschlagen. — Im März 1938 flieht K. vor den nahenden deutschen Truppen von Wien über Prag nach Amsterdam, wo er am 17.10. 1938 verstirbt. — Von politischen Anhängern und Gegnern wird Kautsky dem sozialistischen Zentrum zugerechnet: Während der »linke« Flügel um Rosa Luxemburg ab 1905 eine revolutionäre »Niederwerfungsstrategie« (Massenstreiks, spontane, nicht-organisierte Aktionen) verfolgt, beharrt K. auf einer mäßigenden, legalistischen Position, obgleich er in der Auseinandersetzung mit den »Revisionisten« deutlich eine revolutionäre Strategie entwickelt hat. Während die Mehrheitssozialisten den Kriegskrediten zustimmen, schließt sich Kautsky der USPD an, die u. a. die »Diktatur des Proletariats« in ihrem Programm fordert, von der K. sich in der Kontroverse mit den Bolschewisten distanziert. Während er den Revisionisten gegenüber darauf beharrt, daß die SPD eine revolutionäre Partei sei, die auch eine gewaltsame politische Umwälzung anstrebe, votiert er 1918 in der Auseinandersetzung mit Lenin für das »allgemeine Stimmrecht« als einer »starken Quelle gewaltiger moralischer Autorität«, für legale Mittel der Machteroberung und gibt seinen anfänglichen Gedanken auf, daß jeder Staat Klassenstaat sei, mit der Begründung, daß der moderne demokratische Staat auf Rechtsgleichheit und der Mehrheit der Bevölkerung beruhe. Diese sich zwischen den Positionen bewegende Einstellung Kautskys wird von seinen Gegnern als Opportunismus gebrandmarkt, der eine revolutionäre Phraseologie benutze, um das Proletariat in die »bürgerliche« Gesellschaft zu integrieren und die ursprünglich radikale SPD zu einer reformistischen Partei umzufunktionieren, während Kautskys Anhänger (z. B. R. Hilferding) in dessen Distanzierung von extremen Positionen eine Hinführung zu einem demokratischen Sozialismus erblicken. Kautskys Beitrag zur Verbreitung und Popularisierung des Marxismus (u. a. wurde sein Kommentar zum »Erfurter Programm« in 23 Sprachen übersetzt und erreicht allein in Deutschland bis 1914 zwölf Auflagen) bleibt von der Beurteilung seiner politisch-taktischen Optionen unabhängig: Auch Lenin konzediert, daß Kautskys Buch »Weg zur Macht« dessen bestes Werk gegen den Opportunismus sei. Auch wenn auf die philosophische Inkohärenz (z.B. naturalistisch, darwinistisch gefärbter Determinismus gegenüber der Möglichkeit der Kritik an historischen Prozessen, Geschichtsobjektivismus gegenüber »ethischer« Motivierung, Klassenbedingtheit gegenüber Universalitätsansprüchen des Denkens, anthropologisch-biologische Konstantenlehre gegenüber Revolutionsdenken) hingewiesen wird, wird der Integrität des Menschen K., der an »demokratischen Werten« hing und »Gewalt und Krieg« haßte, Tribut gezollt (L. Kolakowski). — Der Satz

Kautskys, daß der Kapitalismus die Revolution vorbereite und insofern notwendig sei innerhalb der historischen Gesamtbewegung, läßt sich im Sinne eines (revolutionären) Attentismus oder als »pragmatische« Nüchternheit deuten. Er ist - philosophisch - als Reflex einer mechanistischen Geschichtsauffassung und - taktisch - als Hinwendung zu einem reformistischen Legalismus deutbar, die den Übergang der SPD von einer revolutionären Partei unter dem Sozialistengesetz zu einer politisch integrierten Partei in der Weimarer Republik widerspiegelt. Kautskys Denken, das maßgeblich auch vom Darwinismus des 19. Jahrhunderts geprägt wurde, gerät in die von den Neukantianern (z. B. Max Adler) aufgewiesene Aporie, wenn die Bewertung der historischen, objektivierten Prozesse aus diesen selbst gewonnen werden soll und »Werte« schon durch die historische Mächtigkeit und die Notwendigkeit der Geschichte als legitimiert erscheinen. Die als Instrument im Kampf betriebene und somit naturalisierte Theorie beraubt sich der nur unter universalistischen Ansprüchen plausiblen Möglichkeit, dem »Gang der Dinge« aus mehr als bloß taktischen Erwägungen ins Getriebe zu fallen. In seinem Bemühen, eine materialistische Fundierung des (demokratischen) Sozialismus unter Ausklammerung normentheoretischer Reflexionen zu leisten, stellt K. eine Tradition innerhalb des europäischen Sozialismus dar, die angesichts der theoretischen Pluralisierung überholt erscheint, obgleich die Worte des fast 80jährigen aus dem Jahre 1934, daß seine Zeit wieder kommen werde, in der »Diskussion um Grundwerte und Wurzeln des Sozialismus« für erinnerungswert gehalten werden.

Werke: Der Einfluß der Volksvermehrung auf den Fortschritt der Gesellschaft unters. (Wien 1880); Karl Marx' ökonom. Lehren. Gemeinverständlich dargest. und erläutert (1887); Thomas Morus und seine Utopie (1888); Die Klassengegensätze von 1789. Zum 100jährigen Gedenktag der großen Revolution (1889); Das Erfurter Programm. In seinem grundsätzlichen Teil erläutert von K. (1892); Grundsätze und Forderungen der Sozialdemokratie. Erläuterungen zum Erfurter Programm von K. und B. Schoenlank (1892); Der Parlamentarismus, die Volksgesetzgebung und die Sozialdemokratie (1893); Friedrich Engels. Sein Leben, sein Wirken, seine Schriften (1895); Die Vorläufer des neueren Sozialismus (1895); Die Agrarfrage. Eine Übersicht über die Tendenzen der modernen Landwirtschaft und die Agrarpolitik der Sozialdemokratie (1899); Bernstein und das sozialdemokratische Programm. Eine Antikritik (1899); Die soziale Revolution (1902); Ethik und materialistische Gesch.auffassung. Ein Versuch (1906); Die hist. Leistung von Karl Marx. Zum 25. Todestage des Meisters herausgegeben (1908); Der Weg zur Macht. Polit. Betrachtungen über das Hineinwachsen in die Revolution (1909); Vermehrung und Entwicklung in Natur und Gesellschaft 81910); Taktische Strömungen in der dt. Sozialdemokratie (1911); Der polit. Massenstreik. Ein Beitrag zur Gesch. der Massenstreikdiskussionen innerhalb der dt. Sozialdemokratie (1914); Demokratie oder Diktatur (1918); Die Diktatur des Proletariats (Wien 1918); Terrorismus und Kommunismus. Ein Beitrag zur Naturgesch. der Revolution (1919); Von der Demokratie zur Staatssklaverei. Eine Auseinandersetzung mit Trotzki (1921); Rosa Luxemburg, Karl Liebknecht, Leo Jogiches. Ihre Bedeutung für die dt. Sozialdemokratie. Eine Skizze (1921); Die proletarische Revolution und ihr Programm (1922); Die materialistische Gesch.auffassung (1927); Wehrfrage und Sozialdemokratie (1928); Der Bolschewismus in der Sackgasse (1930); Krieg und Demokratie. Hist. Untersuchung und Darstellung ihrer Wechselwirkungen in der Neuzeit (1932); Erinnerungen und Erörterungen ('s-Gravenhage 1960), ed. B. Kautsky [...]. — Bibliographien: W. Blumenberg, K.s lit. Werk. Eine bibliograph. Übersicht ('s-Gravenhage 1960); G. P. Steenson, K. 1854-1938 (Pittsburgh 1978); R. Hünlich, K. und der Marxismus der II. Internationale (1981), pp. 296-351; I. Gilcher-Holtey, Das Mandat des Intellektuellen. K. und die Sozialdemokratie (1986), 318-331. — Briefwechsel: V. Adler/A. Bebel/K., Briefwechsel, hg. F. Adler (Wien 1954); A. Bebel/K., Briefwechsel, hrsg. K. Jr. (Assen 1971); F. Engels/K., Briefwechsel, hg. B. Kautsky (Wien 1955); U. Ratz, Briefe zum Erscheinen von K.s »Weg zur Macht«. International Review of Social History (IRSH), 12 (1967), 432-477.

Lit.: V. I. Lenin, Staat und Revolution, in: Lenin Werke, Bd. 25 (1960), 393-507; — Ders., Die prolet. Revolution und der Renegat K., in: Lenin Werke, Bd. 28 (1959), 225-327. Dass. auch unter dem Titel: Die Diktatur des Proletariats und der Renegat K. (1919); — K., der Denker und Kämpfer. Festgabe zu seinem 70. Geburtstag (Wien 1924); — K. zum 70. Geburtstage (Berlin o. J.), hg. Rudolf Hilferding; — Der lebendige Marxismus, hrsg. anläßlich des 70. Geburtstages von K. von O. Jenssen (1924); — Nikolai Bucharin, K. und Sowjetrussland. Eine Antwort (Wien 1925); — Karl Korsch, Die materialist. Gesch.auffassung. Eine Auseinandersetzung mit K. (1929); — K. Renner, K. Skizze zur Gesch. der geist. und polit. Entwicklung der dt. Arbeiterklasse (1929; — R. W. Reichard, K. and the German Social Democratic Party, 1863-1914 (Harvard 1951); — J. H. Kautsky, The Political Thoughts of K. (Harvard 1951); — Ein Leben für den Sozialismus. Erinnerungen an K., hrsg. B. Kautsky (1954); — E. Matthias, K. und der Kautskyanismus. Die Funktion der Ideologie in der dt. Sozialdemokratie vor dem 1. Weltkriege, in: Marxismus-Studien (1957), 151-197; — T. Lahdin, Lenins Revolutionstheorie und K.s Kritik an der bolschewist. Revolution (1965); — H. J. Steinberg, Sozialismus und dt. Sozialdemokratie (1967); — R. J. Geary, K. and the Development of Marxism (Cambridge 1970); — Otto Freundl, Das Urchristentum in der Betrachtung des hist. Materialismus. Darstellung und hist.-methodische Kritik anhand der Werke von Friedrich Engels, August Bebel und K. (1970);

— B. Gustafsson, Marxismus und Revisionismus. Eduard Bernsteins Kritik des Marxismus und ihre ideengeschichtl. Voraussetzungen (1972); — G. P. Steenson, K. 1854-1938. Marxism in the Classical Years (Pittsburgh 1978); — Arno Winkler, Der Renegat K. und seine unbelehrbaren Epigonen, in: Staat und Recht (1978), Jg. 27, 11, pp. 997-1006; — R. Hünlich, K. und der Marxismus der II. Internationale (1981); — M. L. Salvadori, Sozialismus und Demokratie. K. 1883-1938 (1982); — Dieter Kroh, K. und Grundprobleme der materialist. Gesch.auffassung (dargest. in der Analyse von Schriften K.s der Jahre zw. 1875 und 1909) (1983); — H. K. Rogers, Before the Revisionist Controversy: K., Bernstein and the Meaning of Marxism, 1895-1898 (Harvard 1984); — H. J. Mende, K. - vom Marxisten zum Opportunisten. Studie zur Gesch. des hist. Materialismus (1985); — Ephraim Nimni, Great historical failure: marxist theories of nationalism, in: Capital & Class Nr. 25 (1985), pp. 58-83; — Ingrid Gilcher, K. Medium und Macht eines Intellektuellen in der Dt. Sozialdemokrat. Partei, 1883-1917 (1985); — Jack Jacobs, Marxism and anti-semitism: K.'s perspective, in: International review of social history, Vol. 30 (1985), P. 3, pp. 400-430; — Dieter Kroh, Zu K.s Interpretation der materialist. Gesch.auffassung, in: Wissenschaftl. Zschr. der Karl-Marx-Univers. Leipzig. Gesellschaftswissenschaftl. Reihe, Jg. 34 (1985), H. 1, pp. 55-60; — Ingrid Gilcher-Holtey, Das Mandat des Intellektuellen. K. und die Sozialdemokratie (1986).

Martin Arndt

KAUTZ, Jakob, Täufer, * um 1500 in Großbokkenheim (Pfalz), † nach 1532 evtl. in Mähren. Seit 1524 als Prädikant in Worms tätig, wurde K.s spiritualistisch-täuferische Position 1527 evident. Am 5. Juni schlug er seine »Sieben Artikel« an der Predigerkirche zu Worms an, forderte zur Disputation darüber auf, predigte mit Hilarius öffentlich täuferisch und begann mit dem Taufen Erwachsener. Angriffe u.a. von seiten Johannes Cochläus und des Kurfürsten Ludwig führten zur Ausweisung aus der Stadt am 1.7. 1527. In der Folgezeit führt er das Leben eines täuferischen Wanderpredigers. Er nimmt an der Märtyrersynode in Augsburg teil (20.8. 1527) und wird zus. mit Reublin in Rothenburg o.d.T. und ab Juni 1528 in Straßburg tätig. Der Verhaftung im Okober wegen aufrührerischer Predigt folgt nach ergebnislosen Gesprächen mit Capito und Schwenckfeld ca. ein Jahr später die Ausweisung aus Straßburg. Das letzte sichere Zeugnis über K.s Leben ist die Ablehnung eines 1532 erneut an den Straßburger Rat gestellten Aufnahmegesuches. — K. hatte maßgeblichen Anteil an der Entstehung und Verbreitung der 1529 durch Peter Schöffer gedruckten »Wormser Bibel«.

Werke: Sieben Artikel, 1527, abgedr. in: QGT IV, 1951, 113f.

Lit.: Syben Artickel zu Wormbs von J. K. angeschlagen vnnd gepredigt. ... Antwort D. Johannis Coclei..., 1527; — Getreue Warnung der Prediger des Evangeliums zu Strassburg über die Artikel,..., 1527; — Sendschreiben an Mich. Leinweber von der alten höchst raren teutschen Wormser Bibel, 1734, 23ff; — Unschuldige Nachrichten, 1736, 686; — Phil. Pauli, Gesch. d. Stadt Worms, 1828, 333ff; — Timotheus Wilhelm Röhrich, Gesch. d. Ref. im Elsaß I, 1830, 338ff; II, 1832, 76f; — Ludwig Keller, Ein Apostel der Wiedertäufer, 1832, 200ff; — C. Gerbert, Gesch. d. Straßburger Sektenbewegung, 1889, 57ff. 83f; — Jakob Böshenz, J.K., ein Grossbockenheimer Volksprediger der Ref.zeit, in: Neue Leininger Blätter I, 1926/27, 6-8; — Gerhard Hein, Die Täuferbewegung im mittelrheinischen Raum von der Ref. bis zum Dreißigjährigen Krieg, in: Blätter für Pfälzische KG, 1973, 288-306; Carl Andresen (Hg.), Hb. d. Dogmen- u. Theol.gesch. II, 1984, 215.221.577.653; — R. Emmet McLaughlin, Schwenckfeld and the Strasbourg Radicals, in: Menn. Quart. Rev. 59 (1985), 268-278, 272f; — Jöcher, Erg.bd. III, 134; — Jöcher VII, 450f; ADB XV, 510f; — RE X, 192-194; — MennLex II, 476f; — MennEnc III, 159f; — RGG III, 1232.

Irmgard Wilhelm-Schaffer

KAUTZSCH, Emil, Alttestamentler und Orientalist, † 4.9. 1841 in Plauen (Vogtland) als Sohn cincs Bürgerschullehrers und späteren Pfarrers, † 7.5. 1910 in Halle/Saale. — K. besuchte das Gymnasium in Plauen von 1856-1859. Sein Studium der Theologie und der Orientalistik in Leipzig begann er 1859 und schloß es 1863 mit dem ersten theologischen Examen ab. Im selben Jahr wurde er zum Dr. Phil. promoviert. Wichtige Lehrer waren für ihn der Alttestamentler F. Tuch und der Arabist H. L. Fleischer. 1863-1872 war K. Lehrer am Leipziger Nikolaigymnasium. 1865 legte er in Dresden das zweite theologische Examen ab. 1869 habilitierte er sich in Leipzig für alttestamentliche Exegese und wurde 1871 außerordentlicher Professor. 1872 nach Basel berufen, wurde er dort 1873 D. theol. 1879/1879 war K. Rektor der Universität Basel. Darüber hinaus übernahm er nebenamtliche schulpädagogische Aufgaben am Pädagogium und am Frey-Grynäischen Institut. 1879 nahm K. einen Ruf nach Tübingen an, wo er neben einer Tätigkeit an der Universität auch als Frühprediger an der Stiftskirche wirkte. 1888 siedelte er nach Halle über, wo er sein Hauptwirkungsfeld entfaltete. An der Halleschen Universität war er 1898/1899 Rektor. — K. war Mitbegründer und Vorsitzender des »Deutschen Vereins zur Erforschung Palästinas«. K.s wissenschaftliche Leistung besteht hauptsächlich in seiner Erforschung der hebräischen Grammatik und der Übersetzung des Alten Testaments sowie der alttestamentlichen Apokryphen und Pseudepigraphen ins Deutsche mit Angabe der zugrundeliegenden Textquellen. Aus diesen Arbeiten ging ein wissenschaftlicher Kurzkomemntar hervor. K. ist der sogenannten literarkritischen Schule unter den Bibelexegeten zuzurechnen.

Werke: De Veteris Testamenti locis a Paulo apostolo allegatis (Habil.-Schr. Leipzig), 1869; Die Siloahinschrift, in: Numismatische Zschr. IV, 1872, 102-114, 250-271 und V, 1873, 205-218; 3 Predigten, geh. im Münster u. in St. Theodor zu Basel, 1873; Über einen Codex der 'asrâr el-'arabîje des Ibn el-'Anbârî, in: ZDMG 28, 1874, 331-344; Die Aechtheit der Moabitischen Heiligthümer, geprüft v. E. K. u. A. Socin, Straßburg, London 1876; Noch einmal d. Moabitica, in: Beilage zur Allg. Ztg., München 1876, III, 2961-2963; Johannes Buxtorf, d. Ältere. Rectorats-Rede, geh. am 4.11. 1879 in der Aula d. Museums zu Basel, 1879; Julius Wellhausen, Gesch. Israels (Rez.), in: ThLZ 4, 1879, 25-30; Eine hebr. Inschr. im Silva-Kanal, in: Allg. Ztg. des Judenthums 45, 1881, 378; Die Siloahinschr., in: ZDPV IV, 1881, 102-114, 260-272; Über die Derivate des Stammes zdq im alttestamentl. Sprachgebrauch, in: Einladung zur akad. Feier des Geburtsfestes des Königs Karl v. Württemberg, 1881; Stades ZAW, in: ZDMG 36, 1882, 690; Predigt, am Lutherfest 11.11. 1883, geh. in der Stiftskirche zu Tübingen, 1883; (Hermann) Weiß, (E.) K. u. Kim, drei Vortrr., am Lutherfest 10. u. 11.11. 1883 zu Tübingen geh., 1883; Grammatik des Biblisch-Aramäischen. Mit einer krit. Erörterung der aramäischen Wörter im NT, 1884, engl. Übers. v. Charles R. Brown: The Aramaic Language, in: Hebraica I, 1884 f., 98-115; Die ursprüngl. Bedeutung des Namens jhwh zb't, in: ZAW 6, 1886, 17-22; Die ZDPV, in: ThStK 59, 1886, 366-384; Hermann Weiß u. E. K., Predigten über den zweiten Jg. der württemberg. Evangelien 1887, 1889²; Die Genesis mit äußerer Unterscheidung der Qu.schrr., übers. v. E. K. u. A. Socin, 1888, 1891²; Franz Delitzsch, Neuer Kommentar über die Genesis, rez. v. E. K., in: ThStK 62, 1889, 381-398; Wolf Wilhelm Graf Baudissin, Die Gesch. des alttestamentl. Priestertums, unters., rez. v. K., in: ThStK 63, 1890, 767-786; Konstantin Schlottmann, Kompendium der bibl. Theol. des AT und NT, rez. v. K., in: ThStK 64, 1891, 183-189; Mitteilung über eine alte Hs. des Targum Onkelos (Codex Socini No. 84), Hallesches Osterprogramm, 1893; Die Psalmen, übers. v. E. K., 1893; Abriß der Gesch. des alttestamentl. Schrifttums nebst Zeittafeln zur Gesch. der Israeliten und anderen Beigaben zur Erklärung des AT (auch in: Beil. zu »Die Heilige Schr. des AT«, 1894, hrsg. v. E. K.), 1897, engl. v. John Taylor: An outline of the history of the literature of the Old Testament ..., London 1898, New York

1899; Die neugefundenen hebr. Fragmente des Sirachbuches, rez. v. K., in. ThStK 71, 1898, 185-199; Bibelwiss. u. Religionsunterricht, sechs Thesen, 1900, 1903[2]; Neue Überss. des AT, rez. v. E. K., in: ThStK 74, 1901, 670-687; Die Aramaismen im AT I, Lexikal. Teil, 1902 (Univ. Halle). Osterprogramm 1901/02; Die bleibende Bedeutung des AT, ein Konferenzvortr., 1902 (Sammlg. gemeinverständl. Vortrr. u. Schrr. aus dem Gebiet der Theol. u. Religionsgesch. 25), 1903[2], 1922[3]; Die Poesie u. die poetischen Bücher des AT. Sechs Vortrr. v. E. K., 1902; Zum Gedächtnis D. Julius Köstlins, in: ThStK 76, 1903, 5-34; Religion of Israel, in: James Hastings, Dictionary of the Bible, Extra Vol. 1904, 612-734, 734, hrsg. v. James Hastings, dt.: Bibl. Theol. des AT, hrsg. v. Karl Kautzsch, 1911; David Heinrich Müller, Die Gesetze Chammurabis u. ihr Verhältnis zur mosaischen Gesetzgebung sowie zu den XII Tafeln, rez. v. E. K., in: ThStK 79, 1906, 461-480; Die sogenannten aramaisierenden Formen der Verba 'jj' im Hebräischen, in: Oriental. Studd. II, Theodor Nöldeke zum 70. Geburtstag, 1906, 771-780; Über den alttestamentl. Ausdruck nèphesch met, in: Philotesia, Festschr., P. Kleinert zum 70. Geburtstag, 1907, 85-102; Hrsg.: Liber Genesis sine Punctis exscriptus curaverunt Ferd. Muehlau et Aemil. K., 1868, 1885[2], 1898[3], 1904[4]; Hermann Scholz, Abriß der hebr. Laut- u. Formenlehre im Anschluß an Gesenius' - Rödigers Grammatik f. den Elementarunterricht auf Gymnasien, 1874[2]-1899[8]; Wilhelm Gesenius' Hebr. Grammatik. Nach E. Rödiger völlig umgearb. u. hrsg. v. E. K., 1878[22], 1881[23], 1889[25], 1902[27]: Mit Paradigmen u. Register, 1909[28], 1918-1929[29] v. G. Bergsträsser, mit Benutzung der v. E. K. bearb. 28. Aufl., engl.: Oxford 1910, 1982; Gesenius - K. - Bergsträsser, Hebr. Grammatik (vereinigt Gesenius' Grammatik, völlig umgearb. v. E. K. 28. Aufl., Paradigmen u. Register zu Gesenius-Kautzsch Hebr. Grammatik und G. Bergsträsser, Hebr. Gramm., I. u. II. Teil), 1962, 1983, 1985; Karl Rudolf Hagenbach, Encyclopädie u. Methodologie der theol. Wiss., 1880[10], 1884[11]; Übungsbuch zu Gesenius-K. Hebr. Grammatik, hrsg. v. E. K., 1881, 1907[6], 1915[7]; ThStK 61, 1888 - 75, 1902 (mit Julius Köstlin), 76, 1903-83, 1910 (mit E. Haupt); Die Hl. Schrift des AT in Verb. mit anderen übers. v. E. K., 1890-1894, 1908-1910[3], Bd. I, 1922[4], Bd. II, 1923[4] hrsg. v. A. Bertholet, Nachdr. der 4. Aufl. 1971; Wilhelm Gesenius, Hebr. Grammatik, kleine Ausg., 1896, 1909[2]; Textbibel des AT und NT. In Verb. mit zahlr. Fachgelehrten hrsg. v. E. K., 1899, 1911[3] (NT übers. v. Karl Weizsäcker); Die Apokryphen u. Pseudepigraphen des AT, I u. II, 1900, 4. unveränderter Neudr. 1975.

Lit.: Hermann Guthe, Zum Gedächtnis an E. K., in: Mitteilungen u. Nachrr. des dt. Palästina-Vereins, 10, 1910, 33-39; — Ferdinand Kattenbusch, Nekrolog für E. K., in: ThStK 83, 1910, 627-642; — Peter Thomsen, Das Lebenswerk v. D. (= D.theol.) K., in: Christliche Welt 24, 1910, 618-620; — Chronik d. Univ. Halle f. 1910/11, 12-17; — J. Schneider, Kirchl. Jb. 38, 1911, 660; — Hermann Gunkel, K.s Bibl. Theol. des AT, in: Dt. Lit.-Ztg. 33, 1912, 1093-1101; — BJ XV, 1910, 133-139 u. Sp. 44 der Totenliste v. 1910; — NDB XI, 376 f.; — RE [3]XXIII, 747-752; — RGG III, 1232 f.; — LThK VI, 100; — DBVS 1950, 4-6; — New Catholic Encyclopedia VIII, 137 f.

Frank Reiniger

KAWERAU, Gustav, luth. Theologe, * 25.2. 1847 in Bunzlau (Schlesien), † 1.12. 1918 in Berlin. — Als Sohn des Gymnasiallehrers und späteren Organisten an der Berliner Matthäuskirche Martin K. (1815-1874) und der Luise Henriette geb. Kahle besuchte Gustav K. zunächst das Friedrich-Wilhelms-Gymnasium in Berlin. Hier studierte er auch von 1863-1866 Theologie. Nach anfänglicher Tätigkeit als Hilfsprediger an der St. Lukas Kirche in Berlin wurde K. am 15. Mai 1871 Pastor der Landgemeinde Langheinersdorf (Kreis Züllichau), wo er neben seiner Predigt- und Seelsorgetätigkeit auch mit mehreren wissenschaftlichen Veröffentlichungen an die Öffentlichkeit trat. Von 1882-1886 hatte er die Stelle eines Professors und Geistlichen Inspektors am Kloster Unser Lieben Frauen in Magdeburg inne. Hier gehörte die Religionslehrerausbildung zu seinem Aufgabenbereich. Am 1. April 1886 übernahm K. die Professur für praktische Theologie in Kiel. Seine Arbeit in dieser Disziplin war von Anfang an historisch fundiert (vgl. dazu: Die Trauung. Ihre Geschichte, Bedeutung und Gestaltung mit Rücksicht auf die neuerdings darüber geführten Controversen. ThStKr 51 (1878) 48-94; Liturgische Studien zu Luthers Taufbüchlein von 1523. ZKWL 1889. H. 8,9,11,12). Die Praxis der Gegenwart sollte aus ihrem historischen Gewordensein verständlich werden. 1894-1907 wirkte K. als Konsistorialrat und Professor für praktische Theologie an der Universität Breslau. Gleichzeitig hatte er hier die Funktionen des Universitätspredigers und -rektors (1904/05) inne. In diese Zeit fielen auch seine Berufungen zum Nachfolger Julius Köstlins im Amt des Vorsitzenden des Vereins für Reformationsgeschichte (1903), zu dessen Mitbegründern er gezählt hatte, und zum Vorsitzenden der Kommission zur Herausgabe der Weimarer Lutherausgabe (1905). Als Sechzigjähriger (1907) wechselte K. von Breslau nach Berlin, wo er zum Propst an der dortigen St. Petrikirche ernannt wurde. Daneben wirkte er als ehrenamtliches Mitglied des evangelischen Oberkirchenrats und als Honorarprofessor an der theologischen Fakultät der Universität Berlin. K. konnte während seiner Berliner Tätigkeit zahlreiche Veröffentlichungen auf dem Gebiet der Reformationsgeschichte herausgeben. Gleichzeitig bemühte er sich um die Förderung der Kirchenmusik durch die Mitgliedschaften an der Berliner Singakedemie und des Schlesischen Evangelischen Kirchenmusikvereins. Anläßlich des Lutherjubiläums wurden K. am 10.11. 1883 von den Theologischen Fakultäten Halle und Tübingen die Würde des Ehrendoktors der Theologie und am 16.7. 1909 der philosophische Ehrendoktortitel der Philosophischen Fakultät Gießen verliehen. Im April 1911 wurde K. mit dem Titel eines Geheimen Oberkonsistorialrats geehrt. In seiner Predigtlehre und -praxis stand K. mit einem betont biblisch-apologetisch ausgerichteten Ansatz in der Linie T. Becks, K. Geroks und M. Kählers. Es kam ihm weniger auf rhetorische Kunstfertigkeit an als vielmehr auf eine biblische Fundierung und Orientierung am inneren religiösen Leben auf lutherisch-reformatorischer Basis. Besondere Bedeutung erlangten seine Arbeiten im Bereich der Reformationsgeschichte. Im Jahre 1885/86 edierte er Luthers 1. Psalmenvorlesung von 1513/15 (Wolfenbütteler Glosse). 1894 veröffentlichte er innerhalb des Lehrbuchs der Kirchengeschichte von W. Möller den dritten Band über Reformation und Gegenreformation. Die als Standardwerk zu bezeichnende Köstlinsche Lutherbiographie bearbeitete und vollendete K. in fünfter Auflage (1903) nach dem Tode J. Köstlins. K. veränderte den Charakter und den Aufbau des Werkes nicht, sondern beschränkte sich bewußt auf Ergänzung, Aktualisierung und Fortsetzung. Die durch den Tod von L. Enders (1906) unterbrochene Herausgabe des Briefwechsels Luthers führte K. bis zum 16. Band fort. Außerdem edierte K. den dritten (1885), vierten (1886) und achten Band (1889, zusammen mit N. Müller) der Weimarer Lutherausgabe. Das Erscheinen der Braunschweiger Lutherausgabe (1889-1892) wurde gleichfalls durch K.s tatkräftige Arbeit als Mitherausgeber ermöglicht. Von 1913 an gab K. zusammen mit L. Zscharnack das »Jahrbuch für Brandenburgische Kirchengeschichte« heraus. In der Auseinandersetzung mit katholischen Lutherforschern (Denifle, Janssen) trat K. gleichfalls in Erscheinung. Infolge seiner Zugehörigkeit zur kirchlichen Mittelpartei in Preußen konnte er sich den Bestrebungen des Neuluthertums zu einer an den lutherischen Bekenntnisschriften orientierten juristischen Lehrverpflichtung nicht anschließen. In der Erkenntnis, daß man sich »in einem Flusse theologischer Entwickelung« befinde, in dem das »Bekentnis zwar eine Stufe fortschreitender religiöser Erkenntnis« darstelle »aber doch nur unter Beimischung eines menschlichen Faktors, einer der betreffenden Zeit angehörenden theologischen Anschauungs- und Begriffsform« (ZPrTh 17 (1895) 251. 258), befürwortete K. zwar die Bekenntnisverpflichtung der Kirche als einer Bekentnisgemeinschaft, er forderte aber auch für die Bekenntnisschriften eine Unterscheidung von »Geist und Buchstaben, Ewigem und zeitgeschichtlich Bedingtem« (ZPrTh 17 (1895) 262). K. wünschte daher eine »freie, milde, die Gewissen und die individuelle Entwickelung schonende Hendhabung des Bekenntnisses« (ZPrTh 17 (1895) 262).

Werke: Luther und die Eheschließung. ThStKr 47 (1874) 723-744; Die Trauung: Ihre Geschichte, Bedeutung und Gestaltung mit Rücksicht auf die neuerdings darüber geführten Controversen. ThStKr 51 (1878) 48-94; Luther und seine Beziehungen zu Servet. ThStKr 51 (1878) 479-498; Briefe und Urkunden zur Geschichte des antinomistischen Streites. ZKG 4 (1881) 299-324. 437-465; Der Ausbruch des antinomistischen Streites. ThStKr 54 (1881) 24-48; Johann Agricola von Eisleben. Ein Beitrag zur Reformationsgeschichte, Berlin 1881; Caspar Güttel. ZHVG 14 (1881) 33-132; Der Verfasser der »21 Predigten und Sermone von 1537« in Luthers Werken. ZKG 5 (1882) 499-504; Eine Episode aus dem Kampf der Flacianer mit den Melanchthonianern. ThStKr 55 (1882) 324-343; Glossen zu Joh. Janssens Geschichte des deutschen Volkes. ZKWL 3 (1882) 142-157. 263-280. 362-375; Der Briefwechsel des Justus Jonas. Gesammelt und bearb. Geschichtsquellen der Provinz Sachsen und angrenzender Gebiete 17 (1884); Luthers Lebensende in neuester ultramontaner Beleuchtung, 2. Aufl., in: Schriften für das evangelische Deutschland 18 (1890); Zwei älteste Katechismen der lutherischen Peformation (v. P. Schulz u. Chr. Hegendorf), Neu hrsg. v. G. Kawerau, in: Neudrucke deutscher Litteraturwerke des XVI. und XVII. Jahrhunderts. 92, Halle 1891.; Reformation und Gegenreformation, in: Wilhelm Müller, Lehrbuch der Kirchengeschichte. Bd. 3. Freiburg i/B. 1894/1907[3]; Vom Worte des Lebens. Predigten aus dem akad. Gottesdienste. Kiel 1894; Über Lehrverpflichtung und Lehrfreiheit. Erweit. Konferenz-Vortrag. ZPrTh 17 (1895) 240-265; Joh. Draconites aus Carlstadt. BBKG 3 (1897) 247-274; Predigten auf die Sonn- u. Festtage des Kirchenjahres. Breslau 1897; Hieronymus Emser. Ein Lebensbild aus der Reformationsgeschichte. SVRG 61 (1898); Der Einfluß der Reformation auf das religiöse und sittliche Leben in Deutschland, in: Ursachen und Wirkungen der deutschen Reformation. 3 Vorträge unter Berücksichtigung der Geschichtsdarstellung Janssens gehalten im Berliner Zweigverein des deutschen Bundes. Leipzig 1899; Die

Flugschrift Sepultura Lutheri 1538. Fin Beitrag zur Geschichte des antinomistischen Streits. ThStKr 72 (1899) 281-293; Predigten auf die Sonn- und Festtage des Kirchenjahres. Neue Sammlg. Breslau 1899; Geburtstag und Geburtsjahr Luthers. NKZ 21 (1900) 163-174; Von Luthers Romreise. DFBl 26 (1901) 79-102; Die Versuch, Melanchthon zur katholischen Kirche zurückzuführen. SVRG 73 (1902); Luther und Melanchthon in ihrer persönlichen Beziehung zueinander. DEBl 28 (1903) 29-42; Köstlin, Julius, Martin Luther. Sein Leben und seine Schriften. 5. neubearb. Aufl. nach d. Verf. Tode fortges. v. G. Kawerau. Berlin 1903; Zur Forderung des Einzelkelchs beim hl. Abendmahl. DEBl 29 (1904) 582-584; In welchem Sinne und Umfange kann es Frieden geben zwischen Katholiken und Protestanten? DEBl 30 (1905) 275-292; Luthers Stellung zu den Zeitgenossen Erasmus, Zwingli und Melanchthon. BGl 42 (1906) 12-27. 107-119; Paul Gerhardt. Ein Erinnerungsblatt. SVRG 93 (1907); Luther in katholischer Beleuchtung. Glossen zu H. Grisars Luther. SVRG 105 (1911); Joachims II. Verhältnis zu Luther. JBrKG 7/8 (1912) 243-260; Luthers Gedanken über den Krieg. SVRG 124 (1916); Alexander Alesius Fortgang von der Frankfurter Universität. JBrKG 14 (1917) 89-100; Die »Trostschriften« als eine der ältesten Quellen für Briefe Luthers. ARG 14 (1917) 187-204; Luthers Schriften nach der Reihenfolge der Jahre verzeichnet, mit Nachweis ihres Fundortes in den jetzt gebräuchlichen Ausgaben. SVRG 129 (1917)/ 147 (1929²); Martin Luther, Deutsche Messe 1526. Ausgabe mit Noten bearb. v. G. u. H. Kawerau, Leipzig 1926.

Lit.: JBrKG 16 (1918) V-VIII; — WA Tired 5 (1919) V-VIl; — DBJ 2 (1928) 266-272; — CKL 1 (1937) 1048; —LThK² 6 (1961) 100; RGG³ 3 (1959) 1233.

Christoph Flegel

KAYE-SMITH, Sheila, engl. Schriftstellerin, * 4.2. 1887 in St. Leonard's on Sea b. Hastings, Sussex, als Tochter des in Indien geb. engl. Arztes Kaye-Smith, verwandt mit dem Bisch. der Church of England, Kaye, und dem Historiker Sir John Kaye. Die Mutter entstammte der im 18. Jh. nach England geflohenen Hugenottenfamilie de la Condamine. K.-S. hatte zwei ältere Halbschwestern und eine jüngere Schwester. † 14.1. 1956 in Northiam, Sussex. — K.-S. besuchte neun Jahre lang das Hastings and St. Leonard's Ladies College, verbrachte ihre Ferien in der sie stark prägenden ländlichen Umgebung ihres Heimatortes, z.B. auf der Platnix Farm, Sussex, od. in Schottland, und erdachte schon als Schülerin zahlr. Romane, die, wie die meisten ihrer späteren, insgesamt mehr als 50 Werke, die Landschaft von Sussex und ihre Bewohner zum Gegenstand hatten. Die Erzählerin wurde 1918 Mitglied der Anglik. Kirche und

heiratete 1924 den anglik. Geistl. Theodore Penrose Fry. Beide lebten zunächst in London, von wo aus sie Reisen auf den europäischen Kontinent, u.a. nach Sizilien, unternahmen. Nachdem ihnen ihr stets latent vorhandener kath. Glaube bewußt geworden war, traten sie 1929 konsequenterweise gemeinsam der Röm.-Kath. Kirche bei. Sie kehrten in das geliebte Sussex zurück, wo sie einen bei Northiam gelegenen Bauernhof erwarben und sich für die Verbesserung der rel. Betreuung der in Sussex verstreut lebenden Katholiken einsetzten. — K.-S. war nach eigenem Zeugnis glücklich durch das Land, ihr Schreiben und durch ihre Rel. Obwohl keine Suffragette, brachte sie den Mut auf, z.B. in den Mittelpunkt ihres Romans »Joanna Godden« eine willensstarke, unabhängige, selbständig handelnde Frau zu stellen. Mentalitätsgeschichtlich aufschlußreich bzgl. der Mädchen- und Frauenbildung in der engl. middle-class ist das autobiographische Spätwerk von K.-S. über die Bücher, durch deren Lektüre sie mitgeprägt wurde. — Ihre vielgelesenen Hauptwerke, die in Großbritannien, den USA und auch in dt. Übers. erschienen, brachten ihr den Ruf einer Heimatschriftstellerin von Sussex ein. Nachdem sie fast in Vergessenheit geraten war, erfolgte in den 80er Jahren eine Neuaufl. einiger ihrer Romane.

Werke: Romane: The Tramping Methodist, 1908; Spell land: The Story of a Sussex Farm, 1910; Samuel Richardson, 1911; Isle of Thorns, 1913; Three against the World, 1914; Sussex Gorse, the Story of a Fight, 1916, dt. Stechginster von Sussex, 1937, Die Backfields, 1946; John Galsworthy, 1916; The Challenge to Sirius, 1917, dt. Waage des Schicksals, 1947, Drei Frauen um Frank, 1950; Little England, 1918; Tamarisk Town, 1919; Green Apple Harvest, 1920; Joanna Godden, 1921, 1983, dt. 1938, 1947, 1952; The End of the House of Alard, 1923, dt. Das Ende des Hauses Alard, 1936; Starbrace, 1923; Anglo-Catholicism, 1925; The George and the Crown, 1925; The Mirror of the Months, 1925; Joanna Godden Married and other Stories, 1926; Iron and Smoke, 1928; A Wedding Morn, 1928; The Village Doctor, 1929; Shepherds in Sackcloth, 1930; The History of Susan Spray, the Female Preacher, 1931, 1983; The Children's Summer, 1932; The Ploughman's Progress, 1933; Superstition Corner, 1934; Gallybird, 1934; Selina is Older, 1935; Rose Deeprose, 1936; Faithful Stranger, and other Stories, 1938; The Valiant Woman, 1939; Ember Lane, 1940; Tambourine, Trumpet and Drum, 1943, dt. Jahrmarkt der Zeit, 1945; Kitchen fugue, 1945; The Lardners and the Laurelwoods, 1948; The Treasures of the Snow, 1949; Mrs. Gailey, 1951; The Hidden Son, 1953; Weald of Kent and Sussex, u.a., 1953; The View from the Parsonage, 1954. — Dichtung: Willow's Forge, and Other Poems, 1914; Saints in Sussex,

1923; Songs late and early, 1931. — Studien: Zus. mit G.B. Stern: Talking of Jane Austen, 1943, dt. Jane Austen, 1948; More Talk of Jane Austen, 1950; Quartet in heaven, 1952. — Autobiographien: Three Ways Home, 1937; All the Books of my Life, 1956.

Lit: Paul A. Doyle, Sheila K.-S.: An Annotated Bibliography of Writings About Her. English Literature in Transition, XV, 1972, 189-198, XVI, 1973, 152 f., XVII, 1974, 45 f., XVIII, 1975, 62; — Dorothea Walker, Sheila K.-S., 1980.

Ingeborg Koza

KAYSER, August, protestantischer Theologe, * 14.2.1821 in Straßburg, † 17.6.1885 in Straßburg. — K. studierte in seiner Vaterstadt Theologie, wo er 1840 auch Bibliotheksassistent wird. Von 1843-1855 unterrichtet K. als Hauslehrer in Havre und Gebweiler. Zwischenzeitlich wird er 1850 zum Licenceaten der Theologie promoviert. Erst 1858 tritt er den Pfarrdienst an; zunächst in Stoßweiler, ab 1868 in Neuhof bei Straßburg. 1873 übernimmt K. eine außerordentliche, 1879 eine ordentliche Professur an der Straßburger Fakultät. 1880 wird ihm die theologische Ehrendoktorwürde verliehen. — K., u. a. von Eduard Reuss (s.d.) beeinflußt, lieferte grundlegende Beiträge zur Exegese des Alten Testaments, forschte allerdings anfangs auf dem Gebiet der Apostolischen Väter. K. analysierte die Quellenschichten im Pentateuch und datiert E (die sog. Grundschrift) nachexilisch und gehört so zusammen mit Karl Heinrich Graf (s.d.) und Abraham Kuenen (s.d.) zu den Wegbereitern der von Julius Wellhausen (s.d.) entfalteten sog. Urkundenhypothese. Weite Verbreitung und Anerkenung fanden seine religionsgeschichtlichen Vorlesungen, die den Grundstock der »Theologie« Karl Martis (s.d.) darstellten.

Werke: La philosophie de Celse et ses rapports avec le christianisme, 1843; De Justini Martyris doctrina dissertatio historica, 1850; Das vorexil. Buch der Urgeschichte Israels und seine Erweiterungen. Ein Beitr. zur Pentateuchkritik, Straßburg 1874; Die Theologie des AT.s, in ihrer geschichtl. Entwicklung dargest. Nach des Verf. Tode hg. mit einem Vorwort von Eduard Reuss, Straßburg 1886, Theologie des AT.s. 2. Aufl. auf Grund der von Ed. Reuss besorgten 1. Ausgabe neu bearb. von Karl Marti, Straßburg 1894 (ab der 3. Aufl. u. d. T.: Gesch. der israelit. Religion, ⁴1903, als 5. Aufl. u. d. T. Theologie des AT.s, Straßburg 1907).

Lit.: Eduard Reuss, Vorrede, in: A. K., Theologie (s.o.), V-VIII; — Ders., A K.: PKZ 33 (1886), 455; — John Rogerson, Old Testament Criticism in the Nineteenth Century. England and Germany, London 1985, 259 f.; — Jean Marcel Vincent, Leben und Werk des frühen Eduard Reuss. Ein Beitr. zu den geistesgeschichtl. Voraussetzungen der Bibelkritik im zweiten Viertel des 19. Jh.s. BETh 106, München 1990 (Reg.); — RE³ X, 194 f.; — RGG¹ III, 1053; — RGG² III, 712.

Klaus-Gunther Wesseling

KAYSER, Georg Friedrich, ev. Parrer und Erweckungsprediger, * 21.2. 1817 in Heidelberg, † 28.6. 1857 in Frankfurt/M. K., der aus einer Pfarrer- und Lehrerfamilie stammt, erhielt seine Schulbildung teils auf dem Gymnasium, teils durch Privatunterricht und begann bereits Ostern 1833 mit 16 Jahren das Studium der Philologie und Theologie in Heidelberg. Von 1835-36 studierte er in Halle, kehrte nach Heidelberg zurück, legte in rascher Folge 1837 das theologische und 1838 das philosophische Staatsexamen ab und erwarb den Grad eines Dr. Phil. Er trat als Lehrer in das nach dem Tode des Vaters (1827) von seiner Mutter gegründete Erziehungsinstitut ein, absolvierte aber gleichzeitig sein Vikariat bei dem Stadtpfarrer Kleinschmidt und hielt den Gottesdienst in der Irrenanstalt. Durch seine Tätigkeit und den Einfluß des Heidelberger Seminardirektors Richard Rothe löste er sich von der rationalistischen Theologie seines früheren Lehrers David Daub. Ab 1842 bewarb er sich immer wieder vergeblich um eine Pfarrstelle. Nach seiner Heirat mit Johanna Margarete Elisabeth Zimmer (Juli 1843), der Tochter eines Frankfurter Pfarrers, und dem Tod seiner Mutter (November 1843) erhielt er im November 1844 eine Anstellung als Diaconus in Gernsbach im Murgtal. Da K. die Revolution ablehnte, wurde er im Mai 1849 verhaftet und in Rastatt und Freiburg gefangengehalten. Er erlebte so die Kampfhandlungen um Gernsbach und die Zerstörungen nicht persönlich mit. K. gehört zu den Wegbereitern der Innere Mission, er gründete Kindergärten und gehört zu Förderern des Mutterhauses für Kinderpflege der Mutter Jolberg in Nonnenweier. K., der 6 Kinder hatte, bemühte sich wiederholt um eine besser besoldete Stelle, erkrankte aber auf der Reise nach Gütersloh, wo er eine Religionslehrerstelle antreten wollte und starb nach einer erfolglosen Kur in Soden am 28. Juni 1857 in Frankfurt. — K., der schon mit 10 Jahren ein Gedicht auf den Tod seines Vaters schrieb, verfaßte eine große Zahl religiöser Gedichte und Lieder, die zu seiner Zeit eine nachhaltige Wirkung hatten. Er war über Gernsbach hinaus als Erweckungsprediger bekannt und veröffentlichte eine Reihe von Schriften, in denen er auf soziale Ungerechtigkeiten aufmerksam machte.

Werke: De Crantore Academico, Phil. Diss. Heidelberg 1841; David Nasmith, der Arbeiter für die Stadtmission, Hamburg 1853; Das Leben des englischen Staatsmannes und Sklavenfreundes William Wilberforce, Hamburg 1855; Harlan Page oder der Segen Treuer betender Arbeit an den Seelen, Basel 1856; Friedrich Kayser's Lieder, in: Leben und Lieder des Dr. F.K., hg. von Karl Friedrich Ledderhose, Heidelberg 1859; Übersetzungen der englischen Schriften: Quinton, des Himmels Gegengift gegen den Fluch der Arbeit, Basel 1850; Jounger, Das Licht der Woche oder die irdischen Segnungen des Sonntags für die arbeitenden Klassen, Basel 1850.

Lit.: Karl Friedrich Ledderhose, Leben und Lieder des Dr. F.K., Heidelberg 1859; — Wilhelm Ziegler, Mutter Jolberg und die Väter des Nonnenweierer Werkes, Karlsruhe 1928, Abschnitt über K. (mit Bild) S. 327-370, darin auch Gedichte von K.; — Konrad Kayser, Dr. F.K. in: Monatsschrift für Innere Mission, 88, 1908, 3-18, 58-78; — Badische Biographien I, 452; — ADB XV, 512.

Gerhard Kaller

KAYSER, Karl A. Fr. A., lutherischer Pfarrer und Territorialkirchenhistoriker, * 1.2. 1843 in Fallersleben als Sohn des Pfarrers J. H. K. († 1889), † 16.5. 1910 in Göttingen. — K. studierte seit 1863 Theologie in Göttingen (u. a. bei A. Ritschl), wurde 1870 Hilfsgeistlicher in Hann.-Linden, 1871 Pfarrer in Wichmannsburg, 1877 an St. Lamberti in Hildesheim und 1885 Superintendent in Osterode. Von 1891 bis zu seinem Tode wirkte er als Pfarrer an St. Jakobi und Superintendent in Göttingen. Daneben bekleidete er das Amt des Kreisschulinspektors, gehörte der Kommission für das 1. und 2. Theologische Examen sowie als außerordentliches Mitglied dem Hannoverschen Landeskonsistoriums an. Neben pastoralem und kirchenmusikalischem Engagement liegen seine Hauptverdienste auf dem Gebiet der niedersächsischen Kirchengeschichtsforschung, die er durch zahlreiche Darstellungen, Ortschroniken und grundlegende

Quellenpublikationen bereicherte. 1895 gründete er die Gesellschaft für niedersächsische Kirchengeschichte und gab 1896-1902 die Zeitschrift der Gesellschaft für niedersächsische Kirchengeschichte heraus. Unter seinen Veröffentlichungen ragt die erste ausführliche niedersächsische Kirchengeschichte (leider nur bis 1235) hervor. 1899 verlieh ihm die Göttinger Theologische Fakultät die Ehrendoktorwürde.

Werke: Die reform. Kirchenvisitationen in den welfischen Landen 1542-1544, 1896; Abriß der hann.-braunsch. KG, in: ZGNKG 3, 1898; 4, 1899; 7, 1903; Die General-Kirchenvisitation von 1588 im Lande Göttingen-Kalenberg, in: ZGNKG 8 u. 9, 1904; Hann. Enthusiasten des 17. Jh.s, in: ZGNKG 10, 1905, 1-72; Die Generalvisitation des D. Gesenius im Fürstentum Göttingen 1646 und 1652, in: ZGNKG 11, 1906; Die hann. Pfarren und Pfarrer seit der Reformation, 1905-1909; [Bearb.], Die Kunstdenkmäler der Provinz Hannover II, 3: der Kreis Marienburg, 1910.

Lit.: Paul Tschackert, Nachruf, in: ZGNKG 15, 1910, 1-7; — Ferdinand Cohrs, Bericht, in: ZGNKG 16, 1911, 299-303; — Hann. Pastoral-Korrespondenz 38, 1910, 190; — RGG ^{2}III, 712.

Inge Mager

KAYSER, Winand, * 12.6. 1765 in Köln, † 1.7. 1842 ebd. — Im Jahre 1784 trat K. in den Prämonstratenserorden ein. Die Priesterweihe empfing er 1790. Als die Prämonstratenserabtei Knechtsteden bei Dormegen im Jahre 1802 aufgehoben wurde, nahm sie K. zuerst in Pacht und rettete sie vor dem Verfall. Im Jahre 1810 gelang es ihm, die Abtei käuflich zu erwerben, und er stellte Kloster und Kirche auch baulich wieder her.

Lit.: Goevaarts IV, 121-124; — F. Ehlen, Die Prämonstratenser-Abtei Knechtsteden, Köln 1904, 161; — W. Jung, Die ehem. Prämonstratenser-Stiftskirche Knechtsteden, Ratingen 1956; — LThK ^{2}VI, 99, 357 (Knechtsteden).

Johannes Madey

KEACH, Benjamin, engl. arminisch-baptist. Geistlicher, Prediger und populärer Autor didaktischer Erbauungsliteratur, * 29.2. 1640 als Sohn einer armen bürgerl. Familie aus Stoke Hammond (Buckinghamshire / England), † 18.7. 1704 in Southwark / London. — K. erlernte den Beruf des Schneiders, fühlte sich aber als

Nonkonformist schon früh (ab 1659) auf Grund unmittelbarer mystischer Gotteserfahrung (»experimental knowledge of God«) zum Pastor und Verkünder der christlichen Heilsbotschaft berufen. Er eignete sich im Selbststudium ein umfassendes theolog. Wissen an und wurde nachhaltig von der Theologie des Jacobus Arminius (1560-1609) beeinflußt. K. wandte sich gegen die strikte Auslegung der calvinistischen Lehre der Prädestination, und predigte leidenschaftlich gegen die von manchen Baptisten, sowie den Puritanern und Quäkern vertretene elitäre Eschatologie, nach der das ewige Heil allein den von Gott »Auserwählten« (»God's Elect«) verheißen wird. Er trat (nicht immer in Einklang mit der herrschenden Lehrmeinung der Baptisten) gegen die Kindestaufe und für die Einbeziehung des gemeinschaftlichen Singens beim Gottesdienst ein. Er komponierte selbst geistliche »songs« und »hymns« und publizierte sie u.a. (ungeachtet des strengen Verbots für die Verbreitung aller mit der Glaubenslehre der engl. Staatskirche nicht konformen Schriften) in *Instructions for Children* (1664), einem baptist. Katechismus für Kinder. Er wurde dafür an den Pranger gestellt und zu einer Haftstrafe verurteilt; sein Katechismus wurde beschlagnahmt und öffentl. verbrannt (das Werk wurde später anonym neu aufgelegt und weiterverbreitet). 1668 wurde K. zum Geistlichen einer Baptistengemeinde in London bestellt. Er war zweimal verheiratet und hatte fünf Kinder aus erster, fünf weitere aus zweiter Ehe. Den Unterhalt für seine Großfamilie verdiente er vorwiegend als religiöser Schriftsteller (er fungierte bei manchen seiner Werke in Personalunion als Autor und Verleger). 1688 führte K. in seiner Londoner Kongregation als erster Pastor der Baptisten definitiv das Singen von Liedern bei jedem Gottesdienst ein. Dies führte zur Spaltung innerhalb der baptist. Kirche Englands. - Heute ist K.s. Werk fast völlig vergessen. Er zählte in England aber bis in das frühe 19.Jhdt. zu den meistgelesenen, und kommerziell erfolgreichsten religiösen Autoren des engl. Nonformismus. Getragen von der persönlichen Erfahrung der lebendigen Gnade, schuf K. trotz schwächlicher und kränkelnder körperlicher Konstitution ein gewaltiges Œuvre. Es umfaßt mehr als fünfzig Einzelwerke, darunter 40 Predigten, theolo-

gisch-exegetische Werke, Traktate, religiöse Dichtung und allegorische Erbauungsliteratur im Stile von Bunyans *The Pilgrim's Progress*. Auf den literarischen Geschmack und die religiösen Bedürfnisse eines breiten, alle sozialen Schichten und Altersgruppen umfassenden Lesepublikums mystischer Frömmigkeit abgestimmt, erreichten seine allegorischen, christlich-mystagogischen Erzählungen beeindruckende Auflagenzahlen. Sie sind in einer schwungvollen, bildhaft-konkreten und leicht verständlichen Sprache verfaßt, und werden vom Autor explizit als Ausdruck göttlicher Inspiration ausgewiesen (»inspir'd into the Heart / By Means Divine«, *War With the Devil*, 1776[22],iv). Zentrales Thema seines Kanons ist die Pilgerfahrt des Gläubigen durch die irdische »Wildnis« zum ewigen Heil. K.s allegorischer Held handelt aus der erfahrungshaften Erkenntnis der Immanenz des transzendenten Gottes, und aus dem unerschütterlichen Glauben an die verheißene Heilsgewißheit, und überwindet so alle Leiden, Entbehrungen und Versuchungen des irdischen Daseins. Der poetische Dialog *War With the Devil* (1674) und die Prosaallegorie *The Travels of True Godliness* (1683-85) erreichten Auflagezahlen von 10.000 Stück und fortlaufende Neuauflagen bis weit in das 19. Jhdt.

Werke:: Instructions for Children:Or the Child's and Youth's True Delight...With a Christian Catechism, London 1664; Zion in Distress:Or The Sad and Lamentable Complaint of Zion and Her Children...[In Versen], London 1666 (1681;erw. 1682[2], 1683[3],... 1692,...); The Glory of True Church and Its Discipline Displayed, London 1668 (erw. 1697); War With the Devil:Or the Young Man's Conflict With the Powers of Darkness: in a Dialogue [in Versen], London 1674 (7. Nachdr. 1684, überarb. u. erw. 1700, 1701[12], 1776[22]); The Glorious Lover A Divine Poem Upon the Adorable Mystery of Sinners Redemption, London 1679, (erw. 1685[3], 1694[4]); The Travels of True Godliness from the Beginning of the World to the Present Day; in an Apt and Pleasant Allegory, London 1683-85 (erw. 1700, 1723[8], 1733[9], 1795[10], überarb. 1831, erw. mit Komm. u. Biogr., Philadelphia 1854;); Tropologia: A Key to Open Scripture-Metaphors, 3 Teile, London 1681-3 (1779, 1853, 1856); The Progress of Sin: Or the Travels of Ungodliness, London 1684 (überarb. u. erw. 1700[3], 1707[4], 1736[5], 1744[6], 1781[7], 1783, ...1798, 1801); Antichrist Stormed:Or, Mystery Babylon the Great Whore, and Great City, Proved to be the Present Church of Rome, London 1689; Distressed Sion Relieved, Or, The Garment of Praise for the Spirit of Heaviness, A Poem, London 1689; Gold Refin'd: Or Baptism in its Primitive Purity. Proving Baptism in Water an Holy Institution of

Jesus Christ..., London 1689; The Breach Repaired in God's Worship: Or Singing of Psalms, Hymns and Spiritual Songs, Proved to be an Holy Ordinance of Jesus Christ, London 1691, 1700[2]; Spiritual Melody, Containing Near Three Hundred Sacred Hymns by B.K., London 1691; The Counterfeit Christian; Or, The Danger of Hypocrisy: Opened in Two Sermons, London 1691; The Marrow of True Justification:Or Justification Without Works, London 1692; The Axe Laid to the Root: Or, One Blow More at the Foundation of Infant Baptism and Church-Membership, London 1693; The Everlasting Covenant: A Sweet Cordial for a Drooping Soul, Or The Excellent Nature of the Covenant of Grace Opened, London 1693; The Blessedness of Christ's Sheep: Or no Final Falling from a State of True Grace, London 1694; A Trumpet Blown in Zion, Or:An Alarm in God's Holy Mountain, London 1694; Light Broke Forth in Wales, Expelling Darkness: Or The Englishman's Love to the Antient Britains, London 1696; The Glory of a True Church and Its Discipline Displayed, London 1697; Christ Alone. The Way to Heaven: Or, The Jacob's Ladder Improved, London 1698; The Display of Glorious Grace: Or, The Covenant of Peace, Opened, London 1698; The Jewish Sabbath Abrogated:Or, The Saturday Sabbatarians Confuted, London 1700; Gospel Mysteries Unveil'd: Or, An Exposition of All the Parables and Many Express Similitudes Contained in the Four Evangelists..., 4 Teile,London 1701 (erw. 1815-18);

Lit.: Thomas Crosby, The History of the English Baptists, 4 Bde., London 1738-40, II, 185-209; — A.A. Reid, K., in: Baptist Quarterly 10, 1940; — N.H. Keeble, The Literary Culture of Nonconformity in Later Seventeenth-Century England, Leicester 1987; — Christopher Hill, A Turbulent, Seditious, and Factious People: John Bunyan and His Church, Oxford 1988, 263 f.; — DNB X, 1142 f.; — OHEL VI, 29 f., 208.

Franz Wöhrer

KEBLE, John (1792-1866). John Keble wurde am 25. April 1792 in Fairford (Gloucestershire) geboren. Nach seinem Studium in Oxford wirkte er von 1823 bis zu seinem Tod als Gemeindepfarrer. Erste Bekanntheit erlangte er durch seine Gedichtsammlung »The Christian Year« (1827). Von 1831 bis 1841 verband er die Pflichten seines Pfarramtes mit der Tätigkeit eines Professors in Oxford. Kebles Predigt »On national Apostasy«, die er am 14.7. 1833 in Oxford hielt, gilt als das auslösende Signal für die Entstehung der hochkirchlichen Bewegung in der anglikanischen Kirche (=Oxford-Bewegung). Keble wandte sich gegen das staatskirchlich-liberale Denken, das das Wesen der englischen Kirche zunächst von ihrer Bindung an den Staat her betrachtete, und setzte ihm eine Ekklesiologie entgegen, die die Kirche als einen Ort

der kontinuierlichen Präsenz der Inkarnation ansieht und daher der Eucharistie eine hohe Bedeutung zumißt. Unterstützung fand Keble bei John Henry Newman, der allerdings seinen Gedanken, sein Anliegen durch die Gründung von »Associations of the Friends of the Church« zu befördern, verwarf. Im September 1834 formulierte Keble ein die neue Bewegung bestimmendes Programm: der einzige Weg zur Seligkeit ist der Genuß des Leibes und Blutes Christi in der Eucharistie - ein Gedanke, der sich an Ignatius anschließt. Der nur den Bischöfen und Priestern anvertraute apostolische Auftrag garantiert die geordnete Spendung der Eucharistie. Die Freunde der Bewegung sollten sich verpflichten, sich für diese Grundsätze einzusetzen. Keble selbst verfasste einige von den neunzig »Tracts for the time«, die Newman seit 1833 zur Verbreitung des hochkirchlichen Gedankengutes herausgab, und wirkte in den folgenden Jahren als Editor im Dienst der Bewegung (Ausgabe von Richard Hookers »Ecclesiastical Polity« 1836, Mitarbeit in der Edition der »Library of the Fathers« seit 1838 unter anderem durch eine Übersetzung der Werke des Bischofs Irenaeus von Lyon). Nach Newmans Konversion zum Katholizismus trat Edward Pusey neben Keble, der selbst eher ein Mann des stillen Wirkens und des starken moralischen Vorbildes war, an die Spitze der Oxford-Bewegung. Im Jahr 1857 betonte Keble noch einmal die hohe Bedeutung der Eucharistie für die Ekklesiologie der hochkirchlichen Bewegung in seiner Schrift »Eucharistical Adoration«. John Keble starb am 25.4. 1866 in Bournemouth. Seine geistlichen Dichtungen gehören bis heute zum festen Liedgut der anglikanischen Kirche.

Lit.: G. Battiscombe, John Keble: A Study in Limitations, o. O., o. J; — O. Chadwick, The Mind of the Oxford Movement, London [2]1963; — G. Gaßmann, Die Lehrentwicklung im Anglikanismus, in: Handbuch der Dogmen- und Theologiegeschichte Bd2, S. 353-409; — Max Keller-Hüschemenger, Die Lehre der Kirche in der Oxford-Bewegung. Struktur und Funktion, Gütersloh 1972.

Heiko Wulfert

KECKERMANN, Bartholomäus: reformierter Philosoph und Theologe, * 1571 (oder 1573) in Danzig, † 25.8.(7.?) 1608 in Danzig, entstammte einer aus Stargard nach Danzig übergesiedelten Familie. Nach Privatunterricht bei Joh. Fabricius studierte K. 1598-1600 in Wittenberg und 1600 in Leipzig und Heidelberg Theologie. In Heidelberg promovierte er zum Magister, wurde Dozent am dortigen Sapienzkolleg und nach kurzer Zeit Professor der hebräischen Sprache. 1601 wurde er als Professor publ. philos. an das Gymnasium illustre seiner Heimatstadt berufen, wo er bis zu seinem Tode 1608 wirkte. Die philosophischen und theologischen Schriften K. sind aus den in Danzig gehaltenen Lehrkursen hervorgegangen und größtenteils erst nach seinem Tode veröffentlicht worden. K. gilt als der Urheber der sogen. »analytischen Methode« in der Theologie. In Anlehnung an Konzeptionen bei E. Zabarella, Duns Scotus und im Heidelberger Katechismus wird bei der analytischen Methode zuerst nach dem Ziel(finis) gefragt, gefolgt von der Erkenntnis des Gegenstandes(praecognito) und der Auffindung der Prinzipien oder Mittel, durch die der Gegenstand zum Ziel geführt wird. Die analytische Methode zielt nach K. auf die Praxis, wogegen die synthetische Methode auf die Theorie zielt. Bestimmend für K. Philosophie und Theologie ist die Erneuerung eines Aristotelismus, der durch die Aufnahme skotistischer, humanistischer und reformatorischer Elemente angereichert wird. So kann K. die Theologie als »praktische Wissenschaft« definieren. Das Ergebnis ihrer Aussagen und ihr Ziel ist in dem von Gott geschenktem Heil des Menschen vorherbestimmt. Erst danach werden die Mittel genannt und entfaltet, die zu diesem Ziel führen. Zu K. Besonderheiten zählen die Wiederaufnahme der augustinischen Trinitätslehre und die Ausgliederung der Ethik aus der Theologie und ihre Verweisung in die Philosophie. Die analytische Methode hat für die Orthodoxie, die Aufklärung bis hin zu Schleiermacher große Bedeutung gehabt, so daß K. mit seiner Methode zu einem der Väter der modernen »systematischen Theologie« wurde. Unter der Anwendung der analytischen Methode wurde K. auch für die Neubestimmung des Verhältnisses von Theologie und Naturwissenschaften wegweisend. K. baute in sein Konzept eine neue Sünden- und Imagolehre ein, in der als Ziel des Menschen seine Gottesebenbildlichkeit angesehen wird. Durch den Sündenfall ging diese Ebenbildlichkeit verloren, kann jedoch in der Theologie durch die Offenbarung oder durch die Naturwissenschaft zurückgewonnen werden. Bei K. rückt dabei vorallem die Geographie in den Mittelpunkt. Er entwickelte für die Ordnung des geographischen Materials eine hierarchische Begriffssystematik und emanzipierte damit die Geographie aus der Theologie.

Werke: Contemplatio gemina prior. Ex generali physica de loco, 1598; Praecognotorum logicorum tractatum III cum dispositione typica systematis logici, 1599; Rhetorica ecclesiastica sei artis formandi et habendi conciones sacras libri duo, 1600; Systema compendiosum totius mathematices, 1602; Disputationes politicae Speciales et extraordin. quatuor, 1605; Systema disciplinae politicae, 1606; Systema logicae minus, 1606; Contemplatio gemina de loco et terra motu, 1607; Systema politicae et oeconomiae, 1607; Disputationes politicae, 1608; Apparatus practicus sive idea metnodica et plena totius philosophiae practicae, 1609; Reipublicae Spartanae et Atheniensis politicae Speciales, 1609; Scientiae Metaphysicae Systema, 1609; De natura et proprietatibus historiae commentarius privatum in gymnasio Santiscane propositus, 1610; Praeparatio ad Sacram Syntaxin, 1610; Systema Ethicum, 1610; Zwey Predigten vom Begräbnis Christi zu Danzig gehalten, 1610; Disputationes philosophicae, physicae praesertium, 1611; Politica Polonicae, 1611; Politica specialis gemina, 1611; Systema astronomiae compendiosum, 1611; Vindicae systematis logicae, 1611; Brevis commentatio nautica, 1612; Praecognito philosophiae, 1612; Systema geographicum, 1612, ²1616; Systema logicae plenioris, 1612, ²1625, ³1628; Systema physicum, 1612; Ad Goslavi a Bebeno Sociniani refutatio B.K.-, contra Socinianos, 1612; Confutatio systematis logicis, 1613; Systema praeceptorum logicorum, 1613; Systema systematum, 2 Bd., 1613; Opera omnia, 1614; Dispositiones orationum, 1615; Introductio ad lectionem Ciceronis, 1615; Systema theologiae, 1615; Problema nautica, 1616; Systema Doctrinae politicae, 1616; De quantitate et locatione corporis naturalis, 1617; Systematis astronomici libri duo, 1617; Systema grammaticae hebraeae, 1618; Commentarius in systema logicae majus, 1620; Systema logicae majus tribus libris adornatum, 1622; Systema physicum, 1623; Systema Ethicae, 1625.

Lit: Th. Hirsch, Geschichte des akademischen Gymnasiums in Danzig, 1832; — Ferdinand Christian Baur, Die christliche Lehre von der Dreieinigkeit und Menschwerdung Gottes in ihrer geschichtlichen Entwicklung, Teil 3, 1843, 308-313; — Alexander Schweizer, Die Glaubenslehre der evangelisch-reformirten Kirche, Bd. I und II, 1844-1847; — Ders., Die Entwicklung des Moralsystems in der reformirten Kirche, in: ThStKr 23, 1850, 5-78; — J. Bohatec, Die Methode der reformierten Dogmatik, in: ThStKr 81, 1908, 272-302; — E. Menke-Glückert, Die Geschichtsschreibung der Reformation und Gegenreformation. Bodin und die Begründung der Geschichtsmethodologie durch B.K., 1972; — Otto Ritschl, System und systematische Methode in der Geschichte des wissenschaftlichen Sprachgebrauchs und der philolosophischen Methodologie, 1906; — W. H. van Zuylen, B.K. Sein Leben und Wirken, Diss. Tübingen 1934; —

Theodor Schieder: Deutscher Geist und ständische Freiheit im Weichselland, 1940, 33-53; — Ders., Briefliche Quellen zur politischen Geistesgeschichte Westpreußens vom 16. bis 18. Jahrhunderts 1. 9 Briefe B. K.s, in : Altpreußische Forschungen 18, 1941, 262-275; — Otto Weber, Analytische Theologie, in: Ders., Die Treue Gottes in der Geschichte der Welt, 1968, 131-146; — Manfred Büttner, Die Geographie Generalis vor Varenius. Geographisches Weltbild und Providentiallehre, 1973, 172-205; — Ders., K. und die Begründung der allgemeinen Geographie, in: Geographie heute, FS Ernst Plewe, 1973, 63-69; — Ders., Die Emanzipation der Geographie zu Beginn des 17. Jahrhunderts, in: Sudhoffs Archiv 59, 1975, 148-164; — Ders., Zur Geschichte und zum gegenwärtigen Stand der Religionsgeographie, in: Denkender Glaube, FS Carl Heinz Ratschow, 1976, 342-361; — Ders., Die Beziehungen zwischen Theologie und Geographie bei B.K., in: NZSTh 18, 1976, 209-224; — Ders., Die Neuausrichtung der Providentiallehre durch B.K. im Zusammenhang der Emanzipation der Geographie aus der Theologie, in: ZRGG 28, 1976, 123-132; — Ders., Die Bedeutung der Reformation für die Neuausrichtung der Geographie im protestantischen Europa und ihre Folgen für die Entfaltung der Providentiallehre, in: ARG 68, 1977, 209-225; — Ders., Wandlungen im geographischen Denken von Aristoteles bis Kant, 1979; — Rainer Kastrop, Die Bedeutung des Varenius innerhalb der Entwicklung des geographischen Denkens in Deutschland, in: M. Büttner (Hg.), Zur Entwicklung der Geographie vom Mittelalter bis zu Carl Ritter, 1982, 79-95; — ADB XV, 518; — NDB XI, 388f; — RE X, 195f.; — RGG III, 1234; — Altpreußische Biographie I, 329.

Erich Wenneker

KEDD, Jodok, * 1.3. 1597 in Emmerich, † 27.3. 1657 in Wien. — K. schloß sich im Jahre 1617 der Gesellschaft Jesu an, wo er auch die Priesterweihe empfing. Er wurde in den Kollegien des Jesuitenordens als Lehrer in den humanistischen Fächern und in der Didaktik eingesetzt. Daneben verfaßte er 67 kontroverstheologische Schriften in lateinischer, deutscher und niederländischer Sprache.

Werke: Religionsspiegel, Ingolstadt 1647; Heliopolis oder Sonnen-Statt unseres Heylants..., Köln 1649; Jesuiter Schul, ebd. 1650; Status veritatis, Ingolstadt 1650.

Lit.: Wetzer-Welte VII, 350-353; — C. Sommervogel, Bibliothèque de la Compagnie de Jésus, Brüssel-Paris, 1890-1900³, IV, 958-977, IX, 543 f.; — L. Koch, Jesuitenlex., Paderborn 1934, 971; — LThK ²VI, 101.

Johannes Madey

KEDRENOS, Georgios, 11./12. Jahrhundert. — Über seine Lebensumstände ist so gut wie gar

nichts bekannt. Man nimmt an, er sei Mönch gewesen. Er ist der Verfasser einer Σύνοψις ἱστοριων, einer byzantinischen Chronik von Erschaffung der Welt bis zum Jahre des Regierungsantrittes des Kaisers Isaak Komnenos, 1057. An Quellen hat er hauptsächlich benutzt die Osterchronik, Thephanes und Fortsetzer, Pseudo-Symeon in der unedierten Fassung des Paris. 1712, Georgios Monachos, Symeon (Redaktion B der Epitome), ferner Sozomenos, Prokop, Iohannes von Antiocheia, Theophylaktos Simokattes. Von 811 bis zum Schluß hat er lediglich den Ioannes Skylitzes wiedergegeben (er benutzte eine Vorlage, die den Skylitzes-Handschriften M und N sehr nahe stand). Kedren wurde seinerseits verwendet von Michael Glykas, Ioannes Zonaras, Theodoros Skutariotes. Der Wert der Σύνοψις besteht infolge der Unselbständigkeit vor allem darin, daß sie zur Textkritik anderer Quellen herangezogen werden kann. Über den Stil des Kedren läßt sich keine konkrete Aussage machen, weil er seinen Vorlagen großenteils wortwörtlich folgte; sogar sein Prooem ist aus dem des Skylitzes abgeleitet. Die Sprache ist die byzantinische Hochsprache, ohne auffällige Vulgarismen.

Werke: Ed. Erstausg. mit lat. Übersetzung von G. Xylander, Basel 1566; A. Fabrotus, Paris 1641 (mit dem wicht. Komm. des Goar), wiedergedr. Venedig 1729; I. Bekker, Bonn 1838-1839, wiedergedr. PG 121-122, Paris 1884-1889; H. Thurn, Ioannes Skylitzes, Berlin, New York 1972 (vorläufiger Ersatz einer textkrit. Ed. für die Jahre 811-1057). Textkrit. Ausg. angekündigt im Corpus Fontium Historiae Byzantinae, Ser. ital. von R. Maisano. — Übers. der Jahre 811 bis Mitte 10. Jh.: Byzanz - wieder ein Weltreich. Das Zeitalter der makedonischen Dynastie (Johannes Skylitzes). 1, übers. v. H. Thurn, Graz 1983.

Lit.: K. Krumbacher, Gesch. der byzant. Litteratur, München 1897², 368 f. u. ö. (Lit.); — A. Colonna, Gli storici bizantini dal IV al XV secolo, 1, Napoli 1956, 13-20 (Hss.-Verzeichnis, Lit.); — Gy. Moravcsik, Byzantinoturcica, 1, Berlin 1958, 273-275 (Hss.-Verzeichnis, Lit.). Bizantijski izvori za istoriju naroda Jugoslavije, obrad. J. Ferluga u. a., t. 3, Beograd 1966, 51-172 (wichtige hist. Kommentare); — P. Diaconu, Une information de Skylitzès-Cédrénos à la lumière de l'archéologie, in: Rev. ét sud.-esteurop. 7 (1969), 43-49; — I. Karagiannopulos, Pegai tes byzantines historias, Thessalonike 1971² (u.ö.), 273 f.; — P. Pingree, The horoscope of Constantinople, in: Prismata. Festschr. W. Hartner, Wiesbaden 1977, 305-315; — H. Hunger, Die hochsprachl. profane Lit. der Byzantiner, Bd. 1, München 1978, 391-394 (Lit.); — R. Maisano, Sulla tradizione manoscritta di Giorgio Cedreno, in: Riv. studi biz., neoell., n. s. 14-16 (1977-1979), 179-201; — J. Karayannopulos/G. Weiss, Quellenkunde zur Gesch. von Byzanz (324-1453), 2. Halbbd., Wiesbaden 1982, 434; — A. M. Cameron, Agathias and Cedrenus on Julian, in: Journ. of Rom. Stud. 5 (1963), 91-94; — J. Mossai, George Cédrénus, in: Dict. Hist. Géogr. Ecclés. fasc. 115 f. (1983), 610; — R. Maisano, Note su Georgio Cedreno e la tradizione storiografica bizantina, in: Riv. studi biz. slavi 3 (1983), 227-248; — S. Mauromate-Katsugiannopulu, He chronographia tu Michael Glyka kai hoi peges tes, Thessalonike 1984; — A. Markopulos, Kedrenos, Pseudo-Symeon, and the last oracle of Delphi, in: Greek, Rom. and Byz. Stud. 26 (1985), 207-210; — A.-M. M. Talbot, Kedrenos, Georgios, in: Dict. of the Middle Ages 7 (1986), 227; — Für die Jahre 811 bis 1057 cf. auch die Lit.-Angaben in der Skyltzes-Ed. u. Übers.

Hans Thurn

KEFER, Johann Georg Benedikt, * 23.3. 1774 in Villingen im Schwarwald, † 21.11. 1833 ebd. — K. war katholischer Priester, Kirchenhistoriker und Orientalist. Im Jahre 1822 wurde er in Freiburg auf den Lehrstuhl für Dogmatik an der Theologischen Fakultät der dortigen Universität berufen, doch wechselte er 1824 auf den Lehrstuhl für Kirchengeschichte über, den er bis 1826 innehatte. K. fühlte sich der Tradition der Schwarzwälder Benediktiner besonders verpflichtet und pflegte die historische Theologie und ihre Hilfswissenschaften. Dies führte ihn auch dazu, sich den Sprachen des Orients zuzuwenden, besonders der koptischen. Leider zwang ihn eine Erkrankung dazu, seine Lehr- und Forschungstätigkeit vorzeitig zu beenden. So konnte er seine Forschungsergebnisse, besonders auf dem Gebiet der koptischen Sprache und der ägyptischen Topologie, nicht mehr veröffentlichen. In seine Heimat zurückgekehrt, verbrachte er dort seine letzten Lebensjahre.

Lit.: E. Säger, Die Vertretung der Kirchengesch. in Freiburg, Freiburg 1952, 122-128 (Lit.); — LThK ²VI, 102.

Johannes Madey

KEHR, Paul Fridolin, Historiker, * 28.12. 1860 in Waltershausen (Thüringen), † 9.11. 1944 in Wässerndorf bei Würzburg. — K., dessen Vater Schulrat und Seminardirektor in Gotha war, begann sich bereits als Schüler am Halberstädter Domgymnasium (1873-1879) für mittelalterliche Urkunden zu interessieren. Nach dem Studium in Göttingen und München promovierte er 1883 in Göttingen. Sein Interesse an italienischer und speziell römischer Geschichte führte ihn 1884/1885 nach Wien zu Th. Sickel. Hier nahm er am Kursus des Instituts für Österreichische Geschichtsforschung teil, fuhr 1885/1886 zusammen mit Sickel erstmals nach Rom und edierte 1886-1888 die Diplome Ottos III. und Ottos IV. für die MGH. Anschließend übersiedelte er nach Marburg und habilitierte sich dort 1889 mit der ersten Spezialdiplomatik eines deutschen Königs. Obwohl er nun rasch Karriere machte - 1893 ao. Professor für Hilfswissenschaften in Marburg, 1895 Ordinarius in Göttingen -, sah er die Rolle eines Universitätsprofessors nicht als seine berufliche Zukunft an. Ihm schwebte eine »großzügig konzipierte, organisierte und dirigierte, von Forschungsinstituten getragene gelehrte Arbeit, vornehmlich an urkundlichen Quellen« (Th. Schieffer) vor. In diesem Sinne legte er 1896 der Gesellschaft der Wissenschaften in Göttingen seinen Plan vor, die päpstlichen Urkunden und Briefe bis zum Anfang des vatikanischen Registers im Jahr 1198 diplomatisch zu edieren. Die Realisierung dieser Idee wurde K.s Lebenswerk und begründete seinen weltweiten Ruf. Zwar hatte er selbst den Umfang der Aufgabe anfangs unterschätzt - immerhin lag das Material in den Empfängerarchiven der gesamten lateinischen Christenheit verstreut -, aber gerade in der finanziellen, personellen und institutionellen Sicherung des Projektes kam das Organisationstalent K.s zum Tragen. Am Ziel seiner wissenschaftlichen Karriere sah er sich 1903, als er aus der Universität ausschied, Direktor des Preußischen Historischen Instituts in Rom wurde (bis 1936) und seine volle Arbeitskraft der Herausgabe der Papstregesten widmen konnte. In Verwirklichung seiner zitierten Idee baute er das Institut zu einer großen Forschungs- und Ausbildungsstätte aus, bis ihn der Eintritt Italiens in den 1. Weltkrieg 1915 zur Rückkehr nach Berlin zwang. Dort wurde er noch im selben Jahr Generaldirektor der preußischen Staatsarchive (bis 1929), übernahm die Leitung des neuerrichteten »Kaiser-Wilhelm-Instituts für deutsche Geschichte« und begründete die »Germania sacra«. Als weiteres Amt kam 1919 der Vorsitz in der Zentraldirektion der MGH dazu (bis 1936). — Neben all diesen Ämtern vernachlässigte K. sein Lebens-

KEHR, Paul Fridolin

werk nicht. Er führte die »Italia pontificia« weiter und wandte sich daneben noch, ermuntert durch Papst Pius XI., Spanien zu. Dessen materielle Zuwendungen ermöglichten K., die »Piusstiftung für Papsturkunden und mittelalterliche Geschichtsschreibung« zu gründen und somit sein Werk finanziell abzusichern. Bei aller Freundschaft mit Pius XI. und trotz der ständigen Beschäftigung mit der geistigen Welt der Papsturkunden blieb K. - nach eigenen Worten - »ein ziemlich unchristlicher, positiv skeptischer deutscher Gelehrter von allerdings wenig sehenswerter protestantischer Provenienz«. — In der mittelalterlichen Geschichtswissenschaft zwischen den Weltkriegen hatte K. eine alles beherrschende Stellung, er war ihr »Diktator« (Holtzmann). Seine Interessen und Leistungen konzentrieren sich auf die Diplomatik und die Wissenschaftsorgansiation, hier hat er neue Maßstäbe gesetzt. Aber auch seine darstellenden Studien, ebenfalls geprägt von seinem im Positivismus des 19. Jahrhunderts wurzelnden Wissenschaftsbegriff, stoßen zu wesentlichen historischen Einsichten vor.

Werke: Hermann von Altaich und seine Fortsetzer, Diss. Göttingen 1883; Der Vertrag von Anagni im Jahr 1176, in: NA 13, 1888, 75-118; Die Kaiserurkunden des Vatikanischen Archivs, in: NA 14, 1889, 343-376; Päpstl. Urkunden und Regesten aus den Jahren 1353-1378, die Gebiete der heutigen Provinz Sachsen und deren Umlande betreffend, 1889; Die Urkunden Otto III., Habil.-Schr. Marburg, 1890; Zur Gesch. Ottos III., in: HZ 66, 1891, 385-443; Die sog. Karolingische Schenkung von 774, in: HZ 70, 1893, 385-441; Über eine röm. Papyrusurkunde im Staatsarchiv zu Marburg, 1896 (= AAB, 1896); Über den Plan einer krit. Ausgabe der Papsturkunden bis Innocenz III., in: Mitt. der königl. Gesellschaft der Wissenschaften zu Göttingen, 1896, 1-15; Über die Chronologie der Briefe Papst Pauls I. im Codex Carolinus, in: NGG 1896, H. 2, 102-157; Papsturkunden in Venedig, in: ebd., H. 4, 277-308; Papsturkunden in Pisa, Lucca und Ravenna, in: NGG 1897, H. 2, 175-216; Papsturkunden in Reggio nell'Emilia, in: ebd., 223-233; Papsturkunden in Padova, Ferrara und Bologna nebst einem Nachtrag über die Papsturkunden in Venedig, in: ebd., H. 3, 349-389; Papsturkunden in der Romagna und den Marken, in: NGG 1898, H. 1, 6-44; Papsturkunden in Benevent und der Capitanata, in: ebd., 45-97; Papsturkunden in Apulien, in: ebd., H. 3, 237-289; Papsturkunden in den Abruzzen und am Monte Gargano, in: ebd., 290-334; Papsturkunden in Umbrien, in: ebd., 349-396; Diplomat. Miszellen. I. Zu Petrus diaconus. II. Die Sammlungen des Angelo Massarelli in San Severino. III. Zu Humbert von San Candida. IV. Die Scheden des Panvinius, in: ebd., H. 4, 496-512, 1900, H. 1, 103-109, 1901, H. 1, 1-27; Urkundenbuch des Hochstifts Merseburg, 1899; Le bolle pontificie che si conservano negli archivi Senesi, in: Bulletino Senese di storia patria 6, 1899,

51-102; Le bolle pontificie anteriori al 1198 che si conservano nell'archivio di Montecassino, in: Miscellanea Cassinese 2, 1899, 1-90; Papsturkunden in Venetien, in: NGG 1899, H. 2, 197-249; Papsturkunden in Friaul, in: ebd., H. 3, 251-282; Papsturkunden in Sizilien, in: ebd., 283-337; Über die Papsturkunden für S. Maria de Valle Josaphat, in: ebd., 338-368; Papsturkunden in Malta, in: ebd., 369-409; Das Privileg Leos IX. für Adalbert von Bremen, in: Festschr. für den Hans. Geschichtsverein, 1900, 73-82; Due documenti pontifici illustranti la storia di Roma negli ultimi anni del secolo XI., in: Archivio della R. Societa Romana di storia patria 23, 1900, 277-283; Papsturkunden in Parma und Piacenza, in: NGG 1900, H. 1, 1-75; Papsturkunden in Rom. Erster Bericht, in: ebd., H. 2, 111-197; Papsturkunden in Salerno, La Cava und Neapel, in: ebd., H.3, 198-269; Papsturkunden in Campanien, in: ebd., 286-344; Papsturkunden in Rom. Zweiter Bericht, in: ebd., 360-436; Papsturkunden in Turin, in: ebd., 1901, H. 1, 57-115; Papsturkunden in Piemont, in: ebd., H. 2, 117-170; Papsturkunden im ehemaligen Patrimonium und im südlichen Toscana, in: ebd., 196-228; Papsturkunden in Rom. Dritter Bericht, in: ebd., H. 3, 239-271; Scrinium und Palatium. Zur Gesch. des päpstl. Kanzleiwesens im 11. Jh., in: MIÖG Erg.bd. 6, 1901, 70-112; Papsturkunden in Mailand, in: NGG 1902, H. 1, 67-129; Papsturkunden in der Lombardei, in: ebd., 130-167; Papsturkunden in Ligurien, in: ebd., H. 2, 169-192; Ältere Papsturkunden in den päpstl. Registern von Innocenz III. bis Paul III., in: ebd., H. 4, 393-558; Papsturkunden in Rom. Die röm. Bibliotheken, in: ebd., 1903, H. 1, 1-161; Nachträge zu den röm. Berichten, in: ebd., H. 5, 505-591; Papsturkunden im westl. Toscana, in: ebd., 592-641; Le bolle pontificie che si conservano nell'archivio diplomatico di Firenze, in: Archivio storico italiana Vª serie 32, 1903, 1-18; Baseler Fälschungen. Exkurs I. zu A. Brackmann, Papsturkunden der Schweiz, in: ebd., 1904, H. 5, 453-477; Papsturkunden im östl. Toscana, in: ebd., H. 2, 139-203; Der angebl. Brief Paschals II. an die Consuln von Pisa und andere Pisaner Fälschungen, in: QFIAB 6, 1904, 316-342; Die Minuten von Passignano. Eine diplom. Miszelle, in: ebd. 7, 1904, 8-41; Staufische Diplome im Domarchiv zu Patti, in: ebd., 171-181; Das Briefbuch des Thomas von Gaeta, Justitiars Friedrichs II., in: ebd. 8, 1905, 1-76; Nachträge zu den Papsturkunden Italiens I., in: NGG 1905, H. 3, 321-380; Urkunden zur Gesch. von Farfa im 12. Jh., in: QFIAB 9, 1906, 170-184; Regesta Pontificium Romanorum. Italia pontificia, Bd. 1-8, 1906-1935; Aus Sant'Antimo und Coltibuono, in: QFIAB 10, 1907, 216-225; Aus Coltibuono und Montepiano, in: ebd., 365-369; Zwei falsche Privilegien Paschals II., in: Scritti di storia, di filologia e d'arte publ. per nozze Fedele, 1908, 1-24; Nachträge zu den Papsturkunden Italiens II., in: NGG 1908, H. 2, 223-304; Nachträge zu den Papsturkunden Italiens III, in: ebd., 1909, H. 4, 435-517; Nachträge zu den Papsturkunden Italiens IV, in: ebd., 1910, H. 3, 229-288; Nachträge zu den Papsturkunden Italiens V, in: ebd., 1911, H. 3, 267-335; Römische Analekten, in: QFIAB 14, 1911, 1-37; Nachträge zu den Papsturkunden Italiens VI und VII, in: NGG 1912, H. 4, 321-383, 414-480; Nachträge zu den Papsturkunden Italiens VIII, in: ebd. 1914, H. 1, 52-92; Das Preuß. Hist. Inst. in Rom, in: Internat. Monatsschr. für Wiss., Kunst und Technik 8, 1914; Das Erzbistum Magdeburg und die erste Organisation der christl. Kirche in Polen, in: AAB 1920, 1-68; Zur Gesch. Wiberts von Ravenna (Clemens III.) I und II, in: SAB 19, 1921,

355-368 und 54, 1921, 973-988; F. Gregorovius und seine Gesch. der Stadt Rom, in: Dt. Revue 46, 1921, 265-271; Nachruf Michael Tangl, in: NA 44, 1922, 139-146; Ein Jh. preuß. Archivverwaltung, in: PrJ 196, 1924, 159-179; Aus der Bibliotheca Rossiana, in: NA 45, 1924, 102-112; Kaiser Friedrich I. und Venedig während des Schismas, in: QFIAB 17, 1924, 230-249; Nachträge zu den Papsturkunden Italiens IX, in: NGG 1924, H. 2, 156-193; Papst Gregor VIII. als Ordensgründer, in: Festschr. für Kard. Fr. Ehrle (Miscellanea Ehrle) II, 1924, 248-275; Zur Gesch. Victors IV., in: NA 46, 1926, 53-85; Nachruf Emil Seckel, in: ebd., 158-180; Das Papsttum und der katalanische Prinzipat bis zur Vereinigung mit Aragon, in: AAB 1, 1926; Die ältesten Papsturkunden Spaniens erläutert und reproduziert, in: AAB 2, 1926; Papsturkunden in Spanien. Vorarbeiten zur Hispania pontificia I: Katalanien, in: AGG NF 18,2, 1926, 1-586; Das spanische, insbes. das katalanische Archivwesen, in: Archival. Zschr. 36, 1926, 1-30; Ein unbek. Mandat Ottos IV., in: QFIAB 18, 1926, 335-336; Erster Bericht über die geschichtl. Forschungen in Spanien (1925-1927), in: SAB 27, 1927, 304-318; Rom und Venedig bis ins 12. Jh., in: QFIAB 19, 1927, 1-180; Papsturkunden in Spanien. Vorarbeiten zur Hispania pontificia II: Navarra und Aragon, in: AGG NF 22,1, 1928, 1-600; Wie und wann wurde das Reich Aragon ein Lehen der röm. Kirche? Eine diplomat. Unters., in: SAB 18-20, 1928, 196-223; Das Papsttum und die Königreiche Navarra und Aragon bis zur Mitte des 12. Jh.s, in: AAB 4, 1928, 1-58; Nachruf Harry Bresslau, in: NA 47, 1928, 251-266; Ein Diplom Kaiser Friedrichs II. für San Giorgio in Braida, in: QFIAB 21, 1929/30, 291-293; Ein burgundisches Siegel Kaiser Heinrichs III.?, in: NA 48, 1930, 447-449; Zum ersten Band der neuen Germania sacra, in: SAB 21, 1929; Vier Kapitel aus der Gesch. Kaiser Heinrichs III., in: SAB 3, 1930; Die älteren Urkunden für Helmarshausen und das Helmarshäuser Kopialbuch, in: NA 49, 1932, 86-114; Zum Mainzer Konzil von 1049, in: ebd., 439-452; Die Kanzlei Ludwigs des Deutschen, in: SAB 1, 1932; Die Urkunden der dt. Karolinger, 1932 ff. (MG DD); Die Kanzleien Karlmanns und Ludwigs des Jüngeren, in: SAB 1, 1933; Die Belehnungen der süditalien. Normannenfürsten durch die Päpste (1059-1192), in: AAB 1, 1934, 1-52; Über die Sammlung und Herausgabe der älteren Papsturkunden bis Innocenz III. (1198), in: SAB 16, 1934, 71-92 (teilw. Lit.verz.); Die Preuß. Akademie und die Monumenta Germaniae und deren neue Satzung, in: SAB 20, 1935, 740-771; Die Schreiber und Diktatoren der Diplome Ludwigs des Deutschen, in: NA 50, 1935, 1-105; Die Kanzlei Karls III., in: SAB 1936; Die Urkunden Karls III., 1936/37 (MG DD); Das Kaiser-Wilhelm-Institut für dt. Gesch., in: 25 Jahre Kaiser-Wilhelm-Gesellschaft zur Förderung der Wissenschaften, hg. v. M. Planck, Bd. 3, 1937; Die Kanzlei Arnolfs, in: AAB 4, 1939; Die Kanzlei Ludwigs des Kindes, in: AAB 16, 1939; Italienische Erinnerungen, 1940 (Autobiographie); Die Urkunden Arnolfs, 1955² (MG DD); Die Urkunden Ludwigs des Deutschen, Karlmanns und Ludwigs des Jüngeren, 1956² (MG DD); Die Urkunden Heinrichs III., 1957² (MG DD); Nachlaß im Dt. Zentral-Archiv Merseburg, Zentraldirektion der MG München und Dt. Hist. Inst. Rom.

Lit.: Hans Nabholz, K., in: Zschr. f. Schweizer. Gesch. 24, 1944, 590-592; — Leo Santifaller, K., in: Almanach der Akad. Wien 95, 1945, 192-199; — Oskar Vasella, K., in: ZSKG 38, 1945, 72-74; — Walther Holtzmann, K., in: ZSavRGgerm 65, 1947, 478-481; — Ders., K., in: DA 8, 1951, 26-58; — Ders., Paolo Kehr e le ricerche archivistiche per l'italia pontificia, in: Studi e testi 165, 1952, 43-49; — Th. Sickel, Röm. Erinnerungen, hrsg. v. L. Santifaller, 1947; — F. Baethgen, K., in: Jb. der Dt. Akad., Berlin 1950/51; — Walter Goetz, K. (1860-1944), in: Ders., Historiker in meiner Zeit, 1957, 318-325; — Karl Brandi, K., in: Jb. der Akad. Wiss. Göttingen 1944-1960, 1962, 134-150; — Gerd Tellenbach, Zur Gesch. des Preuß. Hist. Instituts in Rom (1888-1936), in: QFIAB 50, 1971, 382-419; — Josef Fleckenstein, K. Lehrer, Forscher und Wissenschaftsorganisator in Göttingen, Rom und Berlin, in: Hartmut Boockmann/Hermann Wellenreuther, Gesch.wissenschaft in Göttingen, 1987, 239-260; — EncC VII, 668; — RGG III, 1234 f.; — LThK VI, 102 f.; — Brockhaus X, 64; — NDB XI, 396-398; — Biograph. Wb. zur dt. Gesch., gegr. v. H. Roessler u. G. Franz 1974², II, 1467 f.; — Wolfgang Weber, Biograph. Lex. zur Gesch.wiss. in Dtld., Österr. und der Schweiz 1984, 292 f.

Roland Böhm

KEIL, Carl August Gottlieb, evangelisch, Professor der Theologie, * 23.4. 1754 in Großenhain bei Dresden, † 22.4. 1818 in Leipzig. — Der früh verwaiste Sohn eines Akzise-Inspektors wuchs in der Obhut von Verwandten zunächst in Großenhain, seit 1764 in Leipzig auf. Nach dem Besuch der dortigen Nikolaischule studierte K. von 1773-1778 am gleichen Ort Philologie, Philosophie, Mathematik, Physik und Theologie; letztere rückte bald in den Mittelpunkt seiner Studien. Dabei galt K.s Interesse insbesondere der Hermeneutik und der Exegese, Fächern, in denen er, 1781 nach dreijähriger Hauslehrerzeit magister legens (Privatdozent) geworden, auch seine ersten Vorlesungen hielt. 1785 wurde ihm, stets in Leipzig, eine außerordentliche Professur für Philosophie, 1787 eine ebensolche in der Theologischen Fakultät übertragen; im gleichen Jahr übernahm er außerdem das Amt eines Frühpredigers an der Universitätskirche. Einem Ruf als Nachfolger des zum Dresdener Oberhofprediger berufenen Franz Volkmar Reinhard an die Universität Wittenberg konnte sich K. 1792 nicht verschließen. Der plötzliche Tod von K.s Lehrer Samuel Friedrich Nathanael Morus ermöglichte es K. dann aber doch, in Leipzig zu bleiben; 1793 wurde er zum Konsistorialassessor und Inhaber der vierten ordentlichen Professur der Theologie berufen. 1799 erhielt er die dritte, 1805 die zweite und 1815 schließlich die erste theologische Lehrstelle seiner Heimatuniversität. — Vom gemäßigten Rationalismus geprägt, führte K. die Arbeit seines Lehrers Morus weiter. Johann Salomo Semler hatte gefordert, bei der Auslegung der neutestamentlichen Schriften deren jeweiligen historischen Kontext zu berücksichtigen, der Leipziger Johann August Ernesti (auch er Lehrer K.s) darauf gedrungen, sie im Rahmen der grammatischen Auslegung aus sich selbst heraus verstehbar werden zu lassen. Morus hatte beide Gesichtspunkte miteinander verknüpft, und diesem Programm grammatisch-historischer Exegese als dem einzig angemessenen Auslegeprinzip auch für die biblischen Schriften war K. gleichermaßen verpflichtet. Das Amt des Interpreten schien ihm am meisten dem des Historikers vergleichbar zu sein (summa similitudine cum historici munere coniunctum est interpretis munus); der Ausleger habe allein danach zu fragen, was die biblischen Schriftsteller selbst gedacht und was die Leser, denen ihre Bücher zuerst zugedacht waren, nach dem Willen jener hätten denken sollen (adeoque horum librorum erit historica interpretatio, quatenus in iis explicandis id quolibet loco quaeri debet, quid scriptores sacri cum ipsi cogitaverint, tum lectores etiam suos, quibus libri ipsorum primum fuerant destinati, cogitare voluerint). Rücksichtnahme auf den Offenbarungscharakter der biblischen Schriften sollte hingegen nicht zum Geschäft des Auslegers gehören, ebensowenig hatte dieser über Richtigkeit oder Unrichtigkeit des von den interpretierten Schriftstellern Gemeinten zu urteilen. In einer Vorlesung aus Anlaß des Antritts seiner außerordentlichen theologischen Professur (De historica librorum sacrorum interpretatione eiusque necessitate) trug K. seine hermeneutischen Prinzipien 1788 erstmals vor; in den folgenden Jahrzehnten arbeitete er sie immer umfassender aus. Das Ergebnis dieser Arbeit und zugleich K.s Hauptwerk stellt das 1810 auf deutsch, 1811 auch auf lateinisch erschienene »Lehrbuch der Hermeneutik des neuen Testaments nach Grundsätzen der grammatisch- historischen Interpretation« dar, in dem jene Grundsätze so vollständig und detailliert wie nie zuvor für die neutestamentliche Wissenschaft in Gebrauch genommen wurden. Als Exeget sah K. das Neue Testament wesentlich stärker vom jüdischen als vom hellenistischen Hintergrund bestimmt; für den Dogmatiker K. bedeutete dies freilich, daß wesentliche Vorstellungsbereiche des Urchristentums - z. B. seine messianischen Anschauungen oder seine Geistlehre - keinen Anspruch darauf erheben konnten, als Bestandteile der christlichen Offenbarung zu gelten. Als Dogmenhistoriker suchte K. nachzuweisen, daß die Kirchenväter keineswegs vom Platonismus, sondern ebenfalls von orientalischem Geiste beeinflußt gewesen seien. — Die Theologiegeschichtsschreibung des 19. Jahrhunderts war K. nicht sehr günstig gesonnen; G. Frank nennt ihn einen »Mann ohne geniale Blicke und glänzende Begabung«; J. P. Lange urteilte, es seien »seine exegetischen Anschauungen rationalistisch dürftig, seine historischen Resultate ... vielfach verfehlt, und seine eleganten Verflachungen legen sich wie ein grauer Flor über den helleren Hintergrund allgemeiner und abgeschwächter, z. B. arianisirender supernaturalistischer Voraussetzungen«.

Werke: De modo, quo scriptores sacri in dogmatibus tradendis versantur, 1780; Historia dogmatis de regno Messiae Christi et Apostolorum aetate ad illustranda N.T. loca accomodate exposita, 1781; Systemat. Verzeichniß derjenigen theol. Schriften und Bücher, deren Kenntniß allgemein nöthig und nützlich ist, zum Gebrauch der Vorlesungen entworfen, 1784 [vielm. 1783], 2;1792; De causis alieni Platonicorum recentiorum a religione christiana animi, 1785; De historica librorum sacrorum interpretatione eiusque necessitate, 1788 (dt.: Über die hist. Erklärungsart der hl. Schrift. Aus dem Lat. von C. H. Hempel, 1793); De exemplo Christi recte imitando, 1792; De doctoribus veteris ecclesiae culpa corruptae per Platonicas sententias theologiae liberandis commentationes I-XXII, 1793-1816; [Addenda zu:] J. A. Fabricius, Bibliotheca graeca. Ed. nova, cur. G. C. Harless. Vol. IV, 1795, 774 f., Vol. VII, 1801, 143-183. 275-334; Ob die ältesten christl. Lehrer einen Unterschied zwischen dem Sohne und H. Geiste gekannt, und welche Vorstellung sie sich davon gemacht haben? Eine patrist. Unters., in: Magazin für christl. Dogmatik und Moral 4, 1798, 34-76; De definiendo tempore itineris Pauli Hierosolymitani Gal. 2, 1.2 commemorati, 1798 (verm. u. verb. abgedr. in: D. J. Pott und G. A. Ruperti (Hrsgg.), Sylloge commentationum theologicarum 3, 1802, 68-85); Commentatio I et II in locum epistolae ad Philipp. 2, 5-11, 1803-1804 (wieder abgedr. in: ebd. 7, 1806, 20-52); Noch ein paar Worte über die Reise Pauli nach Jerusalem. Gal. 2, 1.2, in: Journal für auserlesene theol. Lit. Bd. 3, St. 1, 1807, 5-27; De argumento loci Matth. 25, 31-46, 1809 (dt.: Allgem. Ansicht der Stelle Matth. 25,31-46 aus dem gramm.-hist. Gesichtspuncte, in: Analekten für das Studium der exeget. und systemat. Theologie. Bd. 1, St. 3, 1813, 177-204); Quinam sint Rom. 8,23 οἱ ἀπαρχὴν τοῦ πνεύέματος ἔχοντες ostenditur, 1809; Proponitur exemplum iudicii de diversis singulorum scripturae sacrae locorum interpretationibus ferendi, examinandis variis interpretum de loco Gal. 3,20 sententiis, 1809-1812 (7 Programme); Lehrbuch der Hermeneutik des neuen Testaments, nach Grundsätzen der gramm.-hist. Interpretation, 1810 (lat.: Elementa hermeneutices Novi Testamenti latine reddita a C. A. G. Emmerling, 1811); Vertheidigung der gramm.-hist. Interpretation der Bücher des N.T. gegen die neuerlich wider sie erregten Zweifel und ihr gemachten Vorwürfe, in: Analekten für das Studium der exeget. und systemat. Theologie. Bd. 1, St. 1, 1812, 47-85; Kurze Erläuterung der Stelle Luc. 16,1-13 als parabolische Erzählung betrachtet, in: ebd. Bd. 2, St. 2, 1814, 152-165 (lat. in: Opuscula [s. u.] 389-405); Nachschrift zu: Chronologie der Apostelgesch. von J. E. C. Schmidt, in: ebd. Bd. 3, St. 1, 1816, 142-150; Ueber die Zeit der Abfassung des Briefes an die Galater, in: ebd. Bd. 3, St. 2, 1816, 55-79 (lat. in: Opuscula [s. u.] 351-368); Disseritur de Paulo πρὸ ἐτῶν ... εἰς τὸν παράδεισον ad locum 2, Cor. 12,1-7, 1816; Opuscula academica ad N.T. interpretationem grammatico-historicam et theologicae christianae origines pertinentia, ed. J. D. Goldhorn, 1821 (enthält die meisten der o. gen. Programme und Aufsätze). — Herausgeber: S. F. N. Morus nachgelassene Predigten, aus dessen eigenen Hss. zum Druck befördert, 3 Bde., 1794-1797; S. F. N. Morus, Dissertationes theologicae et philologicae, 2 Bde., 1794; [Zus. m. L. F. G. E. Gedike:] C. A. Schwarze, Schulreden, 1810; [Zus. m. H. G. Tzschirner u. E. F. C. Rosenmüller:] Analekten für das Studium der exeget. und systemat. Theologie. 4 Bde., 1812-1822.

Lit.: E. H. Albrecht, Sächs. ev.-luth. Kirchen- und Predigergesch. von ihrem Ursprunge an bis auf gegenw. Zeiten, Bd. 1, 1799, 114-118; — H. G. Kreußler, Beschr. der Feierlichkeiten am Jubelfeste der Univ. Leipzig den 4. December 1809. Nebst kurzen Lebensbeschr. der Herren Professoren, 1810, 10-16 [10-15: Autobiographie K.s bis 1796]; — J. D. Goldhorn, Praefatio zu: Ders. (Hrsg.), Opuscula (s. o.), III - XXX; — H. Döring, Die gelehrten Theologen Teutschlands im 18. und 19. Jh. Bd. 2, 1832, 70-74; — J. P. Lange, K., C. A. G., in: Realencyklopädie für prot. Theol. und Kirche (Herzog), Bd. 7, 1857, 504 f.; — G. Frank, Gesch. der Prot. Theologie. Tl. 3. Von der dt. Aufklärung bis zur Blüthezeit des Rationalismus (1750-1817), 1875, 352 f.; — W. G. Kümmel, Das Neue Testament. Gesch. der Erforschung seiner Probleme, ²1970, 128-130, 585; — Meusel IV, 60 f.; X, 68 f.; XIV, 276; XVIII, 320 f.; — Wetzer-Welte VI, 60-62; — ADB XV, 532 f.; — Jöcher-Adelung VII, 463 f.; — RE X, 196 f.

Eckhard Plümacher

KEIL, Carl Friedrich (Taufeintrag: Johann Friedrich Karl Keil), evangelischer Theologe, * 26.2. 1807 Lauterbach i. Vogtland (Kreis Oelsnitz), † 5.5. 1888 Lichtenstein (Sachsen), bedeutender baltischer und deutscher Alttestamentler des 19. Jahrhunderts. — Als einzig überlebender Sohn einer ärmlichen Handwerkerfamilie besuchte Keil 1814-1820 die gut geführte Volksschule in Untertriebel, schreibt aber von sich selbst: »Das Tischlerhandwerk war das Ideal meiner Jugendzeit.« 1821 wanderte er zu seinem Onkel nach St. Petersburg aus, um Tischler zu werden, kam aber auf die dortige St. Petri Kirchenschule (1822-1826), weil er zu klein und schwach für die Hobelbank war. Auf Grund hervorragender schulischer Leistungen konnte er mit einem kaiserlichen Stipendium anschließend im baltischen Dorpat (1827-1830) evangelische Theologie studieren und nach glänzendem Abschluß in Berlin (1830-1832) bei Hengstenberg zum Lic. theol. promovieren. Fromm, aber völlig rationalistisch erzogen, wurde er in Dorpat durch A. Kleinert und E. Sartorius zum persönlichen Christus-Glauben mit einer luthe-risch-konfessionellen Ausrichtung erweckt, worin ihn der Hofprediger und Berliner Prof. G. F. A. Strauß und sein alttestamentlicher Lehrer Hengstenberg bestärkten. — 1833 als Privatdozent an die Dorpater Theologische Fakultät berufen, wurde er 1838 nach langen Kämpfen und dem Erwerb des Dorpater Dr. theol. als außerordentlicher Professor berufen, wo er dann von 1839-1858 als ordentlicher Professor für Exegese und orientalische Sprachen sehr segensreich und fleißig an der Überwindung des theologischen Rationalismus und Aufbau der baltischen lutherischen Landeskirche mitwirkte. Mit seinen Lehrbüchern über die alttestamentliche Einleitung (1853, ³1873) und biblische Archäologie (1858/1859, ²1875), schuf er Standardwerke der »offenbarungsgläubigen Kritik« als Alternative zum Rationalisten de Wette und anderen zeitgenössischen Bibelkritikern. — Nach seiner Pensionierung (1859) begründete er mit Franz Delitzsch den berühmten Biblischen Kommentar über das Alte Testament (BC), der das »positive« Gegenstück zum rationalistischen »Kurzgefaßten Exegetischen Handbuch über das Alte Testament« von L. Hirzel, A. Knobel u. a. darstellte. Vom BC arbeiteten Keil 10 und Delitzsch 5 Bände aus, dessen 1. Auflage bereits 1861-1875 vollendet war. Der BC erlebt in seiner englischen Übersetzung (seit 1864) ständig Neuauflagen, durch die Keil noch heute weltweit beachtet wird. Seit 1983 geschieht eine deutsche Neuauflage. Im Alter kommentierte er noch die vier Evangelien und vier Briefe des Neuen Testaments. Mit Franz Delitzsch (s.d.) befreundet, zählte der mehrfach in andere Sprachen übersetzte Keil wie dieser zu den neulutherischen Theologen, gehörte aber wie J. Bachmann, C. P. Caspari, H. A. C. Hävernick, u. a. der streng lutherisch-konfessionellen Schule um Hengstenberg an. Mit seinem Berliner Lehrer hatte er das apologetische Anliegen, eine teilweise spiritualistisch gefärbte Auslegung und besonders die Ablehnung der zeitgenössischen Pentateuchkritik sowie die Übernahme der altkirchlichen Eschatologie gemein. In seiner fundierten biblisch-archäologischen Arbeit, im heilsgeschichtlichen Verständnis und einer im ganzen exakteren Schriftauslegung ließ er ihn hinter sich. Im Gegensatz zu seinem Freund Delitzsch blieb Keil bis zuletzt von der Integrität biblischer Bücher und Angaben überzeugt. Von der Bibel als geoffenbartem Gotteswort her dachte er sowohl literarisch als auch innerbiblisch primär von der Einheit her. Abgesehen von seiner augustinisch verkürzten Eschatologie übte er eine fundierte symbolische und typologische Auslegung des israelitischen Gottesdienstes, besonders der Opfer, sowie eine vorbildliche biblisch-theologische Gesamtschau.

Werke: Apologet. Versuch über die Bücher d. Chronik und der Integrität des Buches Esra, Berlin 1833; Über die Hiram-Salomonische Schiffahrt nach Ophir und Tarsis, Dorpat 1834, ²1840; Der Tempel Salomos, Dorpat 1839; Komm. über die Bücher der Könige, Dorpat 1845, Moskau 1846; Komm. über das Buch Josua, Erlangen 1847; H. A. C. Hävericks Handb. der atl. Einleitung, Teil III, Erlangen 1849, Teil I. 1, Erlangen ²1854, Teil I.2, Erlangen ²1856; Lehrb. der atl. Einleitung, Erlangen 1853, ³1873; Comm. über das Evangelium des Matthäus, Leipzig 1877; Comm. über die Evangelien des Markus und Lukas, Leipzig 1879; Comm. über die Evangelien des Johannes, Leipzig 1881; Comm. über die Briefe des Petrus und Judas, Leipzig 1883; Comm. über den Brief an die Hebräer, Leipzig 1885. - *Bibl. Kommentar:* I. 1, Genesis und Exodus, Leipzig 1861, ³1878, Gießen ⁴1893; I.2, Levitikus, Numeri und Deuteronomium, Leipzig 1862, ²1870, Gießen ³1987; II,1 Josua, Richter und Ruth, Leipzig 1863, ²1874; II,2 Samuel-Bücher, Leipzig 1865, ²1875; II,3, Könige-Bücher, Leipzig 1866; ²1876, Gießen ³1988; II,4, Chronik, Esra, Nehemia und Esther, Leipzig 1870, ²1875; III,2, Jeremia, Leipzig 1872; III,3, Ezechiel, Leipzig 1868, ²1881; III,4, Zwölfpropheten, Leipzig 1867, ³1888, Gießen ⁴1985; III,5, Daniel, Leipzig 1869; Ergänzungsband: Die beiden Makkabäer-Bücher, Leipzig 1875. — *Engl. Übers.:* Commentary on the book of Joshua, Edinburgh 1857; Commentary on the books of Kings, Edinburgh 1857; Manual of historical-critical introduction, Bd. 1/2, Edinburgh 1869/1870, ⁵1892; Manual of biblical Archaeology, Bd. 1/2, Edinburgh 1887/1888; Biblical Commentary: Pentateuch, Edinburgh 1864-1866, ⁶1885; Joshua, Judges, Ruth, Edinburgh 1869, ⁵1887; Samuel, Edinburgh 1866, ⁴1880; Kings, Edinburgh 1867, ⁴1883; Chronicles, Edinburgh 1873, ²1879; Ezra, Nehemia, Esther, Edinburgh 1873, ²1879; Jeremiah, Lamentations, Edinburgh 1874, ³1889; Ezekiel, Edinburgh 1873/1874, ³1885; Daniel, Edinburgh 1872, ⁴1891; Twelve minor prophets, Edinburgh 1868, ⁴1892. — *Andere Übers.:* Handboek der hist.-krit. inleiding in de kanonische Schriften van het Oude Testament, Utrecht 1857; De Prophet Jeremia, Amsterdam 1887; Bibelsk Comm. over Genesis, Christiana 1870, ²1892; Komm. over Matthaeus-Evangelist, Christiana 1890.

Lit.: J. Frey, Die Theol. Fakultät Dorpat-Jurjew, Reval 1905, S. 113-120; — P. Siemens, C. Fr. Keil: Studien zu Leben und Werk, Gießen 1989; — Pastor Keil, RE, Bd. 10, Leipzig ³1904, S. 197/198.

Peter Siemens

KEIM, Karl Theodor, evangelisch, Professor der Theologie, * 17. 12. 1825 in Stuttgart, † 17.11. 1878 in Gießen. — Aus einer Philologenfamilie stammend, studierte K. von 1843-1847 in Tübingen Theologie; seine Lehrer waren Heinrich Ewald und insbesondere Ferdinand Christian Baur. Daneben trieb K. bei Jakob Friedrich Reiff, einem Hegelianer, philosophische, bei Ewald und Heinrich Meier auch orientalistische Studien, die ihm im Zuge seiner späteren Arbeiten über den historischen Jesus sehr zustatten kommen sollten. Den stärksten Einfluß auf K. hat unbestreitbar Baur ausgeübt; ein unbedingter Anhänger der Tübinger Schule ist K. freilich nicht geworden, ebensowenig wie er sich mit der Dialektik Hegels anfreunden konnte. Nach dem Studium und einigen als Hauslehrer in Ulm verbrachten Jahren trat K. 1851 eine Repetentenstelle am Tübinger Stift an, dem er auch während des Studiums schon angehört hatte; 1856 wurde er zum Dr. phil. promoviert, anschließend Stadtvikar in Stuttgart und noch im gleichen Jahr Pfarrer (Diakonus; ab 1859: Archidiakonus) in Esslingen. Eine Sammlung aus diesen Jahren stammender Predigten K.s wurde 1861 von dessen Bruder herausgegeben. 1860 folgte K. dem Ruf auf eine theologische Professur nach Zürich; Versuche, in Deutschland einen breitere Wirksamkeit ermöglichenden Lehrstuhl zu erhalten, mißlangen, bis K. (1872 mit dem Heidelberger theologischen Ehrendoktorat ausgezeichnet) 1873 endlich an die seinerzeit freilich wenig bedeutende und sich außerdem immer heftiger zerstreitende Gießener Fakultät berufen wurde, wo er, zunehmend von einem schweren Gehirnleiden behindert, bis zu seinem Tode lehrte. — In seinen wissenschaftlichen Anfängen der Erforschung des Urchristentums und der Alten Kirche zugeneigt, wandte sich K. in den folgenden Jahren verstärkt einem provinzielleren Gegenstand zu: der Reformationsgeschichte seiner schwäbischen Heimat. Sie verdankt ihm eine stattliche Zahl grundlegender, auf der Arbeit an den Quellen basierender Studien u. a. über die Reformation in Ulm und Esslingen sowie über den Reformator Ambrosius Blarer. Erst auf dem Zürcher Lehrstuhl konnte K. dann wieder ganz und gar zu seiner ersten wissenschaftlichen Liebe zurückkehren. Frucht dieser neuerlichen Wendung waren zunächst einige kleinere, aber durchaus programmatische Schriften zur Jesusforschung, darunter die Zürcher Antrittsvorlesung über die menschliche Entwicklung Jesu; es folgten das bedeutendste Werk K.s, die dreibändige »Geschichte Jesu von Nazara in ihrer Verkettung mit dem Gesamtleben seines Volkes frei untersucht und ausführlich erzählt« (1867-1872), und endlich dessen kürzere, allgemeinverständlich gehaltene Bearbeitung »Geschichte Jesu nach den Ergebnissen heutiger Wissenschaft für weitere Kreise übersichtlich erzählt« (1874). Obwohl wie die Vorgänger in der Leben-Jesu-Forschung - etwa David Friedrich Strauß - in der historischen und literarischen Kritik versiert und insofern durchaus bereit, z. B. die Rolle der urchristlichen Gemeinden im Entstehungsprozeß der Jesusüberlieferung nicht zu gering einzuschätzen oder auch recht massive Wunderkritik zu üben, bot K. in seinem neuen Leben Jesu den Lesern doch etwas, was sie an dessen wissenschaftlichen Vorläufern und zumal solchen Konkurrenten wie Ernest Renans sentimentalem Bestseller nur allzu oft hatten vermissen müssen: eine, wie K.s Schüler Heinrich Ziegler zutreffend urteilte, »bei aller dogmatischen Unbefangenheit tief und fest im christlichen Glauben wurzelnde fromme Gesinnung«, die daran festhielt, daß »die Person Jesu nicht nur eine That unter vielen Thaten Gottes« sondern vielmehr »ein spezifisches Werk Gottes, die Krone aller göttlichen Offenbarung gewesen« sei. So wundert es nicht, wenn K.s (übrigens an der Priorität des Mt festhaltende) »Geschichte Jesu« erheblichen Beifall fand und, weil sie zu beweisen schien, »daß von Tübingen noch ein anderes ausgehen konnte als die Verflüchtigung dieser Geschichte in träumende Sagen und raffinierte Tendenzpoesie, als 'Noahzeichen des Rückgangs der kritischen Sturmfluth' [Luthardt] begrüßt« wurde (Gustav Frank). Gleichwohl blieb K. dem rationalistisch-ethischen Substrat liberaler Theologie noch so weitgehend verpflichtet, daß er z. B. erklären konnte, »auf den Gottessohn, welchen alexandrinische Judenweisheit und dann die griechische Kirche auf uns vererbt, den Gott, der vom Himmel herniederstieg, um ein Mensch, ein Säugling, ein Gekreuzigter und dann zum zweiten Mal ein Gott zu werden, auf diese griechische Mythologie entschieden verzichten« zu müssen, und als »ewigen Haupttheil« der »Religion Jesu« den »Glauben an die Väterlichkeit Gottes und den Glauben an die religiöse und sittliche Würde des Menschen« bestimmen wollte. So konnten auch liberale Geister von seinem Jesusbild entzückt sein, wie zuletzt noch Albert Schweitzer, der äußerte, »Schöneres und Tieferes« als K. habe »niemand mehr über die Entwicklung Jesu geschrieben«. — Verdient gemacht hat sich K. schließlich auch um die Erforschung der vorkonstantinischen Kirchengeschichte; das gewichtigste Zeugnis von K.s einschlägiger Forschung stellt seine Arbeit über »Rom und das Christenthum« dar; auf einer bereits 1847/48 verfaßten Tübinger Preisschrift basierend, konnte sie freilich erst postum publiziert werden. Der Schlußabschnitt der Einleitung zu diesem Buch zeigt beispielhaft, wie sehr K. am ungebrochenen Selbstbewußtsein der protestantischen Theologie des 19. Jahrhunderts teilhatte: »Die demüthig schmeichelnde Unterwerfung des gewaltigen Rom unter das Kreuz« erschien ihm als »der konkrete Ausdruck des welthistorischen Sieges des Christenthums über jede [!], auch die gesteigertste Form und über die concentrirtesten Machtmittel des Heidenthums«.

Werke: Die Reformation der Reichsstadt Ulm. Ein Beitrag zur schwäbischen u. deutschen Reformationsgeschichte, 1851; Schwäb. Reformationsgeschichte bis zum Augsburger Reichstag. Mit vorzüglicher Rücksicht auf die entscheidenden Schlußjahre 1528-1531. Zum ersten Mal aus den Quellen dargest. Mit einem Anhang ungedruckter Reformationsbriefe, 1855; Ambrosius Blarer, der schwäb. Reformator. Aus den Quellen übersichtl. dargest., 1860; Reformationsblätter der Reichsstadt Eßlingen. Aus den Quellen, 1860; Die

hatte ein Interesse, daß die katholischen Kirchengemeinden nicht von außerhalb regiert würden. Im Jahre 1816 wurde v. K. Titularbischof und 1819 Generalvikar mit Sitz in Rottenburg. Nach der Errichtung der Diözese Rottenburg im Jahre 1821 und der Regelung der Wahl des Bischofs, der Besetzung der Domherrenstellen, der kanonischen Errichtung des Priesterseminars und der freien Leitung der Diözese durch den Bischof durch die Apostolische Bulle »Ad dominici gregis custodiam« im Jahre 1827 wurde v. K. der Oberhirte des neuen Bistums. »Gespalten zwischen Aufklärern vom Geiste Wessenbergs und Männern der katholischen Romantik (Tübinger Schule), erlangte das Bistum nur langsam die kirchliche Selbständigkeit, die v. K. unter starken Druck durch Rom und mit energischer Unterstützung des katholischen Adels seit 1830 zu erreichen suchte«, schreibt H. Tüchle J.B. v. K.s Bemühen um den Ausgleich zwischen dem kirchlichen Interesse und dem vom Josephinismus beeinflußten Staatskirchentum Württembergs scheiterte sowohl am Widerstand der Regierung wie dem des Domkapitels. Die Regierung wollte die Kontrolle über die Kirche behalten und sah in der Vergabe der geistlichen Pfründe durch den Landesherrn ein Majestätsrecht; im Klerus herrschte bei einem beträchtlichen Teil noch immer das Erbe der Aufklärung und des Wessenbergianismus. So fand der Bischof auch bei seinem eigenen Domkapitel, das unter der Führung von Domdekan Ignaz v. Jaumann († 1862), einem echten Josephinisten und Freund Wessenbergs, zugleich einflußreichem Berater der Regierung, stand, keinerlei Unterstützung.

Lit.: W. Binder, Aus den Papieren eines Verstorbenen, Regensburg 1848; - K. Bihlmeyer/H. Tüchle, Kirchengeschichte, Paderborn 1956[13&14], III, 333f.; - A. Hagen, Gesch. der Diözese Rottenburg, Stuttgart 1957, I, 184ff., 244ff., 513-515; - LThK [2]VI, 107 (Keller); - ebd. IX, 70f. (Rottenburg).

Johannes Madey

KELLER, Joseph Eduard (auch Edward), * 25.7. 1827 in Straßburg, † 4.2. 1887 in Fiesole bei Florenz. — K. trat 1844 in den Jesuitenorden ein. Nach der üblichen Ausbildung und Priesterweihe wurde er von seinen Oberen in die Vereinigten Staaten von Amerika geschickt. Im Jahre 1869 wurde er Provinzial der Jesuitenprovinz von Maryland, danach, 1877, Präsident der von Jesuiten geleiteten Saint Louis University; vier Jahre später wird er Rektor des Woodstock College, wo er die Schriftenreihe »Woodstock Letters« gründet. Er übersetzte und bearbeitete den Katechismus von J. Deharbe für den Gebrauch in der amerikanischen Katechese. Sein Hauptwerk widmete er der Person und dem Wirken Papst Leo XIII.

Lit.: C. Sommervogel, Bibliothèque de la Compagnie de Jésus, Brüssel-Paris 1890-1900[3], IV, 997; — Cyclopedia of Education, New York 1912, II, 590; — A. Mercati/A. Pelzer (Hrsg.), Dizionario ecclesiastico, Turin 1953 ff., II, 541; — LThK [2]VI, 107.

Johannes Madey

KELLER, Ludwig; Archivar und Freimaurer-Historiker. * 28. März 1849 in Fritzlar, † 9. März 1915 in Berlin. — Nach seinem Besuch der Grundschule in Fritzlar trat K. am 12. April 1858 in das Königliche Gymnasium Rinteln ein, das er am 23. April 1868 mit dem Maturitätszeugnis verließ. Das Studium der alten Geschichte an der Universität Leipzig schloß sich unmittelbar an (SS 1868-WS 1869/70), das er an der Universität Marburg fortsetzte (SS 1870-WS 1871/72). Am 17. Mai 1872 reichte K. seine Dissertation im Fach »Alte Geschichte« ein, die er wegen schwerer methodischer Mängel überarbeiten mußte. Die Vorwürfe, die die Gutachter erhoben (wie »flacher Vielschreiber, Eklektiker«) sollten K. ein Leben lang begleiten. Zwischen 1872 und 1874 fertigte er eine Habilitationsschrift an, der ein Erfolg versagt blieb, so daß er in den Archivdienst überwechseln mußte. Die ersten neun Monate war er am Staatsarchiv Marburg tätig; vom 1. Okt. 1874 an war er am Königlichen Staatsarchiv Münster tätig, dessen Direktor er von 1881 bis zum 30. Juni 1895 war. Zum 1. Juli 1895 wurde er an das Geheime Staatsarchiv Berlin versetzt. Am 12. Dez. 1900 wurde K. zum »Geheimen Archivrat« ernannt. Seine Arbeit endete mit seinem überraschenden Tod am 9. März 1915. — Ab 1891 bestimmten zwei Komponenten seinen Wirkungskreis: (a) Am 10. Okt. 1891 wurde im Hotel Magdeburg in Berlin die »Comenius-Gesellschaft« unter der Federführung K.s gegründet; Niederlassungen in Czernowitz (1894), Remscheid (1894), Lennep (1894), Jena (1895), Marburg (1896), Leszno (1902) und Stuttgart (1907) folgten. Ihre Aufgabe sollte die Verbreitung von Geisteskultur sein; in Wirklichkeit diente sie als Plattform der - bisweilen umstrittenen - Forschungsergebnisse K.s, dessen Interesse an der Freimaurerei und ihren Vorläufern immer offensichtlicher wurde. Es überraschte deshalb nicht, als K. am 3. Juni 1897 als Lehrling in die (christl.) Johannes-Freimauerloge »Zur Eintracht und Standhaftigkeit« in Kassel aufgenommen wurde; seine Arbeiten der vorhergehenden Jahre hatte er dieser Loge gewidmet. Schon am 8. Dez. 1898 wurde er Geselle, am 16. März 1899 Meister. Im gleichen Jahr wurde er der Loge »Urania zur Unsterblichkeit« in Berlin affiliert. Seine großen Verdienste um die Freimaurerei in Deutschland sorgten dafür, daß er am 24. Jan. 1901 das Amt des »Großredners« erhielt. Am 15. Sept. 1902 wurde ihm in der Großen Loge von Preußen das Amt des »Zugeordneten Großmeisters«, bald darauf das des »Obersten Meisters des Inneren Orients« übertragen. Seine Publikationen über die Freimaurerei wurden preisgekrönt. — Das Werk K.s über geheime Gesellschaften, Akademien, Sprachgesellschaften und die Reformation ist vor allem unter forschungsgeschichtlichen Aspekt noch von Wert. Seine lebenslangen Kontroversen mit der Schulwissenschaft überschatteten seine vielfältige Tätigkeit. Dies hatte als Konsequenz, daß seine zahlreichen Schriften nur noch dem Freimaurer(-Historiker) bekannt sind.

Werke: De Iuba Appiani Cassiique Dionis auctore. Diss. Marburg 1872; Der zweite Punische Krieg und seine Quellen. Marburg 1875; Geschichte der Wiedertäufer und ihres Reichs zu Münster. Münster 1880; Die Gegenreformation in Westfalen und am Niederrhein. 3 Bde. Leipzig 1881-1895; Ein Apostel der Wiedertäufer (Hans Denck). Leipzig 1882; Geschichte der Wiedertäufer nach dem Untergang des Münsterschen Königreichs. /Trier 1882/; Die Reformation und die ältesten Reformparteien. Leipzig 1885; Die Waldenser und die deutschen Bibelübersetzungen. Leipzig 1886; Zur Geschichte der altevangelischen Gemeinden. Berlin 1887; Johann von Staupitz und die Anfänge der Reformation. Leipzig 1888; Johann von Staupitz und das Waldenserthum. Leipzig 1888; Zur Geschichte der Bauhütten und Hüttengeheimnisse. Leipzig 1889, Berlin 1898²; Die Böhmischen Brüder und ihre Vorläufer. Leipzig 1894; Comenius und die

Akademien der Naturphilosophen des 17. Jahrhunderts. Berlin 1895; Die Anfänge der Reformation und die Ketzerschulen. Untersuchungen zur Geschichte der Waldenser beim Beginn der Reformation. Berlin 1897; Grundfragen der Reformationsgeschichte. Berlin 1897; Graf Albrecht Wolfgang von Schaumburg-Lippe und die Anfänge des Maurerbundes in England, Holland und Deutschland. Berlin 1901; Der Große Kurfürst und die Begründung des modernen Toleranzstaats. Berlin 1901; Die Comenius-Gesellschaft. Berlin 1902; Die Anfänge der Renaissance und die Kultgesellschaften des Humanismus im 13. und 14. Jahrhundert. Berlin 1903; J. G. Herder und die Kulturgesellschaft des Humanismus. Ein Beitrag zur Geschichte des Maurerbundes. Berlin 1904, 1910²; Die Tempelherren und die Freimaurer. Vorträge und Aufsätze der Comenius-Gesellschaft (Berlin) 13/1904; Schillers Stellung in der Entwicklungsgeschichte des Humanismus. Berlin 1905, Jena 1909²; Die italienischen Akademien des 17. Jahrhunderts und die Anfänge des Maurerbundes in den romanischen und nordischen Ländern. Berlin 1906; Die heiligen Zahlen und die Symbolik der Katakomben. Berlin 1906; Die Großloge indissolubilis und andere Großlogensysteme des 16., 17. und 18. Jahrhunderts. Jena 1908; Die Sozietäten des Humanismus und die Sprachgesellschaften. Jena 1909; Bibel, Winkelmaß und Zirkel. Studien zur Symbolik der Humanitätslehre. Jena 1910; Die geistigen Grundlagen der Freimaurerei und das öffentliche Leben. Jena 1911, Berlin 1922; Die Freimaurerei. Eine Einführung in ihre Anschauungswelt und ihre Geschichte. Leipzig 1914

Lit.: G. Wölfinger, L. K. als Kirchenhistoriker, Freimaurer und Gründer der Comenius-Gesellschaft für Wissenschaft, Geisteskultur, Volkserziehung. Ein Beitrag zur Ideengeschichte des Bildungsbürgertums im Deutschen Kaiserreich. 2 Bde. Diss. München 1983-1984; — Meyer⁶ X, S. 825; — E. Lennhoff, O. Posner, Internationales Freimaurerlexikon (1932). Wien 1980, Sp. 828-830.

Wolfgang Heller

KELLER, Michael, Dr. theol., Bischof, * 16.2. 1896 in Siegen, † 7.11. 1961 in Münster/Westf. — Nach dem Abitur am berühmten Thomas-Gymnasium in Leipzig, wohin sein Vater als Reichsgerichtsrat berufen worden war, nahm K. Ostern 1914 das Studium der Theologie an der Philosophisch-Theologischen Fakultät in Paderborn auf, das jedoch bald durch den Ersten Weltkrieg unterbrochen wurde. In ihm diente er als Freiwilliger, avancierte rasch zum Vizewachtmeister und Leutnant der Reserve (EK I und II, Allgemeines Ehrenzeichen in Silber mit Schwertern). Nach Kriegsende setzte er das Theologiestudium am Collegium Canisianum in Innsbruck fort. 1920 ließ er sich in die Diözese Osnabrück, der seine Mutter entstammte, inkardinieren. Am 14. Juli 1921 wurde er in Feldkirch/Vorarlberg zum Diakon und am 6. November 1921 in Abtei Fiecht bei Schwaz/Tirol zum Priester geweiht. Danach weilte er für zwei Jahre zum Weiterstudium in Rom. 1924 promovierte er in Innsbruck zum Dr. theol. Anschließend wirkte er als Kaplan an der neuen St. Elisabeth-Kirche in Hamburg-Harvestehude und seit dem 21. Oktober 1931 als Pfarrer an St. Marien in Hamburg-Blankenese. Am 20. April 1933 erfolgte die Ernennung zum vierten Domvikar in Osnabrück und bereits zwei Tage später die zum Subregens am dortigen Priesterseminar; am 12. Oktober 1934 wurde er zum Diözesanvorsitzenden des Deutschen Katechetenvereins und am 23. Januar 1935 zum Prosynodalrichter bestimmt. Vom 21. September 1935 bis zum 17. September 1939 bekleidete er das Amt des Spirituals am Priesterseminar zu Osnabrück und darauf bis Juni 1943 das des Regens ebenda. Am 14. Augsut desselben Jahres wurde er zum Domherrn in Osnabrück und am 19. Juli 1947 als Nachfolger von Clemens August Kardinal von Galen zum Bischof von Münster ernannt. Konsekration und Inthronisation fanden am 28. Oktober 1947 statt. Als Hauptkonsekrator fungierte Joseph Kardinal Frings von Köln. — Sensibel und geistig aufgeschlossen nahm K. mit vom Glauben geschärftem Blick die religiös-weltanschaulichen Zeitströmungen und politischen Vorgänge im In- und Ausland wahr. Früh erkannte er dabei die in Gestalt des Nationalsozialismus heraufziehenden Gefahren. Da er sich seit seinem Studienaufenthalt in Rom für die »Katholische Aktion« im Verständnis Pius' XI. besonders interessierte und für ihre Zielsetzung engagierte, ging er angesichts des Meinungswirrwarrs, der auch katholischerseits damals herrschte, noch im Jahr der Machtergreifung Adolf Hitlers mit einer aufklärenden Schrift an die Öffentlichkeit. In ihr appellierte er an die Gläubigen, sich ihrer Verantwortung als Christen in Kirche, Staat und Gesellschaft bewußt zu werden. — Ansonsten hatte er in den Auseinandersetzungen der Kirche mit dem nationalsozialistischen Regime keine namhafte Rolle gespielt. Als Bischof von Münster trat K. ein schweres Erbe an. Die Auswirkungen des Kriegs waren überall noch sichtbar und zu spüren, er kannte die Verhältnisse in der Diözese und ihre Priester kaum, wie er selbst dort weit-

gehend unbekannt war. Um mit den vielfältigen Problemen und Nöten der ihm anvertrauten Menschen, insbesondere der Ausgebombten und Heimatvertriebenen, persönlich vertraut zu werden, bereiste er unermüdlich das ausgedehnte Gebiet zwischen Nordsee und Niederrhein. In den vierzehn Jahren seines bischöflichen Wirkens entfaltete er eine rege kirchliche Bautätigkeit. Zum einen erheischte der Wiederaufbau dies gebieterisch, zum anderen resultierte sie aus K.s Einsicht in die Notwendigkeit einer Reorganisation kirchlich-religiösen Lebens sowie einer pastoralen Neukonzeption infolge der total veränderten Sozialstruktur des Bistums. Von 1950 bis 1961 wurden im rheinisch-westfälischen Teil der Diözese 148 Kirchen fertiggestellt, 23 waren in Bau oder dazu freigegeben. Davon befanden sich 21 vor dem 1. Januar 1958 im Bereich des ehemals münsterschen Anteils des Bistums Essen. Im zum Bistum Münster gehörenden Offizialbezirk Oldenburg wurden nach Kriegsende 38 Kirchen und 11 Kapellen gebaut, ferner 14 Gotteshäuser erweitert. Dazu kamen zahlreiche Pfarrhäuser, sonstige Dienstwohnungen, Kindergärten, Jugendheime und Mütterschulen. Der Förderung des Priesternachwuchses, der ihm sehr am Herzen lag, dienten Neu- oder grundlegende Erweiterungsbauten: das Bischöfliche Priesterseminar in Münster, die Knabenkonvikte Collegium Ludgerianum (ebd.), Collegium Johanneum (Loburg-Ostbevern), Collegium Augustinianum (Gaesdonck) und das Pius-Kolleg (Coesfeld). Der sozialen und staatspolitischen Bildungsarbeit, der K. zeitlebens stärkstes Gewicht beimaß, dienten in Münster der Neubau des Franz-Hitze-Hauses und der Katholisch-Sozialen Akademie des Bistums, für die ländliche Bildungsarbeit die Landvolkshochschulen Freckenhorst und Rindern. In Münster wurden außerdem das Seelsorgehelferinnen-Seminar, die Wohlfahrtsschule und das große Mädchengymnasium, die Marienschule, errichtet. — Deutliche Schwerpunkte von K.s bischöflicher Tätigkeit und geistlicher Führung, die sich in den zahlreichen Rundschreiben an seinen Klerus - ihm unterbreitete er des öfteren konkrete Ratschläge für die Seelsorgearbeit wie auch für ihre eigene geistig-religiöse Fortbildung - und in den vielen Hirtenschreiben greifen lassen, waren: die Heranbildung von ausreichenden und pastoral engagierten Geistlichen, die Sorge um die christliche Ehe und Familie, die tätige Mitarbeit der Laien als »völlig gleichwertige Partner und in keiner Weise Subalterne« der Priester in Kirche, Staat und Gesellschaft, die eucharistische Erneuerung im Geist Pius' X., das Schulwesen, die Erziehung und Bildung, der Kampf um die Konfessionsschule sowie die politische und soziale Neuordnung einer in tiefgreifendem Umbruch befindlichen Gesellschaft. Unermüdlich setzte er sich ein für die »rechtzeitige« Erstkommunion der Kinder als ein ihm besonders wichtiges pastorales Anliegen; sie sollte vornehmlich aus der religiösen Praxis des Elternhauses erwachsen. Bei seinen Empfehlungen stützte er sich auf Verlautbarungen und Vorschriften des kanonischen Rechts, sie erwuchsen aber auch maßgeblich aus seiner persönlichen Frömmigkeit und der darin gründenden eucharistischen Verehrung. Darüber hinaus galt sein intensives Bemühen außer um die Landvolkbewegung einer katholischen Vereinigung für Unternehmer. Inspiriert durch das niederländische Vorbild, wurde er zum Initiator des Bundes katholischer Unternehmer, der in der jungen Bundesrepublik rasch zu einem wichtigen Faktor sozialpolitischer Dynamik wurde. — Im Bewußtsein der Verantwortung der gesamten Kirche und aller Christen für die Ausbreitung des Glaubens reiste er 1956 auf Anregung des in Münster lehrenden Missionswissenschaftlers Thomas Ohm sieben Wochen durch Ost- und Südafrika, um dort die Bedingungen kennenzulernen, unter denen die moderne Evangelisierung erfolgte. Von dieser Reise kehrte er als dezidierter Gegner des Apartheidssystems zurück. Unter Hinweis auf seine während dieser Zeit gemachten Erfahrungen unterstrich er die Notwendigkeit der Heranbildung einer Elite katholischer Laien in den Ländern der Dritten Welt; ein Anliegen, das er fortan systematisch förderte. Tätigen Anteil nahm K. an der Vorbereitung des Zweiten Vatikanischen Konzils; er gehörte der Kommission für die Studien und Seminare an. Zu diesem Zweck weilte er im letzten Lebensjahr wiederholt in Rom, um an deren Sitzungen teilzunehmen. — K., dem die bedrängenden und neuralgischen Probleme der Zeit wohlbekannt waren, scheute sich nicht, aus seiner gläubigen Grundüberzeugung öffentlich dazu Stellung zu beziehen und sich unbequem einzumischen, ein Verhalten, das oftmals heftigen Widerspruch provozierte. Getreu seinem bischöflichen Wahlspruch »Iter para tutum« pflegte er eine tiefe Marienfrömmigkeit. Einen Höhepunkt seines Episkopats stellte die Domfestwoche im Jahr 1956 dar, in der er unter imposanter Beteiligung von Klerus und Volk die Altarweihe des während des Zweiten Weltkriegs schwer beschädigten und nun wieder aufgebauten Paulusdoms feierte. Äußere Ehrungen galten dem Oberhirten wenig. Die ihm am 19. April 1958 von Rom verliehene Auszeichnung eines Thronassistenten Seiner Heiligkeit nahm er bescheiden an, weltliche Dekorationen lehnte er dankend ab. Unmittelbar nach dem Tag seines 40jährigen Priester-Jubiläums starb K. an einem Herzinfarkt. Seine letzte Ruhestätte fand er im Westchor des Doms, das aus einer Art Vorhalle durch die von ihm veranlaßte neue Konzeption wieder zu einem sakralen Chorraum geworden war.

Werke: Die Katholische Aktion. Eine systematische Darstellung ihrer Idee (Paderborn ²1935); Des Rufes gegenwärtig (Osnabrück ²1936); Ansprache... an die katholischen Abgeordneten beim Eröffnungsgottesdienst zum Bundestag in Bonn am 7. September 1949, in: Kirchliches Amtsblatt Münster 1949, Nr. 16, 98-100; Iter para tutum. Apostolat in der modernen Welt. Hirtenworte des Bischofs von Münster, Dr. Michael Keller, hrsg. von Laurenz Böggering (Münster/Westf. 1961).

Lit.: Joseph Leufkens, Michael Keller, Bischof von Münster. Ein Gedenkblatt zur Weihe und Inthronisation am Fest der Apostel Simon und Judas, dem 28. Oktober 1947 (Münster 1947); — Julius Angerhausen, Brückenschlag nach Afrika. Die Reise des Bischofs von Münster, Dr. Michael Keller, in die ost- und südafrikanischen Missionen. Tagebuchnotizen und Bilder (Düsseldorf 1957); — Franz Kroos, Dr. Michael Keller, Bischof von Münster (Recklinghausen ²1962); — Bernhard Niehues, Ignem veni mittere terram. Vor zehn Jahren starb Michael Keller, in: Unsere Seelsorge. Beilage zum Kirchlichen Amtsblatt für die Diözese Münster 21 (1971) 6-11; — Emil J. Lengeling, Bischof Michael Keller zum Gedenken. Seine Vorschläge für das Zweite Vatikanische Konzil vom 25. August 1959, in: ebd. 26 (1976) 25-27; — Heinz Hürten, Michael Keller (1896-1961), in: Zeitgeschichte in Lebensbildern. Aus dem deutschen Katholizismus des 19. und 20. Jahrhunderts, Bd 4, hrsg. von Jürgen Aretz, Rudolf Morsey, Anton Rauscher (Mainz 1980), 208-224; — Michael Keller zum Gedenken. Gedenkstunde im Franz-Hitze-Haus am 6. November 1981. Mit Beiträgen von Bischof Dr. Reinhard Lettmann u.a., hrsg. vom Franz-Hitze-Haus (Münster 1982).

Karl Josef Rivinius

KELLER, Paul, Schriftsteller, * am 6. Juli 1873 in Arnsdorf, Kr. Schweidnitz (Schlesien), † am 20. August 1932 in Breslau. — Als Sohn eines Maurers und Schnittwarenhändlers geboren, fiel K. schon während seiner Volksschulzeit durch seinen Wissensdurst auf. Er erhielt von einem jungen Lehrer Privatunterricht und debütierte bereits als Schüler mit Gedichten in der »Deutschen Dichterlaube« (Berlin). Er sollte Lehrer werden und besuchte deshalb von 1887-90 die Präparandenanstalt in Landeck und anschließend von 1890-93 das Lehrerseminar in Breslau. Nach acht Monaten als Lehrer in Jauer, Kr. Ohlau wechselte er 1894 als Hilfslehrer an die Präparandenanstalt in Schweidnitz. Danach war er von 1896 an Volksschullehrer in Breslau, bis er sich 1908 entschloß, den Schuldienst zu verlassen und sich ganz der Schriftstellerei zu widmen. Meist zusammen mit seinem Freund und Schriftstellerkollegen Paul Barsch unternahm er zwischen 1903 und 1927 zahlreiche Reisen durch Europa und Nordafrika. Dazu kamen häufige Lese- und Vortragstourneen durch Deutschland, Österreich, die Schweiz und die Tschechoslowakei. — K. gehörte zu den meistgelesenen Autoren in der ersten Hälfte des 20. Jahrhunderts; die Gesamtauflage seiner Bücher lag 1931 bei 5 Millionen, es gab Übersetzungen in 17 Sprachen. Einige seiner Romane wie »Waldwinter«, »Die Heimat«, »Der Sohn der Hagar« und »Ferien vom Ich« wurden auch verfilmt. Fast alle seine Werke, oft in Form von Allegorien, Gleichnissen und Märchen erzählt, spielen in K.s schlesischer Heimat und beschreiben deren Schönheit. Er stand - zumindest in seinen Frühwerken - der Heimatkunstbewegung nahe, dabei faßte er »Heimat« romantisch-idyllisch und konservativ-moralisch in Wertvorstellungen des ausgehenden 19. Jahrhunderts. Zeit- und sozialkritische Fragen oder gesellschaftliche Analysen lagen ihm fern, aber er versuchte in allen seinen Büchern, die Leser zu Frieden und Versöhnung zwischen Generationen und gesellschaftlichen Schichten sowie zur moralischen Umkehr und zur Abwendung von materiellem Gewinnstreben zu erziehen. Aber im Gegensatz zu seinen frühen Werken, die von Originalität und Erzählfreude geprägt sind, wirken K.s späte Werke oft süßlich-kitschig und klischeehaft-sentimental.

Werke: Gold und Myrrhe, 2 Bde., 1898-1900; Waldwinter, 1902; Die Heimat, 1903; In deiner Kammer, 1903; Das letzte Märchen, 1905; Der Sohn der Hagar, 1907; Das Niklasschiff, 1907; Die Alte Krone, 1909; Die fünf Waldstädte, 1910; Stille Straßen, 1912; Die Insel der Einsamen, 1913; Gedeon, 1914; Grünlein, 1915; Ferien vom Ich, 1916; Das königliche Seminartheater und andere Erzählungen, 1916; Ein Stück eigener Lebensgeschichte, 1916; Von Hause. E. Paketchen Humor aus den Werken, 1917; Hubertus, 1918; Von kleinen Leuten und großen Dingen, 1919; In fremden Spiegeln, 1920; Altenroda, 1921; Die vier Einsiedler, 1923; Im Bergland erträumt, 1924; Die drei Ringe, 1924; Dorfjunge, 1925; Marie Heinrich, 1926; Titus und Timotheus und der Esel Bileam, 1927; Sieh dich für!, 1928; Drei Brüder suchen das Glück, 1929; Ulrichshof, 1929; Das Geheimnis des Brunnens, 1930; Das Eingesandt, 1931; Mihel, der Rächer, 1931; Bergkrach, 1931; Vergrabenes Gut, 1932; In den Grenzhäusern, hrsg. von Hans Schauer, 1933; Sein zweites Leben, 1934. — Ges.ausg.: Werke, 14 Bde., 1922-25. — Gab heraus: Der Guckkasten, Jg. 4-7, 1908-11; Allgemeiner Familien-Kalender, Jg. 20-22, 1907-1909; Der gemittliche Schläsinger, Kalender für die Provinz Schlesien, Jg. 25-27, 1907-1909; Die Bergstadt, Jg. 1ff.., 1912-31; Jahrbuch der Bergstadt 1921, 1921. — Bibliographie in: Wir Schlesier 13, 1932, 77-96.

Lit.: Hans Heinrich Borcherdt, Zum Geleit, P.K., 1910; — G.W. Eberlein, P. K., 1922; — Hermann Wentzig, P.K., Leben und Werk, 1954; — Alfons Teuber, P.K. zu seinem 25. Todestag am 20. August 1957, in: Schlesien 2, 1957, 122-124; — Arno Lubos, Die schlesische Dichtung im 20. Jh., 1961, 18ff. u. 66; — ders., Geschichte der Literatur Schlesiens II, 1967, 127-136; — Josef Maier-Krafft, Fünfzig Jahre »Ferien vom Ich«. Erinnerungen an P.K., in: Der Schlesier H. 18, 1964, 6; — Gabriel Wystub, Begegnung mit P.K. Ein Erlebnisbericht, in: ebd., H. 1, 1965, 2; — Jochen Hoffbauer, P.K. Zu seinem 35. Todestag am 20.8. 1967, in: ebd., H. 33, 1967, 6; — ders., P.K., in Schlesische Lebensbilder, Bd. V, 1968, 178-186; — Wolfgang Tschechne, P.K., in: Große Deutsche aus Schlesien, hrsg. v. Herbert Hupka, 1969, 235-242; — Wilhelm Menzel, P.K. - dem großen deutschen Volkserzähler zum 100. Geburtstag, in: Schlesien 18, 1973, 149-155; — EncC VII, 669f.; — DLL VIII, 1039f.; — NDB XI, 465f.; — Catholicisme VI, 1394; — Brockhaus X, 76; — Meyer XIII, 580; — Wilpert, 785; — Killy, Lit.lex. VI, 275.

Roland Böhm

KELLER Pius (Johannes), Augustiner (seit 1849), * 30.9. 1825 in Ballingshausen (Diözese Würzburg), † 15.3. 1904 zu Münnerstadt (Ufr.), 1849 Diözesanpriester von Würzburg, im gleichen Jahr Eintritt in den Augustiner-Eremitenorden; 1849-1864 und 1870-1897 Lehrer am Gymnasium in Münnerstadt. Als Prior ebendort (1853-1864; 1870-1895; 1902-1904) und Germershausen (Eichsfeld/Niedersachsen, 1864-

1870, - erste Gründung nach der Säkularisation!) - als Generalkommissär (1859-1895) und erster Provinzial der wiedererrichteten Ordensprovinz (1895-1902) hob er Personalstand, Zahl der Klöster (bei seinem Tod waren es sieben). Zugleich mühte er sich als Voraussetzung für eine gedeihliche Entwicklung um Ordenszucht und rechten Ordensgeist. Darum gilt er als Restaurator des Ordens in Deuschland nach der Säkularisation. Angesehen auch in seiner Heimatdiözese galt er einmal als Kandidat für den Bischofsstuhl von Würzburg. 1872-1881 war er auch Generalassistent für die mitteleuropäischen Provinzen. Als Lehrer, Oberer und Seelsorger machte er tiefen Eindruck bei allen, die mit ihm zusammenkamen, durch seine vorbildliche Frömmigkeit und sein ernstes Streben nach der Vollkommenheit seines Standes. Darum Einleitung eines Seligsprechungsprozesses bei der Bischöflichen Kurie in Würzburg (1934); 1956 Wiederaufnahme des Verfahrens (die Akten waren 1945 durch Kriegseinwirkung verbrannt); im gleichen Jahr Akten nach Rom, wo der Prozeß vor dem Abschluß steht (1989).

Werke: Monumentum pietatis, Münnerstadt 1869; Index Episcoporum Germanorum OESA, ebd. 1876; Handbuch für die Ordensmitglieder, ebd. 1887.

Lit.: Ludwig Altenhöfer, Mit Leib und Seele (Lebensbild), Würzburg 1954; — Ildefons M. Dietz OSA., Der Gottesfürchtige. Biographie (Ms. 1975); — Mehrere Artikel über ihn in Ztschr. Maria v. Guten Rat, Augustinusverlag Würzburg (Bd. I; XI; XIII; XVII; XXI.); — LThK VII, 107.

W. Hümpfner/I. Dietz

KELLER, Samuel D. (1856-1924), Pfarrer und Evangelist, geb. in Petersburg als Sohn eines Schweizer Lehrers. Als Pfarrer bei den deutschen Bauern in der russischen Steppe und auf der Krimm erlebte er seit 1881 tiefgehende Erweckungen. Er flüchtete 1890 als politisch Verdächtiger nach Deutschland, wurde Generalsekretär der deutschen Sittlichkeitsvereine, 1892 Pfarrer in Düsseldorf und dann 1898 freier Evangelist. Er verstand es, das erweckliche, zur Entscheidung rufende Evangelium den Gebildeten, auch den Kirchenfremden, in eigner Sprachgestalt zu sagen. In 25 Jahren redete er in über 6000 öffentl. Vorträgen vor mehr als 6 Mill.

Menschen. In seinen seelsorgerl. Sprechstunden waren über 24.000 Besucher. Er schrieb über 70.000 Briefe. Neben Elias Schrenk war er der bekannteste deutsche Evangelist. Er gehörte nicht zum Gnadauer Verband, sondern mit Lepsius zusammen, zum »Eisenacher Verband für kirchl. Evangelisation und für Pflege kirchl. Gemeinschaft und ev.Lebens«, der 1904 gegründet war. Leider gelang es diesem Bund nicht, eine Annäherung zwischen kirchlicher Theologie und Gemeinschaftsbewegung herbeizuführen. Mit den hohen Kollekten seiner gut besuchten Versammlungen finanzierte K. Missionsstationen.

Werke: Außer Romanen (z.T.unter dem Pseudonym Ernst Schrill): Mein Abendsegen, 1930[8]; In der Furche (Predigten) 1927[5]; Auferstehung des Fleisches 1913; Aus meinem Leben I. II, 1917/22; Meine Minuten, 1918; Sonnige Seelsorge, 1918. — Herausg. des Monatsblattes »Auf dein Wort«.

Lit.: L.Weichert: S.K., Eine Ährenlese, 1925 — E.Bunke, S.K. Gottes Werk und Werkzeug (Zeugen des gegenw. Gottes 5) 1949 — H. Brandenburg: K.S., RGG[3]III, Sp. 1237 f. — H.Bruns: Ergriffen von Jesus Christus. 1963, S. 103 ff. — P.Scharpff: Geschichte der Evangelisation, 1964, S. 263 f.

Burkard Krug

KELLERMANN, Bernard Georg. Erwählter Bischof von Münster, * 11.10. 1776 als ältestes von neun Kindern des Hauswebers Johann Georg K. und seiner Ehefrau Sibilla Fischer in Freckenhorst (Stadt Warendorf), † 29.3. 1847 in Münster. —Ursprünglich für den Beruf des Vaters bestimmt, ermöglichten Gönner dem 15jährigen den Besuch des Gymnasium Paulinum in Münster. Dort Abitur und anschließend Studium der Theologie, 1800 Eintritt in das Priesterseminar. 1801-1817 Erzieher und Hofmeister im Hause des 1800 zur kath. Kirche übergetretenen Grafen Friedrich Leopold von Stolberg, dadurch Anschluß an den für die Erneuerung des religiösen Denkens und Lebens im Münsterland und in Westfalen bedeutsamen »Kreis von Münster« um die Fürstin Gallitzin, durch den K. wesentliche Impulse zu seiner Weiterbildung und zur Ausprägung einer konservativ katholisch-religiösen Weltsicht erfuhr. 1802 Priesterweihe in Münster, 1811 Pfarrer an St. Servatii ebenda, aber von einem Vizekurat vertreten, 1817-1840 Pfarrer an St. Ludgeri und Dechant des Dekanates Münster. Eine von kirchlichen Kreisen vorgenommene Berufung zum Professor für Dogmatik an der theologischen Fakultät Münster 1820 in der Nachfolge des nach Bonn wechselnden Georg Hermes scheiterte am staatlichen Widerspruch. Neben seinem Pfarramt war K. 1820 zwei Semester Dozent für Dogmatik am Priesterseminar, 1823 Geistlicher Rat am Generalvikariat, 1824-1847 Domprediger, seit 1826 ao., seit 1832 o. Professor für neutestamentliche Exegese an der Akademie Münster. 1837-1847 wechselte er auf den Lehrstuhl für Pastoraltheologie über, der K.s priesterlicher Einstellung in besonderer Weise entsprach. 1834 verlieh ihm die Akademie den Grad eines Dr. theol. Eine Berufung 1826 zum Propst von St. Hedwig in Berlin blieb wegen K.s Bindungen in Münster erfolglos. In der Nachfolge des zum Erzbischof von Köln erhobenen Münsterschen Weihbischofs Clemens-August Freiherrn Droste zu Vischering übernahm K. 1836-1847 das Direktoriat über die von diesem 1808 gegründete »Genossenschaft der Barmherzigen Schwestern« in Münster, die er um 12 Filialgründungen in Westfalen und im Rheinland erweiterte. Eine in der Zeit des Preußenkönigs Friedrich Wilhelm III. unterbliebene Berufung zum Domkapitular wurde unter dessen Nachfolger 1841 durch königliche Nomination realisiert und K. zum Dompfarrer ernannt. Im gleichen Jahr stand sein Name auf der Kandidatenliste für den vakanten fürstbischöflichen Stuhl in Breslau. Im 71. Lebensjahr am 10.12. 1846 zum Bischof zu Münster gewählt, starb K. am Tage der Präkonisation in Rom am 29.3. 1847 im Domumgang zu Münster. —K. zählte nach dem Urteil des preußischen Ministers von Altenstein zu den »nach Talent und Bildung ausgezeichnetsten Geistlichen der Provinz Westfalen«. Er war jedoch - wie auch seine Schriften ausweisen - weniger Wissenschaftler als vielmehr Seelsorger, der vor allem durch sein frommes und selbstloses Priesterbeispiel und seine Predigten an der religiösen Erneuerung seiner Zeit mitwirkte. In der entschiedenen Ablehnung des Hermesianismus und der Mischehe stand er den bischöflichen Brüdern Caspar Maximilian und vor allem Clemens August von Droste zu Vischering, denen er 1845 und 1846 die Grabrede hielt, nahe, seine gewinnende persönliche Art sichertem ihm je-

doch eine allseitige Wertschätzung, die sich in seiner Wahl zum Bischof von Münster in der Nachfolge Caspar Maximilians von Droste 1846 ausdrückte. Der langen Reihe adliger Oberhirten in Münster wäre damit erstmals seit mittelalterlicher Zeit ein Mann aus dem Volke auf dem Stuhl des Hl. Liudger gefolgt, dessen pastorale Schriften noch lange nachgewirkt haben.

Werke: Friedrich Leopold Grafen zu Stolbergs kurze Abfertigung der langen Schmähschriften des Hofrats Voß wider ihn, Hamburg 1820, Vorwort; Über die Pflicht der Pfarrer, für die Bildung der Schuljugend zu sorgen. Eine Synodalrede, Münster 1820; (Hg.): Friedrich Leopold Stolberg, Betrachtungen und Beherzigungen der hl. Schriften, Hamburg 1821, Vorrede; Gebetbuch, bestimmt zum Gebrauche der Junggesellensodalität zu Münster, Münster 1822, 1875[9]; Biblische Geschichten des alten und neuen Testaments zum Gebrauch der deutschen Schulen, ausgezogen aus des Herrn Overberg's größerm Werke und mit Anmerkungen begleitet, Münster 1823, 1900[88]; Faßlicher Unterricht über den Jubelablaß nebst Anleitung, sich dessen teilhaftig zu machen, Münster 1826, 1856[14]; Sermones synodales in ecclesia cathedrali Monasteriensi habiti, Münster 1826, 1827, 1830, 1832, 1833, 1835; (Hg.): Nachmittagsandacht. Anhang zu Albers' Vorbereitung der Kinder zur ersten hl. Kommunion, Münster 1831, 1908[17]; Zwei Reden an Neukommunikanten, Münster 1831; Predigten auf die Sonn- und Festtage des Jahres, 3 Bde., Münster 1830, 1833, 1856[3]; Sieben Fastenpredigten. Auszug aus: Predigten auf die Sonn- und Festtage des Jahres, Münster 1833, 1837[2]; Prooemium zum Index lectionum der Akademie zu Münster für das Wintersemester 1834-35 über das Wort: Quid sit adorare in spiritu et veritate, Joh. 4, 20-21, Münster 1834; desgl. für das Wintersemester 1837-1838: Examen de variis mediis, quibus interpretes sacri diem ultimae coenae et mortis D.N.J. Christi interpretati erant, Münster 1837; (Hg.): Friedrich Leopold Graf von Stolberg, Unterricht über einige Unterscheidungslehren der kath. Kirche, Münster 1842; (Hg.): W. Hüffer, Neues Krankenbuch, 3. verbesserte und vermehrte Auflage, Münster 1842; Gott, meine Zuflucht. Ein vollständiges Gebetbuch für den katholischen Christen, nebst einem Anhange von 7 Litaneien, Münster 1845, 1851[5]; (Hg.): Th. Katerkamp, Anleitung zur Selbstprüfung für Weltgeistliche, 3. Auflage, durchgesehen und verbessert, Münster 1845; Predigt am Feste der hl. Apostel Petrus und Paulus, gehalten im Dom zu Münster, Münster 1845; Katechismus der christ-katholischen Lehre, ausgezogen aus Overberg's größerem und kleinerem Katechismus und mit Zusätzen versehen, Münster 1845, 1896[25]; Trauerrede, bei der Beisetzung des Erzbischofs Clemens August von Köln gehalten, Münster 1845; Trauerrede, bei der Beisetzung des Bischofs Kaspar Maximilian von Münster, Münster 1846; Die letzte Fastenpredigt, hg. von S. Kaal, Münster 1847; über Stolbergs Rückkehr zur katholischen Kirche (aus dem Nachlaß hg.), in: Sonntagsblatt 1847.

Lit.: Zur Erinnerung an den hochw. Herrn Georg Kellermann, Münster 1847; — F.C. Krabbe, Gedächtnisrede beim Tode Kellermanns, Münster 1847; — H.J. Kappen, Erinnerungen aus alter und neuer Zeit, Münster 1880, 97-98; — Konrad Martin, Zeitbilder oder Erinnerungen an meine verewigten Wohlthäter, Mainz 1879, 109-112; — Heinrich Brück, Geschichte der katholischen Kirche in Deutschland im 19. Jahrhundert, Mainz 1887-1908; — Johannes Janssen, Friedrich Leopold Graf zu Stolberg, hg. von Ludwig von Pastor, Freiburg 1910[4], 223, 293 ff., und öfter; — B. Wilking, Die Genossenschaft der Barmherzigen Schwestern (Klemensschwestern), Dülmen 1927; — Friedrich Beelert, Bernard Georg Kellermann, Münster 1935; — Eduard Hegel, Fürstenberg und die katholische Fakultät Münster, in: Westfalen 39, 1961, 58-64; — Ders., Geschichte der katholischen Fakultät Münster 1773-1964, Bd. I, Münster 1966, 176-178, Bd. II (1971), 38-39; — Ders., Die katholische Theologie in Münster, in: Heinz Dollinger (Hg.), Die Universität Münster 1780-1980, Münster 1980, 256; — Ders., Die katholische Kirche 1800-1962, in: W.Kohl (Hg.), Westfälische Geschichte, Bd. II, Münster 1983, 353-357; — Meinolf Mückshoff, Domkapitular Bernhard Georg Kellermann (1776-1847). Der Domprediger in der Zeit der katholischen Erneuerung nach der Säkularisation, in: Alois Schröer (Hg.), Das Domkapitel zu Münster 1823-1973, Münster 1976, 250-263; — Friedrich Helmert, Die residierenden Domkapitulare, ebd. 364-365; — Meinolf Mückshoff, Predigt und Predigen auf der Cathedra Paulina. Eine Studie zum Predigtwesen im Dom zu Münster (=Westfalia sacra, Bd. 8), Münster 1985, 171-186; — Peter Trotier, Die soziale Herkunft der Bischöfe der Kölner Kirchenprovinz sowie der Bistümer Hildesheim und Osnabrück im 19. Jahrhundert (Staatsexamensarbeit) Münster 1977; — Ernst Raßmann, Nachrichten von dem Leben und den Schriften münsterländischer Schriftsteller des 18. und 19. Jahrhunderts, Münster 1866, 172-173; — ADB 15 (1882) 585; — Wetzer und Welte, VII (1891) 366-369; — Wilhelm Kosch, Das katholische Deutschland. Biographisch bibliographisches Lexikon, 1933ff., 2065; — Börsting-Schröer, Handbuch des Bistums Münster, Münster 1946[2], 112; — LThK VI (1961), 108; — Wilhelm Schulte, Westfälische Köpfe, Münster 1977[2], 146-147; — Eduard Hegel, Kellermann, Bernard Georg (1776-1847), in: Erwin Gatz (Hg.), Die Bischöfe der deutschsprachigen Länder 1785/1803-1945. Ein biographisches Lexikon, Berlin 1983, 369-370.

Paul Leidinger

KELLEY, Francis Clement, kath. Priester und Bischof, * 1870 in Kanada, † 1949. — Im Jahre 1893 wurde K. zum Priester für die Diözese Detroit, Michigan, geweiht, in der er als Seelsorger wirkte. Im Jahre 1905 gründete er die Catholic Church Extension Society (ein Werk, das in seiner Bestimmung dem Bonifatiuswerk der deutschen Katholiken, Paderborn, ähnlich ist), die er 19 Jahre lang leitete. Diese Gesellschaft, der Papst Pius X. die päpstliche Anerkennung verlieh, setzte sich zum Ziel, bedürftige Pfarreien und Seelsorgestellen in jenen Gebieten der Vereinigten Staaten zu unterstützen, in denen die Katholiken in einer Diasporasituation leben;

dazu gehört auch die finanzielle Hilfe für bedürftige Priester und Seminaristen, ein Hilfsprogramm für den Bau von Kirchen und ein Ausbildungsprogramm für freiwillige Laienmissionare. K. gründete ebenfalls die Zeitschrift »Extension«, die eine Abonnentenzahl von 3 Millionen erreicht hat und vom Hauptsitz der Extension Society, Chicago, herausgegeben wird. — K. war auch diplomatisch aktiv. Auf der Friedenskonferenz nach dem ersten Weltkrieg unterstützte er die mexikanischen Bischöfe; der Apostolische Stuhl betraute ihn mit der Leitung einer vatikanischen Delegation nach England, usw. Im Jahre 1924 wurde K. Bischof der Diasporadiözese Oklahoma City und Tulsa (seit 1972 ist Oklahoma City Erzdiözese, und Tulsa ist eigenständige Diözese). Während seines bischöflichen Dienstes gelang es K., den Einfluß des mächtigen Ku-Klux-Klan einzudämmen. Aus seiner Feder stammen auch einige volkstümliche Bücher und Romane, doch sein Hauptwerk ist die lesenswerte Autobiographie »The Bishop Jots It Down« (1939).

Lit.: Encyclopedic Dictionary of Religion, Philadelphia-Washington 1979, 1296; — Annuario Pontificio 1991, Vatikan 1991, 478 (Oklahona City, 1.881.000 Einwohner, davon 79.797 Katholiken). 704 (Tulsa, 1.130.100 Einwohner, davon 54.486 Katholiken).

Johannes Madey

KELLNER, Eduard Gustav, separierter (alt)lutherischer Pfarrer, * 1801 in Pangau (Oberschlesien), † 1878 in Schwirz Kr. Namslau. — Bekannt wurde K., der restaurativen Erweckungsbewegung um den Baron Ernst von Kottwitz (s.d.) nahestehend, durch seinen Widerstand, den er in seiner schlesischen altlutherischen Gemeinde Hönigern (Kr. Namslau) gegen die Einführung der liturgisch zwar unierten, von der Lehre aber als unzulänglich betrachteten Preußischen Agende leistete. K. fand im Kollegenkreis weite Unterstützung; er gehörte dem Ausschuß für »Communication über unsere Kirchenangelegenheiten mit der hohen Behörde« an, deren theologische Bedenken aber bei Hofe desavouiert wurden. Theologisch sekundierte ihm Johann Gottfried Scheibel (s. d.) (der ihn auch zur Erweckungsbewegung brachte), juristisch der

Breslauer Ordinarius Georg Philipp Eduard Huschke (1801-1186) sowie der Naturphilosoph Hendrik Steffens (s.d.). 1834 nach wiederholter Insubordination vor die Entscheidung gestellt, wurde K., der mit seinen Gesinnungsgenossen massiv am Berliner Hof zu intervenieren versucht hatte, am 11.9. vom Dienst suspendiert, später sogar amtsenthoben. Die Mißachtung dieses Beschlusses führte kurz danach zu seiner Inhaftierung in Breslau, aus der er aber unter Auflagen rasch entlassen und nach Verstoß gegen selbige erneut arrestiert wurde; vier Jahre sollte er nun im Gefängnis verbringen. Die Einsetzung eines Pfarrverwalters an K.s statt vermochte allerdings nicht die K. treu ergebene separatistische Gemeinde umzustimmen; am 4.12. ging auf Kabinettsorder Militär gegen Hönigern vor, die Kirche wurde trotz des passiven Widerstands der Gemeinde mit Kolbenschlägen aufgebrochen. — K. starb auf seiner letzten Pfarrstelle.

Werke: Die Beschuldigungen des Prof. Dr. Hermann Olshausen zu Erlangen gegen die Hönigernsche Kirchengemeinde, ihren Pastor und die schles. Lutheraner in der Abhandl.: »Was ist von den neuesten kirchl. Ereignissen und von der Anwendung milit. Gewalt wider die strengen Lutheraner daselbst zu halten?« Beleuchtet in einem offenen Sendschreiben, Leipzig 1835; C. Ehrenström/E. K., Die neuesten Widersacher der luth. Kirche, Leipzig 1838; Lebenslauf des Daniel Tschierlei, luth. Kirchenvorstehers und Kirchenrates zu Schwietz, am Pfingstfest 1850 von der dasigen Kanzel deutsch und polnisch abgekündigt, Breslau 1850; Die wichtigsten Unterscheidungslehren der lutherischen, reformierten, unierten und katholischen Kirche. 2. Aufl., vermehrt durch den Abdr. der drei wichtigsten Kabinetsordern über Union und Confession nebst 30 Anmerkungen, und der General- und Specialconcession für die luth. Kirche in Preußen nebst mehreren Actenstücken aus der Verfolgungszeit von 1834-1840, Leipzig 1852; Gottes Führen und Regieren zur Erhaltung der luth. Kirche in Preußen. Erlebnisse, Dresden ³1868; Die wichtigsten Unterscheidungslehren der lutherischen, reformirten, unirten und katholischen Kirche. Ein Auszug aus früherer Schrift für Konfirmanden und neue Aufzunehmende, Elberfeld ³1899.

Lit.: Georg Philipp Eduard Huschke, Verteidungsschr. für K. (8.12.1834, Staatsarchiv Breslau, Schles. Konsistorial-Registratur, Rep. 205 Acc 47/12 Nr. 483, 146-164); — Johann Gottfried Scheibel, Actenmäßige Gesch. der neuesten Unternehmungen einer Union zw. der reform. und luth. Kirche vorzüglich durch gemeinschaftl. Agende in Dtld. und besonders in dem preuß. Staate, 2 Tle., Leipzig 1834; — Ders., Letzte Schicksale der luth. Parochien in Schlesien, Nürnberg 1834; — Blüher, Neueste kirchl. Ereignisse in Schlesien, Nürnberg 1835; — Hermann Olshausen, Was ist von den neuesten kirchl. Ereignissen und von der Anwendung milit.

Gewalt wider die strengen Lutheraner daselbst zu halten?, Leipzig 1835; — Hermann Theodor Wangemann, Sieben Bücher Preuß. Kirchengesch., Berlin 1859, II, passim; — Ders., Drei Preuß. Dragonaden wider die luth. Kirche. Ergänzungsheft zum Dritten Band der Una Sancta, Berlin 1884; — Johannes Nagel, Die Kämpfe der ev.-luth. Kirche in Preußen seit Einführung der Union. I. Teil: Die ev.-luth. Kirche und der Staat, Stuttgart 1869 (mehr nicht erschienen); — Ders., Die Errettung der Ev.-luth. Kirche in Preußen von 1817-1845, Elberfeld ⁴1905; — Georg Froböß, E. G. K. Ein Zeuge der luth. Kirche, gewürdigt um der Wahrheit willen zu leiden, Elberfeld ²1893; — Erich Foerster, Die Entstehung der Preuß. Landeskirche unter der Regierung König Friedrich Wilhelms des Dritten nach den Quellen erzählt, Tübingen 1907, II, 291-304, 511-527 (Quellen); — O. Aust, Die Agendenreform in der ev. Kirche Schlesiens während der Aufklärungszeit und ihr Einfluß auf die Gestaltung des kirchl. Lebens (Diss. theol.), Breslau 1910; — Rosemarie Hohberg, Beiträge zur schles. Geistesgesch. unter Friedrich Wilhelm III. Die altluth. Bewegung 1830-1840 (Diss. phil. masch.), Breslau 1944, 131 ff. (Teildr. u. d. T.: Friedrich Wilhelms III. liturg. Union und die Gründe für die schles. Opposition 1944: KO 20 [1977], 147-176); — Werner Klän, Die Anfänge der altluth. Bewegung in Breslau: KO 21/22 (1978/1979), 141-169; — Peter Maser, Georg Philipp Eduard Huschke an Hans Ernst von Kottwitz. Eine Unters. zum Verhältnis der altluth. Opposition in Breslau zur Erweckungsbewegung: KO 25, 1982, 11-63; — RGG² III, 720.

Klaus-Gunther Wesseling

KELLNER, Lorenz, katholischer Pädagoge, * 29.1. 1811 in Kalteneber bei Heiligenstadt, † 18.8. 1892 in Trier. — L.K. war der Sohn des Lehrers und Pestalozzi-Schülers Heinrich K. und wuchs, wenn auch nicht in dürftigen, so doch in bescheidenen häuslichen Verhältnissen auf. Er besuchte die Volksschulen in Heiligenstadt und Nordhausen sowie die Gymnasien in Heiligenstadt und Hildesheim (dort unter anderen naturwissenschaftlicher Lehrer: Johannes Leunis). Sein Plan, katholische Theologie zu studieren und Geistlicher zu werden, scheiterte an fehlender Unterstützung in materieller Hinsicht, so daß er von 1828 bis 1831 das protestantische Lehrerseminar in Magdeburg (Leiter: Karl Gottlieb Zerrenner) besuchte, wobei er die Studienkosten zum größten Teil durch Privatstunden aufbringen mußte. Von 1831 bis 1836 lehrte er an den Volksschulen in Mackenrode und Erfurt (Lorenz- Schule, seit 1833 Rektor) und amtierte von 1836 bis 1848 als Seminarlehrer am neu gegründeten Lehrerseminar in Heiligenstadt, das unter der Leitung seines Vaters stand. Im Jahre 1848 wurde er zum Regierungs-

und Schulrat im Regierungsbezirk Marienwerder berufen, war 1847-1849 auch Mitglied des Preußischen Abgeordnetenhauses und amtierte von 1855 bis 1886 als Regierungs- und Schulrat in Trier. In den Jahren 1867-1870 gehörte er als Abgeordneter des Wahlkreises St. Wendel dem Preußischen Landtag an, wechselte allerdings von der sich immer mehr antikatholisch zeigenden Freikonservativen Partei zur Fraktion des Zentrums über. In Anerkennung seiner Verdienste verlieh ihm die Akademie zu Münster am 22.3. 1863 die philosophische Doktorwürde ehrenhalber. 1871 erfolgte K.s Ernennung zum Geheimen Regierungsrat, hinzu kam die Verleihung dreier hoher Orden (als höchster der der zweiten Klasse des Kronenordens) durch die preußische Regierung. Kultusminister Adalbert Falk berief ihn am 23.5. 1872 zum Mitglied der Kommission für die Beratung des Volksschul- und Seminarwesens (Landesschulkonferenz, Allgemeine Bestimmungen), obwohl bekannt war, daß der dezidiert katholische K. politisch wie weltanschaulich nicht mit den Vorstellungen des Ministers übereinstimmte. Im Kulturkampf gelang es dem als ultramontan verdächtigten K., seine Stellung infolge guter Beziehungen zu den Trierer Regierungspräsidenten zu verteidigen und verschiedene antikirchliche Entscheidungen der Regierung (Lokal- und Kreisschulinspektion) zu hemmen. Am 1.7. 1886 trat er in den Ruhestand, den er in Trier verlebte. Der Katholische Lehrerverbanmd ernannte ihn 1891 zum Ehrenmitglied. — K. gilt als der bedeutendste katholische Pädagoge des 19. Jahrhunderts. Er entwickelte eine reiche literarische Tätigkeit. An selbständig erschienenen Schriften sind insbesondere zu nennen: Praktischer Lehrgang für den gesamten deutschen Sprachunterricht, 4 Bände (Erfurt 1837-1840, Altenburg [18]1892); Zur Pädagogik der Schule und des Hauses; Aphorismen (Essen 1850, [17]1907); Pädagogische Mitteilungen auf dem Gebiete der Schule und des Lebens (Essen 1853, [4]1889); Volksschulkunde (Essen 1855, [8]1886); Skizzen und Bilder aus der Erziehungsgeschichte, 3 Bände (Essen 1862, [3]1880); Kurze Geschichte der Erziehung und des Unterrichts (Freiburg 1877, [11]1899). Grundzug all seiner Werke ist ein festes katholisches Bekenntnis und absolute Treue zur katholischen Kirche. Nur

auf dieser Grundlage können nach K. Unterricht und Erziehung gedeihen. Doch polemisiert er in den Ausformulierungen dieser Grundlage nicht gegen Andersgläubige: »Seine Auffassung, daß religiöse Entschiedenheit mit wahrer Toleranz harmonisierte, läßt ihn gerecht im Urteil gegen Andersdenkende sein« (Karl August Wiederhold). Aufgabe der Schule ist es nach K., das Kind zu Gott zu führen, so daß die Schule nicht nur Unterrichts-, sondern auch Erziehungsanstalt sein muß. Dabei kommt der Pflege des Gemüts, u. a. durch einen lebensvollen Umgang mit Sprache und Dichtung, nach K. eine hervorragende Rolle zu, die die einseitig abstrakte Verstandesbildung relativieren soll. Auch die Persönlichkeit des von Glauben, Menschlichkeit und Fachwissen durchdrungenen Lehrers ist für K. von entscheidender Bedeutung, ferner die Ergänzung von Schule und Elternhaus, die gemeinsam das Ziel der ganzheitlichen Bildung des Kindes in Angriff zu nehmen haben. — Neben diesen pädagogischen Prinzipien eher konservativer Prägung vergaß K. die Praxis keineswegs und trat entschieden für die gesellschaftliche und wirtschaftliche Hebung des Lehrerstandes ein, was ihm den Beinamen »katholischer Diesterweg« einbrachte. Sein Engagement hat wesentlich zur Entwicklung eines Standesbewußtseins seitens der Lehrerschaft beigetragen. K. verstarb infolge einer Influenza und wurde am 20.8. 1892 auf dem Friedhof der Trierer Pfarrei St. Paulin beigesetzt. In seinem Todesjahr wurde in Trier eine Stiftung »Verein für Gründung einer Lorenz Kellner-Stiftung« gegründet, die zum Ziel hatte, Kindern und vor allem Waisen katholischer Volksschullehrer eine Berufsausbildung zu ermöglichen (ähnliche Stiftungen 1894 in Westpreußen; in Wien erfolgte bald nach K.s Tod die Gründung des 1938 aufgelösten »Lehrervereins Dr. Lorenz Kellner«) und der sich im Jahre 1900 als eingetragener Verein konstituierte (von 1901 bis 1922 vergab der Verein an Unterstützungen 14.350 Mark). 1937 vom NS-Regime liquidiert, wurde der Verein in der Nachkriegszeit erneut belebt, erlangte aber mit Ausnahme eines im WS 1962/1963 gemeinsam mit dem Deutschen Institut für wissenschaftliche Pädagogik abgehaltenen Seminars über das Wirken L.K.s infolge der allmählichen Emanzipierung der Pädagogik und Schule von Theologie und Kirche keine wesentliche Bedeutung mehr und löste sich im Jahre 1987 auf.

Werke: Gesamtbibliographie fehlt bislang. Ansätze möglich durch: Gesamtverzeichnis des deutschsprachigen Schrifttums (GV) 1700-1900, Bd. 74, 1983, 168-173; Albert Schmidt (siehe Lit.), 72 f.; Heinrich Leineweber/Adam Görgen (siehe Lit.), 109-115; Walter Kellner (siehe Lit.), 3-5; Hinzu kommen: Wetzer-Welte [2]I, 2067-2075, [2]III, 1735-1739, [2]IV, 870-881, 1299-1301, [2]V, 1030-1034.

Lit.: August Beck, Geheimrat L.K. Ein Blatt zur Erinnerung an den Hingeschiedenen, 1894; — Heinrich Leineweber/Adam Görgen, Dr. L.K. Ein Gedenkbuch für seine Freunde und Verehrer, o. J. (= 1897); — Friedrich Wienstein, Preußische Pädagogen der Neuzeit, 1900; — Edmund Oppermann, L.K., in: Wilhelm Rein, Encyclopädisches Handbuch der Pädagogik [4]IV, 1906, 811-819; — Josef Loos, Enzyklopädisches Handbuch der Erziehungskunde, Bd. I, 1906, 815 f.; — Anton Steeger, Bilder aus der Geschichte der katholischen Pädagogik des 19. Jahrhunderts, 1907, 97-101; — Adam Görgen, Erinnerungsblätter zur Hundertjahrfeier des Geburtstages des Pädagogen Dr. L.K., 1910; — Ders., L.K., der Praeceptor Germaniae, in: Der Aar 1, 1910/11, 644-651; — Ders., Was war uns L.K., was muß er uns bleiben?, in: Trierische Landeszeitung 37, 1911, Ausg. Nr. 23a vom 28.1. 1911, 1; — Ders., L.K., der Persönlichkeitspädagoge, in: Pharus 2, 1911, 35-50; — Dr. L.K., in: Trierische Zeitung 153, 1911, Ausg. Nr. 47 vom 28.1. 1911, 1; — Hermann Acker, Dr. L.K., in: Stimmen aus Maria Laach 80, 1911, 29-50; — Ders., Erziehung und Unterricht. L.K.s päd. Grundsätze, 1912; — J. B. (= N. N.), Dr. L.K., in: Leuchtturm. Illustr. Halbmonatsschrift für Studierende, hg. von Peter Anheier 4, 1911, 263-265; — Friedrich Bartholome, Kurze Gesch. der Pädagogik, 1911, 250-252; — A. Clausener, Dr. L.K., der Anwalt der rel. Erziehung, in: Katech. Blätter 37, 1911, 1-5; — Josef Michael Schmidinger, Dr. L.K., der Pädagoge der Persönlichkeit, 1912; — August Schorn, Gesch. der Pädagogik in Vorbildern und Bildern, 1911, 411-415; — Ernst Schreck, Schulrat Dr. L.K., in: Päd. Warte 18, 1911, 116-119; — N. Wolff, Ein Gedenkblatt für Dr. L.K., in: Monatsschrift für kath. Lehrerinnen 24, 1911, 11-15; — Ernst Sartorius, L.K., 1914; — Julius Ernst, Bilder aus der Gesch. der Pädagogik, [3-4]1914, 246-250; — Joseph Antz, L.K. über die Pflege des Verhältnisses zwischen Kirche und Schule, in: Das Heilige Feuer 6, 1918, 45-46; — Ders., Zur Würdigung des Pädagogen K., in: Das Heilige Feuer 6, 1918, 409-411; — Franz Hamm, Zeitgedanken für Lehrer und Seelsorger. Erinnerungen an Dr. L.K., in: Pastor bonus 32, 1919/1920, 1-9; — Willi Groth, L.K. als Erzieher, Diss. Würzburg 1922; — Wilhelm Katzenburg, Die Pädagogik Dr. L.K.s, Diss. Bonn 1922; — Berthold Müller, Dr. L.K.s Stellung zu Religion und Religionsunterricht, Diss. Bonn 1922; — Leonhard Habrich, L.K. und der Deutsche Sprachunterricht, in: Jahrbuch des Vereins für christl. Erziehungswissenschaft 16, 1925, 39-64; — Albert Schmidt, L.K. und die Entwicklung des deutschen Sprachunterrichts im 19. Jh.s, Diss. Köln 1928; — Walter Kellner, L.K., ein Religionspädagoge. Eine Darstellung seiner Erziehungslehre unter religionspäd. Schau, seine Beziehung zu B. Overberg, G. M. Dursch und Fénelon nebst Würdigung, Diss. Bonn 1938;

— Matthias Lanfer, Dr. L.K., in: Rhein- Pfälz. Schulblätter 14, 1963, 96-98; — Leo Ries, Das Vermächtnis L.K.s an unsere Zeit: ebd., 98-99; — Matthias Wehr, L.K.: ebd., 99-100; — Elisabeth Schmitz, L.K.s Bemühungen um Schule und Lehrerbildung unter Berücksichtigung der Verhältnisse im Trierer Raum, Diss. Mainz 1965; — Karl August Wiederhold, L.K. (1811-1892), in: Päd. Rundschau 29, 1975, 646-660; — Edgar Christoffel, Die Gesch. der Volksschule im Raum des heutigen Regierungsbezirks Trier von den Anfängen bis zur Gegenwart. 1. Band: Von den Anfängen bis 1932, 1975; — Ders., Der »Kulturkampf« im Bereich der Volksschule des Trier Landes, in: Kreis Trier-Saarburg. Ein Jahrbuch zur Information und Unterhaltung, 1982, 182-192; — Paul Jansen, Die Pädagogik L.K.s, Diss. Aachen 1983; — LThK [1]V, 923 f.; — LThK [2]VI, 108; — Kosch, KD 2066 f.; — Lex. der Pädagogik in 3 Bd.n III, 1952, 247 f.; — EC VII, 670 f.; — ADB LI, 505-507; — Lex. der Schulpädagogik, 1970, 79; — Meyers Enzyklopäd. Lexikon XIII, 1975, 582; — Meyers Großes Personenlexikon, 1969, 727 f.; — Buchberger, Kirchl. Handlexikon II, 340; — Lexikon der Pädagogik II, 1913, 1163-1170; — Dass. II, 1964, 1135; — Dass., Neue Ausgabe II, 1970, 410; — Der Große Herder [4]VI, 1933, 1284; — DLL VIII, 1051.

Martin Persch

KELLY, Gerald Andrew, amerikanischer Jesuit, Moraltheologe und theologischer Schriftsteller. * 1902 in Denver, † 1964. Nach dem in der Gesellschaft Jesu üblichen Studiengang - er studierte in Missouri - wurde er 1933 zum Priester geweiht und spezialisierte sich daraufhin im Fach Moraltheologie. 26 Jahre lang vertrat er dieses Fach als Professor am St.-Mary's-Priesterseminar der Gesellschaft Jesu in Kansas. Er befaßte sich mit Jugendfragen, dem Verhältnis von Moraltheologie und Medizin, anderen ethischen Problemen sowie mit Fragen der praktischen Seelsorge und der Ordensspiritualität. So war er auch über mehrere Jahre Herausgeber der für Ordensleute bestimmten Zeitschrift »Review for Religious«. In den letzten Jahren seines Lebens veröffentlichte er zusammen mit J. C. Ford eine zweibändige Moraltheologie.

Werke: Modern Youth and Chastity, 1941; Atomic Warfare, in: Theological Studies 12 (1951) 56-59, 13 (1952) 64-66; The Good Confessor, 1952; The Morality and Mutilation. Towards a Revision of the Treatise, in: Theological Studies 17 (1956) 322-344; Medico-Moral Problems, 1957; Contemporary Moral Theology [zusammen nit J. C. Ford], 2 Bde, 1958-1963.

Johannes Madey

KEMLI, Gallus, Benediktiner von St. Gallen, Wandermönch und Büchersammler, * 18.11. 1417 in St. Gallen, † ev. 12.2. 1481. — K. trat 1428 vermutlich ins Kloster St. Gallen ein (nicht ins Kloster Erlach) und wurde 1441 zum Priester geweiht, verließ 1443 mit fünf anderen Mönchen wegen Mißwirtschaft des Abtes den St. Galler Konvent und führte seither ein unstetes Wanderleben: vielleicht 1446 in Heidelberg, 1453 Kaplan im Kloster Sponheim, im gleichen Jahr in Mainz, im Wintersemester 1460 an der Universität Heidelberg immatrikuliert. 1470 Rückkehr in den St. Galler Konvent, doch 1471 wegen erneuten Streits mit Abt Ulrich Rösch wieder Wegzug ins Kloster Allerheiligen in Schaffhausen, 1473 in Tegernau (Schwarzwald), 1474 in einer unbekannten Johanniterkommende »Lot«, 1475 Pfarrer und Beichtiger bei den Lollardenschwestern in Nessental(?), danach Pleban bei den Johannitern in Freiburg i.U., später in Heitersried (FR) und im Aargau. 1480 erneute Rückkehr nach St. Gallen und Streit mit Abt Ulrich, der ihn ins Klostergefängnis setzen ließ, wo er vielleicht starb. — K. war Schreiber und leidenschaftlicher Sammler von Handschriften und Frühdrucken, »sein kleines schöpferisches Talent entfaltete sich nur auf der Grundlage vorgegebener Texte und Texttypen« (A. Holtorf). Der Wert seiner Handschriftensammlung liegt vor allem in der Bewahrung kleiner Gebrauchstexte der verschiedensten Art und Herkunft, vornehmlich zur Frömmigkeit der Zeit.

Werke: Kurze lat. Autobiographie (ed. J.J. Werner, 1905; P. Lehmann, 1918); Mariologischer Traktat, lat. u. dt., 1465 oder wenig später; Promptuarium ecclesiasticum, 1466/67; Narratio proelii Laupensis(?), um 1475 (ed. N. Strahm, 1967); lat. Cisioianus in Versen; lat. Testament (ed. J.J. Werner, 1905).

Lit.: L. Traube, Textgesch. der Regula S. Benedicti, in: Abhh. Hist. Kl. Bayer. Akademie 21, 1898, 599-731, bes. 633-635; — J.J. Werner, Über zwei Hss. der Stadtbibl. Zürich, Diss. Zürich 1903; — Ders., Beitr. zur Kunde der lat. Lit. des MA, ²1905; — P. Lehmann, Ma Bibl.-Kataloge I, 1918, 119-133; — H. Cornell, Biblia Pauperum, 1925, 172-181; — R. Henggeler; Professbuch der fürstl. Benediktinerabtei der Heiligen Gallus u. Otmar zu St. Gallen, 1929, 234-236; — P. Staerkle, Beitr. zur spätma Bildungsgesch. St. Gallens, 1939, 92f.; — P. Bänziger, Beitr. zur Gesch. der Spätscholastik u. des Frühhumanismus in der Schweiz, 1945, 25-27; — H. Strahm, Die Narratio proelii Laupensis, in: Fs. H. v. Greyerez, 1967, 101-130; — R. Schützeichel,

Das Mittelrhein. Passionsspiel der St. Galler Hs. 919, 1978, 44-49; — Ders., Zur Bibliothek eines wandernden Konventualen: G.K. aus St. Gallen, in: Fs. G. Lohse, 1979, 643-665, überarb. auch in: R.S., Textgebundenheit, 1981, 173-199; — B. Bösch, Die dt. Schriften des St. Galler Mönchs G.K., in: Fs. J. Duft, 1980, 123-147; — P. Ochsenbein, Spuren der Devotio moderna im spätma Kloster St. Gallen, in: Stud. u. Mitt. OSB 101 (1990) 475-496; — B. v. Scarpatetti, Katalog der dat. Hss. in der Schweiz in lat. Schrift vom Anfang des MAs bis 1550 III, 1991, 290f.; — VerfLex III², 1107-1112.

Peter Ochsenbein

KEMP, Johannes Theodorus van der (Vanderkemp), Missionar, Arzt, * 7.5. 1747 in Rotterdam als Sohn eines reformierten Pfarrers, † 15.12. 1811 in Kapstadt. — Mit 16 Jahren bezog der vielseitig begabte und gründlich gebildete v.d.K. in Leiden die Universität, um Medizin zu studieren, wobei er sich zugleich theologischen und philosophischen Studien widmete. Drei Jahre später, 1766, ging er zum Militär, dem er als Dragoneroffizier 14 Jahre diente, in denen er, von einer inneren Unruhe getrieben, der Sittenlosigkeit verfiel. Mit der »Dissertatio medica, exhibens cogitationes physiologicas de vita« brachte v.d.K. 1782 in Edinburg seine Studien zum Abschluß und ließ sich als praktischer Arzt in Middelburg nieder. Bereits 1775 und 1781 hatte er zwei theologisch-philosophische Abhandlungen (»Theologica dunatoscopia« und »Parmenides«) veröffentlicht, die von deistischem Gedankengut geprägt sind. Der plötzliche Tod seiner Frau und Tochter im Juni 1791, die bei einer Bootsfahrt auf der Maas vor seinen Augen ertranken, bewirkte in ihm eine pietistische Bekehrung, die seinem Leben eine neue Richtung gab. In den folgenden Jahren arbeitete er als Wundarzt und lebte in selbstgewählter Einsamkeit, um sich eingehend mit seinem Lieblingsstudium, der Erforschung orientalischer Sprachen - 16 Sprachen soll er beherrscht haben -, zu beschäftigen und den Römerbrief des NTs zu exegesieren, dessen Lehre er in dem dreibändigen Werk »De Theodicée van Paulus« (1799-1802) darzustellen versuchte. 1797 bot v.d.K. seine Dienste der zwei Jahre zuvor entstandenen »London Missionary Society« (LMS) an und veranlaßte am 19. Dezember desselben Jahres in Rotterdam die Gründung der »Nederlandsch Zendeling Genootschap ter voortplanting en bevordering van het Christendom, bijzonder onder de Heidenen«, der ersten Gesellschaft der missionsgeschichtlichen Ära des 19. Jahrhunderts auf dem Kontinent. Nach seiner Ordination zum Pfarrer der presbyterianischen Kirche entsandte ihn die LMS ein Jahr später zusammen mit seinem Landsmann Johann Jakob Kicherer (1775-1849) als Missionar nach Südafrika. Kurz nach seiner Ankunft im März 1799 gründete er in Kapstadt die »Zuid-Afrikaanse Zendings-Genootschap« und suchte in der östlichen Kapprovinz, südlich von Graaf-Reinet, den Stamm der Kaffern auf, bei denen er sich nur unter großen Schwierigkeiten und Gefahren behaupten konnte. Bereits Ende 1800 mußte er sich nach Graaf-Reinet zurückziehen und begann unter Hottentotten zu evangelisieren. Von den Buren bedrängt, mußte er auch die Stadt verlassen und gründete in einem unfruchtbaren Gebiet in der Algoa Bay (nahe Port Elizabeth) im Juni 1803 mit 250 Hottentotten die Kolonie »Bethelsdorp«. Trotz ständiger Einfälle räuberischer Kaffern und Hottentotten sowie Anfeindungen durch die Buren, wozu oft auch v.d.K.s cholerisches Wesen und manche seiner exzentrischen Ansichten Anlaß gaben, wuchs diese bis 1810 auf tausend Bewohner an, von denen zweihundert den christlichen Glauben bekannten. Fünf Jahre vor seinem Tod heiratete v.d.K. noch die 14jährige Tochter einer muslimischen Sklavin aus Madagaskar, die er freigekauft hatte. Sein Plan, auch dieser Insel das Evangelium zu verkündigen, wurde durch seinen Tod vereitelt. — V.d.K.s durch opferbereite Hingabe und unerschütterliche Beharrlichkeit gekennzeichnetes zwölfjähriges Wirken unter Kaffern und Hottentotten brach der Mission in der östlichen Kapprovinz die Bahn. Sein unerschrockenes Eintreten für die Rechte der unterdrückten Eingeborenen, deren Lebensweise er vollständig annahm, ließ ihn zum Vorkämpfer rassischer Gerechtigkeit werden.

Werke: Tentamen Theologiae dunatoscopicae Dei Existentiam, et Adtributa, nec non generaliorem Universi Naturam ex Consideratione ejus, quod possible est, deducendi Methodum tradentis et Materiam Ordine Geometrico dispositam, 1775 (1798[2]); Parmenides sive, de stabiliendis per adplicationem principiorum dunatoscopiorum ad res sensu, et experientia cognoscendas scientiae cosmologicae fundamentis, 1781 (1798[2]) (Rez.: Göttingische Anzeigen von gelehrten Sachen, 1783, 1. Stück, S. 3-8; Dissertatio medica, exhibens

cogitationes physiologicas de vita, et vivicatione materiae humanum corpus constituentis, 1782 (1798[2]); Adres van het Zendelings-Genootschap te London, aan de godsdienstige ingezetenen der Vereenigde Nederlanden, 1797 (Übers. aus dem Engl.); De Theodicée van Paulus, of de rechtvaardigheid Gods door het euangelium uit het geloof, aangetoond tot geloof, in eenige aanmerkingen op deszelfs Brief aan de Romeinen, met eene nieuwe vartaling en paraphrase, Uitgegeeven door Hermanus Johannes Krom, 3 Bde, 1799. 1800.1802; Religion, Customs, Population, Language, History and Natural Productions of the country [sc. Cafraria], in: Transactions of the [London] Missionary Society, I, 1800, 432-468; dass., in holländischer Übers.: Natuurlijke History van het Land der Kaffers, in: Gedenkschriften der Maatschappij van Zendelingschap, tot voordplanting van het Evangelij in Heidensche Landen, IV (1802), 356-389, V (1804), 1-25 u. als Separatdruck: An account of the religion, customs, population, government, language, history and natural productions of Caffraria, 1803; Specimens of the Kaffra Language [isi-Xhosa], in: Transactions of the [London] Missionary Society, I, 1804; Lehre des Wortes Gottes für die Hottentottenmission [Khoisan-Hottentot], 1804; — Briefe, Berichte (von u. über v.d.K.), in: Gedenkschriften der Maatschappij van Zendelingschap, tot voordplanting van het Evangelij in Heidensche Landen, opgericht binnen Londen Herfstmaand MDCCXCV. Uit het Engelsch vertaald door M. van Werkhoven, 5 Bde (11 Tl.), 1798-1804; Gedenkschriften van het Nederlandsch Zendeling-Genootschap, ter voortplanting en bevordering van het waare Christendom, bijzonder onder de Heidenen, opgericht te Rotterdam den 19 van Wintermaand des Jaars MDCCXCVII, I (1801), II (1805) (bes. daselbst: 1-219: Reizen en Verrichtingen van den Zendeling J.T.v.d.K.); Berichten en Brieven, voorgelezen op de maandeliksche Bedestonden van het Nederlandsch Zendeling-Genootschap vor het jaar 1799; Transactions of the [London] Missionary Society, 1799ff; The Evangelical Magazine and Missionary Chronicle, 1798ff; Nachrichten von der Ausbreitung des Reichs Jesu überhaupt, und durch die Missionarien unter den Heiden insonder, 1803ff; — Autographen, in: Archiv der Nederlandsche Zendeling-Genootschap, Oegstgeest; Archiv der Nederduitse Gereformeerde Kerk, Kapstadt; Archiv der London Missionary Society, London u.a. Archive.

Lit.: Jan Wagenaar, Vaderlandsche historie, vervattende de geschiedenissen der nu Vereenig de Nederlanden, inzonderheid die van Holland, 1790-1796 (ten verv.), XVIII, 342f; — Ijpeij, Annaeus, Geschiedenis van de Kristlijke Kerk in de 18. Eeuw, 1797-1811, II, 453-455; — ders. u. I.J. Dermout, Geschiedenis der Nederlandsche hervormde kerk, IV, 1827, 236; — Hermanus Johannes Krom, Zegepraal der waarheid over het angeloof, blijkbaar in de bekeering van den Heer J.T.v.d.K., 1801; — ders., verhandeling over eenige bijzonderheden in de theodicée van Paulus in den brief aan de Romeinen, volgens J.T.v.d.K., 1802; — Johann Jakob Kicherer, Berichten van den predikant J.J. Kircherer aangaande zijne Zending tot de Heidenen, 1805; — ders., Narrative of a Mission to the Hottentot, 1799-1803, 1806 [Abdr. aus: Transactions of the Missionary Society]; — Hinrich Lichtenstein, Reisen im südlichen Africa in den Jahren 1803, 1804, 1805 und 1806, TI 1, 1811, 382-389; — Memoir of the late reverend J.T.v.d.K., missionary in South Africa. By the order of the directors of the [London] Missionary Society, 1812 (1813[4]); — A. Goedkoop, Verdediging van het karakter van wijlen Dr. v.d.K. tegen de beschuldigingen, tegen hem ingebragt in Lichtenstein's Reize in het Zuidelijk gedeelte van Africa, in: Tijdschrift voor Kunsten en Wetenschappen van het Departement der Zuiderzee 1813, 510 ff.; — John Campbell, Travels in South Africa, undertaken at the request of the [London] Missionary Society, 1815; — Das Leben von J.T.v.d.K., Missionär in Süd-Afrika, 1819; — Carl Ritter, Die Erdkunde im Verhältniß zur Natur und zur Geschichte des Menschen, I, Tl. 1, 1822[2], 128 f.; — John Philip, Memoir of Mrs. Matilda Smith, late of Cape Town, 1824; — ders., Researches in South Africa, 1828; — Siebenter Jahresbericht der Ges. zur Beförderung der Ev. Missionen unter den Heiden [sc. Berliner Mission] für das Jahr 1830, 93f; — Levensberigt van J.T.v.d.K., Med. Doct. en Zendeling in Zuid-Afrika, 1831; — John Carne, Lives of Eminent Missionaries, II, 1835, 85-123 (v.d.K. u. Johann Kicherer); Carl Christian Gottlieb Schmidt, Kurzgefaßte Lebensbeschreibungen der merkwürdigsten Missionäre, nebst einer Uebersicht, I, 1836, 58, III, 1839, 130-160; — [Stephan Kay], Erste Anfänge der Missionsarbeit an den Grenzen des Kaffernlandes, in: EMM 1838, 496-500; — Robert Moffat, Missionary Labours and Scenes in Southern Africa, 1842, 6-11; — N.G. van Kampen, Geschiedenis der Nederlanders buiten Europas, of verhaal van de togten, ontdekkingen, oorloogen, veroveringen en inrigtingen der Nederlanders, 1844, III, 415-426; — Gilles Dionysius Jacobus Schotel, Kerkelijk Dordrecht; eene bijdrage tot de geschiedenis der Vaderlandsche Hervormde Kerk sedert het jaar 1572, II, 1845, 462.795; — Julius Wiggers, Gesch. der Ev. Mission, I, 1845, 151-153; — D.C..van der Kemp, J.T.v.d.K., Medicinae Doctor, als aan de hand der voorzienigheid, langs de donkerste wegen, opgevoed, voorbereid en bekwaam gemaakt om als zendeling op te treden, ter uitbreiding van het Evangelie onder de heidenen van Zuid-Afrika voorgesteld, 1848; — ders., Levensgeschiedenis van den Med. Doctor J.T.v.d.K., zendeling ter uitbreiding van het Evangelie onder de Heidenen van Zuid-Afrika, 1864; — Geschiedenis van Dr. v.d.K., 2 Tl., 1850; — Handboek voor de vrienden der Zendingszaak, ten gebruike bij het houden en bijwonen der maandel. bedestonden voor de uitbreiding des Christendoms, 1851, 70ff; — Gotthilf Heinrich von Schubert, Altes und Neues aus dem Gebiete der innern Seelenkunde, I, 1851, 82-87; — Reinhold Vormbaum, Missions-Segen. Lebensbilder aus der Gesch. der ev. Heidenmission, 1852, 160ff; — ders., Dr. J.T.v.d.K., Missionar der Londoner Missions-Ges. in Süd-Afrika und seine Mitarbeiter (Ev. Missionsgesch. in Biographien, IV, H. 3.4.), 1860; — A. Faure, Redevoering by het Tweede Eeuwfeest, 1852; — Heroes and martyrs of the modern missionary enterprise: a record of their lives and labors, hg. v. Lucius Edwin Smith, 1853; — H.J. Koenen, De Christen Zendeling, 1854; — H. Calderwood, Caffres and Caffre Missions, 1858; — Johann Christian Wallmann, Jänickes Missionare und vier Uebersichten über das gesamte Missionswesen der Gegenwart, 1859, 65-68; — Samuel Descombaz, Histoire des Missions Evangéliques, 1860[2], I, 20. 75ff; — Dr. J.T.v.d.K. Zijn leven en arbeid, 1861; — A. Thomson, Great Missionaries, A Series of Biographies, 1862, 103-134; — Karl Friedrich Ledderhose, Johann Jänikke nach seinem Leben und Wirken, 1863, 117.193. 197; — J.W.A. Notten, Het leven van J.T. van der Kemp, Schotlands

grooten zendeling, 1863; — J. Hübner, Dr. v.d.K., in: ders., Lebensbeschreibung frommer Männer aus allen Ständen in älterer und neuer Zeit, I, 1870, 96-105; — T.v.d.K., Rittmeister im holländischen Garde-Dragoner-Regiment, Doktor der Medicin und Missionär des Königs aller Könige. Ein Lebensbild aus der neueren Missionsgesch., nebst 1 (lithogr.) Kärtchen der Südspitze Afrika's 1870 (1879[2]); — Dr. v.d.K., in: Gereformeerde Kerkbode in Zuid-Afrika 1871 (XXIII), 233. 247. 265. 277. 324. 355; 1872 (XXIV), 312. 340; — Theodor Hermann Wangemann, Gesch. der Berliner Missionsges. und ihrer Arbeit in Südafrica, I, 1872, 109-123; II, 2, 229.241; — ders., V.d.K., Apostel der Kaffern (Berliner Missionstraktate N.F. 14, 1872); — Cecilia Lucy, So great love! Sketches of missionary life and labour, 1874, 185-221; — Album Studiosorum Academiae Lugduno-Batavae, 1575-1875, 1875, 1079; — Les grands Missionnaires, 1875, 67-90; — G.E. Burkhardt, Kleine Missions-Bibliothek oder Land und Leute, Arbeiter und Arbeiten, Kämpfe und Siege auf dem Gebiete der ev. Heidenmission, II, 2, 1877[2], 49-54; — Handboekje van de geschiedenis der Zending 1878 (1884[2]); — Verhandlungen der Ges. für Erdkunde zu Berlin, 1881, 81ff.; — Vanguard of the christian army; or, Sketches of missionary life. By the author of »Great voyagers: their adventures and discoveries« [1882], 193-208; — [R. Frimodt], J.T.v.d.K. 1888; — Frederik Nagtglas, Levensberichten van Zeeuwen, I, 1890, 530ff; — Zendingwerk der N.G. Kerk in Zuid Afrika, 1890; — A. Nachtigal, Die ältere Heidenmission in Süd Afrika, 1891, 81-83; — E.F. Kruyf, Geschiedenis van het Nederlandsche Zendelinggenootschap en zijn zendingsposten, 1894; — Sierk Coolsma, J.T.v.d.K., in: De Macedonier: algemeen zendingstijdschrift, 1895, 97-111.134-165; — Willem van Oosterwijk Bruyn, Dr. J.T.v.d.K. de Apostel van Zuid-Afrika, na honderd jaren herdacht. Overgedrukt uit het »Nederlandsch Zendingstijdschrift«, 1896; — Paul Wurm, Die Niederländische Missionsges., in: EMM 1896, 305-328.365-382.401-419.449-469.498-512 (bes. 309 313); — ders., Die Niederländische-Missionsges., in: AMZ 1897, 353-371.449-471 (bes. 353-359); — J.W.G. van Oordt, Slagtersnek, 1897; — J. Schouten, Twaalf jaren onder de Kaffers en Hottentotten, Het leven van J.T.v.d.K., 1897; — Richard Lovett, Dr. V. and his work in South Africa, in: Sunday at Home 1896-1897, 385-391; — ders., The History of the London Missionary Society, 1795-1895, I, 1899, 481-517 u.ö; — George Smith, Twelve pioneer missionaries, 1900; — Reinhold Gareis, Gesch. der ev. Heidenmission mit besonderer Berücksichtigung der deutschen, [1901], 63.131.165; — A.A. Fokker, Levensberichten van Zeeuwse medici, 1901, 89-95; — Alexander Merensky, Dr. J.T.v.d.K. Ein Bahnbrecher für das Evangelium unter den Eingeborenen Süd-Afrikas, in: AMZ 1902, Beibl., 1-24; — weitere Erwähnungen in AMZ: 1881, 278; 1883, Beibl., 53f; 1889, 235; 1890, 245; 1891, 561; 1893, 79; 1895, 491; 1899, 408; 1900, 415.509-514; 1902, Beibl., 25.56f; — J.I. Good, Famous Missionaries of the Reformed Church, 1903; — C. Spoelstra, Sind die Buren Feinde der Mission? 1902; — ders., Bouwstoffen voor de Geschiedenis der N.G. Kerk in Zuid Afrika, 2 Bde, 1906-1907; — C. Silvester Home, The Story of the L.M.S 1908[2], 59-65.172; — Du Plessis, A History of Christian Missions in South Africa, 1911 (Faks. 1965), 100-102.120-136 u.ö.; — Gustav Warneck, Gesch. der protestantischen Missionen von der Reformation bis auf die Gegenwart, Berlin 1913[10],

94.159.316.318; — C. Field, Heroes of Missionary Enterprise, 1913, 116-126; — Julius Richter, Gesch. der ev. Mission in Afrika (Allgemeine Ev. Missionsgesch. III), 1922, 271-275.279-283 u.ö.; — A.D. Martin, Doctor Vanderkemp, [1931]; — Gustav Bernhard August Gerdener, Two centuries of grace. A sketch of missionary endeavour in South Africa, commemorating the arrival of the Moravian pioneer, George Schmidt, on the 9th of July, 1737, 1937; — ders., Baanbrekers onder die Suiderkruis. Biografiese sketse van enige voortreflike voorlopers op sendinggebied in Suid-Afrika, 1941, 18-26; — ders., The story of Christian missions in South Africa, 1950; — William Cecil Northcott, Hero of the Hottentots (John Vanderkemp), 1939 (neue Aufl. 1945); — dass. in holl. übers.: J.v.d.K., De Held van de Hottentotten, in: Pioniers van Christus, hg. v. A.H. Oussoren, o.J., 7-26; — J.R. Callenbach, J.T.v.d.K. Een zendingspionier in Zuid-Afrika (Lichtstralen op den akker der wereld 1940, H.1); — Kenneth Scott Latourette, A History of the Expansion of Christianity, IV, 1941, 89; V, [1943], 340-343; — Erich Schick, Vorboten und Bahnbrecher. Grundzüge der Ev. Missionsgesch. bis zu den Anfängen der Basler Mission, 1943, 242-251; — W.J. de Kock J.v.d.K., n tragiese figuur, in: Die Naweek 1949 (Desember); — Wilhelm Oehler, Geschichte der Deutschen Evangelischen Mission, I, 1949, 127; — Basil Holt, The Autobiography of Dr. v.d.K., in: Quarterly Bulletin of the South African Library 1951 (June); — Sarah G. Millin, The Burning Man, 1952; — M. Nijsse, Zending onder Hottentotten. Leven en werk van J.T.v.d.K., in: Bibliotheek Koop de waarheid en verkoop ze niet, 1954 (May); — R. Pierce Beaver (Hg.), Dr. V., in: Discipling the Nations, o.J.; — P.A. de Rover, Jinkhana, J.T.v.d.K.: de vader der Hottentotten, in: De kerk op mars, 1958, 279-290; — dass., in: P.A. de Rover/Julius Roessle, Gottes Spur ist überall, 1960, 168-174; — Hans-Werner Gensichen, Missionsgesch. der neueren Zeit (Die Kirche in ihrer Gesch., IV, Lfg. T), 1961 (1976³), 33; — Thomas Ohm, Wichtige Daten der Missionsgeschichte. Eine Zeittafel, 1961, 123; — Knut B. Westman/Harald von Sicard, Gesch. der christlichen Mission, 1962, 154; — Horst R. Flachsmeier, Gesch. der ev. Mission, 1963, 209f.328; — Ido H. Enklaar, De Levensgeschiedenis van J.T.v.d.K. 1747-1811 tot zijn aankomst aan de Kaap in 1799, 1972 (158-163 Bibliogr.); — ders., Motive und Zielsetzungen der neueren Niederländischen Mission in ihrer Anfangsperiode, in: Pietismus und Reveil, hg. v. J. van den Berg u. J.P. van Dooren, 1978, 282-288; — ders., Kom over en help ons! Twaalf opstellen over de Nederlandse zending in de negentiende eeuw, 1981, 14.17-20.23-35.125.128; — ders., Life and work of Dr. J.T.v.d.K., 1747-1811. Missionary Pioneer and Protagonist of racial equality in South Africa, 1988, (211-230: Qu., Bibliogr.); — W.M. Freund, The career of J.T.v.K. and his role in the history of South Africa, in: Tydschrift voor Geschiedenis, 1973, 376-390; — Stephen Neill, Gesch. der christlichen Mission, 1974, 208; — Biographisch Woordenboek der Nederlanden X (1862), 100-102; — dass. (neue Ausg.) VI, 31f; — Nieuw Nederlandsch Biografisch Woordenboek II (1912), 654-657; — Grote Winkler Prins Encyclopedie X (1970), 759; — Dictionary of South African Biography, II (1972); — Encyclopaedia of Southern Africa, 1973⁶; — Standard Encyclopedia of South Africa XI (1975); — Biographisch Woordenboek van Nederlandsche Godgeleerden II (1853), 229-235; — Perthes' Handlexikon für ev. Theol. II (1890), 296; —

Biographisch Woordenboek van Protestantsche Godgeleerden in Nederland IV (1931), 701-706; — Christelijke Encyclopedie IV (1959), 187; — Biografisch Lexicon voor de Geschiedenis van het Nederlandse Protestantisme III, o.J.; — RGG III, 1242; — CKL I, 1052; — Encyclopedia of Missions (1904²; Nachdr. 1975), 768f; — Concise Dictionary of the Christian World Mission, 1971; — dass., dt. Ausgabe: Lexikon zur Weltmission (1975), 568.

Werner Raupp

KEMPE, Stephan. Geburtstag und -ort sind nicht bekannt, † 23.12.1540 in Hamburg. — Als junger Mann schloß sich K. dem Franziskanerorden in Rostock an; nach Ablegung der Ordensgelübde und dem Empfang der Priesterweihe kam er 1523 an die Minoritenkirche St. Maria Magdalena in Hamburg. Hier muß er sich innerlich vom katholischen Glauben entfernt haben, denn 1527 verläßt er den Franziskanerorden, gibt sein Priestertum auf und übernimmt els lutherischer Prediger das Pfarramt an der evangelisch gewordenen St.-Katharinen-Kirche. K. setzte sich mit aller Kraft für die Verbreitung der Lehre Martin Luthers in Hamburg ein und gilt deshalb als der Reformator der Hansestadt. Zusammen mit dem aus Pommern stammenden J. Bugenhagen, seit 1524 Hauptpastor an St. Nicolai in Hamburg und Verfasser einer Kirchenordnung, ordnete K. auch des neue Kirchenwesen in Lüneburg.

Lit.: ADB XV, 599 f.; — J. M. Lappenberg (Hrsg.), Hamburg. Chroniken, Hamburg 1861, 469-542; — R. Ballheimer, Die Einführung der Reformation in Hamburg, Göttingen 1917; — H. Meyer, Mitteilungen des Vereins für Hamburg. Gesch. 37 (1917/18), 88-91; — K. Beckey, Die Reformation in Hamburg, Hamburg 1929, 29 ff., — W. Jensen, Die hamburg. Kirche und ihre Geistlichen seit der Reformation, Hamburg 1958, 98 ff.; — LThK ²VI, 112 f.

Johannes Madey

KEMPF, Wilhelm, Bischof von Limburg/Lahn, * 10.8.1906 in Wiesbaden, † 9.10.1982 in Wiesbaden. — K. wurde als erster Sohn des Rektors einer Mittelschule in Wiesbaden geboren, schloß sich früh dem Bund Neudeutschland an und lernte dadurch nach dem 1. Weltkrieg die Liturgische und die Bibelbewegung näher kennen. Nach der Reifeprüfung 1925 studierte er am Priesterseminar in Fulda, an der päpstlichen

Universität Gregoriana in Rom (dort 1928 Dr. phil; 1931 Dr. theol. h. c. durch die Universität Tübingen) und an der Philosophisch-Theologischen Hochschule St. Georgen der Jesuiten in Frankfurt/Main Philosophie und katholische Theologie. Am 8.12. 1932 empfing er im Dom zu Limburg die Priesterweihe und erhielt seine erste Seelsorgestelle als Kaplan in Höhn-Schönberg (Westerwald) zugewiesen. Aus gesundheitlichen Gründen wurde er dann Hauskaplan im Kloster Tiefenthal und Rektor am St. Josephshaus in Dernbach, ehe er im Jahre 1936 das Amt eines Geheimsekretärs des Limburger Bischofs Dr. Antonius Hilfrich antrat. Wenige Monate vor Ausbruch des zweiten Weltkrieges wurde K. als Kaplan an die St. Antonius-Pfarrei in der Innenstadt von Frankfurt/Main versetzt und amtierte von 1942 bis 1949 als Pfarrer in Frankfurt-Heilig Geist. Nachdem ihn das Limburger Domkapitel zum Bischof gewählt hatte, ernannte ihn Papst Pius XII. am 28.5. 1949 zum Bischof von Limburg. Am 25.7. 1949 erhielt er im Limburger Dom die Bischofsweihe: Hauptkonsekrator war Joseph Kardinal Frings von Köln, dem der Mainzer Bischof Albert Stohr und der amerikanische Bischof und spätere erste Apostolische Nuntius in der Bundesrepublik Deutschland, Aloysius Muench, assistierten. K.s Amtszeit läßt sich in drei Abschnitte unterteilen: in die Restaurierungs- und Aufbauphase bis zum Zweiten Vatikanischen Konzil (Wiederaufbau zerstörter Kirchen, Integration der Heimatvertriebenen, Neuerrichtung von Pfarreien in den Großstädten Wiesbaden und Frankfurt), die Zeit des Konzils, zu dessen Subsekretären der Limburger Bischof gehörte, und des Aufbruchs in der katholischen Kirche (Dialog mit Priestern und Laien, synodale Gremien, Liturgische Erneuerung, »Aggiornamento«) und die Zeit des Umbruchs und der Krise der Kirche in einer sich stürmisch verändernden Welt seit dem Jahre 1966 (Neuorganisation des bischöflichen Ordinariats, Einrichtung von elf Bistumsbezirken, Bischofsbriefe an die Gemeinden zur Fastenzeit, Briefreihe an den Klerus, Diözesansynode 1977). K. war ein kommunikativer, »fortschrittlicher«, dabei tieffrommer Bischof und galt vielen Christen als ein Zeichen der Hoffnung, d. h. als ein Mann, der zuhören konnte und Verständnis für Andersdenkende aufbrachte. Konservati-

ve Kreise griffen daraufhin zum Mittel der Denunziation und Verdächtigung, um das Limburger Bistum vor vermeintlichem Schaden zu bewahren. Der Apostolische Nuntius in Deutschland, Erzbischof Corrado Bafile, schlug am 26.8. 1973 dem Heiligen Stuhl einen Wechsel in der Leitung des Bistums vor und forderte auch die Auflösung der diözesanen Räte, damit der neue Bischof »die Diözese von den zu Unrecht in den letzten Jahren entstandenen Strukturen befreit vorfände, ebenso auch befreit von dem Einfluß des Pastoralrates, der in der anormalen Atmosphäre, in welcher sich die Diözese befindet, gewählt wurde.« Das ungeheuerliche Vorgehen des Nuntius fand über die Grenzen der Diözese hinaus in ganz Deutschland große Beachtung. Allerdings gelang es nicht, das Rad der Zeit zurückzudrehen und die neue dialogische Form kirchlicher Führung und kirchlichen Miteinanders durch ein solches Vorgehen im vorkonziliären Stil kirchlicher Geheimdiplomatie abzulösen. Papst Paul VI. sprach K. persönlich das Vertrauen aus und Kardinalstaatssekretär Jean Villot ermutigte den Bischof, »sich mit erneuter Hingabe dem Dienst Ihrer geliebten Diözese zu widmen«. Der persönliche Konflikt mit dem Nuntius wurde durch einen mit beiderseitigem Einverständnis in der Presse veröffentlichten Briefwechsel beigelegt. Mit Erreichen der Altersgrenze bat der seit seiner Studienzeit körperlich überbelastete und gesundheitlich nicht stabile K. den Papst um Entpflichtung von seinem Bischofsamt. Diesem Wunsch wurde mit Wirkung vom 11.8. 1981 stattgegeben. Gut ein Jahr später starb K., einer der profiliertesten Erscheinungen des deutschen Nachkriegsepiskopats, in seiner Geburtsstadt an einem Herzinfarkt und wurde am 16.10. 1982 im Limburger Dom beigesetzt.

Werke: In memoriam Georg Heinrich Hörle, in: Pfarrgemeinde und Pfarrgottesdienst. Beiträge zu Fragen der ordentl. Seelsorge, hrsg. von A. Kirchgässner, Freiburg 1948, 38-47; Auf Dein Wort hin. Briefe des Bischofs von Limburg an die Gemeinden des Bistums zur österl. Bußzeit 1972-1981, Limburg 1981.

Lit.: »Der Wahrheit Zeugnis geben«. Zum fünfundzwanzigsten Bischofsjubiläum von Dr. W.K., 1974; — Theodor Maas-Ewerd, Liturg. Bewegung einst und Bischof heute, in: Bibel und Liturgie 48, 1975, 102-106; — Unser gemeinsamer Weg. 150 Jahre Bistum Limburg, 1977; — B. Pyrlik, Bischof Wilhelm Kempf - 75 Jahre, in: Musica Sacra. Cäcilien-Verbandes-Organ 101 (1981) 357-359; — Franz A. Stein, Bischof Dr. Kempf und die Musik, in: Musica Sacra a.a.O., 434-435; — Walther Kampe, Ein Leben für die Kirche. Festrede zum 75. Geburtstag von Dr. W.K., 1949-1981 Bischof von Limburg, 1981; — Ders., Stets Seelsorger geblieben. Bischof W.K. ist im Alter von 76 Jahren gestorben, in: Paulinus. Trierer Bistumsblatt 108, 1982, Ausg. Nr. 42 vom 17.10. 1982, 12; — Klaus Schatz, Gesch. des Bistums Limburg, 1983.

Martin Persch

KEN, Thomas, geb. Juli 1637 in Great oder Little Berkhampstead, Hertfordshire - gest. 19.3. 1711 in Longleat, Wiltshire. — K. (oder Kenn) war von 1652-56 Schüler am Winchester College, besuchte ab 1656 die Universität Oxford (zuerst Hart Hall, heute Hertford College; ab 1657 besuchte er New College) und wurde 1661 Bakkalaureus, 1664 Magister; ca. 1662 erhielt er die Priesterweihe. K. hatte von 1663 bis 1672 mehrere Pfarrstellen, eine Stelle als Hauskaplan des Bischofs von Winchester und als Kaplan seiner früheren Schule inne. 1675 unternahm er eine Reise nach Italien und Deutschland, 1679 wurde er D.D. und Kaplan der Prinzessin Mary, die mit Wilhelm von Oranien verheiratet war. 1680 wurde er Kaplan Charles II. und 1683 Kaplan in der Flotte, wobei er an der Expedition gegen Tanger teilnahm. 1685 wurde K. Bischof von Bath und Wells. 1686 vermittelte er in der Monmouth-Rebellion und sammelte eine große Summe für die Hugenottenflüchtlinge. 1688 geriet K. in Konflikt mit James II. und wurde kurzzeitig eingekerkert, da er und sechs weitere Bischöfe, darunter auch Erzbischof Sancroft, sich geweigert hatten, das Toleranzpatent für Katholiken und Freikirchler zu verlesen. Nach der Revolution von 1689 verweigerte K. den Eid auf das neue Königspaar und wurde 1691 seines Bistums enthoben. Daraufhin lebte er von einer Pension seines Gönners Viscount Weymouth in Longleat, wo er auch im Rufe der Heiligkeit verstarb. Die geheimen Bischofsweihen der Nonjuror (Eidesverweigerer) nach 1694 lehnte K. ab, kehrte aber auch 1702 nicht auf seinen Bischofsstuhl zurück, als Königin Anne ihn rehabilitieren wollte. Als das Bistum 1704 vakant wurde, bat er seinen Freund George Hooper die Berufung auf das Bistum anzunehmen, um die Berufung eines Latitudinariers zu verhindern.

— K. war ein typischer Vertreter der alten hochkirchlichen Richtung, ohne Sympathie für den röm. Katholizismus oder das aufklärerische Latitudinariertum, was ihn aber nicht daran hinderte, die span. Mystik zu bewundern. Seine geistlichen Werke in Prosa und Gedichtform atmen den Geist einer innigen Frömmigkeit und gehörten bis ins viktorianische Zeitalter zum Grundbestand spiritueller Literatur im Anglikanismus.

Werke: A Manual of Prayers for the use of the Scholars of Winchester, 1674 (weitere Ausgaben bis 1880); A Sermon at the Funeral of Lady Mainard, 1682, 1688³; An Exposition of the Church-Catechism, 1685, 1703⁴, auch unter dem Titel »The Practice of Divine Love«, 1718, Neuausgaben 1840 und 1907, franz. Übers. Excellente exposition du Catechisme de l'Église Anglicane, 1703, ital. Übers. »La pratica del divino amore«, 1865; Sermon on the Beloved Daniel, 1685, Nachdruck 1841; The Lenten Fast, 1687, Nachdruck 1732, mit der vorgenannten Predigt Nachdruck 1841; Prayers for the use of all persons who come to the Baths for cure, 1692, Neuausgabe 1848, Auflagen bis 1898; Three Hymns, 1694 (zahlreiche Nachdrucke bis 1937, auch in Gesangbüchern), griech. Übers. Three Hymns in Greek Translation, v. E. Greswell, 1831, lat. Übers. Tres Hymni v. Charles Wordsworth, 1845; A Letter to Dr. Tennison, 1716 (posth.); An Exhortation to the Duty of Family Prayer, 1720 (posth.); The Works, hgg. v. William Hawkins, 4 Bde., 1721; The Prose Works, hgg. v. J. T. Round, 1838 (enth. auch Briefe); The Prose Works, hgg. v. W. Benham, 1889; anon. Hgg., Selections from the Poetical Works of Bishop K., 1857; anon. Hgg., Bishop K.'s Christian Year, 1868 (Auswahl aus der Hawkins-Ausgabe 1721). — Vermutlich unecht: Expostulatoria, 1711, bereits 1663 als Ichabod und 1689 als Lachrymae Ecclesiae erschienen; The Retired Christian, 1737 (Nachdrucke bis 1846); The Royal Sufferer, 1699, Auflagen bis 1723, 1725 als Crown of Glory. Bibliographie: BM Catalogue CXXII, 1-8.

Lit.: anon., The Proceeding and Tryal in the case of William, Archbishop etc., 1689; — anon., The History of King James' Ecclesiastical Commission, 1711; — William Hawkins, A short Account, 1713, Nachdruck als The Life of T. K., in: A Library of Christian Biography, hgg. v. T. Jackson, Bd. XII, 1837; — anon. (= F. Lee), Memoirs of the Life of Mr. John Kettlewell, 1718; — Gilbert Burnet, History of his own Time, 2 Bde., 1724-34, Neuausgabe v. Martin J. Routh, 6 Bde., 1823 und von H. C. Foxcroft, 3 Bde., 1897-1902; — John Spence, Anecdotes, Observations, and Characters of Books and Men, hgg. v. S. W. Singer, 1820; — George D'Oyly, The Life of William Sancroft, 2 Bde., 1821, 1840²; — William Bowles, The Life of T. K., 1830; — Samuel Pepys, The Life, Journals and Correspondence, hgg. v. J. Smith, 2 Bde., 1841; — Henry Sidney (Earl Romney), Diary of Times of Charles II, hgg. v. R. W. Blencowe, 2 Bde., 1843, II; — Thomas Lathbury, A History of the Nonjurors, 1845; — Thomas Babington (Baron Macauly), History of England from the Accession of James II, 5 Bde., 1849-61; — A Layman (= John Lavicount Anderdon), The Life of T. K., 1851, 1854²; — anon., Frome Tracts on Church Matters,

1853; — Charles F. Secretan, Memoirs of the Life and Times of the Pious Robert Nelson, 1860; — Thomas Hearne, Remarks and Collections, hgg. v. C. E. Doble, 1885-89, I-III; — Edward H. Plumptre, The Life of T. K., 2 Bde., 1888, 1890²; — Frederick A. Clarke, T. K., 1896; — C. J. Abbey-J. H. Overton, The English Church in the Eighteenth Century, 1902; — John H. Overton, The Nonjurors, 1902; — Edward Marston, T. K. and Izaak Walton, 1908; — Darwell Stone, A History of the Doctrine of the Holy Eucharist, 2 Bde., 1909, II; — Henry Broxap, The Later Non-Jurors, 1924; — C. W. Dugmore, Eucharistic Doctrine in England from Hooker to Waterland, 1942; — Margaret Cropper, Flame touches Flame, 1949; — John Evelyn, The Diary, hgg. v. E. S. de Beer, 6 Bde., 1955; — H. A. L. Rice, T. K.: Bishop and Non-Juror, 1958; — John Hoyles, The Edges of Augustanism, 1972; — Günther Thomann, T. K.'s Hymns and their Background, in: The Anglican Catholic, 14, 1984, No. 51, 10-13; — Peter Thorburn, T. K., in: The Anglican Catholic, 15, 1985, No. 53, 18-21; — A. G. Lough, T. K., in: The Anglican Catholic, 18, 1988, No. 59, 15-19; — DNB XXX, 399-404; — Concise DNB I, 715f.; — RGG³ III, 1242 f.; — ODCC² 776; — Biographia Britannica III, 2811; — Dictionary of Hymnology, ed. J. Julian, 1908², 616-22.

Günther Thomann

KENNEDY, Harry Angus Alexander, englischer Neutestamentler, * 4.7. 1866 in Dornoch, Sutherlandshire, † 23.3. 1934 in Edinburgh. — Nach dem Schulabschluß studierte K. am New College in Edinburgh, Halle und Berlin. In das Jahr seiner Heirat (1893) mit Elisabeth Gordon († 1928) fällt seine Ordination und Einsetzung als Pfarrer der United Free Church of Scotland in Callendar. 1905 folgt K. der Wahl auf den neutestamentlichen Lehrstuhl am Knox College in Toronto, kehrt aber in gleiche Position 1909 an das Edinburgher New College zurück. Krankheitshalber zieht K. sich 1925 aus dem akademischen Lehrbetrieb zurück. — K. forschte zunächst auf dem Gebiet der Wortfeldstatistik der neutestamentlichen Gräzität und wies nach, daß die Koine zeitgenössische Verkehrssprache sei und nicht eine biblische Sonderform. Seine neutestamentlichen Beiträge blieben ohne größere Resonanz auf die Kontinentaltheologie.

Werke: Sources of New Testament Greek or the Influence of the Septuagint on the Vocabulary of the New Testament, Edinburgh 1895; The Epistle to the Philippians. ExpB, London 1903; St. Paul's Conception of the Last Things, 1904; Apostolic Preaching and Emperor Worship, in: Exp. 1909; The Hellenistic Atmosphere of the Epistle of James: Exp. Ser. 8,2 (1911), 37-52; St. Paul and the Mystery-Religions, London/New York/Toronto o. J. [1913]; St. Paul's Apostolic Consciousness and the Interpretation of the Bible: ET 27 (1916), 8-13; The Alleged Paulinism of First Peter: ET 27 (1916), 264-269; Irenaeus and the Fourth Gospel: ET 29 (1918), 103-107, 168-172, 235-238, 312-314; Philo's Contributions to Religion, London 1919; The Theology of the Epistles, London 1919 (New York 1920); The Vital Forces of the Early Church, London 1920.

Lit.: The Times, 29.3.1934; — DNB 1931-1940, 504 f.; — RGG² III, 725.

Klaus-Gunther Wesseling

KENNEDY, Ildephons, * 20.4. 1722 in Muthel/Schottland, † 9.4. 1804 in Regensburg. — K. entstammte einer der wenigen schottischen Familien, die trotz Bedrückung und Entrechtung ihren katholischen Glauben bewahrten. Im Alter von erst 13 Jahren verließ er seine Heimet, um als Schüler in das Schottenkloster in Regensburg zu gehen. Hier wurde er im Jahre 1741 Benediktinermönch. Nach seiner Priesterweihe war er von 1747 bis 1760 Leiter des Studiums am Schottenkloster. K. war auch Mitglied der Bayerischen Akademie der Wissenschaften, und von 1761 bis 1801 ihr Sekretär. Aufgrund seiner Sprachcnntnisse war er der erste, der die Ergebnisse der englischen Naturwissenschaft in deutscher Sprache veröffentlichte; auch übersetzte er verschiedene technologische Werke aus dem Englischen ins Deutsche. Seine Bedeutung liegt in der Entwicklung einer Didaktik der Experimentiertechnik.

Lit.: A. Lindner, Die Schriftsteller und die um die Wissenschaft und Kunst verdienten Mitglieder des Benediktiner-Ordens im heutigen Königreich Bayern..., Regensburg 1880, II, 237 f.; — W. Kosch, Das kath. Dtld., Augsburg 1933 ff., 2072; — L. Hammersmeyer, Gründungs- und Frühgesch. der Bayer. Akad. der Wissenschaften, Kallmünz 1959, 33 ff.; — Ders., Studien und Mitteilungen aus dem Benediktiner- und Zisterzienserorden ... 70 (1960), 96 f., 103-108; — LThK ²VI, 114 f.

Johannes Madey

KENNEDY, Quintin, Glaubensverfechter in Schottland, * 1520, † 22.8. 1564. — Als Deszendent zweier bedeutender schottischer Familien, der Grafen von Cassilis (durch den Vater) und derer von Argyll (durch die Mutter), absolvierte er die klassischen Studien in St. Andrews, sodann Theologie und Jura an der Universität von

Paris. Nach Schottland zurückgekehrt, wurde er Seelsorger der Gemeinde Kirk Oswald und Abt des Klosters Crosraguel. 1558 veröffentlichte er eine kurze Abhandlung (»Compendious treatise«) über die Autorität der Kirche, die er seinem Neffen widmete, der dann i.J. 1560 als einer der 5 Adligen gegen die protestantische Reformation im Parlament votierte. Als im Frühjahr 1559 der Reformator J. Willock in Ayr gegen die katholische Messe Stellung bezog, forderte ihn Q.K. zu einer öffentlichen Diskussion auf. Das Treffen kam allerdings nicht zustande, da Willock nicht auf Q.K. wartete, der sich verspätet hatte. Daraufhin entspann sich eine polemische Korrespondenz. 1561 verfaßte Q.K. eine Abhandlung gegen die Heirat der reformierten Pastoren und eine kleine, weit verbreitete Schrift über das Meßopfer. 1562 kam der berühmte Reformator John Knox auf seiner Rundreise in die Region, um auch hier zu predigen. Q.K. führte mit ihm in der Kirche von Maybole 3 Tage lang im Beisein des Grafen von Cassilis und von 40 Mitstreitern jeder Seite einen Disput, wobei Gegenstand der Kontroverse v.a. das Meßopfer war. Q.K. berief sich auf das Opfer, das durch Melchisedech dargebracht worden war, an dem sich aber der protestantische Theologe G.Hay stieß. Hier hätte sich wie 1559 eine kritische Studie der beiden gegensätzlichen Versionen der Fakten und Argumente anschließen müssen. Was tatsächlich geschah, war, daß die Ratsversammlung 1561 die Zerstörung der Abtei von Crosraguel anordnete, und daß dieser Verfechter des katholischen Glaubens in Schottland 3 Jahre später - zweifelsohne zermürbt von all der Unbill - verfrüht verstarb.

Werke: Le seul traité publié par Q. K. est A Compendious treatise conform to the Scriptures... concerning Faith and Religion, 1558; Il laisse en manuscrits: De illicito presbyterorum matrimonio (qui ne sera publié qu'en 1812), son célébre écrit De publico Ecclesiae sacrificio, et De praesentia Corporis in sacramento altaris.

Lit.: Robert Keith, dans son History of the Church and State of Scotland (Edinburgh, 1734) publie une lettre de Q. K. à l'archevêque et la correspondance entre Q. K. et Willock; — J. Knox, dans son Histoire de la Réforme en Ecosse (éd. 1949, Londres), donne sa propre version, 2, S. 57; — Charters of the Abbey of Crosraguel, donne une biographie de Q. K.; — Dict. National Biogr., Oxford, X, 1320-21; — Catholicisme, VI, 1399.

Paul Duclos

KENNETH WHITE, anglikanischer Theologe, Historiker und Bischof, * 1660, † 1728. — Er erhielt seine Ausbildung in Westminster und an der St. Edmund's Hall in Oxford. Im Jahre 1685 wurde er zunächst Pfarrer (vicar) von Ambrosden, Oxon. Er war ein glühender Anhänger der Revolution von 1689, durch die Jakob II. den Thron verlor, theologisch ein führender Vertreter der protestantisch- bzw. evangelikal-orientierten Low-Church-Bewegung. Um 1690 ging er als Tutor und Vizerektor (vice principal) an die St. Edmund's Hall, Oxford, 1701 wurde er Archidiakon von Huntingdon und 1707 Dekan. Im Jahre 1718 übernahm er als Bischof die Diözese Peterborough. In der Kontroverse von Bangar, die nach einer Predigt ausbrach, die Bischof Hoadly von Bangar in Anwesenheit von König Georg I. über »das Wesen des Königtums Christi« gehalten hatte, in welcher er behauptete, daß eine sichtbare kirchliche Autorität nicht verbürgt sei, wandte sich K. W. dagegen, daß gegen Bischof Hoadly ein Verfahren eingeleitet werde. Er war jedoch auch eng befreundet mit G. Hikkes, einem führenden Vertreter der Non-Jurors, den er bei der Vorbereitung seines »Thesaurus« unterstützte. — K. W. war auch ein begeisterter Altertumsforscher, verfaßte verschiedene Werke auf diesem Gebiet und plädierte dafür, daß es an jeder Kollegiatkirche einen besonderen Würdenträger geben sollte, der für die historischen Schätze Verantwortung tragen sollte. Er selbst gründete an seiner Kathedrale eine Spezialbibliothek für Altertumskundc und Geschichte.

Werke: Parochial Antiquities, 1695 [eine Gesehichte u.a. von Ambrosden]; Ecclesiastical Synods and Parliamentary Convocations, 1701; Compleat History of England, 1706; Register and Chronicle, Ecclesiastical and Civil, 1726. — Zahlreiche unveröffentlichte Sammlungen von K. W. befinden sich im British Museum.

Lit.: Anonyme Biographie [von W. Newton], London 1730; — T. Cooper, in: Dictionary of National Biography, 1892, XXXI, 2-6; — G. V. Bennett (= Thirlwall Prize Essay for 1955), hrsg. von der Church Historical Society, 1957; — F. L. Cross (Hrsg.), The Oxford Dictionary of the Christian Church, Lonon-New York-Toronto 1958, 763.

Johannes Madey

KENNICOTT, Benjamin, geb. 4.4. 1718 in Totnes, Devonshire; gest. 18.9. 1783 in Oxford. Theologe und Bibliothekar, bekannt vor allem wegen seiner Arbeiten zur Textgeschichte des hebräischen Alten Testaments. — K. studierte in Oxford und wurde 1747 aufgrund seiner »Two Dissertations: the First on the Tree of Life in Paradise, and the Second on the Observations of Cain and Abel« zum Fellow of Exeter College gewählt, wo er vor allem Hebräisch lehrte. 1753 wurde er Pfarrer in Culham (Oxfordshire), 1767 Konservator der Radcliffe-Bibliothek in Oxford und 1770 Domherr an der Christ-Church in Oxford und Rektor (Pfarrherr) in Culham. 1761 erhielt er sein Doktorat. Der durch seine Studien zur hebräischen Metrik und Poesie berühmte Erzbischof Robert Lowth zeigte K. die Probleme der textlichen Überlieferung des Alten Testaments und die Möglichkeiten der Textkritik, insbesondere durch Textvergleich. K. faßte den Plan einer breit angelegten Aufarbeitung des handschriftlichen Materials. Zur Propagierung seiner Ideen verfaßte er zwei Abhandlungen: »The state of the Hebrew Text of the Old Testament considered« und »The state of the printed Hebrew Text of the Old. Testament considered« (1753). Beide wurden von W.A. Taller übersetzt und in Leipzig veröffentlicht, die erste 1756 lateinisch, die zweite 1765 deutsch. Das Projekt und die Arbeit von K. fand von Anfang an begeisterte Zustimmung und vehemente Kritik. Könige stellten Manuskripte zur Verfügung oder unterstützten K. und sein Projekt finanziell. Andererseits gab es eine breite Polemik, die vor allem in England, Frankreich und Italien vorwiegend aus persönlichen Angriffen bestand, während in Deutschland eine sachlich differenziertere Diskussion geführt wurde (Michels, DB, 1888). — An der Sammlung und Vergleichung der Texte beteiligten sich Mitarbeiter in vielen Ländern. 1767 konnte er Prof. Paul Jakobus Bruns in Helmstädt für das Projekt gewinnen. Dieser sammelte auf Reisen in Deutschland, Holland, Frankreich und Italien die Varianten von ca. 250 Handschriften. Insgesamt wurden 615 hebräische und 16 Handschriften des samaritanischen Pentateuch und 52 Editionen kollationiert. In der Schrift »Methodus varias lectiones notandi et res scitus necessarias describendi a singulis Hebraeorum codicum ma-nuscriptorum Veteris Testamenti collectoribus observanda«, Oxford 1763, hatte K. das Programm und die Arbeitsmethode vorgelegt. Von 1760 bis 1769 erschienen jährliche Arbeitsberichte, die 1776 unter dem Titel »The ten annual accounts of the collation of the Old Testament« in Oxford erschienen. Nach intensiver umfangreicher Arbeit konnte K. das Ergebnis publizieren: »Vetus Testamentum Hebraicum cum variis lectionibus«, Oxford, Bd. I 1776; Bd. II 1780. Im Bd. II war eine »Dissertatio generalis in Vetus Testamentum« vorangestellt, die Prof. Bruns mit Ergänzungen versah und 1783 auch in Braunschweig herausgab. Die Arbeit von K. stellt einen Meilenstein in der Erforschung der hebräischen Textüberlieferung des Alten Testaments dar. Sie hat aber auch gravierende zeitbedingte und methodische Mängel: Trotz der großen Zahl handelt es sich durchwegs um eher junge Manuskripte, die nicht weiter als ins 10. Jahrhundert n.Chr. zurückreichen (ältere Manuskripte in nennenswertem Umfang wurden der Wissenschaft erst über ein Jahrhundert später zugänglich) und die nur einen Sektcr der Textüberlieferung repräsentieren; andererseits bringt K. nur den Konsonantenbestand, wodurch die Aussagekraft der Varianten wesentlich eingeschränkt ist. Während K. seiner Arbeit die van der Hooght'sche Bibelausgabe zugrundegelegt hatte, wurden nun die wichtigsten Erkenntnisse K.'s in die Biblia Hebraica von Doederlin, Leipzig 1783, und andere Drucke des hebräischen Alten Testaments aufgenommen und fanden auch Berücksichtigung in den Wörterbüchern. J.B. De Rossi, Varia lectiones Veteris Testamenti, 4 Bde. Parma 1784-88, Suppl.Bd. 1798, führte die textvergleichende Forschung weiter und erhöhte die Gesamtzahl der kollationierten Manuskripte auf ca. 1500. S. Davidson verwertete die Arbeiten von K. und de Rossi in seiner Ausgabe »The Hebrew Text of the Old Testament from critical sources«, London 1855. — Durch die wesentlich älteren Manuskripte aus der Geniza von Kairo und vor allem auch aus Qumran haben die bei K. erfaßten Texte nur mehr sekundäre Bedeutung, sie werden aber auch in der Biblia Hebraica Stuttgartensia (1967-77) noch teilweise angeführt.

Werke: Außer den im Text genannten Werken seien genannt: Duty of thanksgiving for peace (1747); A critical dissertation on Isaiah 7,13-16 (1757); Dissertation the second, wherein the samaritan copy of the Pentateuch is vindicdated (1759); Observations on the first book of Samuel 16,19 (1768); Critica sacra: Or a short introduction to Hebrew Criticism (1774); Epistola at celebrem F.D. Michaelis: De censura primi tomi Vet. Test. hebr. (1777); von Michaelis abgedruckt in Orientalische und Exegetische Bibliothek, Bd. 12, 1778; — Für weitere - vor allem die polemische - Literatur s. E. Michels in Dictionaire de la Bible III, 1889.

Lit: Ludwig Diestel, Geschichte des Alten Testaments in der christlichen Kirche (1869) 591-594 (dort auch ältere Literatur); — Ernst Würthwein, Der Text des Alten Testaments [4]1973, 43f.; — Religious Encyclopaedia..., II (1883) 1239f; — DNB XXXI (1892) 10-12; — Dictionnaire de la Bible III (1903) 1887-1889; — RGG III (1912) 1059.

Siegfried Kreuzer

KENSIT, John, englischer protestantischer Propagandist, * 1853, † 1902. — Er gehörte zu den frühen Vertretern eines extremen Typs von Protestantismus, der sich vehement gegen jegliche anglo-katholischen Strömungen innerhalb der Kirche von England wandte. Zu diesem Zweck gründete er in London in der Paternoster Row den City Protestant Bookshop. Später verbreitete er seine Auffassungen in der Zeitschrift »Churchman's Magazine«. Im Jahre 1890 wurde er Sekretär der neugegründeten fundamentalistischen Protestant Truth Society. Als solcher bekämpfte er immer radikaler alles, was er als »romanisierende Tendenzen« in der anglikanischen Kirche ansah. Ab 1898 bis zu seinem Tode organisierte er eine starke Opposition gegen das Anwachsen des sog. »Ritualismus« in den anglikanischen Diözesen London (z.B. in der Kirche St. Ethelburga's, Bishopsgate) und Liverpool. Überall, wohin K. hinkam, verursachte er in den Diözesen und Pfarrgemeinden beträchtliche Spannungen und Spaltungen. Sein Vorhaben, sich auch politisch zu betätigen - er kandidierte als unabhängiger Konservativer bei den Wahlen von 1900 im Wahlkreis Brighton -, scheiterte.

Lit.: J. C. Wilcox, John Kensit, Reformer and Martyr, Loudon [ca. 1903]; — E. L. Cross (Hrsg.), Ihe Oxford Dictionary of the Christian Church, Loudon-New York-Toronto 1958, 764; — Encyclopedic Dictiouary of Religion, Philadelphia-Washington 1979, 1977.

Johannes Madey

KENTENICH, Josef, Gründer der Schönstatt-Bewegung, * 18.11. 1885 in Gymnich bei Köln, † 15.9. 1968 in Schönstatt (Vallendar). — J. K. stammte aus kleinen, bürgerlichen Verhältnissen; sein Vater arbeitete auf einem Bauerngut, seine Mutter als Hausangestellte. Er wuchs zunächst bei den Großeltern mütterlicherseits auf, wurde 1894 von seiner Mutter im Waisenhaus in Oberhausen untergebracht und trat 1899 in das Missionsgymnasium der Pallottiner in Ehrenbreitstein bei Koblenz ein. Im Jahre 1904 erlangte er das Zeugnis der Reife und begann das Noviziat im Mutterhaus der Pallottiner in Limburg an der Lahn. Nach dem zweijährigen Noviziat erhielt er in den Jahren 1906 bis 1910 die ordensinterne Hochschulausbildung in Philosophie und katholischer Theologie, legte am 24.9. 1909 die ewigen Gelübde ab und wurde am 8. Juli 1910 in Limburg zum Priester geweiht. 1911 und 1912 unterrichtete er Deutsch und Latein am Gymnasium in Ehrenbreitstein und wurde im Oktober 1912 zum Spiritual des Pallottinergymnasiums in Vallendar am Rhein ernannt. Hier gründete er am 19.4. 1914 mit Gymnasiasten eine Marianische Kongregation und trug ihnen am 18. 10. 1914 anläßlich der ersten Versammlung in einer alten Kapelle auf dem Gelände des Gymnasiums, auf dem im Mittelalter das Kloster Schönstatt gestanden hatte, die Idee vor, Maria zu bitten, diese Kapelle zu einem Gnaden- und Wallfahrtsort zu machen. Im Jahre 1919 ließ sich K. für sein marianisch begründetes pädagogisches Programm zum vielfältigen Apostolat freistellen. 1926 gründete er seine erste Gemeinschaft, das spätere Säkularinstitut der Marienschwestern (1976: über 2.800 Mitglieder), 1931 die Schönstatt-Mädchenjugend als selbstständigen Zweig der seit 1920 bestehenden »Apostolischen Bewegung von Schönstatt« (weitere Gründungen: 1942 Institut der Marienbrüder und des Familienwerkes; 1945 Errichtung des Institutes der Schönstätter Diözesanpriester; 1946 Gründung des Institutes der Frauen von Schönstatt). J. K. wurde zu einem bekannten Exerzitienmeister, dem es darum ging, die Freiheit und Kreativität des Menschen als Bundesgenossen Gottes unverkürzt in Anspruch zu nehmen. Nach jahrelangen Bespitzelungen wurde er im Jahre 1941 verhaftet und nach vierwöchiger Dunkelhaft ins Konzentrationslager Dachau verbracht, von wo er unter ständiger Todesbedrohung bis zum Jahre 1945 die Schönstatt-Bewegung illegal leitete. Nach einer Diözesan- und römischen Visitation seines Werkes wurde er 1951 nach den USA verbannt, am 22.10. 1965 jedoch durch Papst Paul VI. rehabilitiert. J. K. überstand alle Verkennung und zum Teil auch Verleumdung seines Werkes in der heiteren Überzeugung, daß Gott im Schönstatt-Werk eine neue Initiative ermöglicht habe, um dadurch, vor allem unter dem Schutz Marias, der »Dreimal Wunderbaren Mutter und Königin von Schönstatt«, der heutigen und der kommenden Kirche dienen zu können. J. K. wurde in der von ihm erbauten Anbetungskirche auf Berg Schönstatt bei Vallendar beigesetzt. Am 10.2. 1975 eröffnete der Trierer Diözesanbischof Dr. Bernhard Stein mit Zustimmung des Heiligen Stuhls den Informativprozeß zur Seligsprechung, in dem zur Zeit (1988) vor allem »unterschiedlich interpretierbare Details« (Otto B. Rocgele) zur Biographie und aszetischen Praxis J. K.s geprüft werden sollen.

Werke: Teilbibliographie bei Paul Vautier (s. Lit.), 328-347 u. Herta Schlosser, Zentrale Begriffe (s. Lit.), 9-13; Weiter sind zu nennen: Predigten in Milwaukee, Bde. 1-15, 1969-1988 (wird fortgesetzt); Kindsein vor Gott. Priesterexerzitien, 1979; Krönung Mariens - Rettung der christl. Gesellschaft, 1977; Vollkommene Lebensfreude. Priesterexerzitien, 1984; Lichtzeichen über der Welt. Worte von J. K., 1979; Die Niedrigen erhöht er. Worte von J. K., 1977; Neue Väter - neue Welt, 1976.

Li.: Joseph Joos, Leben auf Widerruf. Begegnungen und Beobachtungen im KZ Dachau 1941-1945, 1949, 132-136; — Dilexit ecclesiam. Gedenkschrift zum Heimgang von Pater J. K., Gründer des Schönstattwerkes, 1968; — Pater J. K. in Schönstatt beigesetzt, in: Paulinus. Trierer Bistumsblatt 94, 1968, Ausg. Nr. 39 vom 29.9. 1968, 17; — Alexander Menningen, Oktoberwoche 1968. Unser Vater und Gründer. Seine Gestalt und seine Sendung, 1968; — Ders., Mit dem Gründer, 1969; — Ders., Pater K., Bekenner von Dachau, 1974, [2]1977; — Ders., Die Prozeßartikel für den Seligsprechungsprozeß des Dieners Gottes Pater J. K., 1979; — Herta Schlosser, Der neue Mensch - die neue Gesellschaft. Mit Originaltexten von J. K., 1971; — Dies., Zentrale Begriffe Schönstatts. Kleiner lexikalischer Komm. Nach Schriften und Vorträgen Pater J. K.s bearb., 1977; — Dies., Organisches Denken bei Pater J. K., in: Regnum 20, 1986, 169-180; — E. Badry, Mut zum Wagnis, 1971; — Ders., Glauben, Hoffen, Lieben, 1972; — Eugen Weiler, Die Geistlichen in Dachau, o. J. (= 1971), 342; — Engelbert Monnerjahn, Pater J. K., in: Maurus Münch, Unter 2579 Priestern in Dachau, [2]1972, 137-139; — Ders., Häftling Nr. 29392. Der Gründer des Schönstattwerkes als Gefangener der Gestapo 1941-1945, 1973, [4]1984; — Ders., Pater J. K. Ein Leben für

die Kirche, [3]1990; — Ders., Stationen eines Lebens. Pater K. und sein Werk, 1980; — Ders., Mit Maria erlöster leben. Pater K.s Botschaft zum Heiligen Jahr der Erlösung, 1984; — Ders., Für die Kirche der Zukunft. Überlegungen zum Anliegen der Heiligsprechung Pater K.s, 1985; — Ders., Eine provokatorische Gestalt. Pater J. K., Gründer des Schönstattwerkes, Pionier und Pfadfinder eines neuen christl. Lebensstils, 1985; — A. Klaiber, Mit Maria. Aus dem Leben des Gründers der Schönstattfamilie Pater J. K., [2]1972; — E. Kötzle, Neun Tage mit Pater J. K. Für Kinder, von Kindern, 1972; — M. Kley, Pater J. K. Lebensbild, Neun-Tage-Andacht, 1973, [6]1982; — Seligsprechungsprozeß für Pater J. K. eröffnet, in: Paulinus 101, 1975, Ausg. Nr. 15 vom 13. 4. 1975, 16; — Hans M. Czarkowski, Psychologie als Organismuslehre. J. K. und die moderne Psychologie unter besonderer Berücksichtigung der Tiefenpsychologie, [2]1978; — Barbara Albrecht, Brüder im Geist. Maximilian Kolbe und J. K. als Herausforderung an geistl. Leben heute, 1979; — Hans-Werner Unkel, Theorie und Praxis des Vorsehungsglaubens nach Pater J. K., 1980; — Esteban J. Uriburu, Sie nennen ihn Vater. Leben und Wirken des Pater K., 1980; — Peter Locher, Mit Herz und Humor. Erzählungen aus dem Leben Pater J. K. s, 1981; — Maria Anette Nailis, Pater K. - wie wir ihn erlebten, 1981; — Paul Vautier, Maria, die Erzieherin. Darst. und Unters. der marianischen Lehre Pater J. K.s (1885-1968), 1981; — Lineamenti di antropologia teologica in P. J. K., in: Lateranum 49, 1983, 335-380; — Joachim Schmiedl, Ein Gang durch Dachau. Mit Pater K. im Konzentrationslager, 1984; — Ulrich v. Hehl, Priester unter Hitlers Terror, 1984, 1330; — Karl-Heinz Mengedodt, Erste Begegnung mit P. J. K., 1984; — Franziska Dürr, Pater J. K. 1885-1968, 1985; — Josef M. Neuenhofer/Egon M. Zillekens, Auf die Spur kommen. Pater K. 1885-1968, 1985; — René Lejeune/Adelaide Lejeune, Schoenstatt. Chemin d'alliance J. K. 1885-1968, Paris-Fribourg 1985; — Ein Charisma für die Kirche. Ansprachen zum 100. Geburtstag von Pater K. Hrsg. von Günther M. Boll, 1986; — Wilhelm Willms, wagnis und liebe. der gefährliche weg des josef kentenich. ein musical, Kevelaer-Vallendar 1986; — Gertrud Pollak, Welch ein September, 1986; — Integration. Herausforderung an eine Kultur des 3. Jahrtausends. Interdisziplinäres Symposion aus Anlaß des 100. Geburtstages Pater J. K.s 25.-29.9. 1985. Hrsg. von Günther M. Boll und Lothar Penners, 1986; — Otto B. Roegele, Seligsprechungen. Laien-Gedanken zur Praxis des Pontifikats Johannes Pauls II., in: Intern. kath. Zeitschrift 17, 1988, 41-49, 49; — Roman Fink, Begegnung mit Pater Josef Kentenich im Pater-Kentenich-Haus auf Berg Schönstatt, Vallendar 1988; — LThK [1]I, 569; — LThK [2]IX, 457 f.; — Jakob Torsy, Der große Namenstagskalender, [10]1985, 264; — EC XI, 81; — New Catholic Encyclopedia XII, 1142 f.; — HdKG VII, 1979, 321 f. u. 331 f.

Martin Persch

KENTIGERN (Mungo), Mönch, Bischof und Heiliger, * unbekannt, † 13.1. (Festtag) 612 in Glasgow. — Die Biographie ist nahezu unbekannt. Die fünf überlieferten Vitae entstammen dem 12. oder einem späteren Jahrhundert. Die beiden wichtigsten Vitae sind das anonyme, im Auftrag des Bischofs Herbert von Glasgow (1147-1164) abgefaßte Leben und das von Jocelinus von Furness für Bischof Jocelinus von Glasgow (1175-1199) abgefaßte Leben. Alle Vitae zeigen verschiedene Überlieferungsschichten auf. Die älteste Geschichte geht aber nicht hinter eine wahrscheinlich cumbrische, um 1100 abgefaßte Vita, zurück. K. war vielleicht ein unechter Enkel eines Britischen Fürsten (Urien?) und Schüler des Schottischen Bischofs Servanus. K. war Bischof von Glasgow und, nach den späten Annales Cambriae (9. Jahrhundert), Apostel des Königreiches Strathclyde (Clyde Valley). Infolge politischer Unruhen wurde er verbannt nach Cumbrien, kehrte aber zurück und lebte in Hoddam (Dumfries) und Glasgow, wo er starb.

Werke: Quellen: Annales Cambriae, hrsg. und übers. v. John Morris, Nennius British History and the Welsh Annals, 1980, 46, 86; Vita Kentigerni, hrsg. v. Carl Horstmann, Nova Legenda Angliae, Oxford 1901; Jocelinus, Vita Kentigerni und Anonymus, Vita Kentigerni imperfecta, hrsg. und übers. v. A. P. Forbes, Lives of St. Ninian and St. K. compiled in the Twelfth Century (= The Historians of Schotland, vol. V), Edinburgh 1874, 27-133 (übers.), 159-252 (Text).

Lit.: James Carney, Studies in Early Irish Literature and History, Dublin 1955; — John MacQueen, Yvain, Ewen and Owein ap Urien, in: Transactions of the Dumfriesshire and Galloway Natural History and Antiquarian Society 33 (1954/55), 107-131 und 36 (1959), 175-183; — Ders., Myth and legends of Lowland Scottish saints, in: Scottish Studies 24 (1980), 1-21; — Kenneth H. Jackson, The Sources for the Life of St. K., in: Nora K. Chadwick (hrsg.), Studies in the Early British Church, Cambridge 1958, 273-357; — J. W. James, A. Vindication of St. K.'s Connection with Llanelwy, Bangor 1960; — David Mac Roberts, The death of St. K. of Glasgow, in: InR 24 (1973), 43-50; — Thomas D. Hill, Odin, Rinda and Thaney, the Mother of St. K., in: MAe 55 (1986), 230-237; — Alan MacQuarrie, The career of Saint K. of Glasgow: »vitae, lectiones« and glimpses of fact, in: InR 37 (1986), 3-24; — DCB III, 603 ff.; — L. Bieler, LThK² VI, 117; — L. MacFarlane, NCE VIII, 157; — David A. E. Pelteret, in: Dictionary of the Middle Ages VII (1986), 231; — David Hugh Farmer, in: The Oxford Dictionary of Saints, Oxford/New York 1987², 249 f.

Adriaan Breukelaar

KENYON, [Sir] Frederic George, engl. Papyrologe, Paläograph und Textkritiker, *15.1. 1863 in London, † 23.8. 1952 in Godstone (Sur-

rey/England). — Sein Vater, John Robert K., war ein angesehener Anwalt, u.a. auch Inhaber der Charles Viner-Stiftungsprofessur in Oxford. Der Großvater mütterlicherseits, Edward Hawkins, Numismatiker und Altertumsforscher, war bis zu seinem Tod 1860 Direktor der Altertumsabteilung des Britischen Museums in London [im folgenden: BritM.]. Vier der sechs Brüder K.s bekleideten Positionen in der Armee. So scheint der Lebensweg K.s schon in der Familie angelegt, sei es in der Klarheit und Strenge des Rechtsdenkens, sei es hinsichtlich der Neigung zur Altertumswissenschaft oder dem Interesse an militärischen und marinehistorischen Fragen. Entscheidenden Einfluß hatte ferner das tägliche Bibelstudium im Familienkreis. — Von London aus zog die Familie 1869 aufs Land nach Pradoe (Salop/Shropshire), der Heimat des Vaters. Die ersten Begegnungen mit der lateinischen und der griechischen Sprache vermittelte ihm seine Schwester, noch bevor K. in die Preparatory School eintrat. Während seiner Schulzeit in Maidenhead und Winchester bilden sich bei K. zwei besondere Interessen heraus, zum einen die Bibelarbeit - schon im Alter von elf Jahren verfaßt er im Sommer 1874 eine preisgekrönte Arbeit über das Thema 'Divinity and History', 1880 erhält er den Moore Stevens-Preis in Winchester mit einer Studie zur Apostelgeschichte -, zum anderen die Dichtung von Robert Browning, dem bedeutenden und vielgelesenen Autor der Victorianischen Zeit. — 1882 tritt K. in das New College in Oxford ein, wo seine neutestamentlichen Studien, hauptsächlich über das Matthäus-Evangelium (1885/1889), Beachtung finden. 1888 wird er Mitglied des Magdalen College in Oxford. Mit seiner Anstellung als Assistent in der Handschriftenabteilung beginnt 1889 seine Arbeit für das BritM., die 41 Jahre andauern wird. Schon nach zwei Monaten wird ihm aufgrund seiner herausragenden Kenntnisse und Fähigkeiten die Aufgabe übertragen, die griechischen Papyri der zu der Zeit noch kleinen Handschriftensammlung zu katalogisieren. Bei dieser Arbeit stößt er auf die vier Papyri, deren Entschlüsselung seinen wiss. Rang begründen sollten: die »Staatsverfassung von Athen« des Aristoteles (26.2. 1890; die Erstausgabe datiert vom 30.1. 1891). In Anerkennung seiner papyrologischen und paläographischen Studien wird ihm die Ehrendoktorwürde der Universitäten Durham (1897) und Halle (1898) verliehen. Seit 1900 ist K. Mitglied der Berliner Akademie. Im Alter von nur 35 Jahren tritt K. 1898 in die Direktion (Assistant Keeper/Deputy Keeper) der Handschriftenabteilung ein. 1909 wird ihm die Leitung des BritM. und der angeschlossenen Bibliothek übertragen. Damit ist K. nicht nur der jüngste Direktor des BritM., sondern auch der einzige, der diese Position vom Abteilungsstatus aus direkt erreicht. Obwohl K.s Arbeitskraft und Zeit durch diese Verwaltungstätigkeit erheblich in Anspruch genommen wird, entfaltet er weiterhin eine schon als solche beachtliche akademische Aktivität. 1903 wird K. in die British Academy aufgenommen, von 1917-1921 ist er deren Präsident. Zahlreiche Universitäten und wiss. Gesellschaften haben K. Ehrentitel verliehen. Er wird geadelt, 1912 Knight Commander of the Bath, 1925 erhält er den Orden 'Grand Cross of the British Empire'. Aus den zahlreichen akademischen Verpflichtungen und Ehrenämtern, die K. während der Jahre zumeist in leitender Stellung innehat, seien die Präsidentschaft der Society of Antiquities (1934-1939), deren Ehrenmitglied K. 1926 wurde, und der Union Akadémique Internationale (1928-1931) genannt. K. wird Professor of Ancient History in der Royal Academy (1918). Von 1920 bis zu seinem Tod ist er Präsident der British School of Archaeology in Jerusalem. Nach seiner Emeritierung und damit dem Ausscheiden aus dem Dienst am BritM. (1930) findet K. als Secretary of the British Academy eine neue Aufgabe, die er bis 1949 erfüllt. Das letzte seiner Werke ist bezeichnenderweise der erste 50-Jahresbericht über die Aktivitäten der British Academy, der am 6.6. 1952 publiziert wird. In diese Zeit fällt die andere über alle Maßen bedeutende Papyrus Edition durch K., gleichsam die Krönung seines Lebenswerkes, nämlich die Herausgabe der von (Sir) A. Chester Beatty erworbenen und im eigenen Museum in Dublin verwahrten Papyri. — K. hat 1891 Amy Rowland geheiratet. Seine Frau stirbt 1938. Die ältere der beiden Töchter, Kathleen Mary [5.1. 1906-24.8. 1978], führte als bedeutende und geschätzte Archäologin die wiss. Tradition des Vaters fort. — Das besondere Engagement im Dienst für die britischen Streitkräfte fügt dem faszinierenden Bild, das sich von

dem Leben K.s zeichnen läßt, eine weitere Facette hinzu. K. meldet sich mit Erlaubnis des Direktors des BritM. im Dezember 1899 zum Dienst in einem Freiwilligencorps, den er jährlich ableistet. Im Zuge der Mobilmachung zieht er, inzwischen zum Kompaniechef befördert, am 30.7. 1914 in den Krieg nach Frankreich. Er wird aber schon am 5.9. 1914 aufgrund eines Einspruches des Kuratoriums des BritM. wieder zurückbeordert. Daraufhin verpflichtet er sich in Absprache mit dem Kuratorium, als Ausbilder im Corps tätig zu sein neben seiner Aufgabe als Direktor des BritM., die er 'by correspondence' wahrnimmt. Zugleich wird er leitendes Mitglied der Kriegsgräberkomission. Im Mai 1940, K. ist 77 Jahre alt [!], gelingt es ihm mit einem Trick, zur Bürgerwehr eingezogen zu werden. Einen Monat vor seinem achtzigsten Geburtstag läßt er sich schließlich zur Entlassung aus dem Dienst überreden. Im Luftschutzdienst dient er weiterhin bis zum Ende des Krieges. Seinem Interesse entspricht es, daß K. mehrere Militär- und Marine-Korrespondenzen, u.a. zur 100-Jahr-Feier der Trafalgar-Schlacht, aufarbeitet, katalogisiert und ausstellt. Seit 1908 gehört er dem Vorstand der Navy Records Society an, deren Präsidentschaft er ab 1924 für 24 Jahre übernimmt. — Der Vielfalt der Aufgaben und Interessen K.s entsprechen seine kulturgeschichtliche Bedeutung über die Grenzen Englands hinaus und die Breite seines Gesamtwerkes. Es schmälert die Verdienste K.s in keiner Weise, wenn man hinsichtlich der Papyrusfunde feststellt, daß er oft in seiner wiss. Arbeit das Glück auf seiner Seite hatte. — Die Erstausgabe der »Staatsverfassung von Athen« (1891), einer im wesentlichen von Aristoteles selbst erarbeiteten Monographie aus 158 griechischen Verfassungsentwürfen, gilt nicht nur als glückliche Stunde der Papyrologie - bis dahin konnten nur zwei Bruchstücke gefunden bzw. bestimmt werden -, sondern auch und vor allem als in ihrer wiss. Strenge von Entzifferung und Textkritik als schlechthin vorbildlich. Auch wenn K. in weiteren Editionen (1891; 1895) immer wieder Mißverständnisse oder kleine Fehler zu korrigieren wußte, so hat er mit der Erstausgabe Pionierarbeit über dieses Werk hinaus geleistet in einer Zeit, in der es kaum Hilfsmittel, keine paläographische Grundlagenforschung im eigentlichen Sinne und nur wenig

Vergleichsmaterial gab. Auch die Übersetzung dieses Werkes (1891; 1895[2]) ist ein herausragendes Beispiel für das Zusammenwirken von moderner Sprache und Treue gegenüber dem griechischen Text. — Diese Würdigung der wiss. Leistung gilt in gleicher Weise für die weiteren Editionen und Übersetzungen, die K. betreut hat. Die Erstausgabe der Chorlyrik des Bakchylides (1897) wurde ermöglicht durch die Auswertung zweier Papyrusrollen, die das BritM. 1896 gekauft hatte. Die Papyri enthalten aus allen wichtigen Dichtungsgebieten Belege z.T. beträchtlichen Umfanges. Damit ließen sich erstmals Ausmaß und Bedeutung des Gesamtwerkes dieses, neben Pindar bedeutendsten, klassisch-griechischen Lyrikers ermitteln. Als weitere editio princeps sind die Reden (bzw. deren Fragmente) des Hypereides hervorzuheben. Unter diesen sechs, weitgehend vollständig erhaltenen Reden findet sich der 'Epitaphios' für die Toten der Schlacht von Krannon (or. 6). Da bislang nur Fragmente aufgrund von Zitaten bekannt waren, ermöglichte die Ausgabe erstmals Aussagen über den rhetorischen Stil, Tradition und Sprache sowie die rednerische Kunst dieses geschätzten Lehrers des Altertums. Eine forschungsgeschichtliche Sensation stellte das Auffinden der Mimiamben des Herodas dar. Vorher waren nur neun kurze Zitate aus dem Werk dieses Dichters des 3. Jh. v. Chr. bekannt. Die genannten Papyri wurden mit vielen anderen, vergleichsweise weniger überraschenden, aber doch wichtigen Handschriften in den Katalogen des BritM. (»Classical Texts...« Juni 1891; »Greek Papyri...« 1893, 1898, 1907) von K. erstveröffentlicht. Doch K. beließ es nicht bei der Entzifferung und Veröffentlichung für den wiss. Gebrauch, sondern suchte die Texte und die Grundlagen der Papyrus- bzw. Handschriftenkunde dem interessierten Publikum nahezubringen. Für das erste stehen die zahlreichen Übersetzungen und Kommentierungen, die er verfaßt hat, für das zweite die 1899 veröffentlichte »Palaeography of Greek Papyri«. Diese Einführung geht auf eine Arbeit zurück, für die K. 1897 den Connington Preis in Oxford erhielt. Die Studie zählt zu den Standardwerken der Handschriftenkunde neben dem Werk »Griechische Paläographie« von Wilhelm Schubart (HAW I/4, 1925), freilich auf dem Wissensstand ihrer Zeit. Grundlegend ist die klare Trennung von literarischen und nichtliterarischen Papyri, bahnbrechend waren die Äußerungen zum Datierungsproblem. In der Veröffentlichung einer Vorlesungsreihe »Books and Readers in Ancient Greece and Rome« (1932, überarb. 1951[2]) trägt K. die Erkenntnisse und Früchte seiner Forschung aus vier Dekaden allgemeinverständlich vor. — Das Direktorat des BritM. führte K. mit derselben vorurteilsfreien Strenge und Zielstrebigkeit, die auch sein wiss. Werk auszeichnet. Das immense Wachstum der einzelnen Museumsabteilungen und -sammlungen geht neben anderem zurück auf K.s beruflichen Einsatz, sein persönliches wiss. Ansehen und seine Bereitschaft, sich selbst für die vielfältigen Sammlungs- und Forschungsbereiche bis hin zu den öff. Erfordernissen zu interessieren und zu engagieren. Ihm gelang der Versuch, die hohen wiss. Anforderungen, die an das BritM. gestellt wurden, dessen eigenen Anspruch und die Anforderung an diese nationale Institution von seiten des breiten Publikums miteinander zu verbinden. In der Präsentation und Vermittlung der Museumssammlungen an die Öffentlichkeit ging K. zudem neue Wege. Während des 1. Weltkrieges hat K. in schwierigen und harten Diskussionen die Weiterführung und auch die dauernde Öffnung des Museums für das Publikum gegen die Pläne des Kriegskabinetts durchgesetzt. — Für die Textkritik der biblischen Schriften gaben von K. besorgte Editionen von Bibelhandschriften wichtige Impulse. Seine (v. a. die späteren) Studien zu den Handschriften und zur Methodik sind noch heute beachtenswert und fesselnd zu lesen. Hierzu lassen sich zwei Schaffensperioden unterscheiden, welche durch die Unterbrechung wegen der Direktoratsverpflichtung markiert werden. Allerdings verantwortet K. in dieser Zeit den Handschriftenteil im »Guide to the Manuscripts and Printed Books...« zum 300. Jahrestag (1911) der englischen Bibelübersetzung, der sog. King James Bible oder Authorized Version. Auch darf sein Einsatz für den Erwerb des Codex Sinaiticus (1933) nicht unerwähnt bleiben. Zunächst hatte er nennenswerten Einfluß auf die Verkaufsverhandlungen mit der russ. Regierung und nach dem Kauf organisierte und erbettelte K. unermüdlich die für den Kaufpreis noch nötigen Gelder. Die erste Schaffensperiode wird bestimmt durch die Faksimile-Edition der Bibelhandschriften des BritM. (1900) und des Codex Alexandrinus (1909). Dem ging seine erste Studie zur Textkritik »Our Bible and the Ancient Manuscripts« (1895, mit zahlr. Überarb.) voraus und folgte das »Handbook to the Textual Criticism...« (1901). Die zweite Periode ist geprägt durch die Arbeit an den Chester Beatty-Papyri. Die Bestimmung und das Erscheinen (1933-1941) dieser Handschriften hat die Forschung entscheidend beeinflußt. Denn die Papyri aus dem 3. Jh., Papyrus 46 um 200, enthalten im wesentlichen vollständige neutestamentliche Schriften aus der Frühzeit. Die Bedeutung des Papyrusfundes wird nur von den Bodmer-Papyri übertroffen, die erst 20 Jahre später bekannt werden. Mit der Ausgabe der Chester Beatty-Papyri stehen eine Reihe von hervorragenden Veröffentlichungen im Zusammenhang. Dazu seien »Recent Developments in the Textual Criticism....« (1933) und die Studien zum sog. »Westlichen« Text erwähnt. — Wie für die Methode der Paläographie hat K. auch für den Bereich der biblischen Textkritik ein bis heute kaum übertroffenes Standardwerk erarbeitet: »The Text of the Greek Bible« (1937). Aufgrund seiner methodischen Klarheit und der Übersichtlichkeit der Darstellung bietet dieses »Student's Handbook« eine nicht nur forschungsgeschichtlich spannende Lektüre. Zudem finden die Handschriften der Septuaginta gesonderte Berücksichtigung, und es wird deren Beziehung zu den neutestamentlichen Textzeugen beleuchtet. Die zahlreichen biblischen Studien der letzten zwei Dekaden seines Lebens beschränken sich jedoch nicht auf die Fragestellungen und Probleme der Textkritik. Vielmehr äußert sich K. zunehmend kritisch gegenüber der auch den angelsächsischen Raum erfassenden historisch-kritischen Exegese. Die populär geschriebenen und leicht zu lesenden Arbeiten »The Reading of the Bible« (1945), »The Bible and Modern Scholarship« (1948), »Literary Criticism, Common Sense... « (1949) finden weite Verbreitung. — Einen bedeutenden Beitrag zur engl. Literaturgeschichte leistete K. mit der Edition der Werke von Robert Browning [7.5. 1812-12.12. 1889] und Elizabeth Barrett Browning [6.3. 1806-29.6. 1861], dessen Frau. Neben der zehn-

bändigen Werkausgabe zum 100. Geburtstag (1912) von Robert Browning, der Teilausgaben vorausgingen, seien die zweibändige Edition der Briefe von Elizabeth Barrett Browning (1897) und der Band »The Brownings for the Young« (1896) genannt. Auch hier steht wie in allen Bereichen seines Schaffens die Verbindung zwischen einer anspruchsvollen wiss. kritischen Veröffentlichung und der Vermittlung an ein breites Publikum im Vordergrund.

Herausgeberschaft: 1. Papyruseditionen (z. T. m. Komm. bzw. Übers.): Aristoteles, Athenaion politeia. De re publica Atheniensium, 1891 (1891^2, 1892^3); dass., Aristotelis respublica Atheniensium, in: Supplementum Aristotelicum. Editum consilio et auctoritate academiae litterarum regiae Borussicae III, 2, 1903; dass., Aristotle, On the Athenian Constitution [engl. Übers.], 1891 (1895^2); dass., OCT, 1920; Classical Texts from Papyri in the British Museum. Including the Newly Discovered Poems of Herodas, 1891; Hyperidis Orationes et Fragmenta, 1892; dass., OCT, 1907 (Nachdr. 1963); Hyperides. The Orations against Athenogenes and Philippides, 1893; Anonymi Londinensis ex Aristotelis Iatricis Menomis et aliis Medicis Eclogae, in: Supplementum Aristotelicum... III, 1, 1893 (Nachdr. 1961, hrsg. v. Hermann Diels; neu hrsg. u. überarb. v. W. H. S. Jones, The Medical Writings of Anonymous Londinensis, 1947); Greek Papyri in the British Museum I, 1893. II, 1898. III (mit Harold Idris Bell), 1907; The Poems of Bacchylides, 1897; Faksimiles of Biblical Manuscripts in the British Museum, 1900; Facsimiles of Ancient Manuscripts, 1903; The Codex Alexandrinus (royal ms. 1 D V-VIII) in reduced photographic facsimile, 1909; The Chester Beatty Biblical Papyri. Descriptions and Texts of Twelve Manuscripts of the Greek Bible I. General Introduction, 1933. II. The Gospels and Acts, 1933. III. Epistles of Paul and Book of Revelation, 1934. IV. Two Codices of Genesis, 1934; V. Numbres and Deuteronomy, 1935; VI. Isaiah, Jeremiah, Ecclesiasticus, 1937. VII. Ezekiel, Daniel, Esther, 1937. VIII. Enoch and Melito, 1941; — 2. Dichtung und Verwandtes: The Brownings for the Young, 1896; Robert Browning, The Poetical Works of Robert Browning I-II, 1986 (hrsg. mit Augustine Birrell); The Letters of Elizabeth Barrett Browning. Edited with Biographical Additions I-II, 1897; Elizabeth Barrett Browning, The Poetical Works, 1897; The Letters of Robert Browning and Elizabeth Barrett Browning (1843-1846), 1899; Robert Browning and Alfred Domett, 1906; Alexandra Sutherland Orr's Life and Letters of Robert Browning, 1908^2; Robert Browning, The Works. Centenary Edition I-X, 1912; Robert Browning, New Poems by Robert and Elizabeth Barrett Browning, 1914; John Locke, Directions concerning education. Being the first draft of his Throughts concerning education now printed from Additional ius 38771 in the British Museum, 1933.

Werke: Comparision of ancient and modern political oratory, 1889; Herodas facsimile of papyrus CXXXV in the British Museum, 1892; A medical papyrus in the British Museum: CIR 6, 1892, 238-240; Two new manuscripts in the British Museum: JP 22, 1894, 238-261; A rescript of Marcus Antonius: ClR 10, 1894, 476-478; Une epigramme sur la bataille d'Actium: ARP 19, 1895, 177-179; Our Bible and the Ancient Manuscripts. Being a history of the text and its translations, 1895 (1939[4], 1958[5] hrsg. von A.W. Adams; span. 1947); Facsimile of Papyrus 733 in the British Museum, 1897; Sulle poesie di Bacchilide recentemente scoperte: RIL.LM V/6, 1987, 3-5; The Palaeography of Greek Papyri, 1899; W. E. Crum - F.G.K., Two Chapters of St. John in Greek and Middle Egyptian, in: JThS 1, 1899-1900, 415-433; Handbook to the Textual Criticism of the New Testament, 1901 (1912[2], Nachdr. 1926); Manuscripts, in: Criticism of the NT, 1902, 31-67; The lineage of the classics, in: Harpers Mag. 1902, 335-341; Contribution of Greek Papyri to Textual Criticism, 1904; The Gospels in the Early Church, 1905; Evidence of Greek Papyri with regard to Textual Criticism, 1905; Buildings of the British Museum. A short history, 1914; The Classics as an Element in Life, 1914; Ideals and Characteristics of English Culture, 1916; War Graves. How the cemeteries abroad will be designed, 1918; The position of an academy in a civilized state, 1918; Education: secondary and university. A Report of conferences between the Council for Humanistic Studies and the Conjoint Board of Scientific Societies, 1919; International Scholarship, 1920; The Fellowship of Learning, 1921; The classics in modern life, 1923; The papyrus book: The Library IV, 7, 1926, 121-135; The Testimony of the Nations to the Value of Classical Studies, 1925; Museums and National Life. The Romanes Lecture, 1927; Ancient Books and Modern Discoveries, 1927 [Kap. 4: Papyrus. Alte Bücher und moderne Entdeckungen (dt. v. Gertrud Lehmann-Viereck), Philobiblon 11, 1939, Beil. 1/2]; The Bible as Christ knew it, in: The history of Christianity in the light of modern knowledge, 1929, 172-181; The English Versions of the Bible, ebd. 639-649; Arthur James Balfour, 1848-1930, 1930; Libraries and Museums, 1930; Sir Edward Maunde Thompson, 1840-1929, 1930; The Text of the Bible. A New Discovery. More Papyri from Egypt, in: The Times 19.11.1931, 13f; The Text of the Bible. A new discovery. More papyri from Egypt, 1931; Books and Readers in Ancient Greece and Rome, 1932 (1951[2]); Sir Israel Gollancz, 1863-1930, 1932; Recent Developments in the Textual Criticism of the New Testament, 1933; Nomina Sacra in the Chester Beatty Papyri, in: Aegyptus 13, 1933, 5-10; The British Museum in War Time, 1934; The Story of the Bible. A popular account of how it came down to us, 1936; Sir George Warner, 1845-1936: PBA 22, 1936, 345-357; The Bible Text and Recent Discoveries, UTQ 5, 1936; Visite et rapport des techniciens d'art, 1937; The Text of the Greek Bible. A Student's Handbook, 1937 (1961[2] hrsg. v. A. W. Adams, dt. v. Hans Bolewski, 1952, 1961[2] m. Anh. z. Textgesch. v. Ferdinand Hahn); Some Notes on the Chester Beatty Papyri and Acts, in: Quantulacumque, FS Kirsopp Lake, 1937, 145-148; Art Treasures of Spain, 1937; The Western Text of the Gospels and Acts, in: PBA 24, 1938, 287-315; The Text of the Greek New Testament, in: ExpT 50, 1938/39, 68-71; The Western Text in the Gospels and Acts, 1939; The Bible and Archaeology, 1940; Hesychius and the Text of the New Testament, in: Memorial Marie Joseph Lagrange, 1940, 251-258; Book Divisions in Greek and Latin Literature, in: W. H. Bishop. A Tribute, 1941, 63-75; The Myth of the Mind, 1941; Ras Shamra and Mari. Recent archaeological discoveries affecting the Bible, 1941; Testamentum Bibliothecarii, in: JRLB 25, 1941, 67-

82; Arthur Hamiltion Smith, 1860-1941, 1943; Religion and National Life, 1945; The Reading of the Bible, as history, as literature, and as religion, 1945; The Bible and Modern Scholarship, 1948; The Bible and the Ancient Manuscripts, 1948; Literary Criticism, Common Sense and Modern Scholarship, 1949; The [Victoria] Institute and Biblical Criticism To-day, in: Journal of the Trans. of the Victoria Institute 82, 1950, 223-231; The British Academy. The First Fifty Years, 1952.

Lit.: Arrundell Esdaile, The British Museum Library. A short history and survey (Einl. v. F.G.K.), 1948[2]; — Nils Alstrup Dahl, Nytestamentlig isagogikk, in: NTT 53, 1952, 42-50; — Bruce Manning Metzger, Chapters in the History of New Testament Textual Criticism, NTTS 4, 1963; — Albert Pietersma, F.G.K.'s Text of Pap. 963, in: VT 24, 1973, 113-118; — Nachrufe (z. T. mit persönl. Lebenserinnerungen) u. d. T. F.G.K.: Harold Idris Bell, in: PBA 38, 1952, 269-294; — Paul Deschamps, in: CRAI 1952, 457f; — T. D. Kendrick, in: BMQ 17, 1952, 63f; — Eric G. Millar, ebd. 65ff; — Arrundell Esdaile, ebd. 68; — J. H. Wittney, ebd. 69f; — Gösta Lindeskog, SvExAb 17, 1952, 164; — F. G. Turner, Gnomon 24, 1952, 527f; — John M. T. Barton, in: Scripture 5, 1953, 110f; — Samuel Henry Hooke, PEQ 85, 1953, 6f; — Louise Pettibone Smith, in: JBL 72, 1953, XXIIIf; — Rudolf Pfeiffer, in: Bayer. Akad. d. Wiss. Jahrbuch 1953, 1954, 148-151; — C. Préaux, in: CdE 29, 1954, 179-183; — D.N.B. [1951-1960], 576-578 (Harold Idris Bell); — LThK VI, 117 (J. Schmid); — NCE VIII, 162 (Robert Loren Zell).

Wolfgang Weiß

KENYON, Dame Kathleen Mary, Archäologin, vor allem berühmt im Bereich der Palästinaarchäologie; geb. 5.1. 1906 in London, gest. 24.8. 1978 in Erbistock, England; — K. studierte Archäologie an der Universität in Oxford, wo sie dann die erste weibliche Präsidentin der University Archaeological Society wurde. Ihre Ausbildung und erste Tätigkeit bezog sich vor allem auf eisenzeitliche und römerzeitliche Archäologie in Großbritannien, wo sie ab 1930 mit Tessa und Mortimer Wheeler arbeitete. Zur Palästinaarchäologie kam sie vor allem durch John W. Crowfoot, mit dem sie, ebenfalls ab 1930, in Samaria arbeitete. Bei diesen Grabungen lernte und vervollkommnete sie die stratigraphische Methode, die in dieser konkreten Form auch als die Wheeler-Kenyon-Methode bezeichnet wurde. Nach einem ersten Paper zur Methode 1939 und einem während des 2. Weltkrieges erschienenen Berichtband wurde K.s Arbeit in Samaria durch den 1957 erschienenen Band »Samaria-Sebaste III: the Objects« bekannt und führte zu einiger Diskussion. Da K.s spätere Grabungen (zu ihren Lebzeiten) nur in Überblicksdarstellungen und nicht im Detail publiziert wurden, blieb dieser Band der einzige, in dem K. gründliche Rechenschaft über ihre Methode gab. — Nach dem 2. Weltkrieg leitete K. große Ausgrabungen in Jericho (ṭell es sulṭan) 1952-58 und in Jerusalem, 1961-67. In Jericho wurden die früheren Grabungen von Ernst Sellin und von John Garstang zu weitreichenden neuen Erkenntnissen weitergeführt. Die Geschichte Jerichos konnte bis in mehrere Epochen der Jungsteinzeit zurückverfolgt werden. Jericho erwies sich damit als die älteste bekannte Stadt der Welt. Zu lebhafter Diskussion, teilweise auch unsachlicher Polemik, führte K.s Neudatierung der von Garstang mit Josuas Eroberung (Jos 6) verbundenen Stadtmauer; die nach K. ca. 300 Jahre älter war (Mittlere Bronzezeit II, ca. 1500 v.Chr.). Die in Jericho erarbeitete Chronologie bildete eine Vergleichsbasis für zahlreiche weitere Ausgrabungen in Palästina. Die Ausgrabungen am Ophel in Jerusalem, südlich des Tempelberges, brachten wichtige Ergebnisse für die Gegebenheiten der Davidstadt (10.Jh.) und der älteren Jebusiterstadt. — K.s Tätigkeit erstreckte sich nicht nur auf die Ausgrabungen, sondern auch auf die Forschungsorganisation. Sie leitete ab 1951 die »British School of Archaeology in Jerusalem«. Nach den Veränderungen durch den Sechs-Tage-Krieg arbeitete sie für die Gründung des neuen »British Institute at Amman for Archaeology and History«, die bis 1978 im wesentlichen erfolgt war. In der Heimat war sie secretary and acting director des »Institute of Archaeology« an der London University, von wo aus sie auch mit diversen anderen archäologischen Projekten engagiert war. — Von ihren Werken sind vor allem zu nennen: »Beginning in Archaeology« (1952), in dem sie ihre Methode darlegte und durch das sie Aufsehen erregte und Schüler gewann. In »Digging up Jericho« (1957) ist, bei aller Sachlichkeit, die Begeisterung der Grabungstätigkeit am unmittelbarsten zu spüren. »Jerusalem - Excavating 3000 Years of History« (1967) und »Digging up Jerusalem« (1974) berichten K.s Ergebnisse und Interpretationen der Arbeit in Jerusalem. Weltweite Verbreitung in mehreren Auflagen und Sprachen fand »Archaeology in the Holy Land« (1960; 1978[4]) Der eigentliche Grabungsbericht zu Jericho wurde erst posthum von T.A. Holland 1983 abgeschlossen, jener von Jerusalem erst 1985 von A.D. Tushingham u.a. begonnen. — K.s Arbeit prägte in Zustimmung und Diskussion eine bedeutende Epoche der Palästinaarchäologie, zugleich zeigte sich, besonders im Publikationsbereich, daß Ausgrabungen dieser Größenordnung nur mehr in Teamverantwortung geleistet werden können. Neben vielen anderen Ehrungen erhielt sie 1977 den Ehrendoktor der Evang.-Theologischen Fakultät der Universität Tübingen.

Werke: Jericho, Enc.Arch.Exc. II, 1976, 550-564; Jerusalem, Enc.Arch.Exc. II, 1976, 591-597; The Date of the Destruction of Iron Age Beersheba, PEQ 109, 1977, 63-64; The Bible and Recent Archeology, 1978 (2., von P.R.S. Moorey bearb. Aufl. 1987); Jericho (bearb. von R.A. Coughenour), The int. standard Bible enc. II, 1982[3]; alles übrige in: N.J.H. Lord and A.C. Western, A Bibliography of Kathleen M. Kenyon up to 1975, in: P.Roger S. Moorey - Peter J. Parr (Hgg.), Archeology in the Levant - Essays for Kathleen M. Kenyon, 1978; teilweise posthum weitergeführte Grabungsberichte: Jericho I, 1960; II 1964; K. - Thomas A. Holland; Jericho III A u. B, 1981; IV, 1982; V, 1983; [K.] - A. Douglas Tushingham, Excavations in Jerusalem 1961-1967, I, 1985.

Lit: Nachrufe: BASOR 232, 1978, 3-4 (W.G. Dever); — ZDPV 94, 1978, 178 (Arnulf Kuschke); — PEQ 111, 1979, 3-9 (P.Roger S. Moorey); — AfO 26, 1978/79, 238f (A.C. Western); — ADAJ 21, 1976 (später ersch.); — Proc.British Academy 71, 1985, 555-582 (A.Douglas Tushingham); — Zur Arbeit und Methodik: Thomas A. Holland, Kathleen Kenyons excavation records and their publication, Levant 12, 1980, IV-V; — Gary C. Huckabay, An analysis of the methodology of Kathleen M. Kenyon in relation to biblical archaeology in Palestine with a focus on Jericho, Diss. SW Baptist theol.sem., 1984; — Rupert L. Chapman, Excavation techniques and recording systems, a theoretical study, PEQ 118, 1986, 5-26; — P. Roger S. Moorey, Preface to the New Edition, in: K. - P.R.S.Moorey, the Bible and Recent Archaeology, 1987, 7-12.

Siegfried Kreuzer

KEPLER/KEPPLER, Johannes, Astronom und Mathematiker, * 27.12. 1571 in Weil der Stadt/Württemberg als ältestes Kind eines Söldners, † 15.11. 1630 (neuer Zeitrechnung) in Regensburg. — K. verbrachte Teile seiner frühen Kindheit bei den Eltern des Vaters, als dieser sich im Krieg befand und die Mutter ihm ins Kriegslager gefolgt war. Von einer Pockenerkrankung behielt er ein Augenleiden zurück. 1576 kehrten die Eltern zurück und zogen nach

Leonberg vorübergehend auch nach Ellmendingen bei Pforzheim, wo der Vater ein Wirtshaus gepachtet hatte. In Leonberg besuchte K. die Lateinschule. Am 17.5. 1583 bestand er das Landexamen in Stuttgart. Bevor er am 16.10. 1584 in die niedere Klosterschule Adelberg zwischen Göppingen und Schorndorf eintrat, wurde er, wie schon während der Schulzeit, mit Haus- und Feldarbeit beschäftigt. Am 26.11. 1586 kam er in das evangelische Seminar Maulbronn, wo er bis 1589 blieb. Am 25.9. 1588 erlangte K. in Tübingen das Baccalaureat. Im September 1589 wurde er ins Tübinger Stift aufgenommen und studierte zunächst zwei Jahre an der Artistenfakultät. Durch den Professor für Mathematik und Astronomie Michael Mästlin wurde K. mit der Lehre des Nikolaus Kopernikus vertraut, wonach nicht die Erde, sondern die Sonne die Mitte des Weltalls bildet. Nach der Magisterpromotion im August 1591 begann K. sein dreijähriges Theologiestudium, besonders bei dem Exegeten Matthias Hafenreffer. Geprägt wurde er auch durch die Lektüre von Quellen über Pythagoras und durch Plato. Der streng lutherischen Theologie Tübingens stand K. distanziert gegenüber; insbesondere an der Lehre der Konkordinformel von Christi Allgegenwart und, damit zusammenhängend, der Abendmahlslehre nahm er Anstoß. Die Verdammung der Calvinisten wollte er nicht mittragen. Vielleicht nicht zuletzt deswegen vermittelte ihm der Tübinger Senat die Stelle eines Landschaftsmathematikers der Steiermark und eines Professors für Mathematik und Astronomie an der evangelischen Stiftsschule in Graz. K. selbst beabsichtigte zu dieser Zeit noch nicht, die Möglichkeit aufzugeben, in den Dienst der Kirche zu treten. Als Landschaftsmathematiker gab K. jährlich Kalender und astrologische Prognosen für das jeweils kommende Jahr heraus. Intensiv beschäftigte er sich mit der Frage, in welchem Verhältnis und welchen Abständen die Planetenbahnen zueinander stehen. K. baute dabei auf Kopernikus' heliozentrischem Weltbild auf. Aus den Überlegungen dieser Zeit ging K.s erstes größeres Werk über das »Weltgeheimnis« hervor. Sein Abschied von der Theologie und der Aussicht, ein kirchliches Amt zu übernehmen, wurde endgültig. Seine Berufung sah er nun in der Astronomie und der Gotteserkenntnis im Buch der Natur. Dennoch unternahm K. Versuche, eine Stellung in Tübingen zu finden, die aber alle scheiterten. 1597 heiratete K. Barbara Müller, die Tochter eines Mühlenbesitzers. Als im Zuge der Gegenreformation die Versuche des Erzherzogs Ferdinand II. von Innerösterreich begannen, die Steiermark zu rekatholisieren, mußte K. am 28.9. 1598 Graz erstmals für einen Monat verlassen. Eine Einladung des kaiserlichen Hofmathematikers Tycho Brahe in Prag kam K. in seinen unsicheren Lebensumständen gelegen. Fünf Monate lang arbeitete der im Jahre 1600 mit Brahe an der Aufgabe einer Erneuerung der Astronomie. Brahes intensive Beobachtungsmethoden sollten K. helfen, seine neuen Theorien über den Aufbau des Sonnensystems zu untermauern. Die Zusammenarbeit wurde aber gestört, u. a. weil Brahe im Prinzip am geozentrischen Weltbild festhielt. Bald nach seiner Rückkehr aus Prag wurde K. am 1.8. 1600 endgültig aus der Steiermark ausgewiesen, da er zu denen gehörte, die sich weigerten, zum römischkatholischen Glauben überzutreten. K. folgte Brahes Ruf nach Prag. Kaiser Rudolph II. beauftragte beide zur Herstellung der »Rudolphinischen Tafeln«, Planetentafeln auf der Grundlage von K.s und Brahes astronomischen Forschungen. Nach dem überraschenden Tod Brahes am 24.10. 1601 wurde K. zu dessen Nachfolger als Hofmathematiker bestellt. K. baute auf Brahes astronomischen Beobachtungen auf, ohne sein Bild vom Aufbau des Planetensystems zu übernehmen. K. folgte Kopernikus viel weiter, ging aber noch über ihn hinaus: Die Planeten bewegen sich nicht in Kreisen, sondern in Ellipsen, in deren einem Brennpunkt die Sonne steht; und zwar bewegen sie sich so, daß die Verbindungslinie zwischen Sonne und Planet in gleichen Zeiten gleiche Flächen bestreicht. Damit waren die beiden ersten K.schen Gesetze der Planetenbewegung formuliert (1609). Schon in Prag hatte K. finanzielle Sorgen, da die kaiserlichen Kassen nur schleppend der Besoldung nachkamen. 1611 starben K.s Frau und eines seiner Kinder. Erzherzog Matthias von Österreich besetzte Prag und wurde böhmischer König. Rudolph II. wurde abgesetzt und starb am 20.1. 1612. Ein Stellengesuch in Tübingen von 1611 wurde auf Anraten des Stuttgarter Konsistoriums abgelehnt, da K. als heimlicher Calvinist verdächtigt wurde. Schon im Juni 1611 war ihm die Stelle eines Landschaftsmathematikers in Linz zugesprochen worden, die er im Frühjahr 1612 antrat. Der neue Kaiser Matthias willigte in K.s Übersiedlung ein und bestätigte seine Stellung als Hofmathematiker. Am 21.10.1613 ging K. eine zweite Ehe mit Susanne Reuttinger ein. In Linz wurde K. mit Billigung des württembergischen Konsistoriums vom Abendmahl ausgeschlossen, da er sich weigerte, die Konkordienformel zu unterschreiben. In Weil der Stadt war inzwischen K.s Mutter der Hexerei angeklagt. K.s Bemühungen ist es zu verdanken, daß Katharina K. nach langer Gefangenschaft 1621 aus der Haft entlassen wurde. Sie starb jedoch ein halbes Jahr darauf. In Linz entwickelte und formulierte K. das dritte seiner Planetengesetze: Die Quadrate der Umlaufzeiten zweier Planeten verhalten sich wie die dritten Potenzen ihrer mittleren Entfernungen von der Sonne. Während der Rekatholisierung von Linz und Oberösterreich weigerte sich K., zum Katholizismus zu konvertieren. Vom Nachfolger des verstorbenen Kaisers Matthias, Ferdinand II., erhielt er dennoch Rückendeckung. 1626 verließ K. mit seiner Familie das von Aufständischen eingeschlossene Linz, um in Ulm den Druck der Rudolphinischen Tafeln voranzutreiben. Anfang 1628 überreichte er das vollendete Werk in Prag dem Kaiser. Eine weitere Beschäftigung im kaiserlichen Dienst scheiterte aber an K.s beharrlicher Weigerung, zum Katholizismus überzutreten. Am 26.7.1628 siedelte die Familie K. nach Sagan in Oberschlesien über, wo K. sich als Mathematiker im Dienste des Feldherrn Wallenstein dem Druck und der Herausgabe von Ephemeriden und anderen Werken widmete. K. starb in Regensburg auf einer Reise, auf der er noch ausstehende Zahlungen einzutreiben gedachte, an einem Fieber. — Auf K.s Arbeit in zahlreichen Gebieten der aufstrebenden Wissenschaften — Mathematik, Optik, Mechanik, Astronomie — kann hier nicht eingegangen werden, auch seine Bemühungen um die Kalenderreform seien nur erwähnt. K. war zugleich Wegbereiter der modernen Naturwissenschaft wie auch Theologe und Philosoph. Er vereinigte mathematischen Scharfsinn, Logik und klare Methode mit der Suche nach einem einheitlichen Weltbild in den Werken der Schöpfung und in der Bibel. Das Buch der Natur und das der Schrift geben für K. die eine Wahrheit wieder, auch wenn K. die biblische Heilsoffenbarung seiner naturwissenschaftlichen Arbeit überordnet. Die Bibel redet aber zu den Menschen ihrer Entstehungszeit in der ihnen angemessenen Sprache, also ohne die naturwissenschaftlichen Erkenntnisse späterer Zeiten zu berücksichtigen. Sie dient dem Heil der Menschen und lehrt keine Naturwissenschaft. K. lag daran, Astronomie und Physik mit der Harmonik zu verbinden, die die physische Realität im göttlichen Schöpfungsplan begründet sieht, während Astronomie und Physik die empirischen Bestätigungen zum Schöpfungsglauben liefern.

Werke: Prodromus dissertationum cosmographicarum, continens mysterium cosmographicum, 1596, 1621[2], dt.: Das Weltgeheimnis, übers. und eingel. v. Max Caspar, 1923, neue Ausg. 1936; Ad vitellionem paralipomena, quibus astronomiae pars optica traditur, 1604; Gründtlicher Bericht von einem ungewohnlichen newen Stern, 1604; De stella nova, 1606; Astronomia nova, seu physica coelestis, tradita commentariis de motibus stellae martis, 1609, dt.: Neue Astronomie, übers. und eingel. v. Max Caspar, 1929; Antwort auff Röslini discurs von heutiger zeit beschaffenheit, 1609; Tertius interveniens, das ist, Warnung an etliche Theologos Medicos und Philosophos, 1610; Dissertatio cum nuncio sidereo nuper ad mortales misso a Galilaeo Galilaeo, 1610, dt.: Unterredung mit dem Sternenboten, hrsg. v. Werner Lehmann, übers. v. Franz Hammer, 1964; Narratio de observatis quatuor Jouis satellitibus, 1611; Strena seu de nove sexangula, 1611, dt.: Strena. Neujahrsgabe oder vom sechseckigen Schnee, übers. v. Fritz Roßmann, 1943; Dioptrice seu demonstratio eorum quae visiu et visibilibus propter conspicilla non ita pridem inventa accidunt, 1611; Bericht vom Geburtsjahr Christi, 1613; De vero anno quo aeternus Dei filius humanam naturam in utero benedictae virginis Mariae assumpsit, 1614; Eclogae chronicae ex epistolis doctissimorum aliquot virorum, et suis mutuis, 1615; Nova stereometria doliorum vinariorum, 1615; Außzug auß der uralten Messekunst Archimedis, 1616; Ephemerides novae motuum coelestium, ab anno vulgaris aerae 1617 (1617-1620), Bde. II (1621-28) u. III (1629-36), 1630; Unterricht vom H. Sacrament des Leibs und Bluts Jesu Christi Unsers Erlösers, 1617; Epitome astronomiae copernicanae, Lib. I., II., III., de doctrina sphaerica, 1618, Epitomes astronomiae copernicanae Lib. IV., Physica coelestis, 1620, Lib. V.-VII., Doctrina theorica, 1621; Harmonices mundi libri V, 1619, dt.: Weltharmonik, übers. und eingel. v. Max Caspar, 1939, Neuaufl. 1967; De cometis libelli tres, 1619/20; Pro suo opere harmonices mundi apologia, 1622; Glaubensbekandtnus und Ableinung allerhand desthalben entstandenener ungütlichen Nachreden, 1623; Chilias logarithmorum, 1624; Tychonis Brahei dani hyperaspistes, adversus Scipionis Claramontii Anti-Tychonem, 1625; Tabulae Rudolphinae, 1627; Somnium seu opus posthumum de astronomia lunari (hrsg. v. Ludwig Keppler), 1634, dt.: K.s Traum vom Mond, v. Ludwig Günther, 1898; Joannis Kepleri Astronomi opera omnia, ed. Christian Frisch, 8 Bde., 1858-1871; Nova Kepleriana. Wiederaufgefundene Drucke und Hss. v. J. K. Hrsg. v. Walther v. Dyck in den Abhh. der Bayr. Akad. der Wiss. (math.-naturwiss. Abt.), 1910-1936; J. K. in seinen Briefen, hrsg. v. Max Caspar und Walther v. Dyck (2 Bde.), 1930; Gesammelte Werke, hrsg. im Auftrag der DFG und der Bayr. Akad. der Wiss., 1937 ff. (Bde. I-XI und XIII-XIX, in Vorbereitung XII und XX-XXII); J. K., Selbstzeugnisse, ausgew. und eingel. von Franz Hammer, übers. von Esther Hammer. Erläutert von Friedrich Seck, 1971. — Bibl.: Bibliographia Kepleriana. Ein Führer durch das gedruckte Schrifttum von J. K. Hrsg. von Max Caspar, 1936, 1968², bes. von Martha List; Martha List, »Bibliographia Kepleriana« 1967-1975, in: Four Hundred Years. Proceedings of Conferences held in honour of J. K. Ed. by Arthur Beer and Peter Beer (Vistas in Astronomy 18, 1975), 955-1003 (Ergänzung und Forts. der »Bibliographia Kepleriana«); Martha List, Bibliographia Kepleriana — Supplements and continuation. 1975-1978, in: Vistas in Astronomy 22, 1978, T. 1, 1-18.

Lit.: Robert Small, An Account of the astronomical Discoveries of K., including an historical Review of the Systems which had successively prevailed before his time, London 1804 (Nachdr. 1963); — Gotthilf Heinrich Schubert, Ansichten von der Nachtseite der Naturwiss., 1818, 164 ff.; — Johann Ludwig Christian Frhr. v. Breitschwert, J. K.s Leben und Wirken, nach neuerlich aufgefundenen Manuscripten bearb., 1831, 1846²; — Carl Gustav Reuschle, K., der Württemberger. Einladungsschr. zu der Feier des Geburtstagsfestes S. M. des Königs Wilhelm v. Württemberg im K. Gymnasium zu Stuttgart, 1841; Ders., K. und die Astronomie, 1871; — Ernst Friedrich Apelt, J. K.s astronom. Weltansicht, 1849; — Ders., Die Reformation der Sternkunde. Ein Beitr. zur dt. Culturgesch., 1852; — Edmund Reitlinger/C. W. Neumann/C. Gruner, J. K. Vier Bücher in drei Theilen, 1. Theil, 1868; — Johann Heinrich Deinhardt, K.s Leben und Charakter, in: Ders., Kl. Schrr., hrsg. v. Hermann Schmidt, 1869, Kap. VII; Ders., K. als der wahre Reformator der Astronomie, in: Kl. Schrr., Kap. VIII; — Rudolf Eucken, K. als Philosoph, in: Philos. Monatshh. XIV, 1878, 30-45; — Leopold Schuster, J. K. und die gr. kirchl. Streitfragen seiner Zeit, Graz, 1888; — Adolf Deißmann, J. K. und die Bibel. Ein Beitr. zur Gesch. der Schriftautorität, 1894; — Siegmund Günther, K., Galilei, 1896 (= Geisteshelden 22); — Adolf Müller, J. K., der Gesetzgeber der neueren Astronomie. Ein Lebensbild, 1903; — Johannes Schmidt, K.s Erkenntnis- und Methodenlehre (Diss. Jena), 1903; — Ludwig Günther, K. und die Theologie. Ein Stück Religions- und Sittengesch. aus dem XVI. und XVII. Jh., 1905; — Otto Closs, K. und Newton und das Problem der Gravitation in der Kantischen, Schellingschen und Hegelschen Naturphilosophie, 1908; — Ernst Cassirer, Das Erkenntnisproblem in der Philosophie und Wissenschaft der neueren Zeit I, 1911, 328-377; — Albrecht Thoma, K., die Konkordienformel und die Bibel, in: PM 18, 1914, 229-240; — Max Brod, Tycho Brahes Weg zu Gott, 1915 u. ö.; — J. K., der kaiserl. Mathematiker. K.-Festschr., I. Teil. Zur Erinnerung an seinen Todestag vor 300 Jahren im Auftrag des Naturwiss. Vereins zu Regensburg und des Hist. Vereins der Oberpfalz und von Regensburg hrsg. v. Kaul Stöckl, 1930; — Gustav Keppler, Familiengesch. K., Bd. 1, 1931, II, 1930; — Paul Roßnagel, J. K.s Weltbild und Erdenwandel, 1930; — Ders., J. K., der große Sternweise, 1955, 1959²; — Hedwig Zaiser, K. als Philosoph, (Diss. Basel) 1932; — Walther v. Dyck, Wiedergefundene Drucke und Hss. v. J. K., in: FF 9, 1933, 508 f.; — Johannes Haedicke, Die physikal. Unhaltbarkeit der K.-Newtonschen Mond-Theorie über die Entstehung der Gezeiten. Ein Beitr. zur Energetik des Aethers, 1933; — Albert Einstein, J. K., in: Mein Weltbild, Amsterdam 1934, engl. in: The World as I see it, New York; — Ernst Zinner, J. K. 1571-1630, in: Die gr. Deutschen (Neue Dt. Biogr.) I, 1935, 532-545, 1956², 487-499; — Bibliographia Kepleriana. Ein Führer durch das gedr. Schrifttum v. J. K. Hrsg. v. Max Caspar, 1968² bes. von Martha List; — Ernst Müller, Stiftsköpfe, 1938, 31-100; — Franz Hammer, K. als Optiker, in: FF 15, Nr. 26, 1939, 332-334; — Ders., J. K., Ein Bild seines Lebens und Wirkens, 1943; — Ders., Kosmolog. Spekulationen einst und jetzt, in: Dank an Robert Boehringer, 1948, 7-21; — Ders., K.s Rudolphinische Tafeln in China, in: Narturwiss. Rundschau 5, 1950, 194-198; — Ders., J. K.s Ulmer Jahr. Die Rudolphinsichen Tafeln und der Ulmer Kessel, in: Ulm und Oberschwaben 34, 1955, 76-86; — Ders., J. K., in: Der Kreis Leonberg. Heimat und Arbeit, 1964, 142-146; — Ders., Problems and difficulties in editing K.'s collected works, in: Vistas in Astronomy 9, Oxford 1967, 261-264; — Ders., Die Astrologie des J. K., in: Sudhoffs Archiv, Bd. 55, 1971, 113-135; — Max Caspar, Kopernikus und K., zwei Vortrr., 1943, 9-45; — Ders., J. K., Biogr., 1948, 1950², 1958³, engl. v. C. Doris Hellman, London-New York 1959; — Martha List, Über eine astronom. Zusammenarbeit zu Beginn des 17. Jh.s, in: Naturwiss. Rundschau 5, 1950, 198 f.; — Dies., Der hs. Nachlaß der Astronomen J. K. und Tycho Brahe, Dt. Geodätische Kommission bei der Bayer. Akad. der Wiss., R. E, H. 2, 1961; — Dies., J. K. im Verkehr mit seinen Druckern, dargest. vor dem Hintergrund der Druckgesch. seiner Bücher, in: Imprimatur, N.F. VI, 1969, 69-83; — Dies., Die Wohnstätten von J. K. in Linz, Kunstjb. der Stadt Linz 1970, Linz 1971, 24-32; — Karl Adam Sedlmeyer, Der Dillinger Prof. Albertus Curtius S. J. und J. K., in: Jb. des Hist. Vereins Dillingen a. D. 52, 1950, 159-168; — Carola Baumgardt, J. K., Life and letters. With an introduction by Albert Einstein, New York 1951, dt. v. Helmut Minkowsky, J. K., Leben und Briefe, 1953; — Wolfgang Pauli, Der Einfluss archetypischer Vorstellungen auf die Bildung naturwiss. Theorien bei K., in: Naturerklärung und Psyche, Studd. aus dem C. G. Jung-Inst., Zürich IV, 1952, 109-194; — Ann-Charlott Settgast, Weisheit — Narrheit — — Gold. Um J. K. und seine Zeit, 1956, 1960³, 1984; — Rosemarie Schuder, Der Sohn der Hexe. Roman über J. K., 1957, 1960⁵; — Dies., In der Mühle des Teufels. Roman über J. K.s letzte Jahre, 1959; — Emil Staiger, J. K., in: Schwäb. Kunde aus drei Jhh., 1958, 13-31; — Arthur Koestler, The sleepwalkers, New York 1959, dt. von W. M. Treichlinger, Die Nachtwandler, 1959, Teil IV, Die Wasserscheide — J. K., 1959, 225-428; — Ders., K. and the psychology of discovery, in: The Logic of Personal Kmowledge (Essays presented to Michael Polanyi), London 1961, 49-57; — Arthur Fischer-Colbrie, J. K., Dramat. Gedicht mit einem Vorspiel und 8 Bildern, Linz 1960; — Walther Gerlach, Rede zur feierl. Eröffnung der Forschungsstelle Weil der Stadt der K.-Kommission der Bayer. Akad. der Wiss. am 21. Mai 1960, 1960; — Ders., J. K., der Ethiker der Naturforschung, in: Die Naturwiss. 48, H. 4, 1961, 85-

96; — Ders., Lebendiger Geist in alten Mauern, des J. K.s Manen. Feierstunde am 10. Aug. 1962 zur Einweihung des K.-Gedächtnishauses in Regensburg, 1962; — Ders., K. und Galilei, Vortr. 1963; — Ders., J. K., 1571-1630, in: Der Natur die Zunge lösen. Leben und Leistung gr. Forscher, hrsg. v. W. Gerlach, 1967, 42-52; — Ders., Humor und Witz in Schrr. von J. K., in: Sitzungsber. der Bayer. Akad. der Wiss. (math.-naturwiss. Klasse), 1968, 13-30; — Ders., J. K.: 1571 Weil der Stadt — 1630 Regensburg; Dokumente zu Lebenszeit und Lebenswerk, 1971; (Mit Martha List) Ders., J. K. zum 400. Geb., Festrede, gehalten in der Feierl. Jahressitzung der Bayer. Akad. der Wiss. in München am 4.12. 1971, 1972; — Ders., J. K. und die Kopernikanische Wende, in: Nova Acta Leopoldina N. F. Bd. 37/2, 1973; — Ders., J. K., der Begründer der mod. Astronomie, 1973, 1987³; — Ders., J. K., in: Die Großen der Weltgesch., Bd. 5, Zürich 1974, 524-565; — Sigrid Strauß-Koebe, K.s Verhältnis zur Astrologie, in: Kosmobiologie »Mensch im All«, 27, 1960/61, 45-50; — A. M. Grimm, J. K. als Astrologe, in: Tradition und Fortschritt der klass. Astrologie 15/16, Wien 1961, 21-31; — Gerald Holton, J. K. et les origines philosophiques de la physique moderne, conférence donnée au Palais de la Découverte le 7 Jan. 1961, Paris 1961; — Bettina Holzapfel/Heinz Balmer, Antlitze gr. Schöpfer, Basel 1961, 54-68; — Alexandre Koyré, La révolution astronomieque. Copernic, K., Borelli, Paris 1961, 117-458, engl. v. E. W. Maddison, Paris 1972; — Herbert Kranz, Der Richter vor Gericht, 1961, 1963³ (Über den Hexenprozeß gegen K.s Mutter); — Marie Boas, The Scientific Renaissance 1450-1630, London 1962, dt. von Marlene Trier, Die Renaissance der Naturwiss., 1965, 313-339 (Smlg. Gesch. und Kosmos, hrsg. von A. Rupert Hall); — Walther Boll, Das K.-Gedächtnishaus, Führer durch die Sammlungen der Stadt Regensburg 10, 1962, 1970³; — David C. Knight, J. K. and Planetary Motion, New York 1962; — Sidney Rosen, The Harmonious World of J. K., Illustrations by Rafaello Busoni, Boston-Toronto, 1962; — Siegfried Stieber, J. K., Leben und Werk. Sein richtiges Horoskop, in: Tradition und Fortschritt der klass. Astrologie 18, Wien 1962, 15-35; — Carl Friedrich von Weizsäcker, Kopernikus, K., Galilei. Zur Entstehung der neuzeitl. Naturwiss., in: Einsichten, Gerhard Krüger zum 60. Geb., 1962, 376-394; — Harry A. Wolfson, The problem of the souls of the spheres from the Byzantine commentaries on Aristoteles through the Arabs and Thomas to K., in: Dumbarton Oaks center for Byzantine studies XVI, Washington 1962, 65-93; — Kurt Baschwitz, Hexen und Hexenprozesse. Die Gesch. eines Massenwahns und seiner Bekämpfung, 1963, 252-260; — Rudolf Haase, K.s Weltharmonik und das naturwiss. Denken, in: Atnaios 5, Nr. 3, 1963; — Ders., K. und Leibniz als Mittler zw. Pythagoras Hindemith, in: Lux Rosae Aurae 14, 1963; — Ders., K.s harmonikale Denkweise, in: Musikerziehung 32, H. 2, Wien 1969, 53-56; — Ders., J. K.s »Weltharmonik«, in: Wiss. und Weltbild, Wien, 29, 1976, 157-167; — Ders., J. K.s wahre Bedeutung, in: Kunstjb. der Stadt Linz 1970, 1971, 9-21; — Ders., K., drittes Planetengesetz und seine Weltharmonik, in: Zschr. für Ganzheitsforschung N. F. Jg. 18, Wien 1974, 88-92; — Ders., K.s Weltharmonik und ihre Bedeutung für die Ggw., in: R. Haase, Aufsätze zur harmonik. Naturphilosophie, Graz 1974, 79-98; — Ders., Der meßbare Einklang. Grundzüge einer empirischen Weltharmonik, 1976; — Ders., J. K.s »Weltharmonik«, in: Wiss. und Weltbild, Jg 19,

1976, 157-167; — Ders., K.s zweifache Weltharmonik, in: Grenzgebiete der Wiss. 26, 1977, 89-105; — J. Bernard Cohen, »Quantum in se est«: Newton, K., Galileo, Descartes and Lucretius, in: Proceedings of the American Catholic Association 38, Washington 1964, 36-46; — Ders., Newton and Keplerian inertia: an echo of Newton's controversy with Leibniz, in: Science, medicine and Society in the Renaissance, ed. Allen G. Debus, New York 1972, 199-211; — Ders., Newton's theory vs. K.'s theory and Galileo's theory: An example of a difference between a philosophical and a historical analysis of science, in: The interaction between science and philosophy, Atlantcis Highlands: Humanities, 1974, 299-338; — Hélène Flacelière, Horoscope de K., in: La Nouvelle Revue Française 12, Mesnil 1964, 563-580; — Owen Gingerich, The computer versus K., in: American Scientist 52, Nr. 2, 1964, 218-226; — Ders., J. K. and the new astronomy, in: Quarterly Journal of the Royal Astronomical Society, Vol. 13, London 1972, 346-373; — Ders., K., in: Dictionary of Scientific Biography VII (ed. C. C. Gillispie and M. de Bruhl), New York 1973, 289-312; — Edward Rosen, The debt of classical Physics to Renaissance Astronomers, particularly K., in: Proceedings of the tenth international Congress of the History of Science, Paris 1964, 81-92; — Ders., K. and Witchcraft Trials, in: The Historian 28, Nr. 3, 1966, 447-450; — Ders., Galileo and K. Their first two Contacts, in: Isis 57,2, Nr. 188, 1966, 262-264; — Ders., K.s Mastery of Greek, in: Philosophy and Humanism. Renaissance Essays in Honor of Paul Oskar Kristeller (ed. Edward P. Mahoney), Leiden 1976, 310-319; — Ders., Three imperial mathematicians: K. trapped between Tycho Brahe and Ursus, New York 1986; — Johannes Tralow, K. und der Kaiser. Roman, 1964, 1984³; — Gerd Wunder, Die Herkunft der Familie K., in: Südwestdt. Bll. für Familien- und Wappenkunde 11, H. 16, 1964, 401-410; — Ders., Die Bauernfamilie K. aus Magstadt und Karl Hess. Fragen der K.-Forschung, in: Aus Schönbuch und Gäu, Beil. des Böblinger Boten 9, 1964, 33-35, 35 f.; — Ders., Die Ahnen und Verwandten von J. K., in: Genealog. Jb. XIX, 1978, 121-145; — Romano Harré, Early seventeenth century Scientist, Oxford 1965, 81-100; — Richard Klier, Geht der Mannesstamm J. K.s auf Nürnberg zurück?, in: Bll. für fränk. Familienkunde VIII, 1965, 378-382; — Georg Nádor, Die heurist. Rolle des Harmoniebegriffs bei K., in: Studium generale 19, 1966, 555-558; — Angus Armitage, John K., London 1966; — Walther Gerlach/Martha List, J. K. Führer durch sein Geburtshaus in Weil der Stadt, in: Schrr. der K.-Ges., 1966; — Diess., J. K., Leben und Werk, 1966, 1980², 1987³; — Diess., J. K., 1571 Weil der Stadt — 1630 Regensburg. Dokumente zu Lebenszeit und Lebenswerk, 1971; — Frank D. Prager, K. als Pneumatiker und Erfinder der Zahnradpumpe, in: Bll. für Technikgesch. 28, Wien 1966, 121-137; — Eric Werner, The last Pythagorean musician: J. K., in: Aspcects of medieval and Renaissance Music, ed. Jan La Rue, New York 1966, 867-882; — A. Dresler, J. K. als Kalenderverfasser 1595-1624, in: Börsenbl. für den Dt. Buchhandel, Frankfurter Ausg. 23, Nr. 91, 1967, 2566 f.; — Walter Koch, J. K. und die Astrologie, in: Kosmobiologisches Jb. 1967, 53-68; — Josef Lenzenweger, K. unsd die Kalenderreform. Festschr. 40 Jahre Bundesgymnasium und Bundesrealgymnasium für Berufstätige, Linz 1968; — Friedrich Seck, Persönl. Bekanntschaft zw. K. und Descartes?, in: Sudhoffs Archiv 52, H. 2, 1968, 162-165; — Ders.,

J. K. und der Buchdruck. Zur äußeren Entstehungsgesch. seiner Werke, in: Börsenbl. für den Dt. Buchhandel, Frankfurter Ausg. 26, Nr. 43, 1970, 1201-1255, erw. in: Archiv für Gesch. des Buchwesens 11, 1971, 610-726; — Ders., Betrachtungen über K. Zur 400. Wiederkehr seines Geburtstages am 27.12. 1971, in: Gedenkschr. für Hans Georg Müller-Payer, hrsg. v. Ulrich Koebel, 1974, 148-162; — Ders., Marginalien zum Thema »K. und Tübingen«, in: »Attempto« — Nachrr. für die Freunde der Univ. Tübingen, H. 41/42, 1971, 3-19; — Ders., Das K.-Museum in Weil der Stadt. Ein Führer, 1982; — Wilbur Applebaum, K. in England. The reception of K.ian astronomy in England, 1599-1687 (Diss. Michigan 1969); — Ernst Bindel, Das Zusammenwirken von J. K. mit Tycho Brahe, in: Mitteilungen aus der Anthroposophischen Arbeit in Dtld. 23, H. 1, Nr. 87, 1969, 18-32; — Ders., J. K. Beitrr. zu seinem Lebensbild, 1971; — K. Hübner, Was zeigt K.s »Astronomia Nova« der mod. Wiss.theorie?, in: Philosophia Naturalis XI, H. 3, 1969, 257-278; — Horst Atteln, Das Verhältnis Musik — Mathematik bei J. K. Ein Beitr. zur Musikgesch. des frühen 17. Jh.s (Diss. Erlangen-Nürnberg), 1970; — Hans Christian Freiesleben, K. als Forscher, 1970; — Herwig Görgemanns, K.s Beschäftigung mit »De facie in orbe lunae«, in: Ders., Unterss. zu Plutarchs Dialog »De acie in orbe lunae«, 1970, 157-161; — Heinrich Karpp, Der Beitr. K.s und Galileis zum neuzeitl. Schriftverständnis, in: ZThK 67, 1970, 40-55; — John More, Somnium. K.s Traum vom Mond. Schauspiel, 1970; — Erhard Oeser, Der Gegensatz von K. und Newton in Hegels absoluter Mechanik, in: Wiener Jb. für Philos. III, 1970, 69-93; — Ders., K. Die Entstehung der neuzeitl. Wiss., 1971; — Ders., Schellings spekulat. Rekonstruktion der K.schen Planetengesetze, in: Philosophia Naturalis 14, H. 2, 1973, 136-155; — Walter Schauberger/K. Schauberger-Bahn, Pythagoras-K.-Schule, 1970; — Justus Schmidt, J. K. Sein Leben in Bildern und eigenen Berichten, Linz 1970; — Volker Bialas, J. K. Zur 400. Wiederkehr seins Geburtstages, 1971 (Dt. Museum, Abhh. u. Berichte 39, H. 1); — Ders., Die K.-Edition — gegenwärtiger Stand und editorische Probleme, 1985 (Sitzungsber. der Bayer. Akad. der Wiss., Mathe.-naturwiss. Klasse); — Eberhard Boerma, J. K., in: Praxis der Naturwiss. 20, H. 12, 1971, 309-315; — Gerd Buchdahl, History of science and criteria of choice, in: Minnesota Studies in the Philosophy of Science, ed. R. Stuewer, Minneapolis 1971, 204-230; — Karin Figala/Joachim Fleckenstein, Wiss. zw. Magie und Mythos, in: Bild der Wiss. 8, 1971, 369-379; — Ludwig Günther, Ich greife Gott mit Händen. J. K. in seiner Bedeutung für die Kirche und den christl. Glauben, 1971, 1975[5], 1979[6]; — Esther Hammer, K. als Gegenstand dt. Dichtung. Berichte und Mitteilungen des Heimatvereins Weil der Stadt 22, 1971, Nr. 2-4, 9-13; — Johannes Hemleben, J. K. in Selbstzeugnissen und Bilddokumenten (= Rowohlts Monographien 183), 1971, 1984; — Johannes Hoppe, Leben und Wirken von J. K., des Begründers der »neuen Astronomie« zum 400. Geb., in: Jenaer Rundschau 1971, H. 5/6, 263-268; — Ders., J. K., Leben und Werk, in: Astronomie und Raumfahrt, 1971, H. 6, 161-167; — Ders., J. K., Biographien hervorragender Naturwissenschaftler, Techniker und Mediziner XVII), 1975, 1976[2], 1982[4], 1987[5]; — Jürgen Hübner, J. K. als Theologe, in: Berr. und Mitteilungen des Heimatvereins Weil der Stadt 22, 1971, Nr. 2-8; — Ders., Die Theol. J. K.s zwischen Orthodoxie und Naturwiss. (Beitrr. zur hist.

Theol. 50), 1975 (Habil.schr. Heidelberg 1974); — Graz und J. K., hrsg. v. Magistrat der Stadt Graz, Gesamtgestaltung und Text: H. u. W. Gundolf, Graz 1971; — J. K. — Werk und Leistung, Ausstellung im Steinernen Saal des Linzer Landhauses, 19.6.-29.8. 1971. Hrsg.: K.-Kommission der Hochschule Linz, 1971; — Gesetz und Harmonie, J. K. 1571-1630, Kat. zur Sonderausstellung im Dt. Museum München, 1971, bearb. v. Volker Bialas; — J. K. 1571-1971, Kat. der Ausstellung in Regensburg (Staatl. Bibliothek Regensburg, Hist. Verein für Oberpfalz und Regensburg), 1971; — K. und Tübingen, Tübinger Ausstellungs-Kataloge, Nr. 13, 1971, Text: Friedrich Seck; — J. K. zur 400. Wiederkehr seines Geb., Abhh. und Berr. des Dt. Museums in München, Jg. 39, H. 1, 1971; — K. in Oberösterreich, Kulturzschr. Oberösterreich, Jg. 21, H. 2, 1971; — Philosophia Naturalis, Zur 400. Wiederkehr des Geb. v. J. K., Bd. 13, H. 1, 1971; — Physikal. Bll. 27, H. 12: »K.-Heft«, 1971; — K.-Festschr. Regensburg 1971, Acta Albertina Ratisbonensia 32. Hrsg.: Naturwiss. Verein Regensburg, Redaktion: Ekkehard Preuss, 1971; — Schwäbische Heimat 22, H. 4, 1971; — Univ. Tübingen, K. in Tübingen, hrsg. v. Kulturamt Tübingen, Nr. 13, Text: Friedrich Seck, 1971; — 400 Jahre J. K., Mitteilungsbl. für Weil der Stadt, hrsg. v. Oswald Nussbaum, Jg. 1971, Nr. 25; — Günter D. Roth, Die Astrologie des J. K., in: Sterne und Weltraum 10, Nr. 12, 1971, 320-322; — Felix Schmeidler, J. K.s Theorien der Planetenbewegung, in: Naturwiss. Rundschau 24, H. 12, 1971, 509-513; — Georg Wacha, K.s Trauung in Eferding, in: Oberösterr. Heimatbll. 25, 1971, H. 3/4, hrsg. v. der Stadtgemeinde Eferding; — Kurt Walter, J. K. und Tübingen. Rede zur Eröffnung der K.-Ausstellung am 9.7. 1971 = Kl.Tübinger Schrr., H. 7, 1971; — Peter Wengler, »Aber heiliger ist mir die Wahrheit«. Zum 400. Geb. v. J. K., in: Urania 47, 1971, H. 12, 14-17; — Robert S. Westman, J. K.s adoption of the Copernican Hypothesis (Diss. Michigan 1971); — A. Ercke/Peter Wengler, J. K. und die Harmonie der Welt (zum 400. Geb. K.s), in: Wiss. Zschr. der Technischen Hochsch. Ilmenau 18, 1972, 123-138; — R. Hannas, J. K.s excursion into political proportions, in: Diapason V, 5749, H. 8, 9, 12, 19, Paris 1972; — Hermann Kesten, Himmelsphysik und Himmelstheol. Zu J. K.s 400. Geb., Essay 1972, Nr. 313; — Ders., Revolutionär mit Geduld, 1973, 77-110; — Karl R. Popper, A brief discussion of the correction of Galileo's and K.s results by Newton's theory, in: Objective Knowledge and Evolutionary Approach, Oxford 1972; — Dietrich Wattenberg, Weltharmonie oder Weltgesetz — J. K., Archenhold-Sternwarte, Berlin-Treptow, Vortrr. und Schrr., Nr. 42, 1972; — Michael Dickreiter, Der Musiktheoretiker J. K. Neue Heidelberger Studien zur Musikwiss. (Hrsg.: Reinhold Hammerstein), V, 1973; — Stillman Drake, Copernicus, philosophy and science: Bruno-K.-Galileo, Norwalk, Conn. 1973; — Gerald Holton, Thematic origins of scientific thought: K. to Einstein, Cambridge 1973; — Dieter W. R. Kunz, J. K. — der Astronom dreier Kaiser, in: Damals 5, 1973, H. 6, 513-524, H. 7, 637-650; — Johannes Lohmann, Ptolemaios und K. (Von der Harmonia mundi zur Naturgesetzlichkeit), Convivium Cosmologicum — Interdisziplinäre Studd., Helmut Hönl zum 70. Geb., hrsg. v. Anastasios Giannarás, 1973, 143-168; — Ernst Müller, Discretion geübt — Die Furcht des J. K. vor dem Abendmahlgang, Tübinger Bll. 1973, 9-16; — Schmuel Sambursky, Von K. bis Einstein: Das Genie in der Naturwiss., Eranos-Jb. 1970 (ersch.

1973), Bd. 40, 201-238; — Intern. K.-Symposium Weil der Stadt 1971, Referate und Diskussionen, hrsg. von Fritz Krafft, Karl Meyer, Bernhard Sticker, »Arbor scientiarum« — Beitrr. zur Wiss.gesch., R. A.: Abhh. Bd. 1, 1973; — Hermann Lambrecht, Die Bedeutung von J. K. für die Begründung und Vertiefung der Copernicanischen Lehre und Planetentheorie, in: Nicolaus Copernicus 1473-1973, 1973, 22-29; — Siegfried Wollgast, Zu den Unterschieden in den philosoph. Auffassungen von Nicolaus Copernicus und J. K., in: Wiss. Zschr. der Technischen Univ. Dresden 22, 1973, 743-747; — Ders., Zu Unterschieden und Gemeinsamkeiten in den philos. Auffassungen von Nicolaus Copernicus und J. K., in: Nicolaus Copernicus Auffassungen von von Nicolaus Copernicus und J. K., Nicolaus 1473-1973, Berlin 1973, 49-53; — Ders., Zum philos. Weltbild J. K.s, in: Dt. Zschr. für Philosophie 1 (21), 1973, 100-111; — Ernst Zinner, J. K. Blindendrama der Dt. Blindenstudienanstalt, 1973; — J. K. Festschr. der Karl-Franzens-Univ. Graz. Hrsg.: Akad. Senat, Redaktion: Paul Urban und Bethold Sutter, Graz 1974; — Jean Claude Pecker, La méthode de K. est-elle und non-méthode?, in: Astronomie 88, 1974, 2-16; — Silvia Tangherlini, Temi Platonici e Pitagorici nell' Harmonice Mundi di Keplero, in: Rinascimento 14, 1974, 117-178 (Isis); — Arthur Beer/Peter Beer, K. — Four Hundred Years, Proceedings of Conferences held in Honour of Johannes K., Vistas in Astronomy, Vol. 18, Oxford-New York- ..., 1975 (mit zahlr. Beitrr. aus allen Fachgebieten!); — Fritz Chmelka, Die vier gr. Gestalter unseres Weltsystems: Kopernikus-Galilei-K.-Newton. Veröffentlichungen des Instituts für Mechanik I der Univ. Innsbruck, Nr. 2, Innsbruck 1975 (Masch.Schr.); — Fritz Krafft, K.s Wiss.praxis und Verständnis, in: Sudhoffs Archiv, Bd. 59, 1975, 54-68; — Jan Martínck, Ein unbek. Gedicht von J. K. (K.s Glückwunsch zur Verleihung der Magisterwürde an Melchior Mathebaeus), in: Acta Universitatis Carolinae — Historia Universitatis Carolinae Pragensis, Tomus XV, Fasc. 1, Prag 1975, 7-17; — Berthold Sutter, Graz — K.s Lebensschule 1594-1600, in: Heimatverein Weil der Stadt — Berr. und Mitteilungen, Jg. 26, 1975, Nr. 3/4; — Ders., J. K. und Graz, Im Spannungsfeld zwischen geistigem Fortschritt und Politik. Ein Beitr. zur Gesch. Inneröster.s, Graz 1975; — E. J. Aiton, J. K. in the light of recent research, in: History or Science XIV, 1976, 77-100; — Ruth Breitsohl-Klepser, Heiliger ist mir die Wahrheit — J. K. Aus dem Nachlaß hrsg. v. Martha List, 1976; — Ulrich Hoyer, Über die Unvereinbarkeit der drei K.schen Gesetze mit der Aristotelischen Mechanik, in: Centaurus, Vol. 20, Nr. 3, 1976, 196-209; — Maurice Martin. J. K., Pythagoreer oder mod. Naturforscher?, in: Die Kommenden 30, 1976, Nr. 17, 18-21; — Ders., K.s Weltgeheimnis, in: Die Kommenden 39, 1976, Nr. 18, 21-23; — Ders., K.s Suche nach den Schöpfungsharmonien, in: Die Kommenden 32, 1978, Nr. 4, 19-22; — Ivo Schneider, Wahrscheinlichkeit und Zufall bei K., in: Philosophia Naturalis 16, H. 1, 1976, 40-63; — Siegfried Wollgast/S. Marx, J. K., 1976; — Richard Zasche, K.s erste Antwort an Brengger in Kaufbeuren, in: Allgäuer Gesch.freund, in: Bll. für Heimatforsch. und Heimatpflege, Nr. 76, 1976, 24-43; — Ders., K.s zweite Antwort an Brengger, in: Allgäuer Gesch.freund ..., Nr. 79, 1979, 78-84; — Ders., K.s dritte Antwort an Brengger, in: Allgäuer ..., Nr. 81, 1981, 91-104; — Eric Aiton, J. K. and the 'Mysterium Cosmographicum', in: Sudhoffs Archiv, Bd. 61, H. 2, 1977, 173-194; — Sidney

von den Bergh, The remnant of K.s supernova, in: The astrophysical Journal, Chicago, Bd. 218, 1977, Nr. 3,1, 617-632; — Anton Postl, Correspondence between K. and Galileo, in: Vistas in Astronomy, Vol. 21 (ed. A. and P. Beer), 1977, 325-330; — Wallenstein und K. in Sagan und in ihrer Zeit. Eine Ausstellung der Lippischen Landesbibliothek Detmold zum 350. Gründungsjahr des Staatl. Gymnasiums Sagan 1628-1978 (Hrsg.: Karl-Alexander Hellfaier). Auswahl- und Ausstellungskat. der Lippischen Landesbibliothek Detmold, H. 10, 1978; — James Donald Liljenwall, K.s theory of knowledge. An inquiry into book I of J. K.s Harmonice mundi in light of its Greek roots and in relation to the development of Renaissance algebra (Diss. San Diego, 1976), London 1978; — Martha List, Bibliographia Kepleriana: Supplements and continuation 1975-1978, in: Vistas in Astronomy, Vol. 22, 1978, 1-18; — G. Richter, Die K.schen Gesetze und Newtons Gravitationsgesetz, in: Die Sterne, Monatsschr. über alle Gebiete der Himmelskunde, Bd. 54, 1978, H. 4, 218-236; — Gérard Simon, K., astronome, astrologue, Paris 1979; — Ders., Structures de pensée et objets du savoir chez K., T. 1.2 (Diss. Paris 1976), 1979; — Clemens Becker/Klaus Loscher, J. K. — zum 350.Todestag, in: DtPfrBl 80, 1980, Nr. 11/12, 544 ff.; — Feliks Burdecki, J. K. — die Ganzheit von Mensch, Natur und Gott. Zum 350. Todestag des großen Astronomen und Naturphilosophen, in: Physikal. Bll. 36, 1980, 323-327; — Hilmar Duerbeck/Waltraut Seitter, K. und seine Zeit. Ausstellung in der Univ.bibliothek Münster im 350. Jahre nach dem Tode J. K.s, 1980; — Jürgen Hamel, Die größte Herausforderung des Denkens — zum 350. Todestag J. K.s, in: Astronomie und Raumfahrt 18, 1980, Nr. 5, 129-134; — Otto Jakob, Von Rigiomontan und Schöner zu Copernicus und K. (Wiss. und Glaube im Europa der Reformation und Gegenreformation und Nürnbergs Rolle im Ringen um das neuzeitl. Weltbild. Vortr. zum 350. Todestag J. K.s im Nicolaus-Copernicus-Planetarium der Stadt Nürnberg), 1980; — Utta Keppler, K. reitet nach Regensburg, hrsg. v. der K.-Ges., 1980; — Dies., Maskerade in Maulbronn: eine Erz. um den jungen J. K., 1980; — Festschr. anläßlich des 350. Todestages von J. K. Hrsg.: K.-Gymnasium Weiden in der Oberpfalz, 1981; — K.-Symposion, Zu J. K.s 350. Todestag, 25.-28.9. 1980 im Rahmen des Intern. Brucknerfestes 1980 Linz. Bericht, hrsg. v. Rudolf Haase, Linz 1981; — Ulrich Klein, Darstellungen von J. K. auf Medaillen, Münzen, Siegeln und Geldscheinen, I, 1981, II, 1985, aus: Heimatverein Weil der Stadt, Berr. und Mitteilungen 31, 1981, Nr. 1 und 34, 1985, Nr. 1; — Ann Elizabeth Leighton Davis, A mathematical elucidation of the bases of K.s laws (Diss. London 1981), 1981; — Bernd Meyer, J. K. in Regensburg, 1981; — Elmar Schieder, Aus einer alten Stadt. 3 Lebensbilder, 1981; — R. Wahsner, Weltharmonie und Naturgesetz. Zur wiss.theoret. und wiss.histor. Bedeutung der K.schen Harmonielehre, in: Dt. Zschr. für Philos. 29, 1981, Nr. 5, 531 ff.; — Bruce S. Eastwood, K. as historian of science: Precursors of Copernican heliocentrism according to »de revolutionibus« I, 10, in: Proceedings of the American Philosophical society, Bd. 126, 1982, Nr. 5, 367-394; — K.-Gymnasium Freiburg. Festschr. zur 75-Jahr-Feier, K.-Gymnasium Freiburg i. Br. 1907-1982; — Günter Doebel, J. K.: Er veränderte das Weltbild, Graz 1983; — M.-F. Biarnais, Du passage à la science dans la physique à ses débuts: K. et Newton, in: RSPhTh 67, 1983, Nr. 4, 573-585; — M. le Doeuff, L'idée d'un Somnium doctrinae chez Bacon et K., in: RSPhTh 67, 1983, Nr. 4, 553-563; — Judith Veronica Field, K.s geometrical cosmology (Diss. London 1981), um 1983; — Ansgar Hillach, Barocker Universalismus und die Rücknahme der Willensfreiheit. Aspekte der »Kopernikanischen Wende« bei K. und im Spanien des 17. Jh.s, in: Germanisch-romanische Monatsschr. 33, 1983, H. 1, 53-80; — A. J. Sachs/C. B. F. Walker, K.s view of the star of Bethlehem and the Babylonian almanac for 7/6 a. c., in: Iraq, London, Bd. 46, 1984, 43-55; — Rainer Pausch, Zum mathem. Werk J. K.s. Anregungen für Vertretungsstunden in S I und S II; — Wilhelm/Helga Strube, K. und der General. Hist. Roman, 1985, 1987[2]; — Detlef Döring, Die Beziehungen zwischen J. K. und dem Leipziger Mathematikprof. Philipp Müller. Eine Darstellung auf der Grundlage neuentdeckt. Quellen unter bes. Berücks. der Astronomiegesch. an der Univ. Leipzig, 1986; — Elisabeth v. Samsonova, Die Erzeugung des Sichtbaren. Die philos. Begründung naturwiss. Wahrheit bei J. K., 1986 (Die Geistesgesch. und ihre Methoden); — Fernand Hallyn, La structure poétique du monde: Copernic, K., Paris 1986; — Bruce Stephenson, K.s physical astronomy, New York 1987 (studies in the history of mathematics and physical sciences 13); — Der Weg der Naturwiss. von Johannes v. Gmunden zu J. K., hrsg. v. Günther Hamann, Wien 1988 (Sitzungsberr. der Österr. Akad. der Wiss., Philos.-Histor. Klasse, 497); — Biogr. Wb. zur dt. Gesch., 1952 ff., 457 f.; — ADB XV, 603-624; — NDB XI, 494-508; — EKL II, 591 f.; — RGG III, 1247 f.; — TRE XVIII, 97-109; — LThK VI, 118; — Gestalten der KG VII, hrsg. v. Martin Greschat, 65-78.

Frank Reiniger

KEPPLER, Paul Wilhelm von (seit 1899 württembergischer Personaladel), Dr. theol., Bischof, * 28.9. 1852 in Schwäbisch Gmünd als fünftes von sieben Kindern, † 16.7. 1926 zu Rottenburg. — Nach dem Studium der Theologie in Tübingen - 1874 mit dem Homiletischen Preis der Universität ausgezeichnet - wurde er am 2. August 1875 in Rottenburg zum Priester geweiht. Von 1875 bis 1876 wirkte er als Vikar in Ulm und Gmünd, danach bis Oktober 1880 als Repetent am Wilhelmsstift in Tübingen. Anschließend war er drei Jahre Stadtpfarrer und Schulinspektor in Cannstatt. 1883 erfolgte die Berufung zum o. Professsor für Neutestamentliche Exegese an die Katholisch-Theologische Fakultät Tübingen, wo er im folgenden Jahr zum Dr. theol. promoviert wurde. Neben Vorlesungen in Exegese hielt er solche über Kunst und gab homiletische Einführungen. Er avancierte 1885 überdies zum Vorstand des Kunstvereins der Diözese Rottenburg und zum Redakteur des »Archivs für christliche Kunst«. Einen Ruf an die Bonner Universität lehnte er 1887 ab; zwei Jahre später übernahm er als Nachfolger von Franz Xaver Linsenmann in Tübingen den Lehrauftrag für Moral- und Pastoraltheologie. Nach längeren Querelen innerhalb der Fakultät erging im Herbst 1894 an ihn der Ruf auf den Lehrstuhl für Moraltheologie an der Universität Freiburg i.Br. — Das Rottenburger Domkapitel wählte K. am 11. November 1898 einstimmig zum Bischof dieser Diözese, sehr zur Überraschung der württembergischen Regierung, der er wegen seiner streng kirchlichen Gesinnung nicht besonders genehm war. Nur notgedrungen hatte sie ihn an »aussichtsloser« Stelle auf der Kandidatenliste geduldet. Bereits zweieinhalb Wochen später erfolgte die Präkonisation durch den Papst. Die vom Freiburger Erzbischof Thomas Nörber vorgenommene Konsekration und Inthronisation fanden am 18. Januar 1899 in Rottenburg statt. — K. war ein äußerst produktiver Schriftsteller, dessen Werke zum Teil recht hohe Auflagen erlebt haben und in mehrere Sprachen übertragen worden sind. Daneben publizierte er regelmäßig in vielen Periodika. Zu den bekanntesten Büchern zählen »Wanderfahrten und Wallfahrten im Orient«, »Mehr Freude«, »Aus Kunst und Leben« sowie »Unsere toten Helden und ihr letzter Wille« sowie homiletische Werke. In seinem Schrifttum widmete er sich auch der sozialen Frage. Dabei ging es ihm vornehmlich um das rechte Verständnis der Arbeit und ihrer Bedeutung im Leben des Menschen, insbesondere des Christen. Außerdem war er ein gefragter und gefeierter, laut Auskunft der Quellen zum Pathos neigender Redner, der auf zahlreichen Versammlungen, Tagungen, Kongressen und bei verschiedensten Anlässen sprach. Es seien lediglich erwähnt seine Rede in Mergentheim gegen den Reformkatholizismus (1903), seine Rede auf dem Katholikentag zu Aachen (1912) und auf dem Eucharistischen Weltkongreß in Rom (1922). — Getreu seiner bischöflichen Devise »Non recuso laborem« verrichtete K., weit über die Grenzen der eigenen Diözese bekannt, in unermüdlichem Einsatz die ihm anvertrauten Aufgaben. Ihn zeichneten aus Willens - und Tatkraft, Volksverbundenheit, Humor und Frömmigkeit. Auf dem Gebiet der Homiletik, einem Fach, das er glänzend beberrschte, erwarb er sich um die Weiterbildung des Klerus beachtenswerte Verdienste, außerdem solche um die Organisation und den Ausbau der Seelsorge wie um den Kirchenbau. Von den 80 in den Jahren 1898 bis 1922 neuerbauten Kirchen hatte er 72 selbst konsekriert. Auf der Grundlage der 1862 zwischen Kirche und Staat getroffenen Übereinkunft bemühte sich K. - nach Auffassung des Kirchenrats klug, aber unpolitisch und reserviert - um ein loyales und konfliktfreies Verhältnis zur Regierung. Falls kirchliche Interessen es jedoch erforderten, konnte er - wegen einer gewissen Unselbständigkeit häufig von Ratgebern stark abhängig - unnachgiebig und autoritär auftreten. Mit dem Landesherrn König Wilhelm II. und späteren Herzog von Württemberg verbanden ihn freundschaftliche Beziehungen. Auch nach des Königs Thronverzicht in der Novemberrevolution 1918 und unter der neuen Staatsform bestand ein gutes Einvernehmen zwischen Bischof und Regierung. — Besonders prekäre Problemfelder, mit denen K. sich konfrontiert sah, bildeten die Antizölibatsbewegung, der Simplizissimusprozeß, der Reformkatholizismus und die Kontroversen um den Antimodernisteneid. Die um die Wende zum 20. Jahrhundert aufkommende geistig-religiöse Bewegung des Modernismus, von Pius X. als ein »Sammelbecken aller Häresien« apostrophiert, machte ihm arg zu schaffen. Auf der freien Konferenz des Rottenburger Domkapitels vom 1. Dezember 1902 erteilte er in seinem Referat »Wahre und falsche Reform« den Vertretern des sogenannten Reformkatholizismus eine harsche Abfuhr. K., der einst als Professor die katholische Moraltheologie für antiquiert erklärt hatte, nannte jetzt die Reformtheologen realitätsfremde Stubengelehrte; ja, er qualifizierte sie diskriminierend als »Kompromiß«- und »Margarinekatholiken«, die einer »flachen Bildungssucht« und einem» verblasenen Rationalismus« huldigten. Zugleich attestierte er ihnen einen Mangel an innerer Wahrhaftigkeit und am Geist der Nachfolge Christi. Den »Vernunftkatholiken», die das katholische Volk gering schätzten, stellte er die »Glaubenskatholiken« antithetisch und polarisierend gegenüber. Eindringlich warnte er die Gläubigen vor den Lockungen der Moderne wegen der äußersten Seelengefahr. Die moderne

Kultur und Menschheit sah er als senil an; sie bedürften einer notwendigen Verjüngung. Den Ausführungen des bisweilen populistisch agierenden und polemisierenden Bischofs spendete die Gesinnungspresse panegyrischen Beifall. Darüber hinaus lobte ihn Kardinalstaatssekretär Rampolla im Auftrag Leos XIII. für die »gründliche Beweisführung« in seiner Rede, die den Papst »sehr erfreut« habe. Die Feierlichkeiten im Jahr 1925 aus Anlaß des Goldenen Priester- und des Silbernen Bischofsjubiläums stellten einen Höhepunkt in K.s Episkopat dar. Wie seine Vorgänger wurde der im folgenden Sommer überraschend an Herzinsuffizienz verstorbene Bischof in der Gruft der Sülchen-Kirche zu Rottenburg beigesetzt.

Werke: Das Johannes-Evangelium und das Ende des ersten christlichen Jahrhunderts, akademische Antrittsrede (Rottenburg 1883); Die Composition des Johannes-Evangeliums, in: Einladung zur akademischen Feier des Geburtsfestes... des Königs Karl von Württemberg auf den 6. März 1884 (Tübingen 1884) 3-118; Württembergs kirchliche Kunstalterthümer. Vereinsgabe für den Kunstverein der Diözese Rottenburg (Rottenburg 1888); Die XIV Stationen des Heiligen Kreuzwegs. Eine geschichtliche und kunstgeschichtliche Studie, zugleich eine Erklärung der Kreuzweg-Bilder der Malerschule von Beuron (Freiburg i.Br. 1891; ⁴1904); Das Problem des Leidens in der Moral. Eine akademische Antrittsrede (Freiburg i.Br. 1894); später unter dem Titel: Das Problem des Leidens (ebd. ³1911;⁸⁻⁹1919; engl. 1929); Wanderfahrten und Wallfahrten im Orient (Freiburg i.Br. 1894; ⁸⁻¹⁰1922); Wahre und falsche Reform. Rede... gehalten auf der freien Konferenz des Kapitels Rottenburg am 1. Dezember 1902 (Stuttgart 1902; Freiburg i. Br. ³1903; engl. 1903; frz. 1903); Aus Kunst und Leben (Freiburg i.Br. 1905; ⁶⁻⁸1923); Die Rottenburger Dombaufrage. Rede, gehalten am Feste Peter und Paul 1904 (Rottenburg 1904); Aus Kunst und Leben. Neue Folge (Freiburg i.Br. 1906; ³1911); Der christlichen Caritas Geist und Wesen. Rede, gehalten am 13. Caritastag zu Ravensburg (Ravensburg 1908); Mehr Freude (Freiburg i.Br. 1909; 187.Tsd. 1934; dän.-norweg. 1910; engl. 1914, 1925; fläm. 1910; frz. 1911; niederl. 1910; ital. 1911; poln. 1928; portug. 1913; span. 1911; tschech. 1915; ukrain. 1914; ungar. 1911; lt., estn., jap.); Homiletische Gedanken und Ratschläge (Freiburg i.Br. 1910; ⁵⁻⁶1911; engl. 1927; fläm. 1913; frz. 1912; ital. 1911; poln. 1914); Homilien und Predigten (Freiburg i.B 1911; ⁶⁻⁸1921; frz., holl. und poln.); Im Morgenland. Reisebilder (Freiburg i.Br. 1914; 17. Tsd. 1930; fläm. 1931); Die Armenseelenpredigt (Freiburg i.Br. 1913,⁸1928; engl. 1929; niederl. 1914; span. 1930); Leidensschule (Freiburg i.Br 1914; 71. Tsd. 1923; engl., fläm., frz., ital., poln., span., ungar.); Unsere toten Helden und ihr letzter Wille (Freiburg i.Br. 1915); 50. Tsd. 1916; ungar. 1917); Deutschlands Totenklage (Freiburg i.Br. 25. Tsd. 1917); Predigt und Heilige Schrift. Vortrag für die homiletischen Kurse in Speyer und Bonn (Freiburg i.Br. 1926); Wasser aus dem Felsen. Neue Folge der Homilien und Predigten, 2 Bde (Freiburg i.Br. 1927/29). — Verz. sämtlicher Werke K.s, in: Die Bischöfe der deutschsprachigen Länder 1785/1803 bis 1945, hrsg. von Erwin Gatz, Berlin 1983, 373.

Lit.: Stephan Jakob Neher, Personalkatalog 1894, 196 f; — Spectator novus [Hugo Koch], Kirchenpolitische Briefe. Württemberg, in: Süddeutsche Monatshefte 1910, 262-272; — J. Baumgärtner (Hrsg.), Dr. Paul Wilhelm von Keppler. 25 Jahre Bischof - 50 Jahre Priester. Festschrift... (Stuttgart 1925); — Das Doppeljubiläum Sr. Exzellenz... Dr. Paul Wilhelm v. Keppler (Rottenburg a. N. 1925); — Josef Karlmann Brechenmacher, Keppler als Pädagoge, in: Magazin für Pädagogik 88 (1925) 173-213; — Guido Haßl, Paul Wilhelm v. Keppler, Rottenburgs großer Bischof (Stuttgart 1927); — August Willburger, Bischof Paul Wilhelm von Keppler, in: Die Diözese Rottenburg und ihre Bischöfe 1828-1928. Ein Festbuch..., hrsg. von Franz Stärk (Stuttgart 1928) 223-239; — Gräber Sülchen 210; — Adolf Donders, Paul Wilhelm v. Keppler, Bischof von Rottenburg: ein Künder katholischen Glaubens (Freiburg i.Br. 1935); — Franz Xaver Kraus, Tagebücher, hrsg. von Hubert Schiel (Köln 1957); — Ders., Tübinger Theologen in Verbindung mit Franz Xaver Kraus, in: ThQ 137 (1957) 18-57, 168-186, 289-323; — Ders., in: FDA 99 (1979) 441-462; — August Hagen, Der Reformkatholizismus in der Diözese Rottenburg (1902-1920) (Stuttgart 1962); — Thomas Michael Loome, Josef Sauer - Modernist?, in: RQ 68 (1973) 207-220; — Rudolf Reinhardt, Zu den Auseinandersetzungen um den »Modernismus« an der Universität Tübingen, in: Ders. (Hrsg.), Tübinger Theologen und ihre Theologie (Tübingen 1977), 271-352; — Ders., Keppler, Paul Wilhelm von, in: E. Gatz (Hrsg.), Die Bischöfe der deutschsprachigen Länder, 371-373; — Ders. (Hrsg.), Franz Xaver Linsenmann. Sein Leben. Bd 1: Lebenserinnerungen (Sigmaringen 1987); — Wilhelm Kosch, in: KD II, 2073-2075; — Wilhelm Baum, in: NDB XI, 508 f; — Paul Bormann, in: LThK VI, 118 f.

Karl Josef Rivinius

KERAMEUS, Nikolaos, griechischer Theologe, * Jannina Ende 16. Jh.s, † Iaşi 1670 oder 1672. — K. studierte in Italien Medizin und Philosophie und hielt sich einige Jahre in Venedig auf. 1651 ging er nach Konstantinopel. Dort verfaßte er im Auftrag des Ökumenischen Patriarchen Parthenios III. und der Synode eine umfangreiche Widerlegung der Argumente, die Athanasios Rhetor zugunsten des Primats des Papstes vorgebracht hatte. Auf der Grundlage der Aristoteles-Rezeption und der Dogmatik des Johannes Damaskenos setzte er sich bei dieser Gelegenheit auch mit dem Verhältnis zwischen Glauben und Wissenschaft auseinander. In der unedierten Zusammenfassung seiner theologischen Lehrmeinungen (᾿Εσοπτρον θεολογικῆς ἐκφαντορίας Ν. Κ. τοῦ ἐκ τῆς παλαιᾶς

᾿Ηπείρου) zeigt sich die Rezeption sowohl von Elementen des Palamismus wie scholastischer Methoden. Zu seinen Schülern gehörte Dositheos (1669-1707 Patriarch von Jerusalem), eine der großen Persönlichkeiten der Orthodoxie des 17. Jh.s. Die letzten Lebensjahre verbrachte K. als Lehrer in Iaşi.

Werke: Veröffentlichte Werke: ᾿Αντέγκλημα τῶν ἐγκαλούντων ἀδίκως κατὰ τῆς μιᾶς καὶ μόνης καθολικῆς καὶ ἀποστολικῆς θεονύμφου τῆς τοῦ Χριστοῦ ἐκκλησίας [...], in: Δοσίθεος: Τόμος χαρᾶς. Rîmnik 1705, 552 S. (Bd. nicht fortlaufend paginiert!). Dositheos zufolge hat er eine medizinische und eine moralphilosophische Schrift sowie theologische Abhandlungen verfaßt; diese Werke sind nicht ediert. — Weitere Schriften bei Δοσίέθεος: ᾿Ιστ. τῶν ἐν ᾿Ιεροσολύμοις πατριαρχευσάντων, 1176 f.

Lit.: Δοσίθεος: ᾿Ιστ. περὶ τῶν ἐν ᾿Ιεροσολύμοις πατριαρχευσάντων. Bukarest 1715, 1176 f.; — ᾿Ανδρέας Παπαδόπουλος–Βρετός: Νεοελληνικὴ Φιλολογία. I, Athen 1854, 206 f.; — Κωνσταντῖνος Σάθας: Νεοελληνικὴ Φιλολογία. Athen 1868, 322 f.; — ᾿Ανδρόνικος Κ. Δημητρακόπουλος: ᾿Ορθόδοξος ῾Ελλάς. Leipzig 1872, 159; — A. Palmieri in DThC II, 2136 f.; — Γεώργιος Κουρνοῦτος: Λόγιοι τῆς Τουρκοκρατίας. I, Athen o.J. [1956], 275-290; — Στυλιανός Γ. Παπαδόπουλος in ΘΗΕ VII, 503 f.; — Gerhard Podskalsky: Griechische Theologie in der Zeit der Türkenherrschaft (1453-1821), München 1988, 43, 193 f.

Gunnar Hering

KERDON, auch Cerdo, früher syrischer Gnostiker. Als eigenständige Quellen kommen fast nur Irenäus, Adv. Haer. I, 27, 1; III, 4, 3 (nach Justins verlorenem Syntagma?) und Hippolyt, Philos. VII, 10. 37; X, 1 9 in Betracht. Danach sei K. aus Syrien nach Rom gekommen und habe unter dem Episkopat des Hyginus (etwa 138-42) Einfluß auf Markion genommen, ja sei dessen eigentlicher Lehrer. Als solcher wird er in den Häretikerlisten der späteren Zeit mehrfach genannt und in Beziehung zu Simon Magus, dem angeblichen Begründer der Gnosis, gestellt. Daran wird nur wahr sein, daß er in persönlichem Kontakt mit Markion gestanden hat, der ihn in den erhaltenen Zeugnissen aber nie erwähnt und seinen Anhängern als alleiniger Stifter seiner Kirche gilt. Wie dieser habe K. streng den gerechten Gott des AT von dem guten des NT getrennt und neben diesen die Materie als drittes Urprinzip anerkannt. In Bezug auf die

Leiblichkeit Jesu sei er radikaler Doket gewesen. Sein Einfluß geht ganz in dem Markions auf, von dem seine Lehre nur noch schwer abhebbar ist. Doch bedürfen die oriental. Quellen neuer Sichtung.

Werke: Fragmente sind nicht erhalten. Quellen (außer den obengenannten): Epiphan. Pan. 41, 1, 1-9; Ps.-Tert. Haer. 6; Filastrius, Haer. 44; Theodoret, Haer. 1, 24; Augustin, Haer. 21; Euseb., Chron. Arm. (GCS 20), S. 221 Karst.

Lit: Adolf Hilgenfeld, Die Ketzergeschichte des Urchristentums, Leipzig 1884, 316-41; — Adolf von Harnack, Das Evangelium vom fremden Gott, TU 45, Leipzig ²1924 (Nachdruck 1960), 99. 31*-39*; — Felix Haase, Altchristliche Kirchengeschichte nach orientalischen Quellen, Leipzig 1925, 349-51; — Walter Bauer, Rechtgläubigkeit und Ketzerei im ältesten Christentum, BHTh 10, Tübingen ²1964, 70. 132; — Edwin Cyril Blackmann, Marcion and his Influence, London 1948, 68-71; — Henrik Ljungman, Guds barmhärtighet och dom, Diss. Lund 1950; — Carl Schneider, Geistesgeschichte des antiken Christentums I, München 1954, 358ff.; — F.M. Braun, Marcion et la gnose simonienne, in: Byzantion 25-27, 1955-57, 631-48 (dazu kritisch Kurt Rudolph, in: ThR N.F. 37, 1972, 359f.); — Karlmann Beyschlag, Simon Magus und die christliche Gnosis, WUNT 16, Tübingen 1974, 189f.; — R. Joseph Hoffmann, Marcion and the Restitution of Christianity, Chico, California, 1984, 41-44; — Gerhard May, Markion und der Gnostiker Kerdon, in: Evangelischer Glaube und Geschichte, FS Grete Mecenseffy, hg. A. Raddatz, K. Lüthi, Wien 1984, 233-46; — RE III, 776 f.; — RGG² I, 1476; — RGG³ I 1631f.; — LThK VI, 119.

Marco Frenschkowski

KERER, Johannes, * um 1430 Wertheim/Main, † vor dem 24.3. 1507 Augsburg. — Weihbischof von Augsburg. Als Kleriker der Diözese Würzburg wurde K. im Wintersemester 1451 an der Universität Heidelberg immatrikuliert und 1456 zum Magister der freien Künste examiniert. Wenig später ging er an die neugegründete Universität Freiburg; hier wurde er 1460 Professor an der Artistenfakultät, Student der Theologie (mit dem Abschluß »Doctor decretorum«), Betreuer der Fakultätsbibliothek und schließlich 1481 Rektor. Im gleichen Jahr zum Doktor beider Rechte promoviert, leitete er 1490 und 1492 das Dekanat der juristischen Fakultät. Neben seinen zahlreichen universitären Verpflichtungen amtierte K. als kaiserlicher Notar (1475), als Rat am bischöflichen Hof in Straßburg und als Hofkaplan Erzherzogs Sigmund von Tirol. Als die Stelle des Pfarrektors am Freiburger Münster

frei wurde (1475), bestimmte die Universität als Patronatsherr - auf ausdrücklichen Wunsch Kaiser Friedrichs III. - K. zum Nachfolger des verstorbenen Kilian Wolf. Seine Aufgaben als Seelsorger erfüllte K. mit beachtenswertem Eifer, daß er nicht nur bei Freiburger Bürgern bedeutendes Ansehen genoß. — Im Jahr 1486 übertrug ihm Papst Innozenz VIII. ein Kanonikat zu St. Thomas in Straßburg, und Papst Alexander VI. ernannte ihn am 8.5. 1493 zum Titularbischof von Adrimetum (Kleinasien) unter gleichzeitiger Bestätigung als Weihbischof des Bistums Augsburg. K., eng der humanistischen Gedankenwelt verpflichtet, stand mit den bedeutendsten Gelehrten seiner Zeit in freundschaftlicher Verbindung, u.a. mit Johann Geiler von Kaysersberg und Friedrich Graf von Zollern, dem nachmaligen Bischof von Augsburg. — Der Universität Freiburg blieb K. durch seine Stiftung verbunden: 1496 gründete er in dankbarer Erinnerung an seine Studienzeit die Burse »Collegium Sapientiae«, die 12 minderbemittelten Scholaren aller Fakultäten ein Stipendium nebst Unterkunft gewährte. Die von ihm verfaßten Statuten, die bis ins Detail die Lebensordnung der Studenten regeln, sind - neben späteren Abschriften - in zwei gleichzeitig geschriebenen, aufwendig illustrierten Pergamentcodices (1497) erhalten.

Lit.: Engelbert Klüpfel, Vita Joannis Kereri, episcopi Adrimentani, fundatoris Collegii Sapientiae. In: Ders., Vetus bibliotheca ecclesiastica. Bd. 1. Freiburg 1780. S. 1-111; — Richard Dold, Gottesfreunde am Oberrhein. Freiburg 1949. S. 90-101; — Josef Beckmann, Von einer mittelalterlichen Studentenburse. In: Philobiblon 1, 1957. S. 151-153; — J. K., Statuta collegii sapientiae. Satzungen des Collegium Sapientiae zu Freiburg i. Br. Bd. 1: Faks.-Ausg., Bd. 2: Einführung von Josef Beckmann. Lat. Text ins Dt. übers. von Robert Feger. Lindau 1957; — Adolf Weisbrod, Die Freiburger Sapienz und ihr Stifter J. K. von Wertheim. Freiburg 1966; — LThK ¹V, 933; — LThK ²VI, 119-120; — NDB XI, 512.

Reinhard Tenberg

KERGORLAY, Louis Gabriel, Förderer des sozialen Katholizismus, * 28.8. 1804 in Paris, † 1.3. 1880 in Fosseuse (Oise). — Als Nachfahre einer alten bretonischen Familie, die mit dem Haus Bourbon verschwägert war, blieb er stets seinen royalistischen und christlichen Überzeugungen treu. Als Student des Polytechnikums nahm er an der Eroberung von Algier 1830 im Range eines Artillerieoffiziers teil. Doch mußte er die Armee verlassen, da er als leidenschaftlicher Legitimist den Eid auf die Regierung Louis-Philippes verweigerte. Wie sein Vater, wurde er verdächtigt, in das Komplott »Carlo-Alberto«, so benannt nach dem Schiff, das die Herzogin von Berry, die Schwiegertochter Karls X., in der Provence an Land gebracht hatte, verwickelt zu sein. 1833 wurde er in Montbrison vor Gericht gestellt, jedoch - wie die anderen Mitangeklagten auch - freigesprochen. Danach beschäftigte er sich mit der Industrie, der Presse und der Sozialökonomie. 1843 gehörte er zu den Mäzenen, die dem »Correspondant« sein Wiederaufleben ermöglichten. 1848 gründete er, zusammen mit A. de Gobineau, die »Revue provinciale«. Er unterstützte den Pionier des sozialen Katholizismus und den Gründer der »Société d'économie charitable«, Armand de Melun. 1862 nahm er am Wohltätigkeitskongreß anläßlich der Weltausstellung in London teil, und er wurde eine Zeitlang Präsident der »Société des hautes études d'économie sociale«, von Le Play gegründet. 1871 wurde er zum Abgeordneten des Départements Oise in die Nationalversammlung gewählt.

Werke: Seulement Question du droit des gens: la saisie du bateau sarde Charles-Albert, Marseille, 1832; A Messieurs les membres du Gouvernement provisoire, Paris, 1848.

Lit. : Tisseron et de Quincy, Archives des hommes du jour(1847 à 1884); Bourquelot et Maury, La Littérature française contemporaine, Paris, 1857; Hoefer, Biog. Générale, 27, 609; Catholicisme, VI, 1410.

Paul Duclos

KERINTH wirkte Anfang des 2. Jahrhunderts in Kleinasien. Charakteristisch für seine Lehre ist die Trennung zwischen oberstem Gott und dem Weltschöpfer sowie eine doketische Christologie: der himmlische Christus sei bei der Taufe auf Jesus, den Sohn Josefs und Marias herabgestiegen, habe ihn zur Verkündigung des unbekannten Vaters und zu Wundertaten ermächtigt und vor der Passion wieder verlassen (Iren. adv. haer. I, 26, 1; vgl. III, 11, 1.7; 16,5 f.; legendarisch ist die Notiz des Kampfes des Apostels

Joh. gegen K., III, 3,4; 11,1; vgl. Hier. vir. inl. 9). Nach Hipp. ref. VII, 33,1; X, 21 wurde K. in Ägypten ausgebildet, ansonsten wiederholt Hipp. die von Iren. genannten zwei Charakteristika (VII, 33; 34; 35;X, 21), ebenso wie spätere Autoren, die zum Teil stark ausschmücken (Epiph. pan. XXVIII; LI u. a.). Unhistorisch ist sicher die Auffassung, K. sei Chiliast (Gaius von Rom bei Eus. HE III, 28,2 u. a.) oder Judaist gewesen (Epiph. pan. XXVIII, 2 ff. u. a.), bzw. er habe die ApkJoh (Gaius bei Eus. HE III, 28,2) oder die kanon. joh. Lit. überhaupt verfaßt (Aloger bei Epiph. pan. LI,3). Eine gewisse Nähe hat. K. zu den Gegnern des 1. Joh. Gegen K. tritt Epist. Apost. 1 f. u. ö. auf; K. ist möglicherweise der Adressat der Epist. Jac. Apocr. (NHC I,2).

Lit.: Heinrich Eberhard Gottlob Paulus, Commentationes theologicae potissimum historiam Cerinthi Iudaeochristiani ac Iudaeognostici atque finem Iohanneorum in N. T. libellorum illustrare, 1795; — Adolf Hilgenfeld, Die Ketzergeschichte des Urchristenthums, 1884, 408-421 u. passim; — Theodor Zahn, Geschichte des neutest. Kanons I, 1, 1888, 220-262; II, 2, 1892, 973-991. 1021 f.; — Adolf Harnack, Lehrbuch der Dogmengeschichte I, 1894³, 234 f.; — Alois Wurm, Cerinth, ein Gnostiker oder Judaist, ThQ 86, 1904, 20-38; — Otto Bardenhewer, Geschichte der altkirchl. Lit. I, 1913² (Nachdr. 1962), 345 f.;— Eduard Schwartz, Johannes und Kerinthos, ZNW 15, 1914, 210-219 (jetzt in: Ges. Schr. V, 1963, 170-182); — Gustave Bardy, Cérinthe, RB 30, 1921, 344-373; — Reinhold Seeberg, Lehrbuch der Dogmengeschichte I, 1953⁴, 107 f.; — Albertus Frederik Johannes Klijn/G. J. Reinink, Patristic Evidence for Jewish-Christian Sects, NT.S 36, 1973, 3-19. 74-77; — Hans-Martin Schenke, Der Jakobusbrief aus dem Codex Jung, OLZ 66, 1971, 117-130; — Rudolf Schnackenburg, Die Johannesbriefe, HThK 13, 3, 1979⁶, 19 f.; — H.-C. Puech/ B. Blatz, Andere gnostische Evangelien und verwandte Literatur, in: W. Schneemelcher (ed.), Neutestamentliche Apokryphen in deutscher Übersetzung I, 1987⁵, 317; — RE³ III, 777; — RGG³ I, 1632; — LThK² VI, 120; — Der Kl. Pauly III, 199; — Weitere Lit. s. David M. Scholer, Nag Hammadi Bibliography. 1948-1969, NHS 1, 1971, 56-58; — Jährlich fortgesetzt in NT.

Wilhelm Pratscher

KERLE, Jacobus de, Komponist, * 1531 oder 1532 in Ypern, † am 7. Januar 1591 in Prag. — Nach einer wohl schon früh begonnenen musikalischen Ausbildung, vermutlich am Stift St. Martin in Ypern, zog es K., wie auch viele andere Musiker seiner Heimat vor ihm, nach Italien. Um das Jahr 1555 wurde er als Magister capellae in Orvieto angestellt, bald darauf schon als

Domorganist und Glockenspieler in der gleichen Stadt. Seit dem 4. August 1561 wurde K. als Presbyter bezeichnet, er hat also spätestens zu dieser Zeit die kirchlichen Weihen empfangen. In demselben Jahr hielt er sich in Venedig auf, um dort den Druck seiner Werke »Liber psalmorum ad vesperas« und »Magnificat« zu beaufsichtigen. Nach seiner Rückkehr nach Orvieto lernte er den damaligen Bischof von Augsburg, Kardinal Otto Truchseß von Waldburg, kennen, der künftig in seinem Leben eine wichtige Rolle als Freund und Förderer spielen sollte. Dieser Bischof hatte, obwohl er selbst nicht am Konzil von Trient teilnahm, entscheidenden Einfluß bei der Festlegung der Vorschriften für die Kirchenmusik. In seinem Auftrag komponierte K. zwischen Herbst 1561 und Jänner/Februar 1562 die »Preces speciales« für Trient mit einer Widmung an die päpstlichen Legaten des Konzils. Vom August 1563 bis Mai 1564 begleitete K. den Kardinal Otto nach Spanien, anschließend hielt er sich etwa ein Jahr lang in Dillingen auf, wo Otto von Waldburg eine Musikkapelle gegründet hatte und K. nun bei vielen festlichen Gelegenheiten mitwirkte. Nach der Auflösung dieser bischöflichen Privatkapelle im Jahre 1565 kehrte K. in seine Heimat zurück und versah die Stelle eines Kapellmeisters an der Kathedrale St. Martin in Ypern. Im April 1567 wurde K. nach einem Streit mit einem anderen Priester gerichtlich verurteilt und exkommuniziert. Daraufhin wandte er sich nach Rom, um sich von der Exkommunikation lösen zu lassen. Dort begegnete er im Juni oder Juli 1568 wieder Kardinal Otto, der wohl schon kurz zuvor, als K. auf dem Weg nach Rom durch München gekommen war, die Komposition einer Festmotette anläßlich der Hochzeit Herzog Wilhelms V. von Bayern mit Renata von Lothringen (21. Februar bis 9. März 1568) vermittelt hatte. Am 18. August 1568 bekam K. durch den Einfluß seines Gönners die Stelle eines Chorvikars und Domorganisten am Dom zu Augsburg übertragen. Im Sommer 1571 erhielt er außerdem eine der reichsten Vikarien am Dom. Für die Trauerfeier des am 2. April 1573 in Rom gestorbenen Kardinals Otto komponierte K. ein Requiem. Als am 1. Juli 1574 der junge Augsburger Musiker B. Klingenstein Nachfolger des verstorbenen Kapellmeisters Anton Span wurde, verließ K.

Augsburg im Juni 1575 und bewarb sich um eine Stelle als Musiker beim Fürstabt Eberhard von Stain in Kempten. Gleichzeitig tauschte er seine Augsburger Pfründe gegen eine andere in Cambrai. Im März 1579 wurde er auch Mitglied des dortigen Domkapitels. Schon kurze Zeit später hielt sich K. in Mons auf und wurde mit Beginn des Jahres 1582 Kapellmeister des Kurfürsten von Köln, Gebhard Truchseß von Waldburg, eines Neffen seines Förderers. Im September 1582 schon gab er diese Stelle wieder auf und trat in kaiserliche Dienste. Er wirkte als Mitglied der kaiserlichen Hofkapelle zunächst in Wien, seit 1583 bis zu seinem Tode in Prag. — In seinem musikalischen Schaffen steht K. in der Tradition der Nachfolge von Josquin Desprez. Daneben hat er Anregungen der römischen Musiktradition aufgenommen. Die Bedeutung K.s liegt im Komponieren einer liturgischen Musik, die auch den Bestimmungen des Tridentinums entsprach. Zugleich hat er mit seinen Werken dessen Entscheidungen (neben Palestrina) mit beeinflußt. Otto Ursprung bezeichnet K. daher als den eigentlichen »Retter der Kirchenmusik«.

Werke: Hymni totius anni ... et Magnificat, 1558; 1560^2 (nur 2. Auflage erhalten); Liber psalmorum ad vesperas, 1561; 1 Madrigal, in: Di Cipriano et Annibale madrigali, 1561; Preces speciales pro salubri generalis concilii successu, ac conclusione, populique christiani salute & unione; atque contra ecclesiae hostium furorem, 1562 (Neuausgabe, hrsg. v. O. Ursprung, in: DTB XXVI, 1926); Sex missae, 1562; 1 Madrigal, in: Il secondo libro di madrigali di diversi autori a notte negre, 1567; Il primo libro capitolo del triumpho d'amore de Petrarca, 1570 (kein Expl. mehr bekannt); Madrigali (Carmina italica musicis modulis ornata), 1570 (kein Expl. mehr bekannt); Selectae quaedam cantiones, 1571; Liber modulorum sacrorum, quibus addita est recens cantio octo vocum, de sacro foedere contra Turcas, 1572; Liber modulorum sacrorum, 1573; Liber mottetorum, 1573; Egregia cantio in ... honorem Melchioris Lincken Augustani, 1574; Sacrae cantiones, quae vulgo moteta vocant, 1575; 2 Motetten, in: Theatri musici selectissimas Orlandi di Lassus aliorumque musicorum cantiones sacras, 1580; Quatuor missae, 1582; Quatuor missae ... adiuncto in fine Te Deum laudamus, 1583; Selectiorum aliquot modulorum, 1585; 3 Motetten, in: B. Klingenstein, Triodia sacra I, 1605. - Unveröffentl. Werke: Mss. in Altötting, Augsburg, Breslau, Brixen, Danzig, Dresden, Liegnitz, London, München, Regensburg, Stuttgart, Wien, Zwickau. — Verschollene Werke: Festmotette zur Hochzeit des Bayer. Herzogs (1568), Requiem auf den Tod Kardinal Ottos (1573).

Lit.: G. Draudius, Bibliotheca librorum germanicorum classica, 1625, —C. F. Becker, Die Tonwerke des 16. u. 17. Jh.s, 1855^2; — A. W. Ambros, Gesch. d. Musik III, 1893^3, 328. 618; —A. Göhler, Verz. d. in den Frankfurter und Leipziger

Meßkatalogen der Jahre 1564-1759 angezeigten Musikalien, 1902; — Adolf Sandberger, Bemerkungen zur Biographie Hans Leo Haßlers und seiner Brüder sowie zur Musikgesch. der Städte Nürnberg und Augsburgs, in: DTB V/1, 1904, LII f.; — Hugo Leichtentritt, Gesch. d. Motette, 1908; — Ders., The Reform of Trent and its effect on music, in: MQ XXX, 1944, 319-328; — Theodor Kroyer, Gregor Aichingers Leben und Werke, in: DTB X/1, 1909, XXIII; — Miscellanea Musicae Bio-bibliographica (hrsg. v. H. Springer, Max Schneider u. W. Wolfheim) I, 1912/13, 1113; III, 1914/16, 3922; — Otto Ursprung, J. d. K. Sein Leben und seine Werke, Diss. München 1913; — Ders., Einl. zu DTB XXVI, 1926; — Ders., Die kath. Kirchenmusik (BückenH), 1931; — Peter Wagner, Gesch. d. Messe I, 1913; — Hugo Kretschmar, Führer durch den Konzertsaal II/1, 1921⁵, 167 ff.; — L. Virgili, La Capella Musicale della Chiesa metropolitana di Fermo dalle origini al 1670, in: Note d'Archivio VII, 1930, 24. 33. 74. 76. 79; — G. Pietsch, Zur Pflege der Musik an den dt. Universitäten bis zur Mitte des 16. Jh.s, in: AfMf VI, 1941, 56; — G. Reese, Maldeghem and his Buried Treasure, in: Notes, Second Series, VI, 1948/49, 75-117; — J. A. Stellfeld, Bibliogr. des éditions mus. plantiniennes, 1949; — Charles van den Borren, La musique en Belgique du moyen-âge à nos jours, 1950; — Ders., La Renaissance du livre, 132 f.; — P. Graff, J. d. K. und das Kirchenjahr, in: MuK XX, 1950; — H. Hüschen, A. Papius, ein Musiktheoretiker aus der 2. Hälfte des 16. Jh.s, in: KmJb XXXVII, 1953, 51; — L. H. Lockwood, Vincenzo Ruffo and Mus. Reform after the Council of Trent, in: MQ XLIII, 1957, 342-371; — Ders., The Counter-Reformation and the Masses of Vincenzo Ruffo, 1970; — W. Boetticher, Orlando di Lasso und seine Zeit I, 1958; — Ferdinand Haberl, Die Kirchenmusik beim Konzil von Trient und J. d. K., in: MuSa LXXXV, 1965; — Ders., J. d. K. e le sue Preci speciali per il Concilio di Trento, in: Quadrivium VII, 1966; — G. Haydon, The first edition of K.'s hymns, in: AM XXXVI, 1966, 179-184; — Ders., The hymns of J. d. K., in. Festschr. G. Reese, 1966; — MGG VII, 846-850.

Hans-Josef Olszewsky

KERLIVIO, Louis Eudo de, Glaubensverfechter in der Bretagne, * 1621 in Hennebont (Morbihan), † 1685 wahrscheinlich in Vannes, seit dem Tod seines Vaters »Seigneur de Kerlivio«. Seine klassischen Studien absolvierte er im Jesuitenkollegium in Rennes, danach in Bordeaux. Er führte ein ziemlich mondänes Leben, ehe er 1642 in das Seminar der »Bons-Enfants« eintrat, wo ihn (der spätere Hl.) Vincent de Paul sehr schätzte. Nachdem er 1644 zum Priester geweiht worden war, studierte er Theologie an der Sorbonne. Wieder zurück in Hennebont, gründete er dort 1648 mit der Unterstützung seines Vaters ein Hospital, in dem er auch selbst wohnte und Kranke pflegte. Bei einer Missionierung im Jahre 1655 in Hennebont trafen ihn die bei-

den Jesuitenpater Vincent Huby und Jean Rigoleuc und schlossen mit ihm einen Freundschaftsbund. Auf Anraten von Rigoleuc entschloß sich L.K., ein Seminar in Vannes zu gründen, wo er 1656 von Bischof Charles de Rosmadec zum Generalvikar ernannt worden war. L.K. übernahm die Kosten und leitete die Bauarbeiten, doch da der lokale Klerus gegen das Projekt eines Jesuitenseminars opponierte, entstand aus dem Gebäude - eine glückliche Fügung - das erste der geistlichen Exerzitienhäuser, von Vincent Huby ins Leben gerufen. Bis zu seinem Tode stellte sich der Generalvikar in den Dienst der Diözese, indem er alle Pfarrgemeinden besuchte, die Priester mit Güte lenkte und schließlich die Errichtung eines Seminars erreichte. Zur selben Zeit organisierte er Missionen, propagierte die P.Huby so am Herzen liegenden Häuser und half Catherine Francheville, ein Pendant zu gründen, ein Exerzitienhäuser für Frauen. Bereits bei seinem Tode als Heiliger angesehen, gilt L.K. als einer der wichtigsten Urheber christlicher Blüte in der Bretagne.

Werke: L. K. ne laisse que des manuscrits, qu'utiliseront Champion et La Piletière: exhortations et règles pour les prêtres, Origo, progressus et status et directives concernant la maison de retraite.

Lit. : P. Champion, La vie des fondateurs des Maisons de retraite, 1898, rééd. 1929, S. 131-149; — J. de La Piletière, Hist. de la Ire M. de retraite, Bibl. Mazarine, ms. 3264; — Lobineau et Tresvaux, La vie des saints de Bretagne. Paris 1838, Bd. 5, 175-208; — G. Théry, Catherine de Francheville, 2 vol, Vannes 1957; — A. Morvan, Hist. des hôpitaux d'Hennebont, thèse polycopiée; — Catholicisme, Sp. 1410-11; — Dict. de Spir. VIII, Sp. 1714-15.

Paul Duclos

KERLL, Johann Kaspar, Komponist, * am 9. April 1627 in Adorf (Vogtland), † am 13. Februar 1693 in München. — Als Schreibformen seines Namens kommen vor: Kerll, Kerl, Cherl. — K. entstammte einer ev.-luth. Musikerfamilie. Sein Vater war der aus Joachimstal (Böhmen) vertriebene Organist und Orgelbauer Kaspar K., der seinem Sohn vermutlich auch den ersten Musikunterricht erteilt hat. In jungen Jahren bereits kam K. nach Wien und fand in dem Erzherzog Leopold Wilhelm, dem Bruder des Kaisers Ferdinand II., einen einflußreichen Gönner und

Freund. Dieser veranlaßte zunächst K.s Ausbildung bei dem Hofkapellmeister Valentini und schickte ihn dann zu weiteren Studien nach Rom, wo er von Carissimi, vielleicht auch von Frescobaldi, unterrichtet wurde. In die römische Studienzeit fällt auch die erste Veröffentlichung einer Komposition K.s, einer »Toccata sive Ricercata«, in der von Athanasius Kircher 1650 herausgegebenen Sammlung »Musurgia universalis«. Die Echtheit dieser Komposition ist allerdings umstritten. Spätestens in dieser Zeit ist K. auch zum kath. Glauben übergetreten, unabdingbare Voraussetzung für seine weitere Karriere im süddt.-österreichischen Raum. Erzherzog Leopold Wilhelm, seit 1647 Statthalter der Niederlande, gewährte K. eine Stelle als Organist der Brüsseler Hofkapelle, wobei es fraglich ist, ob er diese Stelle überhaupt je angetreten hat, da die Kapelle schon 1656 aufgelöst worden ist. Seit diesem Jahr aber ist K. nachweislich in München anzutreffen, wo er am bayerischen Hof zuerst als Vizekapellmeister, nach dem Tode des Hofkapellmeisters J. J. Porro als dessen Nachfolger angestellt war. In dieser Position hatte er vielfältige Aufgaben zu bewältigen. Da die Kurfürstin der noch jungen Kunstgattung Oper sehr viel Interesse und Aufmerksamkeit entgegenbrachte, 1653 war in München das erste Mal eine Oper, »L'arpa festante« von G. B. Maccioni, zur Aufführung gelangt, bekam er den Auftrag, Opern zu komponieren. Im Jahre 1657 wurde seine erste Oper, »Oronte«, anläßlich der Eröfnung des neuen Residenztheaters aufgeführt. Die Musik zu dieser sowie zu neun weiteren von ihm stammenden Opern hat sich nicht erhalten. Lediglich die Textbücher zu vier seiner Opern sind bekannt. Daneben schrieb K. Musikstücke zu Jesuitendramen, ein Genre, das sich damals großer Beliebtheit erfreute. Von diesen hat sich ein einziges Werk, das 1677 in Wien entstandene Werk »Pia et fortis mulier«, erhalten. Weiters hatte er Festmusiken und Ballette für die verschiedensten Gelegenheiten und Anlässe zu schreiben und zu leiten. Neben diesen weltlichen Verpflichtungen galt das Hauptinteresse K.s der Kirchenmusik. Er machte München mit dem in Italien zuerst entwickelten »stile concertato« bekannt und komponierte Messen, geistliche Konzerte u.v.a. Die 1669 in München gedruckte Sammlung »Delectus sacrarum cantionum« gibt einen guten Überblick über diese Richtung seines Schaffens. Während eines Aufenthaltes in Regensburg wurde er von dem dort anwesenden Kaiser Leopold I., der seine Kunst bewunderte, in den Adelsstand erhoben. Da K. neben seiner künstlerischen Fertigkeit auch gute organisatorische Fähigkeiten besaß, hatte er in seinem Amt viele Freiheiten. Trotz der hervorragenden und gut bezahlten Stellung und des hohen Ansehens, das K. in München genoß, gab er diese Position im Jahre 1673 überraschend auf und ging nach Wien. Man nimmt an, daß K. auf diese Weise die Konsequenz aus Intrigen durch italienische Musiker in der Hofkapelle gezogen hat. In Wien scheint er zunächst ohne feste Anstellung gewesen zu sein, doch bezog er seit 1675 eine kaiserliche Pension und wurde 1677 (definitiv erst ab 1680) Hoforganist neben A. Poglietti. K.s Orgelspiel, besonders die Orgelimprovisation, wurde weithin gerühmt. Auch als Lehrer für Tasteninstrumente besaß er, schon seit seiner Münchner Zeit, einen guten Ruf. Bedeutende Schüler in München waren A. Steffani und F. X. A. Murschhauser. Daß J. Pachelbel, J. J. Fux und G. Reutter d.Ä. zu seinen Schülern in Wien gehört haben sollen, ist bloße Vermutung. Im Jahre 1679 hielt sich K. wegen der in Wien grassierenden Pest zusammen mit der kaiserlichen Kapelle in Prag auf. Dort ist vermutlich seine Frau gestorben. Zum glücklichen Ausgang der Belagerung Wiens durch die Türken im Jahre 1683 komponierte K. die Gedenkmesse »In fletu solatium«. Bald danach kehrte er nach München zurück. Über das letzte Lebensjahrzehnt ist nichts weiter bekannt. Sein Grab befand sich in der Augustinerkirche in München. — Das Schaffen K.s weist zwei Schwerpunkte auf. Seine Bedeutung gründet sich zunächst auf sein Wirken als Lehrer für Tasteninstrumente und als Komponist von Stücken für diese Gattung. Die 1686 in München erschienene Sammlung »Modulatio organica« wurde zum Vorbild für eine ganze Reihe ähnlicher Veröffentlichungen durch J. Speth, F. X. A. Murschhauser, Th. Muffat u.a. Die Quellenlage in diesem Bereich erweist sich aber als äußerst schwierig, da K. mit dem gleichzeitig in Wien als Hoforganist wirkenden A. Poglietti freundschaftlich verbunden war und daher gemeinsam mit diesem Werkausgaben veranstaltete, wobei vielfach nicht mehr festzustellen ist, welche der darin enthaltenen Werke nun tatsächlich von K. stammen. Wohl aus diesem Grund hat er später, als einer der ersten Komponisten überhaupt, ein thematisches Werkverzeichnis seiner Kompositionen für Tasteninstrumente angelegt. Trotzdem lassen sich die originalen Fassungen zahlreicher Werke nicht mehr mit Sicherheit ermitteln. Die Anregungen, die von K.s Kompositionen für diese Werkgattung ausgingen, waren bedeutend. Ihre Wirkung reichte bis G. F. Händel und J. S. Bach. Der zweite Schwerpunkt seines Schaffens lag auf dem Gebiet der Kirchenmusik. In diesem Bereich gehörte K. zu den Vertretern der süddt.-österreichischen Richtung, die ihre Anfänge in den Werken der Komponisten Johann Stadlmayr, Christoph Straus und Giovanni Valentini, einem Lehrer K.s, hatte und in gerader Linie bis hin zu Joseph Hadyn und W. A. Mozart führte. Hauptkennzeichen dieser Richtung sind die Verwendung eines Orchesters in den Meßkompositionen, das meist noch parallel zu den Singstimmen geführt ist, 4-st. Satz, stärkeres Hervortreten der Soli gegenüber den Tuttistellen und deutlichere Gliederung der einzelnen Satzteile. K. nimmt in dieser Entwicklung eine Schlüsselrolle ein, da er Anregungen der italienischen Musiktradition mit aufgenommen und verarbeitet hat. So ist ihm v. a. die Bereicherung der Kirchenmusik durch die Einführung der »Geistlichen Konzerte« zu verdanken. Insgesamt ist das kirchenmusikalische Schaffen K.s durch einen freieren Ton bestimmt, der das liturgische Geschehen feierlicher und zugleich persönlicher gestaltet. Bereits im 18. Jh. geriet das Werk K.s in Vergessenheit.

Werke: 1. Zeitgenössische Druckausgaben: Toccata sive Ricercata in Cylindrum phonotacticum transferenda, in: Athanasius Kircher, Musurgia Universalis II, 1650, 316 ff; Delectus sacrarum cantionum a II. III. IV. V. vocibus, cum adjunctis instrumentis, opus primum, 1669; Modulatio organica super Magnificat octo ecclesiasticis tonis respondens, 1686 (Reprint, 1956, hrsg. von R. Walter); Missae sex a IV. V. VI. vocibus, cum instrumentis concertantibus, vocibus in ripieno adjuncta una pro defunctis, cum seq: Dies irae, 1689. — 2. Neue Ausgaben: 1 Orgelcanzone, in: Ecole classique de l'Orgue, H. 12, hrsg. v. A. Guilmant, 1900; Ausgewählte Werke I, in: DTB II/2, 1901, hrsg. v. Adolf Sandberger; Missa cujus toni und Missa à 3 cori, in: DTÖ XXV/1, 1918, hrsg. v. Guido Adler; Missa pro defunctis, in: DTÖ XXX/1, 1923, hrsg. v. Guido Adler; 2 Orgelstücke, in: Alte Meister

des Orgelspieles N.F., 1929, hrsg. v. K. Straube; Ausgewählte Klavierstücke, in: Stücke für Tasteninstrumente. NMA LXXXVII, 1956, hrsg. v. H. Hillemann; 9 Klavierstücke, in: G. Tagliapietra, Antologia di musica antica e moderna per il pianoforte VII. — 3. Werkverz.: EitnerQ V, 349-352; RISM V, 27 f; DTB II/2; MGG VII.

Lit.: J. Mattheson, Critica Musica I, 1722, 22; — Ders., Grundlage einer Ehrenpforte, 1740, 135 ff; — R. Rudhart, Gesch. d. Oper am Hofe zu München, 1865, 33 f; — Ludwig von Köchel, Die kaiserliche Hof-Musikkapelle in Wien von 1543-1867, 1869, 640; — A. G. Ritter, Zur Gesch. d. Orgelspiels, 1884, 157 f; — Weitzmann-Seiffert, Gesch. d. Klaviermusik, 1899, 185 ff; — Adolf Sandberger, Einführung zu: JKK. Ausgewählte Werke I, in: DTB II/2, 1901; — Ders., JKK, in: Ausgewählte Aufsätze zur MG, 1921, 181 ff; — Ludwig Schiedermair, Künstlerische Bestrebungen am Hofe des Kurfürsten Ferdinand Maria von Bayern, in: FGB X, H. 1/2 (auch als Separatdruck erschienen); — Hugo Botstiber, Ein Beitrag zu JKK.s Biographie, in: SIMG VII, 1905/06, 634 ff; — M. Seiffert, Händels Verhältnis zu Tonwerken älterer dt. Meister, in: JbP XIV, 1907, 41 ff; — Guido Adler, Zur Gesch. d. Wiener Meßkomposition in der 2. Hälfte des 17. Jhs., in: StMw IV, 1916, 5 ff; — Ders., Einführung zu: DTÖ XXV/1, 1918; — Hermann Kretschmar, Führer durch den Konzertsaal II/1, 1921[5]; — Paul Nettl, Weltliche Musik des Stiftes Osseg (Böhmen) im 17. Jh., in: ZfMw IV, 1921/22, 351 ff; — M. Zenger, Gesch. d. Münchner Oper (bearb. v. Th. Kroyer), 1923; — A. Pirro, L'Art des Organistes, in: Lavignac E II/2, 1926, 1321 ff; — R. Haas, Musik des Barocks, 1928; — E. Valentin, Die Entwicklung der Tokkate, 1930; — Otto Ursprung, Kath. Kirchenmusik, 1931, 212 ff; — E. H. Meyer, Die mehrstimmige Spielmusik des 17. Jhs. in Nord- und Mitteleuropa, 1934, 218 f; — G. Frotscher, Gesch. d. Orgelspiels und der Orgelkomposition I, 1935, 484 ff; — M. Bukofzer, Music in the Baroque Era, 1947; — E, Flade, Gottfried Silbermann, 1953[2], 147 f; — Alfred Orel, Die Kontrapunkt-Lehren von Poglietti und Bertali, in: Kongress-Bericht Bamberg 1953, 1954, 140 ff; — A. C. Giebler, The masses of JCK, 2 Bde., Diss. Univ. of Michigam, 1956; — Hans Joachim Moser, Die Musik der dt. Stämme, 1957, 776 f; — Friedrich Wilhelm Riedel, Quellenkundliche Beiträge zur Gesch. d. Musik für Tasteninstrumente in der 2. Hälfte des 17. Jhs., Diss. Kiel, 1957; — Ders., Eine unbekannte Quelle zu JKK.s Musik für Tasteninstrumente, in: MF XIII, 1960; — Ders., Neue Mitteilungen zur Lebensgesch. von Alessandro Poglietti und JKK, in: AfMw XIX/XX, 1962/63, 111-140; — H. Federhofer, Zur hs. Überlieferung der Musiktheorie in Österreich in der 2. Hälfte des 17. Jhs., in: Mf XI, 1958; — H. Schmid, Una nuova fonte di musica organistica del s. XVII, in: L'organo I, 1960; — H. Th. David, A Lesser Seret of J. S. Bach Uncovered, in: JAMS XIV, 1961 (dt. Übersetzung unter dem Titel: Zur Entstehungsgesch. des Sanctus BWV 241, in: W. Blankenburg (Hrsg.), J. S. Bach, 1970); — W. Kramer, Die Musik im Wiener Jesuitendrama von 1677-1711, Diss. Wien 1961; — Richard Schaal, Quellen zu JKK, in: AnzAW XCIX, 1962, 15-27; — L. F. Tagliavini, Un 'importante fonte per la musica cembalistica-organistica di JKK. Il ms. DD/53 della Bibl. mus. »G. B. Martini« di Bologna, in: CHM IV, 1966; — W. Apel, Gesch. d. Orgel- und Klaviermusik bis 1700, 1967; — H. Knaus, Die Musiker in Archivbestand des kaiserlichen Obersthofmeisteramtes (1637-1705) II, 1968, 35. 37. 40. 95; — E. Ritter, Musiker am kur-bayerischen Hof zu München (1650-1730), in: Archiv für Sippenforschung XXXIV, 1968, 617; — W. D. Gudger, A Borrowing from K. in Messiah, in: MT CXVIII, 1977, 1038; — Zedler XV, 1757, 484; — FétisB V, 17-19; — MGG VII, 851-859; — Riemann I, 916 f; — LThK² VI, 122.

Hans-Josef Olszewsky

KERN, Christian Gottlob, Theologe u. Verfasser von Kirchenliedern, * 13.1. 1792 in Söhnstetten, † 5.8. 1835 in Dürrmenz-Mühlacker a.d. Enz. — K., Sohn des Pfarrers Christoph Friedr. K., wurde 1808 in die Klosterschule Denkendorf aufgenommen, erhielt seine weitere Schulbildung in Maulbronn und immatrikulierte sich am 27.10. 1810 in Tübingen für das Studium der Theologie. Von 1815 bis 1817 versah er ein Vikariat in Plochingen; seit 1817 war er als Repetent wieder am Tübinger Stift. 1820 ging er als Helfer nach Besigheim und folgte 1824 einer Berufung zum Prediger und Professor an das Seminar zu Schönthal. Von 1829 an bis zu seinem Tod war K. Pastor in Dürrmenz-Mühlakker. Während dieser Zeit trug K. Abhandlungen und Aufsätze zu der von Friedr. Heinr. Kern und Steudel in Tübingen herausgegebenen theologischen Zeitschrift und zu der von Albert Knapp herausgegebenen »Christoterpe. Taschenbuch für christliche Leser« in den Jahren 1833-37 bei. Diese Beiträge stehen in ihren Gedanken unter dem Einfluß von Joh. Albr. Bengel (s.d.) und C. Aug. Osiander. Bekannt ist K. durch seine geistlichen Lieder, von denen die meisten in A. Knapps »Christoterpe« erschienen sind.

Werke: Predigten auf alle Sonn- und Festtage des Kirchenjahrs. Nach seinem Tode herausgegeben von W. Hoffmann u. L. Völter, Stuttgart 1837; »Preis dir, o Vater, und o Sohn« (Tauflied) und »Wie könnt ich Sein vergessen« (Abendmahlsfeier), in: A. Knapp, Liederschatz, 1837.

Lit.: ADB XV, 632; — Koch³ VII, 210-213; — CKL I, 1054; — John Julian, A Dictionnary of Hymnology I, 623, New York 1957.

Susanne Siebert

KERN, Friedrich Heinrich, evangelischer Theologe, * 20.4. 1790 Söhnsteten/Württ., † 3.2.

1842 in Tübingen. — Nach der üblichen württembergischen Schul- und Theologiestudienlaufbahn tritt K. 1813 in das geistliche Amt ein, wechselt aber rasch als Repetent an das Tübinger Stift. 1814 wird K. am neu eingerichteten niederen Seminar in Blaubeuren 1. Professor, wo er neben den klassischen Schriftstellern Psalmen und Propheten liest. Als K. 1826 zusammen mit F. Chr. Baur (s.d.), dessen Kollege er schon in Blaubeuren war, nach einem langwierigen Verfahren an die Tübinger theol. Fakultät berufen wird, wirkt er zunächst als 2. Ordinarius sowie als 2. Frühprediger und stellvertretender Stifts-Superattendent; 1837 rückt K. zum 1. Professor auf. — K., zunächst Rationalist, vermittelt zusammen mit Baur in Tübingen zunächst die Theologie Schleiermachers (s.d.), schwenkt aber bald zum Supranaturalismus, mit dessen philosophischen Grundlagen er sich bereits in Blaubeuren auseinandersetzte; mit (s.d.) Chr. F. Schmid und J. Chr. Steudel zählt K. zum konservativen Fakultätslager. K., der neben neutestamentlicher Exegese noch die Systematik vertrat, steigerte sich in seinem gefälligen Vorlesungsstil zunehmend in eine positionslose Irenik. Markant ist sein augenfälliger Sinneswandel: gegen seine früher vertretene Spätdatierung des Jak behauptet er in seinem späteren Kommentar die Authentizität der Epistel. Andererseits hat K. als erster konsequent die vergleichend-literarkritische Methode auf den 2Thess angewandt, dessen Eschatologie untersucht und so seine nichtpaulinische Herkunft nachgewiesen.

Werke: F.H.K./Matthias Schneckenburger (respondit), De persuasione dei ex animi sensu et conscientia eruenda, Tübingen 1826; (Übers.:) M. Tull. Cicero, Tusculanische Unterredungen, 1827; Commentationis de virtute christiana pars I, Tübingen 1828; Disquiritur de II. Petr. epistola, Tübingen 1829; Disquiritur de 1. Joh. epistola consilio, Tübingen 1830; Commentationis de praedestinatione particulare I, Tübingen 1832; Der Charakter und Ursprung des Briefs Jakobi, von neuem untersucht: TZTh 1835, 3-132; Der Brief Jakobi untersucht und erklärt, Tübingen 1838; Ueber 2Thess 2,1-12. Nebst Andeutungen über den Ursprung des 2. Briefs an die Thessalonicher: TZTh 1839, 145-214.

Lit.: Ferdinand Friedrich Zyro, Zur Erklärung von Jakob. 4,5.6. Mit bes. Beziehung auf die Ausl. des Herrn Dr. K. in Tübingen: ThStKr 13 (1840), 432-450; — D. Fr. Strauß, Chr. Märklin. Ein Lebens- und Charakterbild aus der Gegenwart, Mannheim 1851, passim — C. v. Weizsäcker, Lehrer und Unterricht an der evang.-theol. Facultät der Universität Tübingen, Tübingen 1877, passim. — Peter Crafts Hodgson, The Formation of Historical Theology. A Study of Ferdinand Christian Baur. Makers of Modern Theology, New York 1966, passim; — Gotthold Müller, Identität und Immanenz. Zur Genese der Theol. von David Friedrich Strauß. Eine theol.- und philosophiegeschichtl. Stud. Mit einem bibliogr. Anh. zur Apokatastasis-Frage. Basler Studd. zur Hist. und ST 10, Zürich 1968, 196ff u.ö.; — ADB XV 632.

Klaus-Gunther Wesseling

KERN, Fritz, Historiker, * 28.9. 1884 in Stuttgart, † 21.5. 1950 in Mainz. — K. entstammte einem großbürgerlichen Elternhaus. Die Familien beider Eltern gehörten zur oberen Juristenschicht des Königreiches Württemberg, sein Vater war Präsident des Verwaltungsgerichtshofs. K. besuchte das Karlsgymnasium in Stuttgart und bestand dort im Juli 1902 als Klassenbester das Abitur. Der Familientradition folgend begann er anschließend in Lausanne ein Jurastudium, das er aber nach zwei Semestern abbrach. Er wechselte zur Geschichte und nach zwei Semestern in Tübingen und vier Semestern in Berlin promovierte er hier am 15.8. 1908 »magna cum laude«. Bereits 2 1/2 Jahre später habilitierte sich der 24jährige in Kiel und wurde Privatdozent. Seinen ersten Ruf erhielt er 1914 als ordentlicher Professor für Mittlere und Neuere Geschichte an der neugegründeten Universität Frankfurt. Nach Bonn wurde er 1922 versetzt, dort blieb er bis zu seiner Emeritierung 1947. Während seiner ganzen Professorenzeit war seine Lehrtätigkeit aber vielfach durch politische Aktivitäten unterbrochen, z. B. 1914-18 Dienst für das Auswärtige Amt und den Generalstab in Berlin, 1918/19 und 1924-26 Mitarbeit an den Veröffentlichungen des Großadmirals von Tirpitz. Dazu kamen wiederholt journalistische und publizistische Tätigkeiten mit dem Ziel, aktiv in die Tagespolitik einzugreifen. Dabei ging es dem national-konservativen K. bis 1933 hauptsächlich darum, eine faschistische Herrschaft in Deutschland zu verhindern. Nach 1933 ging der als Systemgegner Verdächtige bis 1944 in die »innere Emigration«, setzte sich aber auch für seinen Doktoranden W. Markov ein, der kommunistischer Aktivitäten beschuldigt wurde. Im Herbst 1944 schloß K. sich einer Widerstandsorganisation an, der auch abtrünnige hohe SS-Führer angehörten. Politisches Ziel war die Abkür-

zung des Krieges durch einen Separatfrieden mit den Westmächten. Kurz vor Kriegsende, als er sich verraten glaubte, floh er in die Schweiz ins Exil, aus dem er 1948 zurückkehren konnte. K.s erster wissenschaftlicher Schwerpunkt war die Rechts- und Verfassungsgeschichte des Mittelalters. Lebensziel des Zeitgenossen von Spengler und Toynbee und Anhängers der »Kulturkreislehre« wurde aber die Universalgeschichte der Menschheit. Neben dem Nachweis struktureller Gesetzmäßigkeiten bei allen »Mittelaltern« der Weltgeschichte galt sein Interesse vor allem den Anfängen der Kultur, den sogenannten »Wildbeutern« sowie der folgenden Stufe der »höheren Jäger, Pflanzer und Hirten«. Eine Gesamtdarstellung seiner Geschichtsphilosophie sollte die von ihm in enger Zusammenarbeit mit ähnlich denkenden Gelehrten (z. B. Fritz Schachermeyr) geplante zehnbändige »Historia Mundi« werden. Doch vor Erscheinen des ersten, noch von ihm selbst konzipierten Bandes (1952), starb er.

Werke: Ein ungedr. Brief Voltaires, in: Vjh. f. württemberg. Landesgesch. N. F. 12, 1903, 149-151; Dorsualkonzept und Imbreviatur. Zur Gesch. der Notariatsurkunde in Italien, Diss. Stuttgart, 1906; Aus dem Briefbuch des Johann von Arbois, in: NA 34, 1909, 216-223; Analekten zur Gesch. des 13. und 14. Jh.s, in: MIÖG 30, 1909, 412-443 und MIÖG 31, 1910, 54-87, 558-592; Grundlagen der frz. Ausdehnungspolitik, Habil.-Schr., 1910; Karls des Vierten Kaiserlager vor Rom, in: Hist. Aufsätze, Karl Zeumer zum 60. Geb. als Festg. dargebr., 1910, 385-395; Die Reichsgewalt des dt. Königs nach dem Interregnum, in: HZ 106, 1910, 39-96; Acta Imperii Angliae et Franciae ab anno 1267 ad annum 1313. Dokumente vornehml. zur Gesch. der auswärtigen Beziehungen Deutschlands in ausländ. Archiven gesammelt, 1973²; Der mittelalterliche Deutsche in frz. Ansicht, in: HZ 108, 1912, 237-254; Zur Charakteristik König Friedrichs von Württemberg, in: AKultK 10, 1912, 40-48; Dantes Gesellschaftslehre, in: Vjschr. f. Sozial- und Wirtschaftsgesch. 11, 1913, 289-306; Humana Civilitas (Staat, Kirche und Kultur). Eine Dante-Unters., 1970²; Gottesgnadentum und Widerstandsrecht im frühen MA. Zur Entwicklungsgesch. der Monarchie, 1954²; Analekten zur Gesch. des 13. und 14. Jh.s, in: MIÖG 35, 1914, 91-99; Karl Zeumer. Nachruf, in: HZ 113, 1914, 540-558; Dante. Vier Vorträge zur Einführung in die Göttl. Komödie, 1914; Quellen zur Gesch. der mittelalterl. Gesch.schreibung I.: Gesch.schreiber des frühen MA.s, 1915; Über die mittelalterl. Anschauung vom Recht, in: HZ 115, 1915, 496-515; Der Rex und Sacerdos in bildl. Darst., in: Forschungen und Versuche zur Gesch. des MA.s und der Neuzeit. Festschr. Dietrich Schäfer zum 70. Geb., 1915, 1-6; Luther und das Widerstandsrecht, in: ZSavRGkan 6, 1916, 331-340; Recht und Verfassung im MA, in: HZ 120, 1919, 1-79; Conrad von Hötzendorf und der Weltkrieg. Deutschlands Friedenspolitik und die Wiener Kriegspartei

1913/14, in: Zschr. für Politik 14,1, 1924; Die südslawische Frage und die Wiener Kriegspartei 1913/14, in: Schmollers Jahrb. 48, 1924, 243-263; Conrad und Berchtold. Europ. Gespräche 2, 1924; Sarajewo. Die Geburtsstunde des Weltkriegs, in: PrJ 197, 1924; Völkerkundl. Universalgesch., in: Schmollers Jb. 50, 1926, 641-648; Die Weltanschauung der eiszeitl. Europäer, in: AKultK 16, 1926, 273-299; Kulturenfolge, in: AKultG 17, 1927, 2-19; Stammbaum und Artbild der Deutschen und ihrer Verwandten, 1927; Natur- und Gewissensgott, in: Kultur- und Universalgesch. Walter Goetz zu seinem 70. Geb., 1927, 403-431; Vom Herrenstaat zum Wohlfahrtsstaat, in: Schmollers Jb. 52, 1928, 393-415; Zur Methode der Rassengesch., in: Publication d'hommage offerte au P. W. Schmidt, 1928, 897 ff.; Friedrich von Bezold, Gedächtnisworte am Sarg, in: AKultG 18, 1928, 241-245; Zur Entwicklung der Kulturgesch., in: ebd. 19, 1929, 1-9; Der dt. Staat und die Politik des Römerzuges, in: Aus Politik und Gesch. Gedächtnisschr. für Georg v. Below, 1928, 32-74; Die Europäiden, in: Archiv für Rassen- und Gesellschafts-Biologie 20, 1928, 408-425; Auf dem Weg zu einer krit. Rassengesch., in: FF 4, 1928, 354 f.; Rassenmischung und Rasseninstinkt, in: Zschr. für Sexualwissenschaft und Sexual-Politik 15, 1929; Möglichkeit, Wahrscheinlichkeit und Wirklichkeit in der Gesch., in: AKultG 19, 1929, 295-300; Die Welt, worein die Griechen traten, in: Anthropos 24, 1929, 169-219; Die Rassen in der Vorgesch., in: Archiv für Rassen- und Gesellschafts-Biologie 22, 1930, 199-205; Die Anfänge der Weltgesch. Ein Forschungsbericht und Leitfaden, 1933 (1953²); Schöpferische Entwicklung in Natur und Gesch., in: Schmollers Jb. 57, 1933, 525-560; Der Dal-Typus in Schaumburg-Lippe, in: Zschr. für Rassenkunde 1, 1935, 259-267; Die Schichten der Persönlichkeit, in: Schmollers Jb. 62, 1938, 307-327; Friedrichs des Großen schlimmstes Jahr, 1940 (= Bonner Kriegsvorträge, 11); Der Ruhrkrieg. Umriß und Erinnerung, 1941 (= Bonner Kriegsvorträge, 39); Aschokas Bekehrung zum Buddha, in: ThZ 1, 1945, 161-185; Die Weisheit des Buddha. Gedichte und Überlieferung der frühen Buddhagemeinde, 1948; Die Thomas-a-Kempis-Frage, in: ThZ 5, 1949, 169-186; Prolegomena zu einer neuen Textausgabe der Imitatio Christi, in: Annuaire de l'Institut de philologie et d'Histoire orientales et slaves 9, 1949, 313-340; Ein Spätwerk des brit. Evolutionismus, in: Anthropos 45, 1950, 287-294; Mutterrecht einst und jetzt, in: ThZ 6, 1950, 292-305; Gesch. und Evolution, hrsg. von Liselotte Kern, 1952; Die Lehren der Kulturgesch. über die menschl. Natur, in: Historia Mundi, ein Hdb. der Weltgesch., Bd. 1, 1952; Asoka, Kaiser und Missionar, hrsg. von Willibald Kirfel, 1956; Skizzen zum Kriegsausbruch 1914, hrsg. und eingel. von Hans Hallmann, 1968. — Gab heraus: Karl Zeumer, Das vermeintl. Widerstandsrecht gegen Unrecht des Königs und Richters im Sachsenspiegel, in: ZSavRGgerm 35, 1914, 68-75; Erinnerungen von Alfred von Tirpitz, 1919; E. von Hartmann, Kategorienlehre, 3 Bde., 1923; Polit. Dokumente von A. von Tirpitz, 2 Bde., 1924/26.

Lit.: Karl L. Schmidt, F. K., in: ThZ 6, 1950, 340; — Henri Grégoire, F. K. (1884-1950), in: NC 2, 1950, 305-309; — Walter Kienast, F. K., in: HZ 171, 1951, 664 f.; — Fritz Valjavec, F. K., in: HJ 70, 1951, 491-495; — Hermann Trimborn, F. K., in: ZE 76, 1951, 137; — Josef Henninger, In memoriam F. K., in: Anthropos 47, 1952, 666 f.; — Karl

J. Narr, Die Fülle der Gesch., Zum Lebenswerk F. K.s, in: Rhein. Merkur 38, 1955, 6; — Hubert Becher, Der Gedanke einer »Historia Mundi« und seine Verwirklichung, in: HJ 79, 1960, 220-226, — Paul E. Hübinger, Das Hist. Seminar der Rhein. Friedrich-Wilhelms-Univers. zu Bonn, 1963, 126 ff.; — Hans Hallmann, F. K. (1884-1950), in: Bonner Gelehrte, Beiträge zur Gesch. der Wissenschaften in Bonn. Bd. 1: Gesch.wissenschaften, 1968, 351-378; — Liselotte Kern, F. K. 1884-1950. Universalhistoriker und Philosoph (Academica Bonnensia, 6), 1980 (Werkverz.); — Norbert Herold, Zu F. K.s unveröff. Nachlaß, in: AKultG 62/63, 1980/81, 425-430; — LThK VI, 121; — NDB XI, 519 f.; — Brockhaus X, 103; — Wolfgang Weber, Biograph. Lex. zur Gesch.wissenschaft in Dtld., Österr. und der Schweiz, 1984, 296; — Biograph. Wb. zur dt. Gesch., begr. von H. Roessler u. G. Franz, 1974², II, 1475 f.

Roland Böhm

KERN, Otto (14.2. 1863-31.1. 1942). — In der Schulpforta bei Naumburg als Sohn des damaligen Oberlehrers und späteren Gymnasialdirektors Franz Kern († 1894) und der Clara geb. Runge († 1913) geboren, ererbte er von seinem Vater die Liebe für die klassische Literatur. Das Gymnasium absolvierte er in Stettin, wo der Theologe Anton Jonas ihn mit der allgemeinen Religionsgeschichte vertraut machte. Er studierte klassische Philologie und Archäologie in Berlin und Göttingen, wo er u.a. Ernst Curtius, Hermann Diels, Carl Robert und Ulrich von Wilamowitz-Möllendorff hörte. Am 21.1. 1888 promovierte er in Berlin mit der Dissertation »De Orphei Epimenidis Pherecydis theogoniis quaestiones criticae« (Berlin 1888). 1890-1893 reiste er nach Italien, Griechenland und Kleinasien; er nahm an den Ausgrabungen von Magnesia am Mäander an der Seite Carl Humanns teil. 1894 habilitierte er in Berlin mit der Schrift »Gründungsgeschichte von Magnesia am Mäander«. Nach kurzer Tätigkeit an den königlichen Museen wurde er 1897 zum außerordentlichen Professor und 1900 zum ordentlichen Professor an der Universität Rostock gewählt. 1902 heiratete er Else Seidel. 1907 wurde er nach Halle berufen. Für das akademische Jahr 1915-1916 wurde er zum Rektor der Universität Halle gewählt. 1925-1926 reiste er wieder nach Griechenland (Thessalien) im Auftrage der Berliner Akademie. 1931 wurde er emeritiert. Korrespondierendes Mitglied des DAI, Ehrenmitglied der Thessalischen Archäologischen Gesellschaft, Mitglied der Akademie in Erfurt, Mitglied der Byzantinischen Gesellschaft in Athen. 1922 gründete er in Halle den Verein »Thiasos«, der die religionsgeschichtlichen Arbeiten unterstützte und seine Mitglieder jeden Monat zu einem Vortrag zusammenrief. Ein umfangreicher Kreis von Dissertationen religionsgeschichtlichen Inhalts entstand unter seiner Leitung. In Halle wohnte er lange Zeit an der Friedensstraße 23.

Werke: Die Hauptleistung Kerns liegt auf dem Gebiet der Religionsgeschichte; seinen Jugendtraum, eine Geschichte der griechischen Religion zu schreiben, verwirklichte er in seinen späten Jahren mit dem Werk »Die Religion der Griechen«, Bd. 1-3, 1926-1938 (Nachdr. Berlin 1963). Andere Werke: »De Musaei fragmentis«, 1898; »Bei den Mönchen auf dem Athos«, 1898; »Die Inschriften von Magnesia am Mäander«, 1900 (Nachdr. Berlin 1967); »Inscriptiones thessalicae«, 1900; »Über die Anfänge der hellenischen Religion«, 1902; »Die Landschaft Thessalien und die Geschichte Griechenlands«, 1903; »Die Entwicklung der Altertumswissenschaften an der Universität Rostock«, 1906; »De epigrammate Larisaeo commentariolus«, 1906; »Vier Vorträge über die Antike«, 1906; »Corpus inscriptionum Thessalicarum«, 1908; »Karl Otfried Müllers Lebensbild«, 1908 (mit Else Kern); »Eleusinische Beiträge«, 1909; »Nordgriechische Skizzen«, 1912; »Tabulae epigraphicae graecae«, 1913; »Kult und Krieg bei den Griechen«, 1915; »Reformen der griechischen Religion«, 1918; »Orpheus«, 1920; »Orphicorum fragmenta«, 1922; »Friedrich August Wolf«, 1924; »Die griechischen Mysterien der klassischen Zeit«, 1927.

Lit: Otto Eissfeldt, Kleine Schriften, hrsg. von Rudolf Sellheim und Fritz Maass, II. Tübingen 1963, 428 f.; — Wer ist's, VIII. Ausg. Leipzig 1922, 776; — Enciclopedia Italiana, XX. Rom 1950, 172.

Georgios Fatouros

KERNER, Justinus Andreas Christian, Dichter und Arzt, * 18.9. 1786 in Ludwigsburg, † 21.2. 1862 in Weinsberg. — K. stammte aus einer altwürttembergischen Beamtenfamilie. Seine Kinderjahre verlebte er in Ludwigsburg. Mit der Versetzung des Vaters nach Maulbronn 1795 als Leiter der dortigen Oberamtei zog die ganze Familie dorthin um. Hier zog sich K. ein nervöses Magenleiden zu, das sich durch falsche ärztliche Behandlung verschlimmerte. Aus der nach fast einem Jahr Krankheit erfolgten Heilung durch den Magnetiseur Eberhard Gmelin hat K. sein späteres Interesse an Parapsychologie und Okkultismus abgeleitet. Schon 1799, nach dem Tod des Vaters, kehrte die Familie nach Ludwigsburg zurück, wo K. zunächst das Gymnasi-

um besuchte, nachdem er bis dahin nur privat unterrichtet worden war. Aus wirtschaftlichen Gründen mußte er 1802 die Schule abbrechen und eine Kaufmannslehre in der mit Gefängnis und Irrenanstalt verbundenen herzoglichen Tuchfabrik anfangen. In dieser Zeit begann er mit Verseschreiben. Im Herbst 1804 erhielt er die Erlaubnis zum Medizinstudium in Tübingen, während dieser Ausbildung wurde ihm zeitweilig Hölderlin als Patient zur Beobachtung und Behandlung zugewiesen. Parallel zu seinem Studium ging, basierend auf seiner Freundschaft mit Ludwig Uhland, der Aufbau eines schwäbischen Romantikerkreises, dem 1808/09 auch K. A. Varnhagen v. Ense beitrat. Gleichzeitig erschienen seine ersten gedruckten Gedichte und Ende 1808 schloß er sein Studium mit der Promotion ab. Im Frühjahr 1809 begann er zu reisen. Über Hamburg und Berlin kam er nach Wien, wo er im Winter 1809/10 u. a. mit Schlegel und Beethoven zusammentraf. Seine ärztliche Tätigkeit begann er 1810 in Dürrmenz bei Mühlacker. Schon im nächsten Jahr wechselte er als Badearzt nach Wildbad, 1812 wurde er Unteramtsarzt in Welzheim und 1815 Oberamtsarzt in Gaildorf. Auf Dauer ließ er sich 1819 in Weinsberg nieder, wo er bis zu seinem Tod in seinem 1822 erbauten Haus »jene spätromantisch-biedermeierliche, halb idyllische, halb weltschmerzlerische Gastlichkeit (pflegte), die ihn berühmter gemacht hat als seine Dichtungen« (Elschenbroich, NDB). Er beherbergte neben Dichtern - u. a. Tieck, Arnim, G. Schwab, Mörike - und Adligen wie Graf Alexander von Württemberg genauso selbstverständlich wandernde Handwerksburschen, Patienten und Flüchtlinge. Auch die »Seherin von Prevorst«, Friederike Hauffe, wohnte jahrelang bei ihm. Ermöglicht wurde K. dieses Leben nur durch die Tatkraft seiner Frau Friederike, geb. Ehemann, welche er 1813 geheiratet hatte. Als sie 1854 starb, verstärkte sich sein Hang zu Depressionen und bestimmte zusammen mit seiner Furcht vor Erblindung - er litt an Grauem Star - seine letzten Lebensjahre. — K. bildete mit seinem »Kernerhaus« den Mittelpunkt der Schwäbischen Dichterschule. Darin und in der Erhaltung der Burgruine Weibertreu liegen seine eigentlichen Verdienste, die eigenen Veröffentlichungen treten demgegenüber zurück. Er gilt als spätromantischer Lyriker, Balladendichter und stimmungsvoller Erzähler, dessen Ausdrucksverlangen aber anspruchslose Reime und unmittelbar verständliche Bilder genügten. Neben medizinischen und naturwissenschaftlichen Untersuchungen bildeten Forschungen über Spiritismus, Okkultismus und Somnambulismus den zweiten Schwerpunkt seiner Schriften. Sein Glaube an die Realität dieser Phänomene - als Erscheinungsformen des höheren inneren Lebens - brachte ihn in einen unlösbaren Konflikt mit seinem ärztlichen Ethos, welchen er in dem Bild vom aufgespießten Schmetterling zum Ausdruck brachte.

Werke: De functione singularum partium auris, Diss., 1808; Einige Bemerkungen über Wien im Winter 1810, in: Nordische Miszellen 32, 1810, 121-128 u. ebd. 33, 1810, 141-148; Reiseschatten. Von dem Schattenspieler Luchs, 1811 (Ndr. 1964); Das Wildbad im Königreich Württemberg, 1813; Über die Besetzung der Physikate durch die Wahlen der Amtsversammlungen, in: Für und Wider 6, 1817, 121-134; Der rasende Sandler. Ein polit. dramat. Inpromptu, mit Marionetten aufzuführen, 1817; Neue Beobachtungen über die in Württemberg so häufig vorfallenden tödtlichen Vergiftungen durch den Genuß geräucherter Würste, 1820; Die Bestürmung der württemberg. Stadt Weinsberg durch den hellen christl. Haufen im J. 1525 und deren Folge für die Stadt. Aus hss. Überlieferungen der damaligen Zeit dargest., 1821 (1848[2]); Das Fettgift oder die Fettsäure und ihre Wirkung auf den thierischen Organismus. Ein Beytrag zur Unters. des in verdorbenen Würsten giftig wirkenden Stoffes, 1822; Gesch. zweyer Somnambülen nebst einigen anderen Denkwürdigkeiten aus dem Gebiete der magischen Heilkunde und der Psychologie, 1824; Die neuesten Vergiftungen durch verdorbene Würste, 1824; Gedichte, 1826; Die Seherin von Prevorst. Eröffnungen über das innere Leben der Menschen und über das Hereinragen einer Geisterwelt in die unsere, 1829 (Ndr. 1973[3]); Des ungar. Arztes Harst, eines Württembergers erprobte Behandlung der Cholera, seinen Landsleuten zugesandt, 1831; Einige Worte in Betreff der uns drohenden Cholera, vorgetr. in der Amtsversammlung zu Weinsberg am 28. Sept. 1831, 1831; Die Dichtungen, 1834; Gesch. des Mädchens von Orlach, 1834 (Ndr. 1922); Geschichten Besessener neuerer Zeit. Beobachtungen aus dem Gebiete kakodämonisch-magnetischer Erscheinungen, 1834; Gesichte des Thomas Ignatz Martin, Landsmanns zu Gallardon, über Frankreich und dessen Zukunft, im Jahr 1816 geschaut, 1835; Nachricht von dem Vorkommen des Besessenseyns, eines dämonisch-magnetischen Leidens und seiner schon im Alterthum bekannten Heilung durch magisch-magnetisches Einwirken, 1836; Eine Erscheinung aus dem Machtgebiete der Natur durch eine Reihe von Zeugen gerichtl. bestätigt und den Naturforschern zu bedenken mitgetheilt, 1836; Der Bärenhäuter im Salzbade. Ein Schattenspiel, 1837; Die Dichtungen, 2 Bde., 1841; Einige Worte über die Wirkungen des Rieslings auf das Nervensystems, 1847; Über die außergewöhnlichen Erscheinungen, welche an bestimmten Orten und Häusern haften, in: Jh. des Vereins für vaterländ. Natur-

kunde in Württemberg 3, 1847, 178-184; Lyrische Gedichte, 1848; Das Bilderbuch aus meiner Knabenzeit. Erinnerungen aus den Jahren 1786-1804, 1849 (Ndr. 1978); Der letzte Blüthenstrauß, 1852; Die somnambülen Tische. Zur Gesch. und Erklärung dieser Erscheinung, 1853; Franz Anton Mesmer aus Schwaben. Entdecker des thierischen Magnetismus, 1856; Kleksographien, 1857; Winterblüten, 1858. — Gab heraus: Poetischer Almanach für das Jahr 1812, 1812; Deutscher Dichterwald, 1813; Herzog Christophs Leben, geschr. von seinem Beichtvater, 1817; Gedichte des Leinewebers Johann Lämmerer, vom Lämmerhof bei Gschwend, 1819; Blätter aus Prevorst, 1. - 12. Slg., 1831-1839; Magikon. Archiv für Beobachtungen aus dem Gebiete der Geisterkunde und des magnetischen und magischen Lebens, nebst anderen Zugaben für Freunde des Inneren, 5 Bde., 1840-1856. — Briefe: Briefwechsel mit seinen Freunden, hrsg. v. Theobald Kerner und Ernst Müller, 2 Bde., 1897; Briefwechsel zw. K. und Ottilie Wildermuth 1853-1862, hrsg. v. Adelheid Wildermuth, 1927 (1960[2]); K. und sein Münchener Freundeskreis. Eine Slg. v. Briefen, hrsg. v. Franz Pocci, 1928; Heinz Otto Burger, Aus dem Kreise der schwäb. Romantik: Unveröff. Briefe von K., in: Euphorion 30, 1929, 332-365; Letters of K. to Graf Alexander von Württemberg, ed. by Leonard A. Willoughby, 1938. — Werkausgaben: Sämtliche Werke, hrsg. v. W. Heichen, 8 Bde., 1903; Sämtl. poet. Werke, hrsg. v. Josef Gaismaier, 4 Bde., 1905; Sämt. Werke, 6 Teile in 2 Bd.n, hrsg. v. Raimund Pissin, 1914 (Ndr. 1974); Ausgewählte Werke, hrsg. v. G. Grimm, 1981; Briefe und Klecksographien, hrsg. v. Andrea Berger-Fix, 1986.

Lit.: Marie Niethammer, J. K.s Jugendliebe und mein Vaterhaus, 1877; — Dies., Das Leben des J. K. erzählt von ihm und seiner Tochter Marie, hrsg. v. Karl Pörnbacher, 1967; — Aimé Reinhard, J. K. und das Kernerhaus zu Weinsberg, 1886[2]; — Theobald Kerner, Das Kernerhaus und seine Gäste, 1897[2] (Rcpr. 1978); — Josef Gaismaier, Über J. K.s Reiseschatten, in: Zschr. f. vergleichende Literaturgesch. N.F. 13, 1899, 492-513 und 14, 1900, 76-148; — Ludwig Geiger, J. K.s Briefwechsel mit Varnhagen von Ense, in: ZdPh 31, 1899, 371-384; Ders., Briefe von J. K. an Varnhagen von Ense, in: Nord und Süd 92, 1900, 51-80; — Ders., Polit. Briefe J. K.s an Varnhagen von Ense, in: Studien zur vergleichenden Lit.gesch. 9, 1909, 1-21; — Franz Heinzmann, J. K. als Romantiker, 1908; — Heinrich Straumann, J. K. und der Okkultismus in der dt. Romantik, 1928; — Heinz Otto Burger, Schwäb. Romantik, 1928, 49-75, 138-154; — Gustav Ströhmfeld, Zwei Dichter-Lebensbilder vom Welzheimer Wald: J. K., Johannes Lämmerer, 1932; — Burkhard Grell, Medizingeschichtliches bei J. K., 1939; — Heinz Büttiker, J. K.: Ein Beitrag zur Gesch. der Spätromantik, 1952; — David Fr. Strauß, J. K.: Zwei Lebensbilder aus den Jahren 1839 und 1862, Erl. u. Nachw. v. H. Niethammer, 1953; — Heino Gehrts, J. K.s Forschungsgegenstand, in: Neue Wissenschaft 10, 1961/1962, 130-143; — Ders., Das Mädchen von Orlach. Erlebnisse einer Besessenen, 1966; — Ders., Märchenwelt und Kernerzeit, in: Antaios 10, 1968, 155-183; — Ders., Die hss. Tagebücher zur Gesch. des Mädchens von Orlach, in: Württembergisch Franken 53, 1969, 93-108; — Walter Hagen, J. K.: Arzt und Dichter 1786-1862, in: Lebensbilder aus Schwaben und Franken 9, 1963, 145-173; — Ders., J. K. als Ludwigsburger im polit. Geschehen der Jahre 1817 und 1848, in: Ludwigsburger

Gesch.bll. 16, 1964, 127-134; — Alan P. Cottrell, J. K.: Der Grundton der Natur, in: The German Quaterly 39, 1966, 173-186; — Peter Lahnstein, J. K., in: Ders., Bürger und Poet. Dichter aus Schwaben als Menschen ihrer Zeit, 1966, 117-152; — Lee B. Jennings, J. K. und die Geisterwelt, in: Neue Wissenschaft 14, 1966, 75-95; — Ders., Der aufge- spießte Schmetterling. J. K. und die Frage der psychischen Entwicklung, in: Antaios 10, 1968, 109-131; — ders., Pro- bleme um J.K.s »Seherin von Prevorst«, in: ebd., 132-138; — Ders., Geister und Germanisten: Literarisch-parapsycho- logische Betrachtungen zum Fall Kerner-Mörike, in: Psi und Psyche. Neue Forschungen zur Parapsychologie. Festschr. für Hans Bender, 1974, 95-109; — Ders., Kerner, Lenau und der amerikanische Dämon, in: Beitrr. zur schwäb. Literatur- und Geistesgesch. 1, 1981, 96-106; — Ders., J. K.s Weg nach Weinsberg (1809-1819), 1982 (Studies in German lite- rature, linguistics and culture 3); — Wolfgang Kretschmer, Rationale und myst. Züge bei J. K., in: Antaios 10, 1968, 139-154; — Kurt Seeber, J. K.s Humor, in: Jb. für schwäb.- fränk. Gesch. 26, 1969, 199-210; — Heinz Rölleke, J. K., Ludwig Uhland und »Des Knaben Wunderhorn«, in: Zeiten und Formen in Sprache und Dichtung. Festschr. für Fritz Tschirch, hrsg. v. Karl-Heinz Schirmer und Bernhard So- winski, 1972, 278-289; — Hartmut Fröschle, J. K. und Ludwig Uhland. Gesch. einer Dichterfreundschaft, 1972 (Göppinger Arbeiten zur Germanistik 66); — Ders., Ein Dokument der Spätromantik. Der Briefwechsel zwischen J. K. und Johann Friedrich von Meyer, in: Jb. des Wiener Goethe-Vereins 80, 1976, 75-88; — Hans Körner, J. K. und der bayer. Maximiliansorden für Wissenschaft und Kunst (1853/1854), in: Jb. für schwäb.-fränk. Gesch. 31, 1986, 199-204; — Dorothea Rapp, »den Geist üben, daß er hingin- ge, wo man wollte ...«. Zum 200. Geburtstag von J. K., in: Die Drei. Zschr. für Wissenschaft, Kunst und soziales Le- ben, H. 11, 1986, 858 f.; — Friedrich Pfäfflin/Reinhard Tgahrt, J. K. Dichter und Arzt 1786-1862, 1986; — Otto- Joachim Grüsser, J. K. 1786-1862. Arzt - Poet - Geisterseher, 1987; — M. Ciesla, J. K. und die Polen, in: Kwartalnik historyczny 34, 1987, 189-197; — ADB XV, 643; — RGG III, 1249; — Kosch II, 1255 f.; — Goedecke VIII, 197-213; — Mitteilungen des J. K.-Vereins, 1964 ff.; — NDB XI, 524-527; — Brockhaus X, 107; — DLL VIII, 1087-1090; — Metzeler Autoren Lex., 347; — Wilpert I, 787 f.

Roland Böhm

KERSCHENSTEINER, Georg, Pädagoge und Schulreformer, * 29.7. 1854 in München, † 15.1. 1932 in München. — K., Sohn eines verarmten Kaufmanns, besuchte nach der Volksschule zu- nächst die Präparandenanstalt und das Lehrerse- minar in Freising (1866-1871), um dann kurze Zeit als Schulgehilfe in Forstinning (Sept. 1871), Lechhausen (Okt. 1872) und Augsburg (April 1873) tätig zu sein. Ab 1.1. 1874 verließ er den Volksschuldienst, um sich - zunächst pri- vat, dann am Gymnasium St. Stephan in Augs- burg - auf das Abitur vorzubereiten (1874-

1877). Anschließend studierte K. Mathematik und Physik in München (1877- 1881) und legte 1881 das Staatsexamen ab. Seine Dissertation (»Die Singularität der rationalen Kurven vierter Ordnung«) entstand während der Zeit als Assi- stent an der Meterologischen Zentralstation in München (1881-1883). Nach Unterrichtstätig- keit in Nürnberg (ab 1883) und Heirat mit So- phie Müller (1886) wurde K. nach Schweinfurt (1890) und München (1893) versetzt. Aufgrund seiner Ausbildung als Volksschul- und als Gym- nasiallehrer brachte er Voraussetzungen mit, die seiner Ernennung zum Stadtschulrat in Mün- chen (1.8. 1895) förderlich waren. Als Stadt- schulrat für das gesamte Schulwesen Münchens zuständig (1895-1919), setzte K. zahlreiche Maßnahmen der Schulreform durch (Lehrplan- reform für Volksschulen; Reform des naturwis- senschaftlichen und des Zeichenunterrichts; Gründung berufsorientierter Fortbildungsschu- len als Vorläufer der modernen Berufsschulen; Einführung des Schwimmunterrichts für Kna- ben 1903, für Mädchen 1913; Einrichtung von Schulwerkstätten, Labors, Schulküchen und Schulgärten; Förderung von Arbeitsgemein- schaften und der Selbstverwaltung). 1901 ge- wann K. den Preis der »Akademie der Gemein- nützigen Wissenschaften« in Erfurt mit der Schrift »Die staatsbürgerliche Erziehung der deutschen Jugend«. Durch Vortragstätigkeiten (Österreich, Schweiz, Frankreich, Rußland, Skandinavien, England, 1910 auch USA), durch bildungspolitisches Engagement (1903 Vorsit- zender des 2. Deutschen Kunsterziehertages in Weimar, 1906 Begründer des Bayerischen Volksbildungsverbandes, 1908 Mitbegründer des »Bundes für Schulreform«; 1915 Mitglied, später auch Vorsitzender des »Deutschen Aus- schusses für Erziehung und Unterricht«, 1926 Präsident des Pädagogischen Kongresses in Weimar) sowie durch zahlreiche bildungstheo- retische Schriften (1907-1917 meist im Rahmen aktueller Anlässe, 1917-1932 stärker systema- tisch orientiert) konnte K. sein Reformwerk stär- ken und internationale Anerkennung sowie zahlreiche Ehrungen erringen (1918 Dr. h.c. TH München, 22.11. 1918 Honorarprofessor in München, 1920 Ablehnung eines Rufes an die Universität Leipzig, 1926 Verleihung der für ihn geschaffenen Kerschensteiner-Gedenkmünze des Deutschen Ausschusses für Erziehung und Unterricht, 1928 Dr. h. c. Dresden). Seit 1915 Witwer, heiratete K. in zweiter Ehe Dr. Marie Borst verw. Dürr (1870-1954). 1911-1919 war K. außerdem Reichtagsabgeordneter der Freisinnigen Volkspartei. 1956 wurde die K.-Plakette des Deutschen Verbands der Gewerbelehrer geschaffen. — K. hatte entscheidenden Einfluß auf die pädagogische Reformbewegung zu Beginn des 20. Jahrhunderts und prägte besonders die sogenannte Arbeitsschulbewegung. K. erkannte den pädagogischen Wert berufsorientierter Arbeit im Gegensatz zur Schule einer bloßen Rezeptivität und wollte Menschenbildung durch Berufsbildung fördern. Das pädagogische Prinzip der Arbeit galt für K. als Ansatz zur Versittlichung der Berufsauffassung und zur Übung sozialer und politischer Tugenden mit dem Ziel der Charakterbildung und der Schaffung »brauchbarer Staatsbürger«. Hinsichtlich der Mädchenbildung orientierte sich K. an der überkommenen Frauenrolle (Hausfrau und Mutter). In der Schule sollten praktische, persönliche und politische Bildung nach K. eine Einheit bilden. — In seinem Spätwerk bemühte sich K. um die weitere theoretische Fundierung seiner Pädagogik mit den Prinzipien der Spontaneität, Totalität und Freiheit in den Bereichen Spiel, Sport, Beschäftigung und Arbeit. Dabei wurde er u. a. von Pestalozzi, Dewey, Dilthey und Spranger beeinflußt. Im Rahmen der wertphilosophischen Begründung von K.s Bildungstheorie erkannte er auch den Wert der Religion an (Vorlesung SS 1923), bewahrte aber - im Gegensatz zu Sophie K. - Distanz zur Kirche. Trotzdem gewann der Arbeitsschulgedanke K.s auch auf den katholischen und evangelischen Religionsunterricht erheblichen Einfluß (O.Eberhard, H. Schüßler, F. Weigl, J. Göttler), weil er den Anliegen der reformkatechetischen bzw. religionspädagogischen Bewegung entgegenkam und versprach, den Religionsunterricht mit neuem Leben zu erfüllen sowie aus seiner verbreiteten didaktischen Rückständigkeit zu befreien. - Der Arbeitsschulgedanke wurde auch in der Erklärung der Fuldaer Bischofskonferenz vom 18. August 1924 und im Lehrplan für den katholischen Religionsunterricht von 1925 aufgegriffen. Seine praktische Bedeutung zeigt sich an der Integration von Beobachtung, Zeichnung, Basteln, frei-

em Aufsatz, Schülerwerkheft, Lied, Spiel und Feier (vor Krippe und Altar) im Religionsunterricht. Indirekt hat K. daher - vor allem in der katholischen Religionspädagogik - eine beachtliche, häufig aber unerkannt gebliebene Rezeption erfahren.

Werke: Über die Kriterien für die Singularitäten rationaler Kurven vierter Ordnung, 1883; Invariantentheorie, 1887/90; Betrachtungen zur Theorie des Lehrplans, 1899, [2]1901; Der erste naturkundl. Unterricht, 1901; Beobachtungen und Vergleiche über Einrichtungen für gewerbl. Erziehung außerhalb Bayerns, 1901; Die gewerbl. Erziehung der deutschen Jugend, 1901; Die staatsbürgerl. Erziehung der deutschen Jugend, 1901, [10]1931; Eine Grundfrage der Mädchenerziehung, 1902; Eine Aufgabe der Stadtverwaltungen, 1903; Die Neugestaltung des gewerbl. Schulwesens in München, 1903; Die Entwickelung der zeichn. Begabung, 1905; Jahresberichte der Lehrlingsabteilungen der männl. Fortbildungs- und Gewerbeschulen Münchens, 1907-1917; Grundfragen der Schulorganisation, 1907, [7]1954; Organisation und Lehrpläne der obligatorischen Fach- und Fortbildungsschulen für Knaben in München, 1910; Der Begriff der staatsbürgerl. Erziehung, 1910, [10]1966; Three Lectures on Vocational Training, 1911; Wir und der Staat, 1912; Der Begriff der Arbeitsschule, 1912, [17]1969; Das Problem der staatsbürgerl. Erziehung, 1912; Charakterbegriff und Charaktererziehung, 1912, [4]1929; Die Erzählung in der Kinderstube, 1912; Wesen und Wert des naturwissenschaftl. Unterrichts, 1914, [6]1963; Deutsche Schulerziehung in Krieg und Frieden, 1916 (2. Aufl.: Das einheitl. deutsche Schulsystem, 1922; Neuauflage 1970); Das Grundaxiom des Bildungsprozesses und seine Folgerungen für die Schulorganisation, 1917, [10]1964; Freie Bahn dem Tüchtigen, 1917; Die Seele des Erziehers und das Problem der Lehrerbildung, 1921, [9]1965; Autorität und Freiheit als Bildungsgrundsätze, 1924, [4]1927; Arbejdsskolen, 1925; Grundlagen der Erwachsenenbildung, 1926; Theorie der Bildung, 1926, [3]1931; Selbstdarstellung, in: Die Pädagogik der Gegenwart, hrsg. von E. Hahn, 1926, 45-96; Theorie der Bildungsorganisation (aus dem Nachlaß hrsg. von M. Kerschensteiner), 1933; Die Schule der Zukunft - eine Arbeitsschule, 1950; G. K. - E. Spranger, Briefwechsel 1912-1931, hrsg. von L. Englert, 1966; Ausgewählte pädagog. Schriften, hrsg. von G. Wehle, 1966/1968, [2]1982; Aufgaben und Ausbau der Volksschule, besorgt von G. Wehle, 1969; Übersetzungen ins Engl., Franz., Ital., Span., Schwed., Dän., Finn., Poln., Ukrain., Russ., Griech., Hebr., Bulg., Türk., Jap., Chines. - Über 150 Beiträge in Zeitungen, Zeitschriften und Sammelwerken.

Lit.: Allgemeines: P. Zillig, Wahre Bildung des Kindes und Dr. K.s Schullehrpläne, Lehranweisungen und Lehrplantheorien, 1901; — H. Plecher, Das Arbeitsprinzip in Volks- und Fortbildungsschule, 1909; — E. Bertrand, L'Oeuvre scolaire du docteur K. à Munich, 1914; — R. Prantl, K. als Pädagoge, 1917; — W. Gerlach, Charakterbildung und Selbstregulierung bei K. und Herbart, 1922; — Jugendführer und Jugendprobleme, FS zum 70. Geburtstag, hrsg. von A. Fischer/E. Spranger, 1924; — A. Ferrière, L'école active dans le cadre de l'école primaire, 1925; — H. Kirschbaum, Die Entwicklung der theoretischen Voraussetzungen von

K.s Pädagogik, 1927; — M. Vanselow, Kulturpädagogik und Sozialpädagogik bei K., Spranger und Litt, 1927; — H. Bellersen, G. K.s Bildungslehre und die Grundlagen der christl. Erziehungswissenschaft, 1931; — F. van Overschelde, die Entwicklung des Bildungsbegriffes bei K. , 1931; — A. Schwanke, Unterschiede und Gemeinsamkeiten im Arbeitsbegriffe bei K. und Gaudig, 1931; — B. Kühle, Entwicklung und philos. Begründung der Arbeitsschultheorie bei K. und Gaudig, 1932; — E. Huguénin, Education et culture d'après K., 1933; — J. Pfeufer, Die Idee der Selbsttätigkeit in der modernen Arbeitsschulbewegung, speziell bei Gaudig und K., 1923; — J. Liedke, Pestalozzis Geist in G. K.s Züricher Rede »Die Schule der Zukunft - eine Arbeitsschule«, 1934; — S. J. Agustsson, La doctrine d'éducation de G. K., 1936; — O. Schuberth, G. K., 1936; — L. Weber, Schichtung und Vermittlung im pädagog. Denken K.s, 1936 (Bibl.!); — A. Zurfluh, G. K.s grundlegendes Werk für die staatsbürgerl. Erziehung, 1937; — K. Knapstein, Die ethischen Prinzipien in der Bildungstheorie G. K.s, 1939; — G. Caspari, Educazione e lavoro in K., 1940; — A. Barreca/S. Barreca, Il metodo K., 1952; — A. Vigni, La scuola del lavoro, 1952; — G. Pagliazzi, K., 1953; — Schulreferat der Landeshauptstadt München (hrsg.), G. K. 1854- 1954, 1954; — A. Reble, G. K., o. J. (1954) [2]1956; — G. Wehle, Das Verhältnis von Praxis und Theorie in Wirken und Werk G. K.s, 1955; — G. Wehle, Praxis und Theorie im Lebenswerk G. K.s, 1956, [2]1964; — H. Mühlmeyer, Humboldt und K. im Lichte des gegenwärtigen Bildungsdenkens, 1956; — F. Schorer, Menschenbildung und Berufsbildung bei Pestalozzi und K., 1957, [2]1986; — Th. Wilhelm,. Die Pädagogik K.s - Vermächtnis und Verhängnis, 1957; — K.-H. Just, K.s Theorie der Berufsbildung, 1957, — M. Laeng, G. K., 1959; — Th. Hagenmeier, Der Begriff der Sachlichkeit in der Pädagogik G. K.s, 1959; — F. v. Cube, Allgemeinbildung oder produktive Einseitigkeit - Der Weg zur Bildung im Geiste G. K.s, 1960; — W. S. Nicklis, Das Verhältnis der Pädagogik G. K.s zu Pestalozzi, 1960; — O. Sunnanå, G. K. og arbeidsskulen, 1960; — F. Späth, Das Problem der ökonomischen Volksbildung, 1961; — L. Lumbelli, G. K. e il rinnovamento pedagogico tedesco, 1966; — H. Sehling, Die Entwicklung des Münchner kaufmännischen Schulwesens von den Anfängen bis zur Neugestaltung unter Kerschensteiner (1770-1920), 1966; — D. Simons, G. K., 1966; — U. Müllges, Bildung und Berufsbildung, 1967; — G. Franke, Politik und Pädagogik bei G. K., 1969; — W. Metz, Der Einfluß von K.s Fortbildungsschulpolitik auf den angelsächsischen Bereich, 1971; — D. Portner, Der Pflichtbegriff in der Pädagogik G. K.s und E. Sprangers, 1974; — H. Waskowycz, G. K. und das ukrainische Schulwesen, 1976; — G. Wehle (Hrsg.), G. K., 1979; — E.-I. Kötteritz, G. K.s Arbeitsschule und die Arbeitslehre der Gegenwart, 1981; — Bayerisches Staatsministerium für Unterricht und Kultus in Zusammenarbeit mit der Landeshauptstadt München (Hrsg.), G. K.-Beiträge zur Bedeutung seines Wirkens und seiner Ideen für unser heutiges Schulwesen, 1984; — G. Willimzig, Lernen und Selbsttätigkeit, Entdeckendes und exemplarisches Lernen in der Arbeitsschulkonzeption K.s, 1984; — Zahlreiche Würdigungen 1924/1929/1954 (70., 75., 100. Geburtstag) sowie 1932 und 1982 (Todesjahr und 50. Todesjahr). — Zahlreiche Aufsätze und Zeitschriftenbeiträge zu G. K. — Religionspädagogik: — F. Weigl, Bildung durch Selbsttun, 1912, [2]1923; — G. Götzel (Hrsg.), Religion und Leben, Das Arbeitsschulprinzip in seiner Anwendung auf den Religionsunterricht, 1920, [2]1922; — H. Schüßler, Arbeitsschulmethode und katholischer Religionsunterricht, 1922; — J. Huber/K. Raab, Das Arbeitsprinzip im Religionsunterricht der Grundschule, 1923; — A. Holdschmidt, Arbeitsschule und kath. Religionsunterricht, 1923; — F. Ranft, Die Anwendung des Arbeitsschulprinzips im kath. Religionsunterricht, 1923; — O. Eberhard, Arbeitsschulmäßiger Religionsunterricht, 1924 (ev.); — Winke der Fuldaer Bischofskonferenz vom 18. Aug. 1924; — Der Arbeitsschulgedanke im Religionsunterricht, in: Katechet. Blätter 51, 1925, 33-36; — E. Jehle, Gebetserziehung im Religionsunterricht der geistigen Arbeitsschule, 1925; — A. Burkert, Evang. und kath. Religionsunterricht im Lichte des Arbeitsschulgedankens, 1926; — J. Gründer, Der Geist des Fuldaer Lehrplanes, die Willensbildung und der Arbeitsschulgedanke im kath. Religionsunterricht, 1927; — K. Schrems (Hrsg.), Zweiter Katechet. Kongreß in München, 1928, 1928; — A. Volkmer, Arbeitsschulkunde und Religionsunterricht im Lichte der Schulpraxis, 1930; — G. Götzel, Der Religionsunterricht und die Arbeitsschule, in: Katechet. Blätter 75, 1950, 21-23; — G. Hilger, Lebendiges Lernen im Religionsunterricht, Zur religionspädagog. Rezeption des Arbeitsschulprinzips in den ersten Jahrzehnten des 20. Jh.s, in: Katechet. Blätter 111, 1986, 28-37; — R. Ott, Pädagog. Reformbewegung und Religionspädagogik, in: Katechet. Blätter 112, 1987, 448-458. — Kürschners Deutscher Gelehrten-Kalender 1925, 481; — A. Fischer, G. K.s Leben und pädagog. Werke, 1925; — M. Kerschensteiner, G. K. - Der Lebensweg eines Schulreformers, 1939, [3]1954; — G. Fernau-Kerschensteiner, G. K. oder Die Revolution der Bildung, 1954; — L. Englert, Wie G. K. der Münchner Stadtschulrat wurde, 1970; — L. Englert/O.Mair/S. Mursch, Bibliographie G. K., 1976; — Neue Deutsche Biographie, Bd. 11, 1977, 534-536 (L. Englert); — G. Wehle (Hrsg.), K., 1979. — Lexika: Der Große Brockhaus [15]1921, Bd. 10, 101; [17]1970, Bd. 10, 121; — dtv-Brockhaus, 1982, Bd. 9, 284; — RGG [2]1929, Bd. 3, 731 (K. Kesseler); [3]1959, Bd. 3, 1249-1250 (E. Weniger); — LThK [2]1961 Bd. VI, 122 (J. Dolch); — Encyclopedia of Modern Education (Hrsg. H. N. Rivlin/H. Schueler), 1943 (Neuauflage 1969), Bd. 1, 436-437 (F. Karsen); — Lexikon der Berufsausbildung und Berufserziehung, hrsg. von R. Wefelmeyer/H. Wefelmeyer, 1959, 281-282; — Lexikon der Pädagogik, [5]1960, Bd. 2, 1138-1140 (J. Dolch); — W. Hehmann, Wörterbuch der Pädagogik, [8]1967, 292 f.; — Pädagog. Lexikon in zwei Bänden, hrsg. von W. Horney/J. P. Ruppert/W. Schulze, Bd. 2, o. J., 30-33 (H.-M. Elzer); — Lexikon der Pädagogik, Neue Ausgabe, 1970, Bd. 2, 411-413 (G. Wehle).

Ulrich Hemel

KESSLER (Ahenarius), Johannes, reformierter Theologe und Chronist, * 1502/1503 in St. Gallen (Schweiz), † 7.3. 1574 in St. Gallen. — K. studierte als Schüler des Erasmus von Rotterdam in Basel, 1522 begegnete er dem von der Wartburg zurückkehrenden Luther in Jena, Studium in Wittenberg bei Luther und Melanchthon, im November 1522 Rückkehr nach St. Gallen. Da er es ablehnte Priester zu werden, begann er eine Sattlerlehre. Im Januar 1524 Aufnahme von privaten Bibelauslegungen im reformatorischen Sinne, den »Lesinen«, die großen Zulauf hatten. Im August 1524 wurde K. von Vertretern des Abtes von St. Gallen vor der Eidgenössischen Tagsatzung in Baden verklagt und muß die »Lesinen« vorübergend einstellen. Im Oktober 1524 Wiederaufnahme und im Februar 1525 Verlegung in die St. Laurenzenkirche. In den folgenden Jahren wird K. Mitarbeiter des St. Galler Bürgermeisters Vadian bei der Durchführung der Reformation in der Stadt. Im Jahre 1536 war K. vorübergehend reformierter Prädikant in St. Margarethen im St. Galler Rheintal. 1537 wurde er Lehrer für alte Sprachen an der städtischen Lateinschule in St. Gallen und erhielt 1542 eine Berufung zum ordentlichen Prediger an St. Laurenzen, sowie zum Praeceptor und Eherichter. Nach dem Tode Vadians 1551 übernahm er die Leitung der reformierten St. Galler Kirche und fungierte als Sekretär der Synode. 1560 trat K. vom Predigtamt zurück. Dennoch wurde er 1571 zum Dekan gewählt, ohne jedoch bis zu seinem Tode die Funktion auszuüben. — neben Vadian ist J. K. die bedeutendste Persönlichkeit der St. Galler Reformationsgeschichte. Besondere Bedeutung hat er auch als Chronist. So verfaßte er u. a. eine »Vita Joachimi Vadiani«. Sein Hauptwerk sind die »Sabbata«, eine Chronik der Reformationszeit 1519-1539. Sie enthält kulturgeschichtlich wertvolle und sprachlich interessante Aufzeichnungen und ist für die Reformationsgeschichte von St. Gallen eine der wichtigsten Quellen.

Werke: Joachimi Vadiani Vita, 1865 (dt. v. Ernst Grötzinger, in: St. Galler Bll. für Unterhaltung 1895, 161 ff., 309 f.); Sabbata. Chronik der Jahre 1523-1539, hg. von Ernst Grötzinger, 2 Bde., St. Gallen 1866-1868; Sabbata mit kleineren Schrr. und Briefen, hg. v. Hist. Verein des Kantons St. Gallen, St. Gallen 1902; Des J. K. Sabbata. Hg. und sprachl. erläutert v. Wilhelm Ehrenzeller, 2 Bde., St. Gallen 1945.

Lit.: Joh. Jakob Bernet, J. K., genannt Ahenarius, Bürger und Reformator zu Sankt Gallen, 1826; — Gerold Meyer von Kronau, Eine schweizer. Hauschronik aus der Reformationszeit, in: HZ 24, 1870, 43-93; — Emil Egli, Die St. Galler Täufer, 1887; — R. Pestalozzi, Die Casus in J. K.s Sabbata, in: Teutonia 12, 1909; — Theodor Müller, Die St. Gallische Glaubensbewegung zur Zeit der Fürstäbte Franz und Killian, 1910; — Traugott Schieß, J. K.s Sabbata. St. Galler Reformationschronik 1523-1539, in: SVRG 28,3, 1911; — Paul

Keller, J. K., 1923; — Paul Stärkle, Beitrr. zur spätmittelalterl. Bildungsgesch. St. Gallens, in: Mitteilungen zur vaterländ. Gesch. 40, St. Gallen 1939; — Valentin Lötscher, Der dt. Bauernkrieg in der Darst. und im Urteil der zeitgenössischen Schweizer, 1943, 157-173; — Georg Thürer, St. Galler Gesch., Bd. 1, 1953; — Peter Dürr, Die Wiedertäuferbewegung als Nebenströmung der Reformation und ihr besonderer Verlauf in der Stadt St. Gallen (Diss. Wien), 1959; — Richard Feller/Edgar Bonjour, Gesch.schreibung der Schweiz, Bd. 1, 1962, 226-229; — Theodor Wilhelm Bätscher, Kirchen- und Schulgesch. der Stadt St. Gallen, 1. Band 1550-1630, 1964; — Hans Martin Stückelberger, Die ev. Pfarrerschaft des Kantons St. Gallen, 1971; — Ingeborg Wissmann, Die St. Galler Reformationschronik des J. K. (1503-1574) (Diss. Tübingen), 1972; — Marianne/Frank Jehle, Kleine St. Galler Reformationsgesch., 1977; — Ev.-ref. Kirchgemeinde St. Gallen (Hg.), Die Kirche St. Laurenzen in St. Gallen, 1979; — ADB XV, 657 f.; — NDB XI, 547 f.; — HBLS IV, 480; — RE X, 264 f.; — RGG III, 1254 f.; — LThK VI, 127.

Erich Wenneker

KESSLER, Johannes; evangelischer Pfarrer, * 8. Mai 1865 in Köstritz/Thüringen als Sohn des Theologen und Landpfarrers Keßler und seiner Frau geb. Weißker, † 1944. — Schon während seiner Gymnasialzeit in Gütersloh faßte K. den Entschluß, in die Fußstapfen seines Vaters zu treten und Geistlicher zu werden. Nach dem Abitur nahm K. daher an den Universitäten Leipzig und Berlin ein Studium der Theologie auf, das er mit dem ersten und zweiten theologischen Examen abschloß. Anschließend arbeitete K. für ein Jahr als Hauslehrer im schlesischen Tiefhartmannsdorf. Danach ernannte Kaiser Wilhelm II. ihn zum Erzieher seiner beiden ältesten Söhne - eine Tätigkeit, die K. vier Jahre lang ausübte. Von 1893 bis 1907 war K. Garnisonspfarrer in Potsdam, ehe er einem Ruf an die Dresdner Lukaskirche folgte, wo er 25 Jahre - bis zu seiner Pensionierung - blieb. Unterbrochen wurde diese Zeit nur durch den Ersten Weltkrieg, als K. vorübergehend an verschiedenen Frontabschnitten als Militärgeistlicher tätig war. Die letzten Jahre seines Lebens verbrachte K., der mit Maria Frommel, der jüngsten Tochter des renommierten Hofpredigers Emil Frommel, verheiratet war, in Berlin bzw. Potsdam, seinen anfänglichen Wirkungsstätten. — K. sah seine Aufgabe nicht darin, wissenschaftliche Beiträge zu theologischen Streitfragen zu liefern, wenngleich er dazu durchaus imstande gewesen wäre. Sein Anliegen war eher praktischer Natur. Er wollte dem Bedeutungsrückgang der Religion entgegenwirken. Auf diesen Trend der Entkirchlichung und Entchristlichung, der sich in der zweiten Hälfte des 19. Jahrhunderts aufgrund des Technisierungs- und Modernisierungsschubs allmählich durchzusetzen begann, reagierte K. mit der Forderung, daß eine Predigt aktuell sein müsse: »in der Gegenwart wurzelnd, die Zeitprobleme beleuchtend, die Gemeindebedürfnisse berücksichtigend, die Fragen der Zuhörer beantwortend.«Wenn diese Voraussetzungen erfüllt sind, ist es K.s Auffassung nach möglich, daß dem »Volke die Religion erhalten« bleibt. Obwohl K. diese Aufgabe als eine strikt kirchliche ansah, waren seine zahllosen Predigten, die nicht selten in gedruckter Form erschienen, in der Regel Zeugnisse eines unverhohlenen politischen Engagements, das auf eine Parteinahme für das Establishment hinauslief. Während er vor 1914 ausgesprochen royalistische Predigten hielt (seinen eigenen Worten zufolge hatte »die ganze militärisch-patriotische Umwelt Berlins« in ihm schon früh die »Bewunderung und Verehrung für das Kaiserhaus erweckt«), wandte er sich im Ersten Weltkrieg vehement gegen einen »Allerweltspazifismus« und gegen eine »schwächliche, leidensscheue Friedenssehnsucht«. Für K. war der Krieg ein »Erzieher«, der »aus so manchen Herzen viel Tüchtiges, Tapferes, Heroisches herausholte, was in ruhigen Friedenszeiten nicht zur Erscheinung und Entfaltung gelangt wäre«. Höhepunkt seiner politischen Äußerungen war seine euphorische Charakterisierung Hitlers, den er ehrfürchtig den »Volksführer mit dem Hakenkreuz« nannte. Offen bekannte er, daß er »gleich im Banne seiner Persönlichkeit stand« und daß »seine faszinierende Jugendlichkeit, seine große Elastizität, seine frische Natürlichkeit« und vor allem seine »edle Bescheidenheit« großen Eindruck auf ihn machten. — K.s Predigten, in denen Tagespolitik und seine theologischen Grundsatzpositionen amalgamiert wurden, waren Ausdruck seines germanisierenden Protestantismus, der im Bündnis mit den jeweiligen politischen Machthabern die entscheidende Voraussetzung für erfolgreiche seelsorgerische Aktivitäten sah. Sein Eintreten für Wilhelm II. und Adolf Hitler bedeutete aber nicht, daß er

jede ihrer politischen Entscheidungen bedingungslos unterstützte. Er sah in ihnen vielmehr Garanten einer unumstrittenen Staatsautorität, die es ihm gestatteten, »ein freudiges, männliches, heldisches Christentum zu predigen«. Da K. stets an dieser Maxime festhielt, erkannte er nicht, daß er den Protestantismus zu einer Obrigkeitsideologie degradierte, die wesentlich mit dazu beitrug, autoritäre Gesellschaftsstrukturen zu legitimieren.

Werke: »Mit Gott für König und Vaterland.« Festpredigt über Sprüche Salomonis 24, 21. Gehalten zur Feier von Kaisers Geburtstag am 27. Januar 1894 in der Hof- und Garnisonskirche von Potsdam. Berlin 1894; Mehr Beter für unseren Kaiser! Festpredigt über 1. Timotheus 2, 1 und 2. Gehalten zur Feier von Kaisers Geburtstag am 27. Januar 1897. Berlin 1897; Der Kaiser in seinem Heim. in: Unser Kaiser. Zehn Jahre der Regierung Wilhelms II. 1888-1898. Herausgegeben von Georg W. Büxenstein. Berlin/Leipzig/Stuttgart (1898). S. 369-392; »Aller Augen auf Jesum.« Eröffnungspredigt bei dem XI. deutschen evangelischen Schulkongreß am 4.X.1899 in der Gemarker Kirche zu Barmen. Berlin 1899; »Furchtlos und treu!« Geleitsworte an die nach China ausrückenden ostasiatischen Regimenter. In der königlichen Hof- und Garnisonskriche zu Potsdam am 15. und 26.VII.1900 gesprochen. Berlin 1900; Für Thron und Altar. Reden in Kriegs- und Friedenszeiten von Emil Frommel. Herausgegeben von Johannes Keßler. Berlin 1901. (Das Frommel-Gedenkwerk. Herausgegeben von der Familie. Vierter Band.); Durch Schwachheit zur Kraft. Festpredigt bei der 57. Hauptversammlung des evangelischen Vereins der Gustav-Adolf-Stiftung. Gehalten in der Christuskirche zu Heidelberg. Berlin 1904; Dennoch! Predigt. Gehalten am 17.I.1909 in der Lukaskirche zu Dresden. Dresden 1909; Unser Kampf mit Rom. Predigt über 2. Timotheus 2, 5. Gehalten am Reformationsfeste, den 31.X.1910 in der Lukaskirche zu Dresden. Dresden 1910; Goldne Kaiserworte für Soldaten nebst einem Lebensbild des obersten Kriegsherrn. Berlin-Friedenau (1912); Aus Lebensmüdigkeit zum Lebensmut. Predigt über 1. Könige 19, 1-10, 15-18. Dresden 1912; Gott segne den Kaiser! Zur Erinnerung an das Regierungsjubiläum Kaiser Wilhelm II. Dresden 1913; Zur Jahrhundertfeier der Leipziger Völkerschlacht. Predigt. Gehalten in der Lukaskirche zu Dresden. Dresden 1913; Heil Kaiser Dir! Potsdam (1913); Begrabe deine Toten tief in dein Herz hinein. Zum Gedächtnis unserer gefallenen Krieger. Ansprache in der Kriegsbetstunde. Dresden (1914); Sammlung von Predigten und Ansprachen in den Kriegstagen 1914. Nr. 1-3. Dresden 1914; Unser Glaube ist Sieg. Predigten und Ansprachen. Dresden 1915; Die wichtigste Pflicht gegen unsere Krieger. Dresden (1915); Das Land zittert, aber ich halte seine Säulen fest. Festpredigt. Dresden (1916); Sammlung von Predigten und Ansprachen in den Kriegstagen 1914/17. Nr. 4-11. Dresden ohne Jahr; Hab' Sonne im Herzen! Predigt. Dresden 1918; Der Weg der Dankbarkeit - der Weg zur Freude. Predigt. Dresden 1918; Das Alte Testament - ein christliches Buch? Gütersloh 1926; Karl August Walther: Vom Reichsehrenmal. Herausgegeben unter Mitwirkung von Cornelius Gurlitt und Johannes Keßler. München 1926; Fahre auf die Höhe! Ein Jahrgang Predigten über freie Texte. Wolgast 1928; Heiliges Land. Andachten an geweihten Stätten des Orients. Dresden 1931; Verantwortlichkeit. 2 Predigten. Dresden 1932; Besonnter Alltag. 10 religiöse Reden. Dresden 1934; Ich schwöre mir ewige Jugend. Erinnerungen. Leipzig 1935; Ich glaube an den Sinn des Lebens. Berlin 1940; Von Lebensbächen zum Lebensquell. Berlin 1942.

Roger Baecker

KETTELER, Wilhelm Emmanuel von, Bischof, * 25.12. 1811 in Münster, † 13.7. 1877 im Kapuzinerkloster im oberbayerischen Burghausen. — Geboren als viertes von neun Kindern des ehemaligen Landrates Maximilian Friedrich Freiherr von Ketteler-Harkotten und der Clementine Freifrau von Ketteler, entstammte K. altem westfälischem Adel. Ab 1824 besuchte der etwas schwierige und mit aufbrausendem Temperament veranlagte Junge das von Jesuiten geleitete Internat von Brig im Schweizer Kanton Wallis. Als durchschnittlicher Schüler bestand er 1829 das Abitur in Münster. An der Universität Göttingen begann er das Studium der Rechte und der Staatswissenschaft, das er ab 1831 in Berlin fortsetzte. Dort hörte er u. a. Karl Friedrich von Savigny, den Begründer der »Historischen Rechtsschule«. 1835 bestand er das Referendarexamen und trat in den Staatsdienst ein. Als persönliche Konsequenz verließ er diesen wieder infolge des »Kölner Ereignisses« von 1837. Die Verhaftung des dortigen Erzbischofs machte es ihm unmöglich, weiter im Dienst eines Staates zu bleiben, der sich rücksichtslos in den Gewissensbereich seiner Bürger und das Selbstbestimmungsrecht der Kirche einmischte. Nach einer dreijährigen Phase der inneren Klärung bezüglich des nun einzuschlagenden Lebensweges entschloß sich K. Priester zu werden. 1841-1843 folgte das Studium der Theologie in München. Er gehörte dem Kreis um Joseph Görres an. Am 1.7. 1844 wurde K. in Münster zum Priester geweiht. Bereits als Kaplan in Beckum wurde sein Interesse an der »sozialen Frage« deutlich. Auf seine Anregung hin wurde dort ein Krankenhaus für die unteren Schichten eingerichtet. Im November 1846 übernahm er die verwahrloste Gemeinde Hopsten, hier war die Not mit Händen zu greifen. Die Jahre bis 1848 als »Bauernpastor« haben K. entscheidend geprägt. Sein unermüdlicher Einsatz galt der Linderung des durch Armut, Krankheit und mangelnde Ausbildung hervorgerufenen Elends. Die mehrmonatige Zugehörigkeit zum Frankfurter Parlament vom Juni 1848 bis zum Januar 1849 machte K. auch im übrigen Deutschland bekannt. Seine Gedenkrede am Grab der im Verlauf des September-Aufstandes getöteten Abgeordneten erregte großes Aufsehen. Im Oktober des gleichen Jahres nahm er in einem Redebeitrag anläßlich des ersten »Katholikentages« in Mainz die soziale Not zum Anlaß, der Kirche bzw. dem christlichen Glauben bei der Lösung dieser Problematik eine entscheidende Rolle zuzuweisen. Auch die sechs Adventspredigten im Mainzer Dom (gleichfalls 1848 gehalten) stellten die »soziale Frage« in den Mittelpunkt ihrer Ausführungen. 1849 wurde K. Propst an St. Hedwig in Berlin. Bereits ein halbes Jahr später ernannte ihn Pius IX. zum Bischof von Mainz. Dort entfaltete er eine überaus reiche Seelsorgetätigkeit und brachte die Mainzer Diözese zur neuen Blüte. Er reformierte die Priesterausbildung, bewog zahlreiche Orden zur Wiederaufnahme ihrer Arbeit und baute das Schul- und Krankenhauswesen aus. K. hatte erkannt, daß der Staat den mit der Industrialisierung verbundenen sozialen Problemen noch nicht mit einem angemessenen Instrumentarium von Absicherungen und Steuerungsmaßnahmen begegnen konnte. Den Fabrikarbeitern galt die vordringliche Sorge des Mainzer Bischofs. Sein weitverbreitetes Buch »Die Arbeiterfrage und das Christentum« erschien 1864. K. untersuchte darin im Anschluß an Ferdinand Lassalle die Lage der Arbeiterschaft. Sozialkaritative Maßnahmen allein konnten seiner Ansicht nach nicht mehr die Lösung der »sozialen Frage« bewirken. Die ungerechten Strukturen mußten entscheidend verändert werden, um den Arbeitern die Existenzsicherung zu gewährleisten. In der Errichtung von Produktiv-Assoziationen sah K. die Lösung. Er wußte jedoch um den langen und durch mancherlei Hindernisse erschwerten Weg bis zu einer gerechteren Gesellschaft. Sowohl im Staat als auch bei jedem einzelnen bedurfte es daher der Gesinnungsreform: Die Lösung der Arbeiterfrage war für den Mainzer Bischof aufs engste mit dem in die Tat umgesetzten christlichen Glauben verknüpft. In seinen berühmten Reden vor Handwerksgesellen in Mainz, vor dem deutschen Episkopat in Fulda und vor mehreren tausend Arbeitern auf der Liebfrauenheide bei Offenbach trug der engagierte Vorkämpfer des sozialen Katholizismus immer wieder sein Programm vor. Dort forderte er auch die Pflicht des Staates zu einer entsprechenden Gesetzgebung ein. Es waren insbesondere fünf Punkte, die einer Regelung bedurften: die Erhöhung des Arbeitslohnes, die Verkürzung der Arbeitszeit, die Gewährung von Ruhetagen, das Verbot der Kinderarbeit, die Abschaffung der Fabrikarbeit von Müttern und jungen Mädchen. Trotz dieser umfassenden Programmatik wünschte der »Arbeiterbischof« die liberalistisch geprägten Wirtschaftsstrukturen nicht im Sinne einer sozialen Revolution umzustürzen, sondern im Sinne einer auf konkrete Problemstellungen akzentuierten Sozialpolitik zu reformieren. Die Industriegesellschaft als unabdingbares Erfordernis der Zeit hatte K. anerkannt, es galt nur, das ihr entsprechende »soziale Netz« zu schaffen, eine Aufgabe, der sich im Anschluß an K. später das Zentrum als politische Kraft des Katholizismus widmen sollte. K. war jedoch nicht nur als sozialer Bischof eine Leitfigur innerhalb des deutschen Katholizismus. In seiner Schrift »Freiheit, Autorität und Kirche« äußerte er sich 1862 zu aktuellen Fragen seiner Zeit. Sein Kampf für das Selbstbestimmungsrecht der Kirche verhinderte mehrfach seine Berufung auf bedeutende Bischofssitze. Auch innerkirchlich war K. ein unerschrockener Kämpfer für die Freiheit. Obwohl persönlich von der Unfehlbarkeit des Papstes überzeugt, wehrte er sich doch gegen ihre Dogmatisierung auf dem I. Vaticanum. K. betonte die enge Verwurzelung des Primats im Kollegium der Bischöfe. Vorzeitig aus Rom abgereist, unterwarf er sich jedoch vorbehaltlos dem Spruch der Majorität. Als Abgeordneter des Reichstags versuchte K. 1871 den Kulturkampf zu verhindern, ein Vorhaben, bei dem er und die Zentrumsfraktion unterlagen. Unermüdlich im Dienste seiner Kirche und der Seelsorge wurde K. zum Symbol des um die Selbstbehauptung kämpfenden deutschen Katholizismus. Sein Leben endete 1877 auf der Rückreise von Rom, wo er an den Feierlichkeiten aus Anlaß des 50jährigen Bischofsjubiläums von Papst Pius IX. teilgenommen hatte.

Werke: Seit 1977 erscheint eine krit. Werkausgabe: W. E. Frhr. v. K., Sämtliche Werke und Briefe. Hg. im Auftrag der Akad. der Wissenschaften und der Literatur in Mainz von Erwin Iserloh. Abt. I, Bd. 1-5: Schriften, Aufsätze und Reden, Mainz 1977-1985; Abt. II, Bd. 1 ff.: Briefwechsel und öffentliche Erklärungen, Mainz 1984 ff., II, 2: Briefe und öffentliche Erklärungen 1850-1854, 1988; W. E. v. K.s Schriften, 3 Bde., hg. von Johannes Mumbauer, Kempten 1911 (1924[2]); Rupert J. Ederer (Hg.), The social teachings of W. E. v. K., Bishop of Mainz (1811-1877), Washington 1981.

Lit.: Leopold Schmid, Über die jüngste Mainzer Bischofswahl. Ein Beitrag zur Kirchengesch. und prakt. Theol. unserer Tage, Gießen 1850; — Rudolph Seydel, Katholizismus und Freimaurerei. Ein Wort zur Entgegnung auf die von Frhr. v. K., Bischof von Mainz, wider den Freimaurerbund erhobenen Anklagen, Leipzig 1862; — Peter Volkmuth, Herr v. K., Bischof von Mainz, und der sogen. Beruf Preußens, Berlin 1867; — Karl Köhler, Das allg. Konzil und der Protestantismus. Betrr. aus Anlaß der Schrift des Herrn Bischofs von Mainz: »Das allg. Konzil und seine Bedeutung für unsere Zeit«, Darmstadt 1869; — Friedrich Nippold, Ein Bischofsbrief vom Concil und eine deutsche Antwort. Ein Beitrag zur Unterscheidung von Katholicismus und Jesuitismus. Von einem protestant. Christen, Berlin 1870; — Eberhard Zirngiebl, Das Vatikanische Konzil mit Rücksicht auf Lord Actons Sendschreiben und Bischof v. K.s Antwort, München 1871; — Johann Friedrich, Die Wortbrüchigkeit und Mannhaftigkeit dt. Bischöfe. Offenes Antwortschr. an W. E. Frhr. v. K. in Mainz, Konstanz 1873[2]; — Paul Muenz, W. E. Frhr. v. K., Bischof von Mainz, Würzburg 1874; — Alois Denk, Frhr. v. K. und die übrigen Bischöfe der Minorität als Märtyrer der Überzeugung, Mainz 1875; — Daniel Bonifacius von Haneberg/F. J. Holzwarth, Predigten zur Feier des 25jährigen Bischofsjubiläums des Hochw. Bischofs von Mainz (25./26.7. 1875), Mainz 1875; — Friedrich Michaelis, Die Verblendung K.s und der Gewissenskampf dt. Katholiken gegen Rom. Antwort auf den Kulturkampf gegen die Kath. Kirche und die neuen Kirchengesetze für Hessen, Bonn 1875; — Johann Baptist Heinrich, K.s erste Exercitien, Mainz 1877; — Ders., Trauerrede bei der Bestattung des hochseligen Bischofs W. E. Frhr. v. K. im Dome zu Mainz, Mainz 1877; — Bernhard Liesen, Letzte Lebenswochen des hochseligen Bischofs von Mainz, W. E. v. K., Mainz 1877; — Ders., Bischof W. E. v. K. und die soziale Frage, Frankfurt 1882; — Friedrich Greiffenrath (d. i. Johann Baptist Seidenberger), Bischof W. E. Frhr. v. K. und die deutsche Socialreform, Frankfurt 1893; — Alphonse Kannengieser, K. et l'organisation sociale en Allemagne, Diss. Paris 1894; — P. de Girard, K. et la question ouvrière avec une introduction historique sur le mouvement social catholique, Diss. Bern 1896; — Otto Pfülf, Bischof v. K. (1811-1877), 3 Bde., Mainz 1899; — Paul von Hoensbroech, Bischof v. K., in: Preuß. Jahrbb. 102 (1900), 94-107; — Ludwig Bendix, Bischof von K., Mainz 1901; — R. Lebêque, Msgr. v. Kettler (sic!), Diss. Bordeaux 1902; — G. Decurtins, Guiglielmo K. Il restauratore della soziologia cattolica, Diss. Genua 1904; — Karl Forschner, W. E. Frhr. v. K., Bischof von Mainz. Sein Leben und Wirken, Mainz 1911; — Georg Frhr. von Hertling, K. und die soziale Frage, in: Hochland 9 (1911/12), 295-298; — Bernhard Liesen, W.

E. Frhr. v. K. und die soziale Frage, Mainz 1911; — Johannes Mundwiller, Bischof v. K. als Vorkämpfer der christl. Sozialreform. Seine soziale Arbeit und sein soziales Programm. Zur Jahrhundertfeier seines Geburtstages, München 1911 (1927²); — W. E. Frhr. v. K., Bischof von Mainz. Ein Gedenkblatt zur 100jährigen Wiederkehr seines Geburtstages. Dem kath. Volke gewidmet von einem Priester der Diözese Mainz, Mainz 1911; — Karl Köth, W. E. Frhr. v. K. Ein Lebensbild, Freiburg 1912 (Mönchen-Gladbach 1927²); — F. Lindenberg, Biskop Kettler (sic!) og sozialismen i Tyskland, Diss. Kopenhagen 1913; — Albert Franz, Der soziale Katholizismus Deutschlands bis zum Tode K.s, Mönchen-Gladbach 1914; — Johannes Mundwiller, Bischof v. K. als Vorkämpfer der christl. Sozialreform, München 1914; — Fritz Vigener, K. und das Vaticanum, in: Forschungen und Versuche zur Gesch. des MA.s und der Neuzeit (FS Dietrich Schäfer), Jena 1915, 652-746; — Johannes Mumbauer, Der dt. Gedanke bei K., Mönchen-Gladbach 1916; — Fritz Vigener, Die Mainzer Bischofwahlen von 1849 bis 1850, in: Zschr. der Savigny-Stiftung für Rechtsgesch. Kanonist. Abt.11 (1921), 351-427; — Ders., K. vor dem Jahre 1848, in: HZ 123 (1921), 398-479; — Ders., K. Ein dt. Bischofsleben des 19. Jh.s, München 1924; — Johannes Wenzel, W. E. Frhr. v. K. Der Lehrer und Vorkämpfer der kath.-soz. Bestrebungen, Berlin o. J.; — Theodor Brauer, K. Der dt. Bischof und Sozialreformer, Hamburg-Berlin 1927; — Götz Briefs, K. und das proletarische Problem seiner Zeit, in: Schönere Zukunft 2 (1927), Nr. 43; — Wilhelm Franzmathes, Bischof v. K. Ein Vorbild und Führer der kath. Seelsorge, Mainz 1927; — Magdalena Neufeind, Bischof v. K. und die soziale Frage, Diss. Köln 1927; — Dies., Bischof v. K. und die soziale Frage seiner Zeit, Mönchen-Gladbach 1927; — Ursula Ried, Studien zu K.s Stellung zum Infallibilitätsdogma bis zur Definition am 18. Juli 1870, in: HJ 47 (1927), 657-726; — Josef Schofer, Ein Vergißmeinnicht auf ein Bischofs-Grab. Erzählung aus dem Leben Bischof W. E. v. K.s, Karlsruhe 1927; — Albert Stohr, Bischof K. als Prediger, in: Kirche und Kanzel (Paderborn) 11 (1928), 211-238; — Albert Mirgeler, K.s Begriff des dt. Katholiken (Diss. Leipzig 1929), Eupen 1929; — Albert Stohr, Auf Bischof K.s Pfaden. Zu seiner Schulauffassung und Schulpolitik, Bingen 1929; — Franz Herwig, Der große Bischof, Bonn 1930; — J. Strieder, W. E. v. K. und die soziale Frage im dt. Katholizismus, 1931; — Josef Winckler, Bischof E. v. K., Köln 1931; — Ludwig Lenhart, Lebensraum und Sittlichkeit nach Bischof W. E. v. K., Diss. Freiburg 1932; — Werner Geiger, Bischof K. als Kinderfreund. Ein Büchlein von den frohesten Stunden des einstigen großen dt. Bischofs, Freiburg 1933; — Ludwig Lenhart, Seelennot aus Lebensenge. Das Problem »Lebensraum und Sittlichkeit« nach Bischof W. E. Frhr. v. K., Mainz 1933; — Nikolaus Schnabel, K. als sozialpolit. Publizist, Diss. Berlin 1934; — M.-J. C., De consensu ecclesiarum. Une réponse inédite de Mgr. Dechamps à Mgr. K., in: Revue des sciences philosophiques et théologiques 24 (1935), 296-299; — Werner Geiger, Mainzer K.-Erinnerungen im Bilde, Mainz 1935; — Paul Grebe, Die Arbeiterfrage bei Lange, K., Jörg, Schäffle. Aufgezeigt an ihrer Auseinandersetzung mit Lasalle, Berlin 1935; — A. Runte, Das soziale Schrifttum K.s, Münster 1935; — Ludwig Lenhart, W. E. v. K. Eine geistesgeschichtl. Biographie, Kevelaer 1936; — Peter Rausch, Bischof v. K. als Politiker, Diss. Heidelberg 1936; — Ludwig

Lenhart, Vom hohen Sinn des Krankenapostolates des Heilandes, Bischof K.s und der K.schwestern, Mainz 1937; — Ders., Das ewige Recht und die königl. Herrschaft Jesu Christi im Geiste K.s, Frankfurt 1937; — Josef Schober, Ein Vergißmeinnicht auf ein Bischofsgrab, Karlsruhe 1937; — Peter Tischleder, Der Totalismus in der prophetischen Vorausschau W. E. v. K.s, Mainz 1946; — Elisabeth Stumm, Bischof Frhr. v. K. und das Vatikanische Konzil, in: Jahrb. des Bistums Mainz 2 (1947), 41-46; — Josef Winckler, Bischof E. v. K., Köln 1947; — Ludwig Lenhart, K. und Kolping und ihre gemeinsame Sendung in der sozialen Lebensnot gestern und heute, Mainz 1948; — Ders., Der K. des Jahres 1848, in: Ders., Idee, Gestalt und Gestaltung des ersten dt. Katholikentages in Mainz 1848, Mainz 1948, 195-228; — Helmut Weyrich, Bischof W. E. v. K. Ein Beispiel zur Ideengesch. des polit. Katholizismus in Dtschld., Diss. Wien 1949; — Max Domschke, W. E. v. K., Düsseldorf 1950; — Edmond Jarno, Zur Gesch. der Beziehungen zwischen K. und Dupanloup (nach unveröff. Dokumenten aus der Nationalbibliothek und dem Nationalarchiv Paris), in: Jahrb. des Bistums Mainz 5 (1950), 442-454; — Ludwig Lenhart, Bischof K. im Literaturspiegel unserer Zeit, in: Archiv für mittelrhein. Kirchengesch. 2 (1950), 381-393; — Hans Licht, K. und die Arbeiterfrage, Diss. Graz 1950; — Hans Münstermann, Betriebsökoskopische Analyse sozialreformerischer Vorschläge des Mainzer Bischofs W. E. v. K., in: Ludwig Lenhart (Hg.), Universitas - Dienst an Wahrheit und Leben (FS Albert Stohr), Mainz 1950, Bd. II, 110-126; — Peter Tischleder, W. E. v. K. Ein klassischer Anwalt und Herold der Synthese von der gleichzeitigen Statik und Dynamik des sittl. Naturgesetzes und Naturrechtes, in: Ludwig Lenhart (Hg.), Aus Kirche, Kunst und Leben (FS Albert Stohr) = Jahrb. des Bistums Mainz 5 (1950), 94-121; — Ludwig Lenhart, Moufangs Briefwechsel mit Bischof K. und Domdekan Heinrich aus der Zeit seines röm. Aufenthaltes zur Vorbereitung des Vaticanischen Concils, in: Archiv für mittelrhein. Kirchengesch. 3 (1951), 323-354; — Karl Philipp Preller, 100 Jahre Mainzer Schwestern von der göttl. Vorsehung (1851-1951). Ein K.-Werk und Denkmal, Mainz 1951; — Ludwig Lenhart, K.s Brief vom Vaticanum an Domdekan Heinrich, in: Archiv für mittelrhein. Kirchengesch. 4 (1952), 307-325; — Walter Bredendiek, Christl. Sozialreformer des 19. Jh.s, Leipzig 1953, 213-283; — Ludwig Lenhart, Der vom Domdekan Heinrich für K. verfaßte Dekretentwurf »De ecclesia catholica«, in: Archiv für mittelrhein. Kirchengesch. 5 (1953), 325-355; — Ders., Des K.-Sekretärs J. M. Raich Vaticanum-Briefe an den Mainzer Domdekan Dr. J. B. Heinrich, in: Archiv für mittelrhein. Kirchengesch. 6 (1954), 208-226; — Karl Buchheim, K.s Gegenkandidat. Ein Beitrag zur dt. Parteigesch. um 1848, in: HJ 74 (1955), 473-484; — Rudolf Fischer-Wollpert, K.s Sorge und Kampf um das Mainzer Priesterseminar. Ein Beitrag zur Frage: streitbarer Bischof oder Seelsorger?, in: Jahrb. für das Bistum Mainz 7 (1955/57), 131-153; — Clemens Bauer, W. E. v. K., in: Die großen Deutschen, hg. von Hermann Heimpel, Theodor Heuss und Benno Reifenberg, Bd. III, Berlin 1956, 433-441; — Maria Wegener, W. E. Frhr. v. K. Bischof von Mainz, Saarbrücken 1957; — Clemens Bauer, K., in: Staatslex.⁶, hg. von der Görres-Gesellschaft, Freiburg 1960, Bd. IV, 953-957; — Hans Münstermann, Betriebsökoskopische Analyse sozialreformerischer Vorschläge des Mainzer Bischofs W. E. Frhr. v. K., in:

Universitas 2 (1960), 379-404; — Gisbert Kranz, Bischof K. Ein Lebensbild, Augsburg 1961; — Victor Conzemius, Acton, Döllinger und K. Zum Verständnis des K.-Bildes in den Quirinusbriefen und zur Kritik an Vigeners Darstellungen K.s auf dem Vatikanum I, in: Archiv für mittelrhein. Kirchengesch. 14 (1962), 194-238; — Joseph Höffner, W. E. v. K. und die kath. Sozialbewegung im 19. Jh., Wiesbaden 1962; — Ludwig Lenhart, Lebensweisheit für heute aus Zeitrufen von gestern, Köln 1962; — Friedrich Schütz, Für Gerechtigkeit und Wahrheit. Bischof W. E. v. K., Würzburg 1962; — Ludwig Lenhart, W. E. v. K. Ein marianischer Bischof, in: Marianisches Jahrb. 1 (1963), 107-114; — Klaus Müller, Die staatsphilosoph. Grundideen der Politik K.s, Diss. München 1963; — Ludwig Lenhart, Bischof K., 3 Bde., Mainz 1966-1968; — Elmar Fastenrath, Das Kirchenbild des Bischofs W. E. Frhr. v. K., Bonn 1968; — Ludwig Lenhart, Zwei neu aufgefundene Briefe des Prager Erzbischofs Friedrich Kardinal Schwarzenberg an den Mainzer Bischof K., in: Archiv für mittelrhein. Kirchengesch. 22 (1970), 281 f.; — Helmut Sorgenfrei, Die geistesgeschichtl. Hintergründe der Sozialenzyklika »Rerum Novarum«, Heidelberg-Löwen 1970, 21-28; — Adolf M. Birke, Bischof K. und der deutsche Liberalismus. Eine Unters. über das Verhältnis des liberalen Katholizismus zum bürgerl. Liberalismus in der Reichsgründungszeit, Mainz 1971; — Elmar Fastenrath, Bischof K. und die Kirche. Eine Studie zum Kirchenverständnis des polit. Katholizismus, Essen 1971; — Hermine Meisner, Ein unbekanntes Testament W. E. v. K.s (1869), in: Archiv für mittelrhein. Kirchengesch. 24 (1972), 305 f.; — Erwin Iserloh, Röm. Quellen zur Bischofsernennung W. E. v. K.s 1850, in: Studia Westfalica. Beiträge zur Kirchengesch. und religiösen Volkskunde Westfalens (FS Alois Schröer), hg. von M. Bierbaum, Münster 1973, 159-184; — Albrecht Langner, Grundlagen des sozialethischen Denkens bei W. E. v. K. Ein Beitrag zum Verhältnis von Sozialethik und Staatswissenschaft im 19. Jh., in: Theologie und Sozialethik im Spannungsfeld der Gesellschaft. Unterss. zur Ideengesch. des dt. Katholizismus im 19. Jh., hg. von Albrecht Langner, München-Paderborn 1974, 61-181; — Rudolph Fischer-Wollpert, W. E. Frhr. v. K. Bischof von Mainz, Bergen-Enkheim b. Frankfurt 1974; — Erwin Iserloh, Die soziale Aktivität der Katholiken im Übergang von caritativer Fürsorge zu Sozialreform und Sozialpolitik, dargest. an den Schrr. W. E. v. K.s, Mainz 1975 (wiederabgedr. in: Ders., Kirche - Ereignis und Institution I, Münster 1985, 266-284); — Ders., W. E. v. K. zur Infallibilität des Papstes, in: Konzil und Papst. Hist. Beiträge zur Frage der höchsten Gewalt in der Kirche (FG Hermann Tüchle), hg. von Georg Schwaiger, München 1975, 521-542 (wiederabgedr. in: Ders., Kirche - Ereignis und Institution I, Münster 1985, 327-345); — Karl Josef Rivinius, K.s Vorstellung vom Verhältnis Kirche - Staat, in: Annuarium historiae conciliorum (Amsterdam) 7 (1975), 467-495; — Klaus Schatz, Kirchenbild und päpstl. Unfehlbarkeit bei den deutschsprachigen Minoritätsbischöfen auf dem I. Vatikanum, Rom 1975; — Ders., Papst, Konzil und Unfehlbarkeit bei W. E. Frhr. v. K., Bischof von Mainz, in: ThPh 50 (1975), 206-230; — Adolf M. Birke, Bischof K.s Kritik am dt. Liberalismus, in: Kirche und Liberalismus im 19. Jh., hg. von Martin Schmidt und Georg Schwaiger, Göttingen 1976, 155-163; — Karl Josef Rivinius, Bischof W. E. v. K. und die Infallibilität des Papstes. Ein Beitrag zur Unfehlbarkeitsdiskussion auf dem Er-

sten Vatikanischen Konzil, Bern-Frankfurt 1976; — Ders., K.s Kirchenverständnis auf dem Ersten Vatikanischen Konzil im Kontext der Unfehlbarkeitsdiskussion, in: ZKG 87 (1976), 280-297; — Peter F. Bock/Harald Pawlowsky, K. Gespräche und Interviews, hg. von der KAB-Westdeutschlands, München 1977; — Joseph Kardinal Höffner, Bischof K.s Erbe verpflichtet. Eröffnungsreferat bei der Herbstvollversammlung der Dt. Bischofskonferenz 1977 in Fulda, hg. vom Sekretariat der Dt. Bischofskonferenz Bonn, Bonn 1977; — Erwin Iserloh/Christoph Stoll, Bischof K. in seinen Schriften, Mainz 1977; — Ingobert Jungnitz, Bischof W. E. v. K. Stationen seines Lebens, hg. von der Abt. Öffentlichkeitsarbeit im Bischöfl. Ordinariat Mainz, Mainz 1977; — Gisbert Kranz, W. E. v. K. (1811-1877), in: Ders., Engagement und Zeugnis, Regensburg 1977, 222-260; — Hubert Mockenhaupt, Das Erbe des Arbeiterbischofs W. E. v. K., Leutesdorf 1977; — Ders., W. E. v. K. (1811-1877). Der Arbeiterbischof, in: Ders., Kirche und industrielle Arbeitswelt, Leutesdorf 1977, 61-78; — Karl Josef Rivinius, K. und die kath. Sozialbewegung im 19. Jh., in: ThGl 67 (1977), 309-331; — Ders., Das Verhältnis zwischen Kirche, Staat und Gesellschaft. Dargestellt an der Wirksamkeit W.E. v. Ks., in: Jahrbuch für Christliche Sozialwissenschaften 18 (1977), 51-100; — Lothar Roos, Kirche, Politik, soziale Frage - Das verpflichtende Erbe Bischof K.s, Köln 1977; — Friedrich Schütz, Mainz und die soziale Frage in der Mitte des 19. Jh.s. Zum 100. Todestag von Carl Wallau und K. Katalog zur Ausstellung im Rathaus-Foyer Mainz, hg. vom Kulturdezernat der Stadt Mainz, Mainz 1977; — Lothar Roos/Anton Rauscher, Die soziale Verantwortung der Kirche. Wege und Erfahrungen von K. bis heute, Köln 1977; — Christoph Stoll, Bischof K. und die Röm. Kurie 1854-1855. Die Behandlung der Mainz-Darmstädter Konvention von 1854 in Rom nach vatikan. Dokumenten und Briefen Adam Franz Lennings an seinen Neffen Christoph Moufang, in: Archiv für mittelrhein. Kirchengesch. 29 (1977), 193-250; — Erwin Iserloh, W. E. v. K. und die Freiheit der Kirche und in der Kirche, Mainz 1978 (wiederabgedr. in: Ders., Kirche - Ereignis und Institution I, Münster 1985, 285-308); — Peter Meinhold, Wichern und K. Evangel. und kath. Prinzipien kirchl. Sozialhandelns, Wiesbaden 1978; — Erwin Iserloh, W. E. v. K., in: Personen und Wirkungen. Biograph. Essays, hg. von der Landesbank Rheinland-Pfalz Girozentrale Mainz, Mainz 1979, 202-206 (wiederabgedr. in: Ders., Kirche - Ereignis und Institution I, Münster 1985, 259-265); — Rudolf Morsey, Bischof K. und der polit. Katholizismus, in: Staat und Gesellschaft im polit. Wandel, hg. von Werner Pöls, Stuttgart 1979, 203 ff.; — Franz Klüber, W. E. Frhr. v. K., in: Evangel. Soziallex.[7], hg. von Theodor Schober, Martin Honecker und Horst Dahlhaus, Stuttgart-Berlin 1980, 691 f.; — Rudolf Morsey, K., in: Kathol. Soziallex., hg. von Alfred Klose, Wolfgang Mantl und Valentin Zsifkovitz, Innsbruck 1980[2], 1326-1328; — Lothar Roos, W. E. v. K., in: Zeitgesch. in Lebensbildern, hg. von Jürgen Aretz, Rudolf Morsey und Anton Rauscher, Bd. IV, Mainz 1980, 22-36; Josef Schäfers, Politik und christl. Werke, Wiesbaden 1981; — Friedrich Hainbuch, Zur Bischofswahl W. E. v. K.s im Jahre 1850 - Neue Dokumente, in: Archiv für mittelrhein. Kirchengesch. 34 (1982), 355-372; — Erwin Iserloh, Der Katholizismus und das Dt. Reich von 1871. Bischof K.s Bemühungen um die Integration der Katholiken in den kleindeutschen Staat, in: Politik und Konfession (FS Konrad

Repgen), hg. von Dieter Albrecht u. a., Berlin 1983, 213-229 (auch in: Westfäl. Zschr. 133 (1983), 57-73; wiederabgedr. in: Ders., Kirche - Ereignis und Institution I, Münster 1985, 309-326); — Ders., W.E. v. K., in: Martin Greschat (Hg.), Gestalten der Kirchengeschichte: Bd. IX/2: Die neueste Zeit 2, Stuttgart 1985, 87-101; — Herbert Leipper, »Zerfallen mit der geistigen Bildung unseres Volkes ...« - Eine unpublizierte Denkschr. des Evangel. Oberkirchenrates zu Berlin zur Person und Wirksamkeit W. E. Frhr. v. K.s anläßlich der Kölner Sedisvakanz vom 20. Dezember 1864, in: AHVNrh 188 (1985), 137-149; — Adolf M. Birke, K., in: Staatslex.[7], hg. von der Görres-Gesellschaft, III, Freiburg 1987, 394-396; — Erwin Iserloh, W. E. v. K. - sein Kampf für Freiheit und soziale Gerechtigkeit, Mainz 1987; — Anton Rauscher, Katholische Sozialphilosophie im 19. Jahrhundert, in: Christliche Philosophie im katholischen Denken des 19. und 20. Jahrhunderts, hg. von Emerich Coreth, Walter M. Neidl u. Georg Pfligersdorffer, I, Graz 1987, 752-767, hier: 760-763; — ADB XV, 670-676; — LThK [2]VI, 128-130; — NDB XI, 556-558; — TRE XVIII, 109-113.

Bernd Kettern

KETTENBACH, Heinrich von († 1524?). Heinrichs von Kettenbach Geburtsort und Geburtsjahr sind unbekannt. Aus seinen Aussagen läßt sich erschließen, daß er 1521 in das Franziskanerkloster in Ulm eingetreten ist. Mit einer Predigt zu Beginn der Fastenzeit 1522 (»Eine nützliche Predigt zu allen Christen von dem Fasten und Feiern«) wurde er erstmals bekannt. Sein Eintreten für die Freiheit vom Fastengebot und seine Kleruskritik in dieser und anderen Predigten führten zu einer scharfen Auseinandersetzung mit dem Lektor im Dominikanerkloster Peter Nestler. K. wandte sich daraufhin mit dem »Sermon wider des Papstes Küchenprediger zu Ulm« gegen Nestler, in der er die Bindung der Kirche an das Wort Christi betont, gegen die päpstliche Unfehlbarkeit polemisiert und Luther, Melanchthon und Karlstadt als die rechten Lehrer des Evangeliums rühmt. Seinen Kirchenbegriff stellte er gegen die Angriffe seiner Gegner noch einmal in seiner Predigt »Von der christlichen Kirche, welches doch sei die heilige christliche Kirche, davon unser Glaube sagt« dar. Er beschreibt die Kirche hier als die Gemeinschaft der Auserwählten, die auf dem Felsen Jesus Christus steht und nicht auf Petrus oder den Papst als seinen Nachfolger gebaut ist. Trotz des Wormser Ediktes bezeichnet er Luther als den Propheten der Gegenwart und vergleicht ihn mit Elias und Daniel. Die zunehmende Geg-

nerschaft und schließlich die Angst vor einem Attentat zwangen K. im Spätjahr 1522 zur Flucht aus Ulm. Noch nach seinem Weggang erschien in Ulm sein »Sermon zu der löblichen Stadt Ulm von einem Valete«. Ebenfalls an seine früheren Predigthörer in Ulm ist sein »Gespräch mit einem frommen Altmütterlein von Ulm« (Augsburg 1523) gerichtet. In seinen Flugschriften der folgenden Zeit unterstützte er stark Sickingens Feldzug gegen Trier und versuchte, den Hass gegen Rom immer mehr zu schüren, indem er nicht nur den Adel dazu aufrief, gegen den Klerus vorzugehen, sondern auch bei den Reichsstädten um ein Eintreten für die Sache der Reformation warb (»Vergleichung des allerheiligsten Herrn und Vater des Papst gegen Jesus« - Bamberg 1523, »Eine Vermahnung Junker Franzen von Sickingen zu seinem Heer« - Augsburg 1523, »Apologia ... Martini Luthers wider der Papisten Mordgeschrei« - Bamberg 1523). Die größte Verbreitung fand K.s Schrift »Practica, praktiziert aus der Bibel auf viele zukünftige Jahre« (1523), in der er das Wormser Edikt als einen närrischen Rat der irregeleiteten Berater KaiserKarls V. abtut, Luther verteidigt und das deutsche Volk aufruft, sich aus seiner Trägheit zu erheben und auf Luthers Seite zu stellen. Nach dieser Flut von Schriften erscheint es verwunderlich, daß aus dem Jahr 1524, außer seiner Erwähnung in Werken seines Freundes Locher, kein weiteres Werk K.s bekannt ist und erst 1525 wieder eine Predigt von ihm erschien. Daraus wollte man schließen, daß K. möglicherweise schon Ende 1524 gestorben sei und es sich bei der 1525 gedruckten Predigt um einen Nachdruck einer älteren Predigt handelt. Über Hypothesen ist hier nicht hinauszukommen. Allein K.s Wirksamkeit in den Jahren 1522/23 tritt in das Licht der Ereignisse des Reformationsjahrhunderts. Seine Herkunft und sein Tod bleiben der Nachwelt verborgen.

Lit.: Otto Clemen (hg), Die Schriften Heinrichs von Kettenbach, in: Flugschriften aus den ersten Jahren der Reformation (2), Halle a.S. 1908; — J. Franck, Heinrich Kettenbach, in: ADB 15 (1882), S.676ff; — Gustav Kawerau, Heinrich von Kettenbach, in: RE[3] 10 (1901), S.265-268; — Barbara Könneker, Die deutsche Literatur der Reformationszeit. Kommentar zu einer Epoche, München 1975 (zu Kettenbach S. 26.28f.70. 107. 113. 174. 207); — B. Riggenbach, Heinrich von Kettenbach, in: RE[2] 7, S. 648-652; — Georg Veesenmeyer, Nachricht von Heinrich Kettenbach, einem der ersten Ulmischen Reformatoren, und seinen Schriften, in: ders., Beyträge zur Geschichte der Literatur und Reformation, Ulm 1792, S. 79-117; — Herbert Walz, Deutsche Literatur der Reformationszeit. Eine Einführung, Darmstadt 1988 (zu Kettenbach S. 70. 102f).

Heiko Wulfert

KETTER, Peter, Exeget, * 16.3. 1885 in Zilshausen, † 19.11. 1950 in Trier. — K. besuchte das Gymnasium und Konvikt in Prüm (Reifeprüfung 1907) sowie das Bischöfliche Priesterseminar in Trier und empfing dort am 12.8. 1911 im Dom die Priesterweihe. Anschließend war er als Kaplan in Koblenz-St. Josef tätig. Ab dem 13.8. 1913 erhielt er Studienurlaub, den er am Päpstlichen Bibelinstitut in Rom (Abbruch der Studien wegen des Krieges im Mai 1915 kurz vor den Examina) sowie an der Theologischen Fakultät der Universität Freiburg i. Br. zur Vertiefung seiner theologischen und vor allem neutestamentlich-exegetischen Kenntnisse nutzte. Am 27.6. 1916 wurde er in Freiburg i. Br. aufgrund der Dissertation »Die Versuchung Jesu nach dem Berichte der Apostel« zum Dr. theol. promoviert. Am 12.9. 1916 wurde er zum Geheimsekretär des Trierer Bischofs Michael Felix Korum bestellt und versah bis zu dessen Tod am 4.12. 1921 dieses Amt. Auch Korums Nachfolger Franz Rudolf Bornewasser diente er noch zwei Jahre als Geheimsekretär, obwohl er am 2.2. 1922 seine Berufung als Dozent und am 1.4. 1924 seine Ernennung zum Professor für neutestamentliche Exegese, Biblische Einleitung und Biblische Zeitgeschichte am Bischöflichen Priesterseminar erhalten hatte. Bischof Bornewasser vertraute ihm am 15.11. 1943 das ehrenvolle Amt eines Canonicus Theologus im Kapitel der Hohen Domkirche unter gleichzeitiger Berufung zum Domkapitular an. In diesem Amt oblag K. die Pflicht der öffentlichen Bibelerklärung in der Kathedrale. Neben seiner Professur verwaltete er noch eine Reihe von Ehrenämtern: Prosynodal- und Synodalrichter seit 1930, Beirat des Katholischen Frauenbundes (9.7. 1926- 11.10. 1930), Diözesan-Vorsitzender des Albertus-Magnus-Vereins 1930-1936 und des Deutschen Vereins vom heiligen Land seit 1924, Diözesanleiter der Katholischen Bibelbewegung seit 1934 und Diözesan-Beirat des Hedwigbun-

des seit 1935. — K. hat ganze Generationen von Priesteramtskandidaten in die neutestamentliche Exegese eingeführt. Er gilt als Konservativer (Franz Mußner) mit einem ausgeprägten Interesse für die neutestamentliche Zeitgeschichte. Eine längere Reise ins Heilige Land fand ihren literarischen Niederschlag in seinem Buch »Im Lande der Offenbarung. Reiseschilderungen aus dem Orient« (1927, [2]1931). Neben seiner Lehrtätigkeit entfaltete K. eine umfassende literarische Tätigkeit auf seinem Fachgebiet. Als Hauptwerke sind zu nennen die von ihm neu bearbeitete »Kepplerbibel« (1936) mit bis 1948 über 1 Million verbreiteter Exemplare, seine »Familienbibel« (1937, [4]1949), die Psalmenübersetzung (1937, [4]1949) und Kommentare in der Reihe »Herders Bibelkommentar« (1 u. 2 Sam, 1 u. 2 Kön, 1 u. 2 Kor, Hebr, Jak, 1 u. 2 Petr, Jud, Offb, 1935 ff.). Sein Werk »Christus und die Frauen« (1933, [4]1948), dessen 3. Auflage von der Gestapo 1941 vernichtet und verboten wurde - möglicherweise eine späte Reaktion auf die Polemik K.s gegen Ludendorffs Verein »Deutschvolk« (deutschreligiöse Bewegung) -, erschien auch in englischer, französischer, holländischer, italienischer, polnischer und spanischer Übersetzung und hat K.s Name über die Grenzen der Fachwissenschaft hinaus international in der katholischen Welt bekannt gemacht. K. fand seine letzte Ruhestätte am 23.11. 1950 im Kreuzgang des Trierer Domes.

Werke: Teilbibliographie in: Verzeichnis der wissenschaftlichen Veröffentlichungen der Professoren und Dozenten des Bischöflichen Priesterseminars in Trier (Stand vom 1. Mai 1949), Trier 1949, 13- 17; Darüber hinaus: Zur Frage der Gebildetenseelsorge, in: Pastor bonus (Pb) 31, 1918/19, 166-170; Aus dem Leben der Frau im Lande der Bibel, in: Stunden der Einkehr. Beilage zur Trierischen Landeszeitung 1, 1925, Nr. 19 vom 17.5. 1925, 2-3; Nr. 20 vom 24.5. 1925, 1-2; Neue Literatur über das Leben Jesu, in: Pb 36, 1925, 138-142; Bearb. der 4. Aufl. von: Peter Josef Maria Pörtzgen, Das Herz des Gottmenschen im Weltenplane. Eine Begründung der Herz-Jesu-Verehrung für Freund und Feind, Trier 1926; Die kath. dt. Anstalten im Heiligen Lande, in: Pb 37, 1926, 147-150; Predigt u. Hl. Schrift, in: Pb 38, 1927, 131-131; Eine Bestätigung zu Genesis 19, 24-28 aus der Gegenwart, in: Pb 39, 1928, 135-136; Die Magdalenenfrage, in: Pb 40, 1929, 101-118, 203-214, 264-285; Mitarbeit am LThK [1]III, 1931, und X, 1938; »Erlösung in Jesu Christo?«, in: Pb 43, 1932, 283-291; Zur Aussprache des Lateins in Schule und Kirche, in: Pb 44, 1933, 341-345; Fragen an einen Christen, in: Pb 43, 1932, 115-121; Neue Hilfsmittel für die Bibellesung und Bibelerklärung, in: Pb 46, 1935, 312-320, 337-341; Jesus und seine Mutter. Ein bibl. Marienleben, Düsseldorf 1939; Der röm. Staat in der Apokalypse, in: Festschr. Franz Rudolf Bornewasser, Trier 1941, 70-93; Bischof Michael Felix Korum. Zu seinem 25. Todestag am 4. Dezember 1946, in: Paulinus. Trierer Bistumsblatt 72, 1946, Ausg. Nr. 34/35 vom 1.12. 1946, 7- 8; In memoriam Bischof Michael Felix Korum. Zum 25. Todestag, in: Paulinus-Kalender 20, 1946, 32-34; 272 Rezensionen im Pastor bonus 30, 1917/18 - 53, 1942; 44 Rezensionen in der Trierer Theol. Zeitschr. (in Nachfolge von Pb) 57, 1948 - 60, 1961; Exegese-Skripten (Vorlesungsmitschriften?) über Eph, Phil, Offb, Bergpredigt, Spezielle Einleitung zu den Evangelien, Neutestamentl. Zeitgeschichte (1929, 1933, 1936 und 1937) im Bistumsarchiv Trier und in der Bibliothek des Bischöfl. Priesterseminars Trier.

Lit.: Eigene Archivstudien; — Kürschners Deutscher Gelehrten- Kalender 7, 1950, 988; — Carl Kammer, Domkapitular Professor Dr. Peter Ketter †, in: Paulinus. Trierer Bistumsblatt 76, 1950, Ausg. Nr. 48 vom 26.11. 1950, 10; — E. V., In der Krypta, in: Rhein. Merkur 5, 1950, Ausg. Nr. 49 vom 2.12. 1950, 10; — Hubert Junker, Prof. Dr. Peter Ketter †, in: Trierer Theol. Zeitschrift 60, 1951, 1-2; — Weitere Zeitungsausschnitte (Köln. Volkszeitung und Saarl. Volkszeitung) im Bistumsarchiv Trier; — Der Weltklerus der Diözese Trier seit 1800, 1941, 176 u. 408; — LThK ²VI, 130.

Martin Persch

KETTLER, Gotthard, letzter Meister des Deutschen Ordens in Livland, erster Herzog von Kurland und Semgallen. * 1517 (nach gängiger Ansicht auf Burg Eggeringhausen, bei Soest, Westfalen), † 17. Mai 1587 in Mitau (Kurland), begr. ebd. 2. Juli 1587. Sein gleichnamiger Vater entstammte dem westfälischen Niederadel, seine Mutter war Sibylle von Nesselrode. K. war seit dem 11. März 1566 verheiratet mit Anna von Mecklenburg-Güstrow († 1602). Von seinen sieben Kindern starben drei in frühem Alter; die Söhne Friedrich († 1642) und Wilhelm († 1640) traten die Nachfolge K.s an, die Tochter Anna († 1592) heiratete Johann Albert Radziwiłł, die Tochter Elisabeth († 1601) Herzog Adam Wenzel von Teschen. Sein Bruder Wilhelm war 1553-1557 Bischof von Münster. K. trat wohl um 1537/38 dem livländischen Zweig des Deutschen Ordens bei, nachdem er vorher als Hofjunker des Kölner Erzbischofs Hermann von Wied († 1547) gedient hatte. 1551/52 wurde K. Schaffer in Wenden, 1554 Komtur von Dünaburg, in welcher Funktion er enge Kontakte zum litauischen Adel pflog und den Orden häufiger auf diplomatischen Missionen im Reich vertrat. 1558 zum Komtur von Fellin ernannt, wurde er

im selben Jahr auch zum Koadjutor des Ordensmeisters Wilhelm von Fürstenberg gewählt. Hintergrund dieser Wahl war der im Januar 1558 mit dem russischen Einfall begonnene Livländische Krieg, der den Orden in eine bedrängte Lage brachte und 1561 zur Auflösung der alt-livländischen Staatenwelt führte. K. trat bereits im folgenden Jahr die Nachfolge des zurückgetretenen Wilhelm von Fürstenberg als Ordensmeister an und betrieb eine Politik der Anlehnung an Polen-Litauen. Da Reichshilfe für das vom Zaren bedrohte Livland nicht in Sicht, der Orden aus eigener Kraft nach einer vernichtenden Niederlage am 2. August 1560 aber nicht mehr in der Lage war, den russischen Truppen Stand zu halten, unterstellte sich K. am 28. November 1561 im Vertrag von Wilna dem polnischen König (pacta subjectionis). Die südlich der Düna gelegenen Teile des Ordensbesitzes wurden K. als erbliches Herzogtum Kurland und Semgallen unter der Lehnshoheit des Königs von Polen-Litauen zugesprochen. Am 5. März 1562 wurde er als Herzog ausgerufen; gleichzeitig erlosch der Ordensstaat. Die nördlich der Düna gelegenen Ordensbesitzungen hingegen fielen an Litauen und wurden bis 1566 von K. im Auftrage des polnischen Königs verwaltet. Die bisherigen Bistümer Ösel und Kurland waren bereits vorher von Dänemark erkauft, das Bistum Dorpat vom Moskauer Zaren erobert worden, Reval mit den Landschaften Harrien und Wierland hatte sich Schweden unterstellt. K. schuf in der Folgezeit im Sinne moderner Territorialstaatlichkeit einen festen Staatsverband, der sich an den Gegebenheiten der Ordenzeit, dem Vorbild des Herzogtums Preußen, aber auch den Einflüssen, die K. am Kölner Hof erhalten hatte, orientierte, und in dem das ständische Element eine gewichtige Position innehatte (Provisio ducalis 1562 und Priviliegium Gotthardinum für den Adel 1570). Hervorzuheben sind insbesondere der Ausbau des nun nach der Augsburgischen Konfession ausgerichteten Kirchenwesens einerseits (1570 Kirchenreformation und Kirchenordnung), K.s Bemühungen um die lettische Sprache andererseits. Beurteilte die ältere Historiographie K. recht negativ, so betont die Forschung inzwischen mehr die politischen Zwänge, denen K. ausgesetzt war; seine Leistung bei der Ausformung des Herzogtums

Kurland wird im wesentlichen positiv bewertet. 1737 starb das Haus K. in männlicher Linie aus.

Lit: Eine Monographie über Kettler liegt nicht vor. Friedrich von Klocke, Gotthard Kettler (um 1517-1587), in: Westfälische Lebensbilder..., hg. von Aloys Bömer und Otto Leunenschloß, Hauptreihe Band II, 1931, 411-438 [dort 436ff.: Quellen und ältere Literatur]; — Herta Frielinghaus, Unbekannte Bildnisse Wolters von Plettenberg und Gotthard Kettlers, in: Westfalen. Hefte für Geschichte, Kunst und Volkskunde 25, 1940, 66-70; — Sture Arnell, Die Auflösung des Livländischen Ordensstaates. Das schwedische Eingreifen und die Heirat Herzog Johans von Finnland 1558-1562 (Diss. Lund) 1937; — Klaus Dietrich Staemmler, Preußen und Livland in ihrem Verhältnis zur Krone Polen 1561 bis 1586, 1953 (= Wiss. Beiträge zur Geschichte und Landeskunde Ost-Mitteleuropas, Nr. 8); — Eberhard Treulieb, Die Reformation der kurländischen Kirche unter Gotthard Kettler, in: Baltische Kirchengeschichte, hg. Von Reinhard Wittram, 1956, 77-86, 313f.; — Erich Donnert, Der livländische Ordensritterstaat und Rußland. Der Livländische Krieg und die baltische Frage in der europäischen Politik 1558-1583, 1963; — Norbert Angermann, Studien zur Livlandpolitik Ivan Groznyjs (Diss. Hamburg 1971) 1972 (= Marburger Ostforschungen Bd. 32); — Ders., Gotthard Kettler, Ordensmeister in Livland und Herzog von Kurland, 1987 (= Arbeitshilfe Nr. 52/1987, hg. vom Bund der Vertriebenen) [dort weitere Schrifttumsangaben]; — Ders., Das letzte Testament des Herzogs Gotthard von Kurland († 1587), in: Nordost-Archiv 21, Heft 90, 1988, 81-100 [dort weitere Hinweise auf ungedruckte Quellen; Karte!]; — Knud Rasmussen, Die livländische Krise 1554-1561 (Diss. København 1972), 1973 [dort 231ff. auch die ältere dänische Literatur]; — Heinz Mattiesen, Gotthard Kettler und die Entstehung des Herzogtums Kurland, in: Baltic History, hg. von Arvids Ziedonis u.a., Columbus (Ohio) 1974, 49-59; — William Urban, The Livonian Crusade, Washington D.C. 1981; — Erik Tiberg, Zur Vorgeschichte des Livländischen Krieges. Die Beziehungen zwischen Moskau und Litauen 1549-1562, 1984 (= Acta Universitatis Upsaliensis. Studia Historica Upsaliensia 134); — Manfred Hellmann, Der Deutsche Orden in Livland, in: Die Rolle der Ritterorden in der mittelalterlichen Kultur, hg. von Zenon Hubert Nowak, 1985 (= Universitas Nicolai Copernici, Ordines militares. Colloquia Toruniensia Historica 3), 105-116 [Forschungsüberblick]; — Doris Marszk, Polen-Litauen und der Untergang Alt-Livlands, in: Nordost-Archiv 21, Heft 90, 1988, S. 57-80; — ADB XV, 680-685; — NDB VI, 678f.; — Biographisches Wörterbuch zur Deutschen Geschichte II, 1480ff.; — Europäische Stammtafeln [ISENBURG], Bd. II, verb. Aufl. 1975, Tafel 88; — Weitere Hinweise: Baltische Bibliographie (erscheint seit 1954ff. in der Zeitschrift für Ostforschung [zuerst von Hellmuth Weiss, dann von Paul Kaegbein bearbeitet].

Friedrich Bernward Fahlbusch

KEVIN (gälisch: Caemgen, lateinisch: Coemgenus, Caimginus, Keivinus), irischer Mönch, Bischof und Heiliger, * angeblich um 480 oder 470, in der Nähe von Dublin, † 3. Juni um 618 oder 622 in Glendalough, Grafschaft Wicklow. Nach der frühesten Vita (10./11. Jh.?) aus der Linie der Könige von Leinster gebürtig, ließ er sich als junger Mann, um die Wende vom 5. zum 6. Jh., in dem abgelegenen, wildromantischen »Tal der zwei Seen« (gälisch: Gleann dá loch) in den Wicklow Mountains südlich von Dublin als Einsiedler nieder, und zwar am südlichen, den oberen See beherrschenden Abhang. Nachdem sich einige Schüler um ihn geschart hatten, gründete er um 549 ein kleines Kloster am Rande dieses Sees; später, als die Zahl der Mönche wuchs, entstand ein größeres Kloster entlang dem östlichen Ufer (wahrscheinlich erst im Laufe des 7. Jh.s, nach K.s Tod). Das Kloster, dessen erster Abt K. war, entwickelte sich unter ihm und seinen zahlreichen Schülern und Nachfolgern zu einem der führenden klösterlichen Zentren Irlands mit einer der berühmtesten Schulen irischer Frömmigkeit und Aszese und zu einem der bedeutendsten irischen Wallfahrtsorte (heute eine touristische Hauptattraktion Irlands). Die Äbte waren, beginnend mit K., zugleich auch Bischöfe, doch wurde die Diözese Gl., die praktisch die Ausdehnung der heutigen Diözese Dublin hatte (die damalige Diözese Dublin war offenbar nur auf die Stadt beschränkt), erst 1111 auf einer gesamtirischen Synode offiziell anerkannt und bestand bis 1213/16. Im Tal von Gl. entstand »eines der berühmtesten monastischen Ensembles des Landes« (Lex. d. MA) mit 5 Kirchen, das trotz häufiger Zerstörungen ganz (Kirchlein St. Kevin, gen. St. Kevins Küche) oder teilweise (vor allem ein ca. 33 m hoher Rundturm, eine kleine Marienkirche, die ehemalige Kathedrale St. Peter und Paul [9.-11. Jh.], die Prioratskirche vom Hl. Erlöser [12. Jh.]) erhalten ist. K. und der hl. Molua trugen den Titel »multorum millium animarum duces« (vieler tausender Seelen Führer), da eine große Anzahl von Menschen sich von ihnen im aszetischen Leben unterweisen ließ. Aus den verschiedenen Viten, die alle nicht zeitgenössisch (s.o.) und großenteils legendenhaft sind, tritt uns nach Abstreifen des Legendären ein vor allem gegen sich selbst äußerst strenger Heiliger entgegen (z.B. stundenlanges Stehen in Kreuzesform), der gleichzeitig von großer Sympathie für die Schwachen und die Tiere erfüllt war. Sein

Fest wird am 3. Juni begannen, er ist einer der Patrone von Dublin.

Lit.: C. Plummer (Hg.), Vitae Sanctorum Hibernicae I, Oxford 1910, LIX ff., 234-257 (lateinische Vita); — Ders. (Hg.), Bethada náem nÉrenn: Lives of the Irish Saints I, ebd. 1922, XXVI-XXXII, 125-167 (3 irische Viten); — J. Ryan, Irish Monasticism, London 1931, passim; — Baudot u. Chaussin, Vies des Saints et des Bienheureux selon l'ordre du calendrier avec l'histoire des fêtes, Paris 1935 ff., VI 56 f.; — W. Delius, Geschichte der irischen Kirche, 1954; — M. u. L. Paor, Early Christian Ireland, London 1958; — Richard Sharpe, Medieval Irisch 'Saints' Lives: An Instroduction to »Vitae Sanctorum Hiberniae«, 1991; — Joh. Ev. Stadler u. Franz Joseph Heim (Hgg.), Vollständiges Heiligen-Lexikon, Augsburg, I, 1858, Art. Coemginus; III, 1869, Artt. Kenuinus u. Kevinus; — BHL I, 1898/99, Nr. 1866-1868 (Lit.); — BHL, Supplementi, 1911, Nr. 1866 (Lit.); — BHL, Novum Supplementum, 1986, Nr. 1866-1867 (Lit.); — DHGE XIII, 1956, Art. Coemgen (Lit.); XIV, 1960, Art. Dublin, hier 848; XXI, 1986, Art. Glendalough (2 Seiten, ausführliche QQ- u. Lit.-Ausgaben); — ODCC 765; — LThK, 2. Aufl., IV, Art. Glendalough (Lit.); VI, Art. Kevin (Lit.); — Brockhaus-Enzyklopädie VII, Art. Glendalough; — EBrit, 15. Aufl., 1974, Ausg. 1986, V, Art. Glendalough (mit Abb.); VI, Art. Kevin; — Lexikon des Mittelalters IV, 1989, Art. Glendalough (Lit.).

Hugo Altmann

KEY, Ellen, schwedische Pädagogin und Schriftstellerin. * 11.12. 1849 als zweitältestes von sieben Kindern auf dem Landgut Sundsholm (in der Provinz Småland); † 25.4. 1926 in Strand am Vättersee (Wittersee). Die Familie war schottisch-keltischer Herkunft. K.s Eltern waren der schwedische Politiker Emil Key und Gräfin Sophie (geb. Posse). In ihrer Kindheit und Jugend eignete sich K. durch Privatunterricht sowie einen ausgeprägten Hang zu selbständigen Studien eine umfassende künstlerische und literarische Bildung an. Durch den Verlust des väterlichen Vermögens auf eigenen Erwerb angewiesen, war sie von 1878 his 1898 als Lehrerin in Stockholm tätig. In den Jahren von 1883 bis 1903 lehrte K. gleichzeitig als Dozentin am Stockholmer Arbeiterinstitut, wo sie Vorlesungen über »Schwedische Literatur im Dienste der nationalen Volksaufklärung« hielt. Ihre persönliche Überzeugungskraft und Ausstrahlung ließen sie zu einer begehrten Rednerin vor Arbeiter-, Studenten- und Frauenvereinen werden. Um die Jahrhundertwende galt K. als eine der bedeutendsten Volksaufklärerinnen;

sie wurde eine der meistgelesendsten und geschätztesten Schriftstellerinnen. In der Zeit von 1874 bis 1926 verfaßte sie insgesamt 44 Werke und 149 Zeitschriftenartikel, deren Inhalt vor allem um Fragen der Kindererziehung und Frauenbewegung kreist. Ihr im Jahr 1900 erschienenes Buch »Das Jahrhundert des Kindes« wurde ein Welterfolg. Im Gegensatz zu radikalen Strömungen der Frauenbewegung im Europa der Jahrhundertwende, gehörte K. zu jenem gemäßigten Flügel, dem daran gelegen war, die Idee der »seelischen Mütterlichkeit« aufzuwerten. Dies sollte zum Bindeglied zwischen zwei Leitbildern der Frauenbewegung werden: dem Berufsideal der unverheirateten Frau einerseits und der Überzeugung, daß der Mutterberuf »der höchste Beruf der Frau« sei, andererseits. Im Hinblick auf die Beziehung von Mann und Frau galt für K. allein die Liebe als Kriterium von Sittlichkeit. Ihr pädagogischer Entwurf stellte die eigene Würde und Individualität des Kindes in den Mittelpunkt, dem die Erwachsenen mit Ehrfurcht begegnen sollten. K. selbst beschreibt ihr Konzept mit den Worten: »Ruhig und langsam die Natur sich selbst helfen lassen und nur sehen, daß die umgebenden Verhältnisse die Arbeit der Natur unterstützen, das ist Erziehung«. (Das Jahrhundert des Kindes) Wenn auch ihr Grundaxiom anthropologisch eine Überspitzung war, kommt K. das Verdienst zu, wichtige Anstöße für die pädagogische Reformbewegung der ersten Jahrzehnte des 20. Jahrhunderts gegeben zu haben. Etliche ihrer schul- und bildungspolitischen Änderungsvorschläge wurden in der Folgezeit verwirklicht.

Werke: (eine vollständige Bibliographie der Veröffentlichungen in der schwedischen Originalfassung findet sich bei: Mia Leche-Löfgren, Ellen Key, Stockholm 1930, S. 214-220) E.K., Frauenpsychologie und weibliche Logik, 1896; Die Wenigen und die Vielen (übers. Marie Franzos), Berlin 1901; Das Jahrhundert des Kindes, Berlin 1902; 15. Aufl. 1911; 34-36. Aufl. 1926; nach der Erstausgabe von 1902: Neuauflage Königstein/Ts. 1978; Menschen. Zwei Charakterstudien, Berlin 1903; Mißbrauchte Frauenkraft, Berlin 2. Aufl. 1904; Lebenslinien, 3 Bände, Berlin 1905-1907: I. Über Liebe und Ehe; 2. Der Lebensglaube. Betrachtungen über Gott, Welt und Seele; 3. Persönlichkeit und Schönheit in ihren gesellschaftlichen und geselligen Wirkungen; — Liebe und Ethik, Berlin 1905; Drei Frauenschicksale, Leipzig 1907; Mutter und Kind, Berlin 1908; Die Frauenbewegung, Frankfurt a.M. 1909; Seelen und Werke. Essays, Berlin 1911; Die junge Generation, München 3. Aufl. 1913. War, Peace and the Future, New York-London

1916; Florence Nightingale und Bertha von Suttner. 2 Frauen im Kriege wider den Krieg, Zürich 1919.

Lit: (allgemein): Gerhard Joppich, Das Kind im Jahrhundert des Kindes (=Göttinger Universitätsreden, Nr. 18, Göttingen 1956); — Th. Dietrich, Rousseau und das Jahrhundert des Kindes, in: Lebendige Schule 17 (1962); — Willy Moog, Geschichte der Pädagogik (neu hrsg. von Franz-Josef Holtkemper), 3. Bd., Ratingen-Hannover 1967; — Gisela Wilkending, Volksbildung und Pädagogik »vom Kinde aus«. Eine Untersuchung zur Geschichte der Literaturpädagogik in den Anfängen der Kunsterziehungsbewegung, Weinheim-Basel 1980; — Wolfgang Scheibe, Die Reformpädagogische Bewegung 1900-1932. Eine einführende Darstellung, Weinheim-Basel, 2. Aufl. 1984. — Lit. (speziell): Vitalis Norström, Ellen Keys tredje rike. En studie öfver radikalism, Stockholm 1902; — Luise Nyström-Hamilton, E.K. Ein Lebensbild, Leipzig 1904; — Elisabeth Nemény, E.K., Berlin 1904; — Erik Hedén, E.K.s sista böcker och strider, in: Ord och Bild, 1906; — G. Monod, E.K. et ses idées sur l'amour et le marriage, in: Revue Bleue 1907.- Olof Rosén, Wie E.K. die Liebe verkündigt, Dresden-Leipzig 1910; — John Landquist, E.K., Halle 1912; — Ludwig Weichert, E.K. und ihre Ethik. Eine Wertung ihrer Bedeutung für die deutsche Frauenwelt, Berlin 1914; — Prof. Sellmann, Ist die Verwirklichung der Zukunftsschule von E.K. erwünscht?, in: Zeitschrift für Kinderforschung 21, 1916; — Mia Leche-Löfgren, E.K. Hennes Liv Och Verk, Stockholm 1930; — Willem Anne 'THart, E.K. (Diss. Leiden 1948); — Rattner, Josef, Ellen Key und »Das Jahrhundert des Kindes«, in: Jb. f. verst. Tiefenpsychol. und Kulturanalyse 1 (1981), S. 225-240.

Gabriele Lautenschläger

KEYNES, John Maynard, englischer Wirtschaftswissenschaftler, * 5.6. 1883 in Cambridge, † 21.4. 1946 in Ripe/Sussex, ältester Sohn des Dozenten für Logik und politische Ökonomie, John Neville K. (Kanzler der Universität Cambridge 1910-1925) und Florence Ada K. (Stadträtin und Bürgermeisterin). — Ab 1897 besuchte K. das Eton College, ab 1902 gehörte er dem King's College an. 1905 bestand er das Tripos-Examen in Mathematik. Im gleichen Jahr begann der hochtalentierte und vielseitig interessierte K. das Studium der politischen Ökonomie in Cambridge. Zu seinen Lehrern zählten Alfred Marshall und Alfred C. Pigou. 1906 bestand er die Prüfung für den höheren Verwaltungsdienst als zweitbester von 104 Kandidaten und trat in das Indian Office ein. Während der beiden folgenden Jahre erhielt er so Einblicke in den Verwaltungsablauf von Regierungsbehörden. 1908 bewarb sich K. vergeblich mit einer Dissertation über Wahrscheinlich-keitsrechnung um ein Fellowship am King's College. W. E. Johnson, ein Mathematiker und Logiker, und Alfred North Whitehead waren die Gutachter, die eine Überarbeitung der Dissertation für notwendig erachteten (sie erschien schließlich 1921 nach mehrfacher Überarbeitung und Erweiterung). 1909 erfolgte dann die Ernennung zum Fellow. 1911-1945 war K. Herausgeber des angesehenen »Economic Journal« sowie Sekretär der »Economical Society«. Sein erstes Buch »Indian Currency and Finance« (1913) ging aus den beim Indian Office gewonnenen Erfahrungen hervor. Es wurde sofort sehr beachtet. 1915 folgte die Kriegsdienstversetzung in die Treasury, das britische Schatzamt. K. fungierte dort bereits vorher als Berater. 1917 erhielt der grundsätzlich pazifistisch eingestellte K. den Orden eines Commander of Bath. Damit zeichnete die Regierung den Mann aus, dessen währungspolitische Kenntnisse und Ideen dem Land den infolge der immensen Kriegskosten drohenden Zusammenbruch ersparten. In die Zeit des Ersten Weltkriegs fiel auch der Beginn der privaten Kunstsammlung, die später Berühmtheit erlangen sollte. 1919 vertrat K. das Schatzamt als Beauftragter bei den Verhandlungen in Versailles. Als Folge unüberbrückbarer Meinungsverschiedenheiten mit anderen Vertretern der Siegermächte trat K. von diesem Posten zurück, da er die Reparationsforderungen an Deutschland wirtschaftlich nicht für vertretbar hielt (vgl. sein Buch »The economic consequences of the peace«, 1919). Nach seiner Rückkehr nach Cambridge übernahm K. bei eingeschränkter Lehrtätigkeit das Amt des Schatzkanzlers des King's College. Nebenher betrieb er erfolgreich Börsenspekulationen. Durch eine umfangreiche wirtschaftsjournalistische Tätigkeit wurde K.s Name weit bekannt. Niemals zuvor hatte ein einzelner einen solchen Einfluß auf die Wirtschafts- und Finanzpolitik der wichtigsten Industrienationen besessen. Auch in der Privatwirtschaft reüssierte K. 1921 wurde er Präsident der National Mutual Life Insurance Company (bis 1938) und 1924 Generalmanager des Independent Investment Trust in London. 1923 erschien »A tract on monetary reform«, ein Buch zu Fragen und Problemen der Währungsreform. 1930 erschien schließlich die bis zu diesem Zeitpunkt umfassendste Abhandlung zur

Währungstheorie: »A treatise of money«. Gemeinsam mit der 1936 publizierten »The general theory of employment, interest and money« sollte dieses Buch K.s Stellung als berühmtester und einflußreichster Wirtschaftswissenschaftler des 20. Jahrhunderts begründen. Die »General Theory« revolutionierte die theoretischen Grundlagen der Nationalökonomie. K. forderte die Ergänzung der Selbststeuerung der Marktwirtschaft durch staatliche Lenkungsmaßnahmen. Auf diese Weise ließen sich die Fehler vermeiden, die an bisherigen Marktmodellen aufgetreten waren. Die staatlichen Steuerungsmaßnahmen sollten abzielen auf ein stetiges Wirtschaftswachstum, auf Vollbeschäftigung, Einkommensgerechtigkeit und Geldwertstabilität. K.s Gegner warfen ihm vor, er überfordere durch solche Postulate den Staat, dieser könne nicht zu einer »sozialen Glücksmaschine« (W. Hankel) konstruiert werden. Der sogenannte Keynesianismus versuchte denn auch später, dem makroökonomischen Lehrbuch-Modell der »General Theory« eine entsprechende mikrotheoretische Begründung an die Seite zu stellen, ein Vorhaben, das jedoch bis heute nicht befriedigend realisiert worden ist. 1925 hatte K. die Tänzerin Lydia Lopokova geheiratet. Mehrere Reisen in ihr Heimatland, die UDSSR, führten K. den Umgestaltungsprozeß der russischen Gesellschaft vor Augen. Eine gewisse Faszination übte dieser neue Gesellschaftsentwurf mit seiner säkularisierten Religiosität auf K. aus. 1938 zog sich K. aus dem aktiven Geschäftsleben zurück. 1940 erfolgte dann der Wiedereintritt in die Treasury als ehrenamtlicher Chefberater. 1941-46 fungierte K. als Chef-Unterhändler der Lend-Lease-Abkommen mit den USA; bei den Konferenzen von Bretton Woods und Savannah konnte er sich jedoch nicht mit seinen Vorstellungen durchsetzen. Die Schaffung eines Internationalen Währungsfonds und einer Weltbank bzw. deren Realisierung entsprach nicht den von ihm erarbeiteten Vorschlägen. An den Folgen seines zweiten Herzinfarktes starb K. auf seinem Landsitz in Sussex. Erst allmählich wurde nach dem Tode die homoerotische Veranlagung von K. bekannt. Die jüngst erschienene Biographie Charles Hessions untersuchte den Zusammenhang zwischen dieser Anlage und der ungewöhnlichen Kreativität von K.

Werke: The collected writings of K., hg. von Donald E. Moggride u. Austin Robinson, London 1971 ff. (bisher 30 Bde.); Harald Mattfeldt (Hg.), K. Kommentierte Werkausgabe, Hamburg 1985.

Lit.: John R. Hicks, Mr. K. and the »Classics«. A suggested interpretation, in: Econometrica, N.S. 5 (1937), 147-159 (wiederabgedr. in: Richard S. Thorn (Hg.), Monetary theory and policy. Major contributions to contemporary thought, New York 1976, 297-309); — Joseph Alois Schumpeter, K. (1883-1946), in: American Economic Review 36 (1946) (wiederabgedr. in: Ders., Ten great economics, New York 1951, 260-291; dt. in: Ders., Dogmenhist. und biograph. Aufsätze, hg. von Erich Schneider und Arthur Spiethoff, Tübingen 1954, 304-335); — Seymor E. Harris (Hg.), The new economics. K.'s influence on theory and public policy, London 1947 (1952²); — Lawrence Robert Klein, The K.ian revolution, New York 1947 (Neudr. 1950, 1967²); — Arthur Cecil Pigou, K., Baron K. of Tilton (1883-1946), London-New York 1947; — Edward Austin G. R. Robinson, K. (1883-1946), in: The Economic Journal (Cambridge) 57 (1947), 1-69; — Dudley D. Dillard, The economics of K. The theory of a monetary economy, New York 1948; — Council of King's College (Hg.), K. A memoir, Cambridge 1949; — Ludwig Albert Hahn, The economics of illusion, New York 1949; — Andreas Paulsen, Neue Wirtschaftslehre. Enführung in die Wirtschaftstheorie von K. und die Wirtschaftspolitik der Vollbeschäftigung, Berlin - Frankfurt 1950 (1958⁴, Neudr. 1970); — John Eaton, Marx aigainst K. A reply to Mr. Morrison's »Socialism«, London 1951; — Roy Forbes Harrod, The life of K., London 1951 (Neudr. Harmondsworth 1972, New York 1982); — J. R. Newmann, K., in: Scientific American (New York) 184, April 1951, 71-74; — Alvin H. Hansen, A guide to K., New York 1953 (dt.: K.s ökonom. Lehren. Ein Führer durch sein Hauptwerk, hg. von Georg Hummel, Villingen 1959); — Seymor E. Harris, K. Economist and policy maker, London - New York 1955; — V. S. Volodin, Kejns - ideolog monopolisticeskogo kapitalizma (russ.), Moskau 1955 (dt.: K. Ein Ideologe des Monokapitals, Berlin-Ost 1955); — Roy Forbes Klein, K., in: Handwörterbuch der Sozialwissenschaften, hg. von Erwin v. Beckerath u. a., V, Stuttgart-Tübingen 1956, 604-614; — Günther Schmölders/Rudolf Schröder/Hellmuth Seidenfus, K. als »Psychologe«, Berlin 1956; — Folkert de Roos, K., in: Denkers van deze tijd. Hg. im Auftrag der Christelijknationale bibliotheek, III, Franekar 1957; — Henry Hazlitt, The failure of the new economics, Princeton 1959 (dt.: Das Fiasko der K.schen Wirtschaftspolitik, Frankfurt 1960); — Ders. (Hg.), The critics of the K.ian economics, Princeton 1960 (New Rochelle 1977²); — Harry G. Johnson, The General Theory after 25 years, in: American Economic Review 51 (Papers and Proceedings) (1961), 1-25; — Sidney Weintraub, Classical K.ianism, monetary theory and the price level, Philadelphia-New York 1961; — Kenneth K. Kurihara (Hg.), Postk.ian economics, London 1962²; — David M. Wrigth, The K.ian system, New York 1962 (Nachdr. Westport/Conn. 1983); — Robert W. Clower, Die k.ianische Gegenrevolution: Eine theor. Kritik. Übersetzung eines Beitrags zur Tagung der International Economic Association über Zins- und Geldtheorie in Royaumont im Frühjahr 1962, in: Schweizer. Zschr. für Volkswirtschaft und Statistik 99 (1963), 8-31; — Robert Lekachmann (Hg.), K.'s

General Theory: Reports of three decades, New York 1964; — Robert W. Clower, The K.ian counterrevolution. A theoretical appraisal, in: The theory of interest rates, hg. von Frank H. Hahn und Frank P. R. Brechling, London 1965, 103-125 (wiederabgedr. in: Robert W. Clower (Hg.), Monetary theory, Harmondsworth 1969); — Robert Lekachmann, The age of K., New York 1966 (dt.: K. als Revolutionär des Kapitalismus, München 1974); — A. Nentjes, K. (1883-1946), in: Wijsgerig Perspectief of Maatschappij en Wetenschap (Amsterdam) 7 (1966/67), Nr. 12-13, 115-123; — Ludwig Albert Hahn, Eine Wachstums- und Konjunktur-Politik der Illusionen, Tübingen 1968; — Michael Holroyd, Lytton Strachey. A critical biography, 2 Bde., New York 1968; — Axel Leijonhufvud, On K.ian economics and the economics of K.' A study in monetary theory, New York 1968 (dt.: Über K. und den K.ianismus. Eine Studie zur monetären Theorie, hg. von Gérard Gäfgen, Köln 1973); — Enzo Paci, K. La fondazione dell'economia e l'enciclopedia fenomenologica, in: Aut Aut (Mailand) 107 (1968), 69-100; — Eric Roll, The world after K., New York 1968; — Arthur Cecil Pigou, Socialismo y capitalismo comparado. La »Teoría general« de K., übers. von Manuel Sacristán u. Alfredo Pastor, Barcelona 1970³; — Paul Mattick, Marx and K. The limits of the mixted economy, London 1971 (dt.: Marx u. K. Die Grenzen des »gemischten Wirtschaftssystems«, Frankfurt 1971); — Friedrich von Hayek, A tiger by the tail. A 40-years running commentary in K.ianism compiled and introduced by Sudha R. Shenoy, London 1972; — Nadia Boccara, K. e il »Bloomsbury group«, in: De Homine (Rom) (1973), Nr. 45-46, 203-226; — Sidney Weintraub, K. and the monetarists and other essays, New Brunswick (N.Y.) 1973 (Philadelphia 1978²); — Nadia Boccara, Utopie et Lumières au vingtième siècle en Angleterre (K. et le Bloomsbury Group), in: Tijdschrift voor de Studie van de Verlichting (Brüssel) 2 (1974), Nr. 1, 41-68; — John Hicks, The crisis in K.ian economics, Oxford 1974; — Donald E. Moggride, K. Aspects of the man and his work. The 1st K.-Seminar held at the Univ. of Kent at Canterbury, London 1974; — George L. S. Shackle, K.ian kaleidics, Edinburgh 1974; — Ludwig Wittgenstein, Letters to Russell, K. and Moore, hg. von Brian McGuiness und George Henrik von Wright, Oxford 1974 (1977², dt.: Frankfurt 1980); — Robert W. Clower/Axel Leijonhufvud, A critical look at the K.ian model: Theory and application - the coordination of economic activities. A K.ian perspective, in: American Economic Review 65 (1975), 182-188; — Milo Keynes (Hg.), Essays on K., Cambridge 1975; — Hyman P. Minsky, K., New York 1975; — Gottfried Bombach (Hg.), Der K.ianismus, 5 Bde., Berlin 1976-1984; — Robert J. Barro/Herschel J. Grossmann, Money, employment and inflation, Cambridge 1976; — Alan Coddington, K.ian economics. The search for the first principles, in: Journal of Economic Literature 14 (1976), 1258-1273; — Don Patinkin, K.s monetary thought. A study of its development, Durham (N.Y.), 1976; — Donald E. Moggride, K., London 1976 (dt.: K., München 1977); — Gerhard Michael Ambrosi, Ansatzpunkte einer neuen K.rezeption, in: Wirtschaftsdienst Nr. IX (1977), 475-480; — T. W. Hutchinson, K. versus the K.ians, London 1977; — Edmond Malinvaud, The theory of unemployment reconsidered, Oxford 1977; — Ghanshyam Mehta, The structure of the K.ian revolution, London 1977 (New York 1978); — Don Patinkin/J. Clark Leith (Hg.), K., Cambridge and »The General Theory«. The Process of criticism and discussion connected with the development of the General Theory, London 1977 (Toronto 1978); — Robert Skidelsky (Hg.), The end of the K.ian era. Essays on the disintegration of the K.ian political economy, New York 1977; — Gerhard Michael Ambrosi, Die Substitutionselastizität und die K.sche Aggregierte Angebotsfunktion, in: Zschr. für Wirtschafts- und Sozialwissenschaften, Jg. 1978, 295-310; — James M. Buchanan/Richard E. Wagner/John Burton, The consequences of Mr. K. An analysis of the misuse of economic theory for political profiteering. With proposals for constitutional disciplines, London 1978; — Werner Ehrlicher/Wolf Dieter Becker (Hg.), Die Monetarismus-Kontroverse, Berlin 1978; — Harry G. u. Elizabeth S. Johnson, The shadow of K.: Understanding K., Cambridge and K.ian economics, Oxford 1978 (Chicago 1979); — Herbert Ostleitner, K.ianische und K.sche Wirtschaftspolitik, in: Heinz Markmann/Diethard B. Simmert (Hg.), Krise der Wirtschaftspolitik, Köln 1978, 87-96; — Sidney Weintraub, Capitalism's inflation and unemployment crisis. Beyond monetarism and K.ianism, Reading (Mass.), 1978; — Gerhard Michael Ambrosi, Der Nominallohn in der K.schen Beschäftigungstheorie, in: Konjunkturpolitik 25 (1979), 123-135; — Keith Cuthbertsohn, Macroeconomic policy. The new Cambridge, K.ian and monetarist controversies, London 1979; — Alfred S. Eichner (Hg.), A guide to post-K.ian economics, mit einem Vorwort von Joan Robinson, London 1979 (White Plains, N.Y. 1979); — Don Patinkin, Die Geldlehre von K., München 1979; — Oliver Landmann, K., in: Evang. Soziallex., hg. von Theodor Schober, Martin Honecker, Horst Dahlhaus, Stuttgart-Berlin 1980⁷, 689 f.; — Ders., K.ianismus, in: ebd., 690 f.; — Giuseppe Palomba, Cournot y K., in: Folia Humanística (Barcelona) 18 (1980), 367-378; — Erich Streissler, K. und K.ianismus, in: Kath. Soziallex., hg. von Alfred Klose, Wolfgang Mantl, Valentin Zsifkovitz, Innsbruck-Graz 1980², 1328-1333; — Gerhard Michael Ambrosi, Die K.sche Beschäftigungsfunktion. Eine Studie zur Neurezeption der K.schen Beschäftigungstheorie, Berlin 1981; — Robert M. Collins, The business report to K. (1929-1964), New York 1981; — John Fender, Understanding K. An analysis of »The General Theory«, Brighton 1981; — Gerhard Michael Ambrosi, Monetarismus, K.ianismus und das Stagflationsdilemma - Probleme der Parameterwahl in einem modifizierten K.-Modell, in: Konjunkturpolitik 28 (1982), 139-169; — Rolf Behrens/Otto Steiger, K.ianische Fundamentalisten und Krise der herrschenden K.-Interpretation, in: Das Argument-Sonderband AS 89: Staatsgrenzen. Probleme (national-)staatlichen Handelns in der alternativen Wirtschaftspolitik, hg. von Michael Ernst-Poerksen, Berlin 1982, 147-168; — S. Böhm, Die K.ianische Renaissance, in: Wirtschaftspolit. Bll. 29 (1982), Nr. 3, 65-77; — Alfred S. Eichner (Hg.), Über K. hinaus, Köln 1982; — John C. Gilbert, K.' impact on monetary economics, London 1982; — Harald Hagemann/Theo Schewe, K.ianische Politik in der Wachstumskrise. Das Beispiel Schweden, in: Konjunkturpolitik 28 (1982), 1-35; — Murray Milgate, Capital and employment. A study of K.ian economics, London 1982; — Don Patinkin, Anticipations of the General Theory? And other essays on K., Oxford 1982; — Hans Jürgen Ramser, Wirtschaft im Ungleichgewicht. Theoret. und polit. Apekte von Ungleichgewichtskonzepten, in: Vierteljahreshefte zur Wirtschaftsforschung 4 (1982), 444 ff.; — Achille Agnati/Antonio Covi/Giuliano Ferrari Bravo, I due K., Padua 1983; — Elmar Altvater/Kurt Hübner/Michael Stanger, Alternat. Wirtschaftspolit. jenseits des K.ianismus. Wirtschaftspolit. Optionen der Gewerkschaften in Westeuropa, Opladen 1983; — Gottfried Bombach (Hg.), Die beschäftigungspolit. Diskussion in der Wachstumsepoche der Bundesrepublik, Berlin 1983; — Alan Coddington, K.ian economics. The search for the first principles, London 1983; — Nicholas Kaldor, Grenzen der »general theory«, Berlin 1983; — Lawrence Robert Klein, The economics of supply and demand, Baltimore 1983; — Peter M. Lichtenstein, An introduction to post-K.ian and Marxian theories of value and price, London 1983; — Wayne Parsons, K. and the politics of ideas, in: History of Political Thought 4 (1983), 367-392; — Christian Schiller, Staatsausgaben and crowling-out-Effekt. Zur Effizienz einer K.ianischen Provenienz, Frankfurt 1983; — Georg Vobruba, Politik mit dem Wohlfahrtsstaat, mit einem Vorwort von Claus Offe, Frankfurt 1983; — David Worswick/James Trevithick (Hg.), K. and the modern world. Proceedings of the K. Centenary Conference (King's College, Cambridge), Cambridge 1983; — Dieter Bös/Hans-Dieter Stolper (Hg.), Schumpeter oder K.? Zur Wirtschaftspolitik der 90er Jahre, Berlin 1984; — Andreas Danyliuk, Die Stabilität der Oligopolwirtschaft. Nachfragekontrolle als marktwirtschaftliche Selbstregulierung, Frankfurt 1984; — Karl Dietrich, Die Konjunktur- und Wachstumskontrolle von Joan Robinson, Frankfurt 1984; — Aloysius Fonsecca, Karl Marx, J. M. K., Pierro Sraffa. Cent'anni di ricerca economica, in: La Civiltà Cattolica 135 (1984), 30-43; — Joerg Hahn, Ökonomie, Politik und Krise. Diskutiert am Beispiel der ökonom. Konzeption Karl Schillers, Würzburg 1984; — Peter Hampe (Hg.), Friedman contra K. Zur Kontroverse über die Konjunktur- und Beschäftigungspolitik, München 1984; — Charles H. Hession, J. M. K. A personal biography of the man who revolutionized capitalism and the way we live, New York 1984; — Richard F. Kahn, The making of K.' General Theory of employment, Cambridge 1984; — Hubert Klein, Implizite Kontrakte, Risikotausch und Arbeitsfreisetzungen. Der Beitrag der Kontrakttheorie zu einer mikroökonomischen Fundierung K.ianischer Arbeitslosigkeit, Frankfurt 1984; — Fausto Vicarelli, K.The Instability of capitalism, Philadelphia 1984; — Jack Birner, K. versus Hayek. Interne en externe factoren in een controverse in de economie, in: Kennis en Methode (Amsterdam) 9 (1985), 26-48; — Hans J. Goetzke, Das Stabilitätsproblem bei J. M. K. Eine theoriegeschichtl. Interpretation, Frankfurt 1985; — J. Kromphardt, Reallohn und Beschäftigung in der K.ianischen Theorie, TUB: Wirtschaftswissenschaftl. Dokumentation, Diskussionspapier 97, Berlin 1985; — Tony Lawson, K.ian economics. Methodological issues, Armonk (N.Y.), 1985; — V. Mathieu,Filosofia del denaro. Dopo il tramonto di K., Rom 1985; — Don Patinkin, K. und die gegenwärtige Lage der Wirtschaftswissenschaften, in: Wirtschaftspolitik und wirtschaftl. Entwicklung (FS Walter Hesselbach), hg. von Joachim Langkau und Claus Köhler, Bonn 1985, 29-42; — Franklin D. Hess Silva, Neue K.ianische Makroökonomik. Sequentielle Anpassungsprozesse und ihre Mikrofundierung in Unterbeschäftigungsmodellen, Berlin 1985; — Werner Vomfelde, Abschied von K.? Eine Antwort auf die monetaristisch-neoklassische Gegenrevolution, Frankfurt 1985; — L. Jonathan Cohen, Twelve questions about K.' concept of weight, in: The British Journal for the

Philosophy of Science (Edinburgh) 37 (1986), 263-278; — Jeff Frank, The new K.ian economics. Unemployment, search and contracting, New York 1986; — Wilhelm Hankel, J. M. K. Die Entschlüsselung des Kapitalismus, München 1986; — Hansjoerg Herr, Geld, Kredit und ökonomische Dynamik in marktvermittelten Ökonomien - die Vision einer Geldwirtschaft, München 1986; — Charles H. Hession, J. M. K., Stuttgart 1986; — Christian M. Jaeggi, Die Makroökonomik von J. M. K., Berlin 1986; — K.' General Theory 50 years on, hg. vom Institute of Economic Affairs (London), London 1986; — Harald Mattfeldt (Hg.), Wirtschaftspolitik und Arbeitnehmerinteressen. Zum 100. Geburtstag von J. M. K., Pönitz 1986; — Lukas Menkhoff, Zur Theorie der nichtmonetär verursachten Inflation, Berlin 1986; — Geoffrey Pilling, The crisis of K.ian economics. A marxist view, Totowa (N.Y.), 1986; — Hans Jürgen Ramser, K.-Literatur und die Relevanz makroökonomischer Lehrbuchmodelle, in: Jb. für Nationalökonomie und Statistik 201 (1986), 441 ff.; — Hajo Riese, Theorie der Inflation, Tübingen 1986; — Harald Scherf, Marx und K., Frankfurt 1986; — Robert Skidelsky, J. M. K., in: Ders., Hopes betrayed, I, New York 1986; — Heinz-Peter Spahn, Stagnation in der Geldwirtschaft. Dogmengeschichte, Theorie und Politik aus K.ianischer Sicht, Frankfurt 1986; — Karl Georg Zinn, Arbeit, Konsum, Akkumulation. Versuch einer integralen Kapitalismusanalyse von K. und Marx, Hamburg 1986; — Michael E. Brady, J. M. K.' »Theory of evidential weight«. Its relation to information processing theory and application in the General Theory, in: Synthese (Dordrecht) 71 (1987), 37-59; — Andreas Goerdeler, Die K.ianische Prägung der japanischen Wirtschaftspolitik, Berlin 1987; — Hansjörg Herr, Ansätze monetärer Währungstheorie - eine K.ianische Kritik der orthodoxen Theorie, in: Konjunkturpolitik 33 (1987), 1-26; — Mary Hesse, K. and the method of analogy, in: Topoi (Dordrecht) 6 (1987), 65-74; — Hermann Meemken, Die Bildung und Koordination von Entscheidungen in der K.schen Theorie. Ein Beitrag zur Entwicklung einer monetären Wert- und Entscheidungstheorie, Frankfurt 1987; — Anton P. Müller, Reganomics. Eine K.ianische Interpretation, in: Konjunkturpolitik 33 (1987), 71-98; — Hans Jürgen Ramser, K./K.ianismus, in: Staatslex. Recht-Wirtschaft-Gesellschaft⁷, hg. von der Görres-Gesellschaft, III, Freiburg 1987, 396-402; — Manfred Timmermann (Hg.), Die ökonomischen Lehren von Marx, K., Schumpeter, Stuttgart 1987; — Gerhard W. Ditz, Smith and K. Religious differences in economic philosophy, in: Bijdragen. Tijdschrift voor filosofie en theologie 49 (1988), 58-86 (vgl. dazu: Bernd Kettern, Gott für Ökonomen, in: Frankfurter Allgemeine, Nr. 79 vom 5. April 1989, S. 3 N); — Omar F. Hamouda (Hg.), K. and public policy after 50 years, 2 Bde., Aldershot 1988; — Karl Georg Zinn (Hg.), K. aus nachk.scher Sicht, Wiesbaden 1988; — Harald Scherf,; J.M.K., in: Joachim Starbatty (Hg.), Klassiker des ökonomischen Denkens, II, München 1989, 273-291; — RGG ³III, 1261 f.

Bernd Kettern

KEYSERLNG, Hermann Graf, * 20.7. 1880 in Könno in Livland, † 26.4. 1946 in Innsbruck, war als Philosoph Brückenbauer zwischen Ost und West. — K. stammte aus baltischem Uradel. Er studierte die Naturwissenschaften in Genf, Dorpat, Heidelberg und Wien und versuchte sich dann, mit einer philosophischen Arbeit an der Berliner Universität zu habilitieren. Als dieser Plan scheiterte, begann er seinen eigenen Weg als philosophischer Essayist und Privatgelehrter. Leidenschaft und intuitives Denken erschlossen ihm einen breit gefächerten Leserkreis. Dem baltischen Erbe verdankte er den Hang zur religiösen Tiefenintuition. Dadurch konnte er dem Westen östliches Denken erschließen, was den Reiz seiner zahlreichen Abhandlungen und Bücher ausmachte. Er bekannte selbst, wie er in seiner Studienzeit vom »Kraftmenschen« zum »Geistesmenschen« wurde. Ab 1900 begann für K. eine Periode wissenschaftlicher Analysen, die vor allem die eigene Offenheit gegenüber allen Eindrücken bewahren helfen sollte. Unter dieser Voraussetzung konnte der Dreiundzwanzigjährige dann das »Gefüge der Welt« (1905) schreiben. Hier lag der Durchbruch zum kritischen Denken. Zutiefst fühlte sich der junge Philosoph I. Kant verpflichtet. So reifte das Hauptwerk dieser »kritischen Periode«, nämlich die »Prolegomena zur Naturphilosophie« (1907) heran. Das Werk setzte sich aus sieben in Hamburg gehaltenen Vorträgen zusammen. K. nahm außerdem — neben weiteren gehaltenen Vorträgen — einen umfangreichen Briefwechsel mit zahlreichen Gelehrten des geistigen Europas auf. Zur Besinnung lud das väterliche Gut im Baltikum ein, das er verwalten mußte. Die bisherige kritische Besinnung befriedigte den baltischen Denker nicht. Er wollte die Selbstvollendung durch wesentliche Eindrücke einer Weltreise (1911-1912) bewirken. Das Ergebnis war das berühmte »Reisetagebuch eines Philosophen« (1919), das bereits 1922 die sechste Auflage erlebte. K. wurde durch dieses Werk einem sehr breiten Publikum bekannt. Das Motto des Reisetagebuches wurde quasi zum Geflügelten Wort und drückte die eigene Sinnfindung aus: »Der kürzeste Weg zu sich selbst führt um die Welt herum«. Aber immer noch war es die Beobachtung, die Aufnahmewilligkeit fremder Welten, die der Selbstvertiefung dienen sollte. Erst die radikalen Wirkungen des Umbruchs nach dem 1. Weltkrieg führten zum fordernden Handeln des Philosophen:

Philosophie kann nicht nur kritische Beobachtung oder Aufnahmewilligkeit von Sinneindrücken aller Art sein! Philosophie ist künstlerische Lebensgestaltung. Sie ist Kunst. Diese neue, grundlegende Einstellung wurde auch durch die eigene Erfahrung begründet, die er mit der Aufgabe seiner baltischen Heimat machen mußte. Es kam darauf an, sich eine neue Heimstatt zu schaffen — eine geistige Heimat. Er gründete die »Schule der Weisheit« in Darmstadt 1920, eine Wirkungsstätte, die durch die Gunst des Großherzogs von Hessen gefördert wurde. Ihren literarischen Ausdruck fanden die Inhalte der Tagungszyklen im jeweiligen Jahrbuch »Der Leuchter« (1919-1927, Otto Reichl Verlag in Darmstadt). Darüber hinaus wurden Anliegen der »Schule der Weisheit« in »Der Weg der Vollendung« mit jährlich zwei bis drei Heften und in den »Leuchterbüchern« publiziert. Der Einfluß dieser »Schule« des Grafen auf das europäische Geistesleben der »Zwanziger Jahre« war groß. Dem Wirkungskreis gehörten Psychoanalytiker wie C. G. Jung und E. Kretschmer, Philosophen wie N. Berdjajew und M. Scheler, der Sinologe R. Wilhelm, der indische Dichter R. Tagore wie der Religionsphilosoph E. Troeltsch zeitweilig an. Über den französischen Philosophen H. Bergson wurde K. auch in Frankreich sehr bekannt. — Kritisch wandte sich K. ab 1919 gegen den sogenannten »intellektualen Fortschritt« innerhalb Europas. Dieser »hat allgemein auf Kosten des Seelenlebens stattgefunden« (Was uns not tut, was ich will, 1919, 1920[2], S. 3). Vom Kosmos, der großen seelisch-geistigen Harmonie, sinkt die Menschheit ins »Chaos« zurück (ebenda, S. 8). Programmatisch wurde die neue Aufgabe der Philosophie beschrieben: »Die Philosophie muß von der Sonderwissenschaft, vom geistigen Sport aufs neue zur Weisheit werden« (ebenda, S. 25). Der Philosoph muß sich »vom Ideal der vollkommenen Wissenschaftlichkeit zu dem der Weisheit ... hinanwenden« (ebenda, S. 32). Neben der Kirche und der Universität ist es die »Schule der Weisheit«, die nun maßgeblich den Menschen bilden soll. Hier liegt das Einfallstor für die Öffnung gegenüber der asiatischen Weisheit. Die Relation »Ost-West« speist die Erkenntnis des Weisen. Diese schöpferische Erkenntnis öffnet dem Menschen die Eigengesetzlichkeit des Ichs. Es geht nicht um ethische Werte, wie sie im Christentum verankert sind, sondern um eine pantheistische Sinnerfassung des Lebens, eine Auffassung, die seitens der Kirchen und der — vor allem deutschen — Schulphilosophie deutlicher Kritik unterlag. Von 1920-1921 unternahm er — außer der regelmäßigen Leitung der Tagungen in Darmstadt — zahlreiche Vortragsreisen in Europa, Nord- und Südamerika. Der Nationalsozialismus hatte ihn seit 1933 geächtet. Sein Schrifttum wurde unterdrückt, seine weitere Vortragstätigkeit in Deutschland wurde untersagt. 1935 konnte er nur noch zur Teilnahme an Tagungen nach Spanien reisen. Ab 1939 lebte er völlig zurückgezogen und notvoll in Schönhausen an der Elbe, ab 1942 in Aurach/Tirol. In der Zurückgezogenheit und existentiell schwierigen Situation schrieb er u. a. seine Lebenserinnerungen »Reise durch die Zeit«, die erst aus dem Nachlaß 1948 herausgegeben wurden. In diesen vertiefte er mit dem Kapitel »Kosmopathische Seelen« seine Lehre: Von der Ganzheit des eigenen Wesens her nur kann ich den anderen Menschen wie auch die Erscheinungen überhaupt in der Totalität wahrnehmen! Von der Ganzheitsschau her sind Mensch und Kosmos sinnvoll aufeinander bezogen. Kosmopathen sind für K. jeder große Arzt wie jede große, einfühlsame Seele. Als Beispiel dafür dient ihm u. a. der bedeutende Sinologe Richard Wilhelm, mit dem ihn eine tiefe Freundschaft verband. 1945 wurde K. zur Wiedereröffnung der »Schule der Weisheit« nach Innsbruck berufen, die er ja zusammen mit der »Gesellschaft für freie Philosophie« in Darmstadt einst 1920 gegründet hatte. Am 16. April 1946 ist er daselbst verstorben.

Werke: Das Gefüge der Welt, 1906, 1922[3], franz. 1907; Unsterblichkeit, 1907, 1920[3]; Individuum und Zeitgeist, 1909; Entwicklungshemmungen. Ein Mahnwort an die Zeit, 1909; Prolegomena zur Naturphilosophie, 1910; Schopenhauer als Verbilder, 1910; Romanische und germanische Kultur. Vom Interesse der Gesch. Zwei Reden, 1911; The East und the West, and their search for the common truth, Shanghai 1912, dt. 1913, aufgen. in: Die Tat, 4. Jg., Heft 10, 1913, 519 ff., aufgen. weiter in: Philosophie als Kunst (s. u.), Kap. 8; Some Suggestions Concerning Theosophy, Madras 1912 (Zeitschr.: The Theophist), aufgen. in Philosphie als Kunst (s. u.), Kap. 14,1; Europas Zukunft, 1913; Über die inneren Beziehungen zw. den Kulturproblemen des Orients und des Okzidents. Eine Botschaft an die Völker des Ostens, 1913; Was uns not tut, was ich will, 1919, 1920[2], auch aufgen. in Philosophie als Kunst (s. u.), Kap. 15; Dtld.s wahre polit. Mission, 1919; Das Reisetagebuch eines Philosophen, 1919, 1919[2], 1920[4], 1922[6], 1923[7], engl. 1925; (Hg.), Der Leuchter. Weltanschauung und Lebensgestaltung. Jb. der »Schule der Weisheit«, ab 1919, darin: (wichtig) Jg. I: Unser Beruf in der veränderten Welt, 1919; Philosophie als Kunst (s. o.), 1920, 1922[2], engl. 1937; (Hg.), Der Weg der Vollendung, jew. Sammelbd. Mitteilungen der »Schule der Weisheit«, ab 1920 ff.; Politik, Wirtschaft, Weisheit, 1921; Schöpferische Erkenntnis, 1922, engl. 1929; Die Philosophie der Ggw. in Selbstdarstellungen, hg. von P. K. Schmidt, Bd. IV, 1923; Die neu entstehende Welt. Eine Vision der kommenden Weltordnung, 1923; Menschen als Sinnbilder, 1925, 1926[2]; Werden und Vergehen (wichtiger Vortrag, Der Leuchter, Bd. VI), 1925, 5-24; Schlußvortrag zum Tagungsthema »Werden und Vergehen« (Tagung 1924), Der Leuchter, Bd. VI, 1925, 249-289; (Hg.), Das Ehebuch. Eine neue Sinngebung im Zusammenklang der Stimmen führender Zeitgenossen, 1925; Auszug in Philosophie und Leben, 4. Jg., 1928, 279-283; Wiedergeburt, 1927, engl. 1928; Das Spektrum Europas, 1928, 1931[5]; America set free, 1929 (dt.: Amerika, der Aufgang einer neuen Welt, 1929); Südamerikanische Meditationen, 1932; La Vie Intime (nur franz.), 1933; La Révolution Mondiale et la Responsabilité d l'Esprit (nur franz.), 1934; Sur l'Art de la Vie (nur franz.), 1935; De la Souffrance à la Plénitude (nur franz.), 1938 (allesamt erschienen bei Editions Stock Paris, dort auch die Übersetzungen der wichtigsten dt. Werke); Das Buch vom persönl. Leben, 1936; Das Buch vom Ursprung, 1947; Reise durch die Zeit, vollst. 1948, Teilabdr. in Mensch und Kosmos, Jb. der Keyserling Gesellsch. für freie Philos., 1949, 15-64; Kritik des Denkens. Die erkenntniskrit. Grundlagen der Sinnesprobleme, 1948; Ges. Werke, 1956 ff.; Bibliographie: rororo-Autorenlex., 1988[3].

Lit.: (O. N.), Der Weg zur Vollendung. Des Grafen K. s philos. Schaffen, 1919; — Paul Feldkeller, K.s Erkenntnisweg zum Übersinnlichen. Die Erkenntnisgrundlage des Reisetagebuches eines Philosphen, 1922; — Renatus Hupfeld, K. Ein Vortrag, 1922; — O. A. H. Schmitz, Brevier für Einsame: K. im Abschn.: »Das Mysterium der Einweihung«, 1923; — Willem Vollrath, K. und seine Schule, 1923; — Heinrich Adolph, Die Philosophie des Grafen K., 1927 (Lit.); — M. Boucher, La Philosophie de K., 1927 (franz. Lit.); — Hans Christiansen, Über Mann und Weib, 2: Gegen K., 1928; — G. Parks, Introduction to K., 1934; — R. Röhrs, K.s magische Geschichtsphilosophie, 1939; — K. — Ein Gedächtnisbuch mit 4 Bildern, hg. vom Keyserling-Archiv Innsbruck, 1948; — V. N. Ortiz, K. y la escuela de la sabiduria, (Mexiko) 1948; — Hans Joachim Störig, Kleine Weltgesch. der Philosophie, 1950, 489 ff.; — N. Noack, K., Zschr. für phil. Froschung 7, 1953, 592-597; — E. P. Sandvoss, Gesch. der Philos. 2, 1989, 478; — Philos. Lex. (1949) I, 656-659; — LThK VI, 137; — KLL (So.) IX, 8095 f. (Lit.); — KLL (So.) X, 9079 f. (Lit.); — Colliers Enc. 14, 61; — (M. Brauneck, Hg.), Weltlit. im 20. Jh. — Autorenlex. rororo-Hb. Nr. 6267, 3, 690; — (M. Brauneck, Hg.), rororo-Autorenlex. (Nr. 6302), 358 f.

Wolfdietrich v. Kloeden

KEYSSER, Christian, Pioniermissionar in Neuguinea, geb. am 7. März 1877 in Geroldsgrün (Frankenwald, Oberfranken), von 1899 - 1920 in Neuguinea (heute Papua-Neuguinea) tätig, von 1922 - 1939 Missionsinspektor und Lehrer am Missionsseminar Neuendettelsau, gest. am 14. Dezember 1961 in Neuendettelsau. — K. entstammte einer lutherisch-erwecklich geprägten Familie in Oberfranken. Während seiner Schulzeit an der Industrieschule Nürnberg traf ihn ein innerer Ruf, Missionar zu werden. Seine Ausbildung erhielt er am Evang.-Luth. Missionsseminar in Neuendettelsau. 1899 reiste er in die damalige deutsche Kolonie Kaiser-Wilhelm-Land aus, zu jener Zeit sowohl geographisches wie missionarisches Neuland. Bis 1920 Pioniermissionar auf der Missionsstation Sattelberg (Finschhafen). Neben missionarischer Tätigkeit umfangreiche ethnologische Forschungen, Entdeckungsreisen und linguistische Arbeiten. Er galt zu seiner Zeit als einer der besten Kenner Neuguineas. Wegen Unstimmigkeiten mit der australischen Mandatsregierung des Landes wurde ihm nach seinem ersten Heimaturlaub (1920) die Wiedereinreise nach Neuguinea verweigert. Als Inspektor der Neuendettelsauer Missionsanstalt und Lehrer am dortigen Missionsseminar entfaltete er eine unermüdliche Lehr-, Vortrags- und publizistische Tätigkeit in ganz Deutschland, auch noch lange nach seiner Pensionierung. In seinen Büchern und Kleinschriften weithin erzählender Art wußte er ethnologische, kulturanthropologische und missionarisch-erweckliche Elemente so zu verbinden, daß sie weit über speziell an christlicher Mission interessierte Kreise hinaus gelesen wurden. Er erfuhr Ehrungen durch die Deutsche Geographische Gesellschaft und die Theologische Fakultät der Universität Erlangen (Ehrendoktorwürde). — Die Bedeutung K.s liegt auf missionstheologischem und -praktischem Gebiet. Durch gründliches Studium der vorgegebenen Sozial- und Denkstrukturen des Volkes der Kâte, unter dem er 20 Jahre wie einer der Ihren lebte, wurde ihm klar, daß kulturelle Unterschiede keine Hinderungsschwelle für die Verkündigung der christlichen Botschaft und für die Gestaltung des Gemeindelebens in einem so fremden Lande wie Neuguinea sein dürfen. Ihm ging es vor allem darum, die christliche Botschaft in der Sprache und den Denk- und Lebensformen Neuguineas Gestalt werden zu lassen. Insofern darf K. als ein intuitiver Vorläufer der sog. kontextuellen Theologie gelten. Besonderen Ausdruck fanden diese damals neuen Erkenntnisse in seiner Taufpraxis. Er vermied es, vom Evangelium erfaßte Einzelpersonen zu taufen und damit aus ihren Sippenverbänden herauszulösen. Vielmehr wollte er die gegebenen Lebensgemeinschaften in Dorf und Stamm insgesamt mit dem Evangelium ansprechen und erst dann zu taufen beginnen, wenn die Großsippen durch ihre Führer einwilligten. Das bedeutete zwar zunächst einen Aufschub in der Gemeindebildung, führte dann aber zu um so größeren Taufbewegungen und zur Entstehung in sich geschlossener volkskirchlicher Gemeinden. Diese sollten ihre angestammten Sozialstrukturen behalten und sie christlich umgestalten. Auf diese Weise entstand in den jungen Gemeinden sehr bald eine vom Missionar unabhängige christliche Führungsschicht. Auf Anregung von K. entfaltete sich auch die eigene Dicht- und Gesangskultur zu einer durch und durch eigengeprägten christlichen Liturgie und Hymnologie. — Die zweite Besonderheit von K.s Wirken ist die Einbeziehung der neugetauften Christen in die missionarische Bewegung im eigenen Land (»Gemeindemission«). Schon 1908 gingen aus der Sattelberg-Gemeinde die ersten einheimischen Missionare für das angrenzende Hube-Gebiet (Hinterland von Finschhafen) hervor. Diese Gemeindemission prägte die werdende lutherische Kirche in Papua-Neuguinea bis in die 60er Jahre dieses Jahrhunderts. Zeitweise standen bis zu 2000 einheimische Evangelisten (Missionare), jeweils von den neuguineischen Heimatgemeinden bezahlt und geistlich betreut, im Dienst der Evangeliumsverkündigung. Durch diesen jeweils auf die Ortsgemeinde ausgerichteten Gemeindeaufbau (kongregationalistisches Prinzip) kam es zu einer Fülle von Ämtern in den Gemeinden, wobei diese Christen alle auch am Predigtdienst beteiligt wurden, ohne je als Pastoren ordiniert zu sein. Die ersten Ordinationen zum geistlichen Amt in der Lutherischen Kirche Neuguineas erfolgten erst spät, während bzw. nach dem Zweiten Weltkrieg. — Durch seine Lehrtätigkeit am Missionsseminar in Neuendettelsau in den Jahren zwischen den beiden Weltkriegen hat K. in seiner zweiten Lebenshälfte eine ganze Missionarsgeneration geprägt und damit den Fortgang der lutherischen Mission in Neuguinea entscheidend beeinflußt. Seine bedeutendsten Schüler waren Georg F. Vicedom und Hermann Strauß.

Werke: Biblische Geschichte in der Kâte-Sprache (Übersetzung), 2 Teile (1907) [3]1917; Aus dem Leben der Kaileute, in: R. Neuhaus, Deutsch Neuguinea, Bd. III, Berlin 1911, 3-242; Vom Sattelberg zum Markham, in: Zeitschrift für Ethnologie, 44 (1912), 558-584; Die erste Ersteigung der südöstlichen Gipfel des Finisterre-Gebirges, in: Petermanns Geographische Mitteilungen, 1913, II. Hlbbd., 177 ff.; Mission und Volkserziehung, in: Allg. Missions-Zeitschrift, 30 (1913), Beiblatt 2, 17-32; Das Christentum bei den Kaileuten in Kaiser-Wilhelmsland, in: Jahrbuch d. Bayer. Missionskonferenz, 17 (1915), 15-21; Ins wilde Waldland. Aus der Gehilfenmission auf Sattelberg, Neuendettelsau 1920; Versuch einer Rechtfertigung der Union auf dem Missionsfelde, (als Manuskript gedruckt), 1920; Die Papua und der gekreuzigte Christus, in: Evang. Missionsmagazin, N.F. 65 (1921), 304-308; Warum?, in: Evang. Missionsmagazin, N.F. 65 (1921), 184-188; Was die Braunen dawider zu sagen wußten, Neuendettelsau 1921; Wie einer umlernte, Neuendettelsau 1921; Der große Umschwung bei den Papua Neuguineas, in: Jahrbuch d. Bayer. Missionskonferenz, 24 (1922), 3-12; Der Missionar und die Volksseele, in: Evang. Missionsmagazin, N.F. 66 (1922), 200-210; Einige missionarische Erfahrungen auf dem Gebiete von Kirche und Amt, in: Kadners Jahrbuch f. d. evang.-luth. Landeskirche Bayerns, 19 (1921/22), 52-63; Etwas über den Aufbau einer Volkskirche in Neuguinea, in: Unsere Erfahrung, 2 (1922); Heiden bekehren sich leichter als tote Christen, in: Evang. Missionsmagazin, N.F. 67 (1923), 245-252; Missionarische Amtserfahrungen, in: Jahrbuch d. Bayer. Missionskonferenz, 25 (1923), 29-34; Schicket euch in die Zeit, in: Unsere Erfahrung, 3 (1923), H.1; Von der Bedeutung der missionarischen Führerschaft, in: Allgem. Missions-Zeitschrift, 50 (1923), 208-211, 228-231; Das Salz der Erde, das Licht der Welt, in: Unsere Erfahrung, 4 (1924), H.2; Die Aufnahme des Christentums durch primitive Heiden, in: Evang. Missionsmagazin, N.F. 68 (1924), 239-243; Mission Work Among Primitive Peoples in New Guinea, in: Internat. Review of Missions, XIII (1924), 426-435; Anutu im Papualande, (1925), Neuendettelsau [3]1958; Bai, der Zauberer, Neuendettelsau [2]1926, Engl. Übersetzung, Brisbane, 1925; Neuguinea-Christengemeinden, in: Die Evang. Missionen, 31 (1925), 121 ff.; Werdet nicht unverständig, sondern verständig, in: Jahrbuch d. Bayer. Missionskonferenz, 27 (1925), 8-17; Wörterbuch der Kâte-Sprache (deutsch und englisch), Berlin 1925; Ajo!, Ein Missionsbuch für die Jugend, (1926), Neuendettelsau [2]1958; Bunte Bilder aus der Missionsarbeit unter den Kâte, (2 Hefte), Neuendettelsau 1926; Eine Woche in einem Papuadorf, in: Jahrbuch d. Bayer. Missionskonferenz, 28 (1926), 9-18; Sane, der letzte Wasahäuptling, Neuendettelsau [2]1926; Songangu, ein Großer unter den Kâte, Neuendettelsau [2]1926; Wirkungen des Evangeliums unter den Papua, in: Mitteilungen zur Förderung einer deutschen christlichen Studentenbewegung, 1926/27; Das afrikanische Erziehungsproblem, in: Unsere Erfahrung, 7 (1927), H.1; Das Kirchenlied in Neuguinea, in: Monatsschrift für Gottesdienst u. kirchliche Kunst, 32 (1927), 243-246; Die Papua und der Missionar, in: Deutscher Missionskalender, 1927; Es ist in keinem andern Heil, in: Jahrbuch d. Bayer. Missionskonferenz, 29 (1927), 36-41; Kirche und Gemeinschaft, in: Kadners Jahrbuch f. d. evang.-luth. Landeskirche Bayerns, 21 (1927), 30-36; Liturgisches aus Neuguinea, in: Monatsschrift für Gottesdienst u. kirchliche Kunst, 32 (1927), 14 ff.; Papuanische Dankbarkeit, in: Deutscher Evang. Missionskalender, 1928; Sexualproblem und Okkultismus, in: Unsere Erfahrung, 8 (1928), H.2; Charakterbilder aus der Papua-Mission im Kaiser-Wilhelmsland (1. Sane, 2. Mitiang, 3. Hefanu, 4. Oli), in: Die Evang. Missionen, 35 (1929), 49-54, 100-106, 121-127; Eine Papuagemeinde, (1929), Neuendettelsau [2]1950; Neuguinea und Nias, in: Jahrbuch d. Bayer. Missionskonferenz, 31 (1929), 3-9; Der Stern mit dem langen Schwanz, in: Deutscher Evang. Missionskalender, 1930; Die Papua, Neuendettelsau [2]1930; Etwas über Heidenpredigt, in: Jahrbuch d. Bayer. Missionskonferenz, 32 (1930), 13-18; Missionserfahrung und Heimatkirche, in: Die Dorfkirche, 23 (1930), 265 ff.; Nacktkultur und Mission, in: Zeitwende, 6 (1930), 557-563; Weiße und Braune in Neuguinea, in: Amerik. luth. Kirchenblatt, 1930; Der Absolutheitsanspruch des Christentums im Lichte der Weltmission, in: Allgem. Evang.-Luth. Kirchenzeitung, 64 (1931), 484-487, 506-508, 535-540, 554-556; Die Lebensmacht des Christentums, in: Zeitwende, 7 (1931), 427-440; Indigenous Movement in New Guinea, in: World Dominion, 1931; Krankheitselend in der Heidenwelt, in: Jahrbuch d. Bayer. Missionskonferenz, 33 (1931), 67-75; Papuamädchen, Neuendettelsau 1931; Zum 60. Geburtstag Professor Dr. Dempwolffs, in: Neue Allgem. Missionszeitschrift, 8 (1931), 139-142; Die große Erweckung auf Nias, in: Unsere Erfahrung, 12 (1932), H. 2; Die völkische Frage im Lichte der Heidenmission, in: Allgem. Evang.-Luth. Kirchenzeitung, 65 (1932), 148-155; Nalumotte. Buben- und Mädchengeschichten aus Neuguinea, Neuendettelsau [2]1932; Naturvolk, Zivilisation und Mission in Neuguinea, in: Lutherisches Missionsjahrbuch, 45 (1932), 66-75; Persönliches und kollektivistisches Christentum, in: Neue Allgem. Missionszeitschrift, 9 (1932), 225-233; Zou, in: Deutscher Evang. Missionskalender, 1932; Kritik an der Mission, in: Neue Allgem. Missionszeitschrift, 10 (1933), 52-62; Mission und die völkische Frage, in: Evang. Missionsmagazin, N.F. 77 (1933), 232-243; Völkerentartung unter dem Kreuz, in: Unsere Erfahrung, 13 (1933), H.4; Altes Testament und die heutige Zeit, in: Zeitwende, 10 (1934), 129-142; Das größte Werk der Welt, München 1934; D. Ernst Johansen und der B.D.E.M., in: Unsere Erfahrung, 14 (1934), H.1; Die Bedeutung der Verantwortlichkeit in der Neuguinea-Mission, in: Neue Allgem. Missionszeitschrift, 11 (1934), 341-353; Die missionarische Verkündigung, in: Mission und Pfarramt, 27 (1934), 12-19; Kirche - eine Lebensnotwendigkeit, in: Unsere Erfahrung, 14 (1934), H.2; Missionserlebnisse in Neuguinea, in: J. Richter, Das Buch der deutschen Weltmission, Gotha 1934, 250-256; Not in Neuguinea, in: Jahrbuch d. Bayer. Missionskonferenz, 36 (1934), 19-27; Zake der Papuahäuptling, (1934), Neuendettelsau [3]1957; Der Geist, Neuendettelsau 1935; Der Goldmacher von Nganduo, in: Deutscher Evang. Missionskalender, 1935; Die Ordnung der Gemeinde, in: Das Gottesjahr, 15 (1935), 94-97; Die Weltmission, ein unmögliches Werk, Neuendettelsau 1935; Papuanisches Abenteuer, (1935), Neuendettelsau [2]1959; Volksnomos, Religion und Mission, in: Unsere Erfahrung, 15 (1935), H. 1; Was ist Heidentum?, in: Mission und Pfarramt, 28 (1935), 88-90; Christus im papuanischen Frauenleben, in: Für oder wider Christus, Salzuflen 1936; Fünfzig Jahre Mission unter den Papua, in: Evang. Missionsmagazin, N.F. 80 (1936), 165-175; Fünfzig Jahre Neuendettelsauer Mission in Neuguinea, in: Luth. Missionsjahrbuch, 49(1936), 106-115; Gottes Weg ins Hubeland, (1936), Neuendettelsau [2]1949, Engl. Übersetzung: Sanggang. Cannibal Chief to Christian, Madang 1987; Gott und sein Wort in der Mission, in: Die Wahrheit der Bibel, Berlin 1936; Hat Mission einen Sinn?, in: Arbeit und Stille, Salzuflen 1936, 70-72; Leitfaden für Missionare, Neuendettelsau 1936; Mission und Zivilisation unter Naturvölkern, in: Deutscher Evang. Missionskalender, 1936; Von der Heidenmission, in: Unsere Erfahrung, 16 (1936), H.1; Weihnachten bei Menschenfressern, in: Der helle Schein, Salzuflen 1936; Angriffe gegen die Mission, in: Unsere Erfahrung, 17 (1937), H.2; Erfahrungen mit Zauberern in Neuguinea, in: Der lebendige Christus, Berlin 1937, 62-69; Volkstum und Mission, in: Unsere Erfahrung, 17 (1937), H.2; Was mir meine Sattelberger schreiben, in: Jahrbuch der Bayer. Missionskonferenz, 39 (1937), 65-84; Wie wird Volk durch die Mission?, in: Neue Allgem. Missionszeitschrift, 14 (1937), 180-187; Die schöpferische Kraft des Christentums in der Heidenwelt, in: Unsere Erfahrung, 18 (1938), H.1; Group Conversion Among the Papuans, in: Internat. Review of Missions, XXVII (1938), 403-414; In das Heidentum zurück?, in: Deutscher Evang. Missionskalender, 1938; Leitfaden für die Neuendettelsauer Missionare, in: Unsere Erfahrung, 18 (1938), H. 2; Missionarische Fragen, in: ebda.; Goldmacherei, die schwere Versuchung einer Papuagemeinde, in: Unsere Erfahrung, 19 (1939), H.1; Ist Gott wirklich da?, in: Deutscher Evang. Missionskalender, 1939; Missionsanfang in Innerneuguinea, in: J. Richter, Die Deutsche evang. Weltmission in Wort und Bild, Nürnberg 1939, 120-124; Missionserlebnisse im Papualand, in: ebda. 321-326; Naturvolk und Sünde, in: Zeitwende, 15 (1939), 588-597; Papuachristen und Tod, in: Sendende Gemeinde, 58/59 (1939), 66-71; Religionsunterricht auf dem Missionsfeld, in: Unsere Erfahrung, 19 (1939), H.1; Sprache und Seele der Papua in Neuguinea, in: Deutsche Kolonialzeitung, 51 (1939), 82 ff.; Wir Heiden und ihr Christen, Neuendettelsau 1939; Der Prophet von Tobou, Berlin 1940; Gottesdienstliches Leben in Neuguinea, in: Blätter für Mission, 1 (1940), Juni; Lernet erst das Volk kennen!, in: Deutscher Evang. Missionskalender, 1940; Lutherische Mission in Australien, in: Vom Missionsdienst der Lutherischen Kirche, 3 (1940), 32-45; Der große Tag, in: Blätter für Mission, 2 (1941); Die Papua in Neuguinea als Arbeiter und Produzenten landwirtschaftlicher Erzeugnisse, in: Kolonial-Rundschau, 32 (1941), 103-114; Die Neuguineamission in der Kriegszeit, in: Hilfsbuch d. Bayer. Missionskonferenz, 44 (1942), 12-16; Die Papua und das Wort, in: Evang. Missions-Zeitschrift, 5 (1944), 212-219; Die braunen B-Buben, Neuendettelsau 1951; Die missionarische Verantwortung der Papuagemeinden, in: Mission und Kirche, Neuendettelsau 1951, 17-26; Eine Besuchsreise in Neuguinea, Neuendettelsau 1951; Kasuar-Geschichten, Neuendettelsau 1951; Lichtfunken in heidnischer Finsternis, Neuendettelsau 1951; Der Großhäuptling und seine Frau. Ein

papuanisches Sittenbild, Neuendettelsau 1952; Der weggeworfene Junge, Neuendettelsau 1952; Erlebnisse im Papualand, Neuendettelsau 1952; Papuanischer Humor, Neuendettelsau 1952; Papua-Torheiten, Neuendettelsau 1952; Frauengeschichten aus Neuguinea, (1953), Neuendettelsau [2]1956; Reiseerlebnisse in der Heimat, in: Die bayer. Missionsarbeit einst und jetzt, Neuendettelsau 1953, 72-75; Der Christenfresser, Neuendettelsau 1954; Der Steinzeitbauer. Wie der heidnische Papua sein Feld bestellt, Neuendettelsau 1958; Gottesfeuer. Kurzgeschichte der Neuguinea-Mission, Neuendettelsau 1959; Lehret alle Völker! Beispiele aus der Mission zum Kleinen Katechismus, Neuendettelsau 1960; Papua-Tanz, Neuendettelsau 1960; Papuanische Konfirmation, Neuendettelsau 1960; Urwald-Spaziergang, Neuendettelsau [2]1960; Die Geisterwand, (o.J.), Neuendettelsau [2]1960; Der Lügenprophet, Neuendettelsau o.J.; Die Lopiong Säule, Neuendettelsau o.J.; Heidenangst, Neuendettelsau o.J.; Aus der Steinpfalz in die Steinzeit. Wie Johann Flierl der Bahnbrecher der Neuguineamission wurde, in: Nachrichten der Evang.-Luth. Kirche in Bayern, 16 (1961), 182-183; Eine Gemeinde erkennt ihren Missionsauftrag. Von der Küstengemeinde Kela wurde die Botschaft in das heidnische Hinterland getragen, in: ebda., 184-185; Vor 75 Jahren: So fing es an ..., in: 75 Jahre Neuguinea-Mission, hg. von Hans Neumeyer, Neuendettelsau 1961, 4-10; Das bin bloß ich. Lebenserinnerungen, Neuendettelsau 1966; A People Reborn, Pasadena 1980; - Nicht einzeln aufgeführt wurden die Beiträge in den Neuendettelsauer Missionsblättern (z.T. von Keyßer redigiert) »Kirchliche Mitteilungen«, »Neuendettelsauer Missionsblatt«, »Freimund Wochenblatt«, »Freimund Kalender«, »In alle Welt«, »Concordia«.

Lit.: Walter Holsten, Das Evangelium und die Völker (darin bes. Chr. Keyßers Schriftgebrauch, S. 135 f.), Berlin 1939; — Friedrich Eppelein, Christian Keyßer, ein Gefolgsmann Martin Luthers und Wilhelm Löhes?, in: Jahrbuch der Bayer. Missionskonferenz 46 (1949/50) (Festschrift zum 70. Geburtstag von Dr. Chr. Keyßer), 9-24 (Lit.); — Willem A. Krige, Die probleem van eiesoortige kerkvorming by Christian Keyßer (Diss. Amsterdam), 1954; — Georg Pilhofer, Die Geschichte der Neuendettelsauer Mission in Neuguinea, 3 Bde., Neuendettelsau 1961-1963; — Johannes Chr. Hoekendijk, Kirche und Volk in der deutschen Missionswissenschaft (darin bes. S. 177-189), München 1967; — Adam Metzner, Christian Keyßer - ein Missionar, in: Die Kirche wächst in aller Welt. Handreichung für den kirchengeschichtlichen Unterricht, Neuendettelsau 1969; — Friedrich Wilhelm Kantzenbach, Das Neuendettelsauer Missionswerk und die Anfänge des Kirchenkampfes, in: Zeitschrift f. bayer. Kirchengeschichte, 40 (1971), 227-245; — Wilhelm Fugmann, Christian Keyßer - sein Leben und sein Werk. Zu seinem 100. Geburtstag, in: Concordia, Sondernummer 1977; — Wilhelm Fugmann u. Herwig Wagner, Von Gott erzählen. Das Leben Christian Keyßers, Neuendettelsau 1978; — Herwig Wagner, Die geistliche Heimat von Christian Keyßer, in: Fides pro mundi vita (Gensichen-Festschrift), Gütersloh 1980, 119-132; — Wilhelm Fugmann (Hg.), Christian Keyßer. Bürger zweier Welten, Neuhausen-Stuttgart 1985; — Herwig Wagner, Hermann Reiner (Hg.), The Lutheran Church in Papua New Guinea, The First Hundred Years, 1886-1986, Adelaide [2]1987; — Theo Ahrens, Die Aktualität Christian Keyßers, in: Zeitschrift für Mission,

14 (1988), 94-110; — Eine ausführliche Monographie über Keyßer fehlt derzeit noch - RGG ³III, 1263; — Lex.z. Weltmission, 278 f.

Herwig Wagner

KHAMA III. (genau: Kgama Boikanyo Sekgoma), König (engl.: Paramount Chief, setswana: kgosi od. morêna) der Ngwato (auch Bangwato, bamaNgwato) in Botswana (früher: Betschuanaland), wichtigster Politiker Botswanas um die Wende vom 19. zum 20. Jahrhundert. * ca. 1835 in Moshu als ältester Sohn des Chiefs Sekgoma Kgari (1810-1883), † 1923 in Serowe. — K. war seit Ende 1858 Schüler der Hermannsburger Mission, zuerst bei Christoph Heinrich Backeberg (1821-1900) in Liteyane (bei Molepolole), dann ab Juli 1859 bei Christoph Heinrich Schulenburg (1830-1891) in Shoshong, der ihn am 6.5. 1860 taufte. K.s Vater Sekgoma, der kein persönliches Interesse am Christentum zeigte, das Wirken der Mission jedoch aus ökonomisch-politischen Gründen wohlwollend tolerierte, mußte zusehen, wie sein Sohn und Nachfolger die bald als heidnisch empfundenen Traditionen (z.B. Initiationsriten, Regenmachen, Brautpreis, Polygamie) unter bewußter Mißachtung alter Sozialstrukturen aufgab. Stattdessen identifizierte K. sich völlig mit der als überlegen erlebten christlich-abendländischen Kultur, woran auch die Ablösung der Hermannsburger durch die Londoner Missionsgesellschaft (LMS) 1862/64, vertreten zuerst durch John Mackenzie (1835-1899) und Roger Price (1834-1900), nichts änderte. Dies führte unter den Ngwato zu starken Spannungen, die schließlich in einen Bürgerkrieg, K.s gewaltsame Inthronisation 1872/75 und die Flucht der unterlegenen Partei des Vaters ins Exil mündeten. Unter K.s Führung wurden die gesellschaftlichen Verhältnisse der Ngwato grundlegend reformiert, was beitrug, daß die Ngwato innerhalb weniger Jahrzehnte zum vorherrschenden Tswana-Volk außerhalb Südafrikas aufsteigen konnten. Seinen bald legendären Ruf (v.a. unter englischsprachigen, der LMS wohlgesinnten Europäern) soll K. zu Beginn seiner Herrschaft mit einem strikten Alkoholverbot in den von ihm beherrschten Gebieten begründet haben. K. baute Shoshong zu einem Handelszentrum aus, förderte nach Mög-lichkeit die Erziehung der Jugend durch Europäer und setzte die politische Einheit der Ngwato autoritär durch, was sie in die Lage versetzte, Übergriffe von außen besser abzuwehren. Als gefährlichste Widersacher der Ngwato hatten sich bereits seit längerem die immer öfter in Richtung Kalahari treckenden Buren des Transvaal erwiesen. Da sich außerdem ab 1883 Deutschland in Namibia (früher Südwestafrika) festsetzte, garantierte Großbritannien, beunruhigt von der möglich erscheinenden Vision einer deutsch-burischen Allianz, ab 27.2. 1884 die Westgrenze Botswanas. K. setzte auch der anschließenden Errichtung eines britischen Protektorats über Botswana bis zum 22. Breitengrad (bei innerer Autonomie) ab 1.3. 1885 keinen Widerstand entgegen. Großbritannien war jedoch weniger an Botswana als an einer Eindämmung der burischen Expansion interessiert und beabsichtigte deshalb ab 1895, die Verwaltung Botswanas der kommerziell orientierten Britischen Südafrikagesellschaft (BSAC) unter Cecil Rhodes (1853-1902) zu überlassen. Für die BSAC wäre Botswana zunächst nur als Durchzugsgebiet (Rhodes: »Suezkanal um Norden«) bei der Erschließung Zimbabwes (zuerst Ndebele- und Shonaland, später Rhodesien) von Interesse gewesen. K. protestierte energisch und segelte zusammen mit zwei weiteren Tswana-Chiefs nach England, wo er mit seinem Anliegen, nicht zuletzt wegen seines durch die LMS geförderten Rufes als aufgeklärter König, auf viel Sympathie stieß. Der britische Kolonialsekretär Joseph Chamberlain (1836-1914) ließ die Übergabe Botswanas an die BSAC verhindern; allerdings mußte Land zum Bau einer Eisenbahn in den Norden wie auch zur Ansiedlung von Europäern abgetreten werden; außerdem wurde eine Besteuerung für die Verwaltung des Protektorats eingeführt. Dennoch markierte das Abkommen vom 7.11. 1895 im Zeitalter des Imperialismus einen für Afrikaner höchst ungewöhnlichen politischen Erfolg. Später widersetzte K. sich der drohenden Überlassung Botswanas an die 1910 begründete Südafrikanische Union. Während K.s Außenpolitik somit im großen und ganzen erfolgreich verlief, gestaltete seine Innenpolitik sich oft weniger glücklich. Wegen anhaltendem Widerstand einiger zwangsweise von den Ngwato assimilierten Völker sah K.

sich zweimal, 1887 und 1922, gezwungen, Soldaten gegen Aufständische auszusenden. Vor allem die Unterdrückung der Birwa 1922 führte zu internationalen Protesten. Streitigkeiten in der Familie führten zur Entfremdung von vielen seiner Verwandten. — K.s historische Leistung liegt v.a. in der Verteidigung der inneren Autonomie seines Reiches bei gleichzeitiger Gesellschaftsreform begründet. Die Annahme und Förderung des Christentums, eine modernisierte Gesetzgebung sowie die Subordination unter die britische Krone erwiesen sich unter den gegebenen politischen Voraussetzungen als dazu geeignete Strategien.

Werke: Khama's own Account of Himself, hg.v. Quett Neil Parsons, in: Botswana Notes & Records 4, 1972, 137ff.

Lit.: John Mackenzie, Ten Years North of the Orange River. A Story of Everyday Life and Work among the South African Tribes from 1859-1869, Edinburgh 1871 (repr. 1972²); — Ders., Day-Dawn in Dark Places. A Story of Wanderings and Work in Bechuanaland, London 1883 (repr. 1969²); — L.K. Bruce, The Story of an African Chief, K., London 1893; — E. Lloyd, Three Great African Chiefs: K., Sebele, and Bathoeng, London 1895; — James Davidson Hepburn, Twenty Years in Khama's Country, and Pioneering among the Batauana of Lake Ngami, London 1895; — John Charles Harris, K., the Great African Chief, London 1923; — Julian Mockford, K.: King of the Bamangwato, London 1931; — Una Long (Hg.), Journals of Elizabeth Lees Price, Written in Bechuanaland, Southern Africa, 1854-83, London 1956; — Isaac Schapera (Hg.), Praise Poems of Tswana Chiefs, London 1965; — Thomas Tlou, »Melao Yaga K.« (K.s Gesetzeswerk): Transformation in the Nineteenth Century Ngwato State, (M.A., Wisconsin), 1968; — Ders., K. III - Great Reformer and Innovator, in: Botswana Notes & Records 2, 1970, 98ff; — Anthony J. Dachs, K. of Botswana, London 1971; — Neil Quett Parsons, The Image of K. the Great 1868-1970, in: Botswana Notes & Records 3, 1971, 41ff; — Jackson Mutero Chirenje, A History of Northern Botswana 1850-1910, London 1977; — Ders., Chief K. and his Times: the Story of a Southern African Ruler, London 1978; — Bessie Head, A Bewitched Crossroad, Craighall (RSA) 1984; — Thomas Tlou/Alec Campbell, History of Botswana, Gaborone (Botswana) 1984; — Wolfgang Proske, Botswana und die Anfänge der Hermannsburger Mission, Frankfurt 1989; — Eric Rosenthal, Southern African Dictionary of National Biography, London 1966, 197; — Richard P. Stevens, Historical Dictionary of the Republic of Botswana, Metuchen (USA) 1975, 78ff.

Wolfgang Proske

KHLESL, Abraham siehe Klesl, Abraham

KHLESL, Melchior siehe Klesl, Melchior

KHOMIAKOV, Alexis (Chomjakóv, Aleksej Stepanovič), einer der wichtigsten Vertreter des russischen Slawophilentums und der russischen Religionsphilosophie, * 1.(13.)5. 1804 in Moskau, aus alter adliger Familie, † 23.9.(5.10.)1860 in Ternovskoe (Kazan'), bestattet in Moskau. — K. erhielt eine für den Adelsstand jener Zeit typische, umfassende Erziehung und wurde bereits in der Kindheit mit der französischen, englischen und lateinischen Sprache vertraut gemacht. Er studierte Theologie, Philosophie und Mathematik u. a. an der Universität in Moskau. 1821 debütierte K. als Publizist und betätigte sich bis Mitte der 1830er Jahre vor allem als Dichter und Dramatiker. Er war mit führenden russischen Schriftstellern seiner Zeit - A. Puškin, K. Ryleev u. a. - bekannt und besaß auch gute Kenntnisse über die Kultur Westeuropas, wohin er 1825/26 reiste. 1822-25 und 1828 leistete er Militärdienst und nahm am russisch-türkischen Krieg teil. Seit Ende der 1830er Jahre befaßte sich K. immer intensiver mit dem slavophilen Gedankengut und wurde ein bedeutender Wortführer dieser Bewegung, die eine Annäherung der slawischen Völker unter der Führung Rußlands sowie einen Bedeutungszuwachs der Orthodoxie für das Geistesleben Osteuropas anstrebte. K. entfaltete seine Ideen in zahlreichen Gedichten, Aufsätzen, einer unvollendeten Weltgeschichte und in unermüdlicher Diskussion in verschiedenen literarischen Salons (etwa mit Čaadaev, den Brüdern Kirejewskij, Herzen u.a.). 1834 heiratete er E. Jazykova, mit der er mehrere Kinder hatte. 1844 begannen die brieflichen Kontakte K.s zu den englischen Theologen Palmer und Williams; 1847 reiste K. nach England und Deutschland (zu Schelling). Die grundlegende theologische Schrift K.s, »Cerko vodna« (Die eine Kirche) entstand 1845, und seit dieser Zeit bildete die Auseinandersetzung mit der Religion den Schwerpunkt seiner Überlegungen. Daneben beschäftigte sich K. immer wieder mit sozialen und wirtschaftlichen Problemen seiner Zeit; so legte er 1859 ein Konzept zur Aufhebung der Leibeigenschaft vor. — K. war von der Mitte der 1840er Jahre bis zu seinem Tod der anerkannte Führer der Slawophilen und übte starken Einfluß auf die nächste Generation dieser Geistesrichtung (A. Aksakov, Ju. Samarin) aus. Kritisch muß der von K. entworfene Mythos von den »Iraniern« und »Kuschiten« als den zwei gegensätzlichen Völkergruppen der Menschheitsgeschichte gesehen werden (wobei das russische Volk in der Nachfolge der »freien Iranier« steht); desgleichen seine Idealisierung des vorpetrinischen Rußland und der russischen Dorfgemeinde (»mir«). Bedeutsam für die weitere russische Religionsphilosophie ist die Ekklesiologie K.s: Neben der Kritik an Protestantismus wie Katholizismus (besonders was die hierarchische Kirchenstruktur anbelangt) trat K. für eine universale, pneumatische Kirche ein, unter Ausschaltung der »trennenden Kräfte« des Rationalismus. Von dem jüngeren Slawophilen Ju. Samarin wurde K. als neuer »Kirchenlehrer« bezeichnet. Schon zu Lebzeiten war K. wegen seiner beachtlichen Vielseitigkeit bekannt: Neben den erwähnten Tätigkeiten hatte er Sanskrit und Griechisch studiert, war Jäger, Hundezüchter, Erfinder einer Dampfmaschine und experimentierte an medizinischen Mitteln gegen die Cholera.

Werke: L'église latine et le protestantisme au point de vue de l'église d'orient, 1872 (Repr. 1969); Russia and the English Church During the Last Fifty Years, vol. 1, hrsg. v. W. Birkbeck, 1895 (Repr. 1969); Stichotvorenija i dramy, 1969²; — Ausgew. hist. Schriften, hrsg. v. Friedrich Bodenstedt, (Russ. Fragmente 2), 1862; Versuch einer katechet. Darst. der Lehre von der Kirche, 1870; Hans Ehrenberg/Nikolai v. Bubnoff (Hrsg.), Östl. Christentum, Dokumente, 1923-25, Bd. 1, 139-214; Bd. 2, 1-27; Izbrannye sočinenija, pod red. N.S. Arsen'eva, 1955; Polnoe sobranie sočinenij, 8 Bde., 1900-14; Istorija russkoj literatury 19 v., Bibliografičeskij ukazatel', 1962, 764-767; Boris Kandel' u. a., Russkaja chudožestvennaja literatura i literaturovedenie, Ukazatel' bibliografičeskich posobij, 1976, 300.

Lit.: V. Zavitnevič, A. S. C., 2 Bde., 1902/1913; — Nikolaj Berdjaev, A. S. C., 1912 (Reprint 1971); — N. Arseniev, C. und Moehler, in: Die Ostkirche 1927, 89-92; — Ders., Alexey Khomyakov (1804-1860), in: St Vladimir's Seminary Quaterly 5, 1961, 3-10; — A. Gratieux, A. K. et le mouvement slavophile, 2 Bde., 1939 (Unam Sanctam 5/6); — Nicholas v. Riasanovsky, Rußland und der Westen, Die Lehre der Slavophilen, Studie über eine romant. Ideologie, 1954; — Ders., A. S. K.'s Religious Thought, in: St Vladimir's Theological Quarterly 23, 1979, 87-100; — B. Plank, Katholizität und Sobornost'. Ein Beitrag zum Verständnis der Katholizität der Kirche bei den russ. Theologen in der 2. Hälfte des 19. Jh.s, 1960 (Das östl. Christentum NF Heft 14); — Peter Christoff, An Introduction to 19th-Century Russian Slavophilism, A Study in Ideas, vol. 1, A.S. Xomjakov, 1961; — Dmitrij Tschiževskij, Rußland zwischen Ost und West, Russ. Geistesgesch. 2, 18.-20. Jh., 1961, 73-76; — Reinhard Slenczka, Ostkirche und Ökumene, 1962 (FS ÖTh 9), 61-79; — V. Piroschkow, Die Korr. zw. C. u. Palmer, in: OstKSt 12, 1963, 273-294; — J. Lavrin, K. and the Slaves, in: Russian Rv. 1964/1, 35-48; — L. Peano, La Chiesa nel pensiero russo slavofilo, 1964, 97-117; — Andrzej Walicki, The slavophile Controversy, 1975, 179-237; — Raymond McNally, Chaadaev vs. K. in the Late 1830's and the 1840's, in: Journal of the History of Ideas 27, 1966, 73-91; — J. Wieczynski, A. S. K.'s »Foreigners Opinion of Russia« (Diss. Georgetown), 1966; — Ders., K.'s Critique of Western Christianity, in: ChH 38, 1969, 291-299; — H. Schaeder, »Sobornost'« in den Schriften von A. C., in: Kyrios 7, 1967, 256-258; — Ernst Suttner, Offenbarung, Gnade und Kirche bei A. S. C., 1967 (Das östl. Christentum NF 20); — E. Majmin, C. kak poēt, in: Puškinskij sbornik, 1968, 69-114; — John Scherer, The Myth of the »Alienated« Russian Intellectual: M. Bakunin, A. Khomyakov, V. Belinsky, N. Stankevich, A. Herzen (Diss. Indiana), 1968, 39-55; — B. Schultze, Vertiefte C.-Forsch.: Ekklesiologie, Dialektik, Soteriologie, Gemeinschaftsmystik, in: OrChrP 34, 1968, 360-411; — Ders., Orth. Kritik an der Ekklesiologie C.s, Tl. 1, in: OrChrP 36, 1970, 407-431; Tl. 2, in: OrChrP 37, 1971, 160-181; — V. Bočkarev, Tragedija A. S. C.a »Ermak« i ee mesto v razvitii russkoj istoričeskoj dramaturgii, in: Ot »Slova o polku Igoreve« do »Tichogo Dona«, 1969, 112-121; — Ivan Dzjuba, Ševčenko i Xomjakov, in: Sučasnist' 10, 1969, 62-78; — S. Mašinskij, Slavjanofil'stvo i ego istolkovateli, in: Voprosy literatury 1969/12, 102-140; — Ema Panovová, Slovenské literárne polemiky a C., in: Československá Rusistika 14, 1969, 162-167; — E. Majmin, »Boris Godunov« Puškina i istoričeskie dramy C.a, in: Puškinskij sbornik, 1972 (Učenye zapiski 483), 3-16; — Adam Bezwiński, Twórczość poetycka Aleksego Chomiakowa, 1976; — Ders., Utwory dramatyczne Aleksego Chomiakowa, in: Slavia Orientalis 25, 1976, 165-181; — Paul Evdokimov, Principal Currents of Orthodox Ecclesiology in the 19th Century, in: Eastern Churches Rv. 10, 1978, 26-42; — L.N. Tolstoj a A. S. C., Problémy a príčiny intenzity ich recepcie na Slovensku, in: Slovenská Literatúra 25, 1978, 680-692; — S. Nosov, K voprosu o formirovanii obščinnoj teorii rannego slavjanofil'stva, Po sledam perepiski meždu A. S. Xomjakovym i A. I. Koselevym, in: Vestnik Leningradskogo Universiteta, Serija istorii, Jazyka i Literatury 20, 1980, 16-20; — Peter Plank, Paralipomena zur Ekklesiologie A. S. C.s, in: OstKSt 29, 1980, 3-29; — Paul O'Leary, Authority to Proclaim the Word of God, and the Consent of the Church, in: FZThPh 29, 1982, 239-251; — Mary Ritchey, K. and his Theory of Sobornost, in: Diakonia 17, 1982, 53-62; — Henryk Paprocki, La problématique du développement de la révélation, in: Istina 28, 1983, 357-373; — Joseph Loya, For Harmony in Freedom and Truth, »Radical« Visions of the Church from 19th-Century Russia, in: OstKSt 33, 1984, 302-309; — Martin George, In der Kirche leben. Eine Gegenüberstellung der Ekklesiologie Wilhelm Löhes u. A. C.s, in: KuD 31, 1985, 212-248; — Russkij biografičeskij slovar', 1896-1918, XXI, 397-411; — RGG I, 1674; — LThK II, 1076; — Wilpert I, 272; — Dictionnaire biographique des auteurs, 1964², I, 17; — Filosofskaja ènciklopedija V, 1970, 443 f.; — Russkie pisateli, Biobibliografičeskij slovar', 1971, 672-675; — Sovetskaja istoričeskaja ènciklopedija XV, 1974, 619 f.; — Kratkaja literaturnaja ènciklopedija VIII, 1975, 309 f.; — Slovník spisovatelů, Sovětský svaz I, 1977, 474 f.; — TRE VIII, 2-4; — Literatur-Brockhaus I, 1988, 400.

Thomas Wünsch

KHUEN (Kuen), Johannes, deutscher Komponist, * 1605 oder 1606 in Moosach, dem heutigen Münchener Stadtteil, † 14.11. 1675 in München. — K. besuchte die Jesuitenschule in München und fand wegen seiner musikalischen Begabung wahrscheinlich im St. Gregori- oder Kosthause Aufnahme, dessen Zöglinge Sänger in St. Michael, in der lateinischen Kongregation und zuweilen am Hofe des Kurfürsten waren. K.s Lehrer in der Syntax war der Elässer P. Thomas König. Pater Johannes Gailberger führte ihn in die Poesie ein. In der Tonkunst unterrichtete ihn wahrscheinlich Georg Victorinus. Zwischen 1626 und 1627 trat K. als Theoretiker in die Größere Marianische Kongregation ein, wo er sich mit Joachim Meychel, der die Schriften Drexels und vor allem den Cenpdoxus Bidermanns übersetzte, anfreundete. Ende 1630 empfing er die Priesterweihe und trat 1631 seinen ersten Posten an. Nach einem halben Jahr übernahm er die Stelle eines Hauskaplans in der Wartenbergischen Kapelle im Krottental, jetzt Rosental in München. Im Pestjahr 1634 wurde ihm das »benefizium trium regum«, das Barth'sche Benefizium am Dreikönigsaltar in St. Peter übertragen. Diese Stelle behielt er bis zu seinem Tode. — In der deutschen Poesie des 17. Jahrhunderts nimmt K. neben Friedrich von Spee eine bevorzugte Stellung mit Anspruch auf Originalität ein, da Spees »Trutznachtigall« und »Güldenes Tagebuch« erst 1649 veröffentlicht wurden. Mit Jakob Balde verband ihn eine Freundschaft im sogenannten Magern Orden, beide Dichter arbeiteten eng miteinander (vgl. Chorea mortualis oder Todtentanz anläßlich des Todes von Kaiserin Leopoldine). Barocker Symbolik treu schrieb K. Zyklen von zwölf Gedichten, deren jedes zwölf Strophen zählt. Schon bald wurden K.-Lieder in verschiedene Gesangbücher aufgenommen: In das Würzburger und das Mainzer Gesangbuch, vor allem aber in »Die Geistliche Nachtigall« des Göttweiger Abtes David Gregor Corner (1658). Besonders die Münchener Frauenklöster haben sein Liederwerk gepflegt. Einige wenige Lieder finden sich noch heute in Gesangbüchern. Als Zeitgenosse von Heinrich Albert ist K. Hauptvertreter einer süddeutschen Monodistenschule, die sich aber infolge der widrigen Zeitverhältnisse nicht voll entfalten konnte. Bis etwa 1650 sind K.s Kompositionen von den traditionellen Ausdrucksmitteln bestimmt wie Kirchentonarten, Bevorzugung des Tripeltaktes. Darauf erreichte K. in den Gesängen der Geistlichen Schäfferey (1650 ff.) und vor allem in der 5. Auflage des Epithalamium Marianum Freiheiten durch ausdrucksvolle Entfaltung der Melodiebildung, abwechslungsreiche Rhythmen und ausgeprägte Dur-Moll-Tonalität.

Werke: Vexillum patientiae oder Creutz-Fahnen, München 1635; Epithalamium Marianum oder Tafelmusik deß himmlischen Frawenzimmers, München 1636; 2/1638, 3/16?, 4/1644 erw. durch die Teile Convivium Marianum, Florilegium Marianum, Rosetum Marianum, Diadema Marianum, Monile Marianum, Cimaliarchium Nympharum, Amarum et dulce mori, 5/1659; Convivium Marianum, Freudenfest deß himmlischen Frawenzimmers, ebd. 1637; Florilegium Marianum Der brinnendt Dornbusch, ebd. 1638; Die Geistlich Turteltaub, ebd. 1639; Cor contritum et humiliatum, Engelfrewd oder Bußseuffzter, München 1640; Mausoleum Salomonis, Der Potentaten Grabschrifft, ebd. 1641; Tabernacula Pastorum, Die Geistlich Schäfferey, ebd. 1650; Munera Pastorum, Hirten-Ambt u. anweisung der Geistlichen Schäfferey, ebd. 1655; Drey schöne newe Geistliche Lieder (anon., jedoch von K.), München 1637; Fünfftzig Klaglied über die Eitelkeit der Weltpotentaten, München 1655 (nach Kobolt, Bayer. Gelehrten-Lex.); Dt. Übertragungen von Werken J. Baldes; Andachtsbücher ohne Musik. — Edition: J. K.: Ausgewählte Texte und Melodien, hrsg. von R. Hirschenauer und H. Graßl (Melodien und musik. Hinweise S. Gmeinwieser), München 1961.

Lit.: EitnerQ; — MGG VII, 876-877; — NG X, 53; — Dizionario della Musica e dei Musicisti, Le biografie, 1985 ff., 216; — W. Bäumker, Das kath. Kirchenlied in seinen Singweisen I, Freiburg i. Br. 1886; — Curt v. Faber du Faur, J. K., in: Publications of the modern Language Association of America, 1949, vol. 64, Nr. 4, 5, 746-770; — B. Genz, J. K., Eine Unters. zur süddt. geistl. Lieddichtung, Diss. Köln 1957; S. Gmeinwieser, J. K., Eine Studie zur süddt. Liedkomposition, Zulassungsarbeit München 1961; — P. Hankamer, Die dt. Dichtung der Gegenreformation und des Barock, Stuttgart 2/1947; — A. Scharnagl, Geistl. Liedkomponisten des süddt. Frühbarock, in: KmJb 1958, 42. Jg., 81-87; — O. Ursprung, J. K., ein Alt-Münchener Dichterkomponist, in: Musica sacra, 1921, 17, 25, 34, 57; — Ders., Die kath. Kirchenmusik, Potsdam 1931, 222-223; — Ders., Münchens musik. Vergangenheit von der Frühzeit bis zu Richard Wagner, München 1927, 54, 70, 80 f., 86, 99; — Ders., Vier Studien zur Gesch. des dt. Liedes, AfMw VI, 1924, 262-323; — W. Vetter, Das frühdt. Lied I, Münster 1928; — B. A. Wallner, J. K., Ein Alt-Münchener Dichterkomponist, St. Peters-Kalender 1920, 37-50; — Dies. in: DTB 27/28, 1928, XXI; — G. Westermeyer, J. K., ein Zeit- und Kunstgenosse Friedrichs Spee's, in: Hist.-polit. Bl. für das kath. Dtld., München 1874, 1.

Siegfried Gmeinwieser

KIEFL, Franz Xaver, Dogmatikprofessor an der Katholisch-Theologischen Fakultät der Universität Würzburg, * 17.10. 1869 in Höhenrain bei Plattling in Bayern, † 5.7. 1928 in Regensburg. — F. X. K. studierte Philosophie und Katholische Theologie am Lyzeum in Regensburg und an der Universität München. Die Priesterweihe empfing er am 29.4. 1894 in Regensburg. Nach mehrjähriger Seelsorgstägigkeit in verschiedenen Pfarreien und weiterführenden Hochschulstudien an der Universität München begann er seine Hochschullehrerlaufbahn als Professor für Neutestamentliche Exegese am Lyzeum in Dillingen, drei Jahre später wechselte er an das Lyzeum von Passau. Von 1905 - 1911 war er Professor für Dogmatik und Christliche Symbolik an der Universität Würzburg, wo er 1908 zum Rektor gewählt wurde. Am 1.7. 1911 wurde er zum Domkapitular und am 5.3. 1914 zum Domdekan in Regensburg ernannt. — F. X. K. hat sich intensiv mit zeitgenössischen philosophischen und theologischen Strömungen beschäftigt. Bemerkenswert ist seine literarische Auseinandersetzung mit der Liberalen Theologie des 19. Jahrhunderts. Er war darum bemüht, den katholischen Glauben auf dem Hintergrund der zeitgenössischen geistigen Strömungen zu formulieren. Dabei geriet er ebenso wie seine Kollegen Herman Schell und Sebastian Merkle in den Verdacht, modernistische Gedanken zu vertreten.

Werke: Pierre Gassendis Erkenntnislehre (Diss.), München 1893; Der Friedensplan des Leibniz zur Wiedervereinigung der getrennten christl. Kirchen, Paderborn 1903, 2. Ausgabe: Leibniz und die relig. Wiedervereinigung Deutschlands, Regensburg 1925; Herman Schell, 1907; Die Stellung der Kirche zur Theologie von Herman Schell auf Grund der kirchl. Akten und der literar. Quellen erl., Paderborn 1908; Charles Darwin und die Theologie. Festrede zur Feier des 327jährigen Bestehens der Königl. Julius-Maximilians-Universität zu Würzburg, Würzburg 1909; Der geschichtl. Christus und die mod. Philosophie. Eine genet. Darlegung der philos. Voraussetzungen im Streit um die Christusmythe, Mainz 1911; Der Eid gegen den Modernismus, Kempten 1912; Gutachten über den durch das päpstl. Motu proprio »Sacrorum Antistitum« vom 1.9. 1910 für den kath. Klerus vorgeschriebenen Eid gegen den Modernismus im Auftrage des K. B. Staatsministerium des Inneren für Kirchen- und Schulangelegenheiten erstattet, Kempten-München 1912; Leibniz, Mainz 1913; Die philos. Grundlagen des freidenkerischen Erziehungsprogramms, Regensburg 1913; Das christl. Sittlichkeitsideal und das freidenkerische Menschheitserziehungsprogramm, Regensburg 1913; Die Theorien des modernen Sozialismus über den Ursprung des Christentums,

Kempten/München 1915; Foersters Religionsphilosophie und der Katholizismus, Donauwörth 1918; Foersters Stellung zum Christentum, Donauwörth 1918; Sozialismus und Religion, Regensburg 1919, 1920²; Christentum und Pädagogik, Regensburg 1920; Kath. Weltanschauung und modernes Denken, Regensburg 1921, 2. u. 3. Aufl. 1922; Moderne Jugendkultur, Regensburg 1921, 1922²; Krit. Randglossen zum Bayerischen Konkordat unter dem Gesichtspunkte der mod. Kulturideale und der Trennung von Staat und Kirche, Regensburg 1926; Die Staatsphilosophie der Kath. Kirche und die Frage der Legitimität in der Erbmonarchie, Regensburg 1928; Johann Adam Möhler, Symbolik oder Darstellung der dogmat. Gegensätze der Katholiken und Protestanten nach ihren öffentl. Bekenntnisschrr., 10. Aufl., hrsg. v. F. X. K., Regensburg 1920.

Lit.: Norbert Trippen, Theologie und Lehramt im Konflikt, 1977; — Karl Josef Lesch, F. X. K. und der Reformkatholizismus, in: Würzburger Diözesangeschichtsblätter 44, 1982, 359-387; — Kosch, KD 2101; — LThK VI, 128 f.

Karl Josef Lesch

KIEL, Friedrich, Komponist, * 7.10. 1821 in Puderbach (Wittgensteiner Land, bei Bad Laasphe), † 13.9. 1885 in Berlin. — Die Eltern K.s kamen aus einfachen Verhältnissen. Sein Vater Jost K. war Lehrer, seine Mutter die Tochter eines Hirten. Der Knabe zeigte schon früh eine starke musikalische Begabung und begann im Alter von etwa sechs Jahren ohne Anleitung auf dem Klavier Melodien, die ihm bekannt waren, aus dem Gedächtnis zu spielen. Als er elf Jahre alt war, beschloß sein Vater, ihm wenigstens elementare Musikkentnisse zukommen zu lassen. Der Musiklehrer des Lehrerseminars in Soest konnte den Vater davon überzeugen, seinem Sohn eine musikalische Laufbahn zu ermöglichen. Nachdem die Familie im Jahre 1827 nach Schwarzenau übersiedelt war, vermittelte der dortige Superintendent die Bekanntschaft mit dem musikliebenden Fürsten Albrecht I. von Sayn-Wittgenstein-Berleburg, der dann auch für die weitere musikalische Ausbildung des jungen K. sorgte. Der Bruder des Fürsten, Prinz Karl, erteilte ihm Violinunterricht. Bereits ein Dreivierteljahr später konnte er als Geiger im Hoforchester mitwirken. Im Jahre 1840 wurde er Konzertmeister der Hofkapelle und Musiklehrer in Berleburg. Kurze Zeit darauf erhielt K. ein dreijähriges Stipendium des Königs Friedrich Wilhelm IV. von Preußen. Er ging daraufhin nach Berlin und studierte von 1842-1845 bei Siegfried Dehn. Anschließend wirkte er in dieser Stadt als Musiklehrer, Komponist und Pianist. Unter seinen Schülerinnen war eine Tochter Robert Schumanns, Elise. Auf Veranlassung Franz Liszts erschienen im Jahre 1852 seine ersten Kompositionen im Druck. Im Jahre 1865 wurde er Mitglied der Akademie der Künste, ein Jahr später Lehrer am Sternschen Konservatorium. Den Professorentitel erhielt er 1868 und im Jahre 1870 wurde er Lehrer für Komposition an der neugegründeten Hochschule für Musik. Seit 1882 war er außerdem Leiter einer Meisterklasse an der Akademie der Künste. An den Folgen eines Verkehrsunfalls ist K. gestorben. Unter seinen Schülern verdienen besonders W. v. Baußnern, A. Bungert, G. Holländer, H. Kaun, S. und T. Ochs, Ignaz Paderewski, Leopold Schmidt und E. E. Taubert Erwähnung. — K. blieb zeit seines Lebens unverheiratet und lebte meist zurückgezogen und bescheiden am Rande der Öffentlichkeit, ohne weitergehende Kontakte und Beziehungen zu anderen Musikern seiner Zeit. Entsprechend ist auch sein Musikschaffen eher isoliert und ohne direkte Verbindung zu anderen Komponisten zu sehen. Er läßt sich daher keiner »Schule« zuordnen. Seine Musiksprache ist, besonders in seinen religiösen Werken, polyphon strukturiert und im weitesten Sinne an J. S. Bach orientiert. Sein umfangreiches Werk hat zwei Schwerpunkte. Neben zahlreichen Werken der Kammermusik hat er sich vor allem der religiösen Musik gewidmet. Als bedeutendstes Werk ist ein Oratorium »Christus« anzusehen, das neben den Christus-Oratorien von Franz Liszt und Felix Draeseke sehr wohl bestehen kann. Bald nach seinem Tod ist sein Werk in Vergessenheit geraten.

Werke: 1. Kompositionen (Auswahl): Requiem f-moll (op. 20), 1861; Stabat mater (op. 25), 1865; 130. Psalm (op. 29), 1865; Zwei Motetten (op. 32), 1866; Missa solemnis (op. 40), 1866; Tedeum (op. 46), 1867; Christus (op. 60), 1873; Zwei Gesänge von Novalis (op. 63), 1875; Sechs geistl. Gesänge (op. 64), 1875; Requiem As-Dur (op. 80), 1881; Idylle (op. 81), 1882; Sechs Motetten (op. 82), 1883; Der Sern von Bethlehem (op. 83), 1884. — 2. Schrift: Aus dem musik. Leben kleiner dt. Fürstenhöfe früherer Zeit, in: Vor den Coulissen II, 1882, 101-104. — 3. Bibliogr.: Vollst. Werkverzeichnis in: MGG VII, 881 (Reinhold Sietz).

Lit.: R. Succo, Das Oratorium Christus von F. K., in: AmZ LXXV, 1874, 257 ff.; — A. Bungert, F. K., in: NZfM LXXI, 1875, 127 ff.; — E. Breslaur, F. K., in: Der Klavierlehrer VIII, 1885, 222 ff.; — E. Frommel, Gedächtnisrede auf F. K., 1866; — O. Gumprecht, F. K., in: Westermanns illustr. dt. Monatshefte LX, 1886, 24 ff.; — H. v. Bülow, Ausgew. Schrr., 1896, 261-276; — R. Hohenemser, Welche Einflüsse hatte die Wiederbelebung der älteren Tonkunst auf die dt. Komponisten?, 1900, 87-90, 109 f.; — Wilhelm Altmann, F. K., in: Mk I/1, 1901, 146-152; — Ders., F. K., in: Cobbett's Cyclopedic Survey of Chamber Music II, 1930, 49-52; — H. Riemann, Gesch. der Musik seit Beethoven, 1901, 562 f.; — F. O. Dreßler, Moltke in seiner Häuslichkeit, 1904, 65-69; — H. Wetzel, Die Klaviermusik F. K., in: Mk VIII/4, 1908, 228-247; — K. Thießen, F. K., ein vergessener Meister der Kammermusik, in: Rhein. Musik- und Theaterztg. X, 1909, 508 f.; — Arnold Schering, Gesch. des Oratoriums, 1911, 465 f.; — Karl Grunsky, Das Christus-Ideal in der Tonkunst, 1920, 131, 133, 138; — H. Kretzschmar, Führer durch den Konzertsaal II/1, 1921[5], 126-130, 253 f., 256 f., 309-314; — Siegfried Ochs, Geschehenes, Gesehenes, 1922, 93, 98-102; — Hans Joachim Moser, Gesch. der dt. Musik III, 1927[2], 300 f.; — E. Reinecke, F. K. Sein Leben und sein Werk, Diss. Köln, 1936; — Peter Pfeil, F. K. Leben und Wirken des Wittgensteiner Komponisten, in: Fritz Krämer (Hrsg.), Wittgenstein II, 1965, 286-289, 503; — G. Puchelt, Verlorene Klänge, 1969, 60 ff.; — Reinhold Sietz, F. K., in: D. Kämper, Rhein. Musiker, 6. Folge, 1969, 108-110; — Ulrich Schuppener, Ein Komponist aus dem Wittgensteiner Land. Zum 100. Todestag von F. K., in: Siegerland LXII, 1985, H. 3-4, 71-76; — Ders., F. K. — Vor 100 Jahren gestorben, in: MuK LVI, 1986, H. 1, 31 f.; — Udo-R. Follert, Christus-Oratorium aus Worten der Hl. Schrift zusammengestellt und in Musik gesetzt von F. K. Eine Werkbeschreibung, in: MuK LVI, 1986, H. 1, 27-31; — Helga Zimmermann, Untersuchungen zum Kompositionsutnerricht im Spannungsfeld von Traditionalismus und neudeutscher Schule, dargest. am Beispiel der Lehrtätigkeit F. K.s (1821-1885), Diss. Siegen, 1987; — ADB LI, 126; — NDB XI, 577 f.; — MGG VII, 880-883.

Hans-Josef Olszewsky

KIEL, Tobias, Pfarrer u. Autor geistl. Dichtungen, * 29.10. 1584 in Ballstedt, † 1627 ebd. — K., Sohn des Pfarrers Johann K., wurde 1603 an der Universität von Jena immatrikuliert. Nach dem Abschluß seines Studiums seit 1606 war K. Schuldiener in Ballstedt. Als Pfarrer wirkte er seit dem 24.7. 1613 in Eschenbergen und seit 1627 wieder in Ballstedt. Von K. ist neben Kirchenliedern eine volkstümliche geistliche Komödie überliefert.

Werke: Davidis Aerumnosum Exilium et gloriosum Effugium. Die Beschwerliche Flucht und herrliche Außflucht des vnschüldigen königlichen Hofdieners Davids,... In die Form einer Christlichen Comedien und Spiel verfast, Erfurt 1620; »Frohlockt und triumphiert Christo, dem Siegesmann« (Osterlied); »Herr Gott, nun schleuß den Himmel auf« (Sterbelied); »Macht auf die Thor der G'rechtigkeit« (Adventslied), in: Michael Altenburg (Hrsg.), Kirchen- u. Hausgesänge, Erfurt 1620-21.

Lit.: ADB XV, 713-14; — Koch[3] II, 268-70; — A.Fr.W. Fischer, Kirchenlieder-Lexikon, Gotha 1878-79, 1. Hälfte S. XXVIIb u. 21 b, 264b-265a, 2. Hälfte, S. 44ab; — Fischer-Tümpel I, 28-31; — Goedeke II, 377 u. III, 156; — John Julian, A Dictionnary of Hymnology I, 624, New York 1957; — Nelle[4], 1962, S.86, 116; — DLL VIII, 1141-42.

Susanne Siebert

KIENLE, Ambrosius OSB (Taufname: Christian), Hymnologe, * 8.5. 1852 in Laiz bei Sigmaringen, † 18.6. 1905 in Beuron. — K. war Sproß einer Kaufmannsfamilie und besuchte das von Jesuiten geprägte Gymnasium in Hedingen, das er 1872 mit einem vorzüglichen Zeugnis der Reife verließ. Kurz nach Beginn des Studiums der katholischen Theologie in Mainz lernte er Benediktiner der Erzabtei Beuron kennen und trat am 14.1. 1873 in diese Abtei ein. Am 15.8. 1874 legte er Profeß ab. Der Subdiakonatsweihe durch Bischof v. Hefele am 7.4. 1875 in Rottenburg (Neckar) folgten die Diakonats- und die Priesterweihe am 26. bzw. 28.8. 1877 in Volders (Tirol), da Beuron kulturkampfbedingt ab 1875 geschlossen werden mußte. 1880 wurde K. im Kloster Emaus bei Prag Kantor, ehe er in gleicher Funktion 1890 nach Beuron zurückkehrte, wo er auch die Ämter des Bibliothekars und des Novizenmeisters versah. Seine intensive Hinwendung zum Gregorianischen Choral begann schon früh in der Studienzeit; ein längerer Aufenthalt in französischen Benediktinerklöstern vertiefte seine Neigung, sich der durch Dom J. Pothier repräsentierten Richtung von Solesmes anzuschließen. Ergründung und Neubelebung des Chorals in Theorie und Praxis wurde K.s eigentliche Lebensaufgabe. Zahlreiche Choralkurse in Beuron und eine Reihe eigenständiger, manchmal eigenwilliger und zum Teil heftig umstrittener Publikationen dienten diesem Ziel. Seine »Choralschule« (1884, 1899[3]; frz. Tournai 1895[2]) und vor allem die Publikation »Maß und Milde in kirchenmusikalischen Dingen« (1901) machten seinen Namen weit bekannt. Sein »Kleines kirchenmusikalisches Handbuch« stellte ganz auf das Diözesangesangbuch »Magnificat« der Erzdiözese Freiburg i. Br. vom Jahre 1892 ab. K., »der überzeugteste Kämpfer

gegen die Medicäa« (Wolfgang Irtenkauf) hat sich ferner durch die Übersetzung der von Poitier herausgegebenen »Mélodies grégoriennes« (1880, dt. Übersetzung 1881) Verdienste erworben, machte er doch damit eine breite Öffentlichkeit auf die sich abzeichnende Choralrestauration in Frankreich aufmerksam. Die Beuroner Choralschule hat auch durch K.s Verdienst für Deutschland eine ähnliche Bedeutung erlangt wie die von Solesmes für Frankreich.

Werke: Titel, mit Ausnahme der zahlr. Rezensionen, bei Wolfgang Irtenkauf, Art. K., in: MGG VII, 883-885, 884. Zu ergänzen: Über K.s Choralschule nochmals, in: Musica sacra 19 (1886), 53-54; Der Choralkurs in Beuron, in: Gregorius-Blatt. Organ für kath. Kirchenmusik 16 (1891), 73-75; Der Choral auf dem musik. Fortbildungskurse, in: Kirchenmusik. Vierteljahrschrift 1 (1886), 20-29 (auch in: Fliegende Bll. für kath. Kirchenmusik 21, 1886, 76-80); Singübungen zum Choralgesange (aus: Choralschule), Freiburg 1902[5].

Lit.: Franz X. Witt, Die Choralschule von P. A. K., in: Musica sacra 18 (1885), 43-46, 129-133; — Philipp Jakob Lenz, Eine Reise in Choralangelegenheiten, in: Pastor bonus 11 (1898/99), 27-32; — Zschr. der Intern. Musikgesellschaft 6 (1904/05), 454; — Michael Horn, † Ambrosius K., O.S.B., in: Gregorianische Rundschau 4 (1905), 127-129; — P. Ambrosius K. †, in: Gregorius-Blatt. Organ für kath. Kirchenmusik 30 (1905), 92; — St. Benediktsstimmen 29 (1905), 314-318; — Der kath. Kirchensänger 18 (1905), 59-62; — Lucas Kunz, Zwei Beuroner Kantoren — Skizzen und Hinweise, in: Musicae Sacrae Ministerium. Beiträge zur Gesch. der kirchenmusik. Erneuerung im XIX. Jh. Festgabe für Karl Gustav Fellerer, hrsg. von Johannes Overath, Köln 1962, 91-109; — Kurt Küppers, Diözesan-Gesang- und Gebetbücher des dt. Sprachgebietes im 19. und 20. Jh. Gesch. Bibliographie (= Liturgiewiss. Quellen und Forschungen Bd. 69), Münster 1987, 10, 84; — LThK [1]V, 946; — LThK [2]VI, 139; — MGG I, 1825 f.; — MGG VII, 883-885; — Riemann Musik Lex., Personenteil I, Mainz 1959[12], 919; — Kosch, KD 2104; — Michael Buchberger, Kirchl. Handlex. II, 352.

Martin Persch

KIERKEGAARD, Soren Aabye, religiöser Schriftsteller und bedeutendster dänischer Philosoph, * 5.5. 1813 in Kopenhagen als siebtes Kind des Wollwarenhändlers Michael Petersen K. (1756-1838), † 11.11. 1855 in ebd. — K., der zeitlebens - mit Ausnahme dreier Reisen nach Berlin (1841/42, 1843, 1846) - in seiner Heimatstadt blieb, nahm ab 1830 an der dortigen Universität sein Studium (zunächst der Theologie, später der Ästhetik bzw. Philosophie) auf. Nach einer Phase verzweifelter Auflehnung gegen die schwermütig-pietistische Religiosität seines Vaters entschließt er sich nach dessen Tod (1838) doch zu einem theologischen Examen, absolviert dies 1840 und promoviert schon kurze Zeit später (1841) mit einer Arbeit über den »Begriff der Ironie mit ständiger Rücksicht auf Sokrates« (OM Begrebet Ironi med stadigt Hensyn til Socrates). Aus (im einzelnen bis heute nicht völlig geklärten) religiösen Gründen löst K. im Oktober 1841 eine erst im Jahr zuvor eingegangene Verlobung mit der zehn jahre jüngeren Regine Olsen (1823-1904): dies »Faktum« bildet Anlaß und Auftakt einer in den Folgejahren entfalteten immensen literarischen Produktivität; in rascher Folge erscheinen, beginnend mit »Entweder-Oder« (Enten-Eller, 1843), eine Reihe teils pseudonymer, teils unter eigenem Namen publizierter (sog. »erbaulicher«) Werke, kulminierend in der 1836 erscheinenden »Abschließenden Unwissenschaftlichen Nachschrift« (Afsluttende Uvidenskabelig Efterskrift). Zur gleichen Zeit gerät K. (der zunächst geplant hatte, nach Abschluß des letztgenannten Werkes die Schriftstellerei aufzugeben, um eine Landpfarre zu übernehmen) in eine literarische Fehde mit dem Kopenhagener Satireblatt »Der Corsar«, in deren Verlauf ihm die Anfeindungen seitens der dänischen Öffentlichkeit zum Anlaß einer Reihe weiterer Werke werden, die schärfer als zuvor das Wesen christlicher Existenz als durch die Prinzipien von Selbstverleugnung und Nachfolge gekennzeichnet akzentuieren (z. b. »Einübung im Christentum« (Indovelse i Christendom), 1850). Seine Auffassungen bringen ihn während der folgenden Jahre in immer stärkeren Gegensatz zur dänischen Staatskirche; der zunächst noch indirekt und verhüllt vorgetragene Angriff auf die Verfallsformen (spieß-)bürgerlicher »Christenheit« bricht schließlich nach dem Tod des (von K. lange verehrten) Primas der dänischen Volkskirche J. P. Mynster (1775-1854) offen hervor: Bis zu seinem Tod erscheinen neun Nummern der christlich-polemischen Kampfschrift »Der Augenblick« (Oieblikket). — K. war einer der brillantesten und produktivsten religiösen und philosophischen Schriftsteller des 19. Jahrhunderts - in kritischer Distanz zur Romantik, Hegel und den Hegelianismus aber schroff ablehnend. Seine Frage nach der Möglichkeit christlichen Existierens unter den Bedingungen des »Reflexionszeitalters« blieb nach seinem Tod in ihrer Wirkung zunächst auf Dänemark beschränkt. Erst mit der allmählichen Übersetzung seiner Werke wuchs sein Einfluß: in Deutschland vor allem mit Beginn der 20er Jahre unseres Jahrhunderts innerhalb der protestantischen Theologie, aber auch innerhalb verschiedenster philosophischer Schulen, der frühen Psychoanalyse sowie der (skandinavischen wie nicht-skandinavischen) Dichtung.

Werke: Aus den Papieren eines noch Lebenden (1838); Über den Begriff der Ironie mit ständiger Rücksicht auf Sokrates (1841); Entweder-Oder I/II (1843); Furcht und Zittern (1843); Die Wiederholung (1843); Erbaul. Reden (1843); Philos. Brocken (1844); Der Begriff der Angst (1844); Erbaul. Reden (1844); Stadien auf dem Lebenswege (1845); Drei Reden bei gedachten Gelegenheiten (1845); Abschließende Unwissenschaftl. Nachschr. zu den Philos. Brocken I/II (1846); Ene lit. Anzeige (1846); Das Buch über Adler (1847, posthum ersch.); Erbaul. Reden in versch. Geist (1847); Taten der Liebe (1847); Christl. Reden (1848); Der Gesichtspunkt für meine Wirksamkeit als Schriftsteller (1849, posthum ersch.); Zwei kleine ethisch-religiöse Abhandlungen (1849); Die Krankheit zum Tode (1849); Drei Reden beim Altargang am Freitag (1849); Einübung im Christentum (1850); Erbaul. Reden (1850); Zur Selbstprüfung der Ggw. empfohlen (1851); Urteilt selbst! (1852, posthum ersch.); Der Augenblick (Nr. 1-9, Nr. 10 posthum ersch. (1855). — Gesamtausgaben: Samlede Vaerker, hg. v. A. B. Drachmann/J. L. Heiberg/H. D. Lange, Kopenhagen 1901-1906 (1920-1936², 1962-1964³); Papirer, hg. v. P. A. Heiberg/V. Kuhr u. a., Bd. I-XI/3, Kopenhagen 1939-1948³, verm. Aufl. hg. v. N. Thulstrup, Bd. I-XIII (22 Einzelbde.), Kopenhagen 1969-1970, Bd. XIV-XVI (Index) v. N. J. Cappelorn, 1975-1978; Breve og aktstykker vedrorende K., Bd. I/II, hg. v. N. Thulstrup, Kopenhagen 1953-1954; Dt.: Gesammelte Werke, übers. u. hg. v. E. Hirsch u. a., 36 Abt. in 26 Bde.n, Düsseldorf 1950-1969, Gütersloh 1979-1986; Die Tagebücher, übers. u. hg. v. H. Gerdes, Bd. I-V, Düsseldorf/Köln 1962-1974; Andere dt. Werkausgaben: Gesammelte Werke, übers. v. H. Gottsched/Chr. Schrempf, Bd. 1-12, Jena 1909-1922; Werke, übers. v. L. Richter, Bd. I-V, Reinbek bei Hamburg, 1960-1964; Werkausgabe in 2 Bde.n, übers. v. E. Hirsch/H. Gerdes, Düsseldorf/Köln 1971; K., übers. v. H. Diehm/W.Rest, Bd. 1-4, München 1975-1977. — K.-Bibliographie: J. Himmelstrup, K. International Bibliografi, Kopenhagen 1962; A. Jorgenson, K.-litteratur 1961-1970. En forelobig bibliografi,Aarhus 1971; Ders., K.-litteratur 1971-1980, in: Kierkegaardiana XII, udgivne af K. Selskabet, Kopenhagen 1982; Ders., Tilfojelser til bibliografien i Kierkegaardiana XII, in: Kierkegaardiana XIV, Kovenhavn 1988; F. H. Lapointe, K. and his Criticism. An International Bibliography of Criticism, Westport/Conn./London 1980.

Lit.: Torsten Bohlin, K.s dogmat. Anschauung in ihrem geschichtl. Zusammenhange, 1927; — Jens Himmelstrup, K.s Sokrates-Auffassung, 1927; — Hermann Diehm, Philosophie und Christentum bei K., 1929; — Eduard Geismar, K., 1929; — Emanuel Hirsch, K.-Studien, 2 Bde., 1930-1933; — Ders., Gesch. der neuern ev. Theol., Bd. V, 1968[4]; — Theodor W. Adorno, K.-Konstruktion des Ästhetischen, 1933; — Valter Lindström, Stadiema teologi, 1943; — Ders., Efterföljelsens teologi hos K., 1956; — Walter Rehm, K. und der Verführer, 1949; — Knud E. Logstrup, K.s und Heideggers Existenzanalyse und ihr Verhältnis zur Verkündigung, 1950, — Ders., Auseinandersetzung mit K., 1968; — Karl Löwith, Von Hegel zu Nietzsche, 1950; — Per Lonning, Samtidighedens Situation, 1954; — Johannes Slok, Die Anthropologie K.s, 1954; — Ders., K. - Humanismens Taenker, 1978; — Anna Paulsen, K. - Deuter unserer Existenz, 1955; — Wilhelm Anz, K. und der Dt. Idealismus, 1956, — Michael Theunissen, Der Begriff Ernst bei K., 1958, — Ders. (Hg.), Materialien zur Philosophie K.s, 1979; — Hayo Gerdes, Das Christusbild K.s, 1960; — Ders., K.s »Einübung im Christentum«, 1982; — Henning Schröer, Die Denkform der Paradoxalität als theol. Problem, 1960; — Lars Bejcrholm, Meddelelsens Dialektik, 1962; — Guido Schuepp, Das Paradox des Glaubens, 1964; — Heini Schmidt, Kritik der Existenz, 1966; — Helmut Fahrenbach, K.s existenz-dialekt. Ethik, 1968; — Gregor Malantschuk, Dialektik og Eksistens, 1968; — Ders., Fra Individ til den Enkelte, 1978; — Ders., Frihed og Eksistens, 1980; — Klaus Schäfer, Hermeneut. Ontologie in den Climacus-Schrr, K.s, 1968; — Niels Thulstrup, K.s Verhältnis zu Hegel und zum Dt. Idealismus, Bd. I/II, 1968/1970; — Frank-Eberhard Wilde, K.s Verständnis der Existenz, 1969; — Hinrich Buss, K.s Angriff auf die bestehende Christenheit, 1970; — Heinz-Horst Schrey (Hg.), K. (Reihe: Wege der Forschung), 1971; — Jan Holl, K.s Konzeption des Selbst, 1972; — Annemarie Pieper, Gesch. und Ewigkeit bei K., 1968; — Anton Hügli, Die Erkenntnis der Subjektivität und die Objcktivität des Erkennens bei K., 1973; — Kurt Weisshaupt, Die Zeitlichkeit der Wahrheit, 1973; — Hermann Deuser, K. - Die paradoxe Dialektik des polit. Christen, 1974; — Ders., Dialekt. Theologie, 1980; — Ders., K. - die Philosophie des relig. Schriftstellers, 1985; — Christa Kühnhold, Sprung und Sprachdenken, 1975; — Henning Fenger, K.-Myter og K.-Kilder, 1976; — Bruce Kirmmse, K.s Politics, Bd. I/II, 1977; — Walter Schulz, Existenz und System, 1977[2]; — Kresten Nordentoft, K.s Psychology, 1978; — Helmut Vetter, Stadien der Existenz, 1979; — Victor Guarda, Die Wiederholung, 1980; — Mark C. Taylor, K.s pseudonymous authorship. A study of time and the Self, 1980; — Jorgen K. Bukdahl, Om K., 1981; — Karstein Hopland, Virkelighet og Bevissthet. En studie i K.s antropology, 1981; — Alastair Hannay, K. (Reihe: The Arguments of the philosophers), 1982; — Friedrich Hauschildt, Die Ethik K.s, 1982; — Wolfgang Janke, Existenzphilos., 1982; — Karin Pulmer, Die dementierte Alternative, 1982; — Joachim Ringleben, Aneignung. Die Spekulative theol. K.s, 1983; — Claus A. Scheier, K.s Ärgernis, 1983; — Heinrich M. Schmidinger, Das Problem des Interesses und die Philos. K.s, 1983; — Klaus M. Kodalle, Die Eroberung des Nutzlosen, 1987; — RGG [3]III, 1265 ff.; — TRE XVIII, 1/2, 138 ff.

Heiko Schulz

KIESSLING, Johann Tobias, Kaufmann, Förderer der ev. Diasporagemeinden in Österreich, * 3.11. 1742 in Nürnberg, † 27.2. 1824 ebenda. — K. war ein Enkel Johann K.s (1673-1722), eines führenden Anhängers des Nürnberger Pietismus zu Beginn des 18. Jh.s, der vermutlich auch mit A. H. Francke (s.d.) in Verbindung stand. Neben dem Handel mit Drogen und Gewürzen wirkte K. nach seiner geistlichen Erweckung 1766 als eifriger Laienprediger, Kinderevangelist und Bibelkolporteur. An der Entstehung der Nürnberger Partikularges. der Deutschen Christentumsges. 1781, deren Versammlungen lange Zeit in seinem Hause stattfanden, war K. ebenso beteiligt wie an der Gründung des Nürnberger Bibelvereins 1804, aus dem 1823 der Zentralbibelverein in Bayern erwuchs. Neben Johann Gottfried Schöner (s.d.) war K. nicht nur die überragende Gestalt der frühen Erweckungsbewegung in Franken, sondern wurde darüber hinaus auch zum Wohltäter des ev. Österreichs. Unter großen persönlichen finanziellen Opfern und zeitweiligen Bedrängnissen durch die kath. Kirche verbreitete er auf seinen 106 Handelsreisen nach Österreich zwischen 1763 und 1813 das Wort Gottes durch Bibel, Katechismus, Erbauungsbücher und Traktate sowie durch Gespräche und Korrespondenz, in die er auch kath. erweckte Christen (z.B. Martin Boos; s.d.) einbezog. Als »Notpfarrer« spendete er sogar gelegentlich das Abendmahl. Nach dem Erlaß des Toleranzpatentes Josephs II. 1781 vermittelte K. mehreren entstehenden Gemeinden in Oberösterreich (bes. Eferding bei Linz), Kärnten, Steiermark und Westungarn (heute Burgenland) materielle Hilfe und Geldspenden zum Bau von Kirchen, Schulen, Pfarrer- und Lehrerwohnungen sowie deutsche (bes. württembg.) pietistische Pfarrer. Unterstützt wurde seine Arbeit von verschiedenen Freundeskreisen der Christentumsges. in Deutschland und der Schweiz sowie von England (British and Foreign Bible Society and Religious Tract Society) und Nordamerika. Infolge des österreichischen Staatsbankrotts 1811 verlor er sein Vermögen und mußte seine Reisen einstellen, sorgte aber von Nürnberg aus noch bis an sein Lebensende für sein »Österreich-Zion«. — Durch sein uneigennütziges Wirken, das ihm selbst keine Zeit für eine Ehe ließ, hat sich K. um den österreichischen Toleranzprotestantismus verdient gemacht. Zu Recht darf der »Bischof im Kaufmannsgewand«, wie er noch heute ehrenvoll genannt wird, deshalb auch als ein Vorläufer des Gustav-Adolf-Vereins angesehen werden.

Werke: (Quellen): Beiträge/Briefe in: Sammlung einiger Nachrichten, in Betreff des, in denen Oesterreichischen Staaten durch göttliche sonderbahre Gnade neuaufgehenden Lichte des Evangeliums, 1783-1787; Auszüge aus dem Briefwechsel der Deutschen Ges. thätiger Beförderer reiner Lehre und wahrer Gottseligkeit, 1783-1785, ab 1786: Sammlungen für Liebhaber christlicher Wahrheit und Gottseligkeit; [Susette Spittler], Chr. Friedr. Spittler im Rahmen seiner Zeit, I [1877], 426-428; Dass., G. Frank, Zwei Berichte T. K.s aus Oesterreich 1782, in: JGPrÖ 1887, 148-150; 193 Br. K.s von 1787 bis 1802, in: Univ. Bibl. Basel (Arch. d. Dt. Christentumsges.); 277 Br. K.s von 1779 bis 1821, in: Staatsarch. d. Kantons Basel-Stadt (SpA,V,21); vgl. dazu: Benedikt Steiger, Das Wirken des Nürnberger Kaufmannes J.T.K. in den Jahren 1786-1803 nach dem im Archiv der Dt. Christentumsges. in Basel aufbewahrten Briefwechsel [o.O., o.J.; masch.]; Ernst Staehelin (Hrsg.), Die Christentumsges. in der Zeit der Aufklärung und der beginnenden Erweckung, 1970, 304.309f.; ders., Die Christentumsges. in der Zeit von der Erweckung bis zur Ggw., 1974, 185f.189. 193f.199f.233f.244f.

Lit.: Gotthilf Heinrich Schubert, J. T. K. und einige seiner Freunde nach ihrem Leben und Wirken, in: Altes und Neues aus dem Gebiet der innren Seelenkunde, II, 1824, 1-340 (1849³); — Dass., 1850 [aus Altes und Neues, II, besonders abgedruckt]; — Züge aus dem Leben des seeligen J. T. K. senior in Nürnberg aus Dr. G. H. Schuberts Altem und Neuem zweiten Bandes zusammengetragen für die Freunde des Seeligen, 1824 (1859³, 8°, 1871³, 16°); — Dass. in engl. Übersetzung: The Life of J. T. K., 1837; — William Jones, The Jubilee Memorial of the Religious Tract Society, 1850, 340f.; — Fliegende Blätter des Rauhen Hauses, 1853, 98f.; — Beiblätter der Fliegenden Blätter, 1854, 104-107; — Friedrich Wilhelm Bodemann, J. T. K. nach seinem Leben und Wirken, 1855; — Karl Werner, Christian Gottlob Barth, nach seinem Leben und Wirken, I, 1865, 92ff.113.116.123-127 u.ö.; — Gottfried Thomasius, Das Wiedererwachen des ev. Lebens in der luth. Kirche Bayerns, 1867, 90-93.161; — G. Trautenberger, Halte, was du hast!, 1868ff.; — Gustav Plitt, Gesch. des Missionslebens in der prot. Kirche Baierns, in: AMZ 1874, 423; — [Susette Spittler], Chr. Friedr. Spittler im Rahmen seiner Zeit, w.o., 405; — Karl Buchrucker, Christian Friedrich Buchrucker. Ein Seelsorgerleben aus der Wende des vorigen und des gegenwärtigen Jh.s, 1876, 213ff.; — August Kotschy, J. T. K., ein Vorbild für die Diasporapflege, in: Monatsschr. für innere Mission, I, 1881, 289-301.337-347; — Ders., Mittheilungen über J. T. K., in: JGPrÖ, 77-80; — Ders., J. T. K., der unvergeß. Wohltäter der ev. Gemeinden Oesterreichs, in: Ev. Vereinsblatt aus Oberösterreich 1883, 2f.9f.17-19.25f.34f.; — Ders., J.T.K., ein Vorläufer des Gustav-Adolf-Vereins, o.J.; — Karl Friedrich Ledderhose, Aus dem Leben des J. T. K. von Nürnberg, 1882; — Eduard Hochstetter, Zweige eines Stammes, 1883, 305-318; — Gg. Bohrer, T. K., Vortrag im Nürnberger

Gustav-Adolf-Verein, 1886; — Friedrich Heinrich Ranke, Jugenderinnerungen mit Blicken auf das spätere Leben, 1886², 297f.; — J.T.K., Kaufmann zu Nürnberg, 1905⁴; — Otto Steinecke, Die Diaspora der Brüdergemeinde in Deutschland, II, 1905, 186; — Ludwig Tiesmeyer, Die Erweckungsbewegung in Deutschland während des XIX. Jh.s, II, H. 4: Bayern, 1906, 17; — Georg Loesche, Von der Duldung zur Gleichberechtigung, 1911, 110ff.; — Ders., Gesch. des Protestantismus im vormaligen und neuen Österreich, 1930³, 532f.; — F. Schenner, Zum inneren Leben der Toleranzkirche, in: JGPrÖ, 1914, 202-224; — Julius Rößle, Philipp Matthäus Hahn, 1929, 183; — Heinrich Hermelink, Gesch. der Ev. Kirche in Württembg., 1949, 354f.; — Ders., Das Christentum in der Menschheitsgesch. Von der frz. Revolution bis zur Ggw., I, 1951, 250; — Matthias Simon, Ev. KG Bayerns, 1952², 536; — Ders., Mission und Bekenntnis in der Entwicklung des Ev.-Luth. Zentralmissionsvereins für Bayern, 1953, 10; — Ders., Die Ev.-luth. Kirche in Bayern im 19. u. 20. Jh., 1961, 23; — B. H. Zimmermann, J. T. K., der Bischof im Kaufmannsgewand, in: Zeitschr. des Hist. Vereins für Steiermark 1955; — Rudolf K., J. T. K. [mit Familientafel], 1956 (Masch.) in: Landeskirchl. Arch. Nürnberg; — Erich Beyreuther, Neue Forschungen zur Gesch. der Dt. Christentumsges., in: ThLZ 1956 (Nr. 5/6), 356f.; — Ders., Kirche in Bewegung. Gesch. der Evangelisation u. Volksmission, 1968, 93; — Ders., Die Erweckungsbewegung (Die Kirche in ihrer Gesch., IV, Lfg. R1), 1977, 31; — Friedrich Wilhelm Kantzenbach, Die Erweckungsbewegung, 1957, 64ff.; — Ders., Die Erlanger Theologie, 1960, 84.115; — Ders., Ein fränkischer Kreis der Christentumsges. und seine missionarische Ausstrahlung, in: ZbKG 1971, 186-188; — Ders., Ein verhinderter Missionar aus Bayern, in: ebd., 201; — Ders., Neue Quellen und Forschungen zur Christentumsges. in Franken, in: ebd., 1972, 35-37; — Ders., Ev. Geist und Glaube im neuzeitlichen Bayern, 1980, 35f.64f.86f.144; — Grete Mecenseffy, Der Nürnberger Kaufmann J. T. K. und die österreichischen Toleranzgemeinden, in: JGPrÖ 1958, 29-69; — Dies., K., J. T., Erhaltung des pietistischen Erbes in ev. Gemeinden Oberösterreichs und Kärntens vom 18. bis ins 20. Jh., in: ThLZ 1960, 853-855; — Dies., K., J. T., Kaufmann und Pietist, in: Lebensläufe aus Franken, VI, 1960, 293-302; — Jürgen Heydrich, Untersuchungen zum geistlichen Lied der Erweckungsbewegung (Diss. Mainz) [1961], 73; — Mitt. des Vereins für Gesch. der Stadt Nürnberg 1965, 312.353f. [Vorfahren K.s]; — Ludwig Rott, Die engl. Beziehungen der Erweckungsbewegung und die Anfänge des Wesleyanischen Methodismus in Dtld., 1968, 278f.; — Martin Brecht, Vom Pietismus zur Erweckungsbewegung, in: BWKG 1968/1969, 373; — Ernst Staehelin, w.o., 1970, 44 u.ö.; — Ders., w.o., 1974, 86 u.ö.; — Winfried Eisenblätter, Carl Friedrich Adolph Steinkopf (1773-1859). Vom engl. Einfluss auf kontinentales Christentum zur Zeit der Erweckungsbewegung (Diss. Zürich; Masch.), 1974, 55. 168 u.ö; — Wayne Alan Detzler, British and American Contributions to the »Erweckung« in Germany (Diss. Manchester; Masch.), 48f.; — Peter F. Barton (Hrsg.), Im Zeichen der Toleranz. Aufsätze zur Toleranzgesetzgebung des 18. Jh.s in den Reichen Joseph II., ihren Voraussetzungen und ihren Folgen (Studien u. Texte zur KG und Gesch., Zweite R., Bd. 8) 1981, 430.432f.; — Ders., Evangelisch in Österreich. Ein Überblick über die Gesch. der Evangelischen in Österreich

(Studien u. Texte zur KG u. Gesch., Zweite R., Bd. 11), 1987, 136; — Bosls Bayerische Biographie, 1983, 414f.; — Wilhelm Gundert, Gesch. der deutschen Bibelges. im 19. Jh., 1987, 104; — Karl Friedrich Adolf Steinkopf, Reisebriefe. Europa 1812, 1987, S. 36f; — Horst Weigelt, Lavater und die Stillen im Lande - Distanz und Nähe. Die Beziehungen Lavaters zu Frömmigkeitsbewegungen im 18. Jh., 1988, 132ff.; — Gemeindelexikon, 1978 (Sonderausg.1986), 297; — ÖBL III, 329; — NDB XI, 601f.; — Perthes' Handlexikon für ev. Theologen II, 301; — RGG III, 1271.

Werner Raupp

KIHN, Heinrich, katholischer Theologe, * 30.4. 1833 in Michelbach, † 30.1. 1912 in Würzburg. — K. studierte in Aschaffenburg und Würzburg, war zunächst Gymnasiallehrer, u. a. in Eichstätt, und wurde 1874 a. o. Professor für Patrologie, theologische Einleitungswissenschaften und Hermeneutik, 1879 o. Professor, auch für Kirchenrecht, in Würzburg, 1904 ebenda Domdekan.

Werke: Die Bedeutung der antiochenischen Schule auf exegetischem Gebiet, 1867; Weg zur Weisheit. Ein Andachtsbuch für Studierende und Gebildete, 1864, 1901[7]; Theodor von Mopsuestia und Junilius Africanus als Exegeten. Nebst einer krit. Text-Ausgabe von des letzteren Instituta regularia divinae legis, 1880; Der Ursprung des Briefes an Diognet, 1882; Über den Betrieb der hebr. Sprache an Gymnasien und theol. Lehranstalten, 1883; Prakt. Methode zur Erlernung der hebr. Sprache (gemeinsam mit D. Schilling), 1885, 1898[2]; Prof. Dr. J. A. Möhler, ein Lebensbild als Beitrag zur Geschichte der Theologie der Neuzeit, 1885, 1888[3]; Encyclopädie und Methodologie der Theologie, 1892; Patrologie, 2 Bde., 1904-1908.

Lit.: Valentin Weber, in: BJ 18, 1917, 280 ff.; — Herman Schell, Briefe an einen jungen Theologen, hrsg., eingel. u. komm. v. Josef Hasenfuß, 1974, XV-XXIII; — Kosch, KD 2110; — LThK VI, 142 f.

Erich Naab

KILBER, Heinrich, katholischer Theologe, * 8.3. 1710 in Mainz, † 25.10. 1783 in Heidelberg. — K. trat achtzehnjährig in die Gesellschaft Jesu ein, dozierte seit 1749 Dogmatik, zunächst in Fulda, ab 1750 in Würzburg. Hier übernahm er 1764 den neu eingerichteten Lehrstuhl für Exegese. 1771 wurde K. »Socius« seines Provinzials in Heidelberg, 1772 Rektor des dortigen Collegium Carolinum, nach der Aufhebung des Ordens Regens des Heidelberger Priesterseminars

und Assessor der theologischen Fakultät. In der »Theologia Wirceburgensis« sind frühere Veröffentlichungen von K. und den Würzburger Jesuitenprofessoren Th. Holzklau, Ign. Neubauer und U. Munier zu einem theologischen Lehrbuch zusammengestellt, das, scholastisch aufgebaut, sich zeitgenössischen Fragestellungen nicht verschließt und zu den beachtlichen theologischen Leistungen des 18. Jahrhunderts zählt. Insbesondere K.s spekulative Begabung wird hervorgehoben. Seine Ekklesiologie ist eingebettet in die Erkenntnislehre; die päpstliche Unfehlbarkeit wird betont; die Gnadenlehre orientiert sich an Lessius. Das bibelkundliche Werk »Analysis biblica« gilt als Gemeinschaftsarbeit der Heidelberger Jesuiten unter der Leitung K.s.

Werke: Dissertatio de methodo, 1746; Dissertatio de praecipuis Cartesianae doctrinae capitibus, 1747; Institutiones theologicae, in quibus praeter fidei dogmata propugnantur quaestiones scholasticae ..., 4 Bde., 1751-1754, I 1762[2]; Novi Testamenti pars prima seu historica, complectens historiam Dominicam ex concordia Evangeliorum concinnatam, et apostolicam ex Actis Apostolorum descriptam, 1765; R. R. Patrum Societatis Jesu Theologia dogmatica, polemica, scholastica et moralis praelectionibus publicis in alma Universitate Wirceburgensi accommodata, 14 Bde., 1766-1771, neuaufgelegt unter dem Titel: Theologia Wirceburgensis, 10 Bde., 1852-1854[2], 1880[3] (von K. stammen: De Deo uno et trino; De peccatis, gratia, justificatione et merito; De virtutibus theologicis; Principia theologica); Analysis biblica offerens sacrarum Scripturarum compendium ad Verbi divini scripti ..., 4 Bde., 1773-1779, 1868[3].

Lit.: Klaus Schilling, Die Kirchenlehre der Theologia Wirceburgensis, 1969; — Philipp Schäfer, Kirche und Vernunft. Die Kirche in der katholischen Theologie der Aufklärungszeit, 1974; — ADB XV, 735; — Sommervogel IV, 1038-1041; — Hurter[2] III, 226 ff.; — Kosch, KD 2110 f.; — Ludwig Koch, Jesuitenlexikon, 1934, 977; — DThC XV, 3556-3561; — EC VII, 695 f.; XII, 1703 f.; — DE III, 1384; — LThK X, 1185; — Catholicisme VI, 1435 f.; — NCE XIV, 963 f.

Erich Naab

KILCHNER, Ernst (Pseudononym) siehe Bernoulli, Carl Albert

KILIAN (Chilian), Bischof und Heiliger, * um 640, nach lokaler Tradition in Mullagh, County Cavan, † 8.7. (Festtag) um 689 (oder 697 ?) in Würzburg. — Die Quellenlage für die Biographie K.s ist äußerst dürftig. Über sein Leben berichtet eine späte, ein Jahrhundert nach K.s

Tode abgefaßte und legendäre Passio. Die Passio ist ausgeformt nach dem schon traditionellen Typus der Wanderbischöfe. K. gehört der sogenannten »irischen Mission« an. Er wurde in Irland geboren. Sein Geburtsjahr und -ort sind unbekannt bzw. unsicher. Die äußeren Fakten seines Lebens (Ordinationen und Bischofsweihe) vor seiner peregrinatio sind fragwürdig. Der Passio bietet das Itinerar seiner peregrinatio. Mit elf Gefährten fuhr K. zu dem Festland und setzte Fuß ans Land in Aschaffenburg am Rhein. Weiter rhein- und mainaufwärts, in Würzburg, soll er den lokalen Herrscher zum christlichen Glauben bekehrt haben. Nachher besuchte er, der Passio nach, den Papst (Conon, 686-687), von dem er den Missionsauftrag für Thüringen und das fränkische Ostreich erlangt haben soll. Der Bericht dieses Besuchs ist wohl Bonifatianische Hineininterpretation. Zurück in Würzburg starben K. und seine Gefährten 689 (?) einen gewaltsamen Tod, ihnen bereitet vom Dux Gozbert, weil K. sich in dessen Eheangelegenheiten eingemischt haben soll. Dieser Grund ist unsicher, denn solche Motive sind hagiografische Topoi, insbesondere der iroschottischen Tradition (vgl. V. Columbani, V. Corbiniani). — Der Schwerpunkt der Wirksamkeit Kilians und seiner Gefährten (Colonat und Totnan u. a.) scheint Würzburg zu sein. Damit ist eine übrigens verhältnismäßig späte irische Wirksamkeit im östlichen Teil des Frankenreiches gesichert. Die Spuren dieser Wirksamkeit sind aber spärlich. K. hat in Würzburg kein Kloster gegründet; der Bericht in der jüngeren Passio, daß die Reliquien der Märtyrer unter einem Pferdestahl aufgefunden wurden, mag wohl hinweisen auf eine eher geringe Verehrung. Sein Kult entstand erst in der zweiten Hälfte des 8. Jahrhunderts, gefördert von angelsächsisch-reichsfränkischer Kräfte. Ob die angelsächsischen Missionsarbeiten an der Arbeit K.s in Würzburg anschließen konnten ist unwahrscheinlich. War K.s Wirkung eher beschränkt, seine Verehrung war desto wirksamer. Der Kult scheint erst mit dem reichsfränkisch orientierten Bonifatiusschüler Burchard von Würzburg († 754) einen entscheidenden Aufschwung genommen zu haben. Nach der Translation der Gebeine K.s am 8. Juli 752 erfolgte seine Erhebung zum fränkischen Reichsheiligen, als seine Gebeine 788 (807 ?) von Berowulf beigesetzt wurden in der von Burchard errichteten Salvatorkathedrale. K.s Verehrung wurde rasch allgemeiner Reichskult: K. erscheint als einziger Repräsentant des rechtsrheinischen Reichsteiles neben Bonifatius in Godescalcs Heiligenkalendarium für Karl d. Gr. (um 782). Zur Propagation seines Kults wurde die Passio um 788 (Dienemann) oder um 840 (Levison) abgefaßt. — Festtage: Kilianus (et socii) martyr(es): 8. Juli (Adventus, in Würzburg, Wien und Irland), 25. März (in Paderborn).

Werke: Quellen: Vita Kiliani, ASOSB II, 951-953; ActaSS IUL II, 599-619; Passio sanctorum martyrum Kiliani et sociorum eius (= passio minor), hrsg. v. Wilhelm Levison, MGH.SRM V, 1979 (= 1910), (711-) 722-728.

Lit.: Franz Emmerich, Der hl. K., Regionarbischof und Märtyrer, hist.-krit. dargest., Würzburg 1896; — A. Bigelmair, Die Gründung des Bistums Würzburg, in: Würzburger Diözesangesch.bll. 2 (1934), 1-18; — Ders., Die Passio des hl. K. und seiner Gefährten, in: Herbipolis Jubilans; 1200 Jahre Bistum Würzburg, Würzburg 1952, 1-25; — Ders., Die Gründung der mitteldt. Bistümer, in: Bonifatius-Gedenkgabe, Fulda 1954², 247-287; — Louis Gougaud, Les saints Irlandais hors d'Irlande, Louvain 1939; — J. Hennig, Ireland and Germany in the Tradition of St. K., in: IER 83 (1952), 21-33; — Bernhard Bischoff/Josef Hofmann, Libri sancti Kyliani. Die Würzburger Schreibschule und die Dombibliothek im 8. und 9. Jh. (= Quellen und Forschungen zur Gesch. des Bistums und Hochstifts Würzburg VI), Würzburg 1952; — A. Gwynn, Ireland and Würzburg in the Middle Ages, in: IER 83 (1952), 401-411; — J. Dienemann, Der Kult des hl. K.s im 8. und 9. Jh. Beiträge zur geist. und polit. Entwicklung der Karolingerzeit (= Quellen und Forschungen zur Gesch. des Bistums und Hochstifts Würzburg X), Würzburg 1955 [Rezension: Josef Hofmann, in: MIÖG 65 (1957), 124-127; — Heinz Löwe, in: DA 13 (1957), 277; — Albert Bruckner, in: Eras. 12 (1959), 741-745]; — A. Gwynn, New Light on St. K., in: IER 88 (1957), 1-16; — P. Grosjean, Notes d'hagiographie celtique, in: AnBoll 75 (1957), 373-377; — G. Zimmermann, in: Würzburger Diözesangesch.bll. 20 (1958), 24-126 und 21 (1959), 5-124; — Alfred Wendehorst, Das Bistum Würzburg, Teil 1 (= GermSac NF 1), Berlin 1962; — Ders., Über das Nachleben St. K.s in Irland, in: Dieter Harmening u. a. (hrsg.), Volkskultur und Gesch., Berlin 1971, 440-441; — Ders., Die Iren und die Christianisierung Mainfrankens, in: Heinz Löwe (Hrsg.), Die Iren und Europa im früheren MA, Stuttgart 1982, 319-329; — Wilhelm Levison, Passio Kiliani, praefatio, MGH.SRM V, 1979 (= 1910), 711-722; — P. C. Boeren, Naam en verering van de hl. K., in: Naamkunde 12 (1980), 99-112; — Friedrich Prinz, Frühes Mönchtum im Frankenreich, Darmstadt 1988², 238-240, 247 f., 262, 347, 381, 393; — N. Moore, DNB IV, 363 f.; — DCB I, 544 f.; — K. Künstle, Ikonographie der christl. Kunst, Bd. II. Ikonographie der Hll., Freiburg i. Br. 1926, 379 f.; — HWDA IV, 1308 ff.; — J. Braun, Tracht und Attribute der Hll. in der dt. Kunst, Stuttgart 1943, 423; — Alfred Wendehorst, LThK² VI, 143 f.; — T. 6 Fiaich, NCE VIII, 178 f.; — David Hugh

Farmer, The Oxford Dictionary of Saints, Oxford/New York 1987[2], 251 f.

Adriaan Breukelaar

KILIAN, Augustinus, Bischof von Limburg 1913-1930, * 1.11. 1856 in Eltville/Rheingau, † 30.10. 1930 in Limburg. — Zunächst besuchte K. die Volks- und Lateinschule in Eltville, dann von 1871-77 Gymnasium und Konvikt in Hadamar; 1877/78 und 1879/80 folgte das Theologiestudium in Münster/W. und München, unterbrochen durch einjährigen freiwilligen Militärdienst beim Sanitätspersonal. Im Anschluß an das Studium war K. im Priesterseminar Freising, da das Limburger wegen des Kulturkampfes geschlossen war. Am 29.6. 1881 erhielt er die Priesterweihe in Freising. Es folgten seine Kaplanszeit in Reichenhall und von Januar 1883 bis November 1884 das Weiterstudium des Kirchenrechts an der Gregoriana in Rom, das er mit der Promotion zum Dr. iur.can. abschloß. Von 1884-90 war K. Domkaplan in Limburg, von 1890-99 Religionslehrer am Gymnasium in Montabaur. 1899 wurde er einstimmig als Domkapitular gewählt und zum Mitglied des Ordinariats ernannt. In dieser Funktion förderte er besonders das katholische Vereinswesen (Bonifatiusverein!) und war lange Zeit als bischöflicher Prüfungskommissar für die Theologenausbildung mitverantwortlich. Nach dem Tod des Bischofs Dominikus Willi (6.1. 1913) erfolgte K.s Wahl durch das Limburger Domkapitel (13.5. 1913), seine päpstliche Bestätigung (4.6. 1913) sowie seine Konsekration durch den Freiburger Erzbischof Nörber und die Bischöfe Kirstein (Mainz) und Schmitt (Fulda) am 8.9. 1913. Als Bischof trug K. der Tatsache Rechnung, daß das bislang ländlich geprägte Bistum durch Bevölkerungsverschiebung nach Frankfurt und Wiesbaden hin einen zunehmend großstädtisch geprägten Charakter annahm. Er sorgte für eine neue Dekanatseinteilung (1914) ebenso wie für eine Aufteilung der Großstadtpfarreien. Die für 1920 einberufene Diözesansynode befaßte sich u.a. mit den Problemen der Glaubensvermittlung in den Städten. Der von Friedrich Dessauer in Frankfurt herausgegebenen linkskatholischen »Rhein-Mainischen Volkszeitung« stand er aufgeschlossen, wenn auch nicht unkritisch gegenüber. Während K.s Episkopat kam es zu neuen Ordensniederlassungen (Franziskaner in Hadamar, Pictuspatres in Arnstein, Oblaten in Niederlahnstein, Jesuiten in Frankfurt) und zu zahlreichen Kirchenneubauten. Den Streit um die Einführung der Konfessionsschule führte K. mit Zähigkeit; 1925/27 wandte er sich erfolglos gegen die Errichtung einer simultanen pädagogischen Akademie in Frankfurt und boykottierte sie dann mit der Verweigerung der Missio canonica für katholische Lehramtskandidaten. Von bleibender Dauer ist die während K.s Amtszeit abgeschlossene Gründung einer vollständigen theologischen Ausbildungsstätte innerhalb des Bistums Limburg. Nachdem Pläne einer Anbindung an die Frankfurter Universität gescheitert waren, wurde die philosophisch-theologische Hochschule St.Georgen in Frankfurt 1926 eingeweiht, ihre Leitung den Jesuiten übertragen. Wegen eines Herzleidens erbat K. 1929 einen Weihbischof; statt dessen wurde am 31.3. 1930 der Wiesbadener Stadtpfarrer Antonius Hilfrich zu seinem Koadjutor ernannt und am 5.6. 1930 zum Bischof geweiht. Dieser trat dann wenige Monate nach K.s Tod dessen Nachfolge an. — K. versuchte, den Erfordernissen insbesondere der Großstadtseelsorge dadurch gerecht zu werden, daß er in seiner bis dahin eher ländlich-traditionell verfaßten Diözese auch neuem, manchmal abweichendem Denken Raum beließ. Das Aushalten dieser Spannung sowie die Einrichtung der Hochschule St. Georgen dürfen als die entscheidenden Eckpunkte in K.s Episkopat angesehen werden.

Werke: Die Wirksamkeit des Bonifatiusvereins in der Diözese Limburg von 1887 bis 1902, 1902; Seelenparadies. Gebetbuch nach dem Paradisus animae christianae des Jakob Merlo-Horstius bearbeitet und mit vielen neuen Gebeten versehen, 1922; Das Gebet des Herrn. Nach dem hl. Thomas v. Aquin erklärt, 1925; Maria, Mutter der Gnaden. Der Verehrung der Himmelskönigin gewidmet, o.J. (1930); Bibl. zahlreicher Einzelbeiträge bei H. Becker, Dr. A. K., in: AMrhKG 29 (1977), 188f. Anm. 43.

Lit: Hans Becker, Dr. Augustinus Kilian, Bischof von Limburg (1913-1930), in: AMrhKG 29 (1977) 175-190; — Die Bischöfe der deutschsprachigen Länder 1785/1803 bis 1945. Ein biographisches Lexikon, 1983, 381-383; — Klaus Schatz, Geschichte des Bistums Limburg, 1983, bes. 223-256.

Dieter Skala

KILIAN STETZING, franziskanischer Theologe, genauere Lebensdaten unbekannt. * um 1400 in Pommern, in der Nähe von Greifswald, † nach 1435. Sicheres Lebenszeugnis ist die Immatrikulation in Erfurt 1433. Davor fand wohl schon der Eintritt in das Franziskanerkloster Greifswald statt, dort erhielt K.S. seine erste Ausbildung, daran schloß sich ein weiteres Studium in Colchester an, wo er seine »Tabula« bearbeitete. Zurück in Erfurt verfaßte er einen Sentenzenkommentar zu Petrus Lombardus, wurde Baccalaureus formatus. Weitere Lebenszeugnisse fehlen, was wohl auf einen baldigen Tod deutet. — Sein Werk spiegelt eine umfassende Bildung, ist ideengeschichtlich, wie die ganze Erfurter Schule, stark von Johannes Duns Scotus beeinflußt. Dazu flossen Gedanken des hl. Bonaventura über die vita contemplativa ein. Getragen wird alles von einer starken, bisweilen kindlich anmutenden Frömmigkeit. Sein klarer Stil und die übersichtliche Darstellung lassen ihn als bedeutenden Lehrer des Erfurter Studium erscheinen.

Werke: Tabula super Metaphysicam Antonii Andreae, Kommentar zu den Libri Sententiarum des Petrus Lombardus, 1435 unvollständig erhalten, beide Ms. unediert. Katalog der Ms. bei Meier.

Lit.: Ludger Meier OFM, Lebensgang und Lebenswerk des Erfurter Franziskanertheologen Kilianus Stetzing, Franziskanische Studien 23, 1936, 176-200, 265-295; — Ders., De schola Franciscana Erfordenis saeculi XV, Antonianum 5, 1930, 91-94; — Ders., Die Lehre vom Primat der deutschen Franziskanertheologie des ausgehenden Mittelalters, Franziskanische Studien 19, 1932, 269-291; — Ders., Zum Schrifttum des Minoriten Kilianus Stetzing, Recherches de Theologie ancienne et medievale 10, 1938, 173-190; — Ders., Die Firmungslehre des Kilian Stetzing, Zs f. kath. Theologie 79 1957, 190-200; — Ders., Die Barfüßerschule zu Erfurt, Beitrr.z. Geschichte der Philosophie und Theologie des Mittelalters 38, 2, 1958; — LThK VI, S. 143, DTC XIV, 2 Sp. 2612- 2615.

Lothar Kolmer

KILWARDBY, Robert OP, englischer Philosoph und Theologe, Dominikaner, * ca. 1215 in der engl. Grafschaft Leicester, † 10.9. 1279 in Viterbo. — Was die genaue Datierung des Lebens, besonders vor dem Eintritt in den Dominikanerorden und die Zeit vor der Ernennung zum Provinzial angeht, gehen die Meinungen stark auseinander. Um 1231 Studium in Paris; um 1237 Magister artium; 1237-45 (wahrscheinlich) Lehrtätigkeit. R.K. genoß großes Ansehen als Grammatiker und Logiker in Paris. In dieser Zeit ist eine umfangreiche literarische Tätigkeit anzusetzen; er schrieb philosophische Kommentare zu Aristoteles, Boethius u.a.. — Für 1245 Rückkehr nach England und Eintritt in Dominikanerorden wahrscheinlich. Er studierte in Oxford Theologie. Von 1248-1261 ist seine Lehrtätigkeit bei den Dominikanern in Oxford bekannt; 1250 wurde er wohl Baccalaureus theologiae, 1254 Magister theologiae. R.K. lehrt zuerst Philosophie, verfaßt dazu ein Kompendium über Ursprung und Wesen aller menschlicher Wissenschaften für Anfänger und schreibt 'De ortu et divisione scientiarum', das in vielen Manuskripten bezeugt ist. Danach widmet er sich Studien der Theologie: 1252-54 kommentiert er die 'Sentenzen' des Petrus Lombardus und 1254-56 die Hl.Schrift; 1256-61 ist er Magister regens in Theologie. Aus dieser Zeit stammt ein umfangreiches Opus: Er legte großen Wert auf das Studium der Patristik; er verfaßte dafür verschiedene Kompendien: alphabetische Sammlungen (tabulae), analytische Erläuterungen (concordantiae) und Zusammenfassungen (intentiones) wichtiger patristischer Schriften. Er ist einer der besten Augustinuskenner seiner Zeit; seine Theologie ist aber eher vorthomistisch. — Von 1261-72 ist er Provinzial der Dominikaner. In seine Zeit fällt das Aufblühen der engl. Dominikanerprovinz mit der Gründung von 7 neuen Konventen. Er gerät mit Johannes Peckham OFM in Konflikt über die christliche Armut; dieser gibt die Schrift »Tractatus contra Fratrem Robertum Kilwardby« heraus. Danach wird er 1272 vom Amt entbunden. — Am 11.10. 1272-78 ernennt ihn Gregor X. zum Erzbischof von Canterbury. 1273 ruft er eine erste Gesamtsynode der Diözese zur kirchlichen Erneuerung ein und setzt diese in verschiedenen Visitationen durch. 1274 Teilnahme am Konzil von Lyon. 19.8. 1274 krönt er Eduard I. zum König. Am 18. März 1277 greift er in die theologische Diskussion der Zeit ein: Am 7.März hatte Bischof Tempier in Paris 219 Thesen, unter ihnen ca. 20 gegen Thomas v. Aquin, verurteilt; 11 Tage später veröffentlichte R.K.30 Propositionen aus der Grammatik, Logik und Naturphilosophie, darunter wieder solche des Thomas von Aquin, die er verurteilte. Darüber gerät er in Auseinandersetzung mit seinem Mitbruder Peter von Conflans, Erzbischof von Corinth, wobei er seinen Schritt damit rechtfertigt, die Lehren nicht der Häresie geziehen zu haben, sondern nur vorbeugen zu wollen, daß sie gelehrt würden; denn sie seien dem katholischen Glauben meist entgegengesetzt. Die neue thomistische Lehre erschien ihm in einigen Punkten 'fantastisch', 'falsch und unmöglich' und 'gegen den katholischen Glauben'. Er dürfte gegen das Heraufkommen der neuen Lehre im Gefolge des Aristoteles gewesen sein (s. De unitate formarum). Die weitere Entwicklung zeigte, daß R.K. in die neue Lehre eher zuviel Verdächte hineinlegte, als sie korrekt wiederzugeben. In R.K., dem hochrangigen Theologen, kam es zur exemplarischen Auseinandersetzung zwischen der Rezeption des (heidnischen) 'Aristoteles' und dem (christlichen) 'Plato' der Kirchenväter (Augustinus).- Am 4.4. 1278 crnennt ihn Nikolaus III. zum Kardinalbischof von Porto und Santa Rufina. Im Februar 1279 trifft er in Rom ein, im September stirbt er in Viterbo. Dort ist cr in der Dominikanerkirche begraben.

Werke: Gedruckte Quellen: De natura theologiae, hg.v. F.Stegmüller. Opuscula et textus, series scolast. 17. Münster 1935; Der Traktat des R.K.OP »De imagine et vestigio Trinitatis«, in: AHDL 10 (1935-6), 324-407; Brief an P. von Conflans, in: F.Ehrle, Der Augustinismus und Aristotelismus in der Scholastik gegen Ende des 13.Jahrhunderts, in: Archiv f. Lit. u.Kirchengesch. d.Mittelalters 5 (1889), 614-32; Brief an P. von Conflans, hg.v. A.Birkenmajer, in: BGPhMA V (1922), 36-39; Quaestiones in Librum Tertium Sententiarum. Teil II: Tugendlehre, hg. v. G.Leibold. München 1985; De ortu scientiarum, ed. by A.G.Judy OP. Toronto 1976; Quaestiones in Librum Tertium Sententiarum. Teil I: Christologie, hg. v. E. Gössmann. München 1982; »De natura relationis«, hg.v. L. Schmücker. Brixen 1980. — Werke nach der Überlieferung: Vor dem Ordenseintritt: Kommentare zu Priscian, zu Aristoteles (Organon), zu den Sex principiis, zu Boethius (De divisione und Topica), zu den Libri Naturales und zur Metaphysik des Aristoteles (noch nicht gefunden). — Nach dem Ordenseintritt: Sentenzenkommentar; Quaestiones de conscientia, de spiritu imaginativo, de relatione, de incarnatione, de paenitentia; Tabulae super Originalia Patrum; De ortu et divisione scientiarum; De unitate formarum; De tempore.

Lit.: A. Birkenmajer, Der Brief R.K.'s an Peter v. Conflans und die Streitschrift des Ägidius v. Lessines. (BGPhMA XX,5). Münster 1922, 36-69; — D.A. Callus, The Condemnation of St.Thomas at Oxford. (Aquinas Papers 5). Oxford 1946; — Ders., The »Tabulae super Originalia Patrum« of R.K., in: Studia Mediaevalia. FS R.J.Martin. Brügge 1948, 243-270; — M.D. Chenu, Le Traité »De tempore« de R.K. (BGPhThMA, Suppl. III,2). Münster 1935, 855-861; — Ders., in: BiblThom 13 (1930), 191-222; — H. Denifle, Quellen zur Gelehrtengeschichte des Predigerordens im 13. und 14.Jahrhundert, in: Archiv für Literatur- und Kirchengeschichte des MA 2 (1886), 614; — A. Dondaine, Le »De Tempore« de R.K., in: RThAM 8 (1936), 94-97; — Ders., La Question »De necessitate incarnationis« de R.K., in: RThAM 8 (1936), 97-100; — F. Ehrle, Ein Schreiben des Erzbischofs v.Canterbury R.K. zur Rechtfertigung seiner Lehrverurteilung vom 18.März 1277, in: Archiv für Literatur- und Kirchengeschichte des MA 5 (1889), 607-635; — A.B. Emden, A Biographical Register of the University of Oxford II. Oxford 1958, 1051ff; — R. Gal, R. K.'s Questions on the Metaphysics and Physics of Aristotle MS 509 Gonville and Caius College Cambridge, in: Franciscan Studies 13 ; — B. Geyer, Geschichte der Patristischen und Scholastischen Philosophie. Berlin 1928; — W.A. Hinnebusch, The Early English Friars Preachers. Rom 1951, 374-386; — A.G. Judy, R. K. OP »De ortu scientiarum« edited by A.G. Judy (Auctores britannici medii aevi IV). Toronto 1976; — J. Pinborg, O. Lewry u.a., The Commentary on »Priscianus Maior« Ascribed to R.K.. (Université de Copenhagen. Cahiers de l'Institut du Moyen Age Grec et Latin 15). Kopenhagen 1975; — J. Quétif-Echard, Scriptores ordinis Praedicatorum I. Paris 1719, 374-380; — M. Schmaus, Augustins psychologische Trinitatserklärung bei R.K., in: Sapientiae procerum amore. FS für J.P.Müller, in: Studia Anselmiana 63 (1974), 149-209; — L. Schmücker, An Analysis and Original Research of K.'s Work »De ortu scientiarum«. Rom 1963; — D.E. Sharp, The 1277 Condemnation by R.K., in: The New Scholasticism 8 (1934), 306-318; — Ders., The »ortu scientiarum« of R.K., in: The New Scholasticism 8 (1934), 1-30; — Ders., Further Philosophical Doctrines of R.K., in: The New Scholasticism 9 (1935), 39-55; — E.M.F. Sommer-Seckendorff, Studies in the Life of R.K. OP, in: Institutum F.F.Historicum Praedicatorum Romae ad S.Sabinae VII. Rom 1937; — Ders., R.K. und seine philosophische Einleitung »De ortu scientiarum«, in: HJ 55 (1935), 312-324; — F. Stegmüller, Les questions du comment. des Sentences de R.K., in: RThAM 6 (1934), 55-79; 215-228; — S.H. Thomson, R.K.'s Commentaries »In Priscianum« and »In Barbarimsum Donati«, in: The New Scholasticism 12 (1938), 52-65; — L.E. Wiltshire, Were the Oxford Condemnations of 1277 Directed against Aquinas?, in: The New Scholasticism 48 (1964), 125-132; — M. de Wulf, Le traité De unitate formae de G. de Lessines. Philosophes belges 1. Louvain 1901; — DNB XI, 120ff; — DThC VIII, 2354ff; — ECatt I, 698f (Nardi); — LThK VIII, 1340 (Callus); — NCE XII, 533 (Weisheipl); —

Klaus Kienzler

KIM, André (Kum-hai oder Kim-tai-ken), Märtyrer, erster koreanischer katholischer Priester, * 1821 in einer christlichen Familie (sein Vater erlitt das Martyrium 1839), † 16.9. 1846 durch Enthauptung in Seoul. Von der katholischen

Kirche wird K. als Seliger am 5. Juli verehrt. — K. begegnete 15jährig dem französischen Missionar Pierre-Philibert Maubant, einem Mitarbeiter des Missionsbischofs Imbert. Da er den Wunsch äußerte, Priester zu werden, wurde er zum Studium des Lateins nach Macao geschickt. Nach dem Opiumkrieg versuchte er, französische Missionare nach Korea einzuschmuggeln. Darüber berichtete Bischof Ferréol. Nach der Diakonatsweihe gelangte er allein nach Seoul, doch kehrte er als Kapitän eines Fischerbootes nach Shanghai zurück. Sein kraftvolles Auftreten verhinderte eine Auslieferung an die koreanischen Behörden. Bei Shanghai wurde K. 1845 zum Priester geweiht. Danach kehrte er mit seinem Boot nach Seoul zurück. Dabei gelang es ihm, Bischof Ferréol und seinen Mitarbeiter M.-N.-A. Daveluy an die koreanische Küste zu bringen. In Seoul konnte K. nur ein Jahr lang als Priester wirken, bevor er den Verfolgern in die Hände fiel. Jetzt ruhen die Gebeine des Märtyrers in der Kapelle des Priesterseminars des heutigen Erzbistums Seoul.

Lit.: G. E. Closen: Kath. Missionen 54 (1926), 197-204; — Bibliotheca Missionum X, 528; — A. Butler, The Lives of Saints, New York 1956, III, 611-613; — C. Testore (Hrsg.), Bibliotheca Sanctorum, Rom 1961-1969, IV, 176 f.; — LThK ²VI, 147; — Encyclopedic Dictionary of Religion, Philadelphia-Washington, D.C. 1979, 1985.

Johannes Madey

KIMCHI, David, 1160-1235 (?) zu Narbonne/Provence, Sohn von Josef Kimchi (s.u.); Verfasser einer Encyclopaedie zur hebräischen Sprache, die bis in die folgenden Jahrhunderte hinein ein Standardwerk für Hebraisten in Europa wurde; häufig geriet er in Kontroversen mit christlichen Gelehrten wegen seiner kritischen Anmerkungen zu christlichen Psalmen- und Prophetenauslegungen; andererseits wurde sein Sprachwerk zu einer gründlich genutzten Hilfe, z.B. für Johannes Reuchlin, dessen »Rudimenta Linguae Hebraicae« und das folgende »Lexicon Hebraicum« von 1506 sich stark an K.s Werk anlehnen. K. wandte sich mit oft scharfer, aber sachlich begründeter Polemik gegen christologische Verfälschungen alttestamentlicher Aussagen (z.B. Jesaja 2,1ff; Psalm 22,1ff; 110,1 u.a.m.) und vor allem gegen die Behauptung der

Kirche, daß sie das wahre Israel sei. K. betonte die bleibende Erwählung Israels wie auch die Gewißheit seiner kommenden Erlösung in der Zeit des Messias. Dieses Kontroversmaterial aus K.s Psalmenkommentar und anderen Traktaten aus seiner Feder wurde 1644 in Lipmann Mühlhausens »Sefer ha-Nizzahon« in Altdorf veröffentlicht, wo es der Dialog- und Kontroverstheologie eines Johann Christoph Wagenseil später als Grundlage für die Auseinandersetzung mit dem Judentum seiner Zeit diente.

Lit.: W. Bacher, Hebräische Sprachwissenschaft, 1910, S. 76; — L. Finkelstein, The Commentary of David Kimchi on Isaiah, 1926; — S. Dub Dübnow, Weltgeschichte des jüdischen Volkes, Berlin 1926 ff.; — H. Graetz, Geschichte der Juden, Leipzig 1853 ff.

Paul Gerhard Aring

KIMCHI, Josef, 1105-1170, Exeget, Übersetzer philosophischer Traktate, Sprachforscher; er emigrierte in der Zeit der Almohadenverfolgungen von Spanien nach Narbonne in der Provence. Daß er maßgeblich dazu verhalf, die linguistische Forschungsmethodik des spanischen Judentums im christlichen Europa bekannt zu machen, bleibt sein Verdienst. Seine Kommentare zu biblischen Büchern sind eine eindringliche Aufforderung, diese Bücher nur aus sich selbst heraus zu verstehen und dementsprechend zu interpretieren; ein Traktat aus seiner Feder unter dem Titel »Sefer ha-Berit« war eine der ersten polemischen jüdischen Attacken gegen die christliche Theologie, von der wir wissen, daß sie in Europa verfaßt wurde; in einem fiktiven Dialog zwischen einem Gläubigen und einem Häretiker werden christologische Interpretationen biblischer Grundbegriffe (z.B. »Erbsünde« oder »Inkarnation«) kritisch befragt.

Lit.: vgl. Kimchi, David

Paul Gerhard Aring

KIMCHI, Moses, bekannt unter dem aus den Anfangsbuchstaben seines Namens Rabbi Moses Kimchi gebildeten Akronym »Remak«, ist der Sohn einer berühmten jüdischen Gelehrtenfamilie des frühen Mittelalters. Er lebte vor allem als großer Grammatiker des Bibelhebräischen und als Ausleger der biblischen Bücher in Narbonne, Provence, Frankreich. Weder sein genaues Geburtsdatum noch sein Todesdatum sind bekannt. Er verstarb um das Jahr 1190. — Moses besondere Bedeutung vor allem auch für die christliche Bibelexegese besteht in der systematischen grammatischen Erfassung des Bibelhebräischen, die er betrieb. Er führte das Verbum »pqd« als Paradigma ein und erkannte die Verbalform des »Nif^{c}al« als Passiv des Grundstamms »Qal«. Ebenso stellte er die Reihenfolge »Qal, Nif^{c}al, Pi^{c}el, Pu^{c}al, Hif^{c}il, Hof^{c}al, Po^{c}el« und »Hitpa^{c}el« für die Stammformen des Verbums auf. Diese Ordnung wurde maßgeblich für die späteren Grammatiken des biblischen Hebräisch. Im übrigen folgte er bei seiner Arbeit seinem Vater Josef Kimchi (ca. 1105-1170) sowie Abraham ibn Ezra (1089-1164), die ebenfalls hervorragende Grammatiker waren. Sein jüngerer, nicht minder bedeutender Bruder David Kimchi (ca. 1160-1235) redet von ihm als seinem Lehrer. — M. legte den Schwerpunkt nicht in die Phonetik, sondern auf die Morphologie. Seine Grammatik mit dem Titel »Mahalach Schewile had-Da^{c}at« = »Zuweg zu den Pfaden der Erkenntnis« (Pesaro 1508) war von Sebastian Müller unter dem lateinischen Titel »Liber viarum linguae sacrae« = »das Buch der Zuwege zur heiligen Sprache« im Jahr 1520 zu Paris veröffentlicht worden. Dadurch wurde sie auch den christlichen Exegeten zugänglich. — M. schrieb weiterhin eine kurze theoretische Abhandlung über die Klassifizierung der Nomina, Partizipien und Verben unter dem Titel »Sächäl tow« = »Gute Einsicht«. Ein drittes Werk, das »Sefär Tachboschät« = »das Buch der Heilung« befaßte sich mit grammatisch ungewöhnlichen Formen. Es ist jedoch nicht mehr erhalten. — Die grammatischen Bemühungen dienten M. für das nicht-allegorische, sondern wörtliche bzw. historische Bibelverständnis. Er beschäftigte sich in seinen Bibelkommentaren vor allem mit den theologisch weniger favorisierten biblischen Büchern wie Proverbien, Ezra und Nehemia (1178). Ferner verfaßte er einen Kommentar zum Hiobbuch. Schließlich wird ihm auch ein ethisches Werk: »Ta^{c}anug näfäsch« = »Seelenfreude« zugeschrieben. Im übrigen schuf er auch synagogale Dichtungen (»Pijjutim«). Kennzeichnend für die Werke Moses ist das Fehlen antichristlicher Polemik, die zu seiner Zeit üblich war. Durch seine grammatischen, wenn auch heute in vieler Hinsicht überholten Arbeiten hat Moses entscheidenden Einfluß auf die christliche und jüdische Hebraistik sowie Bibelexegese genommen. Sie verdanken ihm bis heute wesentliche Fundamente.

Werke: Ausgaben genannt bei: M. Steinschneider, Catalogus librorum Hebraeorum, Berlin 1852-1860 (Repr. Hildesheim 1964), S. 1838a-1844; A. E. Cowley, A Concise Catalogue of the Hebrew Printed Books in the Bodleian Library, Oxford 1971, S. 472; Mahalach (der volle Titel ergibt als Akronym seinen Namen): Pesaro 1508, Pesaro o. J. , Ortona 1519, (Hagenau) Augsburg 1520; (S. Müller, mit Glossen des Grammatikers Sabbatai b. Isaak aus Przemysl) Paris 1520, s.o., (G. Soncino, Dikduk bzw. Darche Leschon ha-Kodesch, mit Erläuterung durch E. Levita und Einleitung von B. Ben Jehuda) 3 Auflagen zur selben Zeit, (D. Bomberg mit Verbesserungen von R. Schabtai und Zusätzen von A. Justiniani) Venedig 1546, in Basler Editionen (u. a. 1531) mit der lateinischen Version des S. Müller und Zusätzen E. Levitas, (C. L'Empereur mit Erläuterungen E. Levitas und Vorwort R. Benjamins) Leiden 1631, Hamburg 1875. etc.: Sächäl tow: Handschrift ehemals in Bibliothek zu Durlach, Geschenk Reuchlins. D. Castelli, Le Sepher Sekhel Tob, Revue des Etudes Juives 28 1894 S. 212-227, 29 1894 S. 100-110; Sefär Tachboschät: erwähnt von David Kimchi in seinem Wörterbuch. Ezra-Kommentar veröffentlicht in der Rabbiner Bibel des Daniel Bomberg, Venedig 1545-1549. In der Buxtorfschen Ausgabe weggelassen; Ta^{c}anug Näfäsch: I. Lattès in: Schaare Zijon, Jaroslau 1885, S. 73 ; Hiob-Kommentar, Handschrift, Angelica, Rom. Veröffentlicht: J. Schwarz, in: Tikwat Enosch II, Berlin 1868, S. 71f; Ders. , Sammlung jüdischer Erklärungen des Buches Job, Berlin 1888; Proverbien-Kommentar, Handschrift in Bodleian Library, Oxford. Veröffentlicht: Mikraot gedolot, Venedig 1526; Vier Pijjutim bekannt, davon zwei im Machsor von Tripolis enthalten.

Lit.: J. B. de Rossi, Historisches Wörterbuch der jüdischen Schriftsteller und ihrer Werke (C. H. Hamburger - H. Jolowicz, Hrsg.), Amsterdam 1967 (Neudruck der Ausgabe Leipzig 1839 & 1846); — A. Geiger, in: Ozar Neḥmad 1 1856 S. 118, 2 1857 S. 18-24; — W. Bacher, in: Revue des Etudes Juives 21 1890 S. 281-285; — S. Winniger, Große Jüdische National-Bibliographie Bd. 3, Cernauti 1928, S. 445b; — M. S. Segal, Parschanut hammiqra, Jerusalem 1947, 1952², s. v.; — Encyclopaedia Judaica Bd. 10, corrected edition, Jerusalem 1978ff, Sp. 1007f; — Speziell: J. B. Sermoneta, in: Scritti in Memoria di L. Carpi, Milano 1967, S. 59-100; — F. J. Ortueta y Murgoito, Moisés Kimchi y su obra Sekel Tob, Madrid 1920; — E. Z. Melamed, Mefarshet ha-miqra, Darkheihem ve-shitoteihem Vol. 2, Jerusalem 1975, S. 716-932; — Ältere Literatur zusätzlich in: Wetzer und Welte's Kirchenlexikon, 2. Auflage hrsg. von F. Kaulen, Bd. 7, Freiburg 1891; — The Jewish Encyclopaedia Bd. 7, New York-London 1904, S. 497. Jüdisches Lexikon Bd. 3, Berlin 1929, Sp. 695. Encyclopaedia Judaica Bd. 9, Berlin 1932, Sp. 1245f.

Paul-Richard Berger

KIND, August, deutscher ev. Kirchenmann, * 1854 in Leipzig, † wahrsch. 1916 in Berlin. — K. wurde 1877 Pastor in Jena, 1895 Pfarrer an der Neuen Kirche in Berlin. Er verfaßte eine Reihe populär-religiöser Schriften im Sinne einer vermittlungstheologischen Richtung. Seit 1901 war er Präsident des Allgemeinen ev.-prot. Missionsvereins und gab dessen Organ, die »Zeitschrift für Missionskunde und Religionswissenschaft«, heraus. Dieser Verein förderte besonders die Ostasienmission, wobei er den Grundsatz vertrat, daß man dabei das Christentum in Anknüpfung an die dortigen Hochkulturen verkündigen solle; dies veranlaßte K. zu Studien über den Buddhismus, aus denen seine Schrift über den Buddhismus und seine Bedeutung (s.u.) hervorging. In strenggläubigen Kreisen stieß diese Richtung auf Ablehnung. — K. war ein Mann von ausgleichender Geistesart, die sowohl in seinem religiösen Wirken in Deutschland als auch in seiner Tätigkeit für die Mission zum Ausdruck kommt.

Werke: Jesus der Messias, Heidelberg 1900; Jesus Christus, »Gottes eingeborener Sohn«. Eine Betrachtung, ebd. 1901; Züge aus Jesu Wesen u. Leben, ebd. 1902; Gott u. sein Wesen, ebd. 1902; Mancherlei Plaudereien, ebd. 1902; Rom od. das Ev., ebd. 1906; Ernste Gedanken f. einfache Gemüter, ebd. 1907, verm. Aufl. 1913²; Verschiedenes. Weitere Plaudereien, ebd. 1908; Der Buddhismus u. seine Bedeutung (= Volksschrr. des Allg. ev.-prot. Missionsver., Nr. 8), ebd. 1910, 1914³. Erlösung u. Versöhnung. Gedanken darüber, ebd. 1910; Unser Glaube an eine göttliche Vorsehung, ebd. 1912; Der gemeinsame Glaubensgrund in der ev. Christenheit, ebd. 1912; Was ist uns Menschen der Gegenwart die Bibel? Ein Vortr., ebd. 1912; Was ist es mit dem ewigen Leben? Vortr., ebd. 1914; Von den ersten Blättern der Bibel. Betrachtungen, ebd. 1915; Gott ist unsere Stärke. Predigten aus der Kriegszeit, mit einem Vorwort v. P. Kirmß, hrsg. v. Else Gorsolke, ebd. 1916. — Hrsg.: ZMR Jg. 16, 1901-29, 1914. — Mitwirkung: Sonntagsgruß f. Gesunde u. Kranke. Ges. Pfennigpredigten, Jg. 1910/11-1915/16, Schriftleitung Heinrich Rothenhöfer, unter Mitwirkung v. Otto Baumgarten u. August Kind.

Lit.: RGG III¹, 1104.

Adolf Lumpe

KINDERMANN, Johann Erasmus, Komponist und Organist, * 29.3. 1616 in Nürnberg, † 14.4. 1655 ebd. — K. entstammte einer in Nürnberg alteingesessenen Kammacherfamilie. Er hat vermutlich die Pfarrschule von St. Sebald besucht. Sein Musiklehrer war der damals an der Kirche von St. Sebald tätige Johann Staden. Bereits 1631, also im Alter von erst fünfzehn Jahren, wurde er als Musiker an der Frauenkirche angestellt. Im Herbst 1634 oder im Frühjahr 1635 reiste er zu einem etwa einjährigen Studienaufenthalt nach Italien, wozu ihm der Rat der Stadt Nürnberg eine finanzielle Unterstützung gewährte. Dort hielt er sich vermutlich in Venedig, vielleicht auch in Rom auf. Welche Musiker K. in Italien aufsuchte, ist nicht mehr feststellbar. Möglicherweise sah er noch Monteverdi und hatte persönliche Kontakte zu Cavalli, Carissimi und Frescobaldi. Im Januar 1636 kehrte er auf Weisung des Nürnberger Rates in seine Heimatstadt zurück und wurde als zweiter Organist an der Frauenkirche angestellt. Im Jahre 1637 heiratete er Susanne Ditzlin, mit der er neun Kinder hatte. Da in Nürnberg die angesehensten und daher auch begehrtesten Organistenstellen von St. Sebald und St. Lorenz besetzt waren, versuchte K., in anderen Städten eine seinen Fähigkeiten entsprechende Stelle zu bekommen. So bewarb er sich 1637 und 1640, allerdings ohne Erfolg, um eine Anstellung an der Barfüßerkirche in Frankfurt am Main. Am 5. August 1640 bemühte er sich um eine Organistenstelle in Schwäbisch Hall. Mit dieser Bewerbung hatte er Erfolg. Er trat diese Stelle dann auch bereits im September an. Im gleichen Monat schon trat er wieder von dieser Position zurück und schlug den Nürnberger Organisten Georg Dretzel als Vertreter und Nachfolger vor, der dann auch angenommen wurde. K. selbst aber bewarb sich noch im gleichen Jahr um die Organistenstelle an der Egidienkirche in Nürnberg, die er dann bis zu seinem Tode innehatte. — Als Komponist bewies K. eine ungewöhnliche Vielseitigkeit. Neben zahlreichen, für den liturgischen Gebrauch bestimmten Choralvorspielen und Choralbearbeitungen und weiteren selbständigen Orgelkompositionen schrieb er viele Orchesterstücke und Lieder für die Musikpflege im Nürnberger Patriziat. Er stand auch den Dichtern des Pegnesischen Blumenordens nahe, deren Werke er musikalisch umrahmte und ausgestaltete. Unter den Nürnberger Komponisten seiner Zeit zählte er zu den herausragendsten Begabungen.

Werke: Cantiones pathetikaí, 1639; 3 Motetten, in: Friedens-Clag, 1640; Deliciae studiosorum, 4 Tle., 1640, 1642, 1643 (Instrumentalstücke, nur teilw. erhalten); Concentus Saomonis, 1642; Dialogus, Mosis Plag, Sünders Klag, Christi Abtrag, 1642; Mus. Friedens Seuffzer, 1642; Opitianischer Orpheus, 1642; Dess Erlösers Christi und sündigen Menschens heylsames Gespräch, 1643; 1 Lied, in: Intermedium Musico-Politicum, 1643; Musica Catechetica, 1643; Mus. Felder- und Wälderfreund, 1643; Mus. Herzentrost-Blümlein, 1643; Frühlings und Sommer freud, 1645; Harmonia organica, 5 Tle., 1645; Lobgesang. Über den Freudenreichen Geb. unseres Herrn und Heylandes Jesu Christi, 1647; Weihnachtsgesang, 1647; 14 Lieder, in: Mus. Friedens Freud, 1650; 22 Lieder, in: Göttliche Liebesflamme, 1651; 64 Lieder, in: ErsterTeil Herrn J. M. Dilherrns Evangelischer Schlußreimen der Predigen, 1652; 56 Lieder, in: Zweiter Teil ... der Predigen, 1652; 57 Lieder, in: Dritter Teil ... der Predigen, 1652; Neu-verstimmte Violen Lust, 1652; Canzoni. Sonatae, 2 Tle., 1653; 3 Stücke, in: Mus. Zeitvertreiber, 1655; Zahlr. Gelegenheitskompositionen. — Neuere Ausgaben: Ausgew. Werke, in: DTB XIII, 1913 (hrsg. v. F. Schreiber); Ausgew. Werke, in: DTB XXI-XXIV, 1924 (hrsg. v. B. A. Wallner); Einzelne Stücke in vielen Sammelwerken. — Bibliogr.: Wilhelm Dupont, Werkausgaben Nürnberger Komponisten in Vergangenheit und Ggw., 1971, 126-136.

Lit.: C. à Beughem, Bibliographia mathematica et artificiosa, 1688; — W.C. Printz, Hist. Beschreibung der edlen Sing- und Kling Kunst, 1690; — J. G. Doppelmayr, Hist. Nachr. von den Nürnbergischen Mathematicis und Künstlern, 1730, 225; — J. Mattheson, Grundlage einer Ehrenpforte, 1740, 259, 391; — C. v. Winterfeld, Der ev. Kirchengesang II. 1845; — C. F. Becker, Die Tonwerke des 16. und 17. Jh.s, 1855; — Robert Eitner, J. E. K., in: MfM XV, 1883, 37, 81, 137; — A. G. Ritter, Zur Gesch. des Orgelspiels, 1884; — J. Zahn, Die Melodien der dt. ev. Kirchenlieder, 1888-1893; — E. Bohn, Die musik. Hss. des 16. und 17. Jh.s in der Stadtbibliothek zu Breslau, 1890; — G. Caspari, Catalogo della Biblioteca del Liceo Musicale di Bologna, 1890-1905 (Bd. IV); — R. Vollhardt, Bibliogr. der Musik-Werke in der Ratsschulbibliothek zu Zwickau, in: MfM XXVIII, 1896, Beil.; — Adolf Sandberger, Einl. zu DTB II/1, 1901; — A. Göhler, Verzeichnis der in den Frankfurter und Leipziger Meßkatalogen der Jahre 1564-1759 angezeigten Musikalien, 1902; — Max Seiffert, Einl. zu DTB VI/1, 1905; — Ders., Die Chorbibliothek der St. Michaelisschule in Lüneburg zu S. Bach's Zeit, in: SIMG IX, 1907/1908, 593; — T. Norlind, Ein Musikfest zu Nürnberg im Jahre 1649, in: SIMG VII, 1905/1906, 111-113; — Ders., Vor 1700 gedruckte Musikalien in den schwed. Bibliotheken, in: SIMG IX, 1907/1808, 196; — C. Valentin, Gesch. der Musik in Frankfurt a. M., 1906; — H. Kretzschmar, Gesch. des neuen dt. Liedes, 1911; — R. Mitjana, Catalogue critique et descriptif des imprimés de musique des 16. et 17. siècles conservés à la Bibliotheque de l'Université Royale d'Upsala I, 1911, III, 1951; — W. B. Squire, Catalogue of Printed Music Published Between 1487 and 1800, I, 1912; — Felix Schreiber, J. E. K., Diss. München, 1913 (abgedr. in: DTB XIII, 1913, Einl.); — E. A. Krückeberg, Ein hist. Konzert zu Nürnberg im Jahre 1643, in: AfMw I, 1918/1919, 590-593; — Arnold Schering, Die alte Chorbibliothek der Thomasschule in Leipzig, in: AfMw I, 1918/1919, 275; — P. Epstein, Das Musikwesen der Satdt Frankfurt a. M. zur Zeit des J. A. Herbst von 1623-1666, Diss. Breslau, 1923; — A. Moser, Gesch. des Violin-Spiels, 1923; — Bertha Antonia Wallner, Einl. zu DTB XXI-XXIV, 1924; — E. Schmidt, Die Gesch. des ev. Gesangbuchs der ehemaligen freien Reichsstadt Rothenburg ob der Tauber, 1928; — G. Kinsky, Die Gesch. der Musik in Bildern, 1929; — Hans Joachim Moser, Gesch. der dt. Musik, 1930; — Ders., Corydon, 1933; — Ders., Die ev. Kirchenmusik in Dtld., 1954; — F. Blume, Die ev. Kirchenmusik, 1931; — E. H. Meyer, Die mehrstimmige Spielmusik des 17. Jh.s, 1934; — G. Frotscher, Gesch. des Orgelspiels und der Orgelkomposition, 1935; — A. Werner, Die fürstl. Leichenpredigtensammlung zu Stollberg, in: AfMf I, 1936, 293; — Edith von Rumohr, Der Nürnbergische Tasteninstrumentalstil im 17. Jh., Diss. Münster, 1938; — A. Nausch, Augustin Pfleger, Leben und Werke, 1954; — C. Engelbrecht, Ein Fund aus der Kasseler Landesbibliothek, in: Mf IX, 1956, 195; — H. H. Eggebrecht, Zwei Nürnberger Orgel-Allegorien des 17. Jh.s, in: MuK XXVII, 1957, 170; — Harold E. Samuel, The Cantata in Nuremberg During the 17th Century, Diss. Cornell Univ., 1963; — Anton Würz, Ein Nürnberger Meister des 17. Jh.s. Vor 350 Jahren wurde der Komponist J. E. K. geboren, in: Unser Bayern XV, 1966, Nr. 3, 20-22; — ADB XV, 762; — NDB XI, 617 f.; — MGG VII, 907-917.

Hans-Josef Olszewsky

KINDI, Jakub ibn Ishak (800-870) siehe Al-Kindi

KING, Martin Luther jr., * 15.1. 1929, † 4.4. 1968. — K. wuchs in Atlanta, Georgia, in einem baptistischen Pfarrhaus auf, studierte Theologie am Crozer Seminary und erwarb den philosophischen und dann auch den theologischen Doktorgrad 1951 in Boston, Massachussets. 1954 folgte er einem Ruf an die Dexter Avenue, Baptist Church in Montgomery, Alabama, wo er 1955 den Bus-Streik zur Aufhebung der Rassenschranken organisierte. Dank seiner persönlichen Integrität, seinem Organisationstalent und seiner Ausstrahlung wird er zum Sprachrohr und Führer der schwarzen Bevölkerung der Vereinigten Staaten. Seiner Erziehung verdankt er das Bewußtsein der Würde eines jeden Menschen. Die Kirche versteht er als die in Liebe verbundene Gemeinschaft oder Gesellschaft der Menschen, als die »Beloved Community«. Unter dem starken Einfluß von Gandhi entwickelt er gewaltlose Strategien des Widerstands: »Christus zeigte uns den Weg, und Mahatma Gandhi zeigt uns seine praktische Verwirklichung«. — K. ist unzweifelhaft der bedeutsamste Vertreter schwarzer Theologie im 20. Jahrhundert. Seine

Ermordung am 4. April 1968 in Memphis hat die Aussage seines Traumes von einer friedvollen Zukunft für Schwarz und Weiß nicht in Frage gestellt. Seine Theologie der »Geliebten Gemeinschaft« rückt die Fragen der Entrechteten, die bisher in der Theologie wenig oder keine Rolle spielten, wie Armut, Ungerechtigkeit, Rassismus und wirtschaftliche Ausbeutung, in das Zentrum der theologischen Diskussion. — K.s besondere Aufmerksamkeit galt der Gestaltwerdung des christlichen Glaubens im Leben der Gemeinde und des Christen. Für ihn war der Glaube mehr als nur das Ringen mit Zweifeln über das Glaubensbekenntnis oder den Standort in der Kirche. Glaube bedeutete für ihn der aktive siegreiche Kampf der Gemeinschaft oder des Einzelnen gegen Ungerechtigkeit und Unterdrückung jeglicher Art. Der Begriff vom Glauben als einer unbeirrbaren Verpflichtung Gott gegenüber findet ihren Ausdruck in der Art und Weise, wie King die Rolle des Glaubens artikuliert, der die »Geliebte Gemeinschaft« erschaffen müsse. Glaube an die Sendung, diese durch Liebe verbundete Gemeinschaft aller Menschen zu errichten, wird so zum erklärten Ziel der Geschichte. Der ethische Auftrag des Theologen ist dann die Proklamation des Reiches Gottes, und sein Kampf ist es, dieses Reich in der Geschichte Wirklichkeit werden zu lassen. Die zentrale theologische Aufgabe für K. ist nicht die Formulierung der Beziehung zwischen Philosophie und Theologie, oder die Erklärung der Relation zwischen der menschlichen und göttlichen Natur Jesu Christi, sondern das theologische TUN, das ernst zu nehmen ist, um die »Geliebte Gemeinschaft« zu errichten. Dieser Begriff wird zum utopischen Symbol für einen völlig neuen und definitiven Weg des Lebens und des Seins. Er zielt auf die Veränderung der gesellschaftlichen Beziehungen und der Welt als ganzes. — Für K. gab es keine Diskussion darüber, ob der Glaube sich in persönlicher oder struktureller Bekehrung äußere. Als Baptistenpfarrer setzte er großes Vertrauen in die Bekehrung Einzelner und in die Bedeutsamkeit ihrer Bekehrung. Er vertrat aber auch, daß der böse Gebrauch von Macht nicht nur dem Einzelnen, sondern der Organisation der Gesellschaft als ganzer innewohne. K.s eigenes Leben ist ein beredtes Zeugnis dafür, daß er willens war, seine eigene persönliche Bekehrung und die strukturelle Ungerechtigkeit zueinander in Beziehung zu setzen. Die Vision der »Geliebten Gemeinschaft« machte es unmöglich, die Realität so zu akzeptieren, wie sie ist. Gott zu kennen, bedeutet, ungeduldig zu werden mit der gegenwärtigen Ordnung, die die elementarste Würde von Menschen verletzt. Dazu bedarf es mehr als nur des Wandels des eigenen Herzens. Veränderung ist nötig in Wirtschaft und Politik. Veränderung muß erreicht werden in den Strukturen der gesamten Gesellschaft. In seinem wichtigen Buch zur Zeit des Vietnamkrieges, »The Trumpet of Conscience« (Die Posaune des Gewissens), schreibt er: »Junge Männer Amerikas kämpfen, sterben, morden gegenwärtig im Asiatischen Dschungel in einem Krieg, dessen Ziele so ambivalent sind, daß die ganze Nation vor Protest kocht. Man erzählt ihnen, daß sie ihr Leben für die Demokratie opfern. Das Saigon-Regime, ihr Verbündeter, ist aber ein Hohn auf die Demokratie, und der schwarze amerikanische Soldat hat selber Demokratie noch nie erfahren.« In K.s Versuch, sich zum christlichen Glauben aus der schwarzen Perspektive zu artikulieren, ist uns ein erster Ansatzpunkt gegeben, Theologie in diesem Jahrhundert als ein hartes Geschäft zu begreifen. Der Theologe muß mitten aus dem Ringen heraus arbeiten, den christlichen Glauben wieder relevant zu machen und ihn auf die praktischen Lebensbedingungen des ganzen Menschen zu beziehen. Das Merkmal des wirklichen Theologen sind dann die Verpflichtung zu diesem Kampf, die Welt zu verändern, und die Bereitschaft, dabei sein eigenes Leben im Kampf für die Gerechtigkeit aufs Spiel zu setzen. Das bedeutet unter anderem, daß die Theologie sich an der Praxis orientieren muß. Sie muß »praxiologisch« werden, d. h. sich am jeweils gegebenen Kontext messen. In diesem Sinne ist K. der Vater aller schwarzen Theologien und Befreiungstheologien.

Noel L. Erskine

Werke: Walk for Freedom, in: Fellowship XXII (1956), 5-7; Method of Non-Violence, o. O., 1957; Our Struggle. The Story of Montgomery, New York 1957; Stride Toward Freedom, New York 1958, dt.: Freiheit. Aufbruch der Neger

Nordamerikas, Kassel 1964; An Experiment in Love, in: Jubilee VI (1958), 11-17; Revolt Without Violence - The Negroes' New Strategy, in: U. S. News and World Report XLVIII (1960), 76-78; Strength To Love, New York 1963, dt.: Kraft zum Lieben, Konstanz 1964; Letter from Birmingham City Jail, Philadelphia 1963, andere Ausgabe, Valley Forge, 1963; I Have a Dream. The Text of the Speach Delivered August 28, 1963, at the Lincoln Memorial, Washington, D. C. Los Angeles 1963; Why We Can't Wait, New York 1963, dt.: Warum wir nicht warten können, Wien/Düsseldorf 1964; Non-Violence, the Only Way, in: Indo-Asian Culture XIII (1964), 54-62, dt.: Mein Weg zur Gewaltlosigkeit, Zeich Zeit 1965, 41-47; Nobel Lecture by the Reverend Dr. M. L. K., Jr., Recipient of the 1964 Nobel Peace Prize, Oslo, Norway, December 11, 1964, New York 1965; Where Do We Go From Here: Chaos or Community? New York 1967, dt.: Wohin führt unser Weg; Wien/Düsseldorf 1968; Beyond Vietnam. Paolo Alto, Californien 1967; Conscience for Change, Toronto 1967; Beyond Race and Nation, in: Current LXXXXVI (1967), 32-40; The Trumpet of Conscience, New York 1967, dt.: Aufruf zum zivilen Ungehorsam, 1967; Declaration of Independence from the War in Vietnam, New York 1967; The Measure of Man, Philadelphia 1968; The American Dream, in: Negro History Bulletin XXXI (1968), 10-15; Sermon, the Washington Cathedral, Sunday, March 31, 1968, o. O. 1968; Words and Wisdom of M. L. K., Busghey Heath, England 1970, Dt. Ausgg. von Reden und Predigten. M. L. K.: Kraft zum Lieben. Reden und Predigten, Konstanz 1964; M. L. K.. Testament der Hoffnung. Letzte Reden, Aufsätze und Predigten, GTB 79, Gütersloh 1974; W. Heinrich Grosse, M. L. K.. Schöpferischer Widerstand, GTB 675, 1985.

Lit.: Biographien: M. L. K., Berlin 1965; — Lenwood G. Davis, I Have a Dream: The Life and the Time of M. L. K. Jr., Westport, Conn. 1969; — Heinrich Grosse, Die Macht der Armen. M. L. K. und der Kampf für soziale Gerechtigkeit, Hamburg 1974; — Coretta S. King, My Life with M. L. K. Jr., New York 1969; — David L. Lewis, King. A Critical Biographie, New York 1970; — C. Eric Lincoln (Hg.), M. L. K. Jr. A Profile, New York 1970; — Stephan B. Oates, Let the Trumpet Sound. The Life of M. L. K. Jr., New York 1982; — Kenneth L. Smith/Iraa G. Zepp, The Search for the Beloved Community: The Thinking of Martin Luther King Jr., Valley Forge, Pa. 1974; — Günter Wirth, Martin Luther King. Reihe Christ in der Welt 5, Berlin 1965; — Allgemeine Literatur zur Rassenfrage, zur Bürgerrechtsbewegung usw.: Hans-Eckehard Bahr (Hg.), Weltfrieden und Revolution, Hamburg 1968; — James Baldwin, Schwarz und weiß oder Was es heißt, ein Amerikaner zu sein, Hamburg 1963; — Jmes Baldwin, Hundert Jahre Freiheit ohne Gleichberechtigung, Hamburg 1964; — Hans-Jürgen Benedict/Hans Eckehard Bahr (Hg.), Kirchen als Träger der Revolution. Ein polit. Handlungsmodell am Beispiel USA, Hamburg 1968; Stokeley Carmichel/Ch. V. Hamilton, Black Power, dt. Black Power, Stuttgart 1967; — Louis E. Lomax, The Negro Revolt, New York 1962 ......, dt.: Auch wir sind Amerikaner, Bergisch-Gladbach 1965; — Gerhard Schlott, Das Negerproblem in den USA — Trennung oder Verschmelzung der Rassen, Opladen 1967; — Bernward Vesper (Hg.), Black-Power, Ursache des Guerilla-Kampfes in den Vereinigten Staaten, Voltaire-Flugschrift 14, Berlin 1967; — Bibliographie: William Hervey Fisher, Free at Last. A Bibliography of M. L. K. Jr., New York and London 1977.

Adam Weyer

KINGO, Thomas, * 15.2. 1634 in Slangerup/Seeland als Sohn eines Seidenwebers, † 14.10. 1703 in Odense als Bischof von Fünen. — K. stellt in der weltlichen, aber auch geistlichen Dichtung den Höhepunkt der dänischen Barockdichtung dar. Er schlug in seinen jungen Jahren die übliche Theologenlaufbahn ein: Nach dem Studium der Theologie wurde er 1658 Hauslehrer, später Hilfsprediger, 1668 dann Gemeindepfarrer von Slangerup. 1669 heiratete er dann die Witwe seines früheren Mentors, der er die Dichtung »Chrysillisvise« widmete. Nach einjähriger Ehe starb sie. K. heiratete darauf die sechzehn Jahre ältere Witwe eines Verwalters. Diese nicht glückliche Ehe währte 23 Jahre. 1677 wurde K. Bischof über das Stift Fünen mit dem Sitz in Odense. Mit einem Alter von 60 Jahren heiratete K. zum drittenmal und zwar die Arzttochter Birgitte Barslev. Sie war 30 Jahre jünger, wurde ihm aber eine treu sorgende Ehefrau. Ihre Schönheit besang er in seinem berühmten Poem »Candida« (1694). — K.s Barockdichtung wurde stark beeinflußt durch die deutsche »Nürnberger« und die »Zweite schlesische Schule« (Lohenstein, Hofman von Hofmannswaldau u. a.) mit der Ausprägung des Figurenstils, dem Prunk des Absolutismus entgegenkommend (vgl. Kroneborgs korte Beskrivelse, 1675 — eine einzige Huldigung an Christian V.!). Die Macht des damaligen Königshauses wurde in eindrucksvollen Versen dargestellt: Unvergleichlich ist das Königsschloß; so etwas gibt es nicht in anderen Ländern! Die barockale Hofdichtung ist wie geschaffen, um Macht und Kraft des absoluten Herrschers zu preisen. Aber K. kannte die Grenzen irdischer Macht: In den geistlichen Gedichten und Gesängen findet sich der Hinweis auf den wahren Herrscher nun über Zeit und Ewigkeit. Hier drückt sich die eigentliche Meisterschaft des fünischen Dichters aus. Hochbarockes Gefühl und schlichtes christliches Bekenntnis schaffen eine eindrucksvolle Synthese klangvoller, inniger Sprache: Alles ist vergänglich, alles unterliegt dem Wandel. Bestand hat nur der Herrscher im Himmel. Diese geistlichen Lieder wirken natürlich. Sie sind gleichnishaft eingebettet in die Landschaft, in die Tageszeiten und die Sitten des Volkes. Berühmt sind die Morgenlieder, die im ersten Band seiner geistlichen Lieder aufgenommen sind: Aandeligt Sjungekor I (1674). Immer wieder schimmert aber durch seine Lieder auch ein Grundpessimismus durch, der sich im späten Liedgut verstärkt, die Kraft der Farben aber nicht ausstreichen kann. 1681 erschien der zweite Teil der geistlichen Liedersammlung. Als ein neues Kirchengesangbuch erstellt werden sollte, übertrug man K. diese Aufgabe 1683. 1689 konnte dann der erste Teil »Vinterparten af Danmarks og Norges Kirkes forordnede Psalmebog« erscheinen. Dieser erste Teil enthielt 267 Lieder für die Sonn- und Feiertage des Kirchenjahres vom 1. Advent bis Ostern. Daher »Vinterparten« (»Winterteil«)! 136 Nummern daraus sind von K. verfaßt! Der Auftrag wurde jedoch wieder zurückgezogen. 1699 wurde dann von einer königlichen Kommission »Den Forordnede Kirkepsalmebog« herausgegeben, das noch 85 der Lieder von K. enthielt. Das gegenwärtige dänische Gesangbuch (»Den Danske Salmebog«, 1960) besitzt 91 Lieder von K. Neben den Liedern von N.F.S. Grundtvig und H. A. Brorson sind K.s Lieder im dänischen Gesangbuch am meisten vertreten. Auch in Norwegen werden K.-Lieder noch heute gern gesungen. Sogar im englichen SBH finden sich vier Lieder des großen Barockdichters. Kein Geringerer als Sören Kierkegaard († 1885) verarbeitete Liedzeilen von K. in seinen »erbaulichen« wie »christlichen Reden«. Die Faszination, die bis zur Gegenwart vom Liedgut K.s ausgeht, beruht auf drei Faktoren: (a) Brachte K. die biblische Thematik ein, dann immer so, daß innerhalb des Zeilenbaus besagte Bibelstellen wörtlich zitiert wurden. (b) Dazu wurde gleichnishaft auf Naturvorgänge eingegangen, um das christliche Heil zu verdeutlichen (vgl. sein berühmtes Osterlied: »Wie die goldene Sonne bricht hervor!«, [Saml. Skrifter, IV, S. 513]. (c) In vielen Liedern wurde der antithetische Charakter des Menschlichen gegenüber dem Glanz des Himmlischen hineingearbeitet (vgl. »Leb wohl, Welt, leb wohl!« (Saml. Skrifter, III, S. 214 ff.).

Werke: Chrysillis, 1668; Hosianna, 1671; Kroneborgs korte Beskrivelse, 1672; Samsöes korte Beskrivelse, 1675; Aandelige Siunge-Koor, I (förste Part), 1673, 1677[2], 1684[4]; Aandelige Siunge-Koor, II (anden Part), 1681; Vinterparten af Danmarks og Norges Kirkes forordnede Psalmebog, 1683; Den forordnede Kirkepsalmebog ved K., 1699, rev. udg. 1778, 1833[2]; aufg. auch in Den Danske Psalmedigtning, samlet og ordnet af C. J. Brandt og L. Helweg I-II, 1846-1847; Psalmer of aandelige Sange af K., samlede og udgivne af P. A. Fenger, 1827; K.s Aandelige Siunge-Koor. Inledning af J. Oskar Andersen. Noterne ved M. H. Pedersen. Udg. af A. E. Sibbernsen, 1931; K., Samlede Skrifter. Udg. af Hans Brix, Paul Diderichsen, F. C. Billeskov-Jansen, I-VII, 1939-1965, Reprint 1975; K., Danske Salmer, udg. med Efterskrift af Erling Nielsen, Gyldendals Bibliothek Bd. 48, 1965, 1972[2], 27-81. — Übers.: Vierzehn geistr. Gesänge oder Morgen- und Abendopfer (Frankfurt), 1685.

Lit.: J. Möller og L. Helweg, Den danske Psalmedigtnings Historie, 1807; — A. G. Rudelbach, Om Psalmeliteraturen og Psalmebogssagen. Historisk-kritiske Undersögelser, 1856; — Martin Hammerich, Danske og Norske Läsestykker med Oplysninger om Litteraturen, 3. Udg. 1877; — R. Petersen, T. K. og Hans Samtid, 1887; — Hans Brix, Tonen fra Himlen, 1912, 1964[2], 1966[3], 95-112; — Ders., Til K.s Levned. Samme Forf. s Analyser og Problemer I., 1933, 194-219; — Ergänzung: IV, 1938, 326-327; — Ders., K.s »Far Verden, far vel«, og Sjungekorets anden Part. Samme Forf.s Analyser og Problemer I, 1933, 220-240, Ergänzung: IV, 1938, 327; — Ders., Stykker om K. Samme Forf.s Analyser og Problemer IV, 1938, 271-315; — K., Biskop, Salmedigter, 1703. K.s Vaaben. Dansk Adel og Borgerstand I, 1916, 37-38; — Viggo Julius v. Holstein-Rathlou, Om K. Nogle studier over hans poetiske Skrifter. Disp. Kbh. 1917; — E. Kristensen K. En kort Oversigt over hans Liv Bauta. Aarskr. f. Danebod Höiskole (Minnesota), 1919, 14-30; — Christa Ludwigs, K., 1924; — Magnus Stevns, K.s sjette Morgensang (Nu rinder Solen op). Aarsskr. f. Voldby Höjskoles Elevforen... Kvissel Höjskole, 1928, 35-42; — Hilma Borelius, Die nord. Literaturen, 1931, 9 f.; — W. Bolö, Salmedigteren K., Dansk Kirkemusiker-Tid XXIX, 1932, 70-77; — Aage Bentzen, Lidt Materiale til Forstaaelse af »Poenitendse-Psalmerne« i Aandeligt Sjungekors Förste Part, Teol. T. 5. R. III, 1932, 241-294; — Berichtungen in IV, 1933, 24-36; — N. Otto Jensen, K. of hans Salmer. Foredag. Med Benyttelse af et utrykt Foredrag af T. Schack. Tidehverv VIII, 1934, 51-59; — Herluf Jepsen, K., Folkeskolen LI, 1934, 659-661, 672-674, 694-697; — Peder Bukh, K. Bavnen XXXI, 1934, 793-802; — Ders., K.s Salmedigtning. Ebenda XXXII, 1935, 1-12; — Uffe Hansen, K. Dansk Ungdom XXXII, 1934, 592-595; — Arne Möller, Fra Psalmistens Vaerksted. En Studie over K.s Passionssalmer. Kirkehist. S. 6. R. I, 1934, 305-423, auch Sonderdruck, 1934; — Ders., Er det nödvendigt at antage engelsk Paavirkning paa K.s Salmedigtning? Kirkehist. S. 6. R. I, 1935, 548-569; — Ders., Gerhard og K. Bemaerkrunger til Spörgsmaalet om »laerd Paavirkning« i K.s Passionssalmer. Norsk Teol. T. 4 R. VI, 1935, 280-286; — Aage Dahl, Tale ved Festen for K.s 300 Aars Födselsdag. Egen Sogns Kirkebl. XII, 1935, 159-165; — Emil Frederiksen, K. som religiöse Barokdigter. Credo XVI, 1935, 220-226; XVII, 1936, 73-78, 152-155 (nicht abgeschlossen!); — P. E. Rynning, K. Salmeskalden

K. og Noreg. Kirke og Kultur XLII, 1935, 232-239; — Ders., Er K.s »Ak, Herre see« »En gammel Sang«?. Norsk Teol. T. XLI, 1940, 237-240; — J. Oskar Andersen, De kirkohistoriske K.-Problemer. Kirkehist. S. 6. R. I, 1935, 570-593; — F. J. Billeskov Jansen, Om T. K.s topografisk-historiske Digtning. Acta Philologica Skandinavica X, 1935, 163-198; — Ders., K.s Bibelcitater i hans Ligpraediken over Jakob Bircherod. Kirkehist. S. 6. R. II, 1936, 84-99; — Victor Juul Petersen, K. og Barndommen. Hjem og Skole XXVIII, 1935, 88-91; — Tage Möller, Dansk Salmesang. K. Aarsskr. f. gamle Roskilde-Elever 1938, 11-20; — J. Schousboe, K.s Livsbelysning. Dansk Kirkeliv, 1941, 70-77; — Tom Christensen, Til Dags Dato, 1953; — Eyner Thomsen, Skribenter og Salmister, 1957; — Ders., Digteren og Kaldet, 1957; — Hal Koch og Björn Kornerup, Den Danske Kirkes Historie, IV, 1959, 411 ff.; — Lone Klem og Erling Nielsen, Navne i dansk Lit., Suppl.-Bd. til Gyldendals Bibliotek Dansk Lit, 1963, 1970², 96 f.; — Gustav Albeck og F. J. Billeskov-Jansen, Dansk Litteratur Historie I, 2. Udg. 1967, 223-238; — Wilhelm Friese, Nord. Barockdichtung, 1968, bes. 100 ff., 116 ff., 205 ff., 215 ff., 246 ff. (Lit.); — Heinz Barüske, Die nord. Literaturen, Bd. 1, 1974, 171-175; — P. G. Lindhardt, Kirchengesch. Skandinaviens, 1983, 46, 176 f. (Lit.); — RE² VII, 681-683; — DBL IX, 170 ff.; — RE³ X, 304 f.; — Kirkeleks. for Norden II, 1904, 776 ff.; — Dansk biogr. Haandleks. II, 1923, 324 f.; — RGG² III, 782 f.; — RGG³ III, 1295; — A. Malling, Dansk Salmehistorie I-VII, 1962 ff.; — KLL (So) IX, 8359 f.; — The Encycl. of the Luth. Church II (1978), 677 ff.; — E.Brit XIV, ed., VI, 875.

Wolfdietrich v. Kloeden

KINGSLEY, Charles (1819-1875). Charles Kingsley wurde am 12. Juni 1819 als Pfarrerssohn in Holne in der englischen Grafschaft Devonshire geboren. Er studierte am King's College in London und am Magdalen College in Cambridge. 1842 wurde er zum Vikar, 1844 zum Hauptpfarrer der Gemeinde Erversley in Hampshire ernannt. Die sozialen Nöte dieser Landpfarre, in der er 31 Jahre lang wirkte, ließen K. angestrengt nach Möglichkeiten einer Reform suchen. Die Anregungen hierzu fand er bei Thomas Carlyle und dessen religiösem Sozialismus. In der gerade in diesem Jahren in der Gestalt der Oxford-Bewegung wieder auflebenden hochkirchlichen Frömmigkeit sah K. nur ein reines Formenwesen, daß den eigentlichen Nöten des Volkes keine Abhilfe bringen konnte. In seiner Darstellung der Geschichte der heiligen Elisabeth (A Saint's Tragedy - 1848) erhob er erstmals seine Stimme gegen die Oxford-Bewegung. Seine in einer Besprechung von Froudes »History« (Macmillans Magazin - Jan 1860) ge-

äußerte Behauptung: »Truth, for its own sake, had never been a virtue with the Roman clergy« veranlaßte er John Henry Newman zu seiner »Apologia pro vita sua«. Schon 1848 war K. zum Professor der englischen Literatur am Queen's College in London berufen worden. Hier schrieb er unter dem Einfluß von F.D.Maurice seinen Roman »Yeast«(1848). Mit ihm und dem darauf folgenden Roman »Alton Locke, Tailor and Poet« (1850) stellte sich K. an die Spitze der sozialen Bewegung in England und geißelte die Ausbeutung der niederen Schichten durch Hungerlöhne und Überlastung. Mit einigen Freunden gab er vom November 1850 bis Juli 1851 die Wochenschrift »The Christian Socialist« heraus, die die Not des Volkes aufdekken sollte. In seinem Roman »Hypatia or, New Foes with an old Face« (1853) zeichnete K. ein Bild seiner eigenen Zeit in einer Darstellung des 5. Jahrhunderts, in dem der umstürzlerische Pöbel genau so auftritt, wie die falschen Schriftgelehrten und die Vertreter des schlichten Evangeliums Jesu Christi. Nach einer Predigt während der Weltausstellung in der St. John's Church in London erteilte der Bischof von London K. ein Predigtverbot. Dennoch wollte K. nicht in einer freidenkerischen Versammlung oder in einer von der Staatskirche abweichenden Freikirche predigen. Einen Vergleich seiner Gedanken mit den Vorstellungen von David Friedrich Strauß lehnte er entrüstet ab. K.s Theologie hielt sich im Rahmen der Lehrtraditionen der englischen Staatskirche, seine besonderen Bemühungen galten dabei einer Verbindung von Naturwissenschaft (Darwinismus) und Glaube. Politisch nahm er eine konservative Haltung ein, die alles vom Oberhaus erwartete und denKrieg als den Erzieher zur Männlichkeit pries. Königin Viktoria ernannte ihn 1859 zu ihrem Hofkaplan, 1860 erhielt er eine Professur für neuere Geschichte in Cambridge, die er bis zum Jahr 1869 innehatte. Durch Gladstone erhielt er 1869 ein Kanonikat von Chester und 1873 ein Kanonikat an Westminster (London). Mehrere Erholungsreisen nach Deutschland, Frankreich und Amerika konnten ihm die Kraft nicht zurückbringen, die er in den schweren Jahren in Eversley verbraucht hatte. Charles K. starb am 23. Januar 1875. Seine Witwe lehnte das Angebot ab, ihn in der Westminster-Abtei bestatten zu lassen, und ließ ihn in seiner alten Pfarrei Eversley begraben. Sein Grabkreuz trägt die Worte: »Amavimus, Amamus, Amabimus«.

Quellen: Charles K., Works, 28 Bde. 1880-1885, 19 Bde. 1901-1903, 10 Bde. (Pocket-Edition) 1895/96; Mary Kingsley, Charles Kingsley, His Letters and Memoires, ed. by his Wife, London 1877.

Lit.: L.Cazamian, Le roman social en Angleterre, 1900, ²1904; — J.J.Ellis, Charles Kingsley, 1890; — ders., Men with a mission, 1890; — E.Groth, Charles Kingsley als Dichter und Sozialreformer, 1893; — F.Harrison, Charles Kingsleys Place in Literature, 1895; — Jacobsohn, Charles Kingsleys Beziehungen zu Deutschland, 1917; — M. Kaufmann, Charles Kingsley, Christian Socialist and social Reformer, 1892; — G.Kendall, Charles Kingsley and his Ideas, 1947; — J.A.R.Marriott, Charles Kingsley, novelist, 1892; — Maria Meyer, Carlyles Einfluß auf Kingsley in sozialpolitischer und religiös-ethischer Hinsicht, 1914; — U.Pope-Hennessy, Canon Cahrles Kingsley, 1948; — M.Schmidt, Art. »Kingsley, Charles«, in: RGG³ II, Sp. 1295f; — C.W.Stubbs, Charles Kingsley and the Christian Socialist Movement, 1899; — M.F.Thorp, Charles Kingsley, 1937; — L.Wiese, Charles Kingsley. Ein Charakterbild, in: Daheim, Nr. 34 (1880).

Heiko Wulfert

KINKEL, Gottfried, Dichter, Kunsthistoriker, Politiker, * 11.8. 1815 in Oberkassel bei Bonn, † 13.11. 1882 in Unterstraß bei Zürich. — K. war der Sohn eines reformierten Pfarrers. Von 1825 an besuchte er das Bonner Gymnasium, an dem er nach 6 Jahren im September 1831 das Abitur ablegte. Danach begann der knapp 16jährige ein evangelisches Theologiestudium in Bonn. Ostern 1834 ging er für 2 Semester nach Berlin. In den nächsten beiden Jahren (1836/37) legte er beide theologische Prüfungen am Konsistorium in Koblenz sowie das Lizentiatsexamen an der Theologischen Fakultät in Bonn ab, der er seitdem auch als Privatdozent angehörte. 1839 lernte er seine spätere Frau Johanna Mathieux, geb. Mockel kennen, beide gründeten zusammen mit Freunden den »Maikäfer«, einen spätromantischen Dichterverein. K.s wachsende Entfremdung von der Theologie, die in der Heirat mit einer geschiedenen Frau gipfelte, machte sein Verbleiben in der Theologischen Fakultät unmöglich. Er bemühte sich um eine Umhabilitierung, und nachdem er 1845 zum Dr. phil. promoviert hatte, wurde er im Februar 1846 zum außerordentlichen Professor der neueren Kunst-

literatur- und Kulturgeschichte an der Philosophischen Fakultät in Bonn ernannt. Doch bereits 1848 war es mit der jetzt gesichert erscheinenden Karriere wieder vorbei. K. engagierte sich leidenschaftlich für die deutsche Revolution, gab zusammen mit Carl Schurz die »Bonner Zeitung« mit der Beilage »Spartakus« heraus und wurde 1849 in die 2. preußische Kammer in Berlin gewählt. Nach deren Auflösung setzte sich der glänzende Volksredner in die Pfalz ab, trat in die Freischärlerkompanie »Besançon« ein und nahm am badischen Aufstand teil. Bei Durlach wurde er am 29.6. 1849 von preußischen Truppen gefangengenommen und anschließend zu lebenslanger Festungshaft verurteilt. Aus dem Zuchthaus Spandau gelang ihm mit Hilfe seines Freundes Carl Schurz am 6.11. 1850 die Flucht über Rostock nach England. Seine Versuche, hier und in den USA der Sache der Revolution zu dienen, scheiterten an der Zerstrittenheit der Emigranten und an der Sorge um die materielle Existenz der Familie. So übernahm er 1854 eine Professur für Geographie und Kunstgeschichte am Bedford College for Women, bis er 1866 einem Ruf als Professor für Kunstgeschichte und Archäologie an das Eidgenössische Polytechnikum in Zürich folgte, wo er bis zu seinem Tod lehrte. Neben seine Lehrtätigkeit trat aber immer wieder politisches Engagement für progressive Ideen. — K. war ein sehr vielseitig talentierter Mensch, allerdings gelang ihm auf keinem Gebiet ein richtiger Durchbruch. Seiner Dichtung mangelte es an wirklicher Originalität, zum Politiker fehlte ihm trotz großer Rhetorik und vieler, meist zeitgenössischer Versuche, ihn zum Revolutionshelden hochzustilisieren, die Fähigkeit zur nüchternen Analyse der Situation, zur Beschränkung auf das Machbare. Auch in seiner wissenschaftlichen Karriere war er mehr einfühlsamer Essayist als Forscher. Wissenschaftsgeschichtliche Bedeutung hat sein beruflicher Werdegang allerdings als Teil der Entwicklung von Kunstgeschichte zu einem Hochschulfach.

Werke: Royaards, Hermann Johann: Über die Gründung und Entwicklung der Neueuropäischen Staaten im MA, besonders durch das Christentum. Ein Beitr. z. Empfehlung der KG des MA.s. Aus dem Holländ. übers. von G. K., in: ZHTh 5, 1835, 67-200; Der Maure. Volkssage vom alten Ditrich, in: Ferdinand Freiligrath u. a. (Hrsg.), Rhein. Odeon 2, 1838,

188-194; Legende von der hl. Dorothea, in: Ferdinand Freiligrath u. a. (Hrsg.), Rhein. Jb. f. Kunst u. Poesie 1, 1840,
449-458; Hist.-krit. Unters. über Christi Himmelfahrt, in:
ThStKr 14, 1841, 597-634; König Lothar von Lotharingien
oder Gekränktes Recht. Hist. Trauerspiel in fünf Akten,
1842; Predigten über ausgewählte Gleichnisse und Bildre-
den Christi, 1850²; Gedichte, 1843; Otto und Adelheid.
Versepos, in: Niederrhein. Jb. f. Gesch., Kunst u. Poesie 1,
1843, 342-359; Die rhein. Kirchenbaukunst des 13. Jh.s,
vorzüglich im Kölner Oberstift, in: Niederrhein. Jb. f.
Gesch., Kunst u. Poesie 2, 1844, 313-340; 24 Tafeln archi-
tekton. Zeichnungen zu Vorträgen über die Gesch. der bildenden Künste bei den christl. Völkern, 1844; Die altchristl.
Kunst (= Gesch. d. bildenden Künste bei d. christl. Völkern
vom Anfang unserer Zeitrechnung bis zur Gegenwart, Lfg.
1), 1845; Ein Traum im Spessart, in: Rhein. Taschenbuch auf
d. Jahr 1845, 1845, 109-164; Die Ahr. Landschaft, Gesch.
und Volksleben, 1846; Otto, der Schütz. Eine rhein. Gesch.
in 12 Abenteuern, 1846 (zahlr. Neuauflagen); Über den
versch. Charakter der antiken und der modernen Kunst, in:
Bonner Jb. 10, 1847, 109-141; Handwerk, errette Dich! oder
Was soll der dt. Handwerker fordern und thun, um seinen
Stand zu bessern, 1848; Man soll nicht um des Kaisers Bart
streiten, in: Niederrhein. Volkskalender auf d. Schaltjahr
1848 13, 1848, 97-124; Sagen aus Kunstwerken entstanden,
in: Bonner Jb. 12, 1848, 94-118; Erzählungen, 1849 (1883³);
Der Führer durch das Ahrtal, nebst Beschreibung der Städte
Linz, Remagen und Sinzig, 1849; Das erste Auftreten des
Socialismus in der Malerei, in: Deutsche Monatsschrift 1,
1850, 51-68; Weltschmerz und Rokoko, in: ebd., 182-202;
Die bildende Kunst in den Kämpfen der Zeit. Betrachtungen
über die gegenwärtig eröffnete Kunstausstellung in Paris, in:
ebd. 2, 1851, 241-248, 321-342; Nimrod. Ein Trauerspiel,
1857; Das Mausoleum von Halikarnassos und die Reste
seiner Bildwerke im Britischen Museum, in: Westermanns
Illustrierte Monatshefte 5, 1858, 89-99, 301-313; Festrede
bei der Schillerfeier im Krystallpalast, 1859; Festrede auf
Ferdinand Freiligrath gehalten zu Leipzig am 6. Juli 1867,
1867; Friedrich Rückert. Festrede gehalten bei der Erinne-
rungsfeier in Zürich, 1867; Die Brüsseler Rathausbilder des
Rogier van der Weyden und deren Kopien in den burgundischen Tapeten zu Bern, 1867 (= Schulprogramm des schweizer. Polytechnikums); Gedichte. 2. Sammlung, 1868; Bericht über die Werke schweizer. Künstler auf der Allg. Ausstellung zu Paris, in: Schweizer. Bundesblatt 20, 1, 1868,
327-339; Polens Auferstehung, die Stärke Deutschlands,
1868; Henri Martin. Rußland und Europa. Übers. u. eingel.
von G. K., 1869; Zur Holbein-Literatur, in: Zschr. f. bildende
Kunst 4, 1869, 167-175, 194-203; Die Malerei der Gegenwart. Vortrag, gehalten im Rathaussaal zu Zürich am 28.11.
1867, 1871; Die Gypsabgüsse der Archäolog. Sammlung im
Gebäude des Polytechnikums in Zürich, 1871; Der Grob-
schmied von Antwerpen. In 7 Historien, 1872; Meine Kindheit, in: Gartenlaube 20, 1872, 455-458, 470-473, 500-502,
520-522; Meine Schuljahre, in: ebd. 21, 1873, 44-47, 97-
100, 178-181, 209-211; Schweizer. Künstler-Album. Origi-
nalwerk für bildende Kunst von lebenden Schweizer Künstlern, 1873; Ein Gang durch die Gemäldegalerie im Belvedre
zu Wien, in: Der Salon für Literatur, Kunst u. Gesellschaft
2, 1873, 1217-1240; Mosaik zur Kunstgesch., 1875; Das
Kupferstich-Cabinet des Eidgenöss. Polytechnikums, 1876;
Für die Feuerbestattung. Vortrag, gehalten zur Eröffnung

des europ. Congresses für Feuerbestattung in Dresden, 1877;
Gegen die Todesstrafe und das Attentat, sie in der Schweiz
wieder einzuführen. Vortrag, gehalten im December 1878 in
2 Zürcher Ausgemeinden, 1879; Jaques Callot, in: Robert
Dohme (Hrsg.), Kunst und Künstler des MA.s und der Neuzeit. Biographien und Charakteristiken. 3. Abt., Nr. 90/91,
1880, 1-24; Theaterspiele in Dortmund aus der letzten Zeit
des MA.s und im Jh. der Reformation, in: Mschr. f. d. Gesch.
Westdeutschlands 7, 1881, 301-324; Tanagra. Eine Erzählung aus Griechenland in Versen, in: Westermanns Illustr.
Monatshefte 26, 1882, 1-27; Tanagra, Idyll aus Griechenland, 1883; Franz Grillparzer, in: Zschr. f. allg. Gesch.,
Kultur-, Litteratur- u. Kunstgesch. 2, 1885, 233-248; Nachgelassene Gedichte, in: Gartenlaube 38, 1890, 222 f., 237 f.;
Rhein. Erzz., hrsg. v. Hans Kliche, 1921. — Gab heraus:
Vom Rhein. Leben, Kunst und Dichtung, Jg. 1847. —
Selbstbiographie 1838-48, hrsg. v. Richard Sander, 1931.

Lit.: Adolph Strodtmann, G. K. Wahrheit ohne Dichtung.
Biograph. Skizzenbuch, 2 Bde., 1850/51; — Adolf Streck-
fuß, G. K., sein Leben, sein Wirken. Dem Volke erzählt, in:
Ders., Das Volks-Archiv 1, 1850, 3-370; — Arthur Friedrich
Bussenius, G. K., 1852²; — Otto Henne am Rhyn, G. K. Ein
Lebensbild, 1883; — Otto Kraus, G. K., in: Monatsschr. f.
Stadt u. Land 40, 1883, 355-370; — Ernst Ziel, G. K., in:
Gartenlaube 31, 1883, 80-83; — Adolf Stern, G. K., in:
Westermanns Illustr. Monatshefte 27, 1883, 22-36, — Fried-
rich Althaus, Erinnerungen an G. K., in: Nord und Süd 24,
1883, 227-244, 25, 1884, 54-75; — Rudolf Meyer-Krämer,
Jacob Burckhardt und G. K., in: Dt. Revue 24, 1899, 70-92,
286-302; — Ders., Ausgabe der Briefe Jacob Burckhardts an
G. u. Johanna K., in: Basler Zschr. f. Gesch. u. Altertums-
kunde 19, 1921, 195-345; — Werner Hesse, G. und Johanna
K. in Bonn, in: Bonner Archiv 5, 1893/94, 1-4, 17-21, 25-29,
37-40, 52-56, 73-76, 81-84, 89-95; — Heinrich von Poschin-
ger, G. K.s sechsmonatliche Haft im Zuchthause zu Nau-
gard, 1901; — Joseph Joesten, G. K. Sein Leben, Streben u.
Dichten für das dt. Volk, 1904; — Ders., Ist G. K. zum Tode
verurteilt worden, in: Dt. Revue 29, 1904, 72-85, 357-361;
— Ernst aus'm Weerth, K. im Gefängnis zu Spandau, in: Dt.
Revue 33, 1908, 171-190; — Max Pahncke, Beitrr. zur
Charakteristik K.s und seiner Bonner Freunde, in: Die
Rheinlande 15, 1908, 25-28, 52-55, 75-77; — Ders., Aus
dem Maikäfer, in: Euph 19, 1912, 662-672; — Ders., Neuere
Lit. über G. K., in: ebd. 24, 1922, 720-727; — Walter
Miekley, G. K. in Zürich, in: Euph 19, 1912, 302-323; —
Friedrich Trögler, G. K. als polit. und soz. Lyriker, 1913; —
Carl Enders, G. K. im Kreise seiner Kölner Jugendfreunde,
1913 (= Studien z. Rhein. Gesch. 9); — Ders., Neue Arbeiten
zu G. K.s Entwicklung, in: ZdPh 47, 1918, 257-265; —
Martin Bollert, G. K.s Kämpfe um Beruf und Weltanschau-
ung bis zur Revolution, 1913 (= Studien z. Rhein. Gesch.
10); Ders., Beyschlag über K.s religiöse und theologische
Entwicklung, in: ThStKr 86, 1913, 589-610 — Ders., K. vor
dem Kriegsgericht, in: PJ 155, 1914, 488-512; — Ders., G.
K. im Zuchthaus. in: ebd. 158, 1914, 405-430; — Ders.,
Ferdinand Freiligrath u. G. K., 1916; — Dem Gedächtnis
G. K.s. Zum 100. Geb. d. Dichters, 1915; — Peter Heinen,
G. K.s polit. Stellung vor und während der Revolution von
1848/49, 1922; — Alfred de Jonge, G. K. as political and
social thinker, 1926 (1966²); — Oskar Schultheiß, G. K.s
Jugendentwickl. und der Maikäferbund, in: AHVNrh 113,

1928, 97-128; — Gertrud Ferber, Carl Schurz und G. K. nach
d. Märzrevolution. Aus Geheimakten, Pressenachrichten
und alten Briefen, in: Carl Schurz. Der Deutsche und Amerikaner, 1929, 38-77; — Veit Valentin, Gesch. der dt. Revolution 1848/49, 2 Bde., 1930 (Reprint 1968); — Hans Kers-
ken, Stadt und Univ. Bonn in den Revolutionsjahren
(1848/49), 1931 (= Rhein. Archiv 19); — Paul Kaufmann,
Johanna und G. K. in: AHVNrh 118, 1931, 105-131; —
Hans Zeeck, G. K. Briefe aus Amerika 1851/52, in: Die dt.
Rundschau 49,1, 1938, 600-614, 49,2, 1938, 24-37; — Emil
Bebler, C. F. Meyer und G. K. Ihre persönl. Beziehungen auf
Grund ihres Briefwechsels dargest., 1949; — Jaques Droz,
La presse socialiste en Rhénanie pendent la Révolution de
1848, in: AHVNrh 155/56, 1954, 184-201; — Edith Ennen,
Unveröff. Jugendbriefe G. K.s 1835-1838, in: Bonner
Geschbll. 9, 1955, 27-121; — Dies., G. K. (1815/1882), in:
Rhein. Lebensbilder 1, 1961, 168-188; — Rupprecht Leppla,
Kinkel-Briefe aus dem Exil, in: Festschr. Martin Bollert
1956, 13-22; — Ders., Johanna und G. K.s Briefe an Kathin-
ka Zitz 1849-1861, in: Bonner Geschbll. 12, 1958, 7-82; —
Rudolf Neck, Dokumente über die Londoner Emigration von
Karl Marx, in: Mitt. d. Österreich. Staatsarchivs 9, 1956,
263-276; — Eberhard Kessel, Carl Schurz und G. K., in:
Europa und Übersee. Festschr. f. Egmont Zechlin, 1961,
109-134; — Ders., Die Briefe von Carl Schurz an G. K.,
1965; — Albert Schulte, G. und Johanna K. in Godesberg,
in: Godesberger Heimatbll. 2, 1964, 42-55; — Max Braubach, Bonner Professoren und Studenten in den Revolutionsjahren 1848/49, 1967 (= Wissenschaftl. Abh. d. Arbeitsgemeinschaft für Forschung d. Landes Nordrhein-Westfalen,
38); — Hans M. Schmidt, G. K. und die Gemäldegalerie in
Darmstadt, in: Kunst in Hessen und am Mittelrhein 11, 1971,
107-114; — Walther Ottendorff-Simrock, Ein Dichterkreis
im biedermeierlichen Bonn. Der Maikäferbund, 1972, —
Zeitgenossen von Marx und Engels, hrsg. von Kurt Koszyk
u. Karl Obermann, 1975 (= Quellen u. Unterss. z. Gesch. d.
dt. u. österreich. Arbeiterbewegung N.F. 6); — Karl
Marx/Friedrich Engels, Die großen Männer des Exils, in:
MEW 8, 1975[5], 233-355; — Wolfgang Beyrodt, G. K. als
Kunsthistoriker. Darst. u. Briefwechsel, 1979 (Werk- und
Lit.verz.); — Hermann Rösch-Sondermann, G. K. als Ästhe-
tiker, Politiker und Dichter, 1982 (= Werk- u. Lit.verz.); —
Hanns Klein, G. K. als Emissär der provisor. Regierung der
Pfalz im Frühjahr 1849, in: Jb. für westdt. Landesgesch. 8,
1982, 109-135; — Ders., Wiederentdecktes Schriftgut der
Militärkommission der Pfälzer Revolutionsregierung von
1849. E. Nachlese zu G. K.s Emissärberichten, in: Jb. für
westdt. Landesgesch. 12, 1986, 107-152; — Karl H. Lu-
cas/Wolfgang Altgeld, Guiseppe Mazzini und G. K. Dreizehn Briefe und Billetts aus den 50er Jahren des 19. Jh.s, in:
Annali dell'istituto storico italo-germanico in Trento 11,
1985, 221-260; — Angelika Berg, G. K. Kunstgeschichte
und soziales Engagement, 1985 (= Veröff. d. Stadtarchivs
Bonn, 36); — ADB LV, 515; — Brockhaus X, 174; — NDB
XI, 623 f.; — Biograph. Wb. zur dt. Gesch., begr. von H.
Roessler u. G. Franz, 1974[2], II, 1489; — Lex. d. dt. Gesch.,
hrsg. von Gerhard Taddey 1983[2], 657 f.

Roland Böhm

KINN, Matthias, Begründer der Dorfcaritas und
Landkrankenpflege, * 17.5. 1847 in Weidingen
(bei Bitburg/Eifel) als Sohn eines Bauern, †
19.7. 1918 in Arenberg bei Koblenz. — Die
ländliche Herkunft und Heimat prägten K. zeitlebens. Er, der von frühester Kindheit an vertraut war mit den Nöten der Landbevölkerung,
stellte sein Leben in den Dienst des einfachen
Landvolkes. Daß er dabei vor allem die Krankenpflege in den Vordergrund rückte, hat auch
persönliche Ursachen: K. mußte von Kindheit
an lernen, mit schwerer körperlicher Krankheit
zu leben. Nach dem Besuch des Trierer Gymnasiums wählte er das Theologiestudium. 1870
empfing er die Priesterweihe und trat als Kaplan
seine erste Stelle in der Landgemeinde Kessel-
heim (bei Koblenz) an. 1872 wechselte er in das
Bauern- und Winzerdorf Becond an der Mosel.
Hier legte er den Grundstein für sein Lebenswerk. Angesichts der kärglichen Lebensverhältnisse und der mangelhaften Gesundheitsversor-
gung der Bevölkerung baute K. eine eigenständige Krankenversorgung auf. 1878 begann er
ein Merkblatt für die Krankenpflege zu drucken
und an die Familien zu verteilen. Aus diesen
Merkblättern entstand sein erstes wegweisendes
Werk, das »Krankenbüchlein für Landleute«
(1883). Freilich erkannte K., daß die schriftliche
Belehrung allein nicht ausreichte. Deshalb gründete er 1883 den Verein der St. Rochus-Bruder-
schaft, der sich zum Ziel setzte, Kranke abwechselnd zu besuchen und Armen eine kostenlose
Ernährung zu sichern. Zusammen mit Ärzten
bildete K. die sog. Krankenbesucherinnen aus,
die die Kranken pflegen und verköstigen sollten.
Zugleich ging es darum, die Bevölkerung über
Gesundheitsbedrohungen aufzuklären, wobei es
insbesondere um die Eindämmung des Alkohol-
konsums ging. Die aufreibende Arbeit zwang K.
im Jahre 1886 zu einer längeren Pause. Während
mehrerer Kuraufenthalte setzte er seine schriftstellerische Tätigkeit fort. In dieser Zeit entstand
sein »Praktisches Lehrbüchlein der Gesund-
heits- und Krankenpflege« (1889), das viele
Auflagen erlebte. Es sollte junge Mädchen und
Frauen motivieren, den Beruf der Krankenbesucherin zu ergreifen. Da sein Gesundheitszustand
eine neuerliche Pfarrerstelle nicht mehr zuließ,
konzentrierte sich K. auf das Wirken als Pädagoge und Schriftsteller. 1889 trat er die Stelle als

Rektor der Klosterkirche des Dominikarinnenklosters Arenberg an. Von hier aus baute K. seine Idee der Dorfcaritas aus. Die Mißstände im Ordensleben selbst wurden aber auch Gegenstand seiner Untersuchungen. So machte er eindringlich auf die hohe Sterblichkeit in den Orden aufmerksam (»Sterblichkeit in unseren Kongregationen«, Caritas 1897). Als Ursachen dafür erkannte K. die immense Arbeitsbelastung der Ordensleute und die mangelnden Erholungsmöglichkeiten für sie an. Dies war eine Kritik, die ihm in höheren Kirchenkreisen manche Anfeindung einbrachte. K. war sich bewußt, daß die Krankenpflege nur ein Teil einer caritativen Gesamtaufgabe war. So trat auch er für die Schaffung eines Zentralverbandes ein, mit dem eine umfassende moderne Wohlfahrtstätigkeit über das ganze Land entfaltet werden konnte. Lorenz Werthmann, der 1897 den Deutschen Caritasverband gründete, betonte deshalb zurecht, daß K. als einer der ersten Träger des Caritasgedankens und somit als geistiger Mitbegründer des Caritasverbandes angesehen werden müsse. Es war nur konsequent, daß K. für sein spezielles Gebiet einen institutionellen Rahmen suchte, der in den Caritasverband eingebettet war. 1906 gründete er daher die »Caritasvereinigung für Landkrankenpflege und Volkswohl«. Wenige Jahre später, 1910, bezog K. - und damit sein Verein- ein eigenes Haus, das Caritashaus St.Elisabeth zu Arenberg. Dieser modernen Ausbildungsstätte für Krankenbesucherinnen war ein Kindererholungsheim angeschlossen. In den Kriegsjahren wurde es als Lazarett genutzt. Die Bemühungen K.'s um eine moderne Krankenpflege fanden in seiner Ernennung zum Päpstlichen Geheimkämmerer mit dem Titel Monsignore eine ehrenvolle Auszeichnung (17.5. 1918). K. stirbt am 19. Juli 1918, die Bedeutung seines Lebenswerks stellt ihn an eine Seite mit dem Gründer des Caritasverbandes, Lorenz Werthmann.

Werke: Krankenbüchlein für Landleute, auch brauchbar für Stadtleute. Oder: Wie sollen die Landleute ihre Kranken pflegen, 1883; Handbüchlein des Krankenbesuches, wie man ihn nützlich macht für Leib und Seele des Kranken, 1887; Sterblichkeit in unseren Kongregationen, 1887; Praktisches Lehrbüchlein der Gesundheits- und Krankenpflege. Ein Leitfaden, 1889; Pfarrer Kraus von Arenberg. Sein Leben und sein Werk, 1893; Eucharistische Novene. Neun Lehrstücke, nebst Meß- und Kommunionandachten, 1895;

Fundament des Glaubens. Erwägungen über die christlichen Grundwahrheiten, 1898; Elisabeth, die Krankenbesucherin des Caritasverbandes, 1901; Der Krankendienst. Taschenbüchlein für Brüder, Schwestern und Seelsorger, 1904. (Hrsg.) Charitasbote (ab 1891); Diener der Barmherzigkeit (ab 1893); Mitteilungen für die Krankenbesucherinnen des Caritasverbandes (ab 1902); Jahrbuch der Caritas-Vereinigung (ab 1912). Vergl. auch seine zahlreichen Aufsätze in »Caritas« und »Pater bonus«. Nachlaß: Caritashaus Arenberg, Werthmannhaus Freiburg i.Br.

Lit: Lorenz Werthmann, Matthias Kinn (1847-1918), in: Caritas 23 (1918), S. 214-218; — F. Keller, Heimatmission und Dorfkultur, 1919; — Wilhelm Liese, Geschichte der Caritas, 1922, S. 92-93; — H. Laufen, Matthias Kinn. Ein Eifelsohn als Pionier der Dorfcaritas, in: Caritas im Trierer Land, 1926, S. 214-220, hrsg. v. Caritas-Verband der Diözese Trier; — A. Francke, Caritative Landkrankenpflege, 1929; — Wilhelm Liese, Lorenz Werthmann und der Deutsche Caritasverband, 1929; — ders., Matthias Kinn. Ein Pionier der Dorfcaritas, 1931 (=Sonderabdruck aus Caritas 35 (1930)); — Lorenz Werthmann, Monsignore Kinn und sein Lebenswerk: die Ausbildung ländlicher Krankenbesucherinnen, 1932; —LThK VI, 166.

Rainer Witt

KINO (auch Chini, Chino, Quino, Chinus), Eusebio Francisco, Missionar (»Apostel von Sonora und Arizona«), Forscher, Organisator und Kartograph, * 1645 in Segno, Hochstift Trient, (Süd-)Tirol (Italien), getauft 10.8. 1645, † 15.3. 1711 in Magdalena (de Kino), Neu-Spanien (Sonora, Mexiko). — K. trat in Erfüllung eines Gelöbnisses am 20.11. 1665 in Landsberg/Lech in die Oberdeutsche Provinz der Gesellschaft Jesu ein; zum Priester geweiht am 12.6. 1677. Neben dem Studium der Theologie und Philosophie in Freiburg, Ingolstadt und Innsbruck beschäftigte er sich in Hinblick auf die ersehnte Chinamission mit Mathematik und Astronomie; stattdessen wurde er jedoch nach Neu-Spanien berufen. Während er seit 1678 auf die Ausfahrt wartete, studierte er in Cadiz den Komet von 1680/81. — Im Mai 1681 landete K. in Vera Cruz, Mexiko. Bereits 1683/85 nahm er als geistlicher Führer und königlicher Kosmograph an der letztlich gescheiterten Schiffsexpedition des Isidro de Atondo y Antillón zur Erkundung Niederkaliforniens teil. Als Missionsoberer wurde er 1686 zur Missionierung der Indianer (Pima) in die Pimería Alta (Sonora, Mexiko/südl. Arizona, USA) entsandt. Hier gründete er 1687 die Missionsstation Nuestra Señora de los Dolores, die ihm fast ein viertel Jahrhundert als Hauptquartier diente, von dem aus er mehr als 40 Expeditionen unternahm, in deren Verlauf er u.a. die Mündungen des Gila und des Colorado entdeckte und diese Gebiete erforschte und kartographierte. In vier Expeditionen 1700/02 stellte K. endgültig fest, daß Niederkalifornien eine Halbinsel ist und beide Kalifornien auf dem Landweg zu erreichen sind. Die von ihm gefertigte und seit 1705 in Europa veröffentlichte Karte setzte seine Entdeckung in der Wissenschaft schnell durch; die Karte selbst blieb für lange Zeit die zuverlässigste. Spanien nutzte die Chancen dieser Erkenntnis jedoch erst Jahrzehnte später, als es die Pazifikküste u.a. durch Rußland bedroht sah. — K. überzog die Pimería Alta mit einem Netz von Missionsstationen und verschob die spanische Missions-»Frontier« um »etliche hundert Kilometer« nordwärts. Seine Sorge galt vor allem dem Nachwuchs an Ordenskräften für die Mission. Trotz ständigen Mangels hieran veranlaßten K.s enthusiastische Berichte insbesondere deutschsprachige Jesuiten, nach Nordmexiko zu kommen und z.B. im eher unwirtlichen Niederkalifornien eine Kette von Missionsstationen zu errichten. Um diese und seine eigenen Stationen ökonomisch zu versorgen, begann K. mit Viehzucht, Obst- und Gemüseanbau, worin er die Indianer ebenso unterwies wie im christlichen Glauben. Seine bis zuletzt erstrebten Ziele, die Missionierung ganz Kaliforniens, die Missionierung und Pazifizierung der wilden Apachen sowie die Herstellung einer Verbindung zu den in Franco-Canada Missionierenden, erreichte er nicht. — Freundlich und bescheiden, zugleich mutig und couragiert, asketisch in der persönlichen Lebensführung galt K. als Idealmissionar, dessen erstes Anliegen die Wohlfahrt der Indianer war. In einem weiten, dünnbesiedelten Gebiet, in dem die wenigen Missionare einzige Repräsentanten des spanischen Anspruchs waren, übte K. als Mann des Gebets und des Friedens »größere Macht als eine Garnison Soldaten« aus. — Von Indianern und Spaniern gleichermaßen geachtet und verehrt, wird K. als Freund, Führer und Verfechter der Freiheit und Rechte der Indianer in der Nachfolge eines Bartolomé de Las Casas gesehen; als »echter Forschungsreisender« (Friederici) steht er den ungleich bekannteren Entdek-

kern an Bedeutung nicht nach. — Viele heutige Orte im weiteren Grenzgebiet Mexiko/USA gehen auf Gründungen K.s zurück; Straßen, Orte, Flüsse und Täler beiderseits der Grenze tragen seinen Namen.

Werke: Exposición Astronómica de el Cometa que el año del 1680, México 1681; Relación Puntual de la Entrada que han hecho los Espanoles [Atondo-Expedition], México 1686; Vida del P. Francisco J. Saeta, S.J. Sangre Misionera en Sonora [1695], hrsg. v. Ernest J. Burrus, México 1961; Favores Celestiales, 1699-1710, u.a. in engl. Übers. unter dem Titel: Kino's Historical Memoir of Pimería Alta, hrsg. v. Herbert E. Bolton, 2 Bde, Cleveland 1919 (Nachdruck in 1 Bd. Berkeley 1948); Kino Reports to Headquarters. Correspondence of E.F.K., S.J., from New Spain with Rome, hrsg. v. Ernest J. Burrus, Rome 1954; Kino's Plan for the Development of Pimería Alta, Arizona & Upper California. A Report to the Mexican Viceroy [1703], hrsg. v. Ernest J. Burrus, Tucson 1961; Kino Writes to the Duchess. Letters of E.F.K., S.J., to the Duchess of Aveiro [Missionswohltäterin], hrsg. v. Ernest J. Burrus, Rome/St. Louis 1965. Weitere Briefe sind verstreut publiziert, andere sowie die meisten Expeditionsberichte noch unveröffentlicht. — Die bedeutendste Karte: Paso por Tierra e la California, 1700-1702, veröffentlicht u.a. in: Lettres édifiantes et curieuses V, Lyon 1705; Mémoires pour l'histoire des sciences et des beauxarts, Trévoux 1705; Der neue Welt-Bott I, hrsg. v. Joseph Stöcklein, Augsburg/Graz 1726. — Eine Gesamtbibliographie ist in Vorbereitung (freundliche Auskunft von Ch.W. Polzer SJ, Tucson).

Lit: Herbert E. Bolton, Spanish Exploration in the Southwest, 1542-1706, New York 1916; — Ders., The Padre on Horseback. A Sketch of E.F.K., S.J., Apostle to the Pimas, San Francisco 1932 (Chicago 1963[2]); — Ders., Rim of Christendom. A Biography of E.F.K. Pacific Coast Pioneer, New York (1936) 1984[3]; — Zephyrin Engelhardt, The Missions and Missionaries of California, 2 Bde, Santa Barbara 1929/30[2], bes. I, 83/101; — Georg Friederici, Der Charakter der Entdeckung und Eroberung Amerikas durch die Europäer, 3 Bde, Stuttgart 1925/36 (Neudruck Osnabrück 1969), bes. I, 351/3; — Eugenia Ricci, Il Padre Eusebio Chini. Esploratore Missionario della California e dell'Arizona, Milano 1930; — Peter Stitz, Deutsche Jesuiten als Geographen in Niederkalifornien und Nordmexiko im 17. und 18. Jahrhundert (1680-1767/68), Saarlouis 1932; — Frank C. Lockwood, Story of the Spanish Missions of the Middle Southwest. Being a Complete Survey of the Missions founded by Padre E.F.K. in the Seventeenth Century..., Santa Ana, Cal. 1934; — Peter M. Dunne, Black Robes in Lower California, Berkeley/Los Angeles (1952) 1968[2]; — Ders., Pioneer Jesuits in Northern Mexico, Berkeley/Los Angeles 1944; — Ellen Shaffer, Father E.F.K. and the Comet of 1680-1681, In: Historical Society of Southern California 34 (March 1953) 57/70; — Ernest J. Burrus, Kino and the Cartography of Northwestern New-Spain, Tucson 1965; — Ders., La obra cartográfica de la provincia mexicana de la Compañiá de Jesús (1567-1967), 2 Bde, Madrid 1867, bes. I, 15/26 (in Bd. II 10 Karten K.s); — Ders., Kino and Manje. Explorers of Sonora and Arizona, Rome/St. Louis 1971; — Father K. in

Arizona, Phoenix 1966; — Charles W. Polzer, A Kino Guide: A Life of E.F.K., Arizona's First Pioneer..., Tucson 1968; — Bonifacio Bolognani, Pioneer Padre. A Biography of E.F.K., Missionary, Discoverer, Scientist, Sherbrooke 1968; John F. Bannon, The Spanish Borderlands Frontier, 1513-1821, Albuquerque 1976; — Adolph F. Bandelier, A History of the Southwest. A Study of the Civilization and Conversion of the Indians in Southwestern United States and Northwestern Mexico from the Earliest Times to 1700, hrsg. v. Ernest J. Burrus, Bd. I mit Suppl. (Karten, Zeichnungen), Rome 1969; Bd. II, Rome 1987; Bd. III (zu Kino: Teil V, Kap. IV) in Vorbereitung; — W. Kosch: Das katholische Deutschland, Augsburg o.J. 2118; — EncCatt III, 1549f.; — LThK² VI, 165; — NCE VIII, 201f.; — DHEE II, 1263; — NDB XI, 625f.

Norbert M. Borengässer

KINOLD, Wenzeslaus, * 7.7. 1871 in Giershagen, † 29.5. 1951 in Sapporo/Japan. — K. trat 1890 in die Thüringische Provinz des Franziskanerordens ein, die ihren Mittelpunkt im Kloster Frauenberg (Fulda) hat. Nach Vollendung seiner theologischen Studien und dem Empfang der Priesterweihe erhielt er von seinen Oberen als Bestimmung das Missionsgebiet der Fuldaer Pranziskaner in Japan. Dort gründete er die Mission auf der Insel Hokkaido. Schon im Jahre 1915 wurde K. zum Appstolischen Präfekten ernannt. Dic Entwicklung der Mission machte. solche Fortschritte, daß sie Papst Pius XI. in den Rang eines Apostolischen Vikariats erhob (1929); gleichzeitig ernannte der Papst P. Wenzeslaus zum Titularbischof von Panemotichus und ersten Apostolischen Vikar von Sapporo (ein Jahr nach dem Tode des Missionsbischofs wurde Sapporo Diözese mit einem einheimischen japanischen Oberhirten). Während des bischöflichen Dienstes, den K. auf Sapporo leistete, gründete er Krankenhäuser, Kindergärten, Studentenheime und machte sich durch den Bau von Schulen und eines Kleinen Seminars zur Förderung des einheimischen Klerus einen Namen.

Lit.: Bibliotheca Missionum X, 244 u. ö.; — Thuringia Franciscana 7 (1952), 91-95; — G. Huber/V. Nagel, Gesch. der Franziskanermission in Hokkaido (1907-1957): ebd. 12/2 (1957), 59-159; — LThK ²VI, 165.

Johannes Madey

KIR, Félix, * 22.1. 1876 in Alise Sainte Reine (Burgund) aus einer elsäßischen Familie stammend, † 25.4. 1968 in Dijon. Schüler im Petit Seminaire von Plombičres, dann Student der Theologie im Grand Seminaire von Dijon. K. wurde am 29.6. 1901 in Dijon zum Priester geweiht, bekleidete verschiedene Vikar- und Pfarrstellen in seinem Heimatbistum. Im Jahre 1914 wurde K. zum Militär eingezogen; bei Verdun wurde er verwundet. Am 21.7. 1928 wurde er mit der Leitung verschiedener kirchlicher Einrichtungen und der kirchlichen Pressearbeit in Dijon beauftragt. Am 21. November 1931 erfolgte die Ernennung zum Ehrendomherr in Dijon. — Unmittelbar vor Beginn der deutschen Besetzung Dijons übernahm K. von sich aus am 17.6. 1940 die Leitung der verwaisten Stadtverwaltung von Dijon und suchte die Interessen sciner Mitbürger gegenüber der deutschen Besatzung durchzusetzen. Nachdem er zahlreichen Kriegsgefangenen, Juden und Kommunisten zur Flucht verholfen hatte, wurde er von der deutschen Besatzung am 11.10. 1940 verhaftet und vcrbrachte längere Zeit im Gefängnis. Der Vollstreckung eines gegen ihn ausgesprochenen Todesurteils entging er durch eine Intervention des päpstlichen Nuntius und übernahm wicder das Bürgermeisteramt. K. gehörte sodann der Résistance an und konnte die Zwangsverpflichtung von Arbeitern nach Deutschland verhindern. Am 26.1. 1944 wurde er von Kollaborateuren in seiner Wohnung niedergeschossen und als tot liegengelassen. Er wurde gerettet und in Langres gesundgepflegt. Am 11.9. 1944 kehrte K. nach der Befreiung Dijons mit den einrückenden Truppen zurück und übernahm wieder das Bürgermeisteramt. Von 1945 an wurde K. immer wieder zum Bürgermeister gewählt, ein Amt, das er bis zu seinem Tode ausübte. Er leitete die Entwicklung Dijons zu einer modernen Stadt. Als besonders spektakulär wird die von ihm veranlaßte Anlegung eines künstlichen Sees bezeichnet, heute »lac Kir« genannt. Er ist der Erfinder des nach ihm benannten und weltberühmt gewordenen Apératifs »Kir«. Von 1945 bis 1967 war K. Mitglied der Nationalversammlung, deren langjähriger Alterspräsident er war. — Das besonders große Verdienst von K., der unabhängig von politischer Einstellung von seinen Landsleuten respektiert, ja sogar vielfach verehrt wurde, ist die maßgebliche und energische Mitwirkung an der deutsch-französischen Aussöhnung. Nach anfänglichem, verständlichem Zögern wurde er der überzeugte Anhänger und Vorkämpfer für gute deutsch-französischen Beziehungen. K. verstand es, frühere Kriegsteilnehmer, Mitglieder der Résistance und ehemalige Häftlinge aus Dachau und Buchenwald für die Aussöhnung zu gewinnen. So war er auch der auf französischer Seite maßgebliche Mitbegründer der Partnerschaft Rheinland-Pfalz/Burgund, die mit ihm bereits 1953 eingeleitet und am 25. Februar 1957 als gleichnamiger Freundschaftskreis proklamiert wurde. K. war ihr erster Präsident. Am 13. Juni 1964 wurde K. Ehrenbürger von Mainz, der Stadt, die seit 1958 mit Dijon eine eigene Partnerschaft unterhält.

Lit.: Wolfgang Balzer, Mainz. Persönlichkeiten der Stadtgeschichte, 1985, S. 46 f.; — Le chanoine Kir n'est plus, in: Le bien public (Dijon) vom 26. April 1968; — Freundschaftskreis Rheinland-Pfalz-Burgund, Europa-Haus Marienberg 1960; — Wolfgang Götz, Rheinland-Pfalz/Burgund. Modell einer internationalen Partnerschaft, 1967; — Werner Heist, Chanoine Kir, Ehrenbürger von Mainz, in: Das Neue Mainz 1964, S.3.

Heinz Monz

KIRCH, Konrad, SJ, * 1.6. 1863 in Viersen, † 1942 in Köln. — K. tritt 1884, nach dem Studium der Rechtswissenschaft, dem Jesuitenorden bei und durchläuft die theologische Ausbildung in München und Rom. Als Dozent für Patrologie lehrt er zunächst am Ordensstudium im niederländischen Valckenberg, später in Köln. Sein Schaffen konzentriert sich auf die Hagiographie.

Werke: (Hg.), Theodor Granderath, Gesch. des Vatikan. Konzils, 3 Bde., Freiburg/Br. 1903-1906; Enchirodion fontium historiae ecclesiasticae antiquae quod in usum scholarum collegit C. K., Freiburg/Br. 1910, [editio] aucta et emendata [2/3]1914,[4]1923,[5]1941,[8]1960; Helden des Christentums. Heiligenbilder, 11 Bde., Paderborn 1917-1922, [4]1925 ff.; Bonifatiusbrevier, Paderborn 1920; Liobenlob, 1921; Ignatius von Loyola. RQS 34, Düsseldorf, 1926; Ein Blick in die neuere Gesch. der dt. Ordensprovinzen der Gesellschaft Jesu (Jesuitenkalender 1926), 45-68; Helden des Christentums, Heiligenbilder. II. Aus dem MA, Paderborn 1933, III. Aus der Neuzeit, Paderborn 1934 (= Helden des Christentums. Von K. K. und Adolf Rodewyk, 3 Bde., Paderborn 1953 [= Neudr. Leipzig 1957-1959]); (Hg.), August Lehmkuhl, Der

Christ im betrachtenden Gebet, 4 Bde., [3-5]1919-1930.

Lit.: Koch JL 978; — Kosch, KD II, 2123.

Klaus-Gunther Wesseling

KIRCHBACH, Esther von, Schriftstellerin und massgebende Vertreterin der sächsischen Pfarrfrauenbewegung im Kirchenkampf während der NS-Zeit; * 26. 5. 1894 in Berlin, † 19. 2. 1946 in Freiberg/Sa. — Tochter des Generals und späteren sächsischen Kriegsministers Adolf von Carlowitz (1859-1928) und der Priska von Stieglitz (1870-1947). 1914 erste Ehe mit Georg Graf zu Münster (1885-1916), Adjutant des sächsischen Kronprinzen; M. starb an Kriegsverletzung 1916. Zweite Ehe 1921 mit Arndt von Kirchbach (1885-1963), Hauptmann i.G. und kgl.sächs. Major a.D., Pfarrer und Domprediger in Dresden. Superintendent in Freiberg/Sa. — E.v.K. studierte in Marburg und Leipzig Philosophie, Deutsch, Geschichte, Mathematik und Theologie. Tätigkeit in kirchlicher Jugendarbeit Sachsens, in der Eheberatung und im Christlichen Frauendienst. Mitarbeit bei zahlreichen christlichen Zeitschriften (u.a. »Jugendweg« , »Eckart«, »Sächsisches Kirchenblatt«, »Zeitwende«, »Werk und Feier«, »Die Furche«, »Frau und Mutter«). Während der NS-Zeit zusammen mit A.v.K. in der Bekennenden Kirche Sachsens aktiv. Nach Kriegsende in der Flüchtlingshilfe engagiert. Geistliche Lyrik im Austausch mit Werner Bergengruen, Kurt Ihlenfeld, Reinhold Schneider, Josef Wittig u.a.

Werke: Eleonore Fürstin Reuss. Die Dichterin unseres Silvesterliedes. o.A.; Die Hausgemeinde, Hamburg 1938 (1951[3]); Rund um einen Tisch. Von den Pflichten und Freuden der Mutter, Berlin 1938; Gebot und Gebet. Katechismus im Alltag. Hamburg 1939 (1951[2]); Von Sonntag und Alltag. Ein Buch der christlichen Gemeinde. Hamburg 1939; Johanna Spyri. Die Jugenderzählerin aus den Bergen. Stuttgart 1940; Die Hausgemeinde. Hamburg 1951; Das Reich um den Tisch. Sechs Abendmahlsbilder von Tintoretto. Berlin 1951; Unser Gästebuch 1945. Hamburg 1951 (1987[2]); Das Geschenk des Lebens. In: Mütter. Dichtung-Briefe-Berichte. (Hg. v. Marianne Fleischhack), Berlin 1973 (1976[2]).

Lit: Arndt von Kirchbach: Lebenserinnerungen. 5 Bde., Göppingen 1987; — o.V.: Bericht aus dem Leben der E.v.K. geb. v.C. (Rundschreiben, Ev.-Luth. Landeskirche Sachsens, Dresden 1971; — NDB XI, 635f; — RGG (3. Aufl.), III, 1296.

Jürgen Seidel

KIRCHER, Athanasius, SJ, Universalgelehrter, * 2.5. 1601 in Geisa (Rhön), † 27.11. 1680 in Rom. — Die Anfänge seiner gelehrten Bildung erhielt K. von seinem Vater Johann K., Doktor der Philosophie und Theologie, der selbst eine umfangreiche Bibliothek besessen hatte. Im Alter von zehn Jahren wurde er auf das von Jesuiten geleitete Gymnasium in Fulda geschickt. Dort bekam er von einem Rabbiner Unterricht in der hebräischen Sprache. Im Jahre 1618 trat er als Novize in Paderborn in den Jesuitenorden ein und begann dort auch den vorgeschriebenen dreijährigen Philosophiekurs. Diesen beendete er in Köln, nachdem das Kolleg in Paderborn wegen der beginnenden Kriegswirren geschlossen werden mußte. Anschließend an diesen ersten Abschnitt seiner Studien kam er 1623 als Lehrer für Griechisch an das Jesuitenkolleg in Koblenz, ein Jahr später als Lehrer der »Humaniora« nach Heiligenstadt/Eichsfeld. Neben seiner Lehrtätigkeit fand er auch noch Zeit für naturwissenschaftliche Studien und Experimente. Dadurch wurde der Kurfürst von Mainz auf ihn aufmerksam und berief ihn an seine Residenz nach Aschaffenburg. In Mainz begann K. das Studium der Theologie und wurde 1628 zum Priester geweiht. Nach einem Probejahr in Speyer kam er als Professor für Ethik, Mathematik und orientalische Sprachen nach Würzburg. Im Jahre 1631 mußte er von dort vor den Schweden fliehen und er begab sich zuerst nach Lyon, dann nach Avignon, wo er auch weiterhin als Lehrer für den Orden wirkte. Einen Ruf an die Unviersität Wien als Professor für Mathematik nahm er nicht an, da er fast gleichzeitig als Professor für Mathematik, Physik und orientalische Sprachen an das Collegium Romanum (Gregoriana) nach Rom berufen wurde, eine Stelle, die er dann auch antrat. In den Jahren 1637 und 1638 begleitete er den späteren Kardinal Friedrich von Hessen-Darmstadt als Beichtvater nach Malta. Um das Jahr 1641 wurde er von seinen Lehrverpflichtungen entbunden und konnte sich in Rom ganz seinen umfangreichen wissenschaftlichen Neigungen widmen. Die von K. verfaßten Werke wurden nur zum Teil veröffentlicht. Zahlreiche Manuskripte befinden sich im Archiv der Gregoriana in Rom. — Trotz seiner weitgespannten Interessen hatte K.s Schaffen einen Mittelpunkt: die Philologie. Seit er in Speyer auf die Hieroglyphenschrift Altägyptens aufmerksam wurde, galt sein vorrangiges Bemühen der Entzifferung dieser Schriftzeichen. Die Tatsache, daß er an dieser Aufgabe scheiterte, hatte mit dem Mißverständnis seiner Zeit zu tun, diese Schrift als eine verschlüsselte Bilderschrift zu verstehen. Immerhin aber war es ihm gelungen, Zusammenhänge zwischen dem Koptischen und der Sprache der Hieroglyphen zu erkennen. Von daher versuchte er auch, die Kultur Ägyptens und die Geheimlehren des Orients intensiv zu erforschen. Sein Werk »Oedipus Aegyptiacus« (1652-1654) faßt diese über zwanzigjährigen Forschungen zusammen. Neben der Kultur Ägyptens interessierte ihn auch die damals noch völlig unbekannte Kultur Chinas. Über dieses Land hat er 1667 ein größeres Werk veröffentlicht, das in wesentlichen Teilen auf Berichten von Ordensbrüdern basierte. Andere Forschungen K.s galten den Naturwissenschaften, hier vor allem dem Wesen des Magnetismus. Bereits seine erste Veröffentlichung, die »Ars magnesia« (1631), behandelte dieses Thema. Auch auf dem Gebiete der Musik leistete K. Bedeutendes. In seinem diesbezüglichen Hauptwerk, der »Musurgia universalis« (1650), veröffentlichte er die von ihm in einem Kloster bei Messina gefundene Pindarmelodie, deren Echtheit allerdings heute umstritten ist. Von seiner Einstellung her war K. grundsätzlich allem Neuen gegenüber aufgeschlossen. So war er einer der ersten Theologen, die die Erkenntnisse des Galilei nicht einfach, wie die Kirche es forderte, verurteilten, sondern einer eigenen Überprüfung unterwarfen. Seine wissenschaftliche »Meinung« hat er dann auf ebenso subtile wie satirische Weise im 1. Teil seines »Itinerarium exstaticum« (1656) dargelegt. Das gesamte Wirken K.s kreiste um ein Problem: die Einheitlichkeit der Schöpfungsordnung in Gott. Der wissenschaftlichen Begründung dieser Vorstellung galt sein ganzes Bemühen. Nur deshalb versuchte er, von vielen Seiten her diese Thematik anzugehen und zu behandeln. Seine Universalität ruhte also eigentlich in dieser genuin religiösen Fragestellung.

Werke: Ars magnesia, 1631; Primitiae gnomoniciae catroptricae, 1635; Prodromus coptus sive Aegyptiacus, 1636; Specula Melitensis encyclica, hoc est syntagma novum instrumentorum physico-mathematicorum, 1637; Magnes sive de arte magnetica, 1641; Lingua Aegyptiaca restituta, 1643; Ars magna lucis et umbrae, 1646; Musurgia universalis, 2 Tle., 1650 (Reprint, 1970); Musurgia ..., Teilübers. ins Dt. von AndreasHirschen, 1662; Obeliscus Pamphylicus, 1650; Oedipus Aegyptiacus, 1652-1654; Itinerarium extaticum I, 1656; Iter extaticum II, 1657; Scrutinium physico-medicum, 1658; Pantometrum Kircherianum ... explicatum a G. Schotto, 1660; Diatribe de prodigiosis crucibus, 1661; Polygraphia nova et universalis, 1663; Mundus subterraneus, 2 Tle., 1665; Historia Eustachio-Mariana, 1665; Arithmologia, 1665; Obelisci Aegyptiaci ... interpretatio hieroglyphica, 1666; China monumentis ... illustrata, 1667 (Reprint, 1966); Magneticum naturae regnum sive disceptatio physiologica, 1667; Organum mathematicum, 1668; Principis Cristiani archetypon politicum, 1669; Latium, 1669; Ars magna sciendi sive combinatorica, 1669; Phonurgia nova sive conjugium mechanico-physicum artis et naturae, 1673; Phonurgia ..., dt. Übers., 1684 (Reprint, 1983); Arca Noe, 1675; Sphinx mystagoga, 1676; Musaeum Collegii Romani Societatis Jesu (Beschreibung des Museum Kircherianum in Rom, das bis 1915 bestanden hat), 1678; Turris Babel sive Archontologia, 1679; Tariffa Kircheriana sive mensa Pathagorica expansa, 1679; Physiologia Kircheriana experimentalis, 1680.

Lit.: M. Meibom, Antiquae musicae Auctores, 1652; — G. de Sepi, Romani Collegii Mus., 1678; — H. A. Langenmantel, Fasciculus epiostolarum adm. R.P. A.K. S.J., viri in mathematicis et variorum idiomatum scientiis celebratissimi, 1684; — P. Bonanni, Mus. Kircherianum ..., 1709; — J. Mattheson, Grundlage einer Ehrenpforte, 1740, 108, 148, 219, 274, 372; — Wurzer, A. K., in: Buchonia IV, 1829, 137 ff.; — J. L. Pfaff, Vita A. K., in: Examina Autumnalia in Lyceo et Gymnasio Fuldensi, 1831; — C. v. Winterfeld, J. Gabrieli und sein Zeitalter, 1834; — A. Behlau, A. K., in: Programm des Kgl. Gymnasiums Heiligenstadt, 1874; — Karl Brischar, Pater A. K. ein Lebensbild, in: Kath. Studien III, 1877, 249-339 (= Diss. Würzburg); — H. Gehrmann, J. G. Walter als Theoretiker, in: VfMw VII, 1891, 468 ff.; — Sommervogel IV, 1893; XI, 1932; — N. Seng, Die Selbstbiographie des Pater A. K., 1901; — E. Katz, Die musik. Stilbegriffe des 17. Jh.s, Diss. Freiburg, 1926; — G. Richter, A. K. und seine Vaterstadt Geisa, in: Fuldaer Gesch.bll. XX, 1927, 49-59; — H. G. Farmer, The Organ of the Ancients from the Eastern Sources, 1931; — O. Kaul, A. K. als Musikgelehrter, in: Ausder Vergangenheit der Univ. Würzburg. Festschr. zum 350jährigen Bestehen der Univ. Würzburg, 1932, 363-370; — K. Sapper, A. K. als Geograph, in: ebd., 355-362; — H. Ludwig, M. Mersenne und seine Musiklehre. in: Btrr. zur Musikforschung IV, 1935; — P. Friedländer, A. K. und Leibniz. Ein Btr. zur Polyhist. im 17. Jh., in: Atti della Pontificia Accademica Romana di Archeologia, Series 3, Bd. 13, 1937, 229-247; — J. Gutmann, A. K. und das Schöpfungs- und Entwicklungsproblem, Diss. Würzburg, 1938; — A. Protz, Btrr. zur Gesch. der mechanischen Musikinstrumente im 16. und 17. Jh., 1940; — F. Tutenberg, Musurgia universalis. Zum 350. Geb. des A. K., in: ZfM CXIII, 1952, 278 ff.; — R. Cenal, Juan Caramuel. Su epistolaria con A. K., in: Revista de Filosofia XII, 1953, 101-147; — J. Ferguson, Bibl. chemica I, 1954, 466-468; — C. Reilly, Father A. K., master of an hundred arts, in: Studies XLIV, 1955, 457-468; — W. Richter, A. K., Diss. Frank-

furt/M.; — John E. Fletcher, Fulda und der röm. Phönix (A. K.), in: Fuldaer Gesch.bll. XLIII, 1967, 126-133; — Ders., A brief survey of the unpublished correspondence of A. K., in: Manuskripta XIII, 1969, 150-160; — Ders., Medical men and medicine in the correspondence of A. K., in: Janus LVI, 1969, 259-277; — Ders., A. K. and the distribution of his books, in: The Library, 5th series, XXIII, 1969, 108-117; — Ders., Astronomy in the life and correspondence of A. K., in: Isis LXI, 1970, 52-67; —Ders., Johann Marcus writes to A. K., in. Janus LIX, 1972,95-118; — Ders., Georg Philipp Harsdörffer, Nürnberg und A. K., in: MVGN LIX, 1972, 203-210; — Ders., Drei unbekannte Briefe A. K.san Fürstabt Joachim von Gravenegg (mit Übersetzungen von Eduard Krieg), in: Fuldaer Gesch.bll. LXIII, 1982, 92-104; — H.-U. Scharlau, A. K. als Musikschriftsteller. Ein Btr. zur Musikanschauung des Barock, Diss. Frankfurt/M., 1969; — Ders., A. K. (1601-1680), or some aspects of acoustical developments in the 17th century, in: Fontes artis musicae XXV, 1978, 86-89; — Ders., A. K. Ein Gelehrter der Barockzeit, in: Fuldaer Gesch.bll. LVII, 1981, 125-134; — F. Krafft/A. Meyer-Abich, Große Naturwissenschaftler. Biogr. Lex., 1970, 190 f.; —Gottfried Rehm, A. K. über dasehemalige Goldene Rad, in: Fuldaer Gesch.bll. XLVI, 1970, 225-228; — T. F. Glick, On the influence of K. in Spain, in: Isis LXII, 1971, 379-381; — M. Whitrow, Isis cumulative bibliogr. II, 1971, 21; — George J. Buelow, Symposium on 17th-Century Music Theory: Germany, in: Journal of Music Theory XVI, 1972, 36; — Richard van Dülmen, Ein unbekannter Brief von A. K. (1648 an Cyprian Kinner), in: Studia Leibnitiana IV, 1972, 141-145; — A. E. Covington u. a., The partial acceptance of the Copernican theory by A. K. 1646, in: Journal of the Royal Astronomical Society of Canada LXVII, 1973, 311-317; — H. Kangro, Dictionary of scientific biogr. X, 1974, 374-379; — Ivan Golub, Juraj krizanic i njegovi suvremenici (A. K., J. Caramuel Lobkowitz, N. Panajotis, V. Spada), in: Historijski zbornik XXVII/XXVIII, 1974/1975, 227-317; — Eberhard Knobloch, Musurgia universalis — unbekannte Btrr. zur Kombinatorik im Barockzeitalter, in: Actio formans. Festschr. für Walter Heistermann, 1978, 119-132; — W. A. Wagenaar, The true inventor of the magic lantern: K., Walgenstein or Huygens?, in: Janus LXVI, 1979, 193-207; — Universale Bildung im Barock. Der Gelehrte A. K. Eine Ausstellung der Stadt Rastatt in Zusammenarbeit mit der Badischen Landesbibliothek Karlsruhe, 1981; — Othmar Wessely, Zur Deutung des Titelkupfers von A. K.s Musurgia universalis (Romae 1659), in: Röm. hist. Mitt. Österreichiches Kulturinstitut. Österr. Akad. der Wiss., 1981, H. 23, 385-405; — Valerio Rivosecchi, Esotismo in Roma barocca: studi sul Padre K.; 1982; — W. Jaeger, Die Ordnungsprinzipien der Farbsysteme des 17. Jh.s (Bramiscus Aguilonius — A. K. — Jsaac Newton), in: Klinische Mbll. für Augenheilkunde CLXXXIV, 1984, 321-325; — Klaus Wittstadt, A. K. (1602-1680), Theologieprofessor und Universalgelehrter im Zeitalter des Barock, in: Würzburger Diözesanbll. XLVI, 1984, 109-122; — Maristella Casciato (Hrsg.), K. e il Museo del Collegio Romano tra Wunderkammer e museo Scientifico, 1986; — Jean-François Marquet, La quete isiaque d'A. K., in: Études philosophiques, 1987, 227; — John Fletcher, K. und seine Beziehungen zum gelehrten Europa seiner Zeit, 1988; — Thomas Leinkauf, Amor in supremi opifici mente resident. K.s Auseinandersetzungen mit der Schrift »De amore« des

Marsilius Ficinus, in ZphF XLIII, 1989, 265ff; — ADB XVI, 1 ff.; — NDB XI, 641-645; — MGG VII, 937-940; — LThK ²VI, 287.

Hans-Josef Olszewsky

KIRCHHOFER, Melchior, schweizer Pfarrer, Kirchenhistoriker, * 3.1.1775 in Schaffhausen, † 13.2. 1853 ebd. — K., Mitglied eines älteren Bürgergeschlechtes der Stadt Schaffhausen, studierte in Marburg, wo er auf Empfehlung von Joh. Caspar Lavater bei Heinr. Jung-Stilling wohnte. Er hörte Vorlesungen bei Albert Jacob A. Arnoldi, Kirchengeschichte bei Wilh. Münscher und Philosophie bei Dietrich Tiedemann. Der Philosophie Kants, die derzeit bei den Studenten in Marburg begeisterte Aufnahme fand, stand er ablehnend gegenüber. Sie spielte auch später keine Rolle in seinen Schriften. Nach seiner Rückkehr in die Schweiz wurde er 1797 zum Geistlichen ordiniert, 1798 wurde K. Pfarrer zu Schlatt; schließlich wirkte er von 1808-1853 als Pfarrer in Stein am Rhein (Kanton Schaffhausen).K.war zudem seit 1809 Schulinspektor des Bezirkes Stein, seit 1833 Kirchenrat und Mitglied der Schweizerischen Geschichtsforschenden Gesellschaft in Bern sowie korrespondierendes Mitglied der historischen Gesellschaft zu Freiburg i. Br. u. Leipzig. Seine historischen Schriften, meist Biographien von schweizer Reformatoren, ergreifen mit reformatorischem Eifer Partei. Als Anerkennung seiner historiographischen Leistungen und im Zusammenhang mit konfessionellen Auseinandersetzungen mit dem Antistes Friedr.v. Hurter von Schaffhausen wurde K. 1840 die Ehrendoktorwürde von der theologischen Fakultät in Marburg verliehen.

Werke: Sebastian Wagner genannt Hofmeister. Ein Beitrag zur schweizerischen Reformationsgeschichte, nebst einem Wort über den Geist der Reformatoren, Zürich 1808; Oswald Myconius, Antistes der Baslerischen Kirche, ebd. 1809; Wernher Steiner, Bürger von Zug und Zürich, Winterthur 1818; Kern der Schweizerischen Reformationsgeschichte..., Schaffhausen 1819; K., siehe Wirz, Ludwig, Helvetische Kirchengeschichte V, Zürich 1819; Neujahrsgeschenke für die Jugend des Kantons Schaffhausen, Schaffhausen 1822-43; Wahrheit und Dichtung. Sammlung schweizerischer Sprichwörter, Zürich 1824; Bertold Haller oder die Reformation von Bern, ebd. 1828; Das Leben Wilhelm Farels aus den Quellen, 2 Bde., ebd. 1831-33, engl. Übers., London 1837; Die ältesten Vergabungen an das Kloster Aller Heiligen in Schaffhausen, ebd. 1851; (die Stadtbibliothek Schaff-

hausen besitzt z.T unveröffentlichte Exzerptsammlungen zur schweizer, besonders zur Schaffhauser Geschichte).

Lit.: J. Böschenstein, Leichen-Rede bei der Beerdigung des Wew. Hrn. M.K. ... , gehalten am 17. Febr. 1853, Schaffhausen 1853; — C. M(aegis), Die Schaffhauser Schriftsteller von der Reformation bis zur Gegenwart biogr.-bibliogr. dargestellt, Schaffhausen 1869, S. 39f; — Heinr. Wanner, Dr. M.K., in: Schaffhauser Biographien des 18. u. 19. Jahrhunderts, 1. Teil, Schaffhausen 1956, S. 166-76; — Ein Schweizer Student in Marburg 1794/95. Tagebuch des M.K. aus Schaffhausen, hrsg. u. eingeleitet von Ingeborg Schnack, Marburg 1988; — ADB XVI, 11; — Meusel XIV, 292; — Histor.- Biograph. Lexikon der Schweiz IV, 498; — RE² X, 496; — Kosch³ VIII, 1194.

Susanne Siebert

KIRCHHOFF, Kilian, Franziskaner seit 1914, * 14.12. 1892 in Rönkhausen (Lenne), bei der Taufe erhielt er den Namen Josef, † 24.4. 1944 in Brandenburg-Görden als Opfer des NS-Terrors durch Enthauptung; sein Grab ist in Werl. — K. hatte früh enge Verbindungen zu J. Baumstark und anderen Gelehrten, selbst zum Athos. Er arbeitete in Wort und Schrift für die Bekanntmachung der spirituellen Werte des christlichen Ostens im Westen und für die Wiedervereinigung der getrennten Christen. K. übersetzte die Hymnen Symeons des Neuen Theologen und aus den liturgischen Büchern der byzantinischen Kirche.

Werke: Symeon der Neue Theologe. Licht vom Licht, Leipzig 1930, München 1951²; Die Ostkirche betet. Hymnen aus den Tagzeiten der byz. Kirche, 3 Bde., Leipzig 1934-1937; Osterjubel der Ostkirche, 2 Bde., Münster 1940; Über dich freut sich der Erdkreis. Marienhymnen der byz. Kirche, ebd. 1940; In paradisum. Totenhymnen der byz. Kirche, ebd. 1940; Ehre sei Gott. Dreifaltigkeitshymnen der byz. Kirche, ebd. 1940; Das heilige Jahr — der heilige Dienst: J. Tyciak/G. Wunderle/P. Werhun (Hrsg.), Der christl. Osten. Geist und Gestalt, Regensburg 1939, 75-91; Hymnen der Ostkirche. Dreifaltigkeits-, Marien- und Totenhymnen, Münster 1960, 1979³; Osterjubel der Ostkirche. Hymnen aus der fünfzigtätigen Osterfeier der byz. Kirche, ebd. 1961, 1988³; Die Ostkirche betet. Hymnen aus den Tagzeiten der byz. Kirche. Vorfastenzeit. Erste bis dritte Fastenwoche, ebd. 1962; Die Ostkirche betet. Hymnen aus den Tagzeiten der byz. Kirche. Vierte bis sechste Fastenwoche. Die hl. Woche, ebd. 1963; »Es preise alle Schöpfung den Herrn«.Hymnen aus dem Wochenlob der byz. Kirche, ebd. 1979.

Lit.: C. Bödefeld, Die letzte Hymne. P. K., † 24. April 1944, Werl 1952; — C. Schollmeyer, K. K. †: Hist. Jb. der Görres-Gesellschaft, 62-69 (1949), 940 f.; — Ders., Pater K. K., Künder und Vorbild heroischer Glaubenstreue, in: Catholica Unio 23 (1955), 33-41; — Ders., Vorschule des Heroismus.

Pater K. unterstützt die verfolgte Kirche in Mexiko, in: ebd. 24 (1956), 42-47; — Ders., K. K. zum Gedächtnis, in: Vega-Blatt. Nachrr. ehem. Gymnasiasten Attendorns 27/2 (1951), 2-5; — Ders., K. K. (1892-1944). Ein Freund der Ostkirche. Sein Lebenswerk und Zeugentod = Sonderdr. aus der Festschr. für Metropolit Chrysostomos v. Neapolis und Thassos (griech.), Athen 1961; — F. Kloidt, Verräter oder Märtyer?, Düsseldorf 1962, 39-44; — B. M. Kempner, Priester vor Hitlers Tribunalen, München 1966, 176- 192; — S. Richter, Ihre Namen sollen unvergeßlich sein, Dortmund 1967, 14-21; — O. Mund, K. K., Werl 1972, 1983²; — Ders., P. K. K. Ein lit. Lebenswerk im Dienst der Einheit von Ost- und Westchristenheit: P.-W. Scheele (Hrsg.), Paderbornensis Ecclesia (Festschr. für Kard. L. Jaeger), Paderborn 1972, 689-709 (Nachdr. in »Es preise alle Schöpfung den Herrn«, 13-38); — Ders., Zum 30. Todestag von Pater K. K.,in: Via Seraphica 1974, H. 2; — Vor 30 Jahren starb Pater K. K., in: Der christl. Osten 29 (1974) 34, auch in Ut omnes unum 23 (1974), 86 f.; — J. Madey, Pater K. K. OFM — Brückenbauer zw. Ost und West, in: Theologie und Glaube 32 (1983), 64-70; — Ders., Brücke zur Ostkirche. Über den Franziskanerpater K. K., in: Christ in der Ggw. 35/17 (1983), 141 f.; — K. Pohlmann, Franziskanerpater K. K. Apostel der Einheit — Dichter — Martyrer, in: Ut omnes unum 46 (1983), 130-135, 168-174; — O. Mund, Begegnung mit dem Athos, in: ebd. 47 (1984), 146-156; — K. Pohlmann, P. K. K. Christl. Widerstand im Dritten Reich: J. Pottier/A. Block, 1988; — O. Mund, Blumen auf den Trümmern. Blutzeugen der NS-Zeit: K. K. OFM, Elpidius Markötter OFM, Wolfgang Rosenbaum OFM, Paderborn 1989.

Johannes Madey / Ottokar Mund

KIRCHMEYER, Thomas, Thomas Naogeorgus (1508/09-1563). Der Humanist, Reformator und dramatische Dichter im Dienste der Reformation wurde in Straubing bei München geboren. Über seine Familie, Jugend, Bildungsjahre und Tätigkeit vor dem Übergang zur Reformation ist wenig zuverlässiges bekannt. Der Vater vermachte dem Straubinger Karmelitenkonvent Grundstücke; ein Stephan Kirchmeyer wurde Karmelit. Thomas Kirchmeyer war möglicherweise bis etwa 1528 Dominikanermönch. Anschließend könnte er nach einem Zeugnis von 1566 in Ingolstadt und Tübingen studiert haben. Nach ausdrücklicher eigener Angabe wurde er jedenfalls 1530 durch Luther zur Reformation geführt; ob persönlich oder über die Lektüre lutherischer Werke, ist unbekannt. 1535 wird er als Inhaber der Pfarrstelle in Mühltroff in Sachsen greifbar. Spätestens seit 1537 wirkte Kirchmeyer dann als Prediger und Pfarrer in Sulza. Von dort zog er 1541 nach Kahla, wo ihm der Rat eine reichlicher dotierte Stelle anbot, aber in

der Gemeinde noch Gedanken des Lutherrivalen Andreas Karlstadt (s. dort) lebendig waren. Schon zur (im übrigen höchst erfolgreichen) Amtszeit in Sulza ergaben sich Spannungen im Verhältnis zu einigen lutherischen Kirchenführern in Wittenberg. Kirchmeyer wich in einigen Punkten von der inzwischen für verbindlich erklärten Lehre ab. Den Druck seiner in der Frage der Erwählung der wahren Christen als calvinisch betrachteten Auslegung des 1. Johannesbriefes in Wittenberg konnte er 1543 offenkundig nur mit Hilfe eines Gönners im Dienste des Kurfürsten durchsetzen. Bei diesem war der eigenwillige Reformator wegen seiner humanistisch-reformatorisch-dramatischen Arbeiten gut angeschrieben (Pammachius. Tragoedia nova, 1539, deutsche Übersetzung im selben Jahr besorgt von Justus Menius; Mercator seu iudicium. Tragoedia alia nova, 1540; Incendia seu Pyrgopolinices, 1541; Hamanus, 1543; Hieremias, 1551; Judas Ischariotes, 1552). Die Auslegung des Johannesbriefes beeinträchtigte auch Kirchmeyers freundschaftliche Beziehung zu Melanchthon, welche ebenfalls vornehmlich auf Kirchmeyers Leistung beruhte, die mittelalterliche und humanistische Bühnentradition in den Dienst der Reformation zu stellen. Dennoch konnte der reformatorische Dramatiker noch 1544 an Stelle Melanchthons, den diese Bevorzugung Kirchmeyers zutiefst kränkte, als Prediger im sächsischen Gefolge zum Speyrer Reichstag ziehen. Erst um 1546 begannen sich die Spannungen infolge ungeschickten persönlichen Verhaltens Kirchmeyers und neuerlich abweichender Lehraussagen in Predigten zum offenen Konflikt auszuweiten. Aus der Sicht der sächsischen Kirchenoberen agierte Kirchmeyer zu selbständig. Seine schwankenden Aussagen zum Abendmahl klangen nach Schwärmerei im Sinne Karlstadts, welcher auch im nahen Orlamünde nach wie vor über Anhänger verfügte. Kirchmeyer konnte keine öffentliche Disputation mit seinen Gegnern durchsetzen, sondern mußte sich schließlich einem förmlichen Verhör stellen. Er wurde zu einem öffentlichen Widerruf ("Declaration und Refutation") seiner Aussagen zur Prädestination verurteilt. Unter Hinterlassung einer Verteidigungsschrift, die allerdings in erster Linie formalrechtlich argumentierte, entzog sich der offenbar durchaus von einer Bevölkerungsmehrheit unterstützte Pfarrer daraufhin der Erfüllung dieses Richtspruchs durch Flucht nach Oberdeutschland. Mit diesem Verhalten hatte er jedoch die Autorität des Kurfürsten in Frage gestellt. Die Reichstadt Augsburg, zu der er anläßlich des Speyrer Reichstags Verbindungen geknüpft hatte, wagte es dementsprechend nun nicht mehr, den geschätzten Autor und Prediger förmlich anzustellen. Als reformatorischer Vorposten im Süden war sie nämlich auf die politische Unterstützung durch Sachsen angewiesen. Ein Versuch, über Philipp von Hessen den Kurfürsten wieder gnädig zu stimmen, schlug fehl. So versuchte der glühende Anhänger der Reformation, dessen Eigenständigkeit nicht mehr in die Zeit der sich beschleunigenden Ausbildung geschlossener Konfessionen paßte, im oberdeutsch-schweizerischen Grenzraum ein Unterkommen zu finden. Sowohl in Kaufbeuren (1546 bis zur Annahme des Interims 1548), Kempten (1548-1550) und Basel (1551 als Student eingeschrieben und Anfang 1558) als auch Stuttgart (Diakonat am Spital 1551, Pfarrei St. Leonhard 1552-1560), Backnang (1560/61), Eßlingen (1561 bis 1563; Entlassung wegen eines Hexenprozesses und calvinistischer Neigungen) und Wiesloch (1563) gelang es ihm jedoch nicht, sich dauerhaft festzusetzen. Dennoch wegen seiner antirömischen Polemiken und der in dieser letzten Lebensphase entstandenen Gedichte nicht unbekannt, verstarb er am 29. Dezember 1563 an seinem letzten Zufluchtsort an der Pest.

Werke: H.-G. Roloff (Hg.): Thomas Naogeorg. Sämtliche Werke, Berlin-New York 1973 ff. (= Ausgaben deutscher Literatur des XV. bis XVIII. Jahrhunderts).

Lit.: H. Holstein: Die Reformation im Spiegel der dramatischen Literatur des 16. Jahrhunderts, Halle 1886, 59-215; — Th. Leonhard: Das Leben und Wirken des Tendenzdramatikers Th. Naogeorgus der Reformationszeit seit seiner Flucht aus Sachsen, Leipzig 1908; — H. Levinger: Die Bühne des Th. Naogeorg, in: Archiv für Bühnengeschichte 32 (1935) 145-166; — H.-G. Roloff: Th. Naogeorg und das Problem von Humanismus und Reformation, in: L'Humanisme Allemand 1480-1540. XVIIᵉ Colloque International de Tours, München-Paris 1979, 455-475; — W. Friedrich: Th. Kirchmair, genannt Naogeorgus, in: Jahresbericht. Historischer Verein für Straubing und Umgebung 89 (1987) 83-140 (mit ausf. Bibliographie).

Wolfgang Weber

KIRCHNER, Timotheus, lutherischer Theologe, * 6.1. 1533 in Döllstädt bei Erfurt als Sohn des Lehrers Johannes K. und Enkel des Pfarrers Sigismund K., † 14.9. 1587 in Weimar. — Nach Schulbesuch in Erfurt und Gotha studierte K. seit 1549 in Wittenberg und wurde Pfarrer in den thüringischen Orten Furra (1554), Dachwig (1555) und, nach einem Studienaufenthalt in Jena (1560/61, Mag. theol.), in Herbsleben (1561). Als Gnesiolutheraner widersetzte er sich dem melanchthonischen Synergismus (V. Strigel) und wurde daher beim Wechsel Herzog Johann Friedrichs des Mittleren zum Philippismus 1563 amtsenthoben. Nach kurzen auswärtigen Tätigkeiten brachte ihn der erneute theologiepolitische Wechsel unter Herzog Johann Wilhelm 1568 nach Herbsleben zurück und führte ihn im selben Jahr nach Jena, wo er am Altenburger Kolloquium 1568 zwischen Flacianern und Philippisten sowie an der Kirchenvisitation 1569 beteiligt war. Nach seiner Promotion zum D.theol. 1571 wurde er Professor in Jena, folgte aber schon 1572 einem Ruf des Herzogs Julius auf die Generalsuperintendentur und die Hofpredigerstelle in Wolfenbüttel. Wegen Mißhelligkeiten mit dem Herzog wechselte K. 1573 auf die Generalsuperintendentur in Gandersheim, wo er auch am Pädagogium, dem Vorgängerinstitut der Universität Helmstedt, lehrte. Mit diesem übersiedelte K. 1574 nach Helmstedt und wurde erster Vizerektor der 1576 eröffneten Universität sowie Inhaber des Ersten theologischen Lehrstuhls. Wegen öffentlicher Kritik an der Tonsurierung des Erbprinzen (zwecks Übernahme des Stiftes Halberstadt) wurde er zu Jahresbeginn 1579 seiner Ämter enthoben und ging nach Erfurt zur Arbeit an der Apologie der Konkordienformel. Auf Vermittlung M. Chemnitz' erhielt K. 1580 die Erste theologische Professur an der Universität Heidelberg; das Ende der lutherischen Phase in der Pfalz 1582 vertrieb ihn ein weiteres Mal. 1583 übernahm K. schließlich die Superintendentur in Weimar. — K. gehört, wie J. Wigand oder T. Heßhus, zu der äußerst engagierten und produktiven, dabei persönlich integren Gruppe von Theologen der zweiten reformatorischen Generation, die im Streit um die authentische Interpretation der Reformation die Ausschaltung melanchthonischer Motive zugunsten der lutherschen (Rechtfertigungslehre,

Christologie: anders in der Prädestinationslehre) betrieben und, extrem flacianische Positionen (»manichäische« Erbsündenlehre) wiederum ausscheidend, das Zustandekommen und die Rezeption der Konkordienformel (1577/80) mitgetragen hat. Speziell K. zeichnet sich dabei durch gelehrte Gründlichkeit und Verständigungswilligkeit aus.

Werke: Neben Propositionen für akademische Disputationen, Orationes und Leichenpredigten (vgl. VD 16) v.a.: Index oder Register uber die acht deudsche Tomos ersten und andern Drucks aller Bücher und Schrifften... Martini Lutheri (Jenaer Lutherausgabe), Jena 1564 (u.ö.); Thesaurus explicationum omnium articulorum ac capitum catholicae, orthodoxae, verae, ac piae doctrinae Christianae, quae hac aetate controversae sunt, ex... Martini Lutheri... operibus collectus, Frankfurt a.M. 1566 (dt.: Teutscher Thesaurus des hochgelerten... Martin Luthers, Frankfurt a.M. 1578³); Enchiridion, in welchem die fürnembsten Hauptstück der Christlichen Lehre erklärt werden (exponierter Katechismus), Heidelberg 1584, Frankfurt a.M. 1592 (lat.: Methodica explicatio praecipuorum capitum doctrinae coelestis..., Jena 1586, Leipzig 1595); Das die zwey und viertzig Argument der Kirchendiener im Fürstenthumb Anhalt, so sie wieder das Christlich Concordibuch, und desselben Apologiam, fürbrachten... weder grund noch bestand haben, Leipzig 1585; Von der Erbsünde, was sie eigentlich und nach der heiligen Schrifft zu reden sey, unnd worauf der hauptstreit in dieser Sache beruhe, Weimar 1587; mit J. Wigand: Bekentnis, Von der Rechtfertigung für Gott und Von guten Werckenn, Jena 1569; mit T. Heßhus und J. Wigand: Vom Flickwerck M. Irenaej... das die Erbsünde sey ein Wesen, Jena 1572; mit N. Selnecker: Refutatio Irenaej. Grünndlicher Bericht auff das Examen M. Christophori Irenej so er Anno 1581 wider den ersten Artickel deß Christlichen ConcordiBuchs von der Erbsünde durch offenen Druck außgesprenget, Heidelberg 1583; Gründtlicher, warhafftiger Bericht auff das Wächterhörnlein M. Christophori Irenei, Heidelberg 1584; mit M. Chemnitz und N. Selnecker: Refutatio vera, Christiana et solida frivolae excusationis Bremensium ecclesiae ministrorum, de duobus praecipuis articulis verae religionis, de persona Christi & sacra Domini coena, Heidelberg 1583 (dt.: Warhafftige Christliche und gegründte Widerlegung..., Dresden 1584); Apologia libri Christianae concordiae, Heidelberg 1583 (dt.: Apologia, Oder Verantwortung deß Christlichen Concordien Buchs, Dresden 1584); Grundtliche Warhafftige Historia von der Augsburgischen Confession, Erfurt 1584, Leipzig 1584 (lat.: Solida ac vera Confessionis Augustanae historia, Leipzig 1585).

Lit.: Tileman Heßhus, Vita Kirchneri, 1595; — J.C. Zeumer, Vitae professorum theol. Jenensium I, 1711, 79 ff.; — P. Zimmermann, Album Academiae Helmstadiensis I, 1926, 371; — Rudolf Herrmann, Thüringische Kirchengeschichte II, 1947; — Wenzel Lohff, Lewis W. Spitz, Widerspruch, Dialog und Einigung, 1977; — Dies., Discord, Dialogue and Concord, 1977; — Martin Brecht, Reinhard Schwarz, Bekenntnis und Einheit der Kirche, 1980; — ADB XVI, 22f; — RGG³III,1623; — NDB XI, 664f.

Walter Sparn

KIREC siehe Kyrian

KIREJEWSKIJ, Iwan (Kiréevskij, Ivan Vasil'evič), philosophisches Haupt des russischen Slawophilentums, Religionsphilosoph, * 22.3. (3.4.) 1806 in Moskau, aus altem Adelsgeschlecht, † 11.(23.)6. 1856 in Petersburg, bestattet im Optina-Kloster. — K. stammte aus einer gebildeten Familie des russischen Landadels, die ihm eine gute Erziehung zuteil werden ließ; durch die beachtliche Rolle, die seine Mutter in den literarischen Kreisen Moskaus spielte, kam K. mit vielen Schriftstellern und Philosophen jener Zeit zusammen (Žukovskij, Gogol', Khomiakov, Herzen u. a.). K. lernte Französisch, Englisch, Deutsch, Latein, Griechisch und hörte bei M. Pavlov in Moskau Philosophie. 1824 trat er in den Archivdienst des Außenministeriums in Moskau ein und schloß sich dem von Schelling beeinflußten Dichterkreis der Philosophen (»Ljubomudry«) an. Ab 1827 eigene Veröffentlichungen, v. a. romantische Werke und Literaturkritik. 1830 reiste K. nach Deutschland, wo er Schleiermacher, Hegel, Oken und Schelling kennenlernte. Nach seiner Rückkehr gab K. die Zeitschrift »Evropeec« heraus, die jedoch nach zwei Nummern von der Zensur verboten wurde. K. lebte von nun an nur noch als Gutsbesitzer in Dolbino und in Moskau. 1834 heiratete er und wandte sich unter dem Einfluß seiner Frau immer stärker dem orthodoxen Glauben zu. Große Bedeutung für die innere Entwicklung K.s erlangten der Priestermönch Filaret aus dem Novospasskij-Kloster und v. a. die Mönche des Optina-Klosters, wo er ganze Wochen verlebte und im Starez Makarij einen geistlichen Vater fand. K. war auch an der von dort aus geleiteten Edition der Kirchenvätertexte beteiligt. Seit 1839 legte K. seine Gedanken über die unterschiedliche kulturelle Ausrichtung Westeuropas und Rußlands in zahlreichen Aufsätzen dar (bes. in: »Über den Charakter der Bildung Europas und ihr Verhältnis zur Bildung Rußlands« 1852; »Über die Notwendigkeit und Möglichkeit einer neuen Grundlegung der Philosophie« 1856). — Als typischer Repräsentant des Slawophilentums, dessen geistiger Führerer (zusammen mit Khomiakov) war, tendierte K. dazu, die kulturelle Leistung Rußlands zu idealisieren und im

Gegenzug die westeuropäische Kultur einer anfechtbaren und pauschalen Kritik zu unterwerfen. In seiner Religionsphilosophie bemühte sich K. um eine Synthese aus »westlichem« Rationalismus und »östlicher« Glaubenskraft, die durch eine ganzheitliche »gläubige« Philosophie auf der Grundlage des Denkens der Ostkirchenväter bewerkstelligt werden könnte. Die Haltung K.s gegenüber den Problemen seiner Zeit wandelte sich im Lauf der Jahre und kann gegen Ende seines Lebens eher als konservativ bezeichnet werden (etwa hinsichtlich der Leibeigenschaft).

Werke: Eberhard Müller, Das Tagebuch I. V. K.s 1852- 54, in: JbfGO NF 11, 1963, 481-520; Ebd. 14, 1966, 167-194; Ebd. 15, 1967, 159; Zapiska o napravlenii i metodach pervonačal'nogo obrazovanija naroda v Rossii, in: Eberhard Müller, Russ. Intellekt in europäischer Krise, 1966, 485-496; V. Sacharov (Hrsg.), Pis'mo I. V. Kireevskogo T. N. Granovskomu, in: Voprosy literatury 11, 1979, 247-255; Drei Essays von I. W. Kirejewski. Übers. u. eingel. v. Harald v. Hoerschelmann, 1921; Nicolai v. Bubnoff (Hrsg.), Rußland u. Europa, 1948 (Anker- Bücherei 14); Über die Notwendigkeit und Möglichkeit einer neuen Grundlegung der Philos., in: Russ. Religionsphilosophen, Dokumente, hrsg. v. Nicolai v. Bubnoff, 1956, 23-74; Polnoe sobranie sočinenij, pod red. M. Geršenzona, 2 Bde., 1911 (Repr. 1970); Istorija russkoj literatury 19 v., Bibliografičeskij ukazatel', 1962, 367 f.; Boris Kandel' u. a., Russkaja chudožestvennaja literatura i literaturovedenie, Ukazatel' bibliografičeskich posobij, 1976, 196.

Lit.: M. Geršenzon, Istoričeskie zapiski, 1910, 3-40; — A. Kingi, I. V. K., Ego ličnost' i dejatel'nost', in: Filologičeskie zapiski 1914, Nrr. 1-6; — M. Kovalevskij, Rannie revniteli filosofii Šellinga v Rossii, Čaadaev i K., in: Russkaja mysl' 1916/12, 115-136; — A. Lušnikov, I. V. K., 1918; — H. Lanz, The Philosophy of I. Kireyevsky, in: The Slavonic Rv. 4, 1925/26, 594-604; — A. Koyré, La jeunesse d'I. K., in: Le Monde Slave 5, 1928, 213-238; — Igor Smolitsch, I. V. K., Leben u. Weltanschauung, 1934;— N. Dorn, K., Opyt charakteristiki učenija i ličnosti, 1938; — K. Löwith, Von Hegel zu Nietzsche, Der rev. Bruch im Denken des 19. Jh.s, 1950²; — Bernhard Schultze, Russ. Denker, 1950, 75-87; — Nicholas v. Riasanovsky, Rußland u. der Westen, Die Lehre der Slavophilen, Studie über eine romant. Ideologie, 1954; — N. Sladkevič, Slavjanofil'skaja kritika 40-50ch godov, in: Istorija russkoj kritiki, t. 1, 1958, 326-346; — A. Galaktionov/P. Nikandrov, Istorija russkoj filosofii, 228-237; — Dmitrij Tschiżewskij, Rußland zw. Ost und West, Russ. Geistesgesch. 2, 18.-20. Jh., 1961, 69-73; — Andrzej Walicki, Rosyskie słowianofilstwo a filozofia heglowska, 1962; — Ders., The Slavophile Controversy, History of a Conservative Utopia in 19th-Century Russian Thought, 1975, 121-178; — C. Goehrke, Die Theorien über Entstehung und Entwicklung des »Mir«, 1964; — Ju. Mann, I. K., in: Voprosy literatury 1965/11, 130-154; — Ders., Russkaja filosofskaja éstetika, 1969, 76-104; — Eberhard Müller, Russ. Intel-

lekt in europ. Krise. I. V. K., 1966 (Beitr. zur Gesch. Osteuropas 5); — V. Zenkovsky, A History of Russian Philosophy, Bd. 1, 1967³, 206-227; — Wilhelm Goerdt, Vergöttlichung und Ges., Studien zur Philos. von I. K., 1968 (Schrr. der Arbeitsgem. für Osteuropaforsch. der Univ. Münster); — M. Chapman, I. V. K., Life and Thougth (Diss. Liverpool), 1972; — Peter Christoff, AnIntroduction to 19th-Century Russian Slavophilism. A Study in Ideas, Vol. 2, I. V. K. , 1972; — Abbott Gleason, European and Muscovite, I. Kireevsky and the Origins of Slavophilism, 1972 (Russian Research Center Studies 68); — H. Selezkine, L'itinéraire spirituel d'I. V. K. (Diss. Paris), 1973; — Russkij biografičeskij slovar', 1896-1918, VIII, 672-695; — RGG III, 1624 f.; — LThK VI, 306; — Filosofskaja énciklopedija II, 1962, 510 f.; — Wilpert I, 712; — KLL, 1964, VIII, 6872; — Dictionnaire biographique des auteurs, 1964², I, 22; — Sovetskaja istoričeskaja énciklopedija VII, 1965, 278; — Kratkaja literaturnaja énciklopedija III,1966, 531-533; — Russkie pisateli, Biobibliografičeskij slovar', 1971, 350-352; — Slovník spisovatelů, Sovětský svaz I, 1977, 561 f.; — Literatur-Brockhaus II, 1988, 366 f.

Thomas Wünsch

KIRILL *von Turow* (Kirill Túrovskij), orthodoxer Bischof und bedeutender Vertreter der homiletischen Literatur im alten Rußland, * um 1130 in Turov (heute Gouv. Minsk), † nach 1182. — K. hatte reiche Eltern und genoß eine sorgfältige Erziehung, da seine Werke Kenntnisse in der griechischen Sprache, Rhetorik, Literatur, der Heiligen Schrift und den Büchern der griechisch-byzantinischen Kirchenschriftsteller (Gregor von Nazianze, Johannes Chrystostomos u.a.) verraten. K. trat schon früh ins Kloster ein (des Heiligen Nikola oder der Heiligen Boris und Gleb in Turov), wo er sich durch asketischen Lebenswandel, religiösen Eifer und ein großes Talent als Prediger den Ruf eines Heiligen erwarb. Er verfaßte v. a. Lehrschreiben (»Poučenie«) und Predigten (Festhomilien) für die Feiertage der Kirche. Wie bereits für seine Vorgänger in Rußland, Hilarion und Klemens von Smolensk, war auch für K. die byzantinische Rhetorik vorbildlich. K. wurde zwischen 1146 und 1169 auf Drängen der Bevölkerung und des Landesfürsten zum Bischof von Turov geweiht. Zwischen 1160 und 1169 verfaßte K. eine Streitschrift gegen den Bischof Fedorec von Rostov (»Gleichnis von Seele und Körper des Menschen«). An weiteren Werken K.s können noch einige Briefe an den Fürsten A. Bogoljubskij, acht Festpredigten, drei Sendschreiben, etwa 30 Gebete und zwei Kanones ausgemacht werden. 1182 resignierte K. vom Bischofsamt und zog sich in ein Kloster zurück, wo er auch starb (Sterbeort und -jahr sind unbekannt). — Die Predigten K.s sind bestimmt von einem panegyrischen Grundton und der detaillierten Explizierung der gewählten Parabeln und Allegorien. K. gelingt es, dem Kirchenslawischen durch zahlreiche Stilmittel ein lebendiges Moment zu verleihen. Seine gänzlich der Religion verpflichtete literarische Leistung war ein Höhepunkt jener Epoche; ihr Fortwirken in der Literaturgeschichte kann bis ins 17. Jahrhundert hinein verfolgt werden. In der Orthodoxen Kirche wird K. als Heiliger verehrt.

Werke: K. Kalajdovič (Hrsg.), Pamjatniki rossijskoj slovesnosti XII v., 1821, 1-152 (Repr. z. Tl. in: Slav. Propyläen 5, 1964);Pravoslavnyj sobesednik, sect. IV, 1857, 212-260 u. 273-351 (Repr. z. Tl. in: Slav. Propyläen 6, 1965); M. Suchomlinov (Hrsg.), Rukopisi grafa A. S. Uvarova, t. 2, 1858; Bisch. Evjenij v. Minks u. Turov (Hrsg.), Tvorenija svjatago otca našego K.a, episkopa T.skago, 1880; A. Ponolmarev, Pamjatniki drevnerusskoj cerkovno-učitel'noj literatury, t. 1, 1894, 87-198; I. Eremin, Literaturnoe nasledie K.a T.skogo, in: Trudy otdela drevnerusskoj literatury Akademii Nauk SSSR, Bde. 11, 1955, 342-362; 12, 1956, 340-361; 13, 1957, 409-426; 15, 1959, 331-348; Povest' o Varlaame pustynnike i Iosafe careviče indijskom, Perevod s arabskogo, hrsg. v. I. Krackovskij, 1947, 61-66; Predigt am Weißen Sonntag, in: Aus dem Alten Rußland, hrsg. v. Serge Zenkovsky, 1968, 59-62; Prayer to the Holy Apostles by St K., Bishop of T., in: The Journal of the Moscow Patriarchate 7, 1983, 23 f.

Lit.: Metropolit Markarij v. Moskau: Istorija russkoj cerkvi, t. 3, 1868, 125-181, 316-320; — A. Ponomarev, K. T., in: Strannik 1880, 241-261; — N. Kataev, Gesch. der Predigt in der russ. Kirche, 1889; — Evgenij Golubinskij, Istorija russkoj cerkvi, 1901-11, t. 1, 793-810; — M. Sokolov, Nekotorye proizvedenija K.a T.skogo v serbskich spiskach drevnosti, in: Trudy Slavjanskoj komissi Moskovskoj archeologičeskoj obščiny 3, 1902, 223-234; — L. Goetz, Die Echtheit der Mönchsreden des K. v. T., in: AslPh 27, 1905, 181-195; — M. Suchomlinov, Issledovanija po drevnej russkoj literature, 1908, 273-349; — V. Vinogradov, O charaktere propovedničeskogo tvorčestva K.a, episkopa T.skogo, in: V pamjat' stoletija Moskovskoj Duchovnoj Akademii, 1915, Tl. 2, 313-395; — I. Eremin, Pritča o slepce i chromce v drevnerusskoj pis'mennosti, in: Izvestija Otdelenija russkogo jazyka i slovesnosti 30, 1925, 323-352; — Ders., Oratorskoe iskusstvo K.a T.skogo, in: Ders., Literatura drevnej Rusi, 1966, 132-142; — A. Vaillant, Cyrille de Tourov et Grégoire de Naziane, in: Rv. des Études Slaves 26, 1950, 34-50; — R. Mayer, Die großen Prediger Altrußlands, in: MThZ 2, 1951, 241-250; — I. Smolitsch, Russ. Mönchtum, 1953; — R. Klostermann, Probleme der Ostkirche, 1955, 115-118; — V. Kasper, die Predigtlit. der Kiever Rus' als Spiegel der Zeit (Diss. Berlin), 1958; — Ders., Die Zeitverbundenheit der altruss. Predigtlit., in: Zschr. f. Slawistik 3, 1958, 336- 350;

— Dmitrij Tschižewskij, Das hl. Rußland, Russ. Geistesgesch. 1, 1959, 59 f.; — I. Budovnic, Obščestvenno-političeskaja mysl' drevnej Rusi (XI-XIV vv.), 1960, 250-268; — A. Klibanov, Reformacionnye dviženija v Rossii v XIV-perv. pol. XVI vv., 1960, 28, 95-97; — A. Nadson, Spiritual Writings of St Cyril of T., in: Eastern Churches Rv. 1, 1967/68, 347-358; — Serge Zenkovsky, Kyrill v. T., Predigt am Weißen Sonntag, in: Ders. (Hrsg.), Aus dem Alten Rußland, 1968, 566 f.; — T. Alekseeva, Drevnerusskij pisatel' K. T.skij, in: Russkaja Reč', 1975/5, 126-130; — Russkij biografičeskij slovar', 1896-1918, VIII, 647-655; — DThC III, 2577-2579; — LThK VI, 306; — Filosofskaja enciklopedija II, 1962, 511; — Wilpert I, 712; — KLL, 1964, IX, 7694, 7793; X, 8821; — Sovetskaja istoričeskaja enciklopedija VII, 1965, 282; — Kratkaja literaturnaja enciklopedija III, 1966, 534; — Russkie pisateli, Biobibliografičeskij slovar', 1971, 31 f.; — Slovník spisovatelů, Sovětský svaz I, 1977, 562; — Literatur-Brockhaus II, 1988, 367.

Thomas Wünsch

KIRK, Kenneth Escott, * 21.2. 1886 in Sheffield, † 8.6. 1954 in Oxford. — K. erhielt seine Ausbildung am St. Joseph's College, Oxford. Er wurde 1912 zum Diakon und 1913 zum Priester der anglikanischen Kirche geweiht. 1914-1919 war er Feldgeistlicher, 1922 wurde er Fellow und Kaplan des Trinity College, Oxford (bis 1933). Im Jahre 1932 wurde K. zum Regius-Professor für Moral- und Pastoraltheologie ernannt. 1937 wurde er Bischof von Oxford. K. gehörte zu den bedeutendsten anglikanischen Theologen der neuen Zeit, die Fragen der Moraltheologie und Themen christlicher Spiritualität wissenschaftlich und pastoral behandelten. Theologisch gehörte er der anglo-katholischen Richtung an.

Werke: The Way of Understanding, London 1926; Some Principles of Moral Theology and their Applications, ebd. 1920; Ignorance, Faith and Conformity, ebd. 1925 - Conscience and its Problems, ebd. 1927, 1936[2]; The Vision of God. The Christian Doctrine of the Summum Bonum 1931 (gekürzte Ausg. 1934; Neuaufl. New York 1956); The Fundamental Problems of Moral Theology, ebd. 1933; The Study of Theology, ebd. 1939; A Directory of Religious Life, ebd. 1943; The Apostolic Ministry. Essays on the History and the Doctrine of Episcopacy, ebd. 1946 (K. ist der Hrsg.; von ihm stammt die Studie »Apostolic Ministry, 1- 52).

Lit.: E. W. Kemp, The Life and Letters of K. E. Kirk, London 1959; — F. Frost, L'enseignement moral de Bishop Kirk (Diss., Kath. Fakultäten Lille), 2 Bde., 1965; — Ders., Un plaidoyer pour une morale théocentrique: aperçus de l'oeuvre de Bishop Kirk: Mélange de science religieuse 22 (1965), 220-26, 23 (1966), 94-126; — H. E. Jaeger, Zeugnis für die Einheit, Bd. 3: Anglikanismus, Mainz 1972, 215-230, 271-

273; — F. L. Cross (Hrsg.), The Oxford Dictionary of the Christian Church, Oxford 1974, 794; — Encyclopedic Dictionary of Religion, Philadelphia-Washington, D.C. 1979, 1989; — Dictionnaire de Spiritualité ascétique et mystique, Paris 1974, VIII, 1730 ff.; — Vgl. ebd. I, 667-670 (spiritualité anglicane); — LThK ²VI, 307.

Johannes Madey

KIRN, Otto, lutherischer Theologe, * 23.1. 1857 in Hasslach bei Stuttgart, † 18.8. 1911 in Leipzig. — Als Primus durchlief der Sohn des Oberlehrers Joseph K. (1824-1911) und dessen Gattin Friederike (1832-1910) die Seminare in Maulbronn und Blaubeuren, wo u.a. K. Chr. Planck (s.d.) zu seinen Lehrern zählte. Nach dem Studium der Theologie und Philosophie in Tübingen (1875-1880) - vornehmlich bei (s.d.) B. Weiß, T. Beck, R. Rothe und K. von Weizsäcker - wirkte er zunächst von 1881-1884 als Stiftsrepetent; Studienreisen führten ihn nach Norddeutschland und England. 1885-1889 versah K. als Diakonus den Pfarrdienst in Besigheim/Neckar; zwischenzeitlich wurde er 1886 zum Licenceaten, 1889 zum Dr. phil. promoviert. 1889 übernahm K. eine Privatdozentur für Neues Testament und Systematik in Basel die 1890 in eine außerordentliche, 1894 in eine ordentliche Professur umgewandelt wurde. Als Nachfolger C. E. Luthardts (s.d.) wird K. 1895 nach Leipzig berufen, wo er fortan nur noch die Systematik vertritt. 1896 wird K. mit der Ehrendoktorwürde der Theologie von der Tübinger Fakultät ausgezeichnet. — K.war ein historisch-kritischer Wissenschaftler, der sich der reformatorischen Theologie verbunden wußte. Als Neutestamentler hat K. kaum Impulse geben können, eher als Systematiker. Die Trinitätslehre ist bei K. an den Schluß des theologischen Entwurfs gerückt, da sie nur mittelbare Aussagekraft für den Glauben enthalte; hierin argumentiert auf der Linie der Ritschlianer ähnlich wie (s.d.) W. Herrmann und P. Althaus. Unerfreuliches ist aus der Wirkungsgeschichte K.s anzumerken: seine in 7. Auflage von H. Hofer herausgegebene »Ethik« (s.u.) ist teilweise um rassistische Passagen erweitert und entstellt.

Werke: Über Wesen und Begründung der rel. Gewißheit. Antrittsvorlesung, gehalten in der Aula der Universität Basel am 22. Oktober 1889, Basel 1890; Die Bedeutung der hl.

Taufe. Vortr. gehalten im positiven Gemeindever. zu St. Theodor, Basel 1892; Schleiermacher und die Romantik, Basel 1895; Ausgangspunkt und Ziel der ev. Dogmatik, Leipzig 1896; Weltgeist und Gottesgeist. Vortr. gehalten in der Fraumünsterkirche zu Zürich am 10. Januar 1896, Zürich 1896; Melanchthons Verdienst um die Ref. Rede, bei der akademischen Gedächtnisfeier am 16. II. 1897 gehalten in der Paulinerkirche zu Leipzig, Leipzig 1897; Glaube und Gesch. Progr. zum Reformationsfeste und Rektoratswechsel, Leipzig 1900 (= Vortrr., 491-132); Goethes Lebensweisheit in ihrem Verhältniss zum Christenthum. Ein Vortr., Leipzig 1900; Die Versöhnung durch Christus. Ein Vortr., Leipzig 1902; Vorsehungsglaube und Naturwiss. Ein Vortr. Hh. zur ev. Weltanschauung und christlichen Erkenntnis 2/4, Berlin 1903; Beruf und Kraft der Kirche die Ev.s. Vortr. gehalten auf der 17. Generalversammlung des Ev. Bundes in Dresden, Leipzig 1904; Grdr. der ev. Dogmatik, Leipzig 1905. 3. durchges. Aufl., Leipzig 1910. 4. Aufl., Nach dem Tode der Verf. hrsg. von Hans Preuss, Leipzig 1912 1919⁶ 1921⁷ 1930⁸. 9. Aufl., nach dem Tofe des Verf. hrsg. von Hans Hofer, Leipzig 1936; Grenzfragen der christlichen Ethik, Leipzig 1906; Grdr. der theol. Ethik, Leipzig 1906. 3. Aufl. Nach dem Tode des Verf. hrsg. von Hans Preuss, Leipzig 1912 1921⁵ 1929⁶. Aufl., nach dem Tode des Verf. hrsg. von Hans Hofer, Leipzig 1936; Materialistische und christliche Weltanschauung. Vortr., gehalten auf dem III. sozialen Bildungskursus in Dresden, Dresden 1906; Göttliche Offenbarung und geschichtl. Entwicklung. Vortr., Stuttgart 1907; Sittliche Lebensanschauungen der Ggw. Aus Natur und Geisteswelt 177, Leipzig 1907. 4. Aufl., hrsg. von Horst Stephan, Leipzig 1924; Aus der dogmatischen Arbeit der Ggw. Ein kritischer Bericht über die neuesten Darst. von Häring und Wendt: ZThK 18 (1908), 337-388; Vortrr. und Aufss. Hrsg. von Karl Ziegler, Leipzig 1912.

Lit.: BJDN XVI 40 — NDB XI 669f.

Klaus-Gunther Wesseling.

KIRNBERGER, Johann Philipp, Musiktheoretiker und Komponist, getauft 24.4. 1721 in Saalfeld (Thüringen), † 26./27.7. 1783 in Berlin. — K. stammte aus einfachen Verhältnissen. Sein Vater, Matthias Kernberg (1689-1779), war Lakai in fürstlichen Diensten. Bereits in jungen Jahren erhielt er Violin- und Klavierunterricht. Nach dem Besuch der Lateinschule in Coburg beschloß K., sich ganz der Musik zu widmen und ging vermutlich ab 1736 zu Johann Peter Kellner nach Gräfenrode. Im Jahre 1738 wandte er sich nach Sondershausen, wo er besonders von dem dortigen Hoforganisten H. N. Gerber seine weitere Ausbildung empfing. Ob er bereits ein Jahr später zu J. S. Bach nach Leipzig gegangen ist, wie es verschiedentlich behauptet wird, ist umstritten. Erst für das Jahr 1741 ist ein etwa halbjähriger Aufenthalt K.s in Leipzig belegt. In dieser Zeitdürfte er auch den Unterricht Bachs genossen haben. Bereits im Juni desselben Jahres war er in Dresden. Anschließend begab er sich für die folgenden zehn Jahre nach Polen. Zuerst war er Cembalist beim Grafen Poninsky in Tschenstochau, dann ging er als Kapellmeister zu den Klosterfrauen des Bernhardinerordens nach Lemberg, weiters war er beim Fürsten Stanislaw Lubomirsky in Ruwno angestellt und zuletzt beim Grafen Casimir Rzewusky in Podolien. Im Jahre 1751 kehrte K. nach Deutschland zurück. Nach kurzen Aufenthalten in Coburg und Gotha vervollkommnete er sein Violinspiel beim Kammermusikus Fickler in Dresden und wurde als Geiger in der königlichen Kapelle in Potsdam eingestellt. Im Jahre 1754 schloß er sich der Kapelle des Markgrafen Heinrich in Rheinsberg an. Vier Jahre später, 1758, trat er als Kompositionslehrer, Kapellmeister und musikalischer Berater in die Dienste der Prinzessin Anna Amalia, der Schwester Friedrichs des Großen, in Berlin. Diese Stellung behielt er bis zu seinem Tode. In dieser Zeit entstand der größte Teil seiner Schriften und Kompositionen. — K.s Wirken steht in der Tradition Bachs. Mit dessen Söhnen Philipp Emanuel und Johann Christian war er befreundet, außerdem stand er den Bachschülern J. F. Agricola und Ch. Nichelmann nahe. Daneben gehörten C. H. Graun und Marpurg zu seinem Berliner Freundeskreis. Vor allem der letztgenannte förderte zunächst K.s Schaffen durch Veröffentlichungen einiger seiner Werke. Diese Freundschaft fand später, da Marpurg auf K.s Erfolge neidisch wurde, ein unrühmliches Ende. Aus der Beziehung zu J. G. Sulzer, für dessen »allgemeine Theorie der schönen Künste« er 112 Artikel verfaßte, erwuchs das musik-theoretische Hauptwerk K.s, die »Kunst des reinen Satzes«. Daneben veranstaltete er Ausgaben von Werken Haßlers, Grauns und vor allem der vierstimmigen Choralgesänge J. s. Bachs. Zu den großen Leistungen K.s zählt auch der Aufbau einer Bibliothek für die Prinzessin, die später (1914) in die Preußische Staatsbibliothek übergegangene »Amalien-Bibliothek«. Eine Reihe von Werken Bachs ist nur durch die Arbeit und Sammlertätigkeit K.s erhalten geblieben. Eine eigentliche

Wirkung über seine Zeit hinaus hat K. nicht gehabt.

Werke: 1. Schriften: Der allezeit fertige Menuetten- und Polonaisenkomponist, 1757; Construction der gleichschwebenden Temperatur, ca. 1760; Die Kunst des reinen Satzes in der Musik, aus sichern Grundsätzen hergeleitet und mit deutlichen Beyspielen erläutert, 2 Bde., 1771, 1776-1779 (Reprint, 1968); Die wahren Grundsätze zum Gebrauche der Harmonie (von J. A. P. Schulz, nach K.s Unterricht ausgeführt), 1773; Grundsätze des Generalbasses als erste Linien zur Composition, 1781 (Reprint, 1974); Anleitung zur Singecomposition mit Oden in versch. Sylbenmaaßen begleitet, 1782; Gedanken über die versch. Lehrarten in der Komposition, als Vorbereitung zur Fugenkenntniß, 1782 (Reprint, 1974); Methode, Sonaten aus'm Ermel zu schüddeln, 1783. — 2. Kompositionen: Kanons als kontrapunktische Lehrbeispiele, in: Marpurg, Abh. von der Fuge, 2 bde., 1753, 1754; Partita prima (D) für Cembalo, in: Marpurg, Raccolta II, 1757; Clavierfuge mit dem Contrapunkt in der Octava, 1760; Oden und Klavierstücke, in: F. W. Birnstiel, Musik. Allerley, 1760; Lieder mit Melodien, 1762; Clavierübungen mit der Ph. E. Bachischen Applicatur, in einer Folge von den leichtesten bis zu den schwersten Stücken, 4 Tle., 1762-1766; Vermischte Musikalien, 1769; Oden mit Melodien, 1773; Huit Fugues pour le Clavecin ou l'orgue, o. J. (1777?); Recueil d'Airs de dance Charactéristiques Pour Servir de modèle aux jeunes Compositeurs et d'Exercise à ceux qui touchent du Clavecin, o. J. (1777?); Drey Gesänge in Musik gesetzt nebst einem Klavierstück ... nebst einem Kanon, o.J.; J. Ph. K.s Kleine Oden und Lieder, gesammelt von einer musikal. Gesellschaft in Berlin, 1789; Zahlr. weitere Kompositionen blieben bisher unveröff. einzelne Stücke sind in neueren Ausgaben zugänglich. — 3. Ausgaben fremder Werke: C. H. Graun, Duetti, Terzetti, Quintetti, Sestetti ed alcuni chori, 4 Tle., 1773-1774; Hans Leo Haßler, Psalmen und christl. Gesäng (Nürnberg 1607), 1777; J. S. Bach, 4-st. Choralgesänge (BWV 253-438), 1784-1787 (diese von Ph. E. Bach veranstaltete Ausgabe entstand aufgrund der Vorarbeiten K.s).

Lit.: F. W. Marpurg, Hist.-krit. Beyträge I, 1754, 85 f.; — J. A. P. Schulz, Über die in Sulzers Theorie der schönen Künste unter dem Artikel Verrückung angeführten zwey Beyspiele vonPergolesi und Graun ..., in: AmZ II, 1799, 257, 273; — J.F. Reichardt, J. A. P. Schulz, in: AmZ III, 1800; — C. V. Ledebur, Tonkünstler-Lex. Berlins, 1861; H. M. Schletterer, J. F. Reichardt, 1865; — C. H. Bitter, Carl Philipp Emanuel Bach und Wilhelm Friedemann Bach und deren Brüder II, 1868, 314; — J. G. H. Bellermann, Briefe von K. an Forkel, in: Leipziger allg. musik. Ztg. VI, 1871, 529, 550, 565, 614, 628, 645, 661, 677, VII, 1872, 441, 457; — Max Seiffert, Aus dem Stammbuch J. Ph. K.s, in: VfM V, 1889, 365-371; — C. Sachs, Prinzessin Amalie von Preußen als Musikerin, in: Hohenzollern-Jb. X, 1910, 181 ff.; — O. Rieß, J. A. P. Schulz' Leben, in: SIMG XV, 1915, 169-270; — Arnold Schering, J. Ph. K. als Hrsg. Bachscher Choräle, in: Bach-Jb. XV, 1918, 141 ff.; — Albert Kirnberger, Gesch. der Familie K., 1922; — S. Borris-Zuckermann, K.s Leben und Werk und seine Bedeutung für den Berliner Musikkreis um 1750, Diss. Berlin, 1933; — R. Sietz, Die Orgelkompositionen des Schülerkreises um J. S. Bach, in: Bach-Jb.

XXXII, 1935, 33-96; — K. Jeppesen, Kontrapunkt. Lehrb. der klass. Vokalpolyphonie, 1935, 26-29; — H. Güttler, Musik und Würfelspiel, in: ZfM CIII, 1936, 190-193; — H. Kraus, Musik. Würfelspiel. Seltsames aus der Werkstatt eines dt. Musiktheoretikers, in: AMz LXVI, 1939, 628 f.; — F. Bose, Anna Amalie von Preußen und J. Ph. K., in: Mf X, 1957, 129 ff.; — G. v. Dadelsen, Bemerkungen zur Hs. J. S. Bachs, seiner Familie und seines Kreises, 1957; — J. Meekel, The Harmonic Theories of K. and Marpurg, in: Journal of Music Theory IV, 1960, 169 ff.; — P. Benary, Die dt. Kompositionslehre des 18. Jh.s, 1961; — W. S. Newman, K.s Method for Tossing off Sonatas, in: MQ XLVII, 1961, 517 ff.; — K. Hlawiczka, Ze studiow na historia poloneza, in: Muzyka X, 1965, 41 ff.; — E. E. Helm, Six Random Measures of C. Ph. E. Bach, in: Journal of Music Theory X, 1966, 139 ff.; — H. T. David/A. Mendel, The Bach Reader, 1966²; — Martin Vogel, Die K.-Stimmung vor und nach K., in: Colloquium amicorum. Joseph Schmidt-Görg zum 70.Geb., 1967, 441-449; — P. Aldrich, »Rhythmic harmony« as Taught by J. Ph. K., in: Studies in 18th-Century Music. Festschr. K. Geiringer, 1970; — H. Serwer, Marpurg versus K. Theories of Fugal Composition, in: Journal of Music Theory XIV, 1970, 206-236; — F. Sumner, Haydn and K. A Documentary Report, in: JAMS XXVIII, 1975, 530 ff.; — ADB XVI, 24; — NDB XI, 670 f.; — MGG VII, 950-956.

Hans-Josef Olszewsky

KIRSCH, Johann Peter, katholischer Priester, Kirchengeschichtler und Archäologe, * 3.11. 1861 in Dippach/Luxemburg, † 4.2. 1941 in Rom. Sein Grab befindet sich im Vatikan auf dem Friedhof des Campo Santo Teutonico. — Nach seiner Priesterweihe 1894 weilte er zu weiteren Studien in Rom (1884-1890) im Priesterkolleg des Campo Santo Teutonico. In dieser Zeit begegnet er großen Gelehrten wie P. Battifol, H. S. Denifle, G. B. De Rossi, J. Hergenröther und F. X. Kraus, die ihn beeinflussen. Von 1888-1890 ist K. Leiter des neugegründeten Historischen Instituts der Görres-Gesellschaft in Rom. Anschließend übernimmt er (1890-1932) den Lehrstuhl für Patrologie und christliche Archäologie an der Universität Freiburg/Schweiz. 1925 gründet er im Auftrag von Papst Pius XI. in Rom das Pontificio Istituto di Archeologia Cristiana, dessen Leiter er bis zu seinem Tode bleibt. Von bleibendem Wert sind seine Studien zur stadtrömischen Kirchengeschichte.

Werke: Die Finanzverwaltung des Kardinalskollegiums im 13. und 14. Jh., Münster 1894; Die röm. Titelkirchen im Altertum, Paderborn 1918; Der stadtröm. christl. Festkalender im Altertum, Münster 1924; Die Stationskirchen des Missale Romanum, Freiburg 1926. — Zahlreiche Artikel in

»The Catholic Encyclopedia«. Herausgeber: Die päpstl. Kollektorien in Dtld. während des 14. Jh.s, Paderborn 1894; Die päpstl. Annaten in Dtld. während des 14. Jh.s, ebd. 1903; J. Hergenröther, Handb. der allg. Kirchengesch., 4 Bde., Freiburg 1911- 1917⁵; Kirchengesch, 4 Bde., Freiburg 1930-1949 (Bd. I verf. v. K.; II/1 u. III/1 fehlen); Forschungen zur christl. Lit.- und Dogmengesch. (zus. mit A. Ehrhard), 15 Bde., 1900 ff. (ab 1907 »Studien zur Gesch. und Kultur des Altertums«).

Lit.: O. Perler, ZSKG 35 (1941), 1 ff.; — J. Sauer, HJ 61 (1941), 467-474; — A. Schuchert, Hochland 38 (1940/41), 274 f.; — ECatt VII, 705-709; — E. Molitor, Luxemburg 1956, bes. 110-126; — LThK ²VI, 307; — NCE VIII, 206; — Encyclopedic Dictionary of Religion, Philadelphia-Washington, D.C. 1979, 1990.

Johannes Madey

KIRSCHBAUM, Charlotte von, * 25.6. 1899 in Ingolstadt (Bayern), † 24. 7. 1975 in Riehen (bei Basel). — K. absolvierte zunächst eine Ausbildung als Krankenschwester. 1924 erste Begegnung mit Karl Barth. Seit 1925 Weiterbildung als Sekretärin. Nach der Ausbildung Anstellung als Betriebsfürsorgerin bei den Siemens Werken in Nürnberg. Seit 1929 arbeitet K. mit Barth zusammen an der Kirchlichen Dogmatik. Sie hat dieses Werk maßgeblich mitbegleitet und durch ihre theologische Zuarbeit ermöglicht, die sie durch die Vertiefung ihrer Kenntnisse im theologischen Bereich unterstützte. 1934 Teilnahme an der reformierten Synode in Barmen. 1945 im Präsidium des Nationalkomitees »Freies Deutschland«. K. entwarf eine evangelische Lehre von der Frau, die sie in Abgrenzung zur existentialistischen Philosophie Simone de Beauvoirs und der katholischen Lehre von Gertrud von Le Fort entwickelte. K. begreift die Stellung der Frau in der Gesellschaft allein von den biblischen Aussagen - den Schöpfungsberichten, der Stellung Jesu zur Gemeinde und der Bedeutung Marias - her. K. argumentiert hier im Rahmen des Barthschen Analogieschemas, sie nimmt dies auf und führt es in bezug auf die Stellung von Frau und Mann weiter. Ihre Forschungen fanden Niederschlag in KD III/2.

Werke: Die wirkliche Frau, Zollikon-Zürich 1949; Der Dienst der Frau an der Wortverkündigung, in: Karl Barth (Hg.): Theologische Studien Heft 31, Zürich 1951; Bibliographia Barthiana, in: Wolf Ernst/Dies.: Antwort. Karl Barth zum 70. Geburtstag am 10.Mai 1956, Zollikon - Zürich 1956, S. 944-960. — Gab heraus: Wolf, Ernst/ Dies.: Antwort. Karl Barth zum 70. Geburtstag am 10. Mai 1956, Zollikon - Zürich 1956.

Lit.: Karl Barth, Die Kirchliche Dogmatik III/2, Zürich 1948. — Die Kirchliche Dogmatik III/3, Zürich 1950; Eberhard Busch, Karl Barths Lebenslauf, München 1986[4]; Renate Köbler, Schattenarbeit. Charlotte von Kirschbaum - Die Theologin an der Seite Karl Barths, Köln 1987.

Heike Köhler

KIRSCHWENG, Johannes, Schriftsteller, * 19.12. 1900 in Wadgassen (Saarland), † 22.8. 1951 in Saarlouis. — Die Vorfahren von K. waren väterlicher- wie mütterlicherseits Glasmacher aus Lothringen; sein Vater Philipp arbeitete als Schlosser in der Kristallfabrik Wadgassen. K. hat sich seiner bescheidenen französischen Herkunft stets gern erinnert, sie häufig erwähnt und wohl auch zum Anlaß für sein Streben nach einer französisch-deutschen Aussöhnung genommen. Er besuchte von 1907 bis 1912 die katholische Volksschule seines Heimatortes und wechselte dann auf das Friedrich-Wilhelm-Gymnasium und in das Bischöfliche Konvikt in Trier über. Bald erschienen seine ersten literarischen Versuche in den lokalen Publikationsorganen. 1918 verließ er mit der Notreifeprüfung das Gymnasium, gehörte noch kurze Zeit einer Maschinengewehr-Scharfschützenabteilung im Westen an und studierte nach dem Ende des Ersten Weltkrieges bis 1924 Philosophie und katholische Theologie am Bischöflichen Priesterseminar in Trier, mußte allerdings die Studien häufiger wegen ernsthafter Erkrankungen, die ihn im übrigen sein ganzes Leben lang begleiteten, unterbrechen. Am 5.4. 1924 wurde er zum Priester geweiht und amtierte ab dem 17. 4. 1924 als Kaplan in Bernkastel (Mosel), ab dem 15.4. 1926 in gleicher Eigenschaft in Neuenahr. Parallel dazu studierte er seit 1926 an der Universität Bonn weitere fünf Semester Theologie, belegte aber auch Vorlesungen über deutsche und französische Literaturgeschichte. In dieser Zeit gewannen seine »literarischen Interessen für ihn existentielle Bedeutung, was ihn aber auch zunehmend mit der Bischöflichen Behörde in Konflikt geraten« ließ (Franz Rudolf Reichert). Eine ihm im August 1933 zugewiesene Stelle als Kaplan in Saarbrücken trat er, auch aus

gesundheitlichen Gründen, nicht mehr an, sondern zog sich - auf Dauer beurlaubt - in seinen Heimatort Wadgassen zurück. Bemerkenswert ist, daß es auch in den Folgejahren nie zu einem Bruch zwischen Trier und ihm kam; vielmehr bewahrte er bis zu seinem Tod ein gutes, zum Teil freundschaftliches Verhältnis zu seinem Bischof Franz Rudolf Bornewasser und dessen Generalvikar Heinrich von Meurers. — Zwischen 1928 und 1948 erschienen K.s zahlreiche Romane, Novellen, Erzählungen, Gedichte und Essays, deren Themen fast alle seiner Heimat entnommen oder seiner Liebe zur Heimat entsprungen sind, in denen er sich als Meister der deutschen Sprache erweist und die sich in christlich-katholischer Grundhaltung, in warmer durchsichtiger Sprache auch den kleinen Dingen und Freuden des Alltags zuwenden. Allerdings hat es vor und nach dem Zweiten Weltkrieg nicht daran gefehlt, sein zum Teil dezidiert saarländisches Werk auch tagespolitisch zu deuten, woran ein K. zuweilen eigenes Pathos mitschuldig gewesen ist. Als Hauptwerke sind zu nennen: »Der Überfall der Jahrhunderte« (1928), »Der goldene Nebel« (1930), »Aufgehellte Nacht« (1931), »Zwischen Welt und Wäldern« (1933), »Der Nußbaum« (1934), »Geschwister Sörb« (1934), »Der Widerstand beginnt« (1934), »Die blaue Kerze« (1935), »Das wachsende Reich« (1935), »Feldwache der Liebe« (1936), »Odilo und die Geheimnisse« (1937), »Ernte eines Sommers« (1938), »Die Fahrt der Treuen« (1938), »Der harte Morgen« (1938), »Der Neffe des Marschalls« (1939), »Lieder der Zuversicht« (1940), »Das Tor der Freude« (1940), »Der Trauring« (1940), »Trost der Dinge« (1940), »Der ausgeruhte Vetter« (1942), »Spät in der Nacht« (1946), »Das unverzagte Herz« (1947) und »Der Schäferkarren« (1948). — Die letzten Lebensjahre K.s sind überschattet von einer immer schlechter werdenden Gesundheit. Er fand am 25. August 1951 seine letzte Ruhestätte in Wadgassen. Die kritische Beschäftigung mit seinem Werk setzte erst nach seinem Tod ein; noch 1949 mußte Josef Körner bekennen, über K. liege »kein Sonderschrifttum vor«. Die fünfziger und sechziger Jahre haben den Dichter praktisch vergessen. Erst in der Zeit einer von Freunden und Landsleuten initiierten elfbändigen Werkedition 1974-1986 ist das Interesse an K. und seinem Werk wieder gewachsen.

Werke: J. K., Gesammelte Werke, hrsg. vom Verein für kult. und geschichtl. Arbeit im Raum Bisttal e. V., bearb. von Josef Burg, Franz-Josef Reichert, Hans Rigot, Karl August Schleiden, Lorenz Drehmann unter Mitarb. von Josef Pontius, 11 Bde., Saarbrücken 1974-1986. — Bibliographie (312 Nrr.) ebda., Bd. 11, 369-415.

Lit.: Verzeichnis der Veröffentlichungen über J. K. in Bd. 11 der Gesammelten Werke, 416-425 (191 Nrr.). Darüber hinaus sind zu nennen: Der Weltklerus der Diözese Trier seit 1800, 1941, 180; — Josef Körner, Bibliograph. Handb. des dt. Schrifttums, ³1949, 543; — Änne Perl, In memoriam J. K., in: Paulinus. Trierer Bistumsblatt 77 (1951), Ausgabe Nr. 35 vom 2.9. 1951, 6; — J. K. †. Das Saarland trauert um seinen Dichter, in: Saarländische Volkszeitung 6 (1951), Ausg. Nr. 194 vom 23.8. 1951; — P. N., J. K. †. Zum Tode des großen saarländischen Dichters, in: Luxemburger Wort Nr. 237 vom 25.8. 1951; — Meyers Großes Personenlexikon, 1969, 735; — Deutsches Literatur-Lexikon. Biographisch-Bibliographisches Handb., begründet von Wilhelm Kosch, Bd. ³VIII, 1981, 1212 f.; — Alfred Gulden, Randnotizen zu J. K.s »Der Neffe des Marschalls«, in: Saarheimat. Zeitschrift für Kultur, Landschaft, Volkstum 24 (1980), 8-11; — Kürschners Deutscher Literatur-Kalender. Nekrolog 1936-1970, 1973, 342; — Peter C. Keller, Vor dreißig Jahren starb Johannes Kirschweng, in: Deutsche Tagespost Nr. 97 vom 14./15.8. 1981, 15; — Ders., Erinnerungen mit Zukunftskraft. Zum 30. Todestag des saarländischen Erzählers J. K., in: Die Warte. Beilage zum Luxemburger Wort Nr. 231 vom 8.10. 1981, 27; — Zum 30. Todesdag (!) des saarländischen Erzählers J. K., in: Metzer kath. Volksblatt 98 (1981), Ausg. Nr. 35 vom 30.8. 1981; — Josef Burg, J. K. Ein biographischer Abriß, in: J. K., Gesammelte Werke, Bd. 11, 1986, 295-368; — Hildegard Steimer, J. K., in: 425 Jahre Friedrich-Wilhelm-Gymnasium. 1561-1986. Begleitbuch zur Ausstellung, Trier 1986, 183-187; — Frank Steinmeyer, »Weil über allem Elend dieser Zeit die Heimat steht«. Literatur und Politik im Werk von Johannes Kirschweng (= Saarbrücker Beiträge zur Literaturwissenschaft Bd. 21.), St. Ingbert 1990; — Ralph Schock, »Ihr seid da unten Borrussophoben«. Gustav Regler und J.K., in: Klaus-Michael Mallmann, Gerhard Paul u.a. (Hrsgg.), Richtig daheim waren wir nie. Entdeckungsreisen ins Saarrevier 1815-1955, Berlin-Bonn 1987, 244-247; — Gero v. Wilpert, Deutsches Dichterlexikon, Stuttgart ³1988, 429.

Martin Persch

KIRSTEIN, Anton, Prof. für Philosophie in Mainz, * 16.4. 1854 in Mainz, Bruder des Mainzer Bischofs Georg Heinrich K., † 23.2. 1914 in Mainz. Nach dem Studium der Theologie und Philosophie in Mainz und Lüttich wurde K. 1878 in Heidelberg zum Priester geweiht. Bis 1888 war er Religionslehrer am Institut der Engl. Fräulein zu Mainz. Während dieser Zeit promovierte er zum Dr. der Philosophie der Universität Heidelberg. 1888 wurde er Dozent, 1891 Prof. für Philosophie, Kunstgeschichte und Apologetik am Bisch. Priesterseminar in Mainz. — K.s Interesse richtete sich hauptsächlich auf die Lehrtätigkeit. »Mehr Interpret als schöpferischer Philosoph« (L.Lenhart, LThK) besorgte K. die 2. Auflage (1911) von A.Stöckls »Grundriß der Geschichte der Philosophie«, den er aktualisierte und ergänzte.

Werke: Die Transzendenz Gottes und die entgegenstehenden Irrtümer, (Diss. Heidelberg) 1889; Entwurf einer Ästhetik der Natur und Kunst, Paderborn 1896; Geschichte der Kirche Jesu Christi von ihrer Stiftung bis zur Gegenwart für die Schule und zum Selbstunterricht, Mainz 1905³.

Lit.: Nekrolog, in: Katholik 94/1, 1914, 379f.; —LThK¹ VI, 1; — LThK VI, 307f.

Tobias Böcker

KIRSTEIN, Georg Heinrich, Bischof von Mainz, * 2.7. 1858 in Mainz als jüngster Sohn des späteren Bezirksgerichtsrates Dr. Heinrich K. und seiner Ehefrau Eleonore geb. Blank, † 15.4. 1921 in Mainz. — Nach seiner Schulzeit in Mainz, während der Adolf de Doß SJ und nach 1872 der spätere Münsterer Weihbischof Max von Galen das religiöse Bewußtsein des jungen K. prägten und seinen Berufswunsch mit beeinflußten, trat K. 1876 wegen der Schließung des Mainzer Seminars in das Priesterseminar Eichstätt ein, wo er am 14.11. 1880 durch Bischof Franz Leopold von Leonrod die Priesterweihe empfing. Erste Stellen der Seelsorgetätigkeit waren Heßloch, Worms und Bürstadt; 1887, nach der Beendigung des Kulturkampfes, folgte die Kaplansstelle in Darmstadt, der hessischen Residenz. Seit 1891 war er Pfarrer von Gau-Algesheim, bis er am 28.10. 1902 zum Domkapitular gewählt wurde; auf die Annahme einer Dompräbendatenstelle hatte er 1894 zugunsten seiner Pfarrei verzichtet. Die Ernennung zum Geistlichen Rat am 3.6. 1903 machte ihn zum Mitglied der Bistumsverwaltung; dazu kam am 5.6. 1903 die Würde eines Domkustos. Trotz fehlender wissenschaftlicher Qualifikation erfolgte am 15.10. 1903 seine Berufung zum Regens des Mainzer Priesterseminars. Bevor es wegen der damit verbundenen Pastoraltheologie-Dozentur zu Unstimmigkeiten mit der Regierung hätte kommen können, stand durch den plötzlichen Tod von Bischof Dr. Heinrich Brück am 5.11. 1903 die Wahl eines Nachfolgers an, die am 30.11. 1903 mit großer Mehrheit auf K. fiel. Nach der Verleihung des theologischen Doktordiploms durch die römische Studienkongregation erfolgte am 8.2. 1904 die Ernennung zum Bischof; die Konsekration nahm am 19.3. 1904 der Freiburger Erzbischof Nörber unter Assistenz der Bischöfe von Fulda und Limburg vor. »Gratia et Pax« lautete der Wahlspruch, der nicht nur Programm war, vielmehr in besonderer Weise dem Wesen K. s entsprach, dessen Friedfertigkeit allerdings auch dazu führte, anstehenden Problemen auszuweichen, so etwa auf dem 58. Deutschen Katholikentag 1911 in Mainz den Gewerkschaftsstreit nicht zu thematisieren. Seit Herbst 1919 litt K. zunehmend unter Arteriosklerose, so daß vor dem Hintergrund der Auseinandersetzung über das Verhältnis von Kirche und Staat im hessischen Landtag die Bestellung eines Koadjutors in die Wege geleitet wurde, zu dem am 7.3. 1921 der Speyerer Regens Dr. Ludwig Hugo ernannt wurde.— Aus der Seelsorgepraxis kommend, zum Bischofsamt nicht vorbereitet, lag K.s Stärke in der Fähigkeit, auf der Gefühlsebene sowohl durch seine Predigten als auch durch persönlichen Kontakt bei Wallfahrten oder Veranstaltungen des kirchlichen Vereinslebens Zugang zu seinen Diözesanen zu finden. In sein Episkopat fällt die Bildung eines Diözesanverbandes der Jugendvereine (1907), die Einberufung einer regelmäßigen Jugendseelsorgekonferenz, der Beginn der Sicherungsarbeiten am Mainzer Dom zusammen mit der Einrichtung eines Dombauamtes (1909) sowie die Herausgabe des Diözesanpropriums (1916).

Lit.: Ludwig Lenhart, Der Herr ließ ihn wachsen in sein Volk. Zum 100. Geburtstag des Bischofs Dr. G. H. K., In: Mainzer Almanach, 1958, 19-43; — LThK VI, 308; — Ludwig Lenhart, Dr. G. H. K. Der volkstümliche Seelsorgebischof auf dem Mainzer Bischofsstuhl (1903-1921), In: AMrhKG 17, 1965, 121-191; — Erwin Gatz (Hrsg.), Die Bischöfe der deutschsprachigen Länder 1785/1803 bis 1945, 1983, 383f.

Sigrid Duchhardt-Bösken

KISSLING, Georg Adam, Missionar in Afrika und in Neuseeland, wurde am 2. April 1805 in Murr (Württemberg) geboren und starb am 10.11. 1865 hochangesehen als Stellvertreter des Bischofs der Anglikanischen Kirche in Neuseeland. Nach seiner Lehre als Bäcker arbeitete K. einige Jahre in Korntal, wo er bleibende Eindrücke empfing und studierte von 1823-1827 im Missionsseminar der Basler Mission und an der Basler Universität. Nach seiner Ordination in Baden 1827 wurde K. mit dem Segen des württembergischen Erweckungspredigers Ludwig Hoffacker als einer der ersten Missionare im Dienst der Basler Mission mit folgender »Wegleitung« nach Liberia ausgesandt: »Wiedergutmachung des von Europäern an Afrikanern begangenen Unrechts« zu leisten. Während seines durch Krankheit und viele Entbehrungen gekennzeichneten Dienstes 1828-1832 gründete er die erste Schule für Afrikaner. Zwei seiner Schüler, Jakob von Brunn und Georg Thomson, der erste in Basel ausgebildete Missionar, wurden später bekannte afrikanische Pfarrer. K. verließ am 3.1. 1832 Liberia. Die Arbeit in Liberia wurde von amerikanischen Missionaren weitergeführt. Mit knapper Not dem Tod durch Schiffbruch entronnen, erreichte K. England und wurde von der Church Missionary Society (CMS) in deren Dienst übernommen. K. heiratete Karoline, die Tochter des Gallerie-Inspektors Tanner aus Ludwigsburg am 7.8. 1832 und reiste mit dieser als Missionar der CMS nach Sierra Leone in Afrika (1832-1837). Dort übernahm er als Disktriktsmissionar zusätzlich noch die Leitung einer großen Schule. Seine Arbeit charakterisierte er so: »es ist Waizen da, aber auch viel Unkraut.« Seine Frau Karoline starb am 25.2. 1834 zusammen mit ihrem ersten Kind bei der Geburt mit den Worten: »Ich bereue es ganz und gar nicht, in die Mission eingetreten zu sein, lobe vielmehr den Herrn, der mich gewürdigt hat, diesen Gang zu gehen«. In Sierra Leone widmete K. sich ganz der Leitung des Predigerseminars in Fourahbai. Einer seiner engsten Mitarbeiter war der von Missionar Schön freigekaufte Sklave Samuel Crowther, der über diese Zeit bekannte: »Seit meinem zweiten Eintritt in die Anstalt sehe ich mich viel mehr als Zögling, denn als Lehrer an; und ich darf wohl in aller Demuth sagen, daß ich nun vorwärts komme,

Dank der treuen Hilfe Herrn Kißling's. Ich war noch über so vieles im Unklaren, was mir jetzt ins Licht gestellt wird; macht mir etwas in meinenm Studien Schwierigkeiten, so wende ich mich am liebsten an den lebendigen Lehrer, ja überlaufe ihn manchmal mit meinem Geilen...außerdem weiß mir mein väterlicher Freund immer die besten Hilfsmittel zu rathen«. K. war der Überzeugung, daß die europäischen Missionare als Mitarbeiter der Afrikaner sich der afrikanischen Leitung zu unterstellen hätten. Ziel der Missionsarbeit müsse die baldmöglichste Selbstverwaltung, Selbstfinanzierung und Selbstausbreitung der Kirche sein. Zum Missionsdienst gehört nach K. auch die wirtschaftliche Entwicklungshilfe. Samuel Adlai Crowther (1809-1891), im Dienste der CMS als erster 1864 konsekrierter afrikanischer Bischof der Anglikanischen Kirche am Niger, führte die Ziegelfabrikation ein. Am 2.5. 1837 kehrte K. aus Gesundheitsgründen wieder nach England zurück und heiratete dort Margaret geb. Hull, mit der er nach einem kurzen Zwischenaufenthalt in Basel, bei dem er sich von seinem verehrten Lehrer C.G. Blumhardt verabschiedete, zum zweiten Aufenthalt in Sierra Leone (1837-1841) als Sekretär der Mission und Leiter des Pfarrseminars ausreiste. K. studierte intensiv Timneh und widmete sich der Ausbildung afrikanischer Pfarrer, mußte jedoch aus Gesundheitsgründen 1841 Afrika verlassen. Nach längerem Krankheitsurlaub in England bestimmte ihn die CMS als Missionar für die Maori in Neuseeeland. K. schrieb: »Ich gleiche einem Baum, der mit tausend abgerissenen Wurzelfäden aus dem Boden gehoben und verpflanzt wird... nach allen diesen Prüfungen, Leiden und Freuden habe ich noch nicht ausgelernt; ich muß aufs Neue eingeschrieben werden in das Lehrlingsbuch der Neuseeländer«. K. reiste mit seiner Frau am 5.1. 1842 nach Neuseeland aus, nachdem er vorher als anglikanischer Pfarrer ordiniert worden war, und arbeitete in Kauakaua in Neuseeland als Missionar und Stellvertretender Bischof unter den Maori bis zu seinem Tod 1865. Im Gegensatz zu anderen Missionaren in Neuseeland lehnte K. den Kauf von Grund und Boden für seine 5 Söhne strikt ab und konnte deshalb im Landstreit zwischen den Maori und der (weißen) Regierung vermitteln. K. erlernte die Sprache der Maori und wurde von diesen als »Vater« verehrt. Er wollte nach seinem eigenen Bekenntnis »nichts Anderes als Christus den Gekreuzigten meinen Hörern anzupreisen. Christi Liebe zeugt Liebe.« In den letzten Jahren seines Lebens widmete K. sich seit 1852 ganz der Ausbildung der maorischen Pfarrer, von denen er am 18.7. 1853 nach elfjährigem Unterricht trotz großen Bedenkens des englischen Bischofs den ersten ordinieren konnte. Nach einem Schlaganfall 1861 konnte K. seinen Dienst nur noch beschränkt ausüben. Reisende berichteten 1849 über K.s Arbeit unter den Maori: »Wo vor neun Jahren nur 20 lesen und schreiben konnten, wohnten nach einem knappen Jahrzehnt 6-7000 Maori, davon ein starkes Drittel Alphabeten. Der Dschungel war Kulturland geworden; er hat den Weizen eingeführt und wohl 3000 Morgen damit besät. Sie haben sich 30 Küstenschiffe, beinahe 100000 fl. im Wert angeschafft. Ihre schönen Heerden und die 200 Mühlen sind alle in diesen neun Jahren zu Stande gekommen und zwar nicht durch Geschenke, sondem durch ihre eigene Anstrengung«. Die Maorikirche war unter K.s Leitung unabhängig von jeder finanziellen Unterstützung aus England geworden.

Werke: Kißling, G.: Beleuchtungen der Missionssache, Mai 1847; Briefe, Berichte, Artikel von K. im Fazikel »Kißling« im Archiv der Basler Mission.

Lit.: Gundert, Herrmann: Georg Adam Kißling. Evangelisches Missionsmagazin 1867, S. 305-360; 390-461; — Schlatter, Wilhelm: Geschichte der Basler Mission 1916, Band 3; — Rennstich, Karl: Handwerker-Theologen und Industrie-Brüder als Botschafter des Friedens. Entwicklungshilfe der Basler Mission im 19. Jahrhundert, 1985.

Karl Rennstich

KISSLING, Johannes Baptist, Kirchenhistoriker, * 17.4. 1876 in Gensingen/Rheinhessen, † 16.10. 1928 in Braunsberg/Ostpreußen. — K., Sohn von Paul K. und Johannette geb. Rockenbach, besuchte bis zur Ablegung der Reifeprüfung (1895) das Ostergymnasium zu Mainz. Danach trat er in das dortige Priesterseminar ein. Nach seiner Priesterweihe (1899) übernahm er Seelsorgsaufgaben als Kaplan in Bodenheim und Mainz. Zwischen 1903 und 1906 setzte er in Bonn, München und Freiburg/Br. seine theologischen und historischen Studien fort, die er 1906 mit der theologischen Promotion abschloß. Seine Dissertation hatte ein historisches Thema zum Gegenstand (s. u.). Die folgenden Jahre führten K., unterbrochen durch eine Tätigkeit als Privatgelehrter in Mainz und Berlin, auf ausgedehnte Studienreisen nach Belgien, Großbritannien, Frankreich, Spanien und Italien, bis er 1920 einen Ruf als Professor für Kirchengeschichte an die Staatliche Akademie nach Braunsberg annahm, wo er bis zu seinem frühen Tode 1928 wirkte. — K. hatte sich auf die Kirchengeschichte des 19. Jh.s mit Schwerpunkt Kulturkampf sowie auf christliche Kunstgeschichte spezialisiert. Bekannt wurde er vor allem durch die Fortsetzung der von Heinrich Brück begonnenen »Geschichte der katholischen Kirche in Deutschland im 19. Jahrhundert«. Bleibenden wissenschaftlichen Wert besaß auch seine »Geschichte des Kulturkampfes im Deutschen Reich«. Nicht unbedeutend war die Sammlung historischer und belletristischer Literatur, die K. während seiner Auslandsaufenthalte erworben hatte und die nach seinem Tode in den Besitz der Bibliothek der Braunsberger Akademie überging.

Werke: Lorenz Truchseß von Pommersfelden (1473-1543). Domdechant zu Mainz. Ein Zeit- und Lebensbild aus der Frühzeit der Kirchenspaltung (Diss. theol.), 1906; auch in: Katholik 3. F. 33, 1906, 1-27, 93-124, 167-201; Kardinal Albrecht von Brandenburg und die Reliquiensammlung der Barfüsser zu Fritzlar, in: Studien aus Kunst und Geschichte. Festschr. Friedrich Schneider zum 70. Geburtstag, 1906, 119-123; Blätter der Erinnerung an Friedrich Schneider, 1907; auch in: Katholik 3. F. 34, 1907, 353ff.; Prälat Friedrich Schneider, in: Leipziger Kal. 1908, 353-368; Geschichte der kath. Kirche in Deutschland im 19. Jh., Bde. III, IV/1, IV/2, 1905-1908[2]; Geschichte des Kulturkampfes im Deutschen Reich, 3 Bde., 1911-1916; Kardinal Ximenez de Cisneros, 1916; Der deutsche Protestantismus 1817-1917, 2 Bde., 1917/18; Gesellschaft vom Heiligsten Herzen Jesu jesuitenverwandt?, in: HPBll 161, 1918, 815-821; Geschichte der deutschen Katholikentage, 2 Bde., 1920/23; Aus dem prot. Kirchenleben Amerikas, in: Germania 1924, Wiss. Beil. Nr. 7.

Lit.: Ermländische Ztg. v. 24.10.1928 (Nachruf); — ZSavRGkan 49, 1929, 672 (Todesanzeige); — Wer ist's? IX. Ausg. 1928, 799; — Kürschner, GK 1928/29, 1162; — Kosch, KD II, 2136; — Altpreuß. Biogr. I, 335; — LThK VI, 308.

Christof Dahm

KISTEMAKER, Johannes Hyazinth, * 15.8. 1754 in Nordhorn, † 2.3. 1834 in Münster (Westfalen). — Nach Absolvierung der vorgeschriebenen philosophischen und theologischen Studien empfing K. im Jahre 1777 die Priesterweihe. Zunächst im höheren Schuldienst, wird K. 1794 Gymnasialdirektor (bis 1813). Er wirkt mit bei der Reform des höheren Schulwesens in Westfalen. Ab 1795 bekleidet er auch die Professur für Exegese an der katholisch-theologischen Fakultät der Universität Münster. Als Exeget wandte er sich energisch gegen jegliche rationalistische Deutung des Alten Testaments. Im Jahre 1823 wurde K. auch in das Domkapitel berufen. Zusammen mit seinem Freund B. Overberg gehörte er dem sog. Gallitzin-Kreis an.

Werke: Die heiligen Schrr. des NT.s (Evangelien, Apostelgesch., Briefe), Münster 1818-1824, 7 Bde.; Biblia sacra Vulgatae editionis, ebd. 1824, 3 Bde.

Lit.: Westfäl. Lebensbilder, Münster 1930, I, 417-431; — E. Reinhard, Die Münsterische »Familia sacra«, ebd. 1953; — Westfäl. Zschr. 103/104 (1954), 203-210; — E. Hegel, Westfalen 29 (1961), 58-65; — LThK [2]VI, 308.

Johannes Madey

KITTEL, Gerhard, ev. Neutestamentler, * 23.9. 1888 in Breslau, † 11.7. 1948 in Tübingen. — Starken Einfluß auf Lebensweg und Berufswahl G. K.s übte sein Vater, der Alttestamentler Rudolf Kittel (s.d.), aus. Nach dem Besuch des humanistischen König Albert-Gymnasiums in Leipzig studierte K. von 1907 bis 1912 Theologie und orient. Sprachen in Leipzig, Tübingen, Berlin und Halle. 1913 erfolgte in Kiel seine Promotion und Habilitation im Fach Neues Testament. Während des Ersten Weltkrieges wirkte er als Marinepfarrer, bevor er 1917 als Privatdozent nach Leipzig ging, wo er nach dem Kriege das kirchl. Religionsseminar leitete und 1921 schließlich außerordentlicher Prof. wurde. Noch im gleichen Jahr erhielt K. eine ordentliche Professur an der Univ. Greifswald, 1926 (als Nachfolger Adolf Schlatters (s. d.)) in Tübingen. In seine Tübinger Zeit (insgesamt fast zwanzig Jahre) fällt die Veröffentlichung zahlreicher Studien und Aufsätze, in denen K. hist. und religionsvergleichenden Forsch. über das antike Judentum und das palästinische Urchristentum publizierte. Es ging ihm dabei »nicht um die rassische oder politische Fragestellung, sondern um die religiöse, um das Verhältnis von Israel, Judentum und Christentum zueinander« (G. Friedrich). Dennoch geriet K., der seit 1933 die Neuherausgabe des Wörterbuches von Hermann Cremer und Julius Kögel übernommen hatte, im Dritten Reich in den Strudel der antijüdischen Polemik. Seine 1933 erschienene Schrift »Die Judenfrage«, die der nationalsozialistischen Ausgrenzungspolitik gegenüber der jüd. Bevölkerung Vorschub leistete, stieß auf jüd. Seite (Martin Buber (s.d.)) wie auch unter christl. Fachgenossen (Ernst Lohmeyer (s.d.)) auf Widerspruch. Trotz persönlich untadeligen Verhaltens - über Ausschreitungen im Rahmen der sog. »Reichskristallnacht« äußerte er sein Entsetzen - verstand K. es nicht, sich eindeutig von der nationalsozialistischen Rassenideologie zu distanzieren. Seine Tübinger Lehrtätigkeit, während des Zweiten Weltkrieges nur kurz für eine Lehrvertretung in Wien unterbrochen, endete abrupt mit Amtsenthebung und Verhaftung durch die Besatzungsorgane am 3. 5. 1945. 1945/46 war er in Balingen interniert; außerdem erhielt er für die Stadt Tübingen Aufenthaltsverbot (bis Frühjahr 1948). In den Jahren 1946 bis 1948 wirkte er als Seelsorger der Diasporagemeinde Beuron. Schließlich durfte er nach Tübingen zurückkehren, starb jedoch bereits am 11.7. 1948, noch vor der Aufnahme des Spruchkammerverfahrens. — An Person und Werk K.s haftet die Tragik des Mißbrauchs in dunkler Zeit. Dies mindert jedoch nicht den Wert seiner wiss. Arbeiten. Die nt. Exegese verdankt ihm neben vielen Detailuntersuchungen das von ihm herausgegebene und durch viele Artikel bereicherte »Theol. Wörterbuch zum NT« (ThWNT).

Werke (in Auswahl): Die Oden Salomos. Überarbeitet oder einheitlich? (Diss. Kiel 1913), 1914; Jesus u. die Rabbinen, 1914; Jesus als Seelsorger, 1917; Fünf Predigten gehalten in der Ev. Marine-Garnison-Kirche zu Cuxhaven (1918), 1919; Rabbinica, 1920; Das Religionslehrer- Seminar in Leipzig. Aufbau u. Ziele im Auftrag des Christl. Volksdienstes dargestellt, 1921; Die religiöse u. die kirchl. Lage in Deutschland, 1921; Sifre zu Dtn. Übers. u. erl., 1922; Goethe u. das Kreuz, in: Allg. Ev.-Luth. Kirchenztg. 1923, 1923, 11; Seelsorge an jungen Mädchen, 1925; Urchristentum-Spätjudentum-Hellenismus. Akadem. Antrittsvorlesung vom 28.10. 1926 in Tübingen, 1926; Jesus u. die Juden, 1926; Die Probleme des palästinischen Spätjudentums u. das Urchristentum, 1926; Die Lebenskräfte der ersten christl. Gemein-

den, 1926; Der »historische Jesus«, 1931 (auch in: Mysterium Christi. Christolog. Stud. britischen u. dt. Theologen. Hrsg. Bell/Deißmann, 1931, 1934³); Die Religionsgesch. u. das Urchristentum. Vorlesung in der Univ. Upsala 26.-29.10. 1931, 1932. Nachdr. 1959 (auch schwed. 1932); Die Judenfrage, 1933, 1934³; Kirche u. Judenchristen, 1933; Ein theol. Briefwechsel (mit Karl Barth), 1934; Hypsothenai = gekreuzigt werden. Zur angeblichen antiochenischen Herkunft des Vierten Evangeliums, in: ZNW 35, 1936, 282-285; Jesus Christus Gottes Sohn u. unser Herr, 1937; Christus u. Imperator. Das Urteil der Ersten Christenheit über den Staat, 1939; Die hist. Voraussetzungen der jüd. Rassenmischung, 1939; Dichter, Bibel u. Bibelrevision, 1939; Der geschichtl. Ort des Jak, in: ZNW 41, 1942, 71-105; Meine Verteidigung. Neue, erw. Niederschrift, 1946; Der Jak u. die Apost. Väter. (Aus dem Nachlaß veröff. v. Karl Heinrich Rengstorf), in: ZNW 43, 1950/51, 54-112; weiterhin Art. u.a. in RGG² u. ThWNT.

Lit.: G. Friedrich/G. Reyher, Bibliogr. G. K., in: ThLZ 74, 1949, 171-175 (mit ausführlichem Werkverzeichnis); — Otto Michel, Das wiss. Vermächtnis G. K.s, in: DtPfrBl 58, 1958, 415-417; — Robert P. Erickson, Theologian in the Third Reich: The Case of G. K., in: Journal of Contemporary History 12, 1977, 595-622; — Leonore Siegele-Wenschkewitz, Nt. Wiss. vor der Judenfrage. G. K.s theol. Arbeit im Wandel dt. Geschichte, 1980; — Dies., Mitverantwortung und Schuld der Christen am Holocaust, in: EvTH 42, 1982, 171-190, bes. 175-182; — Kurt Schubert, Möglichkeiten und Grenzen des christlich-jüdischen Gesprächs, in: Kairos 29, 1987, 129-146, bes. 141f.; — RGG III, 1626; — LThK VI, 311; — NDB XI, 691 f.

Christof Dahm

KITTEL, Johann Christian, Organist und Komponist, getauft am 18. Februar 1732 in Erfurt, † am 17. April 1809 ebd. — K. entstammte einer streng protestantischen Familie. Sein Vater war der Strumpfwirker J. Salomon K., Sohn eines ev. Pfarrers, seine Mutter Juliane Elisabeth Baldinger die Tochter eines Leutnants. Seine Schulzeit verbrachte K. in Erfurt, zuerst an der Predigerschule, dann am Ratsgymnasium. Seine musikalische Ausbildung dürfte er von dem in Erfurt lebenden Jakob Adlung erhalten haben. Im Jahre 1748 ging er zu J. S. Bach (s.d.) nach Leipzig, der ihn mehrfach zu Aufführungen als Begleiter beschäftigte und ihm dadurch seine Wertschätzung bewies. Nach dem Tode Bachs ging K. 1751 als Organist und Lehrer an eine Mädchenschule nach Langensalza. Ein Jahr später heiratete er dort die aus wohlhabender Familie stammende Dorothea Fröhmer. Im Jahre 1756 erhielt er eine Stelle als Organist an der Barfüßerkirche in Erfurt, die er sechs Jahre später mit einer Organistenstelle an der Predigerkirche, an der u.a. Pachelbel, Buttstedt und sein Lehrer Adlung seine Vorgänger gewesen waren, vertauschte. Als einer der letzten Schüler Bachs erlangte er dort große Berühmtheit, trotz seiner Bescheidenheit und seines zurückgezogenen Lebens, und hatte eine ansehnliche Schar von Schülern. Sein Orgelspiel war so berühmt, daß selbst Goethe (s.d.), Herder (s.d.) und Wieland (s.d.) seine Abendmusiken besuchten. Am öffentlichen Musikleben, das seit 1771 durch den Einfluß des kurfürstlichen Statthalters von Dalberg in Erfurt eine kurze Blütezeit erlebte, scheint K. kaum teilgenommen haben. Auch eine Einladung der Herzogin Anna Amalie von Weimar zu einer Reise nach Italien hat ihn nicht verlockt. Im Jahre 1800 hat er eine Konzertreise nach Hamburg unternommen und sich aus Anlaß der Vorstudien zu seinem »Neuen Choralbuch für Schleswig-Holstein« etwa ein Jahr lang dort aufgehalten. Trotz einer durch von Dalberg vermittelten Pension waren seine wirtschaftlichen Verhältnisse alles anderes als glänzend. Einsam und in Armut ist er nach längerer Krankheit an Altersschwäche gestorben. Seine bedeutendsten Schüler waren J. W. Häßler, K. G. Umbreit, M. G. Fischer, sein Nachfolger als Organist in Erfurt, und J. H. Chr. Rinck. — Die Bedeutung K.s liegt v.a. in der Pflege und Weitergabe der Musiktradition J. S. Bachs. Als der »letzte Schüler Bachs« genoß er allseitige Achtung und Verehrung. Besonderen Wert legte er auf die musikalische Gestaltung des Gottesdienstes, wobei er v.a. das Orgelspiel in den Mittelpunkt rückte. Der Ausarbeitung spielbarer Orgelmusik galt seine ganze Kraft. Zu diesem Zweck schuf er ein Lehrbuch des Orgelspiels, das zu den bedeutendsten Erzeugnissen seiner Art in der damaligen Zeit gehörte. In seinen Kompositionen geht K. über die von Bach erhaltene Tradition hinaus und verbindet sie mit Anregungen durch die von ihm verehrten Musiker Joseph Haydn (s.d.) und W. A. Mozart (s.d.). Durch die von ihm ausgebildeten Musiker lebte die Bachtradition, wenngleich zunehmend erstarrt, in Mitteldeutschland weiter.

Werke: 6 Sonates, suivies d'une fantaisie pour le clavecin op. 1, 1787; 6 Veränderungen über das Teutsche Volkslied »Nicht so traurig« für das Klavier, 1797; Der angehende praktische Organist, 3 Bde., 1801-1808 (Reprint, 1981, mit einer Einführung von Gerhard Bal); Neues Choralbuch für Schleswig-Holstein, 1804; 24 Choräle mit 8 verschiedenen Bässen über eine Melodie von K., 1811; 24 leichte Choralvorspiele für die Orgel, 1813; Große Präludien für die Orgel, 2. Hh., o.J.; 24 kurze Choralvorspiele für die Orgel, o.J.; Variationen über 2 Choräle für Orgel, o.J.; 4-st. Choräle mit Vorspielen, o. J.; zahlreiche unveröffentlichte Mss. — Werkverz.: EitnerQ V, 378 f; RISM V, 50 f; A. Dreetz (s. Lit.), 82-91.

Lit.: J. W. Häßler, Vorwort zu: 6 leichte Sonaten für Clavier II, 1787; — Johann Nikolaus Forkel, Über Johann Sebastian Bachs Leben, Kunst und Kunstwerke, 1802 (Neue Ausgabe, hrsg. v. Walter Vetter, 1966, 78. 137); — K. G. Umbreit, Nekrolog, in: Nationalzeitung d. Dt. v. 22. Juni 1809; — Biographische Anmerkungen zu K., in: Hesperus v. 28. September 1832; — H. Chr. Rinck, Selbstbiographie, 1833; — Carl von Winterfeld, Zur Gesch. hl. Tonkunst, 1850; — Friedrich Blume, Die ev. Kirchenmusik, 1931, 138. 156 f; — Albert Dreetz, JCK, der letzte Bachschüler, 1932; — Ders., Aus Erfurts Musikgesch., 1932; — K. G. Fellerer, Studien zur Orgelmusik des ausgehenden 18. und frühen 19. Jhs., 1932; — Ders., Btrr. zur Choralbegleitung und Choralverarbeitung in der Orgelmusik des 18./19. Jhs., 1932 — H. Kelletat, Zur Gesch. der dt. Orgelmusik in der Frühklassik, 1933; — Reinhold Sietz, Die Orgelkompositionen des Schülerkreises um J. S. Bach, Diss. Göttingen, 1935 (auch in: Bjb XXXII, 1935, 33-96); — Gotthold Frotscher, Gesch. d. Orgel-Spiels und der Orgel-Kompostion II, 1936; — M. Schneider, Die Orgelspieltechnik des frühen 19. Jhs., 1941; — G. Fock, Zur Biographie des Bach-Schülers JCK., in Bjb XLIX, 1962, 97; — D. G. Mulberg, A collection of organ music by pupils of J. S. Bach, Diss. Eastman School of Music, 1969; — C. S. Brown, The art of chorale-preluding and chorale accompaniment as presented in K.s: Der angehende Organist, Diss. Eastmann School of Music, 1970; — ADB XVI, 45 f; — MGG VII, 967-969; — RE³ XIV, 435.

Hans-Josef Olszewsky

KITTEL, Rudolf, ev. Alttestamentler, * 28.3. 1853 in Eningen (Württemberg) als Sohn eines Realschullehrers, † 20.10. 1929 in Leipzig. — K., der aus einer pietistisch geprägten schwäbischen Lehrerfamilie stammte, verlor bereits im achten Lebensjahr den Vater. Bleibenden Einfluß übten daher neben der Mutter zwei seiner akademischen Lehrer in Tübingen auf ihn aus, der Theologe Johann Tobias Beck (s.d.) und der Historiker Karl Weizsäcker. Nach dem Studium (1871-1876), das er mit der theol. und der philos. Promotion abschloß, wirkte er vorübergehend als Geistlicher, ab 1879 als Repetent für Philosophie am Tübinger Stift und ab 1881 als Lehrer für Religion und Hebräisch am Karlsgymnasium in Stuttgart. In dieser Zeit arbeitete er an seiner »Geschichte der Hebräer« (1887 abgeschlossen), die ihm den Ruf auf die Professur für Altes Testament in Breslau eintrug (1888). Sein weiteres Wirken wurde maßgeblich beeinflußt durch die Begegnung mit Eduard Meyer, der ihn auf das altorientalische Umfeld Israels hinwies und damit die at. Forschung K.s in eine neue Richtung lenkte. Seit 1898 Prof. in Leipzig, bemühte er sich um die Einbeziehung archäologischer Ergebnisse (Amarna-Texte, Codex Hammurabi) in seine Arbeit. Zwischen 1902 und 1906 widmete er sich der Erstausgabe der Biblia Hebraica. 1907 gewann K. auf einer Palästinareise neue und tiefe Eindrücke. Zahlreiche Veröffentlichungen, auch zwischen 1914 und 1919, als er zeitweise das Rektorat der Univ. Leipzig innehatte, belegen seine fundierte Sachkenntnis. Zu seinem wiss. Vermächtnis gestaltete sich die Rede vor dem Ersten dt. Orientalistentag, Sondertagung der at. Forscher, am 29.9. 1921 in Leipzig. — K.s Verdienst liegt in der fruchtbringenden Heranziehung von archäologischen Erkenntnissen für die at. Exegese. Trotz mancher fachlicher Kontroversen, so mit Julius Wellhausen (s.d.) und Friedrich Delitzsch (s.d.), gab er sich persönlich liebenswürdig. Für das hohe Ansehen, das er im In- und Ausland genoß, sprechen die Verleihung der Würde eines Domherrn des Hochstiftes Meißen und des Ehrendoktortitels der Univ. Groningen. Er selbst sah »in Wissenschaft und Frömmigkeit nie Gegensätze« (Autobiographie, 3). Bis heute bewahrt die »Biblia Hebraica Kittel« seinen Namen.

Werke (in Auswahl): Die neueste Wendung der pentateuchischen Frage. Theol. Stud. aus Württemberg, 1881; Sittliche Fragen, 1885; Geschichte der Hebräer, I/II, 1888-1892, ab 2. Aufl. (1909-1912) Geschichte des Volkes Israel, I, 1923[6], II, 1925[7], III 1/2, 1927-1929; Die Bücher Ri und Sam, in: Kautzsch, HSAT, 1924[4]; Aus dem Leben des Propheten Jesaia. Predigten, 1894; Die Anfänge der hebr. Geschichtsschreibung im AT, 1896; Komm. zu Jes, 1898[6]; Die Psalmen Salomos, in: Kautzsch, AP, 1898, Neudr. 1929[2], Nachdr. 1975; Cyrus u. Deutero-Jesaja, in: ZAW 18, 1898, 149-162; Zur Theologie des AT, 1899; Prophetie u. Weissagung, 1899; Komm. zu den Büchern der Kön, 1900; Über die Möglichkeit u. Notwendigkeit einer neuen Ausgabe der hebr. Bibel, 1902; Komm. zu den Büchern der Chr, 1902; Die babyl. (5. Aufl.: orient.) Ausgrabungen u. die ältere bibl. Geschichte, 1903, 1908[5]; Der Babel-Bibel-Streit u. die Offenbarungsfrage, 1903; Biblia Hebraica I/II, 1905-1906, 1937[3] (= Biblia Hebraica Kittel, BHK; seit 1968 ff. neu hrsg. v. K. Elliger u.a. als Biblia Hebraica Stuttgartensia, BHS); Stud. zur hebr. Archäologie u. Religionsgeschichte, 1908; Die at. Wiss. in ihren wichtigsten Ergebnissen, 1910, 1929[5]

(auch engl., tsch. u. hebr.); Komm. zu den Pss, 1922[4]; Gotteslästerung oder Judenhaß? Ein gerichtliches Obergutachten, 1914; Das AT u. unser Krieg, 2 Bde., 1916; Martin Luther, Leipziger Rektoratsrede, 1917; Krieg in bibl. Landen, 1918; Leipzig als Stätte der Bildung, 1918; Leipziger akademische Reden zum Kriegsende, 1919; Die Religion des Volkes Israel von der Urzeit bis zu Christus, 1920 (schwed. 1920, engl. 1925); Die Zukunft der at. Wiss., in: ZAW 39, 1921, 84-99; Die hellenistischen Mysterienreligionen u. das AT, 1924; Die Univ. Leipzig in ihrer Bedeutung für das Kulturleben, 1924; Autobiographie, in: Erich Stange (Hrsg.), Die Religionswissenschaft der Gegenwart in Selbstdarstellungen, 1925, 113-144 (in sich von 1 bis 32 durchpaginiert, mit Porträt u. ausführlichem Werkverzeichnis); Die Univ. Leipzig im Jahr der Revolution 1918/1919. Rektoratserinnerungen, 1930.

Lit.: Johannes Hempel, R. K.†, in: ZDMG 84, 1930, 78-93 (enthält Würdigung des Lehrers u. Menschen R. K.); — RGG III, 1626 f.; — LThK VI, 310 f.; — NDB XI, 692 f.

Christof Dahm

KJELD, auch Ketillus oder Exuperius genannt, ist ein dänischer Heiliger. Sein Gedächtnis fällt auf den 27.9., in Dänemark ist sein Fest am 11.7. — * in Venning bei Randers (Jütland) - das Geburtsjahr ist unbekannt, † 27.9. 1150 in Viborg. K. gehörte der Gemeinschaft der Regulierten Chorherren an. Das Vertrauen seines Bischofs zeigte sich in seiner Ernennung zum Leiter der Domschule und - ab 1145 zum Dompropst von Viborg. Er zeichnete sich aus durch Schlichtung von Streitigkeiten und Mildtätigkeit gegenüber den Armen. Dies war der Grund für zahlreiche Anfeindungen von Neidern, denen es schließlich gelang, K. im Jahre 1148/49 aus Viborg zu vertreiben. Papst Eugen III. griff jedoch zu seinen Gunsten ein, so daß K. alsbald zurückkehren konnte und wieder in sein Amt eingesetzt wurde. Schon wenige Jahre nach seinem Tode, am 11.7. 1189, wurde er heiliggesprochen. Sein Reliquienschrein im Dom zu Viborg (seit 1537 lutherische Bischofskirche) fiel einem Brand im Jahre 1725 zum Opfer.

Lit.: Acta SS. Julii, Antwerpen 1867, III, 230-233; — Socii Bollandiani (Hrsg.), Bibliotheca hagiographica latina antiquae et mediae aetatis, Brüssel 1891-1901, 4651 f., Suppl. 183 f.; — C. M. Gertz, Vitae sanctorum Danorum, Kopenhagen 1908-1912, 251-283; — E. Jørgensen, Helgendyrkelse i Danmark, ebd. 1909, 54 ff.; — P. Engelstoft/S. Dahl (Hrsg.), Dansk Biografisk Leksikon, ebd. 1933, XII, 379 f.; — J. Torsy, Der große Namenstagskalender, Einsiedeln-Zürich-Freiburg-Wien 1975, 244; — LThK [2]VI, 311 f.; — NCE

VIII, 206; — Encyclopedic Dictionary of Religion, Philadelphia-Washington, D. C. 1979, 1991.

Johannes Madey

KLAJ, Johann, ev.-luth. Pfarrer und Dichter, * um 1616 in Meißen, † am 16. Februar 1656 in Kitzingen. — Über Kindheit und Jugend K.s ist wenig bekannt. So weiß man lediglich, daß sein Vater Tuchbereiter in Meißen war. Nach einem ersten kurzen Studienaufenthalt in Leipzig begann K. im Jahre 1634 das Studium der Theologie in Wittenberg. Dort hatte der Opitzianer Augustus Buchner einen Kreis von Schülern um sich versammelt, dem sich auch K. bald anschloß. In diesem Kreise fanden regelmäßig literarische Leseabende statt, deren Themen häufig zu den entsprechenden religiösen Festen oder auch Jahreszeiten in Beziehung standen. Die solcherart veranstalteten Feiern hatten einen mehr oder weniger religiösen Anstrich. Buchner hat K.s dichterische Fähigkeiten bald erkannt und dann zielstrebig gefördert. Sozusagen das Gesellenstück K.s war die Übersetzung der lateinischen Dichtung Joas seines Lehrers in die dt. Sprache. Diese Arbeit wurde im Jahre 1642 als erste Veröffentlichung K.s gedruckt. Ein Jahr später, 1643, wandte sich K. nach Nürnberg, um sich auf den Beruf eines Gemeindepfarrers vorzubereiten. Da sich seine Anstellung lange verzögerte, begann er geistliche Dichtungen nach dem Vorbild seines Lehrers Buchner zu verfassen und vorzutragen. Der Erfolg seiner Vorträge verschaffte ihm bald Zugang zu den Kreisen des Nürnberger Patriziats. Für deren Mitglieder hatte er in der Folgezeit aus Anlaß von Hochzeiten oder Begräbnissen häufig Gedichte zu schreiben. Im Jahre 1644 gründete er zusammen mit Georg Philipp Harsdörffer den »Pegnesischen Blumenorden«, eine literarische Gesellschaft, die heute noch besteht. Als Mitglied dieses »Ordens« führte er den Dichternamen Claius. Im Jahre 1647 erhielt er eine Anstellung als Lehrer an der Schule zu St. Sebald. Erst 1651 wurde er Pfarrer der ev. Diasporagemeinde in Kitzingen, wo er bis zu seinem Tode geblieben ist. Nach seiner Anstellung als Pfarrer hat K. keine Dichtungen mehr verfaßt. — Die Werke K. s stehen in der Tradition der ev. Erbauungsschriften.

Gleichwohl versuchte er, dieser Gattung einen neuen Rahmen zu geben. Einflüsse von Buchner, später in Nürnberg von Dilherr sind von K. selbständig weiterentwickelt worden. So entstand die Form der sog. Rededramen, die lyrische, epische und dramatische Elemente zu einem einheitlichen Ganzen verbindet. Bestimmt waren diese Werke für die Feiern des Nürnberger Patriziats in Kirche und Haus. Mit ihrer moralisierenden Tendenz entsprachen sie auf geradezu ideale Weise den Ansprüchen dieser Gesellschaft. Zu Aufführungen solcher Werke trat als zusätzliches Element gelegentlich die Musik, wodurch diese Dramen den Charakter von Oratorien erhielten. Für das Werk »Der leidende Christus« ist die Zusammenarbeit von K. mit dem Komponisten Sigismund Theophil Staden belegt, wenngleich die Musik dazu sich nicht erhalten hat. Das literarische Schaffen K.s weist zwei Schwerpunkte auf: geistliche Werke und Friedensdichtungen. Allen Werken gemeinsam ist ein geistlich-spirituelles Element.

Werke: I. Zeitgenössische Ausgaben: 1. Selbständige Veröffentlichungen: Augusti Buchneri Joas Der heiligen Geburt Christi zu Ehren gesungen. Auß dem Lateinischen ins Deutzsche versetzt von JC, 1642; JC Weyhnacht-Liedt Der Heiligen Geburt Christi zu ehren gesungen, 1644; Aufferstehung Jesu Christi In ietzo neuübliche Reimarten verfasset und in Nürnberg Bey hochansehnlicher Volkreicher Versamlung abgehandelt Durch JC der H. Schrifft Beflissenen, 1644; Höllen- und Himmelfahrt Jesu Christi nebenst darauf erfolgter Sichtbarer Außgiessung deß Heiligen Geistes. In jetzo Kunstübliche Hochteutsche Reimarten verfasset und in Nürnberg Bey Hochansehnlichster Volkreichster Versamlung abgehandelt durch JC der H. Schrifft Befliessenen, 1644; Lobrede der Teutschen Poeterey Abgefasset und in Nürnberg Einer Hochansehnlich-Volkreichen Versamlung vorgetragen Durch JK, 1645; Herodes der Kindermörder Nach Art eines Trauerspiels ausgebildet und In Nürnberg Einer Teutschliebenden Gemeine vorgestellet durch JK, 1645; Der Leidende Christus In einem Trauerspiele vorgestellt Durch JK Der H. Schrifft Beflissenen und gekrönten Poeten, 1645; JK gekrönten Poetens Andachts-Lieder, 1646; JK Weihnacht Gedichte, 1648; Das gantze Leben Jesu Christi Mit schönen Kupffern abgebildet neuen Reimarten und Biblischen Sprüchen außgezieret. Durch JK der heiligen Schrifft Beflißenen und gekrönten Kayserlichen Poeten. Mit einer Vorrede H. Johann Michael Dilherrns, 1648 (Titelauflage, 1651); Schwedisches Fried- und Freudenmahl zu Nürnberg den 25. des Herbstmonats im Heiljahr 1649 gehalten in jetzo neu-üblichen Hochteutschen Reimarten besungen von JK der H. Schrifft Ergebenen und gekrönten Poeten, 1649; Irene das ist Vollständige Außbildung Deß zu Nürnberg geschlossenen Friedens 1650 ... nach Poetischer Reimrichtigkeit vorgestellet und mit nothwendigen Kupferstücken gezieret durch JK dieser Zeit Pfarrherrn der

Evangelischen Gemeine zu Kitzingen und gekrönten Kaiserl. Poeten, 1650; Geburtstag deß Friedens Oder Reimteutsche Vorbildung Wie der großmächtigste Kriegs- und Siegs-Fürst Mars auß dem längstbedrängten und höchstbezwängten Teutschland seinen Abzug genommen ... entworffen von JK der Hochh. GottesLehr. ergeben und Gekr. Kaiserl. Poeten, 1650; JK der hochheiligen Gotteslehre Ergebenens und gekrönten Poetens Trauerrede über das Leiden seines Erlösers, 1650; JK der Hochheil. Gottes Lehre Ergenens und gekrönten Poetens Freudengedichte Der seligmachenden Geburt Jesu Christi Zu Ehren gesungen, 1650; JK gekrönten Poetens Engel- und Drachen-Streit, ca. 1649/50. 2. Einblattdrucke und Flugblätter: Kriegstrost Abgesehen auß den andern Buch der Könige am 19. vnd auß dem Esaiae 37. Cap. Gesangsweise außgefertiget. Im Thon: An den Wasserflüssen Babilon etc., o.J. (1646); Güldenes Kleinod Welches die rechtglaubigen Christen erster Kirchen zur Erinnerung der heilig hochgelobten Dreyeinigkeit an ihrem Halse und auff jhren Hertzen getragen, o.J. (1650); Eigentlicher Entwurf und Abbildung deß Gottlosen und verfluchten Zauber-Festes, o.J.; Ein schön Christliches Newes Lied Einer Christglaubigen angefochtenen Seelen Ritterliche Angstkämpffung Männliche Feindsdämpffung Grünende SiegsKrönung Gantz lieblich zu singen, o.J. (ca. 1650); Passions-Schiff Auf welchen alle Christen vermittelst wahren Glaubens starcker Hoffnung und thätiger Liebe durch diß Threnen-Thal in das Gelobte Vatterland segeln können, o.J.; Abbildung deß Schwedischen Löwens Welcher den 25. Sept. 1649. Jahrs bey Ihrer Hochf. Durchl. deß Herrn Generalissimi Friedenmahl so in deß H. Röm. Reichsstatt Nürnberg hochansehnlichst gehalten roht und weissen Wein in 6 Stunden häuffig auß seinem Rachen fliessen lassen, 1649 (2 geringfügig voneinander abweichende Fassungen); Abbildung der bey der völlig-geschlossenen Friedens-Unterschreibung gehaltenen Session, in Nürnberg den 26. 16. Junij 1650 (auch unter dem Titel: Warhaffter Verlauff was sich bey geschlossenem und unterschriebenen Frieden zu Nürnberg auf der Burg begeben. Den 16/26 Junij im Jahre 1650); Tempel des Friedens und gegenüber gesetztes Castel des Unfriedens, wie solche, bey Ihrer fürstl. Gnad: Duca de Amalfi zu Nürnberg gehaltenen Friedensmahle beim hellen Tage anzusehen gewesen, o.J.; Eigentliche Abbildung wegen völlig geschlossenen Reichs Friedens in Nürnberg gehaltenen Armbrust Schießens, 1650 (auch in: S. v. Birken, Die Fried-erfreuete Teutonie, 1652); Christlich-Gottselige Betrachtung Deß volgültigen Leidens Jesu Christi und deren allhier vorgebildeten Werckzeuge, o.J.; Aller Verlaßnen Wittiben vnd Vatterlosen Waysen zu Gott im Himmel abgeschicktes Seufftzen vnd erhörtes Gebett, 1652. 3. Gemeinschaftsarbeiten: Pegnesisches Schäfergedicht in den Berinorgischen Gefilden angestimmt von Strefon und C, 1644 (zusammen mit G. Ph. Harsdörffer); Fortsetzung Der Pegnitz-Schäferey ... abgefasset und besungen durch Floridan und K Die Pegnitz-Schäfer mit Beystimmung jhrer andern Weidgenossen, 1645 (zusammen mit S. v. Birken); Lustgedicht Zu hochzeitlichem Ehrenbegängniß Herrn D. Johann Röders und Jungfer Maria Rosina Schmidin auf der sieben röhrigen Schilffpfeiffen Pans wolmeinend gespielet von den Pegnitzhirte, 1645 (zusammen mit Harsdörffer und Birken); Der Pegnitz Hirten Frühlings Freude Herrn M. Andre Jahnens und Jungfer Marien Simons Myrtenfeste gewidmet den VI. des Blumen Monats, 1645 (zusammen mit Harsdörffer und Birken); Peg-

nesisches Schäfergedicht in den Nördgauer Gefilden angestimmt von Filanthon und Floridan abgemercket Durch Den Schäfer K, 1648 (zusammen Mit A. Burmeister und Birken); Des Sußspielenden Strephons Namens-feyer feyret unsre Pegnitz Schäferley den 1. Des Rosenmonats, o.J. (zusammen mit J. Helwig, J. G. Volkamer, F. Lochner und J. Sechst); Ehrengedichte Der Kunstlöblichen Druckerey Des Erbaren und Wolvornemen Herrn Wolfgang Endters in Nürnberg, o.J. (zusammen mit Harsdörffer). 4. Zahlreiche Beiträge in Hochzeits- und Begräbnisschriften. II. Neue Ausgaben: Kriegstrost, in: Theodor Hampe, Volkslied und Kriegslied im alten Nürnberg. Erster Teil, in: MVGN XXIII, 1919, 47-51; Geburt Jesu Christi, in: W. Flemming (Hrsg.), Oratorium - Festspiel. Dt. Lit. in Entwicklungsreihen, 1933, 27-61; Werkauswahl, in: H. Cysarz (Hrsg.), Barocklyrik II. Hoch- und Spätbarock. Dt. Lit. in Entwicklungsreihen, 1937, 105-137; Höllen- und Himmelfahrt, in: A. Schöne (Hrsg.), Das Zeitalter des Barock. Texte und Zeugnisse, 1963, 267-289; Werkauswahl, in: G. Rühm (Hrsg.), G. Ph. Harsdörffer-JK-S. v. Birken. Die Pegnitzschäfer, 1964, 10 f. 12. 14. 15. 20. 21. 22. 23. 26. 36. 40. 41. 45. 46. 48. 49. 67; Conrad Wiedemann (Hrsg.), Redeoratorien und »Lobrede der Teutschen Poeterey«, 1965; Ders., Friedensdichtungen und kleinere poetische Schriften, 1968; Klaus Garber (Hrsg.), Pegnesisches Schäfergedicht, 1966; Hans Recknagel (Hrsg.), Pegn. Schäferged., 1967; Dietmar Pfister (Hrsg.), Pegn. Schäferged., 1969; Martin Keller (Hrsg.), JK.s Weihnachtsdichtung, 1971. III. Werkverz. u. Bibliogr.: Goedeke III, 1887, 111 f; C. Wiedemann, in: Friedensdichtungen (s.o.), 1968, Nachwort, 28-40.

Lit.: Erdmann Neumeister et Friedrich Grohmann, De poetis Germanicis huius seculi praecipuis Dissertatio compendaria, 1695, 60 f; — Johann Elias Schlegel, Herodes der Kindermörder, in: Beyträge Zur Critischen Historie Der Dt. Sprache und Beredsamkeit VII, 1741, 355-378; — Johannes Herdegen (Amarantes), Hist. Nachricht von deß löblichen Hirten- und Blumenordens an der Pegnitz Anfang und Fortgang, 1744, 243 ff; — Johann Christoph Gottsched, Nöthiger Vorrat zur Gesch. der dt. dramatischen Dichtkunst I, 1757, 197-199; — Friedrich Bouterwek, Gesch. d. Poesie und Beredsamkeit seit dem Ende des 13. Jhs. X, 1817; — Julius Tittmann, Die Nürnberger Dichterschule Harsdörffer-K-Birken. Beitrag zur dt. Literatur- und Kulturgesch. d. 17. Jhs., 1847 (Reprint, 1965); — Carl von Winterfeld, Zur Gesch. hl. Tonkunst I, 1850; — Festschr. zur 250-jährigen Jubelfeier des Pegnesichen Blumenordens, 1894; — Theodor Hampe, Die Entwicklung des Theaterwesens in Nürnberg von der zweiten Hälfte des 15. Jhs. bis 1806, in: MVGN XII/2, 1898, 227; — Ders., Volks- und Kriegslied im alten Nürnberg. Erster Teil, in: MVGN XXIII, 1919, 46-51; — Albin Franz, JK. Ein Beitrag zur dt. Literaturgesch. d. 17. Jhs., 1908 (Reprint, 1968); — Heinrich Meyer, Der dt. Schäferroman des 17. Jhs., Diss. Freiburg, 1928; — Willi Flemming, Vorwort zu: Oratorium-Festspiel. Dt. Lit. in Entwicklungsreihen, 1933; — Herbert Cysarz, Dt. Barock in der Lyrik, 1936; — Ders., Der große und fröhliche Meister JK, in: Der Ackermann aus Böhmen IV, 1936; — Ders., Vorwort zu: Barocklyrik II. Dt. Lit. in Entwicklungsreihen, 1937; — Ders., Interpretation des Eingangsgedichtes zum »Leidenden Christus«, in: Heinz Otto Burger (Hrsg.), Gedicht und Gedanke, 1942, 84 ff; — Ernst Günter Carnap, Das Schäferwesen in der dt. Lit. des 17. Jhs. und die Hirtendichtung Europas, Diss. Frankfurt/M., 1939; — Hedwig Jürg, Das Pegnesische Schäfergedicht (1644) von Strefon und C. Diss. Wien, 1947; — Richard Newald, Die dt. Lit. vom Späthumanismus zur Empfindsamkeit, 1951, 210 ff; — K. G. Knight, JK.s »Royaume de la Coqueterie«, in Neophilologus XXXVII, 1953, 99-104; — Curt von Faber du Faur, German Baroque Literature, 1958; — Blake Lee Spahr, The Archives of the Pegnesischer Blumenorden. A Survey and Reference Guide, 1960; — Hans Recknagel, »... JK, der H. Schrifft beflissener und gekrönter Poet«, in:MVGN LIII, 1965, 386-396; — Ders., Nachwort zu: Pegn. Schäferged., 1967; — Conrad Wiedemann, Nachwort zu: JK. Redeoratorien, 1965; — Ders., JK und seine Redeoratorien. Untersuchungen zur Dichtung eines Barockmanieristen, 1966; — Ders., Nachwort zu: JK. Friedensdichtungen, 1968; — Ders., Engel, Geist und Feuer. Zum Dichterselbstverständnis bei JK, Catharina von Greiffenberg und Quirinus Kuhlmann, in: Reinhold Grimm und C. Wiedemann (Hrsg.), Literatur und Geistesgeschichte. Festgabe für Heinz Otto Burger, 1968, 85-109; — Ders. (Hrsg.), Lit. und Ges. im dt. Barock. Aufsätze, 1979; — Klaus Garber, Nachwort zu: Pegn. Schäferged., 1966; — Dieter Schug, JK. Ein fast vergessener Repräsentant der Nürnberger Barockdichtung, in: Frankenland XX, 1968, 201-206; — Dietmar Pfister, Nachwort zu: Pegn. Schäferged., 1969, 65-83; — Vereni Fässler, Hell-Dunkel in der barocken Dichtung. Studien zu Hell-Dunkel bei JK, Andreas Gryphius und Catharina Regina von Greiffenberg, 1971; — Martin Keller, Jk.s Weihnachtsdichtung. Das »Freudengedichte« von 1650, 1971 (Einführung und Kommentar); — Hans P. Braendlin, Individuation und Vierzahl im »Pegnesischen Schäfergedicht« von Harsdörffer und K, in: Gerhart Hoffmeister (Hrsg.), Europäische Tradition und dt. Literaturbarock. Internationale Beiträge zum Problem von Überlieferung und Umgestaltung, 1973, 329-349; — Malve K. Slocum, Natur und Mensch in barokker Schäferdichtung. Am Beispiel eines Gedichtes von JK, in: Colloquia Germanica. Internat. Zeitschr. für germ. Sprach- und Literaturwissenschaft, 1973, H. 1, 50-54; — David L. Paisey, Einige Bemerkungen aus Gelegenheitsgedichten über Wolfgang Endter d.Ä. und sein Nürnberger Unternehmen sowie ein Lobgedicht auf den Buchhandel von JK, in: Arch. f. Gesch. d. Buchwesens XV, 1975, 1293-1296; — Robert R. Heitner, JK.s popularizations of neo-latin drama, in: Daphnis. Zeitschr. f. mittlere dt. Lit. VI, 1977, 313-326; — Lamar Elmore, JK.s last known work, in: Modern Language Notes XCIII, 1978, 361-373; — Heinz Engels, Die Sprachgesellschaften des 17. Jhs., 1983; — Jean-Daniel Krebs, Georg Philipp Harsdörffer. Poétique et poésie, 2 Bde., 1983 (=Diss. Paris, 1982); — Hermann Rusam, Der Irrhain des Pegnesischen Blumenordens zu Nürnberg, 1983; — Heidi Weidner, Ein lit. Picknik. Der Pegnesische Blumenorden zu Nürnberg, in: Charivari X, H. 4, 43-45; — Will-Nopitsch I, 195- 197; — RE³ X, 452; — ADB XVI, 50 f; — NDB XI, 703 f.

Hans-Josef Olszewsky

KLAGES, Ludwig, Psychologe und Philosoph, * 10.12. 1872 in Hannover als Sohn des Kaufmanns Friedrich Klages und seiner Ehefrau Ma-

rie Helene, geb. Kloster, † 29.7. 1956 in Kilchberg / Schweiz. — Nach dem Besuch des Lyceums I (= Ratsgymnasium) in Hannover, das - vermittelt über die Dichtungen Wilhelm Jordans - sein Interesse für heidnische Mythologie weckt und auf dem er 1885 u.a. den Juden Theodor Lessing kennenlernt, beginnt K. 1891 in Leipzig das Studium der Chemie, Physik, Philosophie und Psychologie, hört u.a. Vorlesungen bei W. Wundt, arbeitet ein Zwischensemester am Polytechnikum in Hannover und wechselt 1893 nach München über, um hier 1900 in Chemie über den 'Versuch zu einer Synthese des Menthons' mit den Nebenfächern Physik und Philosophie zu promovieren. Gegen Ende des Jahrhunderts lernt K. in München die Philosophen Th. Lipps, M. Palágyi, M. Scheler, den Graphologen H.H. Busse, Stefan George, Friedrich und Ricarda Huch, A. Schuler und K. Wolfskehl kennen. Innerhalb der sog. 'kosmischen Runde' (Kosmikerkreis) vertieft K. - durch Bachofen und Nietzsche angeregt - seine Kenntnisse der archaischen Mysterien - und Symbolwelt - und formuliert in der Sprache des paganen Pelasgertums seinen Zweifel an dem neuzeitlichen Progressismus, der als säkulares Derivat heilsgeschichtlichen Zukunftglaubens sich als 'Fortschritt' drapiert, um die Vernichtung des Lebens im Dienst des willensabhängigen Geistes zu betreiben. 1895 wird K. Mitglied des von Busse geschaffenen 'Instituts für wissenschaftliche Graphologie', gründet 1896 die 'Deutsche Graphologische Gesellschaft', zu deren Teilnehmern u.a. Ludwig Curtius und Elisabeth Förster - Nietzsche zählen; von 1900 bis 1908 redigiert K. die 'Graphologischen Monatshefte': aus seinen als Aufsätzen geschriebenen Beiträgen gestaltet K. 1910 sein erstes graphologisches Buch unter dem Titel 'Die Probleme der Graphologie', ein Grundwerk der K.'schen Wissenschaft vom Ausdruck. Mit der um 1905 erfolgten Gründung des 'Psychodiagnostischen Seminars für Ausdruckskunde' verschafft K. sich ein Medium, seine graphologischen, charakterologischen, mythologischen und philosophiehistorischen Ergebnisse in Vorlesungen und Übungen zu vermitteln, die u.a. von E. Bertram, N. von Hellingrath, K. Jaspers, Walter F. Otto und H. Wölfflin besucht werden. Auf dem 'Dritten Internationalen Kongreß für Philosophie' in Heidelberg

(September 1908) hält K. in Anwesenheit u.a. von B. Croce und E. Troeltsch den Vortrag 'Die psychodiagnostische Bedeutung der Handschrift', dessen Grundanschauungen in die Analyse der Handschriften u.a. von Beethoven, Bismarck, Kaspar Hauser, Karl May, Nietzsche, Schopenhauer und Wagner eingehen. Auf seinen Vortragsreisen in Deutschland und Österreich lernt K. 1909 Robert Musil und Walter Benjamin 1914 kennen, nachdem er 1912 anläßlich eines Vortrages vor der 'Wiener psychoanalytischen Vereinigung' S. Freud begegnete. Seine charakterkundlichen Ergebnisse systematisiert K. in seinen 1910 erschienenen 'Prinzipien der Charakterologie', in denen besonders des Romantikers Carus gedacht wird, der - in das Antlitz der Welt blickend - sich um eine 'Physiognomik des Universums' bemüht habe, die vor dem Zugriff einer reduzierten Dingwelt zu weichen hatte, während der dem Seher, Dichter und Wilden verwandte 'schauende' Psychologe im Sinn K.s' in den Erscheinungen den Ausdruckssinn zu sehen vermag, weil er - nicht auf Identität fixiert - sich den faszinierenden Lockungen hingeben und selbst - und besinnungslos im Anderen als einer verwandten Seele aufgehen kann. Der Wille - so wird K. in seinem Vortrag 'Zur Theorie und Symptomatologie des Willens' auf einem von Bleuler geleiteten Kongreß für medizinische Psychologie und Psychotherapie sagen - tendiere demgegenüber zur Fremd - und Selbstbeherrschung (sich vergessen gilt dann als zügellos) und benötige deswegen moralische und kognitive Regeln (der 'vernünftige' Mensch als Gesetzgeber). Unter Berufung auf Lavater rehabilitiert K. in seinem 1913 publizierten Buch 'Ausdrucksbewegung und Gestaltungskraft' die Physiognomik unter Betonung der 'pathischen' Fähigkeit des Deutenden, sich den sprechenden und bedeutenden Erscheinungen hinzugeben und aus seelischer Erlebnistiefe an der Seele des Erlebten zu partizipieren; da im Erleben der Mensch in der Wirklichkeit des Lebens steht, erschließt sich in ihm die Wirklichkeit in ihrer Bedeutsamkeitsfülle als beseeltes Leben: diesem zuzugehören, um es zu erleben und in einer biozentrischen Symbiose Leben aus Leben zu verstehen, macht die Überlegenheit des vorgeschichtlichen gegenüber dem geschichtlichen Menschen aus, der - natur-

entfremdet und seelenlos - sich mittels des logozentrischen Begriffs auf die Wirklichkeit richtet, diese vergegenständlichend vorstellt, um - wie ein Schütze abzielend - etwas zu erzielen und das strömende Leben sicherzustellen, zu berechnen und in der machinalen Technik herzustellen. Diese wissenschaftliche, ikonoklastische Entzauberung und Entseelung der Welt findet ihre Entsprechung in der die seelischen und chthonischen Mächte zerstörenden Apparatur des neuzeitlichen Staates, der - wie die Naturwissenschaften der Gesetzlichkeit verschrieben - alles unter seinen uniformierenden Willen zur Macht zwingt und das Eigenleben symbiotischer Verbände austilgt. Organisation ist ein Euphemismus für die mechanistische Repression der Natur. Diese ideologie - und wissenschaftskritischen Analysen formuliert K. 1913 für das Treffen der Freideutschen Jugend auf dem Hohen Meißner unter dem Titel 'Mensch und Erde'. K., selbst u.a. Mitglied des Heimatschutzbundes (seit 1916 auch des Schweizerischen Bundes für Naturschutz), entlarvt hinter der neuzeitlichen Trias von Fortschritt, Kultur und Persönlichkeit den weltgeschichtlich gewordenen Willen einer seelenlosen Menschheit zum praktischen Nihilismus einer totalen 'Vernichtungsorgie', als deren Vehikel die 'Völker der Christenheit' dienen, deren Evangelium eine akosmische Anthropozentrik einleitet: die Uniformierung der Welt unter dem Banner von Weltgeschichte und Zivilisation (civis=Bürger) ist die Fortsetzung des monotheistischen Hasses auf eine polymorphe, archaische Welt. Das Mahnmal, das K. den Robben der Ost - und Nordsee, den Ureinwohnern Australiens und den Indianern errichtet, erinnert die modebewußten und buchkundigen Zivilisierten an die Schandtaten, deren Nutznießer sie sind. - Einige Zeit nach Beginn des 1. Weltkrieges, den K. als eine weitere Bewahrheitung seiner Untergangsprophetie erfährt, siedelt er (im August 1915) in die Schweiz (nach Zwischenstationen ab 1919 in Kilchberg bei Zürich, wo er ein 'Seminar für Ausdruckskunde' wiedereröffnet) über und widmet sich in vier Publikationen ('Vom Traumbewusstsein', 'Bewusstsein und Leben', 'Geist und Seele', 'Vom Wesen des Bewusstseins') der Natur und Entstehung des Bewußtseins unter Anknüpfung an die Forschungen des ungarischen Philosophen M.

Palágyi, um es als die dem Erleben gegenüberstehende Macht der Vergegenständlichung und Veräußerlichung des Lebens zu erweisen, die die Wirklichkeit nihilistisch entseelt, um sie als Objekt zählbar und beherrschbar zu machen. Der sog. 'Tatsachenwissenschaft' auch gerade in ihrer biologischen Variante des Darwinismus wird bewußtseinskritisch und naturgeschichtlich das Monopol der Wirklichkeitserfassung bestritten: die ganze Welt im Begriff zu ergreifen ist noch kein Ausweis für die 'Wahrheit' ('einen Adler töten zu können, heißt nicht, ihn zu verstehen'). Der 'Fortschritt' erweist sich in transzendentaler Einstellung als die Dialektik einer Bewegung, die unter dem Imperativ einer Freiheit von der Natur einer neuen Hörigkeit der geistigen und gesellschaftlichen Mechanik erliegt. — K., der wiederholt Angebote aus dem akademischen Raum ablehnt ('Waldvögel hängen nicht in Käfigen'), hält in der Schweiz Privatvorlesungen, lernt u.a. J.J. Bachofens Witwe kennen (1911) und (um 1919) den Herausgeber des Overbeck - Nachlasses, Carl Albrecht Bernouilli. Am 14. Mai 1919, 50 Jahre nach Nietzsches Antrittsrede 'Homer und die klassische Philologie', hält K. ebenfalls in der Universität zu Basel den Vortrag 'Die psychologischen Errungenschaften Nietzsches', der dem gleichnamigen Buch aus dem Jahre 1926 zugrundeliegt. Nietzsche wird als der die kulturellen Phänomene am Maßstab eines vitalistisch - orgiastischen Lebensgefühles messende Psychologe gedeutet, in dem der Leib seinen Protest gegen das hypertrophierte Bewußtsein herausschreit. K. findet bei Nietzsche jedoch eine Fehldeutung des kosmischen Lebensgefühls als eines Willens zur Macht, während der Wille im Sinn des intentionalen Wollens und Bewirkens in Wahrheit das Indiz der Lebensarmut ist und Lebensfülle sich nur im überfließenden Sich - Verschenken äußert: der Wille ist eine vom lebensfeindlichen Geist durchgeführte Regulierung des unwillkürlichen Lebens. In der Ekstase dagegen - so K. in dem 1922 erschienenen Buch 'Vom Kosmogonischen Eros' - sucht sich das Leben von der Knechtschaft des Geistes zu befreien; während das ichbewußte Erfahren identische, beharrende Dinge fest - stellt, um aus intersubjektiv gültigen Urteilen eine Welt idealer Gesetzmäßigkeit zu konstruieren, wird der vom kosmischen Eros

Ergriffene in eine andere Welt (Welt der Bilder) entrückt, in der ihm die Wirklichkeit in der Fülle des Nimbus erscheint. Die in der Kritik am mechanistischen Denken beruhende Affinität K.'s zur Romantik findet 1926 Ausdruck in der Herausgabe des Hauptwerkes 'Psyche' des von K. geschätzten Philosophen C.G. Carus. Den Höhepunkt und das wirkungsgeschichtliche Zentrum des K.'s Schaffens bildet das zwischen 1929 und 1932 erschienene Werk 'Der Geist als Widersacher der Seele', in dem die Rekonstruktion des weltgeschichtlichen Prozesses in der Prophetie des Unterganges der Menschheit kulminiert. Die in Sokrates aufbrechende, im Christentum fortgesetzte Emanzipation des Geistes vom Leben und die Vorherrschaft seiner im Sollen des Imperatives erschließbaren Wirklichkeit korrelieren mit der Verdrängung des orientalischen Naturdienstes durch den römischen Staatsgedanken, der sich in den römischen Papaismus transformierte und zur Austreibung der anschaulichen Götterwelt führte ('Wer Gott sucht, wird Götter niemals finden'). Während in der Welt des Pelasgertums sich der Mensch aus dem Kosmos verstand und als Autochthoner (= Erdgeborener) den Mikrokosmos als in das Reich des Vegetativen und Tellurischen aufgenommen erlebte, kristallisierte sich im Gesetzeswissen der Neuzeit eine imperiale Selbstermächtigung des Geistes heraus, deren paradigmatischer Sprechakt 'Urteilen' noch an das Erteilen von Richtersprüchen erinnert. Die Autonomisierung vereinsamt den Menschen in einer erstummten Welt, der sich nunmehr seine Surrogate im Rekordwahn, der Machtsucht und der emotionalisierenden Presse sucht. Am prä-apokalyptischen Ende des verheißungsvoll angetretenen Fortschritts steht die Borniertheit fremdbestimmter Marionetten, die auf den Befehl einer hergestelltenÖffentlichkeit an das 'Phrasengeklingel eines sog. Pazifismus, an Völkerverbrüderungen und Völkerbünde' glauben soll, 'während rechts und links, zu Lande, zu Wasser und in den Lüften' gerüstet wird wie noch niemals zuvor 'seit fünftausend Jahren'. Gemäß seinen sprachphilosophischen Studien, nach denen vor allem die Metaphern als Ausdruck einer erlebten Ganzheit einen Weisheitsvorrat bewahren und die Sprache als 'Quellkunde der Seelenkunde' dienen kann, kann 'raumsymbolisch' der

Spätling Mensch als der 'geschlossene' Typ bezeichnet werden, der von der Vitalität ausgeschlossen, deswegen verschlossen ist und aus Knappheit an Lebensreichtum ökonomisch rechnend mit der Welt und Zeit umgeht, ohne sich verschenken zu können. — Im Jahre 1932 erhält K. die Goethe - Medaille für Kunst und Wissenschaft, 1933/34 wird ihm eine Gastprofessur an der Universität Berlin übertragen, jedoch wird K. zusehends vor allem wegen seines Pessimismus zur Zielscheibe nationalsozialistischer Kritik (ab 1938). Nach vereinzelten öffentlichen Vorträgen (u.a. anläßlich des Nationalkongresses der Philosophie in Argentinien im April 1949) verstirbt K. am 29.7. 1956 in Kilchberg. 1960 wird im Deutschen Literaturarchiv in Marbach a.N. (= Schiller-Nationalmuseum) ein Klages-Archiv eingerichtet, dem 1963 die Gründung der Klages-Gesellshhaft u.a. durch H. Grundmann, H. Kasdorff und H.E. Schröder folgt. Philosophiehistorisch wird K. (z.B. von Bollnow) der von Dilthey und Nietzsche ausgehenden Lebensphilosophie zugerechnet, die gegenüber der verdinglichenden, technizistischen Verstandeserfahrung dem (schauenden) Erleben die höhere Wirklichkeitsnähe zuerkennt und deswegen zivilisationskritisch die Nähe zu unmittelbareren Lebensformen sucht, in denen der Mensch in einem pathisch erlebten Einklang mit dem übergreifenden Ganzen lebt. Die sich bei K. findende Skepsis gegenüber dem Geist und dem in seinem Namen betriebenen Fortschritt ist Anlaß für Kritiker des Werkes K.'s, ihn mehr oder weniger differenziert anzuklagen: er unterschätze bei allem Verlangen nach dem 'richtigen Leben' die Notwendigkeit der (geisthaften) Regelung und gelange nur zum Ideal des 'sich - gehen - lassenden Menschen' (K. Löwith); K. sieht - so C.H. Ratschow - die Tatsächlichkeit des - theologisch gesprochen-schuldigen, d.h. der Ganzheit entfremdeten Menschen, bietet aber bei Vernachlässigung der Unterschiede von Nus und Pneuma nur die Ekstase an, in der gerade nicht das lebendig machende, zur Antwort und Verantwortung aufrufende Du vernommen wird; oder - als Steigerung der Vorwürfe - der Expressionist K. (so. W. Sokel) vergöttlicht den Primitivismus aus Leiden am Intellekt oder - noch vehementer (so H.J. Baden) - die 'Gesetze des Fraßes, der Zeugung und der Überlegenheit

des Stärkeren'; so daß dann die Vermutung vorgetragen wird, daß K. zu den anti-demokratischen oder gar prä-faschistischen Wegbereitern der Un-Kultur gerechnet werden muß (so G. Lukács, K. Sontheimerr): wer also kritisch ist gegenüber dem Fortschrittsprozeß und mit Sympathie auf prä-logische und mythische Erlebnisweisen zurückblickt, widersetzt sich dem gestalterischen und politisch - praktischen Wollen der Menschheit - ein Vorwurf, den Alfred Baeumler bereits 1926 erhob: K., - gleichsam a-politisch - sei der Blick verschlossen für die weltgeschichtlichen Siege des Okzidents. Gegen eine Zuordnung K.'s zum (Prä-) Faschismus wehren sich z.B. H. Plessner , H. Mörchen und bes. H. Kasdorff u.a. mit dem Hinweis auf K.'s schon im Nietzsche - Buch erfolgte Absage an den 'Willen zur Macht'; auf die Angriffe K.'s durch die nationalsozialistische Presse und die Kritik auch von Klages-Schülern an dem Nationalsozialismus (z.B. Prinzhorns Wort von der 'Hitler-Farce'). Immerhin forderte Walter Benjamin 1926 die notwendige und sachliche Auseinandersetzung mit K., Thomas Mann, u.a. mit K., A. Adler und Emil Brunner Mitherausgeber der 'Zeitschrift für Menschenkunde', rechnet 1929 K. zu den Vertretern der anti-aufklärerischen Reaktion, die aus Flucht vor dem 'Willen zur Zukunft' in den 'mythisch-romantischen Mutterschoß' regrediere; Mann beruft sich z.T. auf Max Scheler, der K. einer 'panromantischen Denkart' zuordnet, die auf einem irreduziblen Gegensatz von Leben und Geist beruht und wegen einer pragmatistisch-technizistischen Fehldeutung des Geistes als Intelligenz dessen wahre (ideierende) Hinordnung auf das Leben unterschlage. Geist - so z.B. auch A. Wellek - kann auch 'vital' sein. — K.'s Untergangsprophetie, deren Ähnlichkeit mit der von O. Spengler behauptet wird (z.B. Scheler, P. Edwards), erscheint als 'Geschäft mit dem Pessimismus' (H. Schoeck) oder als anthropofugale Résistance gegen den geschichtlich widerlegten 'humanistischen Popanz' eines sich über seinen Charakter täuschenden Un-Tiers (U. Horstmann); die bereits 1932 von C. Bernoulli bei K. festgestellte 'tragische Einsamkeit' scheint sich in der Wirkungsgeschichte zu bestätigen - entweder wird K. zur persona non grata erklärt oder man nähert sich ihm verstohlen und möglichst unentdeckt wie ein Räuber einem 'monumentalenTempel' (R. Müller), der - so E. Rothacker - doch neben Nicolai Hartmann und Martin Heidegger die 'bedeutendste Leistung' der Gegenwart darstelle. - Nachweisbare, philologisch belegbare Spuren von K. gibt es in der Psychosomatik V. von Weizsäckers, der Biosemiotik F.S. Rotschilds, in der Medizin (v. Gebsattel), der Psychologie (W. Blasius, A. Adler, O. Rank, W. Metzger, A. Wellek), der Psychotherapie (K. Dürckheim), der Biologie (F. J. Buytendijk, A. Portmann), der Charakterologie (H. Prinzhorn), der Philosophie (E. Husserl, E. Rothacker, H. Plessner), der Ethnologie (W. Müller, A. Jensen) und der Pädagogik (R. Bode, A. L. Merz). — Die seit den 60-er Jahren geführte Diskussion über die globale Umweltzerstörung führt zu einem erneuten Interesse an K. und wirft neues Licht auf die Worte, die der Bundespräsident Th. Heuß an den 80-jährigen K. richtete: »Sie haben die Menschen gelehrt, den Menschen neu zu sehen.. das wird nicht bloß eine Notiz des geschichtlichen Termins bleiben, sondern eine bewegende, ja erregende Kraft.«

Werke: Versuch zu einer Synthese des Menthons (1901).- Stefan George (1902).- Die Probleme der Graphologie; Prinzipien der Charakterologie (1910).- Charakterologie des Verbrechers (1912).- Mensch und Erde (1913, 192o).- Vom Traumbewußtsein. Teil 1 (1914).- Bewußtsein und Leben (1915).- Über den Begriff der Persönlichkeit (1916).- Handschrift und Charakter (1917).- Vom Wesen des Bewusstseins (1921).- Vom Kosmogonischen Eros (1922).- Vom Wesen des Rhythmus (1923, 1934).- Die Grundlagen der Charakterkunde; Die psychologischen Errungenschaften Nietzsches (1926).- Zur Ausdruckslehre und Charakterkunde (1927).- Der Geist als Widersacher der Seele (Bd. 1 u.2: 1929, Bd. 3: 1932).- Graphologisches Lesebuch (1930).- Goethe als Seelenforscher (1930).- Geist und Leben; Vom Wesen des Rhythmus (1934).- Grundlegung der Wissenschaft vom Ausdruck (1935).- Rhythmen und Runen (1944).- Die Sprache als Quell der Seelenkunde; Wie finden wir die Seele des Nebenmenschen (1948).- Sämtliche Werke (1964ff.);

Lit.: Karl Jaspers, Allgemeine Psychopathologie (1913; — Walter Benjamin, Rez. von 'Carl Albrecht Bernouilli, Johann Jacob Bachofen und das Natursymbol. Ein Würdigungsversuch,' (1926), in: ders., Gesammelte Schriften, ed. H. Tiedemann-Bartels (1972); — Alfred Baeumler, Einleitung, Bachofen, ed. M. Schröter (1926); — Karl Löwith, Nietzsche im Lichte der Philosophie,in: ed. Erich Rothacker, Probleme der Weltanschauungslehre (1927) 283ff; — Max Scheler, Die Stellung des Menschen im Kosmos (1927); — ders., Philosophische Weltanschauung (1928); — ders., Der Mensch im Weltalter des Ausgleichs (1927), in: Gesammelte Werke IX; — Thomas Mann, Die Stellung Freuds in der modernen Geistesgeschichte (1929),in: Gesammelte Werke

X; — ders., Die Wiedergeburt der Anständigkeit (1931),in: GW XII; — Festschrift, ed. H. Prinzhorn (1932); — Max Bense, Anti-Klages (1937); —C.H.Ratschow, Die Einheit der Person Eine theologische Studie zur Philosophie Ludwig Klages' (1938); — H.J.Baden, Mensch und Schicksal (1943,195o); — E. Bartels, Ludwig Klages (1953); — Georg Lukács, Die Zerstörung der Vernunft (1954) 417ff; — H.Plessner, Zwischen Philosophie und Gesellschaft (1953); — W. Hager, Ludwig Klages in memoriam (1957, mit Bibliogr.); — Dieter Wyss, Viktor von Weizsäckers Stellung in Philosophie und Anthropologie der Neuzeit (1957) 239ff.; — ders., Die tiefenpsychologischen Schulen von den Anfängen bis zur Gegenwart ([2]1966); — O. Fr. Bollnow, Die Lebensphilosophie (1988); — F. J. Buytendijk, Mensch und Tier (1958); — ders.,Prolegomena einer anthropologischem Physiologie (1967); — W. Sokel, The Writer in Extremis (1959); — Hestia. Ludwig Klages; — Jahrbücher (1960 ff. mit Bibliogr.); — K. Sontheimer, Antidemokratisches Denken in der Weimarer Republik (1962); — Erich Rothacker, Zur Genealogie des menschlichen Bewusstseins (1966); — H. E. Schröder, Ludwig Klages. Die Geschichte seines Lebens (1966); — H. Kasdorff, Ludwig Klages: Werk und Wirkung (1969);— ders., Ludwig Klages im: Widerstreit der Meinungen (1978); — Ulrich Horstmann, Das Untier (1983).

Martin Arndt

KLARA *von Assisi*, it. Chiara d 'Assisi, Hl., Gründerin des Klarissenordens, * 1193/94 in Assisi, † 11. 8. 1253 in San Damiano bei Assisi, beigesetzt in der Basilika S. Chiara/Assisi. — K., von adliger Herkunft, war die älteste Tochter des Ritters Favarone di Offreduccio di Bernadino und der ebenfalls aus vornehmem Hause stammenden Ortolana. Die innerstädtischen Auseinandersetzungen zwischen Adel und aufstrebendem Bürgertum, in deren Verlauf die Familie 1202 vorübergehend nach Perugia fliehen mußte, prägten K.s Kindheit. Dennoch erhielt sie zusammen mit ihren jüngeren Schwestern Agnese und Beatrice durch ihre Mutter eine umfassende Ausbildung, die sowohl haushaltliche Fertigkeiten als auch das Erlernen der lat. Sprache einschloß. So war K. der übliche Lebensweg einer jungen Adligen des 13. Jh.s mit standesgemäßer Ehe vorgezeichnet. Sie zögerte jedoch, ihn einzuschlagen, tief beeindruckt von der Büß- und Armutsbewegung des Francesco di Pietro di Bernadone aus ihrer Heimatstadt, der sich u. a. ihre Vettern Silvestro und Rufino angeschlossen hatten. Eine Predigt des Franziskus im Dom zu Assisi ließ in K. den Entschluß reifen, ebenfalls den Weg der Armut zu wählen. Daraufhin nahm sie Verbindung zu Franziskus auf, der sie in ihrem Vorhaben bestärkte und ihr Hilfe versprach. Am Palmsonntag, dem 18.3. 1212, überreichte ihr der Bischof im Dom von Assisi eine Palme als Zeichen seiner Zustimmung zu ihrer Entscheidung. In der folgenden Nacht verließ sie zusammen mit ihrer Freundin Pacifica di Guelfuccio heimlich das Elternhaus. In der Portiunculakapelle unweit der Stadt nahm sie von Franziskus das Bußkleid mit Schleier und Gürtel entgegen. Noch in derselben Nacht brachte dieser sie zu den Benediktinerinnen von San Paolo bei Bastia. Da ihre Familie drohte, gewaltsam gegen die Nonnen vorzugehen, mußte K. weiter zum Kloster Sant'Angelo di Panso fliehen. Inzwischen hatte sich ihr aber bereits ihre Schwester Agnese angeschlossen. Ende April 1212 konnte sich K. endlich unbehelligt in San Damiano niederlassen, wo allmählich das erste franziskanische Frauenkloster entstand, dem sich später auch K.s Schwester Beatrice und ihre Mutter anschlossen. Zunächst trug die Gemeinschaft den Namen »Arme Frauen von San Damiano« (pauperes Dominae de S. Damiano) oder einfach Damianitinnen. Die Bezeichnung »Klarissen« bürgerte sich erst nach dem Tode der Gründerin ein. 1215 wurde K. zur Äbtissin gewählt, 1216/17 verfaßte Franziskus eine erste kurze formula vitae für die Gemeinschaft, die in Aufbau und Inhalt weitgehend der franziskanischen Urregel von 1209/10 entsprach. Das Hauptelement darin bildete die »höchste Armut«, die sich K. 1215/16 von Papst Innozenz III. in dem »Privileg der seraphischen Armut« ausdrücklich bestätigen ließ. Die Kernbestimmung dieses eigentümlichen Vorrechts besagte, daß K. von niemandem gezwungen werden durfte, Besitz anzunehmen, und ist vor dem Hintergrund der mittelalterlichen Sozialstruktur zu verstehen, in der K.s Haltung geradezu revolutionär war. Allerdings fehlte der Frauengemeinschaft zu diesem Zeitpunkt noch immer eine vom Hl. Stuhl approbierte Regel. Eine solche verfaßte 1218/19 Kardinal Hugolino (der spätere Papst Gregor IX.); sie fußte - entsprechend den Vorschriften des IV. Laterankonzils (1215) - auf der Regula Benedicti und berücksichtigte weder die Besitzlosigkeit noch die Verbindung zur Franziskusgemeinschaft. Daher beachtete K. diese Regel nur, soweit sie ihrer »forma viven-

di« nicht widersprach. Ebensowenig beugte sie sich einer Regel Papst Innozenz' IV. vom 13.11. 1245, die gemeinsames Eigentum gestattete. Die endgültige, erst am 9.8. 1253 (zwei Tage vor K.s Tod) von Papst Innozenz IV. durch die Bulle »Solet annuere« gebilligte Regel geht auf K. selbst zurück. Um 1247 hatte sie bereits mit der Niederschrift begonnen. Bei aller Abhängigkeit von der Regel des hl. Franziskus verrieten K.s Vorschriften auch Anpassungsfähigkeit in Detailfragen, wobei sie allerdings unbeirrt an ihrem Ideal vollkommener Armut festhielt. Diese absolute Askese überforderte ihre Gesundheit, so daß sie seit 1224 meist bettlägerig war. Trotz ihrer körperlichen Schwäche blieb K. geistig rege - was u. a. ihre Briefe bezeugen - und stets um ihren Konvent besorgt. Der Legende nach soll sie im September 1240 durch Hochhalten einer Monstranz und Gebet die plündernden Soldaten des exkommunizierten Kaisers Friedrich II. vor Assisi aufgehalten und so zur Rettung ihrer Heimatstadt und ihres Klosters beigetragen haben. Der Tod der hochgeachteten »Mutter von San Damiano« erschütterte die damalige Welt. Papst Innozenz IV. erwies ihr persönlich die letzte Ehre. Bereits am 15.8. 1255 wurde sie heiliggesprochen. — Die älteste Lebensbeschreibung K.s, die »Legenda sanctae Clarae virginis« des Zeitgenossen Tommaso da Celano, entstand vermutlich kurz nach ihrer Kanonisation (ca. 1255/56). Allerdings sind die darin enthaltenen Nachrichten legendenhaft übermalt; so schildert der Verfasser z. B. Krankenheilungen und eine wunderbare Brotvermehrung der Heiligen. Doch spiegelt das Werk Celanos K.s Ausstrahlungskraft auf ihre Mitmenschen. Die von ihr erhaltenen schriftlichen Zeugnisse - Ordensregel (im Original), Testament, Briefe und ein Segen (in Abschriften) - charakterisieren K. als eine Gottbegeisterte, dem Armutsideal in der Nachfolge Christi Lebende, die ebenbürtig neben ihrem Leitbild Franziskus stand. Im 20. Jh. wurden K. weitere päpstliche Ehrungen zuteil: Am 9.8. 1912 erhob sie Pius X. zur Gründerin des Zweiten Ordens vom hl. Franziskus (Litterae Apost. »Quamquam septimo«), Pius XII. erklärte sie am 14.2. 1958 unter Bezugnahme auf eine von ihr überlieferte Vision zur Patronin des Fernsehens (Apost. Breve »Clarius exsplendescit«). Angerufen wird sie u. a. als Wetterpatronin, gegen Fieber, bei Augenleiden und Geburtskomplikationen. In der Ikonographie erscheint sie mit Buch (Hinweis auf die Ordensregel), Lilie, Kreuz, Einhorn, Krummstab, Ziborium und Monstranz (legendenhafte Rettung Assisis).

Werke: Gesamtausg.: Escritos de S. C., ed. de I. Omaechevarria, 1970; Regel: Seraphicae legislationis textus originales, 1897, 49-75; dt.: Engelbert Grau, Leben und Schriften d. hl. K. Einführung, Übersetzung, Anmerkungen, 1976[4], 90-107; Testament: Seraphicae legislationis, a.a.O., 273-280; dt.: Grau, Leben, a.a.O., 109-115; Briefe: dt. Gesamtausg.,: Grau, Leben, a.a.O., 116-128; an Agnes v. Prag: J. K. Vyskocil, Legenda Blaskoslavené Anezky a ctyri listy Sv. K. (Die Lebensbeschreibung d. sel. Agnes u. d. vier Briefe d. hl. K.), 1932, 53-67 (krit. Ausg.); S. C. d'A. Studi e cronaca del VII centenario: 1253-1953, 1954, 132-143 (lat. u. it. Text); an Ermentrudis v. Brügge: L. Wadding, Annales Minorum, 1931[3]; Segen: Seraphicae legislationis, a.a.O., 281-284; W. Seton, Some new Sources for the Life of Blessed Agnes of Prag including some chronological Notes and a new Text of the Benediction of St. C., in: AFrH 7, 1914, 185-197 (älteste erhaltene Fassung in mhd.); Grau, Leben, a.a.O., 129f.

Lit.: Lit.: S. C. d'A. Studi e cronaca del VII centenario: 1253-1953, 1954; — Società internazionale di studi francescani. Movimento religioso feminile e Francescanesimo nel secolo XIII, XI-XIII ottobre 1979 Assisi, 1980; — Tommaso da Celano, Legenda s. C. virginis, ed. da F. Pennacchi, 1910; — Thomas von Celano, Legenda s. C. virginis, dt. hrsg. v. Grau, Leben, a.a.O., 31-85; — Eduard Wauer, Entstehung und Ausbreitung des Klarissenordens, bes. in den dt. Minoritenprovinzen, 1906; — P. Robinson, The Life of S. C. ascribed to Fr. Thomas of Celano, 1910; — ders., The Personality of S. C., in: The Catholic University Bulletin 18, 1912, 483-495; — B. Bughetti, Legenda versificata s. C. Assisiensis, in: AFrH 5, 1912, 337-360, 459-481, 621-631; — Zephyrin Lazzari, De processu canonizationis S. C., in: AFrH 5, 1912, 644-651; — ders. (Ed.), Il processo di canonizzazione di S. C. d'A., in: AFrH 13, 1920, 403-507; — ders., La vita di S. C., 1920; — René de Nantes, Les Origines de l'Ordre de S. C. (1212-1263), 1912; — L. Oliger, De origine Regularum Ordinis S. C., in: AFrH 5, 1912, 181-209, 413-447; — Papst Pius X., Litterae Apostolicae (Protomonasterium s. C. Assisiensis peculiaribus augetur privilegiis) »Quamquam septimo« v. 9. 8. 1912, in: AAS 4, 1912, 557-564; — Leonhard Lemmens, Zum Leben und Werke d. hl. C., in: Katholik 93, 1913, 1-14; C. Mauclair, La vie de s. C. d'A., 1924; — W. Seton, The Letters from S. C. to Blessed Agnes of Bohemia, in: AFrH 17, 1924, 509-519; — Maria Faßbinder, Die hl. K. v. A., 1934; — dies., Untersuchungen über die Quellen zum Leben d. hl. K. v. A., in: FS 23, 1936, 296-335; — dies./Klara Faßbinder, Der heilige Spiegel. Müttergestalten durch die Jahrhunderte, 1941, 145f.; — A. Herkommer, Die hl. K. v. A., 1934; — F. S. Attal, La casa paterna e il parentado di s. C., in: MFr 46, 1946, 157-197; — Klarissen v. Rennes, L'âme de s. C. d'A., la »petite plante« de s. François, 1948; — H. Ghéon, S. C. d'A., 1949 (dt., 1949); — Engelbert Grau, Das Privilegium paupertatis Innozenz' III., in: FS 31, 1949, 337-349; — ders., Die Regel d.

hl. K. (1253) in ihrer Abhängigkeit von der Regel der Minderbrüder (1223), in: FS 35, 1953, 211-273; — ders., Die päpstliche Bestätigung der Regel d. hl. K. (1253), in: FS 35, 1953, 317-323; — Luchesius Spätling, S. K. v. A., 1952;, Lothar Hardick, Zur Chronologie im Leben d. hl. K., in: FS 35, 1953, 174-210; — ders., K. v. A., in: Die Heiligen. Alle Biographien zum Regionalkalender f. d. dt. Sprachgebiet, hrsg. v. Peter Manns, 1979[4] 394-397; — Klarissen v. Amiens, L' Idéal de s. C. dans sa Règle. Commentaire de la Première Règle de 1253, 1953; — Optat de Veghel, Der Geest von C., 1953; — H. Roggen, L'Esprit de s. C., 1969; — Adolf Holl, Der letzte Christ, 1979, 149-156; — Raoul Manselli, Franziskus. Der solidarische Bruder, 1984, 155-177 (mit Lit. 378-384); — Leonhard Holtz, Geschichte des christlichen Ordenslebens, 1986, 128-132; — Wetzer-Welte III, 403-408; — Doyé I, 200f.; — RGG III, 1630; — LThK VI, 314; — Dizionario degli Istituti di Perfezione II, 885-892 (neueste ausführliche Biogr. mit Lit.).

Christof Dahm

KLARA MARIA *von der Passion*, geborene Prinzessin Giovanna Vittoria Colonna Barberini, * 11.4. 1610 in Orsogna bei Chieti, † 22.6. 1675 ebd. — Mit 18 Jahren bat Prinzessin Giovanna um Aufnahme in den Orden der Unbeschuhten Karmelitinnen; sie wählte das römische Kloster S. Egidio für ihren weiteren Lebensweg. Als von S. Egidio aus das Kloster Regina Coeli in Rom gegründet wurde, wurde Schwester Klara Maria mit ausgewählt, um den neuen Konvent zu bilden. Im Jahre 1654 siedelte sie in das neue Kloster über, in dem sie wiederholt Priorin war. Ihr vorbildliches Leben war Ansporn für ihre Mitschwestern. Sie wurde, wie die Biographen übereinstimmend berichten, durch mystische Gnadengaben ausgezeichnet. Sie pflegte auch eine besondere Verehrung zum hl. Joseph. Beim Apostolischen Stuhl bemühte sie sich nachhaltig und mit Erfolg, daß das Fest des hl. Joseph am 19. März mit einem eigenen liturgischen Offizium versehen und in die II. Klasse erhoben wurde. Im Jahre 1762 wurde der heroische Tugendgrad der ehrwürdigen Dienerin Gottes K. M. erklärt.

Werke: Ihre Briefe befinden sich als Hss. im Archiv des Klosters Regina Coeli in Rom.

Lit.: Relationi (aufgez. v. Giovanni di S. Girolamo, dem Beichvater K.s = Hs. im Archiv des Generalats der Unbeschuhten Karmeliten in Rom); — Relationi delle fondazioni ... di Regina Coeli (Hs., ebd.); — L. Orsolini (Hs., ebd.); — Biaggio della Purification, Rom 1681; — Maria Gabriela a Ss. Sacramento, Paderborn 1912; — Alfonso di S. Giuseppe,

Rom 1932; — H. A. Wilmart, Auteurs sprirituels et textes dévots du Moyen-Age latin, Paris 1932, 564-567; — ECatt III, 1421 f.; — LThK ²VI, 315.

Johannes Madey

KLASSEN, Joseph, Volksschriftsteller, »Krippenpfarrer«, * 27.11. 1885 in Trier, † 20.2. 1947 in Lichtenborn/Eifel. — K. entstammte einer gutbürgerlichen kinderreichen Trierer Familie, empfing nach dem Studium der Philosophie und der katholischen Theologie am 1. 8. 1912 in Trier die Priesterweihe und wurde als Kaplan in Dudweiler (1912), Heimersheim/Ahr (1913), Ottweiler (1916) und Hönningen/Rhein (1917) eingesetzt. Zuweilen kränklich und nicht immer einfach im Umgang, erwachte in ihm schon früh der Wunsch, als Pfarrer in einer kleinen Ortschaft seinen schriftstellerischen Neigungen nachgehen zu können. Diesem Wunsch wurde mit K.s Ernennung zum Pfarrer des gerade 350 Seelen zählenden Eifeldorfes Lichtenborn am 22.9. 1918 entsprochen. Lichtenborn war seine erste und einzige Pfarrei, in der er verschiedentlich mit den Vertretern des nationalsozialistischen Regimes zusammenstieß (Postüberwachung, Verhöre, Strafverfahren wegen Verstoßes gegen das Flaggengesetz). Die Bischöfliche Behörde in Trier kam K.s Wünschen auch insoweit entgegen, als sie ihn nur mit wenigen Verwaltungsaufgaben überpfarrlicher Art belastete: seit 1936 amtierte er als Definitor, seit 1945 als Dechant des Dekanats Waxweiler. K. verkündete bis zum Zenit seines schriftstellerischen Wirkens etwa gegen Ende der zwanziger Jahre durch seine Schriften und zahlreichen unselbständig erschienenen Beiträge in einfacher, ungekünstelter Sprache das »Lob der kleinen Dinge« (Wilhelm Hay) und vermochte als Homilet auch auf dem »dornenreichen Gebiet der Männerseelsorge anzusprechen« (Theologische Revue). Seine besondere Liebe galt dem Krippenbau, und seine aufopferungsvolle Tätigkeit für die Verbreitung der Weihnachtskrippe machte den »Krippenpfarrer« weit über die Grenzen der Eifel hinaus bekannt. Seine letzte Ruhestätte erhielt K. in Lichtenborn.

Werke: Mitarbeit an zahlreichen Volks-, Haus- und Heimatkalendern, Sonntagsblättern und Monatsschriften, so etwa »Hausschatz« (München), »Himmelreich« (Freiburg), »Land« (Heinrich Sohnrey), »Rheinisches Land« (Bonn), »Paulinuskalender« (Trier), »Krippenfreund« (Regensburg); eine Gesamtbibliographie fehlt bislang. — Selbständig erschienene Schriften: Krippenbüchlein. Ein Wort von Sinn und Segen der Hauskrippe, Habelschwerdt 1924, ²1925; Sei ein Mann! 12 Ansprachen für die Männerwelt meistens im Anschluß an die kirchlichen Festzeiten, Wiesbaden 1924; Über den Alltag. Lesungen für das christliche Volk, Trier 1924; Auf der Jakobsleiter. 52 Bilder aus Heiligenleben für Priester, Lehrer und Volk, Habelschwerdt 1927 (zuerst erschienen im »Paulinus« 1923-1926); Aus dem Bergwerk Gottes. Predigten auf alle Sonntage des Kirchenjahres im Anschlusse an die Evangelien, Paderborn 1927.

Lit.: Eigene Archivstudien; — Wilhelm Hay, Krippenbesuch in Lichtenborn, in: Kalender für das Trierer Land 4 (1926) 118-122; — Ders., Pastor J.K., geboren am 27. November 1885, gestorben am 20. Februar 1947 als Pfarrer in Lichtenborn und Dechant des Dekanates Waxweiler, in: Paulinus. Trierer Bistumsblatt 82 (1956) Ausgabe Nr. 39 vom 23.9. 1956 S. 14-15; — Ders., Lichtenborn. Krippenpfarrer J.K. zum Gedenken, in: Jahrbuch des Kreises Prüm 2 (1961) 75-79 — Der Weltklerus der Diözese Trier seit 1800, Trier 1941, 181; — Kosch KD 2144.

Martin Persch

KLAUSENER, Erich, Politiker und Leiter der Katholischen Aktion in Berlin, * 25.1. 1885 in Düsseldorf als Sohn des Geheimen Regierungsrates Peter K. und der Elisabeth Biesenbach, † (ermordet) 30.6. 1934 in angeblichem Zusammenhang mit dem Röhm-Putsch in Berlin. — K. stammte aus einer streng katholischen Familie, erhielt die etwas individualistisch-abgeschlossene Erziehung der wohlhabenden und gesicherten bürgerlichen Kreise des kaiserlichen Deutschlands und legte 1903 die Reifeprüfung in Düsseldorf ab. Das anschließende juristische Studium in Bonn, Berlin und Kiel beschloß er 1906 mit dem Referendar-Examen, das Assessor-Examen bestand er im Jahre 1910. 1911 promovierte er in Würzburg mit der Arbeit »Das Koalitionsrecht der Arbeiter« und schlug die Verwaltungslaufbahn ein (1911 beim Landratsamt im oberschlesischen Neustadt, 1913 als Regierungsassessor im preußischen Handelsministerium in Berlin tätig). Am 1. Weltkrieg nahm K. als Ordonnanzoffizier in Belgien, Frankreich und an der Ostfront teil. 1914 wurde er mit dem Eisernen Kreuz II., 1917 mit dem der I. Klasse ausgezeichnet. Nach der Entlassung aus dem Heeresdienst 1917 erhielt er seine Ernennung zum Landrat des ganz ländlich strukturierten, ärmlichen Kreises Adenau in der Eifel. Kaum zwei Jahre später wurde er zum Landrat des größten preußischen und vornehmlich industriell strukturierten Kreises Recklinghausen ernannt. Der dezidiert katholisch und sozial denkende K. erhielt wegen seiner Kontakte zur Arbeiterschaft bald den Namen »roter Landrat« und zog sich den Boykott rechtsstehender Kreise zu. K. wurde während der Ruhrbesetzung 1923 zu zwei Monaten Gefängnis verurteilt und kurzzeitig aus dem besetzten Gebiet ausgewiesen. Er knüpfte während seiner Zeit in Recklinghausen enge Kontakte zu führenden Persönlichkeiten des deutschen Katholizismus, so zu Abt Ildephons Herwegen von Maria Laach, zu dem Religionsphilosophen P. Erich Przywara und zu Prälat Franz Xaver Münch, dem Generalsekretär des Katholischen Akademikerverbandes, in dessen Zentralvorstand K. gewählt wurde. 1924 erhielt er die Berufung zum Ministerialdirektor und Leiter der Abteilung für Jugend- und Erwerbslosenfürsorge im preußischen Wohlfahrtsministerium und wechselte im Jahre 1926 in das vom Zentrum zu besetzende Amt des Leiters der Polizeiabteilung im preußischen Innenministerium. Dort leitete er u. a. energisch den Kampf der Polizei gegen Ausschreitungen der Nationalsozialisten vor 1933. Nach der nationalsozialistischen Machtergreifung 1933 wurde er ins Reichsverkehrsministerium als Leiter der Schiffahrtsabteilung abgeschoben. Seit 1928 war K., der sich eines glänzenden Rufes als Redner erfreute, Leiter der Katholischen Aktion in Berlin und organisierte katholische Großkundgebungen, die sich u. a. gegen antikirchliche und -religiöse Gruppen und Bestrebungen wandten. Den Nationalsozialisten waren vor allem ein Dorn im Auge der Berliner Katholikentag am 25. 6. 1933, die Papstkrönungsfeier am 11.2. 1934 und der Katholikentag im Hoppegarten am 24.6. 1934 mit 60.000 Menschen, deren kirchliches Treuebekenntnis als ausdrückliche Provokation des nationalsozialistischen Regimes gewertet wurde. K. hatte auf diesem Katholikentag eine improvisierte, leidenschaftliche Rede gehalten und wurde sechs Tage später, am 30. Juni 1934, in angeblichem Zusammenhang mit dem Röhm-Putsch in seinem Dienstzimmer auf Befehl Görings und Heydrichs von der SS heimtückisch erschossen. Der Mord, der sowohl dem für das Regime gefährlichen Katholikenführer als auch dem ehemaligen Leiter der Polizeiabteilung galt, wurde als Selbstmord hingestellt (von Göring in seiner Pressekonferenz nach dem 30.6. aber in entlarvender Weise zu den »bedauerlichen Irrtümern« bei der Aktion gezählt) und rief Erbitterung und Zorn sowie öffentliche Stellungnahmen (Pfarrer Albert Coppenrath, Bischof Clemens August v. Galen von Münster), Interventionen bei Hitler und Göring (Frau Hedwig Klausener, Bischof Nikolaus Bares von Berlin), eine mit Repressalien der Gestapo endende Schadensersatzklage gegen das Deutsche Reich und Preußen (längere Schutzhaft für die Rechtsanwälte Dr. Werner Pünder und Dr. Erich Wedell) und schließlich eine Verschärfung des Kirchenkampfes hervor. — K. war zusammen mit dem ebenfalls am 30.6. 1934 ermordeten Reichsführer der Deutschen Jugendkraft (DJK), Adalbert Probst, der erste katholische Märtyrer unter dem NS-Regime. Ein besonderes Grabdenkmal für ihn verhinderten die Nationalsozialisten. Nach dem 2. Weltkrieg wurde in der Kirche Maria Regina Martyrum in Berlin ein Mahnmal für ihn errichtet. Das Staatliche Gymnasium in Adenau trägt seinen Namen. Otto B. Roegele hat jüngst (1988) darauf hingewiesen, daß K. zu den Laien zählt, die ein heiligmäßiges Leben geführt und sich um die deutsche katholische Kirche sehr verdient gemacht haben, und die Frage aufgeworfen, ob K. nicht unter die Kandidaten für eine Seligsprechung durch die katholische Kirche zu zählen sei.

Lit.: Katholisches Kirchenblatt für das Bistum Berlin 30, 1934, Ausg. Nr. 28 vom 15.7. 1934; — Albert Coppenrath, Der westf. Dickkopf am Winterfeldtplatz. Meine Kanzelvermeldungen und Erlebnisse im Dritten Reich, [2]1948, 42-77; — Hildegard Springer, Es sprach Hans Fritzsche, 1949, 171; — Heinz Kühn, Blutzeugen des Bistums Berlin, 1950; — Annedore Leber, Das Gewissen steht auf. 64 Lebensbilder aus dem deutschen Widerstand 1933-1945, 1954, 171-173; — Walter Adolph, Zwanzig Jahre später. Zum Gedenken an Erich Klausener, in: Wichmann Jahrbuch 8, 1954, 138-160; — Ders., E. K., 1955; — Robert M. W. Kempner, SS im Kreuzverhör, 1964; — Ders., Mutig und unverblümt. Erinnerungen an Dr. E. K., einen großen Beamten und kämpferischen Katholiken, in: Paulinus. Trierer Bistumsblatt 110, 1984, Ausg. Nr. 27 vom 1.7. 1984, 22; — Friedrich Zipfel, Kirchenkampf in Deutschland 1933-1945. Religionsverfolgung und Selbstbehauptung der Kirchen in der nationalsozialistischen Zeit, 1965, 61-66; — Wolfgang Runge, Politik und Beamtentum im Parteienstaat 1918-1933, 1965, 166; —

Stefan Baur, Leben und Wirken des Landrats des ehemaligen Kreises Adenau, des späteren Ministerialdirektors Dr. E. K., in: Heimat-Jahrbuch für den Landkreis Ahrweiler 19 (1962), 54-57; — Ders., E. K., in: Kurzbiographien vom Mittelrhein und Moselland, 1967-75, 123 f.; — Kurt Broicher u. a., Heimatchronik des Kreises Ahrweiler, 1968, 253; — Bernhard Stasiewski (Bearb.), Akten dt. Bischöfe über die Lage der Kirche 1933-1945. Bd. I: 1933-1934, 1968, 753-754; — Jakob Rausch, Warum E. K. ermordet wurde, in: Heimatjahrbuch für den Landkreis Ahrweiler 26, (1969), 108; — Lothar Gruchmann, Erlebnisbericht Werner Pünders über die Ermordung K.s am 30. Juni 1934 und ihre Folgen, in: Vierteljahreshefte für Zeitgesch. 19, 1971, 404-431; — Albert Mirgeler, Heinrich Brüning. Briefe und Gespräche 1934-1945, in: Intern. kath. Zeitschrift 4, 1975, 59-75, 169-180 u. Stellungnahme: ebd. 286-288; — Walther Hubatsch (Hrsg.), Grundriß zur deutschen Verwaltungsgeschichte 1815-1945. Reihe A: Preußen. Bd. 7: Rheinland, bearb. von Rüdiger Schütz, 1978, 100; — Otto B. Roegele, Seligsprechungen. Laien-Gedanken zur Praxis des Pontifikats Johannes Pauls II., in: Intern. kath. Zeitschrift 17, 1988, 41-49, 49; — Reichshandbuch der deutschen Gesellschaft, 1930, 935; — Kosch, Biogr. Staatshandbuch II, 664; — Ulrich Schoe, E. K. (1885-1934), in: Miterbauer des Bistums Berlin. 50 Jahre Geschichte in Charakterbildern. Hrsg. von Wolfgang Knauft, Berlin 1979, 35-54; — LThK ²VI, 321; — NDB XII, 715 f.

Martin Persch

KLAUSNER, Joseph [Gedalyahu], jüdischer Historiker, Schriftsteller und Literaturwissenschaftler, * 1874 in Olkienik bei Wilna, † 1958 in Jerusalem.— Seine geistige Prägung erhielt K. in der jüdischen Schule Odessas, wohin er 1885 verzogen war. 1897 bezieht er die Heidelberger Universiät, wo er Semitistik, neue Sprachen, Philosophie und Geschichte studiert; sein politisches Engagement gilt der zionistischen Bewegung, an derem 1. Weltkongreß K. teilnimmt. 1902 übersiedelt K. nach Warschau, von wo aus er die Zeitschrift Ha-Schiloah herausgibt. Diese Tätgkeit übt er, zweimal unterbrochen, 23 Jahre lang aus, ab 1907 in Odessa (wo er während der Kerenskij-Zeit die Professur für Geschichte des Orients bekleidet) und von 1919 an in Jerusalem, wo er nach der Oktoberrevoluton wohnt. Hier wird er zunächst Sekretär, dann Präsident der Akademie der hebräischen Sprache (Va'ad ha-Laschon). Erst 1944 erhält er eine Professur für jüdische Geschichte des Zweiten Tempels. — K. tritt als Kenner der jüdischen Literaturgeschichte, Historiker und Religionswissenschafler hervor. Frühe Arbeiten beschäf-

tigen ihn mit der Metrik und Syntax von Sir, Talmud und Midraschim. Seine Jesus-Monographie (s.u.) ist gediegen, überbetont aber im Gegensatz zu liberalen Parallelpositionen das Jüdische; K. deutet Jesu Selbstverständnis als Bewußtsein seiner Messianität und neigt zu Engführungen bei der Auslegung von Jesu Ethik. K.s Paulusbuch (s.u.) zeichnet beim Vergleich des Apostels mit zeitgenössischen jüdischen und hellenistischen Quellen die Entwicklungslinie des Urchristentums nach und folgert, daß es ohne Jesus keinen Paulus, aber ohne den Apostel auch kein Christentum gäbe.

Werke: Ruhot Menaschevot, 1896; Nowojewrejskaja Literatura, Berditschew 1900 (hebr. Toledot hasifrut ha-ivrit hachadaschah, Jerusalem 1920, dt. Geschichte der neuhebräischen Literatur, Berlin 1921); Die messianischen Vorstellungen des jüdischen Volkes im Zeitalter der Tannaiten, (Diss. Krakau 1903) Berlin 1904; (Hg.) Mach achlassaf, 1904; (Hg.) Ozar hajahadut [Probeband der hebr. Enzyklopädie], 1906; Historiyah yisra'elit, 1909; Sefat Ever Sefah Hayyah, 2 Bde., Krakau 1914-1915; Sefatenu, 1917. 1923; Sefer Pinsker, 1921; Kowez lesichro schel Ben Jehuda, 1924; Geschichte der jüdischen Messianologie, ²1927; Jesus von Nazareth [Jéschu ha-Noseri, deutsch]. Seine Zeit, sein Leben und seine Lehre, Berlin 1930 ²1934; History of the Modern Hebrew Literature [6 Bde. hebr. 1930-1956, z 1952-1959], 1932; From Jesus to Paul, 1943; Ha-Laschon ha-Ivrit Laschon Hayyah, 2 Bde., Jerusalem 1948-1949; Ha-Historiyah schel ha-Bayit ha-Scheni, 5 Bde., 1949; Von Jesus zu Paulus, Jerusalem 1950 (=Königstein 1980); Jesus von Nazareth, Jerusalems 1952; Ha-Ivrit ha Hadaschah u-Ve'ayoteha, Tel Aviv 1952; Mi-Gedolei ha-Sifrut ha-Olamit, 1954; Be'ayot schel Sifrut u-Madda, 1956; Meschorerei Dorenu, 1956; Yozerei Tekufah u-Mamschikei Tekufah, 1956; The Messianic Idea in Israel from its Beginning to the Completion of the Mishnah, [hebr. 1927] Translated from the third Hebrew editon by W. F. Stinespring, London 1956; Millon schel kiss [neuhebr. Taschenwörterbuch, zahlr. Aufl.]; Von Jesus zu Paulus. Unv. Nachdr. der ersten Aufl. von 1950, Frankfurt 1980.

Lit.: Sefer K., 1937; — B. Shokhetman/B. Elizedek, Kitvei Y. K., 1937; — J. K., Darki likrat ha-Tehiyyah ve-ha-Ge'dullah, 2 Bde., 1946-1955 [Autobiographie]; — Y. Beker/H. Toren, Y. K., ha-Isch u-Fo'olo, 1947; — Gerhard Jasper-Bethel, Stimmen aus dem neureligiösen Judentum in seiner Stellung zum Christentum und zu Jesus. Theol. Forschung 15, Hamburg-Bergstedt 1958, 69-89; — W. G. Kümmel, Jesus und Paulus. Zu J. K.s Darstellung des Urchristentums: ders., Heilsgeschehen und Geschichte. Ges. Aufsätze I. MThSt 3, Marburg 1965, 439-456; — S. Kling, J. K., 1970; — EJ X 1091-1096; — JL III 732f.

Klaus-Gunther Wesseling

KLEANTHES aus Assos, stoischer Philosoph, * 331 od. 330 v. Chr. in Assos, † 231 v. Chr. — K. wurde als Sohn des Phanias in Assos in der Landschaft Troas/Kleinasien geboren. In Athen hörte er zuerst den Kyniker Krates, dann Zenon von Kition, den Begründer der Stoa. K. stand nach Zenon 31 od. 32 Jahre der stoischen Schule vor. K. wurde von Zeitgenossen wegen seiner moralischen Vorzüge geschätzt, nicht aber in bezug auf seine philosophischen Leistungen, ausgenommen seinen berühmten Schüler u. Nachfolger Chrysippos, der seinen Lehrer verehrte. Unter den überlieferten Werken K.s ist sein Zeushymnus als das pantheistische Glaubensbekenntnis eines Philosophen am bedeutendsten. Der Beginn des Hymnus steht in seinen Gedanken der Abstammung der Menschen vom Geschlecht des Zeus nah bei Apostelgesch. 17, 28. Ob od. in welcher Weise jedoch ein Einfluß von K. auf Paulus anzunehmen ist, ist bislang ungeklärt.

Werke: Ausg.: Curt Wachsmuth, Comment. I et II de Zenone et Cleanthe Assio, Göttingen 1874-75; A. C. Pearson, The fragments of Zeno and Cleanthes, Cambridge 1891; J. ab Arnim, Cleanthi Assii Fragmenta..., in: Ders., Stoicorum veterum fragmenta Vol. I, S. 103ff, 552-588 Leipzig 1905; Karlheinz Hülser, Die Fragmente zur Dialektik der Stoiker. Neue Sammlung der Texte mit deutscher Übersetzung u. Kommentaren, 4 Bde., Stuttgart 1987-88.

Lit.: Aug. Bernh. Krische, Forschungen auf dem Gebiete der alten Philosophie I: Die theologischen Lehren der griech. Denker. Eine Prüfung der Darstellung Ciceros, Göttingen 1840, S. 415-436; — Ulrich v. Wilamowitz-Moellendorff, Der Glaube der Hellenen, hrsg. v. Günther Klaffenbach, Berlin 1932, II, 290, 297; — Max Pohlenz, K.s Zeushymnus, in: Hermes 75 (1940), S. 117-123; — Ders., Paulus u. die Stoa, in: ZNW 42 (1949), S. 69-104; — Ders., Die Stoa, 2 Bde., Göttingen 1948, 1980⁵; —M. Zerwick, Veröffentlichungen d. Instituts f. Europ. Gesch. Mainz XX (1946), S. 307-321, hg. v. J. Lortz u. M. Göhring, Wiesbaden; — G. Verbeke, K. von Assos, Brüssel 1949; — Karl Vorländer, Gesch. d. Philosophie, Hamburg 1949⁹, I, 202, 206-208, 242; — G. Zuntz, Zum Hymnus des K., in: RheinMus 1951, S. 337-341; — A.-J. Festugiere, La révélation d' Hermès Trismégiste II (P.1953²), S. 310-332; — Bertil Gärtner, The Areopagur Speech and Natural Revelation, Uppsala 1955, S. 172, 177, 190f; — Martin Dibelius, Paulus auf dem Areopag, in: ders., Aufsätze z. Apostelgesch., Göttingen 1968⁵, S. 32 A.1, 49f; — Johannes Leipoldt, W. Grundmann (Hrsg.), Umwelt des Urchristentums I, 87, 361, Berlin 1967; — Francesca Albini, Osservazioni sull'inno à zeus di cleante, in: La parola del passato. Rivista di studi antichi 1985, H. 223, S. 275-279; — P.A. Meijer, Geras in the Hymn of Cleanthes on Zeus, in: RheinMus N.F. 129 (1986) H. 1, S. 31-35; — E. Livrea, Un frammento di cleante ed i meliambi

di p. oxy 1082, in: Ars. Zeitschr. f. Papyrologie u. Epigraphik 67 (1987), S. 37; — Pauly-Wissowa I, 21, Sp. 558-574; — Ueberweg I, 69, 157, 410f, 413, 416, 418, 423f, 426f, 498, 663, 669f, u. III, 575, 579, 585; — LThK² VI, 323; — The Encyclopedia of Philosophy II, 121-122, hrsg.v. Paul Edwards, New York, London 1967.

Susanne Siebert

KLEBER, Leonhard, Organist, * um 1495 vermutlich in Wiesensteig bei Weilheim an der Teck (Württemberg), † am 4.3. 1556 in Pforzheim. — Die Familie K.s dürfte aus dem Ort Wiesensteig stammen. Ein Martin K., möglicherweise der Vater, ist durch zwei Urkunden für diesen Ort nachgewiesen. K. selbst nannte sich »de Geppingen«, also aus Göppingen, etwa 25 km nördlich von Wiesensteig gelegen, stammend, vielleicht nur ein Hinweis darauf, daß er dort seine Ausbildung erhalten hat. Im Jahre 1512 begann K. ein Theologiestudium in Heidelberg, das er allerdings nicht abgeschlossen zu haben scheint. Der während seiner Studienzeit in Heidelberg wirkende Organist Arnolt Schlick hat ihn offensichtlich nicht beeinflußt. Vielmehr läßt sich aus seinen Tabulaturen die Zugehörigkeit zum Hofhaimerkreis erkennen. Vermutlich war er sogar ein persönlicher Schüler des Komponisten und Organisten Paul Hofhaimer. Im Jahre 1516 wurde er »vicarius et organista« am Chorherrenstift in Horb, ein Jahr später Organist in Esslingen. Von 1521 bis zu seinem Tode war er an der St. Michaelskirche in Pforzheim als Organist angestellt. — Das Wirken K.s ist eng verbunden mit den Anfängen der mehrstimmigen Instrumentalmusik. Die Vor-, Zwischen- und Nachspiele auf der Orgel boten gerade dem Organisten Gelegenheit, das überlieferte Liedgut frei zu behandeln. Allerdings waren in dieser Zeit durch die Liturgie solchen Möglichkeiten noch enge Grenzen gesetzt. Gleichwohl finden sich bei K. Ansätze einer freieren Gestaltung, die dann vor allem in der evangelischen Kirchenmusik zielstrebig weitergeführt worden sind. K. ist nur in wenigen Sätzen seines Orgeltabulaturbuches als selbständiger Komponist anzusehen. Die weitaus meisten Stücke sind Intavolaturen von Liedmelodien anderer Komponisten.

Werke: Orgeltabulaturbuch (ca. 1520-1524, Hs.). — Ausgaben: Einzelne Stücke sind v.a. in folgenden Sammlungen abgedruckt: DTÖ XIV/1, 1907, 136-138. 143. 145. 147. 168. 202-205; DTÖ XXXVII/2, 1930, 81. 83. 89. 91. 92f.

Lit.: A.G.Ritter, Gesch. d. Orgelspiels I, 1884, 79f. 103, II, 1884, 98-101; — C.Paesler, Das Fundamentbuch von Hans von Constanz, in: VfM V, 1889, 1-192; — H.Loewenfeld, L.K., Diss. Berlin, 1897; — H.J.Moser, Paul Hofhaimer, 1929; — H.J.Moser/F. Heitmann, Frühmeister der dt. Orgelkunst, 1930 (Neudruck, 1954); — Gotthold Frotscher, Gesch. d. Orgelspiels u. d. Orgelkomposition I, 1935, 112-116; — W.Ehmann, Alte Liedsätze f. Orgel u. Klavier, 1938; — Karin Kotterba, L.K., Diss. Freiburg i.Br., 1958; — W.Apel, Gesch. d. Orgel- u. Klaviermusik bis 1700, 1967, 73. 92. 196. 199. 207f. 222-228. 281; — NDB XII, 146f; — MGG VII, 1196f.

Hans-Josef Olszewsky

KLEE, Heinrich, katholischer Theologe, * 20.4. 1800 in Münstermaifeld bei Koblenz, † 28.7. 1840 in München.— K. studierte an dem von B. F. L. Liebermann geleiteten, durch betonte Kirchlichkeit gekennzeichneten Seminar in Mainz und wurde hier 1824 Professor (Promotion 1824/25 in Würzburg). 1829 an die Universität nach Bonn berufen, bildete er einen Gegenpol zum Hermesianismus. Er las Philosophie, Exegese, Kirchengeschichte, Dogmatik und Dogmengeschichte sowie Moral. 1839 übernahm er die Nachfolge Möhlers in München. K. wuchs sowohl durch seine positiven exegetischen und dogmengeschichtlichen Forschungen sowie seine romantischen Systematisierungsversuche der Theologie und die Verwendung neuer, manchmal mißverständlicher Begriffe über die Theologen des »ersten Mainzer Kreises« hinaus. Theologie ist ihm die Erfassung des Lebens der - aus dem Glauben entstandenen - Kirche nach ihrem äußeren Dasein wie nach ihrem inneren Leben.

Werke: Tentamen theologico-criticum de chiliasmo primorum saeculorum, 1825; Die Beichte. Eine hist.-krit. Untersuchung, 1828; Kommentar über das Evangelium nach Johannes, 1829; De secundis nuptiis commentatio, 1830; Kommentar über des Apostels Paulus Sendschreiben an die Römer, 1830; System der kath. Dogmatik, 1831; Enzyklopädie der Theologie, 1832; Auslegung des Briefes an die Hebräer, 1833; Die Ehe. Eine dogmatisch-archäologische Abhandlung, 1833, 1835[2]; Kath. Dogmatik, 3 Bde., 1835, 1861[4]; Lehrbuch der Dogmengeschichte, 2 Bde., 1837-1838; Grundriß der kath. Moral, hrsg. v. Heinrich Himioben, 1843, 1847[2].

Lit.: Johann Bapt. Heinrich, Vorrede zur 4. Auflage der Kath. Dogmatik H. K.s, 1861; — Heinrich Schrörs, Der Bonner Prof. H. K. und die Hermesianer, in: AHVNrh 81, 1905, 140-144; — Ders., Geschichte der Kath.-Theol. Fakultät zu Bonn 1818-1831, 1922, 205-236; — Ders., Die Kölner Wirren, 1927; — Stefan Lösch, Joh. A. Möhler I, 1928, 129, 218, 258; — Ludwig Lenhart, Die erste Mainzer Theologenschule des 19. Jh.s, 1956, 82-96; — Adolf Heuser, Die Erlösungslehre in der kath. dt. Dogmatik von P. B. Zimmer bis M. Schmaus, 1963, 94-98; — Peter Müller-Goldkuhle, Die Eschatologie in der Dogmatik des 19. Jh.s, 1966, 144-148; — Helmut Witetscheck, Die Bedeutung der theol. Fakultät der Univ. München für die kirchl. Erneuerung in der ersten Hälfte des 19. Jh.s, in: HJ 86, 1966, 107-187; — Johann Auer, H. K., in: Bonner Gelehrte. Beiträge zur Gesch. der Wissenschaften in Bonn. Kath. Theologie, 1968, 26-38; — Rudolf Reinhardt, Johann Adam Möhler über H. K. (1828). Aus dem Nachlaß Stefan Lösch, in: AMrhKG 21, 1969, 255-258; — Juan Ulacia, Die Kirche als Objektivation des Glaubens, H. K.s Beitrag zur Ekklesiologie des 19. Jh.s (Diss. München), 1969; — Ders., H. K. (1800-1840), in: Heinrich Fries-Georg Schwaiger (Hrsg.), Kath. Theologen Deutschlands im 19. Jh. I, 1975, 376-399; — ADB XVI, 69 f.; — Wetzer-Welte VII, 743-746; — Hurter[2] III, 773 ff.; — CathEnc VIII, 666; — DThC VIII, 2358 f.; — Kosch, KD 2148 f.; — EC VII, 714; — RGG III, 1646; — LThK VI, 324; — Catholicisme VI, 1452 f.; — NCE VIII, 209; — NDB XI, 721 f.

Erich Naab

KLEE, Paul, Maler, * am 18.12. 1879 in Münchenbuchsee bei Bern, † am 29.6. 1940 in Locarno-Muralto/Tessin. — K. entstammte einer Musikerfamilie. Der Vater, Hans K., kam aus Unterfranken und war Musiklehrer am kantonalen Lehrerseminar in Bern-Hofwil, die in Besançon geborene Mutter hatte am Konservatorium in Stuttgart eine Ausbildung als Sängerin erhalten. Mit Beginn des Schulalters erhielt K. Geigenunterricht bei Karl Jahn, einem Schüler Joseph Joachims. Seine Großmutter mütterlicherseits brachte ihm erste Kenntnisse des Malens bei. Nach dem Abitur in Bern im Jahre 1898 begab sich K. nach München und begann in der Zeichenschule bei Heinrich Knirr, um sich auf die Aufnahmeprüfung auf die Akademie der Bildenden Künste vorzubereiten. Im Jahre 1899 begegnete er auf einer musikalischen Soirée der Pianistin Lily Stumpf, mit der er in der Folgezeit häufig musizierte und zahlreiche Konzerte und Opernaufführungen besuchte und die er 1906 heiratete. Im Oktober 1900 wurde K. in die Münchner Akademie aufgenommen. Dort trat er in die Klasse von Franz Stuck ein, bei dem zur gleichen Zeit auch Wassily Kandinsky studierte. Eine engere Freundschaft zwischen den beiden Künstlern entstand aber erst seit 1911. Im Herbst 1901 begab sich K. in Begleitung eines Freundes, des Bildhauers Hermann Haller, zu einem sechsmonatigen Studienaufenthalt nach Italien. Über Mailand, Genua, Livorno und Pisa gelangten sie am 27. Oktober nach Rom, wo sie bis zum 23. März 1902 blieben. Nach Besuchen von Neapel und Florenz kehrte K. im Mai nach Bern zurück. In der Abgeschiedenheit seines Elternhauses erarbeitete er sich in den Jahren von 1902 bis 1906 die Grundlagen seines weiteren Schaffens. So besuchte er die Vorlesung »Plastische Anatomie für Künstler« von Hans Strasser und betrieb, gemeinsam mit Louis Moilliet, private Aktstudien. Daneben wirkte er als Geiger im Berner Stadtorchester und verfaßte Rezensionen von Opern- und Konzertaufführungen für das »Berner Fremdenblatt«, Reisen nach München (1904), Paris (1905) und Berlin (1906) vermittelten ihm einen Überblick über das zeitgenössische Schaffen. Im Sommer 1906 wurden erstmals Bilder von ihm in der Münchner Sezession ausgestellt. Nach seiner Heirat am 16. September ließen sich K. und seine Frau in München nieder. In der ersten Zeit hatte er, trotz reichen Schaffens, wenig Erfolg. Seine Frau hatte deshalb mit für den Lebensunterhalt der Familie, am 30. November 1907 war ihnen ein Sohn, Felix, geboren worden, durch Klavierunterricht zu sorgen. Im Herbst 1910 hatte K. dann seinen ersten größeren Erfolg mit einer Ausstellungsserie in der Schweiz, bei der 56 seiner Arbeiten zuerst im Kunstmuseum Bern (September), dann im Kunsthaus Zürich (Oktober), in der Kunsthandlung zum Hohen Haus in Winterthur (November) und schließlich im Januar 1911 in der Kunsthalle Basel gezeigt wurden. Eine Ausstellung im Arcopalais durch die Moderne Galerie in München folgte. Seit 1911 führte K. ein Werkverzeichnis, in dem er alle seine Arbeiten genau beschrieb. Im gleichen Jahr begegnete er Alfred Kubin, mit dem er die Künstlervereinigung »Sema« gründete. Doch kam es bald danach zur Zusammenarbeit mit dem »Blauen Reiter«, dem er sich mehr verbunden fühlte. An dessen zweiter Ausstellung in der Buchhandlung Goltz im Jahre 1912 war er mit 17 Zeichnungen beteiligt. Im Jahre 1913 folgte eine Ausstellung mit mehreren Arbeiten in der Berliner Galerie »Der Sturm«. Als 1914 die »Neue Münchner Sezession« gegründet wurde, gehörte K. zu deren Gründungsmitgliedern. Eine seit längerem geplante Studienreise nach Tunesien unternahm er zusammen mit Moilliet und Makke im gleichen Jahr. Während des Krieges war K. von 1916 bis 1918 eingezogen. Nach der Infanterieausbildung in Landshut diente er in Schleißheim, wo er zum Streichen der Flugzeuge verwendet wurde und in Gersthofen als Schreiber in der Kassenverwaltung. Nachdem er nach Ende des Krieges wieder nach München zurückgekehrt war, mietete er im Schlößchen Suresnes im Jahre 1919 ein Atelier und schloß mit dem Kunsthändler Hans Goltz einen Verkaufsvertrag über drei Jahre, der dann um weitere zwei Jahre verlängert wurde. Im Jahre 1920 veranstaltete dieser eine umfassende Werkschau mit 362 Arbeiten. Eine Berufung K.s an die Stuttgarter Akademie, die Oskar Schlemmer vorbereitet hatte, scheiterte. Statt dessen holte ihn Walter Gropius als Lehrer an das Staatliche Bauhaus nach Weimar. Dort wirkte er zunächst als Formmeister in der Buchbinderwerkstätte, dann als Leiter des Ateliers für Glasmalerei. Im Jahre 1924 veranstaltete die Société Anonyme in New York die erste Ausstellung von Werken K.s in Amerika. Als das Bauhaus in Weimar Ende des Jahres 1924 geschlossen wurde, übersiedelte er mit den anderen Mitgliedern dieser Institution im folgenden Jahr nach Dessau. Dort leitete er unter anderem auch eine freie Malklasse. Die Galerie Vavin-Raspail veranstaltete im Jahre 1925 die erste Ausstellung mit Werken K.s in Paris, im gleichen Jahr war er auch an einer Gruppenausstellung der Surrealisten, ebenfalls in dieser Stadt, beteiligt, neben Künstlern wie Arp, de Chirico, Max Ernst, Miró und Picasso. Der Braunschweiger Kaufmann Otto Ralfs gründete in diesem für K. so erfolgreichen Jahr 1925 eine Vereinigung von Sammlern und Mäzenen, die durch regelmäßige Ankäufe ihm ein zusätzliches und sicheres Einkommen verschaffte. So konnte er in den Sommermonaten der folgenden Jahre ausgedehnte Reisen unternehmen, im Sommer 1926 nach Italien, 1927 nach Korsika und 1928 in die Bretagne. Am Ende dieses Jahres erfüllte sich K. einen lang gehegten Wunsch, eine Reise nach Ägypten.

Die Galerie Flechtheim in Berlin veranstaltete zum 50. Geburtstag des Künstlers 1929 eine große Ausstellung, die ein Jahr später zum Teil vom Museum of Modern Art in New York übernommen wurde. Ebenfalls im Jahre 1929 erschien die erste Monographie über K. von Will Grohmann. Im Jahre 1931 verließ er das Bauhaus und ging als Professor an die Düsseldorfer Akademie, die er schon 1933 wegen der veränderten politischen Situation wieder verlassen mußte. Von den Nazis als »galizischer Jude« beschimpft, emigrierte er in die Schweiz, zurück an den Ort seiner Herkunft, nach Bern. Im Jahre 1934 veranstaltete die Mayor Gallery in London die erste Ausstellung von Werken K.s in Großbritannien. Außerdem erwarb der Kunsthändler D.H. Kahnweiler das Monopol für sämtliche Verkäufe von Bildern K.s außerhalb der Schweiz. Im Sommer 1935 erkrankte K. an Sklerodermie. In Folge dieser Krankheit entstand die Notwendigkeit von Kuraufenthalten, 1936 in Tarasp und Montana, 1937 in Ascona, 1938 auf Beatenberg und 1939 in Faoug am Murtensee. Im Mai 1940 begab er sich nach der zu seinem 60. Geburtstag veranstalteten Ausstellung und Feier im Zürcher Kunsthaus zur Erholung ins Sanatorium Victoria nach Orselina (Locarno). Im nahe gelegenen Krankenhaus Sant'Agnese in Muralto ist er am 29. Juni gestorben. — Das Werkschaffen K.s ist durch eine reiche symbolische Formensprache charakterisiert, die, vor allem, wenn man die häufig wiederkehrende Gestalt des Engels berücksichtigt, auch religiöse Elemente aufweist. Dazu paßt gut das schöpferische Bekenntnis K.s: »Kunst gibt nicht das Sichtbare wieder, sondern macht sichtbar.« In seinen Bildern sucht er also den Betrachter zu einer Auseinandersetzung mit sich selbst zu führen, ein Kennzeichen moderner Kunst überhaupt. Vor allem die christliche Ikonographie hat ihn dabei immer wieder beschäftigt und er hat neben dem Engel auch andere christliche Motive in seinen Bildern verwendet. Eines der bedeutendsten Bilder in diesem Zusammenhang ist das 1926 entstandene Bild »Um den Fisch«. Doch auch in den übrigen Werken verbergen sich latent religiöse Motive. So etwa in zahlreichen abstrakten Bildern die darin enthaltene Farbsymbolik oder in den Karikaturen die Kritik an Schwächen des Menschen. Das künstlerische Anliegen K.s läßt sich somit verstehen als Darstellung des Menschen in Natur und Gesellschaft, wobei er dies durch die Hervorhebung je eines individuellen Zuges deutlich gemacht hat.

Werke: Pädagogisches Skizzenbuch, 1925 (Reprint, 1965); Das bildnerische Denken. Schriften zur Form- und Gestaltungslehre I, 1956; Tagebücher 1898-1918, 1957; Gedichte, 1960; Unendliche Naturgeschichte. Prinzipielle Ordnung der bildnerischen Mittel verbunden mit Naturstudium und konstruktive Kompositionswege. Schriften zur Form- und Gestaltungslehre II, 1970; Schriften, Rezensionen und Aufsätze, 1976; Briefe an die Familie, 2 Bde., 1979; Die Zwitschermaschine und andere Grotesken, 1981; Über die Katze, 1982; Rosenwind, 1984. — Bilder: Ein vollständiges Verzeichnis der Bilder K.s existiert bisher nicht. Abbildungen und Beschreibungen von Bildern finden sich in zahlreichen Ausstellungs- und Sammlungskatalogen. Von diesen sind besonders die folgenden umfassender: Verz. d. Werke P.K.s im Besitz der P.-K.-Stiftung, 1956; P.K. - Handzeichnungen I, Kindheit bis 1920. Sammlungskataloge des Berner Kunstmuseums P.K. Bd. II, 1973; P.K. - die farbigen Werke im Kunstmuseum Bern - Gemälde, farbige Blätter, Hinterglasbilder und Plastiken. Sammlungskataloge des Berner Kunstmuseums P.K. Bd. I, 1976.

Lit.: Willy Lang, »Die Walze«, in: Die Schweiz, 1908, 418. 421; — Hans Bloesch, Ein moderner Graphiker, in: Die Alpen VI, 1912, 264-272; — Adolf Behne, K., in: Die weißen Blätter IV, 1917, 167-169; — Theodor Däubler, K., in: Neue Blätter für Kunst und Dichtung I, 1918, 11; — Ders., K., in: Das Junge Dtld. II, 1919, 101-102; — Verlag Der Sturm, K., 1918 (= Sturm-Bilderbücher 3); — Wilhelm Michel, K., in: Hans T. Goel (Hrsg.), Das graphische Jb., 1919, 48; — Lisbeth Stern, K., in: Sozialistische Monatshefte LII, 1919, 294; — Eckart von Sydow, K., in: Münchner Bll. f. Dichtung und Graphik I, 1919, 141-144; — Gustav F. Hartlaub, Wie ich K. sehe, in: Feuer II/1, 1920, 239f; — Hans Kaiser, K., in: Hohe Ufer II, 1920, 14; — Roland Schacht, K., in: Freie Dt. Bühne I, 1920, 728-730; — Wilhelm Uhde, Brief an Erwin Sauermondt mit Komm. zur K.-Ausstellung in der Galerie Goltz München 1920, in: Die Freude I, 1920, 155f; — Willi Wolfradt, Der Fall K., in: Freie Dt. Bühne I, 1920, 2123-2127; — Leopold Zahn, K. Leben, Werk, Geist, 1920; — Ders., K., in: Valori Plastici II, 1920, H. 7-8, 88f; — Ders., Abkehr von der Natur, in: Das Kunstwerk I, 1946, H. 8-9, 3-6; — Ders., K. »Im Lande Edelstein«, 1953; — Ders., Der frühe K., in: Das Kunstwerk XVIII, 1964, H. 1-3, 65f; — Fritz Gurlitt, Biogr. Essay über K., in: Das graphische Jahr, 1921, 77; — Wilhelm Hausenstein, Kairuan oder Eine Gesch. vom Maler K. und von der Kunst dieses Zeitalters, 1921; — Helmud Kolle, K., in: Der Ararat II, 1921, 112-114; — Ders., Über K., den Spieltrieb und das Bauhaus, in: Das Kunstblatt VI, 1922, 200-205; — Paul Erich Küppers, Die Sammlung Max Leon Flemming in Hamburg, in: Der Cicerone XIV, 1922, 3-12; — Will Grohmann, K. 1923-1924, in: Der Cicerone XVI, 1924, 786-798; — Ders., Handzeichnungen von K., in: Monatshefte für Bücherfreunde und Graphiksammler I, 1925, 216-226; — Ders., K., in: Cahiers d'Art III, 1928, 295-302; — Ders., K.

und die Tradition, in: Bauhaus. Zeitschr. f. Gestaltung IV, 1931, H. 3, 3-6; — Ders., K. Handzeichnungen II, 1921-1930, 1934; — Ders., K. at Berne, in: Axis, 1935, H. 2, 12f; — Ders., Abschied von K., in: Werk XXII, 1935, 160f; — Ders., Un monde nouveau, in: Cahiers d'Art XX/XXI, 1945/1946, 63f; — Ders., K. Handzeichnungen, 1951 (= Insel-Bücherei 294); — Ders., Aus den Lehrjahren K.s, in: Insel-Almanach, 1953, 159-166; — Ders., K., 1954; — Ders. (Hrsg.), K., 1955; — Ders., K. und die Zukunft der Malerei, in: Universitas, 1955, 355-364; — Ders., K. 1879-1940, 1955; — Ders., K., in: Graphis, 1956, H. 64, 156-167; — Ders., K. und die Anfänge einer Harmonielehre in der Kunst, in: Neue deutsche Hefte, 1957, H. 39, 632-638; — Ders., K. 1879-1940, in: Die großen Deutschen IV, 1957, 497-507; — Ders., L'humeur goethien de K. in: XXᵉ Siècle XIX, 1957, H. 8, 33-38; — Ders., K. Handzeichnungen, 1959; — Ders., K., 1959; — Ders., Kandinsky et K. retrouvent l'orient, in: XXᵉ Siècle XXIII, 1961, H. 12, 49-56; — Ders., Der Maler K., 1966; — Jean Cassou, K., in: Feuilles Libres IX, 1928, H. 48, 131f; — Ders., K., in: Architecture d'Aujourd'hui, 1949, H. 2, 50-64; — Jean Milo, K., in: Cahiers de Belgique I, 1928, 196-198; — Fannina Halle, Dessau: Burgkuhnauer Allee 6-7. Kandinsky und K., in: Das Kunstblatt XIII, 1929, 203-210; — Marc Seize, K., in: Art Aujourd'hui VI, 1929, H. 22, 18; — Rudolf Arnheim, K. für Kinder, in: Die Weltbühne XXVI, 1930, 170-173; — René Crevel, K., 1930; — Hans Friedrich Geist, Kinder über K., in: Das Kunstblatt XIV, 1930, 21-26; — Ders., K., 1948; — Ders., K. und die Welt des Kindes, in: Werk XXXVII, 1950, 186-192; — Ders., K.s »Landschaft mit gelben Vögeln«, 1923, in: Das Kunstwerk, 1953, H. 3-4, 48f; — Ernst Ludwig Kirchner, Randglossen zum Aufsatz von H.F. Geist, »Kinder über K.«, in: Das Kunstblatt XIV, 1930, 154-156; — Jerome Klein, »Line of Introversion«, in: New Freeman I, 1930, 88f; — Alois J. Schardt, Das Übersinnliche bei K., in: Museum der Gegenwart I, 1930, 36-46; — Ders., K. Credo, in: California Arts and Architecture LVIII, 1941, 20f; — Alfred Barr, K., in: Omnibus, 1931, 206-209; — Ludwig Grote, An K., in: Bauhaus IV, 1931, H. 3, 2; — Ders., Erinnerungen an K., 1959; — Christof Hertel, Genesis der Formen oder Über die Formentheorie von K., in: ebd., 6-8; — Ludwig Justi, Von Corinth bis K., 1931, 193-197; — Wassily Kandinsky, Grußwort an K., in: Bauhaus IV, 1931, H. 3, 2; — Ders., K., in: Essays über Kunst und Künstler, 1955, 130-132; — Hermann Klumpp, Abstraktion in der Malerei. Kandinsky, Feininger, K., 1932; — Jean Lurçat, K., in: Omnibus, 1932, 55-57; — Geoffrey Grigson, K., in: The Bookman LXXXV, 1934, 390f; — Hans Schiess, Notes sur K. à propos de son exposition à la galerie Simon, in: Cahiers d'Art IX, 1934, 174-184; — J.B. Neumann, K., in: Artlover III, 1936, H. 1, 3-7; — Pierre Courthion, Hommage a K., in: XXᵉ Siècle, 1938, H. 4, 30-36; — Ders., K., 1953; — Rudolf Bernoulli, Mein Weg zu K., Randbemerkungen zu einer Ausstellung seines graphischen Werkes in der Eidgenössischen Graphischen Sammlung in Zürich, 1940; — Max Bill, K., in: Das Werk XXVII, 1940, 209-216; — Petra Petitpierre, Aussprüche und Aphorismen. Aus dem Kollegienheft einer Schülerin an der Staatlichen Kunstakademie Düsseldorf, in: Die Tat V, 1940, H. 274; — Dies., Aus der Malklasse von K., 1957; — Ruthven Todd, K. 1879-1940, in: Horizon II, 1940, 340-344; — Ders., The Man in the K. Mask«, in: Art News XLVIII, 1950, 28f; — Clement Greenberg, On K., in: Parti-

san Review VIII, 1941, 224-229; — Georgine Oeri, W.K.Wiemken und K., in: Werk XXVIII, 1941, 310-312; — Jankel Adler, Memories of K., in: Horizon VI, 264-267; — Rosamund Frost, K. Pigeons Come Home to Roost, in: Art News XLI, 1942, 24f; — Dies., Sidney Janis lends a K. »Actors Mask to Museum of Modern Art, in: Art News XLV, 1946, 19; — Hans Meyer-Benteli, K. Zu zwei Bildern: »Blumen in Gläsern« und »Rhythmisches«, in: Werk XXX, 1943, 201f; — Ders., Omaggio a K., in: Domus, 1947, H. 218, 10-15; — Anthony Bosman, K. in Memoriam, 1945; — Cahiers d'Art, Sonderheft, XX/XXI, 1945, 9-74; — Robin Ironside, K., in: Horizon XII, 1945, 413-417; — Hans Näf, Verwandlung der Welt, in: Neue Auslese I, 1945, H. 11, 56-59; — Carola Giedion-Welcker, Anthologie der Abseitigen. Poetische Fragmente aus Tagebüchern K.s, 1946; — Dies., Bildinhalte und Ausdrucksmittel bei K., in: Werk XXXV, 1948, 81-89; — Dies., K., 1952; — Dies., K., 1961; — Dies., K. und die Tradition, in: Schriften 1926-1971, 1973, 348-354; — Stanley William Hayter, »Apostle of Empathy«, in: Magazine of Art XXXIX, 1946, 126-130; — André Masson, Eloge de K., in: Fontaine, 1946, H. 53, 105-108; — Bruno Alfieri, K., 1948; — Rodolfo Bruhl, K. y sus ideas sobre el arte moderno, in: Ver y Estimar I, 1948, H. 4, 17-32; — Ders., Nuevos aportes sobre el arte de K., in: Ver y Estimar IV, H. 25, 16-32; — Sonderheft P.K., in: Du VIII, 1948, H. 10; — Werner Haftmann, Über das »Humanistische« bei K., in: Prisma, 1948, H. 17, 31f; — Ders., K., in: Im Zwischenreich. Aquarelle und Zeichnungen von K., 1957, 11-15; — Ders., Der Zeichner K., in: Ausstellungs-Kat. Mathildenhöhe, Darmstadt, 1967, 273-279; — Ders., »Une vision du typique réalisée comme dans un état de somnambulisme«, in: Chef d' œvre de l'Art, 1967, H. 7, 5-7; — Max Huggler, Gedanken und Betrachtungen zur K.-Ausstellung im Berner Kunstmuseum, in: Figura I, 1948, H. 3, 1-5; — Die Kunsttheorie von K., in: Festschr. Hans R. Hahnloser, 1961, 425-441; — Ders., Die Farbe bei K., in: Palette, 1967, H. 25, 12-22; — Ders., K. Die Malerei als Blick in den Kosmos, 1969; — Ders., K. - seine Persönlichkeit und seine Kunst, in: Universitas XXV, 1970, 9-18; — W. Jäggi, K. Wort, Bild, Ton, in: Die bunte Maske IV, 1948, 4. 6-9; — Felix Klee, K. Zu 22 Zeichnungen, ausgewählt von Alfred Eichhorn, 1948; — Ders., Der Musiker K., in: Schweizer Radio-Zeitung XXIX, 1952, H. 9; — Ders., K. Leben und Werk in Dokumenten. Ausgewählt aus nachgelassenen Aufzeichnungen und Briefen, 1960; — Ders., Zwischen Bern und München. Erinnerungen an Paul und Lily K., in: Das Schönste VII, 1961, H. 7, 63-66; — Ders., Aufzeichnungen zum Bild »Revolution des Viaductes« von K., in: Jb. d. Hamburger Kunstsammlungen XII, 1967, 111-120; — Ernst Penzoldt, Zu einem Aquarell von K. »Reiseerinnerung«, in: Das Kunstwerk II, 1948, H. 8, 26-28; — Herbert Read, K., 1948; — Ders., K. und sein Lebenswerk für die moderne Kunst, in: Universitas XXII, 1967, 1133-1142; — Giulia Veronesi, K., in: Emporium CVIII, 1948, 613f; — Dies., K. e la sua influenza, in: L' Arte Moderna VI, 1967, 281-312; — Douglas Cooper, K., 1949; — Gerhard Kadow, K. and Dessau in 1929, in: College Art Journal IX, 1949, H. 1, 34-36; — Max Pulver, Erinnerungen an K., in: Das Kunstwerk III, 1949, H. 4, 28-32; — Merle Armitage (Hrsg.), Fife Essays on K., 1950; — Hermann Beenken, Nachkriegsliteratur über K. und Picasso, in: Zeitschrift für Kunst IV, 1950, 84f; — Marcel Breuer, Aspects of the Art of K., in: Museum of Modern Art Bulletin XVII, 1950, H. 4, 3-9; — Jacques Charpier, La merveille concrète. Note sur K., in: Empédocle, 1950, H. 2, 40-45; — Gillo Dorfles, K., 1950; — Ders., L'Art de K., la ligue et le temps, in: XXe Siècle, 1955, H. 5, 53-56; — Ders., L'ultimo messaggio di K., in: Domus, 1957, H. 329, 35; — Daniel-Henri Kahnweiler, K., 1950; — Attilio Podestà, Situazione critica di K., in: Emporium CXI, 1950, 67-79; — Ders., K., in: Emporium CXX, 1958, 56-63; — Tati Scialoja, Apparizione di K., in: Arte Contemporanea I, 1950, H. 5, 34-44; — Rainer Gruenter, Über das Sehen K.s, in: Merkur, 1951, H. 5, 95-98; — Blanca Stabile, K. y Juan Gris, in: Ver y Estimar, 1951, H. 25, 8-15; — Augusto Morello, K., in: Commentari III, 1952, 211-223; — Jean Paul Slusser, Drawings by Moore and K., in: Bulletin of the Museum of Modern Art of the University of Michigan I, 1952, H. 3, 15-19; — Anton Henze, Von Busch bis K. Satire und Humor in der neuen dt. Kunst, in: Das Kunstwerk, 1953, H. 5, 5ff; — Werner Hofmann, K. und das Weltbild unseres Jh.s, in: Die österreichische Furche/Die Warte IX, 1953, H. 2; — Ders., K. und Kandinsky, in: Merkur XI, 1957, 1096-1102; — Bo Lindwall, K., 1953; — Georg Schmidt, K. Engel bringt das Gewünschte, 1953; — Andrew Forge, K., 1954; — Robert Reiff, K. »Flower Garden in Taora«, in: Allen Memorial Art Museum Bulletin III, 1954, 137-144; — Alexander Zschokke, Begegnung mit K. in Düsseldorf, in: Rheinischer Almanach. Jb. für Kunst, Kultur und Landschaft, 1954, 103f; — Marcel Brion, K., 1955; — Ders., K. und seine Kunst, in: Universitas XXIII, 1968, 1241-1248; — Carl Georg Heise, K. - Revolution des Viaduktes, in: Jahresring, 1955, 171-174; — Gerd Henniger, K.s Theorie von der Malerei in ihrem Verhältnis zur Struktur des Gesamtwerkes, Diss. Berlin, 1955; — Hilton Kramer, Example of K., in: Arts Digest XXIX, 1955, 12f; — Ders., K. in 1960, in: Arts International IV, 1960, H. 2-3, 28-31; — Joseph-Emile Müller, K. Poète et Constructeur, in: Critique XI, 1955, 225-236; — Ders., K. Carrées magiques, 1956; — Ders., K. Figures et Masques, 1961; — Willi Reich, K. und die Musik, in: Schweizerische Musikzeitung XCV, 1955, 347f; — Hans Konrad Roethel, K., 1955; — Ders., K. in München, 1971; — Werner Schmalenbach, K. Gemälde, 1955; — Ders., K.s »Fische«, 1958; — Bruno Streiff, K. Eindrücke und persönliche Erinnerungen, in: Neue Schweizer Rundschau XXII, 1955, 604-615; — Nika Hulton, An Approach to K., 1956; — Maria Marcus, K., 1956; - Walter Mehring, K., 1956; — Robert Melville, K.s Architectural Mirages, in: The Architectural Review CXX, 1956, 145-150; — Ake Meyerson, K., 1956; — Charles S. Kessler, Science and Mysticism in K.s »Around the Fish«, in: Journal of Aesthetics und Art Criticism XVI, 1957, 76-83; — Ellen Marsh, K. and the Art of Children. A Comparison of their Creative Processes, in: College Art Journal XVI, 1957, 132-145; — Juliane Roh, Symbolsprache bei K. und Chagall, in: Magnum, 1957, 66; — Gualtiero di San Lazzaro, K. La vie et l' œuvre, 1957; — Jürg Spiller, Über Norm und Anorm bei K. Dokumenta Geigy. Kurzbericht vom Internationalen Kongress für Psychiatrie in Zürich, 1957, 9f; — Ders., K., 1962; — Walter Ueberwasser, K.s »Engel« und »Inseln«, in: Festschr. Kurt Bauch, 1957, 257-263; — Ders., Chiffrierte Weltgedanken bei K., in: Die Kunst und das Schöne Heim LXI, 1963, 550-555; — Ders., K.s großes Spätwerk, in: Werk LII, 1965, 459-466; — Ders., Fire and Water - Obscurities in the Late K., in: Art News LXIV, 1965, 40f. 60f; — Rike Wankmüller,

Über K. und die Kunst seiner Zeit, in: Das Kunstwerk, 1957, H. 5-6, 18ff; — Dies., Die Bedeutung von Grundformen für bildnerische Darstellungen unbewußter Vorgänge. Zu einigen Arbeiten von K., in: Confinia psychiatrica VIII, 1965, 69-88; — Enzio Fratelli, Il Messaggio di K., in: Arti, 1958, H. 3, 7; — Francine Legrand, K. »Chemins principaux et chemins secondaires«, in: Quadrum V, 1958, 80f; — L. Hertig, K., 1959; — Pierre Gonthier, Le langage du peintre. Eléments extraits des textes de K., in: Ring des Arts, 1960, H. 1, 55-59; — Gotthard Jedlicka, K. Vogel-Begegnung, 1960; — Ders., K. Concerto a colori, 1962; — Lincoln Johnson, To the »Tightrope Walker«, in: Baltimore Museum of Art News, 1960, 9-15; — Eduardo Lourenço, K. ou a imaginaçao arqúetipa, in: Colóquio, 1960, H. 11, 10-15; — Nello Ponente, K. Biogr.-krit. Studie, 1960; — Josef Gantner, Die Befreiung der Farbe. K.s »Gestirne über bösen Häusern« und »Diana«, in: Palette, 1961, 3-18; — Werner Löffler, K. »Die Frucht«, in: Neue Schau XXII, 1961, 290f; — Oswell Blakeston, Words and Pictures. K.s Poems, in: Studio CLXIV, 1962, 193; — Ders., K., in: Arts Review XXIII, 1971, 677; — Joachim Büchner, Zu den Gemälden und Aquarellen von K. im Wallraf-Richartz-Museum, in: Wallraf-Richartz-Jb. XXIV, 1962, 359-374; — Italo Cinti, K., 1962; — J.O. Kehrli, Weshalb K.s Wunsch, als Schweizer Bürger zu sterben, nicht erfüllt werden konnte, in: Der kleine Bund CXIII, 1962, H. 6, If; — Salvatore Maugeri, K., in: Arte Figurativa X, 1962, H. 56, 37-40; — D. Robbins, K., the Painter of »Why«, in: Art News LXI, 1962, H. 2, 56-58; — Gunther Schuller, Seven Studies on Themes of K., 1962; — Claude Roy, K., aux sources de la peinture, 1963; — Shuzo Takiguchi, K., 1963; — Edmond Dune, L'opéra fabuleux de K., in: Critique, 1964, 126-138; — Christina Kröll, K. »Über die moderne Kunst«, in: Jb. f. Ästhetik und allgem. Kunstwissenschaft IX, 1964, 7-27; — Dies., Die Bildtitel K.s. Eine Studie zur Beziehung von Bild und Sprache in der Kunst des 20. Jh.s, Diss. Bonn, 1968; — Hans-Peter Rasp, Vor fünfzig Jahren. Macke, K. und Moilliet in Tunesien, in: Die Kunst und das Schöne Heim LXII, 1964, 242-245; — John White, Eine kleine K.-musik, in: Arts in Virginia IV, 1964, H. 3, 33-38; — Jean-Christophe Ammann, Die Tunesien-Aquarelle K.s von 1914, in: Kunst-Nachrichten II, 1965, H. 3, 2-8; — Kurt Badt, Zur Bestimmung der Kunst K.s, in: Jahresring, 1965, 123-136; — Joyce Hallamore, K., Hermann Hesse and Die Morgenlandfahrt, in: Seminar I, 1965, H. 1, 17-24; — Hans H. Hofstätter, Symbolismus und Jugendstil im Frühwerk von K., in: Kunst in Hessen und am Mittelrhein V, 1965, 97-118; — Reinhold Hohl, Die graphischen Bll. von K., in: Die Ernte XLVI, 1965, 129-149; — Kurt Werner Peuckert, Das Bild als Vorgang. Bemerkungen zu K.s imaginärer Metaphysik, in: Antaios VII, 1965, 319-321; — Margit Staber, Bildbewegung durch Bildordnung. K.s »Harmonischer Kampf«, in: Kunst-Nachrichten I, 1965, H. 5, 8-11; — Walter Überwasser, Fire and water. Obscurities in the late K., in: Art News LXIV, 1965, Nr. 4, 40f. 60f.; — Alfred Werner, K. - »Colour has Taken Hold of Me«, in: American-German Review XXXII, 1965, H. 1, 12-16; — Hans Heinrich Engelmann, Rhythmus und bildnerisches Denken, in: Melos XXXIII, 1966, 261-264; — Robert Fisher, K., 1966; — C. M. Kauffmann, An Allegory of Propaganda by K., in: Victoria and Albert Museum Bulletin, 1966, H. 2, 71-74; — Manfred Schlösser, Marginalien zu einer K.-Ausstellung, in: Schweizer Monatshefte XLVI, 1966,

482-487; — Edward Winter, I bought a K., in: Studio CLXXII, 1966, 20-27; — David Irwin, K., 1967; — Uta Laxner, Stilanalytische Untersuchungen zu den Aquarellen der Tunisreise 1914. Macke, K., Moilliet, Diss. Bonn, 1967; — Michael M. und Erika A. Metzger, K., 1967; — Geza Pemeczky, K., 1967; — John Perreault, K. A dissenting opinion, in: Art News LXVI, 1967, H. 3, 42f. 74; — James Smith Pierce, Pictograms, Ideograms and Alphabets in the Work of K., in: Journal of Typographic Research I, 1967, 219-243; — Ders., K. and Baron Welz, in: Arts Magazine New York LII, 1977, 128-131; — Ders., K. and Primitive Art, Diss. New York University, 1976; — Jacques Berque, D'un musicien, d'un peintre et de l'orient second, in: L'endurance de la Pensée, 1968; — Gabriele Lerch, Sind Bildanalysen lehrbar? Eine Untersuchung am Beispiel von K.s »Flora am Felsen«, in: Kunst und Unterricht, 1968, H. 1, 9-17; — Ernest Raboff, K., 1968; — Maurice L. Shapiro, K.s »Twittering Machine«, in: Art Bulletin L, 1968, 67-69; — Jürgen Walter, »Hoffmanneske Märchenszene«. E.T.A.Hoffmann und K., in: Antaios IX, 1968, 466-482; — Ders., »Orientierung auf der formalen Ebene«. K. und Georg Trakl. Versuch einer Analogie, in: Dt. Vierteljahresschr. f. Lit.wissenschaft und Geistesgesch. XLII, 1968, 637-661; — Ricardo Barletto, K. e l'anima, in: Arte e Poesia, 1969, H. 1, 73-81; — Anton Henze, K., 1969; — Renato Barilli, K. Tempo perfetto e tempo imperfetto, in: Rivista d'arte Antica e Moderna III, 1970, 114-125; — Christian Geelhaar, Et in Arcadia Ego. Zu K.s »Insula dulcamara«, in: Berner Kunstmitt. 1970, H. 118, 1-5; — Ders., K. und das Bauhaus, 1972; — Ders., K. »Früchte auf rot«, in: Pantheon XXX, 1972, 222-228; — Ders., K. Leben und Werk, 1974; — Ders., Die Vorgesch. d. Tunis-Reise, 1974; — Ders., K.-Zeichnungen. »Reise ins Land der besseren Erkenntnis«, 1975; — Guichard-Meili, Notes non explicatives pour K., in: La Nouvelle Revue Française, 1970, 248-262; — I. Marin, K. ou le retour à l'origine, in: Revue d'Esthetique XXIII, 1970, 71-77; — Florentino A. Sanguinetti, K. Poesia e símbolo, in: Ausstellungskat. Museo Nacional de Bellas Artes Buenos Aires, 1970, 11-16; — Ernst Strauss, K: »Das Licht und Etliches«, in: Pantheon XXVIII, 1970, 50-56; — Ders., Zur Helldunkellehre K.s, in: Ders., Koloritgesch. Untersuchungen zur Malerei seit Giotto, 1972, 121-133; — Hans Christoph von Tavel, Dokumente zum Phänomen »Avantgarde«. K. und der Moderne Bund in der Schweiz 1910-1912, 1970; — Dore Vallier, K. aujourd'hui, in: La Nouvelle Revue Française, 1970, 248-262; — Hans L. Jaffé, K., 1971; — Norbert Lynton, K. und seine Kunst - ihr Durchbruch und ihr Aufstieg, in: Universitas XXVI, 1971, 1143-1150; — Christa Murken, K. Kamel in rhythmischer Landschaft. Über das Lesen von Bildern, 1971; — Adelina Rodolico-Gariglio, L'egocentrismo in K., in: Rivista di Psicologia sociale XVIII, 1971, 3-26; — Eva Stahn, K., 1971; — William Van Mulders, K.s Kleurentheorie, 1971; — V. Frank, Dürer-Rezeption bei K. und Max Lingner, in: Ber. vom Internationalen Kolloquium »Albrecht Dürer - Kunst im Aufbruch« in Leipzig 1971, 1972, 253-255; — Manfred Faust, Diachronie eines Idiolekts: Syntaktische Typen in den Bildtiteln von K., in: Zeitschr. f. Lit.wissenschaft und Linguistik II, 1972, H. 8, 97-109; — Ders., Entwicklungsstadien in den Bildtiteln von K., in: Dt. Vierteljahresschr. f. Lit.wissenschaft und Geistesgesch. XLVIII, 1974, H. 1, 25-46; — Jürgen Glaesemer, K. Die Kritik des Normalweibes. Form und Inhalt im Frühwerk,

in: Berner Kunstmitteilungen, 1972, H. 131-132, 3-18; — Ders., K.s persönliche und künstlerische Begegnung mit Alfred Kubin, in: Pantheon XXXII, 1974, 152-162; — Ders., Das wechselnde Verhältnis zu K. und seiner Kunst, in: Universitas XXXV, 1980, 241-246; — M. Logrono, K. entre el Mistero y la Geometria, in: Bellas Artes III, 1972, H. 16, 33-35; — F. Nora, Villas florentines de K., in: Revue du Louvre et des musées de France, 1972, 105-109; — Pinin Carpi, L'isola dei quadrati magici. Viaggio avventuroso di un marinaio nel paese fantastico di K., 1973; — Hubert Damisch, »Egale infini«, in: Critique XXIX, 1973, 691-723; — Andeheinz Mösser, Das Problem der Bewegung bei K., Diss. Heidelberg, 1973 (Buchausgabe, 1976); — Ders., Pfeile bei K., in: Wallraf-Richartz-Jb. XXXIX, 1977, 225-235; — Arturo Carlo Quintavalle, K. Vida y obras, 1973; — Marianne L. Teuber, New Aspects of K.s Bauhaus Style, in: Ausstellungskatalog Art Center Des Moines, 1973, 6-17; — Richard Verdi, Musikalische Einflüsse bei K., in: Melos XL, 1973, 5-22; — Ders., K.s »Magic Fish«, in: Burlington Magazine CXVI, 1974, 147-154; — G. Curonici, K. e il rapporto tra musica e pittura, in: Cenobia XXIII, 1974, 328-335; — Marcel Franciscono, K.s Italian journey and the classical tradition, in: Pantheon XXXII, 1974, 54-64; — Ders., K.s kubistische Graphik, in: Ausstellungskatalog Wilhelm-Lehmbruck-Museum Duisburg, 1974, 46-57; — Ders., K. in the Bauhaus - the Artist as Lawgiver, in: Arts Magazine LII, 1977, 122-127; — Jim M. Jordan, K. and Cubism 1912-1926, Diss. New York University, 1974; — Ders., The Structure of K.s Art in the Twenties, from Cubism to Constructivism, in: Arts Magazine LII, 1977, 152-157; — Marcel Marnat, K., 1974; — Margaret R. Polson, K. A Study in Visual Language, Diss. Chapel Hill University, 1974; — Diether Rudloff, Vom Vorbildlichen zum Urbildlichen. Das bildnerische Denken K.s als Schulungsweg, in: Die Kommenden XXVIII, 1974, H. 14, 9-11; — Ders., Die Kunst des P.K., in: Die Kommenden XXIX, H. 12, 11-14; H. 13, 9-11; — K.C. Adam, Platonic/Neoplatonic Aesthetic Tradition in Art Theory and Form. Relationship of Sense Object to Idea in Selected Works of Hindemith and K., Diss. University of Ohio, 1974; — Andrew Kagan, K.s Influence on American Painting, in: Arts Magazine I, 1975, 84-90; — Ders., K.s »Ad Parnassum«. The Theory and Practice of Eighteenth Century Polyphony as Models for K.s Art, in: Arts Magazine LII, 1977, 90-104; — Hans-Martin Schweizer, K. Die Vermittlung von Kunsttheorie und Kunstpraxis in der Didaktik, Diss. Tübingen, 1975; — Katalin von Walterskirchen, K., 1975; — Sara Lynn Henry, K. Nature and Modern Science - the Twenties, Diss. University of Berkely, 1976; — Dies., Form-creating Energies. K. and Physics, in: Art Magazine LII, 1977, 118-121; — H. U. Schlumpf, Das Gestirn über der Stadt. Ein Motiv im Werk von K., Diss. Zürich, 1976; — Otto Karl Werckmeister, Walter Benjamin, K. und der »Engel der Geschichte«, in: Neue Rundschau LXXXVII, 1976, 16-40; — Ders., The Issue of Childhood in the Art of K., in: Arts Magazine LII, 1977, 138-151; — Ders., Die neue Phase der K.-Lit., in: Neue Rundschau LXXXIX, 1978, 405-420; — Ders., Versuche über K., 1981; — Alessandra Comini, All Roads Lead (Reluctantly) to Berne. Style and Source in K.s Early »Sour« Prints, in: Arts Magazine LII, 1977, 105-111; — Douglas Hall, K., 1977; — Bruno Lussato, Une initiation visuelle à »Rhythme des arbres« de K., 1977; — Renée Riese-Hubert, Writers as Art Critics. Three Views of the Paintings of K., in: Contemporary Literature XVIII, 1977, 75-92; — Sixten Ringbom, K. and the Inner Truth of Nature, in: Arts Magazine LII, 1977, 112-117; — Deborah Rosenthal, K. A Lesson of the Master, in: ebd., 158-161; — Gert Schiff, René Crevel as a Critic of K., in: ebd., 134-137; — Arturo Bovi, K., 1978; — Margret Plant, K. Figures und Faces, 1978; — Michèle Vishny, K. and War. A Stance of Aloofness, in: Gazette de Beaux Arts CXX, 1978, 232-243; — Marcel Baumgartner, K. und die Photographie, 1979; — Reinhold Hohl, K. und seine Kunst, in: Universitas XXXIV, 1979, 17-23; — Matthias Arnold, K. - das Frühwerk 1883-1922, in: Die Weltkunst L, 1980, 110-114; — Ders., K.s Briefe an die Familie, in: ebd., 2598-2602; — Francisco Calvo Serraller. Notas sobre el pensiamento artistico de K., in: Cuadernos Hispanoamericanos, 1980, Nr. 358, 5ff; — Anita Eckstaedt, »Mimi überreicht Madame Grenouillet einen Blumenstrauß.« Eine psychoanalytische Studie über den Weg der Phantasie des vierjährigen K. anhand einer Kinderzeichnung, in: Psyche XXXIV, 1980, 1123-1144; — Anton Friedt, K.: »... uns trägt kein Volk.« Entwurf einer Unterrichtsreihe, in: Zeitschr. f. Kunstpädagogik, 1980, H. 1, 14-25; — Heinrich-Josef Klein, K. und die Kunstpädagogik heute, in: Zeitschr. f. Kunstpädagogik, 1981, H. 5, 43ff; — Petra Bosetti, Drei Maler auf Kunst-Tour (K., Macke, Moilliet), in: Ars, 1982, H. 12, 126-128; — Gudula Overmeyer, Studien zur Zeitgestalt in der Malerei des 20. Jh.s: Robert Delaunay - K., 1982; — Evelyn Silber, K. His life and work, in: Journal of the Royal Society of Arts CXXXI, 1983, 559-561; — Margareta Benz-Zauner, Werkanalytische Untersuchungen zu den Tunesien-Aquarellen K.s, 1984; — Peg de Lamater, Some Indian Sources in the Art of K., in: Art Bulletin LXVI, 1984, 658-671; — Constance Naubert-Riser, K. et la Chine, in: Revue de l'art, 1984, H. 63, 47-56; — Christa-Maria Zimmermann, K. Wunderwelt in Farbe festgehalten, in: Das Tor L, 1984, H. 12, 28-36; — Arthur Engelbert, Die Linie in der Zeichnung: K.-Pollock-Twombly, 1985; — Ingrid Hermann, K.: Glockentöne, in: Musik und Bildung XVII, 1985, 690; — Wolfgang Kersten, K. Zerstörerisches Denken in den Jahren 1914-1923, Diss. Marburg, 1985 (Buchausg. u.d.T.: K. »Zerstörung, der Konstruktion zuliebe?«, 1987); — Andre Kuenzi, K., theorie et genie, bonheur et beaute, in: L'oeil, 1985, H. 359, 50ff; — M. Reuther, Das Spätwerk K.s, in: Universitas XL, 1985, 167-178; — Luc Vezin, K. et la musique exposition, in: Beaux arts magazine, 1985, H. 29, 70-73; — K. Porter Aichele, K.s operatic themes and variations, in: Art Bulletin LXVIII, 1986, 450-466; — Peter Kock, Konstruktion und Chiffre. K.s Zeichnungen, in: Umbruch V, 1986, H. 1, 55-68; — Walter Salmen, Die Zwitschermaschine von K. und Giselher Klebe, in: NZfM CXLVII, 1986, H. 6, 14-19; — Ronald Templeton, K. - zwischen den Welten. Psychographische Signaturen zu elementarischen Erfahrungen, in: Die Drei LVI, 1986, H. 7-8, 515-533; — Hill Renée Hügelmann, Gedichte inspiriert durch Kompositionen von K., 1987; — Maria Rennhofer, K. Vorbild-Urbild/Frühwerk-Spätwerk, in: Parnass, 1987, H. 2, 74ff; — Markus Brüderlin, »Die Zwitschermaschine«. K.s Gesamtwerk im Berner Kunstmuseum. Die Veräußernng der verinnerlichten Außenwelt, in: Parnass, 1988, Nr. 1, 86ff; — Sara Lynn Henry, K.s Pictorial Mechanics - from Physics to the Picture Plane, in: Pantheon XLVII, 1989, 147; — Babara Schulz, Zu Technik und Material bei »Durchdrückzeichnungen« von K., in: Restauro

XCVI, 1990, 210-212; — Thieme-Becker XX, 424-426; — NDB XI, 722-727.

Hans-Josef Olszewsky

KLEIN, Felix, Priester und Schriftsteller, * 12.7. 1862 im Schloß Chinon (Nièvre), † 31.12. 1953 in Gargenville (Seine et Oise). — Nach seinen Studien in Paris am Seminar St. Sulpice und am Katholischen Institut wurde er 1885 zum Priester geweiht und legte sein Staatsexamen in Philologie an der Sorbonne ab. Zunächst unterrichtete er an einem Kollegium in Meaux Philosophie, danach von 1893-1908 französische Literatur am Katholischen Institut von Paris. Während des Krieges von 1914-1918 war er Feldgeistlicher in einem amerikanischen Lazarett in Neuilly, von wo er als katholischer Delegierter in die USA geschickt wurde. Danach widmete er sich der religiösen Pädagogik für Kinder und dem Verfassen seiner rein christlichen Werke, wobei er mit verschiedenen Zeitschriften zusammenarbeitete, vor allem mit dem »Correspondant«. Er beendete sein Leben in der Priesterbruderschaft in Gargenville. Als großer Reisender, der der modernen Welt gegenüber sehr aufgeschlossen war, ergründete er in Nordafrika das Apostolat der Weißen Pater des Kardinals Lavigerie und ließ sich von der Mentalität des amerikanischen Katholizismus verführen. Daher wird sein Name mit der Wende zum »Amerikanismus« verknüpft. Er war Übersetzer und Präsentator der Vorträge des Mgr. Ireland und des »Vie du P. Hecker« (Das Leben des P.-Hecker) und steuerte um 1897 mit seinem fast naiven Enthusiasmus zu der lebhaften Resonanz auf dieses »amerikanische Modell« in Frankreich bei. Als sich ernster Widerspruch gegen diesen transatlantischen Liberalismus erhob, verurteilte Papst Leo XIII. 1899 eine allzu nationale Religion unter dem Begriff des »Amerikanismus«, die den natürlichen und aktiven Tugenden Vorrang einräumte. Doch diese Warnung vor Abweichungen - einer »Phantom-Häresie«, wie F.K. sagte - bedeutete nicht die Verwerfung des amerikanischen Apostolats. Außerdem scheint die geistige Aufgeschlossenheit der Werke F.Kleins Schriftsteller wie Brunetière,

Huysmans und Paul Bourget dem Katholizismus nähergebracht zu haben.

Werke: Parmi les nombreux ouvrages de F.K. (sans compter ses allocutions publiées), dont plusieurs ont été couronnés par l'Académie francaise et traduits en 3 ou 4 langues, on peut signaler: Le cardinal Lavigerie et ses œuvres en Afrique (1890); L'Eglise et le siècle (traduction de discours de Mgr Ireland, 1894); Vie du P. Hecker, fondateur des Paulistes américains (traduction et préface de F.K., 1897); Le fait religieux et la manière de l'observer (1903); Au pays de la vie intense (personnalités américaines, 1904); Mon filleul au jardin d'enfants (1912); Jésus et ses apôtres (1931); La vie humaine et divine de Jésus Christ(1933); La route du petit Morvandiau (7 vol. de Souvenirs de F.K., 1946-1953). Le 7ème vol. est précédé d'une biographie et d'une bibliographie complète.

Lit.: M.Nédoncelle, In memoriam: l'abbé F. Klein, 1954; — Docum.Catho., 51, Sp. 252-53; — Dict.Th.Cat., Tables, Sp. 2825; — Catholicisme, VI, Sp. 1453; — Dict.Sp., VIII, Sp. 1733 und I, 475-488 (sur l'américanisme)

Paul Duclos

KLEIN, Karl, Bischof von Limburg 1886-1898, * 11.1. 1819 in Frankfurt/M., † 6.2. 1898 in Limburg. — Nach der Priesterweihe 1841 war er Sekretär des Limburger Bischofs Blum (1843) und ab 1852 dessen Generalvikar. Als Geheimdelegat leitete er nach der Flucht Blums 1876 nach Böhmen das Bistum. Am 15.10. 1886 wurde er auf Betreiben der preuß. Regierung Bischof von Limburg. Seit 1867 Vertreter der kath. Zentrumspartei im preuß. Abgeordnetenhaus, distanzierte er sich als Bischof offen von der Zentrumspolitik (Septennatsfrage). K. profilierte sich als Politiker in den Staat-Kirche-Konflikten (Nass. Kirchenstreit, Kulturkampf).

Werke: Moenanus (Pseud.), D. staatsbehördl. Entlassg. d. hochw. H. Bisch. P.J. Blum aus s. Amt als Bisch. d. Diöz. Limburg, 1877; Der Wallfahrtsort Marienthal, 1883.

Lit: Georg Hilpisch, Dr. Karl Klein, 1891; — Christoph Weber, Kirchl. Politik zw. Rom, Berlin u. Trier 1876-1888, 1970; — Erwin Gatz, Zur Neubesetzung d. Bist. Limburg u. Fulda 1885-1887. in: RQ 71, 1976, S. 78-112; — Ders.(Hg.), D. Bischöfe d. deutschspr. Länder, 1983, S. 384f; — NDB XI, S. 743f; — Klaus Schatz, Drei Limburger Bischofswahlen im 19. Jhrd. 1827-1842-1886. In: AMRhKG 30, 1978, S. 191-213; — Ders., Geschichte d. Bistums Limburg, 1983.

Brigitte Stenske

KLEIN, Magnus, * 1.5. 1717 in Wasserhofen/Kärnten, † 25.11. 1783 in der Abtei Göttweig. — Mit 21 Jahren trat K. in die niederösterreichische Benediktinerabtei Göttweig ein. Nach seinem Noviziat, der Ablegung der feierlichen Ordensprofeß und der Priesterweihe wurde der begabte Mönch 1742 zunächst Bibliothekar und danach der Sekretär des großen Abtes, Staatsmanns und Historikers Gottfried von Bessel († 1749). Im Jahre 1747 wurde K. zum Kämmerer und 1765 zum Hofmeister des Göttweiger Hofs in Wien ernannt. Drei Jahre später wird er selbst Abt in Göttweig und zählt in der Geschichte dieses Stifts zu den bedeutendsten Äbten.

Werke:-Herausgeber: Codex traditionum monasterii Laurishamensis, Tegernsee 1766, 2. Bde; Notitiae Autriae antiquae et mediae, ebd. 1781; viele Hss. zur dt. u. österr. Kirtchengeschichte befinden sich im Archiv der Abtei Göttweig.

Lit.: C. v. Wurzbach, Biograph. Lex. des Kaisertums Österreich, Wien 1856-1891, XII, 54 f.; — Scriptores Ordinis S. Benedicti, qui 1750 ad 1880 fuerunt in Imperio Austriaco-Hungarico, Wien 1881, 239 f.; — G. Pfeilschifter, Die St. Blasianische Germania Sacra, Köln 1921, 38 ff., 109; — A. Coreth, Österr. Gesch.schreibung in der Barockzeit, Wien 1950, 108; — E. Tomek, Kirchengesch. Österreichs, Innsbruck 1935 ff.; III, 312 f.; — LTh K ^{2}VI, 327.

Johannes Madey

KLEIN, Tim (getauft auf die Vornamen Johann Philipp Timotheus), evangelischer Schriftsteller, * 7. 1. 1870 in Fröschweiler bei Wörth im Elsaß als viertes Kind und zweiter Sohn des Volksschriftstellers und evangelisch-lutherischen Pfarres Karl Klein (1838-1898), des Verfassers der »Fröschweiler Chronik«, und seiner Ehefrau Elisabeth, geb. Hosemann, Tochter des evangelisch-lutherischen Pfarrers und Redakteurs der Zeitschrift »L'Esperance« Jean Jacques Hosemann in Paris, † 27.4. 1944 in Planegg bei München. — Nach dem Besuch der Lateinschule und des Johannispensionats in Oettingen im Ries wechselte K. 1882 mit der Berufung des Vaters zum Dekan in Nördlingen auf die dortige Lateinschule, danach auf das Gymnasium zu Sankt Anna bei Augsburg bis zum Abitur im Herbst 1888. Bedrängt durch begrenzte Finanzmittel der Familie, da der Vater seit 1885 als unheilbar Geisteskranker in der Pflegeanstalt Kaufbeuren versorgt werden mußte, begann K. dennoch mit dem Studium der Philologie, zunächst in Straßburg, dann in München. Die Umstände zwangen zur Aufgabe des Studiums. Es folgte 1893/4 ein freiwilliger Militärdienst in Straßburg. Danach arbeitete K. beim Buchhandel in Leipzig, Naumberg und Nördlingen. Nach der Wiederaufnahme des Studiums (1898) erfolgten 1899 und 1900 die beiden staatlichen Prüfungen, die K. in Realien ablegte, 1902 die Promotion zum Dr. phil. über Wieland und Rousseau. K. unterrichtete in Burtenbach bei Augsburg bis 1902, danach in Metz als Probekandidat, ab 1903 als Dozent am Lehrerseminar in Straßburg. Er zog als Soldat in den 1. Weltkriegs und setzte sich 1917/18 für die monarchistische, Bismarck verehrende Deutsche Vaterlandspartei ein. Kurz nach Kriegsende wurde er Feuilletonredakteur der »Münchner Neuesten Nachrichten« und dann Leiter des Kulturteils. Von Dezember 1920 bis Juli 1924 wirkte er als Schriftleiter der »Einkehr«, einer Unterhaltungsbeilage der Zeitung. In den 20er Jahren stieg K. zum führenden Münchener Schauspielkritiker auf. Er verfaßte selbst mehrere Theaterstücke sowie eine ganze Reihe von Gedichten. Als Mitbegründer und -herausgeber der »Zeitwende« versuchte er, ein Forum für evangelische Kultur zu schaffen. Tief traf ihn der Suizid seiner jungen Verlobten. 1933 entließ ihn die neue Leitung der Münchner Neusten Nachrichten zunächst fristlos; danach bedachte man ihn noch mit gelegentlichen Aufträgen. — K. kämpfte für eine Synthese von (deutsch-)nationaler und evangelisch-christlicher Gesinnung, orientiert an historischen Vorbildern aus Politik und Bildung. Sein Werk demonstriert die kulturell-religiöse Substanz wie auch zugleich die antiaufklärerische und antidemokratische Fragwürdigkeit eines verbreiteten Mentalitätstyps seiner Generation.

Werke: Es werde Licht!, Burtenbach b. Augsburg 1901; Es will tragen, Innsbruck 1902; Wieland u. Rousseau, Berlin 1903; Er und wir, Augsburg 1904; Veit Stoß, München/Leipzig 1912; Die Befreiung 1813-1814-1815, Ebenhausen b. München 1913; 1848. Der Vorkampf dt. Einheit u. Freiheit, ebd. 1914; Neuaufl. unter dem Untertitel, ebd. 1942; Der Kanzler O. v. Bismarck in seinen Briefen, Reden u. Erinnerungen, ebd. 1915; M. Luther. Dt. Briefe, Schriften, Lieder, Tischreden (ausgew.), München 1917; Der dt. Soldat, ebd. 1917; Mitteilungen der Dt. Vaterlands-Partei (verantw. Schriftleiter), Berlin 1917f.; Die Erlösung des Pilatus, Leipzig 1919; Die Einkehr. Unterhaltungsbeilage der Münchner Neuesten Nachrichten (Schriftleitung), München 1920-24; M. Luther (Mitarb.), Berlin. 1920/21; Das Erbe (Hrsg.), München 1921; Freiherr v. Stein, Berlin 1922; Zeitwende (Mithrsg.), München 1924-1941; Fr. v. Schiller (Hrsg.), ebd. 1925; G. Tersteegen (ausgew.), ebd. 1925; Engl. Seeräuber, Straßenräuber, Taschendiebe, ebd. 1925; Dennoch bleibe ich, Heilbronn 1928; Im Kampf der Zeit, München 1930; F. Hanfstaengl u. sein Werk, ebd. 1933; Der junge Luther, Lübeck 1933; Das Buch v. Opfer, (Mithrsg.), München 1934; Luther, der Reformator, Lübeck 1934; Lebendige Zeugen, Ebenhausen b. München/Berlin 1937, 1949[5]; Luther. Der Evangelist von Gottes Gnaden, Berlin 1938; H.J. v. Zieten, ebd. 1939.

Lit.: Hermann Bahr, Der schaffende Spiegel. Tim Klein als Kritiker und Dichter, in: Münchner Neueste Nachrichten v. 7. 1. 1930, 1f.; — Josef Hofmüller, Dem 60jährigen Tim Klein, in: ebd., 1f.; — Wilhelm v. Schramm, T.K. Eine Bildnisstudie, in: ebd., 2; — Otto Gründler, 15 Jahre Zeitwende. Ein Brief an Tim Klein, in: ZW 16, 1939/40, 94f; — ders., In memoriam Dr. Tim Klein, in: ZW 18, 1946/47, 33-42; — Karl Alexander v. Müller, Im Wandel einer Welt, München 1966, passim; — Wolfgang Petzet, Theater. Die Münchener Kammerspiele 1911-1972, München 1973, passim; — Portraitzeichnung v. P. Trumm in: T. Klein, Im Kampf der Zeit, München 1930, 2; — CKL I, 1120; — DLL[2] II, 1289f.; — DLL[3] VIII, 1274; — NDB XI, 747.

Eberhard Hauschildt

KLEINCLAUSZ, Arthur, Historiker, * 1869 in Auxonne (Côte d'Or), † 4.12. 1947, wahrscheinlich in Lyon. — Nach seinem Hochschulstudium in Lyon lehrte er an der Universität Dijon und legte 1902 eine stark beachtete Dissertation über das karolingische Reich »L'Empire carolingien« vor. Seine Schriften über die karolingische Epoche bereiteten den Weg für spätere Arbeiten von Halphen, Calmette und Fichtenau. A.K. erstrebte eine universitäre Karriere in Lyon: Er wurde Dekan der philologischen Fakultät, Gründer der »Société lyonnaise d'études locales« und Mitglied der Akademie von Lyon.

Werke: 1. Dans la ligne de sa thèse: participation au t. 2 de l'Histoire de France de Lavisse, Charlemagne (1934), Eginhard (1942), Alcuin (1948) 2. Sur l'histoire régionale: Claus Sluter et la sculpture bourguignonne au 15 ème siècle (1905), Dijon et Beaune (1907), Histoire de la Bourgogne (1909), et il collabore aux 2 premiers tomes de l'importante Histoire de Lyon (3 vol. in 4, 1939-1952).

Lit.: Der Große Herder, VI, 1490; — R.Hist.Eccl., 1949, S. 333 (sur Alcuin); — Catholicisme, VI, Sp. 1454-55.

Paul Duclos

KLEINERT, Paul, evangelischer Theologe, *
23.9.1839 in Vielgut Kr. Oels (Oberschlesien), †
29.7.1920 in Berlin. — K. promoviert zum Dr.
phil. nach absolviertem Studium im November
1857 über hebräische Verbflexion in Halle; das
Licenceatenexamen besteht er im Mai 1860 in
Breslau. K. wird nun von 1861 bis Oktober 1863
zunächst Diakon in Oppeln, dann 1863-1865
Religionslehrer am Friedrich-Wilhelm-Gymnasium, Prediger an St. Gertraud (1866-1877) und
(1864 habilitiert) Privatdozent in Berlin, übernimmt 1868 eine außerordentliche, 1877 die ordentliche Professur für Altes Testament und
Praktische Theologie, die er bis zu seiner Emeritierung (1907) innehat; allerdings lehrte K. bis
1918 weiter. Von 1873-1891 gehört K. dem
brandenburgischen Konsistorium und von 1895-
1904 dem Evangelischen Oberkirchenrat an;
von Ostern 1877 bis in den Herbst 1909 leitete
er das homiletische Seminar. Dem Studienhaus
des Johanneums stand K. als Ephorus vor. — K.
vertritt im akademischen Lehrbetrieb eine ungewöhnliche Fächerkombination (s. o.), die ihn zu
fruchtbaren Ansätzen bringt. Weist K. in seinen
»Profeten« (s. u.) nach, daß die zeitgenössischen
brennenden sozialen Fragen bereits von den alttestamentlichen Propheten im Kontext ihrer Zeit
thematisiert worden sind, so postuliert er für die
praktische Theologie die Charakteristik einer
angewandten und sozial engagierten Ethik. Sein
Programm entfaltet K. in einer breit angelegten
Rezension der soeben erschienenen Entwürfe
von (s. d.) Theodosius Harnack, Gerhard von
Zezschwitz und J. J. van Oosterzee (s. u.); erstmals begegnet bei K. auf dem Hintergrund des
im letzten Viertel des 19. Jahrhunderts einsetzenden Wandelns in seiner Disziplin der Per-
spektivwechsel von der praktisch-theologischen
Idee hin zur empirisch-konkreten Kirche, die in
der Parochialgemeinde organisiert und strukturiert ist. An dem Zusammenhang von praktischer Theologie und Ehtik hält K. fest, allerdings Kirche als Anwendungsfeld der von der
Ethik sanktionierten allgemeinen Normen be-
greifend und reflektierend; allerdings ist das Nebeneinander von Empirie und Spekulation in der
Praktischen Theologie, für K. Kennzeichen des
romantischen Erbes, angesichts der rasanten naturwissenschaftlichen und sozialen Veränderungen aufzubrechen, die Realität in den Blick zu

rücken (Zur Praktischen Theologie, 1880). Der
2. Teil seines Aufsatzes (1882) konkretisiert
Fragen des Kultus, der als das Kirche eigentlich
begründende Moment verstanden wird. K.s
»Homiletik« thematisiert Rhetorik, Charisma,
Kasus und Psychologie als die Predigt bestimmende Faktoren und weitet den Blick auf hu-
manwissenschaftliche Nachbardisziplinen.

Werke: De natura notioque et usu modorum verbi quum
omnium Semiticarum dialectorum tum vero verbi Hebraici,
Halle 1857; Der Prediger Salomo. Übersetzung, sprachl.
Bemerkungen und Erörterungen zum Verständnis. Progr.
des kgl. Friedrich-Wilhelm-Gymnasiums, Berlin 1864; Jesus im Verhältniß zu den Parteien seiner Zeit und zu Johannes dem Täufer. Apologet. Vortrag, Leipzig 1865; Augustins
und Goethes Faust. Vortrag, Berlin 1866; Schillers religiöse
Bedeutung, Berlin 1867; Die Propheten Obadjah, Jona, Micha, Nahum, Habakuk, Zephanja (Theol.-Homilet. Bibelwerk), 1868, 1893[2]; O. R. Hertwigs Tabellen zur Einleitung
in die kanon. und apocryph. Bücher des AT.s, hg. v. P. K.,
Berlin 1869[2]; Abriß der Einleitung zum AT in Tabellenform.
An Stelle der 3. Aufl. von Hertwigs Einleitungstabellen neu
bearb., Berlin 1878; Das Deuteronomium und der Deutero-
nomiker. Untersuchungen zur alttestamentl. Rechts- und
Lit.Gesch., Bielefeld/Leipzig 1872; Der bleibende Ruf Jesu
zum Reiche Gottes. Abschiedspredigt, Berlin 1876; Zur
prakt,. Theol.: ThStKr 53 (1880), 273-333, 55 (1882), 7-104
(Teilabdr. in: Gerhard Krause [Hg.], Prakt. Theol. WdF 264
[Darmstadt 1972] 123-133); Luther im Verhältnis zur Wis-
senschaft und ihren Lehren. Rede, Berlin 1883; Zum Gedächtnis Isaak August Dorners, † den 8. Juli 1884. Rede,
Berlin 1884; Vom Antheil der Univ. an der Vorbildung fürs
öffentliche Leben. Rektoratsrede, Berlin 1885; Beziehungen
Friedrichs des Großen zur Stiftung der Univ. Berlin. Rede,
Berlin 1886; Die revidierte Lutherbibel, Heidelberg 1888;
Zur christl. Kultus- und Kulturgesch. Abhandlungen und
Vorträge, Berlin 1889, Leipzig 1908[2]; Der Preuß. Agenden-
entwurf. Darlegungen und Erörterungen: ThStKr 67 (1894),
445-553 (= Sonderdr. Gotha 1894); Selbstgespräche am
kranken- und Sterbelager, hg., v. evang. Trostbunde (Berlin
1896, 1935[2] u. d. T. Das Sinnen der Nacht. Selbstgespräche
am Krankenlager, neu hg. und eingel. v. Alfred Uckeley);
Gesch. der Neujahrsfeier in der christl. Kirche: HWDH 24
(1900), 165-180; Die Profeten Israels in soz. Beziehung,
Leipzig 1905; Homiletik, Leipzig 1907; Musik und Religion, Gottesdienst und Volksfeier. Rückschau und Ausblick,
Leipzig 1908; Zur religionsgeschichtl. Stellung der Oden
Salomons: ThStKr 84 (1911), H. 4; Kirchengesangbuch -
Hausgesangbuch, in: Studien zur Reformations-Gesch. und
zur Prakt. Theol. für Kawerau (Leipzig 1917), 157-174;
Philothesia. FS P. K., Tübingen 1907.

Lit.: Heinrich Bassermann, Die Bedeutung der Prakt. Theol.
in der Ggw.: ZPrTh 1 (1879), 3-22; — K. G. H. Berner,
Schles. Landsleute. Ein Gedenkbuch hervorragender, in
Schlesien geborener Männer und Frauen aus der Zeit von
1180 bis zur Ggw., 1901; — Eduard Frhr. von der Goltz,
Grundfragen der prakt. Theologie. Das kirchl. Leben in
seinen elementaren Funktionen und Gemeinschaftsformen,
SPTh (G) 8, Gießen 1919; — Karl Holl, P. K.: Tägl. Rund-

schau, Unterhaltungsbeil. Nr. 168 v. 3.8.1920; — Martin Schian, Handb. für das geistl. Amt, Leipzig 1928, passim (Bibl.!); — Walter Elliger, 150 Jahre Theol. Fakultät Berlin. Eine Darst. ihrer Gesch. von 1810-1960 als Beitrag zu ihrem Jubiläum, Berlin 1960, 61 f.; — Walter Birnbaum, Theol. Wandlungen von Schleiermacher bis Karl Barth. Eine enzyklopädische Studie zur prakt. Theologie, Tübingen 1963; — Peter C. Bloth, P. K. und Friedrich Mahling. Zwei Konzepte Prakt. Theol. in Berlin zw. 1870 und 1933, in: Gerhard Besier/Christoph Gestrich (Hrsg.), 450 Jahre Evang. Theol. in Berlin, Göttingen 1989, 349-361; — RGG[1] III, 1518 f.; — RGG[2] III, 1073; — RGG[3]III, 1653.

Klaus-Gunther Wesseling

KLEINSCHMIDT, Beda, * 12.10. 1867 in Brakel Kreis Höxter, † 7.3. 1932 in Paderborn. — K. trat 1888 in die Sächsische Provinz des Franziskanerordens ein und wurde 1892 zum Priester geweiht. Zunächst war er Lektor in verschiedenen Ordenshäusern der Provinz, 1905 wurde er Rektor des Kollegs in Harreveld, ab 1910 in Vlodrop; 1915-1919 war K. Provinzialoberer. —

Er ist der Begründer der »Franziskanischen Studien« (1914 ff.). Selbst war er literarisch interessiert auf den Gebieten der christlichen Kunst und der religiösen Volkskunde.

Werke: Lehrbuch der christl. Kunstgesch., Paderborn 1910, 1926[2]; St. Franziskus in Kunst und Legende, Mönchengladbach 1911[2], 1936[5]; Die Basilica S. Francesco in Assisi, Berlin 1915-1928, 3 Bde.; Auslandsdeutschtum und Kirche, Münster 1930, 2 Bde.; Die hl. Anna, ihre Verehrung in Gesch., Kunst und Volkstum, Düsseldorf 1930; Antonius von Padua in Leben und Kunst, Kult und Volkstum, ebd. 1931.

Lit.: Jb. für den kath. Auslandsdeutschen 4 (1931/32), 83-101; — Franziskanische Studien 19 (1932), 171 f.; — Vita Seraphica (1932), 193-221; — W. Kosch, Das kath. Dtld., Augsburg 1933 ff., II, 2163 ff.; — ECatt VII, 714; — LThK [2]VI, 330 f.; — A. Mercati/A. Pelzer (Hrsg.), Dizionario ecclesiastico, Turin 1954-1958, II, 552; — NCE 210; — Encyclopedic Dictionary of Religion, Philadelphia-Washington, D. C. 1979, 1991.

Johannes Madey